Geografia

Geografia

Encyklopedia szkolna PWN

pod redakcją **Janusza Puskarza**

Wydawnictwo Naukowe PWN
Warszawa 2002

Projekt graficzny okładki

Andrzej Przygodzki

Dział Nowych Projektów i Wznowień

Krystyna Damm, Jolanta Chłopecka

Dział Ilustracji

Beata Chromik, Magdalena Dzwonkowska

Dział Kartografii

Sławomira Jarocińska

Archiwum elektroniczne

Barbara Chmielarska-Łoś

Redaktor techniczny

Maryla Broda

Inspektor produkcji

Ewa Lazarowicz

Korekta

Renata Zielińska, Danuta Rawska

Autorzy rysunków wielobarwnych, fotografii i map w tekście:

A. Achmatowicz-Otok, L. Adamski, Ambasada Arabii Saudyjskiej, Ambasada Bułgarii, H. Andrulewicz, M. Antoszewska-Moneta, Archiwum PWN, J. Babicki, D. Bagińska, L. Baraniecki, P. Barański, T. Barucki, M. Berger, Z. Bochenek, M. Bogacki, R. Bury, L. Charewicz, P. Ciaputa, L. Cichy, P. Czajkowski, M. Czaplicki, J. Czarnecki, M. Czasnojć, A. Czerny, M. Czerny, M. Dąbski, E. i K. Dębniccy, E. Dziuk, M. Dzwonkowska, East News, East News/A.G.E. Fotostock, East News/Rapho/Ch. Sappa, East News /Rex, East News/Rex/ R. Garner, East News/Rex/I. Goldhill, East News/Science Photo Library, East News/Sipa Image/Aral, East News/Sipa Image/G. Boutin, East News/Sipa Image/Frilet, East News/Sipa Image/G. Klein, East News/ Sipa Image/Lecointe, East News/Sipa Image/P. Renoit, East News/Sipa Image/B. Simmons, East News/Sipa Image/Sunstar, East News/Sipa Press/Alix, East News/Sipa Press/A. Boulat, East News/Sipa Press/G. Boutin, East News/Sipa Press/Clopet, East News/Sipa Press/Facelly, East News/Sipa Press/ Frilet, East News/Sipa Press/Murray White, East News/Sipa Press/M. Newman, East News/Sipa Sport, P. Fabijański, R. Firmhofer, T. Fryźlewicz, J. Gaczyńska, P. Gajek, G. Gałązka, K. Gardyna, A. Gaździcki, GEA/M. Błaszkiewicz, GEA/D. Raczko, Glob 4/M. Bortniczuk, Glob 4/M. Dłużewski, Glob 4/A. Kaliszuk, Glob 4/T. Komornicki, Glob 4/A. Pękalska, Glob 4/J. Piwowarczyk, Glob 4/E. Rojan, Glob 4/P. Rojan, R. Gołędowski, D. Gowin, M. Górski, J. Groch, J. Gruszczyńska, S. Gula, A. Guranowski, T. Guranowski, M. Guzy, T. Halik, J. Herok, J. Hohmann, T. Janecki, M. Jędrusik, S. Kałuski, J. Kamieniecka, K. Kamieniecki, J. Kąkol, B. Kędzierzawska, J. Kilian, T. Kniołek, M. Kochańczyk, T. Kokoszko, E. Komarzyńska, T. Komornicki, W. Konikowski, D. Koperska-Puskarz, M. Kosińska, B. Kowalewska, M. Kowalewski, J. Koziorowska, W. Kryński, W. Krzemiński, B. Kućmierowska, A. Kuklińska, M. Kulesza, J. Kurczab, S. Kuruliszwili, E. Kuźmiuk, W. Kwieciński, A. Lemisiewicz, B. Lemisiewicz, M. Lewandowski, T. Lijewski, G. Lisik, London Pictures Service, A. Łabęcka, D. Makowska, J. Makowski, K. Makowski, A. Maminajszwili, D. Martyn, A. Mazurkiewicz, K. Mazurkiewicz, W. Mizerski, J. Mordarski, J. Morek, W. Moskal, P. Mroziński, A. Musiał, NASA, Nowosti, Nowosti, J. Nyka, W. Okołowicz, A. Olej, Österreich Werbung/Bohnacker, Österreich Werbung/Gamsjager, Österreich Werbung/Weinhaeupl, M. Ostrowski, T. Ostrowski, M. Pawłowicz, K. Peńsko-Skoczylas, M. Piegat, A. Pieńkos, J. Piwowarczyk, G. Połutrenko, O. Puchalski, J. Puskarz, D. Raczko, K. Renik, E. Rojan, P. Rojan, J. Romanowski, J. Rudnik, M. Rychlicka, A. Ryttel, E. Sęczykowska, Z. Siemaszko, K. Siemieński, Sierakowska-Dyndo, A. Sierpińska, B. Skoczylas, M. Smętkowski, I. Sobieszczuk, T. Sokołowski, M. Sokólska-Połutrenko, M. Sokólska, O. Stanisławska, A. Stawicki, I. Swenson, J. Szewczyk, E. Szulc, E. Szymańska, A. Szymański, S. Tarasow, TASS, P. Tomaszewski, I. Tsermegas, J. Urlich, G. Uszyński, A. Walewski, K. Wiecha, K. Więckowski, M. Więckowski, T. Wites, M. Witkowska, M. Wojciechowski, M. Wojdecka, J. Wolniewicz, J. Wolski, L. Wróblewski, J. Zaim, M. Zaklukiewicz, E. Zarębska, L. Zielaskowski, Marcin Zieliński, Michał Zieliński, T. Zioło-Skałecka, M. Ziółkowski, A. Znamierowski, F. Zwierzchowski, Z. Żyburtowicz

Na okładce wykorzystano zdjęcia:

Digital Vision/Theta

Łamanie w systemie SGML z wykorzystaniem programu 3B2
LogoScript, Warszawa ul. Miodowa 10
Prezes *Iwonna Kowalska*

ISBN 83-01-13727-4

Wydawnictwo Naukowe PW
00-251 Warszawa, ul. Miodowa 10
tel.: (22) 6954321
faks: (22) 6954317
e-mail: pwn@pwn.com.pl
htpp: // www.pwn.com.pl

Wydanie I
Arkuszy druk. 88.5
Druk ukończono w kwietniu 2002 r.
Druk i oprawa: PERFEKT

Przedmowa

Oddajemy do rąk Czytelników *Encyklopedię szkolną PWN. Geografia*, jedną z trzech pierwszych encyklopedii przedmiotowych Wydawnictwa Naukowego PWN — wraz z *Encyklopedią szkolną PWN. Biologia* i *Encyklopedią szkolną PWN. Historia* — przeznaczonych przede wszystkim dla uczniów szkół ponadpodstawowych, zwłaszcza licealistów, którzy zdecydują się zdawać geografię na egzaminie maturalnym oraz tych, którzy będą musieli zdawać geografię w czasie egzaminu na wyższe uczelnie. *Encyklopedia szkolna PWN. Geografia* będzie też z pewnością przydatna w pracy nauczycielom, a także wszystkim miłośnikom geografii, ciekawym świata, w którym przyszło nam żyć.

Encyklopedia szkolna PWN. Geografia zawiera ok. 4,5 tysiąca haseł obejmujących różnorodne działy nauk geograficznych oraz nauk pokrewnych, takich jak np. geologia, geofizyka, fizyka atmosfery, których tematyka jest włączona do programu szkolnego geografii.

Teksty haseł zostały napisane przez specjalistów z poszczególnych dziedzin geografii — pracowników naukowych wielu polskich wyższych uczelni i Polskiej Akademii Nauk, a opracowane przez redaktorów Zespołu Encyklopedii Wydawnictwa Naukowego PWN, dysponujących ponad półwiekowym doświadczeniem i warsztatem największego polskiego wydawcy encyklopedii i słowników.

W *Encyklopedii szkolnej PWN. Geografia* szczególnie wiele miejsca zajmuje geografia fizyczna. Czytelnik znajdzie tu hasła pojęć i terminów geograficznych, a także hasła zjawisk i procesów kształtujących oblicze naszej planety. Zamieszczono również bardzo obszerne opracowania wszystkich kontynentów i części świata oraz hasła najważniejszych krain i innych obiektów fizycznogeograficznych (góry, rzeki, jeziora itp.). Wśród haseł artykułowych znalazło się oczywiście hasło „geografia" — szczegółowe omówienie zakresu badań tej nauki, historia jej rozwoju w świecie i w Polsce, podział na dziedziny.

Część Encyklopedii szkolnej PWN. Geografia zajmują hasła pojęć z geografii ekonomicznej, hasła państw, ważniejszych stanów i innych regionów autonomicznych oraz hasła stolic, wybranych miast świata, wszystkich polskich miast i województw. Dane dotyczące liczby ludności z datą 2002 to szacunki statystyk międzynarodowych, obrazujące tendencje zmian liczby ludności państw i miast świata. Dla Polski przyjęto dokładne dane z 2000.

Encyklopedia szkolna PWN. Geografia jest wzbogacona o ponad 100 map państw i wybranych regionów świata, zestawienia tabelaryczne, ponad 600 barwnych zdjęć i rysunków.

Wybór haseł z tak obszernej dziedziny, jaką jest geografia, ograniczony rozmiarami tej encyklopedii, jest oczywiście wyborem subiektywnym; mamy jednak nadzieję, że spotka się z uznaniem Czytelników. Prosimy o nadsyłanie na adres wydawnictwa uwag, ocen i propozycji, które postaramy się wykorzystać w kolejnych wydaniach.

Warszawa, kwiecień 2002 r.   *Janusz Puskarz*

Objaśnienia wstępne

Uwagi ogólne

W *Encyklopedii szkolnej PWN. Geografia* tytuły (główki) haseł podano tekstem półgrubym, synonimy, formy oboczne nazw — tekstem półgrubym o zmniejszonej wielkości czcionki w stosunku do kroju pisma użytego w tytule hasła. nazwy łacińskie (biologia), tytuły dzieł — kursywą.

Tytułem hasła jest w zasadzie rzeczownik w pierwszym przypadku, a w hasłach wielowyrazowych — jeżeli akcent treściowy pada na przymiotnik lub na rzeczownik w dopełniaczu — wyraz akcentujący tytuł hasła umieszczono na pierwszym miejscu, np. **geomorfologiczny cykl**, **Lessowa, Wyżyna**, **Bałkański, Półwysep**. W nawiasach kwadratowych [] podano wymowę, np. **Tahiti** [taiti], oraz języki, z których dany wyraz pochodzi (etymologię), np. **industrializacja** [łac.].

Obce nazwy geograficzne podano w pisowni oryginalnej w języku urzędowym, do nazw w językach posługujących się alfabetem niełacińskim zastosowano transkrypcję. Niektóre nazwy obce, od dawna przyswojone w polszczyźnie w brzmieniu odmiennym od oryginalnego, podano w wersji spolszczonej; wówczas obok tytułu podano nazwę w języku urzędowym, np. **Paryż**, **Paris**. W wypadku haseł państw podano formę oryginalną oraz nazwę oficjalną w języku polskim, np. **Dania**, **Danmark**, **Królestwo Danii**; jeśli w państwie jest kilka języków urzędowych, nazwę oryginalną podano w każdym z tych języków. Dla nazw w językach lokalnych w krajach afrykańskich (poza Etiopią i krajami arabskimi), które nie mają własnej pisowni, przyjęto oficjalny zapis w języku urzędowym danego kraju.

Zasady wymowy i transkrypcji

Wymowę podano w formie uproszczonej, sylaby niezmienione w wymowie zastępując z reguły ~ (tyldą). Nie podano wymowy łacińskiej, jej ogólne zasady przedstawiają się następująco:

c — wymawia się jak k przed: a, o, u, przed spółgłoską i na końcu wyrazu, jak c wymawia się przed e, i, y, ae, oe
ae, oe wymawia się jak e lub ö
ngu — ngw
ph — f
qu — kw
rh — r
su czasem jak sw
th — t
v — w
x — ks.

Różnorodność systemów transkrypcji, często znaczny stopień jej skomplikowania, wymagający specjalistycznego przygotowania spowodował zastosowanie w Encyklopedii zapisu uproszczonego w taki sposób, aby głoski języka obcego oddać, w miarę możliwości, za pomocą liter oznaczających najbliższe głoski polskie.

Ze względu jednak na występowanie, głównie w języku angielskim i francuskim, głosek całkowicie różniących się od dźwięków istniejących w języku polskim, zastosowano znaki specjalne:
ä („a" z dwiema kropkami) — samogłoska przednia szeroka, pośrednia między polskim „a" i „e"
ã („a" z znakiem ~) — „a" nosowe

ə („e" odwrócone) — samogłoska neutralna centralna, zupełnie obca językowi polskiemu, różniąca się od polskiego „e" przede wszystkim głębokim cofnięciem języka; brzmi jak mało wyraźne „e"
ɛ (epsilon) — samogłoska ścieśniona, zbliżona do polskiego „e", wymawiana z rozciągniętymi ustami
^{i} („i" podniesione) — po samogłosce oznacza osłabione polskie „j", po spółgłosce natomiast jej silne zmiękczenie
ŋ („n" z ogonkiem) — tylnojęzykowe „n", wymawiane podobnie jak w wyrazie polskim „bank" lub „ping-pong"
ö („o" z dwiema kropkami) — samogłoska ścieśniona, pośrednia między polskim „e" i „o"
^{r} („r" podniesione) — tzw. „r" fakultatywne wymawiane tylko w pewnych dialektach i odmianach języka angielskiego
ŧ („t" kreślone dwa razy) — spółgłoska szczelinowa bezdźwięczna, podobna do seplenionego „s" (język jest ułożony płasko między zębami)
đ („d" kreślone) — dźwięczny odpowiednik „ŧ", podobny do seplenionego „z"
ü („u" z dwoma kropkami) — samogłoska ścieśniona, pośrednia między „i" i „u"
^{u} („u" podniesione) — wymawiane jak polskie „u" w wyrazach „Europa" lub „pauza"
: (dwukropek) — oznacza, że poprzedzająca go samogłoska jest długa
kropka pod samogłoską — oznacza, że akcent wyrazowy pada na tę sylabę.

Alfabetyczny układ haseł

Za podstawę układu alfabetycznego przyjęto kolejność liter alfabetu polskiego, od małej do wielkiej; o kolejności haseł złożonych z dwu lub więcej wyrazów decyduje kolejność liter w pierwszym wyrazie, później następnych.

Odsyłacze

Niektóre z podanych form obocznych tytułów haseł, a także nazw spolszczonych, skrótowców, znane Czytelnikom nie mniej niż formy podstawowe, zapisano w postaci odsyłaczy prostych (np. **siodło** → antyklina) lub rozwiniętych (np. **Daszt-e Kawir**, pustynia w Iranie, → Słona, Wielka Pustynia). Kierują one od nazwy rzadziej stosowanej do hasła właściwego. Odsyłacze (→) w tekście hasła kierują do hasła, w którym omówiono problemy

celowo w haśle odsyłającym pominięte, oraz do hasła, którego główka jest terminem różnym od terminu użytego w haśle odsyłającym.
Odsyłacze „Zob. też" — stosowane wyłącznie na końcu hasła — wskazują na powiązania omówionych w haśle odsyłającym zagadnień z innymi, np. bardziej ogólnymi.

Skróty

Tytuł hasła powtarzający się w tekście został skrócony do pierwszej litery lub, w wypadku tytułów wielowyrazowych, do pierwszych liter kolejnych wyrazów we właściwej kolejności, np. **jaskinia** — j., **Północne, Morze** — M.P.
Oprócz skrótów i skrótowców przyjętych w pisowni i powszechnie używanych (wg Nowego słownika ortograficznego PWN): np. itp., i in., np., wg, zastosowano następujące skróty:

a

adm. — administracyjny
afg. — afgański
afryk. — afrykański
akad. — akademia
akust. — akustyczny
alb. — albański
alg. — algierski
alp. — alpejski
amer. — amerykański
AN — Akademia Nauk
ang. — angielski
anglik. — anglikański
angol. — angolski
antropol. — antropologiczny
arab. — arabski
aram. — aramejski
arch. — architektoniczny
archeol. — archeologiczny
archip. — archipelag (przed nazwą lub w nazwie)
argent. — argentyński
arkt. — arktyczny
arm. — armeński
artyst. — artystyczny
astr. — astronomiczny
atmosf. — atmosferyczny
atom. — atomowy
austr. — austriacki
austral. — australijski
autonom. — autonomiczny
azerb. — azerbejdżański
azjat. — azjatycki

b

b. — bardzo (poza hasłami na literę b)
babil. — babiloński
bałk. — bałkański
barok. — barokowy
bawełn. — bawełniany
belg. — belgijski
białorus. — białoruski
białost. — białostocki
bibl. — biblijny
biel. — bielski
biochem. — biochemiczny
biogr. — biograficzny
biol. — biologiczny
birm. — birmański
bizant. — bizantyński
bł. — błogosławiony
boliw. — boliwijski
bośn. — bośniacki
bot. — botaniczny
brazyl. — brazylijski
brun. — brunatny
bryt. — brytyjski
bud. — budowlany
bułg. — bułgarski
bydg. — bydgoski

c

cejl. — cejloński
celt. — celtycki
centr. — centralny
ceram. — ceramiczny
ces. — cesarski, cesarz (nie w wizytówce)
chełm. — chełmski
chełmiń. — chełmiński
chem. — chemiczny
chil. — chilijski

chiń. — chiński
chorw. — chorwacki
chrześc. — chrześcijański
ciech. — ciechanowski
cieśn. — cieśnina (przed nazwą lub w nazwie)
ciśn. — ciśnienie
cukr. — cukrowniczy
cypr. — cypryjski
cyw. — cywilny
czechosł. — czechosłowacki
czes. — czeski
częstoch. — częstochowski
czł. — członek

d

dekor. — dekoracyjny
demokr. — demokratyczny
dep. — departament (przed nazwą lub w nazwie)
dł. — długość (z liczbą)
dol. — dolar
dram. — dramatyczny
drewn. — drewniany
duń. — duński
dyn. — dynastia (z nazwą)

e

E — długość geograficzna wschodnia
egip. — egipski
eklekt. — eklektyczny
ekol. — ekologiczny
ekon. — ekonomiczny
ekwad. — ekwadorski
elb. — elbląski
elektr. — elektryczny
elektromagnet. — elektromagnetyczny
elektromaszyn. — elektromaszynowy
elektron. — elektroniczny
elektrotechn. — elektrotechniczny
energ. — energetyczny
est. — estoński
etnogr. — etnograficzny
eur. — europejski
eurazjat. — eurazjatycki
ewang. — ewangelicki

f

farm. — farmaceutyczny
film. — filmowy
filoz. — filozoficzny
finans. — finansowy
fiń. — fiński
fiz. — fizyczny
fizjol. — fizjologiczny
fizykochem. — fizykochemiczny
flam. — flamandzki
fot. — fotograficzny
fotochem. — fotochemiczny
franc. — francuski
futuryst. — futurystyczny

g

G. — góry (w nazwie)
gat. — gatunek
gdań. — gdański
gen. — generał (z nazwiskiem)
genet. — genetyczny
geod. — geodezyjny
geofiz. — geofizyczny

geogr. — geograficzny
geol. — geologiczny
geom. — geometryczny
germ. — germański
gęst. — gęstość
gł. — główny, głównie
głęb. — głębokość (z liczbą)
gnieźn. — gnieźnieński
gorz. — gorzowski
gosp. — gospodarczy
got. — gotycki
górn. — górniczy
gr. — grecki
graf. — graficzny
grub. — grubość (z liczbą)
gruz. — gruziński
gum. — gumowy

h

handl. — handlowy
hebr. — hebrajski
hind. — hinduski
hist. — historyczny
hiszp. — hiszpański
hod. — hodowlany
hol. — holenderski
hrab. — hrabstwo (z nazwą)
humanist. — humanistyczny
hutn. — hutniczy
hydrol. — hydrologiczny

i

im. — imienia (z nazwą)
ind. — indyjski
indiań. — indiański
indonez. — indonezyjski
inform. — informatyczny
irl. — irlandzki
isl. — islandzki
izrael. — izraelski

j

jap. — japoński
jądr. — jądrowy
jedwabn. — jedwabniczy
jeleniogór. — jeleniogórski
jez. — jezioro (przed nazwą lub w nazwie)
jugosł. — jugosławiański

k

k. — koło (koło przy nazwach miejscowości)
kal. — kaliski
kam. — kamienny
kamer. — kameralny
kanad. — kanadyjski
katol. — katolicki
katow. — katowicki
kiel. — kielecki
kier. — kierownik
kirg. — kirgiski
klas. — klasyczny
klasycyst. — klasycystyczny
klim. — klimatyczny
kol. — kolejowy
kom. — komitet
komunik. — komunikacyjny
komunist. — komunistyczny
kong. — kongijski
koniń. — koniński
konst. — konstytucyjny
kontynent. — kontynentalny

koreań. — koreański
kosm. — kosmiczny
koszal. — koszaliński
kośc. — kościelny
krak. — krakowski
krośn. — krośnieński
król. — królewski
krystal. — krystaliczny
kryt. — krytyczny
ks. — książę (z nazwiskiem)
kult. — kulturalny

l

l. — lewy (w hasłach geograficznych)
leczn. — leczniczy
legn. — legnicki
leszcz. — leszczyński
lib. — libijski
lit. — literacki
litew. — litewski
log. — logiczny
lotn. — lotniczy
lubel. — lubelski
lubus. — lubuski
lud. — ludowy
lwow. — lwowski
łac. — łaciński
łomż. — łomżyński
łódz. — łódzki
łuż. — łużycki

m

m. — miasto (z nazwą)
M. — Morze (w nazwie)
maced. — macedoński
magnet. — magnetyczny
maks. — maksymalny
malaj. — malajski
małopol. — małopolski
marok. — marokański
maszyn. — maszynowy
mat. — matematyczny
mazow. — mazowiecki
mebl. — meblarski
mech. — mechaniczny
med. — medyczny
meksyk. — meksykański
metal. — metalowy
metalurg. — metalurgiczny
meteorol. — meteorologiczny
mies. — miesiąc (z liczbą)
mieszk. — mieszkańcy (z liczbą)
międzynar. — międzynarodowy
miner. — mineralny
minim. — minimalny
mld — miliard (z liczbą)
mln — milion (z liczbą)
modernist. — modernistyczny
mołd. — mołdawski
mong. — mongolski
mor. — morski
muz. — muzyczny
muzułm. — muzułmański

n

N — szerokość geograficzna północna
n.e. — naszej ery
n.p.m. — nad poziomem morza
nacz. — naczelny
naft. — naftowy
nar. — narodowy

nauk. — naukowy
niderl. — niderlandzki
niem. — niemiecki
nieorg. — nieorganiczny
niz. — nizina (przed nazwą
  lub w nazwie)
NMP — Najświętsza Maria Panna
  (w hasłach ze sztuki)
norw. — norweski
nowocz. — nowoczesny
nowozel. — nowozelandzki
noważ. — nowożytny

o

O. — Ocean (w nazwie)
ob. — obecnie, obecna
obj. — objętość (z liczbą)
obuwn. — obuwniczy
obw. — obwód, obwodowy
odbud. — odbudowany
odzież. — odzieżowy
ogrodn. — ogrodniczy
ok. — około
olszt. — olsztyński
opol. — opolski
oprac. — opracował, opracowanie,
  opracowany
opt. — optyczny
org. — organiczny
organiz. — organizacyjny
orm. — ormiański
ośr. — ośrodek
oświat. — oświatowy

p

p.n. — pod nazwą
p.n.e. — przed naszą erą
p.p.m. — poniżej poziomu morza
palest. — palestyński
państw. — państwowy
pd. —południowy, południe
pedag. — pedagogiczny
pers. — perski
peruw. — peruwiański
petrochem. — petrochemiczny
piast. — piastowski
pil. — pilski
piotrk. — piotrkowski
plast. — plastyczny
płoc. — płocki
płw. — półwysep (przed nazwą
  lub w nazwie)
pn. — północny, północ
pocz. — początek, początkowo
podl. — podlaski
pol. — polski
polit. — polityczny
politechn. — politechnika
poł. — połowa
pomor. — pomorski
portug. — portugalski
pot. — potocznie, potoczny

pow. — powierzchnia (z liczbą)
pozn. — poznański
pr. — prawy (w hasłach
  geograficznych)
prakt. — praktyczny
prawosł. — prawosławny
proc. — procentowy
prof. — profesor
prostop. — prostopadły
protest. — protestancki
prow. — prowincja (przed nazwą
  lub w nazwie)
prus. — pruski
przebud. — przebudowany
przeł. — przełom
przem. — przemysłowy
przemys. — przemyski
przewodn. — przewodniczący
przyl. — przylądek (przed nazwą
  lub w nazwie)
przyr. — przyrodniczy
pt. — pod tytułem
publ. — publiczny

r

radom. — radomski
red. — redaktor
rel. — religijny
renes. — renesansowy
rep. — republika (przed nazwą
  lub w nazwie)
robotn. — robotniczy
rokok. — rokokowy
roln. — rolniczy
rom. — romański
romant. — romantyczny
ros. — rosyjski
rozbud. — rozbudowany
rozp. — rozpuszczalny
równol. — równoległy
rum. — rumuński
rus. — ruski
rz. — rzeka (przed nazwą
  lub w nazwie)
rzem. — rzemieślniczy
rzesz. — rzeszowski
rzeźb. — rzeźbiarski
rzym. — rzymski

s

S — szerokość geograficzna
  południowa
sandom. — sandomierski
serb. — serbski
siedl. — siedlecki
skand. — skandynawski
skiern. — skierniewicki
skórz. — skórzany
słow. — słowiański
słowac. — słowacki
słoweń. — słoweński

słup. — słupski
socjalist. — socjalistyczny
sow. — sowiecki
społ. — społeczny
sport. — sportowy
spoż. — spożywczy
spółdz. — spółdzielczy
St. — Saint
stal. — stalowy
staropol. — staropolski
staroż. — starożytny
statyst. — statystyczny
stoczn. — stoczniowy
stol. — stolica
stow. — stowarzyszenie
sumer. — sumeryjski
suwal. — suwalski
syber. — syberyjski
symbol. — symboliczny
symf. — symfoniczny
syntet. — syntetyczny
syr. — syryjski
szczec. — szczeciński
szer. — szerokość (z liczbą)
szkl. — szklarski
szwajc. — szwajcarski
szwedz. — szwedzki
śred. — średnica (z liczbą)
średniow. — średniowieczny
środk. — środkowy
śródziemnomor. — śródziemnomorski
św. — święty
świat. — światowy

t

tab. — tabela
tadż. — tadżycki
tarn. — tarnowski
tarnob. — tarnobrzeski
tatar. — tatarski
teatr. — teatralny
techn. — techniczny
technol. — technologiczny
telef. — telefoniczny
telekomunik. — telekomunikacyjny
telew. — telewizyjny
temp. — temperatura
teol. — teologiczny
teoret. — teoretyczny
tor. — toruński
tow. — towarzystwo
trad. — tradycyjny
transp. — transportowy
tropik. — tropikalny
tur. — turecki
turkm. — turkmeński
turyst. — turystyczny
tybet. — tybetański
tys. — tysiąc (z liczbą)
tysiącl. — tysiąclecie

u

ukr. — ukraiński
uniw. — uniwersytet
urb. — urbanistyczny
urugw. — urugwajski
utw. — utworzony
uzb. — uzbecki

w

W — długość geograficzna
  zachodnia
W. — wyspa (w nazwie)
w. — wiek
W. Brytania — Wielka Brytania
wałb. — wałbrzyski
warsz. — warszawski
wełn. — wełniany
wewn. — wewnętrzny
węg. — węgierski
wielkopol. — wielkopolski
wietn. — wietnamski
wł. — włoski
właśc. — właściwie
włocł. — włocławski
włók. — włókienniczy
woj. — województwo, wojenny
wojew. — wojewódzki
wojsk. — wojskowy
WP — Wojsko Polskie
wrocł. — wrocławski
wsch. — wschodni, wschód
współcz. — współczesny
współrz. — współrzędna
wulk. — wulkaniczny
wyd. — wydany, wydanie,
  wydawca, wydawany, wydawać
wys. — wysokość (z liczbą)
wyż. — wyżyna (przed nazwą
  lub w nazwie)

z

zach. — zachodni, zachód
zagr. — zagraniczny
zał. — założony, założył, założyciel
zam. — zamojski
zast. —
zat. — zatoka (przed nazwą
  lub w nazwie)
zaw. — zawodowy
zbud. — zbudowany
zewn. — zewnętrzny
zielonogór. — zielonogórski
zjedn. — zjednoczony
zł — złoty
zob. — zobacz
zoogeogr. — zoogeograficzny
zool. — zoologiczny
zw. — zwany
zwł. — zwłaszcza
żegl. — żeglowny, żeglarski
żyd. — żydowski

A

Abchazja, Apsny, republika w Gruzji, nad M. Czarnym, na stokach Wielkiego Kaukazu; 8,6 tys. km²; 517 tys. mieszk. (1993), w tym Abchazowie 18%; stol. Suchumi; uprawy: herbata, rośliny cytrusowe, winorośl, tytoń, drzewo tungowe, kukurydza; hodowla, pszczelarstwo; kąpieliska i uzdrowiska (Gagra, Gudauta, Picunda, Nowy Aton); doliną Kodori przechodzi Suchumska Droga Wojenna (ze Stawropola). ■

Abidżan, Abidjan, największe m. Wybrzeża Kości Słoniowej, nad Zat. Gwinejską; zespół miejski 3,9 mln mieszk. (2002); gł. port, ośr. gosp. (przemysł petrochem., włók.), nauk. (uniw.) i turyst. kraju; międzynar. port lotn.; zał. w latach 80. XIX w. ■

abisal [gr.], **abysal, strefa głębinowa,** strefa w morzach i oceanach, obejmująca bezświetlne wody i część dna (basen oceaniczny); sięga od około 1700 m w głąb; brak w niej roślin fotosyntetyzujących, występuje natomiast fauna głębinowa (nekrofagi, drapieżce), korzystająca z materii org. docierającej ze strefy pelagialu i litoralu.

Abisyńska, Wyżyna, rozległa wyżyna w Afryce, w zach. i pn. części Etiopii, oddzielona od Wyż. Somalijskiej Rowem Abisyńskim. Zbudowana z prekambryjskich skał metamorficznych i magmowych stanowiących fundament starej platformy afryk., przykrytych (miejscami) mezozoicznymi skałami osadowymi (piaskowce, wapienie), a następnie potężną pokrywą skał wylewnych, gł. bazaltów (do 2000 m miąższości). Ponad powierzchnię wyżyny (wys. 2000–3000 m) wznoszą się strome twardzielce, gł. bazaltowe (zw. ambami) oraz pojedyncze masywy górskie (m.in. Semien, Czokie); najwyższe szczyty W.A. są gł. stożkami wygasłych wulkanów, wśród nich Ras Daszan (4620 m); powierzchnia W.A. pocięta rowami tektonicznymi i głębokimi dolinami licznych rzek (Nil Błękitny, Omo, Sobat, Auasz, Atbara); w środk. części jez. Tana. Klimat podrównikowy wilgotny (odmiana górska), na pn. podrównikowy suchy; średnia roczna suma opadów zróżnicowana — od 500 mm na pn. krańcach i wsch. stokach do 1000–1500 mm, a nawet 2000 mm (w niższych piętrach) na stokach zach.; charakterystyczne piętra klim.-roślinne; piętro „kolla" (do 1700–1800 m) — gorące z półpus-

tyniami (trawiaste, krzewiaste i sukulentowe) i niskimi kolczastymi zaroślami na wsch. i pn.--wsch. oraz sawannami i skrawkami lasów wiecznie zielonych na zach. i pd.-zach.; piętro „uojna dega" (do 2500–2600 m) — umiarkowanie ciepłe z wysokopiennymi lasami górskimi (dziś silnie wytrzebionymi), uprawami roln. i plantacjami eukaliptusów; piętro „dega" (do 3500 m) — umiarkowanie chłodne z niskopiennymi lasami górskimi (jałowce, bambusy) i zaroślami wrzosców; piętro „czokie" (powyżej 3500 m) — chłodne z roślinnością wysokogórską (afroalp.). Złoża złota i platyny (eksploatowane), rud manganu i in.

■ Abchazja. Okolice Przełęczy Kluchorskiej w Wielkim Kaukazie

■ Abidżan. Widok ogólny, na pierwszym planie parlament

ablacja lodowcowa, topnienie lodowca w miarę jego spływania w cieplejsze strefy, poniżej granicy wiecznego śniegu; jest spowodowana pochłanianiem energii promieniowania słonecznego oraz dopływem ciepła z głębi Ziemi; w stanie stacjonarnym lodowca ablacja jest równoważona dopływem mas lodu z wyższych części lodowca; gdy ablacja przewyższa dopływ lodu — lodowiec cofa się, gdy jest mniejsza — posuwa się do przodu.

abrazja [łac.], proces będący jednym z gł. czynników erozji, polegający na ścieraniu podłoża skalnego przez luźny materiał skalny (głazy, okruchy) ustawicznie przemieszczany przez prąd rzeczny, prądy i falowanie morza, wiatr, lodowiec; także na wzajemnym ścieraniu materiału skalnego, wskutek czego ulega on rozdrobnieniu i obtoczeniu. Przy wysokim brzegu morza, atakowanym przez fale, a. prowadzi do powstania stromego, podciętego urwiska brzegowego zw. → klifem oraz płaskiej powierzchni

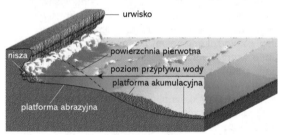

■ Abrazja. Niszczenie wysokich brzegów przez fale morskie; platforma abrazyjna i akumulacyjna

u jego podnóża, zw. platformą abrazyjną; zwykle platforma abrazyjna jest wąska (szerokość od kilku do kilkunastu m), niekiedy jednak, gdy poziom morza powoli się podnosi lub ląd się obniża, może osiągnąć kilkadziesiąt km szerokości (np. wybrzeża Norwegii). ■

Abruzja, Abruzzi, region autonomiczny Włoch, nad M. Adriatyckim; 10,8 tys. km², 1,3 mln mieszk. (2002); gł. m.: L'Aquila (stol.), Pescara; górzysta — Apeniny Środk. z najwyższym pasmem Abruzzy; uprawa zbóż, winorośli, oliwek; hodowla owiec; wydobycie gazu ziemnego; turystyka: kąpieliska mor., ośrodki sportów zimowych w górach, Park Nar. Abruzzo.

Abu Zabi, Abu Dhabi, największy z emiratów w Zjedn. Emiratach Arab., na Płw. Arabskim i wyspach: Abu Zabi, Das w Zat. Perskiej; 73 tys. km², 1,2 mln mieszk. (2002); stol. Abu Zabi; nizinny i pustynny (pustynia Ar-Rub al-Chali); podstawą gospodarki wydobycie, zwł. podmor., i eksport ropy naft.; przemysł rafineryjny, nawozów sztucznych, odsalania wody mor.; w oazach uprawa zbóż i palmy daktylowej. Jeden z emiratów tzw. Wybrzeża Piratów.

Abudża, Abuja, stol. Nigerii, w Stołecznym Terytorium Federalnym; zespół miejski 565 tys. mieszk. (2002); 1991 formalne przeniesienie stol. z Lagos do A.

Aconcagua [akoŋkągua], **Cerro Aconcagua,** szczyt w Kordylierze Głównej (Andy Pd.), w Argentynie, najwyższy w Ameryce; wys. 6960 m — wierzchołek pn. (Cumbre Norte), 6930 m — pd. (Cumbre Sur); stanowi kulminację masywu

■ Aconcagua

Aconcagua o dł. ok. 60 km i szer. 20–30 km; zbud. z andezytów nasuniętych na mezozoiczne skały osadowe w wyniku ruchów górotwórczych; uważany do niedawna za szczyt wulk.; granica wiecznego śniegu na wys. ok. 4500 m na stokach pd. i ok. 6000 m na pn.; lodowce; 1897 zdobyty po raz pierwszy przez Szwajcara M. Zurbriggena, 1934 — przez pierwszą pol. wyprawę andyjską (S. Daszyński, K. Jodko-Narkiewicz, S. Osiecki, W. Ostrowski); 1985 pol. wyprawa alpinistyczna — W. Rutkiewicz jako jedna z pierwszych kobiet pokonała słynną ścianę pd.; cel licznych wypraw alpinistycznych. ■

Adamawa, franc. **Massif de l'Adamaoua,** wyżyna w Kamerunie, częściowo w Nigerii i Rep. Środkowoafryk.; zbud. gł. z gnejsów prekambryjskich i młodszych skał wylewnych; ponad powierzchnię wyżyny (wys. 1000–1500 m) wznoszą się oddzielne góry, gł. wulk. (Bamboutos, 2740 m); obszar źródłowy rz. Benue, Sanaga, Logone; wiecznie zielone lasy (na pd.) oraz sawanny (na pn.).

Addis Abeba, stol. Etiopii, na Wyż. Abisyńskiej, na wys. ok. 2420 m; 2,6 mln mieszk. (2002); siedziba Organizacji Jedności Afrykańskiej i Komisji Gosp. ONZ ds. Afryki; przemysł gł. spoż., lekki i cementowy; rzemiosło; uniw.; węzeł komunik.; zał. 1887, od 1889 stol. państwa; pałace (gł. XIX w., m.in. cesarski); w pobliżu ruiny monolitycznych kościołów (ok. XVI w.).

Adeli, Wybrzeże, Adélie Coast, dawniej **Ziemia Adeli,** przybrzeżna część Antarktydy Wsch. (Ziemia Wilkesa), nad M. d'Urville'a (O. Indyjski), między Wybrzeżem Klary i Wybrzeżem Jerzego V; pow. ok. 432 tys. km²; wys. do ok. 2500 m; ma charakter płaskowyżu zbud. ze skał metamorficznych, całkowicie pokrytego lądolodem; znane z najsilniejszych wiatrów na Antarktydzie (maks. zaobserwowana prędkość wiatru — 90 m/s); latem kolonie fok, pingwinów Adeli i niektórych ptaków oceanicznych; na pn. od W.A. leży biegun magnet. (N); u W.A., na wyspie Petrel, franc. stacja nauk. „Dumont d'Urville".

Aden, 'Adan, m. w pd. Jemenie, w kraterze wygasłego wulkanu, nad Zat. Adeńską; 510 tys. mieszk. (2002); rafineria ropy naft., stocznia, odsalarnia wody mor., zakłady włók.; gł. port handl. i rybacki kraju, międzynar. port lotn.; ośr. handlu tranzytowego na szlaku O. Indyjski–M. Śródziemne; uniw.; zabytkowe meczety; port znany od staroż.; w pobliżu wielkie, kamienne zbiorniki na wodę.

Adeńska, Zatoka, arab. **Khalīj 'Adan,** ang. **Aden Bay,** zatoka M. Arabskiego (O. Indyjski), między płw. Arabskim i Somalijskim; połączona cieśn. Bab al-Mandab z M. Czerwonym; głęb. do 5390 m (rów Alula Fartak); temp. wód powierzchniowych 26–30°C, zasolenie 33,5–36,5‰; gł. porty Aden, Berbera.

Admiralicji, Zatoka, ang. **Admiralty Bay,** zatoka O. Atlantyckiego w Antarktyce, u pd. brzegów Wyspy Króla Jerzego w Szetlandach Pd.; pow. 122 km², głęb. do 535 m; na zach. brzegu, na pd.-wsch. od przyl. Thomas, od 1977 działa stała pol. stacja polarna Arctowski.

Adriatyckie, Morze, Adriatyk, wł. Mare Adriatico, serbskochorw. **Jadransko more, Jadran,** słoweń. **Jadransko morje, Jadran,** alb. **Deti Adriatik,** morze u pd. wybrzeży Europy, pn. odgałęzienie M. Śródziemnego, między płw. Apenińskim i Bałkańskim; pow. 139 tys. km², głęb. do ok. 1400 m; większe zat.: Kvarner z Rijecką, Wenecka, Manfredonia; wzdłuż wybrzeży sło-

■ Morze Adriatyckie. Wyspa Sveti Stefan w Jugosławii

weń., chorw., czarnogórskiego i alb. liczne wyspy, największe: Krk, Cres i Brač; temp. wód powierzchniowych od 24–26°C w sierpniu do 7–14°C w lutym; zasolenie od 4–5‰ przy ujściu Padu do 38,5‰ na pd.; połowy sardyny, tuńczyków, makreli; pod dnem M.A. — złoża ropy naft. i gazu ziemnego, eksploatowane u wybrzeży Włoch; gł. porty: Triest, Wenecja, Bari, Rijeka, Split, Dubrownik, Durrësi; liczne kąpieliska o międzynar. znaczeniu; znacznie zanieczyszczone, zwł. na pn.-zach. przez wody Padu. ■

adwekcja [łac.], poziomy ruch mas powietrznych; powoduje napływanie nad dany teren powietrza o innych właściwościach (np. temperaturze, wilgotności) niż poprzednio zalegające; stąd terminy: a. ciepła, a. wilgotności itp.; jedna z przyczyn zmian pogody.

Adyga, Adige, rz. w pn. Włoszech; dł. 410 km, pow. dorzecza 12,2 tys. km²; źródła w Alpach Oetztalskich; w środk. biegu opływa zach. stoki Dolomitów; na Niz. Padańskiej ujęta w wysokie wały przeciwpowodziowe; płynie równolegle do Padu; uchodzi do Zat. Weneckiej, powiększając deltę Padu; gł. dopływ Isarco (l.); elektrownie wodne; żegl. 300 km; nad Adygą m.: Bolzano, Trydent, Werona.

Adygeja, Adyge, republika w Rosji, na Kaukazie; 7,6 tys. km²; 442 tys. mieszk. (2002), w tym Adygejczycy 22%; stol. Majkop; przemysł spoż., drzewny, maszyn.; wydobycie gazu ziemnego;

uprawy: zboża, słonecznik, buraki cukrowe, drzewa owocowe, winorośl, tytoń; hodowla bydła, pszczelarstwo; Rezerwat Kaukaski.

Adżman, 'Ajmān, najmniejszy z emiratów w Zjedn. Emiratach Arab., na Płw. Arabskim, nad Zat. Perską; składa się z 3 odrębnych, pustynnych enklaw; 280 km², 155 tys. mieszk. (2002); stol. Adżman; wydobycie ropy naft.; uprawa palmy daktylowej. Jeden z emiratów tzw. Wybrzeża Piratów.

aerozole atmosferyczne, aerozole, w których fazą rozpraszającą jest powietrze, a fazą rozproszoną ciekłe i stałe cząstki stanowiące zanieczyszczenia atmosfery ziemskiej (m.in. cząstki rozpylonych gleb i wietrzejących skał, pyły wulk., a także produkty działalności gosp. człowieka: związki metali, węglowodory aromatyczne i in.).

Afar, Kotlina Danakilska, zapadlisko tektoniczne w Etiopii i Dżibuti, między Wyż. Abisyńską i Wyż. Somalijską a G. Danakilskimi na wybrzeżu M. Czerwonego, część systemu Wielkich Rowów Afrykańskich; w części pn. wydłużona depresja z jez. Asale (116 m p.p.m.) pokryta wydmami, w części pd. płaskowyż (średnia wys. 500 m) z pojedynczymi stożkami wulk. (Ajelu, 2010 m); we wsch. części A. depresja jez. Assal (150 m p.p.m.) — najniższy punkt Afryki; wzdłuż zapadliska czynne wulkany; liczne gorące źródła; klimat podrównikowy suchy (jeden z najgorętszych obszarów świata, z maks. temp. powyżej 44°C); poza rz. Auasz brak rzek stałych; roślinność gł. półpustynna i pustynna.

Afganistan, Afğānestān, Islamskie Państwo Afganistanu, państwo w Azji Zach., na pn.-wsch. Wyż. Irańskiej i w Hindukuszu; 652,1 tys. km²; 24,4 mln mieszk. (2002), ponad 2 mln uchodźców afg., gł. w Pakistanie; Pasztunowie, zw. Afganami, Tadżycy, Hazarowie, Uzbecy, Turkmeni; muzułmanie; większość ludności żyje w strukturach plemiennych; stol. Kabul, inne gł. m.: Kandahar, Herat; język urzędowy: paszto, dari; republika muzułmańska. Ponad 50% pow. kraju jest położone na wys. ponad 2000 m; w środk. części Hindukusz (Noszak, 7485 m), na pd. wyżynne kotliny; klimat podzwrotnikowy kontynent. suchy i skrajnie suchy; stepy i pustynie (Margo, Registan); rzeki stałe (Amu-daria, Kabul) i okresowe. Gospodarka zniszczona długotrwałą wojną, podstawą — tradycyjne rolnic-

■ Afganistan

■ Afganistan. Pola uprawne w dolinie Bamjan, w Hindukuszu

two; koczownicze pasterstwo owiec, kóz i wielbłądów; na terenach sztucznie nawadnianych uprawa pszenicy, bawełny, owoców; rzemiosło (dywany, wyroby skórz., broń); wydobycie szmaragdów, lazurytu — największe złoża w świecie, eksploatowane od kilku tysięcy lat. ■

afotyczna strefa, głęboka warstwa wód jezior, mórz i oceanów, do której nie dociera światło słoneczne, leżąca poniżej strefy fotycznej; sięga w jeziorach od ok. 400 m w głąb, w morzach od ok. 1700 m (→ abisal), w zależności od przezroczystości wody.

Afryka, kontynent położony w większości na półkuli wsch., po obu stronach równika; od Europy oddzielona M. Śródziemnym (najmniejsza odległość wynosi 14 km, w Cieśn. Gibraltarskiej), od Azji M. Czerwonym z Zat. Sueską i Kanałem Sueskim; od zachodu oblewa ją O. Atlantycki, a od wschodu O. Indyjski. Największa rozciągłość południkowa wynosi ok. 8000 km, od przyl. Ras al-Ghiran (37°21′N na północy do Przyl. Igielnego (34°51′S) na południu, a równoleżnikowa ok. 7500 km, pomiędzy przyl. Almadi (17°33′W) na zach. i Hafun (51°23′E) na wschodzie. Pod względem pow. — 30,3 mln km^2, A. jest drugim po Eurazji kontynentem Ziemi.

Warunki naturalne

A. jest zwartym kontynentem o słabo rozwiniętej linii brzegowej. Długość linii brzegowej wynosi 30,5 tys. km, a powierzchnia lądu ponad 30 mln km^2, tak więc na 1 km wybrzeża przypada 990 km^2 lądu. Około 95% pow. kontynentu stanowi masywny trzon lądowy. Cokół kontynent. zaznacza się wyraźnym progiem, szelfu prawie brak lub jest bardzo wąski, jego przeciętna szerokość nie przekracza 50–100 km. Największa odległość od lądu izobaty 200 m wynosi 250 km i tworzy płyciznę Agulhas, ciągnącą się od pd. wybrzeży kontynentu do podmor. płaskowyżu Agulhas. Jedynymi większymi półwyspami są Płw. Somalijski nad O. Indyjskim i Barka nad M. Śródziemnym. W pn.-wsch. części nieduże półwyspy i przylądki tworzą wcinające się w morze pasma Atlasu. Podobnie na południu, z przebiegiem G. Przylądkowych jest związane powstanie półwyspu z Przyl. Dobrej Nadziei. Półwysep Zielonego Przylądka na zach. wybrzeżu, w Senegalu, jest wulkaniczną wyspą połączoną mierzeją z lądem. Wyspy stanowią ok. 2% powierzchni A. Największy jest Madagaskar, powiązany strukturalnie z kontynentem. Na O. Indyjskim znajdują się archipelagi Komorów, Seszeli i Maskarenów a w obrębie szelfu kon-

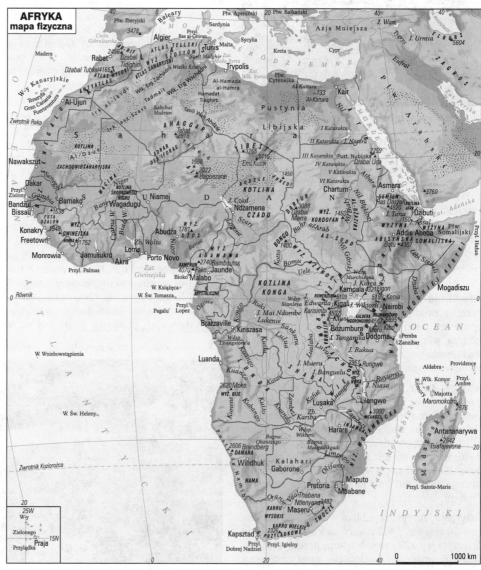

tynent. wyspa Sokotra, na O. Atlantyckim — Wyspy Kanaryjskie, Wyspy Zielonego Przylądka, Wyspy Św. Tomasza i Książęca oraz Wyspa Św. Heleny.

Ukształtowanie powierzchni. W A. przeważają wyżyny, co sprawia, że średnia wysokość kontynentu wynosi 660 m, ponad 75% jego powierzchni leży na wys. 300–2000 m. Najwyższym punktem jest szczyt Kibo w wulk. masywie Kilimandżaro (5895 m) a najniższym — jez. Assal (150 m p.p.m.) w tektonicznej kotlinie Afar. W rzeźbie A. dominują rozległe wyżyny o zrównanych, monotonnych powierzchniach opadające stromymi progami na wybrzeżach, a łagodnie — ku kotlinom wewnętrznym.

Charakterystyczną cechą ukształtowania powierzchni A. jest obecność wielkich kotlin otoczonych progami, wyżynami lub masywami górskimi, których powstanie wiąże się z tektoniką krystal. fundamentu platformy afrykańskiej. Kotliny są tektonicznymi nieckami a progi i wyżyny obszarami wypiętrzeń krystal. podłoża. W niektórych częściach wybrzeży, również tektonicznie obniżonych, występują dość rozległe niziny. Północne i pd. krańce kontynentu zajmują góry fałdowe. Najmłodszym górotworem,

sfałdowanym w orogenezie alpejskiej jest Atlas, rozciągający się wzdłuż pn.-zach. wybrzeża A. W jego skład wchodzą równoleżnikowo ułożone pasma, z których najwyższe — Atlas Wysoki przekracza 4000 m (Dżabal Tubkal, 4165 m). Pasma nadbrzeżne tworzą Ar-Rif i Atlas Tellski, środk. — Atlas Wysoki, Atlas Średni i Atlas Saharyjski, pd. — Antyatlas, sfałdowany jeszcze w paleozoiku. Pomiędzy Atlasem Saharyjskim a Atlasem Tellskim rozciąga się na wys. 800–1200 m Wyż. Szottów. Na pd. skraju kontynentu leżą znacznie starsze G. Przylądkowe, sfałdowane w orogenezie hercyńskiej. Najwyżej wyniesioną częścią A. jest położona na wsch. Wyż. Abisyńska (powyżej 4600 m) oraz liczne zrębowe masywy i wulkany powstałe wzdłuż stref ryftowych. Zróżnicowanie wysokości pozwala podzielić A. na 2 części: A. Niską, obejmującą pn. i środk. część kontynentu, o średniej wys. do 1000 m oraz A. Wysoką, rozciągającą się od Wyż. Abisyńskiej po pd. krańce kontynentu, ze średnią wys. ponad 1000 m.

W A. Niskiej największą powierzchnię zajmują Kotliny: Zachodniosaharyjska i Środk. Nigru. Pod względem budowy geol. są to 2 odrębne, choć o podobnych cechach jednostki, oddzielone

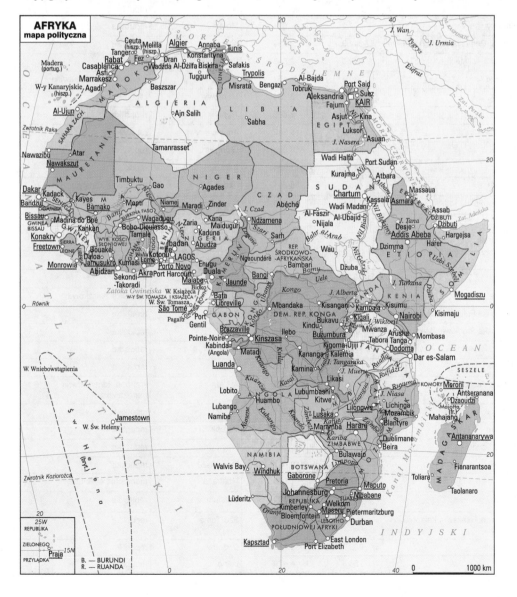

PODZIAŁ POLITYCZNY AFRYKI				
Państwo lub terytorium	Powierzchnia w tys. km²	Ludność w tys. (2000)	Stolica lub ośrodek administracyjny	Ustrój lub status polityczny
Państwa niepodległe				
Algieria	2 381,7	31 471	Algier	republika
Angola	1 246,7	12 878	Luanda	republika
Benin	112,6	6 097	Porto Novo	republika
Botswana	581,7	1 622	Gaborone	republika
Burkina Faso	274,2	11 937	Wagadugu	republika
Burundi	27,8	6 645	Bużumbura	republika
Czad	1 284,0	7 651	Ndżamena	republika
Dżibuti	23,2	638	Dżibuti	republika
Egipt[a]	1 001,4	68 470	Kair	republika
Erytrea	117,6	3 850	Asmara	republika
Etiopia	1 104,3	62 565	Addis Abeba	republika
Gabon	267,7	1 226	Libreville	republika
Gambia	11,3	1 305	Bandżul	republika
Ghana	238,5	20 212	Akra	republika
Gwinea	245,9	7 430	Konakry	republika
Gwinea Bissau	36,1	1 213	Bissau	republika
Gwinea Równikowa	28,1	4453	Malabo	republika
Kamerun	475,4	15 085	Jaunde	republika
Kenia	580,4	30 080	Nairobi	republika
Komory	2,2	694	Moroni	republika
Konga, Demokratyczna Republika[b]	2 344,9	51 654	Kinszasa	republika
Kongo	342,0	2 943	Brazzaville	republika
Lesotho	30,4	2 153	Maseru	monarchia konstytucyjna
Liberia	111,4	3 154	Monrowia	republika
Libia	1 759,5	5 605	Trypolis	republika
Madagaskar	587,0	15 942	Antananarywa	republika
Malawi	118,5	10 925	Lilongwe	republika
Mali	1 240,2	11 234	Bamako	republika
Maroko	446,6	28 351	Rabat	monarchia konstytucyjna
Mauretania	1 025,5	2 670	Nawakszut	republika
Mauritius	2,0	1 158	Port Louis	republika
Mozambik	801,6	19 680	Maputo	republika
Namibia	824,3	1 726	Windhuk	republika
Niger	1 267,0	10 730	Niamej	republika
Nigeria	923,8	111 506	Abudża	republika związkowa
Republika Południowej Afryki	1 221,0	40 377	Kapsztad[c]	republika
Republika Środkowoafrykańska	623,0	3 615	Bangi	republika
Republika Zielonego Przylądka	4,0	428	Praja	republika
Ruanda	26,3	7 733	Kigali	republika
Sahara Zachodnia[d]	266,0	293	Al-Ujun	kraj pod administracją marokańską
Senegal	196,7	9 481	Dakar	republika
Seszele	0,5	77	Victoria	republika
Sierra Leone	71,7	4 854	Freetown	republika
Somalia	637,7	10 097	Mogadiszu	republika
Suazi (Ngwane)	17,4	1 008	Mbabane	monarchia absolutna
Sudan	2 505,8	29 490	Chartum	republika
Świętego Tomasza i Książęca, Wyspy	1,0	147	São Tomé	republika
Tanzania	883,7	33 517	Dodoma	republika
Togo	56,8	4 629	Lomé	republika

Państwo lub terytorium	Powierzchnia w tys. km²	Ludność w tys. (2000)	Stolica lub ośrodek administracyjny	Ustrój lub status polityczny
Tunezja	163,6	9 586	Tunis	republika
Uganda	241,0	21 778	Kampala	republika
Wybrzeże Kości Słoniowej	322,5	14 786	Jamusukro	republika
Zambia	752,6	9 169	Lusaka	republika
Zimbabwe	390,8	11 669	Harare	republika
Terytoria niesamodzielne i zależne				
Brytyjskie Terytorium Oceanu Indyjskiego	0,06	1		terytorium zamorskie W. Brytanii
Majotta	0,4	134	Dzaoudzi	zbiorowość terytorialna Francji
Reunion	2,5	699	Saint-Denis	departament zamorski Francji
Święta Helena[e]	0,3	6	Jamestown	terytorium zamorskie W. Brytanii
Ceuta i Melilla[f]	0,03	133		integralna część Hiszpanii na terytorium Maroka

[a] Łącznie z płw. Synaj należącym do Azji; [b] do 1997 p.n. Zair; [c] siedzibą rządu jest Pretoria; [d] Saharyjska Arabska Republika Demokratyczna, proklamowana 1976 przez Front Polisario, została uznana przez państwa Organizacji Jedności Afrykańskiej i niektóre inne państwa (łącznie do 1991 przez 70 krajów); [e] Wyspa Św. Heleny, Wyspa Wniebowstąpienia oraz Tristan da Cunha; [f] miasta portowe Ceuta i Melilla oraz niewielkie wyspy przybrzeżne.

wyniesieniem prekambryjskiego podłoża tarczy liberyjskiej, która prawie łączy się z tarczą Ahaggaru. W rzeźbie próg ten zaznacza się bardzo słabo. Dno kotliny znajduje się na wys. 0–200 m. Najniżej położoną częścią jest niecka Al-Dżuf. W lokalnych obniżeniach kotliny powstały okresowe słone jeziora, nazywane szottami lub sebkami, największe Sabchat Mukran leży na wys. do 137 m. Rozleglejsze obniżenia wypełniają ergi, są to m.in. Irk al-Ikidi, Irk asz-Szasz. Pomiędzy płaskowyżem Adrar des Iforas na pn. a niewielkimi wyżynami Bandiagara i Hombori na pd. znajdują się rozległe równiny i rozlewiska tzw. wewn. delty Nigru (Macina). W środk. części kontynentu znajduje się druga wielka kotlina Afryki Niskiej — Kotlina Czadu. Jest to niecka tektoniczna, w której skały prekambryjskie są przykryte młodszymi utworami, w pn.-wsch. części paleozoicznymi, a w centr. na mor. osadach kredowych leżą lądowe utwory trzeciorzędowe i jeziorne lub eoliczne osady czwartorzędowe. W pd. części kotliny, na wys. 240 m znajduje się jez. Czad, charakteryzujące się zmiennym poziomem wody, a tym samym zmienną wielkością powierzchni. Pozostałością większego niż obecnie zasięgu Czadu są bagna i tereny podmokłe. Najniższy punkt Kotliny Czadu leży w obniżeniu Bodele (155 m), połączonym z jeziorem suchą doliną Bahr al-Ghazal. W pn., saharyjskiej części kotliny duże powierzchnie zajmują ergi, największy Ténéré występuje między masywami Air i Tibesti. Następna rozległa kotlina — Libijska leży w pn.-wsch. części kontynentu, rozciąga się od Algierii po Egipt. Pod względem budowy geol. jest to teren zróżnicowany, obejmujący nieckę algiersko-libijską oraz 2 jednostki platformy afryk., tzw. monoklinę egipską i płytę nubijską. W niecce algiersko-libijskiej znajduje się Wielki Erg Wschodni. Na pn. od niego, u stóp Atlasu Saharyjskiego, w najniższej części kotliny występują liczne szotty, największe to Wielki Szott i Szatt Malghir (26 m p.p.m.). Dalej ku wsch., wzdłuż zat. Wielka Syrta ciągnie się pas nizin, rozszerzający się na pd. od Cyrenajki. Wschodnią część Kotliny Libijskiej zajmuje Pustynia Libijska, na której występują gł. ergi (m.in. „morze piasku" Kalansziju), a w

pn.-wsch. części rozległa depresja Al-Kattara (do 133 m p.p.m.). Na obszarze Sudanu znajduje się Kotlina Górnego Nilu. Jest to płaska, zabagniona równina, wypełniona utworami aluwialnymi, ze wszystkich stron otoczona wyżynami. Od doliny dolnego Nilu oddziela ją niezbyt wyraźny próg Bajjuda, na którym Nil utworzył czwartą i piątą kataraktę. W najniższej, pd. części kotliny znajduje się rozległy kompleks bagien As-Sudd, a między Nilem Białym a Nilem Błękitnym — równina Al-Dżazira. Wielką kotliną A. Niskiej jest Kotlina Konga, położona w dorzeczu rz. Kongo, w rozległej niecce tektonicznej. Jej dno znajduje się na wys. 300–500 m. W najniższej części, zw. Wielką Depresją Centr., na powierzchni występują najmłodsze utwory naniesione przez rzeki oraz osadzone w jeziorach. Wyższy poziom (500–1000 m) jest zbud. z kredowych skał osadowych. Na wychodniach bardziej odpornych skał występują strome krawędzie z głęboko wciętymi dolinami rzek, tworzącymi wodospady. Najwyższy poziom stanowią otaczające kotlinę wyżyny, zbud. z krystal. skał prekambryjskich. Największą niziną A. Niskiej jest tzw. Niz. Senegalu, ciągnąca się od Antyatlasu na pn., aż po Wyż. Gwinejską na południu. Powstała ona w

■ Afryka. Antyatlas

tektonicznym obniżeniu, w którego podłożu znajdują się sfałdowane w erze paleozoicznej skały rowu mauretańskiego. W pn. części niziny typowe są doliny rzek okresowych oraz rozległe pola piaszczyste z ruchomymi wydmami.

Wśród wyżyn i gór A. Niskiej najwyższe są masywy górskie położone w środk. części Sahary — Ahaggar i Tibesti. Stanowią one wyniesioną część prekambryjskiej tarczy saharyjskiej, przykrytej na powierzchni skałami bazaltowymi. Pojedyncze wulkany tworzą najwyższe szczyty — Tahat (2918 m) w Ahaggarze i Emi Kussi (3415 m) w Tibesti. Pokrywy lawowe powstały w czasie alpejskich ruchów górotwórczych, wtedy też nastąpiło wypiętrzenie masywów do obecnej wysokości. Masywy saharyjskie są otoczone wyżynami, zbud. z krystal. skał podłoża lub z osadowych skał paleozoicznych i mezozoicznych. W otoczeniu Ahaggaru leżą wyżyny: Tasili Wan Ahdżar (do 2254 m), Air (2022 m) i znacznie niższe, m.in. Tadmait i Adrar des Iforas oraz pustynie skalne Al-Hamada al-Hamra i Hamadat Tinghirt. Na pd.-wsch. od Tibesti leży krystal. wyż. Darfur z licznymi masywami wulk. (Dżabal Marra, 3088 m) i górami ostańcowymi. Darfur otaczają zbud. z piaskowców nubijskich wyżyny Ennedi, Uwajnat i najrozleglejsza — Kordofan (do 1460 m). Wzdłuż wybrzeży M. Czerwonego, od delty Nilu po Wyż Abisyńską ciągną się krystal. góry Atbaj (Dżabal Uda, 2259 m), głęboko pocięte suchymi dolinami (wadi). Pomiędzy kotlinami Górnego Nilu, Czadu i Konga znajduje się rozległa wyż. Azande, zbudowana z wypiętrzonych prekambryjskich skał krystal.; w masywie Bongo osiąga wys. 1400 m. Na pograniczu Sudanu oraz Górnej i Dolnej Gwinei rozciąga się pocięta licznymi uskokami wyż. Adamawa z wznoszącymi się pojedynczymi górami, gł. wulk. (Bamboutos, 2074 m). Nad Zat. Gwinejską wyżyna ta kończy się masywem wulk. Kamerun (Fako, 4070 m), położonym w strefie, gdzie w mezozoiku rozpoczął się rozpad Gondwany. Miejsce to leży na linii wielkiej dyslokacji tektonicznej biegnącej od masywu Tibesti przez Adamawę, masyw Kamerun, aż do wysp Bioko, Pagalu i in. na O. Atlantyckim; wzdłuż tej dyslokacji nastąpiły lądowe wylewy law bazaltowych. W zach. części regionu Górna Gwinea, leży tzw. Wyż. Gwinejska z masywami Nimba (do 1752 m) i Futa Dżalon. Wyżyna ta stanowi zach. część wypiętrzonej tarczy prekambryjskiej, zbud. z najstarszych skał krystalicznych, przykrytych na pn. piaskowcami paleozoicznymi. We wsch. części tarczy gwinejskiej najwyższa jest wyż. Dżos (do 1690 m). Po zach. stronie Kotliny Konga jest położona Wyż. Dolnogwinejska, która składa się z szeregu masywów rozdzielonych dolinami krótkich rzek, spływających do Zat. Gwinejskiej; przeważają wys. 600–800 m, najwyższa w masywie Chaillu dochodzi do 1581 m (Iboundji). W pasie nadbrzeżnym Wyż. Dolnogwinejska tworzy krawędź i opada stromo ku nizinom nadmorskim. Na terenie Gabonu i Gwinei Równikowej ową krawędź stanowią G. Krystaliczne. Niekiedy ich nazwą obejmuje się cały zach. próg Wyż. Dolnogwinejskiej.

W A. Wysokiej, charakterystyczna dla tego kontynentu budowa kotlinowa nie jest tak wyraźna. W tej części dominują wyżyny. Jedyną dużą kotliną jest, położona w A. Południowej, Kalahari. Zajmuje ona obszar tektonicznej niecki, której nieznacznie obniżone krystal. podłoże jest przykryte trzeciorzędowymi i czwartorzędowymi utworami lądowymi. Są to w większości piaski, tylko niekiedy twardsze skały budują niskie wzgórza lub skałki. Dno kotliny znajduje się na wys. 500–1000 m. W jej pn. części, w zagłębieniach znajdują się bagna Okawango i Makgadikgadi, miejscami zasolone. W najbardziej suchej części pd. piaszczystą równinę urozmaicają pasy wydm porośnięte na ogół trawą lub krzewami. W A. Wschodniej jest położona wyżynna kotlina Jez. Wiktorii, zw. Uniamwezi. Jest ona obniżeniem fundamentu krystal. wypiętrzonego między 2 strefami ryftowymi. W dnie kotliny, na wys. 1134 m, znajduje się Jez. Wiktorii. Wskutek słabego odpływu teren ten w wielu miejscach jest zabagniony, szczególnie w otoczeniu jez. Kioga. W pn.-wsch. części A. Wysokiej, między Wyż. Abisyńską a Somalijską, leży kotlina Afar (Danakilska) powstała w wyniku odsuwania się Płw. Arabskiego od kontynentu afrykańskiego. Jest to trójkątne zapadlisko tektoniczne, łączące Rów Abisyński z ryftem M. Czerwonego i Zat. Adeńskiej. Występują tu młode bazalty typu oceanicznego. Na pn. kotliny, w Depresji Danakilskiej (116 m p.p.m.) lotne piaski sąsiadują z pokrywami lawy bazaltowej i czynnymi wulkanami (Afrera 1200 m); na pd. depresja jez. Assal (150 m p.p.m.). Rozległa Wyż. Abisyńska przecięta Rowem Abisyńskim dzieli się na 2 części: zach., właściwą Wyż. Abisyńską i wsch., zw. Wyż. Somalijską. Właściwa Wyż. Abisyńska jest zbudowana ze skał krystal. platformy afryk., przykrytych skałami osadowymi oraz grubą pokrywą (2000 m) trzecio- i czwartorzędowych skał wulkanicznych. W dnach rowów tektonicznych występują osady czwartorzędowe. Powierzchnia wyżyny porozcinana rowami tektonicznymi i głębokimi dolinami rzek dzieli się na szereg oddzielnych masywów, co nadaje rzeźbie górski charakter. Najwyższe są góry Semien (Ras Daszan, 4620 m). Charakterystyczne dla wyżyny izolowane, bazaltowe wzniesienia o spłaszczonych wierzchołkach są zw. ambami, na nich budowano często klasztory i twierdze. Wyżyna Somalijska jest wzniesiona najwyżej wzdłuż linii uskoków tektonicznych, gdzie tworzy krawędzie i opada stromo w kierunku Rowu Abisyńskiego, kotliny Afar i Zat. Adeńskiej; stopniowo obniża się w kierunku pd. wybrzeża. Na wsch. wybrzeżu A. ciągnie się pas nizin nadbrzeżnych (tzw. Niz. Wschodniej A. i Niz. Mozambicka), najszerszy w Somalii i Kenii, gdzie rozciąga się do 200 km w głąb lądu. W okolicy ujścia Uebi Szebeli i Dżuby nizina jest zabagniona, w innych miejscach spotkać można płaskie pola piaszczyste z wydmami.

Góry A. Wschodniej są związane ze strefami ryftowymi i działalnością wulkaniczną. Wschodnioafrykański system ryftowy, tzw. Wielkie Rowy Afrykańskie powstał w trzeciorzędzie (neogen), w miejscu starych uskoków platformy afrykańskiej. Przecina w kierunku południkowym wsch. część A., od pd. krańca M. Czerwonego na pn. aż po ujście Zambezi na południu. Dzieli się na 2 strefy: strefę zach., zw. Wielkim Rowem Zach., i strefę wsch., zw. Wielkim Rowem Wschodnim. Dno Wielkiego Rowu Zach. wykorzystują jeziora (m.in. Niasa, Tanganika, Alberta) i rzeki (na pd. Shire, na pn. Nil Alberta). Po jego obu stronach, prawie na całej długości występują zrębowe masywy i góry, m.in. Ruwenzori (Margherita, 5109 m), Wirunga (Karisimbi, 4507 m), Mitumba, Rungwe, Mlandži oraz wyżyny (Nyika). Wielki Rów Wsch. zaczyna się na pd. rowem rz. Luangua (po zach. stronie góry Muczinga), na pn. od jez. Niasa krzyżuje się z Wielkim Rowem Zach., a na Wyż. Wschodnioafrykańskiej rozpada się na wiele odnóg, gł. ciągnie się wzdłuż rz. Ruaha i jez.: Ejasi, Natron, Turkana. W tej strefie ryftowej znajdują się potężne masywy wulk. — Kilimandżaro (5895 m), Kenia (5199 m), Meru (4567 m — najwyższy czynny wulkan w A.) i Elgon (4321 m); na zach. od Kilimandżaro słynna kaldera Ngorongoro o pow. 326 km². Przedłużeniem Wielkiego Rowu Wsch. jest Rów Abisyński, biegnący od jez. Turkana wzdłuż m.in. Jez. Stefanii i jez. Abbaja do zapadliska Afar. Kontynuacją tektoniczną wschodnioafryk. systemu ryftowego jest dolina ryftowa na dnie M. Czerwonego oraz Rów Jordanu.

Trzonem A. Południowej jest wielki płaskowyż z kotliną Kalahari w centr. części. Jej otoczenie tworzy szereg płaskowyży, wyżyn i gór opadających stromym progiem, zw. Wielkim Urwiskiem (Great Escarpment) w kierunku wybrzeży oceanów Atlantyckiego i Indyjskiego. Urwisko jest najwyraźniejsze na wsch., gdzie nosi nazwę G. Smoczych (Thabana Ntlenyana, 3482 m). Góry te, zbud. z płytowo ułożonych skał osadowych formacji karru (od dolnego karbonu po dolną jurę) stanowią wsch. krawędź tzw. wewn. wyżyn Weld. Na pd. Wielkie Urwisko stanowią G. Śnieżne (2503 m) i in. mniejsze masywy, które leżą na pd. skraju Weldu i rozległego płaskowyżu zw. Karru Wysokim i opadają do przedgórskiego zapadliska zw. Karru Wielkim. Za tym zapadliskiem, na samym skraju kontynentu, są położone fałdowe G. Przylądkowe, zbud. z paleozoicznych skał osadowych; składają się z wielu równolegle ułożonych pasm (G. Czarne — 2326 m, G. Długie), koło Przyl. Dobrej Nadziei kierunek grzbietów zmienia się na zbliżony do południkowego. Na wybrzeżu O. Atlantyckiego, na pn. od ujścia rz. Oranje, Wielkie Urwisko tworzą granitowe i gnejsowe progi (Huib, Tiras, Tsaris, Naukluft) wyżyn Nama i Damara. Progi zanikają w okolicy ujścia rz. Swakop i ponownie pojawiają się na pd. od ujścia Kunene (próg Otavi). Północny kraniec Wielkiego Urwiska wyznacza wyż. Bije, wznosząca się do wys. 2620 m. Dalej na wsch., wewnątrz kontynentu są położone wyż. Lunda i Katanga, oddzielające kotlinę Kalahari od Kotliny Konga. Po wsch. stronie kotliny Kalahari, między dolinami Zambezi i Limpopo leżą płaskowyże Matabele i Maszona, ograniczone na wsch. zrębowymi górami Injanga. Na pd. od rz. Limpopo wznosi się stopniami strefa wyżyn Weld, od 300–800 m (Niski Weld) do 1200–2000 m (Wysoki Weld). Wysoki Weld zbud. z poziomo zalegających skał formacji karru, na pn. jest ograniczony kwarcytowym progiem Witwatersrand, na wsch. i pd. Wielkim Urwiskiem.

■ Afryka. Fragment strefy krawędziowej Wielkiego Urwiska w Angoli

Madagaskar był częścią Gondwany, toteż jego rzeźba wykazuje znaczne podobieństwo do kontynentu afrykańskiego. Wyspa leży poza szelfem kontynent., od A. oddziela ją głęboki (do 3000 m) Kanał Mozambicki. Wnętrze wyspy zajmują wyżyny i góry zbud. z krystal. skał prekambryjskich (granity, gnejsy), podobnych do tych na kontynencie. Najwyższe masywy są pochodzenia wulkanicznego. Na pn. krańcu wyspy wznosi się do wys. 2876 m masyw Tsaratanana, w środk. części — Ankaratra, a na pd. Andringitra. Pozostałością trzeciorzędowej działalności wulk. i tektonicznej są uskoki i rowy tektoniczne, o kierunkach podobnych do tych, które występują we wschodnioafryk. systemie ryftowym. W jednym z rowów leży jez. Aloatra. Wyżynny obszar Madagaskaru na wsch. opada stromo ku wąskim nizinom nadbrzeżnym, na zach. kilkoma szerokimi stopniami przechodzi w rozleglejszą nizinę.

Budowa i historia geologiczna. A. jest położona w centr. części afryk. płyty litosfery. Niemal cały kontynent, oprócz skraju pn.-zach. (Atlas) i pd. (G. Przylądkowe), tworzy stara, największa na świecie platforma prekambryjska, zw. platformą afrykańską. Częściami tej platformy były dawniej również Madagaskar (do późnego mezozoiku) i Płw. Arabski (do późnego trzeciorzędu). Skały krystal. fundamentu platformy odsłaniają się na znacznych obszarach. Jest to skutek długotrwałej denudacji, która działała z krótkimi przerwami od kambru do czasów obecnych. W skład fundamentu krystal. wchodzą skały wieku od archaicznego po późnoproterozoiczny; najstarsze z nich pochodzą sprzed 3 mld lat. Fundament platformy odsłania się na obszarach tarcz: Ahaggaru, Tibesti, regibackiej, nubijskiej i arabskiej, Kasai, a także na wyniesieniach: gwinejskim, środkowoafryk., tanganicko-rodezyjskim, kongo-namibijskim i Transwalu. Występują tam gł. skały metamorficzne (gnejsy, amfibolity, łupki krystal., kwarcyty, marmury) i wulk. (bazalty, andezyty, dacyty, riolity), silnie sfałdowane i poprzecinane licznymi prekambryjskimi intruzjami skał magmowych, gł. granitoidów. Pokrywa platformowa występuje w syneklizach i zapadliskach zach. i centr. części północnej A. oraz w dużych zapadliskach A. równikowej i pd. (baseny Zairu i Kalahari), a także w zapadliskach na brzegach platformy (np. zapadlisko mozambickie, basen Karru). Najstarsze, proterozoiczne skały pokrywy platformowej leżą niezgodnie na sfałdowanym i zdenudowanym podłożu. Pokrywę platformową stanowią zlepieńce i piaskowce (ze złożami okruchowymi złota w dolinie dolnej Wolty), szarogłazy, łupki, miejscami skały węglanowe, a także skały wulkaniczne. Osady górnego proterozoiku zawierają również poziomy tillitów, pozostawione przez ówczesne lodowce.

Paleozoiczne utwory pokrywy platformowej leżą bądź na osadach proterozoiku górnego, bądź wprost na fundamencie krystalicznym. We wczesnym paleozoiku powstawały zlepieńce i piaskowce pochodzenia lądowego, a w płytkich, okresowych morzach epikontynent. — piaskowce, łupki graptolitowe i niekiedy wapienie. Na wyniesieniu gwinejskim skały kambru rozpoczynają się tillitami, które wyżej przechodzą w łupki ilaste, wapienie i jaspisy z żyłami (sillami) dolerytów. W późnym paleozoiku w warunkach lądowych lub w płytkich morzach osadzały się gł. łupki ilaste i piaskowce. W pn.-wsch. części platformy powstawały w karbonie lądowe piaskowce, zw. nubijskimi, oraz mor. osady węglanowe. Natomiast w pd. części platformy tworzyły się w tym czasie osady glacjalne związane z kontynent. zlodowaceniem Gondwany.

W pn. części platformy pokrywa osadowa została w czasie ruchów hercyńskich lekko sfałdowana i pocięta intruzjami dolerytów i gabr, zawierającymi rudy żelaza (wyniesienie gwinejskie). Osady permu występują w syneklizie Konga i na wyniesieniu kongo-namibijskim (gł. piaskowce i łupki ilaste).

Na osadach paleozoicznych lub wprost na fundamencie platformy spoczywają skały mezozoiku. Osady triasu występują tylko miejscami. W niecce algiersko-libijskiej są to piaskowce z pokładami anhydrytów i soli (które niekiedy tworzą struktury diapirowe), a na pn.-wsch. platformy — lądowe piaskowce z fauną płazów oraz płytkomor. wapienie, margle i piaskowce.

Aż do triasu A. wchodziła w skład prakontynentu Gondwana. Pod koniec triasu zaczął się rozpad tego kontynentu, w którym platforma afryk. zajmowała dotychczas część centr.; między oddalającymi się od siebie blokami kontynent. zaczęły się tworzyć oceany: Atlantycki i Indyjski. Dlatego też osady jury i kredy są już w A. rozpowszechnione. W warunkach na przemian kontynent. i płytkomor. tworzyły się wówczas piaskowce, iły rzeczne i jeziorne, iły gipsowe, wapienie, dolomity (syneklizy: algiersko-libijska, nigeryjska i Czadu), margle, wapienie, wapienie z krzemieniami, dolomity, piaskowce (syneklizy Konga i Kalahari). W środk. i pd. części platformy miała wówczas miejsce działalność wulkaniczna; jej produktem są m.in. złoża diamentów, które występują często również w osadach lądowych (w złożach wtórnych). W trzeciorzędzie powstawały osady lądowe i płytkomor.: zlepieńce, piaskowce, łupki. Osady czwartorzędowe, pochodzenia gł. rzecznego i jeziornego, wypełniają doliny rzek i centr. części syneklíz. Szeroko są rozwinięte pokrywy zwietrzelinowe.

Trzeciorzędowe ruchy tektoniczne doprowadziły do utworzenia licznych uskoków, wzdłuż których wylały się lawy bazaltowe i riolitowe. Powstałe wówczas skały wulk. tworzą m.in. szczyty Tahat w Ahaggarze i Emi Kusi w Tibesti. W pn.--wsch. i środk. części platformy aktywność wulkaniczna trwa do dziś (np. wulkany Kamerunu). Szczególną strukturą geol. platformy afryk. jest system rowów tektonicznych we wschodniej A. (Wielkie Rowy Afrykańskie), tworzących tzw. wschodnioafryk. system ryftowy. Ciągnie się on od zapadliska Afar na pn. do doliny Zambezi na pd., a poprzez Zat. Adeńską łączy się z ryftami M. Czerwonego i O. Indyjskiego. Doliny ryftowe znajdują się w obrębie wypiętrzeń fundamentu platformy i są obrzeżone uskokami, których zrzuty dochodzą do 10 km. Wypełnienie dolin stanowią osady kenozoiczne o dużej miąższości; dna dolin są często zajęte przez jeziora. Ryfty wschodnioafryk. powstały w późnym trzeciorzędzie. Procesowi temu towarzyszyły obfite wylewy law bazaltowych, których pokrywy przekraczają miejscami 2 km grub., a w pn. części systemu ryftowego zalegają na obszarze wielu tys. km². Wschodnioafrykański system ryftowy jest aktywny sejsmicznie i wulkanicznie — znajdują się tu czynne wulkany, częste są także trzęsienia ziemi, których ogniska leżą z reguły na głęb. 20–30 km.

Platforma afryk. jest obrzeżona na pn.-wsch. przez rów tektoniczny M. Czerwonego, będący zaczątkiem nowego oceanu, a na wsch. — przez rów tektoniczny Kanału Mozambickiego, który oddziela Madagaskar od kontynentu.

Na pd. krańcu A. znajdują się G. Przylądkowe, powstałe w orogenezie hercyńskiej; są one zbud. z piaskowców, łupków i kwarcytów syluru, dewonu i dolnego karbonu (przy czym osady karbońskie są pochodzenia lodowcowego), o łącznej miąższości do 3 km, leżących niezgodnie na fundamencie platformy.

Na pn. od G. Przylądkowych znajduje się niecka Karru, będąca zapadliskiem przedgórskim powstałym w czasie fałdowania i wypiętrzania G. Przylądkowych. Niecka jest wypełniona osadami lądowymi tzw. formacji Karru, o wieku od wczesnego karbonu po wczesną jurę, o miąższości do 7000 m. Wśród tych osadów znajdują się pokłady węgla o znaczeniu przemysłowym. W stropie formacji występują pokrywy bazaltów o miąższości do 2 km. Pokrywy te są związane z wylewami szczelinowymi, wywołanymi przez pękanie i rozpad kontynentu Gondwana w mezozoiku.

Pasmo fałdowe → Atlasu, znajdujące się na pn.--zach. krańcu A., jest najmłodszą strukturą geol. kontynentu: powstało w czasie orogenezy alp.; jest oddzielone od platformy afryk. tzw. uskokiem pd. Atlasu. W paśmie tym wyróżnia się 3 strefy o różnej budowie geol.: pd., obejmującą Antyatlas; środk., w której skład wchodzi Atlas Wysoki, Atlas Średni, Atlas Saharyjski oraz Meseta Marokańska i Meseta Orańska; pn., obejmującą Ar-Rif i Atlas Telski.

Współczesne procesy geologiczne. Centralne położenie A. w obrębie afryk. płyty litosfery sprawia, że niemal cały kontynent cechuje znaczna stabilność tektoniczna. Tylko obszary pn.--zach. i wschodniej A. są tektonicznie aktywne. Aktywność ta na pn.-zach. jest związana z trwającymi nadal na granicy między płytą afryk. a eurazjat. procesami, które spowodowały sfałdowanie i wypiętrzenie Atlasu. We wschodniej

A. jest ona natomiast związana z rozciąganiem i pękaniem kontynentu, czego skutkiem było powstanie ryftów wschodnioafrykańskich. Na tym obszarze występują częste, choć słabe trzęsienia ziemi. Z wielkimi rozłamami skorupy ziemskiej we wschodniej A. oraz A. Równikowej (Kamerun, Gwinea) jest związana także aktywność wulkaniczna.

W strefie stałych wyżów zwrotnikowych intensywnie działają procesy eoliczne, które rozpoczęły się po ustąpieniu lądolodu ostatniego zlodowacenia na półkuli pn. w wyniku stepowienia i pustynnienia obszarów wcześniej sawannowych. Na obszarach tych intensywnie działa też wietrzenie fiz., przyczyniając się do powstania pustyń kamienistych i piaszczystych, a erozyjna działalność okresowych strumieni wytworzyła liczne wadi. W strefie klimatu wilgotnego dominujące znaczenie mają wietrzenie chem. i erozja wód płynących.

Zasoby geologiczne. A. należy do kontynentów bogatych w kopaliny stałe, chociaż w wielu przypadkach aktualna produkcja jest niższa niż wynikałoby to z wielkości zasobów. W A. występuje: ponad 80% świat. zasobów chromitu i platyny, ponad 70% skał będących źródłem fosforu (fosforyty i skały magmowe bogate w apatyty), ponad 60% zasobów kobaltu i manganu oraz złota, a także ok. 40% zasobów diamentów przemysłowych. Ponadto są znane liczne i bogate złoża boksytów, fluorytu, barytu, cyrkonu, berylu, a także rud: wanadu, tytanu, uranu, miedzi, telluru, cynku, ołowiu, kadmu. Najważniejsze złoża kopalin są związane z afryk. platformą prekambryjską, a w mniejszym stopniu — także z utworami formacji hercyńskich i alpejskich oraz z utworami pokrywy platformowej. Najbardziej zróżnicowane kompleksy skalne, z którymi są związane cenne złoża, występują w pd. części A. Są to m.in.: największy na świecie intruzywny kompleks magmowy skał rudonośnych Środk. Weldu (RPA), zawierający złoża chromu, platyny i palladu, żelaza i tytanu, a także niklu, miedzi, cyny, złota, cynku i ołowiu; tzw. Wielka Dajka (Great Dyke, Zimbabwe), będąca wydłużoną (dł. 500 km) intruzją skał ultrazasadowych i zasadowych ze złożami chromu; złotonośne zlepieńce formacji Witwatersrandu (RPA), zawierające również uran, srebro, platynowce i diamenty; alkaliczna intruzja Phalaborwa (RPA), w której występują: miedź z niklem, uranem, srebrem i platynowcami oraz pierwiastki ziem rzadkich, apatyty i wermikulit (ze złóż Phalaborwa pochodzi 40% obecnej produkcji świat. tego surowca); prekambryjska osadowo-wulkaniczna seria Transwalu ze złożami manganu w rejonach Kuruman i Postmasburg (RPA); kimberlity tarczy Kalahari, z którymi są związane złoża diamentów Botswany i RPA; baseny osadowe formacji Karru ze złożami węgla kamiennego. W centralnej A. najważniejsze są złoża miedzi i kobaltu, tworzące tzw. Pas Miedziowy (Copperbelt) w pn. części Zambii i w kongijskiej prow. Katanga (Shaba), oraz aluwialne złoża diamentów występujące w pobliżu kimberlitów na tarczy kongijskiej, w dorzeczu Konga (prow. Kasai). W pn.-zachodniej A. największe znaczenie mają złoża fosforytów (Maroko), boksytów (Gwinea)

i uranu (Niger), występujące w utworach pokrywy osadowej.

Zasoby najcenniejszego surowca energ., ropy naft., są na kontynencie afryk. stosunkowo niewielkie i wynoszą ok. 10,5 mld t. Stanowią one zaledwie ok. 8% zasobów świat., pomimo odkrycia w latach 90. XX w. złóż o zasobach ok. 2 mld t. Zasoby gazu ziemnego wynoszą nieco ponad 10 bln m^3, co stanowi ok. 10% zasobów światowych. Złoża ropy naft. i gazu ziemnego występują w osadach sylurskich i kredowych północnej A., w kredowych osadach przybrzeżnych basenów centralnej A. i szelfu zachodniej A., a także w mioceńskich utworach delt Nigru i Nilu.

Klimat. Klimaty A. kształtuje położenie w równikowych i zwrotnikowych szerokościach geogr., od 37°N do 35°S, prawie symetrycznie do równika oraz zwartość kontynentu, zwł. na pn. od 5°N, i znaczne wyniesienie nad poziomem morza. Na rozległych obszarach północnej A., a także w kotlinach (np. Kalahari), zaznacza się silny kontynentalizm klimatu, związany z dużą rozciągłością pn. części kontynentu, występowaniem górskich barier klim., którymi są góry Atlas na pn.-zach. oraz wysoko wzniesione wyżyny i góry wsch. i południowej A. Na klimat w przybrzeżnej strefie A. duży wpływ wywierają prądy mor., zimne powodują spadek temperatury i wilgotności powietrza, ciepłe odwrotnie. Na wybrzeża atlantyckie najsilniej oddziałują zimne prądy, Kanaryjski na pn.-zach., Benguelski (zwł. zimą) na pd.-zach.; pod ich wpływem powstały mgliste pustynie, m.in. Namib. Wschodnie wybrzeża O. Indyjskiego opływają gł. prądy ciepłe (od pn.): Somalijski (latem płynie w odwrotnym kierunku jako prąd zimny), Mozambicki i Agulhas.

Położenie w niskich szerokościach geogr. sprawia, że warunki insolacyjne są wyrównane przez cały rok. W dni przesilenia letniego długość dnia (z uwzględnieniem refrakcji) rośnie od 12,1 godz. na równiku do 14,5 na 35°N i S; wysokość Słońca w południe na równiku osiąga 66,5°, na zwrotnikach 90°, na 35°N i S — 78,5°. W okresie przesilenia zimowego dzień skraca się od 12,1 godz. na równiku do 9,8 na 35°N i S, a wysokość Słońca maleje od 66,5° na równiku do 31,5° na 35°N i S. Na równiku Słońce w zenicie znajduje się 21 marca i 21 września. Bezpośrednia operacja Słońca w ciągu roku maleje na pn. i pd. od stref zwrotnikowych. Największe usłonecznienie występuje na pustyniach; na Saharze przekracza 3000 godz. rocznie (ponad 8 dziennie), miejscami — 4000, na pustyni Namib wynosi ponad 3600 godzin. W strefie równikowej wartości usłonecznienia znacznie spadają; na wybrzeżu Liberii, Wybrzeża Kości Słoniowej i Gabonu Słońce operuje bezpośrednio przez 1400–1600 godz. w roku (3–4 godz. dziennie). Na pn. i pd. krańcach kontynentu, w strefach podzwrotnikowych, usłonecznienie nie przekracza 3000 godz. rocznie. Roczna suma całkowitego promieniowania słonecznego na obszarach zwrotnikowych północnej A. przekracza 8370 MJ/m^2 (na pograniczu Egiptu i Sudanu 9200 MJ/m^2), na pn., pd. i pd.--wsch. skraju kontynentu — 6700 MJ/m^2, w zachmurzonej zach. A. Równikowej — 5860 MJ/m^2. Bardzo ważnym regulatorem klimatów A. jest cyrkulacja międzyzwrotnikowa i związana z nią, przemieszczająca się południkowo w ciągu roku strefa frontu równikowego (konwergencja międzyzwrotnikowa). Północny i pd. skraj obszaru afryk. w zimie jest objęty cyrkulacją podzwrotnikową. W ruchu mas powietrza znaczącą rolę odgrywa dwukrotnie większa powierzchnia kontynentu na pn. od równika oraz położenie rozległych wyżyn i gór na wsch., co powoduje odmienną cyrkulację nad różnymi częściami A., a w konsekwencji zróżnicowanie w rocznym przebiegu i sumie opadów. W zwrotnikowych szerokościach obu półkul występują uwarunkowane dynamicznie obszary wysokiego ciśnienia; w strefie równikowej panuje niskie ciśnienie. Położenie i oddziaływanie tych stref zależy gł. od pory roku. Na półkuli pn. w półroczu zimowym nad basenem M. Śródziemnego zaznacza się wpływ niżów frontu polarnego; w tym czasie na półkuli pd. (półrocze letnie) powstaje Niż Południowoafrykański. W takiej sytuacji barycznej nad A. rozwija się cyrkulacja pasatowa, szczególnie silna nad pn. połową kontynentu, gdzie suche zwrotnikowe masy powietrza (zimą chłodne, latem gorące) niesione przez pn.-wsch. pasat (harmattan) sięgają do 5°N. Inny charakter ma cyrkulacja pasatowa na półkuli pd.; całoroczne pd.-wsch. pasaty Wyżu Południowoatlantyckiego niosą znad chłodnego Prądu Benguelskiego wilgotne zwrotnikowe masy powietrza o równowadze stałej, które po przejściu przez równik zmieniają kierunek na pd.-zach., transportując już bardzo wilgotne i ciepłe powietrze o równowadze chwiejnej — monsun gwinejski. W styczniu strefa konwergencji między tymi masami powietrza nad zachodnią A. przebiega na ok. 5°N; nad wsch. obrzeżem Kotliny Konga pod wpływem orografii przybiera układ południkowy, od 15–18°S odchyla się ku wschodowi. A. Wschodnia znajduje się wtedy pod działaniem wiatrów pn.-wsch. i wsch. Wyżu Azjatyckiego. Na półkuli pn. w półroczu letnim strefa niskiego ciśnienia (największego nagrzania) przesuwa się ku pn., w ślad za tym stały Wyż Azorski rozbudowuje się w wyższych szerokościach geogr.; strefa konwergencji osiąga 18–20°N. W tym czasie nad A. Południową (półrocze zimowe) umacnia się cyrkulacja antycyklonalna i wiatry pd.--wsch. i wsch. sięgają aż do atlantyckiego wybrzeża zachodniej A. i górnego Sudanu na północy. Nad zachodnią A. występuje wówczas typowa cyrkulacja monsunowa z charakterystyczną, sezonową zmiennością kierunków wiatru oraz porą suchą (wydłuża się ku północy) i deszczową (odpowiednio skraca się). Monsuny, występujące również nad wschodnią A. nie przynoszą jednak typowych opadów letnich i suszy zimowej, gdyż masy powietrza z pn. i pd. mają podobne cechy.

Usytuowanie A. względem równika sprawia, że na jej obszarze występują strefy klim. ułożone równoleżnikowo.

Strefa równikowa rozciąga się od ok. 20°N do 15–20°S; średnia miesięczna temperatura powietrza w ciągu całego roku przekracza 20°C, roczna amplituda temperatury (mniejsza niż dobowa) wynosi do 5°C w pobliżu równika i rośnie wraz z suchością klimatu do 10°C na krańcach strefy. Występują w niej 3 typy klimatów różniące się ilością opadów i ich rocznym przebiegiem (wyznacznik pór roku). Klimat równikowy wybitnie wilgotny występuje w Kotlinie Konga, Kamerunie i Liberii, o cechach monsunowych (jedna pora deszczowa) na gwinejskim pograniczu Nigerii i Kamerunu oraz w Sierra Leone i nadbrzeżnej Gwinei; roczna suma opadów wynosi 1500–2000 mm, miejscami, gdzie orografia sprzyja ich intensyfikacji, ponad 5000 mm (Monrowia w Liberii — 5131 mm), a nawet ponad 10 000 mm (na zach. zboczach Kamerunu — 10 470 mm). Klimat równikowy wilgotny (z dwiema krótkimi porami bezdeszczowymi) obejmuje obszar otaczający Kotlinę Konga oraz częściowo Wybrzeże Kości Słoniowej, Ghanę i Mozambik, monsunowe cechy (jedna pora deszczowa) ma w pasie na pn. od 10°N. Klimat równikowy suchy i wybitnie suchy z opadami 200–500 mm (wyraźna kilkumiesięczna pora deszczowa) panuje w części Angoli i w Zambii, a jego odmiana monsunowa — w pasie 15–20°N i przy równikowej części A. Wschodniej.

Na pn. i pd. od strefy równikowej znajdują się strefy zwrotnikowe z bardzo małymi opadami (do 200 mm rocznie), zwł. na obszarze Sahary (Asuan — 0,5 mm rocznie) i pustyni Namib, gdzie panuje klimat kontynent. skrajnie suchy. Temperatura powietrza w styczniu na Saharze osiąga średnio 10–20°C, w lipcu 30–36°C (po południu przekracza 40–45°C, skrajnie 50°C); na pustyni Namib w lipcu wynosi 12–16°C, w styczniu 16–24°C (po południu 20–30°C). Roczna amplituda temperatury przewyższa dobową. Klimat suchy, z opadami 200–400 mm, panuje w kotlinie Kalahari. Południowo-wschodnia A., z powodu napływu wilgotnego powietrza ze wsch., ma klimat wilgotny (opady roczne ponad 1000 mm) lub pośredni między wilgotnym a suchym (ok. 800 mm rocznie).

Północne i pd. wybrzeża A. leżą w strefach podzwrotnikowych, gdzie panuje klimat mor. z przewagą opadów w półroczu zimowym, co jest związane z silniejszą cyrkulacją cyklonalną; lata są gorące i suche. W Maroku oraz pn. Algierii, Libii i Egipcie występują klimaty od pośredniego między mor. a kontynent., poprzez kontynent. do kontynent. wybitnie suchego. W tej strefie, w pobliżu Trypolisu (Libia), 13 IX 1922 zanotowano podczas fenu (ghibli) najwyższą temperaturę powietrza na Ziemi — 57,8°C. W tej strefie, w Atlasie wystąpiła również temperatura najniższa w A. –22,2°C (Ifrane).

W górach wszystkich stref klimatycznych występują klimaty górskie.

Wody. Charakter wód powierzchniowych A. jest uwarunkowany budową geol. i rzeźbą kontynentu oraz klimatem. Kotlinowa rzeźba oraz wydźwignięte brzegi kontynentu powodują charakterystyczny układ rzek, dorzeczy i zlewisk. Wiele rzek lub tylko ich odcinki spływają ku wewn. kotlinom, inne, na ogół krótkie rzeki o dużych spadkach, płyną z krawędzi kontynentu ku oceanom. Na niektórych obszarach erozja wsteczna doprowadziła do przeciągnięcia rzek płynących do wewn. basenów i skierowania ich ku wybrzeżom. W ten sposób powstały nowe, w wielu miejscach przełomowe dolne odcinki, które włączyły rzeki do zlewisk oceanów. Tak został zmieniony bieg rz. Kongo, tworzącej ogromne koncentryczne dorzecze w Kotlinie Konga, przełamującej się w dolnym odcinku przez Wyż. Dolnogwinejską do O. Atlantyckiego. Niger np. powstał z dwóch rzek: jednej spływającej z wyż. Adrar des Iforas do Zat. Gwinejskiej i drugiej, przeciągniętej w okresie wilgotnym, a wcześniej płynącej z Wyż. Gwinejskiej do O. Atlantyckiego. W niektórych częściach A. działy wodne są bardzo niewyraźne i płaskie, np. na pd. wyżynach oddzielających Kotlinę Konga od kotliny Kalahari. Na takich obszarach także następują zmiany dorzeczy. Przykładem może być dolna Zambezi, która powiększa swoje dorzecze. Przeciągnęła najpierw górną Zambezi, potem Kuando–Linyanti, obecnie sięga po rz. Kubango.

Bardzo duża część kontynentu to obszary bezodpływowe, choć często trudno precyzyjnie wyznaczyć ich granicę. Szacunki wielkości obszaru bezodpływowego wahają się od 30 do 48% pow. kontynentu. Największe obszary bezodpływowe znajdują się na Saharze, dwa mniejsze — w kotlinie Kalahari i w regionie ryftów wschodnioafrykańskich. Pozostałe obszary kontynentu należą do zlewisk O. Atlantyckiego i O. Indyjskiego. Podział pomiędzy obydwa zlewiska jest niesymetryczny, ponieważ dział wodny przebiega najwyższymi wzniesieniami wsch. krawędzi Rowu Abisyńskiego i Wielkiego Rowu Wsch., a w A. Południowej zlewisko O. Indyjskiego obejmuje tylko dorzecze Zambezi i Limpopo. Największe rzeki A.: Nil, Niger, Kongo oraz Oranje w południowej A. należą do zlewiska O. Atlantyckiego, którego pow. wynosi 10,6 mln km^2 i w porównaniu z pow. — 4,4 mln km^2 zlewiska O. Indyjskiego jest ponad dwukrotnie większa.

Wielkość i reżim przepływu rzek afryk. zależą przede wszystkim od zróżnicowania opadów w poszczególnych strefach klimatycznych. W strefie równikowej sieć rzeczna jest gęsta, rzeki są zasobne w wodę w ciągu całego roku, choć występują w nich wahania wodostanów. Największy przepływ mają zwykle w październiku, po wrześniowym zenitalnym położeniu Słońca i występującym wtedy maksimum opadów. Drugim okresem wysokich stanów wody jest kwiecień–maj, po marcowym maksimum opadów na równiku i kwietniowym na obszarach podrównikowych półkuli północnej. Taki typ przepływu ma Kongo, którego dorzecze, w większej części znajduje się w strefie równikowej. Rzeki strefy podrównikowej cechują znacznie większe wahania wodostanów, uzależnione od rytmu zmieniających się pór deszczowych i suchych. Najwyższe stany wód występują pod koniec pory deszczowej, czyli w końcu lata i na jesieni, a najniższe w czasie zimowej pory suchej. Zimowe przepływy są coraz niższe w miarę zbliżania się rzek do szerokości zwrotnikowych, a wiele rzek ma przepływ sezonowy. Tak się dzieje w przypadku dopływu Nilu — Atbary, wypływającej z Wyż. Abisyńskiej. Rzeka ta od stycznia do maja wysycha całkowicie, natomiast w lecie jej przepływ jest olbrzymi (od ok. 20 000 m^3/s w sierpniu do ponad 13 000 m^3/s we wrześniu) — stanowi 14% przepływu Nilu w jego dolnym biegu. Duże wahania wodostanów cechują: górny i środk. bieg Nigru, Senegal, Gambię, Nil Błękitny, Zam-

bezi i Limpopo, a także rzeki zach. Madagaskaru. W strefach zwrotnikowych o suchym, gorącym klimacie brak na ogół sieci stałych rzek. Na skraju pustyń koryta suchych dolin wypełniają się wodą na bardzo krótki okres po deszczach — są to rzeki okresowe. Na pustyniach spływ trwa przez kilka godz. lub kilka dni, kilka razy w roku, a często raz na kilka lat. Są to rzeki epizodyczne. W gorącym klimacie woda bardzo szybko wsiąka w suche podłoże i paruje, a niesiony przez nią materiał pozostaje w płaskim dnie suchej doliny (wadi). Nieliczne rzeki stałe lub okresowe strefy zwrotnikowej są zasilane na obszarach o wilgotniejszym klimacie, a płynąc przez pustynię tracą na parowanie znaczną ilość wody. Są to rzeki tranzytowe (allochtoniczne), jak np. Nil, Oranje, a także krótkie rzeki spływające z Atlasu ku Saharze. Rzeki w strefach podzwrotnikowych, podobnie jak w podrównikowych, charakteryzują się dużymi wahaniami stanów wody, ale okres największych przepływów przypada na zimę lub wiosnę, gdy są zasilane przez zimowe deszcze lub topniejące w górach śniegi. Występują wtedy wezbrania, a także powodzie. Takie rzeki są w Atlasie oraz Prowincji Przylądkowej Pn., Prowincji Przylądkowej Wsch. i Prowincji Przylądkowej Zachodniej.

Do największych rzek A. należą: Nil, Kongo, Niger i Zambezi. Nil jest najdłuższą rzeką (6671 km) nie tylko A., ale całej kuli ziemskiej (wg danych peruwiańskich → Amazonka z nowym pomiarem długości — 7025 km zajmuje 1. miejsce w świecie). Za jego źródłowy odcinek uważa się Kagerę, która wypływa z masywu w obrębie Wielkiego Rowu Zach., w pobliżu jez. Kiwu. W górnym biegu na obszarze Kotliny Górnego Nilu rzeka tworzy rozlewiska As-Sudd, w środk. i dolnym — płynie przez obszary pustynne. Na Pustyni Nubijskiej pokonuje wychodnie skał krystalicznych (m.in. wyż Bajjuda) wielką pętlą, tworząc 6 progów skalnych, zw. kataraktami. Powyżej Asuanu, na odcinku między I a III kataraktą znajduje się największy w A. hydrowęzeł z Wielką Tamą i Jez. Nasera, ciągnącym się na dł. 500 km. Nil uchodzi do M. Śródziemnego, tworząc deltę o pow. ok. 24 tys. km^2. Kongo jest drugą co do długości (4320 km) rzeką A., ma natomiast największe dorzecze (pow. 3,7 mln km^2) i zasoby wodne na kontynencie (drugie po Amazonce na Ziemi). Jej średni przepływ przy ujściu wynosi ok. 80 tys. m^3/s. Wypływa jako Lualaba na wyż. Katangi. Na wyżynach tworzy liczne progi i wodospady (Stan-

■ Afryka. Nil pod Asuanem w Egipcie

leya, Livingstone'a), w dnie kotliny — liczne ramiona, rozlewiska i bagna. Do O. Atlantyckiego uchodzi estuarium. Niger jest niezwykłą rzeką, która wypływając blisko brzegów O. Atlantyckiego na wyż. Futa Dżalon, pokonuje wielkim łukiem odległość 4160 km i uchodzi do tegoż oceanu w Zat. Gwinejskiej. W kolanie tego łuku, w tzw. wewn. delcie (Macina) tworzy liczne ramiona, rozlewiska i bagna, u ujścia — wielką deltę z czternastoma ramionami (pow. 24 tys. km^2). Zambezi jest najdłuższą rzeką (2660 km) A. Południowej. Wypływa na tej samej wyżynie co Kongo. W środk. biegu przecina wychodnie spękanych w strefie uskoków tektonicznych bazaltów i wykorzystując te spękania, wcina się w podłoże głębokim wąwozem. W czasie czwartorzędowych cykli erozyjnych wytworzyła tam, na dł. 18 km gardziel dolinną, w której znajduje się Wodospad Wiktorii. Poniżej wodospadu wybudowano 2 duże hydrowęzły: Kariba i Cabora Bassa. Dalej rzeka płynie szeroką doliną po Niz. Mozambickiej do O. Indyjskiego; przy ujściu tworzy deltę.

Największa liczba jezior występuje w A. Wschodniej w strefie ryftów. Są to jeziora tektoniczne, leżące w Wielkich Rowach Afrykańskich. Wśród nich znajduje się najgłębsze w A. (głęb. 1435 m) i drugie po Bajkale na Ziemi — jez. Tanganika, którego dno leży na wys. 662 m p.p.m. i jest kryptodepresją. Drugim jeziorem kryptodepresyjnym jest Niasa (na wys. 472 m, głęb. 706 m). Pozostałe jeziora w Wielkim Rowie Zach. (Alberta, Edwarda, Kiwu) są mniejsze i płytsze. Nieco odmienną genezę ma jez. Kiwu, powstałe w wyniku zablokowania odcinka rowu, w którym płynęła rz. Rutshura, przez potoki lawy kilkunastu wulkanów masywu Wirunga. W podobny sposób utworzyło się jez. Tana na Wyż. Abisyńskiej. Jeziora położone we Wsch. Rowie Afrykańskim oraz Rowie Abisyńskim są najczęściej płytkie, bezodpływowe i często zasolone. Największe z nich to jez. Turkana, a najbardziej zasolone to m.in. Natron i Magadi. Nieco inny charakter ma największe (ok. 68 tys. km^2) w A. — Jez. Wiktorii. Jest to płytki (głęb. do 80 m), usiany wyspami zbiornik, położony na wys. 1134 m w dnie tektonicznej kotliny, między Wielkim Rowem Zach. a Wielkim Rowem Wschodnim. Jezioro Wiktorii z pobliskim jez. Kioga, należą do dorzecza Nilu.

Charakterystyczne dla A. są jeziora położone w nieckach tektonicznych platformy afrykańskiej. Przed powstaniem wschodnioafryk. systemu ryftowego, we wszystkich większych kotlinach znajdowały się duże jeziora. Wypiętrzenie krystal. podłoża spowodowało znaczne zmniejszenie ich powierzchni. W tej grupie największe jest jez. Czad, które z 400 tys. km^2 zmniejszyło się do ok. 20 tys. km^2. Jego powierzchnia podlega także współcześnie dużym wahaniom spowodowanym zmiennością opadów w strefie półsuchej, przez którą przepływają rzeki zasilające jezioro: Szari, Logone i Komadugu Yobe. W Kotlinie Konga pozostałością dawnego dużego jeziora są Mai Ndombe i Tumba. W Kotlinie Górnego Nilu pozostał tylko kompleks bagien As-Sudd, podobnie w Kalahari znajdują się 2 duże obszary bagienne: Okawango i Makgadikgadi i 2 niewielkie jeziora: Dow i Ngami.

Oddzielną grupę tworzą położone w zagłębieniach terenu na obszarach suchych i półsuchych misy jezior, wypełniające się wodą w porze deszczowej, a wysychające w porze suchej. W najsuchszych regionach woda pojawia się nieregularnie. W północnej A. nazywa się je szottami (np. Wielki Szott, Szatt Malghir) lub sebkami (Sabchat Mukran), a w południowej A. pan (np. na obszarze bagien Makgadikgadi) lub vloer (Grootvloer). Wyschnięte dna pokrywa zwykle warstwa wykwitów soli i gipsu.

Udział wód podziemnych w krążeniu wody jest bardzo złożony. Najmniej związane z innymi ogniwami krążenia są zwykle słone wody głębinowe, zalegające poniżej 1–2 km, które nagromadziły się w ciągu milionów lat. Słodkie wody podziemne występują płycej, w poziomie aktywnej wymiany. Są one zasilane poprzez dna jezior, sztucznych zbiorników i koryt rzecznych. Rozmieszczenie wód podziemnych i intensywność ich odnawiania zależą od kompleksu czynników, do których należy m.in. klimat. W pasie równikowym, w centr. części Kotliny Konga, odpływ podziemny stanowi 30–40% całkowitego odpływu rzecznego. W sawannie rzadko przekracza 20–25%. Do obszarów podwyższonego odpływu podziemnego należą też góry. Na wielu obszarach pustynnych prawie nie ma odpływu podziemnego. Na Saharze występują niecki artezyjskie Wielkiego Ergu Wsch., Wielkiego Ergu Zach., Fazzanu, Pustyni Libijskiej, Czadu, Nigru i Tanizruftu, w których wymiana wód podziemnych trwa średnio 3500 lat. Największe zasoby wód podziemnych stwierdzono na Pustyni Libijskiej (6000 km^3). W dolinach wielu wadi na Saharze znajdują się podkorytowe wody podziemne, które w warunkach pustynnych stanowią ważne źródło słodkiej wody.

Gleby. Pokrywa glebowa A. wykształciła się w ogromnej części ze starych, formowanych podczas wielu cykli wietrzeniowych, różnorodnych eluwiów skał podłoża. Zwietrzeliny mają grubość kilkunastu, niekiedy kilkudziesięciu metrów. Wynika stąd m.in. ubóstwo gleb w minerały zawierające składniki odżywcze dla roślin, a także obecność reliktowych cech w ich profilach. Strefowa budowa pokrywy glebowej tej części świata jest wynikiem hydrotermicznych cech klimatu, a w szczególności warunków wilgotnościowych. Na większości obszaru A. strefy glebowe mają przebieg równoleżnikowy i są rozmieszczone po obydwu stronach równika niemal symetrycznie. Jedynie w pd. części kontynentu oraz na Madagaskarze są ułożone południkowo, od wilgotnych na wsch. do suchych na zachodzie. Centralne miejsce w rozkładzie stref glebowych zajmują rozłożone po ok. 600–800 km na pn. i pd. od równika, kwaśne, czerwone i czerwonożółte gleby ferralitowe. Wykształcone pod wilgotnymi lasami równikowymi Kotliny Konga i obszarów przyległych gleby te są mało zasobne w substancje org. i mineralne. Wycięcie lasu i odsłonięcie powierzchni prowadzi do nieodwracalnej cementacji masy glebowej odwodnionymi tlenkami żelaza. W środk., hipsometrycznie najniższej części Kotliny Konga dominują gleby glejowe i aluwialne. Na wyżynach otaczających kotlinę gleby przesychają przez okres 3–6 miesięcy. Względnie długo okres suszy trwa na płaskowyżu Lunda–Katanga, gdzie pod rozrzedzonymi lasami parkowymi i sawannami występują czerwone gleby ferralitowe podatne na erozję i mało żyzne, m.in. ze względu na lekki skład ziarnowy ich skał macierzystych. Na tych obszarach, gdzie erozja odsłoniła słabo zwietrzałe skały podłoża, wykształciły się czerwonoziemy i ze względu na nieco wyższą wartość roln. są zajmowane pod uprawę, gł. kukurydzy. Na wyżynno-górskich, zwł. sawannowych, obszarach A. Wschodniej o zróżnicowaniu gleb decydują lokalne warunki litologiczno-morfologiczne; na płaskowyżach, pokrytych starymi pokrywami kaolinitowymi, dominują ubogie gleby czerwone, natomiast na zwietrzelinach bazaltowych (np. w Kenii) — urodzajne gleby ciemnoczerwone, zajęte pod uprawę kawy, herbaty i in.; równiny aluwialne na pd.-wsch. od Jez. Wiktorii pokrywają żyzne, czarne gleby tropik., wytworzone gł. z glin montmorylonitowych; w górach, pod wilgotnymi lasami równikowymi, formują się próchniczne gleby czerwonożółte, a na wys. ok. 2200–3500 m, w piętrze zarośli bambusowych — górskie gleby brunatne, przechodzące wyżej w torfiaste gleby łąk wysokogórskich. Na pn. od wilgotnych lasów równikowych, aż do ok. 18°N rozciąga się strefa gleb o nieprzemywnym ustroju wilgotnościowym. W wilgotniejszej części pd., na czerwonych glebach ferralitowych i ferrsialitowych z przejawami wymywania cząstek iłowych z poziomów próchnicznych do iluwialnych, rosną rozrzedzone lasy oraz sawanny wysokotrawiaste. Lokalnie powierzchnię pokrywają odsłonięte przez erozję pancerze laterytowe. Cienkie i mało żyzne poziomy próchniczne tych gleb zawierają konkrecje żelaziste, a po zniszczeniu pokrywy traw łatwo podlegają erozji wodnej i eolicznej. W pn., suchszej, sudańsko- -sahelskiej części strefy sawannowej, biegnącej ze wsch. na zachód A. pomiędzy 12 a 17°N, nieprzemywny ustrój wilgotnościowy sprzyja nagromadzaniu w glebach węglanu wapnia, niekiedy w obniżeniach także soli siarczanowych i chlorkowych. Dominują tam mało urodzajne, czerwone buroziemy, nazywane też czerwonymi glebami żelazistymi suchych sawann. W Senegalu i Mali, gdzie duże ich powierzchnie zostały zerodowane, występują grube pokrywy laterytowe. Z obszernymi kotlinami jez. Czad i górnego Nilu, wypełnionymi osadami limnicznymi i aluwialnymi są związane czarne gleby tropikalne. Te żyzne, ilaste gleby są zajmowane gł. pod uprawę bawełny. Kompleksy gleb glejowych występują między niskimi wydmami w wewn. delcie Nigru, poniżej Timbuktu; w międzyrzeczu Szari i Logone w sąsiedztwie jez. Czad — gleby aluwialne. Duże płaty sołończaków otaczają pn.- -wsch. brzeg jeziora oraz pokrywają dno doliny Bahr al-Ghazal, znacząc drogę podziemnego przepływu z Czadu do kotliny Bodele. W okresie ostatnich 30 tys. lat gleby na obszarach współcz. sawanny w północnej A. dwukrotnie znalazły się pod wpływem klimatów wilgotnych i suchych. W ostatnim okresie wilgotnym, trwającym w przybliżeniu 12–7 tys. lat temu granica Sahelu i Sahary występowała ok. 700 km dalej na północ aniżeli współcześnie. Na koniec tego okresu są

datowane rysunki naskalne zwierząt sawannowych, napotykane w obszarze Sahary. Słabe, krótkotrwałe okresy wilgotne wystąpiły w rejonie Sahelu m.in. ok. 1000 i ok. 300 lat temu. Ostatnie dziesięciolecia są tam okresem niszczenia drzew i krzewów, degradacji gleb oraz nadzwyczaj intensywnego pustynnienia. Pustynne i półpustynne obszary A.: Sahara, Namib, Kalahari jedynie w części są pokryte glebami inicjalnymi. Zazwyczaj występują tam pokrywy piaszczyste (ergi), kamienisto-żwirowe (hamady) i otoczakowe (regi). Okruchy skalne bywają pokryte czarną lub czerwonawą warstewką „lakieru pustynnego". W miejscach występowania starych, zasobnych m.in. w związki wapnia utworów aluwialnych, powierzchnię pokrywają skorupy węglowe i gipsowe. W nagich, osypanych kamienistą zwietrzeliną masywach górskich Sahary zachowały się resztki pokryw laterytowych — relikty wilgotnych epizodów klimatycznych. Pozbawioną odpływu powierzchniowego kotlinę Kalahari, podobnie jak pogranicze Sahary i suchych sawann, pokrywają czerwonawe buroziemy. Gleby aluwialne zajmują na południu A. cały obszar delty Okawango oraz Makgadikgadi. W tym ostatnim przypadku są to gł. gleby zasolone. Na północy A., w delcie Nilu, odłożyły się aluwia gł. o średnim i ciężkim składzie ziarnowym. Wielowiekowa gospodarka rolna przekształciła ten materiał w agroziemy, a wybudowanie Tamy Asuańskiej spowodowało zmniejszenie ilości odkładanych tu aluwiów Nilu. Pokrywa glebowa Wyż. Abisyńskiej wykazuje układ piętrowy. Do ok. 1000–1500 m przeważają czerwonawe buroziemy suchych sawann a do wys. ok. 1800 m — próchniczne, czerwone gleby ferrsialitowe i płaty ciemnopróchnicznych gleb gliniastych. Ciemnoczerwone gleby próchniczne, rozwinięte na wilgotnych stokach Wyż. Abisyńskiej oraz górskie gleby brązowe, występujące na stokach suchszych i śródgórskich płaskowyży były kolebką m.in. upraw pszenicy i prosa. W suchym klimacie Płw. Somalijskiego, na czerwonoburych glebach z obfitymi wytrąceniami gipsu utrzymują się półpustynne zbiorowiska roślinne z akacjami. Na pn.-zach. i pd.-zach. A., pod zbiorowiskiem roślinności śródziemnomor. rozwijają się dość żyzne gleby cynamonowe, natomiast w suchych krajobrazach górskich Atlasu i G. Przylądkowych, a także na równinach pobrzeża Libii i Egiptu występują silnie węglanowe odmiany tych gleb.

Świat roślinny i zwierzęcy. A. leży w obrębie 3 państw roślinnych: wokółbiegunowego pn. (*Holarctis*) — pn. część A., tropikalnego Starego Świata (*Paleotropis*) i przylądkowego (*Capensis*, najmniejszego państwa roślinnego świata) — pd. cypel A. W obszarze śródziemnomor. (pn. wybrzeża A. i góry Atlas) rosną wiecznie zielone twardolistne lasy i zarośla typu makii, a z roślin uprawnych oliwki; dalej na pd. skąpa, skrajnie kserofityczna roślinność pustynna Sahary (z drzew gł. uprawy palmy daktylowej w oazach Sahary i nad Nilem) przechodząca w półpustynną i sawannową (trawiastą z akacjami, baobabami i in.). Po obu stronach równika b. różnorodne formacje roślinne: na obszarach suchych i gorących (Sudan i część A. Wschodniej) różne typy sawanny; na obszarach o dużych opadach (gł. wybrzeże Zat. Gwinejskiej i dorzecze Konga) wiecznie zielone lasy galeriowe i bujne, wilgotne, wiecznie zielone lasy równikowe (z palmą oliwną, rafią, lianami i epifitami); dalej na pd. formacje suchorośli, lasy monsunowe (całkowicie zielone tylko w porze wilgotnej), sawanny i półpustynie przechodzące w pustynie (z endemitem — welwiczią). W najwyższych partiach górskich (np. na Ruwenzori i Kilimandżaro) spotyka się drzewiaste lobelie i ogromne starce (kaktusy); na nizinnych wybrzeżach morskich A. międzyzwrotnikowej formacje namorzynów (mangrowe). Południowe krańce A. porasta specyficzna roślinność o b. bogatym składzie gat., na wyżynnych półpustyniach krainy Karru występują osobliwe „żywe kamienie" (*Lithops*); w rejonie nadbrzeżnym efektownie kwitnące byliny oraz zimozielone, twardolistne lasy i zarośla, przypominające śródziemnomor. makię, lecz utworzone z krzewów gł. z rodziny srebrnikowatych. Z Afryki pochodzą niektóre rośliny użytkowe, m.in. kawa, arbuz, sorgo, palma oliwna, drzewo kola, rącznik, proso afryk. (*Penisetum*), ryż afryk. (*Oryza glaborrima*), gat. roślin strączkowych, bawełny, jęczmienia, pszenicy, także rośliny ozdobne, np. amarylisy, gerbery. Obszar A. na pd. od Sahary należy pod względem zoogeogr. do krainy etiopskiej, na pn. od Sahary — do obszaru śródziemnomor. krainy palearktycznej. Swoiste piętno nadaje faunie A. pierwsza z tych krain; cechuje ją najbardziej urozmaicona fauna kręgowców ze wszystkich krain i obfitość rodzin endemicznych, których liczbą ustępuje tylko Ameryce Pd.; występuje tu 38 rodzin ssaków, nie licząc nietoperzy, w tym 12 rodzin endemicznych, wśród nich żyrafy, hipopotamy, mrówniki, 3 rodziny owadożernych (wodnice, złotokrety, ryjoskoczki) i 6 rodzin gryzoni; w pozostałych rodzinach występują liczne endemiczne rodzaje i gat., jak słoń afryk., nosorożec biały i zwyczajny, zebry, z małp człekokształtnych — goryl i szympans. Dla krajobrazu otwartych równin A. charakterystyczne są wielkie stada ssaków roślinożernych: zebr, żyraf, nosorożców, słoni, licznych gat. antylop, a także liczne drapieżne: gepard, pantera, lew, hieny i in. Nad brzegami rzek i jezior żyje hipopotam oraz wielotysięczne kolonie ptaków, m.in. flamingów, pelikanów, czapli; w wodach rzek i jezior b. bogata fauna ryb, np. osobliwy endemiczny rodzaj prapłetwiec (4 gat.), natomiast jeziora Wiel-

kich Rowów Afryk. zamieszkują setki endemicznych gat. ryb pielęgnicowatych. W lasach występuje obfitość małp i ptaków. W bogatej ornitofaunie A. jest 7 rodzin endemicznych (strusie, sekretarze, warugi, trzewikodzioby, turaki, czepigi, *Prionopidae*). Fauna gadów jest też bogata, zwł. węzów i kameleonów. Ponadto niezwykle bogata fauna bezkręgowców, np. największe bezkręgowce lądowe — ślimaki *Achatina achatina* (masa do 0,5 kg).

Ochrona środowiska. Wbrew spotykanym czasami opiniom o „dziewiczej", nieskażonej przyrodzie A., środowisko przyr. tego kontynentu od dawna jest silnie przekształcane i degradowane. Wylesianie obszarów wilgotnych jest powodowane przez tradycyjne, ekstensywne rolnictwo w warunkach wzrastającego przeludnienia. Duże znaczenie mają też mech. wycinka drzew, budowa dróg i eksploatacja górnicza. Dalszymi skutkami wylesienia są szybka utrata żyzności gleb oraz wzmożenie procesów erozji wodnej. W ostatnich kilkudziesięciu latach średnie roczne tempo wylesienia w lasach równikowych i podrównikowych A. wynosiło 1,3 mln ha. Do szczególnie wrażliwych na zmiany należą ekosystemy strefy suchej i półsuchej, gdzie nawet niewielkie zmiany w środowisku przyr. mogą być powodem dram. zmian w życiu roślin, zwierząt i ludzi. Idea ochrony przyrody jest w A. bardzo stara, zakorzeniona w wierzeniach i tradycjach plemion, których egzystencja, zwł. w trudnych warunkach suchego i półsuchego klimatu, zależała często od mądrego wykorzystania ograniczonych zasobów. Ogromne zmiany nadeszły wraz z eur. kolonizacją, która przyniosła do A. obce wzory kulturowo-gosp. i zburzyła kształtowane przez wieki formy współżycia człowieka z przyrodą. Eksploatowano najłatwiej dostępne, a cenne na rynkach świat. zasoby naturalne, wprowadzono plantacyjne rolnictwo, organizowano na wielką skalę polowania na zwierzęta afrykańskie. Wielu gat., np. słoniom masowo zabijanym w celu zdobycia cennych ciosów (kły), groziło wyginięcie. Na przeł. XIX i XX w. świadomość groźby wyniszczenia fauny i lasów afryk. przyczyniła się do wprowadzenia przez administrację kolonialną pierwszych przepisów ochronnych. Były to najczęściej regulacje dotyczące ochrony lasów i łowiectwa. W 1859, w ówczesnym Kraju Przylądkowym, przyjęto pierwszą ustawę o ochronie roślinności leśnej i trawiastej (*Forest and Herbage Preservation Act*); w tym samym niemal czasie zaczęto tam tworzyć pierwsze rezerwaty łowieckie w lasach Knysna i Tsitsikame. Podobne działania podjęto także w Algierii. Pierwszym formalnie chronionym obszarem był rezerwat zwierząt utworzony 1894 przy granicy z Suazi, znany dzisiaj jako Park Nar. Pongola. Równie dawne są przepisy dotyczące ochrony słoni, pierwsze powstały po ich masakrze 1889, w ówczesnym Kongo Belgijskim. Nieco później wprowadzono zakaz polowania na górskie goryle. W 1925 król belgijski Albert, po podróży do Parku Nar. Yellowstone w USA, utworzył park nar. swojego imienia, obecnie znany jako Park Nar. Wirunga. W 1926 w Transwalu powstał największy w RPA Park Nar. Krugera (19,5 tys. km^2) i wtedy również przyjęto ustawę o

■ Afryka. Park Narodowy Wirunga

parkach narodowych. W A. Wschodniej, w Tanzanii, pierwsze rezerwaty zwierząt zał. Niemcy. Po I wojnie świat. Brytyjczycy utworzyli rezerwaty Selous (1922) i Serengeti (1929). W latach 20. administracja franc. w Maroku i Tunezji wprowadziła pierwsze przepisy ochronne dotyczące użytkowania lasów i pastwisk. Do II wojny świat. w pn.-zachodniej A. powstało 15 parków nar. (14 w Algierii, 1 w Maroku). Obecnie w większości krajów istnieją parki nar. i rezerwaty. Odsetek powierzchni obszarów chronionych różni się znacznie w poszczególnych krajach, największy jest w: Tanzanii (40%), Botswanie i Ruandzie (po 17), Ghanie (16), Liberii, Wybrzeżu Kości Słoniowej i Togo (po 14), Namibii i Zimbabwe (po 13), Burkina Faso (12), Senegalu (11) i Rep. Środkowoafryk. (10). W RPA obszary chronione nie przekraczają 5% powierzchni. W wielu krajach pod ochroną znajduje się tylko niecały procent powierzchni (w Maroku 0,2%, w Egipcie 0,7%, w Somalii 0,8%).

Państwa afryk. uczestniczą w trzech międzynar. konwencjach i jednym programie, których celem jest ochrona najcenniejszych obiektów przyr. i kulturowych. W 1968 w Algierze podpisano *Afrykańską konwencję o ochronie przyrody i zasobów naturalnych*, przyjęto definicje obszarów i form ochrony. Do *Konwencji o ochronie światowego dziedzictwa przyrodniczego i kulturalnego* UNESCO, podpisanej 1974, należy 35 krajów afrykańskich. Na Liście Świat. Dziedzictwa Kult. i Przyr. UNESCO znajdują się, m.in. parki nar. (Kilimandżaro, Serengeti), rezerwaty zwierząt (Selous) oraz obszary chronione (Ngorongoro) w Tanzanii. W parkach nar. Demokr. Rep. Konga priorytet w dziedzinie ochrony zwierząt przyznano gorylom (Wirunga, Kahuzi-Biega), nosorożcom i żyrafom (Garamba), karłowatym szympansom (Salonga). *Konwencja o ochronie środowisk podmokłych* (zw. konwencją Ramsar) podpisana 1971 w irańskim m. Ramsar, obejmuje ochroną obszary bagienne, podmokłe, wodne i nadmorskie. Do jej sygnatariuszy należy 18 państw afryk., a ważniejszymi terenami chronionymi są: Morze Hipopotamów (Burkina Faso), rezerwat biosfery Jez. Fitri (Czad), Park Nar. Jez. Nakuru (Kenia), Park Nar. W (Niger i Burkina Faso), bagna Bangueulu i wodospady Kafue (Zambia), Jez. Jerzego (Uganda), ujścia rzek i niektóre wybrzeża, w tym koralowe w RPA. Rezerwaty biosfery nie są ustanawiane na mocy formalnej konwencji, lecz są rezultatem i częścią programu badawczego Man and Biosphere (MaB). Na obszarze A. do sieci rezerwatów biosfery należą parki i rezerwaty z 31 krajów, najwięcej z Kenii: Amboseli, Kiunga, Malindi-Watamu, Kenia i Kulal (parki nar.) oraz Marine (rezerwat). W Tanzanii rezerwatami biosfery są: Park Nar. Jez. Manyara i Park Nar. Serengeti-Ngorongoro, a w Ugandzie Park Nar. Ruwenzori.

Regiony fizycznogeograficzne. Współzależność poszczególnych elementów środowiska przyr. powoduje, że w A. wyodrębnia się wielkie regiony fizycznogeogr. mające wyraźną indywidualność i wewn. podobieństwo. O podobieństwie nie wszędzie decyduje ten sam element środowiska przyr., lecz taki, który przesądza o specyfice poszczególnych regionów. W A. Niskiej są to części elementy strefowe, jak klimat i roślinność, a w A. Wysokiej dużego znaczenia nabierają też geol.-strukturalne cechy obszaru. Głównymi regionami A. Niskiej są: Atlas, Sahara, Sudan (od wybrzeży Senegalu do podnóży Wyż. Abisyńskiej), Górna Gwinea (wzdłuż wybrzeża O. Atlantyckiego i Zat. Gwinejskiej od Gwinei Bissau po zach. krańce wyż. Adamawa) i Kotlina Konga. A. Wysoka dzieli się na A. Północno-Wschodnią i Wschodnią (wyż.: Abisyńska, Somalijska, Wschodnioafryk., zapadlisko Afar i Rów Abisyński) oraz A. Południową (kotlina Kalahari z przyległymi wyżynami i pd. krańce A. z G. Przylądkowymi). Odrębny region stanowi Madagaskar wraz z innymi wyspami O. Indyjskiego.

Ludność

Przemiany demograficzne i rozmieszczenie ludności. Od górnego paleolitu do czasów znacznego osuszenia klimatu ok. 4–5 tys. lat temu na Saharze, A. była po Azji najludniejszą częścią świata, potem wyprzedziła ją pod tym względem Europa. Dopiero 1997 kontynent afryk. wyprzedził z kolei Europę; 2000 ludność A. szacuje się na 13,5% ludności świata. Około 1500 A. miała zbliżoną liczbę mieszk. (ok. 85 mln) do Europy, która w wyniku pandemii dżumy (XIV w.) utraciła 1/3–1/4 ludności. Jednak w ciągu kolejnych 400 lat liczba Europejczyków wzrosła o ponad 300 mln, a Afrykanów zaledwie o 50 mln; ich udział w zaludnieniu Ziemi spadł do 8% (1900). Było to następstwem wielowiekowego handlu niewolnikami w A. na pd. od Sahary oraz utrzymującego się wysokiego poziomu śmiertelności. Większa stabilizacja polit. w okresie kolonialnym i podjęcie przez Europejczyków walki z chorobami zakaźnymi przyspieszyły wzrost liczby ludności w XX w. Od półwiecza A. wykazuje najwyższy współczynnik przyrostu naturalnego na świecie (26,7‰ w 1995–2000). Przy utrzymującym się wysokim współczynniku urodzeń (39,4‰) nastąpił od 1950 dwukrotny spadek współczynnika zgonów (12,7‰). W rezultacie wśród Afrykanów aż 44% populacji ma poniżej 15 lat. Jednak tylko połowa ludności ma dostęp do dobrej jakości wody pitnej, na jednego lekarza przypada 3,6 razy więcej pacjentów (2570) niż średnio na świecie, ponad 60% umiera na choroby zakaźne i pasożytnicze; żyje tu 63% nosicieli wirusa HIV na świecie. W dalszym ciągu kontynent wykazuje więc najwyższy współczynnik śmiertelności niemowląt (85‰) i najkrótszą średnią długość życia (53 lata) na świecie. Tylko

■ Afryka. Wioska ludu Bambara w okolicy Bamako (Mali)

3% ludności ma ponad 64 lata. W latach 90. zaobserwowano spadek dotychczasowego tempa wzrostu ludności. Średnia dzietność kobiet spadła do 5,4 (średnia świat. 3), co w Ameryce Łac. i Azji nastąpiło już 30 lat temu. Jest to następstwem przemian społ.-kulturowych, szybciej postępujących w regionach lepiej rozwiniętych gospodarczo. W pn. i południowej A. (RPA, Namibia, Botswana, Lesotho, Suazi) kobiety rodzą przeciętnie czworo dzieci; ocenia się, że 40% zamężnych kobiet stosuje środki antykoncepcyjne; średnia długość życia (62–65 lat) jest bliska średniej świat. (66 lat). Te dwa regiony wykazują jednak dość duże różnice w poziomie alfabetyzacji społeczeństwa (1995): 52% w północnej A., 81% — w południowej. W A. międzyzwrotnikowej kobiety wciąż rodzą średnio sześcioro dzieci, choć poziom ich alfabetyzacji nie odbiega od poziomu występującego w północnej A. Ten wysoki przyrost naturalny utrzymuje się na obszarach nękanych od lat 60. przez susze i wojny, gdzie 1/3 ludności jest chronicznie niedożywiona a śmiertelność niemowląt wynosi 90‰ (średnio na świecie 57‰). Ocenia się, że w tej części A. dzietność kobiet spadnie do czterech dopiero po 2010.

Mieszkańcy A. tradycyjnie charakteryzowali się wysoką mobilnością przestrzenną, wynikającą ze sposobu użytkowania ziemi (koczownicze pasterstwo, rolnictwo żarowo-odłogowe, myślistwo i zbieractwo). Współczesne kierunki migracji wewn. są bardzo zróżnicowane. Emigracje odbywają się gł. z przeludnionych obszarów wiejskich o niewystarczającej produkcji żywności do dużych miast lub na tereny wiejskie wykazujące zapotrzebowanie na najemną siłę roboczą. Są to migracje stałe i okresowe.

Niełatwe warunki życia w miastach sprawiają, że w okresach stagnacji gosp. ludność jest zmuszona przemieszczać się do innych miast lub z

■ Afryka. Grupa Tuaregów na południu Sahary

■ Afryka. Buszmeni z RPA

powrotem na wieś. Afrykanie biorą w niewielkim stopniu udział w migracjach międzykontynentalnych. W USA, Kanadzie i Australii stanowili tylko 4% imigrantów 1990–94. Nieco więcej dociera ich do Europy Zach. (15–20% ogółu imigrantów), gł. z północnej A. Ujemne saldo migracji jest bardzo niskie (–0,2 na 1000 mieszk.) w porównaniu z Azją, a zwł. Ameryką Łacińską. Bardziej intensywne są migracje zewn. w samej A., np. z Burkina Faso na Wybrzeże Kości Słoniowej lub z Malawi, Lesotho, Suazi do RPA. Ujemne saldo migracji wykazuje przede wszystkim wschodnia A. (–0,6 na 1000 mieszk.), w wyniku przemieszczeń uchodźców i migracji zarobkowych do południowej A. Stosunkowo wysokie dodatnie saldo ma północna A. (0,4 na 1000 mieszk.) — obszar tranzytowy dla emigrantów z innych części A. do Europy lub zach. Azji. Migracje zewn. mają zarówno charakter dobrowolny (w celach zarobkowych), jak i przymusowy, najczęściej są spowodowane destabilizacją polit. (wojny domowe) lub klęskami żywiołowymi. Ponad 40% (1997) zarejestrowanych przez ONZ uchodźców polit. na świecie pochodzi z państw afryk. ogarniętych wojnami domowymi, gł. z Liberii, Somalii, Sudanu, Erytrei, Ruandy, Angoli i Sierra Leone. Ponad połowa ludności (ok. 4 mln) Ruandy została zmuszona do ucieczki do sąsiednich krajów (gł. Demokr. Rep. Konga).

A. ma gęstość zaludnienia (średnio 24 mieszk./km^2) prawie dwukrotnie niższą od średniej świat., ale wyższą niż w Australii i Ameryce. Na kontynencie można wyróżnić 4 wielkie makroregiony ludnościowe. Najwięcej Afrykanów (37%) żyje na wyżynach wsch. i południowej A., od Wyż. Abisyńskiej po Przyl. Dobrej Nadziei (średnio 35 mieszk./km^2). Wyżej położone obszary cechują na ogół lepsze warunki bioklimatyczne oraz niewystępowanie muchy tse-tse, ograniczającej chów bydła. Tereny te (gł. RPA, Kenia, Zimbabwe) w przeszłości przyciągały białych osadników. Większe skupiska ludności roln. (ok. 250 mieszk./km^2) występują w Ruandzie i Burundi oraz w środkowozach. prowincjach Kenii. Na terenach górniczo-przem. RPA, w pd. Transwalu (prow. Gauteng), zwł. w Witwatersrandzie, średnia gęstość zaludnienia wynosi 422 mieszk./km^2. Drugim regionem pod względem potencjału ludnościowego (28%) jest zachodnia A., w strefie między Saharą a Zat. Gwinejską. Przy przeciętnej gęstości zaludnienia 60 mieszk./km^2 największa koncentracja ludności (Ibowie) występuje w pd.-wsch. Nigerii (ponad 400 mieszk./km^2). Takie skupiska ludności (Jorubowie, Hausa, Mossi) powstały na terenach lepiej rozwiniętych rolniczo oraz zagospodarowanych jeszcze w okresie prekolonialnym. Prawie cała ludność pn. części kontynentu (22% ludności A.) skupia się bliżej wybrzeża, gdzie osadnictwu i uprawie ziemi sprzyjał łagodny klimat śródziemnomor., a nadmor. położenie było korzystne dla rozwoju miast i handlu. Możliwość intensywnej uprawy ziemi na terenach sztucznie nawadnianych sprawiła, że w dolnym biegu Nilu występuje największa koncentracja ludności na kontynencie (ponad 1000 mieszk./km^2). Tu powstały pierwsze miasta w A. Rozległa Sahara poza oazami oraz doliną Nilu pozostaje obszarem prawie bezludnym, gdzie jest możliwe tylko koczownictwo. Czwarty region ludnościowy stanowią słabo zaludnione tereny wilgotnych lasów Kotliny Konga i otaczających ją wyżyn i bardziej suchych na północy (pogranicze Sudanu i Sahary) i pd.-zach. (kotlina Kalahari, pustynia Namib). Łącznie mieszka tam 13% ogółu Afrykanów, a średnia gęstość zaludnienia wynosi tylko 12 mieszk./km^2.

Struktura osadnictwa. A. jest obok Azji najsłabiej zurbanizowaną częścią świata, ale od półwiecza wykazuje najwyższe tempo wzrostu ludności miejskiej (4–5% rocznie). Na wsi mieszka 65% Afrykanów (1995). Z najbardziej pierwotnych form osadnictwa występują tu leśne szałasy Pigmejów i namioty koczowników. Wsie liczą od kilkudziesięciu osób w strefie wilgotnego lasu równikowego do kilkunastu tys. mieszkańców w delcie Nilu lub na sawannie zachodniej A. W północnej A. tradycyjne, prostokątne domy są budowane z gliny, cegły suszonej lub wypalanej. Zabudowa wsi jest zwarta, z charakterystycznym meczetem na centr. placu. W A. międzyzwrotnikowej poza gliną więcej wykorzystuje się drewna i liści palmowych; tradycyjne budynki bywają okrągłe z charakterystycznymi stożkowatymi dachami lub prostokątne o dachach płaskich lub dwuspadowych. Wsie strefy wilgotnego lasu są na ogół małe i zwarte, w strefie sawanny — większe, najczęściej otoczone mniejszymi przysiółkami i pojedynczymi zagrodami. Wsie pasterzy we wsch. i pd. części A. są chronione przez ogrodzenia z kolczastych gałęzi, gliny lub drewniane palisady. W 20 krajach międzyzwrotnikowej A. ponad 65% ludności wiejskiej żyje w absolutnym ubóstwie.

Pierwsze miasta na kontynencie powstały w Egipcie ok. 3 tys. lat p.n.e., a potem w pozostałej części północnej A. Wraz z ekspansją islamu

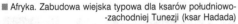

■ Afryka. Zabudowa wiejska typowa dla ksarów południowo--zachodniej Tunezji (ksar Hadada)

■ Afryka. Panorama Kairu od strony Nilu

pojawiły się na pd. od Sahary w strefie sahelu i sawanny oraz na wybrzeżach O. Indyjskiego. W XI w. powstały pierwsze miasta roln. Jorubów na pograniczu sawanny i wilgotnego lasu w dzisiejszej Nigerii. Bardziej intensywna urbanizacja rozpoczęła się 1930–50. Najwyższe tempo przyrostu ludności miejskiej notowano w latach 60. XX w., po uzyskaniu przez większość krajów niepodległości. W krajach afryk. za miasta uznaje się przeważnie już takie osiedla, które liczą 2–5 tys. mieszkańców. Wyższe kryteria są stosowane w niektórych krajach zachodniej A. (np. w Nigerii 20 tys. mieszk., Senegalu i Beninie 10 tys.). Najwyższy poziom urbanizacji wykazują państwa pd. i północnej A. (45–50% ludności miejskiej), gdzie miasta są na ogół lepiej wyposażone w infrastrukturę techniczną. Najmniej ludności miejskiej (25%) ma wschodnia A. Najwyższe tempo wzrostu ludności miast (5% rocznie) cechuje obecnie kraje zach. i wschodniej A. W miastach liczących ponad 1 mln mieszk. mieszka tylko 29% ludności miejskiej, a więc tylko nieco więcej niż w Europie. Silniejsze zewn. niż wewn. więzi gosp. spowodowały, że połowa tych miast leży na wybrzeżu. Choć często stołeczne miasto jest nieproporcjonalnie duże w stosunku do pozostałych w kraju, to w przeciwieństwie do Azji i Ameryki Łac. nie ma jeszcze tak wielkich miast, jak na tych kontynentach. Tylko 2 zespoły miejskie zamieszkuje ponad 10 mln mieszk. (Lagos i Kair), a 3–5 mln mają: Kinszasa, Aleksandria, Chartum, Casablanca, Algier, Abidżan, Maputo, Kapsztad. W wielu krajach A. międzyzwrotnikowej poniżej 50% ludności miejskiej korzysta z wodociągów (np. w Nigerii 33%, Angoli 40%), a nawet ma tylko dostęp do dobrej jakości wody pitnej (w Mozambiku 17%, Gwinei Bissau 38%). W dużych miastach A. typowy jest stosunkowo wysoki udział mieszkań substandardowych (np. Addis Abeba 85%, Lagos 80%, Luanda 70%). Charakterystyczną cechą miast afryk. jest ich dualna forma, pozwalająca wyróżnić miasto kolonialne (eur.), z bardziej nowoczesną zabudową, i afryk. (arabskie w północnej A.), z bardziej tradycyjną.

Gospodarka

A. jest najwolniej rozwijającym się gosp. kontynentem świata. W wielu państwach na gospodarkę wpływa brak stabilizacji polit., a jej struktura jest obciążona dziedzictwem przeszłości kolonialnej (monokulturowe rolnictwo plantacyjne). Gospodarka w skali całego kontynentu wykazuje wysoki udział rolnictwa w tworzeniu dochodu nar. i tylko kilkuprocentowy, stagnujący — przemysłu przetwórczego. Zaawansowanie gospodarki jest jednak różne w poszczególnych regionach, najlepiej są rozwinięte RPA oraz na północy kontynentu Egipt, Tunezja i Maroko. W 1995 PNB na 1 mieszk. wynosił w tych krajach od 790 dol. USA w Egipcie do 1100–1800 dol. USA w krajach Maghrebu i 3160 dol. USA w RPA. W najsłabiej rozwiniętych państwach, leżących na pd. od Sahary, PNB na 1 mieszk. nie przekracza 500 USD. Cechą wskazującą na słabe zaawansowanie gospodarki A. jest duży udział rolnictwa w dochodzie nar. (np. 13% w Algierii, a 20% w A. na południe od Sahary, 1995). O niekorzystnych zjawiskach strukturalnych w gospodarce świadczy także ujemne tempo wzrostu PNB w okresie 1980–95: – 1,4% rocznie w krajach na pd. od Sahary, –2,1% w północnej A. Od lat 90. wskaźniki te ulegają poprawie dzięki wprowadzaniu programów dostosowawczych do wymogów gospodarki rynkowej. Trudności te są konsekwencją uzależnienia gospodarek wielu krajów afryk. od koniunktury na rynkach świat. na surowce miner. bądź rolne, będące gł. źródłem wpływów eksportowych. Dotyczy to np. miedzi (Demokr. Rep. Konga, Zambia), ziarna kakaowego (Wybrzeże Kości Słoniowej) i innych. Nierozwiązanym od lat problemem w A. jest duży zasięg ubóstwa i niedożywienia. Rolnictwo wciąż nie może sprostać rosnącemu zapotrzebowaniu na żywność, gł. z powodu wysokiego przyrostu naturalnego. W ostatnim dwudziestoleciu jedynie w nielicznych krajach tempo przyrostu produkcji żywności na 1 mieszk. uległo nieznacznej poprawie (o 3–10% w Angoli, Beninie, Czadzie, Egipcie, najwięcej — o 22% w Ghanie), natomiast w innych wystąpił spadek, sięgający nawet 30% (Mozambik, Niger, Ruanda, Sudan). Ujemny bilans żywnościowy jest uzupełniany dzięki importowi oraz międzynar. pomocy.

Trudną sytuację gosp. wielu państw A. pogłębia systematycznie zwiększające się zadłużenie, pomimo programów naprawczych i preferencyjnych kredytów zagranicznych, przeznaczanych na uzdrowienie i modernizację gospodarki. Przykładowo, 1980–95 zadłużenie Nigerii wzrosło z 9 mld do 35 mld dol. USA, Nigru z 8,6 mld do 16 mld dol. USA, Ghany z 1,4 mld do 6 mld dol. USA. W wielu krajach (Mozambik, Tanzania, Malawi, Sierra Leone, Madagaskar, Gwinea Bissau i in.) łączny dług ze źródeł zewn. kilkakrotnie przekracza roczny dochód narodowy. W państwach na południe od Sahary, po wdrożeniu w latach 90. programów dostosowawczych Banku Świat. i Międzynar. Funduszu Walutowego wielkość zadłużenia ustabilizowała się na poziomie ok. 200 mld dol. USA, co stanowi w przybliżeniu równowartość PNB tych krajów.

W ogromnej większości krajów afryk. gł. rolę w zatrudnieniu odgrywa rolnictwo. Blisko 2/3 mieszk. kontynentu żyje na wsi. W rolnictwie pracuje 63% zawodowo czynnych (1990). W rzeczywistości wskaźnik ten jest jeszcze wyższy, gdyż pracują także dzieci i kobiety, nie uwzględniane w międzynar. standardach. Duża część wartości PKB w A. pochodzi z usług, zatrudniających od 15% do 25% zawodowo czynnych. Są to zazwyczaj podstawowe usługi dla społeczeństwa, oferowane przez tzw. sektor pozaformalny, który pozostaje poza sferą opodatkowania i stanowi źródło dochodów najuboższych, gł. w miastach. Zaledwie 2–15% pracuje w przemyśle, z wyjątkiem RPA (32% zawodowo czynnych).

Rolnictwo i leśnictwo. Ziemie uprawne (grunty orne 174 mln ha i plantacje 24 mln ha) stanowią tylko 6,4% powierzchni A. Tylko nieznaczna ich część (ok. 6,5%) jest sztucznie nawadniana, z czego ponad połowa przypada na Egipt, Sudan i RPA. W strukturze użytków rolnych przeważają naturalne pastwiska, wykorzystywane na potrzeby ekstensywnego chowu zwierząt. Bardziej produkcyjne użytki zielone są zgrupowane gł. w pasie wilgotnych sawann po obu stronach równika, sezonowo występują również na terenach półsuchych. Rzeczywiste wykorzystanie tych użytków jest jednak niewielkie. Na skutek długoletnich susz na niektórych obszarach A. zaniechano chowu zwierząt, np. w części Sahelu. Rozwój produkcji zwierzęcej ogranicza także mucha tse-tse, występująca gł. w zachodniej A., nad Zat. Gwinejską.

Najważniejszą grupę roślin uprawnych stanowią zboża. Głównymi producentami zbóż w A. są Nigeria, Egipt i RPA, skąd pochodzi ok. 40% zbiorów w skali kontynentu. Najbardziej jest rozpowszechniona kukurydza uprawiana na ziarno (powierzchnia zasiewów 25,8 mln ha, 1996) na całym kontynencie. Mniejszy zasięg ma uprawa sorgo (20,8 mln ha). Kolejnymi zbożami pod względem powierzchni zasiewów są pszenica, proso i ryż (łącznie 30 mln ha). Ryż jest upra-

■ Afryka. Oaza Fajum w Egipcie, koła wodne z czerpakami, służące do napełniania kanału nawadniającego

■ Afryka. Zbiór agawy sizalskiej w Zambii

wiany w dolinach i deltach niektórych rzek, gł. Nilu, Nigru (region Maciny) i na Madagaskarze, ponadto w zachodniej A. na terenach nie nawadnianych tzw. ryż górski. Z pozostałych zbóż należy wymienić jęczmień oraz tzw. trawy zbożopodobne: miłkę abisyńską i ryż głodowy fonio (*Digitaria exilis*), występujący gł. w Sahelu. Średnie plony zbóż w skali kontynentu są niskie i wynoszą 13 q/ha (1996), a w przypadku pszenicy 20 q/ha. W niewielu krajach afryk. poziom uprawy zbóż jest porównywalny z osiągnięciami krajów wysoko rozwiniętych, np. średnie plony pszenicy 1996 wynosiły: w Egipcie — 56,4 q/ha, w Zimbabwe — 54 q/ha, w Namibii — 46,6 q/ha. Ważną rolę w wyżywieniu ludności odgrywają rośliny bulwiaste. Uprawia się maniok, jam, taro i słodki ziemniak batat, gł. w strefie klimatu równikowego, a największymi producentami są Nigeria i Demokr. Rep. Konga (gł. maniok). Rozszerza się uprawę ziemniaka (Egipt, RPA, Algieria). A. dostarcza wielu surowców pochodzenia roślinnego, cennych dla przemysłu przetwórczego. Są to rośliny włóknodajne, oleiste, używki, trzcina cukrowa oraz owoce i warzywa. Z roślin włóknodajnych najważniejsze są: bawełna, rafia, rami, konopie i sizal. Najwięcej bawełny (zwł. długowłóknista) produkują Egipt i Sudan, należy do nich łącznie 25% zbiorów w skali kontynentu. Z roślin oleistych palma oleista jest uprawiana gł. w zachodniej A. (80% produkcji kontynentu), drzewo oliwne w północnej A. (15% zbiorów świat. dostarczają Tunezja i Maroko) oraz orzeszki ziemne — gł. w Nigerii (25% zbiorów afryk.). Z A. pochodzi 20% świat. produkcji kawy, gł. gat. *Coffea robusta* (zachodnia A.), w mniejszym stopniu rodzima *Coffea arabica*. W uprawie kakaowca dominują kraje zachodniej A., zwł. Wybrzeże Kości Słoniowej (30% produkcji świat.), Ghana, Nigeria, Kamerun. Najważniejszym producentem herbaty jest Kenia (10% zbiorów świat.). Najwięcej owoców (gł. cytrusowych) i warzyw dostarczają kraje położone w klimacie podzwrotnikowym mor. na pn. i pd. kontynentu. Produkcję zwierzęcą charakteryzuje duże zróżnicowanie regionalne; gł. 4 regiony hodowlane: północno-wschodnia A. (Etiopia, Somalia, Sudan) — 25% ogółu pogłowia bydła, 30% owiec i kóz, 70% wielbłądów; Maghreb — 20% pogłowia owiec i kóz oraz Nigeria i RPA (gł. owce). Rozwój produkcji zwierzęcej w A. napotyka na wiele barier. Na terenach nawadnianych występuje konkurencja między roślinami żywieniowymi oraz przem. i paszowymi. Barierami hamującymi rozwój hodowli są też np. nieregularne opady na obszarach półsuchych, a na wilgotnych występowanie muchy tse-tse. Barierą jest również utrzymywanie chowu zwierząt dla wysokiego statusu społ., gł. w grupach plemiennych wschodniej A. i pd. Sudanu. Z kolei w regionach zamieszkanych przez ludność muzułmańską chów trzody chlewnej nie występuje ze względów religijnych.

Około 25% powierzchni A. jest porośnięte lasami. Większość obszarów leśnych skupia się w 3 strefach: równikowej, sawannowej wilgotnej oraz w śródziemnomorskiej. W skali kontynentu leśnictwo nie stanowi szczególnie ważnego działu gospodarki. Potencjał lasów afryk. jest wykorzys-tywany jeszcze w niewielkim stopniu, często w sposób rabunkowy. Dotyczy to niekontrolowanej eksploatacji lasów w strefie równikowej, zakładania wieloletnich plantacji oraz przekształcania uprawy żarowo-przemiennej w uprawę stałą. Blisko połowa drewna pozyskiwanego na kontynencie pochodzi z Nigerii, Demokr. Rep. Konga i Etiopii. Jest ono wykorzystywane gł. na potrzeby wewn. (opał). Głównymi eksporterami surowca są RPA i Gabon. Przetwórstwo drewna jest jedną z najsłabiej rozwiniętych gałęzi afryk. gospodarki. Wyjątek stanowi RPA, skąd pochodzi np. 70% produkcji papieru w skali kontynentu.

Przemysł. A. ma bogate zasoby wielu cennych surowców mineralnych. Występują one w 3 pasach: w centr. i południowej A. w pasie biegnącym południkowo wzdłuż wielkich jezior afryk.

■ Afryka. Rafineria i port naftowy w Arziw (Algieria)

(pogranicze Demokr. Rep. Konga, Ugandy, Kenii, Tanzanii, Ruandy) i dalej na pd., w Zambii, Botswanie i RPA; w zachodniej A. wzdłuż wybrzeży Zat. Gwinejskiej; w północnej A. wzdłuż wybrzeży M. Śródziemnego. W pierwszym pasie występują: platyna (RPA — 80% zasobów świat.), diamenty (1/2 świat. produkcji, zwł. Demokr. Rep. Konga, Botswana i RPA), rudy miedzi (Pas Miedziowy — 10% zasobów świat.), manganu (RPA — 55% zasobów świat.), złoto (gł. RPA), również węgiel kam. i rudy żelaza. W pasie zach. największe znaczenie ma wydobycie ropy naft. (w szelfie wzdłuż wybrzeży Nigerii, Gabonu, Konga i Angoli), rud manganu (Gabon — 7% zasobów świat.) i boksytów (ponad 20% zasobów świat., gł. Gwinea i Sierra Leone). Na pn. występują bogate złoża ropy naft. (Algieria, Libia, Egipt — łącznie ok. 6% produkcji świat.), gazu ziemnego (Algieria, Libia) i fosforytów (Maroko i Tunezja — 20% produkcji świat.).

Głównym źródłem energii elektr. w A. jest hydroenergetyka. Największe hydrowęzły są zlokalizowane na dużych rzekach, m.in. na Nilu — Hydrowęzeł Asuański, na Zambezi — Cabora Bassa i Kariba, na Wolcie — Akosombo. Pozostałą część energii dostarczają elektrownie opalane ropą, gazem lub węglem kamiennym. W Egipcie i RPA działają pierwsze w A. elektrownie jądrowe. Największymi producentami energii są RPA i Egipt; w krajach tych wytwarza się ponad 70% energii w skali całej A.

■ Afryka. Hydrowęzeł Asuański, Jezioro Nasera w Egipcie podczas wysokiego stanu wód (widok z Wielkiej Tamy)

Przemysł przetwórczy w A. służy przede wszystkim potrzebom rynku wewn., jedynie w niewielkim stopniu jest ukierunkowany na eksport. Do najbardziej uprzemysłowionych krajów A. należy RPA, jedyne państwo na kontynencie, gdzie przemysł przetwórczy jest gł. działem gospodarki (24% wartości PNB); RPA ma dobrze rozwinięty przemysł maszyn. i metalowy, samochodowy, chem., elektron., energ., spożywczy. Na tle pozostałych krajów afryk. wyróżniają się państwa północnej A. oraz Nigeria, w których wytwarza się prawie połowę produkcji przem. kontynentu. Struktura gałęziowa przemysłu jest w tych krajach bardziej zróżnicowana; obok przemysłu ciężkiego (hutnictwo, petrochem., maszyn., cementowy) rozwinięto w ramach tzw. polityki otwartych drzwi (Egipt, Tunezja, Maroko) liczne dziedziny przemysłu spoż. i lekkiego (m.in. włók. i odzieżowy). Udział przemysłu przetwórczego w PNB wynosi tu od 15% do 19%, z tego względu Tunezja i Maroko są zaliczane w statystykach międzynar. do grupy tzw. nowo uprzemysłowionych krajów drugiej generacji.

Komunikacja. Na kontynencie afryk. gł. rolę w komunikacji odgrywa transport kołowy. Łączna długość dróg kołowych wynosi ponad 1,6 mln km, z czego tylko niewielka część ma utwardzoną nawierzchnię. Najlepiej rozwiniętą sieć dróg mają RPA, kraje północnej A. oraz Nigeria i Zimbabwe. W tych krajach jest również stosunkowo dobrze rozwinięta komunikacja kol., co wiąże się z dawną rozbudową trakcji łączących ośrodki górnicze z portami morskimi. Niekiedy są to jedyne linie w kraju, jak np. w Mauretanii. Łączna długość linii kol. w A. wynosi ok. 82 tys. km. W wielu krajach afryk. ważną rolę odgrywa transport wodny, śródlądowy i morski. Najważniejszymi szlakami wodnymi są Nil w Egipcie oraz na niektórych odcinkach Nil Biały w Sudanie, także Niger, Wolta i Kongo. Największe mor. porty handl. to: Durban (przeładunek ok. 25 mln t rocznie), Algier, Aleksandria i Casablanca. Komunikacja lotn. najlepiej jest rozwinięta w krajach szczególnie atrakcyjnych pod względem turystycznym. W RPA i Egipcie w latach 90. przewieziono ponad 90% ogółu pasażerów korzystających w A. z transportu lotniczego.

Handel międzynarodowy. Charakterystyczną cechą wymiany towarowej A. jest to, iż udział kontynentu w eksporcie świat. wielu surowców jest wyższy niż analogiczny udział w produkcji. W eksporcie dominują produkty w niewielkim stopniu przetworzone na miejscu, np. w Ugandzie, Etiopii i Nigerii stanowią one 1–4% wartości eksportu. Jedynie w najlepiej rozwiniętych krajach artykuły przetworzone mają udział 60–75% wartości eksportu (Tunezja, Maroko, RPA). W handlu światowym A. wyróżnia się jako dostawca surowców i paliw miner. (20%). Najważniejsza jest ropa naft., 1995 A. dostarczyła 244,6 mln t ropy — ok. 13% wartości świat. eksportu; największymi jej eksporterami są: Nigeria (80,3 mln t), Libia (55,7 mln t), Algieria (32,2 mln t). Ważną rolę w wymianie międzynar. odgrywają rudy żelaza (Mauretania — 33% dostaw afryk.), fosforyty (Maroko — 55%, Togo, RPA, Tunezja) oraz rudy miedzi (Zambia — 70%). RPA jest liczącym się eksporterem stali surowej (65% wartości wywozu afryk.). Kraje pozbawione surowców miner. handlują gł. towarami pochodzenia rolnego. Z A. pochodzi ok. 40% wartości świat. eksportu kakao (z tego połowa z Wybrzeża Kości Słoniowej). Kraje afryk. są ważnymi dostawcami owoców cytrusowych (RPA, północna A.) na rynki świat., oleju roślinnego (Wybrzeże Kości Słoniowej, Kamerun) oraz bawełny (Egipt, Sudan, Mali); RPA jest ważnym eksporterem wyrobów bawełnianych.

W przywozie, gł. z Europy (54% wartości), przeważają: żywność, lekarstwa, przetworzone artykuły przem., urządzenia i maszyny i in. dobra inwestycyjne. Wzrasta znaczenie krajów azjat., ich udział przekracza obecnie 20% wartości przywozu i stale się zwiększa. Ważną rolę odgrywają dostawy ropy naft. z Płw. Arabskiego oraz wyrobów przemysłu maszyn. i elektronicznego z Azji Wsch. i Pd.-Wschodniej.

aglomeracja miejsko-przemysłowa, obszar urb. o dużym skupieniu ludności utrzymującej się z zawodów pozaroln.; występuje na nim zgrupowanie miast i osiedli oraz zachodzą intensywne procesy przemieszczania osób, towarów i usług; a.m.-p. wykazują silne wewn. i zewn. powiązania z infrastrukturą techn. oraz społ.; pod względem adm. są najczęściej podzielone na gminy miejskie i wiejskie z dominującą rolą dużego miasta tworzącego centrum (np. Warszawa w a.m.-p. warszawskiej).

Agra, m. w pn. Indiach (Uttar Pradeś), na Niz. Hindustańskiej, nad rz. Jamuna; 1,3 mln mieszk. (2002); centrum ind. przemysłu skórz. i obuwn.;

■ Agra. Mauzoleum Tadź Mahal

rzemiosło, wyrób gł. biżuterii, brokatów, dywanów; uniw.; ośr. turyst. i kultu rel. muzułmanów; zał. na pocz. n.e.; zabytki sztuki islamu, m.in. słynne mauzoleum Tadź Mahal i Meczet Perłowy z XVII w.   ■

agradacja [łac.], gromadzenie się osadów rzecznych (→ aluwia) prowadzące do stopniowego, postępującego od ujścia w górę rzeki, zasypywania doliny rzecznej; w rzekach niosących dużo materiału skalnego i osadzających wielkie ilości aluwiów powoduje częste zmiany koryta rzeki (np. Huang He w Chinach).

Agulhas, przyl. w Afryce, → Igielny, Przylądek.

Ahaggar, Al-Ḥajjār, franc. **Hoggar,** masyw górski w środk. Saharze, w Algierii; stanowi tarczę w pn. części platformy afryk., zbud. gł. z prekambryjskich łupków krystal., gnejsów, kwarcytów i zlepieńców, kilkakrotnie fałdowanych i wypiętrzanych; ostatniemu wypiętrzeniu, w orogenezie alp., towarzyszyły spękania i silne zjawiska wulk.; składa się z licznych grup górskich o wyrównanych wierzchowinach, ponad którymi wznoszą się stożki wygasłych wulkanów, wśród nich najwyższy szczyt Ahaggaru — Tahat, 2918 m; klimat zwrotnikowy kontynent. suchy (odmiana górska); średnia roczna suma opadów 15–50 mm; gęsta sieć suchych dolin (wadi); skąpa roślinność kserofilna; koczownicza hodowla wielbłądów, owiec i kóz.

Akaba, arab. **Khalīj al-'Aqabah,** hebr. **Miþraṣ 'ēylat,** zatoka w pn. części M. Czerwonego, między płw. Synaj i Arabskim; dł. 180 km, szer. 12–28 km, głęb. do 1829 m; temp. wody od 18–24°C w zimie do 30°C w lecie; zasolenie 40–41‰; porty Al-Akaba, Ejlat.

Akademii Nauk, Góry, Akadiemii nauk chriebiet, pasmo górskie w Pamirze, w Tadżykistanie (Gornobadachszański Obwód Autonomiczny); wys. do 7495 m (Szczyt Ismaiła Samanidy — najwyższy szczyt kraju); zbud. gł. ze skał osadowych i metamorficznych; rzeźba alp.; wieczne śniegi i lodowce (pow. 660 km^2).

Akmoła, 1832–1961 **Akmolińsk,** do 1992 **Celinograd,** od 1998 **Astana,** stol. (od 1997) Kazachstanu, nad Iszymem; 294 tys. mieszk. (2002); przemysł maszyn. i metal., spoż., lekki; węzeł kol.; 4 szkoły wyższe; muzea; zał. 1830 jako ros. warownia.

Akra, Accra, stol. Ghany, nad Zat. Gwinejską; 1,6 mln mieszk., zespół miejski 2,8 mln mieszk. (2002); największy port handl. i ośr. gosp. (przemysł spoż., włók., drzewny, odzież., chem. i in.) kraju; rzemiosło; międzynar. port lotn.; uniw., AN, biblioteka nar.; muzea; zał. w XVI w.; od XVII w. ośr. penetracji eur. w Ghanie; hol. i ang. forty (XVII w.).

akumulacja [łac.], proces nagromadzania się osadów w wyniku ich → sedymentacji, a także gromadzenie się określonych składników w osadach i skałach osadowych; tempo a., wyrażone miąższością złożonego osadu w jednostce czasu, jest istotnym wskaźnikiem środowiska sedymentacyjnego i może się zmieniać w bardzo szerokich granicach, od części milimetra w ciągu tysiąca lat (głębokowodne osady oceaniczne) do kilkudziesięciu centymetrów i więcej w ciągu doby (np. osady składane przez prądy zawiesinowe).

akumulacyjny poziom glebowy, próchniczy poziom glebowy, górna warstwa gleby, w której gromadzą się chem. związki org. (gł. próchnica) i miner., powstałe w wyniku rozkładu organizmów, zwł. roślinnych; a.p.g. ma duże znaczenie dla → żyzności gleby.

Akwitański, Basen, Nizina Akwitańska, Bassin Aquitain, nizina we Francji, między Pirenejami i Masywem Centr.; na zach. przylega do O. Atlantyckiego; na pn. łączy się z Basenem Paryskim. Pod względem geol. stanowi nieckę paleozoicznej platformy Europy Zach. (której fundament znajduje się na głęb. kilku km) wypełnioną osadami mezozoiczno-trzeciorzędowymi (gł. mor. oraz ewaporaty). Na pd. (Lannemezan) potężne stożki żwirowe usypane przez wody roztopowe z lodowców pirenejskich w plejstocenie; na zach. ciągną się wysokie zalesione wydmy (→ Landy); gł. rz.: Garonna z Dordogne; część pd.-zach. odwadniana przez Adour. Klimat umiarkowany ciepły mor.; średnia temp. w styczniu ok. 5°C, w lipcu — 20°C; roczne opady 700–900 mm. Lasy liściaste na obrzeżach dziś przeważnie wytrzebione; na wybrzeżu wrzosowiska, lasy sosnowe i sosnowo-dębowe z sosną nadmor. *Pinus maritima.* Uprawa zbóż, kukurydzy, winorośli; hodowla bydła i drobiu (zwł. gęsi i kaczek); rozwinięty przemysł winiarski; wydobycie gazu ziemnego (Lacq), ropy naft., soli kam.; gł. m.: Bordeaux, Tuluza.

Alabama, stan w USA, nad Zat. Meksykańską; 133,7 tys. km^2; 4,5 mln mieszk. (2002), w tym 34% ludności murzyńskiej; stol. Montgomery, gł. m. Birmingham; nizinno-górzysta (Appalachy); uprawa soi, kukurydzy, bawełny; hodowla bydła; wydobycie węgla kam., boksytów i ropy naft.; elektrownia jądr. Browns Ferry; hutnictwo żelaza, przemysł maszyn., elektroniczny.

Alandzkie, Wyspy, fiń. **Ahvenanmaa,** szwedz. **Åland,** grupa wysp fiń. (ok. 6,5 tys., z tego ok. 80 zamieszkanych) na M. Bałtyckim, u wejścia do Zat. Botnickiej; autonomiczna prow. Finlandii; pow. 1,5 tys. km^2 (w tym największa wyspa Åland 640 km^2); większość ludności mówi językiem szwedz.; gł. miasto i ośr. adm. Maarianhamina na wyspie Åland; wyspy skaliste, zbudowane gł. z granitów; rybołówstwo; intensywna hodowla bydła i trzody chlewnej; uprawa pszenicy, owsa, buraków cukrowych, drzew owocowych; rozwinięta turystyka i in. usługi; połączenia promowe.   ■

■ Wyspy Alandzkie. Wyspa Åland (okolice miejscowości Godby)

Alaska, Gulf of Alaska, otwarta zatoka O. Spokojnego, u wybrzeży Ameryki Pn., od płw. Alaska na zach. do Archipelagu Aleksandra na wsch.; pow. 384 tys. km²; głęb. średnia ok. 1200 m, maks. — 4929 m, w Rowie Aleuckim; liczne wyspy; temp. wód powierzchniowych od 3–7°C w zimie do 10–15°C w lecie, zasolenie 30–34‰; pływy do 12 m, w Zat. Cooka; bogaty świat zwierzęcy (endemiczny gat. wieloryba — pływacz szary); rybołówstwo (łosoś, śledź, dorsz); gł. porty: Anchorage, Seward.

Alaska, największy stan USA, pn.-zach. część Ameryki Pn.; 1,5 mln km², 636 tys. mieszk. (2002), w tym ok. 90 tys. Eskimosów i Indian; gł. m.: Anchorage (port), Fairbanks, Juneau (stol.); wyżynno-górzysty (McKinley, 6194 m — najwyższy szczyt Ameryki Pn.); czynne wulkany; w górach lodowce (Malaspina); liczne parki nar.; na pn. wydobycie ropy naft. (rurociąg dł. 1250 km znad zat. Prudhoe do portu Valdez); rybołówstwo; hodowla reniferów; leśnictwo i myślistwo; transport lotn.; wojsk. bazy lotnicze. Odkryta 1741 przez ekspedycję ros. dowodzoną przez V.J. Beringa. ∎

Alaska, Alaska Peninsula, półwysep w USA, w stanie Alaska, między M. Beringa i O. Spokojnym; wąski, dł. ok. 800 km; na całej długości Alaski ciągną się G. Aleuckie; rozwinięta linia brzegowa z głęboko wciętymi zatokami; wzdłuż pn. wybrzeża nizina z licznymi bagnami i jeziorami (największe Iliamna); wydobycie ropy naftowej.

Alaska, Alaska Range, łańcuch górski w USA, w stanie Alaska, najwyższy w Ameryce Pn., najdalej na pn. wysunięta część Kordylierów; dł. ok. 1000 km; wys. do 6194 m — McKinley, najwyższy szczyt Ameryki Pn.; zbud. w części środk. z granitów, w brzeżnej — ze skał osadowych; na pd.-zach. czynne wulkany; lasy iglaste na pn. stokach do wys. 800 m, na pd. — do 1100 m; w wyższych partiach gór wieczne śniegi i lodowce; stanowi granicę klim. między obszarami o klimacie umiarkowanym na pd. i okołobiegunowym na pn.; w środk. części Alaski Park Nar. Denali (pow. ok. 1620 tys. ha); wydobycie złota, ropy naft. i miedzi; 1974, 1977, 1986 — pol. wyprawy alpinistyczne. ∎

∎ Albania

∎ Góry Alaska

∎ Alaska. Rzeka Jukon na odcinku powyżej Whitehorse

Albania, Shqipëria, Republika Albanii, państwo w Europie, na Płw. Bałkańskim, nad M. Adriatyckim i M. Jońskim; 28,7 tys. km²; 3,0 mln mieszk. (2002), w tym Albańczycy 98%; większość wierzących muzułmanie, także katolicy i prawosławni; stol. Tirana, inne gł. m.: Szkodra, Durrës, Elbasan; język urzędowy alb.; republika. Obszar górzysty (wys. do 2751 m), w zach. części nadmor. nizina; klimat podzwrotnikowy mor., na wsch. — kontynent.; gł. rz.: Drin, Seman, Vjosa; pograniczne jez.: Szkoderskie, Ochrydzkie, Prespa; lasy i zarośla 35% pow., łąki górskie. Kraj słabo rozwinięty; gospodarka w okresie transformacji; wydobycie rud chromu; uprawy: zboża (pszenica, kukurydza), oliwki, drzewa owocowe, winorośl, tytoń; hodowla owiec, kóz, bydła; rybołówstwo; gł. porty: Durrës, Vlora. ∎

Albańskie, Góry, Colli Albani (Laziali), Monti Albani, grupa wygasłych wulkanów we Włoszech, na pd.-wsch. od Rzymu, najwyższy — Faete, 956 m; ekshalacje wulk. (liczne mofety i fumarole); jeziora kraterowe: Albano (głęb. 170 m) i Nemi, zasilane przez źródła podziemne; uprawa oliwek, winorośli; turystyka (średniow. zamki, m.in. Frascati, Velletri, Albano); letnia rezydencja papieża (Castel Gandolfo).

Alberta, prowincja w pd.-zach. Kanadzie; 661,2 tys. km², 3,2 mln mieszk. (2002); gł. m.: Edmonton (stol.), Calgary; Wielkie Równiny (prerie), na pd.-zach. G. Skaliste; jeziora polodowcowe (Athabaska); gł. w kraju region wydobycia ropy naft., gazu ziemnego i węgla kam.; przemysł rafineryjny, chem., drzewny; uprawa pszenicy, jęczmienia, owsa; hodowla bydła; leśnictwo; na pd. transkontynent. linia kol. i drogowa, na pn. transport lotniczy.

∎ Albania. Okolice Tirany

Alberta, Jezioro, ang. **Lake Albert,** franc. **Lac Albert,** od 1973 **Mobutu Sese Seko,** jez. pochodzenia tektonicznego na granicy Ugandy i Demokr. Rep. Konga, w dnie Wielkiego Rowu Zach. (→ Wielkie Rowy Afrykańskie), na wys. 619 m; pow. 5600 km², głęb. do 58 m; do Jeziora Alberta uchodzą rz.: Semliki oraz Nil Wiktorii, wypływa — Nil Alberta; żegluga; rybołówstwo; liczne gat. ptactwa wodnego; hipopotamy; odkryte 1864 przez S.W. Bakera.

Aleksandria, Al-Iskandariyyah, m. w pn. Egipcie, nad M. Śródziemnym; 3,8 mln mieszk. (2002); drugie (po Kairze) pod względem znaczenia gosp. miasto kraju i ważny port handl.; przemysł elektromaszyn., metalurg., petrochem., cementowy, włók.; węzeł komunik. (port lotn.); duży ośr. turyst.; uniw., liczne inst. nauk., muzea; zał. 332/331 p.n.e. przez Aleksandra III Wielkiego; fragmenty arch. zabytków staroż. (m.in. Serapeum, tzw. kolumna Pompejusza, rzym. termy, nekropole z czasów hellenistycznych), meczety (XVII–XIX w.); pol. wykopaliska (teatr, łaźnie).

Aleksandrów Kujawski, m. powiatowe w woj. kujawsko-pomor., w pobliżu Wisły; 13,1 tys. mieszk. (2000); przemysł materiałów bud., spoż., metal.; wikliniarstwo; węzeł kol.; sanatorium (solanki); prawa miejskie 1919.

Aleksandrów Łódzki, m. w woj. łódz. (powiat zgierski), w łódz. aglomeracji przem.-miejskiej; 20,4 tys. mieszk. (2000); ośr. przemysłu dziewiarsko-pończoszniczego; węzeł drogowy; muzeum; prawa miejskie 1822–70 i od 1924; kościół ewang., ratusz, domy tkaczy — XIX w.

Aletsch [ąlecz], największy i najdłuższy lodowiec Alp, w Szwajcarii, w Alpach Berneńskich; pow. 86,8 km², dł. 24,7 km (1973); średnia szer. 1,8 km; pole firnowe na wys. 2780 m, maks. grubość 792 m; spływa na pd. do wys. 1520 m, dając początek rz. Massa (dopływ Rodanu); w rejonie czoła A. rezerwat leśny (limba eur., modrzew). ∎

Aleuckie, Góry, Aleutian Range, wulk. pasmo górskie w USA, na płw. Alaska oraz Aleutach, najdalej na zach. położona część Kordylierów; dł. ok. 2600 km; we wsch. części liczne czynne wulkany, najwyższy szczyt — Redoubt, 3108 m (1989 silny wybuch), gorące źródła, fumarole (Park Nar. Katmai).

∎ Lodowiec Aletsch w Alpach Berneńskich

∎ Algier. Widok na starą dzielnicę arabską

Aleuty, Wyspy Aleuckie, Aleutian Islands, archipelag na O. Spokojnym; ciągnie się równoleżnikowo, na dł. 1930 km, w przedłużeniu płw. Alaska, ogranicza od pd. M. Beringa; należy do USA (stan Alaska); pow. 37,8 tys. km²; gł. grupy wysp: Lisie (Fox), Andrejanowa (Andreanof), Szczurze (Rat), Bliskie (Near); powierzchnia wysp górzysta; 25 czynnych wulkanów (Shishaldin, 2863 m); rybołówstwo, połów fok; liczne wojsk. bazy lotn. i mor.; gł. miejscowość Dutch Harbor.

Alföld [ọl~] → Węgierska, Wielka Nizina.

Algier, Al-Jazā'ir, franc. **Alger,** stol. Algierii, nad M. Śródziemnym; 1,7 mln mieszk., zespół miejski 3,8 mln (2002); centrum gosp., kult. i gł. port kraju; rafineria ropy naft., przemysł włók., chem., metal., spoż., cementowy; duży węzeł komunik. (port lotn.); 2 uniw. (starszy zał. 1897), konserwatorium, Inst. Pasteura; muzea; wielki meczet (XI w.) z minaretem (XIV w.), kasba (XVI w.), liczne meczety (XVII–XIX w.), pałace tur. (XVI–XVIII w.), budowle, m.in. katedra, gmach opery (XIX w.). ∎

Algieria, Al-Jazā'ir, Algierska Republika Ludowo-Demokratyczna, państwo w Afryce Pn., nad M. Śródziemnym; 2381,7 tys. km², 32,7 mln mieszk. (2002); gł. Arabowie, Berberowie; religia państw. islam; stol. i gł. port: Algier, inne ważne m.: Oran (port), Konstantyna, Annaba; język urzędowy arab. (w użyciu franc.); republika. Większa część powierzchni A. leży na Saharze; na pn. Atlas Tellski i Atlas Saharyjski rozdzielone Wyż. Szottów; na pd.-wsch. masyw Ahaggar (Tahat, 2918 m); klimat zwrotnikowy skrajnie suchy, na wybrzeżu podzwrotnikowy mor.; liczne suche doliny (wadi) i słone jeziora (szotty); w Atlasie Tellskim resztki lasów (dąb korkowy), na Wyż. Szottów pustynie trawiaste z ostnicą alfa. Podstawą gospodarki górnictwo i przemysł przetwórczy; wydobycie ropy naft. i gazu ziemnego (złoża na Saharze), ponadto wydobycie rud żelaza, fosforytów; hutnictwo żelaza; przemysł rafineryjny, środków transportu, chem., elektron., cementowy; rozwinięte rzemiosło; uprawy: pszenica, jęczmień, owoce cytrusowe, winorośl, warzywa, oliwki, palma daktylowa; hodowla bydła, wielbłądów, owiec, kóz;

∎ Algieria

połów sardynek, tuńczyka; transport kol. i drogowy rozwinięty w pn. części kraju; na wybrzeżu żegluga promowa; transport rurociągowy ropy naft. i gazu ziemnego do ośr. przeróbki i portów.

alimentacja [łac.], w hydrologii → zasilanie.

alimentacyjny obszar, obszar skorupy ziemskiej, z którego pochodzi materiał skalny gromadzący się w basenie sedymentacyjnym.

allochton [gr.], masy skalne, zazwyczaj znacznych rozmiarów, oderwane od swojego pierwotnego podłoża i poziomo przemieszczone wskutek ruchów tektonicznych na znaczną odległość (→ płaszczowina). Zob. też autochton.

alpejska rzeźba, rzeźba wysokogórska o przeważających formach glacjalnych, które powstawały i powstają na zlodowaconych obszarach górskich wskutek przeobrażenia przez lodowiec starszych form preglacjalnych (np. dolin rzecznych); rz.a. cechują ostre, rozczłonkowane granie oraz liczne przegłębienia i progi w dnach dolin; do gł. form rz.a. należą → cyrki lodowcowe i → żłoby lodowcowe; rz.a. występuje np. w Alpach (opisana tam po raz pierwszy — stąd nazwa) i w Tatrach.

Alpy, franc. **Alpes,** niem. **Alpen,** wł. **Alpi,** słoweń. **Alpe,** najwyższy obszar górski w Europie. Ciągną się łukiem o dł. 1200 km i szer. od 150 do 260 km, pomiędzy Zat. Genueńską (M. Liguryjskie) na pd. a Małą Niz. Węgierską na pn.-wsch.; leżą na terytorium 8 państw: Francji, Włoch, Monako, Szwajcarii, Liechtensteinu, Austrii, Niemiec i Słowenii. Najwyższy szczyt — Mont Blanc (4807 m).

Warunki naturalne

Ukształtowanie powierzchni. A. dzielą się na A. Zachodnie i A. Wschodnie. Granica pomiędzy nimi biegnie południkowym obniżeniem od Jez. Bodeńskiego na pn., przez dolinę górnego Renu, przełęcz Splügen i dolinę San Giacomo do jez. Como na południu. W wyższych i masywniejszych A. Zachodnich wyróżnia się strefę krystal. (A.: Nadmorskie, Kotyjskie, Delfinackie, Graickie, Sabaudzkie, Pennińskie, Lepontyńskie, Berneńskie, Glarneńskie) oraz strefę wapienną i fliszową (francuskie A. Wapienne i szwajcarskie Prealpy). W A. Wschodnich występuje strefa krystal. i 2 strefy wapienno-fliszowe. Strefa krystal. obejmuje A.: Retyckie, Noryckie, Kitzbühelskie oraz Wysokie i Niskie Taury. W skład Północnych A. Wapiennych wchodzą A.: Algawskie, Bawarskie, Salzburskie, Dolnoaustriackie, natomiast Południowe A. Wapienne składają się z Dolomitów, Karawanek oraz A. Bergamskich, A. Karnickich, A. Julijskich i A. Kamnickich. Południowe krańce A. łączą się od wsch. z Apeninami. Za granicę pomiędzy nimi przyjmuje się

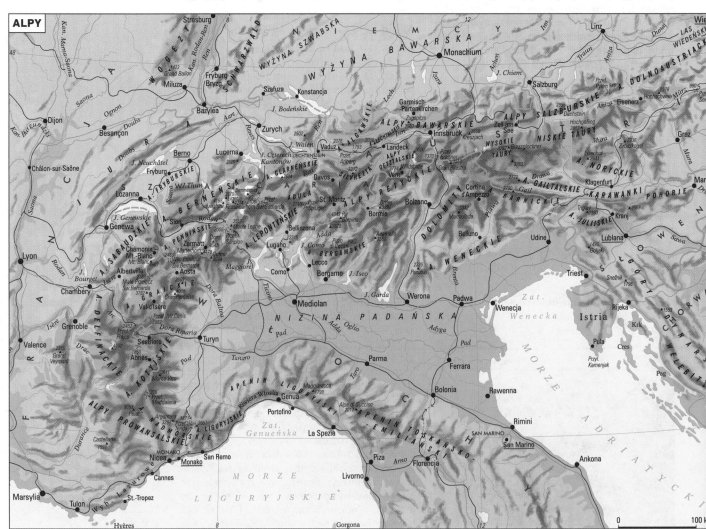

obniżenie przełęczy Cadibona (490 m). A. początkowo biegną wzdłuż Zat. Genueńskiej w kierunku pd.-zach., by na pograniczu franc.-wł. skręcić ku pn.-zach., a później ku północy. Ich wsch. część stanowią opadające stromo do morza A. Liguryjskie (Marguareis, 2651 m), leżące niemal w całości we Włoszech. Od przełęczy Tenda (1870 m) na granicy Włoch i Francji przechodzą w A. Nadmorskie (Argentera, 3297 m). Na pd.--zach. wapienna część zwana A. Prowansalskimi (Les Monges, 2115 m) opada do M. Śródziemnego. Dalej pasma A. ciągną się ku pn. szeregiem zrębowych masywów krystalicznych. Pomiędzy przełęczami Maddalena (1996 m) a Montgenèvre (1850 m) rozciągają się A. Kotyjskie (Monte Viso, 3841 m), które przechodzą ku pn. w A. Graickie (Gran Paradiso, 4061 m). Obydwie grupy górskie stromo urywają się ku wsch. do Niz. Padańskiej, a na zach. przechodzą w A. Delfinackie (Barre des Écrins, 4102 m). Krystaliczne masywy sąsiadują na zach. z masywami wapiennymi i fliszowymi należącymi do francuskich A. Wapiennych (zach. część A. Delfinackich z masywem Vercors oraz Sabaudzkie A. Wapienne), które łagodnie obniżającymi się grzbietami opadają do doliny Rodanu. Na pn. od A. Graickich rozciągają się krystaliczne A. Sabaudzkie (Haute Cime, 3257 m) i masyw Mont Blanc. Łańcuch A. w tej części zwęża się do 150 km i skręca ku pn. wschodowi. Na pn.-wsch. od Wielkiej Przełęczy Św. Bernarda (2469 m) rozciągają się silnie zlodowacone A. Pennińskie z ponad 20 szczytami przekraczającymi 4000 m (m.in.: Monte Rosa, 4634 m; Dom, 4545 m; Weisshorn, 4506 m; Matterhorn, 4478 m; Dent Blanche, 4357 m). Głęboka dolina górnego Rodanu oddziela je od również silnie zlodowaconych A. Berneńskich (Finsteraarhorn, 4274 m; Aletschhorn, 4195 m; Jungfrau, 4158 m), a przełęcz Simplon (2005 m) od A. Lepontyńskich (Monte Leone, 3553 m). Te ostatnie oddziela od A. Glarneńskich (Tödi, 3614 m) dolina górnego Renu. Po stronie zewn. (pn. i pn.-zach.) A. towarzyszą obszary wyżynne i pagórkowate, znacznie zmniejszając kontrast wysokościowy i krajobrazowy. Ku pn. masywy krystal. przechodzą w Prealpy Szwajcarskie, opadające w stronę Wyż. Szwajcarskiej. Na wsch. od linii Jez. Bodeńskie–jez. Como znajdują się A. Wschodnie. Pasma alp. przebiegają równoleżnikowo i rozszerzają się do 250 km. Centralną oś tworzą masywy krystaliczne. Na wsch. od przełęczy Splügen (2113 m) rozciągają się A. Retyckie z jedynym szczytem w A. Wschodnich przekraczającym 4000 m (Piz Bernina, 4049 m), oddzielone przełęczą Birnlücke (2667 m) od Wysokich Taurów (Grossglockner, 3797 m), które ku pn. przechodzą w A. Kitzbühelskie (Kreuzjoch, 2558 m), ku wsch. w Niskie Taury (Hochgolling, 2863 m), a ku pd.-wsch. w A. Noryckie (Eisenhut, 2441 m). Na pn. od strefy krystal. znajdują się nieco niższe masywy wapienne. Od zach. są to A.: Algawskie (Rote Wand, 2704 m), Bawarskie (Zugspitze, 2963 m), Salzburskie (Hoher Dachstein, 2995 m), Dolnoaustriackie (Hochtor, 2372 m). A. Wschodnie ku pn. obniżają się do Wyż. Bawarskiej (na zach.) i do Masywu Czeskiego (na wsch.). Ku wsch. obni-

■ Alpy. Fragment masywu Mont Blanc

żają się do Kotliny Wiedeńskiej i przechodzą w pasma Karpat. Na pd. od strefy krystal. wznoszą się Południowe A. Wapienne. Na zach. są to A. Bergamskie (Pizzo di Coca, 3052 m). Ku wsch. przechodzą w 2 grupy górskie: Adamello (3556 m) i Brenta (3173 m). Dolina Adygi oddziela je od Dolomitów (Marmolada, 3342 m), które ku pd. opadają do niewysokich A. Weneckich (Cima dei Preti, 2703 m) i Niz. Padańskiej. Południowowsch. część Południowych A. Wapiennych tworzą podłużne pasma Karawanek (Hochstuhl, 2237 m), A. Karnickich (Hohe Warte, 2780 m), A. Julijskich (Triglav, 2863 m) i A. Kamnickich (Grintavec, 2558 m), które ku pd.-wsch. przechodzą bez wyraźnej granicy w G. Dynarskie, a ku wsch. opadają do Małej Niz. Węgierskiej. Rzeźba A. została ukształtowana w trzeciorzędzie i czwartorzędzie w wyniku kilkufazowego wypiętrzania i fałdowania górotworu, a także współdziałających czynników denudacyjnych (wietrzenie, erozja rzeczna i lodowcowa oraz ruchy grawitacyjne). Ruchy tektoniczne przyczyniły się do wytworzenia długich obniżeń, wykorzystywanych przez rzeki. Odmłodzenie rzeźby miało wpływ na zmianę kierunku biegu

■ Alpy Kotyjskie, okolice przełęczy Izoard — stoki zwane La Casse Deserte (Francja)

rzek. Początkowo miały one przebieg poprzeczny w stosunku do masywu górskiego. Wraz ze zmianą rzeźby zanikły, a wykształcił się system dolin podłużnych, biegnących wzdłuż łańcuchów górskich i związanych z obniżeniami śródgórskimi i strefami mniej odpornych na wietrzenie skał. W czwartorzędzie A. uległy kilkukrotnym zlodowaceniom, które wywarły decydujący wpływ na wygląd gór. Wynikiem egzaracji są typowe w krajobrazie alp. kilkupiętrowe cyrki, doliny lodowcowe (często zawieszone), wygłady skalne i karlingi. W wyniku akumulacji, w krajobrazie A. pojawiły się systemy moren: czołowych, środk., dennych i bocznych. Efektem działalności lodowców są także liczne jeziora. W zewn. strefie A., zbud. z mało odpornych skał fliszowych, przeważają niskie wzniesienia o łagodnych stokach osiągające 1800 m. W strefie wapiennej wysokość dochodzi do 3000 m. Występują głęboko wcięte doliny, stoliwa górskie o płaskich wierzchowinach (powierzchnie zrównań z przełomu oligocenu i miocenu) i stromych stokach. Charakterystyczne są ostre turnie, kominy i baszty, a także rozwinięte zjawiska krasowe, zwł. w Północnych A. Wapiennych (Hochschwab, Totes Gebirge, Tennengebirge, Hagengebirge). Największe jaskinie i systemy szczelinowe powstały w A. Salzburskich, A. Delfinackich i A. Prowansalskich. Strefa krystal. charakteryzuje się najbardziej typowym krajobrazem alp. z wyraźnymi śladami rzeźby glacjalnej oraz ze współcz. zlodowaceniem. Przeważają ostre grzbiety i wyniosłe szczyty. Doliny są głęboko wcięte, często o bardzo stromych stokach. Zachowały się również powierzchnie zrównań z przełomu oligocenu i miocenu.

Budowa geologiczna. A. są orogenem zbud. gł. ze skał mezozoicznych i trzeciorzędowych, wśród których występują bloki prekambryjskich i paleozoicznych skał krystal.; utwory te są sfałdowane i nasunięte na siebie oraz na przedpole w postaci wielkich płaszczowin. Wypiętrzenie A. nastąpiło w trzeciorzędzie w wyniku ruchów tektonicznych orogenezy alp.; przyczyną tych procesów była kolizja kontynentów Afryki i Europy. Odkrycie płaszczowinowej budowy A. (tzw. tektonika alp.) pod koniec XIX w. (M. Bertrand, M. Lugeon, É. Argand) odegrało znaczną rolę w rozwoju geologii. Zasadnicze różnice w budowie geol. poszczególnych odcinków A. spowodowały podział całego łańcucha na A. Zachodnie i A. Wschodnie; rozdziela je tzw. linia insubryjska (periadriatycka), będąca szwem tektonicznym pozostałym po istniejącej tu uprzednio strefie subdukcji.

W A. Zachodnich wyróżnia się strefę wewn. — pennińską, i zewn. — helwecką; rozdziela je tzw. strefa briansońska. Strefa pennińska jest zbud. z kilku płaszczowin (tzw. płaszczowiny pennińskie) utworzonych gł. ze sfałdowanych skał metamorficznych; powstały one w wyniku metamorfizmu z głębokokom. osadów mezozoicznych i dolnopaleogeńskich, mezozoicznych ofiolitów, skał węglanowych i fliszu górnokredowo-dolnopaleogeńskiego; utwory te są poprzebijane miejscami przez trzeciorzędowe intruzje skał głębinowych. Razem z tymi skałami zostały sfałdowane kontynent. osady karbonu i permu. Najbardziej charakterystycznymi skałami strefy pen-

nińskiej są tzw. łupki lśniące. W jej pd.-wsch. części występują też tzw. wewnątrzalpejskie masywy krystal., zbud. gł. z gnejsów, prawdopodobnie przedmezozoicznych. Metamorfizm w obrębie strefy pennińskiej zachodził w 2 etapach — ok. 80 mln lat temu w kredzie i ok. 40 mln lat temu w późnym paleogenie.

Strefa helwecka, zbudowana z kilku płaszczowin (m.in. płaszczowina helwecka), graniczy na pn. z grubymi osadami molasy wypełniającej zapadlisko przedalpejskie. W pd. części strefy helweckiej występują masywy zbud. ze skał metamorficznych prekambru i paleozoiku, intrudowanych granitoidami (m.in. Pelvoux, Mont Blanc, Św. Gothard). Na skałach należących do tych masywów leżą mezozoiczne łupki krystal., płytkomor. skały osadowe (wapienie, margle) oraz flisz; utwory te w zach. części strefy helweckiej są sfałdowane i częściowo oddzielone (odkłute) od podłoża, a na wsch. tworzą płaszczowiny.

Strefa briansońska jest zbudowana z utworów mezozoicznych (gł. węglanowych) o bardzo małych miąższościach.

W A. Wschodnich (tzw. strefa austryjska) wyróżnia się: część osiową, zbudowaną gł. z lokalnie zmetamorfizowanych skał paleozoicznych i mezozoicznych, a także ze skał krystalicznych o nie ustalonym wieku (uważanych niekiedy za kontynuację strefy pennińskiej A. Zachodnich), które odsłaniają się w oknach tektonicznych Wysokich Taurów i Engadyny; część pn. — Północne A. Wapienne, utworzone gł. z węglanowych skał mezozoiku, nasuniętych ku pn. na okruchowe osady trzeciorzędowe zapadliska przedalpejskiego; strefę pd. — Południowe A. Wapienne, zbud. gł. z węglanowych skał mezozoiku, graniczących od pd. z okruchowymi skałami trzeciorzędowymi zapadliska południowoalpejskiego.

Fałdowania w A. zachodziły w późnej kredzie i trzeciorzędzie. W strefie pennińskiej towarzyszył im metamorfizm, a także intruzje granitoi-

■ Alpy. Dolomity, Cima Grande di Lavaredo (w głębi) i Monte Paterno (2744 m)

dów i gabr. W oligocenie rozpoczęło się też wypełnianie zapadlisk otaczających A. osadami: zlepieńcami, piaskowcami i iłami wieku od oligocenu po miocen, o miąższości przekraczającej niekiedy 5 km. Ostateczne fałdowania, połączone z nasunięciami płaszczowin na przedpole (wielkość tego nasunięcia szacowana jest na ok. 30 km) i wypiętrzenie górotworu, nastąpiło w neogenie (30–10 mln lat temu); procesy związane z powstawaniem A. trwają jednak do dziś, o czym świadczą silne trzęsienia Ziemi, szczególnie w pd. części A.

Zlodowacenia plejstoceńskie objęły znaczną część A., nadając im charakterystyczne rysy rzeźby i pozostawiając w dolinach oraz na przedpolu osady morenowe oraz pokrywy żwirów i piasków fluwioglacjalnych. Na pocz. XX w. A. Penck i E. Brückner na podstawie tych form i osadów wyróżnili 4 zlodowacenia A.: Günz, Mindel, Riss i Würm, które korelowano później z kontynent. zlodowaceniami Europy.

W skałach węglanowych A. od miocenu rozwijają się procesy krasowe, które wytworzyły wielkie jaskinie, o długości korytarzy przekraczającej niekiedy 100 km (np. Hölloch) i głęb. ponad 1000 m (np. Lamprechtsofen, Berger, Schneeloch).

Klimat. A. stanowią granicę klim. między strefą umiarkowaną a podzwrotnikową. Panuje w nich górska odmiana klimatu umiarkowanego ciepłego mor. i przejściowego na pn. i pośredniego na wsch. oraz podzwrotnikowego mor. na pd.-zach. i pośredniego na pd. od A. Retyckich, Wysokich Taurów i Karawanek, z wyraźnie zaznaczoną piętrowością klimatyczną. Regionalne warunki klim. są bardzo zróżnicowane w wyniku urozmaiconej rzeźby i wysokości, ekspozycji na wilgotne polarne masy powietrza atlantyckiego z zach. i pn.-zach. lub polarnego kontynent. ze wsch., bądź zwrotnikowego gorącego i suchego z południa. Równoleżnikowy układ pasm i dolin alpejskich przy południkowym przepływie powietrza, zwł. z pd., sprzyja powstawaniu fenów, gł. wiosną (powodują silne topnienie śniegu i groźne lawiny) i jesienią. Częste są w Tyrolu (Innsbruck — 75 dni w roku) i w dolinie Reuss (Altdorf — 64 dni); rzadziej występuje fen północny. Doliny eksponowane na pd. mają klimat łagodniejszy niż eksponowane na pn. i wschód. W kotlinach tworzą się zimą stoiska chłodnego powietrza, powodujące spadki temp. poniżej –30°C (w obniżeniu Gstettner Alm w A. Dolnoaustriackich zanotowano –53°C). Temperatura maks. w Innsbrucku (207 m) wynosi od 1°C (styczeń) do 25°C (lipiec), minim. odpowiednio od –6 do 13°C, podczas gdy w Pian Rosà (3488 m, A. Penińskie) maks. od –8°C (styczeń–marzec) do 4°C (lipiec), a minim. odpowiednio od –14 do –2°C. Roczna suma opadów w A. Zachodnich osiąga 3000–4000 mm, w pasmach zewn. A. Wschodnich i eksponowanych na pn. i pd. — 2500–3000 mm, w dolinach o przebiegu równoleżnikowym dochodzi do 800–1000 mm; poniżej 600 mm w dolinie górnego Rodanu i w Górnej Engadynie. W zach. i południowych A. najwięcej opadów spada jesienią, w pozostałych latem. Granica wiecznego śniegu występuje na wys. od 2500 m na zboczach pn. do 3200 m na pd. i w suchych obszarach wewnętrznych.

Wody. Przez A. przebiega dział wód między zlewiskami mórz: Śródziemnego, Czarnego i Północnego, rozdzielając dorzecza ważnych rzek eur., od zach. Rodanu, od pn. i wsch. Renu i Dunaju, od pd. Padu i Adygi. Sieć rzeczna jest gęsta. Rzeki, charakteryzujące się dużym współczynnikiem odpływu (60–90%), płyną w głęboko wciętych dolinach, w A. Zachodnich przeważnie w poprzecznych, w A. Wschodnich w podłużnych, z odcinkami przełomowymi; są zasilane wodami opadowymi, roztopowymi, a także lodowcowymi. Wykazują przeważnie wysokie stany wód w środku lata i niskie w zimie. W A. występują przede wszystkim jeziora polodowcowe, gł. cyrkowe, położone wysoko w górach. Największe i najgłębsze są jeziora tektoniczno--lodowcowe na pn. i pd. przedpolu A. Jeziora po stronie pd. (wł.) należą do najgłębszych: Como (maks. głęb. 410 m; największa w Europie kryptodepresja — 212 m p.p.m.), Maggiore (372 m), Garda (346 m). Jeziora po pn. stronie A. są z kolei największe: Genewskie (581,4 km²), Bodeńskie (537,4 km²). W A. występują również jeziora krasowe (np. Wildmoos i Lotten w Tyrolu) oraz jeziora zaporowe, powstałe w wyniku przegrodzenia dolin przez ruchy masowe (np. w dolinie Ötz i w okolicach Davos), lub zatamowane przez lodowce (np. Märjelen przy lodowcu Aletsch). Odrębną grupą jezior są sztuczne zbiorniki, m.in.: Grande-Dixence, Mauvoisin (Szwajcaria), Vajont (Włochy). W A. znajduje się ok. 3200 lodowców o łącznej pow. ponad 2680 km². Ponadto zarejestrowano około 1740 płatów wiecznego śniegu. W A. przeważają niewielkie lodowce; 97% wszystkich lodowców ma pow. do 5 km²; zajmują ok. 60% zlodowaconej powierzchni A. Największą powierzchnię zajmują lodowce dolinne (ponad 55%), choć stanowią zaledwie 10% wszystkich lodowców; pozostałe to niewielkie lodowce karowe i in. Większość lodowców ma ekspozycję pn., pn.-wsch. i pn.--zach., co jest związane z większym zacienieniem stoków. Lodowce występują gł. w A. Zachodnich (A. Berneńskie i Penińskie, masywy Mont Blanc i Pelvoux) oraz w Wysokich Taurach. Największymi lodowcami są: Aletsch (pow. 86,8 km², dł. 24,7 km), Gorner (pow. 68,9 km², dł. 14,1 km), Fischer (pow. 33,1 km², dł. 16 km), Mer de Glace (pow. 33,1 km², dł. 12,3 km).

Gleby. W A. występuje piętrowy układ pokrywy glebowej, zależny od ekspozycji zboczy. Na stokach pn.-zach., wilgotniejszych, granice pięter glebowych utrzymują się niżej niż na suchszych pd. i pd.-zachodnich. Dolne stoki do wys. ok. 700 m na pn. i 900 m na pd. pokrywają kwaśne gleby brunatne lasów liściastych. W wyżej położonym piętrze lasów iglastych rozwinęły się górskie gleby bielicowe, graniczące na wys. 1400 m (stoki pn.) i 2300 m (stoki pd.) z glebami łąk górskich i inicjalnymi skalistymi. Na węglanowych zwietrzelinach wapieni rozwinęły się rędziny, natomiast na odwapnionych — gleby czerwone (terra rossa) i żółte (terra fusca) uznawane zazwyczaj za twory reliktowe.

Świat roślinny i zwierzęcy. Roślinność wykazuje zróżnicowanie strefowe, dzieląc się na piętra wysokościowe. Piętro pogórza sięga do wys. 700 m na pn. i do 900 m na pd., jego roślinność naturalną stanowią na pd. świetliste submediterrańskie lasy dębowe; w pn. części są to lasy liściaste i mieszane, w suchej centr. części — sosnowe; na wsch. występuje roślinność typu lasostepu — jest to piętro upraw polnych, winorośli i sadów. Piętro górskie rozciąga się do wys. 1600–2000 m; porastają je lasy mieszane jodłowo-bukowe, wyżej świerkowe; w najwyższych partiach centr. występują lasy świerkowe, modrzewiowe, miejscami sosnowe; zdarzają się tu jeszcze uprawy polowe. Piętro subalp. sięga do wys. 190–2400 m; występują tu lasy limbowo-modrzewiowe, w jego górnej granicy rozciągają się zarośla kosodrzewiny, olszy zielonej, różaneczników i jałowców; jest to gł. obszar gospodarki pasterskiej. W piętrze alp. (powyżej zarośli kosodrzewiny) występują wysokogórskie zbiorowiska murawowe, szpalerowe i naskalne. Piętro niwalne, leżące powyżej 2500–3200 m n.p.m., charakteryzuje występowanie lodowców i zaleganie śniegu także w sezonie letnim. Roślinność A. wykazuje zróżnicowanie regionalne, a także wyraźne zróżnicowanie związane z podłożem wapiennym lub krzemianowym.

Świat zwierzęcy A., podobnie jak każda górska fauna, jest bogatszy od fauny występującej na otaczających nizinach i odznacza się strefowością — występowanie wielu gat. jest związane z określonymi piętrami klimatyczno-roślinnymi. Wśród zwierząt zamieszkujących A. można wyróżnić kilka odrębnych grup: 1) pospolite zwierzęta eur., np.: zięba, sikora bogatka, zając, sarny czy lis, które stanowią gł. zrąb fauny, zwł. w niższych piętrach; 2) zwierzęta, które niegdyś były pospolite we wszystkich eur. lasach, ale zostały tam wytępione, a zachowały się tylko w trudno dostępnych lasach górskich, np. głuszce, orzeł przedni oraz bardzo nieliczne i tylko w pd.-wsch. pasmach A. — ryś i niedźwiedź; w latach 70. XX w. powiodły się próby ponownego wprowadzenia rysia w Bawarii i w Szwajcarii; 3) typowe zwierzęta górskie, zazwyczaj związane z wyższymi piętrami, np.: salamandra plamista, ptaki — pomurnik i płochacz halny, ssaki — ryjówka górska, nornik śnieżny, świstak, kozica, koziorożec; 4) zwierzęta północnogórskie, np.: ślimaki — *Vertigo modesta* i *Vertigo genesii*, motyle — bielinek *Artogeia bryoniae*, niepylak apollo i niepylak mnemozyna; ptaki — pardwa górska, dzięcioł trójpalczasty, orzechówka,

■ Alpy Wschodnie. Przełęcz Brenner

drozd obrożny; z ssaków — zając bielak; do tej grupy można by zaliczyć również pluszcza, chociaż jest to ptak wartkich i czystych strumieni o kamienistym dnie; 5) zwierzęta gór i skał Europy pd., np.: motyle — bielinek *Pontia callidice* i szlaczkoń *Colias phicomone*; 2 ptaki krukowate — wrończyk i wieszczek; 6) alp. zwierzęta endemiczne; są to gł. bezkręgowce, po kilkadziesiąt gat. w każdej grupie; ślimaki — przeźrotki *Eucobresia pegorarii* i *Phenacolimax glacialis*, świdrzyki *Neostyriaca corynodes* i *Fusulus interruptus* oraz zachodnioalp. wstężyk leśny (*Cepaea silvatica*); motyle — niepylak febus (*Parnassius phoebus*), oczennice *Oeneis glacialis* i 12 gat. górówek; endemicznym kręgowcem jest salamandra czarna. Koziorożec alp. jest uważany za endemiczny podgat. koziorożca.

Ochrona środowiska naturalnego. Negatywny wpływ człowieka na środowisko naturalne A. zaznaczał się już w okresie imperium rzymskiego. Na pocz. I tysiąclecia lasy w dolinach dzisiejszej Szwajcarii zostały zniszczone w 50%. Od V do XIII w. powierzchnie leśne zmniejszyły się o dalsze 10%. Proces niszczenia szaty roślinnej (zwł. lasów) przybrał na sile w XVII i XVIII w. Jego efektem było nasilenie katastrof naturalnych (lawiny, obrywy itp.). Wycięto znaczne powierzchnie lasów na przedgórzu i w dolinach, powstało wiele, stale powiększanych, polan śródleśnych. Górna granica lasów została obniżona o ok. 200 m. Wycinaniu lasu nie zapobiegły ani katastrofy, ani próby ochrony zapoczątkowane w XIV w. Po 1600 postanowiono rekonstruować lasy, jednak dopiero w 2. poł. XIX w. w Szwajcarii, Austrii, a potem i in. krajach alp. wprowadzono przepisy ograniczające wycinanie lasów oraz nakazujące ich rekonstrukcję. Do przekształcenia środowiska przyrodniczego A. XIX–XX w. przyczynił się znaczny wzrost ludności, nadmierny wypas zwierząt, dewastacje lasów, rozwój przemysłu (zwł. górnictwo) i sieci transportowej, a także niekontrolowany rozwój ośrodków turyst. i towarzyszącej infrastruktury (m.in. kolejki i wyciągi). Po II wojnie świat. wprowadzano kolejne akty prawne zaostrzające normy dotyczące negatywnego wpływu człowieka na środowisko. Rygorystyczne przepisy ochrony środowiska są obecnie w krajach alp. bardzo przestrzegane. Pomimo znacznych, wielowiekowych przekształceń, uszkodzenie lasów jest najniższe (poza Skandynawią) w Europie. Drzewa bez defoliacji (uszkodzeń) stanowią 55–65% drzew A. (1996), słabo zniszczone 20–26%, silnie — poniżej 2%. Emisje zanieczyszczeń są również jednymi z najniższych w Europie. Dbałość państw alp. o ochronę środowiska pojawia się w budowie oczyszczalni ścieków, utylizacji śmieci, a także w maksymalnie możliwym zabezpieczeniu przed katastrofami przyrodniczymi. Wiele hal (gł. w A. Wschodnich) zostało zalesionych. Szczególnie cenne przyrodniczo obszary A. są chronione w parkach nar.: Mercantour, Écrins, Vanoise, Gran Paradiso, Szwajcarski, Stelvio, Val Grande, Dolomiti Bellunesi, Berchtesgaden, Wysokie Taury, Nockberge, Triglav.

Gospodarka

W A. występują liczne bogactwa miner., gł. w Austrii i Włoszech, jednak większość z nich, z powodu trudnej dostępności i zagrożenia środowiska przyr., nie jest eksploatowana. Spośród rud metali największe znaczenie mają rudy żelaza (Eisenerz, Aosta) oraz rudy cynku, ołowiu i molibdenu (Bleiberg, Sondrio). Ponadto występują rudy wolframu, antymonu i azbest. Znaczne złoża boksytów są eksploatowane w Brignoles w A. Prowansalskich. W A. Salzburskich występują złoża soli kamiennej i potasowej. Lokalnie są eksploatowane złoża węgla kam. i brunatnego. Powszechnie występują materiały budowlane (wapienie, dolomity, granity, marmury, piaskowce). Do XIX w. w gospodarce alp. największe znaczenie miała gospodarka leśna, hodowla i górnictwo. W XX w. wzrosła rola intensywnej hodowli zwierząt w dolinach rzecznych i na przedgórzu. W wyższych częściach A., na halach w pobliżu osad, tradycyjnie są wypasane owce i bydło. Od początku XX w. coraz większą rolę w gospodarce krajów alp. odgrywają turystyka (gł. górska), alpinizm i sporty zimowe. Do najsłynniejszych ośrodków turyst. i narciarskich należą: Les Trois Vallées, Val d'Isère, Chamonix-Mont-Blanc (Francja), Courmayeur, Sestrière, Bormio, Cortina d'Ampezzo (Włochy), Davos, Sankt Moritz, Zermatt (Szwajcaria), Garmisch-Partenkirchen (Niemcy), Kitzbühel, Zell am See, Badgastein (Austria), Kranjska Gora (Słowenia). Dzięki znakomitym warunkom naturalnym i bardzo dobremu zagospodarowaniu, w A. odbyła się połowa dotychczasowych zimowych olimpiad (Chamonix 1924, Sankt Moritz 1928, 1948, Garmisch-Partenkirchen 1936, Cortina d'Ampezzo 1956, Innsbruck 1964, 1976, Grenoble 1968, Albertville 1992).

Szlaki komunik. przecinające A. zaczęto zakładać już za czasów imperium rzym., wykorzystując dostępność wielu alp. przełęczy (m.in. Brenner, Wielka Przełęcz Św. Bernarda, Św. Gotharda). A. przecinają liczne drogi kołowe i linie kolejowe. Przez A. Nadmorskie przebiega linia kol. Turyn-Nicea (tunelem pod przełęczą Tenda). Ważnym szlakiem jest linia kol. i droga Turyn–Lyon przez przełęcz Fréjus (2452 m). Turyn i Aostę łączy z Genewą droga z tunelem pod Mont Blanc, a z Lozanną droga z tunelem pod Wielką Przełęczą Św. Bernarda. Mediolan ze Szwajcarią łączą linie kol. i drogi przez przełęcze Simplon i Św. Gotharda (2108 m). W A. Wschodnich gł. szlakami komunik. z pn. na pd. są linia kol. i droga Innsbruck–Werona (przez przełęcz Brenner), oraz Wiedeń–Klagenfurt–Wenecja. Najważniejszym alp. szlakiem komunik. o przebiegu wsch.-zach. jest droga i linia kol. Insbruck–Zurych (przez przełęcz Arlberg, 1793 m). Transport lotn. zapewnia gęsta sieć lotnisk, z których najważniejsze znajdują się w bezpośrednim otoczeniu A., w Mediolanie, Zurychu, Genewie, Turynie, Nicei i Salzburgu.

Turystyka i sport

A. skupiają przeszło 80 szczytów 4-tysięcznych. Są kolebką i gł. w Europie rejonem alpinizmu, turystyki górskiej oraz narciarstwa sport. i rekreacyjnego; wyposażone w ok. 500 schronisk oraz w 10 050 kolejek turyst. i wyciągów (1999). Penetrowane od dawna: w muzeum w Bolzano jest przechowywana znaleziona 1991 w A. Ötztalskich mumia myśliwego z epoki kamiennej.

■ Alpy Graickie. Rejon narciarski Les Trois Vallées (Trzy Doliny) w Val Thorens we Francji

Kilka wybitnych szczytów zdobyto na przeł. XVIII i XIX w. (Mont Blanc 1786, Grossglockner 1800, Jungfrau 1811), większość 1845–65, najtrudniejsze: Meije 1877, Aiguille du Dru 1878, Aiguille du Grépon 1880. Od końca XIX w. wspinaczki sport., także kolekcjonowanie wejść na wszystkie 4-tysięczniki (Polak J. Hajdukiewicz wszedł 1942–80 na 57 z nich). Alpinizm narciarski, sporty zimowe, w ostatnim półwieczu alpinizm jaskiniowy; w A. Delfinackich, Julijskich, Salzburskich tysiące jaskiń, w tym ok. 20 przeszło 1000-metrowej głębokości, wśród nich 2. co do głębokości na świecie Lamprechtsofen — 1632 m). Liczne organizacje zajmują się badaniem i ochroną A. W Chamonix-Mont-Blanc znajduje się świat. centrum szkolenia przewodników i instruktorów, l'École Nationale de Ski d'Alpinisme (ENSA). Główne centra alpinizmu i narciarstwa (w kilku zimowe igrzyska olimpijskie): Grenoble, Chamonix-Mont-Blanc, Courmayeur, Zermatt, Grindelwald, Cervinia, Cortina d'Ampezzo, Garmisch-Partenkirchen, Innsbruck. ■

Alpy Australijskie, Australian Alps, najwyższa część Wielkich G. Wododziałowych i całej Australii; leżą w stanach Nowa Pd. Walia i Wiktoria; dł. ok. 400 km, szer. do 150 km, średnia wys. 1500–2000 m, maks. — 2228 m (G. Kościuszki); A.A. są zbud. ze staropaleozoicznych wapieni, łupków i szarogłazów, sfałdowanych w czasie orogenezy kaledońskiej; na tych utworach leżą niezgodnie karbońskie i permskie piaskowce i łupki z pokładami węgla, pocięte intruzjami granitoidów mezozoicznych; porozbijane uskokami na oddzielne pasma (G. Śnieżne, Monaro, Gourock, Bowen, Barry, Muniong); dominują płaskie wierzchowiny (wys. ok. 1800 m), ponad którymi wznoszą się pojedyncze twardzielcowe masywy (wys. 1900–2200 m); pd. i wsch. stoki gór są strome i pocięte głębokimi wąskimi dolinami, pn. i zach. opadają kilkoma łagodnymi stopniami ku środkowi kontynentu; w najwyższych częściach A.A. zachowały się ślady zlodowaceń plejstoceńskich (kary, moreny).

Klimat zwrotnikowy wilgotny, górski; roczna suma opadów 1200–1400 mm; powyżej wys. 1000–1500 m w zimie, choć nieregularnie, spada śnieg i tworzy się pokrywa śnieżna; na przełęczy Charlotte (1830 m) zanotowano temp. minim. –22°C (najniższą w Australii). W A.A. biorą początek największe rzeki Australii: Murray z Murrumbidgee, Rz. Śnieżna i in. Dominują gleby brunatne leśne, powyżej 1800–1900 m — gleby łąk i torfowisk górskich. W kotlinach ze zwietrzeliny skał zasadowych rozwinęły się żyzne gleby czarnoziemopodobne. Dolne partie stoków porastają wiecznie zielone lasy eukaliptusowe (z paprociami drzewiastymi), powyżej 1500 m — krzewiaste gat. eukaliptusów, wrzoście i murawy alpejskie.

Region turyst. i wspinaczki skalnej; Park Nar. Kościuszki. W 1840 badania w A.A. prowadził P.E. Strzelecki (m.in. nadał nazwę G. Kościuszki); 1913 zlokalizowano tu nową stolicę państwa, Canberrę. W 1950–70 zbudowano System Hydroenerg. Gór Śnieżnych, dostarczający wodę do nawodnień, przez przerzut wód z rzek zlewiska O. Spokojnego (m.in. z Rz. Śnieżnej) do systemu rz. Murray (O. Indyjski).

Alpy Bawarsko-Tyrolskie, Bayerische Alpen, Tirolisch-Bayerische Kalkalpe, Tyrolsko--Bawarskie Alpy Wapienne, pasmo górskie w Alpach Wsch., na pograniczu Niemiec i Austrii, część Pn. Alp Wapiennych, pomiędzy Alpami Algawskimi i Lechtalskimi na zach. a Alpami Salzburskimi na wsch., na pn. od doliny górnego Innu; dł. ok. 130 km, przebieg równoleżnikowy; najwyższy szczyt Zugspitze (2963 m, najwyższy szczyt Niemiec); zbud. gł. z mezozoicznych skał węglanowych tzw. strefy pennińskiej, które w części pn. są nasunięte; na górnokredowe i trzeciorzędowe skały fliszowe płaszczowiny helweckiej ze złożami ropy naft. i węgla brun. składają się z kilku masywów o rzeźbie polodowcowej (m.in. Wetterstein, Karwendel, Rofan); klimat umiarkowany ciepły, przejściowy między mor. i kontynent., odmiana górska; z A.B.-T. spływają na pn.: Ammer, Loisach, Izara, na wsch. i pd. zaś — liczne, krótkie dopływy Innu; występuje wiele jezior, m.in. Walchen; popularny region turyst.; alpinizm, turystyka górska; znane ośrodki narciarskie: na pn. leży Garmisch-Partenkirchen, u pd. podnóża — Innsbruck; liczne schroniska, wyciągi i kolejki; spływy rwącymi wodami (m.in. górną Izarą, Rissbach). Niekiedy pn. część regionu określa się nazwą Alpy Bawarskie.

Alpy Berneńskie, niem. **Berner Alpen**, franc. **Alpes Bernoises**, część Alp Zach. położona w Szwajcarii między południkowym odcinkiem doliny Rodanu powyżej Jez. Genewskiego na zach. a doliną Reuss na wsch.; od pd. ograniczone obniżeniem, wykorzystywanym przez górny Rodan, na pn. przechodzą w Prealpy Szwajcarskie; dł. ok. 140 km; przebieg równoleżnikowy; najwyższe szczyty: Finsteraarhorn (4274 m), Aletschhorn (4195 m), Jungfrau (4158 m), Mönch (4049 m), Eiger (3970 m); pasmo zbud. z paleozoicznych i prekambryjskich łupków krystal. i granitów, na zach. i pn. — z autochtonicznych skał osadowych mezozoiku (gł. wapieni) i nasuniętych na nie osadów permu i mezozoiku, należące do płaszczowiny helweckiej; składają się z kilku grup górskich o typowej rzeźbie alpejskiej, najwyższa i najsilniej zlodowacona z nich leży w środk. części pasma pomiędzy przełęcza-

■ Alpy Berneńskie. Przełom rzeki Aare koło Innertkirchen (Szwajcaria)

mi Gemmi a Grimsel — masyw Finsteraarhorn; w grupie tej znajduje się największy lodowiec alpejski → Aletsch; w części zach. oddzielne grupy: Wildstrubel (3243 m), Wildhorn (3248 m), Diablerets (3210 m); największy masyw tworzą położone na wsch. Alpy Urneńskie; klimat umiarkowany ciepły, mor., odmiana górska; źródła Aare i kilku jej dopływów; dobrze wykształcona piętrowość roślinna; lasy bukowe, bukowo-jodłowe i świerkowe, zastąpione częściowo przez polany; blisko górnej granicy lasu rośnie limba i modrzew eur., w piętrze subalpejskim — kosodrzewina; powyżej 2000 m — łąki alpejskie i skąpa roślinność subniwalna; w A.B. znajdują się znane ośrodki turystyki międzynar.: Interlaken, Grindelwald, Wengen, Lauterbrunnen, Mürren, Kandersteg, Adelboden, Lenk, Gstaad; turystyka górska i lodowcowa od XVIII w., gł. szczyty zdobyte 1852–62 (Finsteraarhorn 1829, wg innych danych 1812); kolejka zębata na Jungfraujoch zbudowana 1891–1912 (tunel dł. 7,5 km pod Eigerem i Mönchem); kolejki linowe i kompleksy wyciągów dla narciarzy; świat. rangi rejon alpinizmu; słynne pn. ściany 1300–1500 m wys. z licznymi trudnymi drogami (na najbardziej znany — Eigernordwand, są dziś 23); w niższych partiach trudne wspinaczki skalne, zimą także na kaskadach lodowych. ■

Alpy Delfinackie, Alpes du Dauphiné, część Alp Zach. położona we Francji między dolinami Isère i jej dopływ Arc na pn., doliną środk. Isère i Drac na zach., doliną Durance na pd. i wsch.; dł. ok. 110 km, przebieg południkowy; w środk. części A.D. znajduje się krystaliczny, silnie zlodowacony masyw Pelvoux z najwyższym szczytem A.D. — Barre des Écrins (4102 m); niższe masywy na pn. i pd. przykryte są silnie sfałdowanymi lądowymi osadami permu oraz okruchowymi i węglanowymi skałami mezozoicznymi i wczesnotrzeciorzędowymi; ku zach., za doliną Drac, A.D. przechodzą w niskie, wapienne Prealpy Delfinackie; klimat podzwrotnikowy mor., odmiana górska; w A.D. znajdują się źródła rz. Durance, Drac i Romanche; dolne partie stoków porastają lasy bukowe i jodłowe, wyżej modrzewiowe, ponad nimi kosodrzewina i łąki alpejskie; Park Nar. Écrins; A.D. są popularnym regionem turyst. i sportów zimowych; największy ośrodek — Grenoble. Gł. szczyty zdobyto 1848 (Barre des Écrins) i 1877 (Meije); wydarzeniem było przejście pd. ściany Meije 1912; słynne drogi wspinaczkowe, przechodzone też przez Polaków (w Grenoble istniał pol. klub górski); narciarstwo alpinistyczne i sportowe.

Alpy Dolnoaustriackie, Steierich-Niederösterreichische Kalkalpen, **Alpy Austriackie, Wapienne Alpy Austriackie,** pasmo górskie w Alpach Wsch., w Austrii, najdalej na wsch. wysunięta część Pn. Alp Wapiennych, ciągnąca się od przełęczy Pyhrn na zach. po okolice Wiednia na wsch.; dł. ok. 150 km, przebieg równoleżnikowy; zbud. z triasowych i jurajskich wapieni oraz skał fliszowych (na pn.); gł. grupy górskie, od zach.: Alpy Ennstalskie (najwyższy szczyt A.D. — Hochtor, 2372 m), Veitschalpe (1982 m), Rax Alpe (2007 m), Schneeberg (2075 m); na zach. przecięte doliną Anizy (przełom Gesäuse); klimat umiarkowany ciepły, przejściowy między mor. a kontynent., odmiana górska; źródła licznych dopływów Dunaju, m.in. Ybbs i Traisen, a także rz. Salza (dopływ Anizy) i Mürz (dopływ Mury); gł. ośrodki turyst.: Puchberg am Schneeberg, Semmering (turystyka górska, wspinaczki skalne, narciarstwo). Do A.D. zalicza się niekiedy Alpy Kruszcowe.

Alpy Graickie, franc. **Alpes Grées, Alpes Graies,** wł. **Alpi Graie,** część Alp Zach. położona we Francji i Włoszech między przełęczą Fréjus na pd. a Małą Przełęczą Św. Bernarda na pn. i między dolinami górnej Isère, Dora Riparia i Dora Baltea; dł. ok. 150 km, przebieg z pd.-zach. na pn.-wsch.; najwyższy szczyt Gran Paradiso (4061 m); A.G. są zbud. ze skał krystal., które tworzą hercyńskie masywy śródgórskie; masywy te są przykryte osadowymi i wulk. skałami najwyższego karbonu oraz osadowymi skałami mezozoiku, nasuniętymi ku pd. i zach., występuje wiele masywów o rzeźbie wysokogórskiej, część z nich jest współcześnie zlodowacona; klimat podzwrotnikowy mor., odmiana górska; źródła licznych rzek, m.in.: Isère, Arc, Orco; dolne partie stoków porastają lasy liściaste i iglaste, powyżej występują kosodrzewina i łąki alpejskie; na wsch. znajduje się Park Nar. Gran Paradiso, na zach. — Park Nar. Vanoise; ośrodki turyst.-sport.: Ceresole Reale, Cogne (Włochy), Tignes, Val d'Isère, Courchevel, Méribel, Val Thorens, La Plagne (Francja); pierwsze wejście na Gran Paradiso 1960. ∎

Alpy Japońskie, Nihon Arupusu, system górski w Japonii, w środk. części wyspy Honsiu; od gór Mikuni i Kantō oddzielone rozległym rowem tektonicznym Fossa Magna; obejmuje 3 pasma górskie, biegnące południkowo między O. Spokojnym a M. Japońskim: Akaishi (Shirane-san, 3192 m), Kiso i Hida; A.J. powstały w wyniku procesów zachodzących w strefie subdukcji na granicy między płytą pacyficzną a płytą eurazjat.; zbud. gł. ze skał metamorficznych (gnejsów i łupków krystal.) mezozoiku i starszego trzeciorzędu; lokalnie (gł. w rowach tektonicznych) utwory te są przykryte sfałdowanymi osadami okruchowymi młodszego trzeciorzędu; najwyższe szczyty A.J. budują młode, górnotrzeciorzędowe i czwartorzędowe skały wulk.; obszar aktywny sejsmicznie; liczne czynne (Ontake-san, Norikura-dake) i wygasłe wulkany; A.J. składają się z licznych zrębów rozdzielonych rowami tektonicznymi, które wypełniają grube osady mor. i popioły wulk.; w plejstocenie rozwój zlodowacenia górskiego i peryglacjalnych form rzeźby; przeważają górskie gleby brunatne kwaśne oraz andosole wytworzone z utworów wulk.; gęste lasy bukowo-dębowo-kasztanowe, wyżej świerkowo-jodłowe i wysokogórska roślinność alpejska; w dolinach uprawa ryżu, warzyw; hodowla jedwabników; w A.J. są uprawiane alpinizm i wspinaczki sport., zimą narciarstwo; liczne ośrodki sportów górskich.

∎ Alpy Graickie. Park Narodowy Gran Paradiso, w głębi szczyt Becca di Monciaeir, z prawej lodowiec Gran Etrèt (Włochy)

Alpy Julijskie, oboczn›słoweń. **Julijske Alpe,** wł. **Alpi Giulie,** część Alp Wsch. położona w obrębie Pd. Alp Wapiennych na obszarze Słowenii i Włoch, oddzielona od Alp Kamnickich i Karawanek doliną górnej Sawy, a od Alp Karnickich doliną Felli (l. dopływ Tagliamento); dł. ok. 100 km, przebieg równoleżnikowy; najwyższy szczyt Triglav (2863 m — kulminacja Słowenii); zbud. ze sfałdowanych mezozoicznych wapieni, dolomitów i łupków ilastych, nasuniętych ku pd. na trzeciorzędowe osady zapadliska południowoalpejskiego; w najwyższych partiach formy polodowcowe, dobrze rozwinięte zjawiska krasowe (m.in. ponory i wywierzyska); klimat podzwrotnikowy pośredni między mor. a kontynent., odmiana górska; źródła Sawy, Soczy, Felli; stoki A.J. porastają lasy liściaste i iglaste, powyżej 1600–1800 m występuje roślinność krzewiasta i hale; granica wiecznego śniegu na wys. 2500 m; hodowla bydła, gospodarka leśna; ważny region turyst. i sportów zimowych; gł. ośrodek turyst. i uzdrowisko — Bled, największy ośrodek narciarski Słowenii — Kranjska Gora (w pobliskiej Planicy słynna skocznia używana do lotów narciarskich); centr. część A.J. zajmuje Park Nar. Triglav. Główny rejon wspinaczkowy Słowenii, wejścia na szczyty od 1778 (Triglav); Planinska

■ Alpy Julijskie, przełęcz Vršič (Słowenia)

zveza Slovenije (zał. 1893) utrzymuje sieć szlaków oraz 45 schronisk i domów turysty; obszary krasowe, w nich przeszło 500 większych jaskiń (eksploracja w toku); w masywie Rombon najgłębsza w kraju Čehi II (–1373 m); w masywie Kanina (Monte Canin, 2587 m) najgłębsza jaskiniowa studnia świata (–643 m); w A.J. działa słoweńska Gorska reševalna služba (GRS) — odpowiednik pol. TOPR. ■

Alpy Kotyjskie, franc. **Alpes Cottiennes,** wł. **Alpi Cozie,** pasmo górskie w Alpach Zach., położone we Francji i Włoszech między przełęczami Maddalena na pd. a Montgenèvre na pn.; dł. ok. 90 km, przebieg z pd.-zach. na pn.-wsch.; najwyższy szczyt Monte Viso (3841 m); A.K. są zbud. ze skał krystal. (gł. gnejsów, łupków krystal. i granitoidów), tworzących hercyńskie masywy śródgórskie; skały tych masywów są przykryte silnie sfałdowanymi osadowymi skałami permu, mezozoiku i dolnego trzeciorzędu; rzeźba wysokogórska z licznymi formami polodowcowymi; klimat podzwrotnikowy mor., odmiana górska; na wsch. skłonie A.K. mają źródła Pad i jego dopływy: Péllice i Varáita, na zach. skłonie źródła licznych dopływów Durrance; dobrze wykształcona piętrowość roślinna; dolne partie stoków porastają lasy liściaste (buk), wyższe — iglaste i kosodrzewina, od ok. 2000 m łąki alpejskie; granica wiecznego śniegu na wys. 2900 m; A.K. stanowią ważny region turyst.-sport., gł. ośrodki: Briançon, Le Monetier-les-Bains, Aiguilles, Abriès (Francja), Bardonécchia, Sestrière, Claviere (Włochy).

Alpy Kruszcowe, Eisenerzer Alpen, Alpy Eisenerckie, grupa górska w Alpach Wsch. (część Pn. Alp Wapiennych), w Austrii, między dolinami Anizy i jej dopływu Palten a dolinami Mury i jej dopływu Liesing; dł. ok. 50 km, przebieg równoleżnikowy, najwyższy szczyt Gösseck (2215 m); A.K. są zbud. ze sfałdowanych i nasuniętych ku pn. mezozoicznych skał węglanowych, na których leżą — gł. w zapadliskach i rowach tektonicznych — młodokenozoiczne osady okruchowe, gł. szarogłazy; występuje kilka połączonych ze sobą masywów górskich; znacznie zalesione; A.K. słyną ze złóż rud żelaza (Erzberg), eksploatowanych co najmniej od czasów rzym.; na wys. 745 m miasto górnicze Eisenerz. W niektórych klasyfikacjach fizycznogeograficznych A.K. włącza się do Alp Dolnoaustriackich.

Alpy Lepontyńskie, wł. **Alpi Lepontine,** niem. **Leponti(ni)sche Alpen,** franc. **Alpes Lépontiennes,** część Alp Zach. położona we Włoszech i Szwajcarii między przełęczami Simplon na zach. a Splügen na wsch., na pn. ograniczona dolinami górnego Renu i górnego Rodanu; dł. ok. 100 km, przebieg równoleżnikowy; najwyższe szczyty: Monte Leone (3553 m) w masywie Simplon, Rheinwaldhorn (3402 m) w masywie Adula; A.L. są zbud. gł. ze skał krystal. (granity, gnejsy, łupki krystal.), na pd. — z wapieni; głębokie doliny rzeczne, należące do dorzecza Ticino rozczłonkowują pasmo na wiele grup górskich (m.in.: Simplon, Alpy Tessyńskie, Adula); polodowcowa rzeźba wysokogórska; w najwyższych grupach górskich występuje współcz. zlodowacenie; pasmo jest obszarem źródłowym Renu na pn. oraz Ticino i Toce na pd.; stoki A.L. są porośnięte lasem, przechodzącym wyżej w kosodrzewinę i łąki alpejskie, na pd. skłonie pojawia się roślinność śródziemnomor.; stanowią ważny region turyst., wspinaczkowy i narciarski; przez przełęcz Splügen na wsch. i Przełęcz Św. Gotharda w środk. części pasma przebiegają ważne szlaki komunik. łączące pn. Włochy ze Szwajcarią i Niemcami.

Alpy Liguryjskie, Alpi Liguri, najdalej na pd.-wsch. wysunięta część Alp Zach., położona we Włoszech i częściowo Francji, między przełęczą Tenda na zach., która oddziela je od Alp Nadmorskich, i przełęczą Cadibona na wsch., która oddziela je od Apeninu Liguryjskiego; dł. ok. 60 km; przebieg równoleżnikowy; najwyższy szczyt Marguareis (2651 m); zbud. ze skał magmowych i metamorficznych, wapieni i łupków ilastych; stromo opadają ku wąskiej strefie wybrzeża M. Liguryjskiego (zw. Riviera di Ponente); rozwinięte zjawiska krasowe; źródła Tanaro (dopływ Padu); na pd. stokach występują zarośla typu garig, przechodzące wyżej w lasy dębowo-kasztanowe i bukowe (do wys. 1800 m); gł. ośrodki turyst.-sport.: Limone Piemonte, Garessio, na wybrzeżu leży San Remo; przez przełęcze Tenda i Cadibona biegną ważne linie kol. łączące pn. Włochy z wybrzeżem M. Liguryjskiego. W niektórych klasyfikacjach fizycznogeogr. A.L. są włączane do Alp Nadmorskich.

Alpy Nadmorskie, franc. **Alpes Maritimes,** wł. **Alpi Marittime,** pasmo górskie w Alpach Zach., położone na obszarze Francji, Włoch i Monako, między przełęczami Maddalena na północy i Tenda na pd.-wsch.; tworzą łuk wygięty ku pd.-zach., dł. ok. 110 km; najwyższy szczyt Argentera (3297 m, masyw Mercantour); zbud. gł. z paleozoicznych skał krystal., na których spoczywają silnie sfałdowane okruchowe i węglanowe skały mezozoiku i dolnego trzeciorzędu, nasunięte ku pd. na osady okruchowe zapadliska południowoalpejskiego; występuje wiele masywów o wysokogórskiej rzeźbie alpejskiej; w wyższych partiach zachowały się formy polodowcowe; klimat podzwrotnikowy mor., odmiana górska; na wsch. skłonie źródła Stury (dopływ Tanaro), na zach. — Ubaye i Verdon (dopływy Durance) oraz Var i jego dopływu Tinée; obszar silnie zalesiony, powyżej 2250 m łąki alpejskie; skłon pd. porośnięty roślinnością śródziemnomor.; w najwyższych partiach Park Nar. Mercantour; w dolinach uprawa drzew owocowych, oliwek, lawendy; u pd. podnóża, na wybrzeżu M. Liguryjskiego, leżą Nicea, Monako i Mentona; wsch. skrajem A.N., przez przełęcz Tenda, przechodzi droga i linia kol. z Nicei do Turynu; turystyka, alpinizm. W niektórych klasyfikacjach fizycznogeogr. włącza się do A.N. sąsiadujące z nimi na wsch. Alpy Liguryjskie i na zach. — Alpy Prowansalskie.

Alpy Noryckie, Norische Alpen, **pasmo górskie w Alpach Wsch., należące do Alp Centr., położone w Austrii między doliną górnej Mury na pn. a doliną Drawy na pd., od Wysokich Taurów oddzielone przełęczą Katschberg; dł. 130 km; przebieg równoleżnikowy; najwyższy szczyt Eisenhut (2441 m) w masywie Alp Gurktalskich; zbud. gł. z gnejsów, łupków krystal., a także wapieni; składają się z kilku grup górskich, najważniejsze to: Alpy Gurktalskie, Alpy Seetalskie (2396 m), Saualpe (2079 m) i Koralpe (2144 m); w A.N. znajdują się źródła licznych rzek, należących do dorzecza Drawy, największe z nich: Gurk i Lavant; obszar silnie zalesiony; eksploatacja rud żelaza (Hüttenberg); gł. ośrodki turyst.: Friesach, Althofen. W niektórych klasyfikacjach fizycznogeogr. do A.N. włącza się pasmo Pohorje, położone w Słowenii, na pd. od doliny Drawy.

Alpy Pennińskie, franc. **Alpes Pennines,** niem. **Walliser Alpen,** wł. **Alpi Pennine, Alpy Walijskie,** część Alp Zach., we Włoszech i Szwajcarii, między przełęczami Wielką Św. Bernarda na zach. a Simplon na wsch.; od pn. ograniczone doliną górnego Rodanu, od pd. — doliną rz. Dora Baltea (zw. Aosta); dł. ok. 80 km, przebieg równoleżnikowy; 36 szczytów przekracza wys. 4000 m, m.in.: Dufour (4634 m), w masywie Monte Rosa (najwyższy szczyt Szwajcarii, drugi w Alpach), Dom (4545 m), Weisshorn (4506 m), Matterhorn (4478 m). Hercyńskie masywy A.P. są zbud. ze skał krystal. i metamorficznych, przede wszystkim z gnejsów, gabra i łupków krystalicznych; są one przykryte grubymi kompleksami mezozoicznych łupków lśniących i ofiolitów, tworzących płaszczowiny pennińskie rozczłonkowane przez liczne głębokie doliny o stromych ścianach; typowa rzeźba wysokogórska z licznymi formami polodowcowymi i silnym współcz. zlodowaceniem (największy zlodowacony obszar w Alpach, m.in. lodowiec → Gorner); klimat podzwrotnikowy mor., odmiana górska; na pd. skłonie obszar źródłowy rz. Sesia (l. dopływ Padu); dobrze wykształcona piętrowość roślinna; do wys. 1400 m lasy mieszane (jodła, buk), wyżej — iglaste (modrzew, limba), ponad górną granicą lasu murawy alpejskie. A.P. stanowią jeden z najważniejszych regionów turyst. Alp, szczególnie rozwijają się alpinizm i turystyka wysokogórska; gł. ośrodki: Arolla, Saas Fee, Zermatt (Szwajcaria), Aosta, Breuil-Cervina, Alagna Valsésia (Włochy). A.P. skupiają połowę 4-tysięczników alpejskich; głównie zdobyto 1854–65, świat. rozgłos zyskało tragiczne pierwsze wejście na Matterhorn; wielkie drogi wspinaczkowe, alpinizm narciarski, w dolinach narciarstwo rekreacyjne (liczne ośrod-

ki, setki wyciągów); turystyka górska od początku XIX w., 1898 ukończono kolejkę zębatą Zermatt–Gornergrat; ok. 50 schronisk, w masywie Monte Rosa najwyżej usytuowane schronisko Europy (4556 m), Capanna Regina Margherita, otwarte 1893.

Alpy Południowe, Alpy **Nowozelandzkie, Southern Alps,** góry w Nowej Zelandii, na W. Południowej; dł. ponad 300 km; najwyższy szczyt Góra Cooka (3754 m); powstały w czasie kimeryjskiej fazy górotwórczej, której towarzyszył silny magmatyzm; wewn. strefa A.P. zbudowana z prekambryjskich skał metamorficznych (łupki krystal. i gnejsy), zewn. — ze skał osadowych wieku od kambru do jury; w późnej jurze skały te zostały ostatecznie sfałdowane i pocięte intruzjami granitoidów, na zach. stromo opadają ku wąskiej nizinie nadbrzeżnej; na wsch. obniżają się łagodnie, przechodząc w równinę Can-

■ Alpy Południowe. Park Narodowy Góry Cooka (Nowa Zelandia)

terbury; rzeźba alp.; granica wiecznego śniegu na wys. 1800–2500 m; ponad 360 lodowców, największy — Tasmana (dł. 29 km, szer. do 3,2 km); z A.P. wypływają liczne zasobne w wodę rzeki; dużo jezior polodowcowych (Te Anau, Wakatipu, Wanaka, Hawea); na zach. stokach lasy mieszane z wiecznie zielonym bukiem pd. i gat. iglastymi, na wsch. — roślinność stepowa i niewielkie kompleksy leśne; parki nar.: Góra Cooka i Westland wpisane na Listę Świat. Dziedzictwa Kult. i Przyr. UNESCO; region turyst. i sportów zimowych; 24 szczyty wys. ponad 3000 m; najwyższe — Góra Cooka i Góra Tasmana, zdobyte 1894 i 1895; w całym paśmie liczne drogi wspinaczkowe, w wyższych partiach wielkie wspinaczki lodowe (do 1500 m wys.); długie trawersowania grzbietów, alpinizm narciarski; nieliczne schroniska, turystykę utrudnia kapryśna pogoda. Przez Przełęcz Arthura (wys. 920 m), a następnie tunelem Otira (dł. 8,5 km) przechodzi linia kol. łącząca wsch. i zach. wybrzeża wyspy.■

Alpy Retyckie, niem. **Rätische Alpen,** wł. **Alpi Retiche,** część Alp Wsch., należąca do Alp Centr., położona na obszarze Szwajcarii, Włoch i Austrii, między przełęczami Splügen na zach. a Birnlücke na wsch.; dł. ok. 220 km; przebieg równoleżnikowy; najwyższy szczyt Piz Bernina (4049 m, kulminacja Alp Wsch.); A.R. są zbud. gł. z paleozoicznych skał krystal. (granitoidy, amfibolity, marmury), na których leżą górnopaleozoiczne skały okruchowe oraz mezozoiczne wapienie i dolomity; występuje szereg masywów górskich, oddzielonych od siebie głębokimi dolinami górnego Innu i jego dopływów, górnej Addy, Adygi, Isarco i in.; gł. grupy górskie to: Bernina, Albula, Ortles, Monti Sarentini, Silvretta, Alpy Oetztalskie, Alpy Zillertalskie; wyższe grupy górskie zlodowacone; klimat podzwrotnikowy pośredni między mor. a kontynent., odmiana górska; źródła Innu, Albuli, Mery, Addy, Ogglio, Adygi, Isarco, stoki pokrywają lasy gł. iglaste, ponad górną granicą lasu występują (2000–2200 m) murawy alpejskie; parki nar.: Szwajcarski, Stelvio (Włochy); ważny region turyst., alpinizmu i sportów zimowych — gł. ośrodki i uzdrowiska: Davos, Sankt Moritz, Arosa, Vulpera (Szwajcaria), Bormio (Włochy); przez przełęcz Brenner przebiega ważny szlak komunik., łączący Innsbruck i Bolzano. W niektórych klasyfikacjach fizycznogeogr. do A.R. włącza się położony na południu masyw Adamello, wyłącza zaś z nich Alpy Zillertalskie, traktując je jako osobne pasmo.

■ Altiplano. Słone jezioro Canape (Boliwia)

Alpy Sabaudzkie, Alpes de Savoie, część Alp Zach., położona we Francji i Szwajcarii, między Jez. Genewskim i doliną Rodanu na pn.-wsch. a doliną rz. Isère i jej dopływu Arc na pd.-zach.; dł. ok. 120 km; przebieg z pn.-wsch. na pd.-zach.; najwyższy szczyt Haute Cime (3257 m, masyw Dents du Midi); wsch. część jest zbudowana ze skał krystal., gł. granitoidów, gnejsów i łupków krystal., zach. — z wapieni; pasmo rozczłonkowane głębokimi dolinami Dranse, Arve, Arly, Isère i in.; występuje wiele masywów o wysokościach zmniejszających się ku zach., gdzie pasmo przybiera charakter średniogórski (Prealpy Sabaudzkie); klimat umiarkowany ciepły mor., odmiana górska; stoki silnie zalesione; dobrze rozwinięty region turyst. i sportów zimowych; gł. ośrodki: Albertville, Morzine, Mégève, La Clusaz. W niektórych klasyfikacjach fizycznogeogr. do Alp Sabaudzkich włącza się masyw Mont Blanc, większość geografów wyróżnia go jednak jako odrębną część Alp Zachodnich.

Alpy Salzburskie [a. zalc~], **Salzburger Kalkalpen,** część Alp Wsch. należąca do Pn. Alp Wapiennych, położona w Austrii i Niemczech, ciągnąca się od przełomu rz. Tiroler Ache (Kössener Ache) na zach. do przełęczy Pyhrn na wsch.; dł. ok. 180 km, przebieg równoleżnikowy; najwyższy szczyt H. Dachstein (2995 m); zbud. z dolomitów i wapieni, na pn. ze skał fliszowych; podzielone na kilka grup górskich, najważniejsze: Dachstein, Steinernes Meer (2653 m), Hochkönig (2993 m), Hagengebirge (2519 m), Tennengebirge (2431 m), Höllen Gebirge (1861 m), Totes Gebirge (2431 m); charakterystyczne rozległe, silnie skrasowiałe wierzchowiny i przepaściste stoki; liczne bardzo głębokie jaskinie (→ Lamprechtsofen); w środk. części przełomowa dolina rz. Salzach; źródła: Achen, Trau, Steyer i in.; liczne ośrodki turyst.: Bad Reichenhall, Berchtesgaden (Niemcy), Bischofshofen, Lofer (Austria); od XIX w. alpinizm i wspinaczka skalna, w XX w. także narciarstwo i alpinizm jaskiniowy (duży udział Polaków w odkryciach), spływy rwącymi wodami; na pn. przedpolu leży Salzburg; przełomową doliną Salzachu przechodzi autostrada Salzburg–Klagenfurt i linia kol. Wiedeń–Innsbruck.

Alpy Transylwańskie, Alpi Transilvaniei, nazwa Karpat Pd. w Rumunii, używana niekiedy ze względu na ich pewne podobieństwo krajobrazowe do Alp.

Alpy Walijskie, góry we Włoszech i Szwajcarii, → Alpy Pennińskie.

Alpy Wapienne, Tyrolsko-Bawarskie, góry w Niemczech i Austrii, → Alpy Bawarsko--Tyrolskie.

Altiplano, Wyżyna Boliwijska, śródgórski płaskowyż w Andach Środk., w pd. Peru i zach. Boliwii, między Kordylierą Zach. i Kordylierą Wsch., pn. część Puny; wys. 3300–3800 m; zach. część Altiplano stanowi płaski obszar wulk., wsch. obejmuje liczne bezodpływowe kotliny, rozdzielone progami, zajęte częściowo przez słone jeziora (Poopó, Coipasa) i solniska (Salar de Uyuni, Salar de Coipasa); na pn. słodkowodne jez. Titicaca; półpustynna roślinność — puna; region górn. — w okolicy m. Llallagua (Boliwia) najbogatsze na świecie złoża rudy cyny, ponadto miedzi, cynku i ołowiu, antymonu, wolframu; wydobycie soli; region roln. (uprawa gł. zbóż i ziemniaków); pasterska hodowla owiec i lam (gł. alpaki). ■

altocumulus [łac.], *Ac,* **chmura średnia kłębiasta,** rodzaj → chmury.

altostratus [łac.], *As,* **chmura średnia warstwowa,** rodzaj → chmury.

Altun Shan, Aerjin Shan, Ałtyn-tag, łańcuch górski w Chinach, pn. odgałęzienie Kunlunu, między kotlinami Kaszgarską na pn. i Cajdamską na pd.; wys. 3500–4000 m, maks. 6161 m (szczyt Altun Shan); sfałdowany w paleozoiku, ponownie wypiętrzony w trzeciorzędzie, zbud. gł. z piaskowców i gnejsów; klimat górski skrajnie suchy; na najwyższych szczytach wieczne śniegi i lodowce, niżej górskie stepy i kamieniste pustynie.

Aluta, Olt, rz. w Rumunii, l. dopływ Dunaju; dł. 736 km, pow. dorzecza 24,3 tys. km^2; źródła w Karpatach Wsch.; płynie na pd. skraju Wyż. Transylwańskiej, następnie przez Karpaty Pd. (Przełom Czerwonej Wieży); dolny bieg na Niz. Wołoskiej; z G. Fogaraskich do Aluty płyną krótkie, lecz zasobne w wodę dopływy (największy Oltet); elektrownie wodne; gł. m. nad Alutą: Fgraş, Rîmnicu-Vîlcea, Slatina, przy ujściu Turnu Magurele.

aluwia, osady rzeczne, osady okruchowe (żwiry, piaski, muły) transportowane i osadzane przez rzekę w dolinie rzecznej; skład i rodzaj a. zależą od budowy geol. dorzecza, zdolności transportowej rzeki i od klimatu. A. gromadzą się najintensywniej w miejscach, gdzie prędkość przepływu rzeki maleje, co powoduje zmniejszenie się jej zdolności transportowej, a więc gł. w dolnym biegu rzeki (→ delta), na tarasach podczas opadania fali powodziowej, przed naturalnymi lub sztucznymi zaporami. W a. gromadzą się niekiedy ciężkie i odporne chem. minerały, np. złoto rodzime, diament, kasyteryt.

Alwernia, m. w woj. małopol. (pow. chrzanowski), nad Regulką (pr. dopływ Wisły); 3,2 tys. mieszk. (2000); ośr. turyst.-krajoznawczy (parki krajobrazowe, pomniki przyrody) i usługowy (dla pobliskich zakładów chem. Alwernia); prawa miejskie od 1993.

Alzacja, Alsace, region adm. i kraina hist. we wsch. Francji, między Wogezami a Renem; 8,3 tys. km², 1,7 mln mieszk. (1999); gł. m.: Strasburg (ośr. adm.), Miluza, Colmar; duża koncentracja przemysłu energ. (elektrownie wodne, jądr.), rafineryjnego, samochodowego (Peugeot); wydobycie soli kam. i soli potasowych; intensywna uprawa zbóż, buraków cukrowych i hodowla bydła; na pogórzu Wogezów winnice i sady; turystyka; gęsta sieć komunik.; żegluga na Renie i Kanale Alzackim. ■

Ałaszan, Alashan Shamo, piaszczysta pustynia w pn. Chinach, między rz. Ruo Shui na zach., rz. Huang He i górami Helan Shan na wsch. i Qilian Shan na pd.; od Gobi oddzielona rozległym tektonicznym obniżeniem; pow. ok. 170 tys. km²; równinna, lekko falista (wys. od ok. 800 m na pd.-zach. do ponad 1600 m na pd.), z wałami wydmowymi (wys. względna 200–350 m) i wędrującymi wydmami (barchany), w obniżeniach bezodpływowych słone, okresowe jeziora bądź płytkie wody gruntowe (cajdamy); klimat umiarkowany ciepły kontynent., skrajnie suchy (opad roczny 40–200 mm) z dużą amplitudą roczną temperatury (średnia stycznia ok. –10°C, lipca ponad 22°C); roślinność pustynna, gł. słonorośla i zarośla saksaułu.

Ałatau Dżungarski, góry w Kazachstanie, wzdłuż granicy z Chinami; dł. 450 km; najwyższy szczyt Besbaskan, 4464 m; zbud. z łupków, wapieni, piaskowców (na pn.), ze skał wulk. (na pd.), w środk. części — ze starych skał krystal.; na stokach roślinność półpustynna i stepowa; powyżej 2600 m łąki górskie; granica wiecznego śniegu na wys. 3200 m; lodowce zajmują ok. 1000 km²; złoża rud polimetalicznych (Tekeli); źródła mineralne.

Ałatau Kirgiski, góry w Kirgistanie i Kazachstanie, → Kirgiskie, Góry.

Ałatau, Kungej, pasmo górskie w Tien-szanie, w Kirgistanie i Kazachstanie; ogranicza od pn. Kotlinę Issykkulską; wys. do 4771 m; na pn. stokach i w dolinach lasy iglaste (ze świerkiem tienszańskim), na pd. — stepy górskie; przez przełęcz Santasz (wys. 2195 m) przechodzi droga samochodowa z Kotliny Issykkulskiej do Ałma Aty.

■ Alzacja. Miasteczko Kaysersberg w Wogezach

Ałatau, Terskej, pasmo górskie w Tien-szanie, w Kirgistanie; ogranicza od pd. Kotlinę Issykkulską; wys. do 5216 m; zbud. gł. z granitów, łupków metamorficznych i wapieni; pn. stoki strome, rozcięte głębokimi i wąskimi dolinami; lasy świerkowe, na pd. stokach kamienista tundra; lodowce (pow. 1080 km²).

Ałatau Zailijski, pasmo górskie w Tien-szanie, na granicy Kazachstanu i Kirgistanu; dł. 400 km; najwyższy szczyt Tałgar, 4973 m; zbud. gł. z granitów, zlepieńców, wapieni i łupków; w dolnym piętrze roślinność stepowa; do wys. 1300–1700 m lasy liściaste (złożone m.in. z dzikich gat. jabłoni), powyżej — świerkowe; na wys. ok.

■ Ałatau Zailijski

3500 m (przy lodowcu Tujuksu) stała stacja glacjologiczna; Rezerwat Ałmaacki (utworzony 1931, pow. 73 tys. ha). Na pn. przedgórzu leży Ałma Ata, na wys. 1680 m kompleks sport. Medeo. ■

Ałdan, rz. w azjat. części Rosji, w Jakucji, najdłuższy (pr.) dopływ Leny; dł. 2273 km, pow. dorzecza 729 tys. km²; źródła w G. Stanowych; płynie wzdłuż pd. podnóża G. Wierchojańskich; w środk. biegu dolina na przemian szeroka i wąska; gł. dopływy: Uczur, Maja (pr.), Amga (l.);

średni przepływ w dolnym biegu 5150 m³/s (maks. 30–40 tys. m³/s); zamarza na ok. 7 mies.; obfituje w ryby (jesiotr, sterlet); żegl. 1753 km; gł. przystanie nad A.: Tommot, Ust-Maja, Chandyga. W dorzeczu złoża złota.

Ałma Ata, Ałmaty, do 1921 **Wierny,** m. w Kazachstanie (do 1997 stol.), u podnóża Ałatau Zailijskiego; 1,2 mln mieszk. (2002); przemysł maszyn. i metal., spoż., lekki; międzynar. port lotn.; AN Kazachstanu, 16 szkół wyższych (w tym uniw.); zał. 1854; katastrofalne trzęsienia ziemi (1887, 1911 i 1921); drewn. sobór (1907) — ob. muzeum; galeria malarstwa.

Ałtaj, Ojrot-Ałtaj, republika w Rosji, w górach Ałtaj; 92,6 tys. km²; 205 tys. mieszk. (2002), w tym Ałtajczycy 31%; stol. Gornoałtajsk; ludność miejska 24%; przemysł drzewny, lekki, materiałów bud.; hodowla owiec, bydła, jaków, marali; trakt czujski do granicy z Mongolią; wywóz poroża marali.

Ałtaj, góry w Azji Środk., w Rosji (Kraj Ałtajski i rep. Ałtaj), Kazachstanie, Chinach i Mongolii; obejmuje liczne łańcuchy górskie ciągnące się gł. z pd.-wsch. na pn.-zach.; wys. do 4506 m (Biełucha). Dzieli się na A. właściwy (Rosja i Kazachstan) oraz A. Mongolski i A. Gobijski. Część pn.-wsch. sfałdowana w orogenezie kaledońskiej, pd.-zach. — w hercyńskiej; zbud. z prekambryjskich i paleozoicznych skał magmowych, metamorficznych i osadowych. Przeważają niewysokie grzbiety górskie, o stromych stokach; najwyższe pasma (G. Katuńskie i G. Czujskie) mają rzeźbę alp.; charakterystyczne duże tektoniczne śródgórskie kotliny, zw. stepami (Czujski, Kurajski). Klimat górski w strefie umiarkowanej chłodnej, wybitnie kontynent.; suma roczna opadu na zach. i pn.-zach. stokach 1000–2000 mm, w Kotlinie Czujskiej ok. 100 mm. Liczne rzeki (najdłuższe: Katuń, Buchtarma, Bija, Czuja); ponad 3500 jezior, największe: Marka-kol i Teleckie. 70% pow. A. zajmuje tajga (w zach. części jodłowa, w pn.-wsch. — jodłowo-limbowa, w pd. — modrzewiowa); w dolnym piętrze roślinność stepowa; powyżej 1700 m na pn. i 2750 m na wsch. — łąki wysokogórskie; lodowce (ponad 900 km²). Bogate złoża rud żelaza, rtęci, cynku, ołowiu i miedzi, złota; źródła miner.; hodowla marali; doliną Katuni (z m. Bijsk) biegnie droga samochodowa do Mongolii (trakt czujski). Rezerwat Ałtajski (881 tys. ha) na terytorium rep. Ałtaj. ∎

∎ Ałtaj. Góry Katuńskie w Rosji

Ałtaj Gobijski, Gow' Ałtajn nuruu, góry w pd. Mongolii, od zach. graniczą z Ałtajem Mong.; dł. ok. 660 km; składają się z licznych równol. pasm górskich o maks. wys. 3957 m (Ich Bogd-uul); sfałdowane w paleozoiku, ostatecznie wydźwignięte w trzeciorzędzie; zbud. gł. z granitów, piaskowców i wapieni; leżą w strefie sejsmicznej; klimat górski kontynent., suchy; na grzbietach stepy ostnicowo-piołunowe, w obniżeniach roślinność półpustynna.

Ałtaj Mongolski, mong. **Mongol Altajn nuruu,** góry w Mongolii i Chinach, w pd.-wsch. przedłużeniu Ałtaju, ograniczają od pn. Kotlinę Dżungarską; dł. 960 km, najwyższy szczyt Mönch Chajrchan-uul, 4362 m; powstały w orogenezie hercyńskiej, ponownie wyniesione w trzeciorzędzie; zbud. gł. z łupków krystal., porfirów i granitów; płaskie, zaokrąglone grzbiety wys. 2000–4000 m, rozdzielone kotlinami; w dolnym piętrze roślinność pustynna i półpustynna, wyżej stepy ostnicowo-bylicowe (na pn. stokach płaty lasów modrzewiowych i świerkowych) i lodowce.

Ałtajski, Kraj, jednostka adm. w Rosji, w dorzeczu górnego Obu; 169,1 tys. km², 2,6 mln mieszk. (2002); stol. Barnauł; większa część na Niz. Zachodniosyberyjskiej, na pd. pasma Ałtaju; ważny region roln. Syberii; uprawa zbóż (zwł. pszenicy), buraków cukrowych, słonecznika; hodowla i myślistwo, pszczelarstwo.

Ałtyn-tag, góry w Chinach, → Altun Shan.

Amager, wyspa duń. w cieśn. Sund; pow. 95,3 km²; pn. część wyspy stanowi dzielnicę Kopenhagi; przemysł gł. stoczniowy; w pd. części wyspy rozwinięte warzywnictwo i sadownictwo; rybołówstwo; międzynar. port lotn. Kopenhagi — Kastrup; kąpielisko morskie. Od 2000 połączona przeprawą tunelowo-mostową (przez Sund) ze Szwecją.

Amai Dablang, szczyt w Himalajach, w Nepalu, na pd.-zach. od Mount Everestu; wys. 6856 m; uważany za najpiękniejszą górę Himalajów; na wys. ok. 4260 m słynny klasztor buddyjski Thyangboche.

Amazonka, Rio Amazonas, rz. w Ameryce Pd., w Brazylii i Peru, druga po Nilu pod względem długości i największa pod względem powierzchni dorzecza i zasobności w wodę na Ziemi; powstaje z połączenia rz. Ukajali i Marañón wypływających z Andów Środk.; długość A. nie jest jednoznacznie ustalona: 6400 km (z Marañón), 6515 km (z Ukajali, wg danych brazyl.), a 7025 km wg danych peruwiańskich — w tym przypadku staje się najdłuższą rzeką na Ziemi; pow. dorzecza ok. 7,3 mln km²; w górnym biegu płynie ku pn.-zach. w głębokiej, śródgórskiej dolinie, równolegle do pasm górskich, tworząc liczne wodospady; serią głębokich przełomów (pongos) przebija się ku pn.-wsch. i wsch., wypływa na Niz. Amazonki, nachyloną lekko ku O. Atlantyckiemu. A. płynie między równikiem a 5°S (na odcinku od granicy brazyl. do ujścia Negro nazywana Solimões); szerokość A. wraz z aluwialnymi wyspami między łożyskiem gł. i bocznymi ramionami — do 20 km w środk. biegu i do 150 km w pobliżu ujścia; głęb. w środk. biegu — do ok. 70 m. Uchodzi do O. Atlantyc-

■ Amazonka na odcinku powyżej Manaus

kiego licznymi ramionami (gł. Canal do Norte, Canal do Sul, Pará); w delcie A. (pow. ok. 100 tys. km²) liczne wyspy — największa Marajó (pow. ok. 48 tys. km² — wg źródeł brazyl. jest częścią lądu stałego). Na całej długości A. otrzymuje liczne dopływy (w tym kilkanaście o dł. ponad 1500 km); gł. dopływy: Juruá, Purus, Madeira, Tapajós, Xingu, Tocantins (pr.), Putu-mayo, Japurá, Negro, Trombetas, Paru, Jari (l.). A. cechuje utrzymywanie się wysokiego stanu wód przez cały rok, związane z różnicą pór deszczowych między dorzeczami prawych (od października do kwietnia) i lewych (od marca do września) dopływów; wylewa 2 razy w roku; najwyższy stan wód w maju–czerwcu (deszcze w dolinie samej A.); średni roczny przepływ przy ujściu 220 000 m³/s (maks. ok. 350 000 m³/s); Amazonka wlewa do O. Atlantyckiego średnio rocznie ok. 7 tys. km³ wody, powodując wysło-dzenie wody mor. na oceanie w odległości ok. 400 km od ujścia. A. stanowi b. ważną drogę wodną, żegl. na dł. ok. 4,5 tys. km; do Iquitos w Peru (ok. 3,7 tys. km od O. Atlantyckiego) dostępna dla statków mor. (do 5 tys. BRT); gł. m. nad A.: Iquitos, Manaus, Óbidos, Santarém i (nad Pará) Belém. Ujście A. odkrył 1500 V. Pinzón, jej bieg od Napo do ujścia — 1541–42 F. de Orellana.

Świat zwierzęcy. Żyją tu m.in. spośród ssaków: kapibara, manat, delfin inia; z gadów: żółw skórzasty, krokodyl, aligator, kajman; bo-gata fauna ryb (ok. 2 tys. gat.): największa ryba słodkowodna — arapaima, ryba dwudyszna pra-płaziec, węgorz elektr., pirania, pielęgnice, by-strzyki, gupiki, skalary. ■

Amazonki, Nizina, Planície Amazonica, naj-większa na Ziemi aluwialna nizina, w Ameryce Pd., gł. w Brazylii; obejmuje ok. 3/4 dorzecza Amazonki; pow. ok. 5 mln km²; większa część N.A. leży na wys. 30–100 m; stanowi nieckę wypełnioną utworami paleozoicznymi, mezo-zoicznymi i trzeciorzędowymi oraz czwartorzę-dowymi aluwiami; powierzchnia płaska i rów-ninna, pocięta dolinami dopływów Amazonki na liczne, niewysokie płaskie garby. Klimat równi-kowy wybitnie wilgotny, o średniej rocznej sumie opadów do 4000 mm i średnich rocznych temp. 24–27°C. Liczne rzeki wylewają szeroko w czasie wysokich stanów wód, tworząc niezliczo-

ne ramiona, jeziora i bagna. Obszar N.A. po-krywają gł. bujne, wilgotne lasy równikowe (sel-wa) z licznymi cennymi gat. drzew (kauczuko-wiec, mahoniowiec, orzech amer. i in.), w miej-scach wyżej położonych sawanny. Obszar b. rzadko zaludniony (gł. Indianie i Metysi) i słabo zagospodarowany; eksploatacja lasów, myśli-stwo, rybołówstwo, pasterstwo; wydobycie rud manganu i ropy naft.; sieć komunik. na N.A. stanowią drogi wodne i linie lotn.; droga samo-chodowa (Transamazonika) biegnie od wybrze-ża O. Atlantyckiego, aż po granicę brazyl.--peruwiańską i dalej do O. Spokojnego.

Ameryka, część świata obejmująca większość lądów położonych na półkuli zach., w tym 2 kontynenty: A. Północną i A. Południową. Two-rzą one pas lądowy o zmiennej szerokości, ciągnący się z pn. na pd., między O. Atlantyckim a O. Spokojnym, na dł. ponad 15 tys. km. A. zbliża się do innych lądów jedynie na przeciw-ległych krańcach. Na pn. oddziela ją od Azji zamarznięta przez 8 miesięcy w roku szeroka na 86 km Cieśn. Beringa, natomiast na pd. — od Antarktydy burzliwa i szeroka na ok. 900 km Cieśn. Drake'a. W niskich i średnich szerokoś-ciach geograficznych A. jest oddalona od Europy i Afryki o ponad 3400 km, jej odległość zaś od wsch. krańców Azji wynosi aż 8000 km (Kali-fornia–Japonia). Minimalnym zwężeniem lądu amer. jest Przesmyk Panamski o minim. szer. 47 km, który został wykorzystany do wybudo-wania Kanału Panamskiego umożliwiającego połączenia żeglugowe między portami atlantyc-kimi a pacyficznymi. Nasada Przesmyku Panam-skiego u brzegów A. Północnej została uznana za fizycznogeogr. granicę między A. Północną a A. Południową. Częścią A. Północnej jest A. Środ-kowa, obejmująca międzymorze nazywane A. Centralną, od Przesmyku Panamskiego do prze-smyku Tehuantepec w pd. Meksyku, oraz Indie Zach. nazywane niekiedy Karaibami, czyli łącz-nie wyspy Antyle, Bahamy i in., między O. Atlan-tyckim a M. Karaibskim i Zat. Meksykańską. Cała A. dzieli się na 2 wielkie regiony antropo-geogr.: → Amerykę Łacińską, do której należą kraje położone na pd. od Stanów Zjedn., oraz Angloamerykę (A. Północną w węższym znacze-niu), w skład której wchodzą USA z Kanadą oraz posiadłość bryt. Bermudy i posiadłość franc. Saint-Pierre i Miquelon. A. Łacińska obejmuje kraje opanowane niegdyś przez Hiszpanów i Portugalczyków, podczas gdy największą rolę w zagospodarowaniu A. Północnej odegrały naro-dy pn. i środk. Europy, gł. Brytyjczycy. Tłumaczy to różnice w sposobach gospodarowania, uży-wanych językach, zasobności ekon. i zaawanso-waniu technol. między poszczególnymi regiona-mi i krajami tej części świata. A. Północna obejmuje państwa należące do najbogatszych w świecie, o nowoczesnej gospodarce, w których językiem dominującym jest angielski. W A. Łaci-ńskiej, w której powszechnie używanym języ-kiem jest hiszp. (w Brazylii język portugalski), są państwa słabsze gospodarczo, m.in. o najwięk-szym w skali świat. zadłużeniu, stosujące mniej efektywne rozwiązania organizacyjne w gospo-darce i polityce.

PODZIAŁ POLITYCZNY AMERYKI

Państwo lub terytorium	Powierzchnia w tys. km²	Ludność w tys. (2000)	Stolica lub ośrodek administracyjny	Ustrój lub status polityczny
Państwa niepodległe				
Antigua i Barbuda	0,422	68[a]	Saint John's	monarchia konstytucyjna[b]
Argentyna	2 766,9	37 032	Buenos Aires	republika związkowa
Bahamy	13,9	307	Nassau	monarchia konstytucyjna[b]
Barbados	0,431	280[a]	Bridgetown	monarchia konstytucyjna[b]
Belize	23,0	241	Belmopan	monarchia konstytucyjna[b]
Boliwia	1 098,6	8 142	Sucre[c]	republika
Brazylia	8 512,0	161 790	Brasília	republika związkowa
Chile	756,9	15 211	Santiago	republika
Dominika	0,751	71	Roseau	republika
Dominikana	48,7	8 520	Santo Domingo	republika
Ekwador	283,6	12 646	Quito	republika
Grenada	0,344	94	Saint George's	monarchia konstytucyjna[b]
Gujana	215,0	861	Georgetown	republika
Gwatemala	108,9	11 385	Gwatemala	republika
Haiti	27,8	7 647	Port-au-Prince	republika
Honduras	112,1	6 420	Tegucigalpa	republika
Jamajka	11,4	2 583	Kingston	monarchia konstytucyjna[b]
Kanada	9 970,6	31 147	Ottawa	związkowa monarchia konstytucyjna[b]
Kolumbia	1 138,9	42 321	Bogota	republika
Kostaryka	51,1	3 341[a]	San José	republika
Kuba	110,9	11 201	Hawana	republika
Meksyk	1 958,2	98 881	Meksyk	republika związkowa
Nikaragua	130,0	5 070	Managua	republika
Panama[d]	77,1	2 856	Panama	republika
Paragwaj	406,8	5 496	Asunción	republika
Peru	1 285,2	25 662	Lima	republika
Portoryko	8,9	3 869	San Juan	państwo stowarzyszone z USA
Saint Christopher i Nevis	0,269	39	Basseterre	monarchia konstytucyjna[b]
Saint Lucia	0,616	154	Castries	monarchia konstytucyjna[b]
Saint Vincent i Grenadyny	0,389	114[a]	Kingstown	monarchia konstytucyjna[b]
Salwador	21,0	6 280	San Salvador	republika
Stany Zjednoczone[e]	9 363,5	275 563	Waszyngton	republika związkowa
Surinam	163,3	417	Paramaribo	republika
Trynidad i Tobago	5,1	1 295	Port-of-Spain	republika
Urugwaj	177,4	3 337	Montevideo	republika
Wenezuela	912,1	24 170	Caracas	republika związkowa
Terytoria niesamodzielne i zależne				
Anguilla	0,096	8	The Valley	terytorium zamorskie W. Brytanii
Antyle Holenderskie	0,8	215	Willemstad	autonomiczne terytorium Holandii
Aruba	0,193	98	Oranjestad	autonomiczne terytorium Holandii
Bermudy	0,053	65	Hamilton	terytorium zamorskie W. Brytanii
Brytyjskie Wyspy Dziewicze	0,153	21	Road Town	terytorium zamorskie W. Brytanii
Falklandy (Malwiny)	12,2	2	Stanley (Puerto Argentino)	terytorium zamorskie W. Brytanii
Grenlandia	2 175,6[f]	56	Nuuk (Godthåb)	autonomiczna część Danii
Gujana Francuska	90,0	181	Kajenna	departament zamorski Francji
Gwadelupa	1,7	456	Basse-Terre	departament zamorski Francji
Kajmany	0,259	38	Georgetown	terytorium zamorskie W. Brytanii
Martynika	1,1	395	Fort-de-France	departament zamorski Francji
Montserrat	0,102	4[a]	Plymouth	terytorium zamorskie W. Brytanii
Saint-Pierre i Miquelon	0,242	7	Saint-Pierre	zbiorowość terytorialna Francji
Turks i Caicos	0,43	17	Cockburn Town	terytorium zamorskie W. Brytanii
Wyspy Dziewicze Stanów Zjednoczonych	0,354	93	Charlotte Amalie	terytorium zależne Stanów Zjednoczonych

[a] Dane z 1996; [b] państwo należące do bryt. Wspólnoty Narodów, uznające za głowę państwa monarchę bryt., którego reprezentuje gubernator; [c] siedziba rządu La Paz; [d] łącznie z byłą Strefą Kanału Panamskiego (pow. 1,4 tys. km², ludność ok. 40 tys.); [e] łącznie z Hawajami leżącymi w Oceanii; [f] w tym powierzchnia nie pokryta lodem — 341,7 tys. km².

W krajach zach. kręgu kulturowego słowo „Ameryka", a zwł. przymiotnik „amerykański", odnosi się tylko, na ogół, do Stanów Zjednoczonych.

Ameryka Centralna, Central America, region Ameryki Łac. między O. Spokojnym a M. Karaibskim, obejmujący pd. część Ameryki Pn. od przesmyku Tehuantepec do Przesmyku Panamskiego, przez który łączy się z Ameryką Pd.; w skład A.C. wchodzi 7 państw: Gwatemala, Belize, Honduras, Salwador, Nikaragua, Kostaryka i Panama oraz pd. część Meksyku (od przesmyku Tehuantepec). Stanowi część Ameryki Środk. na lądzie stałym. Powierzchnia 523,9 tys. km²; 31,2 mln mieszk. (1998), gł. Metysi (67%), Indianie (22%) oraz Kreole (9%). We wszystkich państwach językiem urzędowym jest hiszp., tylko w Belize — ang.; w użyciu wiele języków indiańskich (gł. z rodziny Majów i Karaibów). Ludność w większości wyznaje katolicyzm, który koegzystuje z elementami religii animistycznych.

Warunki naturalne. A.C. stanowi pas lądu o szer. od 50 do 200 km i dł. ok. 1850 km. Obszary górzyste i wyżynne zajmują 80% pow.; góry stanowią część aktywnej sejsmicznie, pacyficznej strefy Kordylierów, gł. ich grzbiet przebiega w niewielkiej odległości od zach. wybrzeża; paleozoiczny masyw Chortis, położony u zbiegu granic Gwatemali, Salwadoru i Hondurasu, stanowi centr. punkt gór; 40 czynnych wulkanów, najwyższy Tajumulco (4220 m); częste trzęsienia ziemi, najbardziej katastrofalne 1931 i 1972 w Managui; rozległe kratery wygasłych wulkanów wypełniają wody jez. Atitlán w Gwatemali i Ilopango w Salwadorze; największe obszary nizinne A.C. są położone na wybrzeżu M. Karaibskiego. Warunki klim. regionu położonego w strefie równikowej są zróżnicowane, gł. ze względu na opady (od odmiany wibitnie wilgotnej do suchej) oraz w związku z orografią; przewaga wiatrów wsch. (pasaty) sprawia, że wybrzeże karaibskie i wsch. stoki gór otrzymują znacznie więcej opadów niż zawietrzne stoki zach. i wybrzeże O. Spokojnego; na wybrzeżu Belize roczna suma opadów wynosi ponad 6000 mm, w pd. Hondurasie nie przekracza 1000 mm; temp. maks. 27°C (maj–wrzesień), minim. — 23°C (grudzień–styczeń). W A.C. wyróżnia się 3 strefy klimatyczno-roślinne: wilgotne lasy równikowe (drzewostan o wys. do 50 m) występują po stronie karaibskiej w Gwatemali, Hondurasie, Nikaragui i Kostaryce, do wys. 1000 m oraz na płw. Jukatan — charakteryzują się dużą liczbą epifitów, hemiepifitów i lian; umiarkowane wilgotne lasy równikowe (drzewostan o wys. do 35 m) zajmują znaczne obszary nadbrzeżne Gwatemali, Salwadoru, Nikaragui i Panamy, dominują tam gat. z rodziny strączkowych oraz epifity; suche lasy równikowe (drzewostan o wys. do 25 m) są ulistnione tylko w okresie deszczowym, ponadto występują zbiorowiska roślin iglastych (gł. sosny i jałowce); sawanny są w większości wtórnymi zbiorowiskami powstałymi wskutek działalności człowieka (wypas, wypalanie); naturalne sawanny zachowały się na równinach we wsch. części A.C.; na zalewanych równinach sawanny z palmami; w Salwadorze, na sawannach dominują drzewa kalebasowe; w Belize luź-

ny drzewostan tworzą *Qurecus, Curatella americana* i *Brysonima crassifolia,* a także *Pinus caraibea,* w warstwie runa dominują trawy (*Andropogon, Tragopogon*) i turzyce.

Gospodarka. Większość ludności zamieszkuje tereny położone na wys. 1000–2500 m (piętro *tierra templada*); najsłabiej zaludnione bagniste Wybrzeże Moskitów, ze względu na pasożyty i choroby panujące na wybrzeżu karaibskim.

Podstawą gospodarki jest rolnictwo, rozwinięte na gęsto zaludnionych obszarach górskich i wyżynnych o urodzajnych glebach wytworzonych na podłożu wulk.; w piętrze *tierra templada* dominuje uprawa kawowca (od poł. XIX w.), na wsch. wybrzeżu — bananów, na zach. — bawełny, trzciny cukrowej oraz hodowla bydła; ponadto A.C. jest świat. producentem *chicle* — podstawowego surowca używanego w produkcji gum do żucia; gł. roślinami żywieniowymi są: kukurydza, różne odmiany fasoli i dyni. Niewielkie zakłady przetwarzają produkty rolne, ponadto fabryki odzieży, butów, nawozów sztucznych, detergentów, mebli i wyrobów tytoniowych; poza tym nieliczne stocznie, rafinerie ropy naft., cementownie, wytwórnie prefabrykatów budowlanych oraz małe kopalnie kruszców zawierających metale szlachetne i kolorowe; większe znaczenie ma tradycyjne rzemiosło, zwł. artyst.; deficyt surowców miner., przede wszystkim energ. oraz importowane tanie wyroby przem. (gł. z USA) hamują rozwój przemysłu. Wartość wymiany handl. między krajami A.C. jest znacznie mniejsza od wartości obrotów tych państw z USA; wynika to m.in. z braku integracji gosp. w regionie; ponad połowę wpływów z eksportu stanowią produkty rolne (zwł. banany, ananasy, kawa).

Ameryka Łacińska, region w Ameryce, od granicy meksyk.-amerykańskiej na północy po Ziemię Ognistą na południu; obejmuje w Ameryce Pn. państwo Meksyk, całą Amerykę Środk. i kontynent Ameryki Pd., w większości byłe posiadłości hiszp. i portug., powiązane historycznie i kulturowo (językami, religią) z państwami Płw. Iberyjskiego; składa się z 34 państw i 12 terytoriów zależnych (posiadłości Stanów Zjedn., W. Brytanii, Francji i Holandii).

Ameryka Południowa, kontynent na półkuli zach., część Ameryki; A.P. leży na półkuli zach., niesymetrycznie po obu stronach równika, tak że 1/5 jej powierzchni znajduje się na półkuli pn. a 4/5 na półkuli południowej. Z Ameryką Pn. łączy się na pn.-zach. poprzez Przesmyk Panamski, a na pn.-wsch. poprzez archipelagi Wielkich i Małych Antyli. Od Antarktydy (na pd.) oddzielona Cieśn. Drake'a (szer. ok. 950 km), oblana O. Spokojnym od zach., O. Atlantyckim od wsch. i M. Karaibskim od północy. Rozciągłość południkowa A.P. wynosi 7350 km. Skrajny, pn. punkt kontynentu, wyznacza przyl. Gallinas (12°25′N) na płw. Paraguaná nad M. Karaibskim, a pd. — przyl. Froward (53°54′S) na płw. Brunswick nad Cieśn. Magellana. Największa rozciągłość równoleżnikowa występuje w strefie równikowej, między przyl. Pariñas (81°20′W) na zach. a Branco (34°47′W) na wsch. i wynosi 5170 km, maleje ku południowi. Największa odległość z wnętrza

AMERYKA POŁUDNIOWA
mapa fizyczna

kontynentu do morza wynosi ok. 1600 km; pow. 17,8 mln km^2, co stanowi 11,6% pow. lądowej Ziemi; 327 mln mieszk. (1997).

Warunki naturalne

Ukształtowanie poziome. Linia brzegowa A.P. jest słabo rozwinięta, z niewielką liczbą półwyspów i zatok. Wyjątkiem są wybrzeża pd.-zach., z fiordami i licznymi wyspami. Półwyspy i wyspy A.P. zajmują niewiele ponad 1% powierzchni. Na pn., nad M. Karaibskim, są to półwyspy Paraguaná i Guajira rozdzielone wodami Zat. Wenezuelskiej oraz płw. Paria, a w pd. części kontynentu półwyspy: Valdés nad O. Atlantyckim, Brunswick nad Cieśn. Magellana oraz Taitao i Muñoz Gamero nad O. Spokojnym. Większość wysp A.P. znajduje się blisko jej wybrzeży, na pn. skraju szelfu kontynent. Trynidad i Tobago oraz Margarita; w delcie Amazonki wyspa Marajó, a na pd. Ziemia Ognista — największa wyspa A.P.

Wiele mniejszych: Chiloé, Hoste, Navarino, Riesco, Santa Inés i Wellington towarzyszy pd.-zach., fiordowym wybrzeżom kontynentu. Daleko od lądu znajdują się 2 archipelagi: Galápagos na O. Spokojnym, ok. 1200 km na zach. od wybrzeża Ekwadoru, oraz Falklandy leżące na pd. Atlantyku, ok. 500 km na wsch. od Argentyny. Powierzchnia wszystkich wysp A.P. nie przekracza 150 tys. km^2. Długość wybrzeży kontynentu (bez wybrzeży wysp) wynosi 28,7 tys. km. Na wybrzeża atlantyckie (w tym wybrzeża M. Karaibskiego) przypada ok. 20 tys. km.

Ukształtowanie pionowe. Ukształtowanie A.P. jest bardzo zróżnicowane, ale jest to kontynent o przewadze nizin. Średnia wys. wynosi ok. 650 m. Prawie połowę jej powierzchni (49%) zajmują obszary nizinne o wys. do 300 m; poniżej 500 m leży ponad 68% jej terytorium. Obszary górskie wyniesione powyżej 2000 m zajmują ok. 8,5%

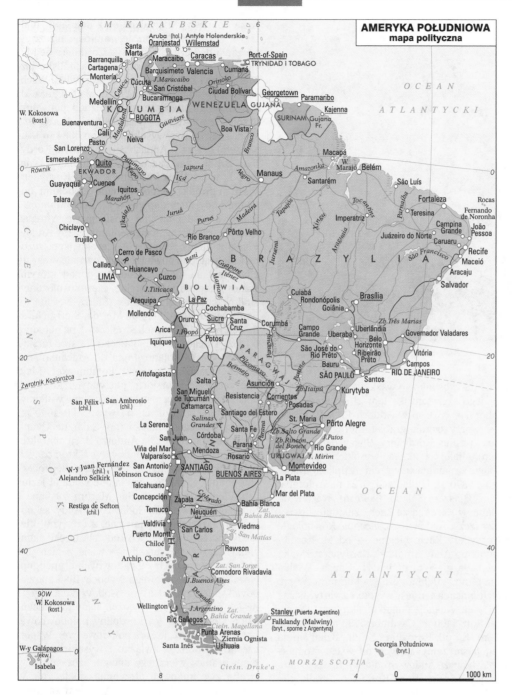

AMERYKA POŁUDNIOWA
mapa polityczna

powierzchni. Najwyższym punktem A.P., a zarazem obu Ameryk i półkuli zach., jest Aconcagua (6960 m), szczyt w gł. grzbiecie Andów w Argentynie, blisko granicy z Chile. Najgłębszą depresją A.P. jest Gran Bajo de San Julián (–105 m), znajdująca się w Patagonii, na pn. od ujścia rz. Santa Cruz, w Argentynie (prow. Santa Cruz). Wzdłuż zach. wybrzeża kontynentu ciągną się góry fałdowe — Andy. Pozostałą część A.P. zajmują rozległe wyżyny: brazyl., Gujańska i Patagońska oraz niziny: Orinoko, Amazonki i La Platy. Andy, liczące ok. 9 tys. km dł., mają przebieg południkowy od przyl. Peñas na płw. Paria aż po Ziemię Ognistą. Andy dzieli się na: Andy Pn., Środk. i Południowe. Umownymi granicami są równoleżniki 12°S oddzielający Andy Pn. od Środk. oraz 29°S oddzielający Andy Środk. od Południowych. Podział ten ma uzasadnienie w zróżnicowaniu środowiska przyr.

gór, przede wszystkim w budowie geol. (zwł. tektonice), rzeźbie i warunkach klimatycznych. Na całej długości Andy są złożone z 2–4 łańcuchów górskich, zw. kordylierami, i rozdzielone podłużnymi, głębokimi obniżeniami (np. Wielka Dolina Centr. w Ekwadorze, Dolina Środkowochilijska), częściowo wykorzystywanymi przez rzeki (np. górny bieg rz. Marañón). Brzeżny łańcuch Andów (wys. ok. 2500 m), zw. Kordylierą Nadbrzeżną, ciągnie się wzdłuż brzegów O. Spokojnego. Na pd. kontynentu częściowo jest on zatopiony przez morze, poszczególne grzbiety górskie tworzą ciągi przybrzeżnych wysp. Od strony lądu ograniczają go podłużne obniżenia: Atrato–San Juan i Dolina Środkowochilijska. Najdłuższym i najwyższym (ze szczytami powyżej 6000 m) łańcuchem Andów jest Kordyliera Zach., ciągnąca się od M. Karaibskiego do przyl. Horn, na wsch. od Kordyliery Nadbrzeżnej. Na

■ Ameryka Południowa. Szczyt Cerro Cuerno w Andach Południowych

pn. i na pd. stosunkowo wąski i zwarty, najwyższymi jego szczytami są tam gł. wulkany (np. Chimborazo, 6310 m w Andach Pn.). W części środk. tworzy szeroki grzbiet, którego kulminacją jest pasmo Kordyliery Białej (Huascarán, 6768 m) a dalej na pd. ciąg wysokich wulkanów górujących nad płaskowyżem Altiplano (m.in. Ollagüe, 5870 m, Llullaillaco, 6723 m, Antofalla, 6100 m, Ojos del Salado, 6885 m). Na pd. od Altiplano, w Kordylierze Zach., znajduje się najwyższy szczyt Andów — Aconcagua. Równolegle do Kordyliery Zach. biegnie — od M. Karaibskiego aż po Andy Środk. — Kordyliera Środk., rozdziela je głęboka dolina rz. Cauca, Wielka Dolina Centr. i dolina górnego Marañón. W pn. Andach łańcuch ten jest wysoki i zwarty, liczne stożki wulk. osiągają ponad 5000 m wys. (Nevado del Ruiz 5400 m, Cayambé 5790 m, Cotopaxi 5897 m). Ku pd. Kordyliera Środk. dzieli się na szereg pasm zamykających od wsch. śródgórskie płaskowyże Andów Środkowych. Kordyliera Wsch. jest oddzielona od Kordyliery Środk. głę-

■ Ameryka Południowa. Formy eoliczne w tzw. Dolinie Księżycowej na Puna de Atacama, w okolicy San Pedro de Atacama (Chile)

boką doliną rz. Magdalena oraz dolinami Huallagi i Vilcanoty. Na pn. jej ramiona, niższe — Serranía de Perijá i wyższe — Cordillera de Mérida (Bolívar, 5007 m) otaczają zapadlisko jez. Maracaibo i Zat. Wenezuelską; Kordyliera Wsch. ciągnie się dalej na wsch., wzdłuż wybrzeża M. Karaibskiego, tworząc w Wenezueli podwójny grzbiet zw. Andami Karaibskimi. Kordyliera Wsch. największe wysokości — do 6384 m (Ausangate) osiąga w Andach Środk., wraz z Kordylierą Środk., zamyka od wsch. Altiplano. Dalej na pd., w pd. Peru i w Boliwii, stoki Kordyliery Wsch. i Środk. są porozcinane głębokimi dolinami andyjskich dopływów rz. Beni, Mamoré i Paragwaju. Region ten nosi nazwę Yungas. Charakterystycznymi elementami rzeźby Andów Pn. są wulkany *páramos* — szerokie, spłaszczone i zaokrąglone powierzchnie powstałe w czasie zlodowacenia plejstoceńskiego, ponad którymi wznoszą się masywy górskie, często ośnieżone i zlodowacone, z alp. rzeźbą (Sierra Nevada de Santa Marta, Cordillera de Mérida, Sierra Nevada de Cocuy). W Andach Środk., zwł. na południe od jez. Titicaca, występują rozległe śródgórskie płaskowyże (Altiplano, Puna de Atacama), nazywane Dachem Ameryki Południowej. Mają one cechy śródgórskich, pustynnych kotlin — bolsonów, otaczają je wygasłe i czynne wulkany. Dna kotlin, położonych na wys. 3300–4600 m, zajmują rozległe solniska (np. Salar de Uyuni, Salar de Atacama). Dla Andów Pd. są charakterystyczne poprzeczne doliny (w tektonicznych obniżeniach), przekształcone przez plejstoceńskie lodowce, często wypełnione wodami jezior (np. Viedma, Argentino, San Martín), zasilane z topniejących współcz. lodowców. Andy są obszarem aktywnym sejsmicznie, z częstymi, niekiedy katastrofalnymi w skutkach, trzęsieniami ziemi. Liczne są wulkany — wiele z nich jest aktywnych, znanych z gwałtownych erupcji, np. Nevado del Ruiz, którego wybuch 1985 spowodował śmierć ponad 20 tys. osób. W rzeźbie gór i na ich przedpolu są widoczne ślady plejstoceńskich zlodowaceń (cyrki, doliny polodowcowe, wygłady, moreny, jeziora polodowcowe). Współczesne lodowce, w związku z wysokim położeniem granicy wiecznego śniegu, szczególnie w strefie zwrotnikowej, utrzymują się jedynie w najwyższych partiach gór. Wyjątkiem są Andy Patagońskie (pd. część Andów Pd.), gdzie rozwinęło się zlodowacenie typu kontynent. — Lądolód Patagoński, zajmujący ok. 30 tys. km², a jęzory lodowców spływają do poziomu morza. Andy stanowią barierę komunik., nieliczne drogi kołowe i szlaki kol. poprowadzono przez wysokie przełęcze, np. Cumbre (wys. 3832 m), San Francisco (wys. 4726 m). Od wsch. Andy Środk. i Pn. sąsiadują z wielkimi aluwialnymi nizinami: La Platy, Amazonki i Orinoko, łączą się one w południkowy pas nawiązujący do przebiegu przedgórskiego zapadliska La Plata–Orinoko. Pogranicze Andów i nizin to jedna z najdłuższych na Ziemi (ok. 7 tys. km długości), lecz bardzo wąska, strefa wielkich deniwelacji sięgających, np. na obszarze Boliwii, 4000–5000 m. Zróżnicowanie klimatyczno-roślinne, a przede wszystkim różnorodność w rzeźbie przyczyniły się do wydzielenia na Niz. La Platy 4 regionów:

Pampa, Gran Chaco, Międzyrzecze Argentyńskie i Pantanal. Wszystkie części Niz. La Platy łączy rz. Parana odwadniająca wraz ze swym pr. dopływem Paragwajem, niemal całą nizinę. Pampa, pd. część Niz. La Platy, rozciąga się od rz. Salado (dopływ Parany) na pn., po dolinę rz. Colorado na pd. oraz od O. Atlantyckiego na wsch. po podnóże masywu Sierra de Córdoba na zachodzie. Wschodnia część Pampy jest monotonną, lekko falistą, miejscami podmokłą równiną, poprzecinaną płytkimi dolinami licznych rzek, dopływów Parany lub uchodzących bezpośrednio do O. Atlantyckiego. Licznie występują mokradła, a także niewielkie jeziora, m.in. Mar Chiquita. Równina Pampy obniża się w kierunku wsch., od wys. 300–400 m na zach. do poziomu O. Atlantyckiego. Na pn. od doliny Salado aż po pasma wzgórz ostańcowych na pograniczu paragwajsko-boliwijskim rozciąga się Gran Chaco — podgórska równina zbudowana z deluwiów wynoszonych z gór przez andyjskie dopływy Parany i Paragwaju. Wznosi się od 20–50 m na wsch. do ok. 500 m na zach., u podnóża Andów. Na wsch. od Gran Chaco, między dolinami Parany i Urugwaju leży Międzyrzecze Argentyńskie — niska, lekko falista równina, z licznymi bagnami (zwł. na pn.). Południowa część Międzyrzecza Argentyńskiego obejmuje także wewn. deltę Parany rozciągającą się na południe od m. Santa Fe. Północną część Niz. La Platy zajmuje nizinny Pantanal, którego zach. granicę stanowi rz. Paragwaj. Na pn.-zach. od Pantanalu i Gran Chaco rozciąga się obszar przejściowy między Niz. La Platy a Niz. Amazonki, nazywany Niz. Boliwijską. Duże powierzchnie zajmują tam tereny bezodpływowe — okresowe mokradła i stałe bagna oraz jeziora. Południowa część tego obszaru — Llanos de Chiquitos należy do dorzecza Parany, część pn. — Llanos de Mojos — do dorzecza Amazonki. Nizina Amazonki jest największą aluwialną niziną na Ziemi. Na zach. rozciągnięta u podnóża Andów na szer. ok. 2500 km, ku wsch. zwęża się, między wyżynami Brazylijską na pd. a Gujańską na pn. nie przekracza 200 km szerokości. Na pn.-zach. Niz. Amazonki łączy się z Niz. Orinoko. Hydrograficzną osią niziny jest Amazonka, płynąca równoleżnikowo z zach. na wschód. Powstaje ona z połączenia 2 wielkich andyjskich rzek: Marańon i Ukajali, i jest zasilana dopływami, m.in. Negro, Madeira, Tapajos, Xingu. Przy ujściu do O. Atlantyckiego Amazonka buduje szeroką deltę z licznymi niskimi wyspami, przepływając kilkoma ramionami między nimi. W Iquitos nad Amazonką — ok. 3,7 tys. km od jej ujścia, Niz. Amazonki ma wys. 106 m, a w Manaus — ok. 1,5 tys. km od Atlantyku, zaledwie 21 m. Ukształtowanie powierzchni Niz. Amazonki jest dość monotonne. Poziom wierzchowinowy przeważnie lekko falisty lub pagórkowaty, o bardzo małych deniwelacjach, jest rozcięty szerokimi dolinami Amazonki i jej dopływów. W wielkich, szerokich na kilka do kilkudziesięciu km dolinach są wycięte współcz. koryta rzek, niekiedy bardzo głębokie, często anastomozujące bądź meandrujące między zboczami doliny. Poza tym znajdują się tam zespoły form rzeźby fluwialnej reprezentowane przez tarasy akumulacyjne i erozyjne, wały przykorytowe, starorzecza, śródkorytowe i przybrzeżne ławice oraz liczne wyspy. Formy te, z wyjątkiem starszych tarasów, powstają współcześnie bądź współcześnie są przemodelowywane w następstwie intensywnych procesów erozyjnych i akumulacyjnych. U podnóża Andów z Niz. Amazonki graniczy Niz. Orinoko ciągnąca się wzdłuż Kordyliery Wsch. oraz zach. i pn. stoków Wyż. Gujańskiej aż do O. Atlantyckiego. Podobnie jak Niz. La Platy, jest ona położona w obrębie przedandyjskiego zapadliska (La Plata–Orinoko), stąd też wykazuje wiele podobieństw w budowie i ukształtowaniu powierzchni. Nizina Orinoko wznosi się najwyżej (do 500–900 m) w części pd.-zach. u podnóża Andów; obniża się ku wsch., ku dolinie Orinoko stanowiącej oś hydrograficzną niziny i zbierającej wody z całego jej obszaru dzięki licznym dopływom mającym swoje źródła w Andach i na Wyż. Gujańskiej. Najniższą częścią niziny jest delta Orinoko — szybko narastająca i pocięta siecią ramion Orinoko. Rzeźba powierzchni niziny jest monotonna. Przeważa lekko falista równina, ale np. między rzekami Meta i Apure (w środk. części Niz. Orinoko) oraz na wsch. (u nasady delty), równina jest zupełnie płaska. W pn.-wsch. części A.P. znajduje się Wyż. Gujańska. Od zach. i pn. otacza ją Niz. Orinoko a na pd. graniczy z Niz. Amazonki. Wyżyna Gujańska stanowi wydźwignięty fragment platformy południowoamer. — tarczy gujańskiej, która została wypiętrzona (widocznych kilka poziomów zrównań) i rozczłonkowana. Do charakterystycznych form rzeźby Wyż. Gujańskiej należą piaskowcowe i kwarcytowe płaskowyże oraz góry stołowe, zw. tepuí, np. Auyán Tepuí o wys. 2953 m, z którego spada najwyższy wodospad na Ziemi — Salto Angel. Najwyższym szczytem Wyż. Gujańskiej jest Pico da Neblina (wys. 3014 m) wznoszący się w ostańcowych górach Serra Imeri. Na obszarze Wyż. Gujańskiej znajdują się źródła wielu rzek — dopływów Orinoko, Amazonki oraz uchodzących bezpośrednio do O. Atlantyckiego. Środkową część A.P. zajmuje Wyż. Brazylijska, zaliczana do największych pod względem powierzchni wyżyn na Ziemi. Na pn. graniczy ona z Niz. Amazonki, od pd.-zach. z Niz. La Platy a od pd.-wsch. jej granicę wyznacza brzeg O. Atlantyckiego. Wyżyna Brazylijska podobnie jak Wyż. Gujańska stanowi wydźwigniętą część prekambryjskiej platformy południowoamer., silnie zdenudowanej, z zachowanymi powierzchniami

■ Ameryka Południowa. Lasy równikowe na Nizinie Orinoko

■ Ameryka Południowa. Krajobraz Patagonii w Chile

zrównań. Do charakterystycznych elementów ukształtowania powierzchni wyżyny należą długie pasma gór krawędziowych, wyraźnie zaznaczające się w jej wsch. części, np. Serra do Mar, Serra da Mantiqueira, Serra do Espinhaço, biegnące równolegle do wybrzeża O. Atlantyckiego. W kierunku pn. i zach. powierzchnia wyżyny obniża się. Ostańcowe płaskowyże i pasma gór twardzielcowych stanowią tam działy wodne dopływów Amazonki. Również ku pd. powierzchnia wyżyny obniża się i jest odwadniana przez Paranę ku Niz. La Platy. Na pd. kontynentu między Andami a wybrzeżem O. Atlantyckiego, na pd. od Pampy leży Wyż. Patagońska. Jej powierzchnia jest nachylona od Andów Patagońskich ku wsch., gdzie schodzi wysokim i stromym klifem do O. Atlantyckiego. W ukształtowaniu wyżyny dominują 2 masywy: północnopatagoński (ok. 1900 m), wznoszący się między dolinami rzek Negro i Chubut oraz południowopatagoński (ok. 1400 m), leżący między rzekami Deseado i Chico. Na obszarze Wyż. Patagońskiej są widoczne ślady zlodowacenia typu kontynentalnego. Plejstoceński lądolód pozostawił tam grubą pokrywę osadów lodowcowych oraz charakterystyczne zespoły form. Na pn. od Wyż. Patagońskiej — między Andami a Pampą, znajduje się obszar o złożonej budowie geol. i urozmaiconej rzeźbie — Sierras Pampeanas. Na zach. regionu najwyższe pasma gór zrębowych dorównują wysokościami pobliskim pasmom Andów, a głębokie pustynne kotliny zajęte przez solniska, przypominają pustynne płaskowyże Andów Środkowych. Ku wsch. wysokości pasm gór zrębowych obniżają się a suche, zasolone obniżenia stają się coraz płytsze i coraz większe. Najdalej na wsch. wysuniętym zrębowym masywem tego obszaru jest Sierra de Córdoba, granicząca z równiną Pampy. Rzeźba przybrzeżnych wysp A.P. jest zbliżona do ukształtowania powierzchni lądu, w którego sąsiedztwie się znajdują. Podobieństwo wynika z budowy geol. i cech klimatu warunkujących charakter i intensywność procesów rzeźbotwórczych, np. archipelagi, które znajdują się u pd.-zach. wybrzeża kontynentu pod względem ukształtowania powierzchni nie różnią się od Andów Patagońskich. Falklandy nawiązują swą budową i rzeźbą do Wyż. Patagońskiej, podobnie jak ona noszą ślady przekształcenia przez plejstoceńskie lodowce. Zupełnie odmienne cechy rzeźby ma Galápagos — archipelag o genezie wulk., z licznymi stożkami czynnych i wygasłych wulkanów oraz skalnymi grzbietami utworzonymi przez potoki zakrzepłej lawy. Wrażenie surowości i świeżości form potęguje skąpa szata roślinna.

Budowa i historia geologiczna. A.P. zajmuje zach. część południowoamer. płyty litosfery; od zach. graniczy z płytą pacyficzną, płytą Nazca i kilkoma mniejszymi płytami o litosferze oceanicznej. Kontynent południowoamer. składa się z 3 gł. jednostek geol.: prekambryjskiej platformy południowoamer., obejmującej pn.-wsch. i środk. część kontynentu; paleozoicznej platformy patagońskiej na pd.-wsch.; Andów — alpejskiego łańcucha górskiego, który ciągnie się wzdłuż zach. wybrzeża kontynentu, na pn. łączy się z Kordylierami, a na pd., poprzez łuk wyspowy Antyli Pd. — z alpejskim górotworem Płw. Antarktycznego.

Prekambryjska platforma południowoamer., będąca częścią prakontynentu Gondwana, ma wiele cech wspólnych z platformą afryk., od której została ostatecznie oddzielona dopiero w kredzie. Fundament krystaliczny platformy jest odsłonięty na powierzchni na tarczach: gujańskiej, środkowobrazylijskiej, wschodniobrazylijskiej i urugwajskiej, a zanurza się pod pokrywę osadową w obrębie synekliz: Amazonki, Parany, São Francisco i Paranaíba. Występujące na powierzchni skały fundamentu platformy należą w większości do proterozoiku; skały archaiku (o wieku ponad 2,5 mld lat) występują powszechnie tylko na tarczy gujańskiej — są to gnejsy, granulity i czarnokity, pocięte intruzjami granitoidów różnego wieku. Skały proterozoiku to gł. gnejsy, kwarcyty i fyllity, z pokrywami słabo zmetamorfizowanych riolitów, andezytów i bazaltów. Na tarczach występują lokalnie płaty różnowiekowych osadów, gł. lądowych. Na tarczy gujańskiej są to triasowe zlepieńce, piaskowce i łupki, na tarczy środkowobrazylijskiej zaś — górnokredowe zlepieńce, piaskowce, arkozy i iły pstre z przewarstwieniami wapieni. Produktem wietrzenia skał krystal. w trzeciorzędzie są pokrywy laterytowe i złoża boksytów.

Obszary tarcz podlegały w fanerozoiku wypiętrzaniu; w syneklizach zaś powstawały w tym czasie grube serie osadowe. W syneklizie Amazonki, znajdującej się między tarczą gujańską a tarczą środkowobrazylijską, na fundamencie platformy spoczywają osady paleozoiczne: gł. zlepieńce, piaskowce, mułowce, łupki ilaste, wapienie z karbońskimi pokładami soli kam.; skały te tworzą szerokopromienne fałdy i są przecięte żyłami triasowych zasadowych skał magmowych; wyżej leżą skały osadowe kredy i trzeciorzędu. Syneklizа Paranaíba i łącząca się z nią na pd. syneklizа São Francisco oddzielają tarczę wschodniobrazylijską od środkowobrazylijskiej; syneklizy te są wypełnione osadami grub. do 5 km. Na fundamencie krystal. leżą tu górnoproterozoiczne i dolnopaleozoiczne zlepieńce, piaskowce i wapienie, a wyżej — łupki i piaskowce górnego paleozoiku (z wkładkami osadów lodowcowych) oraz wapienie i gipsy triasu z pokrywami bazaltów, a następnie — skały kredowe. W syneklizie Parany występują lekko zmetamorfizowane dolnopaleozoiczne wapienie i skały okruchowe z pokrywami andezytów, a w wyższej części profilu — górnopaleozoiczne, triasowe i kredowe osady okruchowe z przewarstwieniami skał węglanowych. W zach. części platformy południowoamer. w wyniku dźwigania się Andów na przełomie kredy i trzeciorzędu powstało wielkie wydłużone zapadlisko, ciągnące się od La Platy na pd. do ujścia Orinoko na północy. Jest ono wypełnione kenozoicznymi osadami okruchowymi o dużej miąższości; utwory te powstały w wyniku erozji wypiętrzających się Andów.

Platforma patagońska graniczy od pn. z platformą prekambryjską, a na wsch. ciągnie się aż do granicy szelfu i obejmuje również Falklandy. Jej fundament jest zbud. z silnie zdeformowanych tektonicznie w czasie orogenezy kaledońskiej i hercyńskiej skał prekambryjskich i paleozoicznych, występujących na powierzchni w masywach północnopatagońskim i południowopatagońskim. Pokrywę osadową platformy stanowią skały karbonu, permu, mezozoiku i kenozoiku, występujące w nieckach: Negro, Chubut i Santa Cruz. Skały te, o miąższości kilku km, są gł. pochodzenia mor.; wśród nich występują pokrywy górnotriasowych i trzeciorzędowych andezytów i bazaltów.

Północno-zach. część platformy patagońskiej, zw. strukturami pampaskimi, została silnie wypiętrzona w neogenie; geograficznie jest zaliczana do Andów. Struktury pampaskie mają postać wielkich zrębów; zręby te są zbud. z prekambryjskich skał krystalicznych, przykrytych płasko leżącymi osadami górnego paleozoiku i triasu; położone między zrębami rowy tektoniczne są wypełnione gł. lądowymi osadami neogenu.

Andy są górotworem alp., powstałym na granicy między kontynent. płytą południowoamer. a oceanicznymi płytami litosfery wsch. Pacyfiku. Składają się z szeregu równoległych do siebie antyklinoriów, tworzących pasma górskie, oraz synklinoriów, tworzących wąskie doliny śródandyjskie. Struktury geol. Andów są zbud. z różnorodnych skał wieku od górnego prekambru po kenozoik. Skały prekambryjskie i paleozoiczne zostały silnie sfałdowane, zmetamorfizowane i poprzecinane intruzjami granitoidów w czasie orogenez kaledońskiej i hercyńskiej; są one najlepiej odsłonięte w Andach Środk., na obszarze Kordyliery Wschodniej. Skały jurajskie i kredowe (gł. okruchowe) zostały sfałdowane na przełomie kredy i trzeciorzędu w czasie ruchów laramijskich; fałdowaniom towarzyszył metamorfizm i magmatyzm: powstały wówczas wielkie intruzje granodiorytów, ciągnące się wzdłuż całego pasma Andów. Osady trzeciorzędowe powstały w wyniku niszczenia wypiętrzanych gór po gł. fazie fałdowań. Obecny charakter Andy zawdzięczają ruchom wypiętrzającym w neogenie i czwartorzędzie.

Współczesne procesy geologiczne. Kontynent południowoamer. przemieszcza się ku zach. z prędkością od 9,9 cm/rok w części pn. do 3 cm/rok w części pd., oddalając się od Afryki. Ciągle aktywna strefa subdukcji na granicy płyty południowoamer. i płyt pacyficznych (gł. płyty Nazca) jest powodem częstych i silnych trzęsień ziemi w całych Andach. Ogniska trzęsień ziemi leżą na głębokości od kilkunastu km (na wybrzeżu pacyficznym) do ponad 500 km (na wsch.

Andów). W Andach znajduje się 45 czynnych wulkanów. W wysokich partiach Andów i na Ziemi Ognistej są rozwinięte lodowce górskie. W wyniku współdziałania wietrzenia fiz. i chem. na Wyż. Brazylijskiej powstały charakterystyczne formy wietrzeniowe, zw. głowami cukru.

Zasoby geologiczne. Wśród kopalin występujących na obszarze A.P. i Ameryki Środk. największe znaczenie gosp. mają złoża ropy naft. i gazu ziemnego oraz miedzi. Zasoby ropy naft. są oceniane na 8,5 mld t (6,4% zasobów świat.), a gazu ziemnego na 6,3 bln m^3 (4,3%); większa część tych zasobów (ponad 70% ropy i 65% gazu) występuje w Wenezueli. W tym rejonie gł. poziomy roponośne są wieku kredowego i trzeciorzędowego.

Większość południowoamer. złóż miedzi, których zasoby stanowią ponad 1/3 zasobów świat., znajduje się w Chile. Są to gł. złoża tzw. typu porfirowego, związane z małymi intruzjami skał magmowych kwaśnych lub pośrednich (dacytów, granodiorytów, andezytów). Złoża te są rozmieszczone wzdłuż andyjskiego pasma Kordyliery Wsch., od El Teniente w Chile aż do Peru. Do większych złóż należą: El Teniente, Disputada, El Salvador, Chuquicamata, Toquepala, Cerro Verde.

Do zasobnych złóż A.P. zalicza się żyłowe złoża cyny i wolframu związane z subwulkanicznymi intruzjami w Brazylii i Boliwii (prawie 1/4 zasobów świat.), złoża pegmatytów z mineralizacją niobowo-tantalową, jak również z rudami litu, cyny i ze znacznymi zasobami berylu (zasoby litu w Chile stanowią prawie 60% zasobów świat., niobu w Brazylii — 78%, a berylu tamże — 40%). Duże znaczenie mają również złoża rud niklu i kobaltu na Kubie, złoża boksytów na Jamajce, w krajach wybrzeża karaibskiego (Surinam, Gujana, Wenezuela) i w Brazylii, a także złoża rud żelaza w Brazylii. Ponadto są znane złoża rud srebra, cynku, bizmutu, antymonu, złota, a także złoża kamieni szlachetnych (m.in. szmaragdów). Pozostałe surowce miner. występują w A.P. w ilościach nieznacznych, np. węgiel kam. w Kolumbii (4 mld t) lub węgiel brun. w Brazylii (2,8 mld t).

Klimat. Rozkład klimatów A.P. wynika z położenia ok. 80% pow. kontynentu w szerokościach międzyzwrotnikowych oraz ciągnącego się wzdłuż całego pacyficznego wybrzeża wysokiego pasma Andów, które hamuje napływ mas powietrza z zach. oraz utrwala cyrkulację pasatową Wyżu Południowopacyficznego. Wyżyna Brazylijska stanowi od strony wsch. słabszą barierę klim., schodząc wyraźną krawędzią do O. Atlantyckiego. Wybrzeża atlantyckie na południe od 21°S są nizinne i otwarte na niezbyt silne wpływy oceanu. Wielkie znaczenie mają pokryte wilgotnymi lasami równikowymi niziny w dorzeczach Orinoko i Amazonki. Panują nad nimi dogodne warunki do transformacji zwrotnikowych mor. mas powietrza ze wschodu, tzn. z zach. części Wyżu Azorskiego, i tworzenia się równikowych mas powietrza. W zwrotnikowej części kontynentu, na nizinach Gran Chaco i Pampa, odbywa się południkowa wymiana mas powietrza, zwł. groźny napływ w zimie powietrza polarnego, nawet znad Antarktydy, np. na

Niz. La Platy w postaci wiatru, zw. pampero, przynosi spadek temperatury, mgłę i opady. Na jesieni wieją względnie chłodne wiatry, zw. friagem, sięgające aż do środk. Amazonii. Pacyficzne wybrzeża na prawie całej długości omywa chłodny Prąd Peruwiański. Co kilka lat zasięg tego prądu bywa ograniczony tylko do 20°S, gdyż pojawia się wtedy ciepły prąd El Niño, który płynąc z pn. przynosi katastrofalne opady i powodzie. Atlantyckie wybrzeża, aż do 40°S na pd., opływają prądy ciepłe: Południoworównikowy i Gujański oraz, kierujący się na pd., Prąd Brazylijski. Południowy kraniec A.P. omywa chłodny Prąd Przyl. Horn (część Antarktycznego Prądu Okołobiegunowego), a Ziemię Ognistą i Patagonię od strony wsch. — chłodny Prąd Falklandzki. Warunki insolacyjne A.P. wynikają z położenia geogr. między 12°N a 55°S. W dniu przesilenia letniego (22 XII) na pn. skraju kontynentu dzień trwa 12,7 godz., przy wysokości Słońca w południe 76,5°, podczas gdy na pd. skraju dzień trwa 17,4 godz., przy wysokości Słońca 58°, natomiast w dniu przesilenia zimowego (22 VI) odpowiednio na pn. długość dnia wynosi 11,5 godz., przy wysokości Słońca 56,5°, a na pd. — 7,2 godz. a wysokość Słońca 11°. Na równiku dzień trwa z uwzględnieniem refrakcji 12,1 godziny. Roczna liczba godzin słonecznych wynosi od 1000 do 1600, tzn. od ok. 3 do ponad 4 godz. dziennie na wybrzeżu Peru, w pn. i pd. Chile, w zach. Amazonii, środk. i zach. Kolumbii, do 3000–4000 godz. rocznie (8–11 godz./dzień) na płaskowyżu Puna de Atacama i 3000–3200 godz. rocznie (8–9 godz./dzień) na pn.-wsch. skraju Brazylii. Roczna suma promieniowania całkowitego w zach. Amazonii osiąga 4600–5000 MJ/m^2, w pd. Chile i Patagonii — 3800–4200 MJ/m^2. Na pozostałym obszarze rośnie do 6700–8400 MJ/m^2 i więcej, zwł. na Puna de Atacama, w pn.-zach. Peru, pn. Kolumbii i Wenezueli oraz na wsch. wybrzeżu Brazylii promieniowanie osiąga 6700 MJ/m^2. Cyrkulację atmosf. nad A.P. kształtują stałe wyże podzwrotnikowe, Południowopacyficzny i Południowoatlantycki, które zimą poprzez wyż termiczny nad kontynentem, łączą się we wspólny system. Północny skraj kontynentu obejmuje działanie zach. peryferii Wyżu Azorskiego. Między wyżami rozciąga się strefa niskiego ciśnienia równikowego, która w lecie, łącząc się z niżem termicznym nad kontynentem, sięga do szerokości zwrotnikowych, a nawet umiarkowanych. Południowy skraj kontynentu obejmuje strefa niżów frontu polarnego, która w lipcu sięga do 35–40°S na północy. Podstawową cechą cyrkulacji atmosf. na wsch. od Andów jest występowanie pasatów Wyżu Azorskiego, wiejących z pn.-wsch., i Wyżu Południowoatlantyckiego — z pd.-wschodu. Masy powietrza zach. części tych wyżów docierając do wsch. wybrzeży są gorące i wilgotne. Zachodnie wybrzeża kontynentu i zbocza Andów znajdują się stale pod wpływem pasatowej cyrkulacji wsch. części Wyżu Południowopacyficznego, wzmocnionej przez chłodny Prąd Peruwiański i wyniosłość Andów. Wiatry pd.-wsch. i pd. mijając równik zmieniają kierunek na pd.-zachodni. Wschodnie wybrzeża A.P. znajdują się pod wpływem wiatrów wsch. i pn.-wsch. niosą-

cych zwrotnikowe mor. masy powietrza o chwiejnej równowadze, natomiast na wybrzeżach zach. przeważają wiatry pd. ze wsch. części Wyżu Południowopacyficznego transportujące zwrotnikowe wilgotne masy powietrza, w dolnych warstwach znacznie ochłodzone, o równowadze stałej. Nad Gran Chaco formują się kontynent. masy powietrza zwrotnikowego. W umiarkowanych i podbiegunowych szerokościach geogr. dominuje natomiast bardzo silna cyrkulacja zach., związana z pd. częścią Wyżu Południowopacyficznego i intensyfikacją procesów na froncie polarnym, w szerokościach geogr. zw. na morzu „ryczącymi czterdziestkami" i „wyjącymi pięćdziesiątkami". Niże kierują się ku wsch., nad niższą część Andów, niosąc powietrze mor. umiarkowanych szerokości, które na dowietrznych ich zboczach zostawiają prawie cały zapas wody; natomiast po zawietrznej stronie jest sucho i ciepło — wieje fen, zw. zonda. Kontynent rozciąga się we wszystkich strefach klim., z tym że strefa równikowa obejmuje ponad połowę powierzchni A.P.: od krańców pn. do 20°S na nizinach na wsch. od Andów, natomiast na wybrzeżu pacyficznym — tylko do równika. Występują w niej 3 typy klimatów różniące się roczną sumą opadów i ich rocznym przebiegiem jako wyznacznikiem pór roku. Klimat równikowy wybitnie wilgotny bez wyraźnej pory bezdeszczowej, z rocznymi opadami 1500–2000 mm, w miejscach, gdzie orografia sprzyja ich intensyfikacji, przekraczającymi 5000 mm rocznie (nadpacyficzna część Kolumbii, np. w Andagoya 6830 mm, w Quibdó 8992 mm), panuje w Amazonii, zach. Kolumbii — w pasie wybrzeża od delty Orinoko do delty Amazonki i wąskim pasie wybrzeża Brazylii od Natalu do zwrotnika. Równikowy wilgotny z jedną porą bezdeszczową i mniejszymi opadami występuje w pn.-wsch. Kolumbii, na Wyż. Gujańskiej, Mato Grosso, znaczniej części Wyż. Brazylijskiej. Równikowy suchy, z jedną krótką porą deszczową, a na równiku z dwiema, z opadami poniżej 800 mm panuje w pn.-wsch. Brazylii (w Remanso 496 mm) oraz w pn. Wenezueli (Sikisike 342 mm), pn.-wsch. Kolumbii, w Ekwadorze i pn.-wsch. części Peru. W strefie zwrotnikowej rozciągającej się do ok. 30°S są 4 typy klimatów, różniące się gł. ilością opadów. Cały obszar nadpacyficzny, na zachód od Kordyliery Zach., będący pod wpływem pasatów i chłodnego Prądu Peruwiańskiego ma klimat wybitnie suchy z bardzo małymi i wyjątkowo rzadkimi opadami (roczna suma poniżej 10 mm; 0 mm w Pisco w Peru, w Arica i Iquique w Chile), choć z dużą wilgotnością względną (rano ponad 90%, po południu ok. 70%), na pustyni Atakama powietrze jest znacznie suchsze. Na wsch. od Kordyliery Zach. panuje klimat suchy kontynent. wysokogórski z dużą liczbą dni pogodnych, i opadami 200–300 mm rocznie. Na wsch. od Andów, w Gran Chaco, tzn. w Paragwaju i pn. Argentynie, panuje klimat pośredni między wilgotnym i suchym kontynent., gdzie w lecie temp. przekracza 26–28°C (w Rivadavia zanotowano najwyższą temperaturę na kontynencie — 48,9°C). Chłodniejsza odmiana tego klimatu panuje w pd. części Wyż. Brazylijskiej, natomiast we wsch. części tej strefy — klimat wilgotny, ze znacznymi opadami. Strefa podzwrotnikowa, z opadami zimowymi, obejmuje pas od 30° do 40°S. Występują tam klimaty od mor. w nadpacyficznym Chile, przez suchy kontynent. wysokogórski w Andach i wybitnie suchy z opadami poniżej 200 mm po ich wsch. stronie, aż do wybrzeża O. Atlantyckiego między ujściem Colorado a zat. San Matías. Umiarkowana strefa obejmuje pas od ok. 40° do 50–53°S. Obszar na północ od 45°S ma klimat ciepły, na południe — chłodny. Wybrzeże O. Spokojnego wystawione na stałe wiatry zach. ma klimat wybitnie mor., z opadami 5000–7000 mm rocznie (wyspa Guarello 7331 mm). Na zawietrznej stronie Andów Patagońskich klimat zmienia się od pośredniego między mor. i kontynent. na zach. do wybitnie suchego kontynent. na wsch., gdzie opady roczne nie dochodzą do 200 mm. Na tym obszarze zanotowano najniższą na kontynencie temp. – 33°C. Południowy skraj kontynentu leży już w strefie okołobiegunowej, ma klimat podbiegunowy mor. z temperaturą w najcieplejszym miesiącu poniżej 10°C. W górach wszystkich stref występują górskie odmiany klimatów.

Wody. A.P. leży w zlewiskach 2 oceanów: Atlantyckiego i Spokojnego. Kontynentalny dział wodny biegnie przeważnie grzbietem Kordyliery Zachodniej. Jedynie na pn. schodzi on na przesmyk Darién i pasmo Cordillera del Chocó — zaledwie kilkadziesiąt km od brzegu O. Spokojnego. Na pd. dział wodny nie zaznacza się wyraźnie, występuje tam strefa bifurkacji związanych z Lądolodem Patagońskim i głębokimi poprzecznymi obniżeniami zajętymi przez wielkie jeziora andyjskie. Do zlewiska O. Atlantyckiego należy 85% powierzchni A.P. (3% to zlewisko M. Karaibskiego) a do zlewiska O. Spokojnego tylko 7% pow. kontynentu. Obszary bezodpływowe zajmują 8% pow. lądu, przy czym odsetek ten wg różnych danych waha się od 6,5 do 12,7%. Średni odpływ rzeczny wynosi ok. 11 tys. km³ wody odprowadzanej do oceanu w ciągu roku i odpowiada 30% rocznego odpływu wszystkich rzek świata. Największa gęstość sieci rzecznej i największe odpływy rzeczne są związane z obszarami o klimacie wilgotnym. Należą do nich Niz. Amazonki, pn. stoki Wyż. Gujańskiej i przyległa nadbrzeżna nizina, wsch. i zach. stoki Andów Pn. i zach. stoki Andów Patagońskich. Na tych obszarach rozwinęła się szczególnie gęsta sieć rzeczna, a w zlewisku O. Atlantyckiego powstały największe systemy rzeczne A.P. Małym odpływem i małą gęstością sieci rzecznej charakteryzują się obszary o klimacie suchym, przede wszystkim na pustynnym wybrzeżu O. Spokojnego, płaskowyżach Andów Środk. i na ich wsch. przedpolu. Stosunkowo niewielki odpływ cechuje także Wyż. Patagońską i pn.-wsch. część Wyż. Brazylijskiej. Występują tam rzeki okresowe i epizodyczne, wiele z nich nie dociera do oceanu, tracąc wodę w piaszczystym podłożu i skalnych rumowiskach. Zlewisko O. Atlantyckiego zajmuje 15,2 mln km². Rzeki należące do tego zlewiska mają swoje źródła w Andach, często kilkadziesiąt km od brzegu O. Spokojnego, oraz na wyżynach Brazylijskiej i Gujańskiej. Należą do niego największe i najbardziej zasobne w wodę rzeki A.P.: Amazonka, Parana, São Francisco i Orinoko. Amazonka wraz z dopływami tworzy największy system rzeczny świata. Powstaje z połączenia rzek Marañón i Ukajali mających swoje źródła w Andach na terenie Peru. Długość Amazonki z jej dopływami źródłowymi jest podawana w szerokich granicach i wynosi: z Marañón ok. 6400 km a z Ukajali ok. 6515 km — wg niektórych danych 7025 km a nawet więcej. Amazonka otrzymuje setki dopływów, z których 12 ma ponad 1000 km długości. Największe z nich, poza dopływami źródłowymi, to: Javari, Juruá, Purus, Madeira (największy dopływ Amazonki), Tapajós, Xingu i Tocantins (prawe) oraz Pastaza, Napo, Putumayo, Japurá, Negro, Trombetas, Paru i Jari (lewe). Rzeka i wiele jej dopływów są żeglowne i pełnią funkcje ważnych szlaków komunikacyjnych. Pozostałe rzeki zlewiska O. Atlantyckiego ustępują Amazonce wielkością dorzecza, długością i wielkością przepływu. Drugą pod względem wielkości dorzecza i długości jest Parana, która po połączeniu z rz. Urugwaj tworzy estuarium La Platy. Jej dł. wynosi ok. 4700 km a pow. dorzecza ok. 3,1 mln km². Północną część kontynentu odwadniają Orinoko i Magdalena — największa rzeka A.P. należąca do zlewiska M. Karaibskiego, a wsch. część Wyż. Brazylijskiej — São Francisco. Zlewisko O. Spokojnego zajmuje zaledwie 1,2 mln km². Należące do niego rzeki są krótkie — najdłuższa Bío Bío ma tylko 383 km, często rwące i zasobne w wodę potoki wypływają z patagońskich lodowców. Wiele rzek w środk. części wybrzeża pacyficznego nie dociera do oceanu tracąc wodę na obszarze nadmor. pustyń. Niewielkie są również rzeki obszarów bezodpływowych, największą z nich jest Dulce uchodząca do jez. Mar Chiquita w pn.-zach. części Pampy. W Andach, na Altiplano, wyróżnia się rz. Desaguadero (320 km), która wypływa z jez. Titicaca i łączy je z jez. Poopó. W A.P. jest niewiele jezior przekraczających pow. 1000 km². Największym z nich jest położone na pn. kontynentu jez. Maracaibo (pochodzenia tektonicznego), o pow. 16,3 tys. km², połączone poprzez cieśninę z Zat. Wenezuelską. Na wybrzeżu O. Atlantyckiego znajdują się 2 duże jeziora lagunowe Patos i Mirim. Pochodzenia tektonicznego jest jez. Titicaca (8,3 tys. km²) znajdujące się w Andach Środk. na wys. 3812 m. W Andach Patagońskich występują liczne jeziora o genezie tektoniczno-lodowcowej; największe z nich, Buenos Aires ma pow. 2,2 tys. km². Najliczniejsze są małe jeziora polodowcowe występujące w An-

■ Ameryka Południowa. Pływające wyspy Indian Uru na jeziorze Titicaca (Peru)

dach oraz jeziora pochodzenia rzecznego w dolinach Amazonki i Parany. Pozostałością wielkich jezior plejstoceńskich, dziś już wyschniętych, są solniska — Salar de Uyuni na płaskowyżu Altiplano (20 tys. km^2) i wiele innych. Odrębną grupę stanowią jeziora zaporowe zbud. przez człowieka i służące przede wszystkim do produkcji energii elektr. w hydroelektrowniach. Największze, przekraczające pow. 1000 km^2, znajdują się w dorzeczu Parany, Amazonki, São Francisco i Orinoko. Obszary współcześnie zlodowacone zajmują w A.P. ok. 33 tys. km^2. Lodowce i płaty wiecznych śniegów występują w partiach szczytowych gór na całej długości Andów. Najsilniej zlodzonym pasmem górskim jest Kordyliera Biała, gdzie lodowce zajmują ok. 800 km^2. Największze pola lodowe, określane mianem Lądolodu Patagońskiego, rozwinęły się w Andach Patagońskich między 46 a 52°S.

Gleby. Na przeważającym obszarze A.P. występuje gorący i ciepły typ ustroju termicznego gleb. Na głęb. ok. 20 cm w ciągu całego roku utrzymuje się temp. do 20°C a często i wyższa, co przy odpowiednim uwilgotnieniu ogromnie intensyfikuje procesy glebotwórcze. Następuje szybkie przekształcanie komponentów miner. i rozkład martwych resztek roślinnych. Stąd m.in. na obszarach międzyzwrotnikowych A.P. wytworzyła się wielometrowej grubości, uboga w składniki odżywcze dla roślin, gł. ferralitowa zwietrzelina skał podłoża. Jest ona skałą macierzystą współcz. gleb Niz. Amazonki, Wyż. Brazylijskiej i Wyż. Gujańskiej. Gleby Niz. Amazonki występujące pod wilgotnymi lasami równikowymi są silnie zakwaszone i ubogie w związki miner., m.in. azotu, fosforu, potasu i wapnia. Akumulacji próchnicy w tych glebach nie sprzyjają intensywne procesy biogeochemiczne. Typowe dla tego regionu są gleby czerwonożółte wykształcone na gliniastych utworach ferralitowych oraz zbielicowane żółtoziemy związane z utworami piaszczystymi. W całym regionie małe spadki powierzchni sprzyjają rozwojowi oglejonych gleb czerwonożółtych i gleb glejowych. Te ostatnie, razem z aluwialnymi pokrywają około 10% pow. Niz. Amazonki. Gliniaste gleby czerwonożółte są wykorzystane pod uprawę kauczukowca. Wyrąb lasów równikowych, nasilający się w ostatnim ćwierćwieczu powoduje intensywną erozję wodną gleb, na powierzchniach pozbawionych lasów tworzą się twarde skorupy żelaziste przypominające lateryt. Gleby pokrywające wyżyny: Brazylijską i Gujańską oraz obszary przyległe są równie mało żyzne jak gleby Niz. Amazonki. Wykształciły się często na piaszczystych zwietrzelinach ferralitowych bądź na okruchowych zwietrzelinach skał podłoża w rejonach młodych ruchów tektonicznych. Duże powierzchnie pokrywają tu gleby czerwonożółte z konkrecjami żelazistymi wytworzone na glinach kwarcowo--kaolinitowych. Pod roślinnością sawannową pd. części Wyż. Brazylijskiej rozwinęły się czerwone, mocno żelaziste gleby ferralitowe z oznakami przemywania. Na czerwono-brązowych glebach ferralitowych w dorzeczu São Francisco jest prowadzona z wykorzystaniem nawadniania uprawa trzciny cukrowej, kukurydzy, bawełny i kakaowca. Południowa część Wyż. Brazylijskiej

(dorzecze górnej Parany i Urugwaju) to obszar występowania żyznych, bogatych w próchnicę gleb ferralitowych, wykształconych na zwietrzelinach bazaltów i diabazów. Wysoką wartość roln. mają także gliniaste gleby brunatnoziemne okolic Kurytyby. Gleby na pd. wyżyny są przeważnie zajęte pod uprawę kakaowca, bawełny, owoców cytrusowych. Regiony nizinne na pd. kontynentu (La Plata, Pampa) pokrywają: w części pn. (Gran Chaco) — oglejone gleby łąkowe przesycone wilgocią w okresie zimowo-wiosennym, w części środk. (Międzyrzecze Argentyńskie) czerwonobrązowe gleby suchych sawann i próchniczne gleby łąkowe, w części pd. — gliniaste gleby ciemnopróchniczne i oglejone gleby łąkowe. Pampa argentyńska to kraina żyznych bruniziemów oraz próchnicznych sołońców wytworzonych z lessowatych i ilastych utworów pyłowych. Ogromne powierzchnie tych gleb zajęto pod uprawę pszenicy, kukurydzy i roślin pastewnych. Na Wyż. Patagońskiej brak zwartej pokrywy glebowej. W miejscach intensywnego rozwiewania buroziemów występują poziomy bruku eolicznego złożonego ze żwiru i otoczaków. Istotne odmienności budowy wykazuje pokrywa glebowa Andów. Na pd., pod zbiorowiskami leśnymi rozwijają się na osadach wulk. górskie andosole oraz gleby brunatne (Cambisols). Wyżyny śródgórskie Altiplano i Puna są pokryte różnoziarnistym materiałem deluwialnym, osadami wulk. a lokalnie i limnicznymi. Na tych w przewadze bezglebowych obszarach spotyka się płaty buroziemów oraz sołonczaków. W Kordylierze Zach. dominują górskie odmiany andosoli a w Kordylierze Wsch. — górskie gleby brunatnoziemne. Podobne gleby pokrywają Kordylierę Nadbrzeżną rozdzielającą obszary gleb glejowych Niz. Orinoko i okolic jez. Maracaibo.

Świat roślinny i zwierzęcy. A.P. wchodzi w skład państwa roślinnego tropik. Nowego Świata (*Neotropis*), jedynie Patagonia i pd. Chile należą do państwa wokółbiegunowego pd. (*Holantarctis*). Roślinność A.P. zachowała jeszcze na ogromnych obszarach swój pierwotny charakter; gł. formacją roślinną jest wiecznie zielony, wilgotny las równikowy (hylaea). Na pn. i pd. lasy te graniczą z obszarami o roślinności bardziej kserofitycznej; na obrzeżach Niz. Orinoko panują lasy zrzucające liście w porze suchej, a w centrum — sawanny (llanos); wnętrze Wyż. Brazylijskiej oraz Mato Grosso i Gran Chaco zajmują również lasy suche (gł. kolczaste lasy okresowo bezlistne, a pn.-wsch. Brazylii zw. caatinga), a także sawanny (campos cerrados) i kserofityczne zarośla; w wilgotniej pd. części Wyż. Brazylijskiej występują lasy araukariowe, na jej nadmor. krawędziach wilgotne, wiecznie zielone lasy zwrotnikowe; ustępują one miejsca stepom (pampa) w środk. Argentynie i Urugwaju. Roślinność Andów jest odrębna i b. urozmaicona; na pd. od 40°S roślinność przybiera charakter holantarktyczny; na zach. stokach Andów panują wiecznie zielone lasy liściaste i mieszane z notofagusami (bukami pd.) i araukariami; na Wyż. Patagońskiej występują suche stepy i półpustynie; pd. krańce Ziemi Ognistej pokrywa tundra subantarktyczna. Z A.P. pochodzi wiele roślin użytkowych, m.in.: ziemniak, tytoń, kakaowiec, ananas, papryka, pomidor.

■ Ameryka Południowa. Alpaki na płaskowyżu Altiplano w Boliwii

Pod względem zoogeograficznym A.P. i Ameryka Środkowa tworzą krainę neotropikalną. Fauna niezwykle bogata, zróżnicowana i swoista. Występują tu 32 rodziny ssaków (nie licząc nietoperzy), w tym aż 16 endemicznych (najwięcej ze wszystkich kontynentów): 2 rodziny małp szerokonosych — płaksowate (czepiaki, kapucynki, sajmiri, wyjce) i pazurkowce (tamaryna i marmozeta); 2 rodziny szczerbaków — mrówkojady i leniwce (trzecia rodzina szczerbaków — pancerniki, jest znana również w Ameryce Północnej); rodzina torbaczy — zbójniki (druga — dydelfy, zasiedla też Amerykę Północną); 11 rodzin gryzoni, tworzących podrząd Cavimorpha (wśród nich kapibara, świnki mor., pakarana, paka, aguti, szynszyle, nutrie, kolczaki). Ponadto do zwierząt endemicznych należą: 3 gat. tapirów, lamy, nietoperze wampiry i in. Niezwykłe bogactwo ptaków: 2 rzędy endemiczne — nandu i kusaki, i prawie połowa rodzin, m.in.: tukany, gruchacze, hoacyny; w A.P. występują też m.in.: czubacze, bławatniki, kolibry, papugi, kondory. Liczne gady: dusiciele, krokodyl, aligator i kajmany, żółwie, jaszczurki i wiele innych; wśród płazów przeważnie bezogoniaste; z nielicznych ogoniastych w wodach Amazonki występuje jeden z największych gat. płazów (dł. ok. 70 cm) — diabeł błotny. W ichtiofaunie osobliwością jest endemiczny prapłaziec, jeden z 3 rodzajów ryb dwudysznych, oraz liczne kąsaczowate, m.in. piranie.

Ochrona środowiska. Słabo zaludnione wnętrze kontynentu — rozległe sawanny na Wyż. Brazylijskiej i Niz. Orinoko, równikowe puszcze Amazonii i na Wyż. Gujańskiej, region Gran Chaco, stepy Patagonii, wysokogórskie pustynie Andów i pustynne wybrzeże O. Spokojnego — uznawane do niedawna za mało zmienione przez człowieka z powodu niedostępności i ograniczonej przydatności gosp., uległo znacznym przeobrażeniom. Duże zmiany dokonały się już w XIX w., kiedy w wyniku rozwoju gosp. niektóre obszary zostały definitywnie przekształcone, m.in. region wsch. Pampy porośniętej niegdyś przez wysokotrawiasty step pampa, i wsch. część Wyż. Brazylijskiej, gdzie niemal doszczętnie wykarczowano wilgotne lasy *alto da serra*. Znacznie zostały też zmienione sawanny i północnoandyjskie *páramos*. Największe przeobrażenie środowiska następuje w regionach gęsto zaludnionych, a zwł. najbardziej zurbanizowanych i uprzemysłowionych oraz na obszarach objętych programami kolonizacji roln. i wielkimi inwestycjami, takimi jak budowa dróg, elektrowni wodnych, kopalń i zakładów przemysłowych. Konsekwencją zagospodarowania jest wzrost degradacji środowiska spowodowany erozją gleb (wodną i eoliczną), ruchami masowymi (obrywy, osuwiska, spełzywanie gruntu) i zasoleniem ziem nawadnianych. Do tego dochodzą realizowane na dużą skalę wyręby lasów (w celu uzyskania drewna, ziem pod uprawy, pastwisk oraz pod inwestycje drogowe i przem.), skażenia środowiska w następstwie eksploatacji surowców miner. i działalności przemysłowej. Na znacznych obszarach nadal środowisko przyr. nie uległo zmianom i jest chronione w parkach nar. i rezerwatach. W A.P. podlega ochronie ponad 1200 obszarów różnej

wielkości i rangi (w tym 35 zgodnie z normami konwencji Ramsar z 1971 i konwencji paryskiej World Heritage z 1972), w tej liczbie ponad 200 parków nar. i ok. 250 terytoriów indiańskich. Do najstarszych parków nar. należą: Galápagos, utworzony 1934 i obejmujący 87% pow. archipelagu i argentyńsko-brazyl. Park Nar. Iguaçu (część argentyńska utworzona 1934, część brazyl. 1939), którego gł. atrakcją są wodospady. Do najbardziej znanych i największych parków nar. w A.P. należy Canaima, na Wyż. Gujańskiej w Wenezueli, z najwyższym wodospadem na Ziemi — Salto Angel. Liczne parki nar. znajdują się w Andach (np. Los Glaciares, Torres del Paine) oraz w Amazonii.

Regiony fizycznogeograficzne. W A.P. wyróżnia się następujące regiony fizycznogeogr.: 1) Andy; 2) Niz. Orinoko; 3) Niz. Amazonki; 4) Niz. La Platy; 5) Wyż. Gujańską; 6) Wyż. Brazylijską; 7) Wyż. Patagońską.

Ludność

A.P. jest jedną z najsłabiej zaludnionych części świata, stanowi ok. 13% pow. kontynentów zamieszkanych i skupia ok. 5,5% ludności świata. Średnia gęstość zaludnienia: 18 osób/km^2. Rozmieszczenie ludności jest bardzo nierównomierne, obszarami o największej koncentracji są wybrzeża atlantyckie (od pn.-wsch. Brazylii po La Platę), oraz niektóre kotliny śródgórskie i płaskowyże andyjskie, leżące powyżej 2000 m, gdzie gęstość zaludnienia przekracza 100 osób na km^2. Najsłabiej zaludnione jest wnętrze kontynentu oraz jego pd. obszary, gdzie średnia gęstość wynosi poniżej 5 osób na km^2.

Struktura narodowościowa. Ludność A.P. jest zróżnicowana pod względem rasowym i etnicznym. Trwający nieprzerwanie od początku kolonizacji eur. proces mieszania się kilku tys. plemion indiańskich z przybyszami, kolejno z Europy, Afryki, Azji, zw. metysażem, pogłębia się dalej wskutek migracji wewnątrz państw oraz migracji między krajami A.P. Najliczniejszą grupę mieszkańców stanowią Metysi, potomkowie Indian i Europejczyków. Metysi przeważają wśród ludności w Kolumbii, Wenezueli, Chile, Paragwaju oraz prawdopodobnie w Brazylii. Ludność pochodzenia eur. stanowi ponad 90% mieszk. Argentyny, Urugwaju oraz pd. stanów Brazylii. Ludność pochodzenia afryk. zamieszkuje przede wszystkim te regiony, gdzie w okre-

■ Ameryka Południowa. Wioska Indian Arhuaco w Sierra Nevada de Santa Marta (Kolumbia)

■ Ameryka Południowa. Potosí, fragment miasta (Boliwia)

sie kolonialnym powstawały plantacje, na które sprowadzano niewolników z Afryki: pn.-wsch. Brazylię, wybrzeża Wenezueli i Kolumbii oraz pn. Ekwador. Ludność pochodzenia azjat. przybyła gł. w XIX w.; robotnicy z Chin, Indusi z kolonii bryt. stanowią znaczny odsetek mieszkańców w Gujanie i Surinamie, w mniejszym stopniu w Peru; osadnicy jap. zamieszkują obszary nowego osadnictwa roln., gł. w stanie São Paulo w Brazylii, w dep. Santa Cruz w Boliwii oraz w Paragwaju i Peru. W 1. poł. XX w. napłynęli imigranci z Syrii i Libanu; w 2. poł. XX w. odnotowano imigrację z Korei Pd., przede wszystkim do Argentyny i Brazylii. Jedną z bardziej kontrowersyjnych kwestii jest sposób liczenia ludności indiańskiej; wynika to z różnych kryteriów stosowanych do identyfikacji ludności: kryteriów językowych, deklaracji przynależności do społeczności indiańskiej, miejsca zamieszkania, np. w rezerwatach dla Indian. Ponad 80% Indian południowoamer. mieszka w Boliwii, Peru i Ekwadorze, gdzie stanowią od 40 do 60% ogółu mieszkańców. W Kolumbii, Chile i Paragwaju ludność indiańska stanowi kilka procent i jest skupiona w rezerwatach, zlokalizowanych na obszarach słabiej zaludnionych. W Brazylii i Wenezueli ludność indiańska stanowi mniej niż 1% ogółu mieszkańców; żyje w tradycyjnych wspólnotach, gł. w lasach. W latach 90. w wielu krajach, zwł. w Ekwadorze i Boliwii zwiększa się liczba Indian świadomie deklarujących swą przynależność etniczną.

Przemiany demograficzne i rozmieszczenie ludności. W 1998 liczba ludności A.P. wyniosła 333 mln. Zróżnicowanie tempa przyrostu rzeczywistego ludności krajów A.P. wynika z różnej

■ Ameryka Południowa. Medellin (Kolumbia)

dynamiki ruchu naturalnego ludności i różnego w poszczególnych państwach salda migracji. W większości państw wysoka dynamika przyrostu naturalnego zakończyła się w latach 70., jednak roczne tempo przyrostu rzeczywistego ludności 1995–99 wynosiło średnio 2%; wyższe było w tym okresie w Paragwaju, Boliwii, Ekwadorze i Wenezueli, natomiast najniższe w Urugwaju (0,6%) oraz w Gujanie i Surinamie. W latach 90. najbardziej zmniejszyło się tempo przyrostu rzeczywistego w Brazylii, gdzie odnotowano najszybszy w tym okresie w A.P. spadek wskaźnika urodzeń. Zmniejszanie się tempa przyrostu naturalnego w A.P. wynika z procesów urbanizacyjnych, wzrostu aktywności zawodowej oraz poziomu wykształcenia kobiet, zmniejszenia śmiertelności niemowląt, zwiększenia długości życia w związku z poprawą warunków sanitarnych. Większość krajów A.P. ma ujemne saldo migracji, jednak rozmiary migracji zewn. są niewielkie w porównaniu z liczbą mieszkańców. O znaczeniu migracji międzynar. w kształtowaniu wielkości zaludnienia można mówić jedynie w przypadku Gujany i Surinamu (duża emigracja do Stanów Zjedn., z Surinamu także do Holandii, w 2. poł. lat 70.) oraz Paragwaju (napływ imigrantów z Brazylii w latach 80.) i Gujany Franc. (imigracja gł. z Haiti). Natomiast migracje wewn. są czynnikiem zmian w rozmieszczeniu ludności w poszczególnych krajach. W latach 1950–80 najbardziej intensywne były migracje ludności wiejskiej do miast oraz migracje na obszary nowo zasiedlane, zwł. na tereny, gdzie realizowano programy rozwoju regionalnego, tzn. do Amazonii w Brazylii i Wenezueli, na wsch. przedgórza Andów w Kolumbii, Boliwii, Peru i Ekwadorze oraz do Patagonii w Argentynie (gł. prow. Neuquén). W latach 80. i 90. największe rozmiary osiągały: migracja między ośrodkami miejskimi, zwł. przepływ ludności do miast średnich, a także największych metropolii, oraz migracje wewn. w miastach (gł. odpływ ludności z dzielnic centr. do peryferyjnych).

Struktura osadnictwa. A.P. jest po Australii najbardziej zurbanizowanym kontynentem świata, 1995 ludność miejska stanowiła 78%. W prawie wszystkich państwach wskaźnik urbanizacji przekracza 50%; krajami o najwyższym odsetku ludności miejskiej są Wenezuela (93%), Urugwaj (90%), Argentyna (88%) i Chile (84%); najsłabiej zurbanizowanymi krajami są: Gujana (36% — tylko 3 miasta), Surinam (50,4%), Paragwaj (53%), Ekwador (58%) i Boliwia (61%). W A.P. następuje wysoka koncentracja ludności w największych miastach; na kontynencie są 3 ośrodki zaliczane do 16 największych miast świata (powyżej 10 mln mieszk.): São Paulo (16,8 mln), Buenos Aires (11,9 mln) i Rio de Janeiro (10,3 mln); w ok. 30 miastach liczba mieszkańców przekroczyła 1 mln. W kilku państwach występuje zjawisko bardzo dużej koncentracji ludności w gł. mieście, np. Montevideo skupia ponad połowę ludności Urugwaju, a Paramaribo — Surinamu. W latach 80. i 90. tempo wzrostu największych aglomeracji uległo zahamowaniu, odnotowano natomiast bardzo szybki rozwój niektórych miast średnich, m.in. dzięki decentralizacji funkcji administracyjnych.

Procesy te są szczególnie wyraźne w Brazylii, Argentynie, Wenezueli i Kolumbii. Czynnikami szczególnie sprzyjającymi wzrostowi miast średnich są decentralizacja przemysłu, rozwój szkolnictwa wyższego oraz procesy tworzenia elit regionalnych, zwł. w nowych okręgach gospodarczych. Charakterystyczną cechą jest także powstawanie nowych miast — proces ten jest obserwowany przede wszystkim w Amazonii oraz w środkowozach. części Brazylii. Wiele z tych miast zał. w latach 70. i 80. przekroczyło już 100 tys. mieszkańców. Czynnikami sprzyjającymi rozwojowi miast są m.in. kolonizacja roln., eksploatacja nowych złóż surowców miner. — np. ośrodki wydobycia ropy naft. w ekwadorskiej Amazonii lub ośrodki poszukiwaczy złota w Brazylii, zw. garimpeiros.

Gospodarka

Gospodarkę A.P. najwcześniej podporządkowano interesom metropolii kolonialnych, jednak A.P. została zdekolonizowana wcześniej niż kontynenty półkuli wschodniej. W 2. poł. XX w. znalazła się w zasięgu oddziaływania korporacji ponadnarodowych. Kraje A.P. należą do bardziej rozwiniętych niż większość państw Afryki i Azji; PKB na 1 mieszk. (1995) wynosił (dol. USA): 9520 w Chile, 8310 w Argentynie, 5400 w Brazylii, jednak w Boliwii tylko 2540. Pod względem rozwoju społ. kraje A.P. są na poziomie bardziej zbliżonym do eur. niż do państw zaliczanych do grupy rozwijających się. Wśród 64 państw świata, które 1994 osiągnęły wysoki poziom wskaźnika rozwoju społ. znalazły się Chile (30. miejsce), Argentyna (36.), Urugwaj (37.), Wenezuela (47.), Kolumbia (51.), natomiast wśród 45 krajów o niskim poziomie wskaźnika rozwoju społ. nie sklasyfikowano żadnego państwa A.P. We wszystkich krajach występuje bardzo wyraźna stratyfikacja dochodów ludności, zwł. w Brazylii, gdzie są wyraźne kontrasty warunków życia w poszczególnych regionach. Największe miasto Brazylii, São Paulo, jest w grupie kilkunastu największych miast na świecie. W jego regionie skupia się najważniejszy przemysł kraju, łącznie z ośrodkami najnowocześniejszej technologii. W tej części Brazylii również gospodarka rolna ma cechy zbliżone do krajów wysoko rozwiniętych. Natomiast w pn.-wsch. Brazylii wskaźniki rozwoju społ. mają wartości podobne do notowanych w najuboższych krajach Afryki. Wyraźne dysproporcje w poziomie rozwoju społ.-gosp. występują także w krajach o znacznym odsetku ludności indiańskiej. W Peru i Boliwii obszary wiejskie zdominowane przez tę ludność należą do najuboższych, najsłabiej wyposażonych w infrastrukturę techn. i społ., stały się regionami odpływu mieszkańców. W latach 60. XX w. większość rządów krajów A.P. rozpoczęła realizację polityki zmierzającej do modernizacji gospodarki. Działania te były finansowane przez instytucje zagraniczne, gł. Bank Świat. i Agencję Rozwoju Międzynar. Stanów Zjedn. (USAID) oraz Międzyamer. Bank Rozwoju (IDB). Prowadzono je przede wszystkim na obszarach słabo zaludnionych, ale zasobnych w surowce naturalne, co przyczyniło się do stworzenia nowoczesnych regionów gosp., gł. w Wenezueli, Brazylii, Boliwii, Paragwaju i

Argentynie (Patagonia). Skutki modernizacji gospodarki, prowadzonej dzięki inwestycjom państw. oraz napływowi prywatnych kapitałów zagr., są widoczne przede wszystkim w największych regionach miejskich i okołomiejskich, gdzie koncentruje się większość nowoczesnych zakładów przem. oraz wysokotowarowych gospodarstw rolnych, produkujących żywność na rynek wewn. i towary na eksport. Gęsto zaludnione obszary tradycyjnego rolnictwa, pozostały poza zasięgiem państw. działań rozwojowych, jednakże modernizacja gospodarki w niektórych regionach, np. Pampa w Argentynie, Andy w Ekwadorze, regiony Norte Chico i Los Lagos w Chile oraz pd. stany Brazylii, była wynikiem inicjatyw miejscowych przedsiębiorców połączonych niekiedy z inwestycjami zagr., a także z różnego rodzaju akcjami prowadzonymi przez lokalne organizacje pozarządowe. Działalność tych organizacji koncentruje się przede wszystkich na terenach zamieszkanych przez najboższe grupy ludności — w regionach andyjskich Ekwadoru, Peru i Boliwii, a tam wśród członków wspólnot indiańskich oraz w wielkomiejskich dzielnicach nędzy. Stale zwiększają się powiązania gospodarki A.P. z rynkiem światowym. Wiele zmian społ.-gosp., obserwowanych zarówno w skali lokalnej, jak i ponadregionalnej, świadczy o podporządkowywaniu struktury gospodarki popytowi zewnętrznemu. Jednym z bardziej wyraźnych tego przejawów jest zwiększenie areału upraw roślin służących do produkcji narkotyków (marihuany w pn. Kolumbii oraz krzewu kokainowego w Peru, Boliwii i pd.-wsch. Kolumbii). Produkcja narkotyków jest gł. źródłem dochodu dla ludności dużych obszarów

■ Ameryka Południowa. Eksploatacja soli z wody morskiej w Manaure (Kolumbia)

■ Ameryka Południowa. Dolina Colca z uprawami na tarasach (Peru)

wiejskich, a handel nimi ma znaczący udział w obrotach zagranicznych, zwł. Boliwii i Kolumbii. Stosunkowo nowym rodzajem działalności gosp., podejmowanym w A.P. jest turystyka. Rozwój bazy turyst. doprowadził do powstania ośrodków turyst. w Amazonii, Pantanalu oraz w Andach. W Chile, Argentynie, Brazylii i Wenezueli coraz częściej obsługą ruchu turyst. zajmują się mieszkańcy wsi, traktując ją jako dodatkowe źródło dochodów. Rozwój turystyki na wsi w krajach andyjskich łączy się często z osiedlaniem się cudzoziemców, na obszarach przez nich cenionych. Wraz z napływem turystów zagranicznych nastąpił rozwój rękodzielnictwa, wyspecjalizowanego w produkcji pamiątek. Wyroby rzemiosła lud. stały się przedmiotem handlu zagr., realizowanego gł. przez najbardziej przedsiębiorczych wytwórców, którzy docierają ze swymi produktami nie tylko do słynnych ośrodków targowych, jak Otavalo w Ekwadorze, Pisac w Peru, ale także na rynki wielkich metropolii południowoamerykańskich. Rozwój turystyki jest jednym z ważniejszych przejawów różnicowania się obszarów wiejskich. Mieszkańcy wsi, zwł. leżących w sąsiedztwie wielkich miast lub w pobliżu gł. szlaków komunik., podejmują coraz częściej pracę w przedsiębiorstwach lokalizowanych na tych terenach przez inwestorów krajowych, zainteresowanych możliwie dużym obniżeniem kosztów produkcji. Do najbardziej typowych wyrobów należą zabawki, odzież, obuwie.

Spośród wielu zasobów naturalnych A.P. dostarcza gospodarce świat. przede wszystkim surowce miner. i energ., takie jak rudy żelaza, miedzi, ropa naft., boksyty oraz artykuły rolne: soja, cukier, kawa, ziarno kakaowe, mięso, skóry. Zwiększa się również udział kontynentu w wywozie wyrobów przem. (środki transportu, maszyny i urządzenia, wyroby elektron. i elektrotechn., wyroby przemysłu farm.). W gospodarce poszczególnych krajów coraz większe znaczenie ma eksport owoców, warzyw, kwiatów i roślin ozdobnych. ∎

Ameryka Północna, kontynent na półkuli zach., obejmujący pn. część Ameryki. Stanowi zwarty obszar lądowy o zarysach nieregularnie zwężającego się ku pd. trójkąta, położonego pomiędzy oceanami: Atlantyckim na wsch., Spokojnym na zach. i Arktycznym na północy. Od wsch. krańca Azji kontynent A.P. jest oddzielony Cieśn. Beringa. Przesmyk Panamski na południu, zwężony do 47 km i wygięty ku wsch., stanowi jedyne lądowe połączenie, które A.P. ma z Ameryką Południową. Rozciągłość południkowa od Przyl. Murchisona na płw. Boothia w kanad. Arktyce (71°58′N) do przyl. Mariato na płw. Azuero w Panamie (7°12′N) wynosi 7175 km. Równoleżnikowo kontynent rozciąga się na ok. 5600 km, od zach. krańca Alaski — Przyl. Księcia Walii na płw. Seward (168°05′W) do najdalej na wsch. wysuniętego przyl. Saint Charles na płw. Labrador (55°40′W). Jeśli uwzględnić wyspy, A.P. sięga na pn. do 83°69′N (przyl. Morris Jesup na Grenlandii), na wsch. do 11°40′W (Przyl. Północno-Wschodni na Grenlandii), a na zach. do 172°25′E (przyl. Wrangell na wyspie Attu w archipelagu Aleutów). Pod względem wielkości A.P. jest trzecim kontynentem na Ziemi (po Eurazji i Afryce), zajmuje 24,2 mln km². Liczba ludności przekracza 450 mln (1997), z czego prawie 60% zamieszkuje Stany Zjedn. a 20% — Meksyk.

A.P., w wąskim znaczeniu, to ta część Ameryki, w której kolonizacji i zagospodarowaniu największą rolę odegrali imigranci z W. Brytyjskich. Obejmuje państwa położone na pn. od granicznej rz. Rio Grande, czyli Stany Zjedn., Kanadę oraz posiadłości: bryt. — Bermudy, franc. — Saint-Pierre i Miquelon. Nazywana także Angloameryką, co nie jest określeniem ścisłym z uwagi na zwarte obszary francuskojęzyczne w Kanadzie (Quebec) oraz duże rozpowszechnienie języka hiszp. w pd.-zach. części Stanów Zjedn. (od Teksasu do pd. Kalifornii).

A.P. ma bardzo rozwiniętą linię brzegową, najdłuższą w porównaniu z innymi kontynentami (75,5 tys. km) oraz największy współczynnik rozwinięcia linii brzegowej, wynoszący 4,86. Jest to związane z dużą liczbą wcinających się w ląd zatok i cieśnin, które miejscami, zwł. na pn. i po wsch. stronie kontynentu, tworzą labirynt między grupami wysp a półwyspami. Ogółem na wyspy przypada 16,7% całego obszaru, na półwyspy — 8,7%. Do A.P. zalicza się m.in. największą wyspę świata Grenlandię (2,2 mln km²), Archipelag Arktyczny (1,3 mln km²), Wielkie Antyle, Małe Antyle, Bahamy i in. Na długich odcinkach niskiego wybrzeża atlantyckiego występują płytkie laguny (częściowo zatopione ujściowe odcinki dolin rzecznych), oddzielone od otwartego oceanu piaszczystymi mierzejami. Kształt zach. wybrzeża jest uzależniony od przebiegu znajdujących się tam pasm górskich. Najbardziej rozwiniętą linię brzegową ma Kanada i pd. Alaska, gdzie wcinające się w ląd wąskie zatoki i cieśniny pomiędzy poszczególnymi wyspami Archipelagu Aleksandra są typowymi, głębokimi fiordami, wyżłobionymi przez spływające z gór jęzory lodowców. Na zach., w kierunku Kamczatki, biegnie wulkaniczny łuk Aleutów. Największym półwyspem A.P. jest Labrador (z płw. Ungawa) o pow. 1,5 mln km², oddzielony od pozostałej części lądu przez Zat. Hudsona — najbardziej rozległy obszar wodny wcinający się w ten kontynent. Ponadto kontury A.P. urozmaicają na wsch. 2 wielkie nizinne półwyspy, Jukatan i Floryda, na zach. — 2 górzyste, Kalifornijski i Alaska.

Warunki naturalne

Ukształtowanie powierzchni. W ukształtowaniu pionowym A.P. zwracają uwagę ogromne rozmiary gł. jednostek fizycznogeogr. oraz ich południkowy układ. Zarówno pasma górskie, jak i wielkie obszary nizinne rozciągają się przez niemal wszystkie strefy klim., od ark. pustkowi na pn. do wilgotnych lasów równikowych na południu. Najwyższym punktem kontynentu jest McKinley (6194 m) w górach Alaska, najniżej położonym zaś miejscem — Badwater (86 m p.p.m.) w Dolinie Śmierci. Trzecią część kontynentu (33%) zajmują obszary nizinne (do 300 m), rozmieszczone bardzo nierównomiernie. Przeważają we wsch. połowie kontynentu, w zach. ich udział nie przekracza kilkunastu procent. Największe obszary nizinne to: Niz. Zatokowa z Jukatanem i Florydą (nad Zat. Meksykańską),

Niz. Wewnętrzne (wokół Wielkich Jezior), Niz. Hudsona, Jałowe Równiny i wyspy Archipelagu Arktycznego (wzdłuż brzegów Zat. Hudsona i O. Arktycznego) oraz Niz. Atlantycka (nad O. Atlantyckim). Około 40% obszaru kontynentu to tereny wyniesione od 300 do 1000 m, największe to ciągnące się południkowo Wielkie Równiny. Zajmują one środk. pas kontynentu o szer. od 400 km w Teksasie do ponad 1000 km w Kanadzie. Pozostałe 27% obszaru A.P. zajmują góry i wyżyny wznoszące się na wys. ponad 1000 m. Zajmują one gł. zach. część kontynentu (Kordyliery), na wsch. ich udział jest nieznaczny.

Centralną część A.P. zajmują rozległe równiny, rozszerzające się ku pn. i mające przedłużenie na wyspach Archipelagu Arktycznego. Od zach. są one ograniczone Kordylierami, a ich wsch. granicę tworzą Appalachy i G. Wschodniogrenlandzkie. Rzeźba w ich pn. części jest młoda, została ukształtowana w plejstocenie, kiedy prawie cała pn. część kontynentu była objęta zlodowaceniami. Obecnie lodowce pokrywają fragmenty wysp Archipelagu Arktycznego oraz większość obszaru Grenlandii. Typowy krajobraz polodowcowy dominuje na Płaskowyżu Laurentyńskim i w wyższych częściach wysp Archipelagu Arktycznego. Jego najważniejsze elementy to obniżenia egzaracyjne zajęte przez bardzo liczne jeziora o nieregularnych zarysach, wzniesienia ostańcowe o zaokrąglonych przez lądolód kształtach, wygłady lodowcowe, liczne drobne formy akumulacyjne utworzone ze żwirów, piasków i głazów o różnych rozmiarach. Płaskowyż Laurentyński jest położony w większości na wys. 300–600 m, lecz w kierunku wsch. podnosi się do 1000–1600 m. Krajobraz jego wsch., podniesionej, części ma cechy górskie a nawet wysokogórskie. Dotyczy to zwł. wsch. Labradoru (góry Torngat) i Ziemi Baffina, których wybrzeża są porozcinane głębokimi żłobami polodowcowymi, przechodzącymi w dolnych fragmentach w fiordy, głęboko wcinające się w ląd. Od strony pd. powierzchnia płaskowyżu gwałtownie opada w postaci Skarpy Laurentyńskiej, stanowiącej pn. obrzeżenie Niz. Laurentyńskiej i niziny wokół Wielkich Jezior. Skarpa ta, będąca ukształtowanym w skałach dolnego paleozoiku klifem (glint), otacza Płaskowyż Laurentyński także od strony zach., gdzie w rzeźbie jest słabo uwidoczniona i zaznacza się wyraźniej w układzie wód powierzchniowych (linia wyznaczona przez jez.: Winnipeg, Athabaska, Wielkie Jez. Niewolnicze i Wielkie Jez. Niedźwiedzie). Powierzchnia Płaskowyżu Laurentyńskiego obniża się łagodnie w kierunku Zat. Hudsona. Wzdłuż jej wybrzeży ciągnie się pas nizin akumulacyjnych, pokrytych mor. osadami ilastymi (Niz. Hudsońska), z wyraźnymi poziomami tarasowymi, świadczącymi o podnoszeniu obszaru i stopniowej regresji morza. Na zach. od Płaskowyżu Laurentyńskiego znajduje się Niz. Mackenzie, której monotonne równiny przekształcone przez procesy mrozowe urozmaicają wyspowe Góry Franklina. Na pd. od Niz. Mackenzie i Płaskowyżu Laurentyńskiego rozciągają się Wielkie Równiny i Niz. Wewnętrzne, zajmujące obszar pomiędzy Appalachami a Kordylierami. Wysokości na Niz. Wewnętrznych nie przekraczają 150–500 m. W ich

■ Ameryka Północna. Park Narodowy Mesa Verde w stanie Kolorado (USA)

pn. części dominuje krajobraz typowy dla obszarów młodej akumulacji lodowcowej. Utwory morenowe niezbyt dokładnie maskują elementy starszej rzeźby, a zwł. krawędzie denudacyjno-strukturalne, charakterystyczne dla platform paleozoicznych. Przykładem kuesty ukształtowanej wzdłuż linii występowania warstw dolnopaleozoicznego wapienia, zapadających nieznacznie ku pd., jest bardzo dobrze zaznaczona Skarpa Niagary. Biegnie ona ze wsch. na zach. równolegle do pd. brzegu jez. Ontario, a po ominięciu jego zach. części skręca ku pn., w kierunku płw. Bruce i wyspy Manitoulin na jez. Huron, tworząc wzniesienia o wys. do 541 m. Na pd. od 38–42°N miejsce pagórkowatych pojezierzy zajmują typowe równiny peryglacjalne, częściowo pokryte lessem i miejscami rozcięte gęstą siecią młodych dolin. Zachodnią część Niz. Wewnętrznych od strony pd. ograniczają Wyż. Centralne. W rzeźbie pn. części Wyż. Centralnych, na obszarze płaskowyżu Ozark, położonego na wys. 350–500 m, dominują formy wklęsłe, będące rezultatem erozji rzecznej oraz krawędzie denudacyjne zwrócone w kierunku centrum obszaru wyżyn, w pd. części — osiągającej w górach Ouachita wys. 884 m, przeważają cechy rzeźby górskiej, będącej rezultatem selektywnej erozji oraz tektoniki nieciągłej. Wielkie Równiny, ciągnące się od Niz. Mackenzie do Zat. Meksykańskiej, stanowią wyżynne przedgórze Kordylierów, wznoszące się od 500 m na wsch. do 1600–1700 m na zachodzie. Oprócz części pn., gdzie dominuje krajobraz akumulacji lodowcowej, Wielkie Równiny mają rzeźbę erozyjną z licznymi głębokimi dolinami rzek spływających z Kordylierów. Miejscami powierzchnia równin jest podzielona dolinami na fragmenty o charakterze stoliw, niektóre z rzeźbą erozyjną typu badland. Konsekwencją, i zarazem ilustracją wzmożonej erozji na obszarach Wielkich Równin było szybkie tempo narastania delty rz. Missisipi (ponad 100 m na rok). Proces ten został powstrzymany w wyniku budowy zapór, zbiorników retencyjnych i elektrowni wodnych w dorzeczu Missisipi, a zwł. na Missouri — największej rzece płynącej przez Wielkie Równiny (zbiorniki Fort Peck, Sakakawea, Oahe i Fort Randall). Większość materiału erozyjnego, który dawniej był niesiony do Zat. Meksykań-

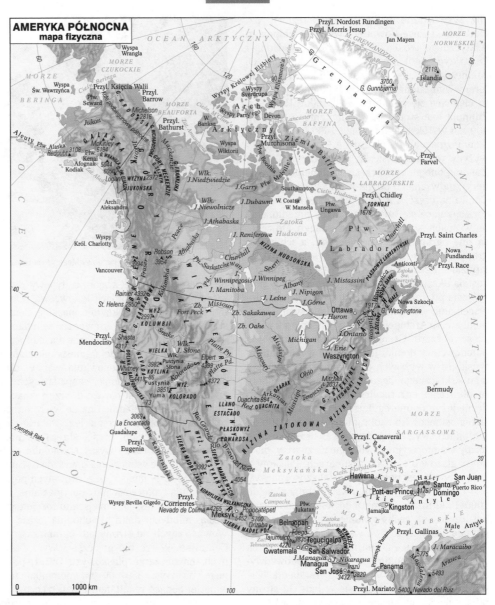

skiej i zasilał deltę, obecnie osadza się w sztucznych jeziorach. Różnorodne formy erozyjne najlepiej są rozwinięte w zach., wyższej części Wielkich Równin, a szczególnie na Wyż. Missouri, Llano Estacado i na Płaskowyżu Edwardsa.

Do równin zajmujących wnętrze A.P. przylega od strony wsch. niezbyt wysokie, stanowiące prawie nieprzerwany wał, pasmo Appalachów, biegnące z pd.-zach. na pn.-wschód. W pn. części Appalachy stanowią zespół bloków, zbud. ze skał osadowych, metamorficznych i magmowych, porozdzielanych tektonicznymi obniżeniami i silnie zniszczonych przez erozję (także lodowcową). Poszczególne bloki mają charakter płaskowyżów położonych na wys. 400–600 m; najważniejsze to góry: Zielone, Białe, Notre Dame i Long Range. Do najwyraźniej zaznaczonych w rzeźbie obniżeń należą południkowo biegnące doliny rz.: Hudson i Connecticut oraz zapadlisko Zat. Św. Wawrzyńca. Najwyższymi wzniesieniami są pojedyncze ostańce twardzielcowe, które wznoszą się ponad powierzchnie zrównań. Kulminację pn. Appalachów stanowi Góra Waszyngtona (1917 m) w G. Białych. Znacznie niższy jest

słynny Monadnock (965 m), od którego wszystkie samotne góry typu ostańców przyjęto nazywać monadnok. Powierzchnie zrównania oraz górujące nad nimi masywy górskie zostały silnie zniszczone przez lodowce, które pokrywały pn. Appalachy w plejstocenie. Ślady ich działalności znaleźć można również w dolinach, które mają kształt polodowcowych żłobów i są wyścielone utworami morenowymi. Na pd. od tektonicznego rowu doliny rz. Hudson krajobraz Appalachów ulega radykalnej zmianie, stając się o wiele bardziej urozmaicony. Południowa część Appalachów składa się bowiem z 4 podłużnych, ciągnących się z pd.-zach. na pn.-wsch. stref: Piedmont, G. Błękitne, Dolina Appalaska i Wyż. Appalaskie, oddzielonych od siebie systemami dyslokacji i odmiennych pod względem krajobrazu. Największą wysokość osiągają Appalachy w paśmie G. Błękitnych (Mitchell, 2037 m), którym od strony wsch. towarzyszy pas przedgórza zw. Piedmontem. Góry Błękitne to wyniesiony zrąb tektoniczny o odmłodzonej rzeźbie erozyjnej. Piedmont to zrzucona systemem uskoków część górotworu appalaskiego, pokryta cienką warstwą utworów kenozoicznych, maskujących nierów-

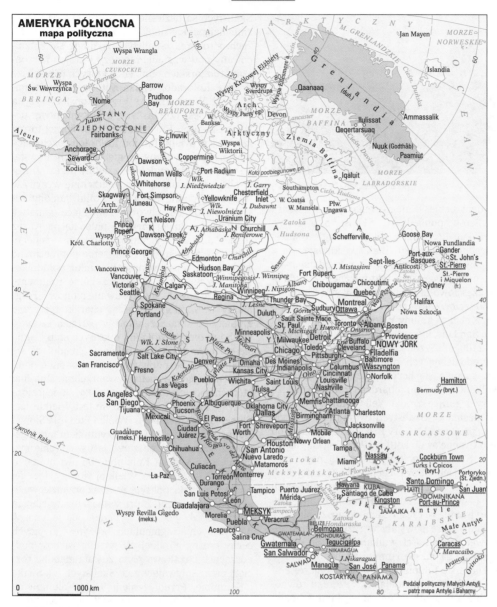

AMERYKA PÓŁNOCNA
mapa polityczna

0   1000 km

ności istniejące w skałach starszego podłoża. Na zach. od G. Błękitnych znajduje się strefa fałdowa Doliny Appalaskiej, a w jej obrębie — szereg równoległych do siebie pasm, utworzonych na wychodniach warstw najbardziej odpornych na wietrzenie; są one porozdzielane dolinami rzek, wypreparowanymi w utworach o mniejszej odporności (rusztowy typ rzeźby). Erozja rzeczna jest też gł. czynnikiem morfogenetycznym na obszarze Wyż. Appalaskich, zamykających Dolinę Appalaską od zachodu. Nachylenia warstw skalnych na Wyż. Appalaskich są niewielkie, stąd też w sytuacji braku większych dyslokacji tektonicznych, krajobraz ma charakter równinny z głęboko wciętymi dolinami rzek spływających na wsch. do O. Atlantyckiego, bądź na zach. do Ohio i Tennessee. Intensywność rzeźby erozyjnej wiąże się z faktem, że podobnie jak na wielu innych obszarach fałdowań paleozoicznych, najwyższe pasmo (G. Błękitne) nie stanowi działu wodnego. Wiele dużych rzek wypływających z Wyż. Appalaskich i uchodzących do O. Atlantyckiego zmienia bieg, pokonując poprzecznie biegnące pasma górskie i wyżyny (G. Błękitne, Piedmont). Rzeki appalaskie charakteryzują przeło-

mowe doliny z bystrzami i wodospadami; na pd.--wsch. krawędzi Piedmontu — Linia Wodospadów (Fall Line). Położona na pd.-wsch. od Appalachów Niz. Atlantycka oraz sąsiadująca z nią Niz. Zatokowa, to młode płyty akumulacyjne obniżające się łagodnie od krawędzi Piedmontu i opadające w kierunku morza w postaci krawędzi denudacyjnych. U ich stóp rozciągają się wynurzone mor. tarasy, obramowane lagunami i marszami, rozcięte ujściowymi odcinkami zatopionych dolin rzecznych, przechodzących stopniowo w rozszerzające się zatoki morskie. Wzdłuż krętej linii brzegowej, w pewnej od nich odległości, ciągną się długie, wynurzone ławice piaszczyste z wydmami, kształtowane przez przybrzeżne prądy mor. i wiatry.

Zachodnią część A.P. zajmuje wielki system Kordylierów, od wsch. obramowany G. Skalistymi ostro wyrastającymi ponad Wielkie Równiny, a od zach. schodzącymi do samego oceanu Kordylierami Pacyficznymi. W środk. części tego rozległego obszaru górskiego istnieją w górnych warstwach skorupy naprężenia poziome i siły rozciągające. Powodują one powstanie spękań i pionowe przesunięcia fragmentów górotworu

■ Ameryka Północna. Półpustynny krajobraz z górami świadkami w Arizonie (USA)

względem siebie. Dlatego wewn. część obszaru Kordylierów, pomiędzy G. Skalistymi a Kordylierami Pacyficznymi, zajmują rozległe obniżenia śródgórskie. Góry Skaliste składają się z oddzielnych pasm i masywów, porozdzielanych obniżeniami o genezie tektonicznej, wypełnionymi częściowo utworami osadowymi i produktami trzeciorzędowego wulkanizmu. Największymi z nich są kotliny Wyoming i Bighorn oraz dolina San Luis, których dna znajdują się na wys. 1200–2100 m. Wzdłuż linii pęknięć tektonicznych, oddzielających obniżenia od pasm górskich, spotyka się liczne przejawy aktywności powulkanicznej. Do najbardziej znanych należą gejzery i gorące źródła Yellowstone. Poszczególne pasma G. Skalistych tworzą 5 grup: pd., środk., pn., kanad. i Góry Brooksa. Na północ od rz. Rio Grande aż do kotliny Wyoming ciągną się pd. G. Skaliste, do których należą najwyższe pasma, mające typowe cechy rzeźby alpejskiej. Składają się one z 2 szeregów południkowych pasm fałdowych z odsłoniętymi trzonami prekambryjskimi. W części zach. wznoszą się góry San Juan, które powstały w rezultacie trzeciorzędowej działalności wulkanicznej. Środkowe G. Skaliste są niższe i mniej zwarte od pd., a znajdujące się tu obniżenia są rozleglejsze. Północne G. Skaliste składają się z szeregu równoległych pasm, pooddzielanych wąskimi dolinami i bruzdami uwarunkowanymi tektonicznie. Układ ten mają także kanad. G. Skaliste, których gł. grzbiet biegnący wzdłuż brzegu Wielkich Równin jest oddzielony od gór Columbia na zach. tektoniczną bruzdą Rowu G. Skalistych. Dalej na pn. ciągną się pasma gór: Mackenzie i Richardsona. Najbardziej na pn. wysuniętą częścią G.

■ Ameryka Północna. Krajobraz obrzeża Doliny Śmierci w Kalifornii (USA)

Skalistych są bezleśne Góry Brooksa na Alasce zmieniające kierunek na równoleżnikowy. Po zach. stronie G. Skalistych znajduje się zróżnicowany pod względem genezy i krajobrazu obszar śródgórskich obniżeń, z których największe to Wyż. Kolorado, Wielka Kotlina, Wyż. Kolumbii, Wyż. Wewnętrzne i Wyż. Jukońska. Wyżyna Kolorado jest potrzaskaną uskokami płytą, położoną na wys. 1500–3000 m. Największą formą rzeźby jest Wielki Kanion Kolorado rozcinający powierzchnię wyżyny do głęb. 1800 m. Powstał on w rezultacie pogłębiania doliny przez rz. Kolorado i wcinania się w powierzchnię wyżyny w trakcie jej podnoszenia. W profilu kanionu zostały odsłonięte płytowo zalegające warstwy pokrywy osadowej mezo- i paleozoicznej oraz różnorodne utwory podłoża prekambryjskiego. Wielka Kotlina stanowi obniżenie poprzecinane spękaniami tensyjnymi o kierunku południkowym, wzdłuż których poszczególne fragmenty górotworu zostały poprzesuwane pionowo. Fragmenty wyniesione tworzą charakterystyczne grzbiety ze spłaszczeniami w partiach szczytowych i stromymi stokami, u których stóp ciągną się rozległe stożki usypiskowe. Znajdujące się między nimi bezodpływowe, płaskodenne obniżenia (bolsony) wypełnia zwietrzelina. Dna niektórych bolsonów zajmują solniska, słone jeziora (playa), z których największym jest Wielkie Jez. Słone, lub piaski pustyń (Wielka Pustynia Słona i Dolina Śmierci). Głównym czynnikiem morfogenetycznym na tym obszarze jest wietrzenie mechaniczne. Wyżyna Kolumbii stanowi obszar o podobnej budowie do Wielkiej Kotliny, lecz jej podłoże zostało pokryte w trzeciorzędzie wylewami bazaltowymi, które zamaskowały starszą rzeźbę. Skały podłoża wyłaniają się jedynie w najwyższych fragmentach wyżyny, mających cechy rzeźby górskiej. W wyniku ruchów podnoszących bazaltowa płyta została głęboko rozcięta przez spływające z G. Skalistych rz.: Snake i Kolumbię. Przedłużeniem Wyż. Kolumbii na pn. są Wyż. Wewnętrzne wypełniające zwężający się ku pn. obszar pomiędzy G. Skalistymi a G. Nadbrzeżnymi. Ich poszczególne fragmenty (wyż.: Kamloops, Frasera, Stikine) składają się z niewielkich płyt zbud. z mezozoicznych skał osadowych i kotlin wypełnionych tufami i lawami wulkanicznymi. W rzeźbie są widoczne liczne ślady zlodowaceń w postaci pokryw i wałów morenowych oraz jezior wypełniających pogłębione przez lodowce fragmenty dolin rz. Fraser i jej dopływów. Nazwą Wyż. Jukońskiej określa się duży zespół płaskowyżów, kotlin, małych grup górskich oraz rozdzielających je dolin rzek w dorzeczu rz. Jukon, zajmujących obszar pomiędzy Górami Brooksa na pn. a Kordylierami Pacyficznymi na południu. Poszczególne fragmenty mają podłoże osadowe (zapadliska wypełnione molasą), wulk., metamorficzne lub magmowe, lecz cały obszar jest zaścielony pokrywą utworów plejstoceńskich.

Najmłodszą geol. częścią kontynentu są Kordyliery Pacyficzne, ciągnące się od M. Beringa (góry Alaska i Aleuckie) do Płw. Kalifornijskiego. O trwających tam wciąż ruchach górotwórczych świadczy duża liczba czynnych wulkanów oraz aktywność sejsmiczna. Kordyliery Pacyficzne obejmują 2 biegnące równolegle do siebie szeregi łańcuchów górskich; łańcuch od strony kontynentu budują przeważnie skały intruzywne. Batolity granitowe i granodiorytowe stanowią m.in. trzony gór: Alaska (McKinley, 6194 m), Wrangla (Bona, 5044 m), Św. Eliasza (Logan, 6050 m), nieco niższych kanad. G. Nadbrzeżnych (Coast Mountains) oraz Sierra Nevada (Whitney, 4418 m). Znaczne odcinki tego łańcucha budują także trzeciorzędowe i czwartorzędowe utwory wulkaniczne. Wygasłe i aktywne wulkany tworzą najwyższe wzniesienia G. Aleuckich (Redoubt, 3108 m), których przedłużeniem jest łuk wulk. Aleutów, a zwł. G. Kaskadowych (Rainier, 4392 m i Saint Helens, 2950 m). W wyższych partiach gór przeważają typowe formy erozji lodowcowej. Góry Alaska i Nadbrzeżne są silnie rozczłonkowane głębokimi dolinami lodowcowymi i wciskającymi się w głąb lądu fiordami. Opisany ciąg wydźwigniętych batolitów oraz czynnych wulkanów jest oddzielony podłużnym i wąskim obniżeniem tektonicznym od łańcucha pasm górskich, biegnących bezpośrednio wzdłuż wybrzeża O. Spokojnego. W przeciwieństwie do poprzedniego, ten łańcuch budują przeważnie sfałdowane skały osadowe kredy i trzeciorzędu. Pierwsze jego ogniwa stanowią góry wysp Kodiak i Afognak, góry Kenai na półwyspie o tej samej nazwie oraz znacznie wyższe góry Chugach, biegnące wzdłuż pd.-wsch. wybrzeża Alaski. W kierunku pd. łańcuch ten przechodzi na wyspy Archipelagu Aleksandra, Królowej Charlotty i Vancouver, a następnie biegnie wzdłuż wybrzeża jako G. Nadbrzeżne (Coast Ranges). Obniżenie oddzielające obydwa pasma pacyficznej strefy górskiej tworzą w części pn. cieśniny między tymi wyspami a lądem stałym, a w części pd. obniżenia tektoniczne. Przedłużeniem cieśn. Georgia, oddzielającej wyspę Vancouver od kontynentu jest zat. Puget Sound i dalej na pd. niz. Puget Sound, w pd. części zw. doliną Willamette. Znacznie większa Dolina Kalifornijska oddziela pasma G. Nadbrzeżnych od Sierra Nevada i na pd. sięga do Zat. Kalifornijskiej. Dolina ta stanowi płaskodenne zapadlisko tektoniczne wypełnione aluwiami, podobnie jak położona dalej na pd. depresja Imperial Valley z jez. Salton (73 m p.p.m.).

Południowa część A.P. jest w ogromnej większości górzysto-wyżynna; jedyne większe obszary nizinne to: Tabasco i Jukatan (nad Zat. Meksykańską) i Wybrzeże Moskitów (nad M. Karaibskim). Największy obszar zajmuje Wyż. Meksykańska, otoczona pasmami Sierra Madre Wsch. i Sierra Madre Zach. zbud. z osadów kredowych i law bazaltowych. Wyżyna Meksykańska składa się z płaskowyżów oddzielonych od siebie płaskodennymi obniżeniami i zapadliskami ukształtowanymi w skałach osadowych mezozoiku, zw. bolsonami (Bolsón de Mapimí, Chihuahua, San Luis Potosí). Obniżenia są wypełnione pokrywami gruzowymi i piaszczystymi z solniskami oraz pokrywami lawowymi. Od południa Wyż. Meksykańską zamyka biegnąca równoleżnikowo Kordyliera Wulkaniczna, najwyższe góry pd. części kontynentu, z dużą liczbą stożków wulk. (Orizaba, 5700 m, Popocatépetl,

5452 m). Na pd. od Kordyliery Wulkanicznej biegnie wypełniona aluwiami, tektoniczna bruzda wykorzystana przez rz. Balsas i jej dopływ Mezcala. Po jej pd. stronie znajduje się Sierra Madre Pd., ciągnąca się wzdłuż wybrzeża O. Spokojnego aż do przesmyku Tehuantepec; stanowi ona wypiętrzony blok skał magmowych i metamorficznych różnego wieku. Na wsch. od nizinnego obniżenia przesmyku Tehuantepec, Kordyliery składają się z licznych, niewielkich pasm, ciągnących się równolegle do pacyficznego wybrzeża, i obszarów wyżynnych na ich zapleczu (Meseta Central de Chiapas). Obszary te są zbud. ze skał krystal. pokrytych w części zach. płytami lawowymi, z wygasłymi i czynnymi wulkanami. Na obszarze Gwatemali biegną 2 równoleżnikowe pasma, rozdzielone zapadliskiem jez. Izabal i Zat. Honduraskiej. Pasmo pn. stanowią góry Maya u nasady płw. Jukatan, a jego przedłużenie znajduje się na obszarze M. Karaibskiego (ławica Misterioso i wyspy Kajmany), we wsch. części Kuby (Sierra Maestra) i na pn. Haiti (Masyw Pn.). Od pn. do tego pasma przylegają fragmenty płaskiej, trzeciorzędowej płyty wapiennej tworzącej płw. Jukatan, środk. i zach. część Kuby, wyspy Bahamy i Florydę. Pasmo pd. biegnie przez pd.-wsch. Gwatemalę (Sierra de las Minas), góry Hondurasu i Nikaragui (Cordillera Isabella), ginie pod dnem M. Karaibskiego (ławice Rosalinda, Serranilla i Pedro), by wynurzyć się jako Jamajka, a następnie płw. Tiburon z masywem Hotte na Haiti. Obydwa pasma łączą się w środk. części Haiti (Cordillera Central), gdzie osiągają największą wysokość (Duarte, 3175 m). Cordillera Central ciągnie się dalej na wsch. na Puerto Rico i W. Dziewicze. Po wsch. stronie cieśn. Anegada, na Małych Antylach, kierunek struktur geol. zmienia się z równoleżnikowego na południkowy. Podobnie, na pd. od tektonicznego zapadliska Rowu Nikaraguańskiego z jeziorami Managua i Nikaragua, wulk. pasma górskie biegną z pn.-zach. na pd.-wschód. Osią tego obszaru jest przybrzeżny łańcuch wulkanów w Nikaragui, Kostaryce i Panamie. Małe Antyle są również utworzone przez stożki zatopionego łuku górskiego, z których najwyższe to, znane z gwałtownych erupcji, Pelée (1397 m) na Martynice i Soufrière (1467 m) na Gwadelupie.

Budowa i historia geologiczna. Kontynent północnoamer., stanowiący pod względem geol. całość z Grenlandią i wyspami Archipelagu Arktycznego, jest położony niemal w całości w zach. części północnoamer. płyty litosfery. Tylko pd.--zach. fragment Kalifornii należy do płyty pacyficznej. W obrębie A.P. wyróżnia się 5 gł. jednostek tektonicznych: prekambryjską platformę północnoamer., która obejmuje też większą część Grenlandii i wysp Archipelagu Arktycznego; pasmo innuickie (eskimoskie), położone w pn. części Archipelagu Arktycznego, powstałe w czasie orogenez kaledońskiej i hercyńskiej; Appalachy, powstałe w czasie orogenezy kaledońskiej i hercyńskiej, łączące się na pn. z paleozoicznymi strukturami fałdowymi wsch. Grenlandii; platformę paleozoiczną, obejmującą Niz. Zatokową i Niz. Atlantycką; Kordyliery, będące młodym pasmem górskim powstałym w czasie orogenezy alpejskiej. Platforma prekambryjska zajmuje centr. i pn.

część kontynentu. Od wsch. graniczy ona z Appalachami i pasmem fałdowym wsch. Grenlandii, od pn. z pasmem innuickim, od zach. z Kordylierami, a od pd. z platformą paleozoiczną. Fundament krystal. platformy, zbud. ze skał prekambryjskich, występuje na powierzchni na tarczach: kanad. i grenlandzkiej, rozdzielonych młodym rowem tektonicznym M. Baffina. Skały archaiczne odsłaniają się w rejonie Jez. Górnego i Wielkiego Jez. Niewolniczego; są to granitognejsy (3,1–3 mld lat) oraz zmetamorfizowane szarogłazy i piaskowce. Skały proterozoiku to gł. gnejsy, kwarcyty i łupki krystal., poprzecinane intruzjami gabr, anortozytów i granitoidów. Na pozostałym obszarze platformy fundament krystal. jest przykryty pokrywą osadową, która osiąga szczególnie duże miąższości na brzegach platformy, a także w syneklizach: willistońskiej, Forest City, Illinois i Michigan. Skały pokrywy osadowej występują również w centr. części tarczy kanad., w rozległej syneklizie Zat. Hudsona. W niecce willistońskiej na fundamencie krystalicznym leżą osady paleozoiczne: gł. mor. zlepieńce, piaskowce, mułowce, łupki ilaste i wapienie (wśród utworów syluru i dewonu występują tu również sole kamienne), a także piaskowce kredy, o łącznej miąższości do 2,5 km. W syneklizie Forest City pokrywa osadowa, zbudowana z różnych osadów paleozoicznych, ma grub. ok. 1 km; synekliza Illinois jest wypełniona skałami okruchowymi i wapieniami dolnopaleozoicznymi, ewaporatami syluru i dewonu oraz okruchowymi i węglanowymi osadami karbonu, na których leżą lokalnie zlepieńce i piaskowce kredowe i kenozoiczne; łączna miąższość skał pokrywy osadowej osiąga tu 3 km. Synekliza Michigan jest wypełniona osadami paleozoicznymi (piaskowce, mułowce, wapienie, ewaporaty), o miąższości ok. 4 km. Syneklizę Zat. Hudsona budują okruchowe i węglanowe skały starszego paleozoiku i dewonu o grub. kilkuset m.
Pasmo innuickie jest zbud. gł. ze skał węglanowych i okruchowych z wkładkami ewaporatów oraz szarogłazów i łupków ilastych z pokrywami wulkanitów. Utwory te zostały pocięte intruzjami granitoidów, a także silnie sfałdowane i częściowo zmetamorfizowane najpierw w orogenezie kaledońskiej, a później — hercyńskiej.
Pasmo fałdowe Appalachów, wraz ze strukturami wsch. Grenlandii, powstało w wyniku trwającej od ordowiku po karbon kolizji kontynentu północnoamer. (Laurencja) z kontynentami Baltika i Gondwana; następstwem tej kolizji był również zanik staropaleozoicznego oceanu Japetus. Appalachy są zbud. z metamorficznych, osadowych i magmowych skał prekambru i paleozoiku, tworzących szereg antyklinoriów i synklinoriów, ciągnących się z pd.-zach. na pn.-wsch.; w jądrach antyklin występują skały proterozoiczne, z których najstarsze — gnejsy i granulity — mają wiek ok. 1 mld lat. Północna część Appalachów została sfałdowana na przełomie ordowiku i syluru (faza takońska orogenezy kaledońskiej) oraz w środk. dewonie, we wczesnej fazie orogenezy hercyńskiej. Ostateczne sfałdowanie i wypiętrzenie obszaru Appalachów nastąpiło w permie. W mezozoiku obszar Appalachów został zdenudowany, a ich współcz. postać jest wynikiem trzeciorzędowych ruchów wypiętrzających. Orogeneza hercyńska objęła również obszary położone na pd. od dzisiejszych Appalachów, gdzie fałdowe struktury hercyńskie, w większości głęboko ścięte, są podłożem, na którym nagromadziły się osady mezozoiczne i kenozoiczne. Osady te tworzą pokrywę platformy paleozoicznej. Fragmenty struktur hercyńskich odsłaniają się w górach Ouachita i Marathon. Platforma paleozoiczna dzieli się na 2 jednostki: basen (zapadlisko) Zat. Meksykańskiej i płytę nadatlantycką. W basenie Zat. Meksykańskiej występują różnorodne osady mezozoiczne i kenozoiczne (wśród których występują częste wysady solne) o grubości dochodzącej do kilkunastu km. Płyta nadatlantycka jest zbudowana z osadów mezozoicznych i kenozoicznych grub. do 7 km.
Pasmo Kordylierów otacza od zach. platformę prekambryjską i platformę paleozoiczną; na pd. łączy się ono z Andami, a na pn., poprzez łuk wyspowy Aleutów — z pasmami fałdowymi pn.--wsch. Azji. Kordyliery powstały na granicy między płytą północnoamer. a płytą pacyficzną w wyniku złożonych procesów tektonicznych, metamorficznych i magmowych zachodzących w strefie subdukcji, będącej granicą między tymi płytami. Są zbud. ze skał wieku od górnego proterozoiku do trzeciorzędu, głębokomor. na zach., a płytkomor. na wsch., zmetamorfizowanych, poprzecinanych intruzjami granitoidowymi i sfałdowanych w czasie orogenezy alpejskiej. Ruchy orogeniczne na obszarze Kordylierów odbywały się od końca jury do trzeciorzędu. Podczas tektonicznych ruchów laramijskich na przełomie kredy i trzeciorzędu (na kontynencie A.P. ruchy te miały charakter orogenezy) zostały ostatecznie sfałdowane i wypiętrzone G. Skaliste i centr. pasma Kordylierów. Część zach. Kordylierów została sfałdowana w trzeciorzędzie. Swą dzisiejszą postać Kordyliery zawdzięczają młodym, neogeńskim i czwartorzędowym ruchom wypiętrzającym oraz towarzyszącemu im wulkanizmowi. Wysokie części Kordylierów mają rzeźbę glacjalną. Wypiętrzenie neogeńsko-czwartorzędowe było powodem wzmożonej erozji rzecznej, która m.in. wycięła kanion rz. Kolorado głęb. 2 km.
Współczesne procesy geologiczne. Ciągle aktywna granica między kontynentem A.P. a płytą pacyficzną jest powodem silnej sejsmiczności zach. części kontynentu. Szczególnie aktywny sejsmicznie jest obszar Kalifornii, przez którą biegnie transformacyjny uskok San Andreas. Uskok ten stanowi granicę między płytami litosfery: północnoamer. i pacyficzną. Wzdłuż uskoku następują przemieszczenia jego zach. skrzydła z prędkością ok. 5 cm rocznie, gdy pozostała część kontynentu porusza się ku zach. z prędkością ok. 2 cm/rok, oddalając się od Europy. Najsilniejsze trzęsienia ziemi w XX w. wystąpiły w San Francisco (1906), na Alasce (1964), w San Fernando (1971), w Managui (1982), w Meksyku (1985). Wnętrze kontynentu jest praktycznie asejsmiczne; występują tu jednak niekiedy wewnątrzpłytowe trzęsienia ziemi o dużej sile (np. New Madrid, 1811–12).
Procesy zachodzące na granicy między płytą A.P. a płytą pacyficzną są też powodem ciągle aktywnego wulkanizmu na zach. kontynentu.

Ostatnie wielkie erupcje wystąpiły 1980 (wulkan St. Helens w USA) i 1982 (wulkan Chichón w Meksyku). Kordyliery są ponadto miejscem występowania ciepłych źródeł i gejzerów (m.in. Park Nar. Yellowstone). Obszar Niz. Zatokowej i Niz. Atlantyckiej od wielu milionów lat ulega systematycznym ruchom obniżającym, a obszar Wyż. Kolorado — silnym ruchom wypiętrzającym.

Zasoby geologiczne. Najcenniejszymi kopalinami A.P. są: ropa naft., której zasoby wynoszą około 9,3 mld t, i gaz ziemny — zasoby ponad 8,4 bln m^3. Najzasobniejsze w ropę i gaz są: utwory permskie i kredowe basenu osadowego G. Skalistych i Wielkich Równin w Stanach Zjedn., których kontynuacją na obszarze Kanady są basen zachodniokanad. i basen Beaufort-Mackenzie (w basenach tych węglowodory występują gł. w skałach dewonu i kredy); kredowo--trzeciorzędowe osady wybrzeża i szelfu Zat. Meksykańskiej oraz pn. Jukatanu; basen Alaski wraz z otaczającym szelfem (utwory mezozoiku i trzeciorzędu); permski basen zach. Teksasu i wsch. Nowego Meksyku; trzeciorzędowe utwory kontynent. wybrzeża i szelfu O. Spokojnego; utwory ordowiku i permu basenu Równin Centr.; obszary szelfu wsch. Kanady (osady jurajsko--kredowe).

Na obszarze A.P. występują także zasobne złoża wielu innych kopalin. Niektóre z nich należą do unikatowych na świecie, jak np.: złoża sody rodzimej (trony) w USA (Green River Basin w Wyoming oraz Searles Lake i Owens Lake w Kalifornii), o zasobach ponad 250 mln t, co stanowi 95% zasobów świat.; występujące w alkalicznych granitach złoże molibdenu Climax (Colorado), z którego pochodzi ponad połowa świat. wydobycia tego metalu (57% zasobów świat.); złoża soli potasowych basenu dewońskiego w kanad. prowincjach Saskatchewan i Alberta oraz karbońskich basenów prowincji Nowy Brunszwik, Nowa Fundlandia i Quebec w Kanadzie (łącznie 53% zasobów świat.); złoża wermikulitu Karoliny Pd. i Karoliny Pn. oraz Wirginii (około 50% zasobów świat.); złoża srebra występującego gł. w złożach rud innych metali w Kanadzie, Meksyku i USA (38% zasobów świat.). Do cennych kopalin A.P. należą także rudy cynku, ołowiu, kadmu, miedzi, złota, indu, bizmutu, uranu, żelaza, tytanu, renu, selenu, telluru, wolframu, niklu i pierwiastków ziem rzadkich. Ponadto są znane liczne i bogate złoża węgla kam. i brun., kaolinu, boru, siarki, grafitu, fosforytów, talku, barytu i fluorytu. Maleje gosp. znaczenie północnoamer. złóż azbestu.

Klimat. Warunki klim. A.P. kształtują się w wyniku położenia w całości na półkuli pn. i dużej rozciągłości południkowej od ok. 9°N do ok. 71°N, a włączając Archipelag Arktyczny prawie do ok. 84°N. Z tego powodu nasłonecznienie jest bardzo zróżnicowane. Podczas przesilenia letniego na pd. kontynentu (10°N) dzień trwa 12,6 godz., a Słońce w południe osiąga wys. 76,5° nad horyzontem, na zwrotniku Raka odpowiednio 13,5 godz. i 90°, na kole podbiegunowym 24 godz. i 47°. Podczas przesilenia zimowego długość dnia maleje od 11,4 godz. (Słońce na wys. 56,5°) na skrajnym pd. do 10,5 godz. na zwrotniku (wys. 43°) i 0 godz. na kole podbie-

gunowym (poza nim panuje noc polarna). Na pn. krańcach Wyspy Królowej Elżbiety dzień polarny trwa około 150 dni, noc polarna około 140 dni. Liczba godzin słonecznych na płw. Alaska, Aleutach, w Kanadzie nad zat. Alaska, na Labradorze i na pd. od Zat. Hudsona wynosi 1200–1600 godz. rocznie (3–4 dziennie), nad środk. częścią kontynentu — ponad 2400 godz. rocznie (6–7 dziennie), na obszarach Wielkiej Kotliny i Wyż. Kolorado przekracza 3800 rocznie (10 dziennie), a na pustyni Yuma dochodzi do 4000 rocznie (11 dziennie). Roczna suma całkowitego promieniowania słonecznego zmienia się od 2930 MJ/m^2 i mniej na skrajnej pn. oraz Aleutach i płw. Alaska do 5900–6700 MJ/m^2 w obszarach na pd. od 40–45°N, a nawet do 7500–8400 MJ/m^2 na Wyż. Kolorado.

Oprócz położenia geogr. największy wpływ na klimat A.P. ma południkowy układ łańcuchów górskich. Ciągnące się wzdłuż zach. wybrzeży Kordyliery ograniczają wpływ O. Spokojnego do wąskiej strefy nadbrzeżnej, zwł. w tych regionach, gdzie dominują wiatry zachodnie. Niosą one wilgotne powietrze znad Pacyfiku, które zatrzymuje się na dowietrznej stronie gór, gdzie roczna suma opadów wynosi ponad 3000 mm (w Yakutat nad zat. Alaska 3841 mm, na wyspie Tatoosh 4276 mm). Na zawietrznej stronie G. Skalistych i na obszarze Wielkich Równin, występuje wówczas fenowy wzrost temperatury i spadek wilgotności powietrza (fen nosi nazwę chinook). Jednocześnie Kordyliery osłaniają zach. wybrzeża przed adwekcją chłodnego i suchego powietrza ark. i polarnego znad kontynentu. Na wsch. wpływ O. Atlantyckiego w znacznym stopniu wygasa na linii Appalachów. Brak łańcuchów górskich położonych równoleżnikowo powoduje południkową wymianę powietrza. Dostęp do wnętrza lądu mają zarówno wybitnie wilgotne i ciepłe masy powietrza znad Zat. Meksykańskiej, jak i chłodne od strony Arktyki. Zimą chłodne i suche kontynent. powietrze ark. z pn., w postaci „fal chłodu", może docierać do Zat. Meksykańskiej (w Tampico najniższa temp. minim. 0°C), niekiedy do zat. Campeche, a nawet do zat. Tehuantepec. „Fale upału" docierają z pd. kontynentu przez środk. i wsch. obszary Stanów Zjedn. aż do Kanady (temp. może wówczas osiągnąć 38°C). Nad środk. częścią kontynentu, na styku tych mas powietrza, powstają cyklony i fronty atmosferyczne, co sprzyja częstym i gwałtownym zmianom pogody, zwł. zimą, a także silnym trąbom powietrznym (zw. tornado) na początku lata.

Klimat strefy wybrzeży pozostaje pod wpływem prądów morskich. Pacyficzne wybrzeża kontynentu na pn. od 40–50°N, aż do płw. Alaska, opływa ciepły Prąd Alaski. Na pd. od tych szerokości geogr. aż do pd. krańca Płw. Kalifornijskiego działa chłodny Prąd Kalifornijski. Na południe od 20°N zaznacza się wpływ ciepłego prądu — odnogi Równikowego Prądu Wstecznego. Wschodnie wybrzeża A.P. omywają od pd.: ciepły Prąd Karaibski i, płynący z Zat. Meksykańskiej do ok. 40°N, ciepły Prąd Zatokowy. Północny odcinek wsch. wybrzeży opływa, wyprowadzający wody ark., chłodny Prąd Labradorski; w rejonie Nowej Fundlandii, gdzie spotykają się wody prądów Zatokowego i Labradorskiego często powstają cyklony i tworzą się mgły.

Cyrkulacja atmosf. nad A.P. rozwija się pod działaniem stałych wyżów, Hawajskiego i Azorskiego oraz Arktycznego i Grenlandzkiego, a także pod wpływem stałych, choć o różnej intensywności w ciągu roku, niżów Aleuckiego i Islandzkiego. Niże w pn. części O. Spokojnego silniej rozwijają się w zimie, ich centra lokują się w zat. Alaska i w pobliżu wyspy Vancouver; sprowadzają ulewne deszcze i śniegi oraz burze śnieżne (blizzards). Nad obniżeniami pn.-zach. Kanady i środk. Alaski w porze zimowej tworzy się termiczny Wyż Kanadyjski, a nad wyżynami — Północnoamer., który wraz ze znajdującym się wówczas bliżej kontynentu Wyżem Hawajskim wzmacnia cyrkulację zachodnią. W kanad. części Arktyki, w zimie, w wyniku działalności wyżów Grenlandzkiego i Kanadyjskiego oraz niżów Islandzkiego i Aleuckiego, w dolnych warstwach atmosfery dominują wiatry pn. i pn.-zach. przenoszące masy chłodnego i suchego kontynent. powietrza ark. ku zach., pd.-zach. i południowi. W lecie po wsch. stronie G. Skalistych powstaje termiczny Niż Północnoamer. ściągający masy powietrza znad Pacyfiku i Zat. Meksykańskiej. Południowa część kontynentu jest objęta cyrkulacją pasatową wyżów Hawajskiego i Azorskiego. Silne inwersje pasatowe, wzmagane przez chłodny Prąd Kalifornijski, występują u wybrzeży Płw. Kalifornijskiego, a w lecie także w Kalifornii, gdzie są przyczyną braku opadów. W zach. sektorze Wyżu Azorskiego wysoko położona inwersja nie utrudnia rozwoju chmur i występowania opadów w pd.-wsch. części kontynentu. W szerokościach umiarkowanych panuje typowa cyrkulacja zachodnia. Południowa część kontynentu jest narażona na cyklony tropik. (najsilniejsze zw. hurricane), powstające nad Zat. Meksykańską, M. Karaibskim oraz w rejonie Bahamów; obejmują one gł. strefę nadbrzeżną A.P., docierają nawet do Nowej Fundlandii; pojawiają się też nad wsch. Pacyfikiem (cordonazo) i oddziałują na zach. wybrzeże Meksyku.

Zachodnia i pn. Alaska, Terytoria Pn.-Zach. w Kanadzie, region Zat. Hudsona i pn. Labrador leżą w strefie klimatów okołobiegunowych i mają klimat podbiegunowy, w którym temperatura powietrza w lipcu osiąga 0–10°C, w styczniu poniżej –25°C. Opady nie dochodzą do 300 mm rocznie (Eureka 69 mm). W zach. Alasce i na wsch. Ziemi Baffina występują mor. typy klimatów (z mniejszą roczną amplitudą temperatury), w pn. Alasce i na pn. Labradorze — kontynent. (z roczną amplitudą 30–40°C), pozostały obszar ma klimat wybitnie kontynent. (amplitudy roczne ponad 40°C). Część kontynentu na pd. od 69°N na zach. i 60°N na wsch. do 45°N na zach. i 40°N na wsch. leży w strefie umiarkowanej. Część pn., od 60°N na zach. i 50°N na wsch., ma klimat umiarkowany chłodny, w którym temperatura powietrza w miesiącu najcieplejszym wynosi od 10–15°C (w klimatach mor.) do 20°C i więcej (w klimatach kontynent.), w miesiącu najchłodniejszym odpowiednio poniżej –10°C i –20°C, w dorzeczu Mackenzie i w środk. części kanad. Arktyki poniżej –30°C. W kotlinach pd. Alaski notuje się niekiedy temp. poniżej –60°C. W Fort

Good Hope (Kanada) zanotowano najniższą na kontynencie temp. –78°C. Południowy pas na pd. od 60°N na zach. i 50°N na wsch. ma klimat umiarkowany ciepły, w którym w trzech letnich miesiącach temp. wynosi od ok. 15°C i mniej (w klimatach mor.) do 20°C i więcej (w klimatach kontynent.), w najchłodniejszym od 0°C i więcej (w mor.), w przejściowych poniżej 0°C, do –10°C (w kontynent.). Klimaty wybitnie mor. i mor. występują na wybrzeżach Pacyfiku (opady roczne ponad 4000 mm), mor. — Atlantyku (ponad 1500 mm). Pozostałe obszary mają klimat kontynent.; jego cechy nasilają się w głąb kontynentu; najsilniejszy kontynentalizm występuje w Dakocie Pn. i Minnesocie. Najbardziej sucha jest Wyż. Kolumbii i pn. części Wielkich Równin — opady poniżej 250 mm (Grand Juction 221 mm). Obszar na pn. od 30–35°N znajduje się w strefie klimatów podzwrotnikowych, gdzie w najchłodniejszym miesiącu temp. wynosi od 10°C i powyżej (w klimatach mor.) do 0°C i poniżej (w klimatach kontynent. i suchych), w najcieplejszym — ponad 20°C. Klimat mor. mają wybrzeża Pacyfiku na pn. od San Francisco i Sierra Nevada oraz nadatlantycka część strefy wraz ze środk. częścią Niz. Wewnętrznych. Klimat pośredni między mor. a kontynent. charakteryzuje pd. część Doliny Kalifornijskiej i wybrzeża Pacyfiku między San Francisco a Los Angeles. Kontynentalne cechy ma klimat prerii. Wyjątkową suchością i specyficznym klimatem (kontynent. górskim) odznacza się obszar Kordylierów osłoniętych od wpływów O. Spokojnego. Obszar pomiędzy 30–35°N a zwrotnikiem Raka znajduje się w strefie zwrotnikowej. Najzasobniejszy w opady (rocznie 750–1500 mm) jest wilgotny region nad Zat. Meksykańską (wsch. Meksyk, Niz. Zatokowa, Floryda). Mniej opadów mają regiony o cechach pośrednich (między mor. a kontynent.) — wybrzeża Pacyfiku od 21 do 25°N, Sierra Madre Zach., pd. Wyż. Meksykańskiej i Kordyliera Wulkaniczna. Znacznie mniej jest opadów na pn. Wyż. Meksykańskiej aż do 30°N. Panuje tam suchy klimat kontynent. wyżynny. Wyjątkowo suche i gorące są: pd. Kalifornia, wsch. Arizona, obszar nad Zat. Kalifornijską i niemal cały Płw. Kalifornijski, gdzie opady roczne są mniejsze od 250 mm (Yuma 81 mm, Phoenix 194 mm); od czerwca do września temp. przekracza 30°C. W Greenland (Dolina Śmierci) 10 VII 1913 zanotowano 56,7°C, a w San Luis (Meksyk) 11 VIII 1933 — 57,8°C. Południowa część kontynentu leży w strefie równikowej, gdzie w najchłodniejszym miesiącu temp. przekracza 20°C. Klimat wybitnie wilgotny mają szczególnie eksponowane na wiatry deszczonośne obszary Belize, Gwatemali, karaibskie wybrzeża Hondurasu, wsch. Nikaragua, wsch. Kostaryka, pn. Panama z opadami rocznymi ponad 3000 mm (w rejonie San Juan del Norte w Belize ponad 6000 mm). Na pozostałym obszarze opady są mniejsze — panuje klimat wilgotny. We wszystkich strefach klim. na obszarach górskich występują piętra klim., w których średnia temperatura roczna maleje wraz z wysokością.

Wody. Największe systemy rzeczne A.P. znajdują się na równinach, zajmujących środk. część kontynentu. Największą rzeką pod względem powierzchni dorzecza i długości jest Missisipi z Missouri (3,2 mln km^2, 5,9 tys. km od źródeł Red Rock w stanie Montana). Ma ona również największy odpływ, wynoszący ok. 18,5 tys. m^3/s, jest zasilana przez wody spływające z obszarów położonych pomiędzy Wyż. Appalaskimi a gł. grzbietem G. Skalistych. Rzeka Św. Wawrzyńca jest znacznie krótsza (1,2 tys. km), ale w jej dorzeczu znajduje się największy na Ziemi zbiornik słodkiej wody — Wielkie Jeziora. Powierzchnia dorzecza obejmuje 1,4 mln km^2, z czego 244 tys. km^2 przypada na akweny Wielkich Jezior, natomiast odpływ przekracza 11 tys. m^3/s. Mackenzie odwadnia pn. część Wyż. Wewnętrznych oraz pn.-wsch. Kordyliery i uchodzi do O. Arktycznego. Jej długość od źródeł Athabaski wynosi 4,2 tys. km, pow. dorzecza 1,8 mln km^2, a odpływ ok. 9 tys. m^3/s. Największymi rzekami należącymi do zlewiska O. Spokojnego są: Jukon, odwadniający pn.-zach. Kordyliery (dł. 3,2 tys. km, pow. dorzecza 900 tys. km^2), oraz Kolumbia (dł. 1,9 tys. km, pow. dorzecza 670 tys. km^2). Odpływ obydwu tych rzek przekracza 7,5 tys. m^3/s. Spośród pozostałych rzek A.P. długością wyróżnia się Rio Grande (3,1 tys. km) i Kolorado (2,3 tys. km), które, w stosunku do długości i powierzchni dorzecza, niosą nieproporcjonalnie mało wody z powodu suchości klimatu. Stan wód w rzekach Niz. Atlantyckiej i Niz. Zatokowej, pd. Appalachów i pd. części Wielkich Równin, a także Ameryki Środk. i G. Nadbrzeżnych w USA jest zależny od pór opadów. We wsch. części kontynentu wysokie stany wód przypadają na wiosnę i jesień, gdyż efekt letniego maksimum opadowego jest niwelowany intensywnym parowaniem. Rzeki Appalachów i Piedmontu, dzięki niewielkim wahaniom stanu wód i spadkowi mają duże znaczenie energetyczne. Wzdłuż tzw. Linii Wodospadów, stanowiącej granicę Piedmontu, powstał łańcuch zapór ze sztucznymi zbiornikami. Zbudowano je m.in. na Roanoke, Pee Dee i Savannah, płynących do O. Atlantyckiego, oraz na Chattahoochee i Alabamie, uchodzących do Zat. Meksykańskiej. Rzeki zach. części kontynentu silnie wzbierają podczas opadów, przypadających tam na miesiące zimowe. Na bardziej suchych obszarach, na zach. od Missisipi, ilość wody w rzekach (m.in. Kolorado i Rio Grande) wykazuje większe wahania sezonowe. Niektóre z nich w górnych biegach wysychają, by silnie wzbierać podczas epizodycznych deszczów nawalnych. Rzeki pn. części kontynentu, z wyjątkiem rzek w Kordylierach Pacyficznych, mają reżim śniegowo-deszczowy. Zimą pokrywają się one lodem, natomiast wysokie stany wód występują w porze roztopów. W pn. części Kordylierów Pacyficznych rzeki mają reżim lodowcowy. Cechują je: duża ilość niesionej wody, letnie wezbrania i ogromne zasoby hydroenerg. (m.in. Kolumbia). Rzeki G. Skalistych mają wyraźnie zaznaczone wezbranie letnie. Wysokie stany wód w rzekach dorzecza Missouri przypadają na wiosnę i początek lata. Najmniejsze wahania stanu wód mają rzeki Niz. Wewnętrznych oraz Rz. Św. Wawrzyńca, odprowadzająca wody z Wielkich Jezior. Ma ona wielkie znaczenie jako śródlądowa droga wodna, dzięki której do portów nad jez. Górnym i Michigan

docierają statki mor. (Droga Wodna Św. Wawrzyńca). Jej znaczenie komunik. wzmacnia połączenie z systemem Missisipi poprzez jez. Michigan, co umożliwia żeglugę z Kanady do Zat. Meksykańskiej. Sieć dróg wodnych dorzecza Rz. Św. Wawrzyńca ma też połączenie z rz. Hudson — jedyną rzeką, która przecina Appalachy. Rzeki Płaskowyżu Laurentyńskiego, Jałowych Równin, dorzecza Mackenzie i Jukonu mają nieregularny reżim, mimo iż przepływają przez liczne jeziora. Z powodu wiecznej marzłoci mają one bardzo słabe zasilanie gruntowe i silnie zmniejszają przepływ w porze zimowej. Zlodzenie w niektórych rzekach trwa do 8 miesięcy, a wezbrania przypadają na początek lata i często są gwałtowne z powodu zatorów lodowych. Ponieważ od roztopienia ostatniego lądolodu upłynęło niewiele czasu, odpływ nie jest jeszcze ustabilizowany. Sieć rzek i jezior tworzy rozlewiska o nieregularnych zarysach. Największymi obszarami wodnymi w tej części kontynentu są jez.: Nueltin, Dubawnt, Mistassini, Południowe Indiańskie. Ponieważ rzeki znajdują się dopiero na początkowym etapie kształtowania swoich dolin, a proces rozwoju sieci wód powierzchniowych jest spowolniony z powodu zlodzenia, wyznaczenie działów wodnych nie wszędzie jest w pełni możliwe. Liczne rzeki, spływające z pd. części Labradoru (m.in. Moisie, Manicouagan, Betsiamites i Saint Maurice), pokonując Skarpę Laurentyńską, tworzą wodospady i bystrza, które stanowią ważny element krajobrazu tarczy kanad. i są wyzyskiwane w licznych elektrowniach wodnych (Chicoutimi, Manicouagan, Shawinigan Falls i in.). Najdłuższe rzeki płynące po obszarze tarczy, z powodu jej niecnckowatego kształtu, kierują się ku Zat. Hudsona zarówno od strony zach. (Nelson, Churchill), jak i wsch. (Eastmain, Fort George). Koncentryczny układ rzek tarczy kanad. kontrastuje z kierunkami odpływu na obszarach otaczających, gdzie gł. rzeki (m.in. Rz. Św. Wawrzyńca, górna Missisipi, Ohio, Missouri i Mackenzie) płyną równolegle do krawędzi tarczy.

Zasilanie gruntowe jest charakterystyczne dla większości rzek na obszarach bezodpływowych Wielkiej Kotliny i części Wyż. Meksykańskiej. Są to w większości cieki okresowe, pojawiające się w czasie zimy, czyli w porze zmniejszonego parowania.

Północna część A.P., którą objęły plejstoceńskie zlodowacenia, obfituje w jeziora pochodzenia lodowcowego i tektoniczno-lodowcowego. Naj-

■ Ameryka Północna. Lodowiec Margerie w Parku Narodowym Glacier Bay na Alasce

większe z nich to: Wielkie Jeziora, Wielkie Jez. Niewolnicze (28,5 tys. km^2), Wielkie Jez. Niedźwiedzie (31,1 tys. km^2), Jez. Reniferowe (6,4 tys. km^2). Wypełniają one zapadliska tektoniczne, o kształtach uformowanych przez lodowce. Inne jeziora wypełniają podłużne obniżenie pomiędzy Skarpą Laurentyńską a krawędzią płyty stanowiącej podłoże Wielkich Równin i Niz. Wewnętrznych. Do tej grupy należą m.in. jeziora Winnipeg (24,6 tys. km^2), Manitoba (4,7 tys. km^2) i Winnipegosis (5,4 tys. km^2). W Ameryce Środk. są położone wielkie jeziora pochodzenia tektonicznego: Nikaragua (8,4 tys. km^2) i Managua (ok. 1 tys. km^2). Na obszarze Wielkiej Kotliny znajdują się liczne jeziora reliktowe, stanowiące pozostałość po wielkim zbiorniku Bonneville, który istniał tu w wilgotnym okresie plejstocenu. Niziny nadbrzeżne A.P. obfitują w jeziora pochodzenia lagunowego, natomiast w Kordylierach Pacyficznych i w Ameryce Środk. znajdują się jeziora o genezie wulkanicznej. Najbardziej znanym jest Jez. Kraterowe w stanie Oregon.

Gleby. W A.P. występuje równoleżnikowy układ stref termicznych oraz południkowy stref wilgotnościowych. Więcej opadów atmosf. otrzymują wsch. i zach. obszary kontynentu niż górskie i wyżynne środkowozachodnie. Taki rozkład hydrotermicznych cech klimatu warunkuje gł. regionalne odrębności pokrywy glebowej. W pn. części kontynentu zaznaczają się 3 szerokie strefy glebowe związane z obszarami arktycznymi, tundrowymi i borealno-leśnymi. Wyspy kanad. Arktyki są pokryte przez okruchowe gleby inicjalne z płatami porostów, a niekiedy (m.in. skrajnie suche: Wyspa Banksa i Wyspa Księcia Partyka) sodowo-siarczanowe sołonczaki. W strefie tundr, rozciągających się od Alaski poprzez niziny otaczające od zach. Zat. Hudsona do pn. Labradoru, bardzo płytko występuje zmarzlina wieloletnia. W pn. części tej strefy, gdzie przeważają tundry mszysto-porostowe gł. substratem miner. są piaszczysto-kamieniste utwory glacjalne i zwietrzeliny skał podłoża, uformowane niekiedy w kamieniste wieloboki. W tych krajobrazach rozwijają się darniowe gleby tundrowe bez śladów oglejenia nazywane brun. glebami arktycznymi. W wilgotniejszej, pd. części strefy tundr zmarzlina wieloletnia zalega na głęb. 40-80 cm, na powierzchni wyste. puje mikrorzeźba poligonalna. Są to obszary tundry krzewinkowej ze zmarzlinowymi glebami tundrowo-glejowymi oraz płytkimi glebami torfowo-tundrowymi. Typowymi glebami strefy lasów iglastych tajgi, zajmującej obszar od wybrzeża zat. Alaska na zach. po Nową Fundlandię na wsch. są gleby glejowo-zmarzlinowe i podbury, występujące na pogórzach (do wys. 900 m) i w szerokich dolinach, oraz płytkie bielice, wykształcone pod lasami świerkowymi i świerkowo-modrzewiowymi. Skałami macierzystymi tych gleb są gruboziarniste osady glacjalne i kamieniste zwietrzeliny granitów oraz gnejsów, pokrywające tarczę kanadyjską. Pod lasami świerkowymi pd. pasa tajgi, we wsch., nadatlantyckiej części rozwinęły się bielice próchniczno-żalaziste, w zach., kontynent. — bielice iluwialno-żelaziste. W obrębie całej strefy tajgi dość powszechnie występują gleby torfowe, m.in.

duży kompleks gleb torfowo-glejowych nad Zat. Hudsona, miejscami także bielicowe i brunatne kwaśne. Na pn. Niz. Wewnętrznych i w Appalachach utrzymuje się przemywny ustrój wilgotnościowy gleb; zbud. z osadów glacjalnych faliste i równinne powierzchnie Niz. Wewnętrznych pokrywają gleby płowe oraz brunatne leśne. Ich przeważająca część została zajęta pod uprawy zbóż i roślin okopowych. W pn. Appalachach, objętych zlodowaceniem plejstoceńskim, utworami macierzystymi gleb są zwietrzeliny kwaśnych skał magmowych i metamorficznych. Tę chłodniejszą część gór, z obfitymi opadami śniegu pokrywają lasy mieszane i iglaste a dominującymi typami gleb są brunatne kwaśne i bielicowe. Na pd. Appalachów występują zwietrzeliny piaskowców, wapieni i dolomitów. Pod lasami liściastymi i mieszanymi rozwinęły się tam gleby brunatne kwaśne a na węglanowych zwietrzelinach margli i dolomitów — rędziny. Wilgotny subtropik. klimat Niz. Atlantyckiej i Niz. Zatokowej oraz wyż. Ozark sprzyja rozwojowi czerwonoziemów i żółtoziemów, dla których skałami macierzystymi są stare zwietrzeliny ferralitowe. Duże obszary tych gleb zajęto pod uprawę bawełny, trzciny cukrowej oraz pod sady. Centralną część płw. Floryda pokrywają czerwonobarwne rędziny trzeciorzędowe a obrzeża — gleby glejowe i torfowe. Na pn.-zach. Niz. Wewnętrznych (stany: Wisconsin, Illinois, Iowa, Missouri) rozwinęły się stepy z płatami lasów a dominującymi glebami są wytworzone z lessów bruniziemy. Ze względu na bardzo wysokie walory roln. tereny te zostały całkowicie zajęte pod uprawę kukurydzy, pszenicy i soi. W kanad. części Wielkich Równin porośniętych liściastymi lasami i roślinnością stepów łąkowych występują gleby płowe i szare gleby leśne, a także czarnoziemy łąkowe. Na Wielkich Równinach panuje nieprzemywny ustrój wilgotnościowy gleb. Suchość potęgują silne zimowe wiatry powodujące wymrażanie wilgoci. We wsch., wilgotniejszej części, gdzie silne przesuszenie utrzymuje się 3–4 miesiące rozwinęły się czarnoziemy. W centr. i zach. rejonach, pozostających w cieniu opadowym G. Skalistych okres suszy glebowej trwa około pół roku. Pod roślinnością suchych stepów wykształciły się tam gleby kasztanowe. Czarnoziemy Wielkich Równin zostały w całości zaorane. Rolnicze zagospodarowanie gleb kasztanowych jest słabsze. Powszechne są tam przejawy wielkoobszarowej erozji wodnej i eolicznej gleb, a także ubytku substancji próchnicznych w poziomach ornych. Zróżnicowana jest także pokrywa glebowa zach., górskiej części kontynentu. Na pn., w piętrze leśnym Kordylierów występują górskie gleby bielicowe a w wysokogórskim — gleby tundrowe i pokrywy kamieniste. W środk. Kordylierach, zach. zbocza gór, otrzymujące ok. 1500 mm opadów rocznie, pokrywają gleby bielicowe i brunatne zbielicowane, a wsch., słabiej uwilgotnione — gleby brunatne i płowe, natomiast kotliny śródgórskie — gleby szare leśne. W obszarach górskich przylegających do Wielkiej Kotliny pod zbiorowiskami piołunowymi pustyń rozwinęły się buroziemy (Gipsisols) oraz prymitywne gleby kamieniste. Lokalnie na stokach gór porośniętych dębem krzaczastym i jałowcami formują się płytkie gleby brązowe. Najsuchsze części Wielkiej Kotliny są zajęte przez pokrywy solne i sołonczaki. W górach otaczających Dolinę Kalifornijską porośniętych subtropik. roślinnością śródziemnomor. występują górskie gleby brązowe, natomiast dno doliny, stanowiące ogromny rejon sadowniczy, pokrywają pyłowo-gliniaste gleby aluwialne. Na Wyż. Meksykańskiej i pd. Płw. Kalifornijskiego wykształciły się płytkie, kamieniste gleby pustyń. W wulk. rejonach Meksyku występują andosole. Ich żyzne, zasobne w magnez, wapń i próchnicę odmiany zostały całkowicie zagospodarowane rolniczo. Duże fragmenty wsch. wybrzeży Ameryki Środk. pokrywają gleby glejowe i torfowo-glejowe a niziny i równiny przybrzeżne — czerwone i czerwono-żółte gleby ferralitowe. W górach dominują kamieniste odmiany gleb brunatnoziemnych a na Jukatanie — rędzin.

Świat roślinny i zwierzęcy. A.P. wchodzi w skład państwa roślinnego wokółbiegunowego pn. (Holarctis); tylko pd. część Kalifornii, Arizony i Florydy oraz Meksyk należą, wraz z całą Ameryką Środkową, do państwa tropik. Nowego Świata (Neotropis); strefowy układ roślinności w A.P. jest zaburzony wskutek południkowego przebiegu pasm górskich. Daleką pn. zajmują pustynie ark. (barrens); na pd. — bezdrzewna strefa tundry (mchy, porosty, trawy, turzyce i niskie krzewinki); dalej na pd. tundra przechodzi w borealną strefę lasów iglastych (odpowiadającą tajdze eurosyberyjskiej) ze świerkiem, jodłą, sosną i modrzewiem; oprócz lasów występują także bagna i torfowiska; jeszcze dalej na pd. obszar lasów mieszanych (z bukami, klonami i choiną kanad.) i liściastych (z orzesznikami, magnoliami i tulipanowcami) nad O. Atlantyckim, bezleśny (z wyjątkiem gór) obszar stepów i półpustyń we wnętrzu kontynentu oraz obszar lasów iglastych nad O. Spokojnym (z sekwojami, żywotnikami i jedlicami). Ku pd. lasy przybierają charakter podzwrotnikowy, a na pd. Florydzie nawet zwrotnikowy; na zach. od Missisipi rozciągają się stepy (prerie); w Kordylierach pasma górskie są pokryte lasami iglastymi, powyżej nich panuje roślinność alp., a w kotlinach — półpustynie i pustynie; w pd. Kalifornii roślinność wiecznie zielona, podobna do śródziemnomor. makii (chaparral). Południowo-zach. część USA i pn.-zach. Meksyk są zajęte przez gorące półpustynie i pustynie ze skrajnie suchoroślowymi krzewami (gł. krzew kreozotowy, Larrea), niskimi drzewkami (np. juka) oraz kaktusami (np. opuncje lub cereus olbrzymi). Nadmorskie części Ameryki Środkowej mają roślinność typowo neotropikalną; wybrzeża pn. i wsch. pokrywają wiecznie zielone lasy równikowe, a zach. (suche) — lasy okresowo zrzucające liście, sawanny i kserofityczne zarośla. Ameryka Środkowa jest ojczyzną wielu roślin użytkowych, np. kukurydzy i drzewa kakaowego, A.P. — słonecznika.

Pod względem zoogeogr. obszar A.P. (poza częścią Meksyku włączaną do krainy neotropikalnej) należy do krainy neark., zbliżonej do krainy paleark. i zróżnicowanej w poszczególnych strefach klim.-roślinnych. Z 24 rodzin ssaków 4 są endemiczne — 3 spośród gryzoni (goffery i

■ Ameryka Północna. Lasotundra w Parku Narodowym Denali na przedpolu gór Alaska

szczuroskoczki na pustyniach, sewele w górach oraz endemiczny gat. — urson) i jedna z parzystokopytnych (widłorogi na preriach); najbardziej typowymi gat. są: niedźwiedź czarny i grizli (gł. G. Skaliste), wół piżmowy (tundra), karibu i amer. podgat. łosia (tajga), jeleń wirgiński, skunks (lasy liściaste obszarów wsch.), bizon (prerie, dziś tylko w parkach nar.), pekari; do gat. pochodzących z Ameryki Południowej należą: dydelf, pancernik i jeżozwierz nadrzewny. Z ptaków występują m.in.: kardynały, tanagry, kolibry, indyki dzikie; z gadów: grzechotniki, gekony, legwany, scynki i endemiczna heloderma — jedyna jadowita jaszczurka; z płazów — salamandry, ambystomy; z ryb: niszczuki, amie, bassy, liczne okoniowate i karpiowate.

Ochrona środowiska. Naruszenie równowagi ekol. w wyniku działalności gosp. na niektórych obszarach A.P. stworzyło problemy, których rozwiązanie zostało uznane za konieczne przez społeczeństwa poszczególnych państw i społeczność międzynarodową. Do najczęściej wymienianych zadań należy powstrzymanie erozji gleb na terenach górzystych i wyżynnych. Na Haiti, Jamajce, w niektórych regionach Meksyku, Gwatemali i Hondurasu proces ten przybrał rozmiary kataklizmu. Z powodu wycinania lasów równikowych na płw. Jukatan, w stanie Chiapas, na równinie Petén, Wybrzeżu Moskitów i Antylach nastąpiło zubożenie różnorodności biologicznej. Kolejnym zadaniem jest powstrzymanie zmniejszania się zasobów wody, co następuje w wyniku wylesienia, osuszania bagien i zwiększonego poboru wody w celach gospodarczych. Obniżanie się poziomu jezior, zanik bagien i terenów podmokłych ogranicza możliwości utrzymania się ptactwa wodnego, w tym wielu gat. wędrownych, od których zależy równowaga ekol. w miejscach często bardzo odległych. Aby ograniczyć możliwość rozszerzania się tych problemów, rządy poszczególnych państw i instytucje prywatne ustanawiają sieć obszarów, gdzie działalność gosp. jest ograniczona albo nawet całkowicie zakazana. A.P. jest kontynentem, gdzie w połowie ubiegłego stulecia narodził się współcz. ruch ochrony przyrody i gdzie ustanawiano pierwsze na świecie rezerwaty i parki nar. (Park Nar. Yellowstone 1872). Najczęściej spotykanymi formami ochrony są parki, rezerwaty i pomniki przyrody, ostoje dzikich zwierząt i tereny rekreacyjne, mające spełniać funkcję edukacyjną, organizowane przez rządy państw lub administrację regionalną. Najwięcej z nich znajduje się w Stanach Zjedn. i w Kanadzie na terenach rzadko zaludnionych. W A.P. są 193 parki narodowe. Ogółem różnymi formami ochrony objęto ponad 2,2 mln km², co stanowi ok. 9% obszaru kontynentu. Najwięcej terenów chronionych jest na Grenlandii (North and East National Park, pow. 890 tys. km²), oraz w Stanach Zjedn., Kanadzie i Kostaryce, gdzie ok. 10% terytoriów jest objęte różnymi formami ochrony. Niektóre z obszarów chronionych są uznane przez Świat. Unię Ochrony Przyrody za obiekty świat. dziedzictwa przyrody, są to miejsca o szczególnych walorach nauk. lub estetycznych. W A.P. jest ich 26, z czego 13 w Stanach Zjedn., 7 w Kanadzie, po 2 w Meksyku i Kostaryce oraz po 1 na Grenlandii i w Dominice. Ekosystemy typowe dla poszczególnych stref krajobrazowych są chronione jako świat. rezerwaty biosfery, których w A.P. jest 66 (46 w Stanach Zjedn.). Wyrazem uznania konieczności utrzymania niektórych bagien i obszarów podmokłych w stanie nienaruszonym jest ustanowienie sieci obszarów wodnych i podmokłych o międzynar. znaczeniu. W A.P. znajduje się 50 takich miejsc, z czego 30 w Kanadzie. Niektóre z nich należą do tzw. Rezerwatu Ptactwa Nadmor. Półkuli Zach. (Western Hemisphere Shorebird Reserve Network) — łańcucha ekosystemów niezbędnych do przetrwania ptaków wędrownych ciągnącego się od kanad. Arktyki po Ziemię Ognistą w Ameryce Południowej.

Ludność

Ludność autochtoniczną A.P. stanowią Indianie i Eskimosi. Ich przodkowie przybyli tu z pd.-wsch. Azji prawdopodobnie ok. 40 tys. lat temu, wykorzystując suchy pomost, który istniał w miejscu dzisiejszej Cieśn. Beringa. W wyniku ekspansji eur. w czasach nowoż. rdzenni mieszkańcy A.P. stali się mniejszością i stanowią 56% ogo´łu ludności. Największe ich skupiska znajdują się w pd. i środk. Meksyku oraz w sąsiedniej Gwatemali, w której stanowią połowę mieszkańców. Mały udział Indian w zaludnieniu jest konsekwencją napływu ludności, który był najważniejszym czynnikiem przyrostu liczby mieszkańców kontynentu. A.P. była gł. celem największej fali migracyjnej czasów nowoż., której źródłem była Europa, przeżywająca w XVIII i XIX w. okres eksplozji demograficznej. Dla mieszkańców krajów nękanych wojnami i prześladowaniami była ona ostoją wolności, a dla wszystkich — symbo-

lem nadziei na poprawę warunków życia i osiągnięcie dobrobytu. Obecnie najliczniejszą grupą są potomkowie eur. zdobywców i kolonistów, stanowiący ok. 58% całkowitej liczby ludności. Biali mieszkańcy Kanady i Stanów Zjedn. pochodzą przede wszystkim z W. Brytyjskich, Francji, Holandii, krajów pn. i środk. Europy. Ludność biała Meksyku i in. państw Ameryki Środk. (Kreole) to potomkowie wychodźców z Hiszpanii. Od pocz. XVI w., do pracy na plantacjach i w kopalniach Nowego Świata, masowo sprowadzano Murzynów afrykańskich. Ich udział w całkowitej liczbie mieszkańców przekracza obecnie 10%. Najwięcej zamieszkuje miasta przem. na pn. Stanów Zjedn. i pd. stany kraju oraz Antyle. Ponad 20% mieszkańców A.P. to Metysi, czyli ludzie, którzy wśród swoich przodków mają białych i Indian. Najwięcej z nich pochodzi ze związków iberyjsko-indiańskich, zamieszkuje Meksyk i in. kraje międzymorza. O wiele rzadziej w A.P. dochodziło do związków białych z Murzynami. Mulaci stanowią 4% mieszkańców, zamieszkują gł. Wielkie Antyle (najwięcej w Dominikanie i na Kubie). Kolejną liczną grupą ludności A.P. są osoby pochodzenia azjat., zamieszkujące w zwartych koloniach duże miasta Stanów Zjedn. i Kanady. Najwięcej z nich pochodzi z Chin, Indii, Filipin, Wietnamu, Indonezji i Japonii. Liczebność poszczególnych grup ludności szybko się zmienia. Zmniejsza się udział ludności białej, znajdującej się w najlepszej sytuacji ekon. i wykazującej coraz niższe współczynniki przyrostu naturalnego. Wzrasta natomiast udział pozostałych grup, zarówno z powodu wysokiego przyrostu naturalnego (Murzyni, Metysi, a zwł. Indianie), jak i w rezultacie migracji. A.P. ma największe wśród kontynentów dodatnie saldo migracji. Szybko zwiększa się liczba ludności napływającej z państw Azji i Afryki, których mieszkańcy stanowią najliczniejszą grupę wśród ubiegających się o prawo do zamieszkania w Stanach Zjedn. i Kanadzie. Udział imigrantów z bogatej i ustabilizowanej politycznie Europy Zach. spada i obecnie wynosi zaledwie kilkanaście procent ogółu. Większość pozostałych państw kontynentu ma ujemne saldo migracji, przede wszystkim z powodu odpływu ludności do Stanów Zjednoczonych. Pomimo nasilonego napływu ludności do A.P., jej udział w zaludnieniu Ziemi od półwiecza powoli zmniejsza się i wynosi 7,9%. Jest to jednak nie tyle rezultatem spadku przyrostu naturalnego w Stanach Zjedn. i Kanadzie, co przede wszystkim konsekwencją eksplozji demograficznej, która nastąpiła w słabo rozwiniętych krajach innych kontynentów. Różnice między pn. i pd. częścią kontynentu uwidaczniają się m.in. w strukturze wieku i zatrudnienia ludności. W Stanach Zjedn. i Kanadzie bardzo zaawansowany jest proces starzenia (13% ludności przekroczyło 65. rok życia a młodzież w wieku do 15 lat stanowi 21%), podczas gdy ludność państw antylskich i międzymorza należy do najmłodszych (40% ludności jest w wieku poniżej 15 lat a osób liczących ponad 65 lat jest zaledwie 4%). Przyrost naturalny w Stanach Zjedn. i Kanadzie dochodzi do 1,3% rocznie, a wśród młodych społeczeństw Ameryki Środk. przekracza 2%. Kontrast uwidacznia się także w

■ Ameryka Północna. Charakterystyczna zabudowa ulicy w Santa Fe, stolicy stanu Nowy Meksyk (USA)

strukturze zatrudnienia. W Stanach Zjedn. i Kanadzie z rolnictwa utrzymuje się 23% ludnoś - ci, podczas gdy w pozostałych krajach kontynentu wskaźnik ten jest wielokrotnie wyższy — od 26% w Meksyku do 80% w Haiti.

Różnorodność warunków klim., glebowych oraz zróżnicowanie rzeźby terenu znajduje odzwierciedlenie w nierównomiernym rozmieszczeniu ludności. Największym skupiskiem jest obszar Heartlandu, położony pomiędzy górnym biegiem Missisipi a wsch. wybrzeżem kontynentu. Dzięki korzystnym warunkom dla rozwoju rolnictwa, bogactwom mineralnym oraz wykorzystaniu transportu wodnego (Wielkie Jeziora), powstało tu największe centrum gosp. świata. Gęstość zaludnienia na tym obszarze przekracza 150 osób/km², a w obrębie licznych wielkich aglomeracji jest znacznie większa. Największym zwartym obszarem zurbanizowanym świata, zajmującym ok. 100 tys. km² i zamieszkanym przez około 45 mln ludzi, jest Megalopolis. Obejmuje ono obszary metropolitalne Bostonu, Nowego Jorku, Filadelfii, Baltimore, Waszyngtonu oraz wielu mniejszych miast. Podobne wielkie obszary zurbanizowane powstają w wyniku rozwoju aglomeracji pomiędzy Chicago a Pittsburghiem oraz w Kalifornii, w pasie od San Diego do San Francisco. Inne skupiska ludności znajdują się w Meksyku, na Mesie Centr. i obszarze Kordyliery Wulkanicznej. Najszybciej przybywa ludności w aglomeracji Meksyku, w której mieszka ponad 20 mln osób. Gęsto są zaludnione wybrzeża pacyficzne i obszary górskie Gwatemali, Salwadoru i Nikaragui. Są to tereny intensywnego, lecz stosunkowo prymitywnego rolnictwa, podobnie jak Antyle, zwł. Haiti, Puerto Rico, Jamajka i większość Małych Antyli, gdzie gęstość zaludnienia przekracza 200 osób/km². Na zach. wybrzeżu kontynentu szybko rozrastają się koncentracje ludności w Kalifornii oraz na niz. Puget Sound i wokół zatoki o tej samej nazwie. Ponad 60% pow. kontynentu to obszary bezludne lub o gęstości zaludnienia poniżej 1 mieszk./km². Obejmują one terytoria na pn. od 52°N, rozległe obszary gór i wyżyn zach. części kontynentu oraz wilgotne, wsch. wybrzeża międzymorza (płw. Jukatan, równina Petén, Wybrzeże Moskitów).

Gospodarka

Kontynent ma wyjątkowo korzystne warunki dla rozwoju różnego rodzaju działalności gospodarczej. Sprzyjające warunki klim. i glebowe umożliwiły uczynienie z rozległych równin wnętrza kontynentu prawdziwego spichlerza zdolnego, w razie potrzeby, zaspokoić potrzeby żywnościowe całego świata. Lasy borealne Kanady stanowią podstawę najsilniejszego na świecie przemysłu drzewno-papierniczego. Rozwój wielu dziedzin wytwórczości stymulowały różnorodne bogactwa miner., w jakie obfituje skalne podłoże kontynentu. Rozrost potencjału gospodarczego A.P. dynamizował napływ imigrantów, co było warunkiem zagospodarowania ogromnych zasobów. W przypadku Stanów Zjedn. i Kanady, bardzo istotny był stosunkowo duży zakres wolności ekon. oraz liczne udogodnienia i zachęty dla potencjalnych kolonistów-pionierów. Obecnie, mimo formalnego zakończenia procesu kolonizacji i zagospodarowywania, kontynent ma

■ Ameryka Północna. Farma w stanie Nowy Jork (USA)

wciąż ogromne i różnorodne możliwości inwestowania, zwł. w Kanadzie, Stanach Zjedn. i Meksyku. Dwa pierwsze z wymienionych państw znajdują się w ścisłej czołówce świat. pod względem poziomu zaawansowania technol., co wynika z prowadzonej od wielu dziesięcioleci polityki sprzyjającej rozwojowi myśli nauk. i techniki. Dodatkową okolicznością sprzyjającą zwiększaniu się znaczenia kontynentu w globalnej gospodarce były dwie wojny świat., które doprowadziły do ruiny gospodarki wielu państw Europy i Azji, a dla A.P. były okresami znacznej poprawy koniunktury i wzrostu popytu na towary. Wszystkie wymienione czynniki fizjograficzne, demograficzne, ekon., geogr. i polit. sprawiły, że A.P. odgrywa pierwszoplanową rolę w gospodarce świat. 2. poł. XX w. Wyrazem gosp. dominacji A.P. w świecie jest dol. USA, pełniący funkcję waluty międzynarodowej. Ważnym czynnikiem wzrostu znaczenia gosp. kontynentu A.P. jest wymiana towarowa, zwł. od wejścia w życie 1994 Północnoamer. Układu o Wolnym Handlu (NAFTA), otwartego porozumienia między Kanadą, Meksykiem i Stanami Zjedn. o utworzeniu strefy wolnego handlu w Ameryce.

Centrum gosp. kontynentu jest Heartland, obszar położony pomiędzy górnym odcinkiem rz. Missisipi (do ujścia Ohio) a wybrzeżem O. Atlantyckiego. W 2. poł. XIX w. powstał tu największy na świecie okręg hutnictwa żelaza i przemysłu maszyn., wykorzystujący węgiel kam. z Wyż. Appalaskich i rudę żelaza z kopalń nad Jez. Górnym, transportowaną szlakami wodnymi Wielkich Jezior. Jednocześnie, dzięki doskonałym warunkom klim. i glebowym, w widłach Missisipi i Ohio kształtował się największy na świecie obszar intensywnego rolnictwa, jakim jest tzw. Pas Kukurydziany (Corn Belt), obecnie nazywany także Kukurydziano-Sojowym (Corn Soy Belt). Obszar Heartlandu stanowi największe skupisko aglomeracji miejskich, które w wyniku ekspansji terytorialnej łączą się w wielkie zespoły i strefy zurbanizowane. Największą z nich jest Megalopolis zajmująca pas wybrzeża atlantyckiego od Waszyngtonu do Bostonu. Znacznie mniejsza jest strefa zurbanizowana pd.-zach. wybrzeża jez. Michigan (Chicago-Milwaukee), górniczo-hutniczy okręg Pittsburgh-Cleveland, strefa zach. wybrzeża jez. Ontario obejmująca m.in. kanadyjskie Toronto i amer. Buffalo, oraz transgraniczny zespół Detroit. Wraz z postępem techn. gospodarka Heartlandu ulegała modernizacji i obecnie nie jest już zdominowana przez tradycyjny przemysł metalowy, chociaż nadal ma on tam duże znaczenie. W strukturze produkcji wzrosła rola przemysłu chem., elektrotechn., elektron. i lekkiego, zwł. w miastach Nowej Anglii i Ontario. Mimo modernizacji, znaczenie Heartlandu w gospodarce A.P. od kilkudziesięciu lat maleje. Centrum gospodarcze A.P. wyraźnie przesuwa się na zach., co jest widoczne zarówno w Stanach Zjedn., jak i w Kanadzie. Na wybrzeżu Pacyfiku powstały nowe ośrodki, w których dominują najnowocześniejsze, a zatem najbardziej rentowne dziedziny działalności gospodarczej. Oprócz sektora usług dostarczających obecnie największych dochodów (handel, turystyka), należy do nich przemysł elektron. wykorzystujący najnowsze technologie oraz lotn.-rakietowy, związany z sektorem wojsk. i badaniami przestrzeni kosmicznej. Kalifornia stanowi obecnie świat. centrum produkcji urządzeń elektron., z którego pochodzi 70% wytwarzanych w Stanach Zjedn. mikroprocesorów, oraz rozwoju badań w zakresie informatyki i biotechnologii. Największą w skali świat. koncentracją zakładów przem. tych branż jest Dolina Krzemowa w hrab. Santa Clara na południe od San Francisco. Drugim bardzo szybko rozwijającym się regionem na wybrzeżu Pacyfiku jest niz. Puget Sound i zurbanizowane obszary wokół zatoki o tej samej nazwie z kanad. portem Vancouver i amer. Seattle. Pomiędzy Heartlandem a zach. wybrzeżem znajdują się rozległe obszary prerii, gór i wyżyn, wykorzystywane w dużym stopniu w sposób ekstensywny jako pastwiska, tereny uprawne i leśne. Wśród nich wyróżniają się oazy intensywnego rolnictwa na terenach sztucznie nawadnianych i ośrodki górnicze. Obszar w niewielkim stopniu wykorzystany gosp. stanowi kanad. Arktyka, Alaska i Grenlandia. Tereny te zawierają ogromne rezerwy różnego rodzaju surowców i stanowią wielki potencjał z punktu widzenia ekspansji gosp. w przyszłości. Gospodarczy sukces, potęga i nowoczesność Stanów Zjedn. oraz Kanady, będące udziałem przybyszów z Europy, nie stanowią cech krajów latynoskich A.P. Większość z nich to państwa o niskich dochodach. Rolnictwo, z którego utrzymuje się większość ludności, jest w dużym stopniu nastawione na zaspokajanie własnych potrzeb żywnościowych. Do złej organizacji produkcji związanej ze strukturą agrarną i niskiej efektywności pracy dodać należy ogromne straty wywoływane przez częste huragany, a zwł. przez erozję gleb. Nowoczesna agrotechnika nie jest dostępna dla większości chłopów i jest stosowana tylko w niektórych wielkich latyfundiach (hacjendach), stanowiących pozostałość po quasi-feudalnym ustroju z czasów kolonialnych, oraz na plantacjach należących do firm zagranicznych. Mimo to, w niektórych państwach rolnictwo dostarcza najważniejszych artykułów eksportowych takich jak: kawa (Gwatemala, Salwador, Kostaryka), banany (Nikaragua, Honduras, Panama, Dominika), cukier (Barbados, Belize, Dominikana, Jamajka, Kuba). Ważnym źródłem dochodów niektórych państw jest eksport surowców miner., m.in. ropy naft. i metali kolorowych (Meksyk) oraz boksytów (Jamajka). Trwałym elementem krajobrazu gosp. wielu regionów Meksyku, innych państw międzymorza i Antyli, stały się

sezonowe migracje w celach zarobkowych. Praca w Stanach Zjedn., legalna lub nielegalna, stanowi bardzo ważny, choć trudny do oszacowania składnik dochodów mieszkańców państw latynoskich. Coraz większe znaczenie, zwł. w Meksyku i państwach wyspiarskich ma turystyka, rozwijająca się dzięki bliskości Stanów Zjednoczonych. Obsługą turystów zajmują się coraz liczniejsze przedsiębiorstwa żeglugowe, hotelarskie i gastronomiczne. W Ameryce Środk. istnieje też grupa państw, których stosunkowo wysokich dochodów nie sposób wytłumaczyć eksportem produktów roln., miner., dochodami z pracy w Stanach Zjedn., ani turystyką międzynarodową. Dzięki rozwiniętym usługom finansowym, ustanowieniu liberalnego systemu podatkowego (np. zniesienie podatku dochodowego i majątkowego) i ułatwieniom w rejestracji spółek, państwa te stały się oficjalnymi siedzibami setek tys. firm pochodzących z krajów, w których konieczność płacenia wysokich podatków czyni działalność gosp. znacznie mniej opłacalną. Do tzw. rajów podatkowych, czyli państw, w których obowiązują najniższe stopy opodatkowania, i które osiągają największe dochody z opłat rejestracyjnych i ceł, należą: Bahamy, Belize, Panama, Saint Christopher i Nevis, posiadłości bryt. (W. Dziewicze, Kajmany, Turks i Caicos oraz Bermudy na pn. Atlantyku). W sytuacji rozbudowywanych ponad miarę instytucji biurokratycznych i fiskalizmu, przejawiającego się w tendencji do zwiększania redystrybucji dochodów w większości państw świata, liberalizm gosp. jest dla „rajów podatkowych" sposobem na wydźwignięcie się z odziedziczonego zacofania i ubóstwa.

Handel międzynarodowy. Na kraje A.P. przypada ponad 25% wartości świat. obrotów handl.; gł. potentatem jest największa potęga handl. świata Stany Zjedn. — ponad 15%, ponadto Kanada (4%) i Meksyk (2%). Struktura towarowa handlu odzwierciedla poziom rozwoju społ.-gosp. poszczególnych krajów. W wymianie USA i Kanady ponad 80% wartości stanowią wyroby przem., przede wszystkim urządzenia elektr., sprzęt elektron., samochody, samoloty i produkty przemysłu chemicznego. Państwa te są ponadto największymi na świecie eksporterami zbóż (pszenica, kukurydza, ryż) i mięsa oraz ważnymi dostawcami wielu surowców miner. (ropa naft., węgiel kam., rudy żelaza, miedzi, niklu, ołowiu, molibdenu, srebra, złoto, platyna). Handel zagr. krajów Ameryki Środk. jest znacznie słabiej rozwinięty. Jedynie Meksyk jest cenionym na świat. rynkach dostawcą paliw kopalnych, rud srebra, miedzi, cynku i ołowiu, a także produktów rolnych (bawełna, cukier, włókno sizalowe, kawa). Pozostałe kraje są importerami wyrobów przem. oraz paliw, natomiast w ich eksporcie dominuje kawa (Gwatemala, Salwador), banany (Nikaragua, Panama, Honduras), cukier (Belize, Dominikana, Kuba, Jamajka, Małe Antyle), boksyty (Jamajka) oraz chicle — surowiec do wyrobu gumy do żucia, którego jedynym producentem jest Gwatemala. Stany Zjedn. są najważniejszym partnerem handl. pozostałych państw A.P.; na Stany Zjedn. przypada 25–30% wymiany handl. poszczególnych krajów Ameryki Środk., natomiast 75% wymiany handl. Kanady i 80% — Meksyku. Najważniejszym zamor. partnerem handlowym A.P. jest obecnie Azja Wsch., która na tej pozycji zastąpiła w latach 80. Europę Zachodnią. Obroty handl. z Azją Wsch. przewyższają o 40% wartości handlu z Europą Zachodnią. ■

Ameryka Środkowa, region Ameryki Łac., w pd. części Ameryki Pn.; obejmuje kontynent. Amerykę Centr. (od pd. Meksyku do Panamy) oraz archipelagi Antyli i Bahamów; stanowi pomost między kontynentami: Ameryką Pn. i Ameryką Pd.; do A.Ś. należą 22 państwa i 10 terytoriów zależnych; pow. ok. 850 km^2, 70 mln mieszk. (1996). Zob. też Ameryka Północna.

Amnok-kang, rz. w Chinach i na Płw. Koreańskim, → Yalu Jiang.

Amsterdam, konstytucyjna stol. Holandii (siedzibą rządu i dworu król. jest Haga), nad zbiornikiem Markermeer, w konurbacji Ranstad Holland; ośr. adm. prow. Holandia Pn.; 720 tys. mieszk. (2002), zespół miejski 1,5 mln; 2. po Rotterdamie ośr. przem. i port handl. kraju; przemysł środków transportu: statki, tabor kol., samoloty (Fokker); kompleks rafinerii, przetwórni kakao, kawy; znane szlifiernie diamentów; port przeładunków masowych (32 mln t rocznie, gł. ropa naft.), połączony kanałami z M. Północnym i Renem; międzynar. port lotn. Schiphol; Król. AN, 2 uniw. (starszy zał. 1632), Król. Inst. Tropikalny; słynne muzea: Rijksmuseum, V. van Gogha, Dom Rembrandta; A. przecina 160 koncentrycznych kanałów, na kanałach ok. 1000 mostów. Prawa miejskie ok. 1300. Liczne kościoły (XIV, XVII w.), dawny ratusz (XVII w.), ob. Pałac Król., budowle użyteczności publ. (XVII–XIX w.), m.in. dom gildii handlu winem, Arsenał Mor., giełda. ■

Amu-daria, staroż. **Oksus,** rz. w Uzbekistanie i Turkmenistanie, na dł. ok. 300 km graniczna z Afganistanem; powstaje z połączenia Piandżu i Wachszu; dł. 1425 km (od źródeł Piandżu 2540 km), pow. dorzecza 309 tys. km^2 (do m. Kerki). Płynie między pustyniami Kara-kum i Kyzył-kum; błądzi po tarasie zalewowym, rozmywając i podcinając na przemian brzegi zbud. z piasków i iłów; przy ujściu tworzy deltę (pow. 9 tys. km^2); do Jez. Aralskiego dopływa tylko w lata obfite w opady; średni przepływ k. Kerki 2000 m^3/s; gł. dopływy: Surchab (l.), Kafirnigan, Surchan-daria (pr.); na dł. ok. 1200 km (w środk. i dolnym biegu) nie otrzymuje żadnego dopływu; b. duża ilość niesionego mułu (3,3 kg/m^3 — ok. 210 mln t rocznie) powoduje wielką zmienność nurtu i głębokości. Nadmierne wyzyskiwanie Amu-Darii do nawadniania (kanały: Karakumski, Amu-Bucharski, Karszyński) doprowadziło do wtórnego zasolenia gleb; woda b. silnie zanieczyszczona solami nawozów miner., pestycydami, a także ściekami przem.; nad Amu-Darią (lub w pobliżu) m.: Termez, Czardżou, Urgencz, Nukus. W dorzeczu Amu-Darii leżały staroż. państwa: Chorezm, Sogdiana, Baktria; od średniowiecza Amu-Darią prowadził szlak handl. z Rusi do Chiwy i Buchary (przez Astrachań, Embą, brzegiem Jez. Aralskiego).

■ Amsterdam. Wieża Płaczu przy kanale Geldersekade

Amundsena, Morze, szelfowe morze pd. części O. Spokojnego, u wybrzeży Antarktydy, między przyl. Dart (ok. 124°W) a Wyspą Thurstona (ok. 103°W); pow. 98 tys. km^2; głęb. do 585 m; temp. wód powierzchniowych od 0,2°C do –1,8°C, zasolenie 32–34‰; przez cały rok pokryte lodami; ok. 1/3 linii brzegowej zajmują bariery lodowców szelfowych; pierwszy na M.A. dotarł J. Cook na przeł. 1773 i 1774.

Amur, chiń. **Heilong Jiang,** rz. w Rosji i Chinach (częściowo graniczna), dorzecze także na terytorium Mongolii. Powstaje z połączenia Szyłki i Argunia, dł. 2824 km (od źródeł Argunia 4440 km), pow. dorzecza 1855 tys. km^2. W górnym biegu dolina wąska; w środk. biegu tworzy przełom przez Mały Chingan; poniżej płynie w szerokiej dolinie, dzieląc się na liczne odnogi; uchodzi poprzez Liman Amurski (dł. 185 km) do Cieśn. Tatarskiej (M. Ochockie); gł. dopływy: Sungari, Ussuri (pr.), Zeja, Bureja, Amguń (l.). Średni przepływ przy ujściu 10 900 m^3/s (maks. 40 000 m^3/s); wezbrania od lipca do września powodowane deszczami monsunowymi; wielkie powodzie (1897, 1928, 1956). W górnym biegu zamarza od początku listopada do maja, w dolnym — na ok. 4 mies. (do kwietnia). W dorzeczu ponad 60 tys. jezior o łącznej pow. 9690 km^2. Żeglowna na całej długości, stanowi ważną drogę wodną Dalekiego Wschodu; gł. m.: Błagowieszczeńsk, Chabarowsk, Amursk, Komsomolsk nad Amurem, Nikołajewsk nad Amurem; na pr. brzegu (w Kraju Chabarowskim) Rezerwat Komsomolski utworzony 1963, pow. 61,2 tys. ha.

Anabarski, Płaskowyż, Anabarskoje płato, pn.-wsch. część Wyż. Środkowosyberyjskiej, w Rosji; wys. do 905 m; stanowi tarczę w obrębie platformy syberyjskiej; zbud. z silnie sfałdowanych archaicznych łupków krystal., gnejsów, granitów, obrzeżenia gł. z piaskowców proterozoiku; tundra górska, w dolinach lasy modrzewiowe.

Anadyr, rz. w azjat. części Rosji; dł. 1150 km, pow. dorzecza 191 tys. km^2; źródła na Płaskowyżu Anadyrskim; uchodzi do Zat. Anadyrskiej (M. Beringa); w środk. i dolnym biegu dolina szeroka, bieg kręty, liczne odgałęzienia; gł. dopływy: Jeropoł, Majn (pr.), Bieła, Taniurer (l.); średni przepływ 1680 m^3/s; zamarza na ok. 8 mies.; w dorzeczu ponad 23,5 tys. jezior o łącznej pow. 3231 km^2; żegl. 570 km.

anataksis [gr.], proces zachodzący w głębi skorupy ziemskiej polegający na stopniowym upłynnianiu (topieniu się) starszych kompleksów skalnych tylko pod wpływem wysokiej temperatury i wysokiego ciśnienia lub — dodatkowo — przepojenia ich emanacjami magmy (gazy, pary) lub magmą. Podczas a., wskutek stopniowego wzrostu temperatury i ciśnienia, poszczególne składniki skały są wytapiane wg kolejności określonej ich temperaturą topnienia (a. dyferencjalna). Ciekłe produkty a. mogą zostać w skale macierzystej lub pod wpływem ciśnienia są wyciskane spomiędzy składników nieupłynnionych i gromadzą się w masy wtórnej magmy, zdolnej do tworzenia intruzji. Proces gromadzenia się wtórnej magmy w wyniku a. nosi nazwę p a l i n g e - n e z y, a magma taka jest określana jako palingenetyczna; produktami jej krystalizacji są granitoidy, zw. palingenetycznymi.

Anatolijska, Wyżyna, Anadolu Yaylası, wyżyna w Turcji, na płw. Azja Mniejsza, ograniczona G. Pontyjskimi od pn., Taurusem od pd.; przeważające wys. 900–1500 m, maks. 3917 m (wygasły wulkan Erciyas); zbud. ze słabo sfałdowanych utworów paleozoicznych, przykrytych gł. trzeciorzędowymi osadami jeziornymi; liczne bezodpływowe kotliny z jeziorami reliktowymi (słone jez. Tuz) i tektonicznymi (Beyşehir, Eğridir); gł. rz. stałe: Menderes, Sakarya, Kızılırmak; klimat podzwrotnikowy kontynent. suchy; średnia temp. w styczniu od 3°C na zach. do –5°C na wsch., w lipcu odpowiednio 20°C do 24°C, opady gł. w zimie, 300–350 mm; suche stepy (trawiaste i bylicowe) i półpustynie z krzewami kolczastymi (szyblak); na pn. skraju Wyż. Anatolijskiej — m. Ankara.

Ancohuma [ankoȩ̦uma], **Nevado de Ancohuma,** szczyt w paśmie Cordillera Real (Kordyliera Wsch.), w Andach, w Boliwii, najwyższy w masywie Illampu; wys. 6550 m; wieczne śniegi, lodowce.

Andaluzja, Andalucía, region autonomiczny i kraina hist. w pd. Hiszpanii, nad M. Śródziemnym i O. Atlantyckim; 87,3 tys. km^2, 7,2 mln mieszk. (1998); stol. Sewilla, inne m.: Málaga, Kordowa, Grenada, Kadyks; na pn. góry Sierra Morena, na pd. G. Betyckie, rozdzielone Niz. Andaluzyjską; gł. rz. Gwadalkiwir; największy w kraju obszar uprawy oliwek, bawełny, dębu korkowego; wydobycie rud miedzi, żelaza; winiarstwo; region turyst. o świat. znaczeniu (zabytkowe miasta, wybrzeże Costa del Sol); duży zespół portowy Algeciras–La Línea.

■ Andora

Andaluzyjska, Nizina, nizina w pd.-zach. Hiszpanii (Andaluzja), między G. Betyckimi a Sierra Morena; otwarta w kierunku zach., do Zat. Kadyksu (O. Atlantycki); średnia wys. 150 m; powierzchnia równinna, w części zach. błotnisty obszar Las Marismas, oddzielony od morza szerokim pasmem wydm; odwadniana przez rz. Gwadalkiwir i jej dopływy; klimat podzwrotnikowy typu śródziemnomor.; roczna suma opadów 600–700 mm (tylko na krańcach pd.-zach. 400–500 mm); miejsce roślinności naturalnej zajęły przeważnie uprawy (pszenica, winorośl, oliwki, ryż, drzewa cytrusowe) oraz pastwiska

(hodowla owiec, koni, bydła); gł. m.: Sewilla, Kordowa, Kadyks.

Andamany i Nikobary, hindi **Aṇḍamān aur Nikobar dvīp-samūh,** ang. **Andaman and Nicobar Islands,** terytorium związkowe Indii, w pn. części O. Indyjskiego; 8,2 tys. km^2; 363 tys. mieszk. (2002), Andamanie i Nikobarzy; ośr. adm. i jedyne m. Port Blair; obejmuje 2 archipelagi górzystych i zalesionych wysp, Andamanów i Nikobarów, położonych między Zat. Bengalską i M. Andamańskim; uprawa palmy kokosowej i areka.

andezyt, skała wulk. złożona gł. z plagioklazów oraz amfiboli lub piroksenów; zwykle szary; jest typowym produktem wulkanizmu w strefach subdukcji (linia → andezytowa); w Polsce występuje w Pieninach; surowiec bud. i drogowy; niektóre a. są wykorzystywane jako materiały kwasoodporne.

andezytowa linia, linia biegnąca wokół O. Spokojnego, oddzielająca jego obszar wewn., obejmujący prawie cały ocean, z wulkanizmem bazaltowym (związanym ze strefami rozrastania się dna oceanicznego), od obszaru zewn., z wulkanizmem andezytowym (związanym z procesem podsuwania się litosferycznej płyty oceanicznej pod płytę kontynent., czyli z subdukcją). Zob. też tektoniki płyt teoria.

Andhra Pradeś, ang. **Andhra Pradesh,** stan w Indiach, na wsch. Płw. Indyjskiego, nad Zat. Bengalską; 275,1 tys. km^2; 77,2 mln mieszk. (2002), gł. Telugowie; stol. Hajdarabad; wyżynno-górzysty; wyż. Dekan z Ghatami Wsch., na wybrzeżu aluwialne niziny z szerokimi deltami Godawari i Kryszny; stan roln.; uprawa ryżu, trzciny cukrowej, tytoniu i palmy kokosowej na wybrzeżu; hodowla bawołów i bydła; wydobycie węgla kam. i miki; przemysł przetwórczy skupiony w stol. i największym porcie stanu — Wiśakhapatnam.

Andora, Andorra, Księstwo Andory, państwo w pd.-zach. Europie, w Pirenejach; 468 km^2; 70 tys. mieszk. (2002), Andorczycy, katolicy; stol. Andora; język urzędowy kataloński; księstwo. W środk. części doliny rz. Valira i jej dopływów, otoczone zalesionymi pasmami górskimi (wys. do 2946 m); klimat podzwrotnikowy górski; podstawą gospodarki: turystyka zagr., usługi finan-

■ Andora. Fragment miasta Andora

sowe i handl. (strefa bezcłowa), rzemiosło (wyrób pamiątek) i sprzedaż znaczków pocztowych. ■

Andrychów, m. w woj. małopol. (pow. wadowicki), u podnóża Beskidu Małego, nad Wieprzówką (l. dopływ Skawy); 23 tys. mieszk. (2000); przemysł bawełn., elektromaszyn. (obrabiarki, silniki wysokoprężne, katalizatory samoch.), ceramiki bud.; prawa miejskie od 1767; muzeum tkactwa; kościół i drewn. dom (XVIII w.), pałac (XIX w.).

Andy, Los Andes, Cordillera de los Andes, góry fałdowe w Ameryce Pd.; ciągną się wzdłuż O. Spokojnego, od M. Karaibskiego po Ziemię Ognistą przez terytoria Wenezueli, Kolumbii, Ekwadoru, Peru, Boliwii, Chile i Argentyny; dł. ponad 9000 km, szer. 200–800 km; najwyższy szczyt Aconcagua, 6960 m. W pn. części tworzą łuk otwarty ku Niz. Amazonki, w części środk. i pd. ograniczają Niz. Boliwijską i Niz. La Platy. A. dzielą się na A. Północne (do ok. 12°S), A. Środkowe (od ok. 12 do ok. 29°S) i A. Południowe (od ok. 29°S po Ziemię Ognistą). Ze względów terytorialnych stosuje się podział na A.: Wenezuelskie, Kolumbijskie, Ekwadorskie, Peruwiańskie, Boliwijskie, Chilijskie, Argentyńskie; używa się też nazw A.: Kolumbijsko-Wenezuelskie, Chilijsko-Argentyńskie, Południowochilijskie oraz Patagońskie.

R z e ź b a. W A. Północnych i Środk. wyróżnić można równol. łańcuchy górskie — Kordyliery: Wsch., Środk., Zach. i Nadbrzeżną, rozdzielone tektonicznymi obniżeniami, śródgórskimi płaskowyżami i kotlinami (tektoniczne doliny rzek Magdalena i Cauca w A. Kolumbijskich, Wielka Centr. Dolina w A. Ekwadorskich i in.). Poszczególne kordyliery nie stanowią zwartych ciągów gór na całej długości — lokalnie zanikają, łączą się z sąsiednią kordylierą w jeden łańcuch lub dzielą się na mniejsze drugorzędne pasma górskie. Najbardziej zwarty łańcuch górski stanowi Kordyliera Zach., tworząca na obszarze Peru wysokie (do 4000 m) płaskowyże, ponad które wznoszą się ośnieżone grzbiety górskie i szczyty (Huascarán, 6768 m, w Kordylierze Białej) z licznymi formami glacjalnymi. Kordyliera Wsch. na obszarze Kolumbii i Wenezueli dzieli się na pasma Sierra de Perijá oraz Cordillera de Mérida (Bolívar, 5007 m), w której przedłużeniu na wsch. leżą G. Karaibskie, na pn. — wyż. Segovia. W A. Środkowych Kordyliera Wsch. składa się z wielu wysokich, silnie zdenudowanych pasm (Cordillera de Carabaya, Cordillera Real — Ancohuma, 6550 m). W Peru i Boliwii Kordyliera Wsch. przechodzi w obszerne przedgórze tworzące w Peru falistą równinę (Montania), w Boliwii — obszar równol., niewysokich grzbietów (Yungas). Kordyliera Środk. stanowi łańcuch wzniesiony najwyżej w pn. część A. Północnych (Huila, 5750 m i in.), w jej przedłużeniu na pn. leży izolowany masyw Sierra Nevada de Santa Marta (Cristóbal Colón, 5800 m); w A. Środkowych Kordyliera Środk. rozszerza się znacznie i tworzy wysokie płaskowyże (3400–4200 m) Puna — obrzeżone Kordylierą Zach. i Wsch., zw. na terenie Peru i Boliwii — Altiplano, w Chile — Puna de Atacama, w Argentynie — Puna de Atacama lub Puna Argentina. Cechą

■ Andy. Fitz Roy

■ Andy. Płaskowyż Puna de Atacama

charakterystyczną tego obszaru są kotliny i obniżenia zajęte częściowo przez jeziora (Titicaca, Poopó), gł. słone, oraz solniska (Salar de Uyuni, Salar de Atacama i in.). Kordyliera Nadbrzeżna stanowi wyraźnie wykształcony łańcuch w A. Środkowych; między nią a Kordylierą Zach. (Sajama, 6542 m) ciągnie się obszerne obniżenie, w którego pd. części leży pustynia Atacama ograniczona od wsch. G. Domeyki. A. Południowe, zw. na pd. od 42°S A. Patagońskimi, ciągną się dwoma łańcuchami: niewysoką (do ok. 2500 m), o zaokrąglonych formach Kordylierą Nadbrzeżną, zatopioną na pd. i wynurzoną częściowo jako łańcuch przybrzeżnych wysp, oraz Kordylierą Gł., stanowiącą przedłużenie ku pd. Kordyliery Zachodniej A. Środkowych, na pd. przechodzącą w rozległą Wyż. Patagońską. Na pn. łańcuchy rozdziela podłużne obniżenie — Dolina Środkowochilijska. Charakterystyczną cechą rzeźby Kordyliery Gł. są formy glacjalne; liczne jeziora polodowcowe lub pochodzenia lodowcowo-tektonicznego (Buenos Aires, San Martín, Viedma, Argentino i in.). Na pd. od 46°S współcz. zlodowacenia; liczne lodowce spływają do oceanu i jezior. W pn. części łańcucha najwyższy szczyt A. — Aconcagua.

K l i m a t. W wyniku dużej rozciągłości południkowej A. są położone w kilku strefach klim., od klimatów równikowych na pn. poprzez zwrotnikowe, podzwrotnikowe i umiarkowane do okołobiegunowych (klimat subpolarny) na krańcach pd.; ze względu na znaczne wyniesienie, prawie całe A. mają surowy, chłodny klimat górski z wyraźnie wykształconą piętrowością. Roczna suma opadów w pn. części A. do 10 000 mm na zach. stokach Kordyliery Zach. (Kolumbia); między 5 i 30°S roczne opady poniżej 200 mm w zach. części A. (na pustyni Atakama — do 20 mm), we wsch. — ponad 500 mm (w Peru ponad 1000 mm); na pd. od 35°S na zach. stokach ponad 2000 mm (w Andach Patagońskich miejscami do 5000 mm), na wsch. poniżej 300 mm. Granica wiecznego śniegu przebiega na pn. na wys. ok. 4800–5000 m, na równiku — ok. 4000–4500 m, w okolicy zwrotnika ok. 6300 m, na krańcach pd. schodzi do 1000–600 m. S t o s u n k i   w o d n e. A. stanowią gł. dział wód Ameryki Pd.; we wsch. części gór biorą początek liczne dopływy Orinoko, źródłowe rzeki Amazonki i wiele jej dopływów, dopływy Paragwaju i Parany oraz rzeki uchodzące bezpośrednio do O. Atlantyckiego, jak Colorado, Negro, Chubut i in.; zachodnie A. są odwadniane do O. Spokojnego przez wiele krótkich, bystrych rzek (Loa, Bío Bío i in.); w A. Kolumbijskich bierze początek uchodząca do M. Karaibskiego rz. Magdalena; liczne, zwł. na pd., jeziora. Polskie wyprawy alpinistyczne 1934, 1937, 1971–75, 1978.

Budowa geologiczna. Łańcuch górski powstały w orogenezie alp.; jest zbud. z krystal. skał prekambru i paleozoiku oraz ze skał osadowych paleozoiku, mezozoiku i trzeciorzędu poprzecinanych potężnymi intruzjami granitoidów; procesom tektonicznym towarzyszył silny wulkanizm, który istnieje do dziś; liczne czynne wulkany, zwł. w A. Północnych (Tolima 5215 m, Antisana 5704 m, Cotopaxi 5896 m — jeden z najbardziej aktywnych wulkanów Ziemi) i w A. Środkowych (Misti, 5822 m, Llullaillaco 6723 m — najwyższy czynny wulkan Ziemi); A. są obszarem aktywnym sejsmicznie. W plejstocenie uległy zlodowaceniom.

Świat roślinny. Szata roślinna A. odznacza się dużą różnorodnością i strefowym układem. W A. Północnych i A. Południowych znaczne powierzchnie zajmują lasy; na pn., na stokach — wilgotne i wiecznie zielone lasy równikowe, wyżej wiecznie zielone lasy górskie, ponad nimi wilgotne trawiaste formacje paramo z espelecjami; na pd. — wiecznie zielone lasy liściaste i mieszane, z dużym udziałem notofagusa (buka pd.) i araukarii, oraz roślinność stepowa; w A. Środkowych przeważa roślinność kserofityczna, gł. półpustynna, trawiasto-krzewinkowa formacja puna (na obszarze wysoko położonych równin) oraz roślinność stepowa (formacja jalca).

Świat zwierzęcy A. reprezentują — ze ssaków: gwanako, wikunia, wiele gat. jeleni, m.in. pudu wielkości zająca, a ponadto długowłosy tapir górski, szynszyla i wiskacza, pancerniki, jaguar, puma i niedźwiedź andyjski; z ptaków: kondory, w niższych partiach gór kolibry i papugi; z gadów liczne grzechotniki.

Andy Patagońskie, Cordillera Patagonica, pd. część Andów, w Argentynie i Chile, na pd. od 42°S; dł. ok. 2000 km; najwyższy szczyt San Valentín, 4058 m (w Chile); składają się z 2 łańcuchów — Kordyliery Gł. i Kordyliery Nadbrzeżnej (tworzącej fiordowe wybrzeże i łańcuch

■ Andy Patagońskie. Formy skalne w Parku Narodowym Torres del Paine (Chile)

przybrzeżnych wysp), zbud. z mezozoicznych skał magmowych i osadowych, poprzecinanych intruzjami gł. granodiorytów; liczne jeziora tektoniczno-lodowcowe (Buenos Aires, Argentino, San Martín, Viedma i in.); obszar aktywny sejsmicznie; czynne wulkany (Maipó, 5323 m); granica wiecznego śniegu od ok. 2000 m na pn. do ok. 600–1000 m na pd.; na pd. od 46°S współcz. zlodowacenie, zw. Hielo Patagónico (pow. ok. 20 tys. km²); liczne lodowce (najdłuższy Upsala — 60 km); parki narodowe. ■

anekumena [gr.], nie zamieszkane i nie wykorzystywane gospodarczo obszary kuli ziemskiej; pojęcie przeciwstawne → ekumenie, wprowadzone przez staroż. Greków na określenie obszarów, których warunki naturalne nie sprzyjają trwałemu osiedlaniu się człowieka; a. obejmuje morza i oceany oraz obszary pustynne, podbiegunowe i wysokogórskie.

Aneto, Pico de Aneto, najwyższy szczyt Pirenejów w Hiszpanii, w masywie Maladeta; wys. 3404 m.

Angara, rz. w azjat. części Rosji, pr. dopływ Jeniseju; dł. 1779 km, pow. dorzecza 1040 tys. km²; wypływa z jez. Bajkał; płynie przez pd.

■ Angara. Górny odcinek koło Listwianki nad Bajkałem (Rosja)

część Wyż. Środkowosyberyjskiej; w środk. i dolnym biegu na obszarze występowania trapów (pokryw bazaltowych) liczne progi; gł. dopływy: Ilim (pr.), Irkut, Biała, Oka, Tasiejewa (l.); średni przepływ przy ujściu 5100 m³/s (w górnym biegu 1730 m³/s, w dolnym — 4400 m³/s); zbiorniki retencyjne i elektrownie wodne: Irkucka, Bracka, Ust-Ilimska, w budowie (1996) Boguczańska; żegluga (z przerwami przy zaporach); gł. m. nad A.: Irkuck, Angarsk, Brack, Ust-Ilimsk. ∎

Angel, Salto [s. ạnchel], **Salto Churún Meru,** wodospad w dorzeczu Caroní, w Wenezueli, na

∎ Wodospad Salto Angel w Wenezueli

Wyż. Gujańskiej; wys. 1054 m (najwyższy wodospad na Ziemi); wody S.A. wypływają z pn. stoku płaskowyżu Auyán Tepuí; ważny obiekt turyst., dostępny gł. drogą powietrzną (w pobliżu m. Canaima — hotele i lotnisko); odkryty 1935 przez amer. lotnika J. Angela. ∎

Ångerman [oŋәr~], rz. w pn. Szwecji; dł. 450 km, pow. dorzecza 31,9 tys. km²; źródła w G. Skandynawskich w Norwegii; uchodzi do Zat. Botnickiej; płynie w głębokiej i wąskiej dolinie; tworzy liczne progi i wodospady; elektrownie wodne; spław drewna.

Angielski Kanał, ang. **English Channel,** ang. nazwa cieśniny → La Manche.

Anglia, England, największa i pod względem gosp. najlepiej rozwinięta część Zjedn. Królestwa W. Brytanii i Irlandii Pn., w środk. i pd. części wyspy W. Brytania; 130,4 tys. km², 50 mln mieszk. (2002); stol. Londyn; inne gł. m.: Birmingham, Leeds, Sheffield, Liverpool, Manchester; powierzchnia nizinno-wyżynna, w pn. części G. Kumbryjskie, wys. do 978 m; gł. rz.: Tamiza, Ouse, Trent (zlewisko M. Północnego) i Severn (uchodzi do kanału Bristolskiego); wysoko rozwinięty przemysł (środków transportu, maszyn., elektron.) i rolnictwo (uprawa zbóż, buraków cukrowych, hodowla bydła, trzody chlewnej).

Angola, Republika Angoli, państwo w pd.-zach. Afryce, nad O. Atlantyckim. 1246,7 tys. km² (z Kabindą); 12,7 mln mieszk. (2002), gł. ludy Bantu; przewaga katolików; stol. i gł. port Luanda; inne ważne m.: Lubango, Namibe, Lobito; język urzędowy: portug.; republika. Kraj wyżynny (wyż. Bije); klimat podrównikowy, na pd.-zach. zwrotnikowy skrajnie suchy; przeważa sawanna. Biedny kraj surowcowy o znacznym potencjale gosp., zniszczony przez wojny domowe; podstawą gospodarki jest wydobycie ropy naft., gazu ziemnego, diamentów; uprawa manioku, kukurydzy, palmy oleistej, bananów; hodowla bydła, kóz; przemysł spoż., włók., obuwn., leśnictwo i rybołóstwo.

Aniza, Enns, rz. w Austrii, pr. dopływ Dunaju; dł. 254 km; źródła w Niskich Taurach; przez Alpy Ennstalskie tworzy przełom Gesäuse (dł. 16 km, o zboczach wys. do 1500 m); elektrownie wodne; gł. m. nad Anizą — Steyr.

Ankara, staroż. **Ankyra,** do 1930 **Angora,** stol. Turcji, na Wyż. Anatolijskiej, na wys. ponad 830 m; ośr. adm. ilu Ankara; 3,3 mln mieszk. (2002), zespół miejski 3,4 mln; urzędy centr., banki, siedziby firm krajowych i zagr.; przemysł gł. elektron., zbrojeniowy i włók.; rzemiosło (dywany, wyroby metal.); duży węzeł drogowy, międzynar. port lotn.; szkoły wyższe (4 uniw.); znana od czasów staroż. stol. Frygii; ruiny budowli rzym. i tzw. Kolumna Juliana (III w.), bizant. cytadela, kryty bazar (XV w.), liczne meczety (XIII–XVII w.), mauzoleum Atatürka (XX w.). ∎

Annapurna, najwyższy szczyt w masywie górskim Annapurna w Himalajach, w Nepalu, na pn. od miejscowości Pokhara; wys. 8091 m; 1950 zdobyty jako pierwszy z 14 szczytów 8--tysięcznych (wyprawa franc., kier. M. Herzog); 1970 przejście pd. ściany otworzyło erę nowych dróg na najwyższych szczytach Ziemi (wyprawa bryt., kier. Ch. Bonington); 1981 wejście środkiem pd. ściany (wyprawa pol., kier. R. Szafirski); 1987 pierwsze wejście zimowe na szczyt (A. Hajzer i J. Kukuczka).

Annopol, m. w woj. lubel. (powiat kraśnicki); 2,7 tys. mieszk. (2000); ośr. usługowy z drobnym przemysłem; złoża ziemi okrzemkowej i bentonitu; do 1970 wydobycie fosforytów; prawa miejskie 1761–1870 i od 1996.

∎ Angola

∎ Ankara. Fragment miasta

■ Antananarywa

Antananarywa, Antananarivo, do 1976 **Tananariwa,** stol. Madagaskaru, w środk. części kraju, na wys. ok. 1400 m; 875 tys. mieszk. (2002); przemysł spoż., włók., skórz., drzewny; międzynar. port lotn.; uniw., Malgaska Akad. Nauk; zał. 1660(?). ■

Antarktyczny, Półwysep, Antarctic Peninsula, do 1961 **Ziemia Grahama** lub **Półwysep Palmera,** najbardziej na pn. wysunięta część Antarktydy (63°13′S — przyl. Prime Head), między M. Bellingshausena (O. Spokojny) a M. Weddella (O. Atlantycki); dł. ok. 1300 km, szer. do 200 km; górzysty (najwyższy szczyt G. Jacksona, 4191 m), jego oś tworzy tektonicznie rozczłonkowany łańcuch górski tzw. Antarktandów (przedłużenie trzeciorzędowych stref orogenicznych Ameryki Pd.); kilka nieczynnych wulkanów; znaczna część P.A. jest pokryta lądolodem i wiecznym śniegiem; pn. część P.A. jest nazywana Ziemią Grahama, pd. — Ziemią Palmera; roślinność bardzo skąpa (gł. mchy i porosty); latem u wybrzeży m.in. foki (lamparty mor.), pingwiny; stacje nauk. różnych państw.

Antarktyczny Prąd Okołobiegunowy, zimny prąd mor. na pd. oceanów Atlantyckiego, Indyjskiego i Spokojnego, w Antarktyce; jako nieprzerwany strumień opływa Antarktydę z zach. na wsch., między 40° a 55°S; sięga dużych głębokości obejmując wody przydenne; prędkość 0,6+,1 km/h — pełny obieg trwa ok. 3 lat; szerokość prądu na powierzchni 1000+1500 km; przepływ wynosi od 183 mln m³/s w Cieśn. Drakeà do 215 mln m³/s z O. Atlantyckiego na O. Indyjski (największy pod względem przenoszonej masy wód prąd mor. na Ziemi); A.P.O. płynie wskutek całorocznego oddziaływania wiatrów zach.; pn. odgałęzienia prądu wchodzą w skład stałej cyrkulacji powierzchniowej wód 3 oceanów jako prądy zimne, płynące wzdłuż zach. wybrzeży kontynentów półkuli pd.; wewnętrzną, pd., odnogę A.P.O. stanowi Prąd Zach. Wiatrów (Dryf Zach.); między Prądem Zach. Wiatrów a brzegami Antarktydy płynie w kierunku przeciwnym (na zach.) brzegowy Prąd Wsch. Wiatrów.

Antarktyda, kontynent na półkuli pd. rozciągający się w środk. części Antarktyki koncentrycznie wokół bieguna geogr., prawie całkowicie pokryty lądolodem. Nazwa kontynentu, użyta po raz pierwszy 1840 przez polarnika Ch. Wilkesa, pochodzi od gr. określenia *Antarctos* [leż ący

po przeciwległej stronie do ziem północnych], ziemie pn. — gr. *Arctos*. A. jest jedynym kontynentem otoczonym przez 3 oceany: Atlantycki (morza: Weddella, Łzariewa, cze ściowo Riiser-Larsena), Indyjski (morza: Kosmonautów, MacKenziego, Davisa, Mawsona, Dumont dUrvilleà) i Spokojny (morza: Somowa, Amundsena, Bellingshausena, Rossa). Położone na pd. od konwergencji antarktycznej części tych oceanów mają zbliżony charakter i są wyodrębniane niekiedy łącznie jako O. Antarktyczny, O. Południowy lub O. Lodowaty. Najbardziej wysuniętym na pn. punktem A. jest przyl. Prime Head (63°13′S, 57°17′W) na Płw. Antarktycznym. Powierzchnia kontynentu z lodowcami szelfowymi i przybrzeżnymi wyspami wynosi 14,0 mln km², w 99,6% pokryta lodem.

Warunki naturalne

Ukształtowanie powierzchni. Kształt kontynentu jest w przybliżeniu kolisty, o średnicy ok. 4500 km. Półwyspy zajmują niewiele ponad 2,3% pow. (największe: Antarktyczny, Edwarda VII) a nieliczne wyspy — ok. 0,7% pow. (m.in. Aleksandra, Adelajdy, Anvers, Brabant, Joinville, Roosevelta, Rossa, Berknera). G. Transantarktyczne, na odcinku 2900 km między morzami Rossa i Weddella, dzielą kontynent na 2 części: większą (ok. 10 mln km²) i bardziej zwartą położoną prawie w całości na wsch. półkuli A. Wschodnią oraz mniejszą silnie rozczłonkowaną A. Zachodnią. Poszczególne obszary kontynentu zostały nazwane ziemiami: Adeli, Coatsów, Ellswortha, Enderbyègo, Jerzego V, Kempa, Kro´lowej Marii, Królowej Maud, Księżniczki Elżbiety, MacRobertsona, Marii Byrd, Oatesa, Wiktorii, Wilkesa. Średnia wysokość lądolodu, 2250 m, sprawia, że A. jest najbardziej wyniesionym kontynentem świata. Najwyższy punkt lądolodu leży w A. Wschodniej nad pogrążonymi w lodzie G. Gamburcewa na wys. 4100 m. ■

Lądolód. A. o średniej miąższości 2700 m i pow. 13,3 mln km² ma objętość 32,4 mln km³, co stanowi ok. 90% zasobów lodu i ok. 68% słodkiej wody na Ziemi. Lądolód tworzy jednolitą czaszę lodową w A. Wschodniej (objętość 26 mln km³), gdzie w znacznej części spoczywa na podłożu skalnym rozciągającym się mniej więcej na poziomie morza, a jego maks. miąższość dochodzi do 4776 m (69°54′S, 135°12′E) w Ziemi Wilkesa. W A. Zachodniej lądolód (objętość 3,3 mln km³) wypełnia liczne obniżenia podłoża skalnego i

■ Antarktyda. Wzgórza Taylora na Półwyspie Antarktycznym

głębokie depresje, podłoże skalne znajduje się średnio na głęb. 440 m poniżej poziomu morza, 25% pow. podłoża leży niżej niż na głęb. 1000 m, najgłębszy punkt na głęb. 2555 m. Lodowce na Płw. Antarktycznym i lodowce szelfowe mają objętość 3,1 mln km². Powierzchnię podłoża skalnego powyżej poziomu morz ocenia się na 7 mln km². Lodowce szelfowe, które częściowo pokrywają morza przybrzeżne zajmują 11% pow. kontynentu, ale zawierają jedynie 2,4% zgromadzonego lodu. Wynika to z ich małej miąższości, która waha się od 200 do 1300 m. Największe lodowce szelfowe to: Amery'ego, Filchnera, Larsena, Ronne'a, Rossa, Shackletona, Zachodni. Czoła niektórych lodowców szelfowych tworzą potężne bariery, m.in Rossa i Filchnera. Linię brzegową A. długości ok. 32 tys. km, tworzy krawędź lądolodu (38% dł.), czoła lodowców szelfowych (44%) i dolinnych (13%), tylko na niewielkich odcinkach odsłania się podłoże skalne (5%). Proces akumulacji w centr. części kontynentu jest oceniany na 5 do 7 cm lodu rocznie. Niewiele ponad połowę akumulacji stanowi śnieg, a resztę sadź z kondensujących mgieł. Na wąskim pasie przybrzeżnego skłonu tarczy lądolodu i na pływających lodowcach szelfowych akumulacja sięga 35 do 40 cm lodu rocznie (maksymalnie 60 cm). Pod wpływem ciągłego narastania grubości lodu, a tym samym wzrostu ciśnienia wraz z głębokością, staje się on plastyczny. Wyodrębnione w jego masie strumienie lodowe płyną od środka czaszy lodowej ku wybrzeżom, wypełniając każde większe zagłębienie jęzorem lodowcowym. Największe tego typu lodowce to: Lamberta, Amundsena, Beardmore'a, Dawsona-Lambtona, Denmana, Mertza. Średnia szybkość spływu lodowych mas z kontynentu wynosi 200 m/rok. Najwolniej płyną lodowce we wnętrzu kontynentu, 10–30 m/rok, najszybciej lodowce szelfowe — 300–800 m/rok, a w krawędziowej strefie Lodowca Szelfowego Rossa do 2000 m/rok. Ruch lodowej masy jest najważniejszą przyczyną obrywania się gór lodowych, tak że ok. 90% objętości lodu jest tracone z lodowców szelfowych. Inne procesy, zwiewanie śniegu z lądolodu, topnienie lodów szelfowych w wodzie mor., powierzchniowe topnienie w strefie nadbrzeżnej, parowanie lądolodu, oddolne topnienie lodu w depresjach itp. są znacznie mniej intensywne. Uważa się, że bilans masy lądolodu jest dodatni, gdyż rocznie przybywa ok. 1010 mld ton lodu.

■ Antarktyda. Lodowiec na wybrzeżu Adeli

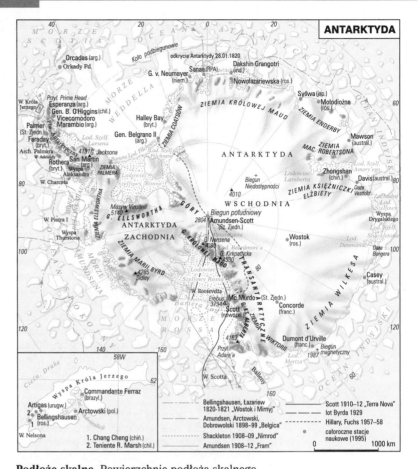

Podłoże skalne. Powierzchnię podłoża skalnego pod lądolodem A. Wschodniej stanowią wznoszące się ok. 300 m nad poziom morza równiny: Zachodnia i Wschodnia. Równina Zach., zajmująca obszar pomiędzy nadbrzeżnymi górami Ziemi Królowej Maud, G. Wiernadskiego i G. Transantarktycznymi, łączy się w okolicach bieguna geogr. z Równiną Wsch., która obejmuje stosunkowo mało urozmaicony obszar o lekko falistej powierzchni. Pod Ziemią Wilkesa rozciąga się Równina Schmidta ograniczona od pd.-zach. G. Gamburcewa, obejmująca w części centr. rozległe obniżenie kryptodepresyjne o znacznych głębokościach, do ok. 2000 m poniżej poziomu morza, które są najniżej położonymi miejscami A. Wschodniej. Na pd. od Wybrzeża Adeli jest położona rozległa Wyż. Wschodnia o wys. 1000–1500 m. Najwyższymi pasmami podłoża A. Wschodniej są G. Gamburcewa i G. Wiernadskiego, rozciągające się na dł. ok. 2500 km i szer. 200–500 km; maks. wysokości osiągają 3390 m.

Powierzchnie odkryte. Wznoszące się nad lądolodem górne partie G. Transantarktycznych ciągną się przez kontynent na dł. ok. 4000 tys. km, od zach. wybrzeży M. Rossa do wsch. brzegów M. Weddella; wznoszą się na wys. 2000–3000 m, maks. do 4528 m (G. Kirkpatricka). W A. Zachodniej największy grzbiet górski ciągnie się wzdłuż Płw. Antarktycznego — są to młode góry wypiętrzone podczas fałdowań alpejskich; wysokość pasma 1000–1500 m, maks. do 4191 m (G. Jacksona). Na Ziemi Ellswortha znajdują się najwyższe na A. góry Sentinel, których najwyższe szczyty przekraczają 5000 m, maks. do 5140 m (Vinson). Niewielkie obszary kontynentu nie pokryte lodem, zw. oazami, charakteryzują się obecnością wody w stanie płynnym w postaci odmarzających w lecie jezior i krótkich strumieni. Klimat lokalny oaz jest zawsze łagodniejszy niż na otaczających je lodowcach. Największe oazy nizinne (wzgórza): Bungera, Vestfolda, Grearsona, Schirmachera, największe — górskie (zw. suchymi dolinami): Taylora, Wrighta, Wiktorii.

Budowa i historia geologiczna. A. zajmuje centr. część antarktycznej płyty litosfery. Na obszarze A. wyróżnia się 3 gł. jednostki tektoniczne: prekambryjską platformę antarktyczną, obejmującą wsch. część kontynentu; platformę paleozoiczną, zajmującą część zachodnią A.; alp. strefę fałdową Płw. Antarktycznego i przybrzeżnych rejonów mórz: Bellingshausena i Amundsena. Platforma prekambryjska i paleozoiczna są częścią prakontynentu Gondwana, z którą były połączone do triasu; do oligocenu tworzyły jeden kontynent z Australią.

Fundament platformy prekambryjskiej składa się gł. z gnejsów, łupków krystal., fyllitów, migmatytów i marmurów. Skały te odsłaniają się wzdłuż wsch. wybrzeży kontynentu. Z tego obszaru (Ziemia Enderby) są znane najstarsze skały Ziemi, zw. enderbitami (alkaliczne czarnokity), o wieku 3,9 mld lat. Na fundamencie krystal. leżą górnoproterozoiczne i paleozoiczne skały osadowe i wulkaniczne.

Na zach. od platformy prekambryjskiej znajduje się platforma paleozoiczna, której fundament składa się z metamorficznych skał proterozoiku (łupki krystal., gnejsy, migmatyty) oraz z lekko zmetamorfizowanych kambryjskich i ordowickich skał okruchowych i wulk. grub. do 10 km. Występują one na powierzchni wzdłuż wybrzeży M. Rossa, w górach: Horlicka, Ellswortha i Transantarktycznych. Skały te są poprzecinane licznymi intruzjami wieku staropaleozoicznego.

Od dewonu do kredy na obu obszarach platformowych osadzały się piaskowce i łupki z przewarstwieniami węgla oraz wapienie, o łącznej miąższości dochodzącej do 3 km; wśród tych utworów występują 2 poziomy tillitów, będące śladami zlodowaceń sprzed 300 i 150 mln lat. Osady te leżą z reguły poziomo i są pocięte licznymi uskokami wieku mezozoicznego i kenozoicznego oraz żyłami dolerytów triasowych i jurajskich. Jedynie w G. Ellswortha występują wczesnomezozoiczne struktury fałdowe, zbud. ze słabo zmetamorfizowanych osadów okruchowych i węglanowych o miąższości ocenianej na 10 km; osady te powstały na pogrążającym się

skraju młodej platformy. W erze kenozoicznej platformy antarktyczne podlegały silnym ruchom pionowym, którym towarzyszyła działalność wulkaniczna. Powstały wówczas zrębowe wyniesienia zw. górami: Transantarktycznymi, Królowej Maud, Pensacola i Shackletona oraz góry Ziemi Enderby i Ziemi Królowej Maud; pasma te otaczają obniżoną część platformy prekambryjskiej, zw. centr. depresją antarktyczną. Na obszarze tej depresji podłoże skalne pod lądolodem, położone poniżej poziomu morza, jest słabo poznane. Na obszarze platformy paleozoicznej znajduje się Zapadlisko Rossa (w którym podłoże skalne znajduje się 2,5 km poniżej poziomu morza) oraz Zapadlisko Filchnera; zapadliska te powstały prawdopodobnie w czasie trzeciorzędowych ruchów tektonicznych.

Alpejskie pasmo fałdowe Płw. Antarktycznego rozciąga się od G. Ellswortha na pd. przez Ziemię Grahama do płw. Trinity na północy. Jego przedłużeniem jest łuk wyspowy pd. Antyli. Pasmo jest zbud. z intensywnie sfałdowanych późnoproterozoicznych skał metamorficznych o miąższości kilku km, paleozoicznych skał wapiennych i okruchowych o szacunkowej miąższości do 16 km, sfałdowanych w końcu permu lub w triasie. Ponadto w skład pasma wchodzą utwory młodsze: kontynent. osady okruchowe i wulk. wieku jurajskiego oraz mor. osady okruchowe wieku kredowego, sfałdowane w późnej kredzie, a także kenozoiczne lawy andezytowe i bazaltowe, przewarstwione piaskowcami i zlepieńcami, o łącznej miąższości do 2 km. Swą budową geol. pasmo fałdowe Płw. Antarktycznego przypomina Andy: wyróżnia się tu strefy równoległe do osi pasma. Jego część środk. zajmuje tzw. kordyliera centr., zbudowana ze skał górnoproterozoicznych i paleozoicznych, sfałdowanych w orogenezie hercyńskiej. Po obu stronach kordyliery centr. występują płytko- i głębokomor. osady kenozoiczne (łupki bitumiczne, piaskowce, mułowce, wapienie) oraz skały wulkaniczne. Ostatnie ruchy górotwórcze zachodziły tu w trzeciorzędzie i spowodowały powstanie wielkich zrębów i rowów tektonicznych.

Zlodowacenie A. rozpoczęło się ok. 30 mln lat temu, w oligocenie, gdy A. oderwała się od Australii i przemieściła się w strefę bieguna południowego.

Współczesne procesy geologiczne. Procesy tektoniczne, które doprowadziły do powstania alp. łańcucha Płw. Antarktycznego, trwają do dziś, z czym są związane ogniska trzęsień ziemi, a także współcz. aktywność wulkaniczna. Na całym niemal kontynencie działa erozja lodowcowa oraz wietrzenie fizyczne.

Zasoby geologiczne. Zasoby kopalin na obszarze A. nie są dostatecznie dobrze zbadane. Odkryto tu występowanie rud żelaza (Ziemia Królowej Maud), okruszcowanie niklem, miedzią i złotem oraz utwory diamentonośnych kimberlitów (Wybrzeże Księżniczki Marty, Wybrzeże Księżniczki Astrid), a także lokalne wystąpienia rud cyny, srebra, kobaltu, chromu i platynowców (Ziemia Grahama). Na szelfie kontynent. (M. Rossa) stwierdzono obecność gazu ziemnego w utworach mioceńskich. Żadne z wymienionych wystąpień kopalin nie ma znaczenia gospodarczego.

■ Antarktyda. Wulkan Erebus

Klimat. Położenie kontynentu A. wewnątrz koła podbiegunowego, rozmiary i kształt oraz wyniosłość nad poziomem wody w otaczających ją oceanach, a także brak w sąsiedztwie innych kontynentów powodują że pod względem klimatycznym bardzo się wyróżnia spośród innych; znajdują się na niej świat. bieguny klim., tzn. maks. natężenia promieniowania słonecznego w lecie, absolutnego chłodu, maks. prędkości wiatru, najmniejsze zawartości pary wodnej w atmosferze i in. Położenie kontynentu niemal w całości za kołem polarnym sprawia, że światło i ciepło słoneczne dochodzi w dniach o bardzo różnej długości, zależnie od szerokości geogr. (z uwzględnieniem refrakcji): na 70°S dzień polarny trwa 69 dób (19 XI–26 I) a na 90°S trwa 184 doby (21 VIII–23 III). W głębi lądu, dalej od wybrzeży i wpływu niżów wokółantarktycznych, zwiększa się liczba godzin ze słońcem, największa jest w strefie 70–80°S. Roczna suma całkowitego promieniowania słonecznego wynosi od 3280 MJ/m^2 na stacji Port Martin do 4325 MJ/m^2 na biegunie geogr. i 4540 MJ/m^2 na stacji Wostok. Powierzchnia A. w 97% pokryta nietającym lodem i śniegiem stale wypromieniowuje ciepło tak, że jego strata tą drogą wynosi 25%, a ponadto wysokie albedo śniegu i lodu sprawia, że straty dopływającego promieniowania podczas długich dni polarnych są ogromne. W rezultacie roczne saldo promieniowania jest ujemne: od –220 MJ/m^2 (Port Martin) do –255 MJ/m^2 (Wostok) i –290 MJ/m^2 na biegunie, jedynie w przybrzeżnych oazach jest dodatnie (Oasis 1575 MJ/m^2). Dopływ ciepła w drodze adwekcji znad oceanów do środka kontynentu jest prawie wyeliminowany, gdyż wysokie wybrzeża oraz wysokie ciśnienie atmosf. nad nim i wiejące znad niego bardzo silne wiatry stanowią dla dopływu skuteczną barierę. Dookoła A. z zach. na wsch. wędrują niże, które rzadko i tylko od strony mórz Weddella i Rossa wchodzą nad kontynent, docierając niekiedy aż do bieguna. Ogółem warunki klim. sprawiają, że A. jest najchłodniejszym kontynentem świata — na niemal całym jego obszarze temperatura powietrza jest ujemna; średnio w styczniu wynosi od –1°C na pn. krańcach Płw. Antarktycznego do –33°C na stacji Wostok. W lipcu odpowiednio –7°C do –72°C; w VIII 1960 na biegunie geogr. (stacja Amundsen–Scott) zanotowano –88,3°C, podczas gdy na wybrzeżach było cieplej o 24–54°C; na biegunie geogr. zarejestrowano 1965 najniższą temperaturę na Ziemi –94,5°C, najwyższą na kontynencie +11,6°C zanotowano przed 1958 na stacji Oazis; najwyższa odnotowana na biegunie geogr. wyniosła –15,0°C. Występujące w strefie brzeżnej częste i niezwykle silne wiatry znad kontynentu (rocznie 200–300 dni z prędkością ponad 10 m/s, w porywach nawet 60–90 m/s), a w części środk. wiatry o prędkości 4–6 m/s sprawiają, że klimat Antarktydy jest bardzo surowy i suchy. Często występują zamiecie śnieżne — ponad 200 dni w roku. Nad A. występuje silna i długotrwała (9–10 miesięcy) inwersja temperatury i wilgotności powietrza. Przychód pary wodnej z wyższych warstw atmosfery wewnątrz kontynentu jest gł. źródłem akumulacji śniegu w postaci igieł lodowych z atmosfery lub resublimacji wprost na śniegu. Na A. jest małe zachmurzenie, zwł. podczas nocy polarnej, kiedy w części wewn. kontynentu dni pogodne stanowią 65–70%, podczas gdy na Płw. Antarktycznym — 16%. Opady występują niemal wyłącznie w postaci stałej; deszcz zdarza się niezwykle rzadko i jedynie na wybrzeżach; niewielka roczna suma opadów: od ponad 500 mm na Płw. Antarktycznym i wybrzeżach Ziemi Wilkesa do mniej niż 50 mm we wnętrzu A. Wschodniej. A. w całości leży w strefie klimatów okołobiegunowych, wyróżnia się 2 grupy klimatów: klimaty podbiegunowe z cechami mor. (w najcieplejszym miesiącu temp. ponad 0°C), które obejmują jedynie pn. część Płw. Antarktycznego i sąsiednie wyspy, oraz dominujące na kontynencie klimaty biegunowe (w najcieplejszym miesiącu temp. poniżej 0°C), wśród których wyraźnie zaznacza się w pasie przybrzeżnym klimat biegunowy mor. o małej rocznej amplitudzie temperatury, większej wilgotności powietrza, dużym zachmurzeniu i większych opadach, następnie pas klimatu biegunowego kontynent. z bardzo silnymi wiatrami i bardzo niską temperaturą, choć wskutek efektu fenowego nieco podwyższoną i dlatego mniejszą wilgotnością powietrza, mniejszym zachmurzeniem i małymi opadami; wokół bieguna geogr. panuje jedyny w swoim rodzaju na Ziemi klimat biegunowy o bardzo silnych i wybitnych cechach kontynent. z wyjątkowo niską temperaturą, znikomą wilgotnością powietrzu i bardzo skąpymi opadami.

Gleby. Typy gleb, jak kriosole, na A. są bardzo słabo poznane, klasyfikacja jest opracowywana. Wolne od lodu oazy antarktyczne pokrywa materiał gruzowy i kamienisty, ubogi w cząstki iłowe i pyłowe. Okruchy skał bywają powleczone lakierem żelazisto-manganowym i skorupkami soli, gł. wapniowych. Lokalnie na powierzchniach skał i w szczelinach wypełnionych drobnym materiałem mineralnym rosną nieliczne mchy i porosty. Dna niektórych przesychających jezior pokrywa cienka na 10–20 cm warstwa gytii, zawierająca kilka procent, gł. glonowej, substancji org. ze znacznymi niekiedy ilościami soli łatwo rozpuszczalnych. W miejscach gniazdowania ptaków oraz na powierzchniach zajmowanych przez pingwiny i foki wytworzyły się gleby zoogeniczne, m.in. ornitosole.

Świat roślinny. Roślinność A. jest skrajnie uboga; tworzą ją zubożałe zbiorowiska odporne na zimno, zdolne przetrwać długie zimowe okresy całkowitej, lub częściowej, ciemności; jej wzrost trwa krótko, maksymalnie do 2 miesięcy; woda, limitująca rozwój roślinności, osiągalna jest jedynie z pary wodnej oraz lokalnych roztopów śniegu, lodu lub wiecznej zmarzliny; ekstremalne zimno, silne wiatry i suchość powietrza uniemożliwiają rozwój roślinności; są jednak miejsca, nawet w wysokich szerokościach geogr. i na dużych wysokościach, gdzie na skutek ogrzewania słonecznego, tworzą się specyficzne warunki mikroklim. umożliwiające rozwój form żywych, np. w Suchych Dolinach na terenie Ziemi Wiktorii — glony, grzyby i porosty żyjące w pęknięciach i porowatych kanalikach skał piaskowych i granitów. Większość roślinności występuje na niewielkich, wolnych od lodu, nadmor. skrawkach lądu, gdzie rosną gł. porosty (125 gat.) oraz mchy i wątrobowce (łącznie ok. 30 gat.) oraz 2 gat. roślin naczyniowych: śmiałek antarktyczny i kolobant (*Colobanthus quitensis*). Najwięcej gat. stwierdzono w glebie zach. brzegów Płw. Antarktycznego: sinice, okrzemki, grzyby (drożdże i in. workowce oraz sprzężniaki) i bakterie; w nielicznych zbiornikach i ciekach wodnych, rozmarzających podczas okresu letniego, występują: fitoplankton słodkowodny, sinice, mchy wodne i zielenice. Najbardziej wysunięte na pd. stanowisko zasiedlone przez porosty jest położone 400 km od bieguna południowego.

Świat zwierzęcy. Fauna A. i nieco bogatsza fauna przybrzeżnych wysp stanowią część specyficznego zespołu, jakim jest świat zwierzęcy Antarktyki (→ Antarktyka — Warunki naturalne: Świat zwierzęcy); dla ochrony fauny i zachowania w stanie nie zmienionym jej naturalnego środowiska utworzono 7 rezerwatów, największy (160 tys. ha) na zach. brzegu Zat. Admiralicji.

Sytuacja prawna

11 XII 1959 odbyła się w Waszyngtonie konferencja 12 państw, uczestników Międzynar. Roku Geofiz., zakończona podpisaniem układu w sprawie A. (ratyfikowany przez Polskę 1961). Układ przewidywał m.in.: wykorzystanie obszaru A. wyłącznie do celów pokojowych i zakaz wszelkich działań o charakterze wojsk. (zakładanie baz wojsk., przeprowadzanie manewrów wojsk. oraz wypróbowywanie broni jakiegokolwiek rodzaju), zakaz dokonywania wszelkich wybuchów jądrowych i wprowadzania na terytorium A. materiałów rozszczepialnych oraz składowania odpadów promieniotwórczych, wolność badań nauk. w A. i międzynar. współpracę w tej dziedzinie, zwł. w zakresie wymiany informacji i obserwacji nauk. oraz wymiany personelu między stacjami i ekspedycjami. Postanowienia traktatu dotyczą obszarów na pd. od 60 równoleżnika, łącznie z lodowcami szelfowymi. Państwa, które wynegocjowały traktat postanowiły, że będą odbywać konsultacje w celu formułowania zaleceń dotyczących realizacji jego zasad; inne państwa mogą być dopuszczane do konsultacji, jeśli wykażą zainteresowanie A. i będą zakładały tam stacje nauk. lub wysyłały ekspedycje. W 1977 Polska, która założyła i utrzymuje stację nauk. na W. Króla Jerzego, została dopuszczona do konsultacji jako 13 państwo (1998 było 26 takich państw). W 1980 została przyjęta kon-

■ Antarktyka. Stacja badawcza Arctowski na Wyspie Króla Jerzego

wencja o zachowaniu żywych zasobów morskich A., której celem jest współpraca w ochronie środowiska mor. i ekosystemu antarktycznego, a 1988 — konwencja dotycząca zasobów miner. A.; ze względu na konieczność ochrony środowiska A. 1991 podpisano protokół do układu, zawierający zakaz eksploatacji przez co najmniej 50 lat minerałów i ropy naftowej.

Badania naukowe

A. jest jedynym w swoim rodzaju laboratorium badań zachodzących współcześnie globalnych zmian w przyrodzie, np. takich jak zanik ozonosfery (zjawisko dziury ozonowej), zanieczyszczenie atmosfery nasilające efekt cieplarniany, zmiany klimatu lub podnoszenie się poziomu oceanu światowego. Lądolód A. jest także unikatowym zapisem dziejów ziemskiego klimatu. Eksplorację A. rozpoczęto około 200 lat temu w celu zarówno poznania, jak i eksploatacji kontynentu ale nauka przeważnie zajmowała drugie miejsce, ustępując nar. lub prywatnym interesom. Rzetelne poznanie kontynentu było możliwe jedynie w ramach zaplanowanej międzynar. współpracy, którą po raz pierwszy osiągnięto podczas Międzynar. Roku Geofizycznego 1957–58. Jego powodzenie uwieńczyło opracowanie *Układu Antarktycznego* (1959), ratyfikowanego 1961, ustanawiającego A. łącznie z Antarktyką rezerwatem przyrody, przeznaczonym tylko do celów nauk. i pokojowych. Od 1958 międzynar. współpracę nauk. realizuje Kom. Nauk. do Badań Antarktycznych (SCAR) jako pozarządowa organizacja inicjująca, promująca i koordynująca działalność nauk. w Antarktyce. W 1989 powstała Rada Zarządców Nar. Programów Antarktycznych w celu wspierania techn. i logistycznej współpracy państw aktywnych w Antarktyce. Oprócz międzynar. wielotematycznych programów badawczych wykonuje się również dużo nauk. programów narodowych. W 1998 działały w Antarktyce 42 całoroczne stacje badawcze, należące do 18 państw: Argentyny, Brazylii, Francji, Indii, Japonii, Korei Pd., Niemiec, Nowej Zelandii, Polski, RPA, Rosji, Stanów Zjedn., Ukrainy, Urugwaju, W. Brytanii, których załogi liczyły w lipcu ponad 1050 osób. Na większości stacji pracuje zimą 10–20 osób, latem 20–40. Najwięcej stacji znajduje się na Płw. Antarktycznym i sąsiednich wyspach a nieformalną stolicą A. jest W. Króla Jerzego (Szetlandy Pd.) na której 8 państw: Argentyna, Brazylia, Chile, Chiny, Korea Pd., Polska, Rosja i Urugwaj, zał. stałe stacje. Polska rozpoczęła własne badania nauk. najpierw w A. Wschodniej, zakładając 1959 stację PAN im. A.B. Dobrowolskiego (dawna ros. Oazis), w Oazie Bungera, gdzie następnie kilkakrotnie Polacy prowadzili badania, a w lecie 1978–79 stacja była miejscem pracy wyprawy zorganizowanej przez Inst. Geofizyki PAN. Od tego czasu ze względu na wysokie koszty transportu i trudną dostępność stacja nie wznawiała pracy. W XII 1976 Inst. Ekologii PAN zorganizował pod kierownictwem S. Rakusy-Suszczewskiego wyprawę, której celem było zbudowanie stacji nauk. PAN na W. Króla Jerzego w Szetlandach Pd. (Antarktyka Zach.). Oficjalne otwarcie stacji im. H. Arctowskiego 26 II 1977 pozwoliło Polsce uzyskać status państwa-strony *Układu Antarktycznego*. ■

Antarktyka, region wokół pd. bieguna geogr. w strefie polarnej i subpolarnej obejmujący kontynent Antarktydy oraz otaczające ją części 3 oceanów: Atlantyckiego, Indyjskiego i Spokojnego. Nazwa pochodzi od gr. *Antarctos* ['leżący po przeciwległej stronie do ziem północnych'; gr. *Arctos* 'ziemie północne']. Granice A. jako wielkiego regionu fizycznogeogr. wyznacza się na oceanach albo wzdłuż konwergencji antarktycznej albo wzdłuż równoleżników: 60°S wg *Układu Antarktycznego* lub 45°S wg programu organizacji FAO. Powierzchnia, do konwergencji, jest oceniana na 52,2 mln km²; ok. 38 mln km² zajmują pd. części oceanów a 14 mln km² — Antarktyda. Na oceanach A. obejmuje archipelagi Falklandów, Szetlandów Pd., Orkadów Pd. i Sandwich Pd. oraz wyspy: Kerguelena, Georgię Pd., Księcia Edwarda, Crozeta, Balleny'ego, Bouveta i in.

Warunki naturalne

Warunki naturalne powierzchni lądowych → Antarktyda (Warunki naturalne).

Ocean Antarktyczny. Południowe części oceanów tworzące łącznie rozległy akwen zw. O. Antarktycznym lub O. Południowym są największym jednolitym mor. ekosystemem na Ziemi, w którym kierunki cyrkulacji wód i rozmieszczenie mas wodnych istnieją od co najmniej 20 mln lat. Przy brzegach kontynentu płynie w kierunku zach. niewielki prąd powierzchniowy, zw. Prądem Wiatrów Wsch., w wyniku oddziaływania wiatrów wsch. wypływających z wyżu polarnego zalegającego stale nad lądolodem Antarktydy. Głównym prądem morskim A. i największym w oceanie świat. jest płynący głębokim nurtem w kierunku wsch. Antarktyczny Prąd Okołobiegunowy, którego część powierzchniowa nosi nazwę Prądu Wiatrów Zachodnich. Wywołują go częste i silne na tych szerokościach geogr. wiatry zach. oraz liczne cyrkulujące niże. Blisko kontynentu, między obu prądami, występuje strefa dywergencji antarktycznej, w której wskutek niższego ciśnienia atmosf. oraz braku piknokliny w wodzie mor., następuje wynoszenie na powierzchnię wód wgłębnych. Natomiast na pn. od Antarktycznego Prądu Okołobiegunowego, w strefie konwergencji antarktycznej, wysokie ciśnienie powietrza powoduje zstępowanie zimnych wód powierzchniowych pod cieplejsze wody strefy subtropikalnej. Masy wodne O. Antarktycznego są w znacznym stopniu modyfikowane przez zjawiska lodowe. Góry lodowe (ok. 200 tys. obiektów, łączna objętość ok. 2 tys. km³) dryfując średnio 10 lat, gł. do strefy konwergencji antarktycznej, topią się wysładzając wody powierzchniowe, co sprzyja stabilizacji warstwy eufotycznej i stwarza korzystne warunki do rozwoju fitoplanktonu. Lód mor. (pak lodowy) przechodzi w A. silne cykle sezonowe formowania się i zanikania; zajmuje on od ok. 4 mln km² w lutym podczas minimum letniego do ok. 20 mln km² we wrześniu (zima). Obok niezwykle dynamicznych i zmiennych czynników środowiska istnieją czynniki stabilne, przede wszystkim skrajnie niska na całym obszarze temperatura wody, bliska punktu zamarzania, wahająca się w bardzo wąskim przedziale, od –2°C do 1–2°C. Organizmy zasiedlające A. należą w konsekwencji do skrajnie zim-

■ Antarktyka. Argentyński lodołamacz Irizar wśród gór lodowych na Morzu Weddella

nolubnych stenotermów. Wody mor. są stale silnie nasycone tlenem i substancjami biogennymi.

Świat roślinny i zwierzęcy. Występuje jedynie na wolnych od lodu skrawkach lądu, najczęściej w nadmor. oazach lub na nunatakach w głębi kontynentu; zbiorowiska roślinne zajmują zazwyczaj bardzo małe powierzchnie, cechuje je skrajne ubóstwo gatunkowe, spośród roślin naczyniowych występują jedynie 2 gat. rodzime: śmiałek antarktyczny (kolobant, *Colobanthus quitensis*). Najliczniej są reprezentowane gat. przystosowane do skrajnego przechłodzenia oraz o wyjątkowej odporności na wysychanie; jest to ponad 700 gat. glonów, ok. 300 gat. porostów i ponad 120 gat. mszaków.

W A. wyróżnia się 2 prowincje fitogeogr.: Antarktykę kontynentalną obejmującą Antarktydę ze wsch. wybrzeżami Płw. Antarktycznego i Antarktykę morską, do której zalicza się zach. wybrzeża Płw. Antarktycznego oraz Szetlandy Pd., Orkady Pd., Sandwich Pd. i W. Bouveta. Analiza współcz. flory A. jest utrudniona ze względu na taksonomiczne niejasności i nieadekwatne dane chronologiczne, np. wg wcześniejszych danych aż 90% gat. porostów zaliczano do endemitów. Nowsze badania zredukowały bardzo liczbę endemitów, lecz dokładne dane trudno jeszcze ustalić. Fauna ściśle lądowa i słodkowodna jest związana wyłącznie z wybrzeżami Antarktydy i jest skrajnie uboga. Są to tylko bezkręgowce, nieliczne gat. z kilku zaledwie grup, jak np. nicienie, wrotki, niesporczaki,

■ Antarktyka. Kolonia pingwinów

roztocza, skoczogonki, muchówki, pchły; wiele gat. stawonogów jest pasożytami ptaków i fok. W glebach i zbiornikach słodkowodnych dominują pierwotniaki. Bogatszy zespół zwierząt stanowią te, które przybywają tylko na czas antarktycznego lata, aby tu wychować potomstwo, pożywienie zaś czerpią z morza; są to 4 endemiczne gat. fok (foka Weddella, krabojad, lampart mor. i foka Rossa), 2 gat. pingwinów — pingwin Adeli i pingwin cesarski oraz kilka gat. nawałników i petreli. Na wyspach subantarktycznych fauna jest znacznie bogatsza; występuje tu więcej gat. fok (m.in. pd. słoń mor.), uchatek (np. otaria, kilka gat. kotików), pingwinów (stanowią 87% awifauny A.; spośród 18 znanych gat. 7 zamieszkuje A., a tylko pingwin cesarski i pingwin Adeli gniazdują na kontynencie), nawałników, petreli, wydrzyków (petrel olbrzymi i wydrzyk antarktyczny żywią się gł. pisklętami pingwinów i in. ptaków) i albatrosów, a ponadto mewy, rybitwy, kormorany. Warto jednak pamiętać, że zlodowacenie Antarktydy datuje się dopiero od miocenu; znana ze szczątków kopalnych triasowa i jurajska fauna A. nie różni się wiele od fauny pd. Afryki, a pingwiny są prawdopodobnie jej jedynymi potomkami. Fauna przybrzeżnych wód mor. A. jest bardzo bogata i różnorodna. We wszystkich prawie grupach zwierząt gat. endemiczne stanowią większość, np. wśród ryb 90%, ślimaków 93%, małżów 79%, nawet wśród wieloszczetów, które na ogół mają duże zasięgi i rzadko bywają endemitami — aż 50%; spośród ryb są tu aż 4 endemiczne rodziny: *Bathydraconidae, Harpagiferidae,* ryby białokrwiste i nototenie; ichtiofauna antarktyczna jest stosunkowo uboga; większość to ryby denne. Fauna pelagiczna to gł. widłonogi (ponad 140 gat.) i kryl (6 gat.); charakterystycznym przedstawicielem pelagialu A. jest też osłonica — *Salpa thompsoni;* żyje tu także ponad 20 gat. głowonogów; bardzo liczne są szkarłupnie, skorupiaki, mszywioły, jamochłony i in.; szczególnie liczne i różnorodne są osobliwe kikutnice. Znamienną cechą fauny A. była wielka obfitość wielorybów płetwali, a do czasów obecnych niezmiernie obficie występuje kryl, który był podstawą ich wyżywienia; krylem żywią się też liczne ryby i kałamarnice, pingwiny i in. ptaki, a także foki, zwł. krabojad; wieloryby są reprezentowane przez 6 gat. fiszbinowców: płetwala błękitnego, finwala, sejwala, płetwala karłowatego, długopłetwca i wieloryba pd., oraz 5 gat. zębowców, m.in. kaszalota i orkę. Ze względu na rabunkową gospodarkę na pocz. XX w. niektóre gat. wielorybów zostały praktycznie wytępione.

Ochrona środowiska. Po raz pierwszy ochroną przyrody A. zajęła się 1959 konferencja Kom. Nauk. do Badań Antarktycznych (SCAR), której uczestnicy zwrócili się do zainteresowanych państw z apelem o współpracę w dziedzinie ochrony bogactw naturalnych regionu. W efekcie SCAR zalecił sygnatariuszom *Układu Antarktycznego,* do czasu uzgodnienia wspólnych zasad, przyjęcie jako formy tymczasowej — nar. zasad ochrony przyrody. Kolejnym krokiem było przyjęcie 1964 tekstu *Uzgodnionych środków zachowania fauny i flory Antarktyki,* zgodnie z którym ochroną objęta jest A. i wszystkie wyspy

■ Antarktyka. Słonie morskie

oraz lodowce szelfowe na południe od 60°S. Zasady te nie dotyczą wielorybów, bezkręgowców i ryb, a także mogą być przekraczane w wypadkach skrajnej konieczności, np. zagrożenia życia ludzi. W IV 1982 weszła w życie *Konwencja o zachowaniu żywych zasobów morskich w Antarktyce* (CCAMLR). Ma ona zastosowanie do skorupiaków, mięczaków, ryb oraz wszystkich innych gatunków żywych organizmów, łącznie z ptakami, na obszarze na południe od konwergencji antarktycznej. Wszelkie połowy i związana z nimi działalność na obszarze objętym konwencją winny być wykonywane zgodnie z następującymi zasadami: 1) zapobieganie zmniejszeniu liczebności jakiejkolwiek odławianej populacji do poziomu granicznego, zapewniającego stałe jej uzupełnianie; 2) utrzymanie wzajemnych powiązań ekol. między populacjami odławianymi a zależnymi i powiązanymi z nimi populacjami żywych zasobów mor. w A. oraz odtwarzanie populacji odławianych do poziomu zapewniającego stałe odnawianie; 3) zapobieganie zmianom lub minimalizacja ryzyka zmian w ekosystemie mor. potencjalnie nieodwracalnym w ciągu 2 lub 3 dziesięcioleci. CCAMLR jest otwarta dla wszystkich państw zainteresowanych badaniami i połowami żywych zasobów mor. w A. W 1988 uzgodniono tekst konwencji o zasobach miner. A. (CRAMRA), który nie został jednak ratyfikowany przez Francję i Australię, w wyniku czego państwa-strony *Układu Antarktycznego* wynegocjowały *Protokół o ochronie środowiska,* którego tekst znany jako *Protokół Madrycki* przyjęto 1991. Protokół obowiązuje od I 1998, po ratyfikowaniu go przez wszystkich 26 czł. konsultatywnych *Układu Antarktycznego.* Protokół obejmuje wszechstronną ochronę środowiska A. oraz precyzyjnie określa zasady ludzkiej działalności w tym regionie. Ustanawia on A. „rezerwatem przyrody poświęconym pokojowi i nauce", zabrania eksploatacji górniczej przez okres przynajmniej 50 lat oraz wymaga przeprowadzenia oceny oddziaływania inwestycji na środowisko w celu zminimalizowania skutków negatywnych. W 5 załącznikach do protokołu są sformułowane zarządzenia dotyczące oddziaływania inwestycji, gospodarowania odpadami, ochrony flory i fauny, zanieczyszczenia mórz oraz ochrony obszarów specjalnych; negocjowany jest szósty załącznik, dotyczący odpowiedzialności finansowej za zniszczenie środowiska. Płetwonogie i wieloryby są chronione dodatkowo odrębnymi aktami prawnymi. W 1946 powołano Międzynar. Komisję Wielorybnictwa, która ustaliła listę gatunków całkowicie chronionych, z których w A. występują płetwal błękitny, humbak, wal biskajski, oraz wyznaczyła sezony i terminy połowów, limity wymiarów i limity połowowe. W 1994 Komisja wyznaczyła rezerwat wielorybów na większej części O. Antarktycznego, w której obrębie obowiązuje całkowity zakaz połowów wielorybów. W 1978 weszła w życie *Konwencja o ochronie fok antarktycznych* (CCAS), która zabrania obywatelom państw-sygnatariuszy oraz statkom pod ich banderą, zabijania i łowienia wszystkich gatunków płetwonogich na obszarze objętym konwencją. Ustala ona również roczne limity odłowów fok w A. dla fok krabojadów, lampartów mor. i fok Weddella. Całkowicie zabroniono zabijania i łapania fok Rossa, słoni mor. i uchatek antarktycznych. Polska jest sygnatariuszem wszystkich aktów prawnych dotyczących racjonalnej eksploatacji i ochrony żywych zasobów regionu.

Antigua i Barbuda, Antigua and Barbuda, państwo w Ameryce Środk. (Indie Zach.), na wyspach Antigua i in., w Małych Antylach (W. Podwietrzne); 442 km^2; 70 tys. mieszk. (2002), Murzyni i Mulaci, gł. protestanci; stol. i gł. port Saint John's; język urzędowy ang.; monarchia konstytucyjna. Wyspy wulkaniczne i koralowe; klimat podrównikowy wilgotny, cyklony; lasy równikowe; obsługa turystów; 2 amer. bazy wojsk.; uprawa trzciny cukrowej, bawełny; produkcja cukru i rumu; rafineria ropy naftowej.

Antrim, wyżyna w pn.-wsch. części Irlandii Pn.; wys. do 554 m (w masywie górskim Trostan); zbud. z wapieni i białej kredy przykrytych bazaltami; na pn. wybrzeżu abrazja mor. odsłoniła słupy bazaltowe, ścinając ich górne części; powstała powierzchnia (przypominająca gigantyczny bruk, stąd nazwa Giant's Causeway 'droga olbrzymów') wpisana na Listę Świat. Dziedzictwa Kult. i Przyr. UNESCO; na pd. w tektonicznym obniżeniu leży jez. Lough Neagh; rozległe wrzosowiska, dużo torfowisk; hodowla bydła, owiec; turystyka.

antropogeniczne formy, formy powierzchni Ziemi powstałe w wyniku niszczącej lub budującej działalności człowieka; formy wklęsłe: kamieniołomy, glinianki, kanały i in., formy wypukłe — np. hałdy, nasypy kol., wały przeciwpowodziowe; w Polsce najwięcej f.a. występuje na Górnym Śląsku.

antropogeografia [gr.], geografia człowieka, nauka badająca rozmieszczenie człowieka na Ziemi (rasy, narody, języki, religie, cywilizacje) oraz efekty jego działalności gosp. w powiązaniu z warunkami naturalnymi; a. bada związki między społeczeństwem a środowiskiem geogr. w ujęciu dynamicznym, czasowym i przestrzennym; problematyka a. była znana i uwzględniana od starożytności, ale rozkwit a. nastąpił w XIX w.; rozwinęły się 3 gł. koncepcje dotyczące związków między przyrodą a społeczeństwem: determinizm geogr. (silny wpływ środowiska geogr. na życie i działalność człowieka), nihilizm geogr. (antyteza determinizmu; negacja istnienia jakichkolwiek zależności) i posybilizm geogr. (równowaga i współzależność czynników naturalnych i społ.). A. nie jest terminem przyjętym powszechnie, używa się także nazw geografia ekon., geografia społ. i in.

■ Antwerpia. Zabytkowe kamienice przy Grote Markt

Antwerpia, flam. **Antwerpen,** franc. **Anvers,** m. w Belgii, nad Skaldą, 80 km od jej ujścia do M. Północnego; ośr. adm. prow. Antwerpia; 194 tys. mieszk., zespół miejski 444 tys. (2002); 2. po Rotterdamie port mor. Europy; przeładunki ponad 100 mln t, gł. ropa naft. i rudy metali; kompleks rafinerii, hut; słynne szlifiernie diamentów; giełda; 2 uniw., Akad. Sztuk Pięknych (zał. 1663), Akad. Mor.; muzea (Dom Rubensa). Prawa miejskie 1291; katedra got. (XIV–XVI w.), liczne kościoły (XV, XVII w.), zamek Steen (XVI w.), renes. ratusz (XVI w., C. Floris) i giełda, kamienice (XVI–XVII w.). ■

Antyatlas, Al-Aṭlas as-Ṣaghīr, franc. **Anti-Atlas,** pasmo górskie w pd.-zach. Atlasie, w Maroku; dł. ok. 600 km; najwyższy szczyt Imkut (2531 m); zbud. z prekambryjskich skał metamorficznych (gnejsy, kwarcyty, fyllity) i skał paleozoicznych (wapienie, piaskowce i skały wulk.) sfałdowanych w orogenezie hercyńskiej, ostatecznie uformowany w orogenezie alp. w wyniku wypiętrzenia wzdłuż uskoków.

antycyklon, system cyrkulacji atmosf. występujący w → wyżach atmosferycznych; wirowy układ wiatrów o kierunku zgodnym z kierunkiem ruchu wskazówek zegara na półkuli pn. i o kierunku przeciwnym do kierunku tego ruchu na półkuli pd.; a. są charakterystyczne zwł. dla stref zwrotnikowych; ich średnica może przekraczać 2 tys. km, a prędkość przemieszczania się dochodzi do 30 km/h; występują też a. stacjonarne; w obszarze a. panuje zazwyczaj pogoda z małym zachmurzeniem, w umiarkowanych szerokościach geogr. latem upał, zimą — mróz; w praktyce pojęcia a. i wyż traktuje się b. często jako synonimy. Zob. też cyklon.

antyklina [gr.], **siodło,** jedna z 2 podstawowych form → fałdu, której jądro jest zbud. ze skał starszych niż skrzydła.

antyklinorium [gr.], struktura tektoniczna o charakterze regionalnym, złożona z → fałdów, wyniesiona względem otoczenia, np. a. środkowopolskie. Zob. też synklinorium.

Antyle, hiszp. **Antillas,** ang. i franc. **Antilles,** hol. **Antillen,** wyspy w Ameryce Środk., w Indiach Zach.; ciągną się łukiem dł. ok. 4500 km od

■ Antigua i Barbuda

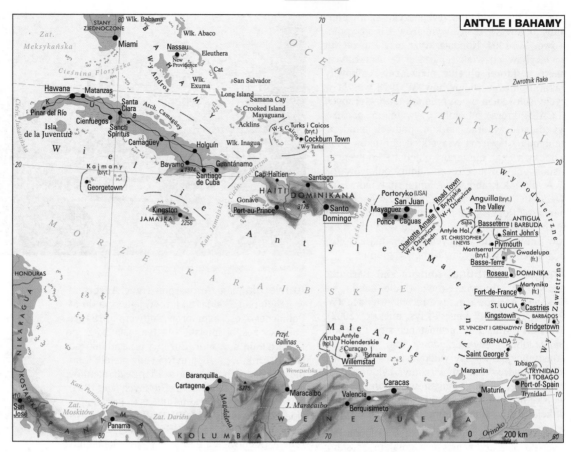

pł w. Jukatan w Meksyku do wybrzeży Wenezueli; tworzą granicę między M. Karaibskim a Zat. Meksykańską i otwartym O. Atlantyckim; pow. 221 tys. km^2; na A. leży 12 państw i 10 terytoriów zależnych; dzielą się na Wielkie Antyle, pochodzenia kontynent. i Małe Antyle, gł. pochodzenia wulk. i koralowego; do Wielkich Antyli należą wyspy: Kuba, Haiti, Puerto Rico, Jamajka; Małe Antyle obejmują: W. Podwietrzne, W. Zawietrzne, Barbados, Trynidad i Tobago oraz wyspy u pn. wybrzeży Wenezueli, największe: Margarita, Bonaire, Curaçao i Aruba.

Antyle Holenderskie, De Nederlandse Antillen, autonomiczne terytorium Holandii w Ameryce Środk. (Indie Zach.); obejmują wyspy wulkaniczno-koralowe: Curaçao, Bonaire, Saint-Martin i inne na M. Karaibskim; pow. 800 km^2; 255 tys. mieszk. (2002), gł. Murzyni i Mulaci; katolicy; stol. i gł. port Willemstad; język urzędowy: holenderski, papiamento (kreolski). Klimat równikowy wilgotny, cyklony. Przetwórstwo ropy naft.; usługi finansowe; turystyka; przemysł elektrotechn.; uprawa pomarańczy gorzkiej (likier Curaçao). Wyspy zamieszkane przez Indian, odkryte w końcu XV w. przez K. Kolumba.

Antyliban, Al-Jabal ash-Sharqī, pasmo górskie na granicy Syrii i Libanu; najwyższy szczyt Dżabal asz-Szajch, 2814 m; zbud. gł. z trzeciorzędowych wapieni i utworów wulk.; stromo opada na zach. do rowu tektonicznego Bekaa; rozwinięte zjawiska krasowe; u podnóża suche stepy, wyżej lasy jałowcowe i kolczaste traganki; przez Antyliban przechodzi linia kol. i droga samochodowa Damaszek–Bejrut.

antypasat [gr.-hol.], wiatr o kierunku zach., wiejący w górnej troposferze; a. były dawniej uważane za wiatry o kierunku przeciwnym do pasatów, stanowiące ogniwo zamykaja ce w cyrkulacji międzyzwrotnikowej; najnowsze opisy ogólnej cyrkulacji atmosf. nie uwzględniają a.

antypody [gr.], przeciwległe obszary na kuli ziemskiej, położone w jednakowych szerokościach geogr. różnych półkul i na południkach oddalonych od siebie o 180°; a. Polski leżą w pd. części O. Spokojnego, ok. 2 tys. km na pd.-wsch. od Nowej Zelandii.

Apenin Abruzyjski, Appennino Abruzzese, Abruzzy, najwyższa część Apenin, we Włoszech; wys. do 2912 m (szczyt Corno Grande w masywie Gran Sasso dItalia); zbud. z wapieni; strome stoki rozcięte głębokimi dolinami; duże powierzchnie pozbawione roślinności; słabo zaludnione; turystyka, sporty zimowe; od 1923 lasy bukowe i jodłowe na pd. pod ochroną (Park Narodowy Abruzzo); na pn. Park Nar. Gran Sasso e Monti della Lago.

Apenin Kalabryjski, Appennino Calabro, góry w pd. części Płw. Apenińskiego (na Płw. Kalabryjskim), we Włoszech; 3 hercyńskie masywy granitowo-gnejsowe: La Sila 1929 m, La Serra 1423 m i Aspromonte 1956 m, obrzeżone neogeńskimi osadami fliszowymi; wysokie i strome stoki masywów porozcinane dolinami, w których płyną potoki; rozległe wierzchowiny są szczątkami wypiętrzonej powierzchni zrównania; w dolnym piętrze zarośla makii, powyżej lasy bukowe, kasztanowe; obszar silnie sejsmiczny, w ciągu ostatnich 3 stuleci było tu 20 katastrofalnych trzęsień ziemi; na pd. Park Nar. Aspromonte, na pn. Park Nar. Calabria.

Apenin Liguryjski, Appennino Ligure, najdalej na pn.-zach. wysunięte pasmo górskie Apenin, we Włoszech; wys. do 1803 m; stromymi urwistymi stokami opada do wybrzeży Zat. Genueńskiej; pn. stoki połogie; lasy kasztanowe i bukowe; w dolnym piętrze sady i winnice; przez A.L. przechodzi autostrada Mediolan–Genua.

Apeniny, Appennino, Appennini, łańcuch górski we Włoszech, na Płw. Apenińskim; ciągnie się od przełęczy Cadibona po Cieśn. Mesyńską; dł. 1350 km, średnia wys. 1200 m, maks. 2912 m (szczyt Corno Grande w masywie Gran Sasso d'Italia). Apeniny powstały w orogenezie alp.; zbud. gł. ze skał mezozoicznych i trzeciorzędowych ujętych w fałdy i płaszczowiny; skały paleozoiczne odsłaniają się w jądrach stref antyklinalnych w Apeninach Środkowych i Apeninie Toskańsko-Emiliańskim oraz w hercyńskich masywach śródgórskich (A. Kalabryjski); z fałdowaniem był związany silny wulkanizm (rozległe pokrywy lawowe); ruchy tektoniczne w A. nie zostały jeszcze zakończone, o czym świadczą częste trzęsienia ziemi. A. dzielą się na: A. Północne (do źródeł Tybru), A. Środkowe (do rz. Volturno i Sangro) i A. Południowe; zach. podgórza A. tworzą Preapenin Tyrreński, wsch. — Preapenin Adriatycki. A. Północne zbud. gł. ze zlepieńców, piaskowców i margli, odznaczają się łagodnością form grzbietowych. A. Środkowe, zbud. gł. z wapieni i dolomitów, składają się z masywów górskich o spłaszczonych wierzchowinach i stromych stokach; oprócz małych form krasowych (leje, uwały, żłobki) powstały tu rozległe obniżenia bezodpływowe (kotliny krasowe); w najwyższym piętrze ślady zlodowacenia plejstoceńskiego (cyrki, żłoby lodowcowe, mutony). W pn. części A. Południowych wznoszą się wapienne stoliwa silnie skrasowiałe, na pd. od zapadliska rz. Crati — masywy krystaliczne. Częste trzęsienia ziemi powodują ześlizgiwanie się zwartych mas zwietrzelinowych i skalnych ze stoków (liczne obrywy skalne i osuwiska). Klimat górski w strefie podzwrotnikowej (typu śródziemnomor.); ilość opadów silnie uzależniona od rzeźby terenu i ekspozycji stoków; najniższe opady (600–800 mm) na wsch. stokach i w kotlinach, najwyższe (2000–3000 mm) na pd.-zach.; wysoko w górach zimą tworzy się pokrywa śnieżna (najdłużej utrzymuje się w Apeninie Abruzyjskim — ok. 3 mies.). W A. mają źródła rz.: Tyber, Arno, Volturno; potoki górskie niosą duże ilości rumoszu, w lecie wysychają. Na stokach lasy zrzucające liście na zimę: dębowe i kasztanowe (do 900 m na pn. i 1100 m na pd.) oraz bukowe z niewielką domieszką jodły (do 1550 m na pn. i 1700 m na pd.), powyżej — murawy alp.; uprawa oliwek sięga do wys. 1000 m; w dolnym piętrze uprawa winorośli i drzew owocowych; pasterstwo, gospodarka leśna; ważny region turyst. (zwł. Apenin Liguryjski) i sportów zimowych (Apenin Abruzyjski); liczne parki nar., m.in. Abruzzo.

Apeniński, Półwysep, Penisola Appenninia, półwysep w Europie Pd., między morzami: Liguryjskim, Tyrreńskim i Adriatyckim; stanowi ok. 1/2 terytorium Włoch, na Półwyspie Apenińskim

leżą Watykan i San Marino; pow. 149 tys. km^2; w pd. części drugorzędne płw.: Kalabryjski i Salentyński, na wsch. — Gargano. Wybrzeże pn.--wsch. zabagnione z lagunami, na pozostałych odcinkach — wysokie skaliste na przemian z nizinnym. Większą część P.A. zajmują → Apeniny; na wsch. od Neapolu wznosi się Wezuwiusz (jedyny czynny wulkan na lądzie Europy). P.A. należy do śródziemnomor. strefy sejsmicznej; wzdłuż całego P.A. występują częste trzęsienia ziemi, najsilniejsze w XX w.: 1905 w Kalabrii i 1915 w Apeninie Abruzyjskim (Avezzano). Klimat podzwrotnikowy typu śródziemnomor.; średnia temp. w styczniu na nizinach od 2–3°C na pn. do 10–12°C na pd., w lipcu odpowiednio 24° i 28°C; w Apeninach: Toskańsko-Emiliańskim i Abruzyjskim w styczniu poniżej 0°C, w lipcu poniżej 20°C; roczna suma opadów od 500–700 mm w części pd.-wsch. (na niz. Tavoliere tylko 300–500 mm) do 1000 mm i więcej na zach. stokach Apenin (2000–3000 mm na pd. stokach Apeninu Liguryjskiego); maksimum opadów od października do grudnia; latem gorący wiatr pd. sirocco przynosi znaczne ilości pyłu. Rzeki na ogół krótkie (najdłuższa Tyber), o dużych spadkach i b. zmiennych stanach wód z minimum letnim (często zupełnie wysychają); największe jez.: Trazymeńskie (pochodzenia tektonicznego), Bolsena i Bracciano (kalderowe). Na wybrzeżu miejsce wiecznie zielonych lasów z dębami (ostrolistnym i korkowym), sosnami (pinią i alepską) oraz dziką oliwką zajęły przeważnie wtórne zarośla makii i uprawy; w Apeninach lasy zrzucające liście na zimę (górna granica lasu sztucznie obniżona): dębowe i kasztanowe, wyżej bukowe z domieszką jodły. Złoża węgla brun. i lignitu, rud rtęci, łupków bitumicznych, boksytów, gazu ziemnego i ropy naft.; liczne źródła miner. (m.in. Salsomaggiore Terme i Montecatini Terme); kamieniołomy marmuru karraryjskiego.

■ Apeniny. Grupa górska Alpe di S. Benedetto

Appalachy, Appalachian Mountains, góry we wsch. części Ameryki Pn., w USA i Kanadzie; ciągną się od okolic m. Montgomery w kierunku pn.-wsch. do Nowej Fundlandii; dł. 3300 km, szer. 300–560 km; najwyższy szczyt Mitchell, 2037 m. Północno-wsch. część A. powstała w orogenezie kaledońskiej, część pd.-zach. — w hercyńskiej (appalachijskiej). A. są zbud. z osadowych skał prekambru i paleozoiku, częściowo zmetamorfizowanych i poprzecinanych licznymi intruzjami skał magmowych. Zapadliska rz. Hudson i Mohawk dzielą A. na 2 części: pn. i południową.

Appalachy Północne stanowią krainę górską podnoszącą się ku zach., silnie rozczłonkowaną na oddzielne obszary wyżynne, ponad które wznoszą się pojedyncze góry i pasma twardzielcowe (G. Białe, G. Zielone i in.).

Appalachy Południowe składają się z równol. łańcuchów gór rozdzielonych dolinami łączącymi się na pd. w rozległe obniżenie Doliny Appalaskiej (Great Valley); wsch. łańcuch — Pasmo Błękitne (z najwyższym szczytem A. — Mitchell) stanowi stromy wał opadający przedgórzem (Piedmont), które urywa się linią uskokową (tzw. linia wodospadów) ku Niz. Atlantyckiej; zach. strefę A. Południowych tworzą Wyż. Appalaskie. Klimat górski, w pn. części A. umiarkowany (roczna suma opadów na zach. stokach ok. 700 mm, na wsch. — ponad 1000 mm), w pd. części podzwrotnikowy mor. (do 2000 mm w Paśmie Błękitnym). A. stanowią dział wód między dorzeczem Missisipi a zlewiskiem otwartego O. Atlantyckiego; gęsta sieć rzek (Connecticut, Hudson, Tennessee i in.) o głęboko wciętych dolinach; liczne elektrownie wodne. Znaczną część powierzchni A. pokrywają lasy. Ważny region górn. (węgiel kam., rudy żelaza, cynku, azbest, mika, piryty i in.).

Apszeroński, Półwysep, Apszeron, półwysep w Azerbejdżanie, wysunięty 60 km w M. Kaspijskie; szer. do 30 km; nizinny, wys. do 165 m; wulkany błotne; słone jeziora; wydobycie ropy naft. i gazu ziemnego; na pd. wybrzeżu m. Baku; klim. i balneologiczne uzdrowiska.

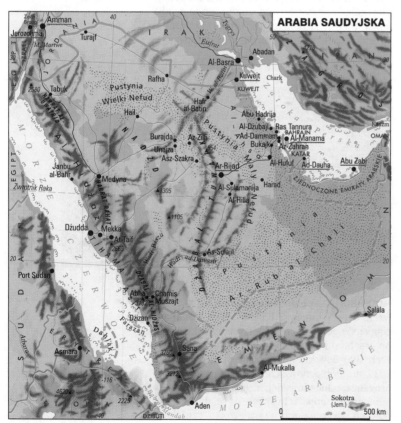

■ Arabia Saudyjska

■ Apulia. Gaje oliwne w okolicy Fasano (prow. Brindisi)

Apuańskie, Góry, Alpi Apuane, masyw górski we Włoszech, na wybrzeżu M. Liguryjskiego; wys. do 1946 m (Pisanino); zbud. gł. z krystal. wapieni; strome stoki, głębokie doliny; w dolnym piętrze uprawa winorośli i oliwek, powyżej lasy bukowe i kasztanowe; kamieniołomy białego marmuru (eksploatowanego od czasów staroż.); u podnóża m.: Carrara i Massa.

Apulia, Puglia, region autonomiczny Włoch, na pd. Płw. Apenińskiego, nad M. Adriatyckim i M. Jońskim; 19,4 tys. km^2, 4,2 mln mieszk. (2002); stol. Bari, inne m. i porty: Tarent, Brindisi; na pd. nizinny Płw. Salentyński, na pn. Apeniny Pd.; jeden z gł. w kraju regionów uprawy winorośli, oliwek, tytoniu; hodowla owiec; w portach duże rafinerie ropy naft. i huty; saliny mor.; kąpieliska morskie. ■

Arabia Saudyjska, Al-'Arabiyyahas-Sa'ūdiyyah, Królestwo Arabii Saudyjskiej, państwo w pd.-zach. Azji, na Płw. Arabskim, nad Zat. Perską i M. Czerwonym; 2149,7 tys. km^2; 22,1 mln mieszk. (2002), Arabowie saudyjscy (73%), imigranci z innych krajów arab., pracownicy cudzoziemscy; muzułmanie; stol. Ar-Rijad, inne gł. m.: Dżudda oraz Mekka i Medyna (święte miasta islamu); język urzędowy arabski; królestwo. Kraj wyżynny i pustynny, na zach. góry zrębowe (wys. do 3132 m), stromo opadające do M. Czerwonego; klimat zwrotnikowy skrajnie suchy; pustynie kamieniste, żwirowe i piaszczyste, największe: Ar-Rub al-Chali, Wielki

■ Arabia Saudyjska. Droga z Mekki do At-Taif

Nefud. Wielkie lądowe i podmor. złoża ropy naft. w strefie Zat. Perskiej (ok. 1/4–1/3 zasobów świat.); największy producent i eksporter ropy naft. na świecie; przemysł rafineryjny, hutn., odsalania wody mor.; w oazach uprawa palmy daktylowej; koczownicza hodowla wielbłądów i kóz; transport samochodowy, rurociągowy; gł. porty: Dżudda, Janbu al-Bahr, Ras Tannura (naft.). ∎

Arabska, Pustynia, Aṣ Ṣaḥrā' ash-Shar-**qiyyah, Pustynia Wschodnia,** pustynia w pn.--wsch. części Sahary, w Egipcie, między Nilem a M. Czerwonym; ku pd. przechodzi w Pustynię Nubijską; wzdłuż wybrzeży M. Czerwonego ciągną się zrębowe góry Atbaj (Dżabal Szaib al--Banat, 2187 m); zbud. gł. ze skał prekambryj-skich (gnejsy, granitoidy) przykrytych na zach. poziomo leżącymi wapieniami i piaskowcami paleozoicznymi; ku zach. powierzchnia pustyni (wys. 200–500 m) stopniowo się obniża, opadając ku dolinie Nilu 50-metrowym progiem; na zach. piaszczysto-żwirowa i gruzowa, na wsch. gł. kamienista; klimat zwrotnikowy skrajnie suchy; średnia roczna suma opadów poniżej 10 mm; gęsta sieć suchych dolin (wadi); skąpa roślin-ność kserofilna; wydobycie ropy naft., fosfory-tów, rudy cyny; brak większych oaz.

Arabski, Półwysep, Jazīrat al-'Arab, naj-większy półwysep Azji, między M. Czarnym, M. Arabskim i Zat. Perską; połączony z kontynen-tem Wyż. Syryjsko-Palestyńską i Niz. Mezopo-tamską; pow. ok. 3 mln km². P.A. jest częścią prekambryjskiej platformy afryk., od której zos-tał oddzielony trzeciorzędowym rowem (ryftem) M. Czerwonego. W pn.-wsch. części P.A. skały prekambru (metamorficzne i magmowe) są przy-kryte grubą (do 8 tys. m) pokrywą osadów paleozoiku, mezozoiku i kenozoiku, w których występują wielkie złoża ropy naftowej. W pd.-zach. części P.A. występują rozległe pokrywy bazaltów, związane z powstaniem rowu M. Czerwonego. P.A. jest słabo rozczłonkowany; stanowi rozległą płytę wyniesioną na pd.-zach. do powyżej 2000 m i obniżającą się w kierunku Zat. Perskiej; ograniczają ją od zach. i pd.-zach. góry zrębowe Harrat al-Uwajrid, Harrat Rahat (wys. do 2760 m) i góry Jemenu (wys. do 3760 m), od pd.-wsch. góry fałdowe Al-Dżabal al-Achdar (wys. do 3083 m). Klimat zwrotnikowy kontynent., suchy w części zach. i skrajnie suchy we wnętrzu oraz na wsch.; opady sporadyczne (rocznie do 100 mm), w górach Jemenu — 500–750 mm; średnia temp. w styczniu od ok. 10°C na pn. do 24°C na pd., w lipcu odpowiednio od 30°C do 35°C, maks. temp. przekraczają 50°C; częste burze pyłowe. Ponad 95% powierzchni P.A. zaj-mują półpustynie i pustynie: Wielki Nefud na pn., Mały Nefud na wsch. i Ar-Rub al-Chali (naj-większa pustynia piaszczysta świata). Brak rzek stałych, okresowe w górach Jemenu i Omanu, powszechnie występują suche doliny (wadi); wo-dy artezyjskie zwł. w centr. części. Roślinność pustynna i półpustynna złożona gł. ze skrajnie kserofitycznych krzewów; na pn. bylice, w gó-rach na pd. i pd.-wsch. zbiorowiska sawannowe z kępami akacji, na okresowo zatopionych wy-brzeżach (sebha) słonorośla. Na P.A. leżą: Arabia

∎ Półwysep Arabski. Góry zachodniego Jemenu

Saudyjska, Jemen, Oman, Zjedn. Emiraty Arab., Katar, Kuwejt, częściowo Irak i Jordania. ∎

Arabskie, Morze, Al-Bahr al-Arabi, otwarte morze w pn.-zach. części O. Indyjskiego, między płw.: Somalijskim, Arabskim i Indyjskim; pow. 4592 tys. km², głęb. do 5875 m, w Basenie Arab-skim; większe zatoki: Perska, Omańska, Adeń-ska; temperatura wód powierzchniowych w le-cie 26–30°C, w zimie 20–24°C; zasolenie 35,8–36,5‰; do M.A. uchodzi rz. Indus; gł. porty: Bom-baj, Karaczi, Aden, Maskat, Berbera.

Arafura, malajskie **Laut Arafuru,** ang. **Arafura Sea,** półzamknięte morze we wsch. części O. Indyjskiego, między wyspami Tanimbar, Kai, Nową Gwineą i Australią; pow. 1037 tys. km², głęb. średnia do 200 m, maks. — do 3680 m, w rowie Aru (na pn.-zach.); największa zatoka: Karpentaria; temp. wód powierzchniowych od 25–28°C w sierpniu, do 28°C w lutym; zasolenie 34–35‰; pływy do 7,6 m (u wybrzeży Nowej Gwinei); rafy koralowe; niekiedy uznawane za część O. Spokojnego.

Aragonia, Aragón, region autonomiczny i krai-na hist. w pn.-wsch. Hiszpanii; 48 tys. km², 1,2 mln mieszk. (1998); stol. Saragossa; górzys-ta; na pn. Pireneje (wys. do 3404 m), na pd. G. Iberyjskie, w środk. części Kotlina Aragońska z doliną rz. Ebro; uprawa zbóż, buraków cukro-wych, oliwek; hodowla owiec; turystyka.

Aragońska, Kotlina, rozległa kotlina śródgór-ska między Pirenejami, G. Katalońskimi i G. Iberyjskimi, w Hiszpanii; dno średnio na wys. 250 m, w strefie peryferyjnej do 500–700 m; powierzchnia równinna rozcięta dolinami Ebro i jej dopływów; klimat podzwrotnikowy suchy (roczne opady 300–400 mm); wzdłuż Ebro wy-stępują skąpe murawy stepowe i twardolistne zarośla typu garig, na obrzeżach — wiecznie zie-lone lasy dębowe (m.in. z dębem ostrolistnym) i dębowo-sosnowe; gł. uprawy: zboża, buraki cu-krowe, oliwki, winorośl, bawełna; wypas owiec (zimowe pastwiska); wydobycie węgla brun., soli potasowej, gazu ziemnego; gł. m. Saragossa.

Araks, tur. **Aras Nehri,** rz. w Zakaukaziu, naj-dłuższy (pr.) dopływ Kury; górny bieg w Turcji, od ujścia rz. Achurian na dł. 600 m wyznacza granicę między Armenią i Azerbejdżanem a Tur-cją i Iranem, dolny bieg w Azerbejdżanie; dł. 1072 km, pow. dorzecza 102 tys. km²; źródła w górach Bingöl; w środk. biegu w Kotlinie Ara-rackiej dzieli się na odnogi; poniżej tworzy przełom przez G. Zangezurskie; gł. dopływy: Achurian, Razdan, Arpa, Worotan (l.), Kotur, Ghare Su (pr.); transportuje rocznie 16 mln t osadów; średni przepływ 285 m³/s; wykorzystywana do nawadniania, kompleks hydrotechn. w pobliżu m. Nachiczewan.

Aralskie, Jezioro, bezodpływowe, słone jez. w Azji, w Kazachstanie i Uzbekistanie (Rep. Karakałpacka), na Niz. Turańskiej, w strefie pustynnej; pow. 39 tys. km², wg szacunków 1999 — 36,5 tys. km²; przeważające głęb. 10–15 m; ponad 300 wysp; pojemność J.A. zmniejszyła się z 1064 km³ do 399 km³; od pocz. lat 60. poziom obniżył się o 13 m (pow. zmniejszyła się o 40%) w związku z intensywnym wyzyskiwaniem do nawadniania uchodzących do J.A. rzek; obecnie wody Syr-darii i okresowo Amu-darii nie dopływają do jeziora. Region J.A. dotknęła katastrofa ekol.; zasolenie wzrosło do 24‰; wyginęły ryby; porty i wsie rybackie leżą kilkadziesiąt km od linii brzegowej; zależnie od siły wiatru słony pył jest przenoszony na odległość 500 km i więcej, zagrażając leżącym na pustyni oazom; 1993 Kazachstan, Uzbekistan, Turkmenistan, Kirgistan i Tadżykistan zał. Fundusz Ratowania J.A. (program oprac. pod egidą Banku Świat.), co jednak nie przyniosło poprawy sytuacji. Jeśli zasilanie jeziora utrzyma się na poziomie z lat 90. (7 km³ rocznie), wysokość lustra wody będzie obniżała się o 0,7 m w roku; spowoduje to podział jeziora na 2 części, z których wsch. szybko wyschnie. W opinii wielu naukowców J.A. nie da się już uratować.

Ararat, Ağrı Dağı, masyw wulk. we wsch. Turcji, w pobliżu granicy z Armenią i Iranem, najwyższy na Wyż. Armeńskiej; zbud. z trzeciorzędowych bazaltów, obejmuje 2 wygasłe wulkany: Wielki Ararat, wys. 5122 m i Mały Ararat, wys. 3925 m, rozdzielone obniżeniem Sardar-Bulak (2540 m); stoki pustynne; powyżej 4250 m wieczne śniegi i lodowce. Pierwsze wejście 1829, drugie — 1850 (J. Chodźko).

Archangielsk, m. obw. w Rosji, u ujścia Dwiny do M. Białego; 356 tys. mieszk. (2002); duży port mor. i rzeczny; przemysł stoczn., maszyn. i metal., drzewno-papierniczy, rybny; przetwórstwo wodorostów mor.; port lotn.; 3 szkoły wyższe; muzea; zał. 1583–84 jako twierdza, rozkwit gosp. w XVIII w.; budowle z XVII, XVIII i XIX w.; na pd. od A. kosmodrom Plesieck.

archipelag [gr.], grupa sąsiadujących ze sobą wysp, zwykle o tej samej genezie i o podobnej budowie geol.; w zależności od genezy wyróżnia się a.: kontynentalne (przybrzeżne), np. A. Arktyczny, wulkaniczne, np. W. Liparyjskie, koralowe, np. W. Marshalla.

Arctowski, stacja pol. w Antarktyce, na W. Króla Jerzego (Szetlandy Pd.), nad Zat. Admiralicji (O. Atlantycki); pierwsza pol. stała stacja polarna; zał. 1977 przez PAN; systematyczne badania naukowe.

Ardèche [ardész], rz. we Francji, pr. dopływ dolnego Rodanu; dł. 120 km; źródła w Sewennach; płynie głęboką, wąską doliną; w dolnym biegu przepływa pod naturalnym wapiennym

(największy w Europie) mostem skalnym wys. 65 m, szer. 50 m; duże wahania stanu wód.

Ardeny, Ardennes, stary masyw górski w pd. Belgii, częściowo we Francji i Luksemburgu; średnia wys. ok. 400 m, maks. 694 m (szczyt Botrange w paśmie Hautes Fagnes); stanowi zach. przedłużenie Reńskich G. Łupkowych. Ardeny należą do hercyńskiej strefy fałdowej Europy; zbud. z utworów paleozoicznych, wśród których przeważają piaskowcowo-ilasto-węglanowe osady dewonu; obszar Ardenów był silnie deformowany w czasie ruchów kaledońskich i hercyńskich, po których w zapadlisku przedgórskim utworzyły się osady węglonośne górnego karbonu. W wyniku denudacji ma postać falistej wyżyny, obniżającej się z pd.-wsch. i wsch. w kierunku pn.-zach. do ok. 300 m; miejscami wznoszą się odosobnione wzgórza (twardzielce kwarcytowe o wys. względnej do 100 m); w pn. części rozwinięta rzeźba krasowa; przez zach. część płynie przełomem z pd. na pn. Moza zbierając wody z całego niemal masywu; wsch. część odwadniana przez małe dopływy Mozeli. Klimat umiarkowany ciepły, mor.; roczna suma opadów 1000–1500 mm (maksimum zimą). Naturalną roślinność tworzą lasy dębowo-grabowe, dębowo-brzozowe i bukowe; w dolinach występują lasy z olchą i jesionem; na płaskich wierzchowinach torfowiska wysokie. W obecnym krajobrazie ważną rolę odgrywają pola uprawne, łąki i pastwiska oraz monokultury drzew iglastych; bogactwa miner.: węgiel kam., rudy żelaza; przecięte przez 2 gł. linie kol., łączące Luksemburg z m. Namur i Liège.

Argentina, Puna, wyż. w Argentynie, → Atacama, Puna de.

Argentino [archen~], **Lago Argentino,** jez. tektoniczno-lodowcowe w Argentynie, w Andach Patagońskich, w Parku Nar. Los Glaciares, na wys. 187 m; pow. 1,4 tys. km², głęb. do 324 m (kryptodepresja); zasilane wodami topniejących lodowców, z których największy — Upsala (dł. 60 km) spływa bezpośrednio do jeziora; z Argentino wypływa rz. Santa Cruz, uchodząca do O. Atlantyckiego.

Argentyna, Argentina, Republika Argentyńska, państwo w Ameryce Pd., nad O. Atlantyckim; 2766,9 tys. km², 38,4 mln mieszk. (2002); stol. Buenos Aires; język urzędowy hiszp.; republika związkowa; składa się z 22 prowincji,

■ Argentyna. Dzielnica włoskich imigrantów La Boca w Buenos Aires

■ Argentyna

stołecznego Dystryktu Federalnego i Terytorium
Nar. (Ziemia Ognista).

Warunki naturalne

Na zach. kraju, wzdłuż granicy z Chile, rozciągają się Andy z najwyższym szczytem Ameryki
Pd. — Aconcaguą (6960 m); na pn.-zach. między
Kordylierą Wsch. a Kordylierą Zach. wulkaniczny płaskowyż Puna de Atacama; we wsch. części
rozległa Niz. La Platy, składająca się z Gran
Chaco, Międzyrzecza Argent., Pampy; na pd.
wyżynna Patagonia. Klimat od zwrotnikowego
na pn. (Puna de Atacama), przez podzwrotnikowy (środk. A.) i umiarkowany (pd. część A.) do
subpolarnego na krańcach pd. (Ziemia Ognista);
średnia miesięczna temp. od 28°C na pn. do
0–2°C na pd.; roczna suma opadów od poniżej
100 mm w pn. części Andów i poniżej 200 mm na
pd.-wsch. do 3000–4000 mm w pd. części Andów;
w całym kraju wpływ chłodnego wiatru pampero. Obszar A. należy do zlewiska O. Atlantyckiego; gł. rz.: Parana z Paragwajem i Urugwajem,
Colorado, Negro, Chubut; na pd. liczne jeziora,
m.in. Buenos Aires, Argentino, Viedma. Lasy
(21% pow.) gł. podzwrotnikowe (pn. część Międzyrzecza Argent.) i górskie (w pd. Andach),
roślinność półpustynna puna (pn. część argent.
Andów), sawannowa (kebraczo w Gran Chaco) i
stepowa (Pampa i Patagonia); parki narodowe,
m.in. Los Glaciares i Iguazú.

Ludność

Ponad 90% ludności pochodzenia eur., gł. hiszp.
i wł. oraz 2,5% Indian i Metysów; ok. 170 tys.
osób pochodzenia pol. (Buenos Aires, Rosario,
Córdoba, Santa Fe); katolicy (93%), protestanci
(3%); przyrost naturalny 12,4‰ (1995); średnia
gęstość zaludnienia 13 mieszk. na km^2; najgęściej zaludnione prow. Buenos Aires, najsłabiej —
Patagonia; ludność miejska stanowi ok. 87%
ogółu mieszk.; gł. m.: Buenos Aires, Mendoza,
La Plata, Mar del Plata, Tucumán; struktura
zatrudnienia: przemysł 34%, rolnictwo 10%, usługi 56%.

Gospodarka

A. należy do najlepiej rozwiniętych gosp. krajów
Ameryki Łac., mimo utrzymującego się wysokiego zadłużenia zagranicznego — 90 mld dol. USA
(1994). Podstawą gospodarki jest przemysł przetwórczy i rolnictwo; przemysł skoncentrowany
jest gł. w regionie Buenos Aires, poza tym w
Rosario, Cordobie, Mendozie; rozwinięte hutnictwo żelaza i metali nieżelaznych, przemysł
mięsny, skórz., maszyn., środków transportu,
petrochemiczny. Użytki roln. stanowią ok. 61%
pow. kraju; na obszarze Pampy wielkotowarowa
produkcja pszenicy, soi, kukurydzy, słoneczników (1. miejsce w produkcji świat.), lnu;
duże znaczenie ma hodowla bydła (Pampa),
owiec (Patagonia), trzody chlewnej, koni; ponadto uprawa winorośli na przedgórzu Andów
(największa powierzchnia upraw i zbiory w
Ameryce Łac.), bawełny w pn. prowincjach,
drzew owocowych w środk. A. W górnictwie
dominuje wydobycie ropy naft. i gazu ziemnego
(prow. Chubut, Santa Cruz, Neuquén), ponadto
eksploatacja rud żelaza (prow. Jujuy), cynku i
ołowiu (prow. Jujuy), uranu (prow. Mendoza),
miedzi, złota. A. należy do największych na
świecie producentów mięsa (9,5 mln t, 1996),

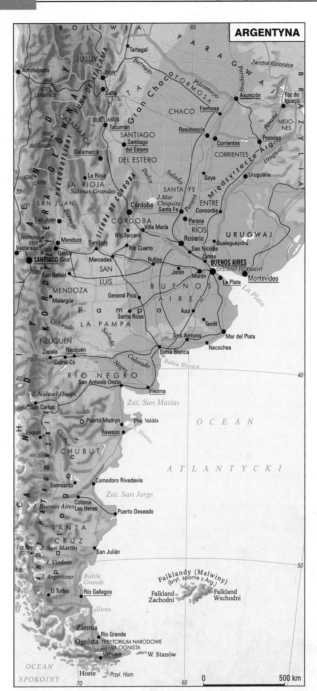

■ Argentyna. Wypas bydła na Pampie

pszenicy (14,3 mln t, 1997), wełny (109 tys. t, 1996) i wina; rybołówstwo. Rozwinięta turystyka (ponad 4 mln osób w 1996); transport kol., samochodowy i rzeczny; gł. porty mor.: Buenos Aires, Rosario, Santa Fe. Eksport mięsa, zbóż, owoców, skór, ropy naft.; 80% wartości wywozu stanowią artykuły rolne; handel z USA, Brazylią, Niemcami, Holandią, Japonią. ∎

Argonny, Argonne, pagórkowaty obszar we Francji, ogranicza od wsch. Basen Paryski; wys. do 357 m; zbud. z kredowych piaskowców; tworzy kuestę (próg strukturalno-erozyjny) o stromych stokach wsch., u podnóża płynie Moza; lasy liściaste; hodowla bydła.

Arguń, chiń. **Ergun He,** w górnym biegu **Hailar He,** rz. w Rosji i Chinach (na znacznej długości graniczna); po połączeniu z Szyłką tworzy Amur; dł. 1620 km, pow. dorzecza 164 tys. km^2; źródła w Wielkim Chinganie; okresowo łączy się ze zlewnią jez. Hulun Nur; nieregularna żegluga na dł. 428 km.

Arizona, stan na pd.-zach. USA; 295,3 tys. km^2; 5,4 mln mieszk. (2002), w tym ok. 200 tys. Indian (gł. w rezerwatach); gł. m.: Phoenix (stol.), Tucson; na Wyż. Kolorado; półpustynne stepy, pustynie skaliste; gł. rz.: Kolorado i Gila; wydobycie rud miedzi, uranu; elektrownia Hoover Dam na rz. Kolorado; hodowla bydła, owiec; w dolinach rzek uprawa bawełny, pszenicy, drzew owocowych; turystyka (Park Nar. Wielkiego Kanionu). ∎

∎ Arizona. Park Narodowy Canyon de Chelly na Wyżynie Kolorado

Arkansas [ą:^{r}kənso:], **Arkansas River,** rz. w USA, pr., najdłuższy (poza Missouri) dopływ Missisipi; dł. 2333 km, pow. dorzecza ok. 415 tys. km^2; źródła w G. Skalistych, w paśmie Sawatch; w górach tworzy przełom Royal Gorge; płynie w głębokiej dolinie przez obszar Wielkich Równin i Wyżyn Wewnętrznych; gł. dopływy: Cimarron, Canadian (pr.), Neosho (l.); duże wahania stanu wód; średni przepływ przy ujściu 1800 m^3/s; wykorzystywana do nawadniania i celów energ.; żegl. na dł. 1046 km od ujścia; gł. m. nad Arkansas: Wichita, Tulsa, Little Rock.

Arkansas [ą:^{r}kənso:], stan w pd. części USA; 137,7 tys. km^2; 2,7 mln mieszk. (2002), w tym ok. 20% ludności murzyńskiej; stol. Little Rock; Niz. Missisipi, wyż. Ouachita, góry Boston; lasy sosnowe, dębowe; region uprawy bawełny, soi, ku-

kurydzy; 90% wydobycia krajowego boksytów; hutnictwo aluminium, przemysł chem., drzewny; turystyka.

Arkatag, góry w Chinach, → Przewalskiego, Góry.

Arktyczny, Archipelag, ang. **Arctic Archipelago,** franc. **archipel Arctique,** wyspy kanad. na O. Arktycznym, na pn. od kontynentu Ameryki Pn.; należą do Terytoriów Pn.-Zach. (Dystrykt Franklina); pow. ok. 1,3 mln km^2, ok. 4 tys. mieszk.; w skład Archipelagu Arktycznego wchodzą m.in.: Ziemia Baffina (507,5 tys. km^2), wyspa Somerset (24,8 tys. km^2), Wyspa Księcia Walii (33,3 tys. km^2), Wyspa Wiktorii (217,3 tys. km^2), Wyspa Banksa (70,0 tys. km^2) oraz oddzielone systemem cieśnin W. Królowej Elżbiety; we wsch. części Archipelagu Arktycznego liczne lodowce; największe osiedle Iqaluit (na Ziemi Baffina).

Arktyczny, Ocean, Ocean Lodowaty Północny, Morze Arktyczne, najmniejszy ocean na Ziemi; rozciąga się wokół bieguna pn. w Arktyce, między Ameryką Pn. a Eurazją; przez Cieśn. Beringa połączony z O. Spokojnym. Powierzchnia 16,4 mln km^2, z morzami: Baffina, Grenlandzkim i Norweskim oraz z Zat. Hudsona; obejmuje szelfowe morza: Baffina, Barentsa, Beauforta, Białe, Czukockie, Grenlandzkie, Karskie, Lincolna, Łaptiewo´w, Norweskie i Wschodniosyberyjskie oraz cieśniny w Archipelagu Arktycznym; średnia głęb. 1225 m, maks. — 5527 m (w strefie rozłamu w pn.-zach. części M. Grenlandzkiego). O.A. jest zaliczany niekiedy jako M. Arktyczne do O. → Atlantyckiego (część O. Atlantyckiego w Arktyce), od którego umownie oddzielają go progi podmor.: Próg Wysp Owczych (Islandzko-Farerski), Próg Islandzko--Grenlandzki w Cieśn. Duńskiej oraz próg w Cieśn. Davisa, charakteryzuje się jednak cechami zbiornika oceanicznego.

Wyspy zajmują ponad 3,8 mln km^2, największe: Grenlandia, Ziemia Baffina, Wyspa Ellesmereà, Wiktorii, Banksa, Axela Heiberga, Księcia Walii, Nowa Ziemia, Spitsbergen; linia brzegowa silnie rozwinięta, liczne zatoki; na wielu wyspach lodowce szelfowe. Około 2/3 pow. dna O.A. zajmują szelfy kontynentalne, szersze u wybrzeży Eurazji (do 900 km); środk. część dna zajmują 2 wielkie baseny oceaniczne, Eurazjatycki i Kanadyjski, rozdzielone podwodnym Grzbietem Łomonosowa; przez Basen Eurazjatycki przebiega śródoceaniczny, z wyraźną doliną ryftową pośrodku, Grzbiet Gakkela (przedłużenie Grzbietu Śródatlantyckiego), oddzielający najgłębszy w O.A. Basen Amundsena (do 4855 m) od Basenu Nansena (ponad 4500 m); w Basenie Kanadyjskim śródoceaniczne grzbiety Mendelejewa i Alpha oddzielają drugorzędny Basen Makarowa (ponad 4500 m); w miejscu pn. bieguna geogr. (w Basenie Amundsena) głęb. osiąga ok. 4300 m. Wody powierzchniowe O.A. pod względem temperatury i zasolenia charakteryzują się znacznym zróżnicowaniem przestrzennym i zmiennością sezonową (w lecie topnienie lodu mor. i wzmożony dopływ rzeczny, w zimie ponowne zamarzanie; stały dopływ ciepłych i słonych wód Prądu Północnoatlantyckiego); temp. wód powierzchniowych w zimie wynosi od –1,7°C w części środk. do 7°C na M. Norweskim, w lecie odpowiednio od –1,4°C do 12°C; zasolenie — od 28–32‰ w części środk. do 34–35‰ na M. Norweskim. Centralna część O.A. jest stale pokryta przez wielkie płaskie pola pływającego wieloletniego lodu mor. o grub. 2–5 m, zw. wielkim pakiem polarnym, z dryfującymi w nim „wyspami lodowymi" o pow. do 1000 km^2 i grub. ok. 50 m (fragmenty lodowców szelfowych, gł. z Wyspy Ellesmere'a i pn. Grenlandii); pokrywa lodowa zajmuje w zimie ok. 11 mln km^2, w lecie — 8 mln km^2 i wolno cyrkuluje zgodnie z ruchem wskazówek zegara wokół punktu 80°N i 150°W, w amer. części O.A.; znaczna część pól lodowych z eurazjat. części morza dryfuje na M. Grenlandzkie; w lecie wolne od lodów wąskie strefy rozciągają się wzdłuż wybrzeży Eurazji i Alaski przez 2–3 miesiące, m.in. dzięki napływowi ciepłych wód rzecznych, umożliwiając żeglugę, wielorybnictwo, rybołówstwo i myślistwo. Główne rzeki uchodzące do O.A.: Ob, Jenisej, Lena, Mackenzie. Główne porty: Narwik, Murmańsk, Archangielsk (M. Białe), Barrow, Churchill (Zat. Hudsona), Ilulissat (Grenlandia). W dnie O.A. występuje ropa naft. i gaz ziemny.

Arktyka, region wokół pn. bieguna geogr. w strefie polarnej i subpolarnej obejmujący prawie w całości O. Arktyczny z wyspami oraz pn. części Eurazji i Ameryki Północnej. Nazwa pochodzi od gr. określenia *Arctos* ['niedźwiedź'] i odnosi się do gwiazdozbiorów Mała Niedźwiedzica i Wielka Niedźwiedzica usytuowanych w pobliżu Gwiazdy Polarnej. Granice A. wyznacza koło podbiegunowe pn. (równoleżnik 66°33′N), wewnątrz którego długość dnia polarnego lub nocy polarnej w ciągu roku wynosi od jednej doby na pd. do pół roku na biegunie geogr.; w tych granicach powierzchnia A. wynosi ok. 21 mln km^2. Granice A., jako wielkiego regionu fizycznogeogr., wyznaczają izotermy lipca: na morzu 5°C, na lądzie 10°C; przebieg izotermy lipca 10°C w przybliżeniu pokrywa się z pn. zasięgiem lasów borealnych. W tych granicach powierzchnia A. wynosi ok. 26,4 mln km^2. Największe wyspy i archipelagi na O. Arktycznym: Grenlandia, Ziemia Baffina, Wiktorii, Ellesmere'a, Banksa, Axela Heiberga, Księcia Walii, Nowa Ziemia, Svalbard, Ziemia Franciszka Józefa, Ziemia Pn., Nowosyberyjskie, Wrangla; gł. płw.: Tajmyr, Czukocki, Kolski, Ungawa, Melville'a, Boothia.

Warunki naturalne

Klimat. Region A. w stosunku do bieguna geogr. jest położony niesymetrycznie, część kanad. rozciąga się do szerokości geogr. ok. 50°N, bardziej na południe niż część eurazjat., która sięga tylko do szerokości ok. 70°N. Cechy klim. A. są określone przede wszystkim przez czynniki astr. warunkujące dopływ światła i ciepła słonecznego podczas dnia polarnego; na pn. od koła podbiegunowego dzień polarny (z uwzględnieniem refrakcji) trwa na biegunie geogr. 189 dób (noc polarna 173 doby), na szerokości 50°N — 55 dób (noc polarna 70 dób); na pd. od koła podbiegunowego długość dnia wynosi od 16,3 godz. (najdłuższy) do 8,0 godz. (najkrótszy). Znaczną rolę odgrywają także rozczłonkowanie i ukształ-

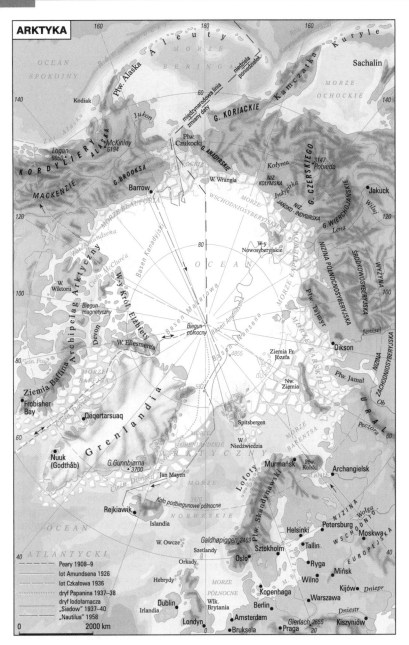

towanie powierzchni lądowych, rozwinięte i zróżnicowane cyrkulacje, zarówno atmosferyczna, jak i oceaniczna, a także niejednorodność termiczna powierzchni oceanicznej, zwł. O. Arktycznego, w mniejszym stopniu O. Spokojnego oraz powierzchni kontynentalnych. Roczna liczba godzin słonecznych jest mała, zwł. nad M. Grenlandzkim, Svalbardem, M. Norweskim, M. Barentsa i Ziemią Pn. oraz M. Beringa, objętych działaniem niżów Islandzkiego i Aleuckiego — mniej niż 1200 godz. (poniżej 3 godz./dzień), natomiast nad Grenlandią i M. Wschodniosyberyjskim większa — ponad 2000 godz. (5,5 godz./dzień). Suma całkowitego promieniowania słonecznego w czerwcu (miesiąc najbardziej nasłoneczniony) wynosi od 750 MJ/m^2 na Grenlandii, 720 MJ/m^2 w regionie bieguna geogr., 690 MJ/m^2 na W. Królowej Elżbiety, Ziemi Baffina i M. Baffina oraz 630 MJ/m^2 na Svalbardzie, w pn. części Płw. Skandynawskiego, na Płw. Kolskim i Nowej Ziemi do mniej niż 540 MJ/m^2 na wyspie Jan Mayen i 570 MJ/m^2 w regionie Cieśn. Beringa.

■ Arktyka. Mgły inwersyjne na Spitsbergenie

■ Arktyka. Czoło lodowca na Spitsbergenie

Powierzchnia oceaniczna. Większą część A. zajmuje O. Arktyczny (14,8 mln km^2) uformowany w końcu okresu kredowego. W trzeciorzędzie był jeszcze ciepłym, stagnującym morzem z deficytem tlenu w warstwie przydennej. Oziębienie A. nastąpiło ok. 4 mln lat temu, natomiast wiek stałych pokryw lodowych wynosi ok. 700 tys. lat. Ekosystemy płytkowodne i przybrzeżne są najmłodsze, gdyż prawie przez cały okres plejstoceński były przykryte wielkim lądolodem. Ustąpienie zlodowacenia i włączenie O. Arktycznego do tzw. Pętli Broeckera, czyli globalnej cyrkulacji oceanicznej nastąpiło ok. 10 tys. lat temu. Mechanizm napędzający cyrkulację globalną ma dwa źródła, w Antarktyce w M. Weddella oraz w bardziej wydajnym regionie, zw. GIN (Grenlandia, Islandia, M. Norweskie), w O. Arktycznym. Od zakończenia okresu lodowcowego temperatura wód powierzchniowych waha się od –1,88°C do ok. 2°C, okresowo obniża się jej zasolenie, występuje wieloletni lód mor. oraz silne promieniowanie ultrafioletowe, potęgowane w czasie powiększania się dziury ozonowej. Z blisko 14 mln km^2 mor. pokrywy lodowej tylko ok. 10% zanika w lecie (w Antarktyce powyżej 20%); większość dryfujących lodów ma wiek od 3 do 5 lat. Pak lodowy pozostaje w ciągłym ruchu. Napływająca do A. ciepła i słona woda atlantycka gwałtownie ochładza się w okresie jesieni i zimy, i jako cięższa opada, powodując głęboką konwekcyjną wymianę, spotęgowaną jeszcze produkcją gęstszej i tym samym cięższej wody w trakcie zimowego tworzenia się lodu morskiego. Utworzona w ten sposób Północnoatlantycka Woda Głębinowa (NADW) spływa do basenów oceanicznych O. Atlantyckiego jako głębinowy prąd docierający aż do 40°S.

Powierzchnia lądowa. Należące do A. północne części kontynentów oraz wyspy ark. zajmują łącznie ok. 10 mln km^2. Powierzchnia w większości jest nizinna i skalista, z występującymi licznie jeziorami. W Eurazji do A. należą pn. części nizin Wschodnioeuropejskiej i Zachodniosyberyjskiej oraz w całości niziny: Północnosyberyjska, Jańsko-Indigirska i Kołymska, w Ameryce Pn. — niziny: Mackenzie, Hudsońska i in. mniejsze. Wyższe pasma gór: G. Byrranga na Płw. Tajmyr, pn. część G. Wierchojańskich, G. Czukockie na Płw. Czukockim, G. Brooksa w pn. części stanu Alaska oraz góry na Ziemi Baffina i W. Ellesmere'a i in. Najwyższy szczyt A. znajduje się we wsch. Grenlandii — G. Gunnbjørna (3700 m). Występują typowe wybrzeża fiordowe, szczególnie rozwinięte u brzegów wysp Svalbardu, pn. Skandynawii, Nowej Ziemi, wsch. wysp Archipelagu Arktycznego, Labradoru, Grenlandii; fiordy Scoresby Sund we wsch. Grenlandii i Zat. Admiralicji w pn. brzegu Ziemi Baffina są najdłuższymi na świecie. Poza obszarami zlodowaconymi cała odkryta powierzchnia lądowa A. ma typową rzeźbę peryglacjalną, poddawaną intensywnym procesom wietrzenia mrozowego, soliflukacji oraz działaniu lodu gruntowego (zmarzlina wieloletnia) i in. Do mórz O. Arktycznego uchodzi wiele rzek Eurazji i Ameryki Pn., największe: Peczora, Ob, Jenisej, Chatanga, Anabar, Lena, Jana, Indygirka, Kołyma, Mackenzie, Churchill, Nelson; płyną one w rozległych dolinach, tworząc często u ujścia rozległe delty, rzadziej — estuaria. Rzeki ark. zamarzają na 9–10 miesięcy w roku, w tym mniejsze zamarzają niekiedy do dna. Największe jez.: Wielkie Niedźwiedzie, Wielkie Niewolnicze, Dubawnt oraz Nettilling i Amadjuak na Ziemi Baffina w Ameryce Pn., także Tajmyr i Inari w Eurazji.

Gleby. Pokrywy glebowe w A. są bardzo słabo rozpoznane i jeszcze nie sklasyfikowane. Na pustyniach polarnych powierzchnie wystawione na rozwiewanie są pokryte warstwą kamienisto--gruzową z małym udziałem piasku i drobniejszych cząstek glebowych. Na dolnych powierzchniach okruchów skalnych bywają nacieki solne. W obniżeniach, z kępkami roślinności, występują gleby arktyczno-tundrowe z poziomami torfowymi i próchnicznymi o grub. 15–20 cm. Na głęb. 25–30 cm — zmarzlina wieloletnia. Lokal-

■ Arktyka. Zdjęcie satelitarne Alaski

nie na powierzchni występują tzw. grunty strukturalne — pierścienie kamieniste, wieloboki itp.

Świat roślinny i zwierzęcy. Roślinność obszarów ark. jest bardzo uboga, dominują tu porosty (ponad 2000 gat.) i mszaki (ok. 600700 gat.), niewielki jest udział roślin kwiatowych, gł. krzewinki i byliny, drzew brak; w A. wyróżnia się 2 regiony geobot.: pustynie ark. i tundrę, która dzieli się na 2 subregiony: tundrę ark. i tundrę subark.; w tundrze subark. występują gł. różne gat. krzewiastych brzóz, wierzb, a także turzyc i roślin wrzosowatych; w tundrze ark. — karłowate wierzby, dębiki, rośliny zielne (gł. turzyce), mszaki i porosty. Pustynie ark. zasiedlają jedynie mchy i porosty; generalnie liczba gat. maleje w miarę przesuwania się od tundry subark. do położonych daleko na pn. pustyń ark.; ekosystemy tundrowe cechuje dominacja organizmów zarodnikowych, krótki 6-tygodniowy okres wegetacji, niezbilansowanie procesów produkcji i rozkładu materii org. oraz skrócone i bardzo uproszczone łańcuchy troficzne; szczególną rolę odgrywają ptaki mor., które transportują z morza na ląd olbrzymie ilości składników odżywczych, użyźniając tundrę.

A. obejmuje zwierzęta zamieszkujące wody Oceanu → Arktycznego oraz strefę tundry otaczających je lądów; wiele gat. ma tu zasięg okołobiegunowy, wskutek czego arktyczna fauna Eurazji i Ameryki Pn. jest podobna; charakterystyczne są: spośród ssaków — lemingi, renifer, lis polarny, niedźwiedź polarny, gronostaj; w Ameryce Pn. żyje ponadto wół piżmowy; z ptaków — pardwa, sowa śnieżna, sokół białozór i wiele gat. ptaków wodnych — np. gęś białoczelna i kaczki świstun, lodówka i in.; na brzegach mor. liczne są foki (grenlandzka, obrączkowana, wąsata, kapturnik) i morsy; z otwartym morzem są związane: endemiczny wieloryb grenlandzki oraz białucha i narwal.

Stan i ochrona środowiska. Po udostępnieniu w poł. lat 90. ros. części A. jednym z najbardziej palących zagadnień stała się ocena skażeń promieniotwórczych. Wielkie poligony atomowe były na Nowej Ziemi i W. Wrangla. Przeprowadzono wiele eksplozji w atmosferze, na ziemi, pod ziemią i w morzu, m.in. bomby wodorowej o mocy 58 megaton. W morzach ark. zatapiano wojsk. i cywilne odpady promieniotwórcze, zwł. w M. Karskim, na którego dnie złożono wiele zużytych reaktorów z okrętów podwodnych lub całe okręty atomowe. W 1992 przyjęto program Arctic Monitoring and Assessment Programme (AMAP), którego zadaniem jest oszacowanie stanu środowiska naturalnego i który jest największą tego typu inicjatywą dla regionów polarnych. Prace te są wspomagane przez firmy eksploatujące ropę naftową, m.in. Neste, British Petroleum, Statoil, Shell, Texaco, które są zobowiązane do finansowania badań ekol. w ujściach rzek syberyjskich i na wodach szelfowych. Ochroną fauny zajmuje się organizacja Conservation of Arctic Flora and Fauna (CAFF), której gł. zadaniem jest inwentaryzacja istniejących kolonii ptaków mor., stad ssaków mor., niedźwiedzi polarnych i in. W latach 50. i 60. były zagrożone wytępieniem m.in. morsy atlantyckie, wieloryby grenlandzkie i niedźwiedzie polarne,

■ Arktyka. Nurzyki na Spitsbergenie

ale po wprowadzeniu międzynar. ochrony niemal wszystkich ssaków mor., zagrożenie nie dotyczy już żadnego gatunku.

Ludność i gospodarka

Niektóre regiony ark. były zasiedlone już w paleolicie. Najstarsze znane w A. stanowiska archeol., w dolinie Ałdanu na Syberii, są datowane na ok. 35 tys. lat p.n.e. Amerykańska część A. została zasiedlona przez ludy, które przyszły z pn.-wsch. Azji przez Cieśn. Beringa i Alaskę przypuszczalnie kilkadziesiąt tys. lat p.n.e. Osadnictwo Alaski datuje się na 8 tys. lat p.n.e., skąd przesuwało się ono stopniowo wzdłuż wybrzeży na wschód. W Skandynawii ślady człowieka są datowane na ok. 10 tys. lat p.n.e. Eskimosi przybyli do kanadyjskiej części A., w tym na Archipelag Arktyczny, w I tysiącleciu n.e., natomiast na Grenlandię, zamieszkaną (z przerwą w XIII w.) od końca X w. przez Normanów, Eskimosi dotarli dopiero w XIV w.

Ludność tubylczą A. w części eurazjat. stanowią Lapończycy, Eńcy, Nieńcy, Nganasanie, Dołganie, Jukagirzy, Eweni, Ewenkowie, Czukcze, w części amer. — Eskimosi oraz Indianie Atapaskowie (na Grenlandii tylko Eskimosi). Ludy te, prowadząc koczowniczy tryb życia i utrzymując się z rybołówstwa, myślistwa oraz hodowli reniferów, przez wieki żyły w znacznej izolacji i do niedawna zachowywały archaiczne formy życia społ. i obyczajów, m.in. szamanizm. Kolonizacja A. dokonana przez Europejczyków pociągnęła za sobą wiele ujemnych skutków, m.in. przyniosła choroby zakaźne i alkoholizm, co doprowadziło do wzrostu śmiertelności. Od poł. XIX w. większość ludów A. uczestniczy w życiu gosp. (górnictwo, łowiectwo, przemysł rybny) i kult. państw, które zamieszkują. Powierzchnie lądowe A. są bardzo rzadko zasiedlone, w części eurazjat. gęstość zaludnienia wynosi 0,10,2 mieszk. na km^2 (ludność tubylcza, Rosjanie, Ukraińcy) a na obszarach amer. tylko 0,03 mieszk. na km^2 (Eskimosi, Indianie, ludność pochodzenia eur.). Największe miasta: Murmańsk, Norylsk, Workuta, Kirowsk w części eurazjat., Barrow, Inuvik, Resolute, Qaanaaq w Ameryce Północnej.

Rozwój gospodarczy A. jest oparty przede wszystkim na eksploatacji surowców miner., zwł. węgla kam., ropy naft., gazu ziemnego i rud metali, m.in. promieniotwórczych. Zmniejsza się znaczenie rybołówstwa i łowiectwa. Istotną rolę w aktywizacji gosp. regionów bezludnych lub prawie bezludnych odgrywają poszukiwania geol. oraz rozwój infrastruktury komunik., nauk., wojsk. itp. Transport jest oparty przede wszystkim na lotnictwie i żegludze kabotażowej, zwł. w części eurazjat., wzdłuż Pn. Drogi Morskiej. Nad O. Arktycznym i biegunem geogr. przebiegają międzykontynent. szlaki komunikacji lotn., które są obsługiwane przez porty: Qaanaaq i Kangerlussuaq na Grenlandii, Anchorage na Alasce, Edmonton w Kanadzie oraz porty w Londynie i Kopenhadze. ■

Arlberg, przełęcz w Alpach Wsch., w Austrii; wys. 1793 m; łączy doliny Renu i Innu; pod Arlberg tunele: kol. (dł. 10,3 km) i drogowy (14 km). Na pn. od Arlberg tereny narciarskie.

■ Armenia. Jezioro Sewan

Armenia, Hajastan, Republika Armenii, państwo w Azji, na Kaukazie, w pn.-wsch. części Wyż. Armeńskiej; 29,8 tys. km^2; 3,9 mln mieszk. (2002), w tym Ormianie 93%; stol. Erewan, inne gł. m.: Kumajri, Wanadzor; większość wierzących należy do Kościoła orm.; język urzędowy orm. (własny alfabet); republika. Obszar aktywny sejsmicznie, ostatnie katastrofalne trzęsienie ziemi XII 1988; gł. rz. Araks (graniczna) z l. dopływami (Razdan, Arpa, Worotan), jez. Sewan; źródła miner.; stepy, łąki górskie, ok. 10% pow. lasy. Od 1989 ekon. blokada A. ze strony Azerbejdżanu (od 1993 także Turcji) z powodu konfliktu o Górski Karabach; reforma gospodarki rozpoczęta po uzyskaniu niepodległości; waluta dram od 1993; uprawa zbóż (pszenica, jęczmień), winorośli, drzew owocowych, warzyw, tytoniu, buraków cukrowych, geranium; hodowla bydła, owiec; przemysł spoż., elektrotechn. i elektron., chem., lekki, materiałów bud.; wydobycie rud miedzi; 1995 uruchomiono elektrownię jądr. (zamkniętą po trzęsieniu ziemi); import ropy naft. z Rosji, gazu ziemnego z Turkmenistanu. ■

■ Armenia

Armeńska, Wyżyna, tur. Doğu Anadolu Yaylası, wyżyna w pd.-zach. Azji, w Turcji, Armenii, Azerbejdżanie, Gruzji i Iranie; na zach. łączy się z Wyż. Anatolijską, od pn. ograniczona G. Pontyjskimi i Małym Kaukazem, od pd. — G. Kurdystańskimi; wys. przeważająca 1000÷1800 m, maks. 5122 m (wulkan Ararat). Powstała w wyniku trzeciorzędowych i czwartorzędowych ruchów wypiętrzających, którym towarzyszyła silna działalność tektoniczna i wulk.; wygasłe

wulkany sięgają ponad 4000 m (Sabalan, Sŭphan Dağı Aragac), grube pokrywy law bazaltowych; kotliny tektoniczne z jez.: Wan, Urmia, Sewan; częste trzęsienia ziemi. Klimat podzwrotnikowy kontynent. suchy, odmiana górska; średnia temp. w styczniu od 3 °C do ÷5 °C, w lipcu ok. 19°C (w kotlinach 25°C), maks. ponad 40°C; średnia roczna suma opadów 150÷300 mm, w górach 500÷800 mm. Z W.A. wypływają, rzeki o bardzo zmiennych przepływach: Kura, Araks, Eufrat; liczne źródła wód miner. (m.in. cieplice). W obniżeniach roślinność stepowa i półpustynna, na wys. 800÷1400 m stepy go´rskie, do 2300 m widne lasy dębowe, sosnowe i jałowcowe oraz krzaczaste zarośla (szyblak), do 3000 m wysokogórskie łąki, powyżej 4000 m lodowce. Wydobycie chromu, miedzi; na obszarach sztucznie nawadnianych gęsto zaludnione oazy; uprawa pszenicy, bawełny i drzew owocowych; chów owiec i kóz.

artezyjski basen, obszar występowania → wód artezyjskich. Zob. też źródło (artezyjskie).

Arthura, Przełęcz [p. a̧:rtəra] → Alpy Południowe.

Aruba, autonomiczne terytorium Holandii w Ameryce Środk. (Indie Zach.), na wyspie Aruba na M. Karaibskim; 193 km^2; 69 tys. mieszk. (2002), gł. Murzyni i Mulaci; katolicy; stol. i port mor. Oranjestad; język urzędowy hol., w użyciu ang., hiszp., papiamento (kreolski); wyspa nizinna; rafy koralowe; klimat podrównikowy suchy; turystyka; przemysł chem., elektrotechn.; odsalarnie wody mor.; uprawa roślin garbnikodajnych i drzew cytrusowych; rybołówstwo. Do 1986 A. wchodziła w skład Antyli Hol., następnie uzyskała odrębną autonomię.

Arunaćal Pradeś, hindi **Aruṇācal Pradeś,** ang. **Arunachal Pradesh,** stan w pn.-wsch. Indiach, we wsch. Himalajach i górach Patkaj (na pograniczu z Birmą); 83,7 tys. km^2; 1,1 mln mieszk. (2002); ludy pochodzenia tybet.-birm.; stol. Itanagar; lasy (ok. 60% pow.) monsunowe; pozyskiwanie drewna; uprawa prosa, ryżu w dolinie Brahmaputry.

Asam, ang. **Assam,** stan w pn.-wsch. Indiach; 78,4 tys. km^2; 27,2 mln mieszk. (2002), Asamczycy i Bengalczycy; gł. m.: Dispur (stol.), Gauhati; zajmuje wsch. część Niz. Hindustańskiej z szeroką doliną Brahmaputry, na pn. przedgórze Himalajów; lasy równikowe wilgotne; stan roln.; uprawa ryżu, herbaty (50% zbiorów krajowych), juty; pozyskiwanie drewna; żegluga śródlądowa; turystyka, zwł. do Parku Nar. Kaziranga.

ASEAN → Stowarzyszenie Narodów Azji Południowo-Wschodniej.

Ashmore i Cartiera, Wyspy [w. äzmo: i ką:tieja], **Ashmore and Cartier Islands, The Territory of Ashmore and Cartier Islands,** terytorium zamor. Australii na O. Indyjskim, ok. 300 km od wybrzeża Australii Zach., na zewn. krawędzi szelfu kontynent.; pow. 159 km^2, łącznie 4 nie zamieszkane wyspy koralowe; wyspy Ashmore (East, Middle i West) zaanektowane przez W. Brytanię 1878, Wyspa Cartiera — 1909; od 1934 należą do Australii (193878 pod administracją Terytorium Pn.).

Asi, arab. **Nahr al-'Aşī,** tur. **Asi Nehri,** staroż. **Orontes,** rz. w Libanie, Syrii i Turcji; dł. 540 km; źródła w górach Liban; uchodzi do M. Śródziemnego; wykorzystywana do nawadniania; gł. miasta nad Asi: Hims, Hama, Antakya.

Asmara, Asmera, stol. Erytrei (od 1993), na Wyż. Abisyńskiej, na wys. 2340 m; 392 tys. mieszk. (2002); przemysł spoż., włók., skórz., cementowy; ośr. handl.; uniw.; węzeł komunik. (port lotn.); muzeum.

astenosfera [gr.], jedna z geosfer wchodząca w skład górnej części → płaszcza Ziemi.

Asunción [~sⁱọn], stol. Paragwaju, nad rz. Paragwaj; 547 tys. mieszk., zespół miejski 1,4 mln (2002); rozwinięty przemysł spoż. oraz drzewny, stoczn., rafineria ropy naft.; ośrodek handl. i kult. (muzea); gł. port handl. kraju; węzeł komunik. (port lotn.); 2 uniw.; zał. 1537 przez Hiszpanów; stare miasto z zabytkami architektury kolonialnej, domy (XVII–XVIII w.), katedra (XIX w.).

Asyż, Assisi, m. we Włoszech (Umbria), w Apeninach Środk., na wsch. od m. Perugia; 25 tys. mieszk. (2002); słynny ośr. turyst. i kultu rel. katolików; osada etruska, rzym. Asisium; od 1367 w Państwie Kośc.; miejsce urodzenia św. Franciszka; muzea; rzym. świątynia Minerwy; liczne kościoły, m.in. rom. katedra (XII–XIII w.), got. dwupoziomowa bazylika Franciszkanów (XIII w.) ze słynnymi freskami, m.in. Cimabuego i Giotta di Bondone, oraz grobem św. Franciszka; S. Maria degli Angeli (XVI w.) z kaplicą Porcjunkula (XIII w.); częściowo zniszczony 1997 w wyniku trzęsienia ziemi.

Aszchabad, Aszgabad, stol. Turkmenistanu, na skraju pustyni Kara-kum; 697 tys. mieszk. (2002); przemysł maszyn. i metal., chem., szklarski, lekki (m.in. wyrób dywanów); AN Turkmenistanu, 8 szkół wyższych (w tym uniw.); międzynar. port lotn.; muzea; zał. 1881; zniszczony przez trzęsienie ziemi 1948; w pobliżu A. ruiny staroż. m. Nisa.

Atacama, Puna de [p. de ~kąma], wulk. płaskowyż w Andach Środk., w pn. Chile i pn.--zach. Argentynie, między Kordylierą Zach. i Kordylierą Wsch., pd. część Puny; stanowi płaski obszar lawowy, ponad którym wznoszą się grzbiety i masywy górskie (czynne wulkany, m.in. najwyższy na Ziemi Llullaillaco, 6723 m); w obniżeniach między górami — solniska (Salar de Atacama, Salar de Arizaro); półpustynna roślinność puna; pasterska hodowla kóz, lam (gł. alpaki); eksploatacja złóż soli, wydobycie rud cynku, ołowiu; przez P. de A. przebiega Kolej Transandyjska; P. de A. na terenie Argentyny zw. jest też Puna Argentina. ■

Atakama [~kąma], **Desierto de Atacama,** pustynia w pn. Chile, w obniżeniu śródandyjskim, między Kordylierą Nadbrzeżną i Kordylierą Zach.; dł. ok. 450 km, szer. do 100 km; wys. 500–2000 m; piaszczysta i kamienista; klimat zwrotnikowy wybitnie suchy (roczna suma opadów do 50 mm, w części pn. do 10 mm), uzależniony w znacznym stopniu od zimnego Prądu Peruwiańskiego i suchych wiatrów pd. i pd.--zach.; rzeki gł. okresowe; słone bagna i jeziora;

uboga roślinność kserofilna; wydobycie nitratynu (saletra chilijska, gł. region wydobycia w świecie), złota, srebra, rud miedzi, uranu, soli kamiennej.

Atakamski, Rów, Rów Peruwiańsko-Chilijski, rów oceaniczny we wsch. części dna O. Spokojnego; ciągnie się na dł. ok. 5900 km wzdłuż brzegów Ameryki Pd.; średnia szer. 100 km, głęb. do 8066 m; stanowi strefę trzęsień ziemi i podmor. działalności wulk.; dzieli się na Rów Peruwiański na pn. i Rów Chilijski na południu.

Ateny, Athine, stol. Grecji, na płw. Attyka, nad Zat. Sarońską (M. Egejskie); 757 tys. mieszk., zespół miejski (wraz z Pireusem) 3,2 mln (2002); największy ośr. przem. kraju (włók., maszyn.,

■ Ateny. Widok na miasto i świątynię Zeusa Olimpijskiego, IV w. p.n.e.

odzież., winiarski, chem., winiarski, olejarski); centrum finansowe i nauk. (uniw.); ośrodek turyst. o międzynar. znaczeniu; węzeł komunik.; miejsce pierwszych nowoż. igrzysk olimpijskich (1896); liczne muzea. Trzy gł. zespoły architektury staroż.: Akropol z Partenonem i budowlami położonymi u stóp wzgórza (teatr Dionizosa, portyk Eumenesa II, Odeon, pomnik Lizykratesa); zespół obejmujący pozostałości 2 rynków — gr. (Agora) i rzym. oraz dzielnica garncarzy Keramejkos z tzw. Tezejonem, Dipylonem i nekropolą; zespół budowli na miejscu dzielnicy Hadrianopolis (m.in. świątynia Zeusa Olimipijskiego); średniow. kościoły bizant.; liczne gmachy klasycyst. z XIX w. ■

■ Puna de Atacama. Solnisko Salar de Atacama

Athabaska [ăθəbäskə], ang. **Lake Athabasca,** franc. **Lac Athabasca,** jez. pochodzenia lodowcowo-tektonicznego, w Kanadzie, w prow. Saskatchewan i Alberta, na wys. 213 m; pow. 7,9 tys. km², maks. głęb. 260 m; przez jezioro Athabaska przepływa rzeka Athabaska; zamarza od października do czerwca; rybołówstwo; żegluga. W pobliżu A. eksploatacja rud uranu i złota.

Atlanta, m. w USA, na pd. krańcu Appalachów; stol. stanu Georgia; 436 tys. mieszk. (60% ludności murzyńskiej), zespół miejski 3,5 mln (2002); przemysł samochodowy, papierniczy, bawełn., spoż. (siedziba koncernu Coca-Cola); ważny węzeł komunikacji, zwł. lotn.; 4 uniw.; letnie igrzyska olimpijskie 1996; zał. 1837; neorenes. kapitol (XIX w.); ob. jedno z najnowocześniejszych miast amer., liczne wieżowce w Civic Center.

Atlantycka, Nizina, Atlantic Coastal Plain, nizina w USA nad O. Atlantyckim, na wsch. od Appalachów, między płw. Cape Cod i płw. Floryda, pn. część Niz. Nadbrzeżnej; na pd. przechodzi w Niz. Zatokową (nad Zat. Meksykańską); szer. 30–160 km; wys. do 100 m; na wybrzeżu wydmy i bagna; głęboko wcięte zatoki; na zach. N.A. ogranicza linia wodospadów na rzekach spływających z Appalachów do O. Atlantyckiego (gł. rz.: Delaware, Susquehanna, Potomac, Roanoke, Savannah); klimat na pn. umiarkowany ciepły mor., w środk. części podzwrotnikowy mor., na pd. — zwrotnikowy mor.; region intensywnego rolnictwa; część pn. silnie zurbanizowana i uprzemysłowiona (Nowy Jork, Filadelfia, Baltimore, Waszyngton, Richmond, Norfolk).

Atlantycki, Ocean, Atlantyk, drugi wg wielkości po O. Spokojnym obszar wodny świata, między Eurazją, Afryką, Antarktydą i Ameryką; obejmuje morza: Północne, Bałtyckie, Śródziemne, Czarne, M. Karaibskie, M. Weddella, M. Scotia oraz zatoki: Zat. Meksykańską, Zat. Gwinejską, Zat. Biskajską. Do O.A. niekiedy zaliczany jest również O. → Arktyczny (jako M. Arktyczne). Umowna granica z O. Indyjskim przebiega wzdłuż południka 20°E, z O. Spokojnym — od przyl. Horn (Ameryka Pd.) do przyl. Prime Head (Płw. Antarktyczny), za granicę z O. Spokojnym przyjmuje się cieśn. Magellana i Drake'a, od O. Arktycznego umownie oddzielają go progi podmor.: Próg Wysp Owczych (Islandzko-Farerski),

■ Ocean Atlantycki. San Sebastian de la Gonera na Wyspach Kanaryjskich

Próg Islandzko-Grenlandzki w Cieśn. Duńskiej oraz próg w Cieśn. Davisa. O.A. (bez M. Arktycznego, wydzielanego jako O. Arktyczny) ma powierzchnię 90,063 mln km² i średnią głębokość 3602 m, maks. — 9219 m w Rowie Puerto Rico (wg innych danych 9560 m); rozciągłość południkowa ok. 20,5 tys. km (184° szer. geogr.), najmniejsza szer. 2840 km. Powierzchnia wysp wynosi 4853 tys. km². Największe wyspy (bez wysp O. Arktycznego): W. Brytania, Kuba, Nowa Fundlandia, Islandia, Irlandia, Haiti.

O.A. powstał wskutek rozerwania prakontynentu Pangea i przemieszczania się płyt litosferycznych od → ryftu pod wpływem rozrastania się (spredingu) dna oceanicznego, tworzonego przez wydobywającą się ze szczeliny ryftowej lawę bazaltową; oddzielanie się Ameryki Pd. od Afryki rozpoczęło się w jurze, zaś Ameryki Pn. od Europy — na przełomie jury i kredy; proces ten trwa do dziś.

Charakterystyczną cechą rzeźby dna O.A. są wzniesienia Grzbietu Śródatlantyckiego ciągnące się południkowo na długości ponad 20,3 tys. km przez środek oceanu w kształcie litery S. W okolicy równika rozdziela je głębia Romanche (7856 m) na Grzbiet Północnoatlantycki i Grzbiet Południowoatlantycki. Przedłużeniem Grzbietu Północnoatlantyckiego w O. Arktycznym jest Grzbiet Gakkela. Grzbiet Południowoatlantycki łączy się przez Grzbiet Afrykańsko-Antarktyczny ze śródoceanicznymi grzbietami O. Indyjskiego. Po obu stronach Grzbietu Śródatlantyckiego ciągną się baseny oceaniczne: Nansena, Norweski, Zachodnioeur., Hiszpański, Zielonego Przyl., Gwinejski, Angolski, Przylądkowy i Agulhas od wsch. oraz Kanadyjski, Amundsena, Grenlandzki, Labradorski, Nowofundlandzki, Północnoamerykański, Gujański, Brazyl., Argentyński, Południowoatlantycki i Afrykańsko-Antarktyczny od zachodu. Grzbiet Śródatlantycki i dna basenów oceanicznych są zbud. z typowej (bazaltowej) skorupy ziemskiej oceanicznej; na bazaltach leżą zdiagenezowane osady jury, kredy i paleogenu (gł. muły i iły głębinowe), a wyżej — luźne osady neogenu i czwartorzędu. Szelfy kontynent. zajmują ok. 14% pow. dna O.A., najszersze są w O. Arktycznym i M. Północnym oraz na pd. od Nowej Fundlandii i u wybrzeży Argentyny.

Układ prądów powierzchniowych na O.A. ma kształt 2 wielkich kręgów — na półkuli pn. o ruchu zgodnym, a na półkuli pd. niezgodnym ze wskazówkami zegara — ułożonych na zewnątrz pasa równikowego. Prąd Północnorównikowy na półkuli pn. płynie w przyrównikowych szerokościach ze wsch. na zach. ku wybrzeżom Ameryki Pd., gdzie łączy się z prawą odnogą Prądu Południoworównikowego i kieruje na M. Karaibskie i do Zat. Meksykańskiej; tu bierze początek ciepły Prąd Zatokowy (Golfsztrom), który początkowo płynie wzdłuż wybrzeży amer., potem na szer. ok. 40°N skręca ku wsch. i przepływa w poprzek O.A. jako Prąd Północnoatlantycki, docierając do wybrzeży pn.-zach. Europy. Przed dotarciem do wybrzeży eur. oddziela się od niego pd. odnoga zw. Prądem Kanaryjskim, który wraca jako chłodny prąd i włącza się w obieg przyrównikowy. Na półkuli pd. w szerokościach

przyrównikowych ze wsch. na zach. płynie Prąd Południoworównikowy. U wybrzeży Ameryki Pd. dzieli się on na 2 odnogi: prawa — łączy się z Prądem Północnorównikowym, lewa — jako ciepły Prąd Brazyl. — płynie na pd. do ok. 40⁸S, gdzie łączy się z → Antarktycznym Prądem Okołobiegunowym i wraca jako jego odgałęzienie w postaci zimnego Prądu Benguelskiego u zach. wybrzeży Afryki. Po obu stronach równika, z zach. na wsch., płyną prądy: Północnorównikowy Wsteczny i Południoworównikowy Wsteczny, przedzielone Prądem Równikowym o

kierunku ze wsch. na zachód. Pod Prądem Równikowym, w kierunku wsch. płynie podpowierzchniowy Prąd Łomonosowa. Układ prądów głębinowych obejmuje w O.A. kilka pięter głębokościowych. Najzimniejsze wody antarktyczne spłynąwszy na dno przemieszczają się w kierunku równika. Wody pochodzące z tajania lodów antarktycznych zanurzają się pomiędzy 50 i 55°S do głęb. 1000 m (wody pośrednie) i kierując się na pn. docierają do ok. 20°N. Wody północnoatlantyckie, mieszając się z wodami systemu Prądu Zatokowego, opadają w głębiny (2000–

3000 m) i przemieszczają się na pd.; na 50–60°S łączą się z wodami antarktycznymi pośrednimi. Temperatury wód powierzchniowych wynoszą w zimie (luty na pn., sierpień na pd.) w strefie równikowej 27°C, na 60°N od 0°C przy wybrzeżach Ameryki Pn. do 7°C na wsch., na 60°S–1°C. W lecie (sierpień na pn., luty na pd.) w strefie równikowej 26°C (przy brzegach Afryki 23°C — wpływ zimnego Prądu Benguelskiego), na 60°N od 3°C na zach. do 14°C na wsch., na 60°S –1°C. Średnia temperatura wód powierzchniowych O.A. wynosi 16,5°C. Największe zasolenie wód powierzchniowych — 37‰, utrzymuje się w obydwu strefach zwrotnikowych; w pasie równikowym zmniejsza się do 35‰, w szerokościach umiarkowanych do 34‰ na pd. i 36‰ na pn.; średnie zasolenie wód powierzchniowych wynosi 34,9‰. Zjawiska lodowe (pak polarny, kry, góry lodowe) mają na półkuli pn. większy zasięg niż na południu; góry lodowe płynące z Prądem Labradorskim docierają do 31°N, z Prądem Falklandzkim — do 35°S. O.A. przyjmuje ok. 60% rocznego odpływu wód słodkich z kontynentów. Uchodzą do niego największe rzeki kuli ziemskiej: Nil, Amazonka, Missisipi-Missouri, Kongo, Niger. O.A. ma duże znaczenie dla świat. wymiany handl., większość przewozów odbywa się między Europą a Ameryką Pn.; w państwach leżących nad O.A. mieszka ponad 35% ludności świata i wytwarza się 3/4 produkcji przemysłowej.

Flora osiadła O.A. jest stosunkowo mało urozmaicona; w strefie przybrzeżnej pn. Atlantyku szczególnie charakterystyczne są brunatnice (gł. morszczyny i listownice); w pobliżu ujść rzecznych występują podwodne „łąki" tasiemnic; w strefie gorącej przeważają zielenice (np. pełzatka, walonia) i zwapniałe plechy krasnorostu litotamnion, a z brunatnic — gronorosty; w pd. części O.A. charakterystycznymi brunatnicami są wielkomorszczyn i lesonia; plankton roślinny tworzą okrzemki (gł. na pn.), bruzdnice, kokolitofory (gł. na pd.) i kilka gat. sinic; w strefach zimnych i ciepłych masowy rozwój fitoplanktonu występuje raz w roku, w strefach umiarkowanych — 2 razy, w gorących — plankton rozwija się przez cały rok.

Świat zwierzęcy O.A. jest stosunkowo ubogi w gat. i mało urozmaicony; cechuje go bipolarne rozsiedlenie, zwł. ssaków mor.: uchatek i waleni, oraz ptaków oceanicznych, licznych zwł. w strefach chłodnych i zimnych. Obszary stref gorących i ciepłych obfitują w pasach przybrzeżnych w krążkopławy i rurkopławy; w części wód otwartych występują, z ograniczonym zasięgiem (najdalej do przebiegu izotermy 20°C), ryby latające. Wody O.A., gł. jego obszary pn., są jednym z największych łowisk ryb; połowa świat. połowów (gł. dorsze, makrele, śledzie, tuńczyki, sardyny) pochodzi z wód O.A.; wieloryby są odławiane gł. w pd. części O.A. ∎

atlas [gr.], zbiór map geogr., selenograficznych, astr. lub innych, jednolicie oprac. (te same → odwzorowania kartograficzne, metody prezentacji, rozwiązania graf.) w taki sposób, że podawane przez poszczególne mapy a. informacje są ze sobą powiązane i tworzą razem całość dotyczącą danego zagadnienia; a. geograficzne dzieli się na ogólnogeogr. i tematyczne (specjalne). Te drugie obejmują zagadnienia fizycznogeogr. (np. atlasy geol., klim., hydrologiczne) lub społ.-gosp. (np. a. przemysłu, rolnictwa, demograficzne, lingwistyczne, hist.); zależnie od obejmowanego obszaru rozróżnia się a. świata, kontynentów, oceanów, państw, miast itp.; szczególną popularnością cieszą się kompleksowe a. narodowe (np. *Narodowy Atlas Polski* 1973–78) i regionalne (np. w Polsce a. niektórych województw i miast). Odrębną kategorię stanowią a. szkolne, których treść i jej ujęcie są podporządkowane wymaganiom dydaktyki i programów nauczania. Najnowszą formą a. są tzw. atlasy elektroniczne, do wyświetlania na monitorach komputerów. Za pierwsze a. uważa się zbiory map oprac. przez Klaudiusza Ptolemeusza (II w.) i Ortelliusza (XVI w.). Nazwę a. w odniesieniu do zbioru map wprowadził 1595 Merkator.

Atlas, Al-Aţlas, łańcuch gór fałdowych w pn.--zach. Afryce, w Maroku, Algierii i Tunezji, rozciągający się na dł. 2200 km. Obejmuje pasma górskie, wewn. wyżyny i nadbrzeżne niziny. Dzieli się na: Atlas Wysoki (Dżabal Tubkal, 4165 m — najwyższy szczyt Atlasu), Atlas Średni (Dżabal Bu Nasr, 3340 m), Ar-Rif (Dżabal Tidighin, 2456 m), Atlas Tellski (Lalla Chadidża, 2308 m), Atlas Saharyjski (Dżabal Ajsa, 2236 m), Antyatlas (Imkut, 2531 m); między Atlasem Tellskim i Atlasem Saharyjskim leży Wyż. Szottów (wys. 800–1200 m), w pn.-zach. części A. — Meseta Marokańska (wys. do 1500 m); wzdłuż wybrzeży atlantyckiego i śródziemnomor. ciągnie się wąski pas nizin nadbrzeżnych, przylegających bezpośrednio do gór Atlas.

B u d o w a   g e o l o g i c z n a. A. powstał w orogenezie alp.; pod względem geol. rozróżnia się w nim 3 strefy; strefa pd., obejmująca Antyatlas, jest wypiętrzoną w orogenezie alp. częścią platformy paleozoicznej, w której na silnie sfałdowanych w orogenezie hercyńskiej skałach prekambryjskich i paleozoicznych leży cienka pokrywa młodszych osadów; strefa środk., w której występują najwyższe pasma górskie (Atlas Wysoki, Średni, Saharyjski) oraz mesety: Marokańska i Orańska, jest zbud. z osadów mezozoiku i trzeciorzędu, o dużej miąższości, sfałdowanych w szereg stromych, grzebieniowatych fałdów i łusek o przebiegu południkowym; strefę pn., obejmującą Ar-Rif i Atlas Tellski, budują skały różnego wieku (od prekambru do trzeciorzędu),

∎ Atlas Saharyjski. Oaza górska Tamarza w Tunezji

ujęte w fałdy oraz płaszczowiny nasunięte kilkadziesiąt km w kierunku południowym.

Klimat podzwrotnikowy (odmiana górska), od mor. (typu śródziemnomor.) w pn.-zachodnim A., do kontynent. suchego u pd. podnóży gór; odpowiednio różnicuje się średnia roczna suma opadów, od ok. 1000 mm do ok. 200–100 mm. Rzeki przeważnie krótkie (o b. zmiennych stanach wód), częściowo okresowe; gł. rz.: Wadi Dara, Wadi asz-Szalif, Wadi Umm ar-Rabija, Wadi Muluja, Wadi Madżarda; liczne słone jeziora okresowe, zw. szottami, największe Asz-Szatt al-Hudna i Asz-Szatt asz-Szarki na Wyż. Szottów. Na pn. i zach. stokach A. wiecznie zielone zarośla typu makia, fragmenty lasów liściastych (dąb ostrolistny, dąb korkowy i in.), powyżej 800 m — resztki lasów iglastych i mieszanych (dąb, cedrzyk, sosna alepska, cedr atlantycki, jodła); na stokach pd. i wsch. kserofilne kolczaste krzewy, rzadkie zarośla jałowców; lasy cedrowe tylko na wsch. stokach; w Atlasie Saharyjskim roślinność półpustynna i pustynna, na Wyż. Szottów stepy i półpustynie trawiaste z ostnicą alfa. Bogate złoża fosforytów (gł. na przedgórzu Atlasu Średniego), rud żelaza oraz rud cynku, ołowiu, miedzi, cyny i manganu. Eksplorację alpinistyczną A. zapoczątkowali w 2. poł. XIX w. Anglicy; pol. wyprawy alpinistyczne od 1934. ■

atmosfera ziemska, powłoka gazowa otaczająca Ziemię; składa się z mieszaniny gazów, zw. powietrzem. Masa a.z. wynosi $5{,}15 \cdot 10^{18}$ kg, z czego połowa mieści się w dolnych 5 km, 3/4 w dolnych 10 km, a tylko 10^{-6} część masy znajduje się powyżej 100 km. A.z. nie ma wyraźnie zaznaczonej górnej granicy, lecz przechodzi stopniowo w przestrzeń międzyplanetarną. Jest układem dynamicznym, w którym zachodzi przemieszczanie mas powietrza; źródłem energii mech. jest energia promieniowania słonecznego. W a.z. zachodzą charakterystyczne zjawiska opt. i elektryczne (→ meteory). A.z. nie jest jednorodna; zmiana jej właściwości fiz. i chem. wraz ze wzrostem wysokości stanowi podstawę podziału na koncentryczne warstwy (bez wyraźnie zaznaczonych granic). Powszechnie jest przyjęty podział a.z. wg rozkładu temperatury w zależności od wysokości na: → troposferę (temperatura maleje niemal jednostajnie ze wzrostem wysokości), → stratosferę (w dolnej jej części temperatura prawie nie zmienia się z wysokością, w górnej — rośnie), → mezosferę (temperatura maleje ze wzrostem wysokości) i → termosferę (temperatura rośnie ze wzrostem wysokości); powierzchnie rozgraniczające te warstwy nazywają się odpowiednio: tropopauza, stratopauza i mezopauza. Trzy pierwsze warstwy cechuje identyczność procesów hydrodynamicznych oraz składu chem. (z wyjątkiem pary wodnej, zawartej gł. w warstwie do 10 km, i ozonu, koncentrującego się na wys. ok. 25–30 km; → ozonosfera) i średniej masy cząsteczkowej składników powietrza. Powyżej tych warstw skład chem. powietrza zmienia się wraz ze wzrostem wysokości wskutek procesów fotochem. zachodzących pod wpływem promieniowania słonecznego i kosmicznego. W a.z. wyróżnia się również warstwy, w których występuje duża liczba

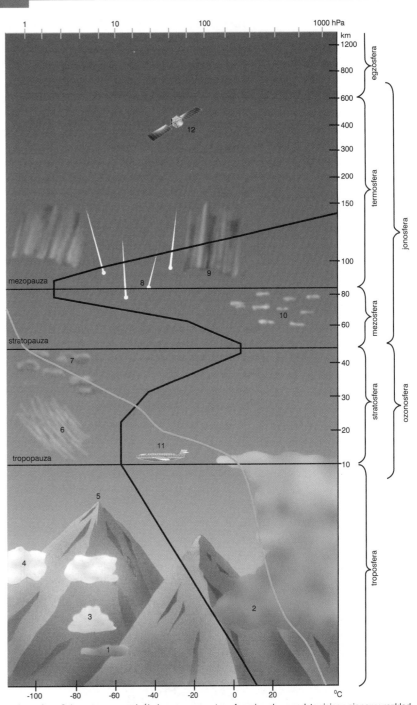

■ Atmosfera. Schematyczny przekrój pionowy przez atmosferę ziemską przedstawiający pionowy rozkład temperatury (krzywa łamana) i ciśnienia (krzywa ciągła) oraz występowanie tam niektórych zjawisk i obiektów; 1 chmura warstwowa deszczowa, 2 chmura kłębiasta deszczowa, 3, 4 chmury kłębiaste, 5 najwyższy szczyt na Ziemi (Mount Everest), 6 chmura pierzasta, 7 obłoki iryzujące, 8 meteory, 9 zorze polarne, 10 nocne obłoki świecące, 11 samolot komunikacyjny, 12 sztuczny satelita Ziemi

swobodnych elektronów i jonów (→ jonosfera). Najbardziej zewn. część a.z. jest niekiedy zw. → egzosferą. Wyodrębnia się też w a r s t w ę g r a n i c z n ą (zw. również warstwą planetarną lub warstwą tarcia) rozciągającą się od powierzchni Ziemi do wys. 0,5–1,5 km, w której ruch powietrza jest zakłócony przez tarcie o powierzchnię Ziemi. A.z. powyżej warstwy granicznej jest zw. a t m o s f e r ą s w o b o d n ą.   ■

atmosfery cyrkulacja ogólna, system wielkoskalowych ruchów powietrza nad kulą ziemską; odznacza się strefowością, związaną ze zróżnicowaniem temperatury powietrza w troposfe rze i z ruchem obrotowym Ziemi. W strefie równikowej, wskutek silnego nagrzania, rozwijają się prądy wznoszące, co prowadzi do utworzenia pasa niskiego ciśnienia (tzw. pas ciszy równikowej). Wznoszące się powietrze rozpływa się w górnej troposferze ku wyższym szer. geogr. i osiada ok. 30–35° szer. geogr. tworząc pasy wyżów zwrotnikowych; stąd część powietrza przemieszcza się ponownie w stronę równika w postaci p a s a t ó w — wiatrów o dużej stałości, pn.-wsch. na półkuli pn., pd.-wsch. na półkuli południowej. Pozostała część powietrza osiadającego w wyżach zwrotnikowych przemieszcza się w dolnej troposferze ku wyższym szer. geogr. tworząc sferę wiatrów zachodnich. Nad biegunami, w związku z niską temperaturą, występuje osiadanie powietrza, co prowadzi do wykształcenia się wyżów; na ich peryferiach występują wiatry o składowej wschodniej. Pomiędzy strefami wyżów zwrotnikowych i biegunowych rozwijają się strefy niskiego ciśnienia — obszary tworzenia się wędrownych → cyklonów na gł. → frontach atmosferycznych, gdzie występują duże poziome gradienty temperatury; strefom frontów towarzyszą → prądy strumieniowe. Stre-

■ Atol. Wyspy otoczone rafą koralową w grupie Ha'apai w archipelagu Tonga na Oceanie Spokojnym

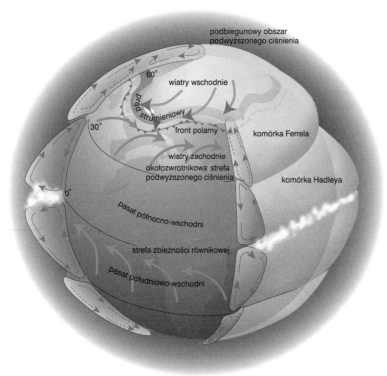

■ Schemat ogólnej cyrkulacji atmosfery

■ Rozwój atolu wg Ch.R. Darwina: przekształcenie rafy przybrzeżnej (a) w rafę barierową (b), a następnie w atol (c) w wyniku zmian poziomu morza

fy cyrkulacyjne przemieszczają się sezonowo nad kulą ziemską — najbardziej na pd. w styczniu, na pn. w lipcu. Cyrkulacja atmosf. w wielu obszarach różni się od przedstawionego schematu, gł. wskutek tworzenia się sezonowych ośr. ciśnienia atmosf. nad lądami: wyżów w zimie, niżów w lecie. Również w poszczególnych dniach cyrkulacja może kształtować się w różny sposób, zwł. w umiarkowanych i wysokich szer. geogr., w związku z działalnością cyklonalną. ■

atmosferyczne pływy, cykliczne zmiany wartości ciśnienia atmosf., wywołane działaniem pól grawitacyjnych Słońca i Księżyca.

atol [z malediwskiego], wyspa koralowa w kształcie ciągłego lub przerywanego pierścienia otaczającego przestrzeń wodną zw. → laguną; powstaje przez narastanie rafy koralowej wokół wyspy, gdy ta wraz z dnem oceanicznym ulega obniżeniu lub gdy podnosi się poziom morza; a. występują w strefie międzyzwrotnikowej, zwł. O. Spokojnego. ■

Auckland [ɔ:klənd], największe m. Nowej Zelandii, na Wyspie Pn.; 386 tys. mieszk., zespół miejski 1,1 mln (2002); port handl.; ośr. przemysłu, m.in. montaż samochodów, maszyn., chem., włók.; uniw., politechn.; międzynar. port lotn.; miasto zał. 1840 przez bryt. gubernatora Nowej Zelandii jako pierwsza (do 1865) stolica kolonii.

Augustowska, Równina, równina sandrowa w pd.-zach. części Pojezierza Litewskiego, między Kotliną Biebrzańską na pd. a Pojezierzem

Wschodniosuwalskim na pn.-wsch. i Pojezierzem Zachodniosuwalskim na pn.-zach.; wznosi się od ok. 120 m w okolicach Augustowa do ok. 190 m w okolicach Suwałk; powierzchnię równiny urozmaicają wytopiskowe misy licznych jezior, do których m.in. należy największe w tej części kraju — jez. Wigry (21,9 km^2) oraz grupa jezior augustowskich: największe — Sajno (5,2 km^2), najgłębsze — Białe (głęb. 30 m); większą część R.A. zajmuje Puszcza Augustowska; liczne rezerwaty przyr.; w obrębie R.A. wyróżniono 5 mikroregionów: Obniżenie Suwalskie, Pagórki Augustowskie i równiny — Studzieniczna, Frąckowska, Mikaszewska; niska gęstość zaludnienia, ludność skupia się gł. w Suwałkach i Augustowie; gospodarka gł. roln.-leśna; rozwinięte funkcje turyst.-wypoczynkowe.

Augustowski, Kanał, kanał żegl. w Polsce i na Białorusi, na Równinie Augustowskiej i w Kotlinie Biebrzańskiej; łączy dorzecza Wisły i Niemna przez malownicze jeziora (m.in.: Necko, Białe, Studzieniczne) oraz uregulowane koryto rz. Czarna Hańcza; dł. 102 km, z czego 80 km w granicach Polski; 18 śluz (14 w Polsce); wsch. część K.A., leżąca w granicach Białorusi, nieczynna (1992); pol. odcinek dostępny dla statków o nośności do 100 t; wykorzystywany w turystyce, w niewielkim stopniu do spławu drewna; zbud. 1824–39 wg techn. projektu I. Prądzyńskiego; obecnie zabytek techniki. ■

■ Kanał Augustowski. Śluza Przewięź

Augustów, m. powiatowe w woj. podl., nad jez.: Necko, Białe, Sajno, w obrębie Puszczy Augustowskiej; 30 tys. mieszk. (2000); uzdrowisko (borowina); turystyka i sporty wodne (żeglarstwo, kajakarstwo); przemysł tytoniowy, drzewny, materiałów bud.; węzeł drogowy; dworzec wodny Żeglugi Mazurskiej; prawa miejskie od 1557; Muzeum Ziemi Augustowskiej.

Australia, najmniejszy spośród kontynentów, położony na półkuli wsch. i pd.; na mapach świata pojawił się dopiero w końcu XVI stulecia w postaci zarysu hipotetycznego lądu *Terra australis* [łac., 'ziemia południowa']; od czasów pierwszych odkryć geogr., dokonywanych na jej zach. i pn. wybrzeżach przez Hiszpanów i Ho-

lendrów w XVII w., przez ok. 200 lat był nazywany Nową Holandią; obecną nazwę wprowadził do powszechnego obiegu na pocz. XIX w. bryt. podróżnik i odkrywca M. Flinders. A. od wsch., pn. i pd. jest otoczona wodami O. Spokojnego, od zach. i pd. — O. Indyjskiego. Największa południkowa rozciągłość kontynentu wynosi 3150 km (z Tasmanią — 3680), równoleżnikowa — ok. 4100 km; punkty skrajne (nie licząc wysp szelfu) stanowią przylądki: Jork (10°43′S), Przyl. Południowo-Wschodni (39°08′S), Steep Point (113°09′E) i Byron (153°42′E). Powierzchnia A. (wraz z przybrzeżnymi wyspami i Tasmanią) wynosi ok. 7,7 mln km^2; zamieszkuje ją 18,3 mln osób (1995).

Warunki naturalne

Ukształtowanie powierzchni. A. cechuje duża zwartość i słabe rozczłonkowanie wybrzeży. Długość linii brzegowej wynosi 33,5 tys. km (z Tasmanią 36,7 tys. km). Na północy znajdują się wielka zat. Karpentaria, należąca do morza Arafura, oraz znacznie od niej mniejsza Zat. Bonapartego, będąca częścią morza Timor, a także 3 wielkie półwyspy: Jork, półwysep z Ziemią Arnhem i półwysep z wyż. Kimberley; wśród pozostałych półwyspów na północy największym jest Ziemia Dampiera. Na pd. kontynentu dużych półwyspów brak, a do największych należą: Eyre'a i York, oba o silnie wydłużonych kształtach, położone nad zatokami O. Indyjskiego — ogromną, szeroko otwartą ku pd., Wielką Zat. Australijską i dwoma mniejszymi (Zat. Spencera i Zat. Św. Wincentego). Na zach. i wsch. linia brzegowa jest urozmaicona tylko przez drobne półwyspy (np. Peron, Edel Land) i zatoki (np. Exmouth, Rekinia, Broad Sound). Powierzchnia szelfu kontynentalnego A. wynosi ok. 2,4 mln km^2. Jego szerokość przy wsch. wybrzeżu i koło Tasmanii wynosi ok. 37 km, przy wybrzeżach pd. i pd.--zach. dochodzi do 370 km. W granicach szelfu znajdują się 2 wielkie wyspy: Nowa Gwinea i Tasmania, przy czym tylko druga z nich jest uważana za wyspę przybrzeżną A. Do kontynentu są zaliczane ponadto liczne mniejsze wyspy przybrzeżne; największe to: Melville'a, Kangura, Groote Eylandt i Bathursta. Próg kontynentalny A. zaznacza się najwyraźniej przy wsch. i zach. krańcach szelfu. A. jest słabo dostępna od strony mórz. Wiele fragmentów wybrzeży tworzy wysokie klify, np. na wybrzeżu zach. wydźwignięta tektonicznie krawędź Wyż. Zachodniej oraz kilkudziesięciometrowe ściany skalne oddzielające wybrzeża pd. i pd.-zach. od morza. W wielu miejscach pacyficznego wybrzeża wsch. Wielkie G. Wododziałowe docierają do samego morza; na pn.-wsch. dostęp do lądu zagradza Wielka Rafa Koralowa, która ciągnie się niemal nieprzerwanie na odcinku ok. 2 tys. km. Na całym wsch. wybrzeżu A. występują jednak dość licznie niewielkie zatoki, często związane z zatopionymi ujściowymi odcinkami rzek. Tasmania cechuje się również niedostępnymi, skalistymi brzegami, ale są tam liczne i głębokie fiordy, dogodne dla lokalizowania portów. Są również wybrzeża płaskie, z przybrzeżnymi płyciznami, np. nad zat. Karpentaria, gdzie dostęp od strony morza utrudniają piaszczyste i muliste ławice oraz gąszcze namorzynów wkraczające daleko

w płytkie wody zatoki, a także fragmenty niskich, wyrównanych wybrzeży akumulacyjnych na pd. od ujścia rz. Murray.

A. jest najbardziej równninnym kontynentem. Jej średnia wysokość wynosi 292,5 m. Najwyższy punkt stanowi G. Kościuszki (2228 m) w Alpach Austral., najniższy — depresja jez. Eyre (16 m p.p.m.) w pd.-zach. części Niz. Środkowoaustralijskiej. Około 87% obszaru leży poniżej 500 m, tylko 0,5% — powyżej 1000 m. 2/3 pow. kontynentu zajmuje na ogół równinna Wyż. Zachod-

■ Australia. Góry Błękitne, na pierwszym planie formy skalne zwane Trzy Siostry

nia, o średniej wys. 300–600 m. Jej najwyższe tereny znajdują się gł. na obrzeżach i są to obszary wyżynne, nazywane niekiedy górami (Hamersley, wys. do 1227 m) oraz silnie zerodowane masywy górskie o wysokościach nie przekraczających 1440 m (G. MacDonnella, Musgrave, Harts). Północno-zach. część Wyż. Zachodniej zajmuje wyż. Kimberley, która w Górach Króla Leopolda osiąga 937 m. Dalej ku wschodowi leży wyż. Barkly. Na pd. obrzeżeniu Wyż. Zachodniej wyróżniają się pasma: Stirling (1110 m) i Gawler (472 m). Równnine przeważnie wnętrze wyżyny urozmaicają wspomniane wyżej pasma górskie oraz liczne ostańce i okazałe formy wietrzeniowe (Ayers Rock, Olga). Dalej na wsch. rozciąga się równninna Niz. Środkowoaustralijska. Odgałęzienie należących do Wyż. Zachodniej zrębowych Gór Flindersa, pasmo Main Barrier Range, rozbija na południu jej obszar na 2 części: większą, pn.-zach., i mniejszą, pd.-wsch., pokrywającą się niemal ze środk. częścią dorzecza Murray. Obszar niziny stanowi rozległe obniżenie, biegnące południkowo przez środek A., od zat. Karpentaria po wybrzeża O. Indyjskiego. Najwyżej (do nieco ponad 200 m) obszar ten wznosi się na pn., w sąsiedztwie wyż. Barkly i gór Selwyn, oraz na zach., na Pustyni Simpsona. Ku centrum i pd.-

-zach. nizina obniża się, osiągając minimum w depresji jez. Eyre. U zach. krańców niziny pojawiają się krajobrazy bardziej urozmaicone, o rzeźbie pagórkowatej, niekiedy nawet podgórskiej. Wzdłuż wsch. wybrzeża A. rozciąga się na dł. ok. 4 tys. km, od przyl. Jork po Tasmanię, system Wielkich G. Wododziałowych. Góry składają się z licznych wyżynnych masywów i grup górskich (często o budowie zrębowej), porozbijanych szerokimi obniżeniami kotlin oraz dolin rzecznych. System ma bardzo zróżnicowaną szerokość — od kilkunastu do kilkuset km i przebiegając równolegle do wybrzeża, oddala się od niego niekiedy na kilkaset km, zwł. na północy. Wielkie G. Wododziałowe cechują się ponadto wyraźną asymetrią, wsch. stoki opadające ku wąskiej strefie pacyficznych nizin nadbrzeżnych są krótkie i strome, natomiast zach. — długie i łagodne. Maksymalne wyniosłości poszczególnych grzbietów zmieniają się od ok. 1150 m na południu (Grampians), poprzez powyżej 2200 m w Alpach Australijskich i 1600 m w części środk. (New England, Atherton), do ponad 1300 m na północy (góry płw. Jork).

Budowa i historia geologiczna. Kontynent austral. jest położony we wsch. części indoaustral. płyty litosfery. Przeważającą część A. zajmuje platforma prekambryjska, zw. austral., która od wsch. sąsiaduje z wczesnopaleozoiczną strukturą Gór Flindersa i hercyńską strefą fałdową Wielkich G. Wododziałowych. Platforma austral. ma wiele cech wspólnych z innymi platformami prekambryjskimi półkuli pd., wszystkie te platformy są bowiem częściami prakontynentu Gondwana. Najsilniejsze są związki platformy austral. z platformą antarktyczną, z którą była połączona aż do oligocenu. W zach. części platformy, w obrębie tarcz Pilbara i Yilgarn i w kilku mniejszych jednostkach, odsłania się archaiczny fundament platformy. Tworzą go granitognejsy i granulity o wieku 3,4–2,7 mld lat, a także słabiej zmetamorfizowane kompleksy zieleńcowe o wieku 3,3–2,6 mld lat. Fundament wsch. części platformy jest zbud. ze zmetamorfizowanych skał osadowych i wulk. dolnego proterozoiku, pociętych intruzjami granitowymi. Na fundamencie krystal. leżą osadowe i wulk. skały pokrywy platformowej. Na zach. A. najstarszymi składnikami tej pokrywy są dolnoproterozoiczne piaskowce z pokrywami bazaltów, łupki żelazisto-krzemionkowe, dolomity i kwaśne skały wulkaniczne. Górnoproterozoiczne i paleozoiczne utwory pokrywy osadowej to okruchowe i węglanowe skały wypełniające syneklizy Carnarvon, Canning, Perth, a także rowy tektoniczne: Amadeusza, MacArthur, Georgina i in. W pd. części A. podobne skały budują system fałdowy o rozciągłości południkowej. Mezozoiczne i kenozoiczne skały pokrywy platformowej to gł. osady piaszczysto-ilaste. Tylko w syneklizie Perth na zach. A. występują prócz nich mor. osady wieku triasowego i kredowego. We wsch. części platformy skały jej podłoża i skały budujące zach. część zerodowanego łańcucha hercyńskiego są przykryte mezozoicznymi i kenozoicznymi osadami okruchowymi, rzadziej węglanowymi, tworzącymi Wielki Basen Artezyjski, a także syneklizy Karpentaria i Murray.

■ Australia. Monolity Olga, zbudowane z czerwonych zlepieńców (prekambr)

Struktury fałdowe Gór Flindersa są zbud. z prekambryjskich iłowców i dolomitów z wkładkami trachitów, andezytów i riolitów, zlepieńców i piaskowców z dolomitami, a miejscami magnezytami, oraz z tillitów, iłów pstrych i wapieni. Występują tu również kambryjskie wapienie z przewarstwieniami dolomitów oraz skał okruchowych, o łącznej miąższości ponad 15 km. Utwory te zostały ostatecznie sfałdowane w późnym kambrze i ordowiku i obecnie tworzą fałdy o kierunkach południkowych. Swą dzisiejszą postać Góry Flindersa zawdzięczają pionowym ruchom tektonicznym w późnym mezozoiku i trzeciorzędzie; ruchy te wypiętrzyły masyw Gór Flindersa wzdłuż tzw. uskoku Torrensa, który oddziela je obecnie od synekliz Murray, ukształtowanej na podłożu paleozoicznym.

Struktury paleozoiczne pasma Wielkich G. Wododziałowych mają złożoną budowę. Można je podzielić na 3 części: pd. — obejmującą Tasmanię, stan Wiktoria i część stanu Nowa Pd. Walia, środk. — ciągnącą się od Nowej Pd. Walii do pd. Queenslandu, i część pn. — ciągnącą się do Przyl. Mellville'a. Część pd. budują gł. okruchowe osady starszego paleozoiku (łupki, szarogłazy, łupki graptolitowe) i kambryjskie skały wulk., o łącznej miąższości do 9 km, sfałdowane w końcu ordowiku, oraz leżące na nich niezgodnie sylurskie i dewońskie łupki i szarogłazy z wkładkami wapieni.

Od późnego paleozoiku obszar ten był lądem okresowo zalewanym przez morze; powstawały tu osady lądowe, w tym lodowcowe, czynne były wulkany. W trzeciorzędzie obszar Wielkich G. Wododziałowych uległ silnemu wypiętrzeniu, a działalność erozyjna spowodowała powstanie rzeźby górskiej. Obszar środk. pasma cechują silne deformacje tektoniczne, metamorfizm i magmatyzm (w tym silny wulkanizm podmor.); najstarsze skały (zmetamorfizowane szarogłazy, łupki i radiolaryty z pokrywami bazaltów, a także wapienie), odsłaniające się w osiach antyklin są zaliczane do starszego paleozoiku; skały te są nasunięte na wapienie i łupki krzemionkowe oraz andezyty i tufy dewonu. Po wczesnym dewonie nastąpiły ruchy tektoniczne, które spowodowały powstanie licznych nasunięć i uskoków; w późnym paleozoiku w zapadliskach powstawały lądowe i mor. osady okruchowe i węglanowe oraz tillity; w permie powstały intruzje granitowe. Obszar pn. Wielkich G. Wododziałowych można podzielić na 3 strefy: wsch., centr. i zachodnią. Strefa zach. jest zbudowana ze sfałdowanych i częściowo zmetamorfizowanych węglanowych i okruchowych skał ordowiku i syluru, na których leżą niezgodnie szarogłazy najwyższego syluru i dewonu. W strefie wsch. występują gł. mułowce z przewarstwieniami szarogłazów, spilitów, wapieni i łupków, pochodzące z okresu od syluru do późnego karbonu, sfałdowane po wczesnym karbonie. Wymienione strefy rozdziela strefa centr., tj. pas zapadlisk permskich wypełnionych gł. wulkanitami. Swą obecną postać Wielkie G. Wododziałowe zawdzięczają trzeciorzędowym ruchom wypiętrzającym.

Współczesne procesy geologiczne. A., wraz z całą wsch. częścią indoaustral. płyty litosfery, przemieszcza się ku północy z prędkością ok. 6,6 cm na rok. Położenie kontynentu w środku płyty, z dala od stref subdukcji na północy, powoduje, że jest on mało aktywny pod względem sejsmicznym. Sporadyczne i słabe trzęsienia ziemi występują w obrębie Wielkich G. Wododziałowych. Gorący klimat panujący w centrum kontynentu powoduje, że dominującym czynnikiem rzeźbotwórczym jest tu wietrzenie fiz. i chem., sprzyjające powstawaniu ostańców, m.in. twardzielców.

Zasoby geologiczne. A. jest bogata w złoża rud metali, a zwł.: ołowiu (28% zasobów świat.), boksytów, rud uranu, cyrkonu, tantalu, litu, bizmutu, żelaza, tytanu, cynku, kadmu. Ponadto w A. występują duże złoża rud indu, miedzi, selenu, telluru, niklu, pierwiastków ziem rzadkich, cyny i manganu oraz złoto i srebro. Do największych złóż rud ołowiu i cynku oraz srebra należy Broken Hill; występują one w utworach proterozoiku w zach. części Nowej Pd. Walii. W utworach z tego samego okresu w zach. części prow. Queensland, w rejonie Mount Isa, znajdują się ważne złoża miedzi, srebra, ołowiu i cynku, a w zach. części Ziemi Arnhem — liczne złoża uranu, z których najważniejsze to: Ranger, Jabiluka, a także Pine Creek, gdzie z uranem współwystępują miedź i złoto. Z kompleksami zieleńcowymi archaicznej tarczy Yilgarn są związane złoża złota w rejonie Kalgoorlie (Golden Mile) i złoże niklowo-miedziowe Kambalda. Najważniejsze złoże boksytów, jedno z największych na świecie, znajduje się w Weipa na płw. Jork; powstało ono w wyniku laterytyzacji osadów trzeciorzędowych.

A. należy do kontynentów ubogich w ropę naft. i gaz ziemny; złoża tych kopalin występują na obszarach szelfu kontynent. w sąsiedztwie A. Zachodniej, Terytorium Pn., Wiktorii, w kontynent. basenach osadowych Queenslandu i A. Południowej. Zasoby ropy naft. wynoszą nieco ponad 300 mln t (0,24 % zasobów świat.), gazu ziemnego zaś — 1,5 bln m^3 (1% zasobów świat.). Bogatsze są złoża innych surowców energ., tj. węgla kam. i brun. (Queensland, Nowa Pd. Walia), eksploatowane gł. odkrywkowo; ich zasoby wynoszą łącznie ok. 91 mld t (8,7% zasobów świat.). Australijskie złoża diamentów stanowią ponad 50% świat. zasobów diamentów przemysłowych.

Złoża te występują gł. w pn. części A. Zach. (brzeżne partie wyż. Kimberley). Znaczenie gosp. mają także złoża innych kamieni szlachetnych i ozdobnych (szafir, chryzopraz, czarny opal, nefryt). W A. znajdują się również bardzo duże złoża fosforytów (rejon Georgina), znaczne złoża magnezytu i barytu.

Klimat. Warunki klim. A. kształtują się gł. w wyniku położenia między 10 a 39°S, gdzie długość dnia w ciągu roku jest mało zróżnicowana: w dniu przesilenia letniego (22 XII) dzień trwa od 12,7 godz. na północy do 15 godz. na południu; w dniu przesilenia zimowego (22 VI) odpowiednio od 11,5 do 9,3 godziny. Roczna liczba godz. ze słońcem jest duża: od 3200 (8–9 godz. dziennie) na południu Terytorium Pn. do 2000 (5 godz. dziennie) na zach. kontynentu, 2400–2600 (6–7 godz. dziennie) na wsch., 2200 (6 godz. dziennie) na południu i 1600 (4 godz. dziennie) na południu Tasmanii. Roczna suma promieniowania słonecznego w środkowej A. przekracza 8370 MJ/m^2, zmniejsza się ku wybrzeżom: na zach. do 6700 MJ/m^2, na pn. i pn.-wsch. do 6700–7120 MJ/m^2, na pd. do 5860 MJ/m^2, na Tasmanii ok. 4600 MJ/m^2.

Ważną rolę w kształtowaniu klimatu A. odgrywa słabe rozczłonkowanie linii brzegowej i brak równoleżnikowych przeszkód orograficznych. Regionalne znaczenie mają Wielkie G. Wododziałowe na wschodzie. Niewielkie rozmiary kontynentu i brak w pobliżu innych, wysoka temperatura omywających go akwenów i brak chłodnego prądu mor. powodują, że warunki termiczne zach. i wsch. wybrzeża (omywanego przez ciepły Prąd Wschodnioaustralijski) są podobne. W lecie nad pn. częścią kontynentu tworzy się termiczny ośrodek niskiego ciśnienia. Strefa konwergencji międzyzwrotnikowej znajduje się na około 20°S. Północna A. staje się wówczas obszarem dominacji ciepłego i wilgotnego pn.-zach. monsunu sięgającego niekiedy do pd. Queenslandu. Na pd. od 20°S wieje pasat pd.-wsch., a na wybrzeżu zach. wiatry pd.-zach. znad O. Indyjskiego. Zimą nad A. powstaje termiczny wyż, który łączy się ze stałymi podzwrotnikowymi wyżami nad oceanami. Wówczas nad pn. połową kontynentu wieje pasat pd.-wsch., nad pd. — wiatry pn.-zach., nad skrajnym pd. — zachodnie. W zimie nad pd. wybrzeżem zdarzają się adwekcje chłodnego powietrza związane z frontem polarnym; wtedy pd. wiatry (southerly buster lub buster) obejmują wybrzeże Nowej Pd. Walii i sięgają do Sydney, czasami nawet do pd. Queenslandu. Wyjątkowo silne wiatry wieją podczas cyklonów tropik. (willy-willy) powstających nad morzami Timor, Arafura i Koralowym oraz w rejonie Wysp Salomona; 2–3 razy w roku dochodzą one do wybrzeży pn.-wsch. (między przylądkami Jork a Sandy). Towarzyszą im niezwykle intensywne opady atmosf. (maks. dobowa suma opadów w Innisfail wynosi 539 mm). Zdarzają się także trąby powietrzne (tornada), które występują na obszarze od A. Zachodniej do Nowej Pd. Walii. Na wybrzeżach duże znaczenie ma cyrkulacja bryzowa, najsilniej rozwinięta na pd. zach., oddziałująca na odległość 80–90 km, miejscami nawet do 300 km w głąb lądu. Najcieplejszym miesiącem roku na pn.-zach. jest marzec lub kwiecień, na pn. — listopad, na pd. i wybrzeżach wsch. i zach. — luty. Najgorętszym obszarem jest pn.-zach. część A., gdzie w grudniu i styczniu temperatura wynosi 28–32°C. Wewnątrz kontynentu temperatura w styczniu przekracza 28°C, na wybrzeżach 22–24°C, w Alpach Australijskich poniżej 16°C, w Tasmanii poniżej 12°C. Najwyższą temperaturę w A. (53,1°C) zanotowano w Clouncurry (Queensland) 16 I 1889. Najchłodniejszym miesiącem roku jest zwykle lipiec z temp. od 24°C na Ziemi Arnhem i płw. Jork na północy do 12°C na pd.--zach. i 10°C na skrajnym południu stałego lądu, na Tasmanii do około 8°C, a w Alpach Austral. poniżej 0°C. Najniższą na kontynencie temp. (–22°C) zmierzono na przełęczy Charlotte w Alpach Austral. 14 VII 1945 i 22 VIII 1947. Ogromna część A. otrzymuje mało opadów, ich roczna suma wynosi od 125–200 mm w części środk. i nieco więcej na wybrzeżu zach., do 1300–1500 mm na Ziemi Arnhem i płw. Jork na pn., wybrzeżu wsch. i pd.-zach.; największe opady (ponad 3500 mm) notuje się na niewielkim fragmencie wybrzeża pn.-wsch. na pn. od Townsville (Innisfail, 3535 mm) i na zach. zboczach gór Tasmanii. Na Ziemi Arnhem i płw. Jork występuje monsunowy rozkład opadów: ulewne deszcze padają od stycznia do kwietnia. Na pn.--wsch. wybrzeżu i na pd. obszarze Wielkich G. Wododziałowych zwróconych ku oceanowi występują opady całoroczne z letnim maksimum. Południowo-zachodnią A., Płw. Eyre'a, góry Gawler i Góry Flindersa oraz pd. Wiktorię i Tasmanię, poza jej pd. skrajem, cechuje podzwrotnikowy typ rocznego przebiegu opadów: z zimowym maksimum, kiedy deszcze są bardziej obfite. Północny odcinek wybrzeża A. Zachodniej, będący pod wpływem cyklonów tropik., ma duże opady z maksimum na jesieni, gł. w marcu. Obszar A. na pn. od 20°S należy do strefy równikowej. Klimat wybitnie wilgotny panuje na pn.--wsch. wybrzeżu między 17 a 20°S. Klimat wilgotny ma wyż. Kimberley, Ziemia Arnhem, płw. Jork i wyż. Atherton; na północy tego regionu zaznaczają się cechy monsunowe. Klimat suchy mają wyż. Barkley i góry Selwyn aż do 25°S, na pd. od zat. Karpentaria. Całe wnętrze A. leży w strefie klimatów zwrotnikowych. Wybrzeże wsch. ma klimat wilgotny, w Wielkich G. Wododziałowych występuje jego odmiana górska. Całe zaplecze gór oraz wybrzeże wsch. między Mackay a zwrotnikiem Koziorożca ma klimat pośredni między mor. i kontynentalnym. Zachodnia część A. Zachodniej, wyżynny środek i niz. Nullarbor ma klimat kontynentalny. Silniejszym kontynentalizmem i wybitną suchością (opady roczne poniżej 200–300 mm) wyróżniają się pustynie: Wielka Pustynia Piaszczysta, Pustynia Gibsona, zach. część Wielkiej Pustyni Wiktorii i Pustynia Simpsona oraz rejon jez. Eyre. Południowe wybrzeże, Płw. Eyre'a i Góry Flindersa oraz wybrzeże Wiktorii leżą w strefie podzwrotnikowej. Południowy-zach. A. i pn.-zach. Tasmanii mają klimat morski. Zawietrzna wsch. Tasmania ma klimat pośredni między mor. a kontynentalnym. Klimat suchszy i bardziej kontynent. panuje na Płw. Eyre'a i wokół Zat. Spencera. Południowy skraj Tasmanii leży w strefie ciepłych klimatów umiarkowanych typu morskiego.

Wody. Około 60% powierzchni A. jest endoreiczne lub areiczne, są to gł. obszary Wyż. Zachodniej i pn.-zach. część Niz. Środkowoaustralijskiej. Wyżyna Zach. to tereny niemal bezwodne (półpustynie i pustynie), w części areicznej nie mają nawet wykształconej sieci dolinnej, a epizodyczne wody opadowe są odprowadzane do pobliskich bezodpływowych niecek. Ponieważ w obrębie centr. masywów górskich (zwł. G. MacDonnella) opady są nieco wyższe, występują tam rzeki okresowe (Finke), które po opuszczeniu gór zanikają w aluwiach. Nizina Środkowoaustralijska jest pokryta gęstą siecią okresowo odwadnianych dolin rzecznych (zw. creeks), w jej części pn.-zach. ukierunkowanych gł. ku depresjom jez. Eyre i in. jezior bezodpływowych. Doliny te wypełniają się wodą po występujących rzadko i nieregularnie opadach, przeważnie o charakterze nawalnym. Wtedy równiny położone bliżej centrum niziny mogą być nawiedzane przez niespodziewane i katastrofalne powodzie. Pogranicze Niz. Środkowoaustralijskiej z Wyż. Zachodnią należy do najuboższych w wodę terenów, rozciąga się tam wielka areiczna Pustynia Simpsona.

Około 30% terytorium A. należy do zlewiska O. Indyjskiego, odwadniają je gł. rzeki wewnętrznego skłonu Wielkich G. Wododziałowych oraz pd.-wsch. części Niz. Środkowoaustralijskiej, należące do największego austral. dorzecza Murray–Darling, a także rzeki zach. części Wyż. Zachodniej oraz większość rzek pn. obszarów kontynentu. Wszystkie rzeki zlewiska O. Indyjskiego cechują się wielkimi wahaniami stanów wód, wiele zalicza się do okresowych. Najwięcej wody prowadzą nigdy nie wysychające górne biegi rzek wsch. i pd.-wsch. części dorzecza Murray (zwł. górskie dopływy rzek: Darling, Murrumbidgee, Lachlan). Najdłuższe rzeki zach. wybrzeża (niektóre przekraczają 800 km dł.): Gascoyne, Fortescue, Ashburton, De Grey, są ubogie w wodę i zimą często wysychają. Krótsze od nich gł. rzeki północnej A.: Flinders, Victoria, Ord, są bogatsze w wodę, lecz bardzo nierównomierny rozkład odpływu w ciągu roku powoduje znaczne ograniczenie ich przydatności gospodarczej. Wzbierają one gwałtownie, lecz na krótko, w wyniku letnich deszczy monsunowych, przez większą część roku zaś prowadzą bardzo mało wody, a w górnych biegach często wysychają. W pd. części A., na wysuniętych najbardziej na pd., stosunkowo niewielkich partiach lądu, występują rzeki krótkie, niewysychające (Rz. Łabędzia), które niosą najwięcej wody w okresie zimowym. Ich rola w gospodarce jest stosunkowo duża, stanowią bowiem „oazy wilgoci" wśród otaczających obszarów półsuchych, są jedną z gł. determinant lokalizacyjno-rozwojowych Perth i Adelaide, stolic 2 najsuchszych stanów A.

Do O. Spokojnego jest odwadniane tylko 9% obszaru A., płyną tam liczne i bogate w wodę przez cały rok rzeki wsch. skłonu Wielkich G. Wododziałowych. Najdłuższe z nich: Fitzroy, Burdekin, Hunter, Hawkesbury, występują w pn. części zlewiska pacyficznego, ponieważ kontynent. dział wodny oddala się tam najbardziej od oceanu. Rzeki pacyficzne cechują się dużymi spadkami, nie mają więc na ogół znaczenia dla żeglugi, mają natomiast znaczne zasoby hydroenergii. Ujścia niektórych z nich są podobne do estuariów, co czyni je dogodnymi dla lokalizacji portów mor. (Sydney, Brisbane, Rockhampton, Maryborough).

Ponieważ A. jest najuboższym w wody powierzchniowe kontynentem, wody podziemne mają tu dla gospodarki znaczenie szczególne. Istnieje kilka rozległych i bogatych w wody wgłębne niecek sedymentacyjnych (także na obszarach najsuchszych) oraz kilkanaście mniejszych, które łącznie obejmują ok. 1/4 pow. kontynentu. Największą z nich jest Wielki Basen Artezyjski na Niz. Środkowoaustralijskiej. Część wód wgłębnych A. (zwł. zalegających najgłębiej) jest zasolona, co bardzo ogranicza ich przydatność, woda nadaje się tylko do pojenia owiec. Niektóre baseny, w tym Wielki Basen Artezyjski, są od dawna zbyt intensywnie eksploatowane, wskutek czego tracą właściwości użytkowe (zanika samowypływ, pogarsza się skład chem. wody itp.). Lokalnie, zwł. na wsch. wybrzeżu w ujściowych odcinkach dolin większych rzek, np. w delcie Burdekin, występują bogate zasoby bardzo dobrych jakościowo wód aluwialnych.

Gleby. Na całym kontynencie od początków trzeciorzędu panowały klimaty sprzyjające rozwojowi leśno-sawannowych zbiorowisk roślinnych i tworzeniu się zwietrzelin silnie żelazistych, laterytów i krzemionkowych. Powtórne wydźwignięcie w trzeciorzędzie Wielkich G. Wododziałowych zahamowało swobodny dopływ wilgotnych mas powietrza do centr. i zach. obszarów kontynentu. W tej sytuacji stare, ubogie w składniki odżywcze dla roślin zwietrzeliny znalazły się w warunkach klimatu suchego kontynent. i stanowią skały macierzyste współcz. gleb A. środkowej i zach., natomiast przemywny i sezonowo-przemywny ustrój wilgotnościowy gleb utrzymuje się jedynie na wsch., pn. i częściowo pd. obrzeżach kontynentu. Najsilniej uwilgotnione wsch. stoki Wielkich G. Wododziałowych pokrywają kwaśne czerwoziemy i żółtoziemy, przechodzące z wysokością w gleby brunatne leśne. W kotlinach śródgórskich występują gleby glejowo-opadowe z oznakami solońcowatości. Na suchszych, zach. stokach gór i przylegających wyżynach rozwinęły się czerwonobrązowe, ferralitowe gleby sawann i zarośli. Nieco zbliżone cechy, lecz bez zwietrzelin ferralitowych, wykazują cynamonowe gleby, występują-

ce pod kserofitowymi zbiorowiskami krzewiastymi na pd.-zach. i pd.-wsch. krańcach A., zwilżanych skąpymi opadami zimowymi. W wysuniętych na pn. obszarach płw. Jork znajdujących się w brzeżnej strefie monsunów, pod lasami tropik. i sawannami wykształciły się czerwone gleby ferralitowe z warstwami laterytów. Północno-zach. wyżyny: Barkley, Ziemia Arnhem, Kimberley pokrywają okruchowo-kamieniste zwietrzeliny piaskowców i granitów z płytkimi glebami inicjalnymi. Na obrzeżach m.in. wyż. Kimberley, w obrębie zwietrzelin piaszczystych występują twarde poziomy i skorupy krzemionkowe. Żyzne czerwonoziemy rozwinięte na zwietrzelinach bazaltów są zajmowane pod urodzajne pastwiska. Równiny i kotliny aluwialno-limniczne występujące po zach. stronie gór austral. są wysłane glinami montmorylonitowymi. Utwory te przy zmianie wilgotności pęczniają i kurczą się, co w panujących tam hydrotermicznych warunkach sawann trawiastych sprzyja formowaniu się gleb ze specyficzną mikrorzeźbą powierzchni, zw. gilgaj. Związane z tymi obszarami żyzne wertisole są użytkowane gł. jako nawadniane grunty orne. Silnie węglanowe gleby szarobrązowe wykształcone na pyłowo-piaszczystych osadach aluwialnych niziny Murray wykazują oznaki solońcowatości. Na niz. Nullarbor półpustynne gleby czerwonobure, zawierające poza chlorkami i siarczanami także twarde poziomy wapienne są użytkowane jako pastwiska owiec. O lokalnych odmianach gleb pustynnych w A. decyduje różny stopień uchowania się starych zwietrzelin. Poza piaskami kwarcowo-żelazistymi powszechne są tam powierzchnie okryte pancerzami krzemionkowymi i żelazistymi oraz gruzowo-kamienistymi produktami ich rozpadu. Wielką Pustynię Piaszczystą, pustynię Tanami i częściowo Pustynię Wiktorii pokrywają równoleżnikowe wały wydm. Na Pustyni Gibsona dominuje materiał kamienisto-żwirowy, a równinę aluwialną w okolicy jez. Eyre pokrywają piaski kwarcowe.

Świat roślinny. A. stanowi osobne państwo roślinne (*Australis*) o swoistej florze, z dużą liczbą endemitów (np. 750 gat. eukaliptusów i 450 gat. akacji); w zbiorowiskach roślinnych przeważają formacje charakterystyczne dla klimatów suchych i gorących. Wnętrze kontynentu zajmują pustynie piaszczyste (bez roślinności) oraz półpustynie ze słonoroślami i kolczastymi krzewinkami (karłowate akacje, eukaliptusy, kazuaryny, łobody i in.) tworzące tzw. skrub. Pustynie i półpustynie graniczą, zwł. od pn., ze stepami twardolistnych traw. Na pn. stepy przechodzą w sawanny, a te — w lasy monsunowe; wybrzeża pd.-wsch. i pd.-zach. porastają lasy wawrzynolistne i zimozielone zarośla. Odrębna jest roślinność wsch. części A.: na obszarach o dużych opadach (gł. płw. Jork) rosną wiecznie zielone lasy podrównikowe (figowce, palmy, pandanusy, liany i epifity), a na wybrzeżach pn. — namorzyny; dalej na pd., w górach, występują wiecznie zielone lasy araukarii i notofagusów (buk pd.), natomiast na najwyższych wzniesieniach Alp Australijskich — roślinność alpejska. Plagą gospodarczą A. są zawleczone tu i mnożące się opuncje.

■ Australia. Flaszowiec na sawannie

Obszar A. z Tasmanią i Nową Gwineą tworzy pod względem zoogeogr. krainę australijską, o swoistej faunie, która wytworzyła się wskutek wczesnego (od początku trzeciorzędu) odizolowania A. od innych kontynentów. Fauna kręgowców jest stosunkowo uboga, np. ssaki łożyskowe są reprezentowane przez nietoperze, psa dingo i nieliczne gryzonie (z endemicznym gat. bobroszczura); b. liczne natomiast są torbacze — silnie zróżnicowane, z reguły gat. endemiczne (np. kangury, koala, kret workowaty, wilk workowaty, wombaty); 2 rodziny — kolczatki i dziobak — to stekowce, rzadki i najosobliwszy rząd wśród ssaków; fauna ptaków b. bogata, najciekawsze są: emu, kazuary, lirogony, altanniki, papugi i ptaki rajskie. W ichtiofaunie osobliwością jest endemiczny rogoząb, jeden z 3 rodzajów ryb dwudysznych.

Ochrona środowiska. Pierwsze tereny chronionej przyrody pojawiły się w koloniach austral. na Tasmanii (1863). W 1879 w okolicach Sydney zał. The Royal National Park, o pow. 7284 ha, pierwszy w A. (a drugi w świecie) park narodowy. Charakter obszarów chronionych jest w A. odmienny niż w Europie. Nie są to na ogół typowe rezerwaty przyrody, ale raczej chronione tereny rekreacyjne, o funkcji zarówno poznawczo-dydaktycznej, jak i komercyjnej (silnie rozwinięta infrastruktura turyst.). Dlatego ochroną objęto praktycznie wszystkie obszary, które wyróżniają się atrakcyjnością turystyczną. Obecnie jest chronione 7,6% (tj. 58 mln ha) obszaru kontynentu oraz niektóre tereny w obrębie austral. terytoriów zamorskich. Ponadto istnieje 145 rezerwatów, obejmujących prawie 38 mln ha akwenów morskich. W w A. znajduje się 516 parków nar., obejmujących 3,4% jej obszaru oraz ponad 2700 innych obszarów chronionych. Największy z parków nar., Kakadu (Terytorium Pn.), ma 1,9 mln ha; 11 parków i rezerwatów, o łącznej pow. 42,6 mln ha, wpisano na Listę Świat. Dziedzictwa Kult. i Przyr. UNESCO; są to Wielka Rafa Koralowa, Park Nar. Kakadu, Uluru-Kata Tjuta National Park, Tasmanian Wilderness World Heritage Area, Central Eastern Rainforest Reserves, Willandra Lakes Region, Lord Howe Island Group, Wet Tropics and Fraser Island, Zat. Rekinia i 2 stanowiska zwierząt kopalnych. Duże znaczenie dla ochrony środowiska przyrodniczego A. mają zajmujące wielkie obszary rezerwaty ludności tubylczej, należą bowiem do terenów najściślej chronionych przed ingerencją z zewnątrz.

Regiony fizycznogeograficzne. Zgodnie z dominującymi rysami tektoniki i orografii kontynent austral. jest dzielony zazwyczaj na 3 części: Wyż. Zachodnią, Niz. Środkowoaustralijską i Wielkie G. Wododziałowe. Wyż. Zachodnia, obejmująca przeszło połowę kontynentu, dzieli się na wiele mniejszych regionów. Krajobrazy wyżynne dominują na pd.-zach. (Swanland, Yilgarn i G. Robinsona), pn.-zach. (Kimberley) oraz pn.-wsch. (Barkly); górskie — na zach. (Hamersley), w centrum (G. MacDonnella, Harts, Musgrave) i na pd.-wsch. (G. Flindersa); nizinne oraz górskie — na pn. (Ziemia Arnhem), wyżynne i nizinne zaś — na pd. (Gawler, Nullarbor). Niziny ciągną się wąskim pasem w części pd.-

■ Australia. Park Narodowy Kościuszki — rejon najwyższego szczytu Australii, odkrytego i zbadanego przez P.E. Strzeleckiego

-zach., nad O. Indyjskim i obejmują część obszarów pustynnych (Wielka Pustynia Piaszczysta, Pustynia Gibsona, Wielka Pustynia Wiktorii, Tanami i Rów Amadeusza). Nizina Środkowoaustral. obejmuje środk. część kontynentu i dzieli się na wiele mniejszych regionów. Są to, od pd.: Niz. Murray, Niz. Darling, Równiny Pd., Równiny Darling, Wewn. Równiny Queenslandu, Kraina Strumieni, Kraina Słonych Jezior, Pustynia Simpsona, Niz. Karpentaria i Pn. Równiny Queenslandu. Wielkie G. Wododziałowe dzieli się na góry: Tasmanii, pd.-zach. Wiktorii, pd. i środk. części Nowej Pd. Walii, pd. i środk. Queenslandu, wyż. Atherton i góry płw. Jork.

Ludność → Australia, państwo (Ludność).

Gospodarka → Australia, państwo (Gospodarka). ■

Australia, Związek Australijski, państwo na kontynencie austral. i wyspie Tasmania; pow. 7682,3 tys. km^2; 19,8 mln mieszk. (2002), w tym ludność rdzenna ok. 300 tys.; stol. Canberra; język urzędowy ang.; państwo związkowe, monarchia konstytucyjna; obejmuje 6 stanów i 2 terytoria federalne posiadające autonomię; terytoria zamor.: Norfolk, Wyspa Bożego Narodzenia (na O. Indyjskim), W. Kokosowe (Keeling), wyspy na M. Koralowym, W. Heard i McDonalda oraz W. Ashmore i Cartiera.

Warunki naturalne → Australia — kontynent.

Ludność

Współczesne społeczeństwo austral. powstało w wyniku imigracji (ludność była w większości pochodzenia bryt.); 1991 urodzeni poza granicami A. stanowili 22,7% (w tym w W. Brytanii i Irlandii 7,1%); Polonia austral. liczy ok. 150 tys.

■ Australia. Aborygeni

osób; chrześcijanie (protestanci i katolicy) 74% ogółu ludności (1991), wyznawcy innych religii (islam, buddyzm, judaizm) 2%; przyrost naturalny 7,3‰ (wskaźnik urodzeń 14,2‰), imigracja ok. 75 tys. osób rocznie; ludność A. jest młodsza niż w większości krajów Europy (średnia wieku 32 lata); w miastach 85,3% (1994), od 1971 tempo wzrostu ludności miejskiej maleje; największe obszary metropolitalne: Sydney, Melbourne, Brisbane.

Gospodarka

A. należy do krajów rozwiniętych; duża zależność od koniunktury na rynku świat. (surowce miner. i produkty rolne stanowią ok. 70% wartości eksportu); struktura wytwarzania produktu krajowego brutto (w % — 1993/94): rolnictwo 4, przemysł 29 (w tym górnictwo 4), usługi 67. Eksploatacja bogatych zasobów różnorodnych surowców miner. w pełni pokrywa zapotrzebowanie krajowe; wydobycie węgla kam. (194,5 mln t — 1996) i brun. (54,3 mln t), ropy naft. (30,8 mln t) i gazu ziemnego, rud żelaza (3. miejsce w świecie — 1994), boksytów (1.), rud ołowiu (1.), cynku (3.), niklu i manganu, złota (2.), srebra, ponadto rud miedzi, cyny, tytanu i cyrkonu, opali (największy świat. producent) oraz szafirów i diamentów; gł. gałęzie przemysłu przetwórczego: elektromaszyn. (m.in. samochodowy), spoż. (mięsny, mleczarski, cukr., winiarski), chem. (nawozy azotowe i fosforowe, kauczuk syntet.), lekki (włók., odzież.), drzewno-papierniczy, poligraficzny; ponad 2/3 ogólnej wartości produkcji przem. pochodzi z Nowej Pd. Walii i Wiktorii. Rolnictwo wysokotowarowe, wykorzystanie ziemi ma charakter ekstensywny, wydajność na 1 zatrudnionego dzięki mechanizacji wysoka; grunty orne i sady zajmują 6,1% pow. (1993), łąki i pastwiska 54%; długotrwałe susze, plagi szarańczy i in. w pd. stanach powodują duże straty w hodowli oraz sezonowe wahania produkcji rolnej; w świat. pogłowiu owiec (119,6 mln sztuk — 1998) A. zajmuje 1. miejsce, ok. 80% to merynosy (1/3 świat. produkcji wełny nieoczyszczonej); hodowla bydła (26 mln sztuk) rozwinięta w pasie przybrzeżnym; uprawa bogatych w białko białych gat. pszenicy (zbiory 16,5 mln t — 1995), corocznie przeznacza się na eksport 70–80%; z roślin przem. najważniejsza trzcina cukrowa (zbiory 35,9 mln t), bawełna i słonecznik; w dolinach Murray i Murrumbidgee na terenach sztucznie nawadnianych plantacje drzew owocowych i cytrusowych oraz winnice; połowy mor. (ostrygi, krewetki, tuńczyk); w wodach tropik. (od Broome do Cairns) hoduje się perłopławy. Sieć kol. na pd.-wsch. i pd.-zach.; dł. eksploatowanych linii kol. 36,2 tys. km (1994); dł. dróg kołowych 810 tys. km (1996), 1/2 dróg dostępna w czasie korzystnych warunków atmosf.; łączne obroty w portach 355 mln t (1996), w tym wyładunek ok. 35 mln t (gł. ropa naft. i jej produkty); ważną rolę odgrywa żegluga kabotażowa; gł. porty mor.: Sydney, Melbourne, Brisbane, Fremantle, Darwin; lotn. przewozy pasażerów w ruchu krajowym 20 mln osób (1995), w międzynar. — 5,8 mln; samoloty używane powszechnie w służbie zdrowia, gospodarce rolnej i hod., w leśnictwie; największe międzynar. porty lotn.: Sydney, Melbourne, Brisbane, Perth, Dar-

win. W 1997 A. odwiedziło 4,3 mln turystów zagr.; gł. regiony turyst.: Wielka Rafa Koralowa, parki nar. Uluru i Kościuszki oraz Tasmania. Eksport gł. węgla kam., rud żelaza i in. metali, cukru, zboża, mięsa, wełny; największą pozycją w imporcie (ok. 40%) są maszyny, urządzenia i sprzęt transportowy; gł. partnerzy handl.: Japonia (22% eksportu i 14% importu — 1996), USA (6% i 23%), Korea Pd., Niemcy, Nowa Zelandia i W. Brytania. ∎

Australia Południowa, South Australia, stan Australii; 984 tys. km^2; 1,6 mln mieszk. (2002), ludność rdzenna 1,2%; stol. Adelaide; 3/4 obszaru pustynie i półpustynie; słone jeziora okresowe (Eyre, Torrens, Gairdner); plantacje sosny; wydobycie ropy naft., gazu ziemnego, węgla, rud miedzi, opali, saliny mor.; uprawy: pszenica, jęczmień, rzepak; w dorzeczu Murray sady, w dolinie Barossa winnice; hodowla owiec; gł. porty: Adelaide, Port Lincoln, Port Pirie, Whyalla.

Australia Zachodnia, Western Australia, największy stan Australii; 2,5 mln km^2; 2 mln mieszk. (2002), ludność rdzenna 2,6%; stol. Perth; wydobycie złota, rud żelaza i niklu, boksytów, węgla, diamentów, ropy naft. i gazu ziemnego (ze złóż podmor. przy pn.-zach. brzegu), ilmenitu; gł. ośr. przemysłu ciężkiego Kwinana; uprawy: pszenica, jęczmień, łubin; sztucznie nawadniane sady i winnice; hodowla owiec, bydła, trzody chlewnej; komunikacja lotn.; gł. porty: Fremantle, Port Hedland, Dampier.

Australijska, Wielka Zatoka, ang. **Great Australian Bight,** otwarta zatoka O. Indyjskiego u pd. wybrzeża Australii, między przyl. West Cape Howe na zach. a Przylądkiem Pd.-Zach. na Tasmanii; pow. 1335 tys. km^2; głęb. do 5670 m, w Basenie Południowoaustral.; do W.Z.A. uchodzi rz. Murray; gł. porty — Adelaide, Port Pirie.

Austria, Österreich, Republika Austrii, państwo w środk. Europie, w Alpach; 83,9 tys. km^2; 8,1 mln mieszk. (2002), Austriacy (98%), Chorwaci, Słoweńcy, Węgrzy; katolicy, protestanci; stol. Wiedeń, większe m.: Graz, Linz, Salzburg, Innsbruck; składa się z 9 krajów związkowych: Burgenland, Dolna Austria, Górna Austria, Karyntia, Salzburg, Styria, Tyrol, Vorarlberg, Wiedeń; język urzędowy niem.; republika. Ponad 60% pow. kraju zajmują Alpy Wsch. z najwyższym pasmem Wysokie Taury (Grossglockner, 3797 m) i wyżynnym przedgórzem, obniżającym się ku dolinie Dunaju; liczne kotliny śródgórskie;

∎ Austria. Zell am See

∎ Austria

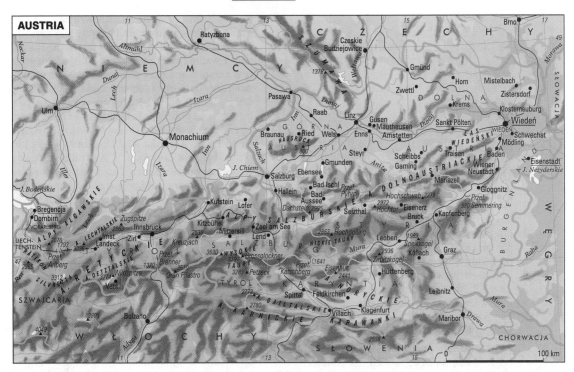

na pn.-wsch. tektoniczna Kotlina Wiedeńska; klimat umiarkowany ciepły, w Alpach piętra klim.; lasy świerkowe; w najwyższym piętrze Alp lodowce. Kraj wysoko rozwinięty gospodarczo z dużym udziałem usług; energetyka wodna (70% produkcji energii elektr.), hutnictwo metali, przemysł samochodowy (Steyr), maszyn., elektrotechn., drzewny, papierniczy; leśnictwo; intensywna hodowla bydła oraz uprawa zbóż, buraków cukrowych, ziemniaków i winorośli; rozwinięte warzywnictwo i sadownictwo; całoroczna turystyka (gł. regiony: Tyrol, Salzburg, Karyntia); liczne uzdrowiska (Badgastein) i ośr. sportów zimowych (Innsbruck); gęsta sieć komunik., tranzytowe linie kol. i drogowe w tunelach alpejskich. ▪

autochton [gr.], masy skalne pozostające na miejscu swego tworzenia się, zakorzenione w podłożu, choć często znacznie zdeformowane tektonicznie (sfałdowane, pocięte uskokami); te, które uległy nieznacznym przemieszczeniom, są nazywane p a r a u t o c h t o n a m i. Zob. też allochton.

autometamorfizm [gr.], przemiany chem. minerałów zachodzące w skale magmowej podczas końcowej fazy zestalania się magmy lub bezpośrednio po zakrzepnięciu skały w wyniku obniżania się temperatury i oddziaływania na skałę roztworów i par pochodzących z tej samej magmy, z której wcześniej wykrystalizowała skała; rodzaj → metamorfizmu.

autostrada [gr.-wł.], droga kołowa przystosowana do szybkiego ruchu samochodowego; trwale rozdzielone jezdnie o przeciwnych kierunkach ruchu (np. barierą metal., betonową, pasem zieleni, żywopłotem); każda jezdnia jest podzielona na pasma: zewn. — dla pojazdów jadących wolniej i wewn. — dla pojazdów jadących szybciej; wszystkie skrzyżowania, wjazdy i zjazdy są bezkolizyjne; a. omijają miasta, mając z nimi połączenie drogami dojazdowymi; po bokach a. znaj-

dują się niekiedy zasłony izolacyjne z zieleni (tłumiące hałas i zmniejszające zanieczyszczenie powietrza wokół autostrady) lub tłumiące hałas ekrany izolacyjne (ziemne, betonowe i in.).

Averno, łac. **Avernus,** jez. kraterowe we Włoszech, na Polach Flegrejskich; pow. 0,55 km², głęb. ok. 22 m. W czasach staroż. z jeziora wydobywały się trujące wyziewy, wskutek czego uchodziło ono za przedsionek do piekła. Wergiliusz w *Eneidzie* opisuje zejście Eneasza do Averno (pieśń VI).

Awinion, **Avignon,** m. w pd. Francji (Prowansja-Alpy-Wybrzeże Lazurowe), nad Rodanem; ośr. adm. dep. Vaucluse; 87 tys. mieszk. (2002);

▪ Awinion. Most St-Benezet z XIV w.

różnorodny przemysł, gł. papierniczy, poligraficzny, chem.; ośr. handlu owocami i winem; uniw.; muzea; festiwale teatr.; kolonia rzym. Avenio; rom. katedra (XII w.); most St Bénezet (XII, XIII w.); mury obronne (XII, XIV w.); zamek papieży (XIV–XV w.); got. kościół St Pierre (XIV, XV w.) i in. kościoły, kaplice; ratusz (XIV, XV w.); pałace. ▪

Ayers Rock [ęərz rok], **Uluru,** góra wyspowa w Australii (Terytorium Pn.), ok. 400 km na pd.--zach. od m. Alice Springs; wznosi się stro-

■ Ayers Rock

mo ponad powierzchnię zrównania na wys. ok. 350 m; dł. 2,6 km, szer. ok. 1,6 km; zbud. z prekambryjskich piaskowców; urwiste stoki są wynikiem wywiewania (deflacji) i spłukiwania (ablacji); w niewielkich jaskiniach u podstawy malowidła naskalne; św. miejsce ludności rdzennej; popularny obiekt turyst., stanowi część Parku Nar. Uluru. ■

■ Azerbejdżan

Azerbejdżan, Azerbajdżan, Republika Azerbejdżańska, państwo w Azji, na Kaukazie, nad M. Kaspijskim; 86,6 tys. km²; 8,1 mln mieszk. (2002), w tym Azerbejdżanie 83%; stol. Baku, in. gł. m.: Giandża, Sumgait; wierzący gł. muzułmanie; język urzędowy azerb. (alfabet łac.); republika; w skład A. wchodzą Rep. Nachiczewańska i Górski Karabach. Na pn. pasma Wielkiego Kaukazu (wys. do 4466 m), na pd. Mały Kaukaz i G. Tałyskie; w środk. części Niz. Kurańska; gł. rz. Kura z Araksem; suche stepy, pustynie i półpustynie, w górach lasy. Reforma gospodarki rozpoczęta po uzyskaniu niepodległości; waluta manat od 1993; pożyczki z Banku Świat. i Międzynar. Funduszu Walutowego przeznaczone na restrukturyzację sektora naft.; wydobycie ropy naft. i gazu ziemnego (złoża podmor.); hutnictwo żelaza i aluminium; przemysł rafineryjny, chem., maszyn., spoż., lekki (włók.); uprawa zbóż (pszenica), winorośli, drzew owocowych, warzyw (zwł. dyniowate), bawełny; hodowla bydła, owiec, jedwabników; rurociąg naft. Baku–Batumi (Gruzja), gazociąg z Iranu (odgałęzienia do Armenii i Gruzji).

Azja, część świata obejmująca 4/5 powierzchni Eurazji, największego kontynentu na kuli ziemskiej. Jest położona niemal w całości na półkuli pn. i wschodniej. Na pd. od równika leży jedynie część Archipelagu Malajskiego, na półkuli zach. — Płw. Czukocki. Nazwa A. pochodzi od gr. słowa *ásios* oznaczającego namuł rzeczny; początkowo odnosiła się do równin nadrzecznych na płw. Azja Mniejsza, następnie do obszarów na wschód od M. Egejskiego, a później była stopniowo przenoszona na cały odkrywany przez Europejczyków obszar A.

A. jest położona między O. Arktycznym na pn., O. Spokojnym na wsch., O. Indyjskim na pd. i morzami śródlądowymi O. Atlantyckiego na zachodzie. Umowna granica lądowa z Europą najczęściej jest prowadzona od Zat. Bajdarackiej M. Karskiego wsch. podnóżem gór Ural, doliną rz. Emba, pn. brzegiem M. Kaspijskiego po ujście rz. Kuma, doliną Kumy i dalej rz. Manycz do Donu i jego ujścia do M. Azowskiego. Dalsza granica z Europą jest mor. i biegnie M. Czarnym, cieśn. Bosfor, morzem Marmara, cieśn. Dardanele i wzdłuż wsch. wybrzeża M. Egejskiego, z tym że położone przy wybrzeżu Azji Mniejszej i należące do Grecji wyspy takie jak: Lesbos, Chios, Samos, Kos i Rodos najczęściej są zaliczane do A., podobnie jak Cypr. Granicę z Afryką wyznacza Kanał Sueski, Zat. Sueska, M. Czerwone i Zat. Adeńska, stąd należący do Egiptu płw. Synaj jest częścią A. Z Australią i Oceanią A. graniczy przez morza Timor i Arafura oraz w Cieśn. Dampiera, oddzielającej Archipelag Malajski od Nowej Gwinei. Leżące na O. Spokojnym wyspy, archipelagi i łuki wysp: Filipiny, Tajwan, Riukiu, Japońskie, Kurylskie i Komandory należą do A. Od Ameryki Pn. oddziela ją Cieśn. Beringa. Wyspa Św. Wawrzyńca położona na M. Beringa należy do Ameryki. Częścią A. są ark. archipelagi Ziemi Pn., W. Nowosyberyjskich oraz Wyspa Wrangla. A. oblewają wody wszystkich 4 oceanów i licznych mórz będących ich częściami. Od północy są to morza: Karskie, Łaptiewów, Wschodniosyberyjskie i Czukockie. Po wsch. stronie, pomiędzy stałym lądem a łukami archipelagów wschodnioazjat. występują morza wewn., na które składają się morza: Beringa, Ochockie, Japońskie, Żółte, Wschodniochiń. i Południowochińskie. W obrębie Archipelagu Malajskiego i Filipin są wyróżniane morza: Sulu, Celebes, Moluckie, Seram, Banda, Flores i Jawajskie. Od strony O. Indyjskiego jest oblewana przez M. Andamańskie, Zat. Bengalską, M. Arabskie z Zat. Adeńską i M. Czerwone. Do O. Atlantyckiego należą morza oblewające A. od zach.: Śródziemne z Egejskim, Marmara, Czarne i Azowskie. Częścią A. jest śródlądowe M. Kaspijskie, charakter bezodpływowego zbiornika ma także M. Martwe. Morza arktyczne, M. Żółte, fragmenty mórz: Wschodniochińskiego i Południowochińskiego oraz M. Jawajskie są morzami szelfowymi.

Skrajne punkty części lądowej A. to: na pn., na płw. Tajmyr przyl. Czeluskin (77°43′N), na pd., na Płw. Malajskim — Piai (1°16′N), na zach., w Azji Mniejszej — Baba (26°04′E) i na wsch., na Płw. Czukockim — Dieżniewa (169°40′W). Rozciągłość równoleżnikowa ok. 8600 km, południkowa — 8400 km. Linia brzegowa jest bardzo dobrze rozwinięta, łączna jej długość (wraz z wyspami) przekracza 70 tys. km. Powierzchnia A. wynosi ok. 44,5 mln km² (z M. Kaspijskim), co stanowi 30% pow. lądowej Ziemi (bez Antarktydy), zamieszkuje ją ponad 3,5 mld ludności (60% ludności świata, 1997).

Warunki naturalne

Ukształtowanie powierzchni. A. charakteryzuje się największym ze wszystkich części świata zróżnicowaniem ukształtowania powierzchni i znaczną kontrastowością rzeźby. W jej obrębie znajdują się najwyższe góry na Ziemi (Himalaje, Karakorum), najniżej położony obszar depresyjny (M. Martwe) i największa kryptodepresja (jez. Bajkał), najwyżej na świecie położona wyżyna (Tybet), a także wielkie obszary nizinne (Niz. Zachodniosyberyjska).

A. jest stosunkowo silnie rozczłonkowaną częścią świata, gdyż tylko nieco ponad 70% jej pow.

stanowi rdzeń lądowy. Na półwyspy przypada około 8,7 mln km² (19%), a ok. 2,7 mln km² (7%) na wyspy. Największe półwyspy to znajdujące się w jej pd. części: Arabski (2,7 mln km²), Indochiński (2,2 mln km²) i Indyjski (2,1 mln km²), położona na zach. Azja Mniejsza, a w A. Wschodniej — Płw. Koreański oraz na pn. — Tajmyr i Kamczatka. Największe azjat. wyspy wchodzą w skład Archipelagu Malajskiego: Borneo (736 tys. km²), Sumatra i Celebes. Na morzach A. Wschodniej znajdują się liczne łuki wysp: Archipelag Filipiński z Luzonem i Mindanao, W. Japońskie z Honsiu i Hokkaido, wyspy Riukiu, Kuryle oraz pojedyncze duże wyspy (Tajwan, Sachalin). Na O. Indyjskim jedyną większą wyspą jest Cejlon, a na O. Arktycznym 2 grupy wysp przybrzeżnych: Ziemia Pn. i W. Nowosyberyjskie.

Pod względem pionowego ukształtowania powierzchni A. ma charakter wyżynno-górski. Obszary położone na wys. 300–2000 m zajmują 54,7% pow., obszary wzniesione powyżej 2000 m — 12,9%, niziny — 32,4%, w tym depresje 1,2%. Średnia wys. wynosi 990 m, najwyższym punktem jest Mount Everest w Himalajach (8848 m, najwyższy szczyt Ziemi), najniższym — M. Martwe, którego zwierciadło znajduje się na wys. 405 m p.p.m.

Dominującą cechą ukształtowania powierzchni jest obecność pasa górskiego, rozciągającego się od wybrzeży M. Śródziemnego na zach. po O. Spokojny na wsch. i przecinającego A. w kierunku zbliżonym do równoleżnikowego. Pas ten, zw. południowym, tworzony przez 2 mniej więcej równoległe do siebie ciągi, rozpoczyna się w Azji Mniejszej górami Taurus w ciągu zewn. (pd.) i G. Pontyjskimi w ciągu wewn. (pn.). Dalsze składowe ciągu zewn. to Zagros i Mekran w Iranie, G. Sulejmańskie na pograniczu Afganistanu i Pakistanu oraz Himalaje. Na wsch. od Himalajów kierunek rozciągłości pasm górskich zmienia się na zbliżony do południkowego lub na pd.-wschodni. Znajdują się tutaj pasma G. Arakańskich, Tanen, Tenaserimskich i Płw. Malajskiego, przechodzące dalej ku pd.-wsch. w góry Archipelagu Malajskiego. W kierunku pd.-wsch. rozciągają się pasma G. Sino-Tybetańskich i G. Annamskich. Do wewn. ciągu równoleżnikowego pasa górskiego, na wsch. od G. Pontyjskich, należą: Kaukaz, Elburs, Kopet-dag, Hindukusz i Pamir. Góry Karakorum są zwornikiem, w którym ciąg pd. łączy się z północnym. Wschodnią część ciągu pn. tworzą, położone w Chinach, góry Kunlun, Altun Shan, Qilian Shan i Qin Ling. Pasma górskie obu ciągów na przemian zbliżają się i wówczas tworzą węzły górsko-wyżynne (węzeł armeński, pamirski, wschodniotybetański), lub oddalają od siebie, otaczając wysoko położone wewn. wyżyny, m.in.: Anatolijską, Armeńską, Irańską i Tybetańską. W węźle pamirskim od pasa pd. odchodzi ku pn.-wsch. północny pas górski, rozciągający się po wybrzeża O. Spokojnego. W jego skład wchodzą od zach. Tien-szan, Ałtaj, Sajany, Changaj, G. Jabłonowe i G. Stanowe. W pn.-wsch. części A. kierunek pasm górskich zmienia się na południkowy, znajdują się tu Góry: Wierchojańskie, Czerskiego, Kołymskie, Koriackie, Wielki Chingan, Sichote Alin i Wschodniokoreańskie. Pomiędzy pasem pd. i pn. oraz w obrębie pasa pn. są

■ Azja. Himalaje Wysokie

położone rozległe kotliny śródgórskie, w tym Kaszgarska, Dżungarska i Turfańska, związana z głęboką depresją; dalej ku wsch. oba pasy górskie rozdziela Wyż. Mongolska.

Na pd. od pd. pasa górskiego, oddzielone od niego aluwialnymi nizinami: Mezopotamską i Hindustańską, znajdują się obszary wyżynne Płw. Arabskiego i Płw. Indyjskiego. Wyżynne wnętrze Płw. Arabskiego jest ograniczone od zach. krawędziowymi górami Dżabal al-Hidżaz i Dżabal Asir, natomiast ku wsch. łagodnie obniża się w kierunku Zat. Perskiej; wyż. Dekan na Płw. Indyjskim ograniczają krawędziowe góry: Ghaty Zach. i Ghaty Wschodnie. Nad M. Śródziemnym ciągnie się wąska nizina nadbrzeżna, za którą teren wznosi się tworząc wyżynny krajobraz pustyni Negew, Judei i Galilei w Izraelu, przechodzący ku pn. w pasmo górskie Libanu. Obszar A. na pn. od pasów górskich zajmują gł. rozległe obszary nizinne, udział wyżyn wzrasta ku wschodowi. Na wsch. od M. Kaspijskiego rozpościera się Niz. Turańska z rozległą niecką Jez. Aralskiego; od wsch. otacza ją Pogórze Kazaskie, położone na przedpolu Tien-szanu i Ałtaju. Przez obniżenie Bramy Turgajskiej Niz. Turańska łączy się z rozległą i zabagnioną Niz. Zachodniosyberyjską, odwadnianą przez Ob i jego dopływy. Na wsch. od Jeniseju znajduje się Wyż. Środkowosyberyjska, której najwyżej położone części (G. Putorana, G. Byrranga) mają cechy obszarów górskich. Podmokłe i bagienne obszary nizinne występują wzdłuż brzegów O. Arktycznego jako Niz. Północnosyberyjska, Niz. Jańsko-Indygirska i Niz. Kołymska. Obszary nizinne zajmują także duże powierzchnie w A. Wschodniej, zwł. Niz. Mandżurska i Niz. Chińska. Rzeźba górska cechuje większość wysp na O. Spokojnym (Japońskie,

■ Azja. Syberia, port Tiksi nad Morzem Łaptiewów

AZJA
mapa fizyczna

Tajwan, Filipiny, Celebes, Jawa), większe obszary nizinne znajdują się tylko na Borneo i Sumatrze. Charakter generalnie nizinny mają wyspy na O. Arktycznym, podobnie jak liczne małe wyspy w pd. i pd.-wschodniej A., częściowo o koralowym pochodzeniu.

Pod względem fizycznogeograficznym A. dzieli się na 6 wielkich jednostek, różniących się budową geol., rzeźbą terenu, stosunkami klim. i wodnymi. A. Północna obejmuje obszary od gór Ural na zach. po O. Spokojny na wsch.; w jej skład wchodzą: Niz. Zachodniosyberyjska, Wyż. Środkowosyberyjska, pasma górskie wsch. i pd. Syberii, Kamczatka oraz Sachalin. A. Południowo-Zachodnia obejmuje obszary od wybrzeży M. Śródziemnego na zach. po Wyż. Irańską (włącz-

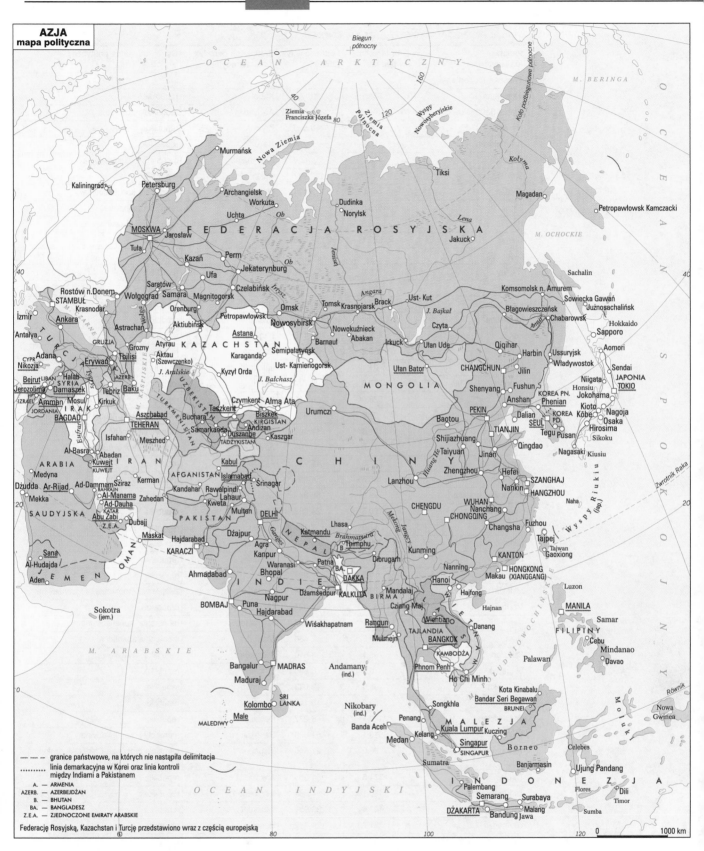

AZJA
mapa polityczna

granice państwowe, na których nie nastąpiła delimitacja
linia demarkacyjna w Korei oraz linia kontroli
między Indiami a Pakistanem

A. — ARMENIA
AZERB. — AZERBEJDŻAN
B. — BHUTAN
BA. — BANGLADESZ
Z.E.A. — ZJEDNOCZONE EMIRATY ARABSKIE

Federację Rosyjską, Kazachstan i Turcję przedstawiono wraz z częścią europejską

nie) na wschodzie. Półwysep Indyjski, Niz. Hindustańska i Cejlon tworzą A. Południową. A. Południowo-Wschodnia to góry Birmy, Płw. Indochiński, Filipiny oraz Archipelag Malajski. Do A. Wschodniej zalicza się pasma górskie, wyżyny i niziny wsch. Chin oraz W. Japońskie. W skład centralnie położonej A. Środkowej wchodzą Niz. Turańska, Pogórze Kazaskie, pasma górskie Tien-szanu, Pamiru, Karakorum, Himalajów i Kunlunu, wraz z położonymi pomiędzy nimi kotlinami śródgórskimi, wyż.: Tybetańską i Mongolską.

Pochodzenie i rozwój rzeźby. Rzeźba terenu A. jest zróżnicowana pod względem pochodzenia, wieku i tempa jej współcz. przemian. Charakter i rozwój rzeźby nawiązuje przede wszystkim do

PODZIAŁ POLITYCZNY AZJI (BEZ FEDERACJI ROSYJSKIEJ)				
Państwo lub terytorium	Powierzchnia w tys. km²	Ludność w tys. (2000)	Stolica lub ośrodek administracyjny	Ustrój lub status polityczny
Państwa niepodległe				
Afganistan	652,1	18 797[a]	Kabul	republika
Arabia Saudyjska	2 149,7	21 607	Ar-Rijad	monarchia absolutna
Armenia	29,8	3 520	Erywań	republika
Azerbejdżan	86,6	7 734	Baku	republika
Bahrajn	0,7	666	Al-Manama	monarchia konstytucyjna
Bangladesz	147,6	126 947	Dakka	republika
Bhutan	47,0	2 124	Thimphu	monarchia konstytucyjna
Birma	676,6	45 611	Rangun	republika związkowa
Brunei	5,8	328	Bandar Seri Begawan	monarchia konstytucyjna
Chiny[b]	9 562,1	1 277 558	Pekin	republika
Cypr	9,3	786	Nikozja	republika
Filipiny	300,0	75 967	Manila	republika
Gruzja	69,7	4 968	Tbilisi	republika
Indie	3 287,6	986 611	Delhi	republika związkowa
Indonezja[c]	1 919,4	208 308	Dżakarta	republika
Irak	438,3	23 115	Bagdad	republika
Iran	1 633,2	62 746	Teheran	republika
Izrael[d]	21,1	6 217	Jerozolima[e]	republika
Japonia	377,8	126 714	Tokio	monarchia konstytucyjna
Jemen[f]	528,0	18 112	Sana	republika
Jordania	97,7	6 482	Amman	monarchia konstytucyjna
Kambodża	181,0	11 168	Phnom Penh	monarchia konstytucyjna
Katar	11,0	599	Ad-Dauha	monarchia konstytucyjna
Kazachstan[g]	2 717,3	16 223	Astana	republika
Kirgistan	198,5	4 699	Biszkek	republika
Korea Południowa	99,3	46 844	Seul	republika
Korea Północna	120,5	24 039	Phenian	republika
Kuwejt	17,8	2 107	Kuwejt	monarchia konstytucyjna
Laos	236,8	5 297	Wientian	republika
Liban	10,4	3 282	Bejrut	republika
Malediwy	0,3	286	Male	republika
Malezja	329,8	22 244	Kuala Lumpur	związkowa monarchia konstytucyjna
Mongolia	1 566,5	2 621	Ułan Bator	republika
Nepal	147,2	22 367	Katmandu	monarchia konstytucyjna
Oman	212,5	2 460	Maskat	monarchia absolutna
Pakistan	796,1	134 510	Islamabad	republika związkowa
Singapur	0,6	3 890	Singapur	republika
Sri Lanka	65,6	19 043	Kolombo	republika
Syria	185,2	16 110	Damaszek	republika
Tadżykistan	143,1	6 237	Duszanbe	republika
Tajlandia	513,1	61 806	Bangkok	monarchia konstytucyjna
Tajwan	36,0	21 545	Tajpej	formalnie prowincja Chin, faktycznie kraj niezależny od rządu ChRL, republika
Turcja[g]	774,8	64 385	Ankara	republika
Turkmenistan	488,1	4 384	Aszchabad	republika
Uzbekistan	447,4	23 954	Taszkent	republika
Wietnam	331,7	79 832	Hanoi	republika
Zjednoczone Emiraty Arabskie	83,6	2 398	Abu Zabi	związek księstw
Terytoria niesamodzielne i zależne				
Bożego Narodzenia, Wyspa	0,14	1,9	Flying Fish Cove	terytorium zamorskie Australii
Kokosowe, Wyspy	0,01	0,7	—	terytorium zamorskie Australii
Makau	0,02	438	Makau	terytorium Chin[h]

[a] Bez nomadów; [b] od 1997 z Hongkongiem (1,0 tys. km²); [c] łącznie z Irianem Zachodnim zaliczanym do Oceanii; [d] bez Okręgu Gazy i Zach. Brzegu (Jordanu), tworzących Autonomię Palestyńską.; [e] prawnomiędzynarodowy status Jerozolimy nie został dotąd uregulowany; [f] łącznie z wyspą Sokotrą, należącą do Afryki; [g] łącznie z częścią europejską; [h] do 31 XII 1999 w posiadaniu Portugalii.

budowy geol. podłoża, położenia w obrębie gł. struktur tektonicznych oraz aktualnej tendencji ruchu pionowego skorupy ziemskiej. Drugim istotnym czynnikiem warunkującym ewolucję rzeźby są warunki klimatyczne, zwł. duże amplitudy roczne temp. w A. Środkowej, suchość powietrza w A. Południowo-Zachodniej i A. Środkowej, występowanie cyrkulacji monsunowej w A. Wschodniej i A. Południowo-Wschodniej; ponadto obecność w A. Północnej wieloletniej zmarzliny. Najstarszymi elementami rzeźby są powierzchnie zrównania na starych platformach prekambryjskich Płw. Arabskiego i Dekanu na pd. oraz tarcz, syberyjskiej, obejmującej gł. Wyż. Środkowosyberyjską, i chiń. na pn. i wschodzie. Ścinają one struktury starszego podłoża, miejscami są urozmaicone izolowanymi górami typu wyspowego oraz denudacyjnymi obniżeniami kotlin. Na obszarach występowania skał osadowych rozwinęła się rzeźba krawędziowa, która w zależności od sposobu zalegania warstw skalnych ma charakter stoliw w obszarach o budowie płytowej lub zespołów progów strukturalnych (kuest) w strukturach monoklinalnych (np. Płw. Arabski). W pn.-zach. części Dekanu zrównane powierzchnie wyżynne ukształtowały się na rozległych pokrywach law bazaltowych (trapów) z przełomu kredy i trzeciorzędu. W trzeciorzędzie zewn. części tarczy krystal. Dekanu zostały silnie podniesione tektonicznie, co doprowadziło do powstania zewn. pasm górskich Ghatów Wsch. i Ghatów Zachodnich.

Dominująca w A. rzeźba wyżynno-górska, choć powstała na strukturach różnego wieku: hercyńskich w A. Środkowej, jenszańskich (kimeryjskich) w A. Wschodniej i alpejskich na pd., pochodzi z trzeciorzędu i czwartorzędu, kiedy to starsze struktury ulegały tektonicznemu odmładzaniu lub włączaniu w obręb górotworów alpejskich. Do pasm górskich systemu alp. zaliczają się wszystkie obszary pd. pasa górskiego. Rzeźba na tych obszarach ma charakter tektoniczny i jest złożona z licznych zrębów, rowów i półrowów, kotlin zapadliskowych oraz krawędzi obszarów górskich o prostoliniowym przebiegu. W wielu obszarach ruchom tektonicznym towarzyszyła aktywność wulkaniczna, czego śladem są częściowo zdenudowane stożki wygasłych wulkanów oraz rozległe pokrywy lawowe (wyż.: Armeńska, Mongolska). Charakterystyczne cechy azjat. obszarów górskich to: duże wysokości bezwzględne, znaczne wysokości względne, długie i wąskie grzbiety górskie, bardzo duże nachylenia stoków, głębokie doliny rzeczne z częstymi ruchami masowymi (osuwiska, obrywy) na zboczach, liczne przełomy rzeczne typu antecedentnego (przełom Brahmaputry przez Himalaje, przełomy w górach Zagros i in.). Dynamika współcz. przekształceń rzeźby i tempo denudacji są tu największe, zwł. w górach, znajdujących się w zasięgu oddziaływania opadów monsunowych. Mierzone wartości denudacji mech. i chem. w dorzeczach Gangesu, Brahmaputry, Mekongu, Irawadi, Jangcy i Huang He są najwyższe w świecie.

Większość alp. łańcuchów górskich jest położona w swoich najwyższych partiach powyżej granicy wiecznego śniegu, co umożliwiło powstanie i rozwój zlodowacenia górskiego. Do najsilniej zlodowaconych obszarów należą Himalaje, Tien-szan, Karakorum, Pamir i Wyż. Tybetańska. Większość lodowców jest typu dolinnego, z wyraźnie zaznaczonymi polami firnowymi w cyrkach lodowcowych i długimi jęzorami, do których uchodzą jęzory lodowców bocznych, zaś na ich przedpolach rozwijają się stożki i tarasy zbud. z osadów wodnolodowcowych. W niżej położonych częściach dolin występują formy świadczące o większym zasięgu zlodowacenia górskiego w plejstocenie: doliny U-kształtne, moreny denne, boczne i czołowe, rygle skalne, egzaracyjne misy jezior. Przypuszcza się, że rozległa pokrywa lodowa pokrywała w plejstocenie całą Wyż. Tybetańską.

Istotną rolę rzeźbotwórczą w górach na pd.-wsch. i wsch. odgrywa działalność wulkaniczna, zwł. na Kamczatce (28 czynnych wulkanów, najwyższy Kluczewska Sopka, 4750 m), W. Japońskich, Filipinach i Archipelagu Malajskim (ok. 100 czynnych). Większość wulkanów ma charakter regularnych stożków stratowulkanów. Wyrazista rzeźba tektoniczna rozwinęła się także w A. Południowo-Zachodniej, gdzie w obrębie starej tarczy krystal. powstawał od środk. trzeciorzędu system głębokich rozłamów skorupy ziemskiej i tworzących się wzdłuż nich rowów tektonicznych (M. Czerwone, zat. Akaba, Rów Jordanu z M. Martwym). Wypiętrzenie tektoniczne obramowań rowów spowodowało powstanie rzeźby górskiej w zach. części Płw. Arabskiego, w Jordanii, Izraelu, Libanie i Syrii. Obszary nizinne mają rzeźbę przeważnie akumulacyjną, związaną z intensywną sedymentacją w obniżeniach tektonicznych. Na wielu nizinach (Hindustańska, Mezopotamska, Chińska) występuje charakterystyczna trójdzielność rzeźby: 1) strefa stożków napływowych w częściach brzeżnych, podgórskich, 2) środk. strefa równiny aluwialnej, 3) zewn. — równin nadmor. i delt. Większość wielkich rzek azjat. tworzy w swoich odcinakch ujściowych szybko narastające, potężne delty, tak jak Ganges z Brahmaputrą (największa na Ziemi), Indus, Irawadi, Mekong, Jangcy, Huang He, Lena.

Specyficzne formy rzeźby terenu występują w północnej A., w strefie klimatu zimnego, umożliwiającego rozwój i przetrwanie wieloletniej zmarzliny. Obecność wieloletniej zmarzliny oraz zjawisko sezonowego odmarzania przypowierzchniowej warstwy gruntu powoduje, że powszech-

■ Azja. Okolice Koriackiej Sopki na Kamczatce

ne są tam formy będące rezultatem wietrzenia mrozowego (pokrywy blokowe, ostańce skalne), mrozowego sortowania gruntu (gleby strukturalne), wytapiania się klinów lodowych (nieckowate jeziora ałasowe) oraz struktury i formy związane z lodem gruntowym (kliny i żyły lodowe, mrozowe pagóry pingo o średnicach do 400 m). Formy terenu związane z wieloletnią zmarzliną są spotykane w całej A. Północnej do mniej więcej 48°N (pn. Mongolia) na południu.

Innego rodzaju specyfiką charakteryzuje się rzeźba obszarów pustynnych. W A. występują pustynie piaszczyste z rozległymi polami wydmowymi (Ar-Rub al-Chali na Płw. Arabskim, Thar na Niz. Indusu, Kara-kum i Kyzył-kum na Niz. Turańskiej), kamieniste i skaliste (Pustynia Syryjska, Negew, Wielka Pustynia Słona, znaczna część Gobi) oraz ilaste (gł. Wyż. Irańska). Typowym elementem rzeźby pustynnej są bezodpływowe obniżenia śródgórskie pochodzenia tektonicznego, zwykle zajęte przez solniska z rozwijającymi się skorupami solnymi (wyżyny: Irańska, Mongolska), suche doliny wadi oraz formy erozji eolicznej — ostre grzbiety (zw. jardangami) rozdzielone podłużnymi bruzdami, najlepiej ukształtowane w osadach słabo skonsolidowanych (np. Kotlina Cajdamska). Na wsch. pustynnych wybrzeżach Płw. Arabskiego, nad Zat. Perską powszechne są równiny zw. sebkha, na których zachodzi intensywne wytrącanie się soli z wody mor. i tworzenie skorup solnych. Podobne formy występują też na wsch. wybrzeżach M. Kaspijskiego. W strefie półsuchej duże znaczenie ma epizodyczna, silna erozja w porze wilgotnej, w której wyniku powstaje sieć jarów i wąwozów.

Charakterystycznym elementem rzeźby A., związanym z działalnością wiatru, są płaskowyże lessowe. Głównym z nich jest Wyż. Lessowa (największy obszar akumulacji lessu na Ziemi) w pn. Chinach, gdzie grubość lessu przekracza 200 m. Inne obszary występowania lessu to wyż. Ordos w Chinach, Pogórze Kazaskie, pn. przedpole Pamiru i Hindukuszu, Wyż. Irańska. Obszary lessowe są poddane intensywnej erozji wąwozowej i są rozcięte bardzo gęstą siecią dolinną. Warstwy lessu powstawały w okresie plejstoceńskim, a źródłem pyłu były zarówno wietrzejące skały podłoża, jak i osady lodowcowe.

W A. Południowo-Wschodniej, w strefie wilgotnego klimatu równikowego i zwrotnikowego monsunowego, na obszarach występowania skał wapiennych rozwinęła się rzeźba krasowa. W wielu obszarach ma ona postać krasu kopiastego (Filipiny, Malezja) lub wieżowego, dla którego typowe są stromościenne wieże mogotów, wyrastające z płaskich powierzchni kotlin krasowych — polji (pd. Chiny, Tajlandia). Na wybrzeżach Wietnamu i Tajlandii formy krasu wieżowego są częściowo pogrążone w morzu. Z górskich terenów krasowych Borneo (Mulu) znane są największe w świecie podziemne komory jaskiniowe.

Budowa i historia geologiczna. Przeważająca część A. znajduje się w obrębie eurazjat. płyty litosfery; część południowa A. jest położona na kilku mniejszych płytach, z których największe to płyty dekańska i arabska; pn.-wsch. jej fragment należy do płyty północnoamer., przy czym przebieg granicy tej płyty nie jest dostatecznie jasny. A. jest najbardziej złożoną pod względem budowy geol. częścią świata. W jej skład wchodzą 4 platformy prekambryjskie: syberyjska, chiń., dekańska i arabska; platformę syberyjską oddziela od platformy chiń. strefa fałdowa uralsko-ochocka. Między platformami: wschodnioeur., zachodniosyberyjską i syberyjską oraz częściowo strefą fałdową uralsko-ochocką (na pn.) a platformą arabską, dekańską i chiń. (na pd.) leży alp. strefa fałdowa zw. śródziemnomorsko-himalajską, ciągnąca się od Azji Mniejszej do Birmy i Indonezji. Większą część wsch. skraju kontynentu buduje strefa mezozoicznych (kimeryjskich) struktur fałdowych. Wzdłuż wybrzeży wschodnich A. ciągnie się tzw. strefa pacyficzna. Fundament platformy syberyjskiej jest zbud. z prekambryjskich skał metamorficznych, silnie sfałdowanych i poprzecinanych intruzjami skał magmowych (gł. granitoidów) w trakcie kilku orogenez w prekambrze. Skały te odsłaniają się na powierzchni na tarczach anabarskiej i ałdańskiej oraz w kilku mniejszych masywach. Pomiędzy tarczami znajdują się rozległe syneklizy (tunguska, Chatangi, wilujska) i mniejsze zapadliska wypełnione osadami różnego wieku — od górnego proterozoiku po kenozoik, a także skałami wulkanicznymi.

Platforma chiń. (dzielona niekiedy na 2 odrębne platformy: chińsko-koreańską i południowochiń.) była pierwotnie częścią pn. Gondwany i została przyłączona do A. z końcem paleozoiku i we wczesnym mezozoiku. Nie jest ona strukturą zwartą, gdyż późniejsze ruchy tektoniczne doprowadziły do jej podziału na bloki, dźwigane (tarcze) lub obniżane (syneklizy), które są ponadto rozdzielone przez młodsze struktury fałdowe. Metamorficzne i magmowe skały fundamentu platformy, odsłaniające się na powierzchni na tarczach (m.in. liaotuńskiej, szantuńskiej), przeszły kilka etapów ruchów fałdowych i metamorfizmu w prekambrze. Po tych ruchach w rowach i zapadliskach tworzyły się grube (do 10 km) osady najwyższego proterozoiku. Na skałach prekambryjskich spoczywają różnorodne osady paleozoiku, mezozoiku i kenozoiku, o zmiennej miąższości. Na większej części platformy chiń. skały te są słabo zaburzone. Miejscami jednak ruchy poziome poszczególnych bloków platformy były tak silne, że spowodowały powstanie paleozoicznych i kimeryjskich pasm fałdowych (m.in. Oilian Shan, Quilingshamai, Kunlun, G. Południowochińskie); z ruchami tymi były związane intruzje granitoidów i wylewy law. Platforma dekańska, która oderwała się od Gondwany w jurze, a połączyła z A. dopiero w trzeciorzędzie, obejmuje Płw. Indyjski i wyspę Cejlon. Zbudowana jest z prekambryjskich skał krystal. (gnejsy, migmatyty, kwarcyty, łupki krystal., amfibolity, granitoidy), na których miejscami leżą osady wieku od późnego karbonu do jury (gł. lądowe), trapy bazaltowe (o pow. ok. 500 000 km²) i mor. osady jury i kredy. Na pn. fundament platformy jest pogrążony głęboko pod grubą serią osadów kenozoicznych.

Platforma arabska, obejmująca Płw. Arabski, była wcześniej częścią platformy afrykańsko-

-arabskiej, od której została oderwana w trzeciorzędzie. Prekambryjskie skały krystal. fundamentu platformy odsłaniają się gł. w zach. części półwyspu. Na pn. i wsch. są one pogrążone i przykryte lekko nachylonymi ku pn.-wsch., gł. lądowymi osadami paleozoiku i mor. osadami jury, kredy i paleogenu. W zach. części platformy występują pokrywy bazaltów.

Strefa fałdowa uralsko-ochocka tworzy wielki łuk okalający platformę syberyjską od pn.-zach., zach. i pd.; obejmuje wielkie łańcuchy górskie: Ural, Tien-szan, Sajany, Ałtaj, Kunlun. Strefa ta jest zbudowana z górnoproterozoicznych oraz paleozoicznych skał osadowych i wulk., w wielu rejonach zmetamorfizowanych i pociętych przez intruzje skał magmowych, a ponadto silnie sfałdowanych w czasie ruchów górnoproterozoicznych, kaledońskich i hercyńskich. Struktury górnoproterozoiczne strefy uralsko-ochockiej występują na pd.-zach. peryferiach platformy syberyjskiej, gdzie tworzą systemy: jenisejsko--wschodniosajański i bajkalsko-dolnowitimski. Tu też znajduje się młoda, aktywna sejsmicznie strefa ryftowa jez. Bajkał, ciągnąca się od jez. Chubsuguł w Mongolii aż do G. Czerskiego. Struktury starokaledońskie, powstałe w środk. kambrze, tworzą Ałatau Kuźniecki i wsch. część Sajanu Wschodniego. Struktury młodokaledońskie znajdują się na obszarze Pogórza Kazaskiego, pn. Tien-szanu, Sajanu Zach. i częściowo Ałtaju. Są one obramowane pasmami hercyńskimi: na zach. są to góry Uralu, na pd. — pd. część Tien-szanu, którego struktury łączą się z Uralem w fundamencie paleozoicznej platformy turańskiej. Ural jest częścią hercyńskiego łańcucha górskiego, który powstał w wyniku kolizji kontynentu Euroameryki z kontynentami: syberyjskim i kazaskim w najwyższym paleozoiku. Ku pn. pasmo Uralu przedłuża się w starokimeryjskie struktury Paj-Choj, Nowej Ziemi i Płw. Tajmyr; na wsch. i pd. sfałdowane skały paleozoiczne zanurzają się pod pokrywę osadów mezozoicznych i kenozoicznych, tworząc fundament platform: zachodniosyberyjskiej i turańskiej. Ku wsch. struktury hercyńskie ciągną się na obszarze dżungarsko-bałchaskim, w Ałtaju, a następnie przez Mongolię i pn. Chiny ciągną się do M. Ochockiego.

Strefa fałdowań mezozoicznych zajmuje obszar A. Północno-Wschodniej, od G. Wierchojańskich po Cieśn. Beringa, Sichote Alin, obejmuje również pd. część Chin i cały Płw. Indochiński. Fałdowania mezozoiczne spowodowały tu powstanie wielu antyklinoriów poprzecinanych licznymi intruzjami granitoidów, z którymi są związane złoża rud metali. Masywy śródgórskie w tej strefie (np. masyw kołymski, indochiński) to fragmenty dawnego bloku kontynent. zw. kontynentem kimeryjskim. Na struktury kimeryjskie są nałożone zapadliska wypełnione górnomezozoicznymi osadami okruchowymi. Fałdowania kimeryjskie objęły również obszary, które były poddane ruchom tektonicznym w paleozoiku: Paj-Choj, Nową Ziemię, płw. Tajmyr oraz dużą część strefy fałdowej uralsko-ochockiej.

W pd. części A. znajdują się jednostki tektoniczne należące do alp. strefy fałdowej śródziemnomor.-himalajskiej, która powstała w wyniku pos-

tępującego zamykania się oceanu Tetyda, co było związane z kolizją bloków kontynent. oderwanych od Gondwany (największym z tych bloków był Dekan) z Eurazją. Strefa ta, o strukturze płaszczowinowej, jest zbudowana z różnorodnych skał osadowych: węglanowych i okruchowych (w znacznej części fliszowych), zarówno głęboko-, jak i płytkomor., lokalnie zmetamorfizowanych i pociętych intruzjami kwaśnych skał magmowych. Gdzieniegdzie w płaszczowiny są wbudowane kompleksy ofiolitowe, będące pozostałościami dawnej skorupy oceanicznej. W strefie śródziemnomor.-himalajskiej wyróżnić można 2 ciągi wielkich antyklinoriów o złożonej strukturze. Wewnętrzne ich części, zbud. z paleozoicznych i mezozoicznych skał osadowych, zostały uformowane już w mezozoiku. Brzeżne, młodsze partie antyklinoriów są zbud. natomiast gł. ze słabiej sfałdowanych osadów trzeciorzędowych, pociętych uskokami i nasunięciami. Na zewnątrz antyklinoriów powstały w trzeciorzędzie rozległe zapadliska i rowy przedgórskie; są one wypełnione grubymi osadami piaszczysto--ilastymi wieku górnotrzeciorzędowego i czwartorzędowego. Północny ciąg antyklinoriów tworzą: Kaukaz i Kopet-dag, G. Chorasańskie, Paropamis, Hindukusz, G. Ałajskie i Pamir; przylega do nich od pn. strefa szerokich zapadlisk przedgórskich. Południowy ciąg antyklinoriów obejmuje na zachodzie Taurus i Zagros, Mekran i G. Sulejmańskie, zbud. gł. ze skał paleozoicznych. W rejonie Hindukuszu i Pamiru oba antyklinoria łączą się, a dalej ku wsch. tworzą jedno wielkie antyklinorium Himalajów, które ciągnie się przez Birmę aż do M. Andamańskiego, gdzie styka się ze strefą pacyficzną pd.-wsch. części A. Obszar alp. strefy fałdowej cechuje silna sejsmiczność.

Wschodnią i pd.-wsch. część A. zajmuje strefa pacyficzna, ciągnąca się od G. Koriackich i Kamczatki aż do Indonezji; formowanie się tej struktury jest związane z procesami zachodzącymi w strefach subdukcji na granicy płyty eurazjat. i płyty północnoamer. z płytą pacyficzną. Osiowe części pasm fałdowych i łuków wysp w strefie pacyficznej są zbud. zwykle z górnopaleozoicznych i mezozoicznych skał osadowych, pociętych młodymi intruzjami skał kwaśnych i obojętnych. Osady trzeciorzędu o dużej miąższości, leżące zwykle w brzeżnych strefach pasm fałdowych, zostały sfałdowane w neogenie. Duże obszary w tej strefie zajmują pokrywy bazaltów i andezytów. Strefę pacyficzną cechuje silna sejsmiczność i aktywny wulkanizm. Na pn. jest ona oddzielona od strefy fałdowań kimeryjskich przez ochocko-czukocką strefę wulkaniczną, ciągnącą się na dł. niemal 3000 km, zbudowaną z kredowych i częściowo paleogeńskich skał wulk. oraz z kwaśnych skał plutonicznych.

Współczesne procesy geologiczne. Procesy związane z formowaniem się struktury kontynentu trwają do dziś, szczególnie w strefie śródziemnomor.-himalajskiej i pacyficznej. Dekan przesuwa się stale ku pn. z prędkością 3,3–4,8 cm rocznie, czego efektem jest ciągłe wypiętrzanie Himalajów. Półwysep Arabski porusza się ku pn.-wsch. z prędkością 1,4–1,8 cm rocznie. Płyty Pacyfiku ulegają subdukcji pod litosferę kontynentalną A. z prędkością 6,7–7,0 cm rocznie. Efektem procesów zachodzących na granicach płyt są częste i silne trzęsienia ziemi o ogniskach leżących na głębokości od kilku do ponad 700 km, a także intensywny współcz. wulkanizm. Aktywność sejsmiczna jest związana również z bajkalską strefą ryftową. Poza tymi rejonami zjawiska sejsmiczne są sporadyczne. Wiele rejonów A. (m.in. Niz. Chińska, Niz. Turańska) ulega obniżaniu, którego tempo dochodzi do kilku cm na 100 lat, czego efektem jest powstawanie współcz. osadów o dużej grubości, np. osadów rzecznych na Niz. Chińskiej. Na północy A. występuje strefa zmarzliny wieloletniej, będąca częściowo pozostałością po epoce lodowcowej. Tam też powszechnie występują młode osady lodowcowe i fluwioglacjalne.

Zasoby geologiczne. Największe znaczenie gosp. mają występujące w A. surowce energ., a zwł. ropa naft. (13,6 mld t, 75% zasobów świat.) i gaz ziemny (103 bln m^3, 71% zasobów świat.). Najzasobniejsze złoża ropy naft. i gazu ziemnego znajdują się w krajach Bliskiego Wschodu, gdzie gł. poziomy złożowe są związane ze skałami węglanowymi i ewaporatami jury, kredy i trzeciorzędu. Na Dalekim Wschodzie złoża występują gł. w ilasto-piaszczystych osadach trzeciorzędowych, zarówno na obszarach lądowych, jak i na szelfach kontynentalnych. Znaczne złoża ropy naft. i gazu ziemnego występują także w A. Środkowej (obszar nadkaspijski, rejon Amu-darii) oraz w azjat. części Rosji, gdzie najzasobniejszy jest basen zachodniosyberyjski.

Na obszarze A. złoża węgla kam. i brun. występują gł. w Indiach, Chinach i Rosji; ich zasoby stanowią ponad 1/3 zasobów światowych.

Azjatyckie złoża rud metali cechuje różnorodność oraz duże zasoby. Występuje tu 65% świat. zasobów antymonu oraz nieco mniej wolframu (59%), cyny (57%), bizmutu, tantalu, tytanu, uranu, cynku, ołowiu, pierwiastków ziem rzadkich, indu i złota. Znaczne są także zasoby rud wanadu, miedzi, selenu, telluru, żelaza, manganu, kadmu, cyrkonu, niklu, arsenu, a także boksytów. Złoża złota występują w różnych formacjach geol., najliczniejsze z nich znajdują się na platformie syberyjskiej, a najważniejsze — w Indonezji (złoże Grasberg w Irianie Zach.) i Uzbekistanie (złoże Muruntau); ze złóż Grasberg i Muruntau wydobyto 1998 największe ilości złota na świecie (odpowiednio: 88 t i 57 t). Azjatyckie złoża miedzi występują w różnych typach skał, największe znaczenie mają złoża: permokarbońskich piaskowców miedzionośnych w Dżezkazganie (Kazachstan), dolnoproterozoicznych kwarcytów w górach Udokan (Zabajkale), a także złoża tzw. typu porfirowego w Indonezji i Malezji. Najważniejsze złoża uranu znajdują się w Kazachstanie i Uzbekistanie. Największe złoża wolframu występują w Chinach w prow. Jiangxi (góry Nan Ling, złoża: Xsihuashan, Guimeishan, Dayu), a rud cyny — w prow. Yunnan w rejonie Geju; złoża te są związane z intruzjami granitowymi wieku kredowego. Znaczne zasoby cyny i wolframu w Malezji (rejony Lumpur i Ipoh) oraz Indonezji (na wyspach Bangka, Belitung i Singkep) są również związane z intruzjami granitowymi.

W A. znajdują się bardzo bogate złoża barytu (55% zasobów świat.), grafitu (54%), fluorytu, berylu, talku i pirofyllitu, boru i siarki. Do cennych zalicza się również złoża diamentów przem. (występujące w rejonie wilujskim na Wyż. Środkowosyberyjskiej) oraz złoża kamieni szlachetnych i ozdobnych (gł. Syberia, Indie, Chiny, Sri Lanka). W podziemnych solankach, gł. w Japonii, występują bardzo znaczne zasoby jodu (3/4 zasobów świat.).

Klimat. Wielkość obszaru i bardzo urozmaicone ukształtowanie powierzchni A. są przyczyną olbrzymiego zróżnicowania warunków klim. tej części świata. Przeszkodę dla południkowej wymiany mas powietrza stanowią wysoko wyniesione wyżyny i zwarte łańcuchy górskie, ciągnące się równoleżnikowo od Azji Mniejszej aż po Himalaje. Z kolei pasma górskie na wsch. wybrzeżach, od Kamczatki do G. Annamskich, ograniczają dostęp wilgotnego powietrza pacyficznego do wnętrza A. Północna A. jest otwarta na napływ powietrza arktycznego, południowa — zwrotnikowego i równikowego. W wielkich kotlinach (Kaszgarska, Dżungarska) powietrze jest wyjątkowo suche i występują znaczne roczne wahania temperatury. Duży wpływ na klimat A. mają oceany: Arktyczny (zimny), Indyjski i Spokojny (ciepłe) oraz prądy mor., zwł. zimny prąd Oja Siwo i ciepły Kuro Siwo, opływające wschodnią A., a także Prąd Somalijski (zimny latem, ciepły w zimie), płynący u pd. wybrzeży Płw. Arabskiego.

Inne uwarunkowania klim. wynikają z położenia A. między ok. 78° a blisko 1°N. Na skrajnej pn. noc polarna trwa 110 dób, zaś dzień polarny — 125, Słońce na maks. wys. (35,5°) góruje w dniu przesilenia letniego, natomiast na pd. krańcach dzień jest prawie równy nocy i trwa 12,1 godziny, a wysokość Słońca w ciągu roku zmienia się od ok. 65° do 90°. Roczna liczba godzin słonecznych wynosi od 1200–1600 (3–4 godziny dziennie) na Niz. Zachodniosyberyjskiej, wsch. Kamczatce, we wsch. Wietnamie i Kotlinie Syczuańskiej do 3800–4000 (10–11 godzin dziennie) na zachodzie Płw. Indyjskiego; na W. Japońskich, Filipinach i Archipelagu Malajskim dochodzi do 2000–2400 godzin (5–7 godzin dziennie) z powodu znacznego zachmurzenia, w środkowej A. przekracza — 3000 (8 godzin dziennie). Roczna suma promieniowania słonecznego na pn. nie przekracza 3350 MJ/m^2, w Japonii, pd. Chinach i pn. Wietnamie osiąga 4184–5024 MJ/m^2, na Wyż. Irańskiej i we wnętrzu Płw. Arabskiego dochodzi do 8374–8792, natomiast na Filipinach i w Indonezji wynosi 5443–6280 MJ/m^2.

W klimatach A. olbrzymią rolę odgrywa cyrkulacja atmosf., zwł. monsunowa. Zimą na pd. Syberii i nad Wyż. Mongolską gromadzi się, silnie ochładza i osiada powietrze napływające z pn. — umacnia się wtedy ogromny, termiczny Wyż Azjatycki, sięgający aż do Azji Mniejszej, Płw. Arabskiego i wsch. Europy. Wpływ innych ośrodków barycznych: Niżu Aleuckiego i Wyżu Hawajskiego jest słaby. Główne fronty atmosf. są wtedy przesunięte ku pd.; strefa frontu równikowego (konwergencji międzyzwrotnikowej) przebiega nad O. Indyjskim (na ok. 10°S), front polarny ciągnie się od M. Śródziemnego przez A. Środkową do Japonii i dalej na pn. do Aleutów, front arktyczny — na pn. Azji. Z Wyżu Azjatyckiego wieją wiatry: pd. i pd.-zach. w Syberii, ze składową pn. — na wsch. i południu, wsch. — nad Wyż. Irańską i Płw. Arabskim. Silne wiatry zach. i pn.-zach., zw. wiatrami żółtymi, wywiewają z pustyń i stepów Mongolii oraz Chin masy żółtego pyłu (less). W lecie nad A. tworzy się rozległy Niż Azjatycki z centrum nad Zat. Perską, Pakistanem i pn.-zach. Indiami, nad O. Spokojnym umacnia się i przesuwa ku zach. Wyż Hawajski, podobnie zwiększają swój zasięg ku pn. wyże: Południowoindyjski i Południowopacyficzny; na północy A. zaznacza się wpływ Wyżu Arktycznego, a na zachodzie — Azorskiego. Fronty atmosferyczne są przesunięte ku północy. Z wyżów oceanicznych wieją ku A. wiatry pd. i pd.-wsch. (monsun letni), przynosząc masy ciepłego i wilgotnego powietrza, dające obfite opady na obszarze od Indii po Japonię. W północnej A. przeważają wiatry pn., w zach. — z kierunków pn.-zach. i zach., niosące suche powietrze. Długotrwałe wiatry zach. z Wyżu Azorskiego wiejące nad M. Egejskim noszą nazwę etezjańskich (tureckie meltem), nad Mezopotamią i Sistanem — zw. są bad-i-sad-o-bistroz (arabskie), sistanem, bądź wiatrem 120 dni (perskie); na suchych obszarach A. Południowo-Zachodniej i A. Środkowej wiatry te powodują, zwł. wiosną, powstawanie burz pyłowych i piaskowych.

Nad pd., pd.-wsch. i wschodnią A. panuje typowa cyrkulacja monsunowa z dominacją przeciwstawnych kierunków wiatrów w zimie i w lecie oraz letnim wzrostem wilgotności powietrza, zachmurzenia i opadów. W okresach zmiany monsunów może powstawać silna, tropikalna cyrkulacja cykloniczna. Cyklony dochodzące do wybrzeży A. Wschodniej, zw. tajfunami, powstają najczęściej późnym latem i jesienią nad M. Południowochińskim, skąd wędrują do wybrzeży Chin, Płw. Koreańskiego, Japonii, a nawet Kamczatki. Tworzą się także nad Zat. Bengalską, na której wybrzeżach, najczęściej w delcie Gangesu i Brahmaputry, powodują katastrofalne powodzie, związane z intensywnymi opadami i falowaniem morza.

Skrajną północ A. obejmuje strefa okołobiegunowa z 2 grupami klimatów: biegunowych (temperatura w najcieplejszym miesiącu poniżej 0°C) na wyspach Ziemi Pn., Nowej Ziemi i półwyspach Jamał, Tajmyr oraz podbiegunowych (temp. do 10°C) na pn. nizin Zachodnio- i Północnosyberyjskiej oraz Indygirki i Kołymskiej, a także całym pn.-wsch. obszarze położonym na pn. od 60°N; opady atmosf. w tej strefie dochodzą do 250 mm rocznie. Morskie typy klimatów występują na zach. (wpływ Atlantyku) i wsch. (Pacyfiku) strefy okołobiegunowej, pozostałe obszary mają cechy kontynent. i wybitnie kontynent. z roczną amplitudą temp. ponad 35–45°C. Na pd. od strefy okołobiegunowej rozciąga się największa i bardzo zróżnicowana klim. strefa umiarkowanych szerokości geogr., chłodna na pn. (temperatura w miesiącach najcieplejszych od 10–15°C w klimatach mor. do 20°C i więcej w kontynent., a w najchłodniejszym miesiącu odpowiednio do –10°C, poniżej –10°C i –20°C), ciepła na pd. z temperaturą w najcieplejszym miesiącu od 15°C i mniej (w mor. do 20°C, więcej w kontynent.), w najchłodniejszym — od ok. 0°C (mor.)

do poniżej 0°C i –10°C (w przejściowym i kontynent.); roczna suma opadów maleje od 500 mm na pn-zach. do 100 mm i mniej na południu. Granicę pd. tej strefy stanowi: Kaukaz, pustynia Kara-kum, Pamir, Altun Shan, Qilian Shan, Qin Ling, pd. część Płw. Koreańskiego i pn. Honsiu. Środkowa część Niz. Zachodniosyberyjskiej ma klimat wybitnie kontynent. chłodny; w jej części pd. i na pn. Pogórza Kazaskiego panuje klimat ciepły wybitnie kontynent. suchy, dalej na pd. w kotlinach A. Środkowej — kontynent. skrajnie suchy. Na Wyż. Środkowosyberyjskiej, Niz. Środkowojakuckiej, górach: Wierchojańskich i Czerskiego, pd. części Niz. Kołymskiej, gdzie roczna amplituda temperatury przekracza 45°C, a miejscami 60°C, występuje klimat chłodny, skrajnie kontynentalny. W Jakucku, Wierchojańsku i Ojmiakonie zanotowano najniższą w A. temperaturę: odpowiednio –63°C, –67,8°C (7 I 1892) i –77,8°C (zimą 1938). Na Dalekim Wschodzie zaznaczają się już monsunowe cechy klimatu, na pn. — chłodnego kontynent. i pośredniego, na pd. — ciepłego mor. i wybitnie mor. na Hokkaido oraz przejściowego na wsch. Płw. Koreańskiego. Na pd. od strefy umiarkowanej rozciąga się strefa podzwrotnikowa; jej pd. granicę stanowią wsch. wybrzeża M. Śródziemnego, G. Kurdystańskie, Zagros, zach. obrzeżenie Niz. Indusu, Himalaje, G. Południowochińskie, pn. skraj Kiusiu. Zasadniczą cechą tej strefy jest występowanie opadów w zimie na zach. i zmniejszanie się ich ku wsch., skrajnie mało spada w wielu kotlinach. Klimat zmienia się od mor. w pd. Turcji, przez pośredni, kontynent. suchy do wybitnie kontynent. górskiego w Tybecie. Na wsch. od Tybetu klimat nabiera cech monsunowych: pośredni typ tego klimatu występuje w Chinach, mor. w Japonii. Duża część południowej A. leży w strefie zwrotnikowej, gdzie temperatura w najchłodniejszym miesiącu przekracza 10°C, a pory roku w klimatach wilgotnych wyznacza roczny przebieg opadów, w suchych — przebieg temperatury; opady są przeważnie lub wyłącznie letnie. Latem występuje bardzo wysoka temperatura, w lipcu i sierpniu w godzinach popołudniowych miejscami osiąga średnio 44–45°C, najwyższą — 58°C zanotowano w Nosrad Abad, na skraju pustyni Daszt-e Lut. W tej strefie występują obszary zarówno z bardzo małymi opadami (poniżej 50 mm na pustyni Ar--Rub al-Chali, wybrzeżu Zat. Adeńskiej), jak i rekordowymi na Ziemi; w indyjskiej miejscowości Ćerapundźi podczas 170 dni spada 11 777 mm (średnio 1961–90) deszczu. Klimat suchy kontynent. mają obszary Mezopotamii i rejon Zat. Perskiej, wybitnie i skrajnie suchy występuje na Płw. Arabskim. Wilgotny klimat monsunowy panuje na wybrzeżu pn.-wsch. Indii, na wybrzeżu Birmy, zach. wybrzeżu Zat. Tajlandzkiej oraz w pn. Wietnamie. Cechy pośrednie między klimatem monsunowym wilgotnym i suchym mają wnętrze Płw. Indyjskiego, zach. część Niz. Gangesu oraz znaczne obszary Płw. Indochińskiego. Południowy skraj Płw. Arabskiego, pd. Indii, pd.-zach. Sri Lanka, Płw. Malajski (na pd. od 10°N), pd. wybrzeże Wietnamu oraz całe Filipiny i Archipelag Malajski są położone w strefie równikowej, gdzie temperatura średnia miesięczna przez cały rok przekracza 20°C, a pory roku określa roczny przebieg opadów. Pierwszy wymieniony obszar ma klimat suchy monsunowy, pd. skraj Indii i pd.-zach. Sri Lanka, płw. Ca Mau w Wietnamie oraz wsch. wybrzeża Filipin — wilgotny monsunowy, zaś pozostałe obszary tej strefy — monsunowy wybitnie wilgotny. W górach wszystkich stref występują odpowiednie górskie odmiany klimatów.

Wody. Średnia roczna objętość opadów w bilansie wodnym A. sięga 32,2 tys. km^3 (740 mm słupa wody), z czego 45% zamienia się w odpływ rzeczny. A. przy swojej ogromnej powierzchni jest częścią świata o największych odnawialnych zasobach wodnych sięgających 10 790 km^3 (w części lądowej) lub 14 410 km^3 (razem z wyspami), co stanowi 31% odpływu powierzchniowego do oceanu. Ogólne zapasy wody słodkiej na terytorium A. szacuje się na 3,5 km^2. Około 66% odpływu odbywa się z dorzecza 34 rzek, o średnim rocznym przepływie ponad 1000 m^3/s. Ogólne ukształtowanie terenu w A. sprawia, że układ sieci rzecznej ma kształt wachlarza, rozpościerającego się od wyżej położonych obszarów w środk. części lądu w kierunku otaczających oceanów: Arktycznego, Atlantyckiego, Spokojnego i Indyjskiego. Największe jest zlewisko O. Indyjskiego, do którego należy 11,7 mln km^2, czyli 26,6% powierzchni A. Odpływ rzeczny z tego obszaru osiąga w ciągu roku 3960 km^3. Drugie jest zlewisko O. Arktycznego o pow. 11,2 mln km^2 (25,5%), z którego odpływa 2360 km^3. Zlewisko O. Spokojnego to 8,2 mln km^2 (18,6%), z rocznym odpływem 7450 km^3. Najmniejsze jest zlewisko O. Atlantyckiego, bo zaledwie 0,5 mln km^2, z odpływem 202 km^3. Około 37% pow. zajmują obszary bezodpływowe, do których należą: M. Kaspijskie, Niz. Turańska z Jez. Aralskim, wielkie kotliny (Kaszgarska, Dżungarska). Obszary całkowicie pozbawione stałej sieci rzecznej to Płw. Arabski i Gobi. Szacuje się, że rzeki obszarów bezodpływowych odprowadzają do jezior lub obszarów pustynnych ok. 458 km^3 (37 mm) wody w ciągu roku. Cechą szczególną bilansu wodnego A. jest wyraźna różnica między wielkością odpływu generowanego w granicach dorzeczy, a faktycznie docierającego do oceanu. Powodem różnicy są straty przepływu rzek tranzytowych w strefach suchych na parowanie i pobór wody do nawodnień. Ustrój hydrologiczny rzek jest bardzo zróżnicowany ze względu na

■ Azja. Stołby nad rzeką Siniaja (lewy dopływ Leny) na Syberii

■ Azja. Nabrzeże Gangesu w Waranasi (Indie)

znaczne kontrasty klim. i nierównomierny rozkład opadów atmosferycznych. Wysokość warstwy rocznego odpływu zmienia się od 1 mm do ponad 4000 mm, średnio w całej A. wraz z wyspami wynosi 332 mm. Obszary o największym odpływie to archipelagi Malajski i Filipiński, obszary górskie Płw. Indochińskiego, pd. Chin i wsch. Indie, natomiast odpływ rzek położonych w głębi lądu osiąga zwykle wartość 100–300 mm lub mniej.

Strefowość warunków hydrologicznych najwyraźniej zaznacza się w północnej A. Na pn. Syberii przeważa roztopowe zasilanie rzek, lata są suche pod względem hydrologicznym z racji dużego parowania i strat opadów na infiltrację. Zimą odpływ nieomal ustaje, ponieważ w warunkach występowania wieloletniej zmarzliny wody podziemne z aluwialnych warstw wodonośnych szybko się wyczerpują. W środk. i częściowo zach. Syberii połowa rocznego odpływu pochodzenia roztopowego przypada na wiosnę, a pozostała część pochodzi z zasilania deszczowego. Duże rzeki syberyjskie: Ob z Irtyszem, Jenisej z Angarą, Lena, Jana, Indygirka i Kołyma mają zasilanie śnieżno-lodowcowe. Wezbrania występują na wiosnę w wyniku roztopów pokrywy śnieżnej, w lecie są zasilane przez topniejące śniegi i lodowce w górach środkowej A. Wezbrania wiosenne mają często rozmiary katastrofalne, zachodzi bowiem zjawisko szybkiego spływu powierzchniowego wody z roztopów po zamarzniętym gruncie. Zimą rzeki zamarzają na okres 6–7 miesięcy, niektóre do dna. Specyficzny ustrój hydrologiczny mają suche stepy i półpustynie w środkowej A., gdzie odpływ odbywa się tylko wiosną w wyniku zasilania wodami roztopowymi. Do największych rzek tego typu należą: Syr-daria i Amu-daria, Ili (uchodzi do jez. Bałchasz), Tarym (zanika w piaskach kotliny jez. Lob-nor). Znacznie większe zróżnicowanie ustroju hydrologicznego wykazują rzeki z przewagą zasilania deszczowego. Rzeki pd.-zachodniej A.

mają śródziemnomor. ustrój hydrologiczny, charakteryzujący się suchym latem i wilgotną zimą; warunkiem utrzymania stałego przepływu tych rzek jest zasilanie śnieżno-lodowcowe w górnym biegu, jak np. Eufratu i Tygrysu, mających swe źródła na Wyż. Armeńskiej, gdzie są zasilane przez topniejący śnieg latem oraz opady deszczu w zimie. We wsch., pd.-wsch. i południowej A. rzeki takie jak np.: Amur, Huang He, Jangcy, Rz. Perłowa, Mekong, Irawadi, Godawari, Ganges z Brahmaputrą, Indus są zasilane przez opady związane z monsunem letnim. W ich ustroju są widoczne długotrwałe wezbrania letnie, które często łączą się w jedną dużą falę wezbraniową, w czasie 2 miesięcy lata rzeki te odprowadzają nawet 80% rocznego odpływu. Monsun jest zjawiskiem nieregularnym, co powoduje w niektórych regionach naprzemienne klęski suszy lub katastrofalnych powodzi, jak np. na Niz. Hindustańskiej i we wsch. Chinach. Wielkie rzeki A. transportują ogromne ilości rumowiska, odkładanego następnie w ich dolnych biegach i deltach. Największe delty tworzą Ganges z Brahmaputrą i Meghną, Mekong, Lena, Irawadi, Indus. Średni roczny ładunek rumowiska unoszonego, odprowadzany przez rzeki A. do oceanu jest szacowany na 7,4 mld t, z tego na Huang He przypada 1,8 mld t, co stanowi 6% ładunku wszystkich osadów dostarczanych z obszaru kontynentów do oceanu światowego. Wody podziemne mają podstawowe znaczenie dla wielu regionów A., zwł. w suchej strefie, gdzie znajduje się ponad 60 basenów artezyjskich, zasilanych w obszarach górskich. Wody artezyjskie są eksploatowane na dużą skalę, m.in. na Płw. Arabskim, w Kazachstanie i Turkmenistanie.

Na obszarze A. występują jeziora różnej genezy, ich gł. obszary występowania to pn. Syberia, wyż.: Tybetańska, Anatolijska i Armeńska, dorzecze Jangcy, Kotlina Wielkich Jezior w Mongolii. Jeziora reliktowe, np. M. Kaspijskie i Jez. Aralskie są pozostałością dawnych zbiorników morskich. Założenie tektoniczne mają jez.: Bajkał, Bałchasz, Wan, Urmia, Kuku-nor, Chanka, M. Martwe. Pochodzenia polodowcowego są jeziora górskie w Pamirze i Ałtaju oraz w pn.-wsch. Syberii. Na zabagnionych obszarach zach. Syberii spotyka się jeziora wytopione w wiecznej marzłoci. W obniżeniach równin aluwialnych na Niz. Chińskiej i w Mezopotamii utworzyły się jeziora zasilane okresowymi wylewami rzek. Do grupy naturalnych jezior zaporowych należy Sewan na Wyż. Armeńskiej (zamknięcie rynny tektonicznej potokiem lawy), Sareskie na rz. Murgab w Pamirze i Giojgiol na rz. Agsu w Azerbejdżanie (zamknięcie dolin przez osuwiska). W regionach wulkanicznych (W. Japońskie, Filipiny, Archipelag Malajski) utworzyły się jeziora kraterowe i kalderowe. Wiele jezior powstało w wyniku odcięcia nadmor. lagun, także jako starorzecza w dolinach Jangcy, Mekongu, Ussuri. W suchych obszarach bezodpływowych występują jeziora słone (Issyk-kul, Lob-nor, Taszk, Namak), spośród ktorych największe zasolenie ma M. Martwe. Naturalnymi zbiornikami retencyjnymi dla wielu rzek są jeziora przepływowe, np. Bajkał dla Angary, Dongting Hu i Poyang Hu — Jangcy, Tonle Sap — Mekongu. Najwyżej

położonym jeziorem jest Aksajezin-kul (wys. 4963 m), na Wyż. Tybetańskiej, najniżej M. Martwe (405 m poniżej średniego poziomu M. Śródziemnego), a najgłębszym na Ziemi — Bajkał (głęb. do 1620 m). Powierzchnia wielu jezior ulega zmianie w wyniku przeobrażeń klimatycznych bądź też działalności gosp. człowieka, np. M. Kaspijskiego w ciągu ostatnich 50 lat zmniejszyła się z 430 tys. km^2 do ok. 371 tys. km^2, a obecnie powiększa się, jez. Sewan zmalała z 1416 do ok. 1300 km^2, podobnie Jez. Aralskiego, którego poziom wody obniżył się o 16 m; obniża się także zwierciadło wody M. Martwego.

Obszary zabagnione zajmują ok. 2,2 mln km^2, co stanowi 5% powierzchni A. Największe na świecie obszary bagienne występują na Niz. Zachodniosyberyjskiej, w dorzeczach Irtyszu i Obu. Rozległe są także bagna w dolnym biegu Amuru i na zach. wybrzeżu Kamczatki. Bagna w tych regionach mają związek z obiegiem wody w strefie wieloletniej zmarzliny. Mniejszy zasięg mają bagna na obszarach aluwialnych nizin: Chińskiej i Hindustańskiej oraz w deltach wielkich rzek, zwł. Mekongu, Irawadi, Gangesu, Brahmaputry i Meghny.

W A. granica wiecznego śniegu, powyżej której występują lodowce, przebiega na wyspach ark. na poziomie morza, w Kaukazie średnio na wys. 3200 m, w Pamirze — 4400 do 5200 m i w Himalajach — od 4500 do powyżej 6000 m. Lodowce zajmują ok. 40 tys. km^2, czyli zaledwie 0,1% pow. lądowej. Pomimo sprzyjających potencjalnych warunków termicznych nie jest to obszar duży, rozwój lodowców ogranicza stosunkowo mała ilość opadów na obszarach górskich i polarnych. Ciągła pokrywa lodowa w formie lądolodu występuje jedynie na wyspach arktycznych (Ziemia Pn., W. Nowosyberyjskie), a lodowce górskie w: Himalajach, Tybecie, Pamirze, na pn. Uralu i Kaukazie. Do największych lodowców należą: Sjaczen, Baltoro i Hispar w Karakorum, Fedczenki w Pamirze. Charakterystycznym zjawiskiem dla północnej A. jest wieloletnia zmarzlina, pozostałość ostatniego zlodowacenia plejstoceńskiego. Zajmuje obszar ok. 10 mln km^2, jej granica pd. przebiega od pn. Uralu (60°N), skośnie przez zach. Syberię, w górę Jeniseju aż do okolic Ułan Bator w Mongolii (48°N), a następnie na pn. od doliny dolnego Amuru, wybrzeżem M. Ochockiego i środk. Kamczatki.

Rzeki A. mają ogromny potencjał energ., ich szacunkowe zasoby wynoszą ok. 1400 mln MW · · h, co stanowi ok. 35% świat. zasobów. Warunki klim. i hydrologiczne A. sprawiają, że w gospodarce wodnej państw tego regionu na pierwszy plan wysuwa się konieczność budowy zbiorników do nawodnień pól i ochrony przed powodziami, nie bez znaczenia jest także produkcja energii elektrycznej. W latach 80. istniały sztuczne zbiorniki wodne o łącznej objętości 1600 km^3, dzięki którym można było gromadzić około 20% rocznego odpływu (w poszczególnych krajach ten stopień regulowania odpływu waha się od 8 do 30%). Łączna powierzchnia sztucznych zbiorników w A. jest oceniana na 185–195 tys. km^2, do największych należą: Bracki na Angarze, Krasnojarski na Jeniseju, Zejski na Zei, Tartar na Tygrysie, Sanmenxia na Huang He; w budowie największa na świecie zapora i zbiornik retencyjny na Jangcy, w Przełomie Trzech Wąwozów. Pod względem liczby i pojemności zbiorników przodują Indie, Chiny, Rosja, następnie Irak, Turcja, Tajlandia. Najlepiej wykorzystanymi rzekami pod względem energ. są: Jenisej, Angara, Jangcy, Amu-daria z Wachszem, Indus, Huang He i Eufrat. Budowa zbiorników wodnych na rzekach transgranicznych powoduje niekiedy konflikty polit. między państwami korzystającymi z zasobów wodnych danego dorzecza, np. pomiędzy Irakiem a Turcją o wody Eufratu, Indiami a Bangladeszem — Gangesu, Indiami a Pakistanem — Indusu, Izraelem a Jordanią — Jordanu. W latach 80. w A. nawadniano pola uprawne o pow. 130–140 mln ha, w końcu lat 90. — 253 mln ha, co stanowi 55% pow. pól sztucznie zasilanych w wodę na Ziemi. Szczególnie duże systemy nawodnień powstały w Indiach, Chinach, Iraku, Syrii, Pakistanie. W okresie ostatnich 40 lat objętość odpływu rzecznego przypadająca na 1 mieszkańca A. zmalała o 40–60%; wg prognoz do roku 2025 większość krajów azjat. napotka na barierę wzrostu w postaci ograniczonej dostępności wody. Dotyczy to zwł. rolnictwa, które w A. zużywa 86% objętości odnawialnych zasobów wodnych (dla porównania w Ameryce Pn. i Środk. 49%, w Europie 38%). Rzeki A. są ważnymi arteriami komunik., zwł. Huang He, Jangcy (połączone Wielkim Kanałem), Mekong, Ganges i Brahmaputra; z rzek syberyjskich najlepiej przystosowana do żeglugi jest Angara, gdzie droga wodna z uregulowanym korytem ma długość 1050 km.

Gleby. W pn. i częściowo środkowej A. utrzymuje się równoleżnikowy układ gleb, uwarunkowany czynnikami klim., na pozostałym obszarze jest on zakłócony ukształtowaniem powierzchni. Różnorodność warunków termicznych i wilgotnościowych sprawia, że występują tu praktycznie wszystkie główne strefy glebowe Ziemi. Strefa gleb tundrowych z poziomami wiecznej zmarzliny na głęb. 50–200 cm obejmuje pn. wybrzeża A. Równiny pokrywają zmarzlinowe gleby torfowo-glejowe i tundrowo-glejowe często z charakterystyczną, zmarzlinową mikrorzeźbą powierzchni. W obszarach wyżyn i gór napotyka się gleby torfiasto-tundrowe w otoczeniu inicjalnych gleb kamienistych.

W obszarze lasów iglastych tajgi pokrywa glebowa wykazuje odmienności regionalne. Na pn. Niz. Zachodniosyberyjskiej przeważają gleby torfowo-zmarzlinowe i glejowo-zmarzlinowe, w pozostałej części — zespoły kwaśnych, pozbawionych poziomów próchnicznych gleb glejowo--bielicowych, bielic próchniczno-iluwialnych oraz torfowych. Środkowa Syberia, pokryta tajgą modrzewiową, jest obszarem rozwoju gleb zmarzlinowych bez oznak silnego zbielicowania; lokalnie na wychodniach skał węglanowych występują rędziny oraz gleby darniowe ze słabymi przejawami bielicowania. We wsch. Syberii (G. Jabłonowe, G. Stanowe) do wys. ok. 900 m, w tajdze modrzewiowo-brzozowej występują podbury, czyli kwaśne, niezbielicowane gleby darniowe, wyżej, do ok. 1300 m — górskie gleby bielicowe i torfiasto-glejowe, natomiast w piętrze tundr odkładają się cienkie poziomy próchnic

torfiastych. Na równinach Kamczatki, z utworów wulkanicznych wytworzyły się próchniczne gleby darniowe, w górach pod lasami brzozowymi — podbury oraz gleby tundr mszysto-krzewinkowych. W niedostatecznie uwilgotnionej Kotlinie Jakuckiej pod płatami lasów modrzewiowych rozwinęły się zmarzlinowe gleby brunatnoziemne, zw. paliowymi, z oznakami oglejenia i osołodzenia, w obniżeniach wytopiskowych z roślinnością łąkowo-stepową — sołońce. Południowa Syberia to ogromne obszary górskich, w większości zmarzlinowych podburów wytworzonych gł. pod lasami jodłowo-modrzewiowymi. Grzbietowe partie gór pokrywają gleby torfiasto-tundrowe oraz zwaliska kamieniste, tzw. golce.

Przemywny ustrój wilgotnościowy gleb, sprzyjający rozwojowi lasów utrzymuje się także na Dalekim Wschodzie (Sachalin, Płw. Koreański, W. Japońskie, dorzecze dolnego Amuru), czyli w obszarach pozostających w zasięgu klimatu o cechach monsunowych. Równiny i dolne stoki gór z lasami liściastymi (dąb, jesion, buk) pokrywają tam gleby brunatne właściwe, na wys. 700–1100 m rozwijają się gleby brunatne kwaśne, wyżej, w piętrze lasów iglastych — bielice. W Japonii, na popiołach wulk. formują się zasobne w próchnicę gleby darniowe.

W obrębie strefy stepowej A., ze względu na zróżnicowanie warunków termiczno-wilgotnościowych i orograficznych, wydziela się kilka regionów glebowych. W regionie zach. czarnoziemy i gleby kasztanowe pokrywają niemal całe Pogórze Kazaskie pasem o szer. ok. 800 km i dł. ok. 2000 km. W jego pn. części, gdzie przewaga parowania potencjalnego nad opadami atmosferycznymi jest niezbyt wysoka, dominują czarnoziemy zwyczajne i południowe. Każdy hektar tych nadzwyczaj żyznych gleb zawiera do 500 t próchnicy. Na pd. stepów kazachstańskich, gdzie opady atmosf. zaledwie w połowie równoważą straty wody na parowanie, rozwijają się gleby kasztanowe ze strąceniami gipsu. Zarówno czarnoziemy, jak i gleby kasztanowe niemal w całości są zagospodarowane rolniczo. Główne przejawy ich antropogenicznej degradacji to znaczne obniżenie zawartości próchnicy w warstwie ornej, zniszczenie ziarnistej struktury oraz rozwiewanie. Na wsch. od Pogórza Kazaskiego brak zwartej strefy czarnoziemów i gleb kasztanowych. Występują one jedynie w kotlinach śródgórskich Ałtaju, Sajanów oraz Zabajkala, pozostających zazwyczaj w cieniu opadowym i podlegających wpływom głębokich inwersji termicznych, intensyfikujących przesuszanie gleb. Zbliżoną genezę wykazują gleby czarnoziemne Niz. Mandżurskiej, osłoniętej od wilgotnych mas powietrza przez G. Wschodniomandżurskie. Wschodni, mong.-chiń. region gleb stepowych układa się w formę łuku otaczającego od pn., wsch. i pd.-wsch. obszary półpustyń i pustyń A. Środkowej. W pn. Mongolii i Mongolii Wewn., przy parowaniu potencjalnym do trzech razy wyższym od średniej rocznej sumy opadów, jedynie w sezonach wiosenno-letnich następuje krótkotrwałe, głębsze uwilgocenie gleb. W takich warunkach rozwinęły się gleby kasztanowe bez strąceń gipsu lecz wysycone węglanem wapnia już poniżej głęb. 20–50 cm. Na powierzchniach pozbawionych roślinności (zaoranych, rozdeptanych przez bydło, rozjeżdżonych) nawalne opady oraz silne wiatry niszczą niemal cały profil gleby. O potrzebie ciągłej ochrony gleby i darni przed rozrywaniem przypominał wymóg starej mong. tradycji noszenia butów z wysoko zagiętymi czubami. Duże kompleksy gleb kasztanowych występowały także na Wyż. Lessowej ale wielowiekowa, intensywna uprawa przekształciła je w agroziemy.

Strefę półpustyń i pustyń A. Środkowej tworzy zespół ogromnych kotlin śródgórskich i otaczających je wyżyn; są to w większości miejsca akumulacji osadów limniczno-aluwialnych oraz soli: siarczanowych na wsch. i chlorkowych na zach., na obszarze objętym zalewem morza mioceńskiego. Na znacznych obszarach Niz. Turańskiej, kotlin: Dżungarskiej i Kaszgarskiej występują przewiewne piaski oraz płaty sołonczaków młode sołonczaki tworzą się u brzegów wysychającego Jez. Aralskiego. Pod płatami zbiorowisk piołunowo-ostnicowych A. Środkowej rozwinęły się buroziemy, na falistych, nieco wilgotniejszych wyżynach — szaroziemy o pyłowym zazwyczaj składzie ziarnowym. Małe płaty buroziemów utrzymują się w obrębie skalnych i kamienisto-gruzowych powierzchni Gobi. W Pamirze i Hindukuszu półpustynne szaroziemy występują aż do wys. ok. 3000 m. Pustynie wysokogórskie Wyż. Tybetańskiej i Pamiru pokrywają kamienisto-okruchowe gleby inicjalne, lokalnie na płaskich powierzchniach napotyka się gleby tundrowo-zmarzlinowe, a w obniżeniach — sołonczaki. W A. Południowo-Zachodniej duże obszary silnie węglanowych, górskich szaroziemów pokrywają Wyż. Irańską, na równinach dominują pustynne, szarawe buroziemy oraz sołonczaki, zajmujące ok. 1/3 pow. wyżyny. W pustynnych krajobrazach Płw. Arabskiego jedynie na pn.-zach., pod zbiorowiskami trawiasto-piołunowymi wytworzyły się szaroziemy, góry i wyżyny pokrywają inicjalne gleby kamieniste, a pustynie Wielki Nefud, Ar-Rub al-Chali i in. — piaski. Nizina Mezopotamska jest właściwie ogromną oazą, której oglejone gleby aluwialne i sołonczaki są od tysiącleci intensywnie wykorzystywane przez człowieka. Na Wyż. Anatolijskiej, pod roślinnością kserofitową, rozwinęły się dość żyzne gleby brązowe.

Na rozkład pięter glebowych w Himalajach, poza wysokością wpływa również ekspozycja zboczy. Na stokach pd., do ok. 4000 m występują gleby pięter leśnych: górskie czerwonoziemy, żółtoziemy i gleby brunatne, ponad nimi — gleby łąk wysokogórskich i zwaliska kamieniste. Rozległe niziny Indusu i Gangesu budują w przewadze aluwia pyłowo-gliniaste, nanoszone przez rzeki himalajskie; rozwinęły się na nich żyzne gleby brązowe, niemal w całości wykorzystane rolniczo, a nad Indusem — półpustynne szaroziemy. W strefie tropikalnej A. Południowej występują gleby sawannowe i leśne. Pierwsze pokrywają niemal cały Płw. Indyjski. Na zwietrzelinach bazaltów wytworzyły się tam gliniaste wertisole, zw. też regurami, na eluwiach granitów i gnejsów — gleby czerwonobrązowe. Półwysep Indochiński, pd. część wsch. Chin oraz wyspy archipelagów Malajskiego i Filipińskiego pokrywają miąższe, obfitujące w konkrecje i poziomy laterytowe zwietrzeliny ferralitowe. W środowisku wilgotnych lasów monsunowych i równikowych na tych zwietrzelinach powstały zespoły ubogich w składniki odżywcze, zakwaszonych gleb laterytowych, zbielicowanych gleb czerwonożółtych i żółtoziemów; na młodych utworach wulkanicznych (np. na Jawie) rozwijają się żyzne andosole, intensywnie użytkowane rolniczo.

Świat roślinny i zwierzęcy. A. leży w obrębie 2 państw roślinnych: wokółbiegunowego pn. (*Holarctis*) i tropik. Starego Świata (*Paleotropis*); roślinność holark. pn. części A. tworzy strefy równoleżnikowe, zgodne z przebiegiem stref klim. i glebowych; na pn. występują pustynie ark. i bezleśna trawiasto-krzewiasta strefa tundry, przechodząca ku pd. w lasotundrę i strefę borów iglastych (tajga) z rozległymi bagnami; jeszcze dalej na pd. występują lasostepy przechodzące w strefę stepów (gł. suchoroślowe trawy i półkrzewy); na zach. i w części środk. stepy przechodzą w półpustynie i pustynie. Wysokie pasma A. Środkowej są w większej części bezleśne; tylko ich stoki zewn. (np. we wsch. Tybecie i pd. Himalajach) porastają lasy (gł. iglaste). Lasy Dalekiego Wschodu, zrzucające liście na zimę, są b. bogate pod względem liczby gat. drzew (w tym wiele reliktowych, np. miłorząb). Wybrzeża A. Mniejszej, Syrii i Palestyny porasta roślinność śródziemnomor. (zimozielone zarośla makii i frygany oraz śródziemnomor. gat. sosen); Płw. Arabski jest gł. pustynny. Roślinność paleotropik. (pd.-wsch. część Azji) stanowią przeważnie lasy; najbujniejszą ich formacją są wilgotne, wiecznie zielone lasy równikowe Archipelagu Malajskiego, b. bogate gatunkowo (m.in. liany, epifity); do pd. Chin sięgają wiecznie zielone lasy zwrotnikowe; na wyspach i półwyspach występują zrzucające liście lasy monsunowe (z drzewem tekowym); najsuchsze części Indochin pokrywają sawanny. Na błotnistych wybrzeżach mórz są bogato rozwinięte formacje namorzynów (mangrowe). Wielkie obszary A. zajmują obecnie uprawy rolne; z A. pochodzi wiele roślin użytkowych, m.in. ryż, soja, herbata, cytryny, pomarańcze, brzoskwinie, banany, palma kokosowa, trzcina cukrowa, żyto, pszenica, owies, jęczmień, ogórek, konopie.

Pod względem zoogeogr. obszar A. w znacznej części (do Himalajów i bez Płw. Arabskiego) należy do krainy paleark., a fauna jest zróżnicowana zależnie od stref klim.-roślinnych. Spośród 28 rodzin ssaków (nie licząc nietoperzy) żyjących w tej części A. tylko 2 są endemiczne: należące do gryzoni ślepce i selewinki; w tundrze żyją: renifer, niedźwiedź polarny, lemingi, ptactwo, zwł. mor. (np. alki, mewy, nury); w tajdze: bóbr, jeleń, łoś, rosomak, soból, polatucha, cietrzew, głuszec; w stepach: antylopa suhak, bobak, suseł, z ptaków — drop; w pustynnej A. Środkowej, m.in. gazele, dżejran, kułan, kiang, koń Przewalskiego, wielbłąd dwugarbny; faunę Wyż. Tybetańskiej reprezentuje gł. jak, A. Wschodniej — gł. tygrys, jenot, bażanty. Obszar na pd. od Himalajów tworzy krainę orientalną, z bogatą i różnorodną fauną; z 30 rodzin ssaków (nie licząc nietoperzy) są tylko 4 endemiczne: latawce, tworzące jednocześnie rząd endemiczny (z lotokotem), tupaje i wyraki spośród naczelnych i jedna rodzina gryzoni; ponadto żyją tu m.in.: liczne małpy (połowa rodzin wszystkich naczelnych) z gibonem, makakiem i orangutanem, oraz słoń ind., tapir ind., nosorożec, bawół ind., gaur i gajal, tygrys, gepard; z ptaków: liczne bażanty, paw, argus, kur bankiwa; wiele gat. gadów: pytony i okularniki, gawial i aligator, liczne jaszczurki; Płw. Arabski należy do krainy etiopskiej i ma powiązania faunistyczne z Afryką.

Ochrona środowiska. Kraje azjat. borykają się z wieloma problemami, związanymi z racjonalnym gospodarowaniem w środowisku przyrodniczym. Najpoważniejszym zagrożeniem dla przyrody A. jest rabunkowe wycinanie lasów, dostarczających dużych ilości pożądanych gatunków drewna. Dotyczy to zarówno lasów równikowych w A. Południowo-Wschodniej, jak i strefy tajgi. W niektórych krajach istnieją wprawdzie surowe ograniczenia prawne nałożone na pozyskiwanie drewna (Tajlandia), w innych wycinanie lasów wciąż odbywa się na znaczną skalę (Malezja, Indonezja) niezależnie od zakazów. Znaczne zanieczyszczenie powietrza, spowodowane rozwojem komunikacji i przemysłu, występuje w wielkich aglomeracjach: Chin, Indii, Japonii, Tajlandii, Bliskiego Wschodu. Katastrofalne skażenie środowiska towarzyszy rejonom wydobycia ropy naft. (wybrzeża M. Kaspijskiego, zwł. w Azerbejdżanie i Turkmenistanie, Zachodniosyberyjskie Zagłębie Naftowe w Rosji), a sytuacja w Kuwejcie po wojnie z Irakiem 1991, kiedy wojska irackie podpaliły około 700 szybów naftowych, urosła do rangi katastrofy ekol. o co najmniej regionalnych skutkach. Innego rodzaju katastrofa ekol. dotknęła rejon Jez. Aralskiego, które od ok. 40 lat w szybkim tempie kurczy się, co całkowicie zmienia stosunki przyr. i warunki bytowe miejscowej ludności. Za przyczynę ubywania wody z Jez. Aralskiego uważa się jej zbyt duży pobór na cele irygacyjne w środk. biegu Amu-darii i Syr-darii. Coraz poważniejszym zagrożeniem dla lokalnych ekosystemów staje się nadmierny rozwój turystyki, gł. w terenach górskich (Wysokie Himalaje) i w obszarach występowania raf koralowych. Prawnej ochronie w formie parków nar. i rezerwatów przyrody podlega ok. 4,5% powierzcni A. Do Konwencji Paryskiej z 1972 o ochronie dóbr kultury i przyrody przystąpiło 27 krajów azjat., do Konwencji Ramsar o ochronie ekosystemów bagiennych, wodnych i nadmor. 15 krajów; w 13 państwach znajdują się rezerwaty biosfery, ustanawiane w ramach programu Człowiek i Biosfera UNESCO. Największym odsetkiem obszarów chronionych cechują się Bhutan (21% pow.), Kambodża (17%), Japonia (15%) i Tajlandia (14%); w Chinach i Indiach wynosi on 4%. W kilku krajach, zwł. bliskowsch. (Irak, Jemen, Syria, Zjedn. Emiraty Arabskie), nie ustanowiono dotąd żadnych obszarów prawnie chronionych. Najbardziej znane obszary chronione to Bajkał, Kaukaz (40 rezerwatów), parki nar.: Sagarmatha w Nepalu, obejmujący m.in. Mount Everest, Nanda Dewi w Indiach, Sundarbans na granicy Indii i Bangladeszu, Wolong w Chinach, gdzie jest chroniona panda wielka, Fudżi w Japonii, Apo i Mayon w

Filipinach, Kinabalu i Sepilok ze stanowiskiem orangutana w Malezji oraz wyspa Komodo w Indonezji.

Ludność

Pochodzenie ludności. Współcześnie przeważa pogląd, że A. została zasiedlona przez istoty człowiekowate przybyłe z kontynentu afrykańskiego. Najstarsze szczątki istot człowiekowatych *Homo erectus* liczą ok. 1–2 mln lat (Jawa), a najstarsze szczątki współcz. człowieka (*Homo sapiens*) znalezione w A. Południowo-Zachodniej są datowane na ok. 100 tys. lat. Prawdopodobnie także w A. znajdowały się najstarsze ośrodki rasogenezy gatunku ludzkiego. W paleolicie w A. Wschodniej ukształtowała się żółta odmiana człowieka (protomongoloidalna), na pograniczu A. Południowo-Zachodniej i pd.-wsch. Europy odmiana biała (protoeuropeidalna), a na pograniczu A. Południowo-Zachodniej i pn.-wsch. Afryki odmiana czarna (protoaustraloidalna).

Przemiany demograficzne i rozmieszczenie ludności. Ze względu na rozmiary A. już na progu rewolucji roln. (neolit) była najludniejszą częścią świata. Od tego czasu Azjaci stanowili przeciętnie 60% ludności świata. W okresie polit. i gosp. dominacji Europejczyków i Amerykanów w A. udział ten spadł do 54% (1920). W warunkach egzystencji na progu zaspokojenia minimalnych potrzeb spustoszenie wśród ludności siały głód, epidemie i klęski żywiołowe, a część ludności została zmuszona do zamor. emigracji. Udział A. w zaludnieniu Ziemi zaczął się zwiększać stopniowo w latach 30. XX w. Proces ten był następstwem ograniczenia śmiertelności w związku z poprawą warunków sanitarnych, zapewnieniem lepszej opieki med. oraz wzrostem produkcji żywności na 1 mieszkańca. Tempo wzrostu ludności było jednak mniejsze niż w Afryce i Ameryce Łacińskiej. Największą rolę spowalniającą wzrost liczby ludności miała stopniowa poprawa warunków bytowych oraz wprowadzenie polityki planowania rodziny w latach 50. i 60., zwł. w Chinach i Indiach. Od końca lat 60. postępował spadek przeciętnego tempa przyrostu naturalnego ludności. W latach 1970–95

■ Azja. Arabowie w tradycyjnych strojach (galabijje) na ulicy w Halabie (Syria)

dzietność kobiet spadła z 5,5 do 2,6. Spadek umieralności dorosłych i śmiertelności niemowląt w latach 1955–95 spowodował wydłużenie czasu życia 1955–2000 z 41 do 66 lat. Niskie współczynniki urodzeń i dzietności kobiet charakteryzują A. Północną i Wschodnią. W A. Północnej (Rosja) wg aktualnych ocen współczynnik zgonów jest nawet wyższy niż współczynnik urodzeń. W A. Wschodniej przeciętna dzietność kobiet spadła do 1,8, co jest gł. rezultatem restrykcyjnej polityki antynatalistycznej (m.in. zakaz posiadania więcej niż jednego dziecka) w Chinach. A. Wschodnia charakteryzuje się najwyższym na świecie udziałem zamężnych kobiet stosujących środki antykoncepcyjne (79%). Średnia długość życia jest tam nawet na nieco wyższym poziomie (71 lat) niż w Europie Środkowej i Wschodniej (68 lat). W A. Północnej i Wschodniej jest najmniejsza proporcja ludności poniżej 15 lat i największa powyżej 60 lat. Odmienna sytuacja panuje w większości krajów A. Południowo-Zachodniej, Środkowej i Południowej. Średnia dzietność kobiet waha się od 3,4 do 3,8 (1995–2000). Tradycyjny model rozrodczości jest tam podtrzymywany przez przekonania rel. wyznawców islamu lub ubóstwo ludności i wysoki stopień analfabetyzmu wśród kobiet (64% w A. Południowej, 1995). Na terenach wiejskich Nepalu, Pakistanu i Bangladeszu wskaźnik ten przekracza 85%. Pośrednią pozycję zajmuje A. Południowo-Wschodnia, gdzie ścierają się czynniki podtrzymujące (przewaga wyznawców islamu np. w Indonezji lub katolicyzmu w Filipinach oraz kompensacja strat wojennych np. w Kambodży) i ograniczające wysoką stopę urodzeń lepsze warunki bytowe, programy planowania rodziny np. w Tajlandii i Singapurze. Dzietność kobiet jest tam zbliżona do średniej azjat. i wynosi 2,7 dzieci.

A. jest jedyną częścią świata wykazującą wyraźną przewagę liczby mężczyzn nad kobietami (95,6 kobiet na 100 mężczyzn, 1995), co przypisuje się niepełnej rejestracji (kraje muzułmańskie) i wysokiej śmiertelności okołoporodowej kobiet. Jedynie w krajach, które poniosły wysokie straty wojenne współczynnik feminizacji jest stosunkowo wysoki (Kambodża 116, Wietnam 105).

Ze względu na największy potencjał ludnościowy A. była od tysięcy lat obszarem emigracyjnym. Stąd pierwotny człowiek zasiedlił Amerykę, Australię i Oceanię i stąd wyruszały najazdy ludów koczowniczych na Europę (Hunowie, Mongołowie). Już w starożytności przybywali do A. Zachodniej niewolnicy z Afryki Wschodniej. Stopniowe włączanie A. do świat. systemu gosp. od XVI w. spowodowało z kolei kolonizację i osadnictwo przybyszów z Europy. Proces dekolonizacji w 2. poł. XX w. spowodował migracje powrotne przeważającej części ludności napływowej, z wyjątkiem ros. części Azji. Jeszcze w latach 90. przybywało do Izraela wielu imigrantów z krajów WNP. W XX w. liczne konflikty zbrojne o dużym zasięgu terytorialnym, zmiany granic polit. i represje wobec mniejszości nar. i rel. lub przeciwników polit. były powodem wędrówek co najmniej kilkudziesięciu milionów Azjatów. Ponad 1/3 (1997) uchodźców polit. na

świecie pochodzi z A. (gł. z części pd. i pd.-zach.). W XIX w. została zapoczątkowana na większą skalę emigracja zarobkowa Azjatów, zwł. do Ameryki, Afryki, Oceanii, a w A. terenem imigracyjnym stała się wówczas A. Południowo-Wschodnia. Obecnie kraje azjat. wykazują wysokie ujemne saldo migracji międzynar. (1,4 mln rocznie), ale w stosunku do liczby ludności natężenie migracji zewn. jest znacznie niższe (–0,4 na 1000 mieszk.) niż np. w Ameryce Łac. (–1,2 na 1000 mieszk.). Azjaci emigrują w celach zarobkowych do innych krajów azjat., zwł. do krajów naft. nad Zat. Perską, gdzie imigranci zarobkowi stanowią ok. 1/3 ogółu ludności oraz lepiej rozwiniętych krajów A. Wschodniej i Południowo-Wschodniej. Poza A. krajami docelowymi są przede wszystkim Stany Zjedn., Kanada i Australia, w których Azjaci stanowili łącznie 45% ogółu imigrantów 1990–94.

Migracje wewn. w krajach azjat. mają zróżnicowane natężenie i kierunki w zależności od stopnia rozwoju społ.-gospodarczego. Jeszcze do poł. XX w. dominowały w A. migracje związane z kolonizacją nowych terenów rolniczych. Obecnie migracje wieś–wieś występują z dużym natężeniem w ludnych krajach o niskim stopniu urbanizacji, np. 50% ogółu przemieszczeń ludności w Indiach odbywa się nadal między obszarami wiejskimi. Jednak w większości krajów dominują migracje ze wsi do miast w związku z możliwością uzyskania tam dwukrotnie wyższych dochodów. W Chinach w warunkach wysokiego tempa wzrostu gosp. i złagodzenia barier adm., obowiązujących w przeszłości, ponad połowa migrantów przemieszcza się ze wsi do miast, gł. największych. W krajach najbardziej rozwiniętych, gdzie ponad 70% ludności mieszka w miastach, przeważają migracje między miastami (np. 51% przemieszczeń w Korei Pd.) lub z miast na tereny wiejskie, sąsiadujące z dużymi miastami. Obawy przed nadmiernym wzrostem wielkich miast sprawiły, że w niektórych krajach (Chiny, Wietnam, Birma) administracyjnie ograniczano migracje i przesiedlano przymusowo ludność na tereny wiejskie.

A. jest po Europie najgęściej zaludnioną częścią świata (80 mieszk./km^2), ale bez azjat. części Rosji ma ten wskaźnik najwyższy na świecie (111 mieszk./km^2, 1997). Olbrzymią presję demogr. w A. dobrze odzwierciedla konfrontacja liczby ludności z istniejącym areałem ziemi uprawnej; na 100 ha gruntów ornych przypada średnio w A. 730 osób (1995), a w A. Wschodniej — 1400 osób, gdy średnio na świecie niewiele ponad 400 osób. W A. można wyróżnić 3 wielkie makroregiony ludnościowe. Pierwszy zajmuje pd. i wsch. część A., położoną nad O. Indyjskim i O. Spokojnym. Strefa wysokiej gęstości zaludnienia (nie przyjmująca formy ciągłej) obejmuje tereny od Płw. Indyjskiego i Niz. Hindustańskiej na pd.-zach., przez Płw. Indochiński, Archipelag Malajski (gł. Jawa) i wsch. Chiny, do W. Japońskich na pn.-wschodzie. Mieszka tam 85% ludności A. (51% mieszk. świata). Na najgęściej zaludnionych terenach krajów tego regionu (gęstość zaludnienia 370–820 mieszk./km^2 w jednostkach adm. pierwszego rzędu), które stanowią 7% powierzchni A., mieszka 43% ogółu ludności tej

■ Azja. Rodzina tybetańska

części świata. Korzystne warunki naturalne do rozwoju rolnictwa (klimat o cechach monsunowych, duże kompleksy żyznych gleb aluwialnych) przyczyniły się tu do powstania największych skupisk ludności na Ziemi. Drugi, słabiej zaludniony region, skupiający tylko 14% ludności (25 mieszk./km^2), obejmuje tereny położone w głębi lądu i w pd.-zach. Azji, gdzie oprócz deficytu wody (rozległe pustynie) istotną barierą dla osadnictwa człowieka jest wyniesienie nad poziom morza wielkich łańcuchów górskich i wyżyn, zwłaszcza A. Środkowej. Najgęściej zaludnione (200–300 mieszk./km^2) w tym regionie są obszary o wyższych opadach, lepiej nawodnione, przydatne dla rolnictwa: nad M. Śródziemnym, w strefie przedgórzy (Elburs, Zagros), w dolinach rzecznych (Eufrat, Tygrys, Indus) i kotlinach śródgórskich (Kotlina Fergańska). Natomiast najsłabiej jest zaludniona A. Północna, gdzie skupia się zaledwie 1% ogółu ludności (2,5 mieszk./km^2). Przeważają tam klimaty umiarkowane chłodne kontynent. i polarne, a barierą osadniczą, poza niskimi temperaturami i wieloletnią zmarzliną, są rozległe bagna, lasy i obszary górskie.

Struktura osadnicza. A. jest drugą w kolejności po Afryce najsłabiej zurbanizowaną częścią świata, choć tempo wzrostu ludności miejskiej jest dwukrotnie wyższe niż tempo wzrostu ludności ogółem. Na wsi mieszka wciąż 65% (1995) Azjatów. Spotykane są tu najbardziej pierwotne formy osadnictwa w postaci jaskiń (np. na Wyż. Lessowej, w Chinach), leśnych szałasów (w Indonezji), zadaszonych łodzi rybackich (w Birmie, Filipinach), wędrownych pasterskich jurt (w Mongolii). Azjatyccy rolnicy mieszkają w stałych osiedlach liczących od kilkuset do kilkudziesięciu tysięcy mieszkańców. Większość osad wiejskich na nizinach ma charakter skupiony ze względu na czynniki bioklimatyczne i dostępność wody (zwł. w klimacie suchym), konieczność zachowania terenów pod uprawę (np. A. Wschodnia) oraz względy bezpieczeństwa. W wilgotnej A. Południowo-Wschodniej tradycyjne budynki są wznoszone na palach. Drewno jest ważnym materiałem budowlanym w A. Południowo-Wschodniej, A. Północnej oraz Japonii i niektórych częściach A. Południowej. W Chinach, Indiach, A. Południowo-Zachodniej i A. Środkowej większą rolę odgrywa glina, cegła suszona i wypalana. Warunki życia są bardzo zróżnicowane. W 18 krajach ponad 80% mieszk. wsi ma dostęp do dobrej jakości wody pitnej, ale w: Afganistanie, Iraku, Birmie, Laosie, Wietnamie, Nepalu i Sri Lance poniżej 50%.

Pierwsze miasta na świecie powstały w A. Południowo-Zachodniej, gdzie pierwotnie skupiała się większość ludności tej części świata (ponad 40% ok. 400 p.n.e., a tylko 8% 1997). Obecnie za miasta uznaje się osiedla o zróżnicowanej wielkości. W Chinach, na Płw. Koreańskim i w Japonii są to na ogół osiedla liczące powyżej 50 tys. mieszk., a w Izraelu i Turcji tylko 2 tysiące. Dodatkowym kryterium jest często odpowiednio wysoki udział zatrudnienia mieszkańców poza rolnictwem i wyposażenie w odpowiednią infrastrukturę. Jednak poziom urbanizacji niektórych krajów uznaje się za zawyżony. W Chinach

■ Azja. Miasto Czarikar w Afganistanie

przynajmniej 2/5 mieszk. miast utrzymuje się z rolnictwa wskutek włączenia w granice miast wielu okolicznych wsi, np. w Chongqingu liczącym 15 mln mieszk. aż 80% ludności żyje na terenach wiejskich włączonych w granice miasta. Najwyższy poziom urbanizacji wykazuje skolonizowana przez Rosjan A. Północna, gdzie w miastach mieszka ponad 70% ludności. Podobnie wysoki stopień urbanizacji (66%) cechuje region o najstarszych tradycjach urbanizacyjnych i dużej mobilności ludności — A. Południowo-Zachodnią. Stosunkowo niski poziom urbanizacji Chin sprawia, że A. Wschodnia ma poziom urbanizacji zbliżony do średniej azjat. (37%), choć w Japonii i Korei Pd. w miastach żyje 4/5 ludności. Najmniej ludności zamieszkuje miasta w A. Południowej (27%) i A. Południowo-Wschodniej (34%). Kraje o najniższym stopniu urbanizacji: Afganistan, Jemen, Oman, Nepal, Kambodża i Laos, wykazują jednak najwyższe tempo wzrostu (5–8% rocznie) ludności miejskiej. W 1950–95 najbardziej radykalne zmiany w proporcjach ludności miejskiej i wiejskiej nastąpiły w Korei Pd., Arabii Saudyjskiej, Libanie i Zjedn. Emiratach Arabskich. Udział ludności miejskiej wzrósł tam z poziomu 15–20% do 80%. W miastach liczących ponad 1 mln mieszk. mieszka 36% ludność miejskiej, a więc mniej niż w Ameryce i Australii, ale więcej niż w Europie i Afryce. W 1997 jedenaście zespołów miejskich liczyło ponad 10 mln mieszk.: Seul, Bombaj, Szanghaj, Tokio, Pekin, Kalkuta, Dżakarta, Tianjin, Delhi, Karaczi, Osaka. Największym regionem miejskim jest japońska Megalopolis Nippon na pd. wybrzeżu wyspy Honsiu; Tokio, Osakę, Nagoję oraz liczne miasta sąsiadujące zamieszkuje (w zależności od przyjętych granic obszaru zurbanizowanego) od 55 do 70 mln ludzi (44–56% ogółu Japończyków). Największe metropolie azjat. to miasta portowe (70% miast liczących powyżej 3 mln ludzi) lub stołeczne. Bogate tradycje urbanizacyjne sprawiły jednak, że wśród miast liczących ponad 500 tys. mieszk. tylko 40% leży na wybrzeżu w przeciwieństwie do Ameryki Pd. (60%), gdzie urbanizacja była w większym stopniu następstwem kolonizacji europejskiej. Nie zawsze warunki życia w miastach są zdecydowanie lepsze niż na wsi. W Jordanii, Indiach, Indonezji i Pakistanie proporcje ludności żyjącej w absolutnym ubóstwie są podobne w miastach i na wsi. Tylko 7% miast indyjskich jest przynajmniej częściowo wyposażonych w urządzenia oczyszczające ścieki. Wielkie miasta A. Południowej i A. Wschodniej charakteryzują się bardzo wysoką gęstością zaludnienia i zabudowy. W Chinach mieszkaniec miasta dysponuje tylko 8 m^2 pow. użytkowej mieszkania, w Delhi tylko 6,7 m^2, a Bombaju zaledwie 3,7 m^2; w wielkich miastach Indii znaczną część ludności stanowią bezdomni. W Singapurze 85% ludności mieszka w wielokondygnacyjnych budynkach. Prędkość przemieszczania się pojazdów w centrum Bangkoku, Singapuru i Manili nie przekracza 10 km/godz. Aż 38 milionowych miast azjat. leży na terenach zagrożonych silnymi trzęsieniami ziemi (do 8° w skali Richtera). W XX w. doświadczyły takich katastrof m.in.: Tokio i Kōbe w Japonii, Tangshan (242 tys. ofiar śmiertelnych) w Chinach, Aszchabad w Turkmenistanie i Taszkent (dwukrotnie) w Uzbekistanie.

Gospodarka

Kraje azjat. wykazują bardzo duże różnice poziomu gospodarki. Znajdują się tu państwa wyróżniające się w świecie jej rozwojem (Japonia, Izrael) lub potencjałem (Chiny, drugie po USA pod względem PNB). Także Turcja ubiegająca się o przyjęcie do → Unii Europejskiej, należy do krajów gospodarczo zaawansowanych. Do stosunkowo dobrze rozwiniętych należą tzw. kraje nowo uprzemysłowione, w tym zwł. „tygrysy azjatyckie” (Korea Pd., Tajwan, Singapur, Malezja, Tajlandia), choć wielki kryzys finansowy 1997–99 poważnie naruszył ich gospodarkę. Liczna jest w A. grupa krajów bogatych, eksporterów ropy naft.: na Płw. Arabskim — Arabia Saudyjska, Zjedn. Emiraty Arabskie, Kuwejt, Bahrajn, Katar i Oman, w A. Południowo-Wschodniej — Brunei. Do roli państwa przodującego gospodarczo w A. pretendują także Indie, charakteryzujące się dużym potencjałem, a zarazem ogromnymi dysproporcjami rozwoju społ.-gosp., czego przejawem jest m.in. zasięg ubóstwa, obejmującego ok. 30% ogółu mieszk. tego kraju. Przed rewolucją islamską 1979 do przyszłych potentatów gosp. świata było zaliczane cesarstwo Iranu. Wreszcie po rozpadzie ZSRR powstała w A. Środkowej oraz na Zakaukaziu grupa niepodległych państw (Kazachstan, Uzbekistan, Kirgistan, Turkmenistan, Tadżykistan, Gruzja, Armenia, Azerbejdżan) o stosunkowo rozwiniętej gospodarce w niektórych dziedzinach lecz zarazem o dużych dysproporcjach rozwoju i przeżywających trudności gosp. i polityczne. Kraje te można zaliczyć do grupy średnio rozwiniętych, wraz z Syrią, Jordanią, Libanem, Indonezją i Filipinami. Obok krajów dobrze rozwiniętych lub dysponujących dużym potencjałem stosunkowo liczna jest grupa państw najuboższych: Nepal, Bhutan, Laos, Birma, Korea Pn., Mongolia, Jemen, Sri Lanka, Kambodża, Afganistan, Malediwy, Bangladesz. Wśród nich są państwa przeżywające od wielu lat trudności polit. (wojny domowe: Birma, Jemen, Kambodża, Laos, Sri Lanka, Afganistan), bądź ekonomiczne. Większość z nich nie posiada znaczących bogactw miner., a możliwości eksportu innych surowców są niekiedy ograniczone przez brak dostępu do morza. Obrazu zróżnicowania gospodarczego A. dopełnia wskaźnik PNB na osobę, którego wielkość w A. Wschodniej (wraz z Oceanią) 1996 wyniosła 890 dol. USA, w A. Zachodniej ok. 2200 dol. (przy czym w krajach eksportujących ropę naftową na Płw. Arabskim 7–10 tys. dol.), podczas gdy w A. Południowej zaledwie 265 dolarów.

Produkcja roślinna. Do wysokiego zróżnicowania gospodarczego A. przyczynia się m.in. rolnictwo. Co prawda 1970–96 nastąpił bardzo duży spadek udziału rolnictwa w tworzeniu PNB do poziomu ok. 10% (w krajach najuboższych dochodzi do 50%), jednak znaczenie społ. tego działu, jako gł. miejsca zatrudnienia, pozostało nadal istotne. W A. Wschodniej w rolnictwie znajdowało zatrudnienie (dane FAO, 1996) aż 70% zawodowo czynnych, w A. Południowej 64%, a jedynie w A. Zachodniej wskaźnik ten wynosił 35%. W rolnictwie azjat. występuje kilka typów jednostek produkcyjnych, różniących się m.in. towarowością. Znajdują się tu: wysoko produkcyjne plantacje ukierunkowane na produkcję eksportową (często przy zaangażowaniu kapitału obcego), gospodarstwa spółdzielcze organizowane odgórnie na zasadach przymusu (Korea Pn., Wietnam, Birma, Laos, do niedawna Chiny i Mongolia) lub dzięki ułatwieniom finansowym oraz legislacyjnym (Turcja, Izrael, Malezja, Tajwan, Korea Pd.), drobnotowarowe gospodarstwa chłopskie nastawione gł. na zaspokajanie własnych potrzeb oraz plemienne wspólnoty roln., stosunkowo liczne na obszarach wilgotnych lasów równikowych i monsunowych, m.in. w Indonezji, pn.-wsch. Indiach, na Filipinach, w Birmie, Laosie i Wietnamie. W strukturze użytkowania

■ Azja. Fakir zaklinający kobrę na ulicy miasta Pushkar w Radżastanie (Indie)

■ Azja. Pola ryżowe w okolicy miasta Guilin (Chiny)

ziemi przeważają naturalne łąki i pastwiska, zajmujące 34% pow. ogółem (licząc z azjat. krajami byłego ZSRR, lecz bez azjat. części Rosji). Naturalne pastwiska mają szczególnie duży zasięg w Mongolii, Kazachstanie, Turkmenistanie i Uzbekistanie (65–80% pow., 1995), Arabii Saudyjskiej (39%) i w Chinach (42%). Grunty orne i trwałe plantacje zajmują w A. 16,5% pow.; są dominującą formą użytkowania ziemi w klimacie wilgotnym ciepłym i w krajach silnie przeludnionych, np. ziemie orne zajmują 67% pow. Bangladeszu, 57% Indii, 41% Tajlandii. Około 37% areału gruntów ornych i plantacji jest nawadniane. Jeśli pominąć Płw. Arabski i Irak, gdzie niemal całość użytków rolnych jest nawadniana, największy zasięg nawodnień występuje w Japonii i Chinach — odpowiednio 63% i 52% obszaru gruntów ornych i trwałych plantacji. W krajach uboższych, leżących w strefach sezonowych deficytów wody dla potrzeb rolnictwa, wskaźnik ten wynosi zaledwie 15–20%. Do najżyźniejszych obszarów roln. należą delty i doliny rzek, gdzie na skutek procesów akumulacji wytworzyły się żyzne gleby aluwialne. Dzięki temu mogły powstać dawne cywilizacje roln. w dolinie Eufratu i Tygrysu (hist. Żyzny Półksiężyc), Indusu (cywilizacja Mohendżo Daro), w delcie Mekongu i Rz. Czerwonej oraz na Niz. Chińskiej. Na pozostałych terenach uprawnych żyzność gleb jest stosunkowo niska, zarówno w strefie klimatu równikowego i zwrotnikowego wilgotnego, jak i na obszarach półsuchych. Wyjątek stanowi wyspa Jawa, pokryta utworami wulkanicznymi.

W produkcji roślinnej najważniejszą grupę roślin uprawnych stanowią zboża, wśród nich gł.: ryż, pszenica, kukurydza, jęczmień, proso i sorgo. Pierwsze miejsce w produkcji zbóż zajmuje ryż (55% zbiorów zbóż ogółem). Roślina ta występuje w monokulturze w pd. i wschodniej A., zwł. we wsch. Chinach, Japonii, pd. Indiach, Indonezji. Znaczenie ryżu w wyżywieniu stale wzrasta dzięki rozwojowi nawodnień i wprowadzaniu wysokoplennych odmian oraz zagospodarowaniu obszarów dotychczas nie użytkowanych rolniczo, m.in. w Indiach, krajach Płw. Indochińskiego. Pszenica, drugie pod względem znaczenia zboże w A., jest gł. uprawiana w Chinach, Indiach, Turcji i Pakistanie, skąd pochodzi 90% ogólnoazjat. zbiorów tego zboża. W Chinach ważną funkcję w wyżywieniu oraz jako źródło paszy pełni także kukurydza. Do tego kraju należy 75% azjat. zbiorów kukurydzy. Duże znaczenie w wyżywieniu mają rośliny bulwiaste. Ich gł. producentem są Chiny, gdzie uzyskuje się 90% zbiorów w skali A. słodkich ziemniaków batatów (a zarazem 83% zbiorów świat., 1996) i połowę produkcji zwykłych ziemniaków. Z A., gł. z Tajlandii i Indonezji, pochodzi ponadto 32% świat. zbiorów manioku, z którego bulw uzyskuje się mączkę tapiokę — źródło wyżywienia człowieka i cenną paszę. Ważnym źródłem żywności (ze względu na zawartość białka) i paszy są również rośliny strączkowe (soczewica, ciecierzyca, fasola mungo), których łączne zbiory w A. stanowią połowę zbiorów światowych. A. odgrywa ważną rolę w świat. produkcji surowców przem. pochodzenia roln. i używek. Dotyczy to

■ Azja. Starasowane stoki pod nawadniane uprawy z domami mieszkalnymi, w Jemenie

zwł. roślin oleistych, włóknodajnych, kauczukowca, herbaty i trzciny cukrowej. Wśród roślin oleistych najważniejszymi są: palma oleista, orzeszki ziemne, rzepak, palma kokosowa i sezam. Uprawa palmy oleistej jest skupiona w Malezji i Indonezji, dostarczających 80% świat. produkcji oleju palmowego. Palma kokosowa rośnie gł. na wybrzeżach pd.-wschodniej A.; 85% świat. zbiorów orzechów kokosowych pochodzi z Indii, Indonezji, Sri Lanki, Tajlandii i Filipin. W A. uzyskuje się również 60% świat. zbiorów orzeszków ziemnych (gł. wsch. rejony Chin i pn. Indie) i 74% zbiorów sezamu oraz prawie połowę produkcji rzepaku (gł. producenci: Chiny i Indie). A. jest dostawcą także innych ważnych surowców pochodzenia roln.: juty (95% świat. zbiorów, gł. Bangladesz, Indie, Birma) i bawełny, uprawianej na największą skalę w Indiach, Chinach, Pakistanie i Uzbekistanie. Kraje te dostarczają prawie połowę świat. produkcji bawełny. Monopolistami w zbiorach lateksu kauczukowego są: Tajlandia, Indonezja i Malezja, skąd pochodzi 3/4 świat. produkcji. A. jest ponadto ojczyzną herbaty, której dziś największymi w świecie producentami są: Indie, Chiny i Sri Lanka. Te 3 kraje dostarczają 60% świat. zbiorów herbaty, a łącznie uzyskuje się w A. aż 80% produkcji tej rośliny.

Produkcja zwierzęca. W A. jest rozwinięta hodowla gł. bydła (Indie), trzody chlewnej (Chiny — 50% pogłowia świat., 1997), owiec. Na rozległych półsuchych i suchych obszarach w pd.--zach. i środkowej A. występuje koczownicza i półkoczownicza hodowla owiec, kóz i wielbłądów. W wielu krajach pd. i pd.-wschodniej A. bydło i bawoły są wykorzystywane jako siła pociągowa. Produkcja mięsa 1996 wyniosła 87 mln t (ponad 40% produkcji świat.), z czego większość (54%) stanowiło mięso wieprzowe. Ważnym źródłem żywności jest również mięso brojlerów oraz wołowina, a w niektórych krajach (Turcja, Iran, Pakistan, Indie) także baranina i mięso kozie. Największym producentem mięsa są Chiny, skąd pochodzi aż 69% ogólnoazjat. produkcji. Kolejni producenci: Indie i Japonia dostarczają łącznie 8,5% produkcji mięsa. W produkcji mleka przodują Indie, przy czym mleko krowie stanowi 58% łącznego udoju, a na pozostałą część składa się mleko bawole (35%), kozie i owcze. Z innych produktów zwierzęcych duże znaczenie ma produkcja jaj (53% produkcji świat.), największa w Chinach. Odrębny dział produkcji zwierzęcej stanowi jedwabnictwo, którego kolebką są Chiny. Kraj ten nadal jest gł. producentem jedwabiu w świecie, dostarczając 75% jego całkowitej produkcji. Łącznie z A. pochodzi aż 97% produkcji jedwabiu naturalnego, a wśród jego ważniejszych producentów znajdują się także Korea Pn., Japonia, Iran i Tajlandia. Przeszkodą dla rozwoju produkcji zwierzęcej w A. są nie tylko bariery przyr. i finansowotechniczne. Trudności wynikają także z uwarunkowań kulturowo-społ., a zwł. rel., polegających na zakazie spożywania mięsa w ogóle bądź mięsa niektórych gatunków zwierząt (kultura buddyzmu, hinduizmu, judaizmu).

Rybołówstwo. W morzach przybrzeżnych A. występuje prawie połowa świat. zasobów ryb, do czego należy doliczyć bogate akweny śródlądowe oraz produkcję tzw. akwakultury (hodowla w stawach oraz zamkniętych akwenach ryb mor., skorupiaków, krabów oraz roślin wodnych, służących jako źródło żywności). Rybołówstwo należy do tradycyjnych działów gospodarki wielu krajów, m.in. Japonii, Indonezji, Korei Pd., Wietnamu. Łączna wielkość połowów mor. i słodkowodnych 1996 wyniosła 43,6 mln t (48% połowów świat.), z czego 14 mln t przypadło na Chiny, a 6 mln t na Japonię.

Leśnictwo. Lasy pokrywają 19% obszaru A. (bez Syberii); stanowią wielkie bogactwo naturalne krajów położonych we wsch. i pd.-wschodniej A., gdzie zajmują 50–72% pow. (Indonezja, Birma, Kambodża, Malezja, Japonia, Korea Pn. i Korea Pd.). Najwięcej drewna uzyskuje się w Chinach, Indiach i Indonezji, które łącznie dostarczają ponad 70% produkcji drewna-surowca w skali A. (bez azjat. części Rosji); są to, po USA, najwięksi świat. producenci. Drewno pozyskiwane w krajach azjat. jest wykorzystywane gł. na cele opałowe. W ostatnich latach w wielu krajach rozbudowano przemysł drzewny. Obecnie w A. wytwarza się blisko 50% świat. produkcji sklejki i 40% papieru (z tego połowa przypada na Japonię i Chiny). Zagrożeniem dla lasów w strefie równikowej i zwrotnikowej jest ekspansja gospodarki rolnej, zwł. plantacji towarowych, a także gospodarka żarowa, znacznie bardziej intensywna niż dawniej, w związku z szybko wzrastającą liczbą ludności. Tylko 1990–95 wylesienia w niektórych krajach (Kambodża, Malezja, Filipiny, Indonezja) objęły 3–9% pow. lasów.

Górnictwo. W A. występuje ok. 75% świat. zasobów ropy naftowej. Główne obszary roponośne znajdują się na Bliskim Wschodzie, w strefie Zat. Perskiej (Arabia Saudyjska, Irak, Iran, Kuwejt, Zjedn. Emiraty Arabskie, Oman, Katar), gdzie jest skupione ponad 60% świat.

rezerw. Ponadto ropa występuje w sąsiedztwie i pod dnem M. Kaspijskiego, na obszarze Archipelagu Malajskiego (Indonezja, Malezja, Brunei) oraz w Chinach i na Niz. Zachodniosyberyjskiej w Rosji. Wydobycie ropy naft. w krajach azjat. stanowi łącznie ok. 40% wielkości świat., a łącznie z Rosją blisko 50%. Głównym producentem jest Arabia Saudyjska, skąd pochodzi 1/3 ropy uzyskiwanej w A. Złożom ropy często towarzyszy gaz ziemny. Pod względem wydobycia gazu pierwsze miejsce w A. przypada Rosji (bardzo bogate złoża na płw. Jamał i Niz. Zachodniosyberyjskiej), następnie Turkmenistanowi, Indonezji i Uzbekistanowi. Z pozostałych nośników energii należy wymienić węgiel kam., którego wydobycie w A. przekracza 40% wielkości światowej. Najbogatsze złoża występują w Chinach, skąd pochodzi ok. 1/3 świat. wydobycia, i Rosji; Indie, drugi producent azjat., wydobywają go 5-krotnie mniej. Z A. pochodzi większość wydobywanych na świecie rud antymonu i wolframu (Chiny), cyny (Indonezja, Chiny), a także złota (Indonezja, Uzbekistan). Poza wymienionymi surowcami kraje A. dostarczają 20% świat. wydobycia uranu (gł. Kazachstan i Uzbekistan), 15% chromu (Indie, Turcja) oraz ponad 10% rud miedzi i boksytów.

Przemysł przetwórczy. Poziom rozwoju i struktura przemysłu przetwórczego w A. są silnie zróżnicowane, na co wpływa m.in. zaawansowanie gospodarki poszczególnych krajów oraz przyjęta strategia rozwoju. Do najbardziej uprzemysłowionych krajów należą Japonia, Izrael, Turcja, Korea Pd. i pozostałe tzw. tygrysy (Singapur, Tajwan, Malezja). Struktura gałęziowa przemysłu jest w tych krajach silnie rozbudowana. Obok dobrze rozwiniętych dziedzin przemysłu ciężkiego, jak hutnictwo żelaza i przemysł maszyn., ważną rolę odgrywa tu przemysł elektron., włók. i odzieżowy. W krajach, które przyjęły socjalist. model industrializacji (Chiny, Wietnam, Korea Pn., kraje byłego ZSRR), bądź obrały strategię substytucji importu (Indie), domeną przemysłu stały się niektóre gałęzie przemysłu ciężkiego. A. dostarcza ok. 40% świat. produkcji surówki żelaza i stali surowej, z czego 3/4 przypada na Japonię, Chiny i Koreę Pd.; dominuje także w świecie w przemyśle stoczniowym. Japonia i Korea Pn. są gł. producentami statków, wytwarzając odpowiednio 40% i 25% świat. produkcji. Japonia i Korea Pd. są również gł. producentami w A. (a w przypadku Japonii w świecie) samochodów osobowych i dostawczych, a Chiny rowerów. Do szczególnie ważnych w regionie azjat. gałęzi przemysłu przetwórczego należy przemysł chem. i włókiennictwo. Najważniejszymi producentami podstawowych produktów chem. są Chiny, Japonia, Indie i Korea Południowa. Kraje te wytwarzają łącznie do 30% świat. produkcji etylenu, kwasu siarkowego i sody kaustycznej, a sama Japonia 15% kauczuku syntetycznego. Wysoko rozwinięty jest przemysł elektrotechn. i elektron. (Japonia, Korea Pd., Singapur, Tajwan, Malezja). W zakresie włókiennictwa potentatami w Azji są: Chiny, Indie i Uzbekistan, skąd pochodzi połowa produkcji tkanin bawełnianych.

Energetyka. A. wytwarza ponad 20% świat. produkcji energii, wliczając azjat. kraje byłego

ZSRR. Największymi jej producentami są Japonia i Chiny, na które przypada ponad połowa energii wytwarzanej w całym regionie azjatyckim. Główne znaczenie ma energetyka cieplna, dostarczająca trzykrotnie więcej energii niż elektrownie wodne. Te ostatnie odgrywają ważną rolę w bilansie energ. Tadżykistanu (96% produkcji energii), Sri Lanki (93%), Kirgistanu (91%), Gruzji (69%) i Korei Północnej (64%). Wielkie elektrownie wodne są wznoszone obecnie w Chinach na rzece Jangcy oraz w Turcji na górnym Eufracie. Elektrownie jądrowe zbudowano w Japonii (dostarczają 15% energii), Chinach, Kazachstanie, Korei Pd., Izraelu, Indiach i Pakistanie.

Komunikacja. Głównym środkiem komunikacji w A. jest transport drogowy. Nowoczesne połączenia drogowe i dobrze rozwiniętą sieć dróg posiadają Japonia, Izrael, Korea Pd., Arabia Saudyjska, Kuwejt. W uboższych krajach gęstość dróg jest niekiedy bardzo niska, przy czym część szlaków może być sezonowo nieprzejezdna (na terenach górskich w Iranie, Afganistanie, Pakistanie, Indiach, Nepalu). Najbardziej rozbudowaną sieć kol. mają Chiny i Indie, odpowiednio 3. i 4. kraj pod względem długości trakcji kol. w świecie, ponadto pd. Rosja (Kolej Transsyberyjska, BAM). W Chinach kolej odgrywa gł. rolę w transporcie towarowym, wielokrotnie przewyższając wielkość przewozów towarów we wszystkich pozostałych krajach Azji. W innych krajach kolej odgrywa ważną rolę w komunikacji pasażerskiej, zwł. w Japonii, gdzie przypada na nią ponad 40% przewozów. Są jednak w A. kraje, gdzie dotychczas nie wybudowano linii kol.: Afganistan, Jemen, Bhutan, Laos i Brunei, i gdzie występuje wyłącznie transport drogowy lub rzeczny. Duże dysproporcje regionalne występują w A. w przypadku komunikacji lotniczej. W A. Wschodniej 1996 linie lotn. przewiozły 110,4 mln pasażerów, podczas gdy w A. Południowej jedynie 22,3 mln. Wśród największych przewoźników lotn. świata znajdują się linie jap., a lotniska w tym kraju (Tokio, Osaka) zaliczają się do gł. portów lotn. na świecie, obok portów w Singapurze, Hongkongu i Bangkoku.

Handel międzynarodowy. Struktura eksportu w krajach azjat. wykazuje duże zróżnicowanie regionalne. Dominują produkty przetworzone, których udział wynosi 75–80% obrotów. Wśród eksportowanych surowców ważną rolę odgrywają w A. Południowej żywność i surowce pochodzenia roln. (20% wartości eksportu, 1996), podczas gdy w pozostałych regionach duże znaczenie mają surowce miner. oraz paliwa. Największe obroty przypadają na A. Wschodnią i A. Południowo-Wschodnią, skąd w poł. lat 90. pochodziło niemal 83% eksportu azjat. i niewiele mniejszy był udział w imporcie. Szczególnie silną pozycję w handlu zagr. ma Japonia oraz kraje nowo uprzemysłowione (Korea Pd., Tajlandia, Indonezja, Malezja, Singapur), realizujące strategię promocji eksportu. Dwa państwa azjat.: Japonia i Chiny należą do czołowych uczestników świat. wymiany towarowej (łącznie przypada na nie ok. 10% obrotów w skali świata). W rozwiniętych krajach A. Wschodniej i A. Południowo-Wschodniej dużą rolę w eksporcie odgrywają wyroby przemysłu stalowego, maszyn., chem., elektrotechn., elektron., włók. i spożywczego. Szczególne miejsce przypada tu Japonii, która znajduje się wśród największych w świecie eksporterów wyrobów przemysłu elektron. (komputery, sprzęt audiowizualny i telekomunik. — od ok. 30% do 50% wartości eksportu świat.) oraz samochodów i motocykli. Duży udział w eksporcie urządzeń elektron. mają także Tajwan, Korea Pd. i Singapur. Z kolei Chiny są świat. potentatem w eksporcie wyrobów bawełnianych (tkaniny i odzież). Inne kraje wschodniej A. specjalizują się w eksporcie surowców i produktów rolnych, odgrywając czołową rolę w zaopatrzeniu rynków świat. w kauczuk naturalny (ponad 70% eksportu świat. pochodzi z Indonezji, Tajlandii i Malezji), olej palmowy (60% — z Malezji, Indonezji i Filipin) i herbatę (Indie, Chiny, Sri Lanka). W A. Południowo-Zachodniej ponad 80% obrotów w handlu zagr. przypada na 5 krajów: Arabię Saudyjską, Izrael, Turcję, Zjedn. Emiraty Arabskie i Iran. Ważnym eksporterem był niegdyś Irak, do czasu nałożenia na ten kraj międzynar. sankcji w związku z próbą aneksji Kuwejtu. W strukturze eksportu tego regionu przeważają paliwa i ich pochodne, zwł. w krajach nad Zat. Perską oraz produkty rolne i przem. (Turcja, Izrael). Z pozostałych krajów stosunkowo wysoką pozycję w handlu zagr. zajmują Indie, chociaż ich obroty są pięciokrotnie niższe niż sąsiednich Chin. Saldo obrotów handl. w A. wykazywało przed kryzysem finansowym na giełdach azjat. 1997 ok. 80 mld dol. USA (wg Banku Świat.) nadwyżki eksportu na importem. Nadwyżka ta była uzyskiwana dzięki dodatnim obrotom w Japonii (120 mld dol. USA) i nadwyżkom uzyskiwanym przez gł. eksporterów ropy naft.: Arabię Saudyjską i Indonezję. W strukturze towarowej importu w wysoko rozwiniętych krajach A. dużą rolę odgrywają surowce i półprodukty górnicze i przem. (przeznaczane na reeksport), natomiast w krajach słabo rozwiniętych w imporcie przeważa żywność oraz maszyny i urządzenia. Specyficzna sytuacja występuje w bogatych krajach arab. eksportujących ropę naft., które kupują żywność i inne dobra konsumpcyjne, maszyny i urządzenia, środki transportu, uzbrojenie.

Turystyka. Atrakcyjność turystyczna A. to różnorodne krajobrazy, zachowana tradycyjna kultura oraz niekiedy bezcenne zabytki hist., będące spuścizną kulturową najstarszych cywilizacji świata. W A. znajdują się ponadto ośrodki (Jerozolima, Mekka, Medyna, Waranasi) gł. religii świata: chrześcijaństwa, judaizmu, islamu, hinduizmu i buddyzmu, do których przybywa corocznie wiele milionów wyznawców z całego świata. Z tych względów turystyka stanowi ważny dział gospodarki nar. licznych krajów, m.in. Izraela, Cypru, Turcji, Tajlandii, Nepalu, Jordanii, Malediwów. Przeszkodami dla rozwoju turystyki w A. są: niepewna sytuacja polit. w wielu krajach, utrudnienia komunik. oraz niska jakość świadczonych usług. Mimo to, 1993 odwiedziło A. łącznie ok. 73 mln turystów, co stanowi jednak zaledwie 14% udziału w ruchu turyst. świata, znacznie poniżej możliwości. ■

Azja Mniejsza, Anadolu, półwysep w pd.- -zach. Azji, między M. Czarnym i M. Śródziem- nym, oddzielony od Europy cieśn. Bosfor i Dardanele oraz morzem Marmara; pow. ok. 500 tys. km^2 (2/3 terytorium Turcji). Powstał w wyniku trzeciorzędowych i plejstoceńskich ru- chów wypiętrzających; obszar aktywny sejsmicz- nie. Powierzchnia górzysto-wyżynna — Wyż. Anatolijska, obrzeżona G. Pontyjskimi i Taurus, niewielkie niziny nadbrzeżne, gł. u ujścia rzek, np. niz. Adany; wybrzeże pn. i pd. wyrównane, zach. — silnie rozczłonkowane. Klimat pod- zwrotnikowy na wybrzeżach śródziemnomor., we wnętrzu kontynent. suchy z gorącym latem i chłodną zimą. Rzeki o zmiennym stanie wód w ciągu roku: Sakarya, Menderes, Ceyhan i Sey- han, Kızılırmak, Yeşılırmak; jez. reliktowe (Tuz) i tektoniczne (Beyşehir, Eğridir). Roślinność silnie zniszczona przez człowieka, na pd. i zach. wybrzeżu wiecznie zielona (resztki lasów twar- dolistnych i makia), we wnętrzu suche stepy i zarośla typu szyblak, w górach lasy bukowe, dębowe i sosnowe.

Azory, Açores, archipelag wulk. na O. Atlan- tyckim, stanowi region autonomiczny Portuga- lii; pow. 2,2 tys. km^2; gł. wyspy: São Miguel (759 km^2), Pico (446 km^2), Terceira (382 km^2), São Jorge (246 km^2), Faial (173 km^2), Flores (143 km^2). Powierzchnia górzysta (najwyższy szczyt na wyspie Pico, 2351 m); klimat pod- zwrotnikowy mor.; uprawa winorośli, pszenicy, kukurydzy, ziemniaków, drzew owocowych; ho- dowla bydła mlecznego; rybołówstwo; rozwinię- ta turystyka (liczne kąpieliska i uzdrowiska klim.). A. leżą na skrzyżowaniu transatlantyc- kich szlaków komunikacji mor. (porty bunkro- we) i lotn.; gł. m.: Ponta Delgada (São Miguel), Angra do Heroísmo (Terceira) i Horta (Faial).

Azowskie, Morze, ros. **Azowskoje morie,** ukr. **Azowśke more,** płytkie odgałęzienie M. Czarne- go, połączone z nim Cieśn. Kerczeńską; pow. 38 tys. km^2, głęb. do 13,5 m; temperatura wód powierzchniowych od ok. –1°C w lutym do 25– 28°C w sierpniu; w styczniu i lutym zamarza; zasolenie 9–14‰; do M.A. uchodzą rz.: Don, Kubań i in.; bogate łowiska ryb (m.in. sandacz, jesiotr); gł. porty: Taganrog, Mariupol, Rostów n. Donem; znacznie zanieczyszczone.

azymut [arab.], kąt między płaszczyzną połud- nika przechodzącego przez punkt obserwacji a płaszczyzną zawierającą dany kierunek (linię łączącą punkt obserwacji z punktem obser- wowanym) i przechodzącą przez środek kuli ziemskiej; jest liczony od pn. części południka w kierunku zgodnym z ruchem wskazówek zegara; w zależności od wyboru południka rozróżnia się a.: geogr., magnet. i inne.

B

Bab al-Mandab, cieśnina O. Indyjskiego, między Afryką a Płw. Arabskim; łączy M. Czerwone z Zat. Adeńską; dł. 109 km, średnia szer. 50 km, minim. 26,5 km; głęb. na szlaku żeglugowym od 31m do 386 m; w najwęższym miejscu wyspa Perim; wzdłuż wybrzeży rafy koralowe; ważna droga mor.; niebezpieczeństwa nawigacyjne (arabskie B. al-M. 'wrota boleści').

Babia Góra, masyw w Paśmie Babiogórskim, w Beskidzie Żywieckim, między przełęczami Jałowiecką (990 m) na zach. i Krowiarki (986) na wsch., na granicy ze Słowacją; najwyższy w Beskidach Zach., wys. do 1725 m; wierzchołek gł., zw. Diablakiem, oddziela przełęcz Brona od Małej Babiej Góry (1517 m); masyw ma formę asymetryczną: strome, miejscami skaliste, pocięte potokami stoki na pn., modelowane przez obrywy i usuwiska, oraz łagodne na pd.; na szczycie rumowisko skalne; niektóre wielkie nisze zostały przekształcone glacjalnie; osobliwość stanowią groty szczelinowe na Kościółkach oraz Złota Studnia i Marków Stawek na stokach Małej Babiej Góry, a także Mokry Stawek pod Sokolicą; najwyraźniejsze w całych Beskidach Zach. strefy klim.-roślinne; masyw B.G. objęto ścisłą ochroną tworząc Babiogórski Park Narodowy; liczne znakowane szlaki turyst.; znane tereny narciarskie, na Markowych Szczawinach schronisko PTTK (na wys. ok. 1180 m) i muzeum turystyki górskiej.

■ Badlandy w Dakocie Południowej

babie lato, potoczna pol. nazwa występującego jesienią okresu (kilka, czasem kilkanaście dni) suchej, słonecznej i bardzo ciepłej pogody, związanego ze stacjonarnym wyżem; podczas b.l. średnia dobowa temperatura przekracza często 15°C (przy dużych dobowych wahaniach temperatury); w Polsce przypada na 2. połowę września lub początek października; charakterystyczne dla tego okresu są snujące się w powietrzu nici pajęczyny. Nazwa b.l. wiąże się ze starymi podaniami lud. mówiącymi o zrzucanej przez Matkę Bożą przędzy, mającej przypominać gospodyniom o przędzeniu ciepłych okryć na zimę.

Babimost, m. w woj. lubus. (powiat zielonogórski), nad Gniłą Obrą; 4,2 tys. mieszk. (2000); ośr. usługowy z drobnym przemysłem; na pd. od B. lotnisko wojsk., na którego skraju cyw. port lotn. Zielonej Góry; ludność zachowuje tradycje regionalne strojów i pieśni; Izba Pamiątek Regionalnych; prawa miejskie 1397; stol. regionu zw. Babimojszczyzną; kościół (XVIII, XIX w.).

Baborów, m. w woj. opol. (powiat głubczycki), nad Psiną (l. dopływ Odry); 3,6 tys. mieszk. (2000); przemysł spoż. (cukrownia, mleczarnia), cegielnie; węzeł kol.; drewn. kościół cmentarny z polichromią (pocz. XVIII w.); prawa miejskie przed 1296 (1278?).

Bac Bo [bak b.], wietn. **Vịnh Băc Bô,** chiń. **Beibu Wan,** zatoka M. Południowochińskiego, → Tonkińska, Zatoka.

badlandy, obszary wyżynne występujące w strefie klimatu suchego i półsuchego, o słabo scementowanym podłożu i ubogiej szacie roślinnej, silnie porozcinane przez liczne i kręte wąwozy; wąwozy są efektem intensywnego spłukiwania bruzdowego zachodzącego podczas ulewnych deszczów okresowych; rozwój wąwozów prowadzi do utworzenia się wielu wyizolowanych form terenu w kształcie iglic, ostańców lub gór stołowych, czego efektem jest powstanie porozcinanego, pożłobionego i niedostępnego terenu (tzw. złe ziemie), utrudniającego komunikację i uniemożliwiającego zagospodarowanie; termin b. został po raz pierwszy użyty w odniesieniu do pd.-zach. części Dakoty Pd. (USA), gdzie b. zajmują obszar 5,2 tys km^2 i gdzie znaczna ich część znajduje się w granicach Badland National Park. ∎

Baffina, Morze [m. bäfyna], ang. **Baffin Bay,** franc. **Baie de Baffin,** duń. **Baffin viken,** morze między Grenlandią, Ziemią Baffina, wyspą Devon i Wyspą Ellesmere'a, półzamknięta część O. Arktycznego; pow. 689 tys. km², średnia głęb. 861 m, maks. — 2473 m; temp. wód powierzchniowych od 4–5°C w lecie do poniżej –1°C w zimie, zasolenie 30–34,5‰; pokryte lodem od października do lipca; góry lodowe; pływy do 4 m; rybołówstwo (dorsz, śledź); odkryte 1616 przez W. Baffina.

Baffina, Ziemia [z. bäfyna], ang. **Baffin Island,** franc. **Terre de Baffin,** wyspa kanad. na O. Arktycznym, największa w Archipelagu Arktycznym, oddzielona od Grenlandii M. Baffina i Cieśn. Davisa, od płw. Labrador Cieśn. Hudsona; pow. 507,5 tys. km²; wzdłuż wsch. wybrzeży góry (wys. do 2591 m) stanowiące krawędź tarczy kanad., na zach. zabagnione niziny, porośnięte tundrą; klimat polarny; liczne jeziora; lodowce górskie; złoża rud żelaza i metali nieżelaznych (cynk, ołów), srebra oraz węgla kam.; myślistwo, rybołówstwo; gł. osiedle Iqaluit. — Odkryta 1576 przez M. Frobishera, nazwa od XVII w., na cześć W. Baffina.

Bagdad, Baghdād, stol. Iraku, ośr. adm. muhafazy Bagdad, na Niz. Mezopotamskiej, nad Tygrysem; 4,9 mln mieszk., zespół miejski 6,4 mln mieszk. (2002); centrum gosp. i kult. kraju; różnorodny przemysł, gł. maszyn., rafineryjny, petrochem., włók.; tradycyjny ośr. rzemiosła (dywany, biżuteria, broń); węzeł dróg samochodowych na szlaku z Europy do Azji Środk. i nad Zat. Perską; połączenie Koleją Bagdadzką m.in. ze Stambułem; 2 uniw., szkoły i biblioteki muzułm.; Muzeum Iraku, Muzeum Arab. (Islamu); ośr. kultu rel. szyitów; założony w 2. poł. VIII w.; fragmenty murów miejskich (XIII w.), cytadela z pałacem Abbasydów (XII–XIII w.), madrasy (XIII, XIV w.), mauzolea grobowe, karawanseraje, meczety (XVII–XIX w.).

bagno, obszar trwale podmokły, nasycony wodą słodką lub słoną, porośnięty roślinnością; powstaje w warunkach bardzo płytkiego zalegania zwierciadła wód podziemnych, utrudnionego odpływu wód gruntowych i opadowych gromadzących się w zaklęsłościach terenu, bądź na obszarach bardzo płaskich, wokół wysięków i niektórych źródeł, a także w wyniku zarastania jezior i starorzeczy; w środowisku bagiennych zbiorowisk roślinnych najczęściej przebiega proces tworzenia się torfu, co daje podstawę do określania b. mianem torfowiska; ze względu na zróżnicowanie sposobu zasilania i stan uwodnienia b. dzieli się na mokradła stałe i okresowe.

Bahamy, Bahamas, Wspólnota Bahamów, państwo w Ameryce Środk. (Indie Zach.), w archipelagu Bahamów, na O. Atlantyckim; 13,9 tys. km²; 266 tys. mieszk. (2002), Murzyni, Metysi, biali; gł. protestanci; stol. i gł. port: Nassau; język urzędowy ang.; monarchia; klimat podzwrotnikowy, cyklony; lasy zwrotnikowe. Podstawą gospodarki są usługi finansowe, turyst. (ponad 3 mln rocznie) i armatorskie (tzw. tania bande-

ra); uprawa trzciny cukrowej, warzyw, kukurydzy; rybołówstwo; wydobycie ropy naft.; przemysł farm., cementowy; amer. ośr. kontroli lotów kosm., m.in. na wyspie San Salvador. ∎

Bahamy, Bahamas, archipelag ok. 700 wysp koralowych na O. Atlantyckim, w Ameryce Środk., w Indiach Zach.; ciągną się na dł. ok. 1200 km, na pn. od Wielkich Antyli i na pd.-wsch. od płw. Floryda; od 1973 archipelag obejmuje niepodległe państwo B. oraz terytorium zależne W. Brytanii — Turks i Caicos.

Bahrajn, Al-Bahrayn, Państwo Bahrajnu, państwo w pd.-zach. Azji, na wyspach w Zat. Perskiej, u wybrzeży Arabii Saudyjskiej i Kataru; 677,9 km²; 704 tys. mieszk. (2002), Arabowie miejscowi i napływowi z innych krajów arab.; muzułmanie; stol. Al-Manama; język urzędowy arab.; emirat. Powierzchnia wysp (największa Al-Bahrajn), otoczonych rafami koralowymi, nizinna i pustynna; klimat zwrotnikowy kontynent., skrajnie suchy; brak wód lądowych. Podstawą gospodarki usługi finansowe (kilkadziesiąt banków zagr.) i przetwórstwo importowanej z Arabii Saudyjskiej ropy naft.; malejące wydobycie ropy naft. ze złóż lądowych i podmor.;

∎ Bahrajn

∎ Bahrajn. Meczet w Al-Manamie

przemysł rafineryjny, odsalania wody mor.; eksport produktów naft.; połączenie nadmor. autostradą z Arabią Saudyjską. ∎

Bajkalsko-Amurska, Kolej, BAM, linia kol. w azjat. części Rosji; łączna dł. 4300 km; biegnie od m. Tajszet do portu Sowiecka Gawań; odcinek Ust-Kut nad Leną do Komsomolska n. Amurem (dł. 3104 km) zbudowany 1974–84 (oddany do eksploatacji 1989); trzy połączenia z Koleją Transsyberyjską.

Bajkał, jez. w azjat. części Rosji, najgłębsze na Ziemi, w rowie tektonicznym, lustro wody na wys. 456 m; otoczone górami o wys. ponad 2500 m; pow. 31,5 tys. km² (w tym 27 wysp, największa Olchon); dł. 636 km, szer. do 79,4 km; średnia głęb. 730 m, maks. — 1620 m (dno 1165 m p.p.m.); pojemność 23 tys. km³ (1/5 świat. zasobów wód słodkich). Woda bardzo przezroczysta, słabo zmineralizowana, bogata w tlen; temperatura wód powierzchniowych w sierpniu 9–12°C (przy brzegach do 20°C); poniżej głęb. 250–300 m panuje stała temp. ok. 3,5°C; wahania poziomu wód niewielkie (0,8–1,4 m); zamarza od

∎ Bahamy

■ Bajkał. Przylądek Chaboj na wyspie Olchon

stycznia do maja (grubość lodu ok. 1 m). Do Bajkału uchodzi 336 rzek, wypływa — Angara. Flora i fauna bogata i różnorodna, obejmuje 1800 gat., z tego ok. 3/4 endemicznych (foka, omul i gąbki bajkalskie, gołomianka, kiełże, wirki); część akwenu Bajkału wchodzi w skład rezerwatów Barguzińskiego i Bajkalskiego. Rozwinięte rybołówstwo (zwł. połów omula). Spław drewna; latem regularna żegluga, w zimie transport kołowy po lodzie. Największe m. nad Bajkałem: Sludianka, Bajkalsk; w miejscowości Listwianka inst. limnologiczny; wzdłuż pd. brzegu przebiega transsyberyjska magistrala kol., na krańcu pn. — Kolej Bajkalsko-Amurska. Pionierami naukowego poznania Bajkału byli w 2. poł. XIX w. polscy zesłańcy: A. Czekanowski, J. Czerski, B. Dybowski, W. Godlewski.   ■

Bajkonur, kosmodrom w Kazachstanie (obw. kyzyłordyjski); zał. 1955; ośr. startowy wszystkich sow. załogowych statków i próbników kosm. oraz licznych sztucznych satelitów Ziemi.

■ Jezioro Balaton

Bakoński, Las, Bakony, góry zrębowe na Węgrzech; najwyższe w Średniogórzu Zadunajskim; wys. do 704 m (Kőrishegy); zbud. z wapieni i dolomitów, w pd. części także ze skał wulk. (gł. z bazaltów); liczne formy krasowe; lasy bukowo-dębowe, sosnowe i cisowe; na stokach pd. (Wzgórza Balatońskie) winnice; wydobycie boksytów, węgla brun., rud manganu; źródła miner.; rozwinięty przemysł ciężki (Ajka, Várpalota, Veszprém).

Baku, Baky, stol. Azerbejdżanu, na Płw. Apszerońskim, nad M. Kaspijskim; 1,2 mln mieszk. (2002); przemysł rafineryjny, petrochem., ma-

szyn., elektrotechn. i elektron., spoż.; stocznia remontowa; port mor., prom kol. do Turkmenbaszy (Turkmenistan); port lotn.; AN Azerbejdżanu, 11 szkół wyższych (w tym 3 uniw.); muzea; wzmiankowane od IX w.; architektura islamu; na terenie średniow. twierdzy: pałac szachów (XIV, XV w.), minarety (XI, XIV w.), baszta (XII, XIV w.); w zatoce zatopione pozostałości budowli obronnych (XIII w.).

Balaton [bọloton], **Jezioro Błotne,** jez. na Węgrzech, największe w środk. Europie, w rowie tektonicznym powstałym pod koniec plejstocenu na pd. przedpolu Lasu Bakońskiego, na wys. 106 m; pow. 596 km^2, dł. 78 km, szer. 5–13 km; średnia głęb. 3 m, maks. 11 m (w tzw. Studni Tihańskiej). Brzegi pd. niskie, przeważnie piaszczyste, miejscami zabagnione; przy wysokim pn. brzegu dno obniża się dość nagle do głęb. 3–4 m, strefa przybrzeżna jest wąska, kamienista i porośnięta trzciną. Zasilane przez rz. Zala oraz przez mniejsze dopływy uchodzące od pn. (z kotliny Tapolca). W lecie temperatura wody wynosi 26–28°C; w zimie tworzy się pokrywa lodowa o grub. do 20–25 cm; znaczne ruchy kołyszące wód (→ sejsze). Od 1847 stała żegluga pasażerska i towarowa; połączone z Dunajem kanałem i rz. Sió; nad B. największe ośr. wypoczynkowe na Węgrzech (Balatonfüred, Tihany, Badacsonytomaj i in.); na pn. brzegu uprawa winorośli. Rozwinięte rybołówstwo (połów sandacza, karpia, szczupaka). Na płw. Tihany park nar. (od 1952, pow. 1,1 tys. ha); na zach. krańcu B. rezerwat Kis-Balaton — miejsce gniazdowania rzadkich ptaków bagiennych i wodnych.   ■

Baleary, Islas Baleares, archipelag na M. Śródziemnym, stanowi region autonomiczny Hiszpanii; obejmuje wyspy: Majorka, Minorka, Pitiuzy (m.in. wyspy Ibiza, Formentera) o łącznej pow. 5 tys. km^2; stol. Palma de Mallorca; pod względem geologicznym B. są przedłużeniem alp. strefy G. Betyckich. Region turyst. o świat. znaczeniu, rozwinięta infrastruktura hotelowa, liczne kąpieliska i uzdrowiska klim.; ludność utrzymuje się z usług turyst., rolnictwa (uprawa gł. zbóż, oliwek, winorośli, migdałowców, figowców, drzew cytrusowych, hodowla owiec, trzody chlewnej i bydła) oraz rybołówstwa; przemysł spoż., skórz.; rzemiosło artyst.; dobrze rozwinięta komunikacja mor. i lotn. między wyspami oraz z kontynentalną Hiszpanią.

Bali, wyspa w Indonezji, w Małych W. Sundajskich; z przybrzeżnymi wyspami stanowi oddzielną prowincję; pow. 5,6 tys. km^2. W pn. części góry wulk. (wys. do 3142 m — czynny wulkan Agung), na pd. aluwialna nizina; klimat podrównikowy wilgotny; średnia temp. miesięczna 25–27°C, roczne opady 1400–1700 mm; pora sucha w sierpniu i wrześniu; roślinność pierwotna (lasy monsunowe okresowo bezlistne, w górach wiecznie zielone) zastąpiona przeważnie przez wtórne zbiorowiska trawiaste i uprawy; potężne baniany (waringin) są czczone przez Balijczyków jako święte drzewa. Najważniejsze uprawy: ryż (ok. 1/4 areału sztucznie nawadniana), palma kokosowa, kawa, drzewa owocowe, trzcina cukrowa; chów bydła bali, trzody chlewnej; pozyskiwanie drewna tekowe-

■ Bali. Wulkan Batur

go. Rozwinięta turystyka (corocznie B. odwiedza ponad 200 tys. turystów); międzynar. port lotn. Ngurah Rai; gł. m.: Denpasar (ośr. adm.), Singaraja, Klungkung. ■

balon meteorologiczny, balon unoszący w atmosferę przyrządy do pomiarów ciśnienia atmosf., temperatury i wilgotności powietrza; pomiarów prędkości i kierunku wiatru dokonuje się śledząc ruch b.m. metodami opt. (np. przez teodolit) lub radiolokacyjnymi (jeśli b.m. jest wyposażony w odbłyśnik radarowy lub radionadajnik); b.m. osiągają zwykle wys. 25–27 km, a b.m. o specjalnych powłokach — 42–45 km.

Baltica, dawny kontynent obejmujący platformę wschodnioeuropejską; istniała we wczesnym paleozoiku; u schyłku syluru stała się częścią Euroameryki.

Baltoro, ang. **Baltoro Glacier,** lodowiec w Karakorum; pow. ok. 775 km², dł. 62 km; spływa ze stoków K2 na pd., w kierunku doliny rz. Shyok (pr. dopływ Indusu), do wys. ok. 3500 m.

Bałchasz, bezodpływowe jez. w Kazachstanie, w Kotlinie Bałchasko-Ałakolskiej, na wys. 342 m; pow. 17–22 tys. km², głęb. do 26 m; pn. brzeg wysoki, skalisty, pd. — niski, piaszczysty, porośnięty bylicami, czarnym saksaułem i kauczukodajną chondrillą; w zach. części woda słodka (do B. uchodzi rz. Ili), we wsch. — słonawa; rybołówstwo, żegluga; na pn. brzegu m. Bałchasz.

Bałkany, Bałkan, Stara Płanina, w starożytności Aemon, Hemus, góry na Płw. Bałkańskim w Bułgarii, zach. pasma w Jugosławii (Serbia); ciągną się od rz. Timok (pr. dopływ Dunaju) do M. Czarnego; dł. ok. 600 km; dzielą się na Bałkany Zachodnie (do Przełęczy Złatickiej), Bałkany Środkowe (do przełęczy Wratnik) i Bałkany Wschodnie; najwyższy szczyt Botew, 2376 m. zbud. ze skał prekambryjskich (magmowych i metamorficznych), paleozoicznych (skały osadowe i wylewne) i mezozoicznych (wapienie, flisz) sfałdowanych ostatecznie w orogenezie alp. (wcześniej odbyły się tu również orogenezy kaledońska i hercyńska). Bałkany Zachodnie są rozcięte głęboką poprzeczną doliną Iskru. U pd. podnóża Bałkanów ciągnie się strefa zapadliskowych kotlin (największa — Sofijska). Stoki pn. łagodne, pd. — bardziej strome; rozwinięty kras. Klimat górski na pograniczu strefy podzwrotnikowej i umiarkowanej, o wpływach kontynent.; roczne opady od 1500 mm na zach. do 500–

600 mm w części wsch.; na wys. 1200 m średnia temp. w styczniu –5°C, w lipcu 15°C, u pn. podnóża ok. –2°C i 20–22°C. W dolnym piętrze lasy gł. dębowe, do ok. 2000 m — bukowe i miejscami iglaste; na najwyższych szczytach zarośla kosodrzewiny i murawy alp.; we wsch. części (w pobliżu M. Czarnego i w dolinach rzek) rosną gęste lasy z wiecznie zielonym podszytem; parki nar.: Steneto, Sinite Kamyni, kilka rezerwatów przyrody. Wydobycie węgla, rud miedzi (Medet), cynku i ołowiu; źródła mineralne. Łatwe do przebycia (liczne przełęcze); gł. linie kol.: Sofia–Ruse, Ruse–Drianowo–Podkowa (okręg Chaskowo) i Karnobat–Komunari; ważny region turyst.-wypoczynkowy.

Bałkański, Półwysep, półwysep w Europie Pd., między M. Adriatyckim, M. Jońskim, M. Egejskim i M. Czarnym, oddzielony od Azji cieśn.: Bosfor i Dardanele; za pn. granicę Półwyspu Bałkańskiego przyjmuje się Sawę i dolny bieg Dunaju; pow. ok. 500 tys. km², dł. 950 km, szer. do 1260 km. Linia brzegowa silnie rozwinięta (zwł. na zach. i pd.); Zat. Koryncka i Kanał Koryncki odcinają najdalej na pd. wysuniętą część Półwyspu Bałkańskiego — Peloponez. Wybrzeża gł. abrazyjne (związane z wtargnięciem morza na tereny górskie), na zach. typu dalmatyńskiego, na pd. i wsch. prostopadłe do przebiegu pasm górskich (riasowe); na pn.-wsch., w rejonie delty Dunaju, miejscami nad M. Czarnym, a także w Albanii — akumulacyjne. Część centr. zajmuje masyw tracko-maced. rozczłonkowany przez zapadliska tektoniczne na oddzielne bloki górskie (Riła, Pirin, Rodopy, Olimp); obrzeżenie masywu tworzą 2 łańcuchy górskie systemu alp.: G. Dynarskie, góry Albanii i Pindos na zach. oraz Bałkany na pn.-wsch.; przeważa rzeźba tektoniczno-erozyjna; w G. Dynarskich rozwinięty kras; najwyższe grupy górskie mają rzeźbę alp.; liczne kotliny śródgórskie; w dolinach rzek i na wybrzeżu niziny (Tracka, Tesalska, Salonicka, Wołoska). Cały Półwysep Bałkański jest silnie sejsmiczny; liczne trzęsienia ziemi występują wzdłuż wybrzeży M. Adriatyckiego i M. Jońskiego po Peloponez, oraz w Macedonii i zach. Bułgarii, katastrofalne — 1963 (Skopie). Klimat podzwrotnikowy, w pd. części i na wybrzeżu M. Adriatyckiego typu śródziemnomor., w środk. i wsch. części — kontynent., na pn. umiarkowany ciepły; średnia temp. w styczniu od –2°C na pn. i –5°C w wysokich partiach gór do 10–12°C na pd. wybrzeżach, w lipcu odpowiednio od 22–23°C i 15–17°C do 27–28°C; w związku z napływem wilgotnych mas powietrza od zach. i suchych od wsch. ilość opadów silnie zróżnicowana: na wsch. 350–500 mm rocznie, w środk. części 600–1000 mm, na zach. (w górach) do 1500–2000 mm i lokalnie więcej; w miejscowości Crkvice (nad Zat. Kotorską) notuje się najwyższe opady w Europie — średnio 4648 mm; na wybrzeżu dalmatyńskim występuje chłodny, silny wiatr bora (w Albanii zw. murrlan), w dolinie Wardaru chłodny wardarak, w Grecji suchy i ciepły etezje, na wielu obszarach — fen.

Większa część Półwyspu Bałkańskiego należy do zlewiska M. Czarnego, gł. do dorzecza Dunaju (Sawa, Morawa, Iskyr); pd. część odwadniana do

M. Egejskiego (Marica, Mesta, Struma, Wardar), zach. — do M. Adriatyckiego (Neretwa, Drin, Shkumbini, Semani, Vjosa) i M. Jońskiego (Acheloos); największe jez.: Szkoderskie, Ochrydzkie, Prespa.

Naturalna roślinność (zwł. lasy) w dużym stopniu zniszczona przez wielowiekową działalność człowieka; przetrwały liczne relikty flory trzeciorzędowej (m.in. świerk serb., sosna rumelijska, forsycja eur.); na pd. rosną wtórne twardolistne zarośla makii, w środk. części szyblak; na pn. i w górach lasy dębowe, wyżej bukowe, jodłowe i sosnowe (górna granica lasów na wys. 1800–2000 m).

Na Półwyspie Bałkańskim leżą: Jugosławia, Słowenia, Chorwacja, Bośnia i Hercegowina, Albania, Grecja, Macedonia, Bułgaria oraz pd.-wsch. skraj Rumunii (Dobrudża) i eur. część Turcji. Ludność ponad 50 mln; gęstość zaludnienia ok. 100 osób na km^2, rozmieszczenie b. nierównomierne; skład etniczny zróżnicowany; najstarszymi narodami na Półwyspie Bałkańskim są Grecy (potomkowie Hellenów) i Albańczycy (których przodkami byli Ilirowie); ok. 2/3 ludności stanowią Słowianie Pd.: Bułgarzy, Serbowie, Słoweńcy, Chorwaci, Czarnogórcy, Bośniacy, Macedończycy; inne najliczniejsze grupy narodowościowe: Turcy, Węgrzy, Ormianie, Żydzi, Cyganie (Romowie). Półwysep Bałkański przecinają ważne szlaki komunik. z alp. dolin i Wyż. Transylwańskiej przez Belgrad i Sofię do Stambułu i do Azji Mniejszej, z odgałęzieniami bruzdą Morawy–Wardaru i doliną Ibaru w kierunku Salonik i Aten.

Bałtyckie, Cieśniny → Duńskie, Cieśniny.

Bałtyckie, Morze, Bałtyk, wewnątrzkontynentalne szelfowe morze w pn. Europie, odnoga O. Atlantyckiego. Cieśniny Duńskie (Kattegat, Wielki Bełt, Mały Bełt, Sund) łączą Morze Bałtyckie ze Skagerrakiem i M. Północnym. Za granicę Morza Bałtyckiego na zach. przyjmuje się cieśn. Sund i próg podwodny ciągnący się na głęb. 18–20 m od przyl. Gedser (wyspa duń. Falster) do przyl. Darsser Ort u wybrzeży Niemiec. Powierzchnia 385 tys. km^2; niekiedy do Morza Bałtyckiego zalicza się akweny Cieśn. Duńskich (z zatokami Kilońską i Meklemburską) i granicę umowną prowadzi się między Skagerrakiem a Kattegatem, tzn. wzdłuż linii łączącej pn. kraniec Płw. Jutlandzkiego (przyl. Skagens Rev) ze szwedz. wyspą Tjörn (latarnia mor. Pater Noster) na pn. od Göteborga; do tej granicy powierzchnia Morza Bałtyckiego wynosi 415,3 tys. km^2. Średnia głęb. 56 m, maks. — 459 m (głębia Landsort na pn.-zach. od Gotlandii). Największe zat.: Botnicka, Fińska i Ryska (na pn. i wsch.); mniejsze: Gdańska, Pomorska (na pd.). Główne wyspy: Gotlandia, Sarema, Olandia, Hiuma, W. Alandzkie, Rugia, Bornholm. Pod względem hydrologicznym w Morzu Bałtyckim rozróżnia się 3 baseny: pd. — Bornholmski, środk. — Gotlandzki, pn. — Botnicki.

Morze Bałtyckie powstało w epoce lodowcowej. Jego zasięg i charakter w postglacjale ulegały zmianom w zależności od zmian klim. oraz ruchów izostatycznych; najważniejsze fazy: Bałtyckie Jez. Lodowe, Morze Yoldiowe, Jezioro Ancylusowe, Morze Litorynowe i współcześnie — Myaowe.

Termika wód powierzchniowych odznacza się dużymi wahaniami w ciągu roku; w sierpniu temperatura wód powierzchniowych wynosi 18–20°C na pd.-wsch. i 12–14°C na pn., w lutym spada do 2,5°C w nie zamarzniętej części środk. i 1°C na pd.-wsch.. Zasolenie Morza Bałtyckiego jest uzależnione od wlewów słonych wód M. Północnego i średnio wynosi w warstwach powierzchniowych od 10‰ na pd.-zach. do 2,5‰ na pn., głębinowych od 16‰ na pd.-zach. do ok. 12‰ w części środk.; średnie zasolenie wynosi 7,8‰. Lód pokrywa całkowicie od listopada do maja pn. część Zat. Botnickiej i wsch. część Zat. Fińskiej; na pozostałym obszarze zamarza tylko pas przybrzeżny na ok. 1–2 mies. w części pd.--zach. i 2–4 mies. w środkowej. Ekologicznie Morze Bałtyckie jest przejściowym i ubogim środowiskiem życia. Reprezentują je rośliny i zwierzęta mor. słonowodne i słodkowodne.

Świat roślinny (fitobentos) Morza Bałtyckiego jest ubogi jakościowo i ilościowo, wykazuje wyraźne zróżnicowanie geogr.; tworzą go gł. glony — zielenice, brunatnice, krasnorosty, rzadziej rośliny kwiatowe; najliczniejsze są okazałe zielenice (np. taśma, gałęzatka, ramienice), rzadsze — brunatnice (występuje gł. morszczyn pęcherzykowaty); krasnorosty natomiast, zwł. we florze pol. wód przybrzeżnych, odgrywają rolę bardzo skromną; z roślin kwiatowych występuje w pobliżu ujść rzecznych kilka rodzajów tzw. traw morskich (m.in. tasiemnica, jedyny rodzaj typowo mor.); tasiemnica tworzy tzw. łąki podwodne, schronienie dla wielu zwierząt, miejsce tarliskowe dla ryb; fitobentos sięga do głęb. 20 m, a w Zat. Gdańskiej jedynie do 8 m ze względu na małą przezroczystość wody. Fitoplankton jest ubogi gatunkowo, sięga do 40 m głęb.; tworzą go gł. gat. mor. słonowodne i słodkowodne; gat. mor. (okrzemki — 40%, bruzdnice) dominują w wodach Cieśn. Duńskich i zach. części Morza Bałtyckiego; ku wsch. i pn. ustępują miejsca gat. słonawowodnym i słodkowodnym, wśród których najliczniejsze są zielenice (25%) i sinice (20%).

Świat zwierzęcy. Fauna Morza Bałtyckiego jest stosunkowo uboga, a jej charakter determinuje niski i różny stopień zasolenia wód. Występują tu gat. typowo mor., jak również gat. słodkowodne; zasolenie zmniejszające się w kierunku pn. i wsch. powoduje zmniejszanie się liczby gatunków mor. (oraz ich skarlenie) i jednocześnie zwiększanie się liczby gat. słodkowodnych. Ssaki reprezentują: foka szara i obrączkowana, morświn; ryby — gł. dorsz, śledź, płastugi (stornia, gładzica, zimnica), szprot, makrela, łosoś, belona, głowacze (kur rogacz jest reliktem ark.), węgorz; bezkręgowce są reprezentowane nieco liczniej przez małże (np. rogowiec, omułek, sercówka, piaskołaz), skorupiaki (np. krewetki, podwój, lasonóg wielki, a kiełż *Pantoporeia femorata* jest reliktem ark.), ponadto kilka gat. wieloszczetów oraz jamochłonów (np. chełbia modra).

Do Morza Bałtyckiego uchodzą liczne rzeki, największe (wg odpływu) — Newa, Wisła, Kemi, Göta, Niemen, Odra, Lule, Ångerman, Dźwina.

REGION MORZA BAŁTYCKIEGO

Morze Bałtyckie jest ważną drogą mor. dla państw nadbałtyckich, które dysponują ok. 10% tonażu świat. floty handl. (1989); przez Kanał Kiloński i Cieśn. Duńskie przepływa rocznie ok. 75 tys. statków; gł. porty nad Morzem Bałtyckim: Szczecin, Gdańsk, Gdynia, Sztokholm, Helsinki, Petersburg, Tallin, Ryga, Kłajpeda, Rostock; rozwinięta żegluga promowa; połączenie z M. Białym przez Kanał Białomorsko-Bałtycki ma niewielkie znaczenie. Pod dnem pd. części Morza Bałtyckiego występują złoża ropy naft. i gazu ziemnego, a pod dnem Zat. Puckiej — złoża soli potasowych. Wody Morza Bałtyckiego są silnie zanieczyszczone, strefy występowania siarkowodoru i martwych osadów dennych zwiększają swój zasięg.

Bałtyckie, Pojezierza, nazwa obejmująca pojezierza nadbałtyckie: Południowobałtyckie i Wschodniobałtyckie, w Niemczech, Polsce, na Białorusi, Litwie, Łotwie i w Estonii; rzeźba młodoglacjalna związana ze zlodowaceniem bałtyckim; ciągi moren czołowych, równiny moreny dennej, miejscami pagórkowatej (wys. maks. 329 m — Wieżyca), rozległe powierzchnie sandrowe, liczne jeziora (największe — Pejpus, w Polsce — Śniardwy); lasy (gł. sosnowe), wrzosowiska, torfowiska.

BAM → Bajkalsko-Amurska, Kolej.

Bamako, stol. Mali, nad Nigrem; 907 tys. mieszk. (2002); przemysł gł. spoż., włók., obuwn., metal.; ośr. handl.; rzemiosło artyst.; międzynar. port lotn.; port rzeczny; wyższa szkoła adm.; biblioteka nar.; muzeum narodowe.

Banackie, Góry, Munţii Banatului, część Karpat Pd. w Rumunii, między Żelazną Bramą (przełom Dunaju) a tektoniczną bruzdą rzek Temesz–Cerna; najwyższy szczyt Piatra Goznei (Semenic),1445 m; lasy bukowe z udziałem innych drzew liściastych; wydobycie węgla (Anina), rud żelaza (gł. ośr. przemysłu hutn. Reşiţa).

Bandżul, Banjul, do 1973 **Bathurst,** stol. Gambii, nad O. Atlantyckim; 58 tys. mieszk. (2002); jedyny port i gł. ośr. przem. (spoż., włók., obuwn., drzewny) kraju; rzemiosło; port lotn.; miasto zał. 1816 przez Brytyjczyków.

Bangi, Bangui, stol. Rep. Środkowoafryk., nad rz. Ubangi; 653 tys. mieszk. (2002); przemysł spoż., drzewny, włók.; ośr. handl.; port rzeczny; międzynar. port lotn.; uniw.; miasto zał. 1889 jako franc. fort wojskowy.

Bangkok, Krung Thep, stol. Tajlandii, w delcie rz. Menam, ok. 40 km od jej ujścia do Zat. Tajlandzkiej; największe miasto na Płw. Indochińskim — 6,5 mln mieszk. (2002), zespół miejski 8,7 mln mieszk., Tajowie, Chińczycy, Indusi; centrum przem. i finansowe kraju; koncentracja zakładów elektron., montowni samo-

■ Bangkok

chodów, tartaków, olejarni, łuszczarni ryżu, banków krajowych i zagr.; rozwinięte rzemiosło (wyroby z kości słoniowej, jedwabiu, złota); gł. port handl. Tajlandii, międzynar. port lotn.; ośr. nauk. (6 uniw.) i turyst.-rozrywkowy; Muzeum Nar. ze zbiorami sztuki tajskiej; miasto zał. 1782 przez króla Ramę I jako siedziba jego dworu i stol. kraju; rezydencja król. i liczne świątynie (XVIII–XIX w.); B. przecina sieć kanałów żeglownych.   ■

■ Bangladesz

Bangladesz, Bāmōlādeś, Ludowa Republika Bangladeszu, państwo w pd. Azji, nad Zat. Bengalską; 147,6 tys. km², 136,4 mln mieszk. (2002), Bengalczycy; muzułmanie (islam jest religią państw.) i hindusi; jeden z najgęściej zaludnionych (836 mieszk. na km²) i najsłabiej zurbanizowanych (w miastach ok. 18% ludności) krajów świata; stol. Dakka, inne gł. m.: Ćittagong (gł. port mor.), Khulna; język urzędowy bengalski; republika. Kraj nizinny, zajmuje wsch. część Niz. Hindustańskiej z rozległą deltą Gangesu i

■ Bangladesz. Przystań nad Gangesem

Brahmaputry; na pd.-wsch. G. Czatgańskie (wys. do 1230 m); klimat zwrotnikowy monsunowy wilgotny; gęsta sieć rzek i kanałów nawadniających; częste cyklony tropik., katastrofalne powodzie. Słabo rozwinięty kraj roln., jeden z najbiedniejszych w świecie; uprawy zajmują ponad 63% pow.; powszechny system dzierżawy ziemi; uprawa ryżu, juty, trzciny cukrowej, herbaty; hodowla bydła i bawołów; przemysł jutowy (świat. eksporter); transport wodny.   ■

Bank Światowy → Międzynarodowy Bank Odbudowy i Rozwoju.

Bańdzioch Kominiarski, jaskinia w pn.--wsch. części masywu Kominiarskiego Wierchu (Tatry Zach.), jedna z najdłuższych i najgłębszych w Polsce; tektoniczno-krasowa; otwory na wys. 1683 m i 1456 m; dł. 9550 m, deniwelacja 562 m (1999); powstała w czwartorzędzie w wapiennych utworach triasu i jury; kilka niezależnych kaskadowych ciągów korytarzy i studni, 7 den; miejscami bogata szata naciekowa (nacieki grzybkowe, stalaktyty i stalagmity); odwadniana do źródeł przy Hali Pisanej. Odkryta 1968 (otwór dolny) przez Cz. Majchrowicza i J. Nickowskiego; największe odkrycia 1976–78, gł. przez A. Ciszewskiego, R. Kujata i W.W. Wiśniewskiego z Krakowa.

Baradla, Baradla barlang-Domica, największa jaskinia krasowa Węgier i Krasu Słowackiego; jedna z najbardziej znanych jaskiń świata; dł. 25 km, deniwelacja 116 m; część słowac. (Domica) ma dł. ok. 5,9 km; rozciągłość ok. 5,7 km (jedna z największych na świecie); najdłuższa w umiarkowanej strefie klim. naciekowa jaskinia z aktywnym przepływem potoku; ciąg sal i obszernych korytarzy (z kilkoma bocznymi odnogami) o szer. do 10 m i wys. 7–8 m; bardzo bogata szata naciekowa; temp. 10,2–11,4°C; kilka otworów; wejścia po stronie węg. w pobliżu miejscowości Aggtelek i Jósvafő; 1794 pierwszy plan jaskini (ok. 2 km) — jeden z pierwszych w świecie; 1799 badana przez S. Staszica; 1806 udostępniona dla turystów (druga w świecie); 1932 połączenie z Domicą; po stronie węg. 5 tras turyst. (o dł. do 5 km) zwiedzanych rocznie przez ponad 170 tys. osób; sanatorium.

Barania Góra, kopulasty szczyt w pd.-wsch. części Beskidu Śląskiego; wys. 1220 m, zbud. z piaskowców istebniańskich; poniżej wierzchowiny, na wys. ok. 1107 m teren źródliskowy Czarnej

Wisełki (jeden ze źródłowych potoków Wisły); rozległa panorama; liczne szlaki turyst. do okolicznych miejscowości; dobre tereny narciarskie; 2 nartostrady do Wisły. Barania Góra, częściowy rezerwat krajobrazowy; pow. 383,0 ha; utw. 1953; obszar źródliskowy Czarnej Wisełki porośnięty lasem jodłowo-bukowym z domieszką świerku; ostoja jeleni i głuszców.

baraniec, → muton.

Baranów Sandomierski, m. w woj. podkarpackim (powiat tarnobrzeski), nad Wisłą; 1,4 tys. mieszk. (2000); m. satelitarne Tarnobrzega; ośr. turyst.-krajoznawczy; prawa miejskie 1623–1896 i od 1934; znany z handlu zbożem; manierystyczny zamek R. Leszczyńskiego (XVI/XVII w., przebud. koniec XVII w., ob. Muzeum Zagłębia Siarkowego), kościół (XVII, XIX w.).

Barbados, państwo w Ameryce Środk. (Indie Zach.), na wyspie Barbados, nad O. Atlantyckim; 431 km², 264 tys. mieszk. (2002), Murzyni, Metysi, biali; gł. protestanci; najgęściej zaludniony kraj Ameryki Łac. — 614 osób/km²; stol. i gł. port mor.: Bridgetown; język urzędowy ang.; monarchia. Wyspa otoczona rafami koralowymi; klimat równikowy wilgotny, cyklony; zjawiska krasowe. Podstawą gospodarki jest obsługa turystów (ponad 400 tys. rocznie); przetwórstwo trzciny cukrowej (cukier, rum), montaż sprzętu elektron.; przemysł odzież.; wydobycie gazu ziemnego i ropy naft.; uprawa trzciny cukrowej, kukurydzy, bananów; hodowla trzody chlewnej, owiec; rybołówstwo. ■

Barcelona, m. w pn.-wsch. Hiszpanii, nad M. Śródziemnym stol. regionu autonomicznego Katalonia i ośr. adm. prow. Barcelona; 1,5 mln mieszk. (2002), zespół miejski 4,6 mln (1991); największy okręg przem. kraju; koncentracja przemysłu samochodowego (siedziba koncernu SEAT), maszyn., włók., chem. i rafineryjnego; duży port handl.; ważne centrum targowe i wystawowe w Europie; ośr. turyst. o międzynar. znaczeniu; węzeł komunik. (port lotn.); 2 uniw. (starszy zał. 1450); muzea; XXV Letnie Igrzyska Olimpijskie (1992). Fragmenty murów rzym. i średniow. (XIII, XIV w.), kościoły rom., got. i barok., katedra (XIII, XV, XIX w.), pałace (XIV–XVI w.), ratusz, budowle projektu A. Gaudiego (kościół Sagrada Familia, Casa Milá).

barchan [kirg.], → wydma w kształcie półksiężyca, o obniżonych narożach wysuniętych w kierunku wiania wiatru, typowa dla obszarów pustynnych. ■

■ Barchany

■ Bardo. Widok na dawny klasztor (obecnie Muzeum Sztuki Sakralnej), na pierwszym planie Nysa Kłodzka

Barcin, m. w woj. kujawsko-pomor. (powiat żniński), nad Notecią; 8,5 tys. mieszk. (2000); ośr. usługowy dla pobliskich Bielaw (kamieniołomy wapienia, cementownia); prawa miejskie od 1541; w XVI w. ośr. braci czeskich.

Barczewo, m. w woj. warmińsko-mazurskim (powiat olsztyński), w pobliżu jez. Wadąg; 7,8 tys. mieszk. (2000); ośr. usługowy z drobnym przemysłem (metal., drzewnym); w pobliżu B. we w. Lamkówko Obserwatorium Lotów Kosm.; prawa miejskie od 1364; muzeum F. Nowowiejskiego; pozostałości zamku biskupiego (XIV w.), kościół farny (XIV, XVI w.), kościół pofranciszkański (z kaplicą Batorych) i klasztor (XIV, XVI w.).

Bardo, m. w woj. dolnośląskim (powiat ząbkowicki), w G. Bardzkich, nad Nysą Kłodzką; 3,0 tys. mieszk. (2000); ośr. usługowy i turyst.; zakłady papiern.; muzeum; prawa miejskie między 1300 a 1334–1945 i od 1969; ośr. kultu maryjnego; most kam. (XV w.), kościół (XVII–pocz. XVIII w.). ■

Bardzkie, Góry, pasmo górskie w Sudetach Środk.; orograficzne przedłużenie na pd.-wsch. G. Sowich; ciągnie się ok. 18 km od Przełęczy Srebrnej (586 m) na pd.-zach. po Przełęcz Kłodzką (483 m) na pd.-wsch.; szer. 3–5 km; zbud. ze skał kambryjskich, sylurskich i dolnokarbońskich sfałdowanych w orogenezie hercyńskiej (piaskowce kwarcytowe, łupki, szarogłazy, zlepieńce) oraz ze skał pochodzenia wulk.; głęboki (do 150 m) antecedentny przeł. Nysy Kłodzkiej k. Barda dzieli G.B. na niższą część pn.-zach. (Słup 667 m, Wilczak 637 m) i wyższą część pd.-wsch. (Ostra Góra 751 m, Kłodzka Góra 765); od pn.-wsch. pasmo opada stromą krawędzią wzdłuż linii brzeżnego uskoku sudeckiego; do Kotliny Kłodzkiej od pd.-zach. przechodzi stopniowo, łagodnymi zboczami; góry są rozcięte głębokimi dolinami licznych, krótkich dopływów Nysy Kłodzkiej; prawie w całości zalesione (lasy iglaste i mieszane, 2 rezerwaty cisów) i b. atrakcyjne pod względem krajobrazowym. Głównym grzbietem biegnie szlak turyst., kilka szlaków bocznych. Przez G.B., doliną Nysy Kłodzkiej, przebiega międzynar. szlak komunik. (szosa, linia kol.) z Wrocławia do Czech; gł.m. — Bardo.

■ Barbados

Barentsa, Morze, ros. **Barиencewo morie,** norw. **Barentshavet,** szelfowe morze między Europą Pn. a Nową Ziemią, Ziemią Franciszka Józefa, Spitsbergenem i W. Niedźwiedzią, część O. Arktycznego; pow. 1424 tys. km², średnia głęb. 229 m, maks. — ok. 600 m, w Rynnie W. Niedźwiedziej; temperatura wód powierzchniowych wynosi w lecie od 7–12°C na pd.-zach. do 3–5°C na wsch. i poniżej 0°C na pn., w zimie od 3–5°C na pd.-zach. do –1°C na wsch. i pn.; zasolenie 32–35‰; pd. i zach. część morza wolna od lodu przez cały rok (przepływa ciepły Prąd Norweski — przedłużenie Prądu Północnoatlantyckiego); pływy do 6,1 m — w Zat. Kisłej na pn. od Murmańska eksperymentalna elektrownia pływowa; gł. rzeka uchodząca do M.B. — Peczora; rozwinięte rybołówstwo (dorsz, śledź), łowiectwo (gł. fok) i wielorybnictwo; gł. porty (nie zamarzające): Murmańsk, Hammerfest, Kirkenes; pod dnem Morza Barentsa złoża gazu ziemnego; nie rozstrzygnięty spór norw.-ros. o rozgraniczenie stref ekonomicznych.

Barguzińskie, Góry, Barguzinskij chriebiet, pasmo górskie w azjat. części Rosji (Buriacja), wzdłuż pn.-wsch. brzegu Bajkału; wys. do 2840 m; zbud. z granitów i łupków krystal.; tajga modrzewiowa; od 1500 m do 2000 m zarośla sosny karłowej (limba karłowa) *Pinus pumila,* powyżej tundra górska; na zach. stokach Rezerwat Barguziński (obejmuje także część Bajkału), ob. rezerwat biosfery (pow. 374,3 tys. ha), utworzony 1916 w celu ochrony sobola barguzińskiego.

Bariera Lodowa Rossa → Rossa, Lodowiec Szelfowy.

Barlinek, m. w woj. zachodniopomor. (powiat myśliborski), nad Płonią i Jez. Barlińskim; 15,1 tys. mieszk. (2000); przemysł drzewny, materiałów bud.; ośr. turyst.-wypoczynkowy; prawa miejskie od 1278.

Bartoszyce, m. powiatowe w woj. warmińsko-mazurskim, nad Łyną; 26 tys. mieszk. (2000); przemysł gł. dziewiarski i odzież.; Centrum Promocji i Handlu Pn., targi przygraniczne; prawa miejskie od 1332; fragmenty murów miejskich (XIV w.) z Bramą Lidzbarską (XV, XVIII w.), 2 kościoły (XIV, XVIII i XV w.).

Barwice, m. w woj. zachodniopomor. (powiat szczecinecki), nad Gęsią (l. dopływ Parsęty); 4,0 tys. mieszk. (2000); ośr. usługowy regionu roln.; zakład produkcji przyczep; prawa miejskie przed 1286.

Barycz, rz. w Obniżeniu Milicko-Głogowskim, pr. dopływ Odry; dł. 133 km, pow. dorzecza 5534 km²; źródła na pd.-wsch. od Ostrowa Wielkopolskiego; płynie w zabagnionej dolinie; uchodzi powyżej Głogowa; średni przepływ w dolnym biegu 16,1 m³/s; maks. rozpiętość wahań stanów wody w dolnym biegu 3,9 m; największy dopływ — Orla (pr.); szeroka, podmokła dolina B. (powyżej Milicza) jest siedliskiem dużej liczby ptaków osiadłych i przelotnych, pozostających pod ochroną; w dolinie powyżej Milicza i na pn.-wsch. od Żmigrodu 2 kompleksy stawów rybnych (najważniejszy region hodowli karpia w Polsce); nad B. leżą m.: Odolanów, Milicz, Żmigród.

baryczny stopień, wielkość stosowana w meteorologii do szybkiego określania zmian ciśnienia atmosf. wraz ze zmianą wysokości, liczbowo równa różnicy wysokości odpowiadającej zmianie ciśnienia atmosf. o jednostkę; s.b. najczęściej jest odnoszony do 1 hPa i w temp. 0°C na poziomie morza wynosi ok. 8 m/hPa, na wys. 5 km — ok. 16 m/hPa.

basen oceaniczny, rozległe, nieckowate obniżenie dna oceanicznego na głęb. 2500–6000 m, rozdzielone progami, wałami lub grzbietami podwodnymi; b.o. zajmują ok. 78% pow. oceanu świat.; ukształtowanie b.o. jest bardzo urozmaicone, występują tu niecki oceaniczne, platformy, płaskowzgórza, łańcuchy górskie i pojedyncze góry (→ góra podwodna); basenom leżącym w pobliżu kontynentów towarzyszą zazwyczaj → rowy oceaniczne oraz łańcuchy górskie, wyłaniające się z wody jako ciągi wysp; b.o. są pokryte grubym osadem czerwonych iłów głębinowych; b.o. cechuje własne krążenie wód i często odrębny reżim hydrologiczny.

basen sedymentacyjny, obszar, w którym odbywa się lub odbywała w przeszłości geol. → sedymentacja osadów. B.s. są najczęściej określone strefy dna mórz lub oceanów, rzadziej — strefy lądowe: jeziora, doliny rzeczne, obniżenia śródgórskie i in. Do najważniejszych czynników wpływających na przebieg sedymentacji i charakter osadów w b.s. należą: głębokość basenu (grubość pokrywy wodnej), skład chem. i temperatura mas wodnych oraz charakter ich ruchu (np. różnorodne prądy mor.), tempo obniżania się dna basenu (subsydencja) i tempo wypiętrzania się obszarów alimentacyjnych (z których dostarczany jest materiał skalny), a także warunki klimatyczne. Badanie budowy b.s., historii ich rozwoju i mechanizmu powstania nagromadzonych w nich osadów stanowi m.in. podstawę do poszukiwania złóż kopalin związanych genetycznie z b.s.

Baskonia, baskijskie **Euzkadi, Kraj Basków, Vascongadas, País Vasco,** region autonomiczny i kraina hist. w pn. Hiszpanii, nad Zat. Biskajską; 7,2 tys. km²; 2,1 mln mieszk. (1998), Baskowie i Hiszpanie; stol. Vitoria, gł. m. i porty: Bilbao, San Sebastián; górzysta (G. Kantabryjskie, Pireneje) i zalesiona; jeden z najważniejszych regionów przem. kraju; górnictwo (rudy metali), hutnictwo żelaza i metali kolorowych, przemysł maszyn., stoczn., petrochem., papierniczy, energetyka jądr.; hodowla bydła; turystyka.

Bassa, Cieśnina, ang. **Bass Strait,** cieśnina między Australią a Tasmanią; łączy O. Indyjski z M. Tasmana; dł. 490 km, szer. 287 km; głęb. 51 m, na linii najmniejszych głębokości; wyspa King, archipelag Furneaux; zat. Port Philip z portem Melbourne; u wybrzeży austral. wydobycie ropy naft. i gazu ziemnego; odkryta 1798 przez podróżnika bryt. J. Bassa.

Basso Narok, jez. w Afryce, → Turkana.

Baszkiria, Baszkortostan, republika w Rosji, na przedgórzu i stokach Uralu Pd.; 143,6 tys. km²; 4,1 mln mieszk. (2002), Baszkirzy 22%, Rosjanie 39%, Tatarzy 28%, Czuwasze i in.; ludność miejska 65%; stol. Ufa; wydobycie ropy naft., węgla, rud żelaza, miedzi i cynku; przemysł petrochem., maszyn. i metal., hutnictwo żelaza, drzewny, lekki, spoż., materiałów bud.; uprawy: zboża, buraki cukrowe, słonecznik, ziemniaki, warzywa, drzewa owocowe; hodowla (bydło, owce), pszczelarstwo; sieć rurociągów naft. (gł. Tujmazy–Ufa, Iszymbaj–Ufa).

batial [gr.], strefa w morzach i oceanach między → litoralem i → abisalem, obejmująca półmroczne wody głębinowe i pas dna na stoku kontynent.; sięga od ok. 200 m do ok. 1700 m w głąb; brak roślin zielnych, ze zwierząt gł. drapieżne; osady (tzw. hemipelagiczne) to gł. muły (np. czerwone, koralowe), rzadziej piaski.

batolit [gr.], wielki masyw skał magmowych zakrzepłych w skorupie ziemskiej, odsłaniający się na dużej powierzchni (z reguły ponad 100 km^2), o wyraźnie ograniczonych ścianach bocznych, rozszerzający się i sięgający do głębokości niedostępnych dla badań geol.; górna powierzchnia b. przecina skały otaczające niezgodnie z ich warstwowaniem. B. są zbudowane gł. z granitów i granodiorytów; często zawierają złoża rud metali; powstają podczas ruchów górotwórczych (lub bezpośrednio po ich ustaniu) wskutek intruzji magmy lub przez przeobrażenie innych skał pod wpływem metasomatozy. Skały otaczające b. są zwykle silnie zmienione i poprzecinane licznymi żyłami magmowymi (apofizami). Największe b., zajmujące pow. setek tysięcy km^2, występują w Ameryce Pn. (np. b. Gór Nadbrzeżnych, b. Sierra Nevada), także w pd. Afryce, Brazylii, Skandynawii; w Polsce b. znajdują się w Sudetach (Karkonosze) i w Tatrach. Małe b., zajmujące pow. do 20 km^2, noszą nazwę p n i m a g m o w y c h. ■

batygraficzna krzywa, część krzywej → hipsograficznej.

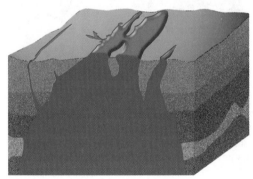
■ Batolit

batymetria [gr.], dział hydrometrii zajmujący się pomiarami głębokości wód w rzekach, jeziorach i morzach; wyniki pomiarów naniesione na mapę lub plan akwenu w postaci punktów głębokości (opisanych w metrach) pozwalają na wykreślenie → izobat obrazujących ukształtowanie dna akwenu; pomiary batymetryczne wykonuje się za pomocą sond: ręcznych, ciśnieniowych, akust. i innych.

Bawaria, Bayern, kraj związkowy w pd. części Niemiec; 70,5 tys. km^2; 12,2 mln mieszk. (2002); stol. Monachium, inne m.: Norymberga, Augsburg; obejmuje wyż.: Bawarską, częściowo Szwabską i Frankońską oraz Alpy Bawarskie; gł. rz.: Dunaj z dopływami; przemysł elektron., samochodowy, lotn., chem., piwowarski; rafine-

■ Bawaria. Zamek Ludwika Bawarskiego w Neuschwanstein

rie w Ingolstadt połączone rurociągami z portami śródziemnomorskimi; intensywna uprawa głównie zbóż, buraków cukrowych, chmielu; hodowla bydła; rozwinięta turystyka (gł. w Alpach). ■

Bawarska, Wyżyna, Bayerische Hochebene, Oberdeutsche Hochebene, wyżyna w pd. części Niemiec (Bawaria); pod względem geol. stanowi zapadlisko przedalp. wypełnione mor. osadami miocenu; osady te są przykryte morenami i materiałem rzeczno-lodowcowym (osadzonym w plejstocenie przez lodowce alp.), na pn. — lessami; nierównomiernie wypiętrzona, wys. 300–600 m; pn. skrajem Wyżyny Bawarskiej płynie Dunaj z dopływami: Iller, Lech, Izarą i Innem; u podnóża Alp jeziora polodowcowe, największe: Bodeńskie, Ammer, Würm, Chiem; klimat stosunkowo chłodny (średnia temp. roczna 7–8°C), zwł. zimą; przeważają pola uprawne (gleby lessowe); na wałach morenowych lasy mieszane; gł. m.: Monachium, Augsburg, Ulm, Ratyzbona.

Bawarski, Las, Bayerischer Wald, Vorderer Wald, pasmo górskie w Niemczech, stromo opada ku dolinie Dunaju; wys. do 1121 m; zbud. z gnejsów, łupków krystal., granitów i kwarcytów; lasy gł. bukowo-jodłowe, wyżej — świerkowe; wydobycie grafitu; gospodarka leśna, przemysł drzewny; huty szkła; park nar. (utworzony 1970, pow. 13 tys. ha).

bazalt, magmowa skała wylewna złożona gł. z plagioklazów i piroksenów, często zawiera też oliwin; czarny lub ciemnoszary; rozpowszechniony produkt dawnej i współcz. działalności wulk.; buduje skorupę ziemską pod dnem oceanów; używany jako materiał drogowy i bud., w przemyśle szkl. i ceram., do wyrobu leizny kam.; w Polsce występuje gł. na Dolnym Śląsku.

Bazylea, niem. **Basel,** franc. **Bâle,** m. w pn.--zach. Szwajcarii, nad Renem, przy granicy z Francją i Niemcami; stol. półkantonu Bazylea-Miasto; 162 tys. mieszk., zespół miejski 553 tys. (2002); 2. po Zurychu ośr. gosp. kraju; koncentracja przemysłu farm. (Ciba-Geigy), maszyn. i poligraficznego; liczne banki; węzeł komunik. o znaczeniu międzynar.; śródlądowy port handl.; uniw. (zał. 1460); muzea, w tym znane Kunstmuseum; ogród bot. i zool.; rzym. Basilia; stare miasto o zabytkowym układzie urb.; kościoły (XIII–XVI w.), m.in. rom.-got. katedra (XII, XIV–XV w.), renes. ratusz (XVI, XVII w.), kamienice (XVI–XVIII w.).

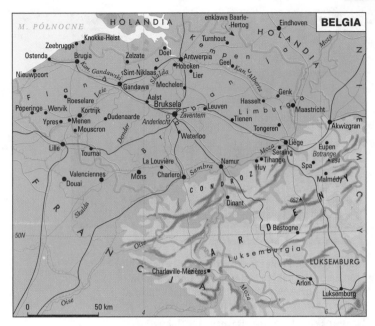

■ Belgia

Beauforta, Morze [m. boufərta], ang. **Beaufort Sea,** franc. **Mer de Beaufort,** morze u wybrzeży Kanady i Alaski, między Archipelagiem Arktycznym a przyl. Barrow, część O. Arktycznego; pow. 476 tys. km², średnia głęb. ponad 1000 m, maks. — ponad 3000 m (Basen Kanadyjski); temp. wód powierzchniowych od –1,4°C w lecie do –1,7°C w zimie, zasolenie 28–32‰; pokryte lodem przez cały rok; gł. rzeka uchodząca do Morza Beauforta — Mackenzie; pod dnem Morza Beauforta złoża ropy naft. i gazu ziemnego.

Beauforta skala [boufərta s.], umowna skala służąca do określania (w stopniach Beauforta) prędkości (siły) wiatru oraz stanu morza; skalę tę oprac. 1805 na użytek żeglarzy admirał ang. F. Beaufort (1774–1857); początkowo s.B. była oparta wyłącznie na obserwacji wpływu wiatru na statek w pełnym ożaglowaniu; w 2. poł. XIX w. zmodyfikowano ją, przyjmując jako kryterium oceny skutki działania wiatru na powierzchnię morza i przedmioty naziemne, a w 1. poł. XX w. przypisano stopniom s.B. zmierzone prędkości wiatru (w m/s, km/h lub węzłach) oraz wysokości fali (w m); w tej postaci stosuje się ją obecnie; skala prędkości wiatru ma 0–12 (lub 17) stopni, skala stanu morza — 0–9 stopni.

Bejrut, Bayrūt, stol. Libanu, ośr. adm. muhafazy Bejrut, na półwyspie, nad M. Śródziemnym i stokach gór Liban; 1,1 mln mieszk. (2002); gł.

■ Bejrut. Widok centrum

ośr. gosp. kraju i ważne centrum handl.-finansowe na Bliskim Wschodzie; przemysł włók., odzież., skórz.; banki krajowe i zagr.; port handl. ze strefą wolnocłową, międzynar. port lotn.; 4 uniw.; duże zniszczenie i wyludnienie miasta na skutek wojny domowej; znany od czasów fenickich; pozostałości budowli rzym., meczety (XII–XVI w.), m.in. meczet Umara (przebud. z bizant. kościoła, XIII w.), 2 katedry (greckokatol. i prawosł.).   ■

Belgia, franc. **Belgique,** flam. **België,** państwo w zach. Europie, nad M. Północnym; 30,5 tys. km²; 10,3 mln mieszk. (2002), Flamandowie (57%), Walonowie (33%), cudzoziemcy; katolicy; gęsto zaludniona i silnie zurbanizowana (w miastach ok. 96% ludności); stol. Bruksela, inne m.: Antwerpia, Gandawa, Charleroi, Liège; język urzędowy: flam., franc.; dziedziczna monarchia konst.; od 1993 państwo federacyjne, dzieli się na flamandzkojęzyczną Flandrię na pn., francuskojęzyczną Walonię na pd., dwujęzyczny okręg Brukseli oraz niemieckojęzyczny region Eupen i Malmédy na wschodzie. Kraj nizinny, na pn. równinna Flandria, w części środk. pagórkowata Brabancja, na pd.-wsch. Ardeny (wys. do 694 m); klimat umiarkowany ciepły mor.; gł. rz.: Skalda, Moza; w Ardenach lasy dębowo-grabowe. Kraj wysoko rozwinięty, podstawą gospo-

■ Belgia. Gandawa, twierdza Gravensteen

darki są usługi (handel, banki, ubezpieczenia) i przemysł, zwł. rafineryjny, petrochem., hutn., zbrojeniowy, chem., tradycyjny włók., energetyka jądr., montaż samochodów; intensywna uprawa zbóż, roślin pastewnych, buraków cukrowych, warzyw, hodowla bydła i trzody chlewnej; gęsta sieć autostrad, linii kol. i dróg wodnych (Kanał Alberta); gł. porty mor.: Antwerpia (2. po Rotterdamie w Europie), zespół portowy Brugia–Zeebrugge, Gandawa; największa po Singapurze wartość wymiany handl. na 1 mieszkańca.   ■

Belgrad, Beograd, staroż. **Singidunum,** stol. Jugosławii (i Serbii), w pn. części kraju, przy ujściu Sawy do Dunaju; 1,1 mln mieszk., zespół miejski 1,7 mln (2002); największy ośr. gosp. i kult.-nauk. kraju; przemysł gł. maszyn., środków transportu (samochody, ciągniki, statki rzeczne), elektron.; duży port rzeczny, międzynar. port lotn.; Serbska Akad. Nauk i Sztuk, uniw.; liczne muzea i galerie sztuki; twierdza rzym. i bizant.; pozostałości rzym., cytadela (XVIII w.), wieża zegarowa, cerkwie (XIX–XX w.).

Belize [beli:z], państwo w Ameryce Centr., nad M. Karaibskim; 23 tys. km²; 252 tys. mieszk. (2002), Murzyni i Metysi, Indianie, biali; gł. katolicy; stol. Belmopan; język urzędowy ang.; monarchia konstytucyjna. Powierzchnia nizinna, bagienna, na pd. góry Maya (Victoria, 1122 m); przy brzegu laguny i rafy koralowe; klimat równikowy wilgotny, cyklony; lasy równikowe. Podstawą gospodarki jest rolnictwo i eksport płodów rolnych; uprawa trzciny cukrowej, drzew cytrusowych, bananów, marihuany (nielegalnie); hodowla bydła; eksploatacja lasów (mahoń, chiclé, lateks); rybołówstwo; przemysł spoż. (cukier, rum), drzewny; turystyka; gł. port mor. Belize.■

Belo Horizonte [b. orisonte], m. we wsch. Brazylii, u podnóża Serra do Espinhaço; stol. stanu Minas Gerais; 2,3 mln mieszk. (2002); jeden z gł. ośr. gosp. Brazylii; hutnictwo żelaza, przemysł farm., cementowy, odzież.; centrum regionu wydobycia rud żelaza, manganu, złota; ośr. handl.; węzeł komunik. (port lotn.); 3 uniw.; liczne nowocz. budowle projektowane m.in. przez O. Niemeyera i L. Costę.

Beludżystan, właśc. **Balućistan,** urdu **Balūcis-tān,** ang. **Baluchistan,** prow. w pd.-zach. Pakistanie, nad M. Arabskim; 347,2 tys. km²; 7,2 mln mieszk. (2002), gł. Beludżowie; stol. Kweta; górzysty (g. Mekran), półpustynny i pustynny; koczownicza hodowla owiec, kóz i wielbłądów; w oazach uprawa pszenicy, bawełny i palmy daktylowej; wydobycie gazu ziemnego w Sui.

Bełchatów, m. powiatowe w woj. łódz.; 61 tys. mieszk. (2000); ośr. mieszkaniowy i usługowy Bełchatowskiego Zagłębia Węgla Brun.; przemysł włók. (bawełn.), gumowy (wyroby dla przemysłu), spoż.; węzeł drogowy; ośr. oświat.; prawa miejskie 1743–1870 i od 1925.

Bełt, Mały, duń. **Lille Bælt,** cieśn. między Płw. Jutlandzkim a wyspami Fionią i Ærø; jedna z Cieśn. Duńskich; łączy Zat. Kilońską (M. Bałtyckie) z cieśn. Kattegat i M. Północnym; dł. 125 km, najmniejsza szer. 0,5 km, najmniejsza głęb. 10 m (na torze wodnym); nad najwęższą, pn. częścią M.B., przebiegają po mostach linia kol. i autostrada E-66, z Hamburga do Kopenhagi.

Bełt, Wielki, duń. **Store Bælt,** cieśn. między wyspami Zelandią i Lolland a Fionią i Langeland; jedna z Cieśn. Duńskich; łączy Zat. Kilońską (M. Bałtyckie) z cieśn. Kattegat i M. Północnym; dł. 110 km, najmniejsza szer. 10 km; najmniejsza głęb. 15 m (na torze wodnym) umożliwia przepływanie dużych statków; wyspy Fionia i Zelandia łączy przeprawa tunelowo-mostowa otwarta 1999.

Bełżyce, m. w woj. lubel. (powiat lubelski); 7,0 tys. mieszk. (2000); ośr. usługowy regionu roln.; drobny przemysł; prawa miejskie 1417–1870 i od 1958; w XVI–XVII w. ośr. ruchu reformacyjnego.

Ben Nevis [b. nęwys], góra stołowa w Grampianach, najwyższy szczyt W. Brytanii (Szkocja); wys. 1343 m; zbud. ze skał wulk.; pd. stoki łagodne, pn.-wsch. — strome.

Bengal Zachodni, hindi **Paścim Bagāl,** ang. **West Bengal,** stan w pn.-wsch. Indiach, nad Zat. Bengalską; 87,8 tys. km²; 81,8 mln mieszk. (2002), gł. Bengalczycy; stol. Kalkuta; jeden z najgęściej zaludnionych regionów świata; na pn. pogórze Himalajów, w środk. części Niz. Hindustańska, na pd. fragment wyż. Chota Nagpur; gł. rz.: Ganges, Hugli, Damodar; gł. w kraju region uprawy ryżu i juty, uprawa herbaty, trzciny cukrowej; hodowla bydła i bawołów; wydobycie węgla kam. w dolinie rz. Damodar; przemysł przetwórczy skupiony gł. w aglomeracji Kalkuty.

Bengalska, Zatoka, bengalskie **Vagopasāgar,** hindi **Bagāl k Khāṛi,** birmańskie **Bingali Pinko,** ang. **Bay of Bengal,** rozległa zatoka O. Indyjskiego między Płw. Indyjskim i Cejlonem a Płw. Indochińskim i wyspami Andamany i Nikobary; pow. 2191 tys. km², głęb. do 4519 m; dno Z.B. zajmuje rozległy stożek akumulacyjny z materiału naniesionego z rz. Ganges i Brahmaputra; temp. wód powierzchniowych od 25–27°C w lutym do 29°C w maju; zasolenie 30–34‰; pływy do 10,7 m; do Z.B. uchodzą rz. Ganges z Brahmaputrą, Mahanadi, Godawari, Kryszna i in.; gł. porty: Kalkuta, Madras, Ćittagong; pod dnem Z.B. złoża ropy naftowej.

Benguelski, Prąd, zimny prąd mor. na pd. O. Atlantyckiego; płynie z pd. na pn. wzdłuż zach. wybrzeża Afryki Pd.; prędkość 1 km/h; średni przepływ ok. 16 mln m³/s; temp. wód powierzchniowych w marcu od 14–17°C przy brzegu afryk. do 20–27°C, na otwartym oceanie na tej samej szerokości, we wrześniu i październiku — odpowiednio od 12–15°C do 19–26°C; ochładza i wysusza wybrzeża Afryki.

Benin, Bénin, Republika Beninu, do 1975 **Dahomej,** państwo w Afryce, nad Zat. Gwinejską; 112,6 tys. km²; 6,5 mln mieszk. (2002), ludy Fon, Joruba, Bariba; 70% animistów, katolicy, muzułmanie; stol. Porto Novo; język urzędowy franc.; republika. Kraj wyżynny, wybrzeża nizinne; klimat podrównikowy wilgotny; przeważa sawanny; na pd. lasy galeriowe, namorzyny. Słabo rozwinięty kraj roln.; uprawa jamu, manioku, palmy oleistej, kawy, bawełny; hodowla bydła; eksploatacja lasów; wydobycie ropy naft.; przemysł spoż. (olejarski, piwowarski), włók., cementowy; rybołówstwo; gł. port handl. Kotonu. ■

Benioffa strefa, strefa występująca w sąsiedztwie rowów oceanicznych, wzdłuż której są zgrupowane ogniska wszystkich głębokich trzęsień Ziemi; jest nachylona pod kątem ok. 45°C w stronę kontynentów; wg teorii → tektoniki płyt jest odzwierciedleniem górnej powierzchni oceanicznej płyty litosferycznej podsuwającej się pod płytę kontynentalną; odkryta 1954 przez sejsmologa amer. Hugo Benioffa (1899–1968).

Bergen, m. w pd.-zach. Norwegii, nad M. Północnym; ośr. adm. okręgu Hordaland; 201 tys. mieszk. (2002); port rybacki (gł. w kraju), handl. i pasażerski; drugi po Oslo ośr. gosp.; przemysł stoczn., rybny, włók., maszyn.; rafinacja ropy naft.; port lotn.; uniw.; ośr. kult. i turyst.; festiwale E.H. Griega; zał. ok. 1070; rom. i renes. kościoły, katedra (XII, XVI, XIX w.); ratusz (XVI w.), zamek (XIII w.), pałac (XVIII w.);

■ Belize

■ Benin

■ Bergen. Dzielnica Bryggen

drewn. domy, m.in. zespół drewn. zabudowy — Bryggen (XVIII w.). ■

Berger [berże], **Gouffre Berger,** jaskinia krasowa we Francji, w masywie Vercors (Prealpy Delfinackie); 1954–66 najgłębsza jaskinia świata (1998 na 18 miejscu), pierwsza, w której poznano (1956) ponad 1 km głęb.; głęb. 1278 m, dł. 30 km (1998); kilka otworów, gł. na wys. 1460 m; ciąg korytarzy, sal (często znacznych rozmiarów) i studni (o głęb. do 50 m) z podziemną rzeką i wodospadami; odkryta 1953 i eksplorowana do głęb. 370 m; 1956 międzynar. wyprawa z udziałem Polaków (m.in. O. Czyżewski i K. Kowalski) osiągnęła syfon na głęb. 1122 m.

■ Berlin. Eurocentrum

Beringa, Cieśnina, ros. **Bieringow proliw,** ang. **Bering Strait,** cieśn. między Azją a Ameryką Pn.; łączy M. Czukockie z M. Beringa; szer. 35–86 km, głęb. 36 m (na linii najmniejszych głębokości); pośrodku C.B. leżą 2 wyspy — Ratmanowa i Little Diomede, między którymi przebiega linia zmiany daty i granica Rosji z USA; odkryta 1648 przez S.I. Dieżniewa; nazwana na cześć V.J. Beringa, który 1728 odkrył ją ponownie.

Beringa, Morze, ros. **Bieringowo morie,** ang. **Bering Sea,** półzamknięte morze pn. części O. Spokojnego, między Azją i Ameryką Pn. a W. Komandorskimi i Aleutami; Cieśn. Beringa połączone z M. Arktycznym; pow. 2315 tys. km^2, głęb. średnia 1640 m, maks. — ok. 5500 m, w Basenie Aleuckim; temp. wód powierzchniowych od poniżej –1°C w zimie do 5–10°C w lecie; od października do maja pokryte w większości lodami

pływającymi; zasolenie 30–34‰; cyrkulacja wód powierzchniowych przeciwna do ruchu wskazówek zegara; pływy do 8,3 m, w Zat. Bristolskiej; do M.B. uchodzą rzeki: Jukon, Kuskokwim, Anadyr; bogaty świat zwierzęcy; rybołówstwo (śledź, mintaj, łosoś, kraby), myślistwo (foki, morsy), wielorybnictwo; od 1992 Rosja i USA ograniczają połowy na akwenach międzynar.; gł. porty Nome, Prowidienija, Dutch Harbor.

Berlin, stol. Niemiec, nad Sprewą; odrębny kraj związkowy; 889 km^2, 3,3 mln mieszk. (2002); przemysł gł. elektron. (m.in. firma Siemens), maszyn., środków transportu, odzież.; ważny ośr. handl. (międzynar. targi, wystawy), kult., nauk. (m.in. 2 uniw., w tym Uniw. Humboldta) i turyst.; port śródlądowy; międzynar. węzeł komunikacyjny. Prawa miejskie z XIII w.; muzea (Muzeum Pergameńskie, galeria obrazów w Dahlem); kościół NMP (XIII, XV w.), Arsenał (XVII/XVIII w.) z 22 maskami umierających niewolników A. Schlütera, Brama Brandenburska i gmach opery (XVIII w.), katedra (XIX w.), kościół Pamięci (XIX, XX w.); pałace, m.in.: Grünewald (XVI, XVII, XVIII w.), Charlottenburg (XVII–XVIII w., ob. muzeum); nowocz. osiedla mieszkaniowe i budowle publ.; w budowie (1997) dzielnica rządowa i nowe centrum handl.-finansowe. ■

Bermudy, Bermuda, terytorium zależne W. Brytanii, na archipelagu Bermudy, na O. Atlantyckim; 53,3 km^2, 64 tys. mieszk. (2002); stol. i gł. port Hamilton; region turyst.; uprawa warzyw, kwiatów, sadownictwo; przemysł farm., perfumeryjny; międzynar. centrum finansowe. Wyspy zamieszkane przez Indian, odkryte w XVI w. przez Hiszpanów; w XVII w. kolonizowane przez Anglików, od 1684 kolonia ang.; w czasie II wojny świat. bryt. bazy wykorzystywane przez USA; od 1968 autonomia.

Berno, niem. **Bern,** franc. **Berne,** wł. **Berna,** stol. Szwajcarii i kantonu Berno, w zach. części kraju, na Wyż. Szwajcarskiej, nad rz. Aare; 120 tys. mieszk. (2002), zespół miejski 320 tys. (1995); siedziba parlamentu, urzędów federalnych i banków; przemysł gł. maszyn., elektrotechn., poligraficzny, chem.; węzeł kol. i drogowy; port lotn.; szwajc. akad. nauk: humanist., przyr.; szkoły wyższe, w tym uniw.; ośr. turystyczny. Założone 1191; muzea; zachowany zabytkowy układ urb.; kościół Dominikanów(XII–XVI w.), katedra i ratusz (XV, XVI w.), liczne budowle z XVIII w., m.in.: kościół Św. Ducha, siedziba władz kantonu oraz kamienice, parlament (XIX/XX w.).

Beskid Makowski, Beskid Średni, część Beskidów Zach., między Koszarawą na zach. a Rabą i jej l. dopływem Krzczonówką na wsch.; zbud. z warstw fliszu płaszczowiny magurskiej; składa się z 3 członów, przedzielonych dolinami Skawy i Raby: Pasmo Pewelskie, ze szczytami Bąków (766 m), Lasek (871 m), Solisko (848 m), oraz Pasmo Jałowieckie (Jałowiec 1111 m) — na zach. od Skawy, Pasmo z Koskówką (874 m) i Kotoniem (868 m) — między Skawą a Rabą; w dolinach pola uprawne, na stokach buczyna karpacka, grzbiety porośnięte lasami jodłowo-świerkowymi; region turyst.; w B.M. leżą m.: Maków Podhalański, Sucha Beskidzka, Jordanów.

Beskid Sądecki, pd.-wsch. część Beskidów Zach., między tylmanowskim przeł. Dunajca i doliną Grajcarka na zach. a dolinami Kamienicy, Mochnaczki i Przełęczą Tylicką na wsch.; przeł. Popradu dzieli go na 2 części: Pasmo Radziejowej (1262 m) i Pasmo Jaworzyny (1114 m); pasma te mają łącznie dł. ok. 50 km; zbud. z odpornych piaskowców magurskich i mniej odpornych warstw podmagurskich; w rzeźbie gór brak zależności przebiegu grzbietów od odporności skał; dolina Popradu między Piwniczną a Muszyną tworzy meandry wgłębione; na tym odcinku nurtem rzeki biegnie granica pol.-słowac. oraz transkarpacka linia kol. z Nowego Sącza do Koszyc i Budapesztu; na grzbietach B.S. występują polany, stoki są porośnięte lasami regla dolnego; w Paśmie Jaworzyny przeważają drzewostany bukowe, podczas gdy w Paśmie Radziejowej — jodłowe i świerkowe; B.S. odznacza się obfitością źródeł miner. — uzdrowiska w: Krynicy Zdroju, Muszynie, Żegiestowie, Piwnicznej Zdroju i Szczawnicy; rozwinięta turystyka; po obu stronach Popradu utworzono Popradzki Park Krajobrazowy.

Beskid Śląski, zach. część Beskidów Zach., w Polsce, Czechach i na Słowacji, położona między doliną Olzy i Przełęczą Jabłonkowską na zach. a Kotliną Żywiecką i Bramą Wilkowicką na wsch.; zbud. z twardych piaskowców godulskich i istebniańskich, w części pd. również magurskich; B.Ś. tworzą 2 wydłużone południkowo pasma (Czantoria, Barania Góra), rozdzielone doliną Wisły; do B.Ś. zalicza się też niezbyt wysokie szczyty u źródeł Olzy i Czadeczki, przez które przebiega eur. dział wodny; najwyższe szczyty B.Ś.: Skrzyczne (1257 m), Barania Góra (1220 m), w paśmie Czantorii — Wielka Czantoria (995 m), Kiczory (990 m) i Stożek (978 m); wysokie opady (ok. 1200 mm rocznie), w miesiącach zimowych duże zaśnieżenie; góry są w znacznym stopniu zalesione; na pd.-zach. stokach Baraniej Góry znajdują się źródła Wisły (rezerwat); powyżej m. Wisła zapora spiętrza wody Białej Wisełki i Czarnej Wisełki, tworząc Jez. Czerniańskie; jeden z najbardziej uczęszczanych i najlepiej zagospodarowanych turyst. regionów Polski, gł. ośr. (także sportów zimowych): Szczyrk, Wisła, Ustroń. ∎

Beskid Średni, pasmo górskie w Beskidach, → Beskid Makowski.

Beskid Wysoki, pasmo górskie w Beskidach, → Beskid Żywiecki.

Beskid Wyspowy, pn.-wsch. część Beskidów Zach., między doliną Skawy a Kotliną Sądecką; charakterystyczne odosobnione góry, denudacyjne ostańce płasko zalegających piaskowców magurskich, wznoszą się 400–500 m ponad poziom zrównania śródgórskiego, w okolicach Mszany Dolnej spod piaskowców odsłaniają się serie skalne płaszczowin śląskich; do najwyższych szczytów B.W. należą: Mogielica (1170 m), Jasień (1062 m), Ćwilin (1060 m), Modyń (1029 m), Śnieżnica (1006 m), Luboń Wielki (1022 m), Szczebel (977 m), Lubogoszcz (967 m) i Jawor (921 m); B.W. jest porozcinany dopływami Raby i Dunajca; stoki gór porośnięte jodło-wo-bukowym lasem regla dolnego, w dolinach śródgórskich pola uprawne. Ważniejsze miejscowości (Rabka Zdrój — znane uzdrowisko, Mszana Dolna i Limanowa) są położone przy śródkarpackiej linii kol. z Chabówki do Nowego Sącza; uczęszczany region turyst.-wypoczynkowy.

Beskid Żywiecki, Beskid Wysoki, najwyższa część Beskidów Zach.; ciągnie się wzdłuż eur. działu wodnego od Przełęczy Koniakowskiej na zach. po Przełęcz Sieniawską na wsch.; w jego skład wchodzą 4 regiony, zbud. z piaskowców i łupków serii magurskiej: na pd.-zach. Beskid Żywiecko-Orawski z Pilskiem (1557 m), Wielką Raczą (1236 m), Romanką (1366 m), na pn. Pasmo Babiogórskie z Babią Górą (1725 m), Małą Babią (1517 m) i Policą (1369 m), na pd. od Pasma Babiogórskiego — Działy Orawskie (maks. wys. 934 m), a na wsch. — Beskid Orawsko-Podhalański (Kiełek 960m), łączące grupę Babiej Góry z Gorcami. W najwyższych partiach gór zaznacza się wyraźna piętrowość roślinności: regiel dolny (lasy jodłowo-bukowe, do 1150 m), regiel górny (lasy świerkowe, do ok. 1360 m), piętro subalpejskie (kosodrzewiny, do 1650 m) i alpejskie (tylko na Babiej Górze); na Wielkiej Raczy brak regla górnego, a górną granicę lasu tworzą skarłowaciałe buki. Popularny region turyst.-wypoczynkowy i sportów zimowych, m.in.: Zawoja, Korbielów, Zwardoń, Rycerka Górna i Dolna, Rajcza, Ujsoły, Żabnica. Liczne rezerwaty przyr. i Babiogórski Park Narodowy.

■ Beskid Śląski. Szczyt Stożek (pod szczytem schronisko)

Beskidy, czes., słowac., ukr. **Beskydy,** góry fałdowe w pn., zewn. części Karpat, na terenie Czech, Polski, Słowacji i Ukrainy. Ciągną się szerokim łukiem o dł. ok. 600 km i szer. ok. 50 km, od Bramy Morawskiej i górnej Beczwy na zachodzie po obszar źródliskowy Białego i Czarnego Czeremoszu oraz Suczawy na wschodzie.

Warunki naturalne

Ukształtowanie powierzchni. B., ze względu na różnice geol., geomorfologiczne i krajobrazowe, dzielą się na B. Zachodnie i B. Wschodnie. Za granicę przyjęto obniżenie Przełęczy Łupkowskiej (640 m) w gł. wododziale karpackim. W B. wyróżniono wiele mniejszych pasm górskich. W B. Zachodnich są to: G. Hostyńsko-Wsetyńskie, B. Morawsko-Śląskie, Beskid Śląski, Beskid Żywiecki (Babia Góra 1725 m — najwyższy szczyt B. Zachodnich), Beskid Mały, Beskid Makowski,

Beskid Wyspowy, Gorce, Beskid Sądecki, Beskid Niski, G. Ondawskie, G. Czerchowskie, G. Kisuckie, Magura Orawska. Wyraźne obniżenia wśród tych pasm zajmują kotliny: Żywiecka, Rabczańska i Sądecka. Część wschodnią B. Zachodnich stanowią: Beskid Niski i G. Ondawskie (na Słowacji) wyróżniane w niektórych klasyfikacjach fizycznogeogr. jako region przejściowy między B. Zachodnimi i B. Wschodnimi — B. Środkowe, najniższe pasma górskie w grzbiecie wododziałowym B. i całych Karpat. B. Wschodnie dzielą się na 2 podłużne pasy o różnym typie krajobrazu: zewn., niższe — B. Lesiste, przechodzące we Wsch. Podkarpacie i wewn. — B. Połonińskie, rozdzielające dorzecza Cisy oraz Dniestru i Prutu. Do B. Lesistych zalicza się: G. Sanocko--Turczańskie, B. Brzeżne, Bieszczady Zach., Bieszczady Wsch. zw. B. Skolskimi, Gorgany, B. Pokucko-Bukowińskie. W B. Połonińskich wyróżnia się Połoninę Równą i Krasną, Borżawę, Świdowiec, Czarnohorę (Howerla 2061 m — najwyższy szczyt B.), Połoniny Hryniawskie. B. Wschodnie w przeważającej części leżą w granicach Ukrainy.

B. powstały w orogenezie alpejskiej. Tworzą je ponasuwane na siebie płaszczowiny: magurska, śląska, podśląska, przeważające w B. Zachodnich, oraz fałdy dukielskie i płaszczowina skolska, pojawiająca się w B. Środkowych i B. Wschodnich. B. są zbudowane z utworów fliszowych: naprzemianlegle ułożonych warstw piaskowców, łupków, margli i zlepieńców. Grzbiety są zaokrąglone, a zbocza łagodne. Do odpornych serii budujących grzbiety i progi należą piaskowce, obniżenia występują z reguły w łupkach. Typowym elementem krajobrazowym B. Zachodnich są wydłużone i rozgałęzione boczne ramiona, odchodzące od gł. grzbietu i łagodnie wytracające wysokości względne i bezwzględne w kierunku pn. i pd., stopniowo opadające ku piętrom pogórza. Wysokości bezwzględne nie przekraczają na ogół 1300 m. Dla B. Wschodnich typowy jest tzw. rusztowy układ grzbietów, tj. równoległy przebieg pasm górskich z pn. zachodu na pd. wschód, porozdzielanych poprzecznymi dolinami rzek z licznymi przełomami. Wysokości bezwzględne przekraczają często 1300 m, grzbiety są szerokie i silnie spłaszczone, brak progu pogórza. W najwyższych partiach B. (Czarnohora, Babia Góra, Pilsko) można znaleźć ślady plejstoceńskiej działalności lodowcowej. W B. znajduje się ponad 600 jaskiń, z czego ponad

500 w pol. części, najwięcej w Beskidzie Śląskim (135). Są to gł. jaskinie szczelinowe i warstwowe oraz nisze jaskiniowe; najdłuższą jest pol. Jaskinia w Trzech Kopcach, najgłębszą — czeska Kněhynská jeskyně (57,5 m).

Budowa geologiczna. B. należą do Karpat Zewn., zw. fliszowymi Karpatami. Zostały sfałdowane na początku neogenu w kilku fazach orogenezy alpejskiej, z których najważniejszymi były fazy: sawska i styryjska; są zbudowane z naprzemianległych warstw piaskowców, mułowców i łupków ilastych, rzadziej zlepieńców (→ flisz), z podrzędnymi przeławiceniami wapieni, dolomitów, margli i łupków krzemionkowych, w wieku od najwyższej jury do oligocenu. Skały te tworzą ponasuwane na siebie fałdy i płaszczowiny. Od południa ku północy są to: płaszczowina magurska (Beskid Żywiecki z Gorcami), zbudowana gł. z utworów paleogenu; wąska, nieciągła płaszczowina przedmagurska (zw. też podmagurską lub grybowską) na zachodzie, której wsch. przedłużeniem jest płaszczowina dukielska (Beskid Niski, Bieszczady Zach.); w płaszczowinach tych również dominują osady paleogenu; płaszczowina śląska i płaszczowina podśląska (Beskid Mały, Beskid Śląski), zbudowane gł. z osadów kredy i paleogenu, zanikające w części wsch. Karpat Zewn., gdzie przeważają sfałdowane skały eocenu i oligocenu; płaszczowina skolska (od okolic Tarnowa na wschód). Skały osadowe budujące B. są pocięte w niektórych rejonach przez żyły skał magmowych (w rejonie Cieszyna — cieszynity, w sąsiedztwie Pienin — andezyty).

Klimat. W B. panuje górski klimat umiarkowany ciepły, przejściowy między mor. a kontynent., kształtowany w zimie gł. przez polarne kontynent. masy powietrza ze wschodu i pn. wschodu, a w innych porach roku — przez masy powietrza atlantyckiego z zachodu, pn. zachodu i pd. zachodu. Średnia temp. lipca wynosi ok. 15°C, stycznia — od ok. –7°C na zachodzie do ok. –10°C na wschodzie. W kotlinach i dolinach częste są inwersje termiczne. Na pn. stokach zdarzają się wiatry typu fenów (w B. Zachodnich — halny). Opady występują gł. w czerwcu i lipcu. Roczna suma opadów w B. Zachodnich przekracza 1100–1200 mm, w B. Wschodnich lokalnie nawet 1600 mm; w B. Środkowych jest niższa (900–1000 mm, w wyższych partiach do 1100 mm).

Wody. Przez część gł. grzbietu beskidzkiego (B.: Śląski, Żywiecki, Niski i Bieszczady Zach.) przebiega wododział eur. między zlewiskami mórz: Bałtyckiego i Czarnego. Po pn. stronie gł. grzbietu B. wypływają Wisła i jej dopływy: Soła, Skawa, Raba, Dunajec, Wisłoka, San, Dniestr i dopływy: Strwiąż, Stryj, Świca i Łomnica, Prut z Czeremoszem oraz dopływy Odry: Olza i Ostrawica; po pd. stronie — rzeki dorzecza Dunaju: Beczewa, Orawa, Odnawa, Laborica, Latorica, Cisa. Rzeki beskidzkie charakteryzują się dużymi sezonowymi wezbraniami, zwykle na przedwiośniu, w czasie wzmożonego topnienia śniegów w górach i latem po przejściu największych opadów. Rzadziej zdarzają się duże przybory późnojesienne, gdy w górach zamiast opadów śniegu wystąpią długotrwałe deszcze. Sztuczne zbiorniki retencyjne regulują odpływ gł. rzek, pełniąc też funkcje energ. i rekreacyjne. Powstały na Ostra-

■ Beskidy. Gorgany, rumowiska skalne zw. gorgany w partii szczytowej Pietrosa (1708 m)

wicy i Morávce (Czechy), oraz Wiśle, Sole, Skawie, Rabie, Dunajcu, Ropie, Wisłoku i Sanie (największe w B. — Jez. Solińskie). W B. występują niewielkie wodospady; największe: Buchtowiec (wys. 16 m) na Bystrzycy Nadwórniańskiej (dopływ Dniestru), w dolinie Maniawki (16 m) w Gorganach, w Polsce — na Sopotni Wielkiej (10 m) w Beskidzie Żywieckim. Rzadko występujące, naturalne jeziora, mają charakter osuwiskowy (Syniewirskie w Gorganach i Duszatyńskie w Bieszczadach Zach.) i polodowcowy (Niesamowite i Brebenieskuł w Czarnohorze i pod Todiaską na Świdowcu).

Gleby. W B., na przeważających gliniastych i kamienisto-gliniastych zwietrzelinach łupków i piaskowców fliszowych, dominują górskie gleby brunatne kwaśne. Ponad piętrem lasów mieszanych występują też górskie gleby bielicowe i bielice. Na kamienistych stokach i grzbietach rozwijają się gleby inicjalne.

Świat roślinny. Roślinność różnicuje się na piętra: podgórskie (do 550–600 m), dolnoreglowe (do 1150–1220 m), górnoreglowe (do 1360 m), subalpejskie (do 1650 m) i alpejskie. W podgórskim naturalną roślinność stanowią grądy oraz buczyny i łęgi z olszą szarą, obecnie w większości zastąpione przez pola orne, łąki i sztuczne kultury leśne. W piętrze regla dolnego naturalne są lasy bukowe, miejscami też świerkowo-jodłowe i jaworowe. W piętrze regla górnego występuje świerczyna górnoreglowa. W piętrze subalpejskim dominują zarośla kosodrzewiny przy współudziale rozmaitych ziołorośli i traworośli. W najwyższych partiach B. występuje piętro alpejskie z wysokogórskimi murawami. W niższych pasmach układ piętrowy jest zredukowany, a w Bieszczadach odmienny, gdzie granicę lasu tworzy nie świerk, lecz buk na wys. ok. 1050–1220 m.

Gospodarka
Pod względem zagospodarowania między B. Wschodnimi i B. Zachodnimi zaznaczają się istotne różnice, choć obie części w XIV–XVI w. były zasiedlane podobnie, przez migrujących, z terenów dzisiejszej Rumunii, pasterzy wołoskich, którzy asymilowali się z ludnością ruską i pol., zostawiając widoczne do dziś ślady w sposobie gospodarowania, budownictwie, nazewnictwie i kulturze. Jednak różna przynależność państw. tych terenów i związane z tym odmienne uwarunkowania hist. rozwoju wpłynęły na różnice w wykorzystaniu gospodarczym B. Ostry klimat i słabe gleby nie sprzyjają rozwojowi rolnictwa. Do wys. 700 m uprawia się żyto i pszenicę, na wylesionych terenach do 1000 m — owies i ziemniaki, od 1000 do 1350 m występują łąki kośne, a wyżej — piętro gospodarki pasterskiej z wypasem w sezonie letnim (owce, bydło). W kotlinach rozwinęło się sadownictwo (Kotlina Sądecka). B. Zachodnie są intensywniej i wszechstronniej zagospodarowane rolniczo. W B. Wschodnich na rozległych połoninach dominuje pasterstwo. W niższych piętrach — gospodarka leśna.

Systematycznie rośnie w B. znaczenie turystyki. Powstała bogata sieć szlaków turyst.; rozwija się baza noclegowa i gastronomiczna. Do regionów o największym natężeniu ruchu turyst. należą: w

■ Beskidy. Cerkiew we wsi Wołosianka w pobliżu Sławska w Bieszczadach Wschodnich

Polsce Beskidy: Śląski, Żywiecki, Sądecki i Bieszczady (w ostatnich latach), a na Ukrainie, gdzie infrastruktura turyst. jest słabsza — Czarnohora. Uznane ośrodki sportów zimowych w B. Zachodnich to: Wisła, Zwardoń, Szczyrk, Korbielów, Krynica Zdrój, Piwniczna Zdrój, a w B. Wschodnich: Ustrzyki Dolne, Sławsko (na Ukrainie). B. są bogate w źródła wód mineralnych, gł. solanek i szczaw eksploatowanych od poł. XVIII w. Status uzdrowisk mają m.in.: Krynica Zdrój, Wysowa, Rabka Zdrój, Muszyna, Piwniczna Zdrój, Rymanów Zdrój, Iwonicz Zdrój, Bardejovské Kúpele (na Słowacji). W B. Wschodnich wody mineralne, wykorzystywane w niewielkim stopniu, występują w okolicach Szczawnego, Turzańska, Bóbrki, Komańczy, Cisnej, Baligrodu (Polska), oraz w rejonie Truskawca, Morszyna, Kwasów, Jaremczy i Worochty (Ukraina). W B. eksploatuje się, znacznie już wyczerpane, złoża ropy naftowej i gazu (w Polsce: rejon Krosna i Jasła, na Ukrainie: rejony k. Borysławia i na przedgórzu Gorganów). Rafinerie są w Gorlicach, Jaśle i Jedliczach. W okolicach Jaremczy i Rachowa (Ukraina) występują rudy uranu. Niewielkie znaczenie ma eksploatacja surowców budowlanych, gł. piaskowca. W B. Zachodnich sieć komunik. (drogowa i kol.) rozwinęła się południkowo (wzdłuż dolin rzecznych) oraz równoleżnikowo (u podnóży B. i obniżeniami śródbeskidzkimi). Ważne węzły kol.: Żywiec, Chabówka, Stróże, Zagórz. Międzynarodowe linie kol. przebiegają przez przełęcze: Zwardońską, Łupkowską i Użocką oraz dolinami Popradu i Oporu. Drogi kołowe wykorzystują łatwo dostępne przełęcze i obniżenia w gł. grzbiecie (szczególnie w B. Zachodnich). Komunikację międzynar. umożliwiają liczne przejścia graniczne, m.in. w Cieszynie, Zwardoniu (pol.-czeskie), Piwnicznej Zdroju, Barwinku (pol.-słowackie). Szczególnie cenne partie B. są chronione w parkach nar.: Babiogórskim, Gorczańskim, Magurskim, Bieszczadzkim (w Polsce) oraz Karpackim i Syniewirskim (na Ukrainie); ponadto utworzono 8 parków krajobrazowych i kilkadziesiąt rezerwatów. W 1992 powstał Międzynar. Rezerwaty Biosfery Karpaty Wsch. obejmujący obszary chronione w pol. i słowackiej części Bieszczadów Zach., 1998 rozszerzony o obszary chronione po ukr. stronie granicy. ■

Beskidy Połonińskie, Połonyńśki hory, część Beskidów Wsch. na Ukrainie; przeważające wys. 1400–1500 m; gł. grupy górskie: Połonina Równa, Borżawa, Połonina Krasna, Świdowiec (Bliźnica, 1880 m), Czarnohora (Howerla, 2061 m), Połoniny Hryniawskie; lasy bukowe, bukowo-świerkowe i świerkowe; ponad górną granicą lasu (1200–1400 m) połoniny; Rezerwat Karpacki (utworzony 1968, pow. 18,5 tys. ha).

Bet Pak Dała, pustynna wyżyna w Kazachstanie, między rz. Sary-su a jez. Bałchasz; przeważające wys. 300–350 m (maks. 974 m); klimat umiarkowany kontynent., suchy (roczne opady 100–150 mm); na pd. skraju płynie rz. Czu; wiosenne i letnie pastwiska dla bydła i owiec karakułowych.

Betlejem, Bayt Laḥm, m. w środk. Palestynie, na obszarze Zach. Brzegu (Jordanu), na pd. od Jerozolimy; ok. 60 tys. mieszk.; rzemiosło (wyrób pamiątek); uniw.; ośr. kultu rel. chrześcijan; wg *Biblii* miejsce urodzenia króla Dawida i Jezusa Chrystusa; cel pielgrzymek; kościół Narodzenia (525, przebud. 550 i w XII w.), pod kościołem słynna Grota Narodzenia.

Betyckie, Góry, Cordilleras Béticas, łańcuch górski w pd.-wsch. części Płw. Iberyjskiego, w Hiszpanii; ciągnie się wzdłuż wybrzeża M. Śródziemnego, od Gibraltaru do przyl. Nao (przedłużeniem tektonicznym Gór Betyckich są Baleary, a także na afr. brzegu — góry Ar-Rif); dł. 600 km, szer. 100–160 km. Osiową strefę (pd.) stanowi krystal. masyw Sierra Nevada, ze szczytem Mulhacén, 3478 m (najwyższym na Płw. Iberyjskim); strefa zewn. (pn.) jest zbud. ze skał osadowych (mezozoiczne wapienie, margle, piaskowce i dolomity); strefy te są rozdzielone pasem obniżeń wypełnionych osadami trzeciorzędu i czwartorzędu. Silnie rozczłonkowane przez podłużne i poprzeczne uskoki oraz pęknięcia; przeważające wys. 1500–2000 m; strome stoki. Do wys. 600 m wiecznie zielone, twardolistne lasy dębowe z wtórnymi zaroślami typu makii; do ok. 1500 m lasy dębowe; ponad nimi piętro lasów iglastych (b. silnie wytrzebione); powyżej 2100 m roślinność wysokogórska z dużym udziałem kolczastych krzewinek poduszkowatych; granica wiecznego śniegu na wys. 2500 m. Wydobycie rud żelaza i polimetalicznych; w kotlinach uprawa zbóż, winorośli, oliwek, drzew cytrusowych; ważny region turyst.; gł. m. Grenada. ∎

∎ Bhutan

∎ Góry Betyckie. Krajobraz najwyższego pasma Sierra Nevada

bezrobocia stopa, odsetek siły roboczej, która nie ma pracy, ale jest zarejestrowana jako chcąca pracować.

bezrobocie, zjawisko braku pracy zarobkowej dla osób zdolnych do pracy i jej poszukujących; na wielkość b. wpływają wahania koniunktury, sezonowe wahania poziomu zatrudnienia, wprowadzanie osiągnięć techniki do procesów produkcyjnych, stopień wykorzystania siły roboczej w rolnictwie.

Będzin, m. powiatowe w woj. śląskim, nad Czarną Przemszą; 60 tys. mieszk. (2000); ważny ośrodek przem. (Elektrownia „Łagisza", Elektrociepłownia „Będzin", Huta Metali Nieżelaznych „Będzin" — wyroby z miedzi, aluminium, mosiądzu i metali szlachetnych, fabryka pilników, konstrukcje metalowe, fabryka przewodów energ., zakłady przemysłu odzież., spoż., drzewnego i in.); w likwidacji kopalnia węgla kam. Grodziec; duży węzeł kol. i drogowy; teatr; Muzeum Zagłębia; prawa miejskie od 1358; fragmenty murów miejskich (XIV w.), zamek (XIII/XIV, XIX, XX w., ob. muzeum), pałac (XVIII–pocz. XIX w.).

Bhutan, Druk, Królestwo Bhutanu, państwo w Azji Pd., w Himalajach; 47,0 tys. km^2; 1,7 mln mieszk. (2002), Bhotyjczycy, Nepalczycy; buddyści (buddyzm jest religią państw.), hindusi; w miastach mieszka ok. 15% ludności; stol. adm. Thimphu, tradycyjna Punakha; język urzędowy asamsko-tybetański; monarchia konstytucyjna. Powierzchnia górzysta; ok. 50% terytorium na wys. ponad 3000 m; najwyższy szczyt Czomolhari (7314 m); klimat podzwrotnikowy chłodny górski, w pd., niżej położonej części kraju — zwrotnikowy monsunowy wilgotny; lasy monsunowe z drzewem tekowym, mieszane, łąki wysokogórskie i lodowce (powyżej 4500 m); gęsta sieć rzeczna (dorzecze Brahmaputry). Kraj słabo rozwinięty, jeden z najbiedniejszych w świecie; podstawą gospodarki jest tradycyjne rolnictwo i leśnictwo; tarasowa uprawa zbóż, roślin strączkowych, juty, na pd. — owoców (mango, pomarańcze); koczownicze pasterstwo owiec, kóz i jaków; pozyskiwanie i eksport drewna; rzemiosło (tkactwo, snycerstwo). ∎

Bialskie, Góry, masyw górski w Sudetach Wsch., w Polsce i Czechach, między rz. Białą Lądecką a jej l. dopływem Morawką, oddzielone od Masywu Śnieżnika przełęczą Płoszczyna (817 m); najwyższy szczyt Rudawiec (1106 m) na granicy z Czechami; zbud. z prekambryjskich gnejsów, granitognejsów, łupków mikowych, kwarcytów i fyllitów; porośnięte lasem mieszanym bukowo-świerkowym z domieszką jaworu i jodły; kilka szlaków turyst.; słabo zaludnione; Śnieżnicki Park Krajobrazowy.

Biała, m. w woj. opol. (pow. prudnicki), nad Białą (l. dopływ Osobłogi); 2,8 tys. mieszk. (2000); ośr. usługowy; przemysł dziewiarski i materiałów bud.; węzeł drogowy; prawa miejskie przed 1311; kościół (XIV–XV w., rozbud. 1544), mury miejskie z basztami (XV w.), zamek (XVI, XVII w.), Wieża Wodna (XVII w.).

Biała, Kordyliera, Cordillera Blanca, pasmo górskie w Peru, najwyższe w Kordylierze Zach.

■ Biała Kordyliera w Andach Północnych (Peru)

(Andy); najwyższy szczyt Huascarán (6768 m); powyżej 4500 m rzeźba alp.; granica wiecznego śniegu na wys. 4900–5200 m; lodowce; wydobycie złota, srebra, rud miedzi, cynku i ołowiu, wolframu; 1971, 1973, 1978 odbyły się pol. wyprawy alpinistyczne. ■

Biała Piska, m. w woj. warmińsko-mazurskim (powiat piski); 4,0 tys. mieszk. (2000); przemysł spoż. i drzewny; prawa miejskie od 1722. W pobliżu B.P. pokłady torfu, wapienia łąkowego i rudy darniowej.

Biała Podlaska, m. w woj. lubel., powiat grodzki, nad Krzną; siedziba powiatu bialskiego; 59 tys. mieszk. (2000); ośr. przem. (włók., mebl., spoż., elektromaszyn., elektrotechn.) i handl.-promocyjny (targi) niedaleko granicy z Białorusią; szkolnictwo ponadpodstawowe; węzeł drogowy przy linii kol. Warszawa–Brześć, lotnisko wojsk. dostosowane do celów gosp.; Inst. Wychowania Fiz. i Sportu (filia warsz. AWF); muzeum; jako miasto wzmiankowana 1522; kościół (XVI/XVII w.), ruiny pałacu Radziwiłłów (XVII w.), 2 zespoły klasztorne (XVII, XIX, XX w. i XVIII w.).

Biała Rawska, m. w woj. łódz. (powiat rawski), nad Białką (pr. dopływ Rawki); 3,4 tys. mieszk. (2000); ośr. usługowy regionu roln. z drobnym przemysłem; prawa miejskie przed 1498–1870 i od 1925.

Białe, Morze, Biełoje morie, morze wcinające się w ląd Europy między półwyspami Kolskim a Kanin, część O. Arktycznego; pow. ok. 90 tys. km², średnia głęb. 49 m, maks. — 330 m, w zat. Kandałaksza; temp. wód powierzchniowych w lecie 7–15°C, w zimie –1,6°C, zasolenie 24–34,5‰; w zimie zamarza; pływy do 10 m, w Zat. Mezeńskiej; wyspy: Sołowieckie, Morżowiec i in.; rybołówstwo (śledź, dorsz), myślistwo (foki); do Morza Białego uchodzą rzeki Dwina, Mezeń, Onega i in.; gł. porty: Archangielsk, Biełomorsk; łączy się przez Kanał Białomorsko-Bałtycki z M. Bałtyckim.

Białobrzegi, m. powiatowe w woj. mazow., nad Pilicą; 7,4 tys. mieszk. (2000); ośr. turyst.-wypoczynkowy; drobny przemysł; prawa miejskie 1540–1870 i od 1958.

Białogard, m. powiatowe w woj. zachodniopomor., nad Parsętą; 26 tys. mieszk. (2000); ośr. przem. (elektron., drzewny, odzież.) i turyst.; od 1982 wydobycie gazu ziemnego; prawa miejskie 1299; fragmenty murów obronnych (XIV w.), 2 kościoły (XIV, XIX w. i XV/XVI, XIX w.).

Białoruś, Biełaruś, Republika Białoruś, państwo w Europie Wsch.; 207,6 tys. km², 10,1 mln mieszk. (2002); stol. Mińsk, inne gł. m.: Homel, Mohylew, Witebsk, Grodno, Brześć; Białorusini 78%, Rosjanie 13%, Polacy 4%, Ukraińcy 3% i in.; wierzący gł. prawosławni; język urzędowy: białorus. i ros.; republika; dzieli się na 6 obwodów. Obszar polodowcowy; z zach. na wsch. ciągną się Wysoczyzny Białoruskie, na pd. — Polesie; ponad 10 tys. jezior, gł. rz.: Dniepr (720 km w granicach B.) z Prypecią, Berezyną i Sożem, Dźwina, Niemen; na zach. Puszcza Białowieska; ok. 1/4 pow. silnie skażona po wybuchu w Czarnobylskiej Elektrowni Jądr. (1986). Zależność gosp. od Rosji; wydobycie soli potasowych (2. miejsce w świecie — 1992); przemysł środków transportu (samochody ciężarowe), maszyn. i metal., elektrotechn. i elektron., chem. (nawozy miner.), lekki, spoż. materiałów bud.; uprawy: zboża (żyto, pszenica, owies), ziemniaki, buraki cukrowe, len; hodowla (bydło, trzoda chlewna); tranzytowe linie komunik. i rurociągi; dł. eksploatowanych linii kol. 5,5 tys. km; międzynar. port lotn. Mińsk. ■

■ Białoruś

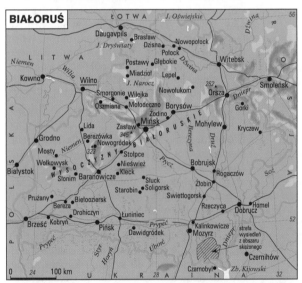

■ Białoruś. Widok ze Starego Zamku na Niemen i nowy most w Grodnie

Biały Bór, m. w woj. zachodniopomor. (powiat szczecinecki), między jeziorami Bielsko i Łobez; 2,5 tys. mieszk. (2000); ośr. usługowy regionu roln., wypoczynkowy i sport. (jeździectwo, kajakarstwo); prawa miejskie od 1382.

Białystok, m. wojew. (woj. podl.), nad Białą (l. dopływ Supraśli); powiat grodzki, siedziba powiatu białostockiego; 285 tys. mieszk. (2000); duży ośr. przemysłu włók., zwł. bawełn., wełn.,

■ Białystok. Panorama miasta, widoczny kościół Św. Rocha

tkanin dekor.; rozwinięty przemysł elektron. (telewizory), metal., drzewny, spoż.; huta szkła; ośr. handlu, gł. ze wsch.; węzeł kol. i drogowy; stol. metropolii; ośr. kult.-nauk., także Białorusinów; szkoły wyższe, m.in. Uniw. w Białymstoku; teatry: dram., lalek; filharmonia; muzea: Hist., Okręgowe, Miejskie, Rzeźby Alfonsa Karnego; prawa miejskie od 1749; zespół pałacowo-parkowy Branickich (XVII, XVIII w., ob. siedziba Akad. Med.), kościół parafialny (XVII, XIX/XX w.), ratusz (XVIII, XX w.), kamienice (XVIII–XIX w.), kościół Św. Rocha (XX w.).   ■

Biebrza, rz. na Niz. Północnopodlaskiej, pr. dopływ Narwi; dł. 155 km, pow. dorzecza 7057 km^2; źródła w pobliżu granicy z Białorusią; płynie szeroką, zabagnioną doliną (Kotlina Biebrzańska) stanowiącą największy obszar bagien w Polsce; średni przepływ w dolnym biegu 32,3 m^3/s; maks. rozpiętość wahań stanów wody w dolnym biegu 4 m; gł. dopływy: Netta, Jegrznia, Ełk (pr.), Brzozówka (l.); od ujścia Netty do połączenia się z Narwią włączona do systemu Kanału Augustowskiego; nad B. leżą m.: Lipsk, Goniądz.

Biebrzańska, Kotlina, rozległe, zabagnione obniżenie w pn. części Niz. Północnopodlaskiej

■ Kotlina Biebrzańska. Kotlina Biebrzy Środkowej w okolicy Goniądza

otoczone wysoczyznami: od wsch. — Białostocką, od pd. — Wysokomazowiecką i od zach. — Kolneńską, od pn. — Pojezierzem Ełckim i Równiną Augustowską; składa się z 3 oddzielonych przewężeniami kotlin: Biebrzy Górnej, Środk. i Dolnej powstałych w wyniku wytapiania się brył martwego lodu; w schyłkowej fazie zlodowacenia bałtyckiego odpływały tędy wody z topniejącego lodowca, a po ociepleniu się klimatu rozwinęły się procesy zatorfienia, które doprowadziły do powstania kilkunastometrowej warstwy torfu; długość K.B. przekracza 100 km, szer. 10–20 km; są to jedne z największych w Polsce terenów bagienno-łąkowych; 1993 powstał Biebrzański Park Nar., wcześniej utworzono rezerwaty — Wizna I i Wizna II, Czapliniec Bełda i Czerwone Bagno (pierwsza w Polsce chroniona ostoja łosia); teren częściowo zmeliorowany; gł. rzeką B.K. jest Biebrza, wpadająca powyżej Wizny do Narwi, która przecina równoleżnikowo pd. część kotliny i po połączeniu się z Biebrzą przyjmuje jej kierunek z pn.-wsch. na pd.-zach. Ponad poziomem bagien miejscami wznoszą się piaszczyste równiny tarasowe z wydmami, porośnięte borem sosnowym. Kotlina jest słabo zaludniona, jedynymi miastami są Lipsk i Goniądz (na skraju regionu).   ■

■ Biecz

Biecz, m. w woj. małopol. (powiat gorlicki), nad Ropą; 4,8 tys. mieszk. (2000); przemysł spoż., drzewny, materiałów bud.; odlewnia żeliwa; kopalnia ropy naft.; ośr. turyst.; muzeum; prawa miejskie przed 1351 (po 1257?); zachowany dawny układ urb.; mury obronne (XIV, XVI w.), kościół (XV–XVI w.), zespół klasztorny (XVII, XVIII w.), ratusz (XIX w., wieża XVI w.).   ■

bieg, kierunek struktur geol., określony jako azymut linii prostej (zw. linią b.) biegnącej poziomo po powierzchni → warstw (b. warstw), uskoku (b. uskoku), pokładu kopaliny (b. pokładu) i in.; wraz z → upadem wyznacza orientację powierzchni geol. w przestrzeni; b. powierzchni poziomych jest nieokreślony; ustalanie b. i upadu (za pomocą kompasu geol.) należy do podstawowych pomiarów geol. w terenie.

bieguny chłodu, obszary na kuli ziemskiej, w których temperatura powietrza (mierzona na standardowym poziomie 2 m nad podłożem) osiąga najniższe wartości; na półkuli północnej b.ch. znajduje się we wsch. Syberii w rejonie miejscowości Ojmiakon (temp. spada poniżej –70°C), na półkuli pd. — na Antarktydzie (temp.

spada poniżej –80°C); najniższą dotychczas temperaturę na Ziemi (–94,5°C) zanotowano na pd. biegunie geogr. w 1965 (dane nie potwierdzone).

bieguny geograficzne, punkty, w których oś obrotu Ziemi przecina jej powierzchnię; szer. geogr. biegunów wynosi odpowiednio +90° na północy i –90° na południu; dł. geogr. jest nieokreślona; b.g. w ciągu mln lat zmieniają swoje położenie w odniesieniu do mórz i kontynentów (tzw. ruch wiekowy); wykazują także pewne przesunięcia okresowe. Biegun pn. pierwszy zdobył 6 IV 1909 R.E. Peary, biegun pd. — 15 XII 1911 Amundsen (wyprzedzając o 4 tyg. R.F. Scotta).

bieguny magnetyczne Ziemi, punkty na powierzchni Ziemi, w których wektor całkowitego natężenia pola magnet. jest prostopadły do płaszczyzny poziomej; na biegunie pn. inklinacja magnet. jest równa +90°, a na biegunie pd. –90°; położenia b.m.Z. nie pokrywają się z położeniem biegunów geogr. Ziemi i w ciągu epok geol. ulegają znacznej zmianie; b.m.Z. północny znajduje się w Arktyce, b.m.Z. południowy — w Antarktyce; na pocz. lat 80. XX w. b.m.Z. północny był położony na 77°19'N i 101°49'W, w cieśn. Maclean Strait, na północ od W. Bathursta, b.m.Z. południowy — na 65°10'S i 138°40'E, na M. d'Urville'a u wybrzeży Antarktydy na O. Indyjskim; 1996 północny b.m.Z. znajdował się na Grenlandii, niedaleko Thule, w punkcie 73°18'N i 71°30'W, a b.m.Z. południowy — w pobliżu stacji Wostok, w punkcie 79°18'S i 108°30'E. Nazwy: północny b.m.Z. i południowy b.m.Z. przyjęto zgodnie z nazwami geogr.; z punktu widzenia fizyki na półkuli pn. znajduje się pd. biegun magnet., a na półkuli pd. — biegun północny.

Bielawa, m. w woj. dolnośląskim (powiat dzierżoniowski), nad Bielawicą (dorzecze Bystrzycy); 33 tys. mieszk. (2000); z Dzierżoniowem i Pieszycami tworzy zespół miejski; zakłady przemysłu bawełn., urządzeń technol., tartak; teatr; prawa miejskie od 1924.

bielice, typ gleb z klasy gleb → bielicoziemnych; odznaczają się bardzo dużym stopniem zbielicowania i kwasowości; tworzą się z różnych utworów bezwęglanowych, gł. z piasków kwarcowych; podtypy b.: żelaziste, próchnicze, żelazisto-próchnicze i glejowe; gł. gleby leśne; dawniej nazwą b. określano większość gleb bielicoziemnych.

bielicoziemne gleby, klasa gleb wytworzonych pod wpływem roślinności lasów iglastych z różnych skał macierzystych (z wyjątkiem bogatych w wapń), np. piasków, żwirów, glin, w klimacie umiarkowanym wilgotnym; g.b. charakteryzuje kwaśny odczyn i mała zawartość próchnicy; ich wartość użytkowa zależy gł. od skały macierzystej i nasilenia procesu bielicowania; do g.b. należą gleby: → rdzawe, gleby bielicowe i bielice; w Polsce rozpowszechnione.

Bielsk Podlaski, m. powiatowe w woj. podl., nad Białą (dorzecze Narwi); 28 tys. mieszk. (2000), w tym ok. 40% Białorusini; przemysł spoż., metal., włók., elektron.; ośr. oświat. (m.in. liceum z białorus. językiem wykładowym); węzeł drogowy; muzea (Muzeum Martyrologii); prawa miejskie od 1440; 4 drewn. cerkwie (XVII–XIX w.), 2 kościoły i ratusz (XVIII w.).

Bielska, Jaskinia, Belianska jaskyňa, jaskinia w Tatrach Bielskich (Słowacja), w Kobylim Wierchu, nad uzdrowiskiem Tatrzańska Kotlina; krasowa; otwór naturalny na wys. 972 m, wejściowy, wykuty 1885, na wys. 890 m; dł. ponad 1750 m, deniwelacja 160 m; system korytarzy, sal i kominów; bogata, b. urozmaicona szata naciekowa; powstała w trzeciorzędzie, w wapieniach triasowych; znana już w XVIII w. poszukiwaczom kruszców; odkryta ponownie 1881; udostępniona dla turystów (trasa o dł. 1135 m i deniwelacji 125 m); jedna z pierwszych w świecie jaskiń oświetlonych elektrycznie (1896).

Bielskie, Tatry, Belianske Tatry, część Tatr Wsch., na Słowacji, między Jaworzyną a Tatrzańską Kotliną; oddzielone na pd. Przełęczą pod Kopą (1749 m) od Tatr Wysokich, a na pn. Przełęczą Zdziarską (1081 m) od Magury Spiskiej; gł. grzbiet ciągnie się z pn.-zach. na wsch., na dł. ok. 15 km; pow. ok. 68 km²; wys. do 2152 m (Hawrań); ku pn. silnie rozczłonkowane (13 dolin bocznych); zbud. z mezozoicznych skał węglanowych i okruchowych (gł. triasowe wapienie,

■ Tatry Bielskie. Widok na główny grzbiet

margle, dolomity) płaszczowiny reglowej dolnej (kriżniańskiej); na pn. stokach ślady działalności lodowców plejstoceńskich; rozwinięte zjawiska krasowe; ok. 60 jaskiń, największa — Jaskinia → Bielska, najgłębsza — Jaskinia Trzystarska (201 m); największe w Tatrach otwory jaskiniowe (szer. 23 m, wys. 14 m — Jaskinia w Nowym III); odwadniane gł. przez potok Jaworzynka (dopływ Białki) i rz. Biela (dopływ Popradu) wraz z licznymi dopływami; na wapiennym podłożu bardzo bogata flora poszczególnych pięter roślinnych; również bogata fauna, gł. owadów i mięczaków; ostoje kozic. T.B. są ścisłym rezerwatem przyrody w obrębie parku nar. (dawne szlaki turyst. obecnie zamknięte); na obrzeżach niewielkie ośrodki turyst.-wypoczynkowe (Zdziar, Tatrzańska Kotlina, Podspady, Jaworzyna). Nazwa T.B. pochodzi od słowackiego m. Biała Spiska, do którego już w XIV w. należała znaczna część gór. ■

Bielsko-Biała, m. w woj. śląskim, u podnóża Beskidu Śląskiego i Małego, nad Białą; powiat grodzki, siedziba powiatu bielskiego; 180 tys. mieszk. (2000); największy po Łodzi ośr. prze-

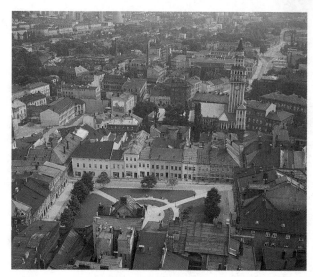

■ Bielsko-Biała

mysłu włók.; ponadto przemysł elektromaszyn. (Fiat Auto Poland, maszyny włók., silniki elektr., narzędzia), spoż., skórz., chem.; węzeł kol. i drogowy; stol. diecezji Kościoła rzymskokatol. i Ewang.-Augsburskiego; ośr. nauk. (filie szkół wyższych) i kult. (teatry, orkiestra symf.) oraz ośr. turyst.; muzea (Muzeum — Dom Tkacza); prawa miejskie: Bielsko przed 1312 (w końcu XIII w.?), Biała od 1723; 1951 adm. połączenie miast; zamek (XV–XVIII, XIX w.), kościoły (XVII, XVIII w.), kamienice (XVII–XVIII w.). ■

Biełucha, masyw górski o 2 szczytach w G. Katuńskich, najwyższy w Ałtaju, w Rosji (rep. Ałtaj); Biełucha Wschodnia — wys. 4506 m, Biełucha Zachodnia — 4440 m; lodowce, m.in. Katuński, z którego bierze początek Katuń, jedna ze źródłowych rzek Obu.

Bieruń, Bieruń Stary, m. w woj. śląskim (powiat tyski), nad Mleczną, Gostynią (pd. granica B.), Wisłą i Przemszą (na granicy wsch.), na pd. obrzeżu GOP; 23,1 tys. mieszk. (2000); kopalnia węgla kam.; przemysł chem., materiałów bud., spoż.; prawa miejskie 1387–1742, 1865–1975 i od 1991; 1975–91 w granicach Tych.

Bierutów, m. w woj. dolnośląskim (powiat oleśnicki), nad Widawą; 5,2 tys. mieszk. (2000); ośr. przem. (drzewny, metal., elektron., spoż.) i usługowy; prawa miejskie od 1266; kościół parafialny (XIV–XV w.), zamek (XVII w., fragmenty z XIV, XVI w.).

Bieszczady Zachodnie, część Beskidów Lesistych, na wsch. od doliny Osławy i na pd. od dolin Głuchego i Czarnego (uchodzi do Jez. Solińskiego). Góry tworzą kilka pasm, przeciętych w poprzek dopływami Sanu; między Osławą a Solinką są pasma: Durnej (979 m), Chryszczatej (997 m) i Wołosania (1071 m) oraz niższy grzbiet graniczny; na wsch. od doliny Solinki można wyróżnić (oprócz grzbietu, którym biegnie granica ze Słowacją): pasmo Rawek (1304 m), ciągnące się na pd.-wsch. (wzdłuż grzbietu granica z Ukrainą) oraz najwyższe w granicach Polski pasma: Połoniny Wetlińskiej (1253 m), Połoniny Caryńskiej (1297 m) i Tarnicy (1346 m), z którymi styka się pasmo Bukowego Berda (1313 m), Krzemienia (1335 m) i Halicza

(1333 m); na pn.-wsch. od doliny Sanu położone jest pasmo Otrytu (Trohaniec, 939 m). Góry zbud. z silnie pofałdowanych skał osadowych (tzw. fliszu karpackiego), grzbiety — z piaskowców, doliny rzeczne — z mniej odpornych łupków. Przełomowe doliny: Osławy, Hoczewki, Solinki, Wetliny, Wołosatego i częściowo Sanu, rozcinają pasma górskie do głębokości 400–700 m; w B.Z., wzdłuż pd. granicy Polski, przebiega eur. dział wodny. Charakterystyczną cechą regionu jest niski przebieg górnej granicy lasu (na wys. 1200–1220 m) i brak górnego piętra leśnego ze świerkiem; na granicy lasu rosną tylko karłowate buki i olchy, a wyżej rozciągają się połoniny — łąki górskie; wśród roślin zielnych występuje wiele gat. typowych dla Karpat Pd.-Wschodnich. B.Z. są słabo zaludnione; osiedla skupiają się w dolinach i szerokich obniżeniach międzygrzbietowych; ludność trudni się gł. leśnictwem i pasterstwem (wypas owiec przywożonych z Podhala i Beskidów Zach.). Region o dużych walorach krajobr. i turystycznych. W najwyższej części B.Z. — Bieszczadzki Park Narodowy. Walki oddziałów WP z UPA w okresie 1945–48 i wysiedlenie ludności ukr. doprowadziło do całkowitego zniszczenia i wyludnienia wielu wsi. Kontynuacją B.Z. na Ukrainie są Bieszczady Wsch. zw. Beskidami Skolskimi. ■

■ Bieszczady Zachodnie. Połoniny Tarnicy i Szerokiego Wierchu

Bieżuń, m. w woj. mazow. (powiat żuromiński), nad Wkrą; 2,1 tys. mieszk. (2000); lokalny ośr. usługowy regionu roln.; drobny przemysł spoż. i meblarski; prawa miejskie 1406–ok. 1650, 1767–1870 i od 1994.

bifurkacja rzeki, zjawisko rozwidlenia się rzeki na 2 lub więcej ramion, które dalej płyną w różnych kierunkach i należą do różnych dorzeczy, np. → Casiquiare, Obra; na powstanie b.rz. wpływają stan wody i czynniki meteorol. (siła i kierunek wiatru, nagły przybór wód opadowych, gwałtowne topnienie śniegu); b.rz. występuje na terenach płaskich, przeważnie zabagnionych, przy bardzo małym spadku rzeki.

Bihar, stan w pn.-wsch. Indiach, przy granicy z Nepalem; 173,9 tys. km², 84,5 mln mieszk. (2002); stol. Patna, inne m.: Dźamśedpur, Gaja, Rańći; na pn. Niz. Hindustańska z szeroką doliną

Gangesu, na pd. wyż. Ćhota Nagpur; najbogatszy region surowcowy Indii; wydobycie węgla kamiennego (zagłębie Damodar), miki, rud żelaza, miedzi, manganu; hutnictwo metali, przemysł środków transportu; uprawa gł. ryżu, juty, trzciny cukrowej; gęsta sieć kol. i drogowa, zwł. na pd. stanu.

Bihorski, Masyw, Bihor, Munţii Bihorului, najwyższa część gór Apuseni, w Rumunii; z 3 kulminacjami: Curcubta 1848 m, Vldeasa (wygasły wulkan) 1834 m, Muntele Mare 1825 m; liczne jaskinie krasowe (m.in. Scrisoara), leje, suche doliny; górna granica lasu na wys. 1600 m; pola uprawne sięgają do 1000 m; źródła miner.; wydobycie boksytów, rud polimetalicznych.

Bikini, atol w Wyspach Marshalla (państwo stowarzyszone z USA); ok. 5 km^2; 1946–58 amer. poligon prób z bronią jądr.; 10 mieszk. (1988).

bilans handlowy, zestawienie wartości eksportu i importu danego kraju, sporządzane najczęściej za okres jednego roku; zestawia się tylko wartość towarów lub też (częściej) wartość towarów z kosztami ich transportu oraz ubezpieczenia; b.h. wykazujący nadwyżkę wartości eksportu nad wartością importu — a zatem mający saldo dodatnie — określa się jako b i l a n s h a n d l o w y c z y n n y (aktywny); w przypadku salda ujemnego, b.h. określa się jako b i e r n y (pasywny).

bilans obrotów bieżących, część → bilansu płatniczego, zestawienie wszystkich transakcji międzynar. danego kraju, poza przepływami kapitału oraz „błędami i opuszczeniami"; obejmuje: transakcje handl., dochody i wydatki z tytułu inwestycji zagr., transakcje związane ze sprzętem wojsk., wpływy z usług transportowych i turystyki, a także związane z nimi wydatki oraz dary.

bilans obrotów kapitałowych, część → bilansu płatniczego, zestawienie zagr. aktywów lub inwestycji danego kraju za granicą (odpływ kapitału) oraz zagr. inwestycji w tym kraju (napływ kapitału).

bilans płatniczy, zestawienie wszelkich płatności dokonywanych przez dany kraj na rzecz zagranicy oraz płatności zagranicy na rzecz tego kraju w określonym czasie, najczęściej w okresie roku; b.p. ma 2 podstawowe części: → bilans obrotów bieżących i → bilans obrotów kapitałowych.

bilans wodny, zestawienie ilości wody zasilającej obszar (przychód wody) i ubywającej z niego (rozchód wody); b.w. dotyczy określonego obszaru (zlewni, dorzecza, zlewiska, kontynentu, globu ziemskiego) i czasu (np. → hydrologicznego roku, wielolecia); ilościowe zależności między elementami krążenia wody w przyrodzie wyraża r ó w n a n i e bilansu wodnego. Równanie okresu wieloletniego (minimum 10 lat) ma postać $P = H + E$, gdzie: P — opad atmosf. na powierzchnię obszaru, H — odpływ z obszaru (powierzchniowy i podziemny), E — parowanie z obszaru (z wód otwartych i gruntowych oraz transpiracja pokrywy roślinnej); w przypadku okresu krótszego (do 10 lat) dodatkowo uwzględnia się po stronie rozchodu różnicę retencji

($\pm \Delta R$), czyli różnicę między ilością wody występującej na obszarze w okresie poprzedzającym bilansowanie a jej ilością pozostającą tam po okresie bilansowania; składniki b.w. wyraża się w milimetrach warstwy wody, rzadziej w jednostkach objętości wody — mln m^3 lub km^3. Oprócz b.w. obszaru rozpatruje się b.w. zbiornika (jeziora, morza, oceanu). B.w. dla całej kuli ziemskiej charakteryzuje równowaga między opadem atmosf. a parowaniem ($P = E$); w ciągu roku spada na Ziemię w postaci opadu (i wyparowuje) 577 tys. km^3 wody (1130 mm warstwy wody).

Biłgoraj, m. powiatowe w woj. lubel., nad Białą Ładą (pr. dopływ Tanwi); 76 tys. mieszk. (2000); przemysł dziewiarsko-pończoszniczy i odzieżowy, ponadto metal., meblarski, spoż.; opakowania, wyroby z włosia i wikliny; węzeł drogowy; od 1984 Wioska Dziecięca SOS Kinderdorf (pierwsza w Polsce); Muzeum Rzemiosł Lud., Skansen — Zagroda sitarska; prawa miejskie od 1578; kościół (XVIII w.).

biofacja [gr.-łac.], rodzaj → facji.

Bioko, do 1973 **Fernando Po,** 1973–79 **Macias Nguema,** wyspa wulk. w zat. Bonny, w pobliżu wybrzeży Kamerunu, należy do Gwinei Równikowej; pow. 2 tys. km^2; wraz z wyspą Pagalu tworzy prowincję B.; gł. m. Malabo (stol. Gwinei Równikowej); powierzchnia górzysta (Santa Isabel, 3008 m); klimat równikowy wilgotny; średnia temp. roczna od 12°C na obszarach najwyżej położonych do 25°C na wybrzeżach; średnia roczna suma opadów 2000–4000 mm; wilgotne lasy równikowe; uprawa kakaowca (90% krajowego zbioru ziarna kakaowego), trzciny cukrowej, palmy kokosowej, kawy, bananów, manioku, ryżu; eksploatacja lasów; rybołówstwo; na szelfie kontynent. złoża gazu ziemnego.

Birma, Myanmar, Związek Myanmar, państwo w Azji Pd.-Wsch., na Płw. Indochińskim, nad Zat. Bengalską i M. Andamańskim; 676,6 tys. km^2; 51,0 mln mieszk. (2002), gł. Birmańczycy, Szanowie, Karenowie; buddyści, animiści; stol. Rangun, inne m.: Mandalaj, Basejn i Mulmejn (porty); język urzędowy birm.; republika związkowa; składa się z 7 stanów autonomicznych i 7 okręgów. Na pn. i zach. góry fałdowe: Kumon (wys. do 5881 m), Patkaj i Arakańskie, na wsch. wyż. Szan, w centrum niz. Irawadi; przybrzeżne wyspy (Mjeik); klimat zwrotnikowy monsunowy wilgotny; gł. rz.: Irawadi, Saluin; lasy monsuno-

■ Birma

■ Birma. Krajobraz wyżyny Szan w okolicy Kalaw

we (gł. tekowe) i sawanny. Podstawą gospodarki jest tradycyjne rolnictwo; uprawa ryżu, trzciny cukrowej, orzeszków ziemnych, na wybrzeżu — palmy kokosowej i kauczukowca; hodowla bydła, bawołów, słoni; pozyskanie i eksport drewna; niewielkie wydobycie ropy naft., gazu ziemnego, eksploatacja i obróbka kamieni szlachetnych (rubiny, szafiry); przemysł spoż. i drzewny; rzemiosło; żegluga śródlądowa i transport juczny.∎

∎ Black Hills. Płaskorzeźby podobizn prezydentów Stanów Zjednoczonych

Biskajska, Zatoka, franc. **Golfe de Gascogne,** hiszp. **Golfo de Vizcaya,** otwarta zatoka O. Atlantyckiego, między wybrzeżem Francji a Płw. Iberyjskim; pow. 194 tys. km^2; średnia głęb. 1725 m, maks. — 5203 m (Basen Zachodnioeur.); w stromym stoku kontynentalnym podmor. kaniony; temp. wód powierzchniowych od 10–12°C w lutym do 17–20°C w sierpniu, zasolenie — 32–35‰; pływy do 6,7 m, u wybrzeży franc.; akwen częstych i silnych sztormów; do Z.B. uchodzą rzeki Loara, Garonna; rybołówstwo (sardynki, sardele, tuńczyki); hodowla ostryg; gł. porty: Brest, Bordeaux, San Sebastián, Bilbao.

Biskupiec, m. w woj. warmińsko-mazurskim (powiat olsztyński), nad jez. Kraksy; 11,7 tys. mieszk. (2000); przemysł drzewny, spoż., materiałów bud.; węzeł kol. i drogowy; prawa miejskie od 1395.

Biszkek, 1926–91 **Frunze,** stol. Kirgistanu, u podnóża G. Kirgiskich; 809 tys. mieszk. (2002); przemysł maszyn., montaż samochodów ciężarowych, elektrotechn., lekki; AN Kirgistanu, 8 szkół wyższych (2 uniw.); międzynar. port lotniczy.

Bisztynek, m. w woj. warmińsko-mazurskim (pow. bartoszycki); 2,7 tys. mieszk. (2000); ośr. usługowy dla rolnictwa; drobny przemysł; 2 kościoły (XIV, XVIII w. i XVII w.), brama miejska (XV, XVIII w.); prawa miejskie od 1385.

bituminy [łac.] **substancje bitumiczne,** ciekłe lub stałe substancje miner. będące mieszaninami węglowodorów; rozproszone w wielu skałach osadowych; tworzą nagromadzenia o znaczeniu przem. (ropa naft., asfalt, ozokeryt); do b. zalicza się również ciekłe i półpłynne mieszaniny węglowodorów uzyskiwane w wyniku chem. przeróbki skał, np. smołę węglową, pak, olej łupkowy.

Blachownia, m. w woj. śląskim (powiat częstochowski), nad Stradomką (l. dopływ Warty); 10,3 tys. mieszk. (2000); przemysł metal., elek-

trotechn., materiałów bud.; ośr. wypoczynku świątecznego; prawa miejskie od 1967.

Black Hills [bläk hylz], grupa górska na Wielkich Równinach w USA, na granicy stanów Dakota Pd. i Wyoming; najwyższy szczyt Harney, 2207 m; liczne formy krasowe (jaskinie); Park Nar. Wind Cave, 11,4 tys. ha; pomnik nar. Mount Rushmore — słynne płaskorzeźby podobizn prezydentów USA (G. Washingtona, A. Lincolna, Th. Jeffersona, Th. Roosevelta); liczne bogactwa naturalne, m.in. złoto, srebro, węgiel kam., ropa naftowa. ∎

Blanca, Cordillera [kordiljẹra ~ŋka], pasmo górskie w Peru, → Biała, Kordyliera.

Bled, Blejsko jezero, jez. polodowcowe w Słowenii, w Alpach Julijskich, u podnóża masywu Triglav, na wys. 475 m; pow. 1,4 km^2, głęb. do 30,6 m; nad Bledem znane uzdrowisko i ośr. sportów zimowych Bled.

Bliski Wschód, Środkowy Wschód, ang. **The Middle East,** franc. **Moyen-Orient,** nazwa stosowana najczęściej w odniesieniu do obszaru obejmującego kraje pd.-zach. Azji (Afganistan, Arabia Saudyjska, Bahrajn, Cypr, Irak, Iran, Izrael, Jemen, Jordania, Katar, Kuwejt, Liban, Oman, Syria, Turcja, Zjednoczone Emiraty Arab.) oraz pn.-wsch. Afryki (Egipt, Sudan). Najważniejszy w świecie region eksploatacji (712 mln t, 1988, tj. ok. 25% wydobycia świat.) i eksportu ropy naftowej. Ważny region uprawy bawełny (zbiory ok. 1,4 mln t rocznie), palmy daktylowej (ok. 77% świat. zbiorów daktyli) i zbóż oraz pasterskiej hodowli. Przez B.W. prowadzą ważne szlaki komunikacji mor. (Kanał Sueski) i lotn., łączące Europę ze wsch. Afryką, z pd. i wsch. Azją oraz Australią. ∎

blizzard [blyzərd; ang.], gwałtowny, bardzo zimny wiatr pn.-zach., połączony z opadami śniegu, wiejący w Ameryce Pn.; nazwą b. określa się również burze śnieżne na innych obszarach, zwł. na Antarktydzie.

blok kontynentalny, cokół kontynentalny, część skorupy ziemskiej położona powyżej den oceanicznych; obejmuje obszar lądu, szelf i stok kontynentalny.

blokdiagram [niem.], perspektywiczny rysunek wycinka skorupy ziemskiej, przedstawiający w rzucie aksonometrycznym ukształtowanie powierzchni oraz budowę geol. terenu do określonej głębokości; b. sporządza się na podstawie mapy danego obszaru przez odpowiednie przekształcenie rysunku poziomicowego lub na podstawie pomiarów w terenie, przy zastosowaniu rzutowania perspektywicznego, skośnego i in.

Błaszki, m. w woj. łódz. (powiat sieradzki), nad Trojanówką (dorzecze Prosny); 2,4 tys. mieszk. (2000); wytwórnie: sprzętu komunik., obuwia, mebli; prawa miejskie przed 1722.

Błażowa, m. w woj. podkarpackim (powiat rzeszowski), nad rz. Ryjak (pr. dopływ Wisłoka); 2,1 tys. mieszk. (2000); ośr. usługowy; drobny przemysł; prawa miejskie przed 1624.

Błękitne, Góry, Blue Mountains, część Wielkich G. Wododziałowych w Australii, w stanie Nowa Pd. Walia, 65 km na zach. od Sydney;

wznoszą się stromo ponad niz. Cumberland; zbud. ze skał osadowych (piaskowce i łupki triasowe); silnie rozcięte dolinami Cox, Nepean (dorzecze Hawkesbury) i ich dopływów (zwł. Grose); najwyższy szczyt Bindo, 1362 m (na zach. krawędzi); malownicze formy skalne; liczne wodospady; na wsch. stokach zwarte lasy eukaliptusowe (niebieskie zabarwienie gór spowodowane rozpraszaniem światła na drobnych kropelkach olejków wydzielanych przez liście); park nar. (utworzony 1959, pow. 233,3 tys. ha); corocznie G.B. odwiedza ok. 0,5 mln turystów (także zagr.). Przez 25 lat G.B. były barierą dla osadnictwa eur. na zach., w głąb kontynentu; 1813 G. Blaxland, W.Ch. Wentworth i W. Lawson przeszli góry w poszukiwaniu nowych pastwisk po wielkiej suszy.

Błonie, m. w woj. mazow. (powiat warsz. zachodni), nad Utratą; 12,3 tys. mieszk. (2000); ośr. usługowy regionu roln.-sadowniczego; przemysł elektron., spoż., metal.; pozostałości grodziska (XIII w.); w części niższej ślady osadnictwa (od VIII w.); prawa miejskie od 1380; kościół (XVI, XVII w.), ratusz (XVIII, XIX w.).

błyskawica, efekt świetlny liniowego wyładowania piorunowego (→ piorun).

Bochnia, m. powiatowe w woj. małopol., nad Rabą i jej dopływem Babicą; 30 tys. mieszk. (2000); kopalnia soli kam. (przekształcona w zakład przyrodoleczn.); przemysł metalurgiczny, elektrotechn., maszyn., spoż.; węzeł drogowy; ośr. turyst.-krajoznawczy; zachowany dawny układ urb.; muzeum; od XII w. wydobycie soli kam.; prawa miejskie od 1253; kościół Św. Mikołaja — miejsce kultu Matki Boskiej Bocheńskiej (XV, XVII w.), kamienice (XVIII w.), zabytkowa kopalnia soli (podziemna trasa turyst.).

Boczne, Pasmo, Bokowoj chriebiet, pasmo górskie w Wielkim Kaukazie, po pn. stronie Pasma Głównego (Wododziałowego), na pograniczu Rosji i Gruzji (Abchazja); w Paśmie Bocznym wznoszą się najwyższe szczyty Kaukazu: Elbrus 5642 m, Dychtau 5203 m, Kazbek 5033 m; lasy iglaste, łąki wysokogórskie; w części środk. lodowce.

Bodeńskie, Jezioro, niem. **Bodensee,** łac. **Lacus Brigantinus,** jez. na pograniczu Niemiec, Austrii i Szwajcarii, największe i najgłębsze na

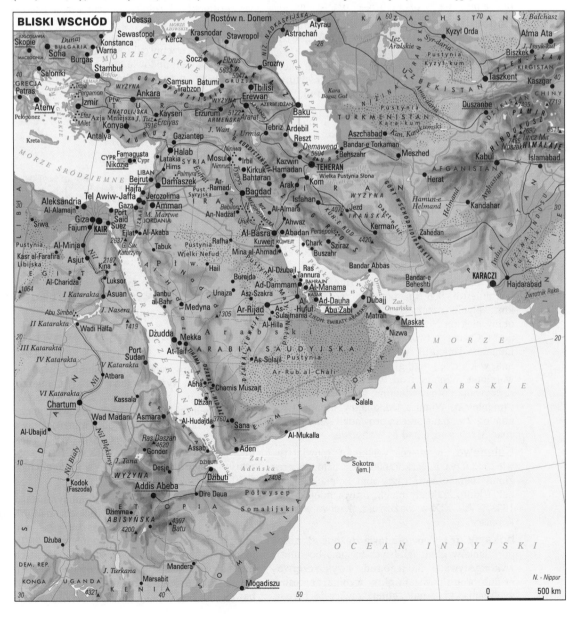

przedgórzu Alp, w dolinie polodowcowej, na wys. 395 m; pow. 538 km²; maks. głęb. 252 m; brzegi pagórkowate, tylko na pd.-wsch. skaliste; wyróżnia się gł. basen (Obersee) o pow. 476 km² oraz 2 odgałęzienia zach. rozdzielone grzbietem Bodan; wahania poziomu wody do 2 m; przez Jezioro Bodeńskie przepływa Ren; żegluga; brzegi gęsto zaludnione; gł. m. nad Jeziorem Bodeńskim: Friedrichshafen, Bregencja, Konstancja. Na pn.-zach. brzegu odkryte ślady osad ze starszej i środk. epoki kamienia; osiedla na palach (palafity) pochodzą gł. z późnej epoki kamienia, częściowo z wczesnej epoki brązu.

■ Boliwia

Bodzentyn, m. w woj. świętokrzyskim (powiat kielecki), w G. Świętokrzyskich; 2,4 tys. mieszk. (2000); ośr. usługowy i turyst.-krajoznawczy; prawa miejskie przed 1355 (1348?)–1870 i od 1994; ruiny zamku (XIV, XVI–XVII w.), kościół (XV, XVII w.).

Bogatynia, m. w woj. dolnośląskim (powiat zgorzelecki); 20,4 tys. mieszk. (2000); gł. ośr. Turoszowskiego Zagłębia Węgla Brun.; w dzielnicy Turoszów kopalnia i elektrownia; przemysł bawełn. i spoż.; w pobliżu 4 przejścia graniczne; prawa miejskie od 1945 (1945–47 p.n. Rychwałd).

Bogota, Santa Fé de Bogotá, stol. Kolumbii, w Kordylierze Wsch. (Andy Pn.); 6,7 mln mieszk. (2002); centrum gosp. kraju; przemysł skórz., włók., spoż., hutnictwo żelaza; ośr. handl., kult. (muzea, biblioteki) i nauk. (2 uniw., instytuty); rzemiosło; węzeł komunik. (port lotn.); ośr. turyst.; zał. 1538 przez Hiszpanów; katedra i kościoły (XVI–XVII w.), pałace i budowle użyteczności publ. (XVIII–XIX w.).

Boguszów-Gorce, m. w woj. dolnośląskim (powiat wałbrzyski), w G. Wałbrzyskich; 18,2 tys. mieszk. (2000); ośr. usługowy i przem.; kopalnia barytu, zakłady odzież., browar; Izba Pamiątek Regionalnych; w pobliżu 2 przejścia graniczne do Czech; prawa miejskie: Boguszów 1499, Gorce 1962; 1973 adm. połączenie miast; 2 kościoły (XVI, XVII w. i XVIII w.), domy (XVIII, XIX w.), ratusz (XVIII, XX w.).

Boh, Piwdennyj Buh, staroż. **Hypanis,** rz. na Ukrainie; dł. 806 km, pow. dorzecza 63,7 tys. km²; płynie przez Wyż. Wołyńsko-Podolską; dolny bieg na Niz. Czarnomorskiej; przy ujściu do M. Czarnego tworzy liman (który łączy się z Limanem Dniepru); w środk. biegu wąska dolina, w korycie progi; gł. dopływ Inguł (l.); żegl. w rejonie Winnicy i od Wozniesieńska; wykorzystywana do nawadniania; gł. m. nad Bohem: Chmielnicki, Winnica, Mikołajów. Znana Grekom od V w. p.n.e.: rzeką prowadził szlak handl. znad M. Czarnego nad M. Bałtyckie.

Bojanowo, m. w woj. wielkopol. (powiat rawicki); 3,0 tys. mieszk. (2000); ośr. usługowy regionu roln.; browar (przy nim kolekcja szklanek i kufli), zakłady mebl.; prawa miejskie od 1638; XVIII–XIX w. ważny ośr. tkactwa w Wielkopolsce.

boksyty [fr.], skały osadowe złożone gł. z wodorotlenków glinu (gibbsyt, diaspor, boehmit), wykorzystywane jako jego rudy; zwykle czerwone lub brun.; powstają gł. w wyniku procesów wietrzenia; gł. źródło glinu; zawierają przem.

ilości galu, niekiedy też wanadu; używane do wyrobu materiałów ściernych (elektrokorund) i ogniotrwałych, w przemyśle chem.; gł. złoża: Gwinea, Australia, Brazylia, Jamajka, Indie.

Bolesławiec, m. powiatowe w woj. dolnośląskim, nad Bobrem; 45 tys. mieszk. (2000); przemysł ceram., szkl., spoż., dziewiarski; węzeł drogowy; w pobliskiej w. Łąka zakłady chem. Wizów; Izba Pamiątek Regionalnych; prawa miejskie od 1251; 2 kościoły (XVI, XVII w. i XVIII w.), domy (XVIII, XIX w.), ratusz (XVIII, XX w.).

Boliwia, Bolivia, **Republika Boliwii,** państwo w Ameryce Pd.; 1098,6 tys. km²; 8,8 mln mieszk. (2002), Indianie, Metysi, Kreole i biali; katolicy; stol. konst.: Sucre, siedziba rządu: La Paz; inne gł. m.: Santa Cruz, Cochabamba, Oruro; język urzędowy: hiszp., keczua, ajmara; republika. Na pd.-zach. Andy (Sajama, 6520 m), na wsch. Niz. Boliwijska, na pn. Niz. Amazonki; klimat w Andach zwrotnikowy górski, na nizinach podrównikowy wilgotny; gł. rz.: Mamoré, Guaporé, Beni; jez.: Titicaca, Poopó; lasy równikowe wilgotne, roślinność sawannowa (chaco), górska półpustynna (puna) i stepowa. Podstawą gospodarki jest górnictwo i rolnictwo; jeden z najsłabiej rozwiniętych gospodarczo krajów Ameryki Pd.; wydobycie rud cyny, cynku, wolframu, srebra; uprawa zbóż, trzciny cukrowej, kawy oraz kokainy (nielegalnie); hodowla owiec, bydła; eksploatacja lasów; przemysł skórz., spoż.; transport samochodowy (Droga Panamer.), juczny. ■

■ Boliwia. Solnisko Salar de Uyuni

Boliwijska, Wyżyna, wyżyna w Ameryce Pd., → Altiplano.

Bolków, m. w woj. dolnośląskim (powiat jaworski), nad Nysą Szaloną; 5,8 tys. mieszk. (2000); ośr. turyst. na Szlaku Zamków Piastowskich; przemysł lniarski, skórz., drzewny, spoż.; w pobliżu Bolków Zdrój (źródła miner.); prawa miejskie przed 1276; zamek (XIII, XIV w., ob. muzeum); kościół (XIII, XIV, XIX w.), fragmenty murów miejskich (XIV–XVI w.), kamienice (XVI–XVII w.), ratusz (XIX w.).

Bombaj, hindi **Baṁbaī,** ang. **Bombay,** malajalam **Muṁbaī),** m. w zach. Indiach, nad M. Arabskim; stol. stanu Maharasztra; 9,9 mln mieszk., zespół miejski 12,6 mln mieszk. (2002); jedno z największych i najgęściej zaludnionych miast świata; duże skupisko ludności bezdomnej; wielki ośr. przem. i handl.-finans.; przemysł bawełn. (25% produkcji ind.), rafineryjny, samochodowy, stoczn., odzież., obuwn., poligraficzny; siedziba banków centr. (Bank of India, Reserve Bank of India); 3 giełdy, w tym bawełny (gł. w kraju); ośr. obróbki i handlu diamentami; największy port handl. Indii (przeładunki ponad 30 mln t rocznie); wywóz bawełny, wyrobów bawełn., rud manganu, przywóz ropy naft.; międzynar. port lotn.; 2 uniw., politechn.; inst. badań jądr.; gł. ośr. kinematografii ind.; muzea; miasto zbud. w XIII w.; wiele zabytków, m.in. kościoły renes. i barok. (XVI, XVII/XVIII w.), świątynie (XVIII, XIX w.). ∎

Bomu, Mbomou, rz. w Afryce, → Ubangi.

Bonn, m. w Niemczech (Nadrenia Pn.-Westfalia), nad Renem; 312 tys. mieszk. (2002); czasowa siedziba parlamentu, władz federalnych (1949–91 stol. RFN); ośr. handl.-finansowy, przem. (gł. elektron.), nauk. (m.in. uniw.) i turyst.; port lotn. Kolonia–Bonn; miejsce urodzenia L. van Beethovena; muzea; kolegiata (XI–XIII w.), kościół (XV w.), ratusz, 2 zamki i kościół (XVIII w.).

bora [wł. < gr.], **bura,** chłodny, bardzo gwałtowny wiatr (osiąga prędkość 40, a w porywach do 60 m/s), wiejący gł. zimą, znad niewysokich łańcuchów górskich w kierunku sąsiadującego z nimi stosunkowo ciepłego morza lub dużego jeziora; występuje m.in.: na dalmatyńskim wybrzeżu M. Adriatyckiego, w okolicach Noworosyjska nad M. Czarnym, na wybrzeżach Nowej Ziemi, nad Bajkałem.

Bordeaux [bordǫ], m. w pd.-zach. Francji, nad Garonną, w pobliżu jej ujścia (Żyronda) do Zat. Biskajskiej; ośr. adm. regionu Akwitania i dep. Gironde; 217 tys. mieszk., zespół miejski 935 tys. mieszk. (2002); przemysł rafineryjny, petrochem., lotn., winiarski (wina bordoskie); port handl. i rybacki; gł. węzeł kol. i drogowy pd.-zach. części kraju; 3 uniw. (najstarszy zał. 1441), wyższa szkoła sztuk plast., mor.; muzea; ośr. turyst.; coroczne festiwale muzyczne. Pozostałości staroż. architektury rzym., m.in. amfiteatr; liczne kościoły, m.in. Ste-Croix (XI w.), got. katedra (XII–XIV w.); giełda (XVIII w.), Teatr Wielki (XVIII w.), ratusz (XVIII w.), pałace.

Borek Wielkopolski, m. w woj. wielkopol. (powiat gostyński), nad Pogoną (l. dopływ Obry); 2,5 tys. mieszk. (2000); ośr. usługowy regionu roln.; drobny przemysł (spoż., skórz.); prawa miejskie od 1392; do 1453 p.n. Zdzierz; kościoły (XVII w.), ratusz (XIX w.).

Borne-Sulinowo, m. w woj. zachodniopomor. (powiat szczecinecki), nad jez. Pile; 3,3 tys. mieszk. (2000); 1939–45 niem. obozy jenieckie Gross-Born; 1945–92 siedziba garnizonu wojsk sow., wyłączona spod administracji pol.; prawa miejskie od 1993; od 5 VI 1993 miasto otwarte, trwa zasiedlanie.

Borneo, indonez. **Kalimantan,** wyspa w Archipelagu Malajskim, trzecia co do wielkości na Ziemi; większa część w Indonezji, na pn. dwa stany Malezji (Sarawak i Sabah) oraz sułtanat Brunei; 736 tys. km²; górzysta (Kinabalu 4101 m), w pd. części silnie zabagniona nizina; liczne rzeki; ponad 70% pow. lasy; wydobycie ropy naft. i gazu ziemnego; uprawa ryżu, plantacje kauczukowca; kilka parków nar. (ostoja orangutana).

∎ Bombaj. Wrota Indii (widok od strony Zatoki Bombajskiej)

Bornholm, wyspa duń., w pd.-zach. części M. Bałtyckiego; pow. 587,8 km² (czwarta co do wielkości na M. Bałtyckim); zbud. ze skał krystal. (gł. granitów); nizinna; uprawa roślin pastewnych; intensywna hodowla bydła, trzody chlewnej i drobiu; rozwinięte rybołówstwo; przemysł materiałów bud., spoż. (gł. rybny, mleczarski); kamieniołomy granitu; porty rybackie; gł. miasto i port Rønne; połączenia promowe m.in. z Kopenhagą i Ystad; port lotn.; rozwinięta turystyka.

Bosfor, tur. **İstanbul (Karadeniz) Boğazı, Boğaziçi,** gr. **Bosporos,** wąska cieśnina między Płw. Bałkańskim a Azją Mniejszą; łączy morze Marmara z M. Czarnym; dł. ok. 30 km, szer. 0,75–3,7 km; głęb. od 36 do 92 m (na linii największych głębokości), najmniejsza na torze wodnym — 20 m; nad zat. Złoty Róg — Stambuł; nad B. 2 mosty drogowe.

Boston, m. w USA, nad zat. Massachusetts (O. Atlantycki); stol. stanu Massachusetts; 598 tys. mieszk. (2002), zespół miejski 3,2 mln, region metropolitalny B.–Worcester–Lawrence 5,5 mln (1994); gł. ośr. Nowej Anglii; ważny ośr. przem. (gł. elektron., precyzyjny, rafineryjny), bankowo-finansowy i nauk. (m.in. Uniw. Harvarda); port handl. i rybacki; węzeł komunik.; miasto zał. 1630 przez purytanów ang.; budowle adm. i użyteczności publ. z XVIII (Stary i Nowy Dom Stanowy) i XIX w. (gł. szpital Massachusetts, giełda, Bostońska Biblioteka Publ.), kościoły z XVIII i XIX w. ∎

∎ Boston. Parlament

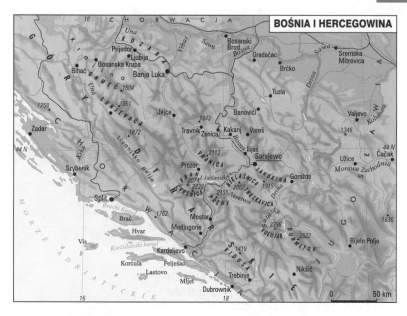

BOŚNIA I HERCEGOWINA

■ Bośnia i Hercegowina

Bośnia i Hercegowina, Bosna i Hercegovina, Republika Bośni i Hercegowiny, państwo w Europie, na Płw. Bałkańskim, z niewielkim dostępem do M. Adriatyckiego; 51,1 tys. km²; 4,3 mln mieszk. (2002), Bośniacy, Serbowie, Chorwaci; muzułmanie, prawosławni, katolicy; stol. Sarajewo, inne m.: Banja Luka, Zenica, Mostar; język urzędowy: bośniacki, chorw., serb.; republika. Kraj górzysty; w środk. części G. Dynarskie (wys. do 2396 m, Volujak) z silnie rozwiniętą rzeźbą krasową; niziny na pn. i w dolinach rz.: Sawa, Bosna, Drina, Neretwa; klimat umiarkowany ciepły, na zach. podzwrotnikowy śródziemnomor.; lasy (ok. 40% pow.), gł. dębowo-bukowe. Gospodarka zniszczona w wyniku wojny domowej; podstawowe znaczenie ma rolnictwo (uprawa zbóż, słonecznika, winorośli, hodowla owiec), górnictwo (wydobycie boksytów, rud żelaza, węgla brun.) i leśnictwo; rozwinięta hydroenergetyka. ■

Botew, do 1950 **Jumrukczał,** najwyższy szczyt Bałkanów (Starej Płaniny) w paśmie Kałoferska Płanina, w Bułgarii; wys. 2376 m; stacje meteorol. i przekaźnikowa TV.

Botnicka, Zatoka, szwedz. **Bottniska viken,** fiń. **Pohjanlahti,** część M. Bałtyckiego na pn. od W. Alandzkich, między Szwecją a Finlandią; pow. 112,5 tys. km², głęb. do 294 m; temp. wód powierzchniowych od –1–0°C w lutym do 14–15°C w sierpniu; pn. część Z.B. zamarza corocznie od listopada do maja; zasolenie od 2‰ na pn. do 5,5‰ na pd.; poławiany jest gł. śledź i łosoś; do Z.B. uchodzą rz.: Dal, Indals, Ångerman i in.; gł. porty: Luleå, Vaasa.

■ Botswana

Botswana, Republika Botswany, państwo w pd. Afryce; 581,7 tys. km²; 1,7 mln mieszk. (2002), gł. ludy Bantu; 85% animistów; stol. Gaborone; język urzędowy: ang., tswana; republika. Kraj wyżynny w kotlinie Kalahari; klimat zwrotnikowy i podrównikowy suchy; suche sawanny, na pd. pustynie; w części pn. bagna; liczne parki narodowe. Podstawą gospodarki — pasterska hodowla bydła, owiec, kóz; uprawa kukurydzy, prosa, sorga; rozwój górnictwa (diamenty, rudy metali); przemysł spożywczy. ■

Bożego Narodzenia, Wyspa, Christmas Island, wyspa na O. Indyjskim, u wejścia do Cieśn. Sundajskiej, terytorium zamor. Australii; pow. 135 km²; gł. miejscowość i jedyna przystań dla statków w zat. Flying Fish Cove. Wybrzeże klifowe; większą część wyspy zajmuje płaskowyż (wys. 150–260 m); klimat równikowy wilgotny (roczne opady powyżej 2500 mm). Do 1987 górnictwo i eksport fosforytów (wydobycie 1,2 mln t — 1985); regularne połączenie lotn. z odległym o 2600 km Perth przez W. Kokosowe (Keeling); od 1985 czynna naziemna radiostacja satelitarna w świat. systemie łączności INTEL-SAT; na przyl. Egeria park nar. (utworzony 1980, pow. 1600 ha).

Bożego Narodzenia, Wyspa, wyspa na O. Spokojnym, → Kiritimati.

Bóbr, Bobra, rz., l. dopływ Odry; dł. 272 km, pow. dorzecza 5876 km²; źródła w Karkonoszach, w Czechach; uchodzi poniżej Krosna Odrzańskiego; średni przepływ przy ujściu 44,3 m³/s; maks. rozpiętość wahań stanów wody w dolnym biegu 7,6 m; gwałtowne wezbrania; gł. dopływy: Łomnica Karkonoska, Kamienna, Kwisa, Czerna Wielka (l.), Szprotawa (pr.); na B. oraz jego dopływach zbiorniki retencyjne i elektrownie wodne, największe w Pilchowicach i Dychowie; gł. m. nad B.: Kamienna Góra, Jelenia Góra, Bolesławiec, Żagań.

■ Bośnia i Hercegowina. Dolina rzeki Bosna na północ od Sarajewa

■ Botswana. Bagna Okawango, fragment rezerwatu Moremi

Brač, wyspa chorw. na M. Adriatyckim, na pd. od Splitu; największa wśród wysp środkowodalmatyńskich; pow. 395 km², dł. 40 km, szer. 7–14 km; środk. część górzysta (do 778 m), rozwinięte zjawiska krasowe; zalesiona (gł. sosna), na wybrzeżach — makia; ludność utrzymuje się z usług turyst., rolnictwa (uprawa oliwek, winorośli, tytoniu, hodowla owiec) i połowu ryb; wytwórnie konserw rybnych i serów; kamieniołomy marmurów; gł. miejscowości: Supetar, Bol.

Brahmaputra, chiń. **Yarlung Zangbo Jiang,** tybet. **Jarlung-cangpo,** w Bangladeszu **Jamuna,** rz. w Chinach, Indiach i Bangladeszu, jedna z największych rzek pd. Azji; dł. 2900 km, pow. dorzecza 935 tys. km^2; bierze początek z lodowców w pd.-zach. części Wyż. Tybetańskiej (w górach Kajlas) jako Maquan He, na wys. ok.

■ Brahmaputra w Indiach (Asam)

4860 m; w górnym biegu płynie na wsch., na dł. ok. 1300 km, w rowie tektonicznym między Himalajami i Transhimalajami, po czym przełamuje się na pd. (jako rz. Dihang) przez wsch. Himalaje głębokim na 3–4 km przełomem; w dolnym biegu, poniżej m. Pasighat płynie przez niz. Asamu (wsch. część Niz. Hindustańskiej); łączy się z Gangesem koło m. Aricha; uchodzi do Zat. Bengalskiej, tworząc wraz z Gangesem rozległą deltę o pow. 80 tys. km^2; w odcinku ujściowym szerokość Brahmaputry wynosi 8–9 km; latem w wyniku deszczów monsunowych poziom wody podnosi się o 10–12 m, co powoduje katastrofalne powodzie; średni przepływ przy ujściu wynosi 12 100 m^3/s, maks. — 72 460 m^3/s, minim. — 2680 m^3/s; gł. dopływy: Njang-cz'u, Szibasza-czu, Manas, Torsa, Tista (pr.), Lhasa--cangpo, Dibang, Meghna (l.); żegl. na dł. 1290 km; wykorzystywana do nawadniania; gł. miasta nad Brahmaputrą: Sadija, Dibrugarh, Gauhati, Pandu, w delcie — Dakka.　■

Brandenburgia, Brandenburg, kraj związkowy we wsch. Niemczech; 29,5 tys. km^2, 2,6 mln mieszk. (2002); gł. m.: Poczdam (stol.), Chociebuż; nizinna, o rzeźbie polodowcowej (Pojezierze Meklemburskie); pradoliny wykorzystane przez Hawelę, Sprewę, Odrę; wydobycie węgla brun. w Zagłębiu Łuż.; przemysł rafineryjny (Schwedt), chem., maszyn., hutnictwo żelaza; uprawa zbóż, ziemniaków; hodowla bydła.

Braniewo, m. powiatowe w woj. warmińsko--mazurskim, nad Pasłęką; 18,9 tys. mieszk. (2000); przemysł drzewny, spoż. (browar), skórz.; węzeł kol. i drogowy; stado ogierów; mały ogród zool.; prawa miejskie przed 1254 (1284 relokacja miasta); od 1564 Collegium Hosianum (czynne pod różnymi nazwami do 1919); fragmenty murów miejskich (XIV w.), 3 kościoły (XIV, XVI w., XVIII w. i XIX w.), spichlerz (XVII/XVIII w.).

Brańsk, m. w woj. podl. (powiat bielski), nad Nurcem; 3,8 tys. mieszk. (2000); ośr. usługowy

regionu roln.; przemysł spoż. i skórz.; węzeł drogowy; prawa miejskie od 1493.

Brasília [~zi̯lia], stol. Brazylii, w środk. części kraju, na Wyż. Brazylijskiej, na wys. ok. 1200 m; 2,1 mln mieszk. (2002); stanowi dystrykt federalny o pow. 5,8 tys. km^2; ośr. adm. (urzędy centr.), kult. i turyst.; węzeł komunik. (port lotn.); uniw.; B. zał. wg najnowocześniejszych zasad urb.-arch. (plan 1956–57 — L. Costa i O. Niemeyer); gmachy użyteczności publ., rządowe oraz mieszkalne odznaczające się fantazją form arch. i ścisłym powiązaniem z rzeźbą i malowidłami.

Brasławskie, Pojezierze, Brasławskaja hrada, część Pojezierzy Wschodniobałtyckich, gł. na Białorusi, częściowo na Litwie i Łotwie; ponad 4000 jezior, największe: Dryświaty, Snudy-Strusto, Drywiaty; bory sosnowe z udziałem świerka; gł. m. Brasław.

Bratysława, Bratislava, stol. Słowacji, nad Dunajem, u podnóża Małych Karpat; 449 tys. mieszk. (2002); centrum gosp., nauk. (Słowac. Akad. Nauk, szkoły wyższe) i kult. (teatry, muzea) Słowacji; przemysł gł. chem. i elektromaszyn.; węzeł komunik. (port lotn. i rzeczny); targi międzynar.; ośr. turyst.; od X w. do 1918 należała do Węgier (Pozsóny); prawa miejskie 1291; zamek (XII–XVIII w.), kościoły, m.in. katedra (XIII–XV w.), fragmenty obwarowań miejskich (XIV–XVI w.), ratusz (XV w.), pałace i kamienice (XVII, XVIII w.).

Brazylia, Brasil, Federacyjna Republika Brazylii, największe państwo w Ameryce Łac., we wsch. części Ameryki Pd., nad O. Atlantyckim; 8512 tys. km^2; 176,3 mln mieszk. (2002); stol. Brasília; język urzędowy portug.; republika związkowa; składa się z 26 stanów i dystryktu federalnego.

Warunki naturalne

Około 60% pow. kraju zajmuje rozległa, złożona z licznych płaskowyżów i masywów górskich Wyż. Brazylijska (Bandeira, 2890 m), na pn. aluwialna Niz. Amazonki i część Wyż. Gujańskiej z najwyższym szczytem kraju — Pico da Neblina (3014 m). Klimat równikowy wilgotny na Niz. Amazonki, podrównikowy wilgotny na wyżynach, w pn.-wsch. części Wyż. Brazylijskiej — suchy; na krańcu pd. Wyż. Brazylijskiej klimat

■ Brazylia

■ Brazylia. Północne stoki Mato Grosso

podzwrotnikowy mor.; średnia temp. miesięczna od 13°C na pd. do 28°C na pn., roczna suma opadów: 500 mm i poniżej na pn.-wsch. Wyż. Brazylijskiej, ok. 2000 mm na wybrzeżach i ok. 4000 mm na Niz. Amazonki; na pn. opady całoroczne, na pd. — od listopada do marca. B. należy do najzasobniejszych w wodę państw świata; gęsta sieć rzek (zlewisko O. Atlantyckiego) o wielkim potencjale energ., gł.: Amazonka (największy przepływ na Ziemi, 220 000 m³/s) z liczymi dopływami (Madeira, Purus, Tocantins, Xingu, Negro), Parana, São Francisco; na rzekach wodospady (Iguaçu, Paulo Afonso, Sete Quedas); jeziora gł. lagunowe: Patos, Mirim. Roślinność zróżnicowana: lasy równikowe wilgotne na Niz. Amazonki — największy obszar leśny na kuli ziemskiej, sawanny (campos) na Wyż. Brazylijskiej, suche lasy caatinga w pn.--wsch. części Wyż. Brazylijskiej i araukariowe na pd. kraju; postępujący wyrąb lasów, zwł. w Amazonii; 1980 lasy zajmowały 61% pow. kraju, 1994 — 57%; parki nar., m.in. Iguaçu.

Ludność

53% ludności pochodzenia eur., gł. portug., wł. i hiszp., 35% Metysów, 6% Murzynów, 2% Indian (gł. w Amazonii); Polonia brazyl. (ok. 800 tys.), zwł. w stanach Paraná, Rio Grande do Sul i Santa Catarina; katolicy i afrokatolicy ok. 78%, protestanci, animiści wśród ludności indiań.; wysoki przyrost naturalny ok. 28–30‰ rocznie spadł w poł. lat 90. do 15‰; średnia gęstość zaludnienia 19 mieszk. na km²; ludność rozmieszczona nierównomiernie, skupiona we wsch. i pd.-wsch. części kraju, gł. wzdłuż wybrzeża, znaczne obszary bezludne (Niz. Amazonki); mig-

■ Brazylia. Wilgotne lasy równikowe w dolinie rzeki Negro powyżej ujścia do Amazonki

racja ludności ze wsch. regionów na teren Amazonii; ludność miejska stanowi 78% mieszk. kraju (1996); największe m.: São Paulo, Rio de Janeiro, Salvador, Belo Horizonte, Fortaleza, Brasília, Kurytyba, Recife, Nova Iguaçu, Pôrto Alegre, Belém, Manaus; wokół wielkich miast rozległe dzielnice biedy, zw. favelhas; struktura zatrudnienia (1997): przemysł 24%, rolnictwo 30%, usługi 46%.

Gospodarka

B. jest jednym z najlepiej rozwiniętych gosp. krajów Ameryki Łac., największe na świecie zadłużenie zagr. (177,6 mld dol. USA, 1997); podstawą gospodarki jest ekstensywne rolnictwo i przemysł przetwórczy. Użytki rolne, gł. pastwiska, zajmują ok. 28% pow. kraju, większość areału rolnego jest własnością wielkich właścicieli ziemskich; rozpowszechniony system dzierżawy ziemi; rozwinięte rolnictwo plantacyjne (wsch. i pd. część B.) i hodowla; największe na świecie zbiory kawy (stan Paraná, São Paulo), trzciny cukrowej (São Paulo), sizalu (stany pn.--wsch.), bananów i pomarańczy (São Paulo, Rio de Janeiro), wysokie — kakao (Bahia), bawełny; uprawy żywieniowe: zboża (kukurydza, ryż, pszenica), soja, maniok, fasola; w wielkich gospodarstwach rolnych hodowla bydła (2. miejsce w świecie pod względem pogłowia) i koni, zwł. we wsch. i pd. stanach oraz trzody chlewnej, owiec, kóz; rybołówstwo mor. (w tym wielorybnictwo) i słodkowodne. W przemyśle przetwórczym dominuje hutnictwo żelaza i metali nieżelaznych oraz przemysł spoż. (cukr., mięsny, przetwórstwo kawy) i skórz.-obuwn., ponadto chem., włók., rafineryjny, samochodowy (Volkswagen, Fiat), elektrotechn., drzewno-papierniczy; przemysł przetwórczy skoncentrowany w stanach: São Paulo i Rio de Janeiro. Różnorodne złoża surowców miner.; górnictwo rud metali (żelaza, manganu, cyny, uranu, chromu, boksytów), fosforytów, diamentów, złota; wydobycie ropy naft. i gazu ziemnego ze złóż podmor. nie pokrywa zapotrzebowania krajowego; gł. region górn. — Minas Gerais; 93% energii elektr. wytwarzają hydroelektrownie, największe: Itaipú, Tucuruí i Ilha Solteira. Eksploatacja lasów, zwł. w Amazonii; pozyskanie drewna na eksport, zbiór lateksu, orzeszków, owoców. Sieć komunik. dobrze rozwinięta we wsch. części kraju; transport samochodowy (Transamazonika, Droga Panamer.), kol., rzeczny, żegluga przybrzeżna; gł. porty mor.: Vitória (z Tubarão), Santos, Rio de Janeiro. Turystyka zagr. — 2,7 mln osób (1996). Struktura towarowa handlu zagr. (1% obrotu świat., 1995) typowa dla krajów rozwijających się, w eksporcie dominują surowce (rudy żelaza) i artykuły rolne (kawa, cukier, kakao), poza tym środki transportu, obuwie, tekstylia; handel z USA, Argentyną, Niemcami, Japonią, Włochami. ∎

Brazylijska, Wyżyna, Planalto do Brasil, rozległa wyżyna w Ameryce Pd., prawie w całości na terytorium Brazylii; pow. ok. 6 mln km^2; wys. 500–1000 m. Pod względem geol. jest częścią prekambryjskiej platformy południowoamer., której podłoże jest zbud. z gnejsów, łupków krystal. i granitów prekambru (ukazują się one na powierzchni w obrębie tarcz); na sfałdowanym i zdenudowanym podłożu leży pokrywa osadów paleozoicznych, mezozoicznych i kenozoicznych, wśród których występują też skały wylewne (gł. mezozoiczne bazalty). Ze skałami prekambryjskimi W.B. są związane bogate złoża rud żelaza, manganu, uranu, tytanu, berylu i in., a także diamentów i boksytów; w utworach górnego karbonu — niewielkie złoża węgla kamiennego. Powierzchnia W.B. jest rozcięta dolinami rzek na kilka płaskowyżów, zw. chapadão. W ich obrębie, w wyniku niejednakowej odporności skał, wytworzyły się progi oraz góry stołowe i stoliwa (chapada) o stromych stokach. Najsilniej wydźwignięta wsch. część W.B. nosi cechy rzeźby zrębowej. Występuje tu szereg równol. do wybrzeża O. Atlantyckiego asymetrycznych grzbietów (serra) o stromych stokach wsch. i łagodnych zachodnich. Ważniejsze pasma to: Serra Geral, Serra do Mar, Serra da Mantiqueira, Serra do Espinhaço oraz Serra do Caparaó z najwyższym szczytem W.B. — Bandeira (2890 m). Klimat w większej części W.B. podrównikowy wilgotny o rocznej sumie opadów 1000–2000 mm; na pn.-wsch. klimat podrównikowy suchy (poniżej 500 mm), na pd. krańcu — podzwrotnikowy mor. (do 1000 mm). Obszar W.B. odwadniają liczne rzeki, gł. Parana z dopływami, São Francisco oraz dopływy Amazonki — Madeira, Tapajós, Xingu i Tocantins. Naturalną roślinność W.B. tworzą różne odmiany sawanny z lasami galeriowymi w dolinach rzek. Na pn.-zach. występuje wilgotny wiecznie zielony las równikowy — selwa; na pn.-wsch. suche lasy podrównikowe — caatinga; wsch. stoki W.B. porastają wiecznie zielone lasy — alto da serra; w pd. części występują lasy araukariowe; duże obszary objęte ochroną; liczne rezerwaty przyrody, w tym rezerwaty biosfery (Serra Negra), parki nar. (Iguaçu, Paulo Alfonso, Chapada Diamantina). Ważny obszar górnictwa, ekstensywnej hodowli i plantacji roślin tropikalnych.

Brazzaville [~zawịl], stol. Konga, nad rz. Kongo; zespół miejski 1,1 mln mieszk. (2002); przemysł spoż., włók., drzewny, metal. i in.; międzynar. port lotn.; port rzeczny; uniw.; muzeum nar.; afryk. sekcja Świat. Organizacji Zdrowia; zał. 1880.

Brda, rz. na Pojezierzu Południowopomorskim i w Kotlinie Toruńskiej, l. dopływ Wisły; dł. 238 km, pow. dorzecza 4627 km^2; wypływa z Jez. Smołowskiego; przepływa przez jez.: Szczytno, Charzykowskie, Karsińskie i in.; w środk. biegu płynie przez Bory Tucholskie; uchodzi w Brdyujściu; od Bydgoszczy wchodzi w system drogi wodnej Kanału Bydgoskiego; średni przepływ w dolnym biegu 27,5 m^3/s; maks. rozpiętość wahań stanów wody w dolnym biegu 2,7 m; zbiorniki retencyjne i elektrownie w Koronowie, Tryszczynie i Smukale; nad B. leżą m.: Tuchola, Koronowo, Bydgoszcz; jeden z najpopularniejszych w Polsce szlaków wodnych.

Brenner, wł. **Brennero,** przełęcz w gł. grzbiecie Alp, na granicy Austrii i Włoch, między Alpami Oetztalskimi i Alpami Zillertalskimi; wys. 1370 m; łączy doliny Adygi i Innu; przez B. przechodzi zbud. 1865 linia kol. Innsbruck–Bolzano i autostrada (od 1974) z mostem Europa (dł. 785 m i wys. 190 m) ponad doliną Wipp. Od czasów rzym. ważne przejście strategiczne; od XIV w. przez B. prowadził jeden z największych szlaków handl. Europy.

Brestowska, Jaskinia, Brestovská jaskyňa, **Stefkówka,** największa jaskinia słowackich Tatr Zach., znajduje się przy wylocie Doliny Zuberskiej; dł. 1450 m, otwór na wys. 867 m; system korytarzy częściowo wypełnionych wodą, odcinek podziemnego przepływu Zimnej Wody Orawskiej; wstępne partie (dł. ok. 450 m) znane od dawna, zwiedzał je J.G. Pawlikowski (przed 1887), T. Chałubiński (1886); 1960 niewielkie odkrycia (ok. 200 m); 1979, po pokonaniu syfonu (dł. 120 m), odkryto ok. 775 m korytarzy poprzedzielanych 4 syfonami.

Bretania, Bretagne, region adm. i kraina hist. w pn.-zach. Francji, na Płw. Bretońskim; 27 tys. km^2; 2,9 mln mieszk. (1998), Bretończycy; ośr. adm. Rennes, gł. port Brest; region roln.; uprawa pszenicy, kukurydzy; hodowla bydła i trzody chlewnej; rybołówstwo (połów makreli, hodowla ostryg); na wybrzeżu liczne kąpieliska i ośr. wypoczynkowe.

Bretoński, Półwysep, Bretagne, półwysep we Francji, między cieśn. La Manche i O. Atlantyckim; wybrzeże riasowe; większą część zajmuje Masyw Armorykański, wys. do 384 m (wzgórza Arrée); krótkie rzeki; klimat umiarkowany ciepły, wybitnie mor.; roczne opady ok. 700 mm, na wzgórzach Arrée 1200 mm; lasy dębowe (zwł. w pobliżu wybrzeży) i bukowe; rozpowszechnione wrzosowiska i torfowiska. Ludność pochodzenia celt.; uprawa warzyw; hodowla trzody chlewnej, drobiu, bydła; rozwinięte rybołówstwo; liczne kąpieliska (m.in. Dinard, Saint-Malo); ważny region turyst. (malowniczy krajobraz, bogaty folklor); gł. m.: Rennes, Brest, Saint-Brieuc, Lorient.

Bristolski, Kanał, Bristol Channel, zatoka O. Atlantyckiego wcinająca się 230 km w pd.-zach. wybrzeże W. Brytanii; szer. do 126 km, głęb. do 50 m; wysokie pływy, do 14,4 m; do K.B. uchodzą m.in. rz. Severn i Avon; gł. porty: Bristol, Cardiff, Newport, Swansea.

Brno, m. w pd.-wsch. Czechach, na pd.-wsch. skraju Wyżyny Czesko-Morawskiej; ośr. adm. kraju brneńskiego; 378 tys. mieszk. (2002); ośr. gosp. i kult.-nauk. Moraw; przemysł gł. elektomaszyn., włók., zbrojeniowy; węzeł komunik.

■ Brno

(port lotn.); targi międzynar.; ośr. turyst.; uniw.; muzea; prawa miejskie 1243; w XIX w. rozwój przemysłu włók. i metal.; zachowany dawny układ urb.; ratusze i kościoły (XIV–XIX w.), kamienice i pałace, zamek (XVI–XVIII w.). ■

Brocken [brɔkən], mitol. **Blocksberg,** najwyższe wzniesienie gór Harz, w Niemczech; wys. 1142 m; zbud. z granitów, wznosi się ponad zalesioną powierzchnię zrównania; duże opady (1400 mm rocznie); obserwatorium meteorol.; ogród bot. (zał. 1890); przekaźnikowa stacja telew.-radiowa. Z Brocken jest związanych wiele germ. legend lud. (m.in. sabat czarownic w noc Walpurgii).

■ Zjawisko Brockenu w górach

Brockenu zjawisko [z. brok~], **widmo Brockenu,** powiększony cień obserwatora, otoczony niekiedy barwnymi kręgami → glorii, widoczny na tle bardzo bliskiej mgły lub chmury; nazwa pochodzi od szczytu Brocken w górach Harz, gdzie to rzadkie zjawisko zostało zaobserwowane po raz pierwszy. ■

Brok, m. w woj. mazow. (powiat ostrowski), na pr. brzegu Bugu; 1,8 tys. mieszk. (2000); letnisko i ośr. turyst.-wypoczynkowy; prawa miejskie 1501–1870 i od 1922; ośr. bartnictwa; kościół (XVI w.), ruiny zamku (XVII w.).

Broken Hill [brɔukn hyl], m. w Australii, w zach. części Nowej Pd. Walii; 23 tys. mieszk. (2002); jeden z największych na świecie ośr. wydobycia rud ołowiu i cynku, przetapianych w Port Pirie (Australia Pd.).

bród, płytkie miejsce w korycie rzeki, umożliwiające przy niskich i średnich stanach wody przeprawę pieszą lub kołową na drugi brzeg; występuje zwykle na prostych, szerszych odcinkach rzeki i przy zmniejszonym spadku jej koryta; kierunek b. jest zwykle skośny do przekroju poprzecznego rzeki.

Brugia, flam. **Brugge,** franc. **Bruges,** m. w pn.-zach. Belgii; ośr. adm. prow. Flandria Zach.; 115 tys. mieszk. (2002); port handl. połączony

■ Brugia. Zabytkowa zabudowa Grote Markt

kanałami z Zeebrugge i Ostendą nad M. Północnym oraz Gandawą; duży ośr. przemysłu (fabryka wagonów, maszyn roln., stalownia) i turystyki; wzmiankowana w VII w.; dzielnica staromiejska otoczona kanałami żegl.; katedra (XII–XIX w.), szpital Św. Jana (XII–XV w.), hale targowe (XII–XIV w.), got. ratusz (XIV, XV, XIX w.) z bogato rzeźbioną fasadą, bazylika Saint-Sang (XII–XV/XVI w.), renes. kancelaria miejska (XVI w.)■

Bruksela, franc. **Bruxelles,** flam. **Brussel,** stol. Belgii, w środk. części kraju, nad rz. Senne; ośr.

■ Bruksela. Siedziba NATO (wśród flag państw członkowskich flaga polska)

adm. prow. Brabancja; 136 tys. mieszk., zespół miejski 959 tys. mieszk. (2002); tworzy dwujęzyczny, franc.-flam. region adm.; ok. 20% ludności to cudzoziemcy; siedziba organizacji międzynar.: Unii Eur., Unii Benelux, eur. dowództwa NATO; liczne banki krajowe i zagr., giełda papierów wartościowych; międzynar. targi rolno-spoż.; krajowe centrum przemysłu włók., odzież., poligraficzny; montownie samochodów, przemysł chem., elektron.; gł. port śródlądowy kraju, połączony kanałami, m.in. z Antwerpią; węzeł kol. (połączenie liniami TGV z Paryżem, Amsterdamem i Kolonią), drogowy i lotn. o znaczeniu międzynar.; 2 król. akad. nauk: walońska (zał. 1772) i flam.; uniw., politechn., konserwatorium; biblioteki, muzea, w tym Belg. Król. Muzea Sztuki. Kościoły (XIII–XVII w.), zespół Grand Place: got. ratusz (XV–XVI w.) z beffroi, tzw. Dom Król. (XVI, XIX w.), kamienice (XVII–XVIII w.), fontanna z figurką Manneken-Pis (XVII w.), pałac król. (XVIII–XX w.); Pałac Sprawiedliwości (XIX w.), Pałac Sztuk Pięknych (XX w.). ■

Brunei, Państwo Brunei-Kraj Pokoju, Negara Brunei Darussalam , państwo w Azji Pd.-Wsch., na pn.-zach. wybrzeżu Borneo; 5,8 tys. km², 354 tys. mieszk. (2002); stol. Bandar Seri Begawan; Malajowie 70%, Chińczycy 15%, Dajakowie 6% i in.; religia państw. islam, buddyści 13%, chrześcijanie 10%, tradycyjne wierzenia; język urzędowy: malajski i ang. (w użyciu chiń.); monarchia; składa się z 2 części oddalonych o ok. 25 km; obszar nizinny, na pd. — góry; ponad 75% pow. lasy; podstawą gospodarki wydobycie ropy naft. i gazu ziemnego (90% wartości eksportu) oraz usługi; wielkie zakłady skraplania gazu ziemnego z terminalem w Lumut; uprawy: ryż, palma kokosowa, kauczukowiec, pieprz; gł. porty: Seria, Muara. ■

Brusy, m. w woj. pomor. (pow. chojnicki), nad Niechwaszczem (pr. dopływ Wdy), w pobliżu Parku Nar. Bory Tucholskie i Zaborskiego Parku Krajobrazowego; 4,6 tys. mieszk. (2000); ośr. usługowy; drobny przemysł (spoż., drzewny); ośr. kultury kaszubskiej; prawa miejskie 1988.

Brwinów, m. w woj. mazow. (powiat pruszkowski); 11,3 tys. mieszk. (2000); ośr. usługowy z drobnym przemysłem oraz ośr. nauki i oświaty roln.; prawa miejskie od 1950.

Brytyjskie Terytorium Oceanu Indyjskiego, British Indian Ocean Territory, terytorium zależne W. Brytanii na archipelagu Czagos, na O. Indyjskim, na pn-wsch. od Madagaskaru; 78 km², 2 tys. mieszk. (1994); bryt. i amer. bazy wojsk. (atol → Diego Garcia); utw. 1965 z wysp wyłączonych z 2 kolonii bryt.: Seszeli i Mauritiusa; 1966 umowa bryt.-amer. o wspólnym użytkowaniu przez 50 lat.

Brytyjskie, Wyspy, British Isles, grupa wysp w pn.-zach. Europie; pow. 315 tys. km²; leżą na platformie kontynent. Europy, oddzielone od niej cieśninami La Manche i Kaletańską; największe wyspy: W. Brytania i Irlandia, poza tym Hebrydy, Orkady, Szetlandy, Man i in.; stanowią terytorium 2 państw: W. Brytanii i Irlandii.

Brytyjskie Wyspy Dziewicze, British Virgin Islands, terytorium zależne W. Brytanii, w Ameryce Środk. (Indie Zach.), w Małych Antylach; obejmują ok. 40 wysp wulk. i raf koralowych na M. Karaibskim; gł. wyspy: Tortola,

■ Brunei

■ Brytyjskie Wyspy Dziewicze. Wyspa Honda

Anegada; 153 km^2; 21 tys. mieszk. (2002), gł. Murzyni; protestanci; stol. i gł. port mor. Road Town (ok. 6 tys. mieszk.) na wyspie Tortola; język urzędowy angielski. Klimat równikowy wilgotny, cyklony. Podstawą gospodarki jest obsługa turystów (300 tys. rocznie) i usługi finansowe (3 tys. firm zagr.); rybołówstwo; uprawa trzciny cukrowej, batatów; produkcja rumu; szkutnictwo. 1493 odkryte przez K. Kolumba. ∎

bryza [franc.], lokalny wiatr związany z cyrkulacją powietrza powstającą w strefie granicznej 2 podłoży o różnych właściwościach termicznych (np. nad brzegami mórz, jezior, rzek), zmieniającą kierunek 2 razy w ciągu doby; jest wynikiem różnicy ciśnień na danym poziomie, wywołanej nierównomiernym nagrzewaniem się lub chłodzeniem zróżnicowanego podłoża (np. lądu i zbiornika wodnego); występuje podczas słonecznej pogody, przy braku silniejszych wiatrów ogólnej cyrkulacji; najbardziej są rozwinięte b. mórz i oceanów; w dzień wieje b. od zbiornika wodnego w stronę lądu, zwana b. dzienną (mor., jeziorną itp.), w nocy — od lądu w stronę morza lub jeziora, zwana b. nocną (lądową); b. może powstawać także na granicy lasów i pól (wiatr leśny i polny), na obrzeżach dużych miast (b. miejska).

Brzeg, m. powiatowe w woj. opol., nad Odrą; 40 tys. mieszk. (2000); przemysł maszyn., skórz., spoż., elektrotechn.; węzeł komunik.; ośr. kult. i krajoznawczy; prawa miejskie przed 1250 (1247?); Muzeum Piastów Śląskich; zamek (XVI w., ob. muzeum) z bramą o bogatej rzeźbie, kaplica Św. Jadwigi (XIV, XVI i XVIII w.) z sarkofagami Piastów, kościół (XIV–XV, XVI–XX w.), ratusz (XVI w.), kamienice (XVI–XVIII w.).

Brzeg Dolny, m. w woj. opol. (powiat wołowski), nad Odrą; 13,7 tys. mieszk. (2000); zakłady chem. „Organika-Rokita", wytwórnie gazów techn. i pianki poliuretanowej, liczników elektr.; kopalnia glinki ceramicznej; stopień wodny na Odrze (zbud. 1958), elektrownia wodna (9,7 MW); prawa miejskie 1663–1945 i od 1954.

brzegowa linia, linia zetknięcia się wód morza, jeziora lub rzeki z lądem; jej przebieg nie ma charakteru trwałego; naturalne zmiany w przebiegu l.b. zależą gł. od wahania poziomu wody w akwenie; najbardziej zmienia się l.b. mórz i oceanów; na mapach l.b. jest linią umowną odpowiadającą średniemu poziomowi wód; l.b. kręta i tworząca liczne występy oraz zatoki nazywa się l.b. rozwiniętą.

∎ Budapeszt. Widok na most łańcuchowy i Peszt

Brzesko, m. powiatowe w woj. małopol., nad Uszwicą (pr. dopływ Wisły); 17,9 tys. mieszk. (2000); browar „Okocim" (zał. 1845); fabryki opakowań metal., wytwórnia śmieciarek, koparek i in., ponadto wytwórnie — pasz, bombek choinkowych; węzeł drogowy; prawa miejskie przed 1385 (po 1344); kościół (XV w.), pałac Goetzów (XIX w.), krajobrazowy park ang. (koniec XIX w.).

Brzeszcze, m. w woj. małopol. (powiat oświęcimski), w Kotlinie Oświęcimskiej, na pr. brzegu Wisły. — 12,4 tys. mieszk. (2000); prawa miejskie 1962. Kopalnia Węgla Kamiennego „Brzeszcze", drobny przemysł spoż.; w pn. części miasta liczne stawy.

Brześć Kujawski, m. w woj. kujawsko-pomor. (powiat włocławski), nad Zgłowiączką; 4,7 tys. mieszk. (2000); ośr. usługowy regionu roln.; cukrownia; muzeum; pozostałości osady z okresu neolitu, złożonej z wielkich trapezowatych domostw (dł. ok. 40 m, szer. 5–10 m); prawa miejskie od 1250; 2 kościoły (XIV, XVIII w. i XIV, XVI, XVII w.), ratusz (XIX w.).

Brzeziny, m. powiatowe w woj. łódz., nad Mrożycą (dorzecze Bzury); 12,8 tys. mieszk. (2000); ośrodek przemysłu odzież.; duża mleczarnia, młyn i in.; węzeł drogowy; prawa miejskie przed 1329 (1327?).

Brzozów, m. powiatowe w woj. podkarpackim, nad Stobnicą; 7,9 tys. mieszk. (2000); ośr. usługowy regionu roln.; wytwórnie tworzyw sztucznych, koronek, odzieży; węzeł drogowy; prawa miejskie przed 1388; muzeum; kościół (XVII, XIX/XX w.), dawne seminarium (XVIII w.), drewn. domy (XVIII/XIX w.), ratusz (XIX w.).

Bucegi [buczędżi], **Munţii Bucegi,** pasmo górskie w Karpatach Pd., w Rumunii; wys. do 2505 m (Omul); zbud. gł. z wapiennych zlepieńców; opada skalnymi urwiskami (o wys. względnej do 1700 m) w kierunku wsch., ku dolinie Prahovy; na wierzchowinie formy korazyjne; po stronie zach. (u źródeł Jałomicy) ślady zlodowacenia i jaskinie krasowe; górna granica lasu na wys. 1400–1500 m (obniżona ze względu na występowanie ścian skalnych); rezerwat przyrody Piatra Ars (ok. 7000 ha); region turyst., dobrze zagospodarowany; uzdrowisko i ośr. turyst. Sinaia.

Budapeszt, Budapest, stol. Węgier, nad Dunajem; 1,8 mln mieszk. (2002); gł. ośr. przem. (maszyn., środków transportu, elektron., farm., metalurg.), handl. (targi międzynar.) i finansowy kraju; Węg. AN, szkoły wyższe (uniw.); port rzeczny, międzynar. port lotn., węzeł kol. i drogowy; metro; ośr. turyst. (gł. Buda); muzea; powstał z 2 miast: prawobrzeżnej Budy (od XIV w. stol. Węgier) i lewobrzeżnego Pesztu, połączonych 1872; zamek król. (XIII, XVII, XIX w.), got. kościół Św. Macieja (przebudowa XIX w.), tur. łaźnia (XVI w.), eklekt. gmachy (XIX w.) parlamentu, Muzeum Nar., opery. ∎

Buenos Aires, Lago Buenos Aires (Argentyna), **Lago General Carrera** (Chile), jez. pochodzenia lodowcowo-tektonicznego w Argentynie i Chile, w Andach Patagońskich, na wys. 217 m; pow. 2,2 tys. km^2; zasilane wodami licznych rzek;

z Buenos Aires wypływają rz.: Baker (uchodząca do O. Spokojnego) i Deseado (uchodząca do O. Atlantyckiego).

Buenos Aires, stol. Argentyny, we wsch. części kraju, nad La Platą; stanowi Dystrykt Federalny (200 km^2); 3 mln mieszk., zespół miejski 12,9 mln (2002); jeden z gł. ośr. gosp. Ameryki Pd.; rozwinięty przemysł samochodowy, hutnictwo żelaza, rafinerie ropy naft., mięsny; centrum handl., kult. (muzea) i nauk. (3 uniw.); gł. port kraju, wielki węzeł komunik. (port lotn.); największy ośr. Polonii w Argentynie; zał. przez Hiszpanów (P. de Mendoza) 1536 i powtórnie 1580; katedra, zabytkowe budowle i kościoły (XVIII w.), budowle użyteczności publ. (XIX, XX w.).

Bug, rz. w Polsce, na Ukrainie i Białorusi; l. dopływ Narwi. Długość 772 km (w tym w Polsce — 587 km), pow. dorzecza 39 420 km^2 (w Polsce — 19 284 km^2). Źródła na Wyż. Podolskiej (Ukraina); płynie przez Wyż. Zachodniowołyńską, Polesie Wołyńskie i Polesie Zach., pod Terespolem skręca na pn.-zach. i przepływa przez Niz. Południowopodlaską, od Broku — na pd.-zach., przez Niz. Środkowomazowiecką; uchodzi do Jez. Zegrzyńskiego (utworzonego na Narwi przez stopień wodny w Dębem). W środk. i dolnym biegu meandruje tworząc starorzecza. Dno doliny B. szerokie (do kilkunastu km w dolnym biegu). Średni przepływ w dolnym biegu — 158 m^3/s; maks. rozpiętość wahań stanów wody — 5 m; gł. dopływy: Pełtew, Sołokija, Huczwa, Krzna, Liwiec (l.), Ług, Muchawiec, Leśna, Nurzec (pr.); żeglowny 587 km; gł. miasta nad B.: Włodawa, Wyszków (w Polsce), Czerwonogród (Ukraina), Brześć (Białoruś); na odcinku Gołębie–Niemirów (363 km) stanowi granicę z Białorusią i Ukrainą. B. jest połączony z rz. Prypeć Kanałem Dniepr–B. (Królewskim) przez rz. Muchawiec i Pinę (dopływ Prypeci).

Buk, m. w woj. wielkopol. (powiat pozn.), na Pojezierzu Poznańskim; 6,3 tys. mieszk. (2000); wyrób materiałów bud. z tworzyw sztucznych, odzieży, artykułów spoż., mebli; prawa miejskie przed 1289.

Bukareszt, Bucureşti, stol. Rumunii, na pd. kraju, na Niz. Wołoskiej; 2 mln mieszk. (2002); centrum przem. (gł. środki transportu, maszyny roln. i górn., sprzęt elektron. w zakładach Philipsa), komunik. (2 porty lotn.) i nauk. (13 szkół wyższych) kraju; metro; muzea; giełda; cerkwie, klasztory (XVI–XIX w.), pałace, budowle klasycyst. i eklekt. (XIX–XX w.), m.in.: uniw., Pałac Sprawiedliwości, Bank Narodowy. ■

Bukowe, Góry, Bükk, masyw górski na Węgrzech, w Średniogórzu Północnowęgierskim; od wsch. i pn. ograniczony szeroką doliną rz. Sajó; najwyższą (środk.) część stanowi wapienny płaskowyż (wys. 800–900 m) o urwistych ścianach; na jego krawędziach wznoszą się kopulaste szczyty, wys. do 959 m (Istállós-kö); przedgórze (zbud. z andezytów, riolitów i piaskowców) jest rozczłonkowane promieniście spływającymi potokami zasilanymi przez obfite źródła krasowe; liczne jaskinie; w górnym piętrze gęste lasy bukowe, po stronie pd. — dąbrowy; na stokach

pd. uprawa winorośli i drzew owocowych (zwł. śliw). W jaskiniach odkryto ślady człowieka z epoki kamienia oraz szczątki plejstoceńskiej fauny; Park Nar. G. Bukowe (od 1976, pow. 40 tys. ha).

■ Bukareszt. Widok miasta z gmachami Teatru Narodowego, szpitala i cerkwi Colţea

Bukowno, m. w woj. małopol. (powiat olkuski), nad Sztołą (l. dopływ Białej Przemszy); 10,5 tys. mieszk. (2000); huta cynku i Zakłady Górn.-Hutn. Bolesław w B. (zbud. 1950–53, od lat 60. z wytwórnią kwasu siarkowego); węzeł kol. i szerokotorowa linia hutn.-siarkowa; ośr. wypoczynku świątecznego; prawa miejskie od 1962.

Bułgaria, Byłgarija, Republika Bułgarii, państwo w Europie, na Płw. Bałkańskim, nad M. Czarnym; 110,9 tys. km^2; 7,9 mln mieszk. (2002), gł. Bułgarzy oraz Turcy, Cyganie; prawosławni; stol.: Sofia, inne gł. m.: Płowdiw, Warna (gł. port mor.); język urzędowy bułg.; republika. W środk. części Bałkany, na pd. Rodopy, rozdzielone Niz. Górnotracką; na pd.-zach. najwyższe góry B.: Riła (Musała, 2925 m) i Pirin; na pn. Wyż. Naddunajska i Dobrudży oraz nizinna dolina Dunaju; klimat umiarkowany ciepły, na pd. podzwrotnikowy; lasy dębowe i bukowe, zarośla (sziblak), stepy. Gospodarka w okresie przejściowym od centralnie planowanej do rynkowej; wydobycie węgla brun., rud cynku, ołowiu, miedzi; hutnictwo metali, produkcja środków transportu (tabor kol., statki, ciągniki), przemysł maszyn. (urządzenia nawadniające), chem., spoż.; uprawa zbóż, słonecznika, warzyw, wino-

■ Bułgaria

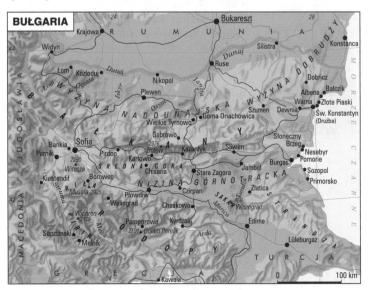

■ Bułgaria. Okolice Melnika

rośli; świat. producent olejku różanego; turystyka zagr. (wybrzeże M. Czarnego z licznymi uzdrowiskami i kąpieliskami). ■

Buna, Bunë, serb. **Bojana,** rz. w Albanii, na dł. ok. 24 km graniczna z Jugosławią (Czarnogóra); dł. 41 km; wypływa z Jez. Szkoderskiego; przy ujściu do M. Adriatyckiego tworzy deltę; od 1858 z Buną łączy się rz. Drin; pod względem przepływu (670 m³/s) Buna należy do gł. rzek zlewiska M. Śródziemnego; żeglowna.

Bungera, Oaza [o. baŋ~], **Bunger Hills,** jedna z największych na Antarktydzie powierzchni nie pokrytych lodem, na Ziemi Wilkesa (Wybrzeże Knoxa), oddzielona od M. Mawsona (O. Indyjski) Lodowcem Szelfowym Shackletona; pow. 500 km²; obszar pagórkowaty (wys. do 172 m), zbud. z prekambryjskich skał metamorficznych, silnie zniszczony w wyniku wietrzenia fiz., obniżenia wypełnione gliną morenową; liczne jeziora (niektóre zasolone) zamarzające okresowo; najgłębsze Jez. Figurowe (dł. 18 km, głęb. 137 m); średnia temp. powietrza w lecie 2,3°C, w zimie – 18,7°C, najwyższa zanotowana temp. 9,9°C, najniższa –42,7°C, siła wiatru do 56 m/s; na skałach mchy i porosty; latem ptaki; pol. stacja nauk. „Dobrowolski" (nieczynna); Oaza Bungera została odkryta 1947 przez amer. pilota A. Bungera.

■ Burundi

buran [ros. < tur.], bardzo silny, porywisty, mroźny wiatr pn.-wsch., połączony z opadami śniegu; wieje zimą w środk. i pd. Syberii, powodując silne zamiecie i śnieżyce.

Burgundzka, Brama, Porte de Bourgogne, Trouée (Porte) de Belfort, obniżenie między Wogezami a górami Jura, we Francji; przez B.B. przechodzą linia kol. i autostrada Paryż–Bazylea oraz Kanał Rodan–Ren; gł. m. Belfort.

Buriacja, Burjadaj, republika w Rosji, na Zabajkalu; 351,3 tys. km², 1,1 mln mieszk. (2002); stol. Ułan Ude; Buriaci 24%, Rosjanie 70%, Ukraińcy, Tatarzy i in.; ludność miejska 60%; lasy 4/5 pow.; przemysł maszyn. i metal., drzewno-papierniczy, materiałów bud., spoż.; wydobycie węgla brun., grafitu, rud wolframu i molibdenu, apatytów; uprawa zbóż (gł. pszenicy), roślin pastewnych, ziemniaków; hodowla bydła, owiec, zwierząt futerkowych, myślistwo; żegluga na Bajkale.

Burkina Faso, do 1984 **Górna Wolta,** państwo w zach. Afryce; 274,2 tys. km²; 12,1 mln mieszk. (2002), gł. ludy Mossi, Fulanie; 70% animistów,

■ Burkina Faso

katolicy; stol. Wagadugu; język urzędowy franc.; republika. Kraj wyżynny; klimat podrównikowy, na pn. suchy; sawanny; podstawą gospodarki hodowla bydła, kóz, owiec, uprawa bawełny (na eksport), sorga, prosa, kukurydzy; duże złoża rud manganu; przemysł młynarski, mięsny, piwowarski, bawełniany. ■

Burundi, rundi **Uburundi, Republika Burundi,** państwo w Afryce, nad jez. Tanganika; 27,8 tys. km²; 7,7 mln mieszk. (2002), ludy Hutu (83%), Tutsi; przewaga katolików; stol. Bużumbura; język urzędowy: rundi, franc.; republika. Kraj wyżynno-górzysty w strefie Wielkiego Rowu Zach.; klimat górski w strefie równikowej; bujne sawanny. Podstawa gospodarki: hodowla bydła, kóz, owiec i uprawa kawy, herbaty, bawełny (na eksport), bananów; bogate złoża rud wanadu i niklu; niewielkie zakłady przem. w stolicy. ■

burza, w węższym znaczeniu jedno lub kilka wyładowań atmosf. połączonych z błyskawicą lub grzmotem, w szerszym — także zespół zjawisk towarzyszących tym wyładowaniom (chmury, opady atmosf., charakterystyczne zakłócenia siły i kierunku wiatru). B. są związane z chmurami *cumulonimbus,* które powstają gł. wskutek szybkiego ochładzania silnie nagrzanego powietrza o dużej wilgotności podczas jego wznoszenia się. Kropelki wody w chmurze ulegają elektryzacji w polu elektr. Ziemi, a silne prądy wznoszące (występujące zawsze w chmurze burzowej) przyczyniają się do rozdzielenia ładunku i utworzenia w chmurze 2 obszarów przeciwnie naładowanych; różnica potencjałów (rzędu 10^8 V) między tymi obszarami i między dolną częścią chmury a Ziemią umożliwia silne wyładowanie elektryczne. Na kuli ziemskiej w każdej chwili są aktywne liczne b. (kilkadziesiąt tys. w ciągu godz.), gł. nad obszarami lądów i wysp tropikalnych. Transportują one dodatnie ładunki do stratosfery, a ujemne (w piorunach) do Ziemi, podtrzymując pole elektr. w atmosferze.

Busira, nazwa części biegu rz. → Tshuapa w Zairze.

Busko Zdrój, m. powiatowe w woj. świętokrzyskim, na wys. 200–270 m; 18,2 tys. mieszk. (2000); uzdrowisko balneologiczne; wody miner. (z siarkowodorem), borowina, muł buski; drobny przemysł, gł. spoż.; węzeł drogowy; prawa miejskie 1287–1870 i od 1916. ■

■ Busko Zdrój. Park zdrojowy i pijalnia wód

Bychawa, m. w woj. lubel. (powiat lubelski), nad Kosarzewką (pr. dopływ Bystrzycy); 5,5 tys. mieszk. (2000); ośr. usługowy regionu roln.; zakład odzież.; eksploatacja piasku; prawa miejskie 1537–1870 i od 1958; XVI–XVII w. ośr. reformacji.

Byczyna, m. w woj. opol. (powiat kluczborski), na pn. od Kluczborka; 3,8 tys. mieszk. (2000); ośr. usługowy regionu roln.; drobny przemysł; prawa miejskie przed 1268; 24 I 1588 zwycięstwo hetmana J. Zamoyskiego nad pretendującym do tronu pol. arcyks. austr. Maksymilianem i wspierającymi go Polakami.

Bydgoszcz, m. w woj. kujawsko-pomor., nad Wisłą, wzdłuż ujściowego odcinka Brdy i Kanału Bydg.; siedziba wojewody i starosty powiatu bydgoskiego, powiat grodzki; 386 tys. mieszk. (2000); duży ośr. przem.-usługowy i kult.-nauk.; przemysł: chem., spoż., elektro- i teletechn., maszyn. i środków transportu, odzież., mebl.; drukarnie; węzeł komunik.; port rzeczny; ośr. nauk. i kult.; szkoły wyższe (m.in. akademie — techn.- -roln., med., muz., WSP), tow. nauk.; wydawnictwa; filharmonia, opera, teatr; międzynar. imprezy kult.; obiekty sport. (tor regatowy, łuczniczy, saneczkowy, stadiony); muzea, w tym Muzeum Okręgowe im. L. Wyczółkowskiego; prawa miejskie od 1346; kościoły (XV–XIX w.), dawny sąd (XVIII w.), spichlerze (XVIII/XIX w.). ■

Bystra, słowac. **Bystrá,** najwyższy szczyt Tatr Zach. w Słowacji, ok. 0,5 km na pd. od szczytu Błyszcz, leżącego na granicy państwa; wys. 2248 m.

Bystrej, Wywierzysko, wielkie, podwójne wywierzysko (źródło krasowe) w Tatrach Zach., na zach. zboczu Doliny Bystrej, w pobliżu polany Kalatówki; wypływa z rumowiska skalnego na wys. 1168 m i 1175 m; wydajność ok. 500 l/s, temp. wody 4–4,5°C.

bystrze, odcinek rzeki (potoku) o stosunkowo szybkim ruchu wody; w rzece górskiej b. powstaje na załamaniach spadku koryta utworzonych przez progi skalne sterczące w jego dnie; poniżej progów b. tworzy zwykle zagłębienia w dnie (kotły eworsyjne); w rzece nizinnej b. tworzy się zazwyczaj między 2 zakolami w miejscach zalegania ławic piaszczystych lub żwirowych.

Bystrzyca, rz. w Sudetach i na Niz. Śląskiej, l. dopływ Odry; dł. 95 km, pow. dorzecza 1768 km²; źródła w G. Kamiennych; uchodzi we Wrocławiu; maks. rozpiętość wahań stanów wody w dolnym biegu ok. 4 m; gł. dopływy: Piława (pr.), Strzegomka (l.); w Lubachowie zbiornik retencyjny i elektrownia wodna, w Mietkowie zbiornik retencyjny; gł. m. nad B. — Świdnica, Wrocław.

Bystrzyca Kłodzka, m. w woj. dolnośląskim (powiat kłodzki), przy ujściu Bystrzycy do Nysy Kłodzkiej; 11,7 tys. mieszk. (2000); przemysł drzewno-papierniczy; ośr. turyst.; Muzeum Filumenistyczne; prawa miejskie przed 1319 (1253?); kościół (XIII, XV w.), fragmenty murów miejskich z basztami (XV i XVI w.), ratusz (XVI, XIX w.), kamienice (XVII w.).

Bystrzyckie, Góry, pasmo w Sudetach Środk., w Polsce i Czechach (pd.-wsch. kraniec, między

■ Bydgoszcz. Fragment zabudowy miejskiej wzdłuż Brdy

dolinami Dzikiej i Cichej Orlicy); oddzielone są od G. Orlickich głęboką doliną. Bystrzycy Dusznickiej i Dzikiej Orlicy, ku Kotlinie Kłodzkiej opadają krawędzią tektoniczną; zbud. z prekambryjskich gnejsów i łupków, przykrytych na pn. kredowymi piaskowcami ciosowymi i marglami; część pd. porozcinana głęboko wciętymi dolinami dopływów Dzikiej Orlicy i Nysy Kłodzkiej, liczne kulminacje (Czerniec 891 m, Adam 762 m, Graniczny Wierch 711 m), w części środk. między Przełęczą Spaloną a Przełęczą nad Porębą ciągnie się południkowo wyraźny grzbiet, z najwyższym wzniesieniem G.B. — Jagodną (977 m), ku pn. pasmo rozszerza się i w tej części kulminacje są mniej wyraźne (Łomnicka Równia 898 m, Smolna 870 m); pasmo jest eur. działem wodnym, między zlewniami M. Bałtyckiego i M. Północnego; na stokach i wierzchowinach występują lasy piętra regla dolnego, łąki górskie i polany; obszar słabo zaludniony; szlaki turyst., schroniska; rezerwat Topieliska (Torfowisko pod Zieleńcem) — unikatowe torfowisko wysokie z roślinnością tundrową.

Bytom, m. w woj. śląskim, powiat grodzki, w pn. części GOP; 202 tys. mieszk. (2000); duży ośrodek górniczo-energ. i metalurgiczny: kopalnie węgla kam., elektrociepłownie, huty żelaza Bobrek (do 1994) i Zygmunt; po 1989 restrukturyzacja górnictwa i hutnictwa: wstrzymano wydobycie rud cynkowo-ołowiowych (eksploatuje się jedynie stare hałdy), hutę żelaza Bobrek postawiono w stan upadłości i przekształcono w kilka nowych przedsiębiorstw, w hucie Zygmunt produkcję skoncentrowano na urządzeniach dla hutnictwa, konstrukcjach spawanych itp.; ponadto rozwinięty przemysł: maszyn., metalowy, materiałów budowlanych, odzieżowy, gumowy, drzewny i spoż.; drukarnie; siedziba Centr. Stacji Ratownictwa Górn.; jeden z ważniejszych węzłów komunik. Śląska przy międzynar. trasie z Europy Zach. na Ukrainę; ośrodek nauk. i kult. (opera, teatr tańca, orkiestra kamer.); Muzeum Górnośląskie; prawa miejskie 1254; XIX–1. poł. XX w. ośr. polskości; kościoły (XIII–XVIII w.), drewn. (XVI w.).

Bytom Odrzański, m. w woj. lubus. (powiat nowosolski), nad Odrą; 4,4 tys. mieszk. (2000); ośrodek usługowy; port rzeczny; drobny przemysł; prawa miejskie przed 1289 (1267?); kościół (XVI w.), ratusz (XVII w.), kamienice (XVII, XVIII w.).

■ Bytów. Zamek krzyżacki

Bytów, m. powiatowe w woj. pomor., nad Bytową (l. dopływ Słupi); 17,8 tys. mieszk. (2000); przemysł spoż., drzewny, metal., maszyn.; węzeł drogowy; ośr. turyst.-wypoczynkowy; zachowany folklor i wytwórczość lud. (haft); festiwale i przeglądy twórczości kaszubskiej i ukr.; Muzeum Zachodniokaszubskie; prawa miejskie od 1346; zamek krzyżacki, później książąt pomor. (XIV/XV, XVI–XVII w.).   ■

Bzura, rz. na Niz. Środkowopolskich, l. dopływ Wisły; dł. 166 km, pow. dorzecza 7788 km^2; źródła w pn. części Łodzi, w dzielnicy Rogi; większa część jej biegu wzdłuż pn. skraju Równiny Łowicko-Błońskiej; uchodzi naprzeciw Wyszogrodu; średni przepływ w dolnym biegu 25,5 m^3/s; maks. rozpiętość wahań stanów wody w dolnym biegu 4,5 m; liczne dopływy, gł. pr., największe z nich: Rawka, Utrata; miasta nad B.: Zgierz, Ozorków, Łęczyca, Łowicz, Sochaczew.

C

Cajdamska, Kotlina, Qaidam Pendi, tektoniczna kotlina w Chinach, w pn.-wsch. części Wyż. Tybetańskiej, między górami Altun Shan, Qilian Shan i Kunlun; pow. ponad 200 tys. km², wys. 2600–3100 m; pustynia kamienista przechodząca w środk. części w pustynię piaszczystą; liczne słone, bezodpływowe jeziora; złoża ropy naft. i gazu ziemnego, soli kam. i węgla; gł. m.: Golmud, Lenghu.

Camargue [kamąrg], region w delcie Rodanu, we Francji; częściowo zabagniony, liczne jeziora; rozległe skupienia słonorośli, podmokłe łąki i szuwary; na wydmach wiecznie zielone zarośla i laski drzewiastego jałowca *Juniperus phoenicae*; tabunowy chów koni i bydła; pozyskiwanie soli z wody mor.; od 1972 park regionalny (pow. ponad 80 tys. ha), w rezerwatach m.in.

■ Camargue. Obszar bagienny w delcie Rodanu koło Aigues-Mortes (Langwedocja)

flamingi różowe i czapla biała; turystyka; pielgrzymki Cyganów (Romów) do Saintes-Maries-de-la-Mer. ■

Canaveral [kənäwərəl], **Cape Canaveral,** 1963–73 **Przylądek Kennedy'ego,** przyl. w USA, we wsch. części płw. Floryda; 28°28′N, 80°33′W; na Canaveral znajduje się gł. amer. Ośr. Kosmiczny im. J.F. Kennedy'ego (J.F. Kennedy Space Center).

Canberra [känbərə], stol. Australii, w Alpach Austral.; zbud. 1913–27 wg planu amer. architekta W.B. Griffina; 323 tys. mieszk. (2002); przemysł poligraficzny, elektron., precyzyjny; centrum informatyki; port lotn.; uniw. nar.; obserwatorium astr. Mount Stromlo. ■

■ Canberra. Widok ogólny

Capri [ka~], wyspa wł. na M. Tyrreńskim, u wejścia do Zat. Neapolitańskiej, oddzielona od płw. Sorrento cieśn. Piccola; administracyjnie należy do regionu Kampania; pow. 10,4 km²; zbud. gł. z wapieni; powierzchnia górzysta (Monte Solaro, 589 m); C. słynie z pięknych krajobrazów, licznych grot ze stalagmitami i stalaktytami (m.in. Jaskinia → Lazurowa, Grotta Verde), łagodnego klimatu oraz bogatej roślinności śródziemnomor.; luksusowy region turyst. o świat. sławie; połączenia promowe z Neapolem i Sorrento; gł. m. — C., Anacapri.

Caracas [karąkas], stol. Wenezueli, w G. Karaibskich, w dystrykcie stołecznym; 1,8 mln mieszk. (2002), zespół miejski ok. 3,5 mln; centrum gosp. kraju; przemysł lekki, chem., cementowy, maszyn.; wielki ośr. handl., nauk. (4 uniw., inst. nauk.), kult. (biblioteki, muzea) i turyst.; duży węzeł komunik. (port lotn.); miasto zał. 1567

■ Caracas. Panorama miasta

przez Hiszpanów; kościół S. Francisco (XVI w.), katedra (XVII, XVIII w.), budynki uniwersyteckie, pałac Miraflores, dom zw. Casa Amarila, budowle użyteczności publ. (XVIII–XIX w.). ■

Caroní [ka~], rz. w Wenezueli, pr. dopływ rz. Orinoko; wypływa z Wyż. Gujańskiej z masywu Roraima; dł. 692 km; gł. dopływ Paraqua (l.); liczne progi i wodospady; duże wahania stanu wód; żegl. ok. 100 km od ujścia; wykorzystywana do celów energ. — elektrownie Guri i Macagua. W dorzeczu Caroní najwyższy wodospad świata — Salto Angel (1054 m).

Casablanca [kasabląŋka], **Ad-Dār al-Bayḏā'**, m. w zach. Maroku, nad O. Atlantyckim; 3,3 mln mieszk. (2002); duży ośr. przemysłu (hutn., włók., chem., stoczn.), handlu (międzynar. targi), nauki (uniw., konserwatorium) i turystyki; ważny port handl.; węzeł komunik. (port lotn.); muzeum sztuki marok.; stara i nowa medyna (z meczetem Sidi Muhammad).

Casiquiare [kasikiąre], **Brazo Casiquiare**, rz. w Wenezueli; dł. 225 km; łączy systemy rz. Orinoko i Amazonki (poprzez rz. Negro); liczne meandry; gł. dopływ: Parnoni (l.); żegl.; klas. przykład → bifurkacji rzeki.

Cayman Islands [kejmən äjləndz], wyspy na M. Karaibskim, → Kajmany.

Cebu [sebu], wyspa w środk. części Filipin; pow. 4,4 tys. km², otoczona rafami koralowymi; górzysta (wys. do 1073 m), na wybrzeżu wąskie niziny; uprawa kukurydzy (ponad 1/4 produkcji krajowej), trzciny cukrowej, palmy kokosowej, tytoniu, bananów manilskich; rybołówstwo; wydobycie rud miedzi, złota, srebra, węgla brun.; gł. m. i port — Cebu; w środk. części wyspy park nar. (zał. 1937, pow. 15,4 tys. ha), obejmuje jedyne pozostałe lasy.

Cedynia, m. w woj. zachodniopomor. (powiat gryfiński), na skraju doliny Odry; najbardziej na zach. położone miasto w Polsce; 1,6 tys. mieszk. (2000); ośr. usługowy regionu roln.; muzeum; prawa miejskie od 1299; kościół (XIII i XIX w.), ratusz (XIX w.). W pobliżu C. w Cedyńskim Parku Krajobrazowym rezerwaty florystyczne i leśne.

Cefalonia, wyspa w Grecji, → Kefalinia.

CEFTA, międzynar. umowa gosp., zawarta 1992, → Środkowoeuropejskie Porozumienie o Wolnym Handlu.

■ Masyw Centralny. Widok z Puy de Sancy (1885 m)

Cejlon, syngaleskie **Śr Lakā**, tamilskie **Ilakai**, ang. **Ceylon**, wyspa na O. Indyjskim, u pd. wybrzeży Płw. Indyjskiego; na C. leży państwo → Sri Lanka (do 1972 Cejlon).

Celebes, **Laut Sulawesi**, półzamknięte morze w zach. części O. Spokojnego, między archipelagami Filipińskim i Malajskim; pow. 453 tys. km², głęb. 4000–5000 m, maks. — 6220 m (na pn.); temperatura wód powierzchniowych 27–28°C przez cały rok, zasolenie 34,5‰; czynne wulkany podmor.; rafy koralowe; gł. port Manado.

Celebes, **Sulawesi**, wyspa w Indonezji, w Wielkich W. Sundajskich; 189 tys. km²; silnie rozczłonkowana, górzysta (wys. do 3455 m); wyrąb lasów; gł. uprawy: ryż, palma kokosowa, drzewo muszkatołowe; wydobycie rud i hutnictwo niklu; gł. m. Ujung Pandang.

Celowiecka, Kotlina → Klagenfurcka, Kotlina.

Celtyckie, Morze, ang. **Celtic Sea,** irl. **An Mhuir Cheilteach,** morze w pn.-wsch. części O. Atlantyckiego, między Irlandią a Płw. Kornwalijskim; połączone z M. Irlandzkim cieśniną Kanał Św. Jerzego; największa zatoka — Kanał Bristolski; pow. 45 tys. km²; dno szelfowe, głęb. do 128 m; wysokie pływy, do 14,4 m, w Kanale Bristolskim; rozwinięte rybołówstwo i żegluga; gł. porty: Corcaigh, Port Láirge, Bristol, Cardiff, Swansea.

cementacja, jeden z etapów → diagenezy.

Centralne, Równiny, niz. w USA, Wewnętrzne, Niziny.

Centralny, Masyw, Massif central, zrębowy masyw górski w pd. Francji (regiony Limousin i Owernia); zajmuje prawie 1/6 pow. kraju (ok. 80 tys. km²); średnia wys. 714 m, maks. 1885 m — wygasły wulkan Puy de Sancy. Stanowi odsłonięty na powierzchni fragment platformy paleozoicznej środk. i zach. Europy; zbud. ze sfałdowanych skał (gł. metamorficznych) proterozoiku i paleozoiku poprzecinanych intruzjami skał magmowych różnego wieku; podczas orogenezy hercyńskiej utworzyło się w nim wiele zapadlisk, w których osadziła się formacja węglonośna górnego karbonu; ponowne spękanie i wydźwignięcie M.C. nastąpiło w trzeciorzędzie, towarzyszył temu silny wulkanizm (bazalty, andezyty, stożki wygasłych wulkanów). Powierzchnia nachylona ku pn. i pn.-zach.; stromym progiem (→ Sewenny) opada ku dolinie Rodanu i niz. Langwedocji; rozcięta głębokimi i wąskimi dolinami rzek; rzeźba urozmaicona; w środk. części wulk. płaskowyż Owernii, ponad którym wznoszą się stożki wygasłych wulkanów; na pd. (wyż. Causses) rozwinięty kras; gł. rzeki: Loara i jej dopływ Allier, Tarn, Lot (dopływy Garonny). Klimat umiarkowany ciepły, mor., na pd. przechodzi w śródziemnomor.; roczna suma opadów w kotlinach 500–700 mm, lokalnie 1000–1500 mm (wysoko w górach utrzymuje się pokrywa śnieżna przez kilka miesięcy). Naturalna szata leśna zachowała się tylko miejscami; do ok. 600 m rozciąga się piętro lasów dębowych, zrzucających liście na zimę, z dębem omszonym *Quercus* *pubescens*, do 1500–1600 m piętro lasów bukowych i bukowo-jodłowych; ponad nimi murawy wysokogórskie; na wyż. Limousin i w górach Margeride wrzosowiska; Park Nar. Wulkany Owernii utworzony 1977 (pow. 348 tys. ha). Od XIX w. duży odpływ ludności wiejskiej (dawniej jeden z najgęściej zaludnionych regionów kraju); hodowla owiec i bydła; wyrób serów roquefort; wydobycie węgla kam. i kaolinu; liczne elektrownie wodne; źródła miner. (uzdrowiska: Vichy, Le Mont-Dore, La Bourboule, Royat); rozwinięta turystyka; gł. m. (i ośr. przem.): Clermont-Ferrand, Le Creusot, St.-Étienne, Limoges. ■

Chabarowsk, m. w Rosji, nad Amurem; stol. Kraju Chabarowskiego; 606 tys. mieszk. (2002); przemysł stoczn., maszyn. i metal., rafineryjny, lekki, chem.; port rzeczny, międzynar. port lotn.; 11 szkół wyższych (w tym uniw.); zał. 1858, miasto od 1880.

Chabarowski, Kraj, jednostka adm. w Rosji, na Dalekim Wschodzie, nad M. Ochockim i M. Japońskim; 788,6 tys. km^2, 1,5 mln mieszk. (2002); stol. Chabarowsk; ludność miejska 81%; wydobycie węgla, rud metali nieżelaznych; przemysł maszyn., drzewno-papierniczy, spoż. (rybny); myślistwo, łowiectwo zwierząt futerkowych; uprawa zbóż, soi; rurociąg naft. Ocha (Sachalin)–Komsomolsk n. Amurem; gł. porty: Wanino, Nikołajewsk n. Amurem, Ochock.

Chajber, paszto **Kotalı Xyber,** urdu **darra-e--Khaybar,** ang. **Khyber Pass,** przełęcz w górach Spin Ghar, najważniejsze przejście górskie między Afganistanem i Pakistanem; wys. 1067 m; przez Chajber przechodzi droga samochodowa Peszawar–Kabul.

Chakasja, Chakas, republika w Rosji, w górach Syberii Pd.; 61,9 tys. km^2; 573 tys. mieszk. (2002), Chakasi 11%, Rosjanie 80%, Ukraińcy i in.; ludność miejska 72%; stol. Abakan; wydobycie węgla, rud żelaza, marmurów; przemysł lekki, środków transportu (wagony, kontenery), hutnictwo aluminium, drzewny, spoż.; uprawa zbóż, roślin pastewnych; hodowla bydła i owiec; Elektrownia Sajańsko-Szuszeńska (6400 MW) na Jeniseju.

Chalcydycki, Półwysep, Chalkidiki chersonisos, półwysep w Grecji, wysunięty w M. Egejskie; na pd. 3 drugorzędne półwyspy (w czasach staroż. wyspy): Kasandra (Pallene), Sithonia (Longos) i Athos; w górach lasy dębowo-bukowe z sosną alepską, na wybrzeżach twardolistne zarośla (makia); uprawa zbóż, winorośli, oliwek; na płw. Sithonia region wypoczynkowy dla turystów zagr.; gł. m. Polijiros.

Chamar Daban, pasmo górskie, w azjat. części Rosji (gł. Buriacja), na pd. i pd.-wsch. wybrzeżu Bajkału; wys. do 2331 m; zbud. z łupków krystal., gnejsów i bazaltów z licznymi intruzjami granitoidów; pn. stoki strome, rozcięte wąskimi i głębokimi dolinami rzek; do wys. 2000 m tajga, powyżej — tundra; Rezerwat Bajkalski utworzony 1969, pow. 165,7 tys. ha.

Chamonix-Mont-Blanc [szamoni mą blã], m. we wsch. Francji (Rodan-Alpy), u podnóża masywu Mont Blanc, na wys. 1037 m; 10 tys. mieszk. (2000); ośr. turyst., alpinistyczny i spor-

■ Chamonix-Mont-Blanc. Plac J. Balmata, w głębi masyw Mont Blanc

tów zimowych o międzynar. sławie; I Zimowe Igrzyska Olimpijskie (1924). ■

chamsin [arab.], suchy, gorący wiatr pd. lub pd.-wsch., wiejący w Egipcie i nad M. Czerwonym od kwietnia do czerwca; w tym okresie pojawia się 4–6 razy, trwa każdorazowo ok. 2–3 dni; nawiewa znad pustyń duże ilości pyłu, b. ograniczając widoczność, powoduje wzrost temperatury powietrza do 40°C; wiatry tego typu występują także w innych częściach pn. Afryki i nad M. Śródziemnym (noszą różne lokalne nazwy: sirocco, samum i in.).

Chan Tengri, szczyt w Tien-szanie, w Kirgistanie; wys. 6995 m; zdobyty 1931; w rejonie Chen Tengrii najwyższego szczytu gór (Pik Pobiedy 7439 m) wielkie lodowce, o łącznej pow. ok. 2500 km^2.

Chanka, chiń. **Xingkai Hu,** jez. na Dalekim Wsch., w Rosji i Chinach, na wys. 68 m; pow. 4190 km^2, głęb. do 10,6 m; z Chanka wypływa rz. Sungacza (dopływ Ussuri); częste i silne falowanie; zamarza od listopada do kwietnia; na brzegach gniazduje wiele gatunków ptaków wodnych; połowy ondarty, piżmaków; żegluga.

Chanty-Mansyjski Okręg Autonomiczny, jednostka adm. w Rosji (obw. tiumeński), w dorzeczu Obu i Irtyszu; 523,1 tys. km^2, 1,3 mln mieszk. (2002), Chantowie 0,9%, Mansowie 0,5%, Rosjanie 66%, Tatarzy i in.; ludność miejska 92%; ośr. adm. Chanty-Mansyjsk; wydobycie ropy naft. i gazu ziemnego; przemysł drzewny; duże elektrownie cieplne; hodowla reniferów, myślistwo; sieć rurociągów.

Charków, m. obw. na Ukrainie; 1,5 mln mieszk. (2002); drugie po Kijowie miasto kraju; przemysł maszyn. i metal., środków transportu (m.in. lotn.), chem., spoż., lekki, materiałów bud.; międzynar. targi przemysłu obronnego; węzeł kol., metro, port lotn.; 21 szkół wyższych (3 uniw.); muzea; zał. 1655 przez Kozaków; od 1750 miasto; sobory Pokrowski (XVII w.) i Uspienski (XVIII w.); budowle użyteczności publ. (XVIII–XX w.).

Chartum, Al-Khartūm, stol. Sudanu, w widłach Nilu Białego i Błękitnego; 1,2 mln mieszk. (2002), z m.: Omdurman i Chartum Pn. tworzy konurbację — 5,9 mln mieszk.; gł. ośr. przem. (olejarski, cukr., bawełn., skórz., elektrotechn.), handl. (aukcje bawełny), kult. i nauk. (uniw.)

kraju; węzeł komunik. (port lotn. i rzeczny); zał. ok. 1820 jako egip. obóz wojskowy; 2 katedry (katol. i anglik.), wielki meczet.

Chatanga, rz. w azjat. części Rosji; powstaje z połączenia rz. Cheta i Kotuj; dł. 227 km (od źródeł Kotuj w górach Putorana 1636 km), pow. dorzecza 364 tys. km^2; uchodzi estuarium do Zat. Chatańskiej (M. Łaptiewów); średni przepływ 3320 m^3/s (maks. 18 300 m^3/s); zamarza na ok. 9 mies.; połów ryb (sielawa, omul, troć, pstrąg).

Chełm, m. w woj. lubel., nad Uherką (l. dopływ Bugu); powiat grodzki, siedziba powiatu chełmskiego; 71 tys. mieszk. (2000); ośrodek przem., usługowy i kult. regionu; przemysł miner. (cementowy, szklarski, ceramiki budowlanej, betonów, odkrywkowa kopalnia kredy), lekki (skórz., odzież.), spoż., drzewny, elektromaszyn.; węzeł komunik.; rozwijający się ośr. obsługi ruchu turyst. i tranzytowego; filia Inst. Stosunków Międzynar. warsz. Wyższej Szkoły Dziennikarskiej, siedziba pol. sekretariatu Euroregionu Bug; pod Starym Miastem sieć podziemnych korytarzy (dł. ok. 15 km). Prawa miejskie od 1392; 1596–1875 siedziba biskupstwa unickiego (w XIX w. walka unitów z rusyfikacją); 1941–44 niem. obóz jeniecki (zginęło ponad 90 tys. osób); do XI 1942 getto (ok. 8 tys. osób); 1944 pierwsza siedziba PKWN i miejsce ogłoszenia jego Manifestu; 1975–1998 stol. województwa. Zespół klasztorny Pijarów (XVII–XVIII w., ob. muzeum) i kościół (XVIII w.); klasztor Bazylianów (XVIII w.), katedra (XVIII w.). W pobliskim Chełmskim Parku Krajobrazowym rezerwaty.

Chełmek, m. w woj. małopol. (powiat oświęcimski), nad Przemszą; 9,3 tys. mieszk. (2000); ośr. przemysłu skórz. (obuwie); wytwórnia części do maszyn obuwn.; prawa miejskie od 1969.

Chełmińsko-Dobrzyńskie, Pojezierze, najdalej na wsch. wysunięta część Pojezierzy Południowobałtyckich, położona po pr. stronie doliny Wisły, po obu stronach jej dopływu — Drwęcy; krajobraz młodoglacjalny związany gł. z fazą leszcz. i pozn. zlodowacenia Wisły; maks. wys. 312 m (Dylewska Góra); występują tu wały wzniesień czołowomorenowych, malownicze jeziora rynnowe, ozy, kemy i drumliny; w obrębie P.Ch.-D. rozróżnia się: Pojezierze Chełmińskie, Pojezierze Brodnickie, Dolinę Drwęcy, Pojezierze Dobrzyńskie, Garb Lubawski i Równinę Urszulewską.

Chełmno, m. powiatowe w woj. kujawsko-pomor., na pr. brzegu Wisły, przy ujściu rz. Fryba, w granicach Parku Krajobrazowego Doliny Dolnej Wisły; 22,1 tys. mieszk. (2000); ośr. przem., handl.-usługowy, turyst.-krajoznawczy i pielgrzymkowy; przemysł metal., maszyn., spoż., drzewny; muzeum; prawa miejskie od 1233; zachowany dawny układ urb. z murami obronnymi (XIV–XV w.); 5 got. kościołów (XIII, XIV w.), ratusz (XVI, XIX w.), kamienica (XVIII w.), spichlerze (XVIII/XIX w.).

Chełmża, m. w woj. kujawsko-pomor. (powiat toruński), nad Jez. Chełmżyńskim; 15,5 tys. mieszk. (2000); przemysł: spoż. (cukrowniczy, spirytusowy), drzewny (meblarski, stolarki bud.),

metal. (akcesoria meblowe), chem. (tworzywa sztuczne) i odzieżowy; węzeł kol. i drogowy; ośr. turyst. i sportów wodnych; siedziba Pol. Związku Bibliotek; prawa miejskie 1251; 1251–1824 siedziba biskupów chełmiń.; katedra, ob. kolegiata (XIII, XIV w.).

Cher [sze:r], rz. we Francji, l. dopływ Loary; dł. 320 km, pow. dorzecza 14 tys. km^2; źródła w pn. części Masywu Centr.; płynie w szerokiej dolinie; b. zmienny stan wód; żegl. w dolnym biegu; gł. m. nad Cher — Montluçon.

Cheviot [czewjət], pasmo wzgórz w W. Brytanii, na granicy Anglii i Szkocji; od pn. ograniczone doliną rz. Tweed; wys. maks. 816 m; zbud. z łupków, czerwonych piaskowców, granitów i starych skał wylewnych, sfałdowanych w orogenezie hercyńskiej; pocięte wąskimi dolinami przekształconymi przez lodowce (o stromych zboczach i płaskim dnie); na łąkach i wrzosowiskach wypas owiec; stanowi część Parku Nar. Northumberland.

Cheyenne [szajen], **Cheyenne River,** rz. w USA, w stanach Wyoming i Dakota Pd., pr. dopływ Missouri; dł. 848 km, pow. dorzecza 64,7 tys. km^2; wypływa z G. Skalistych jako South Fork, łączy się z rz. Beaver Creek jako Dry Fork, od tego miejsca nosi nazwę Cheyenne; gł. dopływ Belle Fourche (l.); wykorzystywana do nawadniania; w środk. biegu zapora wodna i zbiornik retencyjny Angostura.

Chęciny, m. w woj. świętokrzyskim (powiat kielecki), w G. Świętokrzyskich; 4,3 tys. mieszk. (2000); ośr. usługowy i turyst.-krajoznawczy; turyst. baza noclegowa; węzeł szlaków pieszych; drobny przemysł materiałów budowlanych (w okolicy wydobycie tzw. marmurów chęcińskich); szpital gruźlicy i chorób płuc; prawa miejskie przed 1325; ruiny got. zamku (XIII–XIV w.), zespoły klasztorne i kościoły (XIV–XVIII w.), synagoga (XVII w.), domy (XVI–XIX w.), spichlerz drewn. (XVIII w.).

■ Chibiny

Chibiny, masyw górski w pn. części Rosji; najwyższy na Płw. Kolskim, wys. do 1191 m (Czasnaczorr); zbud. gł. z nefelinowych sjenitów (fojaitów), z którymi są związane bogate złoża rud apatytowo-nefelinowych; płaska powierzchnia szczytowa rozcięta głębokimi szczelinami tektonicznymi i dolinami rzek; strome stoki; roślinność tundrowa; u podnóża m. Kirowsk. ■

Chicago [szyką:go^u], m. w USA (Illinois), nad jez. Michigan; 2,9 mln mieszk. (2002), zespół miejski 7,7 mln, region metropolitalny Ch.–

■ Chicago. Wieżowce dzielnicy śródmiejskiej

Gary–Kenosha 8,5 mln (1994); centrum przemysłu metalurg. i elektron., ponadto maszyn., chem., samochodowy, mięsny; gł. zespół portowy Wielkich Jezior; wielki ośr. handl.-finansowy (giełda zbożowa) i węzeł komunik. (port lotn. O'Hare); 7 uniwersytetów. Misja jezuicka zał. 1692 przez Francuzów; 1871 zniszczone przez wielki pożar — odbud. w nowym kształcie arch.; największe na świecie skupisko Polonii. Budowle klasycyst. i neogot.; zespół wieżowców z końca XIX w.; liczne budowle wybitnych architektów współcz. (m.in. W. Gropiusa, F.L. Wrighta). ■

Chile, Republika Chile, państwo w Ameryce Pd., nad O. Spokojnym; wyspy: Chiloé, Wellington, W. Wielkanocna i in.; 757 tys. km^2; 15,6 mln mieszk. (2002), Metysi, Indianie, biali; gł. katolicy; stol. Santiago; in. m.: Valparaíso, Concepción; język urzędowy hiszp.; republika. Kraj położony w Andach (Ojos del Salado, 6880 m); w pn.-zach. części obszar wyżynny z pustynią Atakama, w środk.-zach. — pas nizinny; czynne wulkany (najwyższy na Ziemi — Llullaillaco); trzęsienia ziemi; klimat od zwrotnikowego wybitnie suchego na pn. do subpolarnego na krańcach pd.; krótkie rzeki (gł. Bío Bío); na pd. jeziora polodowcowe; lasy górskie, roślinność pustynna i półpustynna. Podstawą gospodarki jest górnictwo, przemysł przetwórczy i rolnictwo; wydobycie rud miedzi (1. miejsce w produkcji świat.) i nitratynu (saletra), rud żelaza, srebra, złota; przemysł spoż., włók., chem., hutnictwo miedzi; uprawa buraków cukrowych, pszenicy, winorośli, drzew owocowych; hodowla owiec, bydła; rybołówstwo; plantacje leśne; turystyka; gł. porty mor.: Valparaíso, Antofagasta. ■

Chiltern [czyltərn], pasmo wzgórz w W. Brytanii, w Anglii, ogranicza od pn.-zach. Basen Londyński; stanowi pozostałość kuesty kredowej; stromo opada w kierunku pn.-zach.; wys. maks. 260 m (Coombe Hill); rozcięte poprzecznymi dolinami dopływów Tamizy; resztki lasów bukowych (dawniej silnie zalesione); uprawa zbóż, hodowla bydła i owiec.

Chimborazo [czimborąso], Volcán Chimborazo, wygasły wulkan w Kordylierze Zach. (Andy), najwyższy szczyt Ekwadoru; wys. 6310 m, granica wiecznych śniegów na wys. 4800 m; lodowce; 1880 zdobyty po raz pierwszy przez ang. podróżnika i alpinistę E. Whympera; 1972 członkowie czechosł.-pol. wyprawy alpinistycznej zdobyli po raz pierwszy jeden z wierzchoł-

ków Chimbarazo — Nicólas Martinez, wys. ok. 5600 m.

Chin Północno-Wschodnich, Nizina, nizina w Chinach, → Mandżurska, Nizina.

Chingan, Mały, Xiao Hinggan Ling, góry w pn.-wsch. Chinach, oddzielają Niz. Mandżurską od nizin nadamurskich; wys. do 1150 m; zbud. z paleozoicznych granitów, bazaltów i skał metamorficznych; silnie zdenudowane; lasy modrzewiowo-świerkowe z limbą i brzozą; bogactwa miner.: węgiel, rudy żelaza, złoto.

Chingan, Wielki, Da Hinggan Ling, łańcuch górski w pn.-wsch. Chinach; ciągnie się południkowo, na dł. 1200 km, na zach. od Niz. Mandżurskiej; średnia wys. 1500 m, maks. 2029 m (Huanggangliang Shan); powstał w orogenezie hercyńskiej, ponownie wyniesiony w trzeciorzędzie; zbud. gł. ze skał magmowych; szczyty zaokrąglone, doliny szerokie, zabagnione; tajga modrzewiowa przechodząca ku pd. w lasy mieszane i roślinność stepową.

chinook [czynuk; indiańskie], suchy, ciepły wiatr typu fenowego, wiejący z pd.-zach. wzdłuż wsch. stoków G. Skalistych (Ameryka Pn.); występuje w ciągu całego roku (szczególnie zimą), trwa ok. 3–4 dni; powoduje gwałtowny wzrost temperatury powietrza (niekiedy nawet o 30°C) i topnienie pokrywy śnieżnej.

Chiny, Zhongguo, Chińska Republika Ludowa, państwo w środk. i wsch. Azji, nad M. Żółtym, M. Wschodniochińskim i M. Południowochińskim; dł. granic lądowych ok. 20 tys. km, granic mor. ok. 12 tys. km; ponad 3 tys. przybrzeżnych wysp, największe: Tajwan (formalnie prowincja chiń., faktycznie kraj niezależny od rządów Chin), Hajnan (stanowi prowincję chiń. — Hainan), Chongming, Zhoushan; 3. pod względem powierzchni i 1. pod względem liczby ludności państwo świata; pow. 9562,1 tys. km^2 (bez Tajwanu), 1347,9 mln mieszk. (2002) — 20% ludności świata; stol. Pekin; podział adm.: 22 prowincje, 5 regionów autonomicznych, 2 Specjalne Regiony Administracyjne (Hongkong, Makau), 4 miasta wydzielone; język urzędowy chiński.

Warunki naturalne
Większą część powierzchni Ch. zajmują wyżyny i góry (ok. 80%); w pd.-zach. części Wyż. Tybetańska (najwyżej położona na Ziemi); wys. 4000–5000 m, otoczona najwyższymi na świecie łańcuchami górskimi: Himalajami (Mount Everest, 8848 m) i Karakorum (K2, 8611 m) oraz łańcuchem Kunlun; w pn.-zach. części tektoniczne kotliny: Kaszgarska (z pustynią Takla Makan) i Dżungarska, rozdzielone górami Tien-szan; we wsch. części Tien-szanu najgłębsza depresja Ch. (154 m p.p.m.) w Kotlinie Turfańskiej; na pn., przy granicy z Mongolią, wyżynna Mongolia Wewn., z pustyniami Ałaszan i Gobi; w środk. części Ch. wyżyny (Ordos, Kotlina Syczuańska, Junnańsko-Kuejczouska) i niewysokie góry (m.in. Qin Ling); na pd. od wyż. Ordos największy obszar lessowy na Ziemi — Wyż. Lessowa; we wsch. Ch. przewaga nizin pochodzenia aluwialnego; w dorzeczu rz.: Sungari i Liao He — Niz. Mandżurska (otoczona górami: Wielki Chingan, Mały Chingan, G. Wschodniomandżur-

■ Chile

■ Chiny

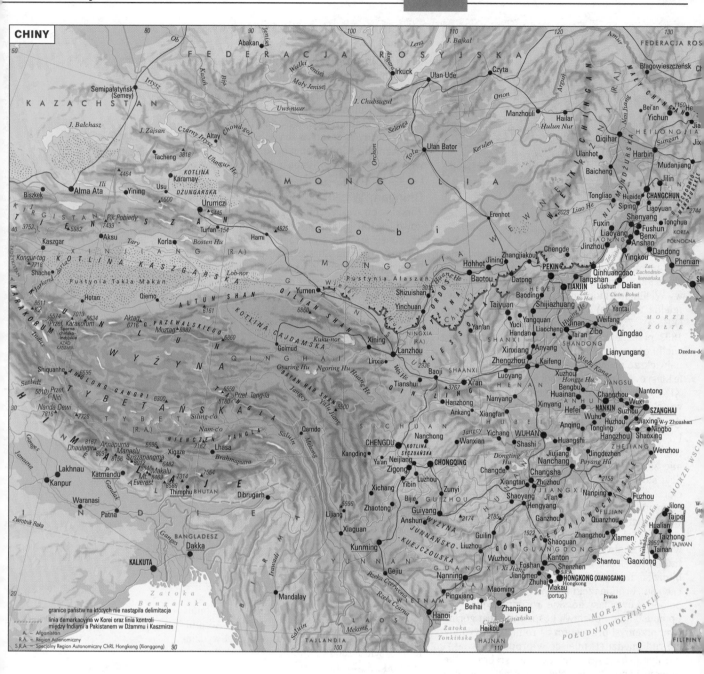

skie), w dolnym biegu Huang He — Niz. Chińska, w dorzeczu dolnej Jangcy i Han Shui — Niz. Jangcy; na pd.-wsch. silnie zerodowane G. Południowochińskie. Ch. leżą w zasięgu 3 stref klim.: zwrotnikowej (pd. wybrzeża oraz przybrzeżne wyspy), podzwrotnikowej (zach., środk. i wsch. Ch.) i umiarkowanej (pn. i pn.-wsch. Ch.); pd.-wsch. i wsch. część Ch. ma typowy klimat monsunowy, zach. — kontynent. suchy i skrajnie suchy; duże zróżnicowanie temp. zimowych (średnia w styczniu od –30°C na skrajnej pn. do powyżej 20°C na pd. wyspach) i opadów (250 mm rocznie w Kotlinie Kaszgarskiej, 100 mm na pustyni Ałaszan, do 3000 mm na pd. wyspach); maksimum opadów w lipcu, sierpniu. Główne rz.: Jangcy, Huang He, Xi Jiang, Huai He, w większości wykorzystane do nawadniania i żeglugi; gęsta sieć kanałów nawadniających, na Niz. Chińskiej Wielki Kanał — najdłuższy kanał żegl. na świecie; największe jeziora w dorzeczu Jangcy

(Poyang Hu, Dongting Hu) i na Wyż. Tybetańskiej (Kuku-nor). Lasy (ok. 14% pow.) zachowały się gł. w górach; w Wielkim Chinganie tajga sosnowo-modrzewiowa, przechodząca ku pd. w lasy mieszane z dębami i sosnami; w G. Południowochińskich wiecznie zielone lasy (m.in. drzewa tungowe, kamforowe, laurowe) oraz zarośla bambusowe; na przybrzeżnych wyspach wiecznie zielone lasy podzwrotnikowe (palmy, bambusy, liany); na wyżynach i w kotlinach środk. i zach. Ch. przeważają stepy, półpustynie i pustynie. Częste klęski żywiołowe: tajfuny (zwł. na pd.-wsch. wybrzeżu), katastrofalne powodzie (na Niz. Chińskiej), burze pyłowe (w Mongolii Wewn.), trzęsienia ziemi (w zach. części Ch.).

Ludność
Chińczycy (Han) stanowią 91% ludności Ch., ponadto 55 mniejszości nar., gł. ludy Zhuang, Dunganie, Ujgurzy, Yi, Miao, Mandżurowie, Tybetańczycy, Mongołowie; wyznawcy kultów lud.

■ Chiny. Skamieniały Las wyrzeźbiony w piaskowcowym płaskowyżu, stanowiący jedną z głównych atrakcji turystycznych prowincji Yunnan

(zwł. kultu przodków) — ok. 20%, buddyści (w tym tybet.) — 10%, muzułmanie (gł. Ujgurzy, Dunganie) — 2,4%, chrześcijanie —1%. Wysokie tempo wzrostu liczby ludności Ch. 1950–80 było uwarunkowane dużym przyrostem naturalnym (28–20‰ rocznie); drastyczne ograniczanie liczby urodzeń (nakazy adm.) zmniejszyły przyrost naturalny do 10,5‰ (1995). Średnia gęstość zaludnienia 130 mieszk. na km²; ok. 95% ludności skupia się we wsch. części Ch.; najgęściej zaludnione (600–2000 mieszk. na km²) delty Jangcy i Rz. Perłowej, prow. Fujian, najsłabiej (1–5 mieszk. na km²) — Wyż. Tybetańska. W miastach mieszka tylko ok. 30% ogółu ludności; ok. 40 miast powyżej 1 mln, największe: Szanghaj, Pekin, Tianjin, Shenyang, Wuhan, Chongqing, Kanton, Harbin, Czongqing, Chengdu, Nankin, Xi'an.

Gospodarka

Kraj rozwijający się, o gospodarce centralnie planowanej; przed rewolucją komunist. półfeud. kraj roln., uzależniony gospodarczo od kapitału zagr.; po 1949 wielkie zmiany społ.-gosp. (zwł. reforma rolna, nacjonalizacja gł. działów gospodarki) zapewniły dominację sektorowi państw.; na wsi rozwój spółdzielczości, od 1958 komun lud.; w miastach rozwój przemysłu ciężkiego; 1979–84 nowa strategia rozwoju gosp. — likwidacja komun lud., utworzenie gospodarstw indywidualnych (dzierżawa ziemi od państwa na 5–10 lat), reforma przemysłu (pewna samodzielność przedsiębiorstw), handlu zagr. (znaczny import zagr. technologii), rozwój inwestycji zagr.; w ramach reformy powstały specjalne strefy ekon. (5, m.in. Shenzhen, Zhuhai), miasta otwarte (gł. nadmor.) i regiony rozwoju ekon.-techn., w których jest preferowany kapitał zagr.; 1995 wartość inwestycji zagr. w Ch. przekroczyła 100 mld dol. USA (najwyższa w świecie); inwestycje (jap., amer., koreań., niem., franc.) gł. w przemyśle elektron., środków transportu, chem.,

maszyn. i telekomunikacji. Szybkie tempo rozwoju gosp. (zwł. w strefach ekon.), 1990–95 największe w świecie — średnio ok. 10% rocznie (11,9% w 1990–97); wzrost udziału sektora prywatnego (29% w 1995) i spółdz. w gospodarce narodowej. Kraj bogaty w surowce miner.; podstawowe znaczenie ma węgiel kam. (ponad 1,4 mld t — 1. miejsce w świecie, 1997) wydobywany gł. w prow.: Shanxi (Datong), Hebei (Kajluańskie Zagłębie Węglowe) i ropa naft. — gł. w Heilongjiang (Daqing) i Shandong (Shengli), także ze złóż podmor.; poza tym wydobycie rud wolframu (ok. 70% produkcji świat.), antymonu, żelaza i in. metali nieżelaznych oraz łupków bitumicznych, boksytów, soli kam., kaolinu, fosforytów, metali szlachetnych. Dominują elektrownie cieplne, największe w zagłębiach węglowych i dużych miastach; gł. elektrownie wodne w górnych biegach rzek (zwł. Huang He, Han Shui); na Jangcy budowa (planowane zakończenie 2009) Zapory Trzech Przełomów (największa inwestycja hydroenerg. w świecie). Przemysł przetwórczy skoncentrowany w pn.-wsch., wsch. i pd.-wsch. części kraju; przewaga przemysłu ciężkiego — hutnictwo żelaza i metali nieżelaznych, przemysł maszyn. (obrabiarki, sprzęt energ., maszyny i urządzenia górn. i hutn.), taboru kol., stoczn., samochodowy (zwł. samochody ciężarowe), produkcja traktorów; szybki rozwój przemysłu chem. (nawozy azotowe, fosforowe, tworzywa sztuczne), rafineryjnego (przerób ok. 100 mln t ropy naft. rocznie), elektron. (zwł. w specjalnych strefach ekon.); tradycyjne gałęzie przemysłu: włók. (zwł. bawełn.), spoż. (cukr., tłuszczowy, młynarski, herbaciany, rybny); duże znaczenie ma przemysł cementowy (1. miejsce w świat. produkcji cementu, 1997), porcelanowy (Jingdezhen), skórz., odzież. i drzewny. Tradycyjne rękodzieło, zwł. artyst. (hafty, rzeźba w kości słoniowej, drewnie, wyroby z laki i porcelany, parasolki, wachlarze). Z rolnictwa utrzymuje się ponad 70% ludności Ch.; ziemie uprawne ok. 10% pow. (ponad 50% sztucznie nawadnianych); uprawy żywieniowe stanowią ok. 90% pow. zasiewów; zbiory zbóż największe w świecie; gł. zbożem i podstawą wyżywienia ludności jest ryż (190 mln t — 1. miejsce w zbiorach świat., 2000); w pd.-wsch. Ch. zbiory ryżu 2–3 razy rocznie; poza tym uprawa pszenicy (1. miejsce), kukurydzy (2. miejsce), jęczmienia, prosa i gaolianu, z roślin przem.: bawełny (2. miejsce), soi, orzeszków

■ Chiny. Wioska w prowincji Yunnan

ziemnych, rzepaku, sezamu; świat. producent herbaty i tytoniu; na pd. uprawa owoców cytrusowych, bananów, ananasów, plantacje kauczukowca. Największe w świecie pogłowie trzody chlewnej (438 mln sztuk — 48% pogłowia świat., 2000); poza tym hodowla bydła (104 mln sztuk), drobiu (gł. kaczek); w zach. i pn. części Ch. hodowla owiec, kóz, koni, wielbłądów, jaków; tradycyjna hodowla jedwabników (gł. w dorzeczu Jangcy i Xi Jiang). Rozwinięte rybołówstwo mor. i śródlądowe (największe połowy ryb w świecie — 17,2 mln t, 1999) oraz przybrzeżne marikultury. Modernizacja i rozbudowa sieci komunik.; w przewozach dominuje transport kol. (dł. linii 66 tys. km, 1997); 1,2 mln km dróg kołowych; sieć komunik. najlepiej rozwinięta we wsch. części kraju; na zach. i pn. transport juczny. Żegluga śródlądowa (gł. w dorzeczu Jangcy i Xi Jiang) i kabotażowa; nośność chiń. floty handl. ponad 20 mln DWT (1991); gł. porty mor.: Szanghaj, Qinhuangdao, Dalian, Qingdao, Kanton, Ningbo, Tianjin; przeładunki w portach chiń. przekraczają 1,1 mld t (1999); w porcie Hongkong przeładunki 1999 — 117 mln t. Gł. węzły komunikacji lotn.: Pekin, Szanghaj, Kanton. W rozbudowie transport rurociągowy (ok. 20 tys. km rurociągów). Udział Ch. w świat. obrotach handl. znacznie mniejszy (2,6% w wartości importu i 0,1% w wartości eksportu, 1995) niż samego Hongkongu (odpowiednio 3,9% i 3,5%); eksport gł. paliw, surowców, artykułów rolno-spoż., wyrobów włók., artyst., produktów chem., elektron., maszyn; import nowocz. technologii, kompletnych obiektów przem., maszyn i urządzeń, środków transportu, surowców i półfabrykatów; wymiana handl. z Japonią, USA, Koreą, Tajwanem, państwami UE, Singapurem, Rosją; do 1997 gł. partnerem handl. Ch. był Hongkong. Od końca lat 70. XX w. gwałtowny rozwój ruchu turyst. (1978 — 1,8 mln turystów zagr., 1997 — 57,6 mln, gł. z Japonii, Korei Pd., USA, Rosji, W. Brytanii). ■

Chińska, Nizina, Wielka Nizina Chińska, Huabei Pingyuan, nizina we wsch. Chinach, w dorzeczu dolnego biegu Huang He, nad M. Żółtym; ograniczona górami Taihang Shan, Tongbai Shan i Dabie Shan; na pn. łączy się z Niz. Mandżurską, na pd.-wsch. z niz. Jangcy; pow. ok. 300 tys. km². Pod względem geologicznym N.Ch. jest zapadliskiem w platformie chiń., wypełnionym osadami aluwialnymi (gł. pyły transportowane przez rz. Huang He i Hai He z Wyż. Lessowej). Powierzchnia równinna, poprzecinana starymi korytami Huang He i jej dopływów; wys. poniżej 50 m; lokalne wyniesienia stanowią wały przeciwpowodziowe; u nasady Płw. Szantuńskiego ostańcowe góry. Klimat umiarkowany ciepły, monsunowy w części pn., podzwrotnikowy monsunowy w pd.; średnia temp. w styczniu od ok. –3°C na pn. do 5°C na pd., w lipcu odpowiednio od 25°C do 28°C; suma roczna opadów od 500 mm na pn. do 1000 mm i więcej na pd., maksimum opadów od czerwca do sierpnia; silne wiatry powodujące burze pyłowe w okresie zimowo-wiosennym. Gęsta sieć rzek i kanałów nawadniających; katastrofalne powodzie spowodowane wezbraniami letnimi i zamulaniem koryt rzecznych (→ Huang He); wielkie jez. Dongting

Hu i Hongze Hu. Roślinność naturalna całkowicie zniszczona. Gleby żyzne, w dolinach rzek mady wapniste i zasolone, na pozostałym obszarze mady glejowe. N.Ch. jest najgęściej zaludnionym i najważniejszym regionem roln. Chin; gł. uprawy: pszenica, kukurydza, ryż, soja, bawełna; wydobycie ropy naft., węgla kam., rud żelaza i miedzi; na wybrzeżu saliny; rozwinięta żegluga śródlądowa (Wielki Kanał); największe m.: Pekin, Tianjin, Zhengzhou, Huainan.

Chmielnik, m. w woj. świętokrzyskim (powiat kielecki), nad Wschodnią (pr. dopływ Czarnej); 4,3 tys. mieszk. (2000); ośr. usługowy z drobnym przemysłem (gł. mleczarskim); węzeł drogowy; w pobliżu wydobycie wapienia; prawa miejskie od 1551.

chmura, widzialny zbiór mikroskopijnych (o średnicy nie przekraczającej 100 cm) kropelek

■ Chmura. *Cirrus*

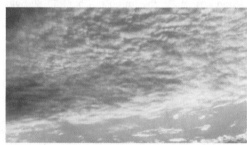

■ Chmura. *Altocumulus* (wyżej) i *Altostratus* (niżej)

■ Chmura. *Stratocumulus*

■ Chmura. *Cumulus*

PODSTAWOWE RODZAJE CHMUR

Rodzaj chmury	Opis chmury	Typowa wysokość podstawy w km	Rozciągłość pionowa w km	Rozciągłość pozioma w km	Prędkość prądu pionowego w cm/s	Rodzaj cząstek chmurowych	Charakterystyka opadu towarzyszącego
Cirrus Ci (pierzasta)	cienka, delikatna, barwy białej, bez cieni; często o jedwabistym połysku, o strukturze włóknistej lub nitkowatej; ma postać kłaczków, nitek, włókien, piórek itp.	7–10	0,1–3	$10–10^3$	10	kryształki lodu	jeśli występuje, nie osiąga powierzchni Ziemi
Cirrocumulus Cc (kłębiasto--pierzasta)	cienka warstwa lub ławica ch. barwy białej, bez cieni, składająca się z elementów w kształcie płatów, kulek itp., ułożonych w grupy lub szeregi, często przypominające drobne fale lub rybią łuskę	6–8	0,1–1	$10–10^2$	10	kryształki lodu	nie występuje
Cirrostratus Cs (warstwowo--pierzasta)	cienka, delikatna, mająca postać białawej zasłony o strukturze gładkiej lub włóknistej, pokrywająca niebo częściowo lub całkowicie, często przezroczysta i nadająca mu tylko mleczną barwę; nie zaciera zarysów Słońca i Księżyca; jest przyczyną występowania zjawiska halo	8–10	0,1–3	$10^2–10^3$	10	kryształki lodu	jeśli występuje, nie osiąga powierzchni Ziemi
Altocumulus As (średnia kłębiasta)	warstwa lub ławica ch., barwy białej, wykazująca cienie, składająca się z płatów w kształcie zaokrąglonych brył na ogół regularnie ułożonych (w grupy, pasma itp.); często jest przyczyną takich zjawisk jak wieńce, iryzacja	2–6	0,1–1	10^2	10	kropelki wody, poniżej temp. –25C kryształki lodu	nie występuje
Altostratus As (średnia warstwowa)	ma postać zasłony barwy szarej lub niebieskawej, o strukturze jednolitej, włóknistej lub prążkowej; często pokrywa całe niebo, a Słońce lub Księżyc przeświecają przez nią jak przez matowe szkło lub całkowicie za nią znikają	3–5	1–2	$10^2–10^3$	10	kropelki wody, poniżej temp. –25C kryształki lodu lub mieszanina kropelek przechłodzonej wody i kryształków lodu	drobny deszcz, śnieg lub ziarna lodowe
Nimbostratus Ns (warstwowa deszczowa)	pozbawiona struktury, jednolita, barwy ciemnoszarej, od wewnątrz jakby słabo oświetlona, całkowicie zasłaniająca Słońce lub Księżyc; podstawa *Ns* jest często rozmyta i zwisają z niej smugi, tzw. virga	0,1–3	4–6	$10^2–10^3$	10	kryształki lodu w części wierzchołkowej, kropelki wody w pobliżu podstawy, mieszanina kryształków lodu i kropelek przechłodzonej wody w centralnej części	deszcz lub śnieg o charakterze opadu ciągłego
Stratocumulus Sc (kłębiasto--warstwowa)	warstwa lub ławica ch., barwy szarej z ciemniejszymi miejscami, składająca się z płatów w kształcie zaokrąglonych brył lub ułożonych dość regularnie (w grupy, pasma itp.) i przeważnie tak ciasno, że niebo wygląda jak sfalowane	0,5–2	0,1–1	$10–10^3$	10	kropelki wody, poniżej temp. –25C kryształki lodu	występuje bardzo rzadko w postaci drobnego deszczu, śniegu lub krupy
Stratus St (niska warstwowa)	równomierna warstwa ch.; jeśli znajduje się b. nisko i ma postać pojedynczych nieregularnych strzępów, nosi nazwę *Fractostratus*	0,1–2	0,1–1	$10^2–10^3$	1–10	kropelki wody, poniżej temp. –25C kryształki lodu	mżawka, niekiedy słupki lodowe lub śnieg ziarnisty
Cumulus Cu (kłębiasta)	pojedyncza, gęsta, mająca kształt kopuły o podstawie prawie poziomej; oświetlone przez Słońce części *Cu* są na ogół lśniąco białe, a podstawa ciemna; ch. podobne do *Cu*, lecz postrzępione, noszą nazwę *Fractocumulus*	0,5–2	1–4	1	10^2	kropelki wody	najczęściej nie występuje; niekiedy przelotny deszcz
Cumulonimbus Cb (kłębiasta deszczowa)	pojedyncza, potężna, gęsta, ciemna, przybierająca postać gór lub wież; górna część *Cb* wykazuje strukturę włóknistą i często przybiera charakterystyczny kształt kowadła	0,5–1	3–12	10	10^3	kryształki lodu w części wierzchołkowej, kropelki wody w pobliżu podstawy, mieszanina kryształków lodu i kropelek przechłodzonej wody w centralnej części	opady przelotne w postaci ulewnego deszczu, gradu, śniegu lub krupy

wody i (lub) kryształków lodu unoszących się w powietrzu dzięki mikroturbulencji przeciwdziałającej ich grawitacyjnemu osiadaniu. Ch. powstają w wyniku kondensacji zawartej w powietrzu pary wodnej (→ kondensacja w atmosferze); warunkiem tego procesu jest dostatecznie duża wilgotność względna powietrza i obecność tzw. jąder kondensacji, tj. mikroskopijnych stałych i ciekłych cząstek → aerozoli atmosferycznych; zwiększenie wilgotności względnej powie-

trza następuje wskutek jego ochładzania się, gł. w wyniku adiabatycznego rozprężania podczas wznoszenia się mas powietrznych ku górze, a także w wyniku wypromieniowywania ciepła, rzadziej — w innych procesach; zawsze obecne w atmosferze jądra kondensacji powodują, że kondensacja może zachodzić już przy wilgotności względnej 70% (w przypadku ich nieobecności zachodziłaby dopiero przy wilgotności 400–800%). Większość ch. powstaje w troposferze;

■ Chmura. *Altocumulus lenticularis*

■ Chmura. *Cumulonimbus*

czasami powstają one w stratosferze, a nawet w mezosferze (obłoki świecące, obłoki iryzujące). Ze względu na mechanizm powstawania można podzielić ch. na: w a r s t w o w e, k ł ę b i a s t e (k o n w e k c y j n e), w a r s t w o w o - k ł ę b i a - s t e, o r o g r a f i c z n e (g ó r s k i e); ze względu na budowę i wygląd dzieli się ch., zgodnie z międzynar. klasyfikacją, na 10 podstawowych rodzajów: *cirrus, cirrocumulus, cirrostratus, altocumulus, nimbostratus, stratocumulus, stratus, cumulus, cumulonimbus*. Ch. są ważnym etapem obiegu wody w przyrodzie. ■

Chochołowska, Dolina, dolina walna w Tatrach Zach.; największa (35 km²) i najdłuższa (10 km) w pol. Tatrach; zbud. z granitów, gnejsów i łupków metamorficznych, uległa niegdyś zlodowaceniu (kotły, moreny), na pn. zbud. ze skał osadowych; liczne zjawiska krasowe (wiele jaskiń, podziemne przepływy wód, wywierzysko); wylot na wys. 920 m przy Siwej Polanie, na pd. od Witowa; w dolnej części kilka V-kształtnych dolin bocznych (Koryciska, Kryta, Długa, Głębowiec, Dudowa); w partii środk. odgałęziają się wielkie doliny: Starorobociańska, Jarząbcza i Wyżnia Chochołowska; otoczenie: od zach. — Siwiańskie Turnie, Furkaska, Bobrowiec, Grześ, Długi Upłaz, Rakoń i Wołowiec, od pd. — gł. grzbiet Tatr na odcinku 6 km od Wołowca po Raczkową Przełęcz z kulminacją Starorobociańskiego Wierchu, od wsch. — Ornak, Kominiarski Wierch i Spalenisko; w dnie doliny 2 zwężenia skalne: Bramy Chochołowskie Niżnia i Wyżnia oraz rozszerzenia — Polana Chochołowska i polana Huciska; odwadniana przez Chochołowski Potok (jeden ze źródłowych potoków Czarnego Dunajca); zachowane fragmenty pierwotnego lasu górnoreglowego (Hotarz), na polanach łany krokusów i zimowitów; bogata fauna (jelenie, kozice, świstaki, niekiedy ryś i niedźwiedź); ograniczony wypas owiec i bydła; liczne szałasy pasterskie, drewn. kapliczka. Gęsta sieć szlaków turyst., schronisko PTTK, doskonałe tereny narciarskie, nartostrada z Grzesia i Wyżniej Chochołowskiej, przenośny wyciąg. Zachowane ślady (hałdy i sztolnie) robót górn. i nazwy z tego okresu (Huciska, Baniste, Hawiarska Droga, Stara Robota, Młynisko). Nazwa D.Ch. pochodzi od podhalańskiej wsi Chochołów.

Chocianów, m. w woj. dolnośląskim (powiat polkowicki), nad Chocianowską Wodą (dorzecze Bobru); 8,6 tys. mieszk. (2000); ośr. usługowy; drobny przemysł; prawa miejskie od 1894; pałac i kościół (XVIII w.).

Chociwel, m. w woj. zachodniopomor. (powiat stargardzki), nad rz. Krąpiel (pr. dopływ Iny) i jez. Starzyc; 3,3 tys. mieszk. (2000); ośr. usługowy regionu roln.; tartak, przetwórstwo rolno-spoż.; lokalny węzeł drogowy; prawa miejskie od ok. 1321; kościół (XV w.).

Chodecz, m. w woj. kujawsko-pomor. (powiat włocławski), nad Chodeczką (dorzecze Wisły) i Jez. Chodeckim; 1,9 tys. mieszk. (2000); ośr. usługowy z drobnym przemysłem i turyst.-rekreacyjny; prawa miejskie 1442–1870 i od 1921.

Chodzież, m. powiatowe w woj. wielkopol., między jez.: Chodzieskim, Strzeleckim i Karczewnik; 20,3 tys. mieszk. (2000); duży ośr. przemysłu ceram.; ponadto zakłady przemysłu maszyn., metal., drzewnego, odzież., spoż. oraz wytwórnia wyrobów turyst.-sport.; węzeł drogowy; ośrodek turyst.-wypoczynkowy o charakterze uzdrowiska klim. (zakłady przyrodoleczn., szpital, sanatorium przeciwgruźlicze); węzeł turyst. szlaków pieszych; prawa miejskie od 1434; Izba Muzealna; kościół (XV, XVII w.), fragmenty zamku (XV–XVI w.), domy (XVIII, XIX w.).

Chojna, m. w woj. zachodniopomor. (powiat gryfiński), nad Rurzycą (pr. dopływ Odry); 6,9 tys. mieszk. (2000); ośr. usługowy dla rolnictwa; drobny przemysł metal., spoż., odzież.; pomnik przyrody — jeden z największych w Polsce platanów klonolistnych; prawa miejskie przed 1267; mury miejskie (XIII, XV w.), 2 kościoły (XIII i XIV–XV w.), ratusz (XV w.).

Chojnice, m. powiatowe w woj. pomor., w pobliżu Jez. Charzykowskiego; 40 tys. mieszk. (2000); ośr. przem., handl.-usługowy i kult.-oświat. oraz obsługi ruchu turyst. regionów: Borów Tucholskich i Równiny Charzykowskiej; przemysł spoż., drzewny, odzież., metal., środków transportu (naczepy, maszyny transportowe, łodzie, jachty); węzeł komunik.; filia Politechniki Koszal.; centrum kultury kaszubskiej (zespoły lud., kapele, chóry); festiwale międzynar. (Teatrów Ulicznych, Folkloru); muzeum; prawa miejskie 1310 (przed 1300?); fragmenty murów miejskich (XIV w.), kościół (XIV, XV, XX w.), kolegium (XVIII w.).

Chojnów, m. w woj. dolnośląskim (powiat legnicki), nad Skorą (dorzecze Kaczawy); 14,7 tys. mieszk. (2000); węzeł komunik.; ośr. przem. (metal., papierniczy, skórz., odzież., spoż., drzewny) i usługowy; prawa miejskie przed 1288; fragmenty murów miejskich (XIV w.), kościół (XIV/XV, XVI w.) i plebania (XVI w.), zamek książąt legn. (XVI w., ob. muzeum), pałac (XVIII w.).

Choroszcz, m. w woj. podl. (powiat białostocki), na skraju doliny Narwi; 5,1 tys. mieszk. (2000); ośr. usługowy i lecznictwa psychiatrycznego; prawa miejskie od 1507; zespół klasztorny (XVIII w.), zachowana oficyna z rezydencji Branickich (ob. muzeum) i park geom. (XVIII w.).

Chorwacja, Hrvatska, Republika Chorwacji, państwo w pd. Europie, na Płw. Bałkańskim, nad M. Adriatyckim; 56,6 tys. km^2; 4,4 mln mieszk. (2002), Chorwaci (78% ludności), Serbowie, Bośniacy; katolicy, prawosławni, muzułmanie; stol. Zagrzeb, inne m.: Split, Rijeka; język urzędowy chorw.; republika. W pd.-zach. części G. Dynarskie z rozwiniętą rzeźbą krasową, na pn.-wsch. aluwialne niziny, przecięte dolinami: Drawy, Sawy i Dunaju; na wybrzeżu (Dalmacja) liczne wyspy (Hvar, Brač, Krk) i półwyspy (Istria); klimat na wybrzeżu podzwrotnikowy śródziemnomorski, w głębi kraju umiarkowany ciepły; lasy dębowe i bukowe, w górach iglaste, na wybrzeżu makia; parki nar. m.in. Jez. Plitwickie. Podstawą gospodarki, zniszczonej w wyniku wojny domowej, jest przemysł (maszyn., petrochem., hutnictwo żelaza i aluminium, wydobycie boksytów), rolnictwo (uprawa zbóż, buraków cukrowych, na pd. — winorośli i oliwek) i turystyka; w Dalmacji i Istrii liczne kąpieliska mor. i uzdrowiska. ■

Chorzele, m. w woj. mazow. (powiat przasnyski), nad Orzycem; 2,7 tys. mieszk. (2000); ośr. usługowy regionu roln.; duża mleczarnia; prawa miejskie 1542–1870 i od 1919.

Chorzów, m. w woj. śląskim, nad Rawą (pr. dopływ Brynicy), w centrum GOP; powiat grodzki; 121 tys. mieszk. (2000); ośr. przemysłu metalurg. (zakład przetwórstwa hutn. w d. surowcowej Hucie „Kościuszko", Huta „Batory") i paliwowo-energ. (rejon wydobywczy Prezydent — świętochłowickiej kopalni Polska, elektrociepłownia) o dynamicznie rozwijającej się funkcji centrum handl. i kult.-rekreacyjnego regionu; duże zakłady przemysłu elektromaszyn. (Alstom Konstal, jedno z największych w kraju przedsiębiorstw remontu urządzeń hutn., Elkop SA — przedsiębiorstwo elektromontażowe przemysłu węglowego, wytwórnia okuć Metalplast) i chem. (Zakłady Azotowe Holding SA, Zakłady Chem. Hajduki SA); ponadto przemysł spoż., drzewny i in.; węzeł komunik.; szkoły wyższe, m.in.: Szkoła Zarządzania, Wydział Radia i Telewizji Uniw. Śląskiego; Teatr Rozrywki, Muzeum Chorzowskie z największą w Polsce kolekcją numizmatyczną; Wojew. Park Kultury i Wypoczynku (zał. 1950), gdzie planetarium i obserwatorium astron., park etnograf., ogród zool., rosarium, krzesełkowa kolejka linowa oraz liczne obiekty sport.-rekreacyjne; od XVI w. ośr. górnictwa; prawa miejskie od 1869; do 1934 p.n. Królewska Huta; kościół drewn. (XVI w.).

Choszczno, m. powiatowe w woj. zachodniopomor., nad Stobnicą i jez. Klukom; 16,1 tys. mieszk. (2000); ośr. przem. i usługowy; zakłady odzież. i przetwórstwa spoż.; węzeł drogowy i kol.; turystyka i sporty wodne; prawa miejskie przed 1289 (1284?).

Chotan-daria, rz. w Chinach, → Hotan He.

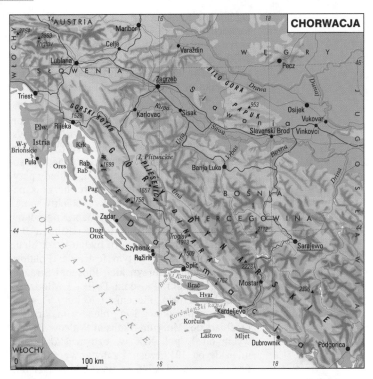

Chrzanów, m. powiatowe w woj. małopol., nad rz. Chechło (l. dopływ Wisły); 42 tys. mieszk. (2000); ośr. przem., usługowy i oświat.; przemysł; maszyn. (Fabryka Maszyn Budowlanych i Lokomotyw, ob. gł. maszyny dla górnictwa i budownictwa), metal. (profile aluminiowe), spoż., chem., materiałów ogniotrwałych; kopalnia i prażalnia dolomitów; węzeł kol. i drogowy; niepaństw. szkoły wyższe; muzeum; prawa miejskie od 1393.

Chuquicamata [czukika~], m. w pn. Chile, w Andach, na wys. 2700 m; 50 tys. mieszk. (2002); w pobliżu największa w świecie odkrywkowa kopalnia rud miedzi.

Chuzestan, Khūzestān, dawniej **Arabistan,** ostan i kraina hist. w pd.-zach. Iranie, nad Zat. Perską; 66,5 tys. km^2; 4,5 mln mieszk. (2002), gł. Arabowie; ośr. adm. Ahwaz, inne m.: Abadan, Chorramszahr; na zach. Niz. Mezopotamska, na wsch. góry Zagros; największy w kraju region wydobycia ropy naft. (pola naft.: Aga Dżari, Gacz Saran, Masdżed-e Solejman) i gazu ziemnego; rafinerie ropy naft.; uprawa palmy daktylowej i zbóż na Niz. Mezopotamskiej; sieć rurociągów.

Cicha, Dolina, Tichá dolina, najdłuższa dolina w Tatrach, w Słowacji; górny jej odcinek stanowi Dolina Wierchcicha; boczne doliny: od zach. — Tomanowa Liptowska, Hlińska, od wsch. — Szpania, Koprownica, Krzyżna; ślady zlodowaceń; dnem D.C. płynie Cicha Woda; dolne partie zalesione; D.C. stanowi umowną granicę między Tatrami Zach. a Tatrami Wysokimi; u wylotu ośr. turyst. Podbańska.

Ciechanowiec, m. w woj. podl. (powiat wysokomazow.), nad Nurcem; 4,8 tys. mieszk. (2000); przemysł skórz. (obuwie), spoż., drzewny, materiałów bud.; węzeł dróg lokalnych; na rzece niewielki zalew z terenami rekreacyjnymi; liczne imprezy i konkursy, m.in. od 1975 coroczny

■ Chorwacja

Ogólnopol. Konkurs Gry na Instrumentach Pasterskich; ogród bot. — „Ogród roślin zdatnych do zażycia lekarskiego"; prawa miejskie ok. 1429–1870 i od 1915; XVI w.–1930 podział na 2 odrębne miasta; Regionalne Muzeum Rolnictwa im. J.K. Kluka (w pałacu z XIX w.) i park etnograf., kościół (XVIII w.).

Ciechocinek, m. w woj. kujawsko-pomor. (powiat aleksandrowski), w dolinie Wisły; 11,3 tys. mieszk. (2000); jedno z gł. pol. uzdrowisk, ośr. wczasowy; jodobromowe i żelaziste cieplice solankowe (do 35°C); warzelnia soli; zakłady przyrodoleczn., szpitale uzdrowiskowe, liczne sanatoria; basen termalno-solankowy; obiekty sport.--rekreacyjne; drobny przemysł (spoż., środków transportu, meblarski); Katedra i Klinika Balneologii i Przemiany Materii bydg. Akad. Med.; wiele imprez kult., w tym festiwale: Folkloru Kujaw i Ziemi Dobrzyńskiej, Piosenki Strażackiej (ogólnopol.), Piosenki Dzieci i Młodzieży Specjalnej Troski, Piosenki i Kultury Romów, Operowo-Operetkowy i in., plenery malarskie i rzeźbiarskie; Muzeum-Skansen Walców Drogowych; od 1. poł. XIX w. uzdrowisko; prawa miejskie od 1919; zespół zabytkowy (XIX w.): drewn. tężnie (dł. 1740 m, wys. 17 m), łazienki, prawosł. cerkiew.

■ Cieplice. Jeden z gejzerów (Castle Geyser) w Parku Narodowym Yellowstone (USA)

ciek, ogólne określenie wód płynących w wyraźnym, otwartym korycie; rozróżnia się c.: 1) naturalne (np. strumień, potok, rzeka) i sztuczne (np. rów, kanał), 2) stałe (płyną przez cały rok), okresowe (płyną tylko przez kilka miesięcy, potem zanikają) i epizodyczne (pojawiają się na krótko po większych deszczach lub podczas roztopów; na ogół bez wyraźnego koryta).

cieplarniany efekt, efekt szklarniowy, podwyższenie temperatury powierzchni Ziemi spowodowane istnieniem atmosfery ziemskiej (temperatura ta wynosi średnio 14–15°C, bez atmosfery byłaby mniejsza o ok. 30°C). Atmosfera przepuszcza do powierzchni Ziemi znaczną część promieniowania słonecznego (promieniowanie krótkofalowe, od 0,1 do 4 cm), a zatrzymuje znaczną część promieniowania wysyłanego przez powierzchnię Ziemi (promieniowanie długofalowe, od 4 do 80 cm). Dzieje się to wg następującego schematu: promieniowanie słoneczne docierające do powierzchni Ziemi jest przez nią pochłaniane (niewielka część zostaje odbita) i zamieniane na ciepło, a ogrzana powierzchnia Ziemi emituje promieniowanie, które w dużym stopniu jest pochłaniane przez atmosferę (gł. przez cząsteczki pary wodnej,

dwutlenku węgla oraz kropelki wody w chmurach); energia przekazana atmosferze jest przez nią wypromieniowywana (w postaci promieniowania długofalowego) gł. z powrotem w stronę Ziemi (tzw. promieniowanie zwrotne), częściowo w przestrzeń kosm.; promieniowanie zwrotne jest podstawową przyczyną występowania e.c. Wskutek gosp. działalności człowieka stopniowo zwiększa się stężenie w atmosferze substancji absorbujących długofalowe promieniowanie ziemskie (tzw. gazów cieplarnianych, gł. dwutlenku węgla, metanu, tlenków azotu, ozonu, freonów), co może spowodować pogłębianie się e.c., wzrost temperatury i zmianę klimatu na kuli ziemskiej.

cieplice, termy, źródła wód ciepłych (termalnych), których temperatura jest wyższa od 20°C (wg klasyfikacji balneologicznej) lub od średniej rocznej temperatury powietrza danego obszaru (wg klasyfikacji hydrogeologicznej). Mogą powstawać: 1) z gorących wód pomagmowych wydobywających się z głębi Ziemi na obszarach współcz. lub niedawno wygasłej działalności wulk., np. w Islandii, Nowej Zelandii, w Parku Nar. Yellowstone w USA; 2) z wód opadowych lub powierzchniowych w wyniku ich infiltracji na duże głębokości (zwł. w obszarach górskich), gdzie pod wpływem ciepła Ziemi wody te ulegają ogrzaniu, a następnie wzdłuż pęknięć tektonicznych wznoszą się ku górze pod wpływem ciśnienia hydrostatycznego; tego typu źródłem jest c. w Jaszczurówce k. Zakopanego o średniej temp. 18°C przy średniej rocznej temp. powietrza w tym rejonie 4,8°C. Szczególnym typem c. są → gejzery. ■

Cieszanów, m. w woj. podkarpackim (powiat lubaczowski), nad Brusienką (dorzecze Tanwi); 1,8 tys. mieszk. (2000); ośr. usługowy dla rolnictwa; drobny przemysł; prawa miejskie 1590–1896 i od 1934.

Cieszyn, m. powiatowe w woj. śląskim, nad graniczną rz. Olza, oddzielającą C. od Czeskiego Cieszyna; 37 tys. mieszk. (2000); przemysł chem., spoż., maszyn., metal., elektrotechn.; ośr. turyst. i obsługi ruchu tranzytowego; drogowe przejścia graniczne; ośr. kult.-nauk.; filia Uniw. Śląskiego;

■ Cieszyn

teatr, orkiestra; muzeum; liczne instytucje społ.-kult., m.in. jedno z najstarszych tow. regionalnych w Polsce (zał. 1885) — Tow. Miłośników Regionu Macierz Ziemi Cieszyńskiej; ośrodek żywej tradycji sztuki lud. i folkloru; prawa miejskie przed 1284; 1920 podzielony granicą pol.-czes. na 2 miasta; ruiny zamku (XIV w., zachowana Wieża Piastowska) z kaplicą rom. (XI w., zrekonstruowana po 1945), 2 kościoły (XIII–XVI w. i XVII–XVIII w.), kamienice (XV–XIX w.), 2 pałace (XVIII w. i XIX w.), ratusz (XIX w.).　■

cieśnina, zwężenie powierzchni wodnej między lądami łączące 2 rozleglejsze akweny (np.: 2 morza lub oceany, morze z oceanem, zatokę z morzem); rozmiary c. są b. różne (np.: dł. Kanału Mozambickiego 1670 km, maks. szer. C. Drake'a 1120 km, a głęb. 5840 m, dł. c. Mały Bełt 125 km, minim. szer. 500 m, a głęb. 10 m); różnice w zasoleniu, temperaturze i poziomie wód po obu stronach c. powodują, zwł. w c. wąskiej, występowanie stałych, niekiedy silnych prądów powierzchniowych i głębinowych; c. są często ważnymi szlakami komunikacji morskiej.

Ciężkowice, m. w woj. małopol. (powiat tarnowski), nad Białą, w Ciężkowicko-Rożnowskim Parku Krajobrazowym; 2,4 tys. mieszk. (2000); ośr. usługowy, turyst.-wypoczynkowy i letnisko; prawa miejskie 1348–1934, ponownie od 1998; drewn. domy podcieniowe w rynku (XVIII, XIX w.), ratusz (XIX w.).

Cinling-szan, góry w Chinach, → Qin Ling.

cios, spękania ciosowe, system regularnych spękań i szczelin w skałach, powodujących podzielność skał (np. pod wpływem uderzenia) na regularne bloki: słupy (np. w bazaltach), kostki (np. w piaskowcach) i in. Powstaje najczęściej wskutek ściskania lub rozciągania skał pod wpływem ruchów tektonicznych; w skałach magmowych tworzy się też w wyniku kurczenia się magmy podczas krzepnięcia, ciśnienia magmy na zakrzepłe już, górne części intruzji, w skałach osadowych — pod wpływem kurczenia się osadu wskutek utraty wody w procesie → diagenezy. Obecność c. w skałach wpływa na rzeźbę terenu, krążenie wód podziemnych, zja-

■ Cios. Kolumny bazaltowe w Irlandii Północnej

wiska krasowe; ma też duże znaczenie przy eksploatacji kamieniołomów oraz w obróbce kamieni budowlanych.　■

cirrocumulus [łac.], Cc, **chmura kłębiasto-pierzasta,** rodzaj → chmury.

cirrostratus [łac.], Cs, **chmura warstwowo-pierzasta,** rodzaj → chmury.

cirrus [łac.], Ci, **chmura pierzasta,** rodzaj → chmury.

Cisa, węg. **Tisza,** słowac., rum. i serb. **Tisa,** ukr. **Tysa,** rz. na Ukrainie, Węgrzech i w Jugosławii, w górnym biegu wyznacza częściowo granicę między Ukrainą a Rumunią i Węgrami, oraz między Słowacją i Węgrami; najdłuższy (l.) dopływ Dunaju. Powstaje z połączenia Czarnej C. i Białej C. (źródła w Beskidach Połonińskich); dł. 977 km (z tego 519 km na Węgrzech), pow. dorzecza 157,2 tys. km^2; płynie przez Niz. Środkowodunajską; uchodzi do Dunaju powyżej Belgradu; typowa rzeka nizinna; do poł. XIX w. wielokrotnie zmieniała swój bieg, uregulowana wg planów I. Széchenyi (długość rzeki skrócono o 440 km, wybudowano ponad 3500 km wałów przeciwpowodziowych); katastrofalne powodzie: 1879, 1932, 1970; średni przepływ w dolnym biegu 700 m^3/s; gł. dopływy: Bodrog, Sajó, Eger (l.), Kraszna, Samosz, Keresz, Marusza, Bega (pr.); wykorzystywana do nawadniania (zbiorniki retencyjne Tiszalök i Kisköre, Gł. Kanał Wsch.); żegl. od m. Tiszabura; połączona z Dunajem (Kanał Dunaj–C.–Dunaj); elektrownie wodne; gł. m. nad C.: Tokaj, Szolnok, Csongrád, Szeged, Novi Bečej.

ciśnienie atmosferyczne, ciśnienie, jakie wywiera powietrze atmosf. na powierzchnię Ziemi i na wszystkie znajdujące się w nim ciała; na danym poziomie jest równe ciężarowi słupa powietrza o jednostkowej podstawie znajdującego się ponad tym poziomem; na poziomie morza średnia wartość c.a., tzw. c i ś n i e n i e　n o r m a l n e, wynosi 1013,25 hPa (1 atm); ze wzrostem wysokości c.a. maleje (→ baryczny stopień). W meteorologii stosuje się (np. na mapach pogody) wartości c.a. zredukowane do poziomu morza i temp. 0°C (największą wartość — 1084 hPa, zanotowano 1968 w wyżu azjat. na Syberii, najmniejszą — 870 hPa — 1979 w oku tajfunu Tip na Pacyfiku). Od rozkładu c.a. zależy poziomy ruch powietrza i związane z tym procesy (wiatr, powstawanie chmur i in.). Pomiarów c.a. dokonuje się różnego rodzaju barometrami. Istnienie c.a. doświadczalnie potwierdził 1643 E. Torricelli.

Citlaltépetl [sit~], wulkan w Ameryce Środk., → Orizaba.

Coirib, Loch [lok kǝrǝb], ang. **Lough Corrib,** jez. w zach. Irlandii; pow. 176 km^2; odpływ do zat. Gaillimh (ang. Galway, O. Atlantycki); liczne wyspy; podziemne połączenie z jez. Loch Measca (ang. Lough Mask); sporty wodne.

Colorado [kolǝrą:dou], **Colorado River,** rz. w USA i Meksyku, → Kolorado.

Colorado [kolǝrą:dou], **Colorado River,** rz. w USA, w stanie Teksas; dł. 1438 km, pow. dorzecza 107 tys. km^2; źródła na wyż. Llano Estacado, przecina Wyż. Edwardsa, uchodzi do zat. Matagorda (odgałęzienie Zat. Meksykańskiej); gł. dopływy: Concho, San Saba, Pedernales (pr.); duże wahania stanu wód; średni odpływ przy ujściu 81 m³/s; w dolinie Colorado system zbiorników retencyjnych wykorzystywanych do nawadniania i celów energ.; żegl. ok. 500 km od m. Austin.

Colorado Plateau [kolərą:dou plätou], wyżyna w USA, → Kolorado, Wyżyna.

Como [kọmo], **Lago di Como**, łac. **Lacus Larius**, najgłębsze jez. Alp, we Włoszech; leży w dolinie tektoniczno-lodowcowej między Alpami Bergamskimi i Alpami Lugańskimi, na wys. 212 m; pow. 146 km²; głęb. maks. 414 m (kryptodepresja); składa się z 3 części: Ramo di Como (najgłębsze), Lago di Lecco i Ramo di Colico; przez Como przepływa rz. Adda; nad Como liczne miejscowości turyst.—wypoczynkowe; gł. m.: Como, Lecco.

Connecticut [kənętykət], stan w USA, nad O. Atlantyckim; 13 tys. km²; 3,4 mln mieszk. (2002), w tym 10% Polonii; gł. m.: Hartford (stol.), Bridgeport, New Haven; wyżynny; silnie zurbanizowany i uprzemysłowiony (maszyn., zbrojeniowy, elektron.); warzywnictwo i sadownictwo; hodowla bydła mlecznego i drobiu; ośr. wypoczynkowe, plaże.

Cooka, Cieśnina [c. kuka], ang. **Cook Strait**, cieśnina między wyspami Nowej Zelandii (Północną i Południową); łączy M. Tasmana z otwartym O. Spokojnym; dł. 107 km, szer. 22–91 km; najmniejsza głęb. na torze wodnym 97 m; trudna dla żeglugi; liczne wysepki, zatoki, rafy; nad zat. Port Nicholson, u wybrzeży W. Północnej leży Wellington; odkryta 1789 przez J. Cooka, nazwana na jego cześć.

■ Góra Cooka. Na pierwszym planie jezioro Puleaki

Cooka, Góra [g. kuka], ang. **Mount Cook**, maoryskie **Aorangi**, najwyższy szczyt Nowej Zelandii, na Wyspie Pd., w Alpach Pd.; wys. 3764 m; wznosi się między lodowcami Hooker na zach. i Tasmana na wsch.; zdobyty 1894 od strony lodowca Hooker; stanowi część parku nar. (utworzonego 1953, pow. 69,9 tys. ha, z tego 1/3 zajmują wieczne śniegi i lodowce). ■

Cooka, Wyspy [w. kuka], **Cook Islands**, archipelag w Polinezji, terytorium stowarzyszone z Nową Zelandią; 236 km², 20 tys. mieszk. (2002); stol. Avarua na wyspie Rarotonga; sprzedaż licencji na połowy ryb; turystyka; odkryte 1773 przez J. Cooka.

Corse [kọrs], region i wyspa we Francji, → Korsyka.

Costa Brava [kọ~ b.], skaliste i strome wybrzeże M. Śródziemnego, w pn.-wsch. Hiszpanii, w regionie Katalonia (prow. Gerona); dł. ok. 200 km; turystyka międzynar.; piaszczyste plaże położone w zatokach, liczne znane kąpieliska i ośr. wypoczynkowe, m.in. Palamós, San Feliú de Guixols, Tossa de Mar, Blanes.

Cotentin [kotãtę], **Półwysep Normandzki**, półwysep we Francji (Normandia), między zat. Saint-Malo i Sekwany (cieśn. La Manche); stanowi część Masywu Armorykańskiego; pagórkowaty, wys. do 191 m; wybrzeża przeważnie skaliste i strome, silnie niszczone przez sztormy i wysokie przypływy mor. (do 15 m); krajobraz zw. bocage (na przemian występują niewielkie tereny uprawne, łąki i zagajniki); hodowla bydła; na pn. wybrzeżu port Cherbourg; na przyl. La Hague elektrownia jądrowa.

Cotopaxi [ko~], **Volcán Cotopaxi**, wulkan, jeden z najbardziej aktywnych na Ziemi, w Kordylierze Środk. (Andy), w pn. Ekwadorze; wys. 5897 m; od 1952 zanotowano 59 erupcji (ostatnia 1975); granica wiecznych śniegów na wys. 4700–4800 m; lodowce; 1872 zdobyty po raz pierwszy przez niem. geologa, W. Reissa, i A.M. Escobara; 1972 alpiniści pol. i czechosł. dokonali pierwszego zejścia na dno krateru C. — ok. 140 m poniżej wierzchołka.

Cotswold [kọtsuould], pasmo wzgórz wapiennych w W. Brytanii, w pd. Anglii; stanowi fragment kuesty jurajskiej o zboczach miejscami urwistych; wys. do 314 m; dział wód między dorzeczami Severn i Tamizy; kamieniołomy wapieni; hodowla owiec.

Crkvice, miejscowość w Jugosławii (Czarnogóra), u podnóża masywu Orjen; stacja klim.-letniskowa; największa w Europie roczna suma opadów (ok. 5000 mm).

cumulonimbus [łac.], *Cb*, **chmura kłębiasta deszczowa,** rodzaj → chmury.

cumulus [łac.], *Cu*, **chmura kłębiasta,** rodzaj → chmury.

Cuszimska, Cieśnina, jap. **Tsushima-kaikyō,** pd. część Cieśn. Koreańskiej, między jap. wyspami Cuszima i Iki; łączy M. Japońskie z M. Wschodniochińskim; najmniejsza szer. 46 km, najmniejsza głęb. 92 m (na torze wodnym).

Cybinka, m. w woj. lubus. (powiat słubicki), na zach. skraju Puszczy Rzepińskiej; 2,4 tys. mieszk. (2000); ośr. usługowy; przetwórstwo aluminium, tworzyw sztucznych, drewna; prawa miejskie od 1945; w okolicy złoża węgla brunatnego.

Cyklady, Kiklades, archipelag ponad 200 wysp gr. na M. Egejskim, na pd.-wsch. od Attyki i wyspy Eubeja; stanowią nomos Cyklad (W. Egejskie); pow. 2,6 tys. km², największe wyspy: Naksos (428 km²), Andros (380 km²), Paros (194 km²), Tinos (194 km²), Milos (151 km²), Kea (131 km²); górzyste, o urozmaiconej rzeźbie powierzchni i skalistych wybrzeżach; najwyższe wzniesienie (1003 m) na wyspie Naksos; na wyspie Thira czynny wulkan Kajmeni; klimat podzwrotnikowy śródziemnomor.; pierwotne, wiecznie zielone lasy dębowe zastąpiły wtórne zarośla typu frygana i uprawy (winorośl, oliwki, figowce, drzewa cytrusowe); hodowla owiec i kóz; połów ryb i gąbek; wydobycie marmurów (Paros, Tinos), rud żelaza (Siros, Serifos), chromu, manganu; silnie rozwinięta turystyka; połączenia żeglugowe z Pireusem i pomiędzy wyspami; na wyspach Mikonos, Milos i Thira — lotniska; największe m. i ośr. adm. — Ermupolis (na wyspie Siros).

cyklon [gr.], system cyrkulacji atmosf. występujący w → niżach atmosferycznych; wirowy układ wiatrów o kierunku przeciwnym do kierunku ruchu wskazówek zegara na półkuli pn. i o kierunku zgodnym z tym ruchem na półkuli pd. C. są charakterystyczne zwł. dla umiarkowanych i wysokich szer. geogr., gdzie powstają wskutek zafalowania na frontach stacjonarnych (→ front atmosferyczny); mają średnicę 2–3 tys. km, przemieszczają się z prędkością 30–40 km/h, a ich przechodzeniu towarzyszą charakterystyczne zmiany pogody, związane z frontami atmosf. (zmiany temperatury, ciśnienia, kierunku i prędkości wiatru, zachmurzenie, opady). Proces tworzenia się i ewolucji cyklonów nosi nazwę działalności cyklonalnej. W praktyce b. często pojęcia c. i niż traktuje się jako synonimy. Zob. też cyklon tropikalny, antycyklon.

cyklon tropikalny, cyklon o małej średnicy (kilkaset km), powstający nad ciepłą powierzchnią oceanu, gł. w strefach 5–20° szer. geograficznej. Odznacza się b. niskim ciśnieniem w środku układu (zwykle poniżej 950 hPa), znacznymi gradientami ciśnienia, będącymi przyczyną b. silnych wiatrów (o prędkości powyżej 120 km/h), oraz grubą i rozległą powłoką chmur dających silne opady i burze; obszar w centrum c.t. (o średnicy kilkudziesięciu km) o małym zachmurzeniu i słabych wiatrach jest zw. o k i e m c y k l o n u. C.t. przemieszcza się z prędkością do 50 km/h; jest niebezpieczny dla żeglugi, a kiedy dotrze do wybrzeży, czyni spustoszenia siłą wiatru, wznoszonymi falami i obfitymi opadami. C.t. mają różne nazwy regionalne: tajfun (pn.-zach. część O. Spokojnego), baguio (Filipiny), willy-willy (Australia), huragan, hurricane (M. Karaibskie, Zat. Meksykańska), cordonazo (zach. wybrzeże Meksyku) i inne.

Cylicyjskie, Wrota, Gülek Boğazı, przełomowa dolina rz. Tarsus w górach Taurus, w Turcji; głęb. do 1800 m; przez Wrota Cylijskie przechodzi linia kol. i szosa Ankara–Adana.

Cypr, gr. **Kipros,** tur. **Kıbrıs, Republika Cypryjska,** państwo w pd.-zach. Azji, na wyspie Cypr, we wsch. części M. Śródziemnego; 9,3 tys. km²; 814 tys. mieszk. (2002), Grecy (78%), Turcy (13%), Ormianie; prawosławni, muzułmanie; stol. Nikozja; język urzędowy: gr. i tur.; republika. Na pn. góry Karpason, na pd.-zach. — Troodos (Olimbos, 1951 m), w środk. części niz. Mesaria; klimat podzwrotnikowy śródziemnomor.; rzeki okresowe; makia, resztki lasów. Podstawą gospodarki jest sadownictwo (winorośl, owoce cytrusowe, oliwki, migdałowce), przemysł (winiarski, włók., obuwn.), turystyka zagr. oraz usługi

■ Cypr. Góry Troodos

bankowe i transportowe (kraj taniej bandery); gł. porty mor.: Famagusta, Larnaka i Limassol. ■

cyrk lodowcowy, kar, kocioł lodowcowy, wielka półkolista lub wydłużona nisza powstała na obszarze pola → firnowego w wyniku erozji lodowcowej i wietrzenia mrozowego; od strony stoku górskiego jest otoczony stromymi ścianami skalnymi, od strony żłobu lodowcowego — skalistym progiem; c.l. występują powszechnie w górach dawniej lub dziś zlodowaconych (np. Alpy, Tatry); obecnie c.l. są często zajęte przez jeziora (np. Morskie Oko lub Czarny Staw pod Rysami w Tatrach).

cyrkulacja wód, ruch mas wodnych w zbiornikach wód stojących (oceanach, jeziorach); jest następstwem oddziaływania wielu czynników: sił zewn. — astr. (np. przyciągania Księżyca) i anemobarycznych (np. wiatrów), sił wewn. (np.: gradientu ciśnienia, temperatury, gęstości wód) oraz innych sił, np. → siły Coriolisa. Ogólną c.w. w oceanach wzbudza gł. nierównomierny rozkład energii słonecznej na powierzchni Ziemi, prowadzący do tworzenia się prądów atmosf. i wodnych. Stałe prądy powietrzne (np. pasaty) powodują powstawanie powierzchniowych → prądów morskich, które łączą się z pionowymi prądami gęstościowymi wód i okresowymi prądami pływowymi. Kierunki ruchów mas wodnych w oceanie są zgodne z kierunkami ruchów mas powietrza. Każda strefa oceanu (powierzchniowa, głębinowa, przydenna) ma odmienny układ krążenia wód. W strefie powierzchniowej (do głęb. 200–500 m), o największej intensywności krążenia wód, c.w. kształtują gł. wiatry, ponadto siła Coriolisa oraz ukształtowanie wybrzeży. Wraz z głębokością maleje intensywność c.w. Cyrkulacja głębinowa jest gł. efektem mieszania się wód prądów mor. chłodnych (mniej słonych) i ciepłych (zasolonych), które po wymieszaniu, jako cięższe, opadają w głąb; wody głębinowe wypływają na powierzchnię przy wsch. brzegach oceanów, na miejsce wód powierzchniowych odpychanych stamtąd przez pasaty. C.w. w jeziorach jest wywołana czynnikami atmosf. i różnicami gęstości wody; obejmuje → epilimnion lub całą toń wodną; w głębokich jeziorach strefy umiarkowanej całkowita c.w. występuje w czasie wiosennego i jesiennego wyrównania termicznego; w wielu jeziorach strefy tropik., ze względu na stałe uwarstwienie termiczne, całkowita c.w. nie występuje w ogóle.

■ Cypr

■ Czapka i okno tektoniczne

Czad, franc. **Lac Tchad,** ang. **Lake Chad,** bezodpływowe jez. w środk. Afryce, na pograniczu Czadu, Nigru, Nigerii i Kamerunu, na wys. 240 m; pow. zmienna 10–26 tys. km² (w zależności od pory roku; po katastrofalnych suszach 1968–75 i po 1980 powierzchnia Cz. uległa znacznemu zmniejszeniu), głęb. 4–11 m; u pn.- -wsch. i wsch. brzegów Cz. liczne wyspy (archipelagi Kuri i Buduma); do Cz. uchodzą rz.: Szari, Komadugu Yobe i in.; częściowo zasolone; brzegi niskie, zabagnione, silnie zarośnięte (trawa, trzcina, papirus), na pn. piaszczyste; liczne gat. ptactwa wodnego (pelikany, ibisy, czaple), hipopotamy, krokodyle; żegluga między ujściami rz. Szari i Komadugu Yobe; przy brzegach (gł. wsch.) eksploatacja soli kam. i potasowych; na wyspach chów zwierząt; rybołówstwo. W plejstocenie jezioro obejmowało swym zasięgiem obniżenie Bodele, z którym obecnie jest połączone suchą doliną Bahr al-Ghazal; odkryte 1823.

■ Czad

Czad, Tchad, Republika Czadu, państwo w środk. Afryce; 1284 tys. km²; 7,1 mln mieszk. (2002), ludność afryk. (ludy: Sara, Bagirmi, Tubu, Kanuri) i Arabowie; muzułmanie, katolicy, animiści; stol. Ndżamena; język urzędowy: arab. i franc.; republika. Większą część pow. zajmuje Kotlina Czadu, na pn. (w obrębie Sahary) — masyw górski Tibesti (Emi Kussi, 3415 m), na wsch. wyżyny — Erdi, Ennedi i Wadaj; klimat zwrotnikowy kontynent., skrajnie suchy, na pd. podrównikowy suchy; graniczne jez. Czad. Kraj słabo rozwinięty; klęski głodu (długotrwałe susze); koczownicza hodowla bydła; uprawy: proso, sorgo, maniok, jams, orzeszki ziemne, bawełna (na eksport); przemysł olejarski, mięsny, piwowarski, włók.; komunikacja lotn.; żegluga na rz. Szari. ■

Czadu, Kotlina, bezodpływowa kotlina w Afryce, w pd. części Sahary (region Sudanu), na obszarze Czadu, Rep. Środkowoafrykańskiej, Kamerunu, Nigerii i Nigru; zbud. ze starych skał (gł. granitoidów) platformy afryk. przykrytych osadowymi skałami mezozoiku i trzeciorzędu; na powierzchni osady czwartorzędowe, gł. piaski i muły; wys. od ok. 500 m na obrzeżach kotliny do 155 m w dnie obniżenia Bodele; otoczona masywem Tibesti (od pn.) i wyż.: Ennedi, Wadaj (od wsch.), Dżos, Adamawa, Azande (od pd.) i Air (od zach.); w pn. części K.Cz. wydmy piaszczyste (pustynia Tenere, kraina Borku), w pd. — tereny bagienne; klimat od zwrotnikowego skrajnie suchego na pn. do podrównikowego wilgotnego na pd.; liczne wadi (gł. na pn.) i rzeki okresowe (część środk.); rzeki stałe gł. na pd. (Szari, Komadugu Yobe); w środk. części kotliny jez. Czad; roślinność pustynna i półpustynna na pn., sawannowa na pd., w dolinach stałych rzek lasy galeriowe; na pd. bogata fauna.

Czandigarh, właśc. **Ćandigarh,** hindi **Caṇḍīgaṛh,** ang. **Chandigarh,** terytorium związkowe Indii, u podnóża Himalajów, na pn. od Delhi; 114 km², 919 tys. mieszk. (2002); ośr. adm. Czandigarh.

czapka tektoniczna, odosobniony, ocalały od erozji fragment płaszczowiny, leżący na skałach jej podłoża; cz.t. występuje na obszarach o tektonice alpejskiej. ■

Czaplinek, m. w woj. zachodniopomor. (powiat drawski), nad jez. Drawsko i Czaplino, częściowo w Drawskim Parku Krajobrazowym; 7,3 tys. mieszk. (2000); ośr. turyst.-wypoczynkowy i sportów wodnych (żeglarstwo, kajakarstwo) oraz usługowy dla rolnictwa; przemysł drzewny i elektron.; węzeł drogowy; prawa miejskie przed 1345 (1291?).

Czarna Białostocka, m. w woj. podl. (powiat białost.), w otoczeniu Puszczy Knyszyńskiej; 10,0 tys. mieszk. (2000); ośr. przem. i usługowy; przemysł maszyn., zbrojeniowy, elektrotechn., obuwn., drzewny, materiałów bud., spoż.; skansen Obóz Partyzancki; prawa miejskie od 1962.

Czarna Hańcza, rz. w Polsce i na Białorusi, l. dopływ Niemna; dł. 142 km (w Polsce 108 km), pow. dorzecza 1916 km² (w granicach Polski 1612 km²); źródła na Pojezierzu Wschodniosuwalskim; przepływa przez jez. Hańcza i Wigry; w środk. biegu silnie meandruje, w dolnym (do wsi Rygol) — skanalizowana i włączona do systemu Kanału Augustowskiego; uchodzi w pobliżu wsi Warwiszki Białoruskie; średni przepływ powyżej granicy państwa 3,7 m³/s; maks. rozpiętość wahań stanów wody 0,8 m; gł. dopływ — Marycha (l.); Cz.H. prowadzi atrakcyjny turyst. szlak kajakowy (przystanie, stanice); nad Cz.H. leżą Suwałki i liczne miejscowości turyst.; przy wpływie rzeki do jeziora Wigry — ostoja bobrów.

Czarna Woda, m. w woj. pomor. (powiat starogardzki), w Borach Tucholskich, nad Wdą; 3,2 tys. mieszk. (2000); zakłady płyt pilśniowych; ośr. turyst.-wypoczynkowy; prawa miejskie od 1993.

Czarne, m. w woj. pomor. (powiat człuchowski), nad Czernicą (l. dopływ Gwdy); 6,3 tys. mieszk. (2000); ośr. usługowy i wypoczynkowy; przemysł materiałów bud., odzież., drzewny; prawa miejskie od 1395.

Czarne, Morze, bułg. **Czerno more,** ros. **Czornoje morie,** rum. **Marea Neagr,** tur. **Kara Deniz,** ukr. **Czorne more,** staroż. **Pontus Euxinus,** śródlądowe morze O. Atlantyckiego, między pd.-wsch. Europą a Azją; cieśn. Bosfor, morze Marmara i cieśn. Dardanele łączą je z M. Śródziemnym, Cieśn. Kerczeńska — z M. Azowskim; pow. 422 tys. km², głęb. do 2211 m; temperatura wód powierzchniowych w lecie 22–25°C, w zimie 6– 11°C (na pn. poniżej 0°C), zasolenie 17–18‰, przy ujściach rzek 3–9‰; od głęb. 150 m do dna woda zawiera siarkowodór (do 15 ml/l), silnie ograniczający życie biol. morza; do M.Cz. uchodzą rzeki: Dunaj, Dniestr, Boh, Dniepr i in.; rybołówstwo; gł. porty: Odessa, Sewastopol, Noworosyjsk, Trabzon, Zonguldak, Warna, Konstanca; liczne kąpieliska o międzynar. znaczeniu; największe zanieczyszczenia występują w pn.-zach. części morza.

Czarnków, m. powiatowe (powiat czarnkowsko-trzcianecki) w woj. wielkopol., na l. brzegu Noteci; 12,1 tys. mieszk. (2000); ośr. usługowy i lokalne centrum gosp.; przemysł drzewny, metal. i spoż. oraz poligraficzny, maszyn., przetwórstwa tworzyw sztucznych, elektrotechn.; węzeł drogowy; rzadko wykorzystywany port nad Notecią z bazą remontową; prawa miejskie od ok. 1369; kościół (XVI, XVII, XVIII w.), domy (XVIII–XIX w.).

Czarnogóra, Crna Gora, republika związkowa Jugosławii, nad M. Adriatyckim; 13,8 tys. km²; 642 tys. mieszk. (2002), Czarnogórcy, Albańczycy; prawosławni, muzułmanie; stol. Podgorica; górzysta (G. Dynarskie), rozwinięte formy krasowe; wąskie niziny na wybrzeżu i nad Jez. Szkoderskim; hodowla owiec, kóz i osłów; uprawa zbóż, na wybrzeżu — oliwek, winorośli, figowców; turystyka; parki nar., m.in. Durmitor.

Czarnohora, Czornohora, najwyższe pasmo górskie w Beskidach, na Ukrainie; wys. do 2061 m (Howerla); zbud. gł. z fliszu; ślady zlodowacenia; górne partie porośnięte trawami (połoniny); na stokach lasy bukowe i świerkowe; źródła Białej Cisy, Czeremoszu i Prutu; park narodowy.

Czarnomorska, Nizina, Priczornomorśka nizowina, nizina na Ukrainie, nad M. Czarnym i M. Azowskim między deltą Dunaju na zach. a rz. Kalmius na wsch.; wys. 90–150 m; zbud. z mor. osadów paleogenu i neogenu (wapienie, piaski, gliny), przykrytych czwartorzędowymi lessami; przecięta szerokimi dolinami Dniepru, Bohu, Dniestru; łagodnie opada ku morzu; wybrzeże limanowe. Klimat umiarkowany ciepły, kontynent.; suchy, roczne opady 350–450 mm; w lecie częste suchowieje; fragment stepu czarnoziemnego we wsch. części pod ochroną od 1874. Ważny region roln. (czarnoziemy, gleby kasztanowe), sztucznie nawadniany (Kanał Północnokrymski, system kachowski); uprawa zbóż, słonecznika, winorośli; hodowla bydła i owiec; gł. m.: Odessa, Chersoń.

czarnoziemy, najbardziej charakterystyczne gleby wśród gleb → stepowych; wytworzone w wyniku procesu → darniowego, który sprzyja powstaniu głębokich → akumulacyjnych poziomów glebowych, b. zasobnych w próchnicę nadającą glebie czarną barwę. Cz. należą do najżyźniejszych gleb świata, występują na wszystkich kontynentach zajmując ok. 6% powierzchni lądów; intensywne jednostronne wykorzystanie cz. (monokultury) powoduje niszczenie (rozpylanie) struktury warstw wierzchnich, wynikiem czego jest duża podatność na erozję wietrzną (czarne burze); urodzajność cz. może być również ograniczona częstym występowaniem susz w strefie cz. W Polsce cz. występują w niewielkich obszarach i są najczęściej zdegradowane.

■ Czarny Staw pod Rysami (widoczny cyrk lodowcowy)

Czarny Staw Gąsienicowy, Czarny Staw pod Kościelcem, jez. cyrkowe w Tatrach Wysokich, w pd.-wsch. odgałęzieniu Doliny Gąsienicowej, na wys. 1621,5 m; pow. 17,8 ha, dł. 666 m, szer. 424 m, maks. głęb. 51 m; od pn. zamknięte ryglem skalnym.

Czarny Staw pod Rysami, Czarny Staw nad Morskim Okiem, jez. cyrkowe w Tatrach Wysokich, w górnym piętrze Doliny Rybiego Potoku, na wys. 1583 m; pow. 22 ha, dł. 578 m, szer. 490 m, maks. głęb. 76,4 m (drugi po Wielkim Stawie w Dolinie Pięciu Stawów Polskich pod względem głębokości w Tatrach). ■

czas strefowy, czas obowiązujący w każdej z 24 stref czasowych, na które jest podzielona kula

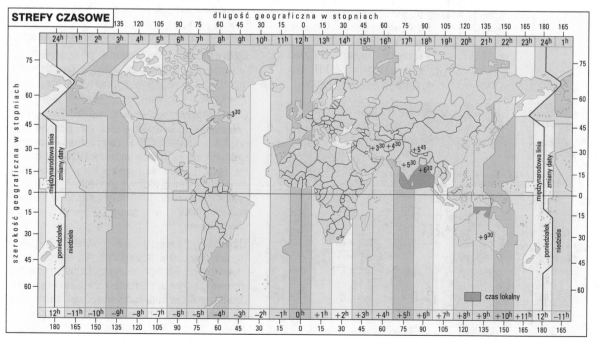

STREFY CZASOWE

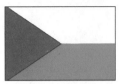

■ Czechy

ziemska; dla każdej strefy (obejmującej 15° długości geogr.) jest to czas równy czasowi słonecznemu średniemu jej środk. południka; różnica czasu między sąsiednimi strefami wynosi 1 godzinę. ■

Czatyrdah, masyw stołowy w G. Krymskich, na Ukrainie; wys. do 1527 m; ponad 100 jaskiń, liczne zapadliska krasowe; w dolnym piętrze lasy bukowe z domieszką grabu i sosny, powyżej zarośla płożącego się jałowca; na wierzchowinie roślinność kserofilna.

Czchowskie, Jezioro, Czchowski Zbiornik Wodny, Zbiornik Wodny Czchów, zbiornik retencyjny na Dunajcu, na Pogórzu Rożnowskim, na południe od Czchowa, ; utworzone 1949 przez spiętrzenie środk. Dunajca zaporą ziemną (wys. piętrzenia 10 m); pow. 3,5 km^2 dł. 9 km, szer. do 1 km, maks. głęb. 5 m, pojemność całkowita 12 hm^3, użytkowa — 6 hm^3; zwierciadło wody leży na wys. 234 m; zbiornik jest wykorzystywany do celów energ. (elektrownia wodna o mocy 8 MW), rekreacyjnych oraz wyrównania odpływu z Jez. Rożnowskiego. Otoczenie J.Cz. odznacza się dużymi walorami turyst. i krajoznawczymi.

Czchów, w. gminna w woj. małopol. (powiat brzeski), nad Dunajcem, poniżej Jez. Czchowskiego, na pn.-zach. skraju Ciężkowicko-Rożnowskiego Parku Krajobrazowego; 2,2 tys. mieszk. (2000); ośr. turyst.-wypoczynkowy i sportów wodnych; przy zaporze elektrownia wodna; prawa miejskie 1333–1880; ruiny zamku (XIV w.), kościół (XIV, XV w.), wewnątrz polichromia (XIV w.) i renes. nagrobki, drewn. domy podcieniowe (XVIII, XIX w.).

Czechowice-Dziedzice, m. w woj. śląskim (powiat bielski), nad Wisłą i jej dopływami Białą oraz Iłownicą, graniczy na południu z Bielskiem-Białą; 36 tys. mieszk. (2000); ośr. przemysłu paliwowo-energ. (kopalnia węgla kam., elektrociepłownia, rafineria — ob. produkcja paliw płynnych, olejów i smarów), metalurg. (przetwórstwo metali kolorowych), elektrotechn., maszyn., samochodowego, chem. i spoż.; ponadto fabryki: zapałek, opakowań, materiałów opatrunkowych, rowerów i in.; duże gospodarstwo rybackie (hodowla karpia); węzeł komunik.; prawa miejskie od 1951 (także połączenie Czechowic i Dziedzic); kościół (XVIII, XIX w.), pałac (XVIII w.). W pobliżu Cz.-D. wydobycie gazu ziemnego.

Czechy, Česko, Republika Czeska, państwo w Europie Środk.; 78,9 tys. km^2; 10,3 mln mieszk. (2002), Czesi, Słowacy; katolicy i protestanci; stol. Praga, inne gł. m.: Brno, Ostrawa, Pilzno; język urzędowy czes.; republika. Przeważającą część kraju zajmuje Masyw Czeski otoczony górami: Rudawy, Las Czeski, Szumawa i najwyższe — Sudety (Śnieżka, 1602 m); klimat umiarkowany ciepły; gł. rz.: Łaba z Wełtawą, Morawa; na rzekach zbiorniki retencyjne (Jez. Orlickie); źródła miner. (Karlowe Wary, Mariańskie Łaźnie); lasy iglaste i mieszane (buk, świerk, jodła). Kraj przem.-roln.; wydobycie węgla brun. i kam., rudy uranu, cynku i ołowiu; przemysł hutn., elektromaszyn. (obrabiarki, samochody Škoda-Volkswagen, lokomotywy elektr.), piwowarski, chem.; wyrób sztucznej biżuterii i kryształów; uprawa zbóż (jęczmień, pszenica), rzepaku, buraków cukrowych, ziemniaków, lnu, chmielu; hodowla trzody chlewnej, bydła, drobiu; hodowla ryb (gł. karpia); turystyka. ■

Czeczenia, republika w Rosji, na Kaukazie; 19,3 tys. km^2 (granica między Cz. i Inguszetią nie wytyczona); 516 tys. mieszk. (2002); stol. Grozny; jeden z najstarszych w Rosji regionów wydobycia ropy naft.; uprawy: zboża (pszenica, ryż), słonecznik, buraki cukrowe; hodowla.

Czeladź, m. w woj. śląskim (powiat będziński), nad Brynicą, na obszarze GOP; 36 tys. (2000); ośr. przemysłu ceram., elektromaszyn., odzież., spoż., chem.; do 1996 wydobycie węgla kam. w kopalni Saturn; węzeł kol. i drogowy; prawa miejskie przed 1399 (2. poł. XIII w.?)–1870 i od 1919; murowane i drewn. domy (XVII–XIX w.).

Czeluskin, Czeluskin mys, przyl. w Rosji, na płw. Tajmyr, najdalej na pn. wysunięty punkt Azji; 77°43′N, 104°18′E; stacja polarna (czynna od 1932); do przylądka pierwszy dotarł S.I. Czeluskin w maju 1742.

Czempiń, m. w woj. wielkopol. (powiat kościański), nad Olszynką (dopływ Kanału Mosińskiego); 5,0 tys. mieszk. (2000); ośr. usługowy z drobnym przemysłem (maszyn. chem., spoż.); stacja doświadczalna Pol. Związku Łow. (hodowla kuropatw, zajęcy, saren); węzeł kol.; prawa miejskie od 1399; pałac i kościół (XVIII w.).

Czeremosz, rz. na Ukrainie, pr. dopływ Prutu; powstaje z połączenia Białego Cz. (źródła w Rumunii) i Czarnego Cz., wypływających z Karpat Wsch.; dł. z Czarnym Cz. — 167 km; spławna.

Czerniejewo, m. w woj. wielkopol. (powiat gnieźnieński), nad Wrześnicą (pr. dopływ Warty); 2,4 tys. mieszk. (2000); ośr. usługowy regionu sadowniczego; drobny przemysł (włók., drzewny, spoż.); hodowla norek i lisów niebieskich; ośrodek wypoczynkowy, łowiecki i jeździecki; prawa miejskie od 1386; kościół (XVI w.), zespół pałacowy (XVIII w.), domy (XIX w.). W okolicy stawy rybne.

Czersk, m. w woj. pomor. (powiat chojnicki), w Borach Tucholskich, nad Czerską Strugą (l. dopływ Brdy); 9,3 tys. mieszk. (2000); przemysł drzewny, w tym meblarski; rzemiosło oraz rękodzielnictwo i sztuka lud.; węzeł kol. i drogowy; ośr. usługowy regionu turyst.; prawa miejskie od 1926.

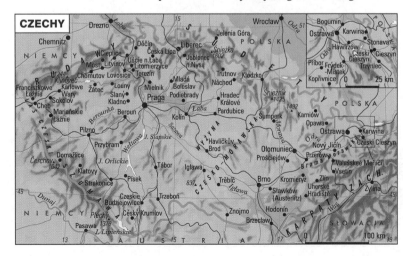

Czerskiego, Góry, Czerskogo chriebiet, góry w azjat. części Rosji (Jakucja i obwód magadański), między dolnym biegiem Jany i górnym Kołymy; dł. 1500 km, szer. do 400 km; najwyższy szczyt Pobieda, 3147 m. zbud. z silnie zdyslokowanych i zmetamorfizowanych skał paleozoicznych, obrzeżenia gł. z łupków i piaskowców permu, triasu i jury, poprzecinanych intruzjami granitoidów; liczne zagłębienia wytopiskowe (Góry Czerskiego leżą w zasięgu wieloletniej zmarzliny); w najwyższym piętrze rzeźba alp.; ponad 350 lodowców (pow. ok. 157 km^2); przecięte w poprzek przełomowymi dolinami Kołymy i Indygirki. Do wys. 300 m na pn. i 1000 m na pd. tajga modrzewiowa, powyżej zarośla sosny karłowej (kosolimby) *Pinus pumila* z domieszką olchy i górska tundra; szczyty pozbawione roślinności. Złoża złota, rud cyny i in. metali, węgla. 1891 J. Czerski prowadził badania w rejonie Indygirki.

Czerwieńsk, m. w woj. lubus. (powiat zielonogór.), w pobliżu Odry; 4,3 tys. mieszk. (2000); węzeł kol. z dużym zapleczem techn.-remontowym; zakłady obuwn.; ośr. rzemieślniczo-usługowy i wypoczynkowy; prawa miejskie 1690–1945 i od 1969.

Czerwionka-Leszczyny, m. w woj. śląskim (powiat rybnicki), nad Bierawką (pr. dopływ Odry); 30 tys. mieszk. (2000); ośr. górn. (kopalnia węgla kam. Dębieńsko z zakładem odsalania wód dołowych) z rowiniętym przemysłem energ., materiałów bud., spoż.; ośrodek mieszkaniowy dla górników okolicznych kopalń; węzeł kol.; prawa miejskie: Czerwionka 1962–75 (1975–91 część m. Leszczyny), Leszczyny 1962–91; 1991 adm. połączenie miast; drewn. kościół (XVII w.).

Czerwona, Rzeka, chiń. **Yuang Jiang,** wietn. **Hong Ha, Song Cai,** rz. w Chinach i Wietnamie; dł. 1280 km, pow. dorzecza 158 tys. km^2; źródła na Wyż. Junnańsko-Kuejczouskiej; u ujścia do Zat. Tonkińskiej tworzy szybko narastającą (do 100 m rocznie) deltę; w lipcu i sierpniu w dolnym biegu poziom wody podnosi się o ok. 10 m; niesie olbrzymie ilości osadów o barwie czerwonej, bogatych w związki żelaza; gł. dopływ Rzeka Czarna; żeglowna od Hanoi; gł. miasta nad Rzeką Czerwoną: Hanoi, na pn. skraju delty — Hajfong.

Czerwone, Morze, arab. **Al-Baḥr al-Aḥmar,** staroż. **Sinus Arabicus,** międzykontynent. morze między Afryką a Płw. Arabskim, część O. Indyjskiego; cieśn. Bab al-Mandab łączy je z M. Arabskim, Kanał Sueski — z M. Śródziemnym; dł. 1932 km, szer. do 306 km; pow. 460 tys. km^2, głęb. do 3039 m; środkiem dna M.Cz. biegnie dolina ryftowa; najcieplejsze i najbardziej słone morze świata; temp. wód powierzchniowych w lecie 25–32°C, w zimie 18–27°C, zasolenie 37–42‰; zasolenie wód przydennych w zagłębieniach ryftowych wynosi 250–280‰ przy temp. do 62°C (wypływ z gorących źródeł solankowych); liczne wyspy, rafy koralowe, gł. na pd.; brak rzek wpadających do M.Cz.; ważny szlak żeglugowy; gł. porty: Suez, Janbu al-Bahr, Dżudda, Port Sudan.

Czeski, Masyw, Český masív, wyżynno-górski obszar w Czechach, częściowo na terytorium Niemiec i Polski; na jego peryferiach z 3 stron wznoszą się góry zrębowe: Szumawa i Las Bawarski, Las Czeski, Rudawy i Sudety (Śnieżka 1602 m). Masyw Czeski stanowi wypiętrzony fragment podłoża platformy paleozoicznej środk. i zach. Europy; zbud. gł. ze sfałdowanych prekambryjskich skał metamorficznych poprzecinanych intruzjami paleozoicznych granitoidów; silnie zdenudowany. Część pd.-wsch. stanowi Wyż. Czesko-Morawska; w części środk. ciągną się krótkie pasma średnich gór, najwyższe Brdy (865 m); w pn. (najbardziej obniżonej) części wewn. zapadliska, zw. Kotliną Czeską lub Niz. Połabską, płynie górna Łaba; na pd. 2 rozległe kotliny z grupami małych jezior; pod Rudawami różnorodne formy wulk. (Średniogórze Czeskie). Zewnętrzne pasma górskie mają klimat chłodny i wilgotny (roczne opady 1000–2000 mm); klimat Niz. Połabskiej stosunkowo ciepły (w Pradze średnia temp. roczna wynosi 9,4°C) i suchy (opady 500–600 mm). Większa część Masywu Czeskiego leży w dorzeczu Łaby (gł. dopływy Wełtawa i Ohrza); część wsch. odwadniają dopływy Morawy (dorzecze Dunaju), pn.-wsch. skraj — dopływy Odry; na rzekach liczne zbiorniki retencyjne i elektrownie wodne. Dość dobrze zachowane lasy mieszane z udziałem buka, jodły i świerka lub sosny, w wyższych piętrach bory świerkowe w poważnym stopniu zagrożone wyginięciem z powodu zanieczyszczeń powietrza; naturalną roślinność Kotliny Czeskiej tworzyły lasy liściaste (gł. dębowo-grabowe i ciepłolubne dąbrowy), dziś przeważnie wytrzebione; gł. uprawy: zboża i buraki cukrowe. Bogactwa miner.: węgiel kam. i brun., rudy żelaza, cynku, ołowiu i uranu, grafit, kaolin; liczne źródła miner. (uzdrowiska Karlowe Wary i Mariańskie Łaźnie); rozwinięty przemysł ciężki; gł. m. i ośr. przem.: Praga, Pilzno, Czeskie Budziejowice, Pardubice, Hradec Králové, Liberec, Uście nad Łabą.

Czesko-Morawska, Wyżyna, Českomoravská vrchovina, pd.-wsch. część Masywu Czeskiego, w Czechach; wys. maks. 837 m (Javořice); zbud. z łupków krystal. i granitów; rozcięta dolinami pr. dopływów Morawy i Wełtawy; w najwyższych partiach lasy liściaste i wtórne iglaste; uprawa żyta, ziemniaków; hodowla bydła, trzody chlewnej; gł. m. Igława.

Częstochowa, m. w woj. śląskim, nad Wartą; powiat grodzki, siedziba powiatu częstoch.; 256 tys. mieszk. (2000); największy w Polsce ośr. kultu maryjnego (od XV w.), liczne pielgrzymki (3–4 mln osób rocznie); stol. archidiecezji częstoch. Kościoła rzymskokatol. (od 1992) i siedziba diecezji krak.-częstoch. Kościoła polskokatol.; ośr. przem., turyst. i kult.-nauk.; przemysł metalurg. (Huta Częstochowa), włók., metal., maszyn., materiałów bud., szklarski, spoż.; ponadto zakłady: przemysłu skórz., chem., wyrobów papierniczych, zabawek, guzików i igieł; największy w kraju ośrodek wyrobu dewocjonalii; węzeł kol. i drogowy; szkoły wyższe (politechnika, seminaria duchowne, inst. teol., szkoły językowe); filharmonia, teatry; muzea; festiwale, w tym Międzynar. Festiwal Muzyki Sakral-

■ Częstochowa (Jasna Góra)

nej Gaude Mater. Prawa miejskie przed 1377, Nowa Częstochowa — 1717 (1826 połączenie obu miast); 1975–1998 stol. woj.; zespół klasztorny Paulinów na Jasnej Górze, kościoły (XV, XVII, XVIII w.). ■

części świata, największe jednostki podziału całej lądowej powierzchni Ziemi; umownie obejmują kontynenty lub części kontynentów z wyspami leżącymi zarówno na cokołach kontynent., jak i poza nimi; wyróżnia się następujące cz.ś.: Afryka, Ameryka (składa się z 2 kontynentów), Antarktyda, Australia z Oceanią, Azja (część kontynentu Eurazja), Europa (część Eurazji). Zob. też: kontynent.

Człopa, m. w woj. zachodniopomor. (powiat wałecki), nad Cieszynką (l. dopływ Drawy) i 3 jeziorami, w otoczeniu lasów; 2,3 tys. mieszk. (2000); ośr. turyst. i usługowy dla rolnictwa; przetwórstwo rolno-spoż. i drzewne; prawa miejskie przed 1352.

■ Jezioro Czorsztyńskie. Zamek w Niedzicy, w głębi ruiny zamku w Czorsztynie

Człuchów, m. powiatowe w woj. pomor., nad Jez. Człuchowskim; 15,3 tys. mieszk. (2000); ośr. turyst.-wypoczynkowy i usługowy; przemysł spoż., metal., chem.; węzeł drogowy; prawa miejskie od 1348; muzeum; zamek (XV w.), kościół (XVII, XX w.), dwór (XVIII/XIX w.).

Czo Oju, ang. **Cho Oyu,** szczyt w Himalajach Wysokich, na pn.-zach. od Mount Everestu, na granicy Nepalu i Chin; wys. 8201 m; wieczne śniegi i lodowce; po zach. stronie przełęcz Nang-

pa-la (wys. 5806 m), przez którą prowadzi gł. droga karawanowa z Tybetu do doliny Khumbu; zdobyty po raz pierwszy 1954 przez wyprawę austr.; 1985 pierwsze wejście zimowe filarem pd.-wsch. (pol. wyprawa, kier. A. Zawada); nowe drogi na zach. ścianie 1986 (kier. R. Gajewski) i 1990 (kier. W. Kurtyka).

Czogori, szczyt w Karakorum, → K2.

Czomolangma, szczyt w Himalajach, → Everest, Mount.

Czorsztyńskie, Jezioro, Zbiornik Wodny Czorsztyn–Niedzica, zbiornik retencyjny na Dunajcu, w Pieninach; utworzony 1997 przez spiętrzenie rzeki zaporą o wys. 56 m i dł. 404 m; pow. 13,4 km^2, pojemność całkowita 234,5 hm^3, pojemność użytkowa 198 hm^3; zapora jest zlokalizowana poniżej zamku w Niedzicy, w przewężeniu doliny Dunajca, ponadto 2 ochronne zapory boczne (we Frydmanie i w Dębnie); przy zaporze elektrownia szczytowo-pompowa (moc 92 MW); zbiornik jest wyzyskiwany do celów przeciwpowodziowych, energ., wyrównywania przepływów Wisły, zaopatrzenia w wodę okolicznych miejscowości i rekreacji; poniżej J.Cz. zbiornik wyrównawczy Jez. Sromowickie. Pierwsze prace geol. i projektowe związane z budową zapory rozpoczęto 1934, po wielkiej powodzi na Dunajcu; 1964 decyzja o lokalizacji zapory w okolicach Czorsztyna; 1976 rozpoczęcie budowy; pracom towarzyszyły ciągłe protesty społ.; napełnianie zbiornika 1996–97 (próbne 1995); oddany do użytku na początku powodzi VII 1997 (porównywalnej z katastrofalną powodzią na Podhalu 1934) znacznie zredukował falę wezbraniową na Dunajcu; przepływ kulminacyjny został zmniejszony o ok. 2,5 raza (z 1350 m^3/s do 531 m^3/s), czas kulminacji został przesunięty o kilka godzin, zmienił się także charakter fali wezbraniowej. ■

Czterech Kantonów, Jezioro, niem. **Vierwaldstätter See,** jez. po pn. stronie Alp w Szwajcarii, na granicy 4 kantonów: Uri, Schwyz, Unterwalden i Lucerna; na wys. 434 m; pow. 113,6 km^2, głęb. do 214 m; składa się z 4 części (Uri, Lucerna, Küssnacht i Hergiswil z odgałęzieniem Alpnach) połączonych wąskimi cieśn.; przez jezioro przepływa rz. Reuss (dopływ Aare); żegluga turyst.; kąpieliska i liczne miejscowości wypoczynkowe; gł. m. — Lucerna; na wsch. brzegu, na wys. 480–490 m nar. sanktuarium Rütli.

Czudzkie, Jezioro, jez. w Rosji i Estonii, → Pejpus.

Czukocki Okręg Autonomiczny, jednostka adm. w Rosji, nad M. Wschodniosyberyjskim, M. Czukockim i M. Beringa; zajmuje Płw. Czukocki oraz Wyspę Wrangla; 737,7 tys. km^2, 63 tys. mieszk. (2002); ośr. adm. Anadyr; Rosjanie 66%, Ukraińcy 15%, Czukcze 7%, Eskimosi, Ewenkowie, Koriacy, Jukagirzy; ludność miejska 70%; wydobycie węgla, rud metali nieżelaznych, złota; hodowla reniferów, rybołówstwo, myślistwo; gł. porty: Pewek, Prowidienija.

Czukocki, Półwysep, Czukotskij połuostrow, półwysep w azjat. części Rosji, między Zat. Anadyrską (M. Beringa) a M. Czukockim; zakończony Przyl. Dieżniewa; od Ameryki Pn. oddzielony Cieśn. Beringa; pow. 49 tys. km²; brzegi silnie rozczłonkowane; górzysty, wys. do 1158 m (szczyt Ischodnaja); roślinność tundrowa; łowiectwo zwierząt futerkowych; złoża rud cyny, wolframu, złoto; na pd. wybrzeżu port Prowidienija, na pn. — osiedle Uelen, w pobliżu na skalistym przyl. Uelen stacja polarna (czynna od 1936).

Czukockie, Góry, Czukotskoje nagorje, dawniej **Góry Anadyrskie,** góry w azjat. części Rosji, w Czukockim Okręgu Autonom.; wys. do 1843 m; ciągną się od Zat. Czauńskiej do wsch. wybrzeży Płw. Czukockiego; silnie rozczłonkowane; pn. pasma zbud. z piaskowców i łupków poprzecinanych intruzjami granitoidów, pd. — gł. ze skał wulk.; górska tundra, w górnym piętrze ark. pustynia; dział wód między zlewiskami O. Arktycznego i M. Beringa (O. Spokojny); złoża rud cyny i rtęci, węgla kam. i brunatnego.

Czukockie, Morze, ros. **Czukotskoje morie,** ang. **Chukchi Sea,** morze między Azją i Ameryką Pn., część O. Arktycznego; przez Cieśn. Beringa połączone z M. Beringa (O. Spokojny); pow. 582 tys. km², głęb. do 1256 m (na pn.); w dnie kaniony podmor.; temp. wód powierzchniowych od 4–12°C w lecie do –1,8°C w zimie; pokryte lodami przez cały rok, z wyjątkiem części pd. w sierpniu i wrześniu; zasolenie wód powierzchniowych od 32,5–33,5‰ w zimie do 28–32‰ w lecie; rybołówstwo (gł. dorsz) i myślistwo (mors, foki); przez M. Cz. przechodzi linia zmiany daty.

Czuwaszja, Czawasz, republika w Rosji, w dorzeczu środk. Wołgi; 18,3 tys. km²; 1,3 mln mieszk. (2002), Czuwasze 68%, Rosjanie 27%, Tatarzy i in.; stol. Czeboksary; przemysł elektrotechn., środków transportu, maszyn., chem., lekki (włók.), drzewny, spoż.; uprawy: zboża, chmiel, konopie, ziemniaki, drzewa owocowe, tytoń; hodowla (bydło, trzoda chlewna,

owce); Elektrownia Czeboksarska na Wołdze (1400 MW).

czwartorzęd, młodszy okres kenozoiku, trwający od ok. 1,8 mln lat temu do dziś. Dzieli się na 2 epoki: wczesną — plejstocen (dyluwium, epoka lodowcowa) i późną — holocen (aluwium, epoka polodowcowa), obejmującą ostatnie 11 tys. lat. W plejstocenie klimat ulegał wielokrotnym wahaniom, kilka wielkich fal ochłodzeń (→ glacjał) i ocieleń (→ interglacjał) objęło glob ziemski; w strefie umiarkowanej rozwinęły się wielkie zlodowacenia kontynent. (pn. i środk. Europa, zach. Syberia, Ameryka Pn., Grenlandia, archipelagi ark.; na półkuli pd. — m.in. Ziemia Ognista, Argentyna, Tasmania). W strefie międzyzwrotnikowej równocześnie ze zlodowaceniem występowały okresy wzmożonych opadów (okresy pluwialne). Osady czwartorzędu to gł.: gliny zwałowe, piaski, żwiry, iły wstęgowe (→ warwy); pokrywają one ok. 80% pow. Polski. W czwartorzędzie ukształtowały się współcz. zarysy mórz i ich stref przybrzeżnych (m.in. w holocenie powstało M. Bałtyckie), rzeźba lądów; czwartorzęd zadecydował o składzie górnej warstwy gruntów i gleb.

Ćerapundźi, Czerapuńdżi, hindi **Cerāpūnj,** ang. **Cherrapunji,** miejscowość w pn.-wsch. Indiach (Meghalaja), na płaskowyżu Śilong; największe średnie roczne opady na Ziemi — ponad 11 tys. mm.

Ćmielów, m. w woj. świętokrzyskim (powiat ostrowiecki), nad Kamienną; 3,3 tys. mieszk. (2000); ośr. usługowy regionu roln.-sadowniczego i ośr. przemysłu ceramiki szlachetnej (słynna porcelana ćmielowska), ponadto przemysł szklarski, przemysł spoż. i drzewny; rozwija się infrastruktura turyst., m.in. budowa 3 zbiorników retencyjnych na Kamiennej; prawa miejskie 1509–1870 i od 1962; XVIII/XIX w. ośr. przemysłu ceram.; kościół (XIV, XVI w.), ruiny zamku (XVI w.), fortyfikacje (XVII w.).

D

Dachstein [~sztain], grupa górska w Alpach Salzburskich w Austrii; najwyższy szczyt Hoher Dachstein, 2995 m; liczne formy krasowe; na pn. stokach jaskinie (Mammuthöhle, dł. 20 km); kilka małych lodowców (najdalej na wsch. wysunięte w Alpach); u podnóża jez. Hallstatt; rozwinięta turystyka; kolejki linowe z Obertraun i Ramsau.

Dadra i Nagarhaweli, hindi **Dādrā aur Nagarhavel,** ang. **Dadra and Nagar Haveli,** terytorium związkowe Indii, nad M. Arabskim, na pn. od Bombaju; 0,5 tys. km^2, 245 tys. mieszk. (2002); ośr. adm. Silwasa; pozyskanie drewna tekowego.

Dagestan, republika w Rosji, na Kaukazie, nad M. Kaspijskim; 50,3 tys. km^2; 2,2 mln mieszk. (2002), Awarowie 28%, Dargijczycy 16%, Kumycy, Lezgini, Rosjanie i in.; stol. i gł. port Machaczkała; wydobycie ropy naft. i gazu ziemnego; przemysł maszyn. i metal., spoż., chem.; wyrób dywanów; uprawy: zboża (pszenica, ryż, kukurydza), słonecznik, warzywa, drzewa owocowe, winorośl; hodowla owiec; Elektrownia Czyrkiejska na rz. Sułak.

Dahna, Ad-, pustynia w Arabii Saudyjskiej, → Nefud, Mały.

dajka [ang.], żyła skał magmowych przecinająca skały starsze niezgodnie z ich warstwowaniem; odznacza się małą szerokością w stosunku do długości; skały tworzące d. (np. diabazy, bazalty) są zwykle odporniejsze na wietrzenie niż skały otaczające, tworzą więc w terenie jakby wały lub groble; największą d. świata jest Great Dyke w Zimbabwe (500 km dł. i 5–7 km szer.). ■

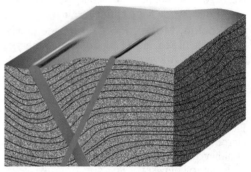
■ Dajki

Dakar, stol. Senegalu, nad O. Atlantyckim; zespół miejski 2,4 mln mieszk. (2002); ważny port handl. i rybacki; gł. ośr. gosp. (przetwórstwo orzeszków ziemnych, przemysł chem., rafineryjny, poligraficzny), kult.-nauk. (uniw.) i turyst. kraju; węzeł komunikacji lotn.; zał. 1857. ■

Dakka, Dhaka, bengalskie **Dhāka,** ang. **Dacca,** stol. Bangladeszu, ośr. adm. prow. Dakka, w delcie Gangesu i Brahmaputry, nad rz. Buriganga; 8,5 mln mieszk., zespół miejski 10,2 mln (2002); centrum gosp. kraju; przemysł jutowy, bawełn., chem.; tradycyjny ośr. rzemiosła (muśliny, biżuteria); duży port rzeczny, międzynar. port lotn.; 2 uniw., politechn.; siedziba Międzynar. Organizacji Juty; muzeum; zabytki z czasów mogolskich, liczne meczety (najstarszy z XV w.).

Dakota Południowa, South Dakota, stan w pn. części USA; 199,7 tys. km^2; 764 tys. mieszk. (2002), w tym ok. 50 tys. Indian; stol. Pierre, gł. m.: Sioux Falls, Rapid City; Wielkie Równiny (prerie); ekstensywna hodowla bydła i uprawa pszenicy, kukurydzy, owsa; wydobycie złota, rud litu, berylu; przemysł spoż., maszyn roln.; turystyka.

Dakota Północna, North Dakota, stan w pn. części USA; 183,1 tys. km^2; 637 tys. mieszk. (2002), w tym ok. 24 tys. Indian; stol. Bismarck, gł. m. Fargo; Wielkie Równiny (prerie); ekstensywna uprawa pszenicy, jęczmienia i hodowla bydła; wydobycie ropy naft., gazu ziemnego; przemysł spoż., maszyn rolniczych.

Daleki Wschód, ros. **Dalnij Wostok,** ang. **Far East,** franc. **Extrême-Orient,** region we wsch. Azji, nad O. Spokojnym; obejmuje część Rosji i

■ Dakar. Widok od strony portu

Chin oraz Koreę i Japonię; niekiedy do D.W. zalicza się Filipiny.

Dalian, Talien, m. w Chinach (Liaoning), nad M. Żółtym; 2,7 mln mieszk., zespół miejski 5,4 mln (1999); największy port naft. kraju; przemysł stoczn., taboru kol., maszyn., chem., hutnictwo żelaza; rurociąg z zagłębia naft. Daqing; ośr. szkolnictwa mor.; w obrębie D. wydzielona strefa ekon. (gł. kapitał zagr.); zał. 1899 przez Rosjan (Dalnij).

Dallas [däləs], m. w USA (Teksas), nad rz. Trinity; 1,2 mln mieszk. (2002), zespół miejski 2,9 mln, region metropolitalny D.–Fort Worth 4,4 mln (1994); wielki ośr. handl., bankowo-finansowy i węzeł komunikacji, zwł. lotn.; przemysł lotn., elektron., maszyn.; 2 uniw.; pomniki architektury nowocz. — Dallas Theater Center, świątynia Emanu-El. ◼

◼ Dallas

Daman i Diu, hindi **Damaṇ aur Dyu,** ang. **Daman and Diu,** terytorium związkowe Indii, nad M. Arabskim; składa się z 2 oddzielnych części: Daman (na pn. od Bombaju) i Diu (na płw. Kathijawar i przybrzeżnych w. Diu, Panikota); 0,1 tys. km², 161 tys. mieszk. (2002); ośr. adm. Daman.

Damaszek, Dimashq, stol. Syrii, na wsch. stokach gór Antyliban, nad rz. Barada; 1,8 mln mieszk., zespół miejski 2,3 mln (2002); największe miasto i ośr. przem. kraju; przemysł włók., maszyn., obuwn., elektron.; rzemiosło (wyroby metal., dywany, biżuteria); targi międzynar.; węzeł komunik.; szkoły wyższe (uniw.); jedno ze świętych miast islamu; meczet Umajjadów (VII w., przebud. z bazyliki Św. Jana Chrzciciela), mauzoleum i szpital (XII–XIII w.), mauzolea grobowe, mury obronne i cytadela (XIII–XIV w.), meczety kopułowe (XIV–XVIII w.), zabytkowe domy mieszkalne. ◼

Danakilska, Kotlina, zapadlisko w Afryce, → Afar.

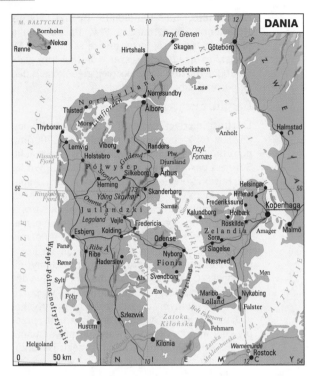

Dania, Danmark, Królestwo Danii, państwo w Europie Pn., na Płw. Jutlandzkim i wyspach w Cieśn. Duńskich; największe: Zelandia, Fionia, Nordjylland, Lolland, Bornholm (na M. Bałtyckim); 43,1 tys. km²; 5,4 mln mieszk. (2002), gł. Duńczycy (97%) oraz Turcy, Norwegowie i in.; luteranie 86%, katolicy; stol. Kopenhaga, inne gł. m. i porty handl.: Århus, Odense, Ålborg, Esbjerg; język urzędowy duń.; monarchia konstytucyjna. Kraj nizinny, wys. do 173 m (Yding Skovhøj); klimat umiarkowany ciepły, morski. Gospodarka rozwinięta; przemysł maszyn., petrochem., spoż., stoczn.; wydobycie ropy naft., gazu ziemnego, węgla brun.; uprawa jęczmienia, pszenicy, buraków cukrowych; hodowla bydła, trzody chlewnej; rozwinięte rybołówstwo; transport mor. i lotn.; eksport maszyn, statków, mięsa, wyrobów mleczarskich. Do D. należą autonomiczne: Grenlandia, W. Owcze. ◼

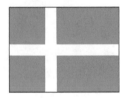

◼ Dania

Dar es-Salam, m. w Tanzanii, nad O. Indyjskim; zespół miejski 2,4 mln mieszk. (2002); największy port, ośr. gosp. (przemysł spoż., włók., chem., rafineryjny, stoczn.) i kult. kraju; ważny węzeł komunik. (międzynar. port lotn.); uniw.; muzeum nar.; miasto zał. 1862 przez sułtana Zanzibaru; stol. i gł. port Niem. Afryki Wsch.; stol. Tanganiki (do 1964) i Tanzanii (1964–81).

◼ Damaszek. Widok ogólny

Dardanele, tur. **Çanakkale Boğazı,** staroż. **Hellespont,** cieśn. między Płw. Bałkańskim a płw. Azja Mniejsza; łączy morze Marmara z M. Egejskim; dł. 120,5 km, szer. 1,3–18,5 km, głęb. 53–106 m (na linii największych głębokości); nad D. porty: Gelibolu, Çanakkale.

Dargin, część jeziora → Mamry.

Darling [dạ:rlyŋ], rz. w pd.-wsch. Australii, najdłuższy (pr.) dopływ Murray; dł. ok. 2700 km, pow. dorzecza ponad 650 tys. km^2; wypływa jako Severn z pasma New England (Wielkie G. Wododziałowe); kolejno zmienia nazwy na: Dumaresq, Macintyre, Barwon, od ujścia dopływu Bogan przybiera nazwę Darling; płynie przez obszary półpustynne; na dł. 1600 km spadek rzeki wynosi średnio 5‰; w dolnym biegu płynie rozwidlającymi się i ponownie łączącymi korytami, rozdzielonymi przez wyspy i mielizny; gł. dopływy: Condamine, Balonne (pr.), Gwydir, Namoi, Castlereagh, Macquarie (l.); w porze suchej w dolnym biegu częściowo wysycha; wahania poziomu wody 6–8 m; średni przepływ 42 m^3/s; wykorzystywana do nawadniania (także jeziora Menindee na pr. brzegu Darling); żegl. podczas wysokiego stanu wód od m. Bourke.

Darłowo, m. w woj. zachodniopomor. (powiat sławieński), przy ujściu Wieprzy i Grabowej do M. Bałtyckiego; 15,6 tys. mieszk. (2000); ośr. przem., turyst.-wypoczynkowy, mor. port handl. (przeładunki 241 tys. t, gł. zboże i drewno) oraz rybacki; przedsiębiorstwa połowu, handlu i przetwórstwa rybnego; ponadto zakłady przemysłu lekkiego i maszyn.; muzeum; prawa miejskie przed 1271; zamek (XIV, XVI–XVIII w., ob. muzeum), kościoły (XIV–XVI w.), fragmenty murów miejskich (XIV w.), kaplica (XV w.), ratusz (XVIII w.).

darniowy proces, przebieg następujących po sobie zmian w powierzchniowej warstwie gleby, prowadzących do powstania poziomów próchnicznych; p.d. sprzyja gł. występowaniu roślinności zielnej — zwł. roślin motylkowatych i traw, a największe jego nasilenie obserwuje się w strefie stepowej.

Dartmoor [dạ:rtmuər], granitowe wzniesienie na Płw. Kornwalijskim, w W. Brytanii (Anglia); liczne skałki ostańcowe (tory), najwyższa wys. 621 m (High Willhays); z Dartmoor spływa promieniście kilka rzek; torfowiska i wrzosowiska; na Dartmoor żyją zdziczałe stada rodzimej rasy kuców (dartmoor pony); wypas owiec i bydła; kamieniołomy granitu i kaolinu; park nar. (zał. 1951, pow. 94,6 tys. ha).

Daszt-e Kawir, pustynia w Iranie, → Słona, Wielka Pustynia.

Dauha, Ad-, Ad-Dawḥah, ang. **Doha,** stol. Kataru, na płw. Katar, nad Zat. Perską; zespół miejski 534 tys. mieszk. (2002); duży ośr. finansowy; port handl. i rybacki; zakłady odsalania wody mor.; uniwersytet.

Davisa, Cieśnina [c. dejwysa], ang. **Davis Strait,** franc. **Détroit de Davis,** duń. **Davis Sund,** szeroka cieśnina między Grenlandią a Ziemią Baffina; łączy M. Baffina z Morzem Labradorskim (O. Atlantycki); najmniejsza szer. 330 km, głęb. do 466 m; w zimie pokryta lodem, w lecie góry lodowe; odkryta 1585 przez J. Davisa.

Davos, m. we wsch. Szwajcarii (Gryzonia), w Alpach Retyckich, na wys. 1560 m; 11 tys. mieszk. (2002); najstarsze uzdrowisko klim. w kraju i ośr. turyst.-wypoczynkowy o świat. sławie; konferencje międzynar., w tym Świat. Forum Ekonomiczne.

Dąbie, m. w woj. wielkopol. (powiat kolski), nad Nerem; 2,2 tys. mieszk. (2000); ośr. usługowy regionu roln.; różnorodny drobny przemysł; węzeł drogowy; prawa miejskie od 1423.

Dąbie, jez. deltowe w Dolinie Dolnej Odry, na wys. 0,1 m; stanowi dawną zatokę Zalewu Szczecińskiego, odciętą deltą Iny; pow. 5600 ha (w tym wyspy o pow. 2,5 ha), dł. 15 km, szer. 7,5 km, maks. głęb. 4,2 m (kryptodepresja); brzegi na ogół niskie, podmokłe (pokłady torfu); przez D. przepływa wsch. odnoga Odry — Regalica, łącząc się na pn. krańcu jeziora z Odrą; uchodzi rz. Płonia; żegluga; na zach. i pd. brzegu D. leżą dzielnice Szczecina.

Dąbrowa Białostocka, m. w woj. podl. (powiat sokólski), nad Kropiwną (l. dopływ Biebrzy), w otulinie Biebrzańskiego Parku Nar.; 6,6 tys. mieszk. (2000); ośr. usługowy regionu roln.; różnorodny drobny przemysł; prawa miejskie przed 1775–1950 i od 1965.

Dąbrowa Górnicza, m. w woj. śląskim, nad Czarną i Białą Przemszą, na obszarze GOP; powiat grodzki; 131 tys. mieszk. (2000); duży ośr. przem.-usługowy; rozwinięty przemysł metalurg. (huty — Katowice, Bankowa); ponadto przemysł: metal., maszyn., chem., miner. (huta szkła), spoż., odzież.; zlikwidowana kopalnia węgla kam. Paryż; przedsiębiorstwa remontowo-montażowe i bud.; filie banków; węzeł kol. (z rozbud. infrastrukturą) i drogowy; szkoły wyższe; ośr. wypoczynku (Pogoria); Muzeum Miejskie „Sztygarka"; w XIX w. gł. ośr. górn.-hutn. Zagłębia Dąbrowskiego; prawa miejskie od 1916; Pałac Zarządu Górn. (XIX w.).

Dąbrowa Tarnowska, m. powiatowe w woj. małopol., nad rz. Breń (pr. dopływ Wisły); 11,2 tys. mieszk. (2000); ośr. mieszkaniowo--usługowy, połączony komunikacją miejską z Tarnowem; przemysł: spoż., metal., skórz.; węzeł drogowy; muzea; prawa miejskie przed 1693; brama pałacu Lubomirskich (XVII w.), drewn. kościół (XVIII w.).

Debrzno, m. w woj. pomor. (powiat człuchowski), nad Debrzynką (l. dopływ Gwdy); 5,5 tys. mieszk. (2000); ośr. usługowy dla rolnictwa; drobny przemysł (maszyny pralnicze, artykuły spoż.); prawa miejskie od 1345.

deflacja [franc. < łac.], wywiewanie przez wiatr luźnego, drobnego materiału skalnego (piasku, pyłu); zachodzi gł. na obszarach pustynnych, piaszczystych wybrzeżach mórz i przedpolach lodowców; d. stopniowo obniża obszar poddany jej działaniu; na obszarze tym tworzą się charakterystyczne formy terenu, np. zagłębienia kotlinowe (→ misa deflacyjna) lub pustynie kamieniste (hamada); niesiony przez wiatr materiał skalny, który żłobi i szlifuje powierzchnię skał (→ korazja) może być przenoszony na duże odległości, zwł. pył może się gromadzić w odległości kilku tys. km od miejsca wywiania, tworząc osady lessowe. Zob. też eoliczne procesy.

Dekan, hindi **Dakkhan kā paṭhār,** ang. **Deccan,** wyżyna w Indiach, na Płw. Indyjskim, ograniczona Ghatami Zach. i Ghatami Wsch.; pow. ok. 1 mln km²; średnia wys. ok. 900 m na zach. i ok. 600 m na wschodzie Geologicznie stanowi platformę prekambryjską, której podłoże jest zbud. ze sfałdowanych i zdenudowanych skał prekambru (gnejsy, łupki krystal., kwarcyty, z intruzjami granitów); na podłożu miejscami leżą utwory młodsze (górny karbon – jura); w pn.-zach. części występują rozległe pokrywy law bazaltowych (trapy) wieku kredowego i paleogeńskiego. Powierzchnia lekko falista, rozcięta szerokimi, wypełnionymi aluwiami dolinami rzek; w pn. części bazaltowy płaskowyż Malwa i ostańcowe góry Arawali i Windhja, w pn.-wsch. części wyż. Chota Nagpur, na pd. właściwa wyż. Dekan, średnio wyniesiona do ok. 500 m, ograniczona od pd. górami Nilgiri i Kardamonowymi. Klimat zwrotnikowy monsunowy, w środk. części suchy; średnia temp. w styczniu 21–23°C, w maju 28–35°C; roczna suma opadów 700–1000 mm, na zach. stokach Ghatów Zach. powyżej 2000 mm; pora deszczowa od marca do września. Gęsta sieć rzeczna; większość rzek (gł. Mahanadi, Godawari, Kryszna, Kaweri) wypływa z Ghatów Zach. i płynie na wsch. do Zat. Bengalskiej. Roślinność sawannowa, w górach suche lasy monsunowe, na zach. stokach Ghatów Zach. wilgotne lasy równikowe; na większości obszaru wtórne zbiorowiska roślinne i pola uprawne; uprawa gł. prosa, pszenicy, bawełny; eksploatacja węgla kam., rud żelaza, miedzi, chromu, manganu, miki, złota; parki nar., m.in. Kanha (zał. 1900, pow. 15 tys. km²).

Delaware [delə^{u}eə^r], stan w USA, nad O. Atlantyckim; 5,3 tys. km², 808 tys. mieszk. (2002); stol. Dover, gł. m. i port Wilmington; Niz. Atlantycka; intensywne warzywnictwo, sadownictwo i hodowla drobiu; przemysł chem., rafineryjny, spoż.; turystyka.

Delhi, hindi **Dilli,** stol. Indii, na Niz. Hindustańskiej, nad Jamuną; ośr. adm. terytorium związkowego Delhi; 7,2 mln mieszk. (1991), zespół miejski 10 mln (2002); przemysł włók., odzież., samochodowy, jeden z gł. w kraju ośr. przemysłu

skórz.-obuwn.; rzemiosło (biżuteria); duży ośr. finansowy i handlu złotem; węzeł komunik. z międzynar. portem lotn.; 4 uniw., politechn.; muzea; dzielnica Nowe Delhi, zbud. przez Brytyjczyków 1912–14. Liczne zabytki, gł. z XII–XVII w., m.in. meczety (Kuwwat al-Islam z minaretem wys. 72,5 m i in.), mauzolea grobowe, pałace, forty.

delta [gr.], równinny obszar powstały w wyniku nagromadzenia osadów rzecznych (gł. piasków, iłów i mułów) przy ujściu rzeki do morza lub jeziora; ma zarys zbliżony do gr. litery Δ (stąd nazwa); stanowi przeszkodę dla przepływu rzeki i powoduje rozdzielanie się jej koryta na liczne ramiona. D. powstają w miejscach, gdzie głębokość zbiornika wodnego przy ujściu rzeki nie jest zbyt duża, a akumulacja osadów przeważa nad niszczącą działalnością falowania i pływów, usuwających przyniesiony przez rzekę materiał skalny. Tempo przyrostu d. może być różne, w skali rocznej wynosi ono np.: d. Missisipi 40–106 m, d. rzeki Kury 300 m, a d. górskiej rz. Terek 500 m. Obszary zajmowane przez d. mogą osiągać znaczne rozmiary, np. d. Gangesu i Brahmaputry ma 80 tys. km², d. Leny — ok. 30 tys. km², d. Wisły — 2,6 tys. km². W d. powstają b. urodzajne gleby (np. pokryty madami obszar d. Wisły zw. Żuławami Wiślanymi). Kopalne d. z dawnych epok geol. są często miejscem występowania złóż węgla, ropy naft. i gazu ziemnego. ∎

deluwium [łac.], osad tworzący się z drobnych, pylastych cząstek miner., gromadzonych u podnóża wzgórz, pochodzących z wypłukania przez wody opadowe glin, lessów i pokryw zwietrzelinowych występujących na stokach.

Demawend, Kūh-e Damāvand, wygasły wulkan w górach Elburs, najwyższy szczyt Iranu; zbud. z law andezytowych, wys. 5604 m; na szczycie wieczne śniegi i niewielkie lodowce; zdobyty po raz pierwszy 1837 przez Austriaka T. Kotschy'ego, 1852 — przez J. Czarnotę; u podnóża liczne cieplice siarkowe.

Demenowska, Jaskinia, Demänovská jaskyňa, najdłuższa jaskinia Słowacji, we wsch. zboczu Doliny Demenowskiej (pn. część Niżnich Tatr), ok. 10 km na pd. od Liptowskiego Mikuła-sza; bardzo popularna jaskinia turyst., uważana za jedną z najpiękniejszych w Europie; wytworzona w wapieniach; dł. 24 km, deniwelacja 174 m,

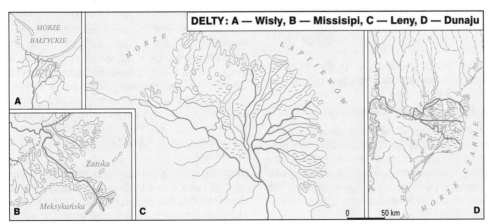
DELTY: A — Wisły, B — Missisipi, C — Leny, D — Dunaju

rozciągłość ok. 3,3 km; kilkanaście otworów na wys. od 791 do 943 m, gł.: Demenowska Jaskinia Wolności (odkryta 1921, udostępniona do zwiedzania 1924) i Demenowska Jaskinia Lodowa (znana od dawna, zwiedzana od XVIII w.); rozległe ciągi obszernych korytarzy i dużych sal (wys. do 40 m) rozwinięte na 3 piętrach; bardzo bogata, wielobarwna szata naciekowa; partie zalodzone; znaleziska licznych kości niedźwiedzi jaskiniowych; 1987 połączenie obu jaskiń; zwiedzana przez ponad 200 tys. osób rocznie.

demografia [gr.], dyscyplina nauk. badająca zjawiska ludnościowe i prawidłowości, którym one podlegają; przedmiotem badań d. jest ludność zamieszkująca określoną jednostkę terytorialną: stan i zmiany w liczbie ludności, jej struktura wg płci, wieku i niektórych cech społ. oraz ruch naturalny i wędrówkowy.

denudacja [łac.], współdziałanie procesów: → wietrzenia, erozji i ruchów masowych prowadzące do obnażania podłoża skalnego, zrównywania wyniosłości na powierzchni Ziemi i — ogólnie — do obniżania kontynentów. Przebieg denudacji na danym obszarze, która wg W.M. Davisa ma charakter cykliczny (→ geomorfologiczny cykl), zależy od tego, jakie typy procesów niszczących mają przewagę, co jest wynikiem warunków klim. i czynników endogenicznych, gł. ruchów tektonicznych. Obecnie najbardziej rozpowszechniona na kuli ziemskiej jest d e n u d a c j a w k l i m a c i e u m i a r k o w a n y m, zw. też denudacją. n o r m a l n ą, w której gł. czynnikiem rzeźbotwórczym jest erozja rzeczna; denudacja g l a c j a l n a, denudacja p e r y g l a c j a l n a, denudacja. p u s t y n n a i in. występują na mniejszych obszarach. Procesy denudacyjne zachodzą b. powoli, generalnie — w tempie centymetrów na tysiąclecie, lokalnie mogą przebiegać znacznie szybciej (najszybciej — na szczytach górskich). D. rzadko doprowadza do wytworzenia się rozległych powierzchni zrównania, gdyż zwykle pod wpływem ruchów tektonicznych lub zmian klimat. następuje odnowienie erozji i odmłodzenie rzeźby danego obszaru.

denudacyjny cykl → geomorfologiczny cykl.

depresja [łac.], obszar lądowy leżący poniżej poziomu morza; najczęściej występuje w zapadliskach tektonicznych; najgłębszą d. świata jest Rów Jordanu z M. Martwym (405 m p.p.m.), największą — d. kaspijska (pow. 710 tys. km²); w Polsce d. występują na Żuławach Wiślanych — największa 1,8 m p.p.m. we wsi Raczki Elbląskie; d. zalana przez wody jeziora nosi nazwę k r y p t o d e p r e s j i; najgłębszą kryptodepresją świata jest niecka Bajkału (1165 m p.p.m.); w Polsce występuje ponad 20 jezior (gł. przybrzeżnych i deltowych) o charakterze kryptodepresji, np. jez. Miedwie (29 m p.p.m.).

deskwamacja [łac.], → eksfoliacja.

deszcz, opad atmosf. w postaci kropel wody o średnicy najczęściej 0,5–5 mm, rzadko do 8 mm; powstaje wskutek łączenia się w chmurze małych kropel w większe (które następnie wypadają z chmury pod wpływem siły ciężkości) lub wskutek topnienia wypadających z chmury kryształków lodu.

deszcz lodowy, → ziarna lodowe.

deszczomierz, pluwiometr, przyrząd do pomiaru ilości opadu atmosf.; w skład najprostszego d. wchodzi naczynie z otworem wlotowym, ustawionym dokładnie w płaszczyźnie poziomej, i zbiornik (połączony z naczyniem rurką) zbierający opad; pomiaru ilości opadu zebranego w zbiorniku dokonuje się (co najmniej raz na dobę) za pomocą specjalnie wyskalowanej menzurki (opad w postaci stałej należy przedtem stopić); odczyt podaje grubość warstwy wody (w mm), która spadła na płaszczyznę poziomą w określonym czasie (np. w ciągu doby); do automatycznych pomiarów ciągłych służą p l u w i o g r a f y, rejestrujące ilość, czas trwania i natężenia opadów; do zdalnego przekazywania wyników służą t e l e p l u w i o g r a f y.

determinizm geograficzny, kierunek rozwijający się zwł. od końca XVIII w., przypisujący środowisku geogr. główną lub wyłączną rolę w kształtowaniu rzeczywistości społ.; wywarł wpływ m.in. na rozwój ekologii społecznej; d.g. reprezentowali F. Ratzel, H. Buckle oraz wielu innych uczonych czerpiących inspirację z rozwijającej się → antropogeografii.

Dębica, m. powiatowe w woj. podkarpackim, nad Wisłoką; 49 tys. mieszk. (2000); ośr. przem., usługowy i kult.-oświat.; przemysł: chem. (opony, farby i lakiery), maszyn. (urządzenia i nadwozia chłodnicze) i spoż., ponadto drobny przemysł miner.; węzeł kol. i drogowy; tow. społ.-kult.; wiele imprez kult. (Międzynar. Turniej Tańca Towarzyskiego), liczne obiekty sport.; prawa miejskie 1358–XIX w.(?) i od 1914; muzeum; kościół (XV, XVI, XVIII, XIX w.), synagoga (XVIII w.), pozostałości zamku (XVII, XIX, XX w.), domy (XIX w.).

Dęblin, m. w woj. lubel. (powiat rycki), przy ujściu Wieprza do Wisły; 18,6 tys. mieszk. (2000); ośr. przem. i ważny węzeł kol.; przemysł zbrojeniowy (wojsk. zakłady inżynieryjne), środków transportu (lotn. zakłady remontowe), maszyn., metal., odzież. i spoż.; krajowy ośr. szkolenia pilotów i lotn. obsługi naziemnej; Wyższa Szkoła Oficerska Sił Powietrznych; wojsk. port lotn.; międzynar. pokazy lotn.; muzeum; prawa miejskie od 1954.

Dębno, m. w woj. zachodniopomor. (powiat myśliborski), nad Kosą (pr. dopływ Myśli) i jez. Lipowo; 14,3 tys. mieszk. (2000); ośr. usługowy; przemysł spoż., drzewny (meble), obuwn., maszyn., odzież., przetwórstwa tworzyw sztucznych; w okolicy wydobycie gazu ziemnego; prawa miejskie od ok. 1562.

Dhaulagiri, szczyt w Wysokich Himalajach, w Nepalu; wys. 8167 m; wieczne śniegi, lodowce. Zdobyty po raz pierwszy 1960 przez szwajc. wyprawę, w której uczestniczyli m.in. J. Hajdukiewicz i A. Skoczylas; 1983 zdobyty przez pol. wyprawę (kier. W. Szymański); 1985 pierwsze zimowe wejście J. Kukuczki i A. Czoka (kier. A. Bilczewski).

diageneza [gr.], procesy przemian fiz. i chem. osadów i skał osadowych rozpoczynające się od momentu złożenia (depozycji) osadu, z wyłączeniem zmian spowodowanych przez współcz.

procesy wietrzenia oraz procesy metamorfizmu; obejmują zmiany składu miner., struktury, a niekiedy i składu chem. osadu prowadzące do jego stwardnienia, czyli konsolidacji, a w przypadku skały skonsolidowanej — do jej przemian rekrystalizacyjnych. Etapami d. są: k o m p a k - c j a, polegająca na zmniejszeniu się objętości osadu i wzroście jego gęstości wskutek utraty przez osad porowatości i wyciśnięcie z niego wody pod wpływem nacisku warstw nadległych; c e m e n t a c j a, powodująca przekształcenie luźnego osadu w zwięzłą skałę wskutek krystalizacji — w wolnych przestrzeniach między ziarnami osadu — spoiwa skalnego, którym są np. węglany czy krzemionka; cementacji ulegają gł. skały okruchowe i węglanowe; r e k r y s t a l i z a - c j a, prowadząca na ogół do zwiększenia ziarnistości skały lub spoiwa skalnego i powstawania minerałów trwałych w miejsce nietrwałych (np. opal przechodzi w chalcedon, a następnie w kwarc), dzięki czemu np. piaskowiec kwarcowy przechodzi w b. zwięzły piaskowiec kwarcytowy; m e t a s o m a t y c z n a p r z e m i a n a d i a g e - n e t y c z n a, polegająca na zmianie składu chem. i miner. osadu bądź skały osadowej pod wpływem aktywizacji chem. substancji miner. rozproszonej w osadzie lub wskutek wnikania do osadu lub skały osadowej z zewnątrz roztworów miner. o obcym składzie chem., co powoduje całkowite lub częściowe wypieranie pierwotnych składników skały i powstawanie na ich miejscu nowych minerałów. Badanie procesów d. jest ważnym zadaniem sedymentologii i petrografii skał osadowych.

Diamentowe, Góry, Kmgang-san, pasmo górskie we wsch. części Płw. Koreańskiego, zbud. z granitów; opada stromo ku M. Japońskiemu; najwyższy szczyt w Korei Pn. Pirobong (1638 m), w Korei Pd. — Sorak-san (1708 m); głębokie i wąskie doliny, krótkie potoki górskie z licznymi wodospadami (Kuronion, wys. 90 m); lasy mieszane; klasztory buddyjskie; ośr. turyst. Ondzong-ri (Korea Pn.).

diapir → wysad.

diastrofizm [gr.], zespół procesów wywołanych przez czynniki mające swe źródło w głębi Ziemi, prowadzących do deformacji skorupy ziemskiej; do procesów tych należą: orogeneza i epejrogeneza; powodują one powstanie i zanik basenów oceanicznych, kontynentów, łańcuchów górskich; obecnie za gł. czynnik d. jest uważany ruch płyt litosferycznych (→ tektoniki płyt teoria).

diatrema [gr.], komin erupcyjny wulkanu eksplozywnego, zazwyczaj wytworzony przez jego jednorazowy wybuch; jest wypełniona brekcjami wulk. i skałami piroklastycznymi.

Diego Garcia [d. garsịa], wyspa koralowa (atol) w środk. części O. Indyjskiego, największa w archipelagu Czagos (na pd. od Malediwów); od 1965 wchodzi w skład Bryt. Terytorium O. Indyjskiego; pow. 27 km². Podczas II wojny świat. bryt. baza lotn.; od 1966 (na mocy umowy bryt.-amer.) baza wojsk. USA (port, lotnisko, baza paliw), od lat 70. intensywnie rozbudowywana w reakcji na rosnącą obecność ZSRR na O.

Indyjskim, następnie przeznaczona do operacji w rejonie Zat. Perskiej (wykorzystana m.in. podczas wojny 1991 przeciwko Irakowi oraz 2001/ 2002 podczas nalotów na Afganistan).

Dieżniewa, Przylądek, Dieżniowa mys, przyl. w Rosji, na Płw. Czukockim, najdalej na wsch. wysunięty punkt Azji; 66°05′N, 169°40′W; wys. 741 m; stromo opada ku morzu; latarnia mor. — pomnik S.I. Dieżniewa.

długość geograficzna, jedna ze współrzędnych → geograficznych.

Dniepr, białorus. **Dniapro,** ukr. **Dnipro,** staroż. **Borystenes,** rz. w Rosji, Białorusi i Ukrainie, trzecia pod względem długości w Europie (po Wołdze i Dunaju); dł. 2201 km, pow. dorzecza 504 tys. km². Źródła na Wałdaju; uchodzi do Limanu D. (M. Czarne); początkowo płynie w częściowo zabagnionej dolinie, następnie przez obszar pagórkowaty w dolinie o szer. 0,5–1 km; od Mohylewa do ujścia taras zalewowy rozszerza się, dolina asymetryczna, pr. brzeg wysoki i stro-

■ Dniepr w Kijowie

my; gł. dopływy: Soż, Desna, Psioł, Worskła (l.), Berezyna, Prypeć, Ingulec (pr.); średni przepływ przy ujściu 1700 m³/s. W środk. i dolnym biegu kaskada elektrowni wodnych ze zbiornikami (największe: Krzemieńczucki i Kachowski); tzw. porohy D. (wychodnie skał w korycie, na dł. 75 km istniało 10 progów skalnych) zostały zatopione w związku z budową Dnieprogesu; żegl. 1677 km; połączona z rzekami zlewiska M. Bałtyckiego systemem kanałów: D.–Niemen, Dźwina–Berezyna (nieczynny), D.–Bug; wykorzystywana do nawadniania (Kanał Północnokrymski); zaopatruje w wodę Krzywy Róg i Donbas; gł. m. nad D.: Smoleńsk, Kijów, Czerkasy, Kremieńczug, Dnieprodzierżyńsk, Dniepropetrowsk, Zaporoże, Nikopol, Chersoń. Na pr. brzegu Rezerwat Kaniewski. W IX–XII w. przez D. prowadził szlak handl. znad M. Bałtyckiego do M. Czarnego, łączący Ruś i Europę Pn. z Bizancjum (porohy na D. omijano lądem, holując puste łodzie). ■

Dniestr, ukr. **Dnister,** mołd. **Nistrul,** staroż. **Tyras, Danaster,** rz. na Ukrainie i w Mołdawii; dł. 1362 km, pow. dorzecza 72,1 tys. km²; źródła w Karpatach Wsch.; uchodzi do Limanu D. (M. Czarne); przez Wyż. Wołyńsko-Podolską płynie w dolinie o wąskim dnie i b. stromych, częściowo skalistych zboczach (zw. jarem D.); gł. dopływy: Seret, Zbrucz (l.), Stryj, Reut (pr.); w górnym biegu spław drewna; żegl. od m. Soroki; elektrownia wodna i zbiornik retencyjny k. m. Du-

■ Dniestr w okolicy Zaleszczyk (Ukraina)

bossary; wykorzystywana do nawadniania; gł. m. nad D.: Halicz, Mohylów Podolski, Bendery, Tyraspol. ■

dno oceaniczne, część skorupy ziemskiej pokryta wodami mórz i oceanów; ma b. urozmaiconą rzeźbę; jego gł. elementami są: obrzeże kontynent. (genetycznie jednorodne z kontynentem) i właściwe d.o. Obrzeże kontynent. (zbud. z bazaltów pokrytych warstwą granitową i osadami, gł. lądowymi) obejmuje szelf (głęb. 0–200 m) i stok kontynent. (200–2500 m) wraz z jego podnóżem; w tej części d.o., spotyka się strome, głębokie, V-kształtne doliny zw. kanionami. Poniżej 2500 m rozciąga się właściwe d.o. tzw. dno głębokiego oceanu (zbud. z bazaltów pokrytych osadami mor.); gł. formami jego ukształtowania są: baseny oceaniczne (2500–6000 m), rowy oceaniczne (poniżej 6000 m) i grzbiety śródoceaniczne (o wysokości względnej do kilku tysięcy m); wśród małych form rzeźby właściwego d.o. rozróżnia się m.in.: równiny abisalne (niecki), izolowane wzniesienia dna (ławice, rafy), płaskowzgórza, platformy, łańcuchy górskie i pojedyncze góry. Rzeźbę d.o. przedstawiają mapy batygraf. (→ batymetria).

Dobczyce, m. w woj. małopol. (powiat myślenicki), nad Rabą i Jez. Dobczyckim; 5,9 tys. mieszk. (2000); ośr. przem., usługowy i turyst.--wypoczynkowy; zapora i elektrownia wodna; ujęcie i zakład uzdatniania wody (dla Krakowa); zakłady: przetwórstwa gumy, silikonu i lateksu, naprawy taboru specjalistycznego (Mercedes) oraz wytwórnia naczep do przewozu coca-coli; drobny przemysł odzież. i spoż.; muzeum; w pobliskich Stadnikach Wyższe Seminarium Duchowne Sercanów; prawa miejskie przed 1310; ruiny zamku król. i murów miejskich (XIV w.), kościół parafialny (XIX w.).

Dobczyckie, Jezioro, Dobczyce, Dobczycki Zbiornik Wodny, Zbiornik Wodny Dobczyce, zbiornik retencyjny na Rabie, na Pogórzu Wielickim, k. Dobczyc; utworzony 1986 przez spiętrzenie dolnej Raby zaporą ziemną (wys. piętrzenia 28 m, dł. zapory 620 m); pow. 10,7 km², pojemność całkowita 125 hm³; przeznaczony do zaopatrzenia w wodę Krakowa, ochrony przeciwpowodziowej i do celów rekreacyjnych.

Dobiegniew, m. w woj. lubus. (powiat strzelecko-drezdenecki), nad jez. Wielgie i Mierzęcką Strugą; 3,2 tys. mieszk. (2000); rozwijający się ośrodek turyst.-wypoczynkowy i usługowy regionu turyst. (w pobliżu Drawieński Park Nar. oraz rozległe lasy i liczne jeziora); węzeł drogowy i kol.; Muzeum Oflagu II C Woldenberg; prawa miejskie przed 1313 (1298?); 1939–45 niem. obóz dla jeńców pol. Woldenberg.

Dobra, m. w woj. zachodniopomor. (powiat łobeski), nad Dobrzenicą (dorzecze Regi) i jez. Dobre; 2,1 tys. mieszk. (2000); ośr. usługowy dla rolnictwa; letnisko; prawa miejskie od 1331.

Dobra, m. w woj. wielkopol. (powiat turecki), nad Teleszyną (l. dopływ Warty); 2,1 tys. mieszk. (2000); ośr. usługowy dla rolnictwa; drobny przemysł; prawa miejskie przed 1511–1867 i od 1919.

Dobre Miasto, m. w woj. warmińsko-mazurskim (powiat olsztyński), nad Łyną; 11,3 tys. mieszk. (2000); ośr. usługowo-przem.; przemysł maszyn., spoż., drzewny, odzież., metal.; węzeł drogowy; siedziba Warmińskiego Seminarium Duchownego Hosianum; Miedzynar. Spotkania Rodzin Muzykujących; prawa miejskie od 1329; kolegiata (XIV, XVI w.), fragmenty murów obronnych i Bociania Baszta (XIV–XV w.).

Dobrej Nadziei, Przylądek, ang. **Cape of Good Hope,** afrikaans **Kaap die Goeie Hoop,** skalisty przyl. w RPA; 34°21′S, 18°29′E; odkryty 1488 przez portug. żeglarza B. Diaza.

Dobrodzień, m. w woj. opol. (powiat oleski), nad Myślinką (dorzecze Małej Panwi); 4,4 tys. mieszk. (2000); ośr. przemysłu i rzemiosła meblarskiego, także drobny przemysł maszyn. i spoż.; węzeł drogowy; prawa miejskie od 1384.

Dobrzany, m. w woj. zachodniopomor. (powiat stargardzki), nad rz. Pęzinką (dorzecze Iny) i jez. Szadzko; 2,5 tys. mieszk. (2000); ośr. usługowy z drobnym przemysłem (drzewny, metal., odzież.); prawa miejskie od 1336.

Dobrzyń nad Wisłą, m. w woj. kujawsko--pomor. (powiat lipnowski), na pr. wysokim brzegu Wisły, nad Jez. Włocławskim; 2,3 tys. mieszk. (2000); lokalny ośrodek handl.-usługowy i węzeł drogowy; drobny przemysł spoż., drzewny; rozwijający się ośrodek windserfingu; prawa miejskie przed 1296 (1239?).

Dobskie, Jezioro, część jeziora → Mamry.

Dobszyńska, Jaskinia Lodowa, Dobšinská ľadová jaskyňa, jaskinia krasowa na Słowacji, w pd. części Słowackiego Raju, w zboczu doliny rz. Hnilec; jedna z najwspanialszych na świecie lodowych jaskiń (nazywana lodowym klejnotem Europy); otwór na wys. 971 m; dł. 1,32 km, deniwelacja 112 m; utworzona w wapieniach środk. triasu; kilka obszernych komór; pd. część jaskini zalodzona — maks. miąższość lodu 26,5 m, pow. 9,8 tys. m², obj. 110 tys. m³ (1997); oryginalne lodowe nacieki, m.in. w kształcie organów, wodospadu i ołtarza; 9 gat. nietoperzy, jedno z najważniejszych na Słowacji zimowisk nocka wąsatka i Branta (ok. 250 osobników); eksploracja 1870; jedna z pierwszych w świecie jaskiń udostępnionych turystom (1871) i oświetlonych elektr. (1887); trasa turyst. dł. 515 m; jedna z najczęściej zwiedzanych jaskiń słowac. (ponad 80 tys. osób rocznie — czynna tylko w lecie, przez 4 miesiące).

dochód narodowy, dochód uzyskany z działalności gosp. na terenie danego kraju w pewnym okresie, zwykle 1 roku; mierniki d.n.: → produkt narodowy brutto (PNB), produkt narodowy netto (PNN) oraz → produkt krajowy brutto (PKB).

Dodoma, stol. Tanzanii (od 1981), w środk. części kraju, na wys. 1135 m; 167 tys. mieszk. (2002); ośr. handl. regionu uprawy zbóż, kawy; przemysł spoż., drzewny; węzeł komunikacyjny.

dolina, podłużne obniżenie powierzchni Ziemi, o jednokierunkowym nachyleniu, utworzone gł. w wyniku erozji wód stale lub okresowo płynących, przy współdziałaniu innych procesów denudacyjnych (osuwanie, osiadanie, spełzywanie) oraz akumulacji. Rezultatem działalności wód stale płynących jest d. r z e c z n a; rozwój jej zależy od rzeźby terenu, rodzaju i budowy podłoża, klimatu oraz reżimu hydrologicznego rzeki; rozróżnia się d. o wąskim dnie i stromych skalistych zboczach, małe zw. gardzielami, duże zw. jarami, d. wciosowe (najczęściej występujące), o wąskim, niewyrównanym dnie i stromych zboczach, rozwartych w kształcie litery V, d. płaskodenne, d. nieckowate i in. Działanie wód okresowo płynących prowadzi do powstania d. s u c h y c h, takich jak: → wąwóz, parów, wadi. D. rzeczne przekształcone przez niszczącą działalność lodowca noszą nazwę → żłobów lodowcowych.

dolnośląskie, województwo, woj. w pd.-zach. Polsce, graniczy z Czechami i Niemcami; 19 948 km², 3,0 mln mieszk. (2000), stol. — Wrocław, in. większe m.: Wałbrzych, Legnica, Jelenia Góra; dzieli się na 4 powiaty grodzkie, 26 powiatów ziemskich i 169 gmin. Krajobraz b. urozmaicony; na pd. Sudety (Śnieżka, 1602 m) i Pogórze Sudeckie, na pozostałym obszarze niziny (Śląska, Śląsko-Łużycka, Obniżenie Milicko-Głogowskie). Gęsta sieć rzeczna, gł. rz. — Odra. Lasy zajmują 28,3 % pow., m.in. pd. część Borów Dolnośląskich; parki nar. — Karkonoski, G. Stołowych oraz 9 parków krajobrazowych. Gęstość zaludnienia — 150 mieszk. na km², w miastach 71,6 % ludności (2000). Województwo przem.-roln.; w pn. części Legnicko-Głogowski Okręg Miedziowy (gł. wydobycie i przetwórstwo miedzi), na pd. Dolnośląskie Zagłębie Węglowe (likwidacja wydobycia węgla kam.), na pd.-zach. — Turoszowskie Zagłębie Węgla Brun. (górnictwo, energetyka); ponadto rozwinięty gł. przemysł maszyn., środków transportu, chem., miner. oraz w mniejszym stopniu odzież., spoż., mebl., włókienniczy. Użytki rolne zajmują 58,6 % pow.; uprawia się zboża (pszenica, jęczmień), buraki cukrowe, ziemniaki, rzepak z rzepikiem; niewielkie znaczenie hodowli. Gęsta sieć kol. i drogowa; żegluga na Odrze; port lotn. we Wrocławiu (Strachowice). Rozwinięta turystyka (Karpacz, Szklarska Poręba), wiele uzdrowisk (Kudowa Zdrój, Świeradów Zdrój i in.).

dolomit, skała osadowa pochodzenia chem. składająca się gł. z minerału dolomitu; może zawierać małe ilości kalcytu, minerałów ilastych, substancji bitumicznych i in.; biały, szary, szarobrun., b. drobnoziarnisty lub gruboziarnisty,

masywny lub porowaty; b. rozpowszechniony, w Polsce występuje na Dolnym Śląsku, w G. Świętokrzyskich, w rejonach m.in. Bytomia, Zawiercia, Olkusza (d. kruszconośny) i w Tatrach; używany w budownictwie, do wyrobu materiałów ogniotrwałych, w metalurgii (jako topnik), przemyśle chem., jako nawóz i in.

Dolomity, Dolomiti, Alpi Dolomitiche, część Pd. Alp Wapiennych we Włoszech, między dolinami Piawy i Adygi; najwyższy szczyt Marmolada, 3342 m; zbud. gł. z wapieni i dolomitów zalegających prawie poziomo, kraniec pd.-wsch. (Cadore) z łupków krystal. i skał magmowych; silnie rozczłonkowane przez pęknięcia i erozję rzeczną na oddzielne grupy masywów o urwistych stokach i wierzchołkach w kształcie baszt; u podnóża usypiska i nagromadzenie brył skalnych; lasy bukowe, świerkowo-sosnowe i modrzewiowe; powyżej 2000 m zarośla kosodrzewiny, wieczne śniegi i lodowce. Liczne ośr. turyst. i sportów zimowych, największe: Cortina d'Ampezzo, San Martino di Castrozza, Ortisei; region alpinizmu; przecięte przez widokową drogę Bolzano–Cortina d'Ampezzo–Dobbiaco. ▪

▪ Dolomity

dolomityzacja, proces przemiany węglanu wapnia — kalcytu $CaCO_3$ w dwuwęglan wapnia i magnezu — dolomit $CaMg(CO_3)_2$ w wyniku częściowego zastąpienia wapnia magnezem; zachodzi pod działaniem gł. wód mor. i wód pochodzenia magmowego wzbogaconych w magnez; efektem końcowym d. jest przemiana wapieni w skałę zw. dolomitem.

Dolsk, m. w woj. wielkopol. (powiat śremski), między jez. Dolskim Małym i Dolskim Wielkim; 1,4 tys. mieszk. (2000); ośr. usługowy z drobnym przemysłem; prawa miejskie 1359; kościół parafialny (XV w.), drewn. kościół (XVII w.), oficyna (XVIII w.) pałacu biskupów poznańskich.

Domeyki, Góry, Cordillera Domeyko, wulkaniczne pasmo górskie w Andach Środk., w pn. Chile; dł. ok. 370 km; najwyższy szczyt Doña Inés, 5070 m; u podnóża Gór Domeyki — m. Calama; wydobycie rud miedzi i uranu; nazwa nadana 1889 na cześć I. Domeyki.

Domica, Jaskyňa Domica, jaskinia w pd.-wsch. Słowacji, w Krasie Słowackim, ok. 20 km na pd. od Rožňavy; słowacka część jaskini → Baradla; dł. 5,9 km; gł. otwór na wys. 339 m; ciąg obszernych korytarzy i sal (z podziemną rzeką); bardzo bogata i różnorodna szata naciekowa; ślady zamieszkiwania przez człowieka prehist. (najstar-

GEOGRAFIA 204

■ Dominika

■ Dominikana

sze sprzed 35 tys. lat), znana od dawna, 1932 połączona z Baradlą i udostępniona do zwiedzania (na granicy państw — żelazna krata); ok. 250 gat. zwierząt, m.in. 11 gat. nietoperzy, kolonia podkowca pd. *Rhinolophus euryale* (ok. 1000 osobników) — jedyna tego typu na Słowacji; 2 trasy turyst.; ponad 25 tys. zwiedzających rocznie.

Dominika, Dominica, Wspólnota Dominiki, państwo w Ameryce Środk. (Indie Zach.), na w. Dominika na M. Karaibskim, w Małych Antylach; 751 km²; 71 tys. mieszk. (2002), Murzyni, Metysi; katolicy; stol. i gł. port: Roseau; język urzędowy ang.; republika. Wyspa górzysta (Morne Diablotins, 1447 m), pochodzenia wulk.; klimat równikowy wilgotny, cyklony; lasy równikowe; liczne rzeki; źródła mineralne. Podstawą gospodarki jest rolnictwo; uprawa bananów, palmy kokosowej, kakaowca; hodowla trzody chlewnej, kóz, bydła; obsługa turystów; rybołówstwo. Wyspa 1493 odkryta przez K. Kolumba. ■

Dominikana, Dominicana, Republika Dominikańska, państwo w Ameryce Środk. (Indie Zach.), we wsch. części wyspy Haiti, w Wielkich Antylach; 48,7 tys. km²; 9 mln mieszk. (2002), Mulaci, biali, Murzyni; katolicy; stol. i gł. port: Santo Domingo; język urzędowy hiszp.; republika. Kraj górzysty, wys. do 3175 m (Duarte); klimat równikowy wilgotny, cyklony; liczne rzeki; lasy równikowe i sawanny. Podstawą gospodarki jest rolnictwo i górnictwo; uprawa trzciny cukrowej, kawowca, kakaowca, bananów; hodowla trzody chlewnej, bydła; wydobycie złota, rud niklu, srebra; eksploatacja lasów; przemysł cukr.; rybołówstwo; 4 strefy wolnocłowe (produkcja sprzętu elektron.); obsługa turystów. ■

Don, staroż. **Tanais,** rz. w pd. części Rosji; dł. 1870 km, pow. dorzecza 422 tys. km²; płynie u podnóża Wyż. Środkoworosyjskiej; spadek niewielki; w dolnym biegu Cymlański Zbiornik Wodny i elektrownia; przy ujściu do Zat. Taganroskiej (M. Azowskie) tworzy deltę (pow. 340 km²); średni przepływ 935 m³/s; gł. dopływy: Woroneż, Chopior, Miedwiedica, Sał (l.), Doniec (pr.); wykorzystywana do nawadniania; regularna żegluga na dł. 1355 km; 1952 połączona z Wołgą (Kanał Wołga–D.); gł. m.: Wołgodońsk, Kałacz nad Donem, Rostów nad Donem, Azow.

Doniec, ros. **Siewierskij Doniec,** ukr. **Doneć Siwerśkyj,** rz. w Rosji i na Ukrainie, najdłuższy (pr.) dopływ Donu; dł. 1053 km, pow. dorzecza 98,9 tys. km²; źródła na pd. stokach Wyż. Środkoworosyjskiej; w środk. i dolnym biegu dolina asymetryczna (pr. brzeg wysoki i stromy, pocięty wąwozami); gł. dopływy: Oskoł, Kalitwa (l.); żegl. 315 km; zaopatruje w wodę Charków i Donbas; gł. m. nad D. — Biełgorod.

Doniecka, Wyżyna, ros. **Donieckij kriaż,** ukr. **Donećkyj kriaż,** wyżyna na granicy Ukrainy i Rosji; wys. do 367 m (kurhan Mogiła Meczetna); zbud. z piaskowców, wapieni i łupków paleozoicznych, z którymi są związane bogate złoża węgla kam. (Zagłębie Donieckie); stromą krawędzią opada ku dolinie rz. Doniec; rozwinięta erozja jarowa; formy krasowe.

Dordogne [dordoń], rz. we Francji; dł. 472 km, pow. dorzecza ok. 24 tys. km²; źródła w Owernii,

■ Rzeka Dordogne w środkowym biegu, koło Souillac

u podnóża masywu Puy de Sancy (na wys. 1700 m); płynie przez zach. część Masywu Centr., następnie środkiem Basenu Akwitańskiego; uchodzi do O. Atlantyckiego tworząc wraz z Garonną estuarium zw. Żyrondą; w górnym biegu liczne wodospady; gł. dopływy: Vézère, Isle (pr.); średni przepływ 405 m³/s (maks. — 5700 m³/s); kaskada elektrowni wodnych; żegl. od m. Libourne (w XVII i XVIII w. ważna droga wodna); gł. m. nad D. — Bergerac. ■

dorzecze, obszar odwadniany przez system rzeczny składający się z rzeki gł. z dopływami; d. rzeki gł. składa się z d. poszczególnych dopływów wraz z dopływami różnego rzędu (zlewni) oraz z powierzchni przyrzeczy rzeki gł.; d. rzeki gł. (odprowadzającej wodę wprost do morza) jest d. I rzędu, d. każdego dopływu rzeki gł. — d. II rzędu, itd., aż do d. *n*-tego rzędu; granicą d. jest → dział wodny.

Douro [douru], rz. na Płw. Iberyjskim, → Duero.

Doux de Coly [du dö koli], jaskinia krasowa we Francji, w zach. części Masywu Centr., w dolinie Vézère; otwór na wys. 116 m; na całej znanej długości wypełniona wodą — najdłuższy na świecie jaskiniowy syfon (dł. 4,1 km); obszerny pojedynczy, zatopiony po strop kanał krasowy (przeciętna szer. 10 m, wys. 3 m); leży na głęb. od kilku do 60 m; bardzo trudne technicznie nurkowanie — podczas rekordowego (1991), ze względu na dystans, użyto podwodnego skutera.

Dover [douwər], m. w W. Brytanii (pd.-wsch. Anglia), nad Cieśn. Kaletańską; 35 tys. mieszk. (2002); gł. w kraju port żeglugi kabotażowej, promy do Boulogne-sur-Mer, Calais, Dunkierki (Francja), Ostendy, Zeebrugge (Belgia); kąpielisko; zamek z wieżą z czasów rzym. i kościołem St Mary (VII, XIX w.).

Dovrefjell, płaskowyż w G. Skandynawskich, w pd. Norwegii; wys. 1000–1200 m; najwyższy szczyt Snøhetta, 2286 m; zach. skraj głęboko pocięty fiordami ma wygląd gór; skąpa roślinność (tundra porostowa lub krzewinkowa z udziałem wrzosców *Ericaceae*); w stanie dzikim żyje wół piżmowy (zaaklimatyzowany); park nar. (od 1974, pow. 26,5 tys. ha); przez D. przechodzi linia kol. Oslo–Trondheim.

Drac, Cueva del [kuewa del drak], **Coves del Drac,** jaskinia krasowa na wsch. wybrzeżu Majorki (Hiszpania), 1,5 km na pd. od Portocristo;

jedna z największych atrakcji turyst. wyspy, tłumnie zwiedzana; dł. ok. 2 km; kilka dużych komór; bardzo bogata i urozmaicona szata naciekowa; wielkie podziemne jez. Martel (dł. 177 m, szer. 40 m i głęb. 9 m) z nieco słoną wodą (połączenie z M. Śródziemnym); rejsy łódkami; w komorze z jeziorem mieszczącej do 1000 osób — koncerty muzyki F. Chopina (muzycy na łódkach). Badana 1896 przez E.A. Martela.

Dragon's Breath Hole [drägᵊnz breŧ hᵊul; 'dziura oddechu smoka'], **Drachenhauchloch**, jaskinia krasowa w pn. Namibii, w progu Otavi należącym do systemu progów tektonicznych Wielkiego Urwiska; głęb. 150 m, z czego 90 m pod wodą; z otworu jaskini położonego na wys. ok. 1610 m wydostaje się ciepłe i wilgotne powietrze, powodujące czasami silną mgłę — stąd nazwa jaskini; w rozległej komorze połączonej studnią z wylotem jaskini znajduje się jezioro o dł. ponad 200 m i szer. do ok. 120 m — jedno z największych w jaskiniach na Ziemi; jego zmienna powierzchnia (1,9 ha — 1986, ok. 2,6 ha — 1991) jest zależna od poziomu wód podziemnych; w wodach jeziornych o temp. 24°C znaleziono nowe gatunki fauny wodnej, a w komorze — nietoperzy. Odkryta i eksplorowana w 1986–87 przez speleologów (w tym nurkowanie do –93 m).

Drake'a, Cieśnina [c. drejka], hiszp. **Estrecho de Drake**, ang. **Drake Passage**, szeroka cieśnina między archipelagiem Ziemi Ognistej (Ameryka Pd.) a Szetlandami Pd. (Antarktyka), łączy O. Atlantycki z O. Spokojnym; szer. 900–1120 km (najszersza na kuli ziemskiej), głęb. do 5840 m; akwen częstych i silnych sztormów (zwł. na pd. od przyl. Horn); na pd. od 60°S pokryta lodem w zimie, w lecie góry lodowe; odkryta 1578 przez F. Drake'a.

Drawa, rz. na Pojezierzu Drawskim i Równinie Drawskiej, pr. dopływ Noteci; częściowo w obrębie Drawieńskiego Parku Nar.; dł. 186 km, pow. dorzecza 3296 km²; wypływa z Jez. Krzywego; przepływa przez liczne jeziora, m.in. Drawsko, Lubie; płynie gł. przez obszary leśne, m.in. przez Puszczę Drawską; uchodzi w m. Krzyż Wielkopolski; średni przepływ w pobliżu ujścia 20,5 m³/s; maks. rozpiętość wahań stanów wody 2,1 m; gł. dopływy: Płociczna (l.), Mierzęcka Struga (pr.); we wsi Borowo zbiornik retencyjny (zbud. 1916, pow. 1,7 km², pojemność 5 mln m³), wyzyskiwany do celów energ.; przez Drawę prowadzi turyst. szlak kajakowy; rzeka poniżej jez. Dubie (na dł. ok. 37 km) oraz przyległe lasy stanowiły do 1992 rezerwat krajobrazowy Drawa; nad D. leżą m.: Czaplinek, Złocieniec, Drawsko Pomorskie, Drawno, Krzyż Wielkopolski.

Drawa, niem. **Drau**, słoweń. i chorw. **Drava**, węg. **Dráva**, rz. w Austrii, Chorwacji i Słowenii, na dł. 150 km stanowi granicę chorw.-węg.; pr. dopływ Dunaju; dł. 749 km, pow. dorzecza 40,4 tys. km²; źródła na pn. stokach Dolomitów we Włoszech; przepływa Kotlinę Klagenfurcką, tworzy przełom między Alpami Noryckimi a pasmem Pohorje, następnie płynie przez zach. część Niz. Środkowodunajskiej (zw. w Chorwacji Podrawie); największy dopływ Mura (l.); śred-

ni przepływ przy ujściu 670 m³/s; najwyższy stan wód w czerwcu (topnienie śniegów w górach), najniższy — w styczniu; elektrownie wodne; spławna, żegl. 105 km; gł. m. nad D.: Lienz, Villach, Maribor, Osijek.

Drawno, m. w woj. zachodniopomor. (powiat choszczeński), nad Drawą, między jez. Dubie i Grażyna, na zach. skraju Puszczy Drawskiej; 2,4 tys. mieszk. (2000); ośr. usługowy dla rolnictwa i leśnictwa; drobny przemysł (maszyn., metal., materiałów bud., spoż.); ośrodek turyst. i sportów wodnych na szlaku Drawy, w pobliżu Drawieńskiego Parku Nar.; prawa miejskie przed 1363 (1347?).

Drawskie, Pojezierze, środk. część Pojezierza Zachodniopomor., między Drawskiem Pomor. i jez. Lubie na pd.-zach. a górnym biegiem Parsęty na pn.-wsch.; wys. 150–200 m, maks. — 222 m (Wola Góra k. Połczyna Zdroju); P.D. przecinają głębokie rynny polodowcowe, wypełnione wodami licznych jezior (największe — Drawsko); przez pojezierze przebiegają równoleżnikowo moreny czołowe fazy pomor. (zlodowacenie Wisły); na pd. od nich rozciągają się równiny sandrowe, porośnięte lasami sosnowymi; w środk. części P.D. leży Drawski Park Krajobrazowy, w którego granicach utworzono 5 rezerwatów (w tym przyrody nieożywionej Brunatna Gleba); region turyst.-wypoczynkowy; większe m.: Złocieniec, Drawsko Pomor., Połczyn Zdrój (uzdrowisko), Czaplinek, Barwice. ■

■ Pojezierze Drawskie. Krajobraz okolic Nowego Drawska

Drawsko, jez. na Pojezierzu Drawskim; pow. 1956 ha (w tym 85 ha wysp), maks. głęb. 79,7 m (drugie pod względem głębokości w Polsce, po jez. Hańcza), dł. 12,6 km, szer. 3,9 km; silnie rozwinięta linia brzegowa; wyspy (Bielawa z olbrzymim okazem buka o 4 pniach); brzegi przeważnie wysokie, zach. częściowo zalesione; przez D. przepływa Drawa, łącząc je z jez. Żerdno i Krosino; rozwinięta gospodarka rybacka; na pd. brzegu D. leży Czaplinek (ośr. turyst. i sportów wodnych).

Drawsko Pomorskie, m. powiatowe w woj. zachodniopomor., nad Drawą i jez. Okra; 11,7 tys. mieszk. (2000); ośr. usługowo-przem. i turyst.-wypoczynkowy na szlaku wodnym Drawy; przemysł drzewny i spoż.; prawa miejskie przed 1297(?); fragmenty murów miejskich (XIV w.), kościół (XIV/XV w.), drewn. domy (XVIII, XIX w.). Na południe od D.P. wielki poligon wojsk. i lotnisko.

Drezdenko, m. w woj. lubus. (powiat strzelecko-drezdenecki), w pobliżu ujścia Miałki do Noteci, w otoczeniu rozległych lasów puszcz Drawskiej i Noteckiej; 10,6 tys. mieszk. (2000);
ośrodek przemysłu metal., drzewnego i spoż.;
ponadto zakłady przemysłu maszyn., papierniczego, poligraf. i odzież.; węzeł szlaków turyst.;
Muzeum Puszczy Drawskiej i Noteckiej; prawa
miejskie przed 1317.

Drin, Drini, staroż. **Ori Undus, Drilon,** największa rz. Albanii; dł. 285 km, pow. dorzecza
14,2 tys. km^2; powstaje z połączenia Czarnego D.
(wypływającego z Jez. Ochrydzkiego w Macedonii) i Białego D. (zbierającego wody z terytorium
Kosowa, Serbia); płynie w wąskiej dolinie przez
obszar górski (miejscami tworzy przełomy do
1000 m głęb.); w dolnym biegu dzieli się na 2
ramiona: pn. łączy się z Buną (uchodzącą do M.
Adriatyckiego), pd. (powstało podczas wielkiej
powodzi 1854) obecnie pełni funkcję kanału
odprowadzającego wody z niz. Zadrima do Zat.
Drińskiej; gł. dopływy: Valbona, Shala, Kiri (pr.);
zasobna w wodę, maks. przepływ przy ujściu do
Buny 6500 m^3/s; 3 elektrownie wodne o łącznej
mocy 1350 MW (największa w pobliżu wsi Ko-
man, 600 MW); utworzone jeziora zaporowe łączą się ze sobą, dzięki czemu na D. jest możliwa
żegluga.

Drobin, m. w woj. mazow. (powiat płocki);
3,1 tys. mieszk. (2000); ośr. handl.-usługowy dla
rolnictwa i węzeł drogowy na szlaku tranzyto-
wym na Litwę; drobny przemysł; prawa miejskie
1511–1870 i od 1994; kościół (XV w.) z nagrobkami (XVI w.).

Drohiczyn, m. w woj. podl. (powiat siemiatycki),
nad Bugiem; 2,3 tys. mieszk. (2000); ośr. usługowy dla rolnictwa, turyst.-krajoznawczy i letnisko;
stol. diecezji drohiczyńskiej Kościoła rzymskokatol., Wyższe Seminarium Duchowne; drobne
przetwórstwo drzewne i rolno-spoż.; prawa
miejskie od 1498; 1520–1795 stol. woj. podlaskiego; 2 zespoły klasztorne (XVIII w.), cerkiew
(XVIII w.), kolegium (XVII–XVIII w.) i katedra
(XVII/XVIII w.). ■

■ Drohiczyn. Katedra i dawne kolegium Jezuitów na wysokiej skarpie Bugu

drumlin [ang. < irl.], eliptyczny, asymetryczny
pagórek (przeciętna dł. 100–1000 m, wys. 5–
60 m) pochodzenia lodowcowego; zbudowany
zwykle z gliny zwałowej lub z piaszczysto-
-żwirowego jądra okrytego gliną; d. powstają pod
lodowcem, występują gromadnie, zajmują duże
obszary, zw. polami drumlinowymi, ułożone są
wachlarzowato lub równolegle do siebie, dłuż-

szymi osiami — w kierunku ruchu lodowca; w
Polsce typowe pola drumlinowe znajdują się w
okolicy Rypina (pow. 35 km^2).

druza [niem.], **szczotka krystaliczna,** skupienie
kryształów (zwykle o prawidłowych kształtach)
narosłych blisko siebie na wspólnym podłożu,
np. na ścianie szczeliny skalnej; d. wypełniająca
w skale wolną przestrzeń o kształcie kulistym
nosi nazwę g e o d y; pospolite są np. d. kalcytu w
wapieniach, d. zeolitów w bazaltach.

Drwęca, rz. na pojezierzach Iławskim i Chełmińsko-Dobrzyńskim, pr. dopływ Wisły; dł. 207
km, pow. dorzecza 5344 km^2; wypływa k. Drwęc-
ka na granicy pojezierzy Iławskiego i Olsztyń-
skiego; przepływa przez Jez. Drwęckie; uchodzi
powyżej Torunia; średni przepływ w dolnym
biegu 28 m^3/s; maks. rozpiętość wahań stanów
wody w dolnym biegu 2,9 m; gł. dopływ Wel (l.);
połączona Kanałem Elbląskim z Zalewem Wiślanym; szlak kajakowy; w dorzeczu D. wiele jezior;
rzeka, jej niektóre dopływy oraz jez. Drwęckie i
Ostrowin stanowią rezerwat wodny Rzeka Drwęca (ochrona środowiska pstrąga, łososia, troci i
certy); nad D. leżą m.: Ostróda, Nowe Miasto
Lubawskie, Brodnica, Golub-Dobrzyń.

Drwęckie, Jezioro, jez. rynnowe na Pojezierzu Iławskim; pow. 881 ha (w tym wyspa o pow.
10,8 ha), dł. 15,5 km, szer. 1,1 km, maks. głęb.
22 m; linia brzegowa dobrze rozwinięta; na pn.
brzegi wysokie, zalesione, na pd. — niskie, podmokłe; przez J.D. przepływa Drwęca; żegluga;
jezioro stanowi część rezerwatu wodnego Rzeka
Drwęca; na pd.-wsch. brzegu leży Ostróda, na
pn. — miejscowość wypoczynkowa i ośr. turystyki wodnej — Piławki.

dryf [hol.], **znos: 1)** poziomy ruch wielkich mas
wody (prąd dryfowy) wywołany przez stały
wiatr; **2)** znoszenie obiektów pływających (np.:
lodów, statków) przez prądy mor., fale lub wiatry; prędkość i kierunek d. zależą od prędkości i
kierunku wiatru lub prądu morskiego.

dryf kontynentów, epejroforeza, poziome
przemieszczanie się kontynentów powodujące
zmiany ich wzajemnego położenia i ich pozycji
względem biegunów. Zalążki teorii d.k. pojawiły
się już w XVIII w., lecz pierwszym, który
ugruntował jej nauk. podstawy był A. Wegener
(1912), stąd w klas. postaci teoria ta znana jest
jako teoria → Wegenera. Idea d.k. była inspira-
cją dla współcześnie sformułowanej, powszechnie przyjętej, teorii → tektoniki płyt.

Dryf Zachodni, prąd mor., część → Antarktycznego Prądu Okołobiegunowego.

Dryświaty, Drukšiai, największe jez. na Litwie,
na granicy z Białorusią, na Pojezierzu Brasław-
skim; pow. 44,5 km^2, głęb. do 31 m; z D. wypływa
rz. Prorwa (dorzecze Dźwiny).

Drzewica, m. w woj. łódz. (powiat opoczyński),
nad Drzewiczką; 3,8 tys. mieszk. (2000); fabryka
nakryć stołowych Gerlach; koncerty organowe
(Festiwal Radom–Orońsko), Letnie Spotkania
Muz.; prawa miejskie 1429–1870 i od 1987; zamek (XVI w.).

Dubajj, Dubayy, emirat w Zjedn. Emiratach
Arab., na Płw. Arabskim, nad Zat. Perską; 3,9 tys.

km², 879 tys. mieszk. (2002); stol. Dubajj; nizinny i pustynny; wydobycie (ze złóż podmor.) i eksport ropy naft.; przemysł odsalania wody mor., rafineryjny.

Dublin [dąblyn], irl. **Baile Átha Cliath,** stol. Irlandii, nad M. Irlandzkim; 478 tys. mieszk. (1991), zespół miejski 993 tys. (2002); największy na świecie browar Guinessa, przemysł włók., metal., elektron., stocznia; gł. w kraju ośr. kult. i nauk.: 3 uniw. (najstarszy zał. 1591), politechn., konserwatorium; port handl.; międzynar. port lotniczy. Muzea i galerie sztuki; katedry: Christ Church (XI, XIX w.) i St Patrick (XIII, XIX w.); Trinity College Library (XVI–XVIII w.); Bank of Ireland (1. poł. XVIII w.) — dawny parlament.

Duero, portug. **Douro,** rz. w Hiszpanii i Portugalii, najbardziej zasobna w wodę na Płw. Iberyjskim; dł. 895 km, pow. dorzecza 98,2 tys. km²; źródła w G. Iberyjskich, na wys. 2080 m w masywie Sierra de Urbión; płynie przez kotlinę Starej Kastylii; na zach. krańcu Mesety Iberyjskiej tworzy kanion (dł. ok. 100 km, głęb. do 400 m); uchodzi estuarium do O. Atlantyckiego; gł. dopływy: Pisuerga, Esla (pr.), Tormes (l.); duże wahania stanu wód, maks. przepływ przy ujściu do 20 tys. m³/s, minim. w lecie 20–30 m³/s, średni 570 m³/s; wykorzystywana do nawadniania (liczne zbiorniki retencyjne); kaskada elektrowni wodnych, największa Aldeadávila na dopływie Tormes; żegl. w dolnym biegu; w dolinie winnice; gł. m. nad D.: Soria, Zamora, przy ujściu — Porto.

Dufour [düfụ:r], szczyt w masywie Monte Rosa, najwyższy w Alpach Penińskich i w Szwajcarii, drugi pod względem. wys. w Alpach; 4634 m; zdobyty 1855 podczas prac topograf., którymi kierował G.H. Dufour.

Dugi Otok, wyspa chorw. na M. Adriatyckim, na zach. od Zadaru; pow. 124 km², dł. 44 km, szer. 1,5–4,5 km; między pasmami wapiennych wzgórz pola krasowe; liczne jaskinie; brak słodkiej wody; w pn. części gaje oliwne i winnice, w zach. i środk. — makia; wypas owiec; połowy ryb; gł. miejscowości: Sali, Soline.

Dukla, m. w woj. podkarpackim (powiat krośnieński), nad Jasiołką i jej l. dopływem Dukiełką; 2,3 tys. mieszk. (2000); ośr. usługowy; drobny przemysł: drzewny, metal., spoż.; węzeł drogowy i ośrodek obsługi ruchu turyst. przy ważnym międzynar. szlaku na Słowację i Węgry, w pobliżu przejścia granicznego w Barwinku; prawa miejskie 1380–1896 i od 1934; pałac Mniszchów (XVII/XVIII w., ob. muzeum) i park geom.-krajobrazowy, kościół parafialny (XVII–XVIII w.), zespół klasztorny Bernardynów i kościół (XVIII w.).

Dunaj, niem. **Donau,** węg. **Duna,** serbskochorw. **Dunav,** rum. **Dunrea,** bułg. **Dunaw,** w starożytności tracko-gr. **Istros** (okresowo nazwa dolnego biegu), gr. **Danubios,** łac. **Ister, Danuvius,** druga po Wołdze pod względem długości rzeka w Europie; w Niemczech, Austrii, Słowacji, Węgrzech, Chorwacji, Jugosławii (Serbia), Rumunii, w środk. biegu stanowi częściowo granicę między Chorwacją i Jugosławią, w dolnym — między Rumunią a Jugosławią, Bułgarią i

■ Przełom Dunaju w Waachau, na pierwszym planie ruiny Aggstein (Austria)

Ukrainą; dł. 2850 km, pow. dorzecza 817 tys. km². Powstaje poniżej m. Donaueschingen z połączenia 2 potoków: Brege i Brigach (źródła na wsch. stokach Schwarzwaldu). W górnym biegu (do Wiednia) płynie między Wyż. Bawarską i przedgórzem Alp od pd. a Wyż. Szwabską, Wyż. Frankońską i Masywem Czeskim od pn., początkowo w wąskiej i głębokiej dolinie (do m. Ulm), następnie na przemian w wąskiej i szerokiej. W środk. biegu (do Żelaznej Bramy) przepływa Kotlinę Panońską, powyżej Budapesztu przełamuje się przez wulk. Średniogórze Węgierskie; przez Wielką Niz. Węgierską płynie w szerokiej dolinie (5–20 km); między górami Banackimi a Wschodnioserbskimi tworzy największy przełom (→ Żelazna Brama). W dolnym biegu, na Niz. Wołoskiej, w szerokiej (7–20 km) dolinie liczne starorzecza, odgałęzienia i jeziora. Przy ujściu do M. Czarnego tworzy zabagnioną deltę (pow. 3,5 tys. km²), dzieląc się na 3 gł. ramiona: Kilia, Sulina, Św. Jerzy. Najdłuższe dopływy: Inn, Drawa, Sawa, Morawa (pr.), Morawa, Cisa, Aluta, Seret, Prut (l.). Średni przepływ przy ujściu 6430 m³/s, maks. — ok. 20 000 m³/s, minim. — 2000 m³/s. Ważna droga wodna; statki mor. dochodzą do Braiły; w 1993 połączona z Renem (Kanał Ren–Men–Dunaj). W Żelaznej Bramie, przy zaporze Djerdap, wielka elektrownia wodna (2050 MW); od 1977 w budowie węg.-czechosł. kompleks hydroenerg. Gabčikovo Nagymaros; Węgry wycofały się z realizacji swej części projektu 1992 ze względów ekol. (spiętrzenie wód D. obniży poziom wód gruntowych poniżej zapory) i polit. (zmiana przebiegu granicy państw.); IV 1993 Węgry skierowały sprawę zapory na D. do Międzynar. Trybunału Sprawiedliwości w Hadze; XII 1993 Słowacja oddała do użytku zaporę i elektrownię w Gabčikovie (co wymagało skierowania znacznej części wód D. do nowo zbud. kanału biegnącego przez terytorium słowac.); 1978 zbud. kanał nawadniający D.–Cisa–D., 1984 — Kanał D.–M. Czarne; w delcie kilka rezerwatów (m.in. ostoja pelikana białego); gł. m. nad D.: Ulm, Ratyzbona, Linz, Wiedeń, Bratysława, Budapeszt, Nowy Sad, Belgrad, Ruse, Braiła, Gałacz, Izmaił. Sytuację prawną D. określały m.in. traktat paryski z 30 III 1856 i konwencja z 23 VII 1921. Obecnie obowiązuje konwencja belgradzka z 18 VIII 1948; stronami jej były: Bułgaria, Czechosłowacja, Jugosławia, Rumunia, Ukraina, Węgry, ZSRR i Austria (przystąpiła 1959); wg konwencji żegluga na D.

jest wolna i otwarta dla obywateli, statków handl. i towarów wszystkich państw; konwencja powołała do życia Komisję D., do której kompetencji należy m.in.: czuwanie nad wykonaniem postanowień konwencji, opracowywanie ogólnych planów wszelkich robót techn. dotyczących żeglugi, wykonywanie niektórych robót, wprowadzanie jednolitego systemu urządzeń dróg żegl., ustalanie podstawowych reguł odnoszących się do żeglugi na D., uzgadnianie działalności służby hydrometeorologicznej. ∎

Dunajec, rz., pr. dopływ Wisły; dł. 247 km (od źródeł Czarnego D.), pow. dorzecza 6804 km²; powstaje w Nowym Targu z połączenia Czarnego D. i Białego D.; przepływa przez Pieniny tworząc malowniczy przełom między Sromowcami Niżnymi a Szczawnicą; dalej płynie na pn. przez Beskidy Zach., Pogórze Środkowobeskidzkie i Kotlinę Sandomierską; uchodzi powyżej Opatowca; średni przepływ powyżej ujścia 84 m³/s; maks. rozpiętość wahań stanów wody w dolnym biegu 10,5 m; gwałtowne wezbrania powodują powodzie (np. 1934, 1970); w Rożnowie i Czchowie zapory i zbiorniki retencyjne wykorzystywane do celów energ. oraz regulowania przepływów, w budowie (1993) zespół zbiorników Czorsztyn–Niedzica i Sromowce Wyżne; żegl. ok. 30 km od ujścia; gł. dopływy: Białka, Poprad, Biała (pr.), Łososina (l.); nad D. leżą m.: Nowy Targ, Szczawnica, Krościenko, Nowy Sącz; rzeka stanowi granicę ze Słowacją od wsi Sromowce Wyżne do Małych Pienin. ∎

∎ Dunajec w Pieninach. Widok na Trzy Korony

Duńska, Cieśnina, duń. **Danmark Stræde,** isl. **Danmerkur Sund,** szeroka cieśnina na O. Atlantyckim, między Grenlandią a Islandią, łączy M. Grenlandzkie z otwartym oceanem; dł. 530 km, szer. 278 km, głęb. 227 m (na torze wodnym); wzdłuż Grenlandii przez cały rok pokryta lodami.

Duńskie, Cieśniny, Cieśniny Bałtyckie, system cieśnin i zatok między Płw. Jutlandzkim a Płw. Skandynawskim; łączy M. Północne z M. Bałtyckim; obejmuje cieśniny Kattegat, Mały Bełt, Wielki Bełt, Sund i in.; pow. 42,4 tys. km² (z zatokami Kilońską, Meklemburską i in.); akweny C.D. są zaliczane do M. Bałtyckiego; stanowią ważną drogę morską. Kwestię przepływu okrętów wojennych przez C.D. uregulowała konwencja genewska z 1958 w sprawie morza terytorialnego i pasa przyległego; zgodnie z jej postanowieniami Dania nie ma prawa wydawania zakazu przepływu obcych okrętów wojennych przez te cieśniny.

Durance [düra:s], rz. we Francji, l. dopływ Rodanu; dł. 305 km, pow. dorzecza 14,2 tys. km²; źródła w Alpach Kotyjskich, w pobliżu przełęczy Montgenèvre; w górnym biegu płynie między Alpami Delfinackimi i Alpami Nadmorskimi w obniżeniu Briançonnais; w środk. biegu liczne wodospady; od 1966 część wód Durance i jej dopływu Verdon skierowana do jez. Berre (w delcie Rodanu); gł. dopływy: Ubaye, Verdon (l.); przepływ (średni 190 m³/s) reguluje zapora Serre-Ponçon (w górnym biegu), wys. 125 m, i zbiornik retencyjny (o poj. 1,2 mld m³); w środk. biegu kaskada elektrowni wodnych; wykorzystywana do nawadniania; gł. m. nad D.: Briançon, przy ujściu — Awinion.

Durban [dǝ:ʳbǝn], m. w RPA (KwaZulu-Natal), nad O. Indyjskim; zespół miejski 2,4 mln mieszk. (2002); gł. port handl. kraju; ważny ośr. przem. (rafineryjny, maszyn., chem., stoczn., samochodowy) i handl.; międzynar. port lotn.; uniwersytet.

Durmitor, masyw górski w G. Dynarskich, w Jugosławii (Czarnogóra); opływają go w głębokich dolinach rzeki źródłowe Driny: Piva i Tara; najwyższy szczyt Bobotov Kuk, 2522 m; silnie rozczłonkowany, na stokach żłobki i in. formy krasowe; ślady zlodowacenia plejstoceńskiego; lasy iglaste i mieszane; na wys. 1450 m m. Žabljak (najwyżej położone w Jugosławii); park nar. (od 1952, pow. 33 tys. ha).

Duszanbe, stol. Tadżykistanu, w Kotlinie Hisarskiej; 581 tys. mieszk. (2002); przemysł maszyn. i metal., lekki (jedwabn.), spoż., cement.; AN Tadżykistanu, 8 szkół wyższych (w tym uniw.); węzeł kol., międzynar. port lotn.; muzea; od 1917 osada handl.; miasto i stol. Tadżykistanu od 1925.

Duszniki Zdrój, m. w woj. dolnośląskim (powiat kłodzki), w G. Bystrzyckich i G. Orlickich, nad Bystrzycą Dusznicką; 5,6 tys. mieszk. (2000); uzdrowisko (od 1769), ośr. turyst.-wypoczynkowy i sportów zimowych (Zieleniec, Centrum Pol. Biathlonu na Jamrozowej Polanie); wody miner. (szczawy alkaliczne i żelaziste); drobny przemysł; węzeł drogowy na międzynar. trasie Warszawa–Praga; festiwale chopinowskie (od 1946); prawa miejskie przed 1324; Muzeum Papiernictwa (z tradycyjną produkcją papieru czerpanego) w drewn. papierni z XVII w., domy (XVI–XVIII w.).

Dwina, Siewiernaja Dwina, rz. w pn. części Rosji; powstaje z połączenia Suchony i Jugu (źródła w Uwałach Pn.); dł. 744 km, pow. dorzecza 357 tys. km²; przy ujściu do Zat. Dwińskiej (M. Białe) tworzy deltę (ok. 900 km²); gł. dopływy: Wyczegda, Pinega (pr.), Waga (l.); średni przepływ przy ujściu 3490 m³/s; spławna; żegl.; poprzez Suchonę, Jez. Kubieńskie i Szeksnę połączona z Wołżańsko-Bałtycką Drogą Wodną; gł. m. nad D.: Wielki Ustiug, Kotłas, przy ujściu Archangielsk.

Dynarskie, Góry, serb. i chorw. **Dinarsko gorje,** góry na Płw. Bałkańskim, wzdłuż wsch. wybrzeża M. Adriatyckiego, w Bośni i Hercegowinie oraz w Chorwacji, fragment w Słowenii i Jugosławii; najwyższy szczyt Bobotov Kuk

(2522 m) w masywie górskim Durmitor. Sfałdowane w orogenezie alp.; strefa zach. zbudowana gł. z wapieni mezozoicznych i eoceńskich, wsch. — z paleozoicznych i mezozoicznych skał osadowych (łupki ilaste, piaskowce, wapienie) częściowo zmetamorfizowanych, poprzecinanych intruzjami gł. granitoidów; trzęsienia ziemi. W części zach. charakterystyczna rzeźba wytworzona przez kras (polja, doliny, uwały, leje, jaskinie krasowe), w najwyższych partiach formy glacjalne; nadmor. pasma tworzą dalmatyński typ wybrzeża; w części wsch. średniowysokie grzbiety górskie, rozdzielone szerokimi dolinami i tektonicznymi kotlinami. G.D. stanowią granicę klim.: pn. część między klimatem podzwrotnikowym i umiarkowanym ciepłym, pd. — między wilgotniejszym i kontynent. suchym klimatem podzwrotnikowym; wyraźnie wykształcone piętra klim.; średnia temp. w styczniu od –7°C do 5°C (na pd.-zach.), w lipcu 15–19°C; suma roczna opadów na wsch. 800–1000 mm (w kotlinach 500–700 mm), na zach. 1200–2500 mm i więcej (nad Zat. Kotorską do 5000 mm); na wsch. maksimum opadów w lecie, na zach. w okresie jesienno-zimowym; u zach. podnóży występuje wiatr bora wiejący od grzbietów, powodujący silne spadki temperatury (nawet o 20°C). We wsch. części gęsta sieć dopływów Sawy (Kupa, Una, Vrbas, Bosna, Drina), w zach. — na ogół brak wód powierzchniowych. Roślinność silnie zróżnicowana; na wybrzeżach lasy z dębem ostrolistnym i wtórne zarośla typu makii, ponad nimi lasy zrzucające liście na zimę z dębem omszonym i ostrią; w obszarach o klimacie bardziej kontynent. dąbrowom towarzyszą wtórne zarośla typu szyblak; wyżej lasy bukowe, bukowo-jodłowe i świerkowe, piętro kosodrzewiny i murawy alp.; parki nar.: Durmitor, Jez. Plitwickie, Tara, Kopaonik, Paklenica. Wydobycie boksytów, węgla brun., rud żelaza, manganu, antymonu, chromu. Na wybrzeżu liczne ośr. turyst. i kąpieliska (Split, Dubrownik, Kotor).

Dynów, m. w woj. podkarpackim (powiat rzesz.), na l. brzegu Sanu, przy granicy parku Krajobrazowego Pogórza Przemyskiego; 6,1 tys. mieszk. (2000); ośr. usługowy; drobny przemysł (odzież., metal., obuwn.); prawa miejskie 1429 (1436?)–1880 i od 1946; kościół (XVII w.).

dysfotyczna strefa, strefa półmroku w morzach i głębokich jeziorach, gdzie docierają znikome ilości światła; proces fotosyntezy zachodzi jedynie u niektórych bakterii, bowiem w dysfotycznej strefie z reguły brak roślin; głębokość i zasięg dysfotycznej strefy zależą gł. od przezroczystości wody (ok. 150–ok.1000 m w najbardziej przezroczystych wodach oceanu, oraz ok. 20–100 m w jeziorach silnie zeutrofizowanych). Zob. też afotyczna strefa, eufotyczna strefa, fotyczna strefa.

dyskordancja [łac.], **niezgodność,** zaburzenie we wzajemnym układzie warstw skalnych, w zwykłych warunkach leżących poziomo, kolejno na sobie. D. k ą t o w a powstaje wskutek przykrycia poziomo leżącymi, młodszymi osadami sfałdowanych uprzednio i wydźwigniętych warstw starszych; d. e r o z y j n a jest spowodowana przerwą w sedymentacji osadu, podczas której warstwy skalne ulegają erozji, a powstające później osady są oddzielone od starszych nierówną powierzchnią wytworzoną przez erozję; d. p r z e k r a c z a j ą c a tworzy się przez stopniowe zalewanie lądu przez morze i kontakt coraz młodszych osadów ze starszym podłożem. Badania d. mają b. duże znaczenie dla poznania historii budowy skorupy ziemskiej.

dyslokacja [łac.], proces zachodzący w skorupie ziemskiej pod wpływem ruchów tektonicznych polegający na przemieszczeniu mas skalnych wzdłuż pewnej powierzchni lub wąskiej strefy i powstaniu → uskoku lub → fleksury; także używana niekiedy nazwa struktur powstałych w wyniku tego przemieszczenia.

dział wodny, granica → dorzecza, → zlewni lub → zlewiska; oddziela obszary odwadniane przez różne systemy rzeczne (lub ich części), morza i oceany; ukształtowanie terenu stanowi podstawę wyznaczania p o w i e r z c h n i o w e g o dz.w.; może to być dz.w. w y r a ź n y, biegnący wzdłuż grzbietów najwyższych wzniesień, lub dz.w. n i e p e w n y, prowadzący przez obszary płaskie, o zmiennych kierunkach spływu wód (→ bifurkacja rzeki) lub przez obszary bezodpływowe; kierunek wpływu wód podziemnych określa przebieg p o d z i e m n e g o dz.w.; odpowiednio do rzędu dorzecza rozróżnia się dz.w. I, II itd. *n*-tego rzędu; dz.w. oddzielający zlewiska bywa nazywany kontynentalnym.

Działdowo, m. powiatowe w woj. warmińsko--mazurskim, nad Działdówką (górna Wkra); 21,3 tys. mieszk. (2000); ośr. przem. i handl.--usługowy; przemysł szkl. (huta szkła), drzewny (meble), obuwn., konstrukcji metal., spoż., materiałów bud.; drukarnia; węzeł kol. i drogowy; prawa miejskie od 1344; zamek (XIV w.).

Działoszyce, m. w woj. świętokrzyskim (powiat pińczowski), nad Niedzicą; 1,1 tys. mieszk. (2000); ośr. usługowy dla rolnictwa; drobne zakłady przemysłu spoż. i materiałów bud., wytwórnie — opakowań tekturowych, pasz; prawa miejskie od 1409.

Działoszyn, m. w woj. łódz. (powiat pajęczański), na pr. brzegu Warty; 7,0 tys. mieszk. (2000); duży ośr. przemysłu miner. (kombinat cementowo-wapienniczy Warta SA) wykorzystujący surowce z pobliskich kamieniołomów wapienia jurajskiego; ponadto przemysł metal., spoż., drzewny; węzeł drogowy; ośr. sportów wodnych; prawa miejskie przed 1412–1870 i od 1994.

Dzierzgoń, m. w woj. pomor. (powiat sztumski), nad rz. Dzierzgoń (uchodzi do jez. Druzno); 5,8 tys. mieszk. (2000); lokalny ośrodek przem. i handl.-usługowy; przemysł materiałów bud. (na bazie miejscowych złóż żwiru i piasku), odzież., spoż., maszyn., przetwórstwa drzewnego i tworzyw sztucznych; węzeł drogowy; kościół (XIV w.); prawa miejskie od 1288–90.

Dzierżoniów, m. powiatowe w woj. dolnośląskim, nad Piławą (pr. dopływ Bystrzycy); 38 tys. mieszk. (2000); z Bielawą i Pieszycami tworzy zespół miejski; ośr. przem.-usługowy; zakłady przemysłu maszyn. (Dezam, fabryka krosien) oraz wiele małych i średnich przedsiębiorstw, w tym przemysłu spoż., elektrotechn., metal., poligraf.; siedziby licznych firm bud., handl. i transportowych; węzeł drogowy; prawa miejskie przed 1266 (1258?); fragmenty murów miejskich (XIII w.), 2 kościoły (XV–XVI w. i XVIII w.), zabytkowe kamienice (XVII–XIX w.).

Dziewicze, Wyspy, ang. **Virgin Islands,** grupa wysp w Ameryce Środk., w Indiach Zach., w archipelagu Wysp Podwietrznych, na wsch. od Puerto Rico; geologicznie stanowią przedłużenie Wielkich Antyli; zaliczane do Małych Antyli; obejmują 93 wyspy, rafy i skały; pow. 517 km^2; dzielą się na: W.Dz. Stanów Zjedn. i Brytyjskie W. Dziewicze.

Dziura, jaskinia w Tatrach Zach., we wsch. zboczu Doliny ku Dziurze; dł. 180 m, deniwelacja 46 m; gł. otwór na wys. 1002 m; za otworem duża komora (30 x 15 m) z oknem ok. 20 m nad dnem; powstała w wyniku przepływu gorących wód głębokiego krążenia (kras hydrotermalny) — jedyna o tej genezie w Tatrach. Jedna z pierwszych jaskiń Tatr zwiedzanych przez turystów (1. poł. XIX w.) i opisywanych w literaturze; najstarsza rycina wnętrza jaskini tatrzańskiej (B. Stęczyński, 1851); teren treningowy TOPR (techniki jaskiniowe); popularna jaskinia turystyczna.

dziura ozonowa, okresowy znaczny spadek zawartości ozonu (O$_3$) w stratosferze (→ ozonosfera). Największy spadek występuje w okresie wiosennym (przełom września i października) nad obszarami polarnymi półkuli pd. (nad Antarktyką). Dotychczasowe wyniki badań nie pozwalają na jednoznaczne określenie przyczyn zmniejszania się koncentracji ozonu w atmosferze ziemskiej. Wiele danych przemawia jednak za tym, że gł. przyczyną jest przedostawanie się do atmosfery freonów i w mniejszym stopniu halonów, tj. gazowych związków chloru, produkowanych na skalę przem. i stosowanych do niedawna powszechnie jako składniki aerozoli, czynniki chłodnicze i in. Substancje te, bardzo stabilne w normalnych warunkach, w stratosferze ulegają rozkładowi pod wpływem krótkofalowego promieniowania słonecznego z wydzieleniem atomowego chloru (Cl), który bierze udział w cyklu reakcji łańcuchowych prowadzących do rozpadu ozonu.
Podczas nocy polarnej tworzy się wokół bieguna, w stratosferze, układ cyrkulacyjny powietrza, tzw. wir polarny, utrudniający wymianę masy między stratosferą a niższymi warstwami atmosfery. Na wiosnę, w okresie następującym po nocy polarnej, wskutek dopływu światła słonecznego oraz zaniku wiru polarnego, rośnie ilość chloru w stratosferze w okolicach bieguna, co zwiększa intensywność zachodzenia tam reakcji rozpadu ozonu i powoduje gwałtowny spadek jego zawartości nawet o kilkadziesiąt procent w stosunku do średniej wieloletniej. Dz.o. nad Antarktydą zaobserwowano na pocz. lat 80. dzięki pomiarom satelitarnym. Od tego czasu systematycznie zwiększają się tam jej rozmiary (rys.). Podobne zjawisko, choć w mniejszej skali, obserwuje się na półkuli pn. — obszar spadków zawartości ozonu występuje nad Arktyką i

często sięga naszych szer. geogr. (w Polsce w styczniu 1992 na stacji w Belsku Dużym spadek ten osiągnął 22% w porównaniu ze średnią 29-letnią dla tego miejsca). Analizy (przeprowadzone 1999) wieloletnich serii pomiarowych potwierdzają systematyczny spadek zawartości ozonu stratosferycznego nad znacznymi obszarami kuli ziemskiej.
Stratosferyczna warstwa ozonowa, pochłaniając nadfioletowe promieniowanie słoneczne, stanowi naturalną ochronę organizmów żywych na powierzchni Ziemi przed niekorzystnymi skutkami działania tego promieniowania. Ponieważ charakterystyczny czas przebywania chloru w stratosferze wynosi 5–10 lat, a migracja freonów z dolnych warstw atmosfery do stratosfery trwa przeciętnie kilkanaście lat, można się spodziewać, że mimo znacznego zmniejszenia emisji freonów w latach 90. dz.o. będzie nadal rosła jeszcze przez pewien czas. Niszczenie warstwy ozonowej jest poważnym problemem ekol., freony i halony nie są bowiem jedynymi antropogenicznymi (wytwarzanymi w wyniku działalności człowieka) zanieczyszczeniami atmosfery powodującymi rozkład ozonu; stwierdzono, że istotny udział w niszczeniu warstwy ozonowej mają tlenki azotu (powstające w wyniku spalania paliw przez silniki samolotów i rakiet lub uwalniane z nawozów sztucznych), uczestniczące również w reakcjach rozpadu ozonu.

Dziwna, cieśnina między wyspą Wolin a Pobrzeżem Szczecińskim; łączy Zalew Szczeciński z Zat. Pomorską; dł. 36,5 km, szer. 100–1100 m, głęb. do 6 m; tworzy wiele zatok i płytkich rozlewisk (największe Zalew Kamieński); nad Dz. leżą m.: Kamień Pomorski, Wolin.

Dźwina, ros. **Zapadnaja Dwina,** łot. **Daugava,** rz. w Rosji i na Łotwie; dł. 1020 km, pow. dorzecza 87,9 tys. km^2; źródła na Wałdaju; przy ujściu do Zat. Ryskiej (M. Bałtyckie) tworzy deltę; płynie w dolinie o stromych zboczach; gł. dopływy: Mieża, Dzisna (l.), Dryssa, Ewikszta (pr.); elektrownie: Pławińska (825 MW), Kegumska, Ryska i zbiorniki retencyjne; żegl. odcinkowo (liczne progi); gł. m. nad Dź.: Witebsk, Połock, Daugavpils (Dyneburg), przy ujściu — Ryga.

Dżakarta, Jakarta, 1621–1945 **Batawia,** stol. Indonezji, na pn.-zach. wybrzeżu Jawy; 10,8 mln mieszk. (2002); wielki ośr. finansowo-handl., targi międzynar.; przemysł spoż., lekki (włók.), środków transportu, rzemiosło; port mor. Tanjungperiuk; międzynar. port lotn.; liczne szkoły wyższe (13 uniw.) i instytuty nauk.; muzea; kompleks sport. Senayan; park skansen Indonezja w miniaturze; zał. w XVI w.; zabytki z czasów panowania Holendrów (XVII–XVIII w.).

Dżammu i Kaszmir, właśc. **Dżammu i Kaśmir,** hindi **Jammū aur Kaśmr,** ang. **Jammu and Kashmir,** stan w pn. Indiach, przy granicy z Pakistanem i Chinami; 100,6 tys. km^2, z częściami zajmowanymi przez Pakistan i Chiny — 222,2 tys. km^2; 10,3 mln mieszk. (2002), gł. Kaszmirczycy; stol.: Śrinagar (letnia) i Dżammu (zimowa); górzysty (zach. Himalaje z Kotliną Kaszmirską, Karakorum); w kotlinach uprawa zbóż, sadownictwo; hodowla owiec, bydła; pozyskiwanie drewna; rzemiosło (słynne szale kaszmirskie, dywany).

Dżarid, Szatt al-, Shaṭṭ al-Jard, jez. okresowe w Afryce → Wielki Szott.

Dżibuti, arab. **Jbūt,** franc. **Djibouti, Republika Dżibuti,** państwo we wsch. Afryce, nad Zat. Adeńską i cieśn. Bab al-Mandab; 23,2 tys. km²; 787 tys. mieszk. (2002), gł. Issowie, Afarowie; muzułmanie; stol. i gł. port Dżibuti; język urzędowy: arab., franc.; republika. Obszar górzysto-wyżynny w obrębie tektonicznego zapadliska Afar; klimat podrównikowy suchy; półpustynie i pustynie. Podstawą gospodarki są usługi portowe i tranzytowe; koczownicze pasterstwo owiec i kóz, wypas wielbłądów, bydła; uprawa palmy daktylowej, prosa, warzyw; przemysł spoż.; saliny mor.; połów ryb, gąbek i pereł. ■

Dżungarska, Kotlina, Junggar Pendi, tektoniczna kotlina w pn.-zach. Chinach, między Tien-szanem i Ałtajem, na wys. 500–1000 m;

pow. 380 tys. km²; w części środk. piaszczysta pustynia Gurbantünggüt (wys. barchanów do 25 m); liczne suche doliny (tzw. sajry); klimat umiarkowany ciepły kontynent., skrajnie suchy; średnia temp. w styczniu od –20°C do –33°C (absolutne minimum ok. –51°C), średnia temp. w lipcu do 20–25°C (absolutne maksimum ok. 40°C); suma roczna opadów 150–200 mm; zimą i wiosną częste silne wiatry, powodujące burze pyłowe; gł. rz. Czarny Irtysz; duże bezodpływowe, słone jeziora: Ulungur Hu, Manas Hu, Ebinur Hu; roślinność pustynna, u podnóża gór stepowa. Koczownicza hodowla gł. owiec, na obszarach sztucznie nawadnianych uprawa bawełny i zbóż; wydobycie ropy naft., węgla kam., rud metali nieżelaznych, złota; gł. m. Urumczi.

Dżungarska, Brama, obniżenie między Ałatau Dżungarskim a górami Barłyk w Kazachstanie, w pobliżu granicy z Chinami; wys. 300–400 m; dł. ok. 50 km, szer. minim. 10 km; była znana ludom koczowniczym jako dogodne przejście między Azją Centr. a Kazachstanem.

■ Dżibuti

E

Ebro, rz. w pn.-wsch. Hiszpanii, najbardziej zasobna w wodę na Płw. Iberyjskim; dł. 910 km, pow. dorzecza 83 500 km²; źródła w G. Kantabryjskich; w górnym biegu płynie przez wyż. Starej Kastylii, w środk. — przepływa Kotlinę Aragońską, a następnie przełamuje się przez G. Katalońskie; przy ujściu do M. Śródziemnego tworzy deltę; gł. dopływy: Jalón, Guadalope (pr.), Aragón, Segre (l.); wykorzystywana do nawadniania; elektrownie wodne na l. dopływach spływających z Pirenejów; gł. m. nad E. — Saragossa.

■ Edynburg. Widok na miasto i pałac królewski Holyrood, XVI–XVII w.

Ecos, Gruta dos [gruta dusz ękusz], jaskinia w środk. Brazylii, na Płaskowyżu Centr. (Wyż. Brazylijska), na zachód od Brasílii; największa jaskinia na Ziemi rozwinięta w łupkach; dł. 1,38 km, głęb. 125 m; 2 otwory na wys. 1010 m, większy o szer. ok. 70 m; powstała w wyniku oberwania stropu niżej położonych komór krasowych; sala wejściowa o dł. ok. 200 m, szer. ponad 100 m i wys. 50 m, połączona z korytarzem o dł. ok. 900 m i szer. ok. 50 m; w głębi podziemne jez. — Lago dos Ecos (dł. ok. 300 m).

Edwarda, Jezioro, ang. **Lake Edward,** franc. **Lac Édouard,** jez. tektoniczne w Afryce, na granicy Ugandy i Zairu, w Wielkim Rowie Zach. (→ Wielkie Rowy Afrykańskie), na wys. 913 m; pow. 2150 km², głęb. do 111 m; odpływ wód przez rz. Semliki do Jez. Alberta; obfituje w ryby; liczne gatunki ptactwa wodnego; hipopotamy; wchodzi w skład Parku Nar. Wirunga; odkryte 1889 przez H.M. Stanleya.

Edwardsa, Wyżyna, Edwards Plateau, płaskowyż w USA, w stanie Teksas, w pd. części Wielkich Równin; wys. do 832 m (Ketchum); rozcięty dolinami rzek systemów Colorado, Rio Grande i in.; klimat zwrotnikowy kontynent. suchy; roślinność sawannowa; ekstensywna hodowla bydła, owiec, kóz; wydobycie ropy naft. i gazu ziemnego.

Edynburg, Edinburgh, m. w W. Brytanii, nad M. Północnym; stol. Szkocji; 380 tys. mieszk. (2002); centrum finansowo-handl.; przemysł spoż. (whisky), elektron., poligraficzny, farm.; międzynar. port lotn.; ośr. turyst.; 2 uniw.; międzynar. festiwale muzyki; ogród bot.; średniow. zamek z kaplicą z XII w., got. katedra St Giles (XIV–XVII w.), parlament (XVII w.), neogot. katedra St Mary. ■

Efate, Vaté, dawniej **Sandwich,** najważniejsza z wysp Vanuatu; pow. 923 km², dł. 41 km, szer. 22 km; ok. 30 tys. mieszk.; otoczona rafą koralową; w pn. części masyw wulk. (wys. do 647 m), pd. część nizinna; uprawa palmy kokosowej, kawowca, kakaowca; hodowla bydła, owiec; przemysł drzewny; wydobycie rud manganu (kopalnia Forari pod zarządem austral.); na pd.-zach. wybrzeżu stol. kraju — Vila i międzynar. port lotn. Bauerfield.

EFTA → Europejskie Stowarzyszenie Wolnego Handlu.

Egady, Wyspy Egadzkie, Isole Egadi, grupa wysp wł. na M. Śródziemnym, na zach. od wybrzeży Sycylii; pow. 43,2 km²; gł. wyspy: Favignana (19,8 km²), Marettimo (12,3 km²), Levanzo (5,6 km²); powierzchnia górzysta (do 686 m na Marettimo); rozwinięta linia brzegowa, w małych zatokach kamieniste plaże; zjawiska krasowe; rybołówstwo (zwł. połowy tuńczyka); w jaskiniach zachowały się ślady działalności człowieka z okresu paleolitu.

Egejskie, Morze, gr. **Ejeon Pelagos,** tur. **Ege Denizi,** morze między Płw. Bałkańskim, Azją Mniejszą oraz wyspami Kretą i Rodos, część M. Śródziemnego; pow. 188,5 tys. km²; głęb. średnia 477 m, maks. — 2591 m (na zach. od wyspy Rodos); połączone z morzem Marmara przez cieśn. Dardanele; pd. część M.E. jest nazywana M. Kreteńskim; linia brzegowa b. dobrze roz-

■ Morze Egejskie. Wybrzeże Zatoki Argolidzkiej w Nafplionie

winięta; liczne wyspy (Kreta, Eubeja, Rodos, Lesbos, Limnos) i półwyspy; ukształtowanie dna b. zróżnicowane; liczne rowy (Kreteński, Anatolijski) i baseny; duża aktywność sejsmiczna, 2 czynne wulkany, Kajmeni (Santoryn) i Nisiros; temperatura wód powierzchniowych w lecie 22–25°C, w zimie 12–15,5°C; zasolenie 38–39‰; gł. rzeki uchodzące do M.E.: Wardar, Struma, Marica, Menderes; rozwinięte rybołówstwo (sardynki, krewetki, gąbki); żegluga promowa; gł. porty: Pireus, Saloniki, İzmir.   ■

Egejskie, Wyspy, Nisi Ejeu, wyspy gr. na M. Egejskim: Cyklady, Dodekanez, Lesbos, Samos, Chios; stanowią 2 regiony: W.E. Południowe i W.E. Północne; pow. 9,1 tys. km^2; górzyste, wysokości przekraczają 1000 m; ludność utrzymuje się z turystyki, rolnictwa (uprawa winorośli, oliwek, drzew cytrusowych, hodowla owiec, kóz), rybołówstwa i górnictwa (wydobycie m.in. siarki, korundu, kaolinu, barytu, bentonitu, rud żelaza i manganu); gł. m. — Mitilini (na wyspie Lesbos).

Egipt, Miṣr, Arabska Republika Egiptu, państwo w Afryce Pn. i Azji Zach. (płw. Synaj), nad M. Śródziemnym i M. Czerwonym; 1001,4 tys. km^2; 67,8 mln mieszk. (2002), Arabowie (98%), Nubijczycy, Berberowie; religia państw. islam; prawie cała ludność skupiona w dolinie i delcie Nilu; stol. Kair, inne gł. m.: Aleksandria, Giza, Port Said, Suez, Asjut, Tanta; język urzędowy arab.; republika. Większą część kraju zajmuje nizinno-wyżynna Pustynia Libijska (depresja Al--Kattara, 133 m p.p.m.) i górzysta Pustynia Arab., przecięte doliną i deltą Nilu; na płw. Synaj najwyższy szczyt E. — G. Św. Katarzyny (2637 m); klimat zwrotnikowy skrajnie suchy, na pn. wybrzeżu podzwrotnikowy; na Nilu Hydrowęzeł Asuański z Wielką Tamą i Jez. Nasera. Kraj słabo rozwinięty; podstawą gospodarki są usługi, zwł. turyst., eksport ropy naft. i wpływy z eksploatacji Kanału Sueskiego; ponad 70% ropy naft. pochodzi z regionu Zat. Sueskiej oraz płw. Synaj i Pustyni Lib.; wydobycie fosforytów (bogate złoża), rud żelaza i manganu; 1993 E. odwiedziło 2,5 mln turystów zagr., wpływy z turystyki przekroczyły 1,3 mld dol. USA; uprawa bawełny (gł. na eksport), pszenicy, kukurydzy, warzyw, trzciny cukrowej, sezamu, owoców cytrusowych, w oazach — palmy daktylowej; przemysł maszyn., cementowy, chem., stoczn., tradycyjny: bawełn., skórz., olejarski, cukr.; rafinerie ropy naft., huty żelaza i aluminium; gł. porty: Aleksandria, Port Said i Suez.   ■

egzogeniczne procesy, procesy geol. zachodzące na powierzchni Ziemi wywołane przez czynniki działające na skorupę ziemską od zewnątrz (energia słoneczna, atmosfera, hydrosfera, działanie organizmów); mogą być niszczące (wietrzenie, erozja i ruchy masowe, określane łącznie jako → denudacja) i twórcze (→ sedymentacja); prowadzą do zrównania powierzchni Ziemi (niszczenie wyniosłości przez procesy denudacyjne oraz zapełnianie obniżeń terenu przez produkty sedymentacji); przeciwieństwem p.e. są procesy → endogeniczne.

egzosfera [gr.], nazwa stosowana niekiedy na określenie najbardziej zewn. części atmosfery ziemskiej, powyżej 600–1000 km; e. odznacza się b. małą gęstością i b. wysoką temperaturą; atomy gazów poruszają się w niej z b. dużą prędkością, nie zderzając się ze sobą; niektóre z nich (gł. atomy wodoru i helu) mogą ulatywać z pola grawitacyjnego Ziemi w przestrzeń międzyplanetarną; e. jest też zw. sferą rozpraszania (dysypacji).

egzotyk [gr.], okruch skalny nie związany genetycznie z osadem, w którym występuje, często o nie znanym bliżej pochodzeniu; e. są np. okruchy skał krystal. w osadach kredy w Karpatach.

■ Egipt

■ Egipt. Świątynia w Luksorze

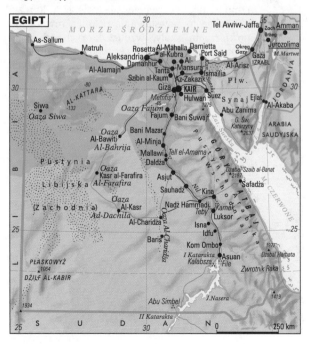

Eiger [ãigər], masyw wapienny w Alpach Berneńskich, w Szwajcarii; wys. 3970 m; pn. ściana należy do najtrudniejszych dróg alpinistycznych; zdobyta po raz pierwszy 1938 przez alpinistów niem. i austr., 1961 przez Polaków — S. Biela i J. Mostowskiego.

Eisriesenwelt [aⁱsrįzənwelt], jaskinia krasowa w Austrii, w Alpach Salzburskich, w zach. części masywu Tennengebirge, 35 km na pd. od Salzburga; największa lodowa jaskinia świata i jedna z najdłuższych; gł. otwór (o średnicy 20 m) na wys. 1641 m — 1100 m nad doliną Salzachu; dł. 42 km, deniwelacja 407 m; rozciągłość 1,9 km; rozbudowany ciąg obszernych korytarzy, o średnicy do 20 m, powstały w późnym trzeciorzędzie; jaskinia lodowa dynamiczna, zalodzona na dł. 0,6 km; pokrywa lodowa (miejscami wielometrowej grubości) zajmuje pow. 10 tys. m²; różne formy lodowych nacieków, m.in. olbrzymie kolumny o wys. do kilkunastu m; eksplorowana od 1879; 1920 udostępniona turystom; jedna z najliczniej zwiedzanych jaskiń świata — ponad 200 tys. osób rocznie (czynna 5,5 miesiąca w roku); do oświetlenia używa się karbidowych lamp i magnezji.

ekliptyka [gr.], wielkie koło na sferze niebieskiej, wzdłuż którego obserwuje się pozorny ruch Słońca, będący odbiciem ruchu rocznego Ziemi dokoła Słońca; ponieważ ruch roczny Ziemi dokoła Słońca nie jest jednostajny (na skutek eliptyczności orbity), obserwowana prędkość ruchu Słońca po e. nie jest stała; Słońce porusza się najszybciej ok. 2 stycznia (peryhelium orbity Ziemi), najwolniej ok. 5 lipca (aphelium orbity Ziemi); wzdłuż e. leży 12 gwiazdozbiorów → Zodiaku.

eksfoliacja [łac.], **deskwamacja,** proces wietrzenia fiz., polegający na łuszczeniu się powierzchniowej części skał gł. wskutek zmian temperatury; pod wpływem nasłonecznienia, wskutek małego przewodnictwa cieplnego skał, powierzchniowa część skały szybciej się ogrzewa i rozszerza niż część wewn., a przy spadku temperatury — szybciej się oziębia i kurczy; powoduje to powstawanie pęknięć równol. do powierzchni skały, wzdłuż których od skały odpadają płytowe lub skorupowe odłamki; e. zachodzi najintensywniej na obszarach o dużych dobowych wahaniach temperatur, prowadzi do tworzenia się zaokrąglonych form skalnych.

■ Ekwador

■ Ekwador. Okolice Ibarry

ekshalacje wulkaniczne, wyziewy gazów i par (gł. pary wodnej, dwutlenku węgla, dwutlenku siarki, siarkowodoru i in.) wydobywające się z krateru i szczelin wulkanu podczas wybuchu (→ erupcja) lub przed wybuchem i w długi czas po nim. Wśród e.w. rozróżnia się: → fumarole, → solfatary i → mofety. Skład i temperatura e.w. zależą zarówno od odległości ekshalacji od krateru, jak i od czasu, który upłynął od wybuchu wulkanu. E.w. występują niekiedy na dużych obszarach, np. w Dolinie Dziesięciu Tysięcy Dymów na Alasce (pow. ok. 4 tys. km²), gdzie wydziela się rocznie ok. 1250 tys. t chlorowodoru i 300 tys. t siarkowodoru, o temp. do 650°C. Produktami e.w. są różne minerały powstające wskutek sublimacji lub reakcji chem. zachodzących między ekshalacjami a atmosferą, skałami lub wodą mor.; znaczenie gosp. mają siarka rodzima i borany.

eksport [łac.], wywóz za granicę towarów, usług, kapitałów. Zob. też handel zagraniczny.

ekumena [gr.], stale zamieszkane i wykorzystywane gospodarczo obszary kuli ziemskiej; pojęcie przeciwstawne → anekumenie, wprowadzone przez staroż. Greków na określenie obszarów trwale zasiedlonych przez człowieka; wraz z odkryciami geogr., a następnie z rozwojem techniki i nowymi odkryciami bogactw naturalnych powierzchnia e. stale się powiększa; dzieje się to kosztem anekumeny oraz subekumeny (obszar stale nie zamieszkany, ale okresowo wykorzystywany przez człowieka).

Ekwador, **Ecuador, Republika Ekwadoru,** państwo w Ameryce Pd., nad O. Spokojnym; 283,6 tys. km²; 13,3 mln mieszk. (2002), Metysi, biali, Indianie; katolicy; stol.: Quito, inne m.: Guayaquil (gł. port mor.), Cuenca, Machala; język urzędowy hiszp.; republika; obejmuje wyspy Galápagos. W środk. części kraju Andy (Chimborazo, 6267 m), na wsch. część Niz. Amazonki, na zach. niziny nadbrzeżne; czynne wulkany (Cotopaxi); trzęsienia ziemi; klimat równikowy, w Andach — górski; gł. rz.: Putumayo i Napo; lasy równikowe i górskie. Podstawą gospodarki jest rolnictwo (gł. gospodarstwa wielkoobszarowe) i rozwinięty sektor usług; uprawa kawowca, kakaowca, trzciny cukrowej, bananów, zbóż, bawełny; hodowla trzody chlewnej, bydła; eksploatacja lasów (balsam peruw., mahoń); rybołówstwo (krewetki); wydobycie ropy naft., złota, srebra. ■

El Niño, zmienny ciepły prąd mor. we wsch. części O. Spokojnego; płynie od równika wzdłuż brzegów Ameryki Pd. na pd. (do 5–7°S), jako niewielki prąd powierzchniowy o temp. wody 15–20°C; sporadycznie nasila się w grudniu, dawniej raz na kilkanaście lat, ostatnio co kilka lat, sięgając na pd. do 15°S przy wzroście temp. wody o 5–10°C; prąd El N. odpycha wtedy od brzegów kontynentu płynący w przeciwnym kierunku zimny Prąd Peruwiański i niszczy zasoby łowisk peruwiańskich (wzrost temperatury i zawartości siarkowodoru w wodzie); prądowi El N. przypisuje się katastrofy i klęski ekol. w różnych regionach międzyzwrotnikowych.

El Sótano, Sótano de El Barro, jaskinia w górach Sierra Gorda (Sierra Madre Wsch.), w środk. Meksyku, w stanie Querétaro; jedna z największych (objętość ok. 16 mln m^3) i najgłębszych (głęb. 410 m) studni jaskinowych świata; podłużny otwór wejściowy (wymiary 420 m x 210 m) o deniwelacji ok. 150 m znajduje się w grzbiecie górskim, prowadzi do wielkiej studni o pionowych ścianach, miejscami porośniętych bujną roślinnością; wymiary dna jaskini — ok. 100 m x 200 m; zdobyta przez grotołazów amer. 1972; pierwsze przejście pol. 1980.

Elbląg, m. w woj. warmińsko-mazurskim, nad rz. Elbląg, 6 km od jej ujścia do Zalewu Wiślanego; powiat grodzki, siedziba powiatu elbl.; 130 tys. mieszk. (2000); ośr. przem.-usługowo-handl. oraz turyst. i sportów wodnych; siedziba diecezji elbl. Kościoła rzymskokatol.; przemysł elektromaszyn. (turbiny, elementy okrętowe, odlewy, maszyny); też przemysł spoż. (browar Elbrewery Company), skórz., odzież., mebl.; stocznia rzeczna; ośr. handlu hurtowego dla regionalnego rynku rolnego; mor. port handl. (przejście graniczne) obsługuje towarową i pasażersko-turyst. żeglugę przybrzeżną po zalewie i M. Bałtyckim, jego rozwój uzależniony od dostępności Cieśn. Pilawskiej; węzeł komunik. na skrzyżowaniu szlaków międzynar.: Gdańsk–Budapeszt i Berlin–Kaliningrad; ośrodek kult., oświat. i szkolnictwa wyższego; teatr, muzeum, Galeria EL; międzynar. festiwale muz. i teatralne; prawa miejskie od 1246; 1975–1998 stol. woj.; kościół (XIII–XV w.), zespół klasztorny (XIII–XVI w.), fragmenty murów miejskich (XIII–XV w.); pomnik *Ofiarom Grudnia 1970*; Stare Miasto, całkowicie zniszczone 1945 — od lat 80. budowa nowocz. dzielnicy w historyzującej formie. ■

Elbląski, Kanał, kanał żegl. na Pojezierzu Iławskim i Żuławach Wiślanych; łączy m. Elbląg z m. Ostróda poprzez kilka większych jez.: Druzno, Piniewo, Sambród, Ruda Woda, Ilińsk, Drwęckie; dł. 62,5 km z odgałęzieniami 159 km; 2 śluzy; dostępny dla statków do 50 t; między jez. Piniewo i Druzno, w celu pokonania ok. 100 m różnicy wysokości, zbud. system 5 pochylni, przez które statki przetacza się na specjalnych platformach, ustawionych na szynach (zabytek techniki, unikat na skalę eur.). K.E. łączy kilka mniejszych szlaków wodnych, m.in.: m. Ostróda–jez. Szeląg Mały, m. Ostróda–rz. Drwęca–Wisła, Miłomłyn–jez. Jeziorak–Iława–Zalewo; wyzyskiwany do turystyki (latem) i spławu drewna; zbud. 1850–72. ■

■ Kanał Elbląski. Pochylnia Jelenie

■ Elbląg. Zdjęcie lotnicze

Elbrus, Oszhomaho, Mingi-tau, masyw wulk. o 2 szczytach w Paśmie Bocznym, najwyższy w Wielkim Kaukazie, w Rosji (na granicy Kabardo--Bałkarii i Karaczajo-Czerkiesji); wys. szczytu zach. 5642 m, wsch. — 5621 m; zbud. gł. z andezytów; lodowce (o łącznej pow. 134,5 km^2); zach. szczyt zdobyty 1874, wsch. — 1829; rejon alpinizmu, narciarstwa i turystyki (do wys. 4200 m kolejka linowa); park krajobrazowy. ■

■ Elbrus

Elburs, Reshte-ye Kūhhā-ye Alborz, góry w pn. Iranie, nad M. Kaspijskim; najwyższy szczyt Demawend (5604 m); powstały w orogenezie alp.; zbud. gł. z wapieni i piaskowców; pn. stoki silnie pocięte dolinami rzek; na zach. przełom rz. Safidrud; na pn. stokach lasy liściaste z dębem, bukiem i grabem, na pd. — roślinność pustynno-stepowa; wydobycie węgla kam., rud miedzi; przez Elburs przechodzi transirańska linia kolejowa.

elektrometeory [gr.], zjawiska opt. lub akust. związane z elektrycznością w atmosferze ziemskiej; do e. zalicza się burze, ognie św. Elma, zorze polarne.

elipsoida ziemska, elipsoida obrotowa spłaszczona, najbardziej kształtem i rozmiarami zbliżona do rzeczywistej powierzchni Ziemi. Kształt i wielkość elipsoidy ziemskiej określa długość półosi wielkiej równikowej a i małej biegunowej b oraz spłaszczenie $c = (a - b)/a$; środek elipsoidy ziemskiej pokrywa się ze środkiem ciężkości Ziemi, a oś mała — z osią obrotu Ziemi. Teorię o elipsoidalnym kształcie Ziemi ogłosił

1687 I. Newton, podając jej spłaszczenie $c = 1/230$. Na podstawie uchwały Międzynar. Unii Geodezji i Geofizyki (MUGG) 1929 za model Ziemi przyjęto elipsoidę Hayforda, uznaną 1909 za międzynar.; jej elementy: $a = 6\ 378\ 388$ m, $b = 6\ 356\ 912$ m, $c = 1/297$. Na podstawie nowych pomiarów, także satelitarnych, wyznaczono dokładniejsze wartości parametrów elipsoidy ziemskiej; 1984 MUGG wprowadziła tzw. Geodetic Reference System 1980 z nową elipsoidą ziemską określoną przez: wielką półoś równikową a, geocentryczną stałą grawitacyjną GM, dynamiczny współczynnik kształtu J_2 oraz prędkość kątową obrotu ω, przy czym $a = 6\ 378\ 137$ m, $GM = 3\ 986\ 005 \cdot 10^8$ m/s^2, $J_2 = 108\ 263 \cdot 10^{-8}$, $\omega = 7\ 292\ 115 \cdot 10^{-11}$ rad/s; wyprowadzone na ich podstawie parametry wtórne wynoszą: $b = 6\ 356\ 752{,}3141$ m, $c = 1/298{,}257$. W geodezji stosuje się tzw. elipsoidę odniesienia, na którą rzutuje się punkty fiz. powierzchni Ziemi; ma ona takie same parametry jak elipsoida ziemska, ale jest styczna w określonym punkcie (zwykle pośrodku mierzonego obszaru) do → geoidy. W Polsce do 1952 stosowano elipsoidę Bessela ($a = 6\ 377\ 397{,}155$ m, $b = 6\ 356\ 078{,}963$ m, $c = 1/299{,}153$); obecnie stosuje się elipsoidę Krasowskiego ($a = 6\ 378\ 245$ m, $b = 6\ 356\ 863$ m, $c = 1/298{,}3$).

Ellswortha, Góry, Ellsworth Mountains, łańcuch górski na Antarktydzie Zach., w pd. części Ziemi Ellswortha; część pn. — pasmo Sentinel z najwyższym na Antarktydzie Masywem Vinsona (5140 m), część pd. — pasmo Heritage (wys. do 3300 m); zbud. ze skał gł. dolnopaleozoicznych; pokryte lądolodem do wys. ok. 2000 m; odkryte 1935 przez L. Ellswortha.

Elstera, Biała, Weisse Elster, rz. w pd. części Niemiec, pr. dopływ Sołavy; dł. 257 km; źródła w Rudawach, w Czechach; w pobliżu Lipska koryto przesunięte z powodu eksploatacji węgla brun.; gł. m. nad Białą Elsterą — Lipsk.

Elstera, Czarna, Schwarze Elster, rz. w Niemczech, pr. dopływ Łaby; dł. 181 km; źródła w G. Łużyckich.

eluwialny poziom glebowy, poziom wymywania, jedna z górnych warstw gleb → bielicoziemnych (poniżej → akumulacyjnego poziomu glebowego), z której związki miner. zostały wypłukane i osadzone w → iluwialnym poziomie glebowym; e.p.g. obfituje w krzemionkę, ma barwę szarą lub białą.

eluwium [łac.], *geol.* nierozpuszczalna, odporna na działanie czynników chem. część zwietrzeliny, pozostająca na miejscu wietrzenia skały macierzystej, z której reszta składników została rozpuszczona i wypłukana przez wody; w e. mogą się gromadzić niektóre cenne minerały (złoża eluwialne); najpospolitszym e. są gliny rezydualne.

Ełckie, Pojezierze, wsch. skraj Pojezierza Mazurskiego, między Krainą Węgorapy i Szeskim Garbem na pn. a Niz. Północnopodlaską na pd. oraz Krainą Wielkich Jezior Mazurskich na zach. a Pojezierzem Litewskim na wsch.; rzeźba glacjalna (faza leszcz. zlodowacenia Wisły); powierzchnia pagórkowata, kulminacje przekra-

czają 200 m, np.: G. Piłackie (219 m), wzniesienia w Puszczy Boreckiej (do 223 m); wody z tej części Pojezierza Mazurskiego odprowadza dopływ Biebrzy — Ełk; wśród licznych jezior P.E. największe są: Rajgrodzkie (15km^2), Selmęt Wielki (12,7 km^2) i Łaśmiady (8,8 km^2); lasy (Puszcza Borecka), pola uprawne; region turyst.-wypoczynkowy; gł. m.: Ełk, Olecko. W obrębie P.E. wyróżniono 7 mikroregionów: Wysoczyznę Białej Piskiej, Wzgórza Dybowsko-Wiśniowskie, Obniżenie Selmęckie, Wzniesienie Bargłowsko-Milewskie, Pojezierze Łaśmiadzkie, Puszczę Borecką i Wzgórza Piłackie.

Ełk, m. powiatowe w woj. warmińsko-mazurskim, nad rz. Ełk i Jez. Ełckim; 57 tys. mieszk. (2000); ośr. przem., handl.-usługowy i kult.-oświat.; stol. diecezji ełckiej Kościoła rzymskokatol.; przemysł: spoż., elektrotechn., drzewny, materiałów bud. z tworzyw sztucznych, poligraf; węzeł komunik.; Inst. Teol., w tym m.in. Wyższe Seminarium Duchowne i Akademickie Studium Teol.; regionalny ośrodek kult.: muzeum, galerie, teatry, chóry; wiele imprez, m.in. Międzynar. Festiwal Muzyki Gitarowej; prawa miejskie 1669; ruiny zamku (XIV, XV w.), 2 kościoły (XIX w.).

Ełk, rz. na Pojezierzu Mazurskim i Niz. Północnopodlaskiej, pr. dopływ Biebrzy; dł. 114 km, pow. dorzecza 1525 km^2; wypływa ze Wzgórz Szeskich jako Czarna Struga, następnie przyjmuje nazwę Łaźna Struga; przepływa przez jez.: Łaźno, Łaśmiady, Ełckie i in.; od m. Ełk płynie w szerokiej zabagnionej dolinie; poniżej Grajewa, wody E. są skierowane do Biebrzy nowym uregulowanym korytem — Kanałem Rudzkim; uchodzi poniżej Osowca; średni przepływ powyżej ujścia 9,6 m^3/s; maks. rozpiętość wahań stanów wody 1,6 m; dawniej gł. dopływem była Jegrznia (l.) — obecnie połączona z E. przez Kanał Kuwasy; nad E. leżą m.: Ełk, Grajewo.

Emba, rz. w Kazachstanie; dł. 712 km, pow. dorzecza 40,4 tys. km^2; źródła w Mugodżarach; płynie przez obszar suchych stepów Podurala; ginie w sołonczakach w pobliżu M. Kaspijskiego; w lecie woda utrzymuje się tylko w oddzielnych zagłębieniach na dnie; dolina Emby stanowi umowną granicę między Europą i Azją.

emigracja [łac.], **wychodźstwo,** odpływ ludności poza granice określonego terytorium; także zbiorowość ludzi objęta tym ruchem; pot. przez e. rozumie się opuszczenie kraju na stałe; za e. uważa się też opuszczenie swego miejsca bytowania na czas określony, gdy celem przybycia do innego miejsca jest praca zarobkowa. Najczęściej klasyfikacja e. zależy od jej przyczyn i charakteru; zależnie od przyczyn przyjęto dzielić e. na z a r o b k o w ą (ekon.), p o l i t y c z n ą, r e l i g i j n ą, z przyczyn rodzinnych i in. osobistych; e. dzieli się także na p r z y m u s o w ą i d o b r o w o l n ą. Klasyfikację e. można oprzeć na czasie jej trwania, na podstawie geogr. lub rodzaju środowiska społ.-geogr.; ze względu na czas trwania rozróżnia się e m i g r a c j ę t r w a ł ą, przy której powrót nie jest zamierzony, oraz e m i g r a c j ę c z a s o w ą, przy której powrót ma nastąpić w określonym czasie; typowym przykładem e. czasowej jest e. sezonowa pol. robotników rolnych, uprawiana do II wojny światowej. Przy przyjęciu kryterium geograficznego, e. dzieli się na k o n t y n e n t a l n ą i z a m o r s k ą (następnie pierwszą wg krajów, drugą wg kontynentów i krajów). E., jej przyczyny i skutki rozpatruje się jako część zagadnienia → migracji.

endogeniczne procesy, procesy geol. mające źródło we wnętrzu Ziemi; należą do nich: → diastrofizm, magmatyzm i metamorfizm; przeciwieństwem p.e. są procesy → egzogeniczne.

energetyka [gr.], dział nauki i techniki zajmujący się pozyskiwaniem, przetwarzaniem, gromadzeniem oraz użytkowaniem różnych form i nośników energii; użyteczne formy energii (mech., elektr. oraz ciepło) uzyskuje się w wyniku przetwarzania energii pierwotnych, głównie: chemicznej paliw pierwotnych, jądr., wód, wnętrza Ziemi (czyli energii geotermicznej), przepływu powietrza (wiatrów), promieniowania Słońca (energii słonecznej); energie pierwotne są zawarte w źródłach energii. Świat. zasoby pewne (udokumentowane) paliw kopalnych i jądr. szacowano 1989 na 1435 Gt o.e., czyli ok. $6 \cdot 10^{22}$ J (1 Gt o.e. — 1 mld t ekwiwalentu naft., czyli ok. $4{,}19 \cdot 10^{19}$ J). Potencjał techn. (czyli uwzględniający techn. możliwości wykorzystania) odnawialnych źródeł energii wynosi 24 Gt o.e., czyli ok. 10^{21} J; wykorzystuje się ok. 8% potencjału techn. energii odnawialnych. Zasoby energetyczne Polski są znaczne, są to gł. zasoby paliw stałych (węgla kam. i brun.); zasoby gazu ziemnego są stosunkowo małe, ropy naft. znikome, brak jest zasobów uranu. Możliwości wykorzystania w naszym kraju energii odnawialnych są obecnie niewielkie, w liczącym się stopniu jest wykorzystywana jedynie energia wód, której zasoby są oceniane jako mogące dać produkcję ok. 12–13 TW· h energii elektr. rocznie.

W zależności od postaci energii (lub jej nośnika) pierwotnej bądź finalnej energetyka dzieli się na: cieplną (termoenergetykę), wodną (hydroenergetykę), jądr. i elektroenergetykę; (mające zasadnicze znaczenie) oraz energetykę geotermiczną (geoenergetykę), wiatrową (aeroenergetykę), słoneczną i gazoenergetykę.

Energetyka cieplna (termoenergetyka) zajmuje się przetwarzaniem energii w procesach, w których pośrednią lub końcową (finalną) postacią energii jest ciepło uzyskiwane przez spalanie węgla, ropy naft., gazu, torfu; procesy te, realizowane gł. w elektrowniach (cieplnych), ciepłowniach i elektrociepłowniach, dotyczą ponad 98% świat. zużycia energii. Intensywny rozwój energetyki cieplnej został zapoczątkowany wynalezieniem i zastosowaniem w przemyśle silników parowych (1785–1800), a jej podstawy nauk. są związane z odkryciem w 1. poł. XIX w. najważniejszych praw termodynamiki; tradycyjna energetyka cieplna, wykorzystująca paliwa konwencjonalne, jest jednym z gł. źródeł zanieczyszczenia środowiska.

Energetyka jądrowa zajmuje się pozyskiwaniem i przetwarzaniem energii jądr. zawartej w pierwiastkach rozszczepialnych; energia jądr. jest wyzwalana w reaktorze jądr., gł. w postaci ciepła (ponad 95%) i wykorzystywana albo bezpośrednio do ogrzewania, albo przetwarzana na energię mech. lub elektr. (statki i okręty z napędem jądr. lub elektrownie jądr.). O rozwoju energetyki jądrowej zadecydowały względy ochrony środowiska oraz wyczerpywanie się zasobów tradycyjnych paliw. Niektóre kraje odchodzą od energetyki jądrowej (w Polsce 1990 odstąpiono od budowy elektrowni jądrowej w Żarnowcu); jest to wynikiem jej małej konkurencyjności ekon. oraz niekorzystnego klimatu społ. wokół tej energetyki, szczególnie po awarii w Three Mile Island (USA, 1979) oraz katastrofie w Czarnobylu (Ukraina, 1986). Dla dalszego rozwoju enegetyki jądrowej najważniejsze jest zapewnienie bezpieczeństwa eksploatacji elektrowni jądr. i in. obiektów jądr. cyklu paliwowego, a także bezpieczne składowanie odpadów promieniotwórczych.

Energetyka wodna (hydroenergetyka) zajmuje się pozyskiwaniem energii wód i jej przetwarzaniem na energię mech. i elektr. przy użyciu silników wodnych (turbin wodnych) i hydrogeneratorów w siłowniach wodnych (np. w młynach) oraz elektrowniach wodnych, a także innych urządzeń (w elektrowniach maretermicznych i maremotorycznych). Energetyka wodna opiera się przede wszystkim na wykorzystaniu energii wód śródlądowych (rzadziej mórz — w elektrowniach pływowych) o dużym natężeniu przepływu i dużym spadzie — mierzonym różnicą poziomów wody górnej i dolnej z uwzględnieniem strat przepływu. Wykorzystanie w elektrowniach energii wód śródlądowych oraz pływów wód mor. polega na zredukowaniu w granicach pewnego obszaru (odcinek strumienia, rzeki, część zatoki) naturalnych strat energii wody i uzyskaniu jej spiętrzenia względem poziomu odpływu. Poza energetycznym, elektrownie wodne zbiornikowe mogą spełniać jednocześnie inne zadania, jak zabezpieczenie przeciwpowodziowe, regulacja przepływu ze względu na żeglugę. Duże znaczenie mają elektrownie wodne szczytowo-pompowe, pozwalające na użycie wody jako magazynu energii. Rozwój hydroenergetyki jest uzależniony od zasobów energii wód, tzw. zasobów hydroenergetycznych. Dla Polski dominujące znaczenie hydroenerg. mają dolna Wisła oraz Dunajec. W 1996 produkcja energii elektr. z energii wód w Polsce wyniosła 3,9 TW · h, a na świecie — 2588 TW · h. Ostatnio coraz większą uwagę poświęca się energ. wykorzystaniu niewielkich cieków wodnych przez budowę tzw. małych elektrowni wodnych; w pierwszej kolejności dotyczy to tych cieków, na których istnieją już urządzenia piętrzące wykorzystywane do innych celów. Za rozwojem hydroenergetyki przemawia fakt, że koszt energii elektr. produkowanej w elektrowni wodnej jest niższy niż energii elektr. produkowanej w elektrowni cieplnej.

Energetyka słoneczna (helioenergetyka) zajmuje się pozyskiwaniem, przetwarzaniem i wykorzystaniem energii promieniowania Słońca. Niemal cała energia tego promieniowania jest skoncentrowana w promieniowaniu widzialnym i podczerwonym; promieniowanie słoneczne jest też przyczyną wielu zjawisk występujących na Ziemi i wykorzystywanych w energetyce (wia-

■ Energetyka. Elektrownia słoneczna Odeillo w Pirenejach (Francja)

trów, fal i prądów mor., powstawania opadów atmosf. zasilających rzeki). Potencjał techn. energii promieniowania Słońca jest znacznie niższy od teoret., niewielkie jest też jego wykorzystanie. Pozyskiwanie energii słonecznej jest możliwe dzięki kolektorom słonecznym o działaniu bezpośrednim (np. przy podgrzewaniu wody) lub w elektrowniach słonecznych; możliwe jest magazynowanie energii słonecznej w tzw. stawach energ. (słonecznych), dzięki utrzymywaniu w nich uwarstwienia z rosnącą w głąb koncentracją soli.

Energetyka wiatrowa (aeroenergetyka) zajmuje się przetwarzaniem energii wiatru (za pomocą silników wiatrowych) w elektrowniach i siłowniach wiatrowych. Moc elektrowni wiatrowych jest zależna od prędkości wiatru, w wielu rejonach (w tym na większej części obszaru Polski) warunki klim. nie sprzyjają wykorzystaniu energii wiatru.

Energetyka geotermiczna (geoenergetyka) zajmuje się pozyskiwaniem i przetwarzaniem (w elektrowniach geotermicznych) ciepła wnętrza Ziemi, którego źródłem są przemiany promieniotwórcze, reakcje chem. oraz inne procesy zachodzące w skorupie ziemskiej. Przydatność danej formacji geol. jako miejsca wykorzystania energii geotermicznej (geotermalnej) określa wielkość stopnia (gradientu) geotermicznego, czyli przyrostu temperatury na jednostkę długości mierzonej w głąb ziemi; w praktyce wykorzystuje się ciepło wnętrza Ziemi zmagazynowane w masie stopionych skał (magmie), skałach znajdujących się w stanie stałym, wodzie przenikającej z powierzchni i stykającej się z gorącymi skałami (często jest to przyczyną powstawania na powierzchni Ziemi gorących źródeł lub gejzerów). W 1996 63% energii elektr. produkowanej w świecie pochodziło z elektrowni cieplnych, 19% z elektrowni wodnych, a 17% z jądrowych; niespełna 1% z elektrowni pozostałych (gł. geotermicznych, wiatrowych, słonecznych). Ponad 25% świat. energii elektr. produkowane jest w USA; w Polsce — 1%. ■

enklawa [fr. < łac.], terytorium państwa lub jego część, ze wszystkich stron otoczona przez terytorium lądowe innego państwa (np. San Marino, Watykan) albo terytorium stanowiące odrębną jednostkę adm. (np. Berlin Zach.) otoczone ze wszystkich stron przez terytorium innego państwa, a także posiadłości kolonialne położone na obcym terytorium; status prawny e. z reguły reguluje umowa zawarta między zainteresowanymi państwami, która m.in. określa prawo dostępu do e., prawo tranzytu towarów i osób; z punktu widzenia państwa, którego terytorium otacza e., bywa ona niekiedy nazywana e k s k l a w ą (np. dla Włoch jest nią Watykan); część terytorium państwa oddzieloną od pozostałego terytorium, lecz mającą granicę mor., określa się terminem p ó ł e n k l a w y; e. szczególnie liczne w okresie feudalizmu, współcześnie występują bardzo rzadko.

Enns, rz. w Austrii, → Aniza.

eoliczne procesy, porywanie i unoszenie przez wiatr drobnych cząstek miner. i org. (→ deflacja), które drążą, rysują i ścierają powierzchnię skał (→ korazja), oraz akumulacja niesionego przez wiatr materiału (wskutek zmniejszenia się siły transportowej wiatru). Rezultatem niszczącej działalności wiatru jest obniżanie się powierzchni Ziemi i powstawanie rozmaitych form terenu (np. → misa deflacyjna); w następstwie akumulacji eolicznej pyłu tworzy się → less, a osadzanie się grubszego materiału powoduje tworzenie się osadów piaszczystych i powstawanie → wydm. P.e. przebiegają na obszarach pozbawionych pokrywy roślinnej, szczególnie intensywnie zachodzą na wybrzeżach mor., gorących pustyniach i mroźnych pustyniach peryglacjalnych (→ peryglacjalna rzeźba) oraz na polach ornych w okresach przerwy wegetacyjnej.

Eolskie, Wyspy, wyspy wł. na M. Tyrreńskim, → Liparyjskie, Wyspy.

epejroforeza [gr.], niekiedy używana nazwa → dryfu kontynentów.

epejrogeneza [gr.], **ruchy epejrogeniczne, lądotwórczość, ruchy lądotwórcze,** powolne, pionowe ruchy skorupy ziemskiej powodujące podnoszenie się lub obniżanie znacznych jej obszarów (bez zmiany ich budowy geol.) i wywołujące transgresje i regresje mórz; wg przeważających poglądów ruchy epejrogeniczne są wywołane zaburzeniami → izostazji bądź zmianami gęstości i objętości materiału skalnego w wyniku zmian termodynamicznych (temperatury, ciśnienia), zachodzących w dolnej części skorupy ziemskiej i w górnym płaszczu Ziemi. Ruchy te odbywają się też współcześnie; szczególnie wyraźnie zaznaczają się na obszarach zlodowacenia plejstoceńskiego, które od czasu stopnienia lądolodu stale się podnoszą, np. centr. część Skandynawii podniosła się o przeszło 250 m, tarcza kanadyjska — o ok. 270 m.

epejrokratyczny okres, okres geokratyczny, okres w historii Ziemi, który charakteryzowało duże rozprzestrzenienie lądów; o.e. następowały po okresach → orogenezy (np. dolny dewon po orogenezie kaledońskiej), gdyż zwykle wraz z wypiętrzeniem się łańcuchów górskich następowało podnoszenie się kontynentów.

epicentrum [gr.], punkt będący rzutem pionowym ogniska trzęsienia ziemi (→ hipocentrum) na powierzchnię Ziemi; położenie e. oblicza się na podstawie odczytów czasów przyjścia fal sejsmicznych zarejestrowanych przez sejsmografy.

epigeneza [gr.], wtórne procesy zachodzące w powstałej już skale pod wpływem nowych czynników fiz. i chem., prowadzące do jej stopniowej przemiany; do procesów e. należą np.: rekrystalizacja, starzenie się koloidów, powstawanie wtórnych minerałów, tworzenie się konkrecji.

epilimnion [gr.], **warstwa nadskokowa,** wierzchnia warstwa wody w jeziorze w okresie występowania prostej stratyfikacji termicznej (obniżania się temperatury wody wraz z głębokością); w jeziorach strefy umiarkowanej pojawia się wiosną jako cienka warstwa, osiągając miąższość kilku m w lecie; jest warstwą najlepiej ogrzaną, dość dobrze wymieszaną, prześwietloną i natlenioną; od głębszych wód (→ hypolimnion) oddziela go warstwa przejściowa (→ metalimnion).

era [łac.], jednostka geochronologiczna podziału dziejów Ziemi; jest częścią eonu, dzieli się na okresy; w podziale utworów geol. czyli podziale chronostratygraficznym odpowiada eratemowi. Zob. też stratygrafia.

eratyk [łac.], → głaz narzutowy.

Erebus [erybəs], czynny wulkan na W. Rossa (Antarktyda Wsch.); położony najdalej na południe czynny wulkan Ziemi; wys. 3795 m, pokryty lodem i śniegiem do wys. ok. 2000 m; od 1841 zanotowano 11 erupcji, ostatnia 1980; odkryty 1841 przez J. Rossa. 1. wejścia dokonali 1908 Australijczycy z ekspedycji E. Shackletona.

Erewan, stol. Armenii, nad Razdanem; 1,3 mln mieszk. (2002); węzeł kol., metro; przemysł elektrotechn. i elektron., chem., lekki, spoż., huta aluminium; AN Armenii, 11 szkół wyższych (w tym uniw. i konserwatorium); muzea, galeria obrazów; biblioteka dawnych rękopisów Matenadaran; zał. w VIII w. p.n.e.; ruiny budowli staroż.; kościoły (XIII–XVII w.), most (XVII w.), meczet (XVIII w.), orm. domy mieszkalne (XVIII, XIX w.).

erg [arab.], pustynia piaszczysta, którą charakteryzują wyraźnie ukształtowane wydmy; są to gł. zespoły barchanów, bardzo często zrośniętych ramionami, czyli tzw. pasma barchanowe. Najczęściej termin „erg" odnosi się do piaszczystych obszarów Sahary. Pustynie piaszczyste są bardzo zróżnicowane pod względem wieku i rzeźby; tereny cechujące się dużą stałością rzeźby, związane ze stabilizującą rolą roślinności, występują w strefie przejściowej między pustynią a sawanną; są to tzw. e. m a r t w e; przypuszcza się że niektóre z nich pochodzą ze starszego czwartorzędu; e. m ł o d e powstają wskutek wywiewania młodych osadów w dolinach rzek okresowych (uedach), np. Wielki Erg Zach.; w miejscach, gdzie istnieje równowaga między deflacją a akumulacją oraz brak jest odpływu powierzchniowego, występują tzw. e. d o j r z a ł e, np. Wielki Erg Wsch.; obszary, na których procesy eoliczne działające z dużą aktywnością doprowadziły do znacznej deformacji powierzchni pierwotnej określa się niekiedy mianem e. z g r z y b i a ł y c h.

Erie [iəry], ang. **Lake Erie,** franc. **Lac Érié,** jez. tektoniczno-polodowcowe w Kanadzie i USA, w grupie Wielkich Jezior, na wys. 174 m; pow. 25,7 tys. km^2, głęb. do 64 m; linia brzegowa słabo rozwinięta; w części zach. wyspy; połączone z jez. Ontario przez rz. Niagara i z jez. Huron przez rz. Detroit, jez. i rz. Saint Clair oraz kanały śródlądowe łączą Erie z rz. Hudson i Missisipi; zamarznięte od grudnia do końca marca; część systemu Drogi Wodnej Św. Wawrzyńca; gł. porty: Buffalo, Erie, Cleveland, Toledo.

erozja [łac.], zespół procesów powodujących żłobienie i rozcinanie powierzchni skorupy ziemskiej przez wody, lodowce i wiatr, połączone z usuwaniem powstających produktów niszczenia; procesy e. są przyspieszane przez uderzanie i tarcie o podłoże przemieszczanego materiału skalnego (→ abrazja). E r o z j a d e s z c z o w a (ablacja deszczowa, spłukiwanie) jest najprostszą formą e. wywołanej przez wodę płynącą; w wyniku jej działania luźne osady, a zwł. gleby są zmywane ze stoków. E r o z j a r z e c z n a ma największe znaczenie w kształtowaniu powierzchni Ziemi; prowadzi ona do powstawania dolin rzecznych; przebiega tym szybciej, im większa jest prędkość przepływu rzeki wywołana spadkiem rzeki, masa płynącej wody, a także masa transportowanego przez nią materiału, oraz im mniejsza jest odporność skał, w których powstaje koryto rzeczne. E r o z j a d e n n a (wgłębna) jest wcinaniem się rzeki w podłoże, co prowadzi do powstania doliny w kształcie litery V; granicą erozji dennej jest baza (podstawa) erozyjna, tj. poziom zbiornika, do którego uchodzi rzeka; ponieważ przepływ wody w rzece wymaga spadku, e. denna trwa do momentu osiągnięcia przez koryto rzeczne profilu podłużnego, zw. profilem

■ Erozja rzeczna. Dolina rzeki Fjar'drg w Islandii

■ Formy erozji eolicznej (jardangi) na Saharze (południowa Tunezja)

■ Erytrea

■ Estonia

(krzywą) równowagi, przy którym w określonych warunkach rzeka nie eroduje już w głąb ani nie osadza transportowanego materiału. Obniżenie poziomu wody w zbiorniku lub wydźwignięcie obszaru, po którym płynie rzeka, powodują wzmożenie e. dennej (odmłodzenie e.), które trwa do chwili osiągnięcia przez rzekę nowego profilu równowagi; śladami kolejnych faz e.dennej są tarasy rzeczne ciągnące się schodkowo wzdłuż doliny rzecznej. W wyniku e r o z j i b o c z n e j następuje podcinanie brzegów doliny rzecznej prowadzące do powstawania meandrów i rozszerzania doliny. E r o z j a w s t e c z n a polega na cofaniu się wodospadów, progów i załomów skalnych w kierunku działu wodnego oraz na cofaniu się obszarów źródłowych (e r o-z j a ź r ó d ł o w a); prowadzi do wydłużania doliny, rozcinania działów wodnych, a często także do → kaptażu rzecznego. E r o z j a l o d o w c o-w a (e. glacjalna, egzaracja) polega na mech. żłobieniu podłoża przez płynący lód i zawarty w nim materiał skalny; prowadzi do powstawania żłobów lodowcowych, cyrków lodowcowych i in. E r o z j a e o l i c z n a to szlifujące działanie niesionych przez wiatr ziaren piasku (korazja) połączone z wywiewaniem materiału piaszczystego i pylastego (deflacja); prowadzi do powstawania form eolicznych, np. mis deflacyjnych. E r o z j a m o r s k a polega na niszczeniu dna i brzegów mor. przez falowanie i prądy morskie. W strefie brzegowej zbud. ze skał zwięzłych niszczące działanie przyboju fal może spowodować powstanie stromej skarpy zw. → klifem, a w strefie dna u jego podnóża — rozległej powierzchni, zw. platformą abrazyjną. Niszczące działanie dennych prądów mor. może doprowadzić do powstania tzw. twardego dna — obszaru dna mor. pozbawionego pokrywy mniej zwięzłych osadów. Działanie prądów zawiesinowych powoduje powstawanie kanionów podmor. w stokach kontynentalnych. Szkody materialne wywołane przez e. są olbrzymie; często wzrost e. następuje w wyniku degradacji środowiska naturalnego przez człowieka, np. przez wycinanie lasów, nadmierną eksploatację gleb, nieumiejętnie przeprowadzoną meliorację. Przeciwdziałanie e. jest b. ważnym zadaniem stojącym przed specjalistami z geologii inżynierskiej, budownictwa wodnego, rolnictwa. ■

erupcja [łac.], wybuch wulkanu, wydobywanie się na powierzchnię Ziemi produktów wulk.: lawy, materiałów piroklastycznych (bomb i popiołów wulk., lapilli) oraz gazów i par; e. c e n t r a l n e są związane z jednym punktem powierzchni Ziemi stanowiącym centrum wybuchu wulkanu; produktem ich może być lawa (e. wylewne, lawowe), materiały piroklastyczne (e. eksplozywne) lub lawa i materiały piroklastyczne (e. mieszane); e. tego typu towarzyszy powstawanie stożka wulk.; e. l i n e a r n e zachodzą wzdłuż szczelin, niekiedy znacznej długości; produktem ich jest gł. lawa, zazwyczaj wydobywająca się spokojnie, bez wybuchów; w wyniku e. linearnych, b. rozpowszechnionych w ubiegłych epokach geol., powstały rozległe pokrywy lawowe, np. na Dekanie, w Patagonii; e. p o d-m o r s k i e odbywają się na dnie mórz i ocea-

nów; stopniowe narastanie materiału wulk. prowadzi do tworzenia się wysp wulkanicznych. Zob. też wulkan, wulkanizm.

Erytrea, tigrinia **Ertra,** arab. **Eritria, Państwo Erytrei,** państwo w Afryce Wsch., nad M. Czerwonym; 117,6 tys. km^2; 3,9 mln mieszk. (2002), lud Tigre, Afarowie; chrześcijanie (obrządku koptyjskiego) i muzułmanie; stol.: Asmara; język urzędowy: tigrinia, arab.; republika. Położona na Wyż. Abisyńskiej (Soira, 2989 m) i w zapadlisku Afar (depresja jez. Asale, 116 m p.p.m.); wybrzeża nizinne; klimat zwrotnikowy kontynent., suchy; sawanny, półpustynie, pustynie. Jeden z najbiedniejszych krajów świata; klęski głodu (długotrwałe susze); uprawa bawełny, kawy, prosa, jęczmienia, orzeszków ziemnych; koczownicze pasterstwo bydła, kóz i wielbłądów; niewielki przemysł spoż., włók., skórz.; rybołówstwo; gł. port Massaua. ■

■ Erytrea. Krajobraz Wyżyny Abisyńskiej

Española [ñiọla], wyspa w Ameryce Środk., → Haiti.

Estonia, Eesti, Republika Estońska, państwo w Europie Wsch., nad M. Bałtyckim; 45,2 tys. km^2, 1,3 mln mieszk. (2002); stol. Tallin, inne gł. m.: Tartu, Narwa; Estończycy 64%, Rosjanie 29%, Polacy 0,2% i in.; większość wierzących to luteranie i prawosławni; język urzędowy est.; republika. W skład E. wchodzi ponad 1500 wysp (9,2% pow. kraju), największe Sarema i Hiuma; obszar nizinny, na pd.-wsch. morenowe wysoczyzny (wys. do 318 m); jez. Pejpus na granicy z Rosją; 45% pow. lasy, gł. iglaste. Reforma gosp. zapoczątkowana przed uzyskaniem niepodległości (1991); waluta korona est. od 1992; wydobycie węgla brun. (14,5 mln t — 1994), łupków bitumicznych, torfu, fosforytów; przemysł elektrotechn. i elektron., chem., drzewno-papierniczy, lekki, spoż. (rybny); hodowla bydła, trzody chlewnej;

uprawy: zboża (żyto, owies), rośliny pastewne, ziemniaki, maliny; transport mor. (w Maardu terminal naft.); linia kol. Tallin–Warszawa–Berlin; uzdrowiska: Kuressaare, Haapsalu, Parnawa. ■

estuarium [łac.], rozszerzone, lejkowate ujście rzeki do morza, powstałe wskutek erozyjnego działania pływów; wody przypływu wdzierając się w ujścia rzek, rozszerzają je, zaś prąd odpływowy wynosi przyniesione przez rzekę osady, uniemożliwiając powstanie → delty; typowe e. mają: Rz. Św. Wawrzyńca, Loara, Tamiza.

etezje [gr.], suche, gorące, czasem b. porywiste wiatry pn., pn.-zach. lub zach., wiejące w porze letniej (najczęściej w lipcu i sierpniu) nad wsch. częścią M. Śródziemnego, gł. nad M. Egejskim.

Etiopia, Ityop'ya, Federalna Demokratyczna Republika Etiopii, państwo w Afryce Wsch.; 1104,3 tys. km^2; 68 mln mieszk. (2002), gł. Amharowie, Tigre, Oromo, Somalijczycy; chrześcijanie (obrządku koptyjskiego), muzułmanie; stol.: Addis Abeba; język urzędowy: amharski (w użyciu ang.); republika federalna; składa się z 9 stanów i dystryktu stołecznego. W zach. i środk. części Wyż. Abisyńska (Ras Daszan, 4620 m), w pd.-wsch. — Wyż. Somalijska, rozdzielone Rowem Abisyńskim i zapadliskiem Afar (116 m p.p.m. w depresji jez. Asale); klimat podrównikowy suchy, na wyżynach wilgotny; wyraźne piętra klim.-roślinne (zwł. na Wyż. Abisyńskiej); gł. rz.: Nil Błękitny, Uebi Szebeli, Omo; tektoniczne jez.: Tana, Abbaja. Jeden z najbiedniejszych krajów świata; klęski głodu (długotrwałe susze); uprawa kukurydzy, jęczmienia, trzciny cukrowej, roślin strączkowych, sezamu, na eksport — kawy (większość zbiorów z naturalnych lasów kawowych); hodowla bydła, owiec; przemysł cukr., olejarski, bawełn., skórz.; rzemiosło; linia kol. ze stolicy do portu Dżibuti. ■

Etna, w średniowieczu zw. Mongibello, czynny wulkan we Włoszech, na Sycylii; najwyższy i największy w Europie; wys. 3323 m (wskutek wybuchów ulega zmianom); powstał w trzeciorzędzie; zbud. gł. z trachitów i bazaltów; z krateru na szczycie wydobywają się pary i gazy, w czasie erupcji — bomby wulk. i popiół; ponad 270 kraterów bocznych; na wsch. stoku rozpadlina (Valle del Bove) o stromych ścianach, głęb. do 1000 m. Dolne stoki gęsto zaludnione; pola uprawne, sady i winnice sięgają do 800–900 m; górna granica lasu na wys. 2200 m (lasy zrzucające liście: dębowe i kasztanowe oraz bukowe);

■ Etna

do 3000 m murawy wysokogórskie, powyżej zastygła lawa; w górnym piętrze przez większą część roku pokryta śniegiem (miejscami pola firnowe). Na wys. 2942 m obserwatorium wulkanologiczne; od 6190 p.n.e. zanotowano 203 wybuchy, najsilniejszy 1669 (zniszczona Katania). ■

Eubeja, Eubea, nowogr. **Ewwia,** wyspa gr. na M. Egejskim (region Grecja Środk.), oddzielona od lądu cieśn.: Eubejską i Ewripos; pow. 4,2 tys. km^2; górzysta (wys. do 1743 m), na wybrzeżach niewielkie niziny; uprawa pszenicy, winorośli, oliwek; hodowla owiec i kóz; wydobycie węgla brun., marmurów, magnezytów; przemysł spoż., włók., materiałów bud.; źródła mineralne.

eufotyczna strefa, górna warstwa → fotycznej strefy zbiorników wodnych, dobrze prześwietlana światłem niezbędnym dla zajścia fotosyntezy; skupia rośliny zielone (gł. planktonowe) i związane z planktonem organizmy zwierzęce.

Eufrat, tur. **Fırat Nehri,** arab. **Nahr al-Furāt,** rz. w Turcji, Syrii i Iraku; powstaje z połączenia rz. Karasu (Eufrat Zach.) i Murat (Eufrat Wsch.), wypływających na Wyż. Armeńskiej, w Turcji; dł. (wraz z Muratem) 2700 km, pow. dorzecza 673 tys. km^2; w górnym biegu płynie przez pd.-wsch. Turcję (tworzy przełom w górach Taurus), w środk. — przez wyżynny i półpustynny obszar Al-Dżazira, leżący w granicach Syrii i Iraku; w biegu dolnym płynie przez Niz. Mezopotamską, równolegle do rz. Tygrys, z którą łączy się koło miejscowości Al-Kurna, tworząc rz. → Szatt al-Arab; gł. dopływ — Charbur (l.); wysokie stany wód w okresie wiosennym (zasilana w wodę z topniejącej pokrywy śnieżnej w górach); od starożytności wykorzystywana do nawadniania; na Eufracie duże kompleksy hydroenerg., największe: Keban (moc elektrowni powyżej 1000 MW) w Turcji, Madinat as-Saura (ok. 1000 MW) w Syrii; w Iraku zbiorniki retencyjne: Al-Habbanija i Al-Hadisa (w budowie), zasilające gęstą sieć kanałów nawadniających. Spór o podział i wykorzystanie wód Eufratu między Turcją, Syrią i Irakiem. Doliny Eufratu i Tygrysu były kolebką kultur sumer. i babil.-asyr.; nad Eufratem rozwijały się słynne miasta, m.in. Ur, Babilon, Mari, Karkemisz.

Eurazja, największy kontynent na Ziemi; położony na półkuli pn. i wsch., niewielkie fragmenty na półkuli pd. — część wysp Archipelagu Malajskiego i zach. — Płw. Czukocki; pow. ok. 54,5 mln km^2 (prawie 37% wszystkich lądów), ok. 4,3 mld mieszk.; składa się z 2 części świata: → Azji, stanowiącej ponad 4/5 powierzchni E. i → Europy w części pn.-zach., uważanej niekiedy za samodzielny kontynent, a w istocie będącej wielkim półwyspem w obrębie E; nazwę E. wprowadził w XIX w. austr. geolog E. Suess, uzasadniając to brakiem wyraźnej granicy strukturalnej między Europą i Azją.

Europa, część świata położona w całości na półkuli pn., na pograniczu półkuli zach. i wschodniej. Nazwa „Europa" w języku gr. oznaczała ciemną wodę (*euros*), używał jej Homer na określenie obszarów pn. Grecji. Inna etymologia słowa „Europa" wiąże je z mitologią gr. (mit o Europie, córce króla Tyru, Agenora). Herodot

■ Etiopia

stosował nazwę „Europa" na określenie lądu leżącego na pn. od Grecji, w odróżnieniu od Azji i Libii (Afryki). Wraz z rozwojem wiedzy o świecie znaczenie nazwy „Europa" rozszerzało się, obejmując stopniowo dzisiejsze jej terytorium.

E. wraz z leżącą na wsch. Azją tworzą największy kontynent na kuli ziemskiej — Eurazję; długość granicy lądowej pomiędzy E. a Azją przekracza 3000 km. E. stanowi zach. część kontynentu Eurazji; można ją uważać za wielki półwysep, zajmujący ok. 1/5 pow. kontynentu. Podział Eurazji na 2 odrębne części świata wynika nie tylko z wielowiekowej tradycji, ale też z określonych właściwości środowiska przyrodniczego. Podstawowymi cechami przyr. decydującymi o odrębności E. w stosunku do Azji są: znaczne rozczłonkowanie lądu — występowanie licznych półwyspów i wysp, a także zatok i mórz wewn.; silnie urozmaicona linia brzegowa, zróżnicowane typy rzeźby na stosunkowo niewiel-

kim obszarze, przeważający na większości obszaru klimat umiarkowany, wreszcie daleko sięgający w głąb lądu — wobec braku południkowych pasm górskich — ocieplający i uwilgacający wpływ O. Atlantyckiego. Północna część E. jest oblewana wodami O. Arktycznego (morza: Barentsa, Norweskie); od części centr. oddziela ją śródlądowe M. Bałtyckie. Część pn.-zach. i zach. otacza otwarty O. Atlantycki z pobocznym M. Północnym; zaliczaną do E. Islandię od północnoamer. Grenlandii oddziela Cieśn. Duńska o szer. tylko ok. 300 km. Na pd. E. od Afryki oddziela głębokie, śródlądowe M. Śródziemne połączone z O. Atlantyckim przez wąską Cieśn. Gibraltarską (minim. szer. ok. 14 km). Granica oddzielająca pd.-wschodnią E. od Azji biegnie morzami: Egejskim, Marmara, Czarnym i Azowskim, oraz przez łączące je wąskie cieśniny: Dardanele, Bosfor (minim. szer. ok. 750 m) i Kerczeńską. Wschodnia granica E. jest granicą

lądową i ma charakter umowny. Łączy ona M. Czarne na pd. z O. Arktycznym na północy. Przebieg tej granicy, wraz z rozwojem wiedzy geogr., w przeszłości zmieniał się, przesuwając się stopniowo ku wsch., od rz. Don po góry Ural. Obecnie prowadzi się ją najczęściej od M. Azowskiego po Zat. Bajdaracką na M. Karskim (O. Arktyczny). Granicę wyznacza się najczęściej (od pn.) od Zat. Bajdarackiej rz. Bajdaratą, następnie wsch. podnóżem Uralu do obszaru źródłowego rz. Ural, górnym biegiem Uralu na pd., do miejsca, gdzie rzeka skręca ostro ku zach.; stąd dalej na pd., do źródeł rz. Emby w Mugodżarach, następnie wzdłuż Emby, ku pd.-zach., do jej ujścia do M. Kaspijskiego; później pn. brzegiem morza ku zach., do ujścia rz. Kumy; stąd dolnym biegiem Kumy, Obniżeniem Kumsko-Manyckim, wzdłuż rz. Manycz Zach. do Donu i ujściowym odcinkiem Donu do M. Azowskiego. Niektórzy geografowie prowadzą wsch. granicę E. w inny

sposób, np. grzbietem gór Ural, a nie ich podnóżem, lub, zamiast Embą, środk. i dolnym biegiem rz. Ural. Największe rozbieżności w określaniu przebiegu granicy dotyczą odcinka pomiędzy M. Czarnym a M. Kaspijskim. Niektórzy geografowie sowieccy utożsamiali fizycznogeogr. granicę E. z pd. granicą ZSRR, prowadząc ją grzbietem Małego Kaukazu i rz. Araks; wg innej koncepcji geografii sowieckiej (a także współczesnej ros.) linię graniczną wyznacza tektoniczne obniżenie pomiędzy Wielkim Kaukazem a Małym Kaukazem, wykorzystywane przez rzeki Kurę i Rioni. Obie te koncepcje, choć uznawane przez niektóre źródła ang. i amer. (gł. alpinistyczne), są trudne do przyjęcia. Wysoko wzniesione, silnie zlodowacone pasmo Wielkiego Kaukazu jest zdecydowanie bardziej zbliżone charakterem środowiska przyr. do górsko-wyżynnej Azji Pd.-Zach., niż do nizinnej, platformowej E. Wschodniej. Niektórzy autorzy prowadzą też granicę gł.

PODZIAŁ POLITYCZNY EUROPY				
Państwo lub terytorium	Powierzchnia w tys. km²	Ludność w tys. (2000)	Stolica lub ośrodek administracyjny	Ustrój lub status polityczny
Państwa niepodległe[a]				
Albania	28,7	3 113	Tirana	republika
Andora	0,5	78	Andora	monarchia konstytucyjna
Austria	83,9	82 11	Wiedeń	republika związkowa
Belgia	30,5	10 161	Bruksela	monarchia konstytucyjna
Białoruś	207,6	10 159	Mińsk	republika
Bośnia i Hercegowina	51,1	3 972	Sarajewo	republika
Bułgaria	110,9	8 170	Sofia	republika
Chorwacja	56,6	4 650	Zagrzeb	republika
Czechy	78,9	10 273	Praga	republika
Dania	43,1	5 340	Kopenhaga	monarchia konstytucyjna
Estonia	45,2	1 396	Tallin	republika
Finlandia	338,1	5 176	Helsinki	republika
Francja	551,5	58 890	Paryż	republika
Grecja	132,0	10 626	Ateny	republika
Hiszpania	504,8	39 470	Madryt	monarchia konstytucyjna
Holandia	41,5	15 860	Amsterdam[b]	monarchia konstytucyjna
Irlandia	70,3	3 790	Dublin	republika
Islandia	103,0	281	Rejkiawik	republika
Jugosławia	102,3	10 640	Belgrad	republika związkowa
Liechtenstein	0,2	33	Vaduz	monarchia konstytucyjna
Litwa	65,2	3 670	Wilno	republika
Luksemburg	2,6	431	Luksemburg	monarchia konstytucyjna
Łotwa	64,6	2 432	Ryga	republika
Macedonia	25,7	2 024	Skopie	republika
Malta	0,3	386	Valletta	republika
Mołdawia	33,7	4 380	Kiszyniów	republika
Monako	0,002	34	Monako	monarchia konstytucyjna
Niemcy	357,0	82 020	Berlin	republika związkowa
Norwegia	323,9	4 490	Oslo	monarchia konstytucyjna
Polska	312,7	38 646	Warszawa	republika
Portugalia	92,0	10 010	Lizbona	republika
Rosja[c]	17 075,4	147 196	Moskwa	republika związkowa
Rumunia	237,5	22 435	Bukareszt	republika
San Marino	0,061	26	San Marino	republika
Słowacja	49,0	5 401	Bratysława	republika
Słowenia	20,3	1 990	Lublana	republika
Szwajcaria	41,3	7 170	Berno	republika związkowa
Szwecja	450,0	8 870	Sztokholm	monarchia konstytucyjna
Ukraina	603,7	50 658	Kijów	republika
Watykan	0,0004	0,8	—	państwo kościelne
Węgry	93,0	10 024	Budapeszt	republika
Wielka Brytania	244,1	58 830	Londyn	monarchia konstytucyjna
Włochy	301,3	57 293	Rzym	republika
Terytoria autonomiczne i zależne				
Alandzkie, Wyspy	1,5	25	Maarianhamina	autonomiczna prowincja Finlandii
Gibraltar	0,01	25	Gibraltar	terytorium zamorskie Wielkiej Brytanii
Man	0,6	79	Douglas	depedencja Korony Brytyjskiej
Normandzkie, Wyspy	0,2	153	St. Helier, Saint Peter Port	depedencje Korony Brytyjskiej (dwa okręgi)
Owcze Wyspy	1,4	43	Thorshavn	terytorium autonomiczne Danii
Svalbard i Jan Mayen	62,4	3	Longyearbyen	autonomiczne terytoria Norwegii

[a] Bez eur. części Turcji i Kazachstanu; [b] siedzibą rządu jest Haga; [c] wraz z azjat. częścią.

grzbietem Kaukazu. Powoduje to (podobnie jak w wypadku Uralu) podział zwartego łańcucha górskiego na 2 odrębne regiony; w konsekwencji pn. stoki Kaukazu należałyby do E., a pd. do Azji. Takie rozwiązanie jest generalnie sprzeczne z przyjętymi najczęściej zasadami prowadzenia granic regionów fizycznogeogr., a konsekwencją tego jest uznanie Kaukazu za najwyższe góry E., co burzy powszechnie przyjęty, nie tylko w geografii, ale i w świadomości społ., obraz ukształtowania pionowego E. Stąd najbardziej log. rozwiązaniem jest poprowadzenie granicy na pn. od Kaukazu; najwięcej zwolenników ma wariant granicy biegnącej tektonicznym Obniżeniem Kumsko-Manyckim, które nawiązuje do prawdopodobnej, byłej cieśniny mor., łączącej w przeszłości morza: Kaspijskie i Czarne. Skrajne punkty lądowej części E. to: na pn. — przyl. Nordkyn (71°08′N), położony na niewielkim półwyspie o tej samej nazwie, stanowiącym część Płw. Skandynawskiego (wymieniany często jako najdalej wysunięty na pn. w E. Przylądek Pn., 71°10′N leży nie na stałym lądzie, lecz na przybrzeżnej wyspie Magerøya, gdzie zresztą ustępuje pola mniej znanemu przyl. Knivskjellodden, 71°11′N), na zach. — przyl. Roca (9°30′W) na Płw. Iberyjskim, na pd. — przyl. Marroquí (35°58′N) na Płw. Iberyjskim, na wsch. — ujście Bajdaraty do M. Karskiego (68°14′E). Maksymalna rozciągłość południkowa E., liczona od pd. wybrzeża Płw. Bałkańskiego (ściślej Peloponezu) po pn. wybrzeże Płw. Skandynawskiego, wynosi ok. 3,8 tys. km, a największa rozciągłość równoleżnikowa E., pomiędzy atlantyckim wybrzeżem Płw. Iberyjskiego a wsch. podnóżem środk. Uralu — ok. 5,5 tys. km. Geometryczny środek E., w zależności od sposobu jego obliczenia, jest lokalizowany w różnych miejscach: od pn. Niemiec przez Polskę, Czechy, Słowację, Białoruś, Litwę po pd. Łotwę. E. zajmuje pow. ok. 10,5 mln km², co stanowi 7,1% obszarów lądowych kuli ziemskiej. E. zamieszkuje ok. 720 mln osób. W granicach E. znajdują się w całości 42 państwa oraz 25% terytorium Rosji, a także niewielkie części Turcji (ok. 23 tys. km²) i Kazachstanu (ok. 123 tys. km²).

Warunki naturalne

Ukształtowanie poziome. E. łącznie z Azją leży na największym cokole kontynent. na kuli ziemskiej, który, prócz stałego lądu, obejmuje wiele wysp położonych na szelfie, w tym W. Brytanię, Irlandię, Sycylię i Nową Ziemię. Część zaliczanych do E. wysp i archipelagów jest oddzielona od lądu głębszymi morzami lub cieśninami (m.in.: Sardynia, Korsyka, Kreta, Svalbard, Ziemia Franciszka Józefa). Do E. należą też wyspy położone w znacznej odległości od cokołu kontynent., na śródoceanicznym Grzbiecie Północnoatlantyckim (Islandia, Azory). E. stanowi najbardziej rozczłonkowaną część świata, o trzonie lądowym obejmującym mniej niż 2/3 jej obszaru (65,7%). Średnia odległość od morza wynosi w E. 340 km (na świecie 572 km); maks. — nieznacznie ponad 1500 km (na świecie — 2360 km). Generalnie, E. ma kształt zbliżony do trójkąta, zwężającego się stopniowo ze wsch. na pd.--zach., pomiędzy M. Śródziemnym a O. Atlantyckim. Liczne półwyspy zajmują łącznie ponad

■ Europa. Przylądek Roca (Portugalia)

25% powierzchni E.; największymi są: Skandynawski (ok. 800 tys. km²), Iberyjski (580 tys. km²), Bałkański (500 tys. km²), a także Apeniński, Kolski, Jutlandzki, Krymski, Bretoński. Należące do E. wyspy zajmują ponad 7% pow.; największymi są: W. Brytania (ok. 230 tys. km²), Islandia (103 tys. km²), Irlandia (84 tys. km²) oraz W. Północna Nowej Ziemi, Spitsbergen, W. Południowa Nowej Ziemi, Sycylia, Sardynia, Korsyka, Kreta, Zelandia. Łączna dł. linii brzegowej E. (bez wysp) wynosi ok. 38 tys. km. Współczynnik rozwinięcia linii brzegowej — 3,5. Wielkie urozmaicenie linii brzegowej i złożony rozwój środowiska w czwartorzędzie (przede wszystkim występowanie zlodowacenia plejstoceńskiego i związanych z nim zmian poziomu morza) spowodowały powstanie w E. różnorodnych rodzajów wybrzeży. Wybrzeża pochodzenia lodowcowego występują gł. w pn. części E. Wybrzeża fiordowe, powstałe na skutek częściowego zatopienia obszarów górskich o rzeźbie polodowcowej, występują w zach. i pn. części Płw. Skandynawskiego, w pn. części W. Brytyjskich, na Islandii, Svalbardzie i Nowej Ziemi. Zatopienie obszarów wyżynnych z płytkimi dolinami polodowcowymi powoduje powstanie wybrzeży fierdowych, które występują m.in. nad Zat. Botnicką. Wybrzeża skjerowe z ogromną liczbą małych wysepek (zatopione garby mutonowe) są typowe dla wsch. Skandynawii. Wybrzeża föhrdowe, powstałe po częściowym zatopieniu obszarów akumulacji lodowcowej z pradolinami i rynnami subglacjalnymi, występują m.in. na Płw. Jutlandzkim i wyspach duńskich. Z czasem, w efekcie stopniowego cofania klifów

■ Europa. Wybrzeże atlantyckie w Algarve (Portugalia)

zbud. z mało odpornych utworów morenowych i równoczesnego zamykania zatok przez mierzeje, wybrzeża föhrdowe przekształcają się w wybrzeża mierzejowo-zalewowe, typowe dla pd. i wsch. wybrzeży Bałtyku (m.in. w Polsce). Miejscami zatoki są też wypełniane przez szybko narastające delty wewnętrzne. Wybrzeża mierzejowo-zalewowe występują też na obszarach nizinnych, zbud. z materiału skalnego innego pochodzenia, np. we wsch. części Krymu. Nieco podobny charakter mają wybrzeża limanowe (jarowo-mierzejowe), powstające na skutek wkraczania morza w obszary o budowie płytowej; mierzeje odcinają tu zalane wodą wyloty dolin rzecznych. Wybrzeża limanowe występują m.in. na pn.-zach. wybrzeżach M. Czarnego. Prądy przybrzeżne transportujące materiał wzdłuż wybrzeża są też przyczyną powstawania wybrzeży przyrostkowych (tombolowych); mierzeje łączą tu ląd z przybrzeżnymi wyspami; wybrzeża tombolowe występują m.in. na zach. wybrzeżu Płw. Apenińskiego. Na obszarach nizinnych o dużej amplitudzie pływów mor. powstają wybrzeża wattowe (lidowo-lagunowe), z wysokimi wałami lidowymi, odcinającymi od morza zatoki mor. (laguny). Wybrzeża wattowe są powszechne nad M. Północnym, Zat. Biskajską, na zach. wybrzeżach Płw. Iberyjskiego. Dla wybrzeży wattowych charakterystyczne jest występowanie lejkowatych ujść rzecznych. Podobne wybrzeża występują również w obszarach nizinnych o małych amplitudach pływów, położonych w pobliżu szybko rozwijających się delt rzecznych; duża dostawa materiału sprzyja rozwojowi wałów lidowych, odcinających części, sąsiadujących z deltą, płytkich zatok mor.; wybrzeża takie występują m.in. w pn. części M. Adriatyckiego (w pobliżu delty Padu), w Zat. Lwiej (w sąsiedztwie delty Rodanu), w zach. części M. Czarnego (w pobliżu delty Dunaju). Miejscami na obszarach nizinnych (np. na pd.-wsch. brzegu Zatoki Biskajskiej) występują też wybrzeża wyrównane o prawie prostolinijnym przebiegu. Wybrzeża riasowe, gdzie morze wkroczyło na obszary o rzeźbie średnio- i niskogórskiej, zalewając doliny i obniżenia tektoniczne (powstały głębokie zatoki, oddzielone od siebie górzystymi półwyspami), występują m.in. na W. Brytyjskich, na zach. Płw. Bretońskiego, w pn.-zach. części Płw. Iberyjskiego, na Korsyce, na wsch. Sardynii i Peloponezie. W obszarach występowania równoległych do brzegu mor. pasm górskich powstały wybrzeża dalmatyńskie, z licznymi podłużnymi wyspami. Klasyczny przykład tego typu wybrzeża występuje nad wsch. Adriatykiem. Na niektórych archipelagach (m.in. W. Liparyjskie, Azory, W. Owcze) i pojedynczych wyspach (Jan Mayen) występują wybrzeża wulkaniczne z zatokami utworzonymi w zalanych przez wodę kraterach wulkanicznych. Wybrzeża górskie mają też na wielu odcinkach przebieg zbliżony do prostolinijnego lub lekko falistego z płytko wciętymi szerokimi zatokami. Tego rodzaju wybrzeża występują w bezpośrednim pobliżu wysokich, alp. pasm górskich (np. w pd. części Płw. Iberyjskiego w sąsiedztwie G. Betyckich, nad M. Liguryjskim, w pobliżu Alp i Apeninów). Wybrzeża E. ulegają współcześnie ciągłym zmianom o charakterze naturalnym lub antropogenicznym. Wybrzeża E. Północnej podlegają procesowi wynurzania (z prędkością 2–8 mm/rok); wiąże się to z izostatycznym podnoszeniem lądu po ustąpieniu lądolodu plejstoceńskiego, z kolei pd. wybrzeża mórz Bałtyckiego i Północnego mają tendencję do stopniowego obniżania się. Wysokie, klifowe brzegi mor. są niszczone przez abrazyjną działalność fal mor., natomiast brzegi niskie są zwykle nadbudowywane. Generalnie, działalność procesów naturalnych zmierza do stopniowego wyrównywania przebiegu linii brzegowej; wysunięte w morze przylądki są niszczone, a zatoki zasypywane osadami lub zamieniane w przybrzeżne jeziora. W wielu miejscach E. przebieg wybrzeży i ich charakter został zmieniony przez gosp. działalność człowieka. Dzieje się tak przede wszystkim w pobliżu portów mor. i ujść wielkich rzek, których bieg został uregulowany. Najdłuższe odcinki wybrzeży antropogenicznych występują na pd. brzegach M. Północnego (gł. w Holandii).

Ukształtowanie pionowe. E. jest najniżej położoną spośród wszystkich części świata; jej średnia wys. wynosi 292 m, przy średniej dla wszystkich lądów — 880 m. Blisko 74% obszaru E. to obszary nizinne, położone poniżej 300 m. Pozostałą część zajmują wyżyny i góry, jednak o stosunkowo niewielkich wysokościach bezwzględnych. W charakterystycznym dla eur. wyżyn przedziale wys. 300–1000 m leży prawie 21% obszaru E., tereny typowo górskie (powyżej 1000 m) zajmują tylko niecałe 6%. Najwyższym punktem E. jest wierzchołek Mont Blanc w Alpach Zach. (4807 m). Najniższym punktem (27 m p.p.m., 1995) jest wybrzeże M. Kaspijskiego. Obszary depresyjne zajmują łącznie ok.1,5% powierzchni E.; oprócz największej — nadkaspijskiej, duże depresje występują w pobliżu brzegów mórz: Północnego (Schieland) i Bałtyckiego (Żuławy). Mimo niskiego położenia E. cechuje się znacznym urozmaiceniem ukształtowania pionowego. Wschodnią część E. zajmuje rozległy region fizycznogeogr., zw. Niz. Wschodnioeuropejską lub Niżem Wschodnioeuropejskim. Oprócz typowych nizin (Dwińsko-Peczorskiej, Naddnieprzańskiej, Ocko-Dońskiej, Czarnomorskiej, Nadkaspijskiej, Polesia i in.) występują tu stosunkowo nisko położone (do 300–400 m) obszary wyżynne (Wysoczyzny Podlasko-Białoruskie, wyż.: Środkoworosyjska, Nadwołżańska, Bugulmińsko-Belebejewska, Wołyńsko-Podolska i in.). Nizina Wschodnioeuropejska jest zamknięta od wsch. długim, niewysokim łańcuchem górskim Uralu (Narodna, 1895 m), a na pd. łączy się wąskim przesmykiem z Płw. Krymskim, w którego pd. części rozciągają się G. Krymskie. Ukształtowanie pionowe E. Północnej jest znacznie bardziej urozmaicone. Półwysep Skandynawski w dużej części zajmują G. Skandynawskie (Galdhøpiggen, 2469 m), które na wsch. przechodzą w Wyż. Lapońską. Wyżynny charakter ma również Płw. Kolski. Półwysep Skandynawski łączy z Niz. Wschodnioeuropejską przeważnie nizinne, lecz poprzecinane wałami moren czołowych, Międzymorze Fińsko-Karelskie. Wyspy E. Północnej mają w większości charakter górski lub górsko-wyżynny.

Pasowość ukształtowania powierzchni cechuje lądową część zachodniej E. Pas nizinny ciągnie się wzdłuż pd. wybrzeży mórz: Bałtyckiego i Północnego, stopniowo zwężając się ze wsch. ku zach.; na pd. obrzeżach Bałtyku jest urozmaicony rozległymi, wysokimi wałami moren czołowych o maks. wys. ponad 300 m (Wieżyca na Pojezierzu Kaszubskim — 329 m) i znacznych deniwelacjach. Niziny przechodzą na pd. w pas wyżyn oraz średnich i niskich gór; jego gł. częściami są, od wsch.: Wyż. Małopolska, Masyw Czeski, Średniogórze Niemieckie, Masyw Centralny. Zachodnia część tego pasa (Masyw Armorykański i baseny: Paryski, Loary, Akwitański) mimo genetycznego związku z pasem wyżynnym ma charakter w większości nizinny. Na pd. od pasa wyżyn znajduje się pas górski z najwyższym w E. łańcuchem Alp (Mont Blanc, 4807 m) i z położonym na wschód od nich dłuższym, ale niższym łańcuchem Karpat (Gierlach, 2655 m). Towarzyszące obu pasmom obniżenia podgórskie mają charakter wyżynny lub nizinny; największe z nich leżą po pd. stronie pasa górskiego: Niz. Padańska, Niz. Środkowodunajska i Niz. Wołoska. Należące do E. Zachodniej W. Brytyjskie cechują się mozaikowym układem obszarów nizinnych, wyżynnych i stosunkowo niskich gór z kulminacją Ben Nevis (1343 m) w Grampianach. W E. Południowej przeważają obszary wyżynne i górskie; wąskie pasy nizinne występują tylko w pobliżu wybrzeży. Wnętrze Płw. Iberyjskiego zajmują wyżynne kotliny: Aragońska, Starej Kastylii i Nowej Kastylii, oddzielone od siebie G. Kastylijskimi i G. Iberyjskimi. Obrzeża półwyspu zajmują G. Kantabryjskie — na pn., Pireneje — na pn.-wsch. i najwyższe z nich, G. Betyckie (Mulhacén, 3478 m) — na południu. Prawie cały obszar Płw. Apenińskiego zajmuje łańcuch górski Apeninów (Corno Grande, 2912 m). Górzysty charakter mają też wyspy Korsyka, Sardynia i Sycylia. Zachodnią część Płw. Bałkańskiego zajmują G. Dynarskie, przechodzące na pd. w góry Albanii i Pindos, a część pn.-wsch. — Bałkany (Stara Płanina). Centralna i pd.-wsch. część półwyspu cechuje się mozaiką występowania pasm i masywów górskich (kulminacja półwyspu — Musała, 2925 m, w Rile) oraz obszarów wyżynnych.

Pochodzenie i rozwój rzeźby. Współczesna rzeźba E. ukształtowała się w wyniku długotrwałego procesu, którego zaczątkiem było utworzenie jeszcze w erze prekambryjskiej Archeoeuropy, obejmującej struktury geol. platformy wschodnioeur. i tarczy bałtyckiej. Do sformowanej wtedy masy kontynent., zajmującej obszary obecnej E. Wschodniej i częściowo E. Północnej, przyrastały stopniowo w późniejszych okresach geol. kolejne części. W okresie orogenezy kaledońskiej powstały G. Skandynawskie, pn. część W. Brytanii (m.in. Góry Kaledońskie i Grampiany) i Irlandii. W czasie ruchów hercyńskich utworzyły się m.in. góry Ural, Nowa Ziemia, Wyż. Doniecka i Dobrudża, Wyż. Małopolska, Masyw Czeski, Średniogórze Niemieckie, Masyw Centr., masywy i baseny zach. i pn. Francji, pd. część W. Brytanii i Irlandii, góry i wyżyny w środk. i pn.-zach. części Płw. Iberyjskiego. Podstawowe zręby rzeźby E. powstały jednak w

■ Europa. Alpy Zillertalskie, dolina Zillergrund (Austria)

okresie orogenezy alpejskiej. Utworzyły się wtedy najwyższe łańcuchy górskie: Alpy, G. Betyckie, Pireneje, Apeniny, Karpaty, G. Dynarskie, Pindos, pasma górskie Peloponezu i Bałkany, a także G. Krymskie i góry na wyspach śródziemnomorskich. Jednocześnie starsze (kaledońskie i hercyńskie), silnie już zdegradowane obszary górskie zostały potrzaskane i miejscami blokowo wypiętrzone; w efekcie nabrały one w części charakteru gór zrębowych o rzeźbie średniogórskiej, w części — obszarów wyżynnych. W sąsiedztwie młodych łańcuchów górskich powstały tektoniczne zapadliska, m.in.: Kotlina Andaluzyjska na pn. przedpolu G. Betyckich, Rów Rodanu na zachód od Alp, M. Adriatyckie i Niz. Padańska pomiędzy Apeninami, Alpami i G. Dynarskimi, Niz. Środkowodunajska wewnątrz łuku Karpat i Podkarpacie na ich pn. i wsch. przedpolu. Zapadliska te są stopniowo wypełniane osadami, pochodzącymi z intensywnej degradacji sąsiadujących pasm górskich; w efekcie powstały tam rozległe aluwialne niziny. Degradacja pasm górskich w obszarach zbud. ze skał węglanowych spowodowała powstanie rzeźby krasowej, która w najbardziej klas. formie występuje w G. Dynarskich. W 2. fazie orogenezy istotny wpływ na morfologię obszarów górskich E. wywarły zjawiska wulkaniczne. Dobrze zachowane formy wulk. występują m.in. w Masywie Centr. (wulkany Owernii), Masywie Czeskim, na Średniogórzu Niemieckim, w pd.-zach. części W. Brytyjskich, w różnych częściach Karpat, Alp i Apeninów, w Rodopach i na Sardynii. Współczesny wulkanizm ogranicza się do peryferyjnych części E.; jedynym czynnym wulkanem na lądzie eur. jest Wezuwiusz na Płw.

■ Europa. Pireneje w okolicy cyrku Gavarnie, widoczna struktura fałdowa skał

Apenińskim; natomiast czynne są wulkany na wyspach śródziemnomor. (Etna na Sycylii, Stromboli i Vulcano na W. Liparyjskich); w czasach hist. notowano wybuchy m.in. wulkanu Santoryn na Thirze (Cyklady). Czynne wulkany występują też na wyspach O. Atlantyckiego, gł. na Islandii (Hekla, Laki i in.), wyspie Jan Mayen i Azorach.

Bardzo ważnym czynnikiem kształtującym rzeźbę E. było zlodowacenie plejstoceńskie. Objęło ono kilkakrotnie wielkie obszary E. (maks. 3,5 mln km^2). Główne ośrodki zlodowaceń znajdowały się w pn. części Płw. Skandynawskiego i w pn. części Uralu, drugorzędne — na W. Brytyjskich. Lądolód, z połączonych ze sobą czasz lodowych, obejmował, w okresie maks. zasięgu, prawie całe W. Brytyjskie, większość M. Północnego, Płw. Skandynawski, obecne M. Bałtyckie, znaczną część lądowej E. Zachodniej (oparł się o Średniogórze Niemieckie, Masyw Czeski i Karpaty) oraz większość E. Wschodniej (dotarł do krawędzi wyżyn: Środkoworosyjskiej i Nadwołżańskiej, wkraczając głębokimi lobami w Niz. Naddnieprzańską i Ocko-Dońską); na wsch. objął pn. i środk. część Uralu. Ostatnie zlodowacenie (zakończone ok. 10 tys. lat temu) miało mniejszy zasięg i sięgnęło po Płw. Jutlandzki, objęło obecne Pojezierza Bałtyckie oraz pn.-wsch. część Niz. Wschodnioeuropejskiej; odrębne czasze lodowe występowały na pn. Uralu, Islandii, w pn. Szkocji i pn. Irlandii. W okresach glacjalnych lokalnemu zlodowaceniu ulegały również wyższe pasma górskie, położone poza zasięgiem lądolodu. Największe rozmiary miało ono w Alpach; liczne lodowce dolinne wypływały poza obręb gór, tworząc lodowce piedmontowe. W zagłębieniach końcowych, otoczonych wałami morenowymi, powstały jeziora podgórskie. Mniejsze lodowce górskie powstały w wyższych masywach G. Betyckich, G. Kantabryjskich, G. Kastylijskich, G. Iberyjskich, Pirenejów, Apeninów, Masywu Centr., Średniogórza Niemieckiego, Masywu Czeskiego (m.in. w Sudetach), Karpat, a także w wielu pasmach i masywach górskich Płw. Bałkańskiego (G. Dynarskie, góry Albanii, Pindos, Olimp, Riła, Pirin, Szar Płanina, Tajget) oraz na Korsyce. Zlodowacenia plejstoceńskie pozostawiły przede wszystkim osady lodowcowe o zróżnicowanej miąższości; natomiast formy polodowcowe występują gł. na obszarze objętym ostatnim zlodowaceniem, tworząc tzw. młodo-

glacjalny typ rzeźby. Należą do nich (na obszarach nizinnych): wały morenowe, kemy, ozy, drumliny, misy jeziorne (z jeziorami powstałymi na skutek wytopienia brył martwego lodu), rynny glacifluwialne. Na bezpośrednim przedpolu lądolodu tworzyły się sandry i pradoliny, a panujący tam wówczas zimny klimat peryglacjalny spowodował ostateczne przekształcenie rzeźby; staroglacjalne wysoczyzny lodowcowe uległy degradacji, a dawne, głębokie doliny, kotliny i niecki jeziorne zostały zasypane materiałem denudacyjnym; pierwotnie urozmaicony krajobraz obszarów nizinnych przyjął postać płaskiej lub falistej równiny degradacyjno-akumulacyjnej. W zlodowaconych obszarach górskich przeważają formy erozyjne: wygłady lodowcowe, rysy lodowcowe, misy i rynny jeziorne, mutony oraz formy przeobrażone: kary lodowcowe, żłoby (doliny U-kształtne), doliny zawieszone, nunataki i karlingi. Zespół takich form tworzy typ rzeźby określany jako alpejski lub wysokogórski. W okresie polodowcowym rzeźba E. ulegała nieznacznym, w stosunku do okresu plejstoceńskiego, zmianom. Najważniejsza z nich rozpoczęła się na przełomie plejstocenu i holocenu; było nią stopniowe powstawanie, na przedpolu cofającego się lądolodu, M. Bałtyckiego, które oddzieliło Płw. Skandynawski od pozostałej części lądowego trzonu E. Stosunkowo intensywne zmiany rzeźby zachodzą lokalnie w obszarach współcz. wulkanizmu. W ciągu ostatnich kilku tys. lat ważnym czynnikiem kształtującym współcz. rzeźbę E. stała się działalność człowieka.

Kras i jaskinie. Istotną rolę w kształtowaniu rzeźby E. odgrywają procesy krasowe. Skały krasowiejące (gł. węglanowe) zajmują łącznie ok. 15% powierzchni E. Najważniejsze regiony krasu znajdują się w G. Kantabryjskich, Pirenejach, Masywie Centr., Jurze, Alpach, Apeninach, Karpatach i na Płw. Bałkańskim. Obszary krasu gipsowego występują m.in. na Wyż. Podolskiej, Uralu i w Niecce Nidziańskiej, a niewielkie obszary krasu solnego — m.in. w Rumunii. Miejscami głębokość wietrzenia sięga 3 km p.p.m. (G. Dynarskie). W E. występują wszelkie formy rzeźby krasowej różnych typów, miejscami silnie rozwinięte w najbardziej klas. postaci, m.in. charakterystyczne rozległe płaskowyże krasowe, czasem porozcinane wielkimi kanionami krasowymi o głęb. do kilkuset m (np. G. Dynarskie, wyż. Causses we Francji), rozległe lapiazy (największe i najlepiej wykształcone m.in. w Alpach Berneńskich, Pirenejach oraz masywach: Vercors, Durmitor, Orjen, Dachstein), wzgórza krasowe, wielkie polja, charakterystyczne dla Krasu Dynarskiego, największe — Ličko polje (464 km^2), oraz ogromne leje, największy — Czerwone Jezioro w G. Dynarskich (głęb. ok. 520 m, do połowy wypełniony wodą); ślepe doliny, jary krasowe; miejscami nagromadzenie powierzchniowych form krasowych jest bardzo duże (np. nawet do 2000 lejków krasowych na 1 km^2); sporadycznie występują jeziora krasowe (np. na Płw. Bałkańskim, na Polesiu); tysiące wywierzysk, największe o wydajności do 300 m^3/s (jedne z największych w świecie); przy wybrzeżu M. Śródziemnego liczne bardzo wydajne wywie-

■ Europa. Przełom rzeki Ardèche przez krasowy płaskowyż w Masywie Centralnym (Francja)

rzyska podmor.; wielkie podziemne przepływy wody (okresami do 300 m³/s), najdłuższy — Fontaine de Vaucluse (46 km) w Prowansji. W E. znajduje się ponad 180 tys. jaskiń, o łącznej dł. przeszło 25 tys. km; szczególnie liczne są w Alpach (w regionie Innerbergli w Szwajcarii 1290 jaskiń na km²), górach Jura, G. Dynarskich, Karpatach; 80 jaskiń przekracza dł. 20 km, najdłuższe: Jaskinia Optymistyczna, Hölloch, Siebenhengste-Hohgant-Höhlensystem, Jaskinia Jeziorna; 46 jaskiń przekracza głęb. 1000 m (gł. w Alpach, Pirenejach, G. Kantabryjskich), w tym najgłębsze świata: Lamprechtsofen, Mirolda, Jean Bernard; najgłębsze w świecie jaskiniowe studnie (Vrtglavica Vertigo); ogromne komory jaskiniowe, m.in. w Torca del Carlista; kilkaset jaskiń lodowych, w tym największe i najbardziej znane na świecie: Jaskinia Lodowa Dobszyńska, Eisriesenwelt; występują również jaskinie podlodowcowe, m.in. na Islandii (najgłębsza na świecie Kverkfjöll); w regionie śródziemnomor. znajduje się kilka tys. jaskiń nadmorskich. Ponad 90% jaskiń E. powstało w skałach węglanowych (gł. wapieniach i dolomitach), pozostałe są efektem krasu gipsowego; nieliczne występują w piaskowcach, granitach, a także w martwicach wapiennych (Höllgrotten) i w skałach wylewnych (gł. na Islandii).

Budowa i historia geologiczna. E. jest położona w zach. części eurazjat. płyty litosfery; na obszarze E. rozróżnia się 6 gł. jednostek tektonicznych o różnym rozwoju i budowie; należą do nich: 1) prekambryjska platforma wschodnioeur. (dawniej zw. Fennosarmacją); 2) kaledonidy pn. i pn.-zachodniej E.; 3) platforma paleozoiczna zach. i środkowej E., w obrębie której spod pokrywy osadowej na powierzchnię wynurzają się struktury hercyńskie, a częściowo i kaledońskie; 4) paleozoiczna platforma scytyjska na pd.-wsch.; 5) struktura hercyńska Uralu; 6) strefa fałdowań alp. na pd. E.

Platforma wschodnioeuropejska obejmuje wsch. i pd.-wschodnią E. Jest to najstarsza część E., uformowana pod koniec proterozoiku jako kontynent Baltica, oddzielony od kontynentu Laurencji oceanem Japetus, od kontynentu syberyjskiego i kazaskiego — O. Uralskim, a od lądu Gondwany — oceanem Paleotetydy (Tetyda). Skały prekambryjskie platformy, wchodzące w skład jej fundamentu krystal., występują na powierzchni w obrębie tarcz: bałtyckiej i ukr.; na pozostałym obszarze leżą one na różnej głębokości pod przykryciem skał młodszych. Najstarsze skały fundamentu odsłaniają się na tarczy bałtyckiej w pn.-wsch. części Płw. Kolskiego; są to archaiczne gnejsy i granitognejsy (3,8–3,2 mld lat). Nieco młodsze są występujące w tym samym rejonie kwarcyty żelaziste i gnejsy biotytowe (2,8 mld lat), a także gnejsy znane z tarczy ukr. (3–2,7 mld lat); powstanie tych skał jest związane z orogenezą marealbidzką, ok. 2,6 mld lat temu, której towarzyszył silny metamorfizm i magmatyzm. W przeważającej części fundament krystal. platformy składa się ze skał proterozoiku o wieku 2,5–1,7 mld lat; są to gł. gnejsy i łupki krystal., a niekiedy kompleksy ofiolitowe, które stanowią pozostałość dawnej skorupy oceanicznej. Tego samego wieku są też kwarcyty żelazis-

te (jaspility), stanowiące bardzo bogate rudy żelaza, występujące w rejonie Krzywego Rogu i Kurska. Skały proterozoiczne podłoża powstały w wyniku metamorfizmu skał osadowych w czasie orogenezy karelskiej (svekofeńskiej), ok. 1,7 mld lat temu, a później gotyjskiej, ok. 1,4 mld lat temu, czemu towarzyszył intensywny magmatyzm (intruzje granitoidów). Po orogenezie gotyjskiej w pn. części platformy powstała seria jotnicka — piaskowce ze zlepieńcami i wulkanitami o wieku 1,4–1,2 mld lat, których odpowiednikiem na pd. platformy są piaskowce zw. owruckimi. Po powstaniu tych skał nastąpiła orogeneza dalslandzka (ok. 1,1–0,95 mld lat temu), która ostatecznie usztywniła podłoże platformy (tylko struktura Timanu w pn.-wsch. części platformy została usztywniona w kambrze). Począwszy od późnego proterozoiku na fundamencie platformy wschodnioeur. zaczęła tworzyć się pokrywa osadowa, która wskutek pionowych ruchów podłoża ma zmienną miąższość: w obniżeniach fundamentu krystalicznego (syneklizach) wynosi ona kilka km, w rowach tektonicznych i zapadliskach — czasem ponad 10 km, a nad wyniesieniami fundamentu (anteklizami) — zwykle kilkaset m. We wczesnym paleozoiku powstawały mor. osady okruchowe i węglanowe (wapienie, margle); największą grubość (ponad 4 km) osady te osiągają w zach. części syneklizy perybałtyckiej (pd.-wsch. skłon tarczy bałtyckiej). W sylurze, w wyniku likwidacji oceanu Japetus, kontynent Baltica zderzył się z Laurencją, tworząc rozległy kontynent zw. Euroameryką; powstałe w wyniku kolizji struktury kaledońskie nasunęły się na brzeżną (obecnie pn.-zach.) część platformy wschodnioeuropejskiej. W dewonie i w karbonie w różnych częściach platformy powstawały mor. lub lądowe osady okruchowe i węglanowe; w dewonie środk. w wielkich rowach tektonicznych — aulakogenach: dnieprowsko-donieckim i prypeckim, oraz w zapadlisku nadkaspijskim osadziły się dużej grubości pokłady soli kamiennej; w syneklizie moskiewskiej, aulakogenie dnieprowsko-donieckim i w rowie lubelskim wśród osadów piaszczysto-ilastych karbonu występują często pokłady węgla. W permie powstawały lądowe osady okruchowe oraz mor. wapienie, margle, gipsy i sole. Z końcem paleozoiku nastąpiło fałdowanie osadów w aulakogenie dnieprowsko-donieckim. Stałe zwężanie się O. Uralskiego doprowadziło w permie do kolizji Euroameryki z kontynentem syberyjskim i kazaskim oraz powstania nowego kontynentu, zw. Laurazją. W mezozoiku i trzeciorzędzie obszar platformy był kilkakrotnie zalewany przez płytkie morza, które pozostawiły po sobie osady węglanowe i ilasto-piaszczyste; najgrubsze osady mezozoiku i trzeciorzędu powstawały w pd. części platformy, na przedpolu oceanu Tetydy. Plejstoceńskie zlodowacenia pozostawiły w pn. części platformy osady lodowcowe i wodnolodowcowe, osiągające lokalnie kilkaset m miąższości, w pd.-zach. części platformy — pokrywy lessowe.

Struktury kaledońskie północnej i północno-zachodniej Europy występują na obszarze Norwegii i częściowo Szwecji (G. Skandynawskie) oraz Szkocji i pn. Irlandii, a także na Spitsbergenie; są one zbud. przeważnie z utworów fliszowych (piaskowce, mułowce, łupki ilaste) i węglanowych oraz skał wulk., niekiedy silnie zmetamorfizowanych i poprzecinanych intruzjami skał magmowych; utwory te zostały silnie sfałdowane w różnych fazach orogenezy kaledońskiej. Kaledońskie pasmo fałdowe ma budowę wachlarzową; powstałe wówczas liczne płaszczowiny są nasunięte ku pd.-wsch. na skraj platformy wschodnioeur.; jedynie kaledonidy szkockie nasunięte są ku pn.-zach., gdyż pn. część Szkocji leżała we wczesnym paleozoiku na skraju Laurencji. W skład płaszczowin weszły również skały fundamentu krystal. brzeżnych stref platformy wschodnioeuropejskiej. Struktury kaledońskie występują również w podłożu platformy paleozoicznej środk. i zachodniej E., ciągnąc się od M. Północnego poprzez Belgię, niż niem.-pol. (wzdłuż zach. krawędzi platformy wschodnioeur.), sięgając po G. Świętokrzyskie i pn.-wsch. obrzeżenie Górnośląskiego Zagłębia Węglowego. Są one niemal w całości przykryte osadami młodszymi.

Struktury hercyńskie zachodniej E. powstały w wyniku → subdukcji oceanicznej litosfery Paleotetydy pod kontynent. litosferę wsch. części Euroameryki; od pn. graniczą one z kaledonidami, a od południa — z alp. strefą fałdową; struktury te występują również wśród alpidów w postaci izolowanych masywów. Znaczna część hercyńskiej strefy fałdowej jest przykryta młodszymi osadami permo-mezozoicznymi i kenozoicznymi, z którymi tworzy młodą p a l e o z o i c z n ą p l a t f o r m ę ś r o d k o w e j i z a c h o d n i e j E u r o p y. Na powierzchni struktury hercyńskie odsłaniają się w postaci izolowanych masywów w Kornwalii, Bretanii, Masywie Centr., Wogezach, Schwarzwaldzie, Reńskich G. Łupkowych, Harzu, Masywie Czeskim i w G. Świętokrzyskich, a także na Płw. Iberyjskim, w Pirenejach oraz na Sardynii i Korsyce, w Alpach, Karpatach i in. pasmach alpejskich. Struktury hercyńskie są zbud. z utworów górnego proterozoiku i paleozoiku (różnorodne skały węglanowe i okruchowe), sfałdowanych w kilku fazach orogenezy hercyńskiej, gł. w karbonie. Ruchom fałdowym towarzyszyły na niektórych obszarach intruzje granitoidów, wylewy law oraz metamorfizm. Hercynidy dzieli się na strefy różniące się wykształceniem utworów paleozoicznych oraz intensywnością magmatyzmu i metamorfizmu: moldanubską (m.in. pd. część Masywu Armorykańskiego, Masyw Centr., Wogezy, Schwarzwald, większa część Masywu Czeskiego), sasko-turyńską (pn. część Masywu Armorykańskiego, Saksonia, Turyngia, Sudety), reno-hercyńską (Kornwalia, Ardeny, Reńskie G. Łupkowe, Harz), westfalską, będącą strefą rowów i zapadlisk przedgórskich, wypełnionych osadami węglonośnymi górnego karbonu (m.in. zagłębia: Saary, Ruhry, Górnośląskie Zagłębie Węglowe). Począwszy od permu na zrównanych w wyniku erozji i denudacji strukturach hercyńskich i częściowo kaledońskich zaczęły powstawać płytkomor. lub lądowe osady solne, węglanowe i okruchowe permo-mezozoiczne i kenozoiczne, tworząc pokrywę platformy paleozoicznej środk. i wschodniej E. Późniejsze ruchy tektoniczne spowodowały wypiętrzenie niektórych części platformy, a późniejsza erozja doprowadziła do odsłonięcia, w postaci masywów, hercyńskich i kaledońskich struktur, między którymi znajdują się niecki wypełnione osadami permu, mezozoiku i kenozoiku (m. in. akwitańska, anglo-paryska, pol.-niem.).

Na pd.-wsch. obrzeżeniu plarformy wschodnioeur., gdzie zachodziły niezbyt intensywne ruchy hercyńskie w karbonie i permie, leży młoda p l a t f o r m a s c y t y j s k a; fundament jej tworzą zrównane struktury hercyńskie, a pokrywę osadową — płytkomor. osady mezozoiku i kenozoiku.

Hercyńska struktura Uralu, wraz ze sfałdowanymi skałami podłoża paleozoicznej platformy zachodniosyberyjskiej, powstała w permie w wyniku sfałdowania osadów nagromadzonych w O. Uralskim. Ural jest wielkim antyklinorium. Jego strefę osiową budują silnie sfałdowane, zmetamorfizowane i pocięte intruzjami skały proterozoiczne i staropaleozoiczne. Część wsch. tworzą głębokomor. osady (o dużej miąższości) syluru i młodszego paleozoiku oraz skały wulk., sfałdowane, częściowo zmetamorfizowane i poprzebijane intruzjami granitoidów. W strefie zach. dominują płytkomor., przeważnie węglanowe osady paleozoiku nasunięte na platformę wschodnioeuropejską. Struktury hercyńskie zostały zrównane w jurze, a w górnej kredzie i w oligocenie zalane płytkim morzem. Ruchy młodotrzeciorzędowe wzdłuż odmłodzonych, starych uskoków wypiętrzyły obszar, a późniejsza erozja odsłoniła struktury hercyńskie.

Strefa fałdowań alpejskich obejmuje całą południową E., łącząc się z Atlasem w pn. Afryce i z alp. łańcuchami Azji. Alpejski system E. powstał w wyniku kolizji różnej wielkości płyt litosfery kontynent., odrywanych od pn. fragmentów Gondwany i przemieszczających się w mezozoiku i kenozoiku w kierunku pn. ku Europie przez ocean Tetydy (jego pozostałością jest dzisiejsze M. Śródziemne). W strukturze alpidów E. wyróżnia się 3 gł. gałęzie; zach. gałąź stanowią G. Betyckie, Sycylia i Apeniny; gałąź pn. tworzą łuki Alp, Karpat, Bałkanów, G. Pontyjskie i Mały Kaukaz; od tej gałęzi odchodzą 2 odnogi: na zach. Pireneje, a na wsch. Kaukaz i G. Krymskie; trzecią gałąź stanowią G. Dynarskie i Pindos. Główne gałęzie alpidów E. są rozdzielone przez wydźwignięte masywy śródgórskie, zbud. ze skał prekambru i paleozoiku (np. Rodopy), lub zapadliska śródgórskie (np. zapadlisko panońskie zajmujące obszar Małej Niz. Węgierskiej). Na przedpolu pasm alp. ciągną się zapadliska i rowy przedgórskie, wypełnione kenozoicznymi osadami okruchowymi pochodzącymi z niszczenia wypiętrzanych łańcuchów górskich. W strefie zewn. alpidów dominują skały osadowe, w strefie wewn. — skały metamorficzne i magmowe. Do strefy zewn. należą Pireneje, helwecka strefa Alp, Karpaty, zewn. Bałkany, część G. Dynarskich, G. Krymskie, Kaukaz; w strefie tej występują hercyńskie masywy krystal., biorące czasem udział w budowie płaszczowin (m.in. w Alpach i Karpatach), oraz silnie sfałdowane osady mezozoiczne i trzeciorzędowe (wapienie i dolomity, łupki ilaste i krzemionkowe, radiolaryty, flisz). Osady te są nasunięte w formie płaszczowin na przedpole (Alpy, Karpaty) lub tylko wypiętrzone i tworzące strome fałdy z niewielkimi nasunięciami (m.in. Pireneje, Kaukaz). W strefie wewn. występują silnie sfałdowane i zmetamorfizowane skały mezozoiczne (gł. łupki lśniące i kompleksy ofiolitowe); w jej skład wchodzą: strefa penińska Alp, Karpaty Wewn., część G. Dynarskich i Pindos. W łańcuchach alpidów znajdują się też masywy skał krystal., odsłaniające się spod płaszczowin w oknach tektonicznych (np. Engadyna, Wysokie Taury, strefa austryjska Alp, fragmenty leżącej na zach. strefy pennińskiej Alp, strefa kalabryjska w Apeninach). Alpidy E. powstawały w kilku fazach; najsilniejsze ruchy tektoniczne, z którymi są związane metamorfizm i magmatyzm, przypadają na późną kredę i trzeciorzęd; generalne dźwignięcie eur. alpidów nastąpiło u schyłku miocenu oraz w pliocenie i trwa do dziś.

Stopniowe ochładzanie klimatu na początku czwartorzędu spowodowało, że cała północna E. i znaczna część środkowej E. uległy zlodowaceniu — zostały pokryte przez lądolody, a na pozostałym obszarze w górach powstały lodowce górskie; wahania klimatu były powodem wielokrotnego zmniejszania się (a niekiedy i całkowitego zaniku) lub powiększania pokryw lodowych. Po maksimum ostatniego zlodowacenia lądolód stopniał całkowicie, a lodowce górskie zachowały się tylko w najwyższych częściach gór. Pozostałością po lądolodach są osady lodowcowe i wodnolodowcowe. W środk. i pd.--wschodniej E. występują plejstoceńskie lessy powstałe z wywiewania drobnego materiału skalnego z przedpola lądolodu.

Współczesne procesy geologiczne. Pozycja geograficzna E. i jej złożona budowa i historia geol. sprawiają, że w różnych częściach E. działają różne procesy geol.; w części pn. dominują procesy wietrzenia fiz. i erozji, w części pd. — erozji i wietrzenia chem., a na obszarach zbud. ze skał węglanowych powszechne są zjawiska krasowe. W przekształcaniu krajobrazu największą rolę odgrywa erozja rzeczna (na obszarach występowania lodowców — również lodowcowa), a na wybrzeżach — erozja wywołana działalnością wód oceanicznych. Północna część E. ulega ciągłemu izostatycznemu (→ izostazja) podnoszeniu się, co jest wywołane stopieniem się plejstoceńskich lądolodów. Procesy związane z powstawaniem alpejskiej strefy fałdowej trwają do dzisiaj, czego przejawem są występujące na tym obszarze trzęsienia ziemi — w pd. Alpach, Apeninach i na Płw. Bałkańskim, oraz czynny wulkanizm w regionie śródziemnomorskim.

Zasoby geologiczne. Na obszarze E. są znane bardzo liczne złoża różnych kopalin, eksploatowanych od wielu wieków, a nawet od czasów prehistorycznych. Zasoby części tych złóż wyczerpały się, a wiele innych utraciło znaczenie wskutek nowych odkryć geologicznych. Obecnie wśród złóż kopalin E. największe znaczenie mają złoża ropy naft. i gazu ziemnego występujące w mezozoicznych utworach M. Północnego (Norwegia, W. Brytania, Niemcy, Holandia i Dania) oraz w paleozoicznych i mezozoicznych utworach basenów osadowych Rosji i Ukrainy.

Mniejsze znaczenie mają złoża tych kopalin występujące na obszarach Rumunii, Włoch, Niemiec, Polski i Francji. Złoża węgla kam. są związane z utworami górnokarbońskich zagłębi na obszarze Polski, Rosji, Niemiec i Ukrainy, a węgli brun. — z osadami trzeciorzędowymi Niemiec, Rosji, Polski, Czech, Grecji, Rumunii i Bułgarii. Wśród złóż rud metali największe znaczenie mają cechsztyńskie złoża rud miedzi i srebra w Polsce, w monoklinie przedsudeckiej. Do ważnych złóż rud należy zaliczyć złoża rud manganu na Ukrainie, rud glinu (boksytów) w Grecji i na Węgrzech, rud żelaza w Szwecji, Rosji i na Ukrainie, rud cynku i ołowiu w Irlandii, Hiszpanii, Polsce i Bułgarii, rud rtęci w Hiszpanii (Almadén), rud niklu w Rosji i Grecji oraz rud cyny w Portugalii, Rosji i W. Brytanii. Duże znaczenie gosp. mają złoża soli potasowych występujące w Rosji, na Białorusi i w Niemczech, surowców fosforowych (Płw. Kolski w Rosji), magnezytu w Rosji i Grecji oraz kaolinu w W. Brytanii, Czechach i na Ukrainie. Odnotować należy tracące ostatnio na znaczeniu duże zasoby siarki rodzimej w złożach przedkarpackich okolic Tarnobrzegu w Polsce.

Klimat. Ważnymi czynnikami wpływającymi na klimat E. są jej niewielkie rozmiary i urozmaicona linia brzegowa, ogólnie równoleżnikowy układ nizin i gór oraz ogromne zaplecze kontynent. na wsch. i oceaniczne na zach., a także położenie niemal całej części świata w umiarkowanych szerokościach geograficznych. Wpływ Atlantyku zaznacza się przez obecność ciepłego Prądu Północnoatlantyckiego, który omywa wybrzeża E. Zachodniej powyżej 45°N (Irlandia i Szkocja) i jako prądy Norweski i Przył. Północnego — wybrzeża Norwegii, sięgający aż do Nowej Ziemi na wsch.; zimą wywołuje dodatnią anomalię termiczną, która w styczniu u wybrzeży Norwegii osiąga 22–26°C i maleje ku pd. wschodowi do ok. 1°C. U wybrzeży Płw. Iberyjskiego oddziałuje chłodny Prąd Kanaryjski. W południowej E. podczas przesilenia zimowego dzień trwa 9,8 godz., Słońce w pd. znajduje się na wys. 31,5°; podczas przesilenia letniego odpowiednio 14,5 godz. i 78,5°. Na kole podbiegunowym podczas przesilenia zimowego panuje noc polarna, która na 70°N trwa 55 dób; podczas przesilenia letniego panuje dzień polarny, Słońce znajduje się na wysokości 46,5°; dzień polarny na 70°N trwa 70 dób. Poza kołem podbiegunowym zimą przez wiele dni nie dociera światło i energia słoneczna; ciepło dochodzi jedynie w wyniku adwekcji ciepłego powietrza polarnego mor. i ciepłych mas wody, które niosą prądy Norweski i Przył. Północnego oraz Prąd Irmingera omywający od zach. Islandię. Roczna liczba godzin słonecznych w zachmurzonej wsch. Islandii, na W. Owczych i w zach. Szkocji wynosi ok. 1000 (2,7 godz. dziennie), na pn.-zach. E. Środkowej — 1400–1600 (3,8–4,4 godz. dziennie), nad pd. częścią M. Śródziemnego — 2800–3000 (7,7–8,2 godz. dziennie), w Portugalii i pd.--wsch. połowie Hiszpanii — 3400 godz. (9,3 godz. dziennie). Roczna suma całkowitego promieniowania słonecznego wzrasta od ok. 2900 MJ/m^2 i mniej na Islandii, w pn. Szkocji i na wybrzeżu Norwegii do 5860–6280 MJ/m^2 w pd. Portugalii, Hiszpanii, na Sardynii, Sycylii i Peloponezie.

Cyrkulacja atmosf. kształtuje się w obecności stałych ośrodków cyklonicznych nad pn. Atlantykiem (Niż Islandzki), głębszych w zimie, oraz Wyżu Azorskiego, umocnionego i rozbud. ku pn. wschodowi w lecie. Zimą dodatkowo oddziałuje Wyż Azjatycki oraz niże nad M. Śródziemnym. Latem na pn. oddziałuje Wyż Arktyczny, a na pd.-wsch. Niż Południowoazjatycki, który jest przyczyną dominacji nad wsch. częścią M. Śródziemnego wiatrów o składowej pn. (od czasów staroż. zw. etezją, wiatrami etezjańskimi — corocznymi). W zimie nad pn. połową E. przeważają wiatry pd.-zach., nad południową — pn.-zach. i zachodnie. Gdy zimą nad E. Wschodnią lub E. Północno-Wsch. rozbuduje się wyż, stałość cyrkulacji zach. jest przerywana przez cyrkulację wsch. i pn.-wsch., która, szczególnie na wsch. E., sprowadza chłodne i suche kontynent. powietrze polarne lub arktyczne, podczas gdy cyrkulacja zach. — wilgotne i względnie ciepłe polarne morskie. Chłodne powietrze obejmuje wtedy niemal całą E. na pn. od Pirenejów i Alp; czasami dochodzi do Bałkanów i G. Dynarskich; gromadzi się w kotlinach, ulega wychłodzeniu i dolinami Wardaru i Strumy (wiatr typu mistralu) schodzi do zatok Orfańskiej i Salonickiej, a jako bora z G. Dynarskich na wybrzeże Dalmacji, niekiedy do wybrzeży Włoch. Przetransformowane, kontynent. masy powietrza schodzą doliną Rodanu jako gwałtowny i porywisty mistral na wybrzeże M. Śródziemnego, od ujścia Ebro do Genui. Zimą front polarny rozdzielający powietrze polarne i zwrotnikowe znajduje się nad M. Śródziemnym. Jego niże bywają przyczyną ciepłej i wilgotnej (z mgłą i opadami) bądź suchej pogody z wiatrem sirocco nad E. Południową. Przy cyrkulacji pd. na pn. przedpolach gór E. wieją feny. Wiosną nad Skandynawią niekiedy tworzy się wyż; z wiatrem pn. lub pn.-wsch. napływa powietrze ark. — przyczyna późnych wiosennych przymrozków w środkowej E. Jesienią następuje stopniowe, szybsze niż oceanu, wychłodzenie lądu, zwł. na wschodzie. Mimo to zdarzają się w E. każdego roku charakterystyczne wczesnojesienne wzrosty temperatury (przeciwieństwo wiosennych ochłodzeń) związane z zach. skrajem wyżu i wiatrami południowymi. Późnojesienne wyże są przyczyną wczesnych chłodów. Wtedy rozpoczyna się intensyfikacja działalności cyklonalnej. Znaczna częstość niżów wędrujących nad E. powoduje, że warunki pogodowe, zwł. w pn. i zach. oraz środkowej E., są bardzo zmienne; w zimie pogody względnie ciepłe i dżdżyste bądź śnieżne przeplatają się z mroźnymi i suchymi, natomiast w lecie chłodne i deszczowe z ciepłymi i suchymi. Zdarzają się też dłuższe okresy tak suche, jak i deszczowe. Od tej zmienności w okresie letnim wolna jest E. Południowa będąca pod wpływem cyrkulacji antycyklonicznej i powietrza zwrotnikowego; panuje tam pogoda słoneczna, upalna i sucha; pora sucha wydłuża się ku wsch. i południowi.

Niewielka E. leży w 3 strefach klimatycznych. Północną połowę Islandii i pn. skraj Skandynawii oraz eur. część Rosji na pn. od koła podbiegunowego obejmuje strefa okołobiegunowa. Panuje tam klimat podbiegunowy, w którym średnia temperatura w najcieplejszym miesiącu nie przekracza 10°C. Ze wzrostem rocznej amplitudy temperatury ku wsch., zmienia się od mor. w pn. Islandii, na pn. Płw. Kolskiego i pd. Nowej Ziemi do kontynent. w tundrach Małoziemielskiej i Bolszeziemielskiej. Obszar na pd. od Pirenejów, Alp, G. Dynarskich i Bałkanów leży w strefie podzwrotnikowej, w której średnia temperatura w najchłodniejszym miesiącu osiąga od ok. 10°C (klimat mor.) do ok. 0°C (kontynent. i suchy). Wyróżniają się w niej 4 typy klimatów, od mor. na wybrzeżach eksponowanych na wilgotne masy powietrza (np. nad zatokami Biskajską i Genueńską), poprzez pośredni między mor. a kontynent., kontynent. na Niz. Padańskiej, pd. Płw. Iberyjskiego do suchego kontynent. w środk. i wsch. części Płw. Iberyjskiego i wsch. Grecji. W tej strefie w Sewilli zanotowano najwyższą w E. temperaturę — 48,8°C. Również w tej strefie występuje najwyższa średnia suma roczna opadów — ponad 5300 mm w Crkvice (Czarnogóra) i najniższa — ok. 200 mm w Almeríi (pd. Hiszpania). Pozostały obszar E. obejmuje strefa klimatów umiarkowanych, w znacznej części ciepłych, w których w 3 letnich miesiącach średnia temp. wynosi od poniżej 15°C w klimatach mor. do ponad 20°C w przejściowych i kontynent.; w najchłodniejszym odpowiednio od powyżej 0°C do –10°C. Występuje w niej 6 typów klimatów, od wybitnie mor. w zach. Irlandii, W. Brytanii i Norwegii oraz na Płw. Bretońskim, mor. w pozostałej części E. Zachodniej, przejściowego w środkowej E., pośredniego w Kotlinie Panońskiej, do kontynent. i suchego kontynent. na wsch. W Skandynawii i na Niz. Wschodnioeuropejskiej, na pn. od 60°N na zach. i 55°N na wsch., panują klimaty chłodne: mor. w pn. Norwegii, przejściowy w środk. Szwecji i pd. Finlandii, pośredni w pn. Szwecji i Finlandii oraz kontynent. w Rosji, w których średnia temperatura w najcieplejszym miesiącu wynosi od 10-15°C (klimat mor.) do ponad 20°C (kontynent.), w najchłodniejszym — do –10°C (mor.) i poniżej –10°C (kontynent.; w nim, w osadzie Ust-Cylma nad Peczorą, zanotowano najniższą temp. w E.: –70°C). W górach wszystkich stref występują odpowiednie odmiany klimatów górskich.

Wody. E. leży w zlewisku oceanów Atlantyckiego (65% pow.) i Arktycznego (16% pow.), a 19% pow. należy do zlewiska bezodpływowego M. Kaspijskiego. Główny dział wodny E. biegnie od Gibraltaru na pd.-zach. po Ural na pn.-wsch. i oddziela zlewisko M. Śródziemnego oraz M. Kaspijskiego na pd. od zlewiska pozostałej części O. Atlantyckiego i O. Arktycznego na pn., natomiast dział wodny zlewisk obu oceanów przebiega od Uralu Pn., przez Uwały Pn., Karelię, Laponię i gł. grzbietem G. Skandynawskich. Główny dział wodny w znacznej mierze nie nawiązuje do gł. łańcuchów górskich, lecz często przebiega śródgórskimi obniżeniami i nizinami. Wynika to m.in. ze zmian sieci rzecznej w okresie plejstoceńskim, jak również silnego wcinania się rzek w wypiętrzające się w okresie trzeciorzędowym pasma górskie i wyżyny. Największymi rzekami pd. strony E. są: Wołga (3530 km — najdłuższa w E.), Dunaj (2850 km), Ural (2428 km), Dniepr (2201 km), Don (1870 km), Dniestr (1362 km),

Ebro (910 km), a także Boh, Rodan i Pad, a po stronie pn.: Peczora (1809 km), Ren (1320 km), Łaba (1165 km), Wisła (1047 km) oraz Dwina, Dźwina, Loara, Tag, Duero, Niemen, Moza. Większość wielkich rzek eur. płynie przez E. Wschodnią; w E. Zachodniej silne rozczłonkowanie lądu utrudnia powstanie wielkich systemów rzecznych. Największe dorzecze mają: Wołga (1360 tys. km^2), Dunaj (817 tys. km^2), Dniepr (504 tys. km^2), Don (422 tys. km^2), Dwina (357 tys. km^2) oraz Peczora, Ren, Ural i Wisła. Najwięcej wody w ciągu roku odprowadzają: Dunaj (ok. 277 km^3), Wołga (255 km^3), Peczora (129 km^3), Dwina (101 km^3), Ren (62 km^3) i Dniepr (53 km^3). Prawie 2/3 całkowitego odpływu rocznego przypada na zlewisko atlantycko--arktyczne. W bilansie wodnym E. opady stanowią 734 mm, parowanie 415 mm, a odpływ 319 mm (ok. 1/3 to odpływ podziemny). Zmienność stanów wód w ciągu roku, wynikająca m.in. ze zróżnicowanego zasilania, pozwala wyróżnić w E. 6 typów ustrojów rzecznych. Typ wschodnioeur. (górna Wołga, Dniepr, Don, Niemen, Peczora i in.) cechuje się zamarzaniem rzek na okres 100–140 dni w roku i wezbraniami wiosennymi, związanymi przede wszystkim z roztopami. Małe spadki i duża zasobność rzek w wodę sprzyjają żegludze w półroczu letnim. Typ atlantycki (Sekwana, Tamiza) cechuje się przewagą zasilania deszczowego, stosunkowo równomiernie rozłożonego w ciągu roku; rzeki zimą są wolne od lodu i przez to dogodne do żeglugi przez cały rok. Typ przejściowy (Wisła, Odra, Łaba, Wezera) cechuje się 2, wyraźnie oddzielonymi, okresami wezbraniowymi — wczesnowiosennym (roztopowym) i letnim (opadowym); zlodzenie rzek trwa 20–60 dni w roku, a w czasie lżejszych zim w ogóle nie występuje. W typie alpejskim (Ren, Rodan, Garonna, Pad, Dunaj i in.) istotną rolę w zasilaniu prócz opadów letnich odgrywa topnienie śniegu i lodowców; stany maks. występują późną wiosną i latem; górne biegi rzek cechują się znacznym potencjałem energetycznym. Typ północnoeur. (Glomma, Torne i in.) charakteryzuje się złożonym zasilaniem śnieżno-deszczowo-lodowcowym; zimą rzeki zamarzają; przepływy są wyrównywane przez liczne jeziora i zbiorniki retencyjne; rzeki są tu stosunkowo krótkie o znacznych spadkach (duży potencjał energ.). W typie śródziemnomor. (Tag, Gwadiana, Tyber, Wardar i in.) dominuje zasilanie deszczowe (dominacja opadów w okresie jesienno-zimowym); największe wezbrania przypadają na późną jesień, latem stany wód są najniższe (niektóre rzeki sezonowo wysychają). Stosunkowo częstym zjawiskiem w E. są powodzie. Najczęściej występują one wiosną — efekt szybkiego topnienia śniegów i latem — na skutek intensywnych opadów. Występowaniu powodzi roztopowych sprzyja zlodzenie rzek, szczególnie w wypadku rzek płynących w kierunku północnym. Rozmarzają one wcześniej w biegu górnym niż w dolnym, co powoduje tworzenie zatorów z płatów spływającej kry. Na wielkich obszarach E. Wschodniej, a także w znacznej części E. Zachodniej, przebiegające stosunkowo nisko działy wód sprzyjają łączeniu rzek systemem kanałów śródlądowych. Łączą one m.in. Loarę z Dunajem

■ Europa Wodospady Renu koło Neuhausen (Szwajcaria)

(przez Rodan, Ren i Men), Ren z Wisłą (przez Wezerę, Łabę i Odrę), Wisłę z Niemnem, M. Białe z Zat. Fińską i górną Wołgą oraz dolną Wołgę z Donem. Na rzekach i potokach górskich występują liczne wodospady; najwyższe z nich znajdują się w G. Skandynawskich (Kjelsfossen w Norwegii, 840 m), w Alpach (Giétroz w Szwajcarii, 500 m) i Pirenejach (Gavarnie we Francji, 420 m).

Jeziora w E. zajmują ok. 163 tys. km^2 (ok. 1,6% obszaru); największe — Ładoga (18,1 tys. km^2), Onega (9,7 tys. km^2), Wener (5,5 tys. km^2), Wetter, Melar — mają genezę tektoniczno-polodowcową. Najliczniejsza jest grupa jezior polodowcowych nizinnych, występujących gł. na Pojezierzach Bałtyckich i Pojezierzu Fińskim, największe: Saimaa, Pejpus, Inari, Päijänne, Ilmen. Również liczne, ale na ogół znacznie mniejsze są polodowcowe jeziora górskie. Największymi z nich są jeziora podgórskie, które występują gł. u podnóży Alp, często w obniżeniach tektonicznych (Genewskie, Bodeńskie, Garda, Como i in.). W obszarach górskich występują ponadto małe jeziora wulkaniczne i krasowe, oraz większe — tektoniczno-krasowe (Szkoderskie, Ochrydzkie, Prespa). Odrębną grupę tworzą jeziora przybrzeżne: mierzejowe, limanowe, lagunowe i deltowe. Na Niz. Nadkaspijskiej występują niewielkie jeziora słone (Baskunczak, Elton). Jeziorami reliktowymi są m.in. Balaton i Jez. Nezyderskie, a także M. Kaspijskie — pozostałości większych zbiorników wodnych. Prócz jezior naturalnych występują w E. liczne zbiorniki zaporowe (ok. 3800). Największe z nich znajdują się na ob-

■ Europa. Fragment Pojezierza Fińskiego w okolicy Kuopio

szarach nizinnych: Kujbyszewski (największy w E. — pow. 6,5 tys. km², Rybiński i Wołgogradzki, tworzące kaskadę Wołgi, Cymlański na dolnym Donie oraz Krzemieńczucki i Kachowski na dolnym Dnieprze. Bardzo liczne, ale niewielkie zbiorniki zaporowe znajdują się na obszarach górskich. Największe obszary bagienne występują gł. w obszarach polodowcowych (Polesie, Pojezierze Fińskie, dorzecze Dwiny i Peczory), a także przy ujściach rzek (Gwadalkiwiru, Renu, Łaby). Wiele istniejących w przeszłości bagien, szczególnie w zach. i pd. części E., zostało osuszonych i zamienionych na pola uprawne i łąki.

Współczesne zlodowacenie obejmuje w E. powierzchnię ok. 88 tys. km² i wykazuje, w 2. poł. XX w., stałą tendencję malejącą. Największe obszary zlodowacone występują na wyspach arktycznych, gdzie granica wiecznego śniegu przebiega najniżej, schodząc miejscami prawie do poziomu morza. Lodowce, przede wszystkim rozległe czapy lodowe, a także często połączone ze sobą lodowce górskie, zajmują łącznie 34,9 tys. km² na Svalbardzie, 23,6 tys. km² na Nowej Ziemi (gł. na W. Północnej), 13,7 tys. km² na Ziemi Franciszka Józefa i 117 km² na wyspie Jan Mayen. Stosunkowo duże obszary zlodowacone znajdują się też na Islandii (11,8 tys. km²). Są to gł. czapy lodowe, z których największa, Vatnajökull, zajmuje 8,8 tys. km². W części lądowej E. największe zlodowacenie występuje w G. Skandynawskich (2,9 tys. km²) i Alpach (2,7 tys. km²). W G. Skandynawskich duży zasięg zlodowaceń jest uwarunkowany nisko położoną granicą wiecznego śniegu (od 700 m na pn. do 1800 m na pd.). Występują tam przede wszystkim lodowce fieldowe (największy Jostedalsbreen, pow. 486 km²). W Alpach, gdzie granica wiecznego śniegu przebiega na wys. 2500–3200 m, znajdują się gł. lodowce dolinne, często rozgałęzione (dendrytyczne); największym z nich jest Aletsch o pow. 87 km². Niewielkie lodowce są ponadto w Pirenejach (łączna pow. 30 km²) i pn. Uralu (29 km²). W niektórych górach E. (m.in. w Tatrach) występują śnieżniki — wieloletnie płaty częściowo zlodowaciałego śniegu.

Gleby. Pokrywa glebowa E. wykazuje budowę strefową jedynie w części wschodniej. Na pozostałym obszarze utrzymuje się mozaikowy układ gleb ze względu na różnorodność składu i wieku utworów geol., znaczne odmienności regionalne warunków klim. oraz orograficznych. Arktyczne brzegi Niz. Wschodnioeuropejskiej i Płw. Skandynawskiego oraz Islandię pokrywają gleby tundrowe. Na Islandii są to odmiany gleb rozwiniętych na świeżych utworach wulkanicznych, w Skandynawii — kompleksy górskich, kamienistych i zazwyczaj torfiastych gleb tundrowych oraz wychodni skalnych. Na glacjalnych równinach wybrzeża O. Arktycznego z poligonalną i bugrową mikrorzeźbą powierzchnią występują zmarzlinowe gleby tundrowo-glejowe i torfowo-glejowe. W krajobrazach lasów iglastych pn. i wschodniej E. procesy glebotwórcze przebiegają w warunkach dostatecznego i nadmiernego uwilgotnienia oraz długotrwałego przemarzania gruntu, co sprzyja rozkładowi martwych resztek roślinnych gł. z udziałem grzy-

bów. Końcowymi produktami rozkładu miąższych ściółek leśnych są rozpuszczalne w wodzie, w większości kwaśne substancje org., powodujące intensywne niszczenie minerałów glebotwórczych oraz stymulujące przenoszenie składników odżywczych poza granice warstwy korzeniowej. Stąd w lasach iglastych tajgi poniżej warstw ściółek występuje popiołowej barwy, mineralny poziom wymycia, pozbawiony składników odżywczych, a dominującymi glebami są bielice. Na słabo odwodnionych równinach pn. części Niz. Wschodnioeuropejskiej dominują glejobielice, a powierzchnie wododziałowe oraz wsch. Skandynawię pokrywają bielice iluwialno--żelaziste. W pd. tajdze destrukcja martwego opadu igliwia i liści oraz trawiastego runa dokonuje się z udziałem grzybów i bakterii, a produkty rozkładu o kwasowych właściwościach są w znacznej mierze neutralizowane i stabilizowane już w wierzchnich poziomach gleby. Poniżej warstwy ściółek formują się w tych warunkach bioklimatycznych cienkie poziomy próchniczno-miner. nazywane też darniowymi, a dominującym typem gleb są gleby darniowo-bielicowe. Pokrywają one ogromne przestrzenie E. Wschodniej, ciągnąc się pasem o szer. 500–1000 km od wsch. wybrzeży M. Bałtyckiego po Ural. Skałami macierzystymi gleb darniowo-bielicowych są m.in. gliny zwałowe, piaszczyste produkty ich rozmycia oraz utwory pylasto-piaszczyste. Powszechną cechą jest 2-członowa budowa profili oraz różny stopień zbielicowania gleb. Podmokłe niziny piaszczyste (Mieszczerska, Poleska i in.) są pokryte zespołami gleb torfowych, bielicami iluwialno-żelazistymi oraz glebami rdzawymi. Intensywność procesów bielicowania słabnie w środkowej E. wraz ze zwiększającym się udziałem lasów liściastych, jednak znaczne powierzchnie bielic i gleb bielicowych występują niemal na całym obszarze nizin środkowo- i zachodnioeuropejskich. Spotyka się je m.in. na piaskach sandrowych Równiny Kurpiowskiej, zwydmionych fragmentach Kotliny Sandomierskiej i Niz. Mazowieckiej oraz Pradoliny Toruńsko--Eberswaldzkiej. Duże płaty gleb bielicowych są związane z piaszczystymi równinami Łużyc, nizinami zach. Jutlandii, Dolnej Saksonii i franc. Landów. Na nizinach pol. i niem. obserwuje się szczególnie złożoną budowę pokrywy glebowej, wynikającą z różnorodności skał macierzystych oraz rzeźby glacjalnej. W części pojeziernej skałami glebotwórczymi są młode osady glacjalne, słabo zwietrzałe i zazwyczaj zasobne w węglany wapnia. Na pd., zwietrzałe osady staroglacjalne w warstwie do głęb. ok. 0,5 m często wykazują lżejszy skład ziarnowy niż w niższych, gliniastych partiach profilu. Budowa taka sprzyja sezonowej stagnacji wody opadowej i rozwojowi gleb opadowo-glejowych, które w środk. i zachodniej E. zazwyczaj występują w towarzystwie innych typów gleb — poza Irlandią i Anglią, gdzie tworzą duże i zwarte kontury. W warunkach klimatu mor. środkowej i zachodniej E., gdzie utrzymuje się przemywny ustrój wilgotnościowy gleb, a przemarzanie praktycznie nie występuje, rozprzestrzeniły się gleby płowe i gleby brunatne leśne. Gleby płowe zajmują zazwyczaj powierzchnie płaskie, pokryte zasobnymi w minerały pierwotne utworami gliniastymi lub pylastymi, w tym lessami. Pokrywają duże powierzchnie nizin Francji, Brabancji, wysoczyzn Dolnej Saksonii i Brandenburgii, a także środk. i pd. Polski. Gleby brunatne leśne, zarówno właściwe, jak i wyługowane, są związane z utworami zasobnymi w minerały glinokrzemianowe o różnym składzie ziarnowym. Występują w kompleksie z innymi glebami od Atlantyku po wsch. wybrzeża M. Bałtyckiego. Wyżyny środk. i zachodniej E., a także niższe partie pasm górskich pokrywają gleby brunatne kwaśne. Pod górskimi lasami iglastymi powstały gleby bielicowe, a w piętrze hal — gleby łąkowo-górskie. W licznych podmokłych obniżeniach nizin eur. wykształciły się żyzne czarne ziemie oraz gleby torfowe. Wśród leśnych gleb środkowej E. spotyka się małe enklawy gleb stepowych. Są to czarnoziemy lub gleby czarnoziemnopodobne wyżyn i kotlin śródgórskich, otrzymujących ze względu na lokalizację w cieniu opadowym zmniejszone ilości wilgoci atmosferycznej. Te od stuleci rolniczo wykorzystywane, urodzajne gleby wytworzone z lessów występują m.in. u wsch. podnóży Harzu w rejonie Magdeburga, na wyżynach Lubelskiej i Małopolskiej, w Kotlinie Czeskiej, na Wielkiej Niz. Węgierskiej (w towarzystwie sołońców) i Małej Niz. Naddunajskiej. Szeroka i zwarta strefa gleb stepowych rozciąga się na pn.-wsch. od Karpat poprzez Podole, Wołyń, wyżyny: Środkoworosyjską i Nadwołżańską aż do przedgórzy Uralu Południowego. Panuje tam nieprzemywny ustrój wilgotnościowy, coroczne przesychanie i silne przemrażanie sprzyja formowaniu się próchnic glebowych zasobnych we wszystkie składniki odżywcze dla bogatej flory i fauny glebowej oraz uprawianych roślin. W obrębie tej strefy rozwinęło się kilka uwarunkowanych klim. odmian gleb czarnoziemnych. Na pn., na styku z lasami tajgi zachowały się szare gleby leśne oraz czarnoziemy wyługowane. Dalej w kierunku pd., na wyż.: Wołyńskiej, Środkoworosyjskiej i Nadwołżańskiej oraz w ich sąsiedztwie wykształciły się czarnoziemy właściwe z bardzo grubymi poziomami próchnicznymi, zawierającymi do 12% substancji organicznej. Na pd., gł. na nizinach Czarnomorskiej i Kubańskiej występują czarnoziemy pd., w których zawartość próchnicy dochodzi do 4%. Czarnoziemy E. Wschodniej prawie w całości są wykorzystane na grunty orne. Po kilkudziesięciu latach uprawy mechanicznej zawartość próchnicy zmniejszyła się w tych glebach nawet o połowę (dehumifikacja), a zniszczenie gruzełkowatej struktury i rozpylenie warstwy ornej ogromnie zintensyfikowało procesy erozji eolicznej i wodnej. Pierwotne gleby i roślinność stepowa zachowały się w nielicznych rezerwatach, m.in. w Strieleckom Stiepi pod Kurskiem. W otoczeniu Niz. Nadkaspijskiej czarnoziemy już nie występują. Na jej obrzeżach rozwinęły się gleby kasztanowe; w części centr., zbud. z zasolonych utworów mor. dominują sołońce, natomiast gleby kasztanowe pokrywają jedynie fragmenty powierzchni o dobrym drenażu naturalnym; w miejscach płytkiego zalegania kopuł solnych występują sołończaki. W E. Południowej przemywny ustrój wilgotnościowy utrzymuje się gł.

w okresie zimowym i wiosennym, natomiast latem, kiedy gleby silnie przesychają następuje podsiąkanie kapilarne roztworów, sprzyjające wysycaniu gleby m.in. związkami wapnia. W takich warunkach rozwijają się brązowe (cynamonowe) gleby śródziemnomor. pokrywające znaczne obszary płw.: Pirenejskiego, Apenińskiego i Bałkańskiego. Te zasobne w składniki niezbędne dla rozwoju roślin gleby, intensywnie wykorzystywano rolniczo już w odległej starożytności. W kotlinach śródgórskich wysłanych glinami zasobnymi w montmorillonit wykształciły się smolnice. Na skałach węglowych E. Południowej rozwijają się w większości rędziny, chociaż lokalnie napotyka się gliniaste, bezwęglanowe zwietrzeliny wapieni zabarwione na kolor czerwony (terra rossa) oraz żółty (terra fusca). Dynamiczny rozwój społ.-gosp. spowodował w wielu krajach E. wyraźne skurczenie się przestrzeni produkcyjnej. Ogromne obszary gleb zabudowano, zasypano odpadami przem., skażono substancjami chem. itp.

Świat roślinny i zwierzęcy. E. leży w obrębie państwa roślinnego wokółbiegunowego pn. holarktycznego (*Holarctis*); daleką pn. zajmuje bezleśny obszar ark., z roślinnością typu tundrowego; dalej na pd. (szczególnie w Skandynawii) występuje strefa zarośli i widnych lasków brzozowych. Od pn. granicy po obszar śródziemnomor. i irano-turański na pd. rozciąga się silnie zróżnicowany obszar eurosyberyjski; jego prowincję pn. stanowi tajga, z bagnami i torfowiskami, która od pd. graniczy ze środkowoeur. prowincją lasów liściastych i mieszanych (pasma górskie — piętrowy układ roślinności); zach. część E. (W. Brytyjskie i nadbrzeżny pas lądu od zach. Norwegii po zach. Hiszpanię) zajmuje prowincja atlantycka z lasami dębowo-brzozowymi i wrzosowiskami. Pontyjsko-panońska prowincja lasostepów i stepów czarnomor. obejmuje pd. Ukrainę, Podole i przez Niz. Węgierską sięga do Dolnej Austrii. Na Niz. Nadkaspijskiej stepy przechodzą w półpustynie i pustynie (przeważnie słone), tworząc obszar irano-turański, ciągnący się w głąb środk. Azji. Wybrzeża i wyspy M. Śródziemnego oraz Płw. Iberyjski zalicza się do obszaru śródziemnomor., z zimozielonymi, twardolistnymi zaroślami (makia) i szczątkowymi, zimozielonymi lasami (z dębami i sosną alp.). Naturalna roślinność E. została w ogromnym stopniu przekształcona w wyniku gosp. działalności człowieka, zastąpiły ją pola uprawne, łąki, pastwiska i zbiorowiska ruderalne; jej najcenniejsze resztki są chronione w rezerwatach i parkach narodowych. Obszar śródziemnomor. (wraz ze śródziemnomor. krainami Afryki) jest ojczyzną niektórych gat. roślin uprawnych, np.: lnu, buraka, kapusty, grochu. Powstała w wyniku przemian klim. czwartorzędu fauna obszaru E. należy do paleark. krainy zoogeogr. i jest zróżnicowana zależnie od stref klim.-roślinnych. W strefie tundry występują: renifer, niedźwiedź biały, piesiec, lemingi, pardwa; w strefie tajgi: łoś, rosomak, głuszec, cietrzew, jarząbek; w strefie stepów — suhak, suseł, bobak, drop, dawniej też tarpan; w strefie lasów na pd. od tajgi — jeleń, sarna, dzik, żbik, żubr (dawniej też tur), popielica, koszatka, orzesznica. Obszar południowej E. zamieszkują m.in.: daniel, muflon (pierwotnie Sardynię i Korsykę), ichneumon i cyweta (Hiszpania), szakal (Płw. Bałkański), magot — jedyna małpa w E. (Gibraltar), ponadto z ptaków pochodzące z pd. czerwonaki i pelikany; liczne gady (np. gekony). Fauna gór E., zróżnicowana w poszczególnych piętrach, jest bogata w typowe gat. górskie, np.: kozica, koziorożec, świstak, orzeł przedni, pomurnik, salamandry. W związku z zagospodarowaniem olbrzymich obszarów E. i znacznym zmniejszeniem lesistości, niektóre gat. wyginęły (np. tur), inne przetrwały tylko na obszarach trudno dostępnych; niektóre przystosowały się do warunków stworzonych przez człowieka, np. w środowisku zurbanizowanym: wróbel, dzierlatka, szpak, sierpówka, a nawet zyskały w nich lepsze możliwości rozwoju, np. liczne szkodniki spośród gryzoni i owadów.

Ochrona środowiska. Środowisko przyrodnicze E. zostało w dużym stopniu przeobrażone przez działalność człowieka. Intensywna eksploatacja zasobów przyrody przyczyniła się do znaczących zmian, a w wielu wypadkach także do dewastacji naturalnego środowiska. Naturalne, nie zmienione przez działalność człowieka miejsca pozostały gł. w obszarach słabo dostępnych lub odległych od gęsto zaludnionych centrów cywilizacyjnych, przede wszystkim na pn. E. i w wysokich górach. Idea ochrony przyrody w E. sięga czasów średniowiecza, jednak dopiero w XIX w. powstały pierwsze obszary chronione (w Niemczech). Były to gł. niewielkie rezerwaty. Pierwsze parki nar. w E. powstały w Szwecji (1909), Francji (1913) i Szwajcarii (1914). Obszary chronionej przyrody wraz z rezerwatami biosfery zajmują w E. łącznie ponad 470 tys. km^2 (ok. 4,5% powierzchni E). Najwięcej różnego typu obszarów chronionych znajduje się w Niemczech (509 obiektów), Hiszpanii (215) i Szwecji (214). Państwem o największym udziale terenów chronionych jest Słowacja (72,4% pow. kraju). W E., w 35 państwach znajduje się blisko 300 parków nar., które leżą w różnych strefach klim. i reprezentują wszystkie gł. typy środowiska. Najliczniejsze znajdują się w górach; do najważniejszych z nich należą: Szwajcarski Park Nar. w Alpach Retyckich, Gran Paradiso (Włochy) i Vanoise (Francja) w Alpach Graickich, Triglavski (Słowenia) w Alpach Julijskich, Berchtesgaden w Alpach Salzburskich (Niemcy), Jeziora Plitwickie (Chorwacja) i Durmitor (Jugosławia) w G. Dynarskich, Pindos i Olimp (Grecja), Pirin i Rilski (Bułgaria), Tatrzański (Polska, Słowacja) i Retezat (Rumunia) w Karpatach, Abruzzo (Włochy) w Apeninach, Pirenejów (Francja) oraz Ordesa i Monte Perdido (Hiszpania) w Pirenejach, Picos de Europa (Hiszpania) w G. Kantabryjskich, Sareks i Padjelanta (Szwecja) oraz Rondane (Norwegia) w G. Skandynawskich. Krajobraz polarny z silnym zlodowaceniem jest chroniony w Parku Nar. Pd. Spitsbergenu (Norwegia). Na obszarach o rzeźbie młodoglacjalnej, z licznymi formami polodowcowymi i jeziorami utworzono m.in. parki: Muddus w pn. Szwecji, Urho Kekkonen i Linnansaari w Finlandii, Litewski (Litwa), Drawieński i Wigierski (Polska), Müritz (Niemcy). Parkami chroniącymi liściaste kompleksy leśne strefy umiarkowanej są m.in. Białowieski (Polska) i Snowdonia (W. Brytania). Krajobrazy torfowiskowe lub bagienne chronią m.in. parki: Biebrzański w Polsce, Prespa w Grecji, Doñana w Hiszpanii, natomiast krajobrazy stepowe — Hortobágy i Kiskunsági na Węgrzech. Odrębną grupę stanowią parki nadmor. z pol. Słowińskim i Wolińskim, szwedz. Gotska Sandön, bryt. Pembrokeshire Coast, hol. Schiermonnikoog oraz niem. zespołem 3 parków Wattenmeer. W E. znajduje się 120 rezerwatów biosfery (1999), gł. parków nar. i rezerwatów, chroniących szczególnie cenne przyrodniczo obszary, a także 22 obiekty przyr. wpisane na Listę Świat. Dziedzictwa Kult. i Przyr. UNESCO, m.in. Droga Olbrzymów w Irlandii Pn., Jeziora Plitwickie w Chorwacji i Puszcza Białowieska (pogranicze Polski i Białorusi). *Konwencją o ochronie środowisk podmokłych*, zw. konwencją Ramsar, jest objętych w E. 457 obiektów położonych w 37 państwach, najwięcej z nich (126) znajduje się w W. Brytanii. Współpraca państw głównie E. Środkowej w zakresie ochrony przyrody zaowocowała utworzeniem międzynar. rezerwatów biosfery obejmujących regiony transgraniczne — 1992 jako pierwszy w E. powstał Międzynar. Rezerwat Biosfery Karpaty Wschodnie, obejmujący tereny chronione Polski, Słowacji i (od 1998) Ukrainy. Państwa eur. współdziałają także m.in. w zakresie ochrony atmosfery (np. *Konwencja o transgranicznym zanieczyszczeniu powietrza* z 1979). Kraje nadbałtyckie podpisały 1974 tzw. konwencję helsińską, o ochronie środowiska przyr. Bałtyku, rozszerzoną 1992 o wody wewnętrzne. W 1990 państwa nadbałtyckie, Norwegia i Czechosłowacja podpisały *Deklarację Bałtycką*. Katastrofalny stan wód Renu zmobilizował państwa z jego dorzecza do powołania 1963 Międzynar. Komisji do Ochrony Renu. W 1992 11 państw z dorzecza Dunaju przystąpiło do realizacji programu przyr. ochrony środowiska Dunaju.

Regiony fizycznogeograficzne. E. dzieli się na E. Północną, Wsch., Zach. i Południową. E. Północna obejmuje Płw. Skandynawski, Miedzymorze Fińsko-Karelskie, Islandię i wyspy arktyczne: Svalbard, Ziemię Franciszka Józefa, Nową Ziemię, Jan Mayen i in. E. Wschodnia obejmuje przede wszystkim Niz. Wschodnioeuropejską (nawiązującą geol. do platformy wschodnioeur.), leżące dalej na wschód góry Ural, oraz, na pd., Płw. Krymski. Najbardziej zróżnicowana wewnętrznie jest E. Zachodnia. W jej obręb wchodzą W. Brytyjskie, Niż Zachodnioeur. i Niż Środkowoeur. (Płw. Jutlandzki, niziny Francji, Holandii, Niemiec i Polski), pas gór i wyżyn związanych z orogenezą hercyńską (od Basenu Akwitańskiego po Wyż. Małopolską) oraz pas młodych gór: Alpy i Karpaty wraz z towarzyszącymi im tektonicznymi obniżeniami. E. Południowa obejmuje płw.: Iberyjski, Apeniński i Bałkański, oraz wyspy śródziemnomorskie.

Ludność

Pochodzenie ludności. Człowiek współcz. pojawił się w E. 40–50 tys. lat temu. Pierwotna ludność przybyła do E. zapewne z Afryki, poprzez Bliski Wschód. W górnym paleolicie na obszarze E. wyodrębniły się liczne kultury o zróżnicowanym poziomie cywilizacyjnym. Około poł. II tysiąclecia p.n.e. rozpoczął się pierwszy znany nam okres wędrówek ludów; z pierwotną ludnością E. zmieszały się wtedy liczne plemiona ludów indoeur.: Celtów, Germanów, Greków, Słowian, Ilirów, Traków i Italików. Szacuje się, że na pocz. I tysiąclecia obszar E. zamieszkiwało ok. 40 mln osób. W I tysiącleciu n.e. na obszar E. napłynęły od wsch. kolejne plemiona zaliczane do ludów irańskich, a następnie mong. (Hunowie). Po upadku cesarstwa zachodniorzym. duże znaczenie dla zaludnienia E. miały wędrówki ludów germańskich z pn. (Wandalowie, Wizygoci, Longobardowie, Frankowie, Burgundowie, Anglowie, Jutowie i Fryzowie), a także Awarów z Azji i Bułgarów. Na pn. i zach. E. znaczną rolę odegrały też późniejsze migracje Normanów (VIII–XI w.), na pd.-zach. — Arabów, na pd.--wsch. — ludów tureckich, m.in. Chazarów. Z końcem I tysiąclecia w E. osiedliły się ludy uralskie, m.in. Węgrzy. Od poł. II tysiąclecia zaznaczyła się tendencja odwrotna — do zasiedlania przez Europejczyków innych części świata na kuli ziemskiej. W ciągu ostatniego wieku mieszkańcami E. stali się liczni imigranci, przede wszystkim z Afryki i Azji, pochodzący gł. z byłych posiadłości europejskich.

Ruch naturalny i rozmieszczenie ludności. E. zamieszkuje łącznie ok. 720 mln osób, co stanowi ok. 12% ludności świata. Na skutek niskiego przyrostu naturalnego w większości państw eur. procent ten stopniowo się zmniejsza. W latach 90. XX w. przyrost naturalny wynosił ok. 2‰ (urodzenia ok. 12‰, zgony — 10‰) i był 6-krotnie mniejszy niż na pocz. XX w. Tendencja do obniżenia się przyrostu naturalnego jest wynikiem zmian społ., przede wszystkim stopniowego upowszechniania się modelu rodziny małodzietnej. Zjawisko to objęło również Polskę — 1999 po raz pierwszy zanotowano w naszym kraju ujemny przyrost naturalny. Drugą ważną tendencją jest stopniowe zwiększanie średniej długości życia (na skutek poprawy jakości życia, w tym wyżywienia, warunków sanitarnych i skuteczności lecznictwa); przeciętne trwanie życia wydłużyło się w ciągu ostatnich 200 lat od 30 do 78 lat. Efektem jest proces starzenia się społeczeństwa E. Oprócz ruchu naturalnego znaczny wpływ na rozmieszczenie ludności E. mają również migracje, gł. z przyczyn ekon. i politycznych. Zachodzą one zarówno między E. a innymi częściami świata, między poszczególnymi państwami eur., jak i wewnątrz tych państw (gł. migracje ekon.). W 2. poł. XX w. na niespotykaną w historii skalę rozwinął się ruch turyst., w którego efekcie dochodzi do krótkotrwałych przemieszczeń wielkiej liczby mieszkańców, zarówno wewnątrz-, jak i międzypaństw., a w części międzykontynentalnych. Kolejną istotną tendencją jest zmiana źródła utrzymania ludności. Stopniowo zmniejsza się liczba osób zatrudnionych w rolnictwie, równocześnie wzrasta zatrudnienie w przemyśle oraz — w krajach bardziej rozwiniętych — w usługach. Gęstość zaludnienia E. wynosi ok. 69 osób/km², przy czym zaznaczają się wielkie dysproporcje w rozmieszczeniu ludności. E. Zachodnia i E. Południowa są gęściej zaludnione niż E. Północ-

■ Europa. Widok Salzburga (Austria)

na i E. Wschodnia. Największa gęstość zaludnienia (poza Monako, Watykanem i San Marino) występuje w Belgii i Holandii (powyżej 300 osób/km²) oraz w Niemczech i W. Brytanii (pow. 200 osób/km²); najmniejsza — w Islandii (3 osoby/km²), Norwegii (14 osób/km²), Finlandii (17 osób/km²). W obrębie poszczególnych państw występują również znaczne różnice w gęstości zaludnienia; generalnie największe zaludnienie występuje w obszarach najbardziej uprzemysłowionych, a najmniejsze — w obszarach wysokich gór oraz w najbardziej niekorzystnych klimatycznie terenach pn. i pn.-wschodniej E. Prawie 73% Europejczyków mieszka w miastach, przy czym ponad 35% w miastach liczących powyżej 100 tys. mieszkańców. W Belgii, Hiszpanii, Niemczech i Islandii wskaźnik urbanizacji przekracza 90%. Zaznacza się stała tendencja do zwiększania liczby ludności miejskiej poprzez stałe powiększanie wielkich miast kosztem sąsiadujących obszarów wiejskich (a także mniejszych miast), w wyniku tego procesu tworzą się powiązane ze sobą komunikacyjnie i gospodar-

■ Europa. Panorama Paryża z wieży Eiffla

czo wielkie aglomeracje i konurbacje; obecnie w E. znajduje się ponad 60 miast i zespołów miejskich liczących powyżej 1 mln mieszkańców. Największymi z nich są: Paryż, Moskwa, Stambuł, Londyn, Madryt, Petersburg i Berlin; największe konurbacje znajdują się w Nadrenii Pn.-Westfalii (Niemcy), w środk. Anglii, na pograniczu Rosji i wsch. Ukrainy i na Górnym Śląsku (Polska).

Gospodarka

Wielka złożoność środowiska, a jednocześnie dogodne położenie geograficzne E. stwarzały wyjątkowo dobre warunki do szybkiego rozwoju społeczeństw w tej części świata. Ściśle wiązało się to z możliwościami rozwoju gospodarczego. W ostatnim tysiącleciu E. stanowiła najsilniej rozwiniętą gospodarczo część świata aż do poł. XX w., kiedy to (m.in. w związku ze zniszczeniami wojennymi) utraciła przodującą rolę na rzecz Stanów Zjednoczonych. Na E. (wraz z Rosją) przypada ok. 45% świat. produkcji przem. (z czego 2/3 to udział E. Zachodniej) i ok. 44% świat. obrotów handlu zagranicznego. Poziom gospodarczy E. jest jednak silnie zróżnicowany. Wynikiem uwarunkowań hist. jest podział na tzw. E. Zachodnią, której państwa cechują się wysokim poziomem gosp., także wysokim standardem życia, oraz E. Środkową i Wsch., o znacznie niższym poziomie gosp., a także cywilizacyjnym. Produkt krajowy brutto na 1 mieszk. wynosił 1998 w krajach E. Zachodniej od kilkunastu do ponad 30 tys. dol. USA, w krajach E. Środkowej i Wsch. — kilka tys. dol. USA (w Polsce 4086). Ważnym wskaźnikiem rozwoju gospodarczego E. jest struktura produktu krajowego. Wszystkie państwa E. Zachodniej z pocz. lat 90. znajdowały się już w tzw. postindustrialnej fazie rozwoju, tzn., że udział III sektora gosp. (szeroko rozumiane usługi) w tworzeniu produktu krajowego był wyższy od łącznego udziału sektora I (rolnictwo) i II (przemysł). W krajach E. Środkowej i Wsch. w ogromnej większości rola sektora usługowego w gospodarce jest znacznie słabsza. W rozwoju gospodarczym E. podstawową rolę odgrywa UE, którą tworzy obecnie (2001) 15 państw (Francja, Belgia, Holandia, Luksemburg, W. Brytania, Irlandia, Niemcy, Dania, Szwecja, Finlandia, Austria, Hiszpania, Portugalia, Włochy, Grecja). O członkostwo w UE ubiega się wiele innych państw, przede wszystkim z E. Środkowej. Najbardziej zaawansowane negocjacje członkowskie prowadzą: Polska, Czechy, Węgry, Słowenia, Estonia i Malta. W wyniku zmian polit., po 1989 kraje E. Środkowej i Wsch. uzyskały możliwość przeprowadzenia transformacji ekon. w kierunku gospodarki rynkowej, jednakże procesy te przebiegają w poszczególnych państwach w zróżnicowanym tempie. Zaznacza się, z roku na rok coraz wyraźniejsza, dysproporcja pomiędzy tymi krajami tzw. E. Środkowej, w których podjęta transformacja gosp. przynosi konkretne efekty makroekon., a pozostałymi krajami, w których reformy podjęto z opóźnieniem, spowolniono ich przebieg bądź też ich zaniechano. Wymiernym efektem tych różnic jest zaproszenie przez UE najszybciej rozwijających się państw: Polski, Czech, Węgier, Słowenii, a także Estonii do

negocjacji członkowskich. Jednocześnie następuje proces głębokiej reorientacji geogr. handlu zagranicznego. W 1980 w strukturze eksportu dominował kierunek „wewnętrzny"; państwa E. Zachodniej kierowały ok. 67% eksportu do siebie nawzajem; w wypadku państw byłego RWPG wskaźnik ten wynosił 51%. Kraje E. Zachodniej kierowały do E. Środkowej i Wsch. jedynie 4% swojego eksportu, a kraje RWPG eksportowały do E. Zachodniej 26% (gł. surowce). Od pocz. lat 90. zwiększa się eksport państw E. Środkowej i Wsch. do państw E. Zachodniej, 1992 stanowił już 56%, przy czym przodują w tych przemianach Polska, Węgry, Czechy, Słowenia. Wartość importu i eksportu na jednego mieszkańca wynosi w krajach E. Zachodniej od kilku do kilkunastu tys. dol. USA, średnio: odpowiednio — 5627 dol. USA i 5578 dol. USA; w krajach E. Środkowej i Wsch. wartości te nie przekraczały z reguły tysiąca dol. USA, średnio: 763 dol. USA i 626 dol. USA. Dysproporcje w rozwoju gosp., choć o odmiennym znaczeniu i charakterze, występują także pomiędzy lepiej rozwiniętymi krajami pn. (m.in. Niemcy, Francja, W. Brytania) a słabszymi ekonomicznie krajami Południa (Grecja, Hiszpania, Portugalia). Znaczne dysproporcje gosp. występują też w obrębie poszczególnych państw; zjawisko to powoduje niekiedy istotne skutki polit. (np. gosp. rozdźwięk we Włoszech pomiędzy bogatą wł. Północą a biednym Południem rodzi tendencje separatystyczne). Mimo znacznych ekon. dysproporcji wewnętrznych E. postrzegana z zewnątrz stanowi atrakcyjną pod względem gosp., a także kulturowym część świata. Stąd, mimo faktu, że większość ich terytoriów leży w Azji, jako kraje eur. postrzegają się Rosja, a także niekiedy Turcja. Do uznawania za kraj eur. aspiruje też Cypr, ubiegający się o przyjęcie do UE. ■

Europejski Obszar Gospodarczy, ang. **European Economic Area, EEA,** wspólny rynek na obszarze 18 państw eur., należących do UE i EFTA (bez Szwajcarii), istniejący od 1994; utw. na podstawie porozumienia z Porto z 1992 (w Szwajcarii odrzucone w referendum); 1995 przystąpił Liechtenstein.

Europejskie Stowarzyszenie Wolnego Handlu, ang. **European Free Trade Association, EFTA,** organizacja gosp. typu unii celnej, utworzona 1960 na mocy traktatu sztokholmskiego, z siedzibą w Genewie; gł. celem jest ustanowienie strefy wolnego handlu między państwami członkowskimi; 1991 państwa członkowskie EWG i EFTA podpisały porozumienie o utworzeniu Eur. Obszaru Gosp.; Polska od 1990 współpracuje z EFTA. Obecni czł.: Norwegia i Szwajcaria (od 1960) oraz Islandia (od 1970) i Liechtenstein (od 1991), dawniej także: Dania i W. Brytania (1960–72), Portugalia (1960–85), Austria i Szwecja (1960–94) oraz Finlandia (1986–94, 1961–85 czł. stowarzyszony); 1994 dwa państwa należące do EFTA: Islandię i Norwegię objął (wspólny z Unią Eur.) → Europejski Obszar Gospodarczy; z państw EFTA nie przystąpiła do niego Szwajcaria (w wyniku sprzeciwu wyrażonego w referendum 1992), a Liechtenstein przystąpił 1995.

■ Eurotunel. Przewóz samochodów koleją

Eurotunel, podmor. tunel kol. pod dnem Cieśn. Kaletańskiej, między Fréthun k. Calais na wybrzeżu fr. a Cheriton na wybrzeżu ang.; wydrążony 1988–93 ok. 40–50 m poniżej dna mor.; składa się z 2 tuneli o dł. 50,5 km i średnicy 7,6 m; skrócił czas podróży koleją z Paryża do Londynu z 7 do 3 godz., w tym przez E. od 20 do 35 min.; budowa finansowana przez konsorcjum franc.-bryt., koszt — ok. 15 mld dol. USA; otwarty 6 V 1994; 1998 przewieziono nim 6,3 mln pasażerów i 3,1 mln t towarów. ∎

eustatyczne ruchy morza, wahania poziomu morza na całej kuli ziemskiej lub znacznych jej obszarach. Przyczyną ich mogą być zmiany klim.; nagromadzenie dużych ilości wody w lodowcach prowadzi do obniżenia poziomu morza (regresja morza), a stopienie lodowców wywołuje odwrotne skutki (transgresja morza), np. stopienie się lądolodów i lodowców plejstoceńskich spowodowało podniesienie się poziomu morza o 50–100 m i zalanie obszarów nadbrzeżnych. E.r.m. mogą być też spowodowane ruchami tektonicznymi (obniżanie się lub podnoszenie dna mor.) lub zapełnianiem osadami basenów morskich. Według teorii → tektoniki płyt globalna zmiana poziomu oceanu jest wynikiem zmian tempa rozchodzenia się skorupy ziemskiej oceanicznej w strefie grzbietów śródoceanicznych.

Everest, Mount [ma^{u}nt ęw^{ə}rıst], nepalskie **Sagarmatha,** chiń. **Qomolangma Feng,** tybetańskie **Czomolangma,** najwyższy szczyt na Ziemi, w Wysokich Himalajach, na granicy Nepalu i Chin; wys. 8848 m, wg amer. pomiarów satelitarnych z 1999 w ramach Global Positioning System — 8850 m; zbud. jest ze skał krystal. (gł. granitów), powstałych w czasie orogenezy alp. oraz (w pd. części masywu) z silnie sfałdowanych w orogenezie alp. skał osadowych, należących do tzw. tybetańskiej serii osadowej, w skład której wchodzą skały węglanowe i okruchowe pochodzące z okresu od kambru do eocenu; wśród skał tej serii lokalnie występują paleozoiczne utwory wulkaniczne. Zlodowacony, granica wiecznego śniegu przeciętnie na wys. ok. 5400 m, na stokach nasłonecznionych nawet na wys. ok. 6000 m; największe lodowce: Kangszung i Rongbuk po chiń. stronie szczytu oraz Khumbu i Imja w Nepalu. Południowa część M.E. oraz sąsiednich szczytów: Lhoce, Czo Oju i in. objęta Parkiem Nar. Sagarmatha.
Historia. Wysokość szczytu ustalono 1852; w nazwie upamiętniono topografa G. Everesta;

wyprawy alpinistyczne od 1921, od strony Tybetu (bez tlenu przekraczano wysokość 8500 m), po 1950 większość od strony Nepalu; zdobyty 29 V 1953 przez wyprawę bryt. pod kierownictwem J. Hunta — na szczyt weszli Nowozelandczyk E.P. Hillary i Szerpa N. Tenzing; pierwsze wejście od pn. — wyprawa chiń. (1960); pierwsze wejście zimowe 17 II 1980 — wyprawa pol. (L. Cichy i K. Wielicki, kier. A. Zawada). Najliczniej zdobywany 8-tysięczny szczyt Ziemi; do I 2001 na szczyt weszło 980 osób (w tym 60 kobiet), niektórzy alpiniści po kilka razy (łącznie 1320 wejść i 167 ofiar śmiertelnych). Spośród Polaków pierwszego wejścia dokonała W. Rutkiewicz (16 X 1978), do V 2000 pol. wejść było 15 (w tym 2 kobiece i 2 powtórne), w masywie zginęło 6 Polaków. Graniami i ścianami wiedzie 13 dróg, w tym 4 amer. i jedna pol. (z 1980), najpopularniejsze (tzw. normalne) od Przełęczy Pd. (nepalska) i od Przełęczy Pn. (tybetańska). Dolina Khumbu i baza pod Mount Everestem (5350 m) są popularnym celem trekkingów (ok. 18 000 turystów rocznie), z czym wiążą się problemy ekologiczne. Szczyt ma bogatą literaturę, także w języku polskim. ∎

■ Mount Everest

Evren Günay Düdeni, do 1996 **Peynirlikonu Düdeni,** jaskinia krasowa w pd. Turcji, w środk. Taurusie, w pobliżu m. Mersin; położona na wyż. Miosen, ok. 0,5 km od jaskini Çukurpinar; wylot na wys. ok. 2000 m; głęb. 1377 m (1997) — najgłębsza jaskinia w Turcji i jedna z najgłębszych w świecie; trudna w eksploracji; 1996 osiągnięto głęb. 1040 m i na cześć zmarłego grotołaza, E. Günay, nadano nazwę jaskini.

ewaporacja [łac.], parowanie wody z powierzchni zbiorników i cieków wodnych; przebiega gł. pod wpływem promieniowania słonecznego; stanowi ważny człon obiegu wody w przyrodzie (→ wody krążenie w przyrodzie); wywiera znaczny wpływ na procesy przebiegające w atmosferze ziemskiej; intensywna e. może powodować powstawanie osadów i skał zbud. z wytrącających się z wody związków chemicznych.

ewaporaty [łac.], skały osadowe pochodzenia chem. powstałe w wyniku wytrącania się i osadzania soli miner. wskutek silnego parowania (ewaporacji) mórz (gł. zatoki, laguny) i słonych jezior; do e. należą skały gipsowe i anhydrytowe, sól kam., sole potasowo-magnezowe oraz niektóre skały węglanowe.

Ewenkijski Okręg Autonomiczny, okręg autonomiczny w Rosji (Kraj Krasnojarski), na Wyż. Środkowosyberyjskiej; 767,6 tys. km^2; 17 tys. mieszk. (2002), Rosjanie 68%, Ewenkowie 14%, Jakuci i in.; ośr. adm. Tura; tajga, na pn. tundra; myślistwo, rybołówstwo; hodowla reniferów i zwierząt futerkowych; wydobycie grafitu i szpatu islandzkiego.

eworsja [łac.], drążenie dna rzecznego przez okruchy skalne obracane wirującą wodą; prowadzi do powstawania zagłębień (zwł. u podnóża wodospadów), zw. kotłami eworsyjnymi; głębo-kość ich waha się od kilkunastu cm do kilkudziesięciu m (np. w dnie Dunaju występują kotły głęb. do 51 m); e. zachodzi również w wyniku działalności wód lodowcowych niosących materiał skalny (→ garnek podlodowcowy).

Eyre [eər], największe jez. Australii (w stanie Australia Pd.), w obniżeniu 12 m p.p.m., na obszarze pustynnym, w obrębie Wielkiego Basenu Artezyjskiego; bezodpływowe, przeważnie stanowi rozległe słone bagna, częściowo pokryte grubą skorupą solną; pow. zmienna ok. 9,5 tys. km^2; dzieli się na 2 części: E. Północne (dł. 120 km, szer. 70 km) oraz E. Południowe (50 km i 30 km), połączone kanałem szer. 140 m; zasilane wodami powodziowymi rzek okresowych (gł. Cooper Creek i Warburton), które płyną wyłącznie po wielkich ulewach. Jezioro odkrył 1840 E.J. Eyre (do 1858 było uważane za część jez. Torrens).

F

Færøerne [färöernə], wyspy duń. na O. Atlantyckim, → Owcze, Wyspy.

facja [łac.], kompleksy skał odznaczające się charakterystycznym zespołem cech związanych ze środowiskiem, w którym powstały; f. może być charakteryzowana przez obecność określonych skamieniałości (biofacja, np. f. graptolitowa) lub litologię (litofacja, np. f. węglowa).   ■

fakolit [gr.], forma drobnej intruzji magmowej o kształcie soczewkowatym, zgodna z ułożeniem pofałdowanych warstw skalnych; występuje najczęściej na przegubach antyklin.

Falchan Kangri, ang. **Broad Peak,** szczyt w Karakorum, w pn. części ind. stanu Dżammu i Kaszmir, administrowanej przez Pakistan; wys. 8047 m (wg innych danych 8051 m); od położonego w pobliżu szczytu K2 oddzielony lodowcem dolinnym Godwin Austen; zlodowacony; 1957 zdobyty przez austr. wyprawę.

fale morskie → morskie fale.

faleza [franc. < niem.], → klif.

Falklandy, Malwiny, terytorium zależne W. Brytanii w Ameryce Pd., w archipelagu Falklandy, w pd.-zach. części O. Atlantyckiego; obejmuje wyspy Falkland Wsch., Falkland Zach. i ok. 200 mniejszych; 12,2 tys. km^2; 2,3 tys. mieszk. (2002), gł. pochodzenia bryt.; stol. i gł. port Stanley. Powierzchnia równinno-pagórkowata, wys. do 705 m; klimat subpolarny mor. (silne wiatry); łąki i torfowiska; hodowla owiec; rybołówstwo; przemysł tłuszczowy; wydobycie torfu; turystyka.

fałd, podstawowa forma deformacji tektonicznej polegająca na wygięciu warstw lub lamin skalnych bez przerywania ich ciągłości, mogąca mieć postać → antykliny lub → synkliny; wg innych poglądów fałd składa się z antykliny i synkliny. W budowie f. rozróżnia się część wewn., czyli jądro, i części zewn., zw. skrzydłami. Podstawowymi elementami opisowymi f. są: położenie skrzydeł, osi i powierzchni osiowych oraz promień i amplituda; ze względu na wzajemny stosunek poszczególnych elementów rozróżnia się f. stojący, pochylony, obalony, leżący i przewalony. Mechanizm powstawania f. jest uzależniony od warunków deformacji oraz od podatności skał na deformację i może polegać na zginaniu, ścinaniu lub płynięciu mas skalnych. Procesy te prowadzą do powstania różnych w sensie geom.-strukturalnym form f.: koncentrycznych, symilarnych i dysharmonijnych. Ze względu na kształt w przekroju poprzecznym rozróżnia się f. zygzakowate, grzebieniowate, półkoliste, skrzynkowe, wachlarzowe itp. F. są często stowarzyszone z deformacjami nieciągłymi — uskokami i nasunięciami, tworząc skiby, łuski i płaszczowiny. F. są gł. formą w budowie większości łańcuchów górskich.   ■

■ Fałd w wapieniach dewonu, wzgórze Śluchowice (Góry Świętokrzyskie)

■ Fałd. 1- Schemat fałdu; 2- Fałdy: a) obalony; b) leżący; c) przewalony; d) wachlarzowy; e) skrzynkowy; f) łuska

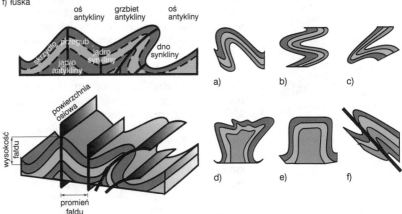

■ Fidżi

■ Filipiny

fałdowanie, powstawanie fałdów w skorupie ziemskiej; zachodzi na dużą skalę zwł. w trakcie orogenez.

Fantastic Caverns [fäntästịk kạ̈wə̣ʳnz], jaskinia w USA, na wyżynie Ozark, w pd.-zach. części stanu Missouri, na pn.-zach. od Springfield; dł. ok. 4 km, 2 poziomy rozległych korytarzy i sal o płaskim stropie, bogata szata naciekowa; odkryta 1862; ze względu na łatwy dostęp, od pocz. lat 20. wykorzystywana w celach rozrywkowych (ustawiono parkiet do tańca, stoły do gier hazardowych, bar; nielegalnie warzono piwo); 1924–39 miejsce zebrań Ku-Klux-Klanu; 1960 udostępniona do zwiedzania (ok. 150 tys. osób rocznie); w jaskiniowym strumieniu liczne troglobionty, m.in. ok. 500 osobników endemicznego gat. ryb, raki rzeczne i salamandry.

FAO → Organizacja Narodów Zjednoczonych do Spraw Wyżywienia i Rolnictwa.

fatamorgana [wł.], nazwa nadawana → mirażom pojawiającym się w Cieśn. Mesyńskiej, a także mirażom nad innymi wodami.

Fatra, Mała, Malá Fatra, pasmo górskie w Karpatach Zach., w Słowacji; najwyższy szczyt Krywań, 1709 m; zbud. z granitów, po stronie pn. występują kwarcyty, wapienie i dolomity oraz margle; przecięte antecedentnym przełomem Wagu; lasy jodłowo-bukowe, bory świerkowe; powyżej 1400 m zarośla kosodrzewiny i murawy; rezerwaty przyrody; turystyka.

Fatra, Wielka, Veľká Fatra, pasmo górskie w Karpatach Zach., w Słowacji; najwyższy szczyt Ostredok, 1592 m; zbud. gł. z granitów i wapieni; silnie zalesione; rozległe hale; rezerwaty przyrody.

Fedczenki, Lodowiec, największy lodowiec na Pamirze, w Tadżykistanie; uważany za najdłuższy lodowiec górski na Ziemi; pow. 652 km^2, dł. 77 km, szer. 1700–3100 m; miąższość lodu w części środk. do 1000 m; bierze początek na pn. stoku G. Jazgulemskich na wys. 5300 m; spływa wzdłuż wsch. stoku G. Akademii Nauk (średnia prędkość ok. 1 mm na dobę) do wys. 2900 m; stacja hydrometeorol. (na wys. 4169 m).

fen [niem. < łac.], **föhn,** wiatr wiejący od grzbietów górskich w kierunku dolin, często b. silny i porywisty; wywołuje wzrost temperatury i spadek wilgotności względnej powietrza; f. powstaje wtedy, gdy masy powietrza napotykają na swojej drodze przeszkody orograficzne zmuszające je do wznoszenia się wzdłuż stoków dowietrznych i opadania wzdłuż stoków zawietrznych; ma swoje nazwy lokalne, np. → chinook w G. Skalistych, wiatr → halny w Polsce.

Fergańska, Kotlina (Dolina), śródgórskie obniżenie w Tien-szanie, w Uzbekistanie, Tadżykistanie i Kirgistanie, w górnym biegu Syr-darii; pow. 22 tys. km^2, dł. ok. 300 km, szer. do 170 km, wys. od 330 m na zach. do 1000 m na wsch.; częste trzęsienia ziemi; klimat umiarkowany ciepły kontynent., suchy; średnia temp. w styczniu od –2°C do –3°C, w lipcu 24–27°C; roczna suma opadów 100–120 mm, na pd.-wsch. przedgórzach do 500 mm (na stokach zwróconych ku

zach. 800–1500 mm); Syr-daria wykorzystywana do nawadniania (Zbiornik Kajrakkumski, kanały fergańskie); uprawa bawełny, drzew owocowych, winorośli; hodowla jedwabników; wydobycie ropy naft. i gazu ziemnego; jeden z najgęściej zaludnionych regionów Azji Środk.; gł. m.: Chodżent, Fergana, Margelan, Kokand, Andiżan, Namangan, Osz.

Fernando Po, Fernando Póo, do 1973 nazwa wyspy → Bioko, należącej do Gwinei Równikowej.

Fichtelgebirge [fȳśtəl~], góry w Niemczech, → Smreczany.

Fidżi, fidżi Viti, ang. Fiji, Republika Fidżi, państwo w Oceanii, na archipelagu Fidżi; 18,3 tys. km^2; 812 tys. mieszk. (2002), Fidżyjczycy 50%, Indusi 45% i in.; gł. chrześcijanie i wyznawcy hinduizmu; stol. i gł. port Suwa; język urzędowy: fidżi i hindi (w użyciu ang.); republika. Ponad 300 wysp, największe Viti Levu i Vanua Levu; trzęsienia ziemi; częste cyklony. Uprawy: trzcina cukrowa, palma kokosowa, ryż, rośliny bulwiaste, banany, imbir; połów tuńczyka; wydobycie złota; turystyka; eksport cukru, konserw rybnych, oleju kokosowego.　■

■ Fidżi. Krajobraz wyspy Viti Levu w okolicy wsi Abaca

Filadelfia, Philadelphia, m. w USA (Pensylwania), nad O. Atlantyckim; 1,5 mln mieszk., zespół miejski 4,9 mln (2002), region metropolitalny F.–Wilmington–Atlantic City 6 mln (1994); wielki ośr. przem. (gł. środków transportu, elektron., rafineryjny), handl., nauk. (kilka uniw.) i turyst.; ważny port handl. i węzeł komunik.; miasto zał. 1681–82 przez W. Penna; miejsce podpisania *Deklaracji niepodległości Stanów Zjednoczonych*); domy mieszkalne i kościoły z XVII–XIX w. (katedra Św. Piotra i Pawła), liczne klasycyst. i neogot. budowle reprezentacyjne z XVIII w. (Independence Hall) i XIX w. (Second Bank of the United States).

Filipiny, tagalskie Pilipinas, ang. Philippines, hiszp. Filipinas, Republika Filipin, państwo w pd.-wsch. Azji, na wyspach Archipelagu Filipińskiego; 300 tys. km^2; 80 mln mieszk. (2002), Filipińczycy, Chińczycy; katolicy, muzułmanie (gł. na Mindanao); stol. Manila, większe m.: Quezon, Davao, Caloocan, Cebu; język urzędowy: tagalski, ang., hiszp.; w użyciu wiele języków i narzeczy; republika. Góry i wyżyny zajmują ok. 75% pow. kraju; 50 czynnych (Apo, 2954 m) i wygasłych wulkanów. Klimat równikowy wilgot-

■ Filipiny. Tarasy ryżowe koło Bonque

ny, monsunowy; cyklony tropik.; wilgotne lasy równikowe. Wydobycie rud metali (miedzi, chromu, niklu); rozwinięte tradycyjne gałęzie przemysłu: cukr., włók. i drzewny; w Manili — elektron., samochodowy; uprawa palmy kokosowej (1. miejsce w świecie w zbiorach kopry), trzciny cukrowej, banana manilskiego, zbóż; rybołówstwo; żegluga przybrzeżna; gł. porty: Manila, Davao. ■

Filipiński, Rów, rów oceaniczny w zach. części dna O. Spokojnego, w M. Filipińskim; ciągnie się z pn. na pd. wzdłuż wsch. wybrzeży Archipelagu Filipińskiego; dł. 1330 km, średnia szer. 60 km, głęb. do 10 497 m, w głębi Cape Johnson; wg innych źródeł 10 540 m w głębi Galathea, 10 830 m w głębi Emden oraz do 11 524 m (największa zmierzona głębokość w oceanie świat., nie potwierdzona pomiarem powtórnym), w pd. części R.F. zw. Rowem Mindanao (Mindanao Trench).

Filipińskie, Morze, zach. otwarta część O. Spokojnego, między Archipelagiem Filipińskim i Tajwanem na zach., wyspami Riukiu i Japońskimi na pn., Marianami na wsch. oraz Palau i Yap na pd.; pow. 5726 tys. km²; głęb. średnia 4108 m, maks. — 10 497 m (Rów Filipiński); na pn. rów oceaniczny Riukiu (Nansei) o głęb. do 7790 m; gł. baseny oceaniczne: Filipiński (głęb. 5500–6500 m), Zachodniomariański (ok. 5000 m); liczne wulkany podmor.; trzęsienia ziemi.

Fingala, Jaskinia, Fingal's Cave, jaskinia w W. Brytanii, w klifie wyspy Staffa (Hebrydy Wewn.) u wybrzeży Szkocji; jedna z najsławniejszych jaskiń świata; dł. 69 m; powstała w trzeciorzędowych skałach bazaltowych w wyniku abrazji mor.; jedno z 2 najsłynniejszych stanowisk kolumn bazaltowych na świecie; strop 20 m ponad powierzchnią wody; huk wody wpływającej do niej przy wzburzonym morzu słychać na całej wyspie; odkryta 1772 przez J. Banksa; nazwa od imienia bohatera poematów J. Macphersona (*Fingal* 1762); atrakcja turyst. mimo trudnego dostępu; już w 1. poł. XIX w. zwiedzało ją nawet do 300 osób dziennie, m.in. królowa Wiktoria i ks. Albert (1847); źródło inspiracji literatów i artystów, m.in. W. Scotta (poemat *Pan dwóchset wysp* 1815), F. Mendelssohna-Bartholdy (uwertura *Hebrydy* 1832), W. Turnera (obraz *Staffa: Fingal's Cave* 1832).

Finlandia, fiń. **Suomi,** szwedz. **Finland, Republika Finlandii,** państwo w Europie Pn., nad M. Bałtyckim; 338,1 tys. km²; 5,2 mln mieszk.

(2002), Finowie (93%), Szwedzi (6%); protestanci (87%), prawosławni, katolicy; stol. Helsinki, inne gł. m.: Tampere, Espoo, Turku, Oulu; język urzędowy: fiń., szwedz.; republika. Powierzchnia nizinna, polodowcowa; ponad 60 tys. jezior, największe: Saimaa, Inari, Päijänne, Kalla; lasy (69% pow.); klimat umiarkowany chłodny. Gospodarka rozwinięta; przemysł drzewny, papierniczy, maszyn., spoż., petrochem., stoczn., hutnictwo metali; wydobycie rud miedzi, żelaza, cynku, ołowiu, niklu, uranu; hodowla bydła mlecznego, owiec, reniferów; uprawa zbóż, rzepaku; rybołówstwo; transport samochodowy, śródlądowy wodny, mor.; gł. porty: Helsinki, Kotka, Turku; turystyka; eksport drewna, mebli, papieru, maszyn, surowców mineralnych. ■

Fińska, Zatoka, est. **Suome Laht,** fiń. **Suomenlahti,** ros. **Finskij zaliw,** szwedz. **Finska Viken,** zatoka M. Bałtyckiego, u wybrzeży Finlandii, Rosji i Estonii; pow. 29,5 tys. km², dł. 420 km, szer. 45–120 km, głęb. do 123 m; urozmaicona linia brzegowa, gł. w części pn. (wybrzeże skjerowe); temperatura wód powierzchniowych od poniżej 0°C w lutym do 15–17°C w sierpniu; zasolenie 2–5‰; wsch. część Z.F. jest pokryta lodami od listopada do kwietnia; uchodzi rz. Newa; gł. porty: Helsinki, Kotka, Wyborg, Petersburg, Narwa, Tallin.

■ Finlandia

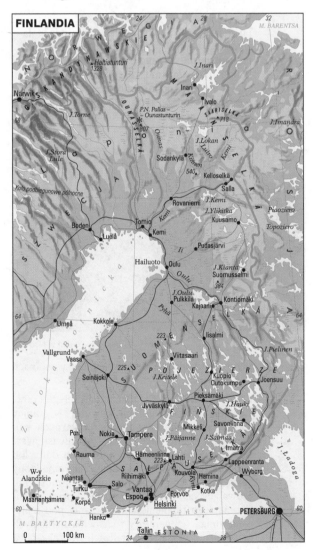
FINLANDIA

Fińskie, Pojezierze, region polodowcowy w pd. Finlandii, ograniczony wałami moren Suomenselkä i Salpausselkä; stanowi wysoczyznę (wys. do 355 m) zbud. gł. z prekambryjskich granitoidów i gnejsów, przykrytych cienką warstwą utworów czwartorzędowych; liczne formy akumulacji lodowcowej (drumliny, ozy); ponad 55 tys. jezior (największe: Saimaa, Päijänne); krótkie, zasobne w wodę rzeki (Vuoksi, Kymi, Kokemäen) tworzą bystrza i wodospady (najwyższy — Imatra); Fińskie Pojezierze leży w strefie tajgi; panują drzewostany świerkowe (na siedliskach wilgotniejszych) i sosnowe; ok. 1/3 pow. zajmowały bagna i torfowiska, obecnie częściowo odwodnione i zalesione; gospodarka leśna; gł. m.: Tampere, Kuopio, Hämeenlinna.

Fionia, Fyn, wyspa duń. między Płw. Jutlandzkim a wyspą Zelandią, oddzielona od Jutlandii cieśn. Mały Bełt, od Zelandii — Wielki Bełt; pow. 3486 km^2; nizinna; uprawa pszenicy, jęczmienia, buraków cukrowych, drzew owocowych; rozwinięte warzywnictwo, przemysł stoczn., włók. i in.; połączona mostem z Płw. Jutlandzkim; gł. m. — Odense; na wyspie wiele zabytkowych zamków i dworów. W VI 1998 oddano do użytku most drogowo-kol. nad cieśn. Wielki Bełt, łączący F. z Zelandią; między wysepką Sprogø w Wielkim Bełcie a Zelandią linia kol. biegnie tunelem.

fiord [norw.], wąska, długa, często rozgałęziona i b. głęboka (do 1300 m) zatoka mor. powstała w wyniku zalania przez morze (najczęściej z powodu eustatycznego podnoszenia się poziomu morza po stopieniu się lodowców) dolnych części żłobów (dolin) lodowcowych; dno f. jest nierówne, zbocza strome, zwykle skaliste; f. występują na wybrzeżach Norwegii, Grenlandii, Szkocji, Alaski i in. ■

■ Fiord. Geirangerfjorden w Norwegii

firn [niem.], lód ziarnisty, występujący w polach → firnowych.

firnowe pole, obszar akumulacji śniegu i powstawania lodu w górach powyżej → granicy wiecznego śniegu i w obszarach polarnych; zajmuje leje źródliskowe lub nisze osuwiskowe i in., najczęściej w górnych odcinkach dolin lub u podnóża szczytów górskich; nagromadzony śnieg (spadający w postaci opadu atmosf. lub zsuwający się ze stoków w postaci lawin), wskutek ciągłego topnienia i zamarzania pod wpływem zmian temperatury i ciśnienia nadległych mas śniegu, ulega rekrystalizacji i przekształca

■ Pole firnowe w masywie Aconcagua (Argentyna)

się w zbity i gruboziarnisty lód, tzw. f i r n, a następnie w lód lodowcowy, który, pod ciężarem stale narastających mas śniegowo-firnowych, jest wyciskany i wypływa z p.f. ku miejscom obniżonym w postaci jęzora lodowcowego; na obszarze p.f. powstają → cyrki lodowcowe. ■

Fisher Ridge [fıszə^r rıdż], **Fisher Ridge Cave System,** jaskinia w USA, w stanie Kentucky, w pobliżu m. Horse Cave, na wsch. od Parku Nar. Jaskini Mamuciej; jedna z najdłuższych jaskiń świata (136 km, 1999), deniwelacja 108 m; rozbudowana sieć poziomych krasowych korytarzy o rozciągłości ponad 9 km, rozwinięta w wapieniach gł. na wys. 150–200 m; najniżej położone korytarze wypełnia woda (liczne syfony) płynąca pod ziemią w 3 kierunkach (m.in. do rz. Green); część jaskini była penetrowana przez prehist. Indian; otwór położony na granicy piaskowców i wapieni odkryty 1981; odkrycia 1985 doprowadziły w sąsiedztwo Jaskini → Mamuciej (do połączenia brakuje w linii prostej ok. 250 m).

Fitz Roy [fic roi], **Cerro Fitz Roy, Chaltel,** szczyt w Andach Patagońskich, na granicy Argentyny i Chile; wys. 3375 m, wieczne śniegi i lodowce spływające do fiordów O. Spokojnego; Park Nar. Los Glaciares; zdobyty po raz pierwszy 1952 przez franc. ekspedycję alpinistyczną (G. Magnone i L. Terray); 1984 pol. wyprawa alpinistyczna pod kierownictwem P. Lutyńskiego.

fizjografia [gr.], w geografii fiz. pojęcie określające w przeszłości (do 1939) ogólną charakterystykę warunków przyr. wybranego obszaru (budowę geol., rzeźbę, stosunki wodne, klimat, gleby, roślinność, świat zwierzęcy), a niekiedy, zwł. poza Polską, utożsamiane tylko z charakterystyką geomorfologiczną. Od 1945 zaczęto stosować pojęcie f. urbanistyczna, rozumiane jako ogólna ocena przyr. uwarunkowań odbudowy i rozbudowy miast i osiedli; tym pojęciem określano opracowania na potrzeby planowania przestrzennego i budownictwa, a niekiedy także wszelkie prace z zakresu geografii fiz. stosowanej. Współczesna geografia fiz. wykracza swoimi badaniami poza opis warunków przyr., toteż pojęcia f. i f. urbanistyczna nie są obecnie stosowane.

Flandria, flam. **Vlaanderen,** region autonomiczny w pn. Belgii, utw. 1993 z Regionu Flamandzkiego; język urzędowy flam.; 13,5 tys. km^2, 5,9 mln mieszk. (1994), gł. Flamandów; obejmuje prow.: Flandria Zach., Flandria Wsch., Antwerpia, Limburgia i pn. Brabancja; największe m.: Gandawa (centrum adm. i kult. regionu), Antwerpia, Brugia.

fleksura [łac.], deformacja tektoniczna pośrednia między → fałdem a → uskokiem, powstała wskutek przemieszczenia warstw skalnych wywołującego ich ścienienie, lecz bez przerwania ciągłości; występuje często w sąsiedztwie uskoków lub na ich przedłużeniu.

Flindersa, Góry, Flinders Ranges, pasmo górskie w Australii, w stanie Australia Pd., o przebiegu południkowym; dł. 500 km; najwyższy szczyt Saint Mary Peak, 1190 m; zbud. gł. ze skał osadowych (z intruzjami skał wulk. na pn.), zawierających dobrze zachowaną skamieniałą faunę prekambryjską; w Górach Flindersa dawniej wydobywano srebro, rudy ołowiu i miedzi, obecnie czynna odkrywkowa kopalnia węgla Leigh Creek; w regionie Mount Painter występują rudy uranu i gorące źródła radioaktywne; roślinność sawannowa, wzdłuż okresowych rzek zarośla eukaliptusów o czerwonym drewnie; liczne malowidła naskalne ludności rdzennej; rozwinięta turystyka (2 parki narodowe).

flisz [niem.], zespół skał osadowych o wielkiej miąższości składający się z naprzemianległych warstw piaskowców, mułowców i łupków ilastych (niekiedy też zlepieńców) powstałych jako osady mor. przy udziale → prądów zawiesinowych; f., zależnie od energii i gęstości prądu zawiesinowego, może zawierać przeważającą ilość piaskowców i mułowców (f. piaskowcowy, zw. też bliskim), taką samą ilość piaskowców i łupków ilastych (f. normalny) lub może mieć przewagę łupków ilastych (f. łupkowy, zw. też dalekim); cechą warstw piaskowcowych we f. jest ich uziarnienie frakcjonalne oraz występowanie (na dolnych powierzchniach) licznych → hieroglifów. Skały f., zwykle silnie sfałdowane, są charakterystycznym składnikiem gór fałdowych, np. Alp, Karpat (Karpaty fliszowe); często zawierają złoża ropy naft. i gazu ziemnego.

Florencja, Firenze, m. w środk. Włoszech, w Apeninie Toskańskim, nad rz. Arno; stol. regionu autonom. Toskania; 376 tys. mieszk. (2002); ośr. turyst. o międzynar. znaczeniu; rozwinięty przemysł środków transportu, farm., precyzyjny, obuwn.; rzemiosło artyst.; ważny węzeł komunik.; uniw. (zał. 1321), akad. sztuk pięknych, znany teatr operowy i konserwatorium; coroczne festiwale muz.; muzea (Galleria degli Uffizi oraz Galleria dell'Accademia). Jeden z najcenniejszych na świecie zespołów zabytkowych; fragmenty średniow. murów obronnych; mosty: Ponte Vecchio, alla Carraia, S. Trinitŕ; rom. baptysterium S. Giovanni (XI w.) ze słynnymi brązowymi drzwiami A. Pisana (XIV w.) i L. Ghibertiego (XV w.), tzw. Porta del Paradiso; liczne kościoły, m.in.: S. Miniato al Monte (XI–XIII w.), S. Croce (XIII, XIV w.), S. Maria Novella (XIII–XIV w., renes. fasada L.B. Albertiego), got.-renes. katedra S. Maria del Fiore (XIII–XV w.) z got. kampanilą rozpoczętą przez Giotta, ze słynną renes. kopułą F. Brunelleschiego; budow-

■ Florencja. Ponte Vecchio

le użyteczności publ., m.in.: Palazzo Vecchio (XIII–XIV w.), Palazzo degli Uffizi (XVI w.), Loggia della Signoria (dei Lanzi), przytułek — Ospedale degli Innocenti (XV w.); liczne domy i pałace, m.in.: z XV w. Medici Riccardi, Strozzi, Rucellai; budowle barok. i klasycyst.; ogrody Boboli (poł. XVI w.). ■

Floryda, Florida Peninsula, półwysep w pd.-wsch. części USA, między Zat. Meksykańską, Cieśn. Florydzką i O. Atlantyckim; pow. ok. 110 tys. km^2; zajmuje większość powierzchni stanu Floryda; nizinny (wys. do 99 m), zbud. z trzeciorzędowych wapieni, przykrytych utworami piaszczysto-gliniastymi; częściowo zabagniony; formy krasowe; wsch. wybrzeża lagunowe, u pd. wybrzeży liczne wyspy koralowe (Florida Keys); klimat zwrotnikowy wilgotny; liczne jeziora (największe — Okeechobee); większość powierzchni pokryta lasami, w pn. części gł. lasy mieszane z udziałem sosny i dębu, w pd. wilgotne lasy podzwrotnikowe (dąb, magnolia, palmy, sosny, liczne pnącza), na obszarach podmokłych lasy bagienne z cypryśnikiem i drzewem tupelowym; bogata fauna (krokodyle, pumy); ważny region turyst.; Nark Par. Everglades; wydobycie fosforytów; gł. m.: Miami, Tampa.

Floryda, Florida, stan w USA, na płw. Floryda; 151,9 tys. km^2, 16,6 mln mieszk. (2002); stol. Tallahassee, gł. miasta: Miami, Tampa, Jacksonville; obszar nizinny; liczne bagna (zwł. na pd.); klimat zwrotnikowy mor.; zalesiona; region turystyczno-wypoczynkowy (41 mln turystów, 1993) o międzynar. znaczeniu; słynne kąpieliska, m.in. Miami Beach; centrum rozrywkowe Disney World; intensywna uprawa drzew cytrusowych, warzyw i hodowla bydła; przemysł gł. spoż., chem., lotn.; wydobycie fosforytów; komunikacja lotn.; na przyl. Canaveral Ośr. Kosmiczny im. J.F. Kennedy'ego; na pd. F. — Park Nar. Everglades.

Florydzka, Cieśnina, ang. Straits of Florida, hiszp. Estrecho de la Florida, cieśnina między płw. Floryda a Kubą i archipelagiem Bahamów; łączy Zat. Meksykańską z O. Atlantyckim; dł. 570 km, najmniejsza szer. 80 km, głęb. 1071–2084 m (na linii największych głębokości); przepływa Prąd Florydzki; gł. porty: Hawana, Miami.

fluwioglacjalne osady, piaski i żwiry osadzone przez wody topniejącego lodowca; tworzą charakterystyczne formy powierzchni Ziemi: → sandry, ozy, kemy; występują powszechnie, m.in. na terenach środk. i pn. Polski.

Fogaraskie, Góry, Munţii Fgraşului, najwyższe pasmo Karpat Pd., w Rumunii, na wsch. od przełomu Aluty; najwyższe szczyty: Moldoveanu — 2544 m i Negoi — 2536 m; zbud. z łupków krystal. i in. skał metamorficznych; opada stromo wzdłuż uskoku ku Wyż. Transylwańskiej; rzeźba alp. (ostre granie i turnie, cyrki z jeziorami i doliny korytowe); prawie bezludne; do wys. 1700–1800 m silnie zalesione, powyżej piętro kosodrzewiny; na halach wypas owiec; trudno dostępne; przecięte szosą, która biegnie z doliny Ardżeszu (między najwyższymi szczytami), na wys. 2040 m przebity tunel (dł. 888 m); po pn. stronie — schroniska.

foliacja [łac.], kierunkowe uporządkowanie wewn. budowy skały, polegające na równol. ułożeniu w niej płaskich i wydłużonych ziaren miner.; wskutek f. skała dzieli się łatwo na cienkie płytki; f. powstaje pod wpływem wysokiego ciśnienia i rekrystalizacji ziaren miner., występuje w łupkach krystal. i silnie zdiagenezowanych łupkach ilastych. Zob. też laminacja.

fosylizacja [łac.], proces powstawania skamieniałości w osadach; dzięki f. szczątki organizmów stają się składnikami skorupy ziemskiej; części wapienne i fosforowo-wapienne szkieletów mogą pozostać bez zmian lub też f. może prowadzić do skrzemionkowania (→ sylifikacja) szkieletów i drewna roślin.

■ Francja

fotografia lotnicza, dział techniki fot. obejmujący wykonywanie zdjęć fot. za pomocą specjalnych kamer umieszczanych na samolotach poruszających się na wysokościach do 30 km. Najczęściej są to czarno-białe zdjęcia panchromatyczne; oprócz tego wykonuje się czarno--białe zdjęcia w podczerwieni, a także zdjęcia barwne — zarówno o barwach naturalnych, jak i nierzeczywistych (zdjęcia spektrostrefowe). Zdjęcia lotn. wykonuje się przede wszystkim na potrzeby → fotogrametrii, która wykorzystuje je do opracowywania map topograficznych; coraz powszechniej wykorzystuje się je również do opracowywania map tematycznych (geol., geomorfologicznych, leśnych itp.). Za pomocą współcz. technik f.l. można wykonywać zdjęcia obiektów o wielkości kilku cm z wysokości nawet kilkudziesięciu kilometrów.

fotogrametria [gr.], dziedzina nauki i techniki obejmująca metody odtwarzania kształtów, rozmiarów i wzajemnego położenia obiektów na danym terenie na podstawie zdjęć fotogrametrycznych; metody f. są stosowane m.in. w geodezji, geologii, astronomii.

fotometeory [gr.], zjawiska świetlne powstające w atmosferze ziemskiej wskutek odbicia, załamania, ugięcia i interferencji światła pochodzącego od Słońca, Księżyca i in. ciał niebieskich lub ze sztucznych źródeł; np.: halo, gloria, tęcza, wieńce, zjawisko Brockenu, zorza, miraż.

fotyczna strefa, górna, prześwietlona warstwa wód zbiorników wodnych; ze względu na pochłanianie i rozpraszanie światła jej zasięg wynosi do 400 m w głąb w jeziorach i 1700 m — w morzach; promieniowanie dociera tym głębiej, im bardziej przejrzysta jest woda, a natężenie i kąt padania promieni świetlnych większy; promieniowanie czerwone dociera do kilkunastu m, żółte do kilkudziesięciu m w głąb, niebieskie i fioletowe — najgłębiej; warunkuje to pionowe rozmieszczenie organizmów (gł. roślin); w s.f. rozróżnia się strefę jasną — eufotyczną i półcienia — dysfotyczną.

Frampol, m. w woj. lubel. (powiat biłgorajski); 1,5 tys. mieszk. (2000); ośr. usługowy regionu roln. i letnisko; drobny przemysł (materiałów bud., spoż., drzewny, metal.); węzeł drogowy; nad zalewem ośr. wypoczynku świątecznego; kontynuowane tradycje tkackie (lniarstwo) i garncarskie; prawa miejskie przed 1738 (1736?)–1870 i od 1993; zabytkowy układ urb. (XVIII w.).

Francja, France, Republika Francuska, państwo w Europie Zach., nad O. Atlantyckim, M. Północnym i M. Śródziemnym; od W. Brytanii oddzielona cieśn.: La Manche i Kaletańską; pow. 551,5 tys. km^2, 59,1 mln mieszk. (2002); stol. Paryż; język urzędowy franc.; republika; dzieli się na 22 regiony adm. i 96 departamentów. W skład F. wchodzą 4 departamenty zamor. (Gujana Franc., Gwadelupa, Martynika, Reunion), 3 terytoria zamor. (Nowa Kaledonia, Polinezja Franc., Wallis i Futuna), 2 terytoria o statusie specjalnym (Majotta, Saint-Pierre i Miquelon).

Warunki naturalne

Ponad połowę pow. F. stanowią płaskie i pagórkowate niziny, rozdzielone wapiennymi i piaskowcowymi progami; na pn. Basen Paryski, na zach. Basen Loary i Basen Akwitański z piaszczystymi Landami nad Zat. Biskajską; na wsch. niskie pasma Ardenów, zrębowe masywy Wogezów i wapienne góry Jura, na pd. rozległy, wyżynno-górski Masyw Centr. ze stożkami wygasłych wulkanów, trudno dostępne Pireneje (Vignemale, 3298 m) i Alpy (Mont Blanc, 4807 m); wybrzeża (dł. ok. 2700 km) piaszczyste, riasowe, klifowe i skaliste; liczne przybrzeżne wyspy, na M. Śródziemnym — Korsyka. Klimat umiarkowany ciepły mor., na pd. podzwrotnikowy śródziemnomor.; średnia temp. w styczniu od 0°C w górach do 7°C na zach. i 9°C na pd., w lipcu od 17°C na pn. do 23°C na pd.; opady najwyższe w górach (ponad 2000 mm rocznie), najmniejsze w Basenie Paryskim (ok. 550 mm). Gęsta sieć rzeczna; gł. rz.: Loara, Rodan, Sekwana, Garonna i Ren (na dł. 195 km wyznacza granicę z Niemcami) połączone systemem kanałów żegl. (Ardeński, Burgundzki, Centralny, Marna–Ren, Rodan–Ren i in.). Lasy zajmują ok. 28% pow., przeważają dębowe, dębowo-bukowe i grabowe, w Landach — sosnowe, na pd. — kasztanowe z dębem korkowym i sosną alepską oraz makią, w górach — jodłowe i świerkowe; obszary chronione zajmują 9,7% pow.; największe parki nar. w Alpach (Vanoise, Écrins, Mercantour), Pirenejach i Masywie Centralnym (Sewenny).

Ludność

Francuzi (94% ludności), imigranci z Afryki Pn. (Arabowie) i innych krajów afryk. oraz Hiszpanii, Portugalii, Włoch; katolicy (75%), muzułmanie (5%), protestanci (4%); przyrost naturalny ok. 3,4‰ rocznie (1999); przeciętna długość życia 77 lat; średnia gęstość zaludnienia 107 mieszk. na 1 km^2, najgęściej zaludnione obszary pn. (w aglomeracji paryskiej 6000 mieszk. na

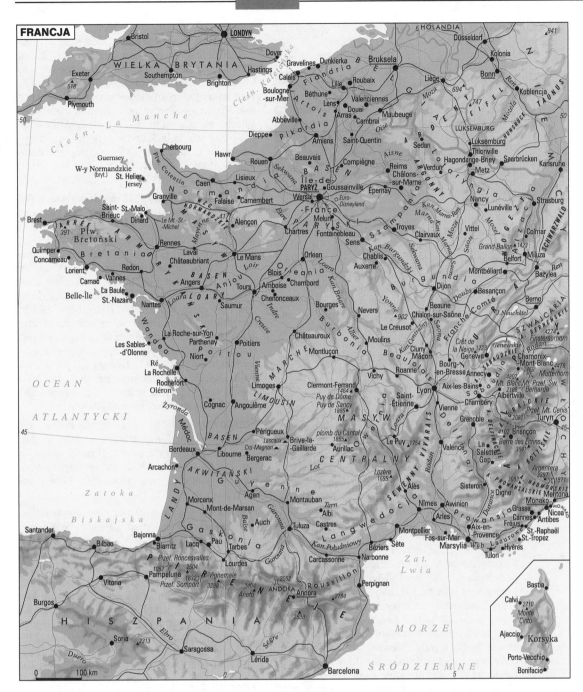

FRANCJA

1 km²), dolina Rodanu i Wybrzeże Lazurowe; wyludniające się regiony w środk. części kraju, zwł. Limousin, Owernia; 73% (1994) ludności mieszka w miastach, największe m.: Paryż, Lyon, Marsylia, Lille, Bordeaux, Tuluza, Nantes, Nicea; struktura zatrudnienia: 70% ludności zawodowo czynnej w usługach, 26% w przemyśle i budownictwie, 4% w rolnictwie, leśnictwie i rybołówstwie.

Gospodarka

Kraj wysoko rozwinięty, jedna z potęg gosp. świata; znaczny udział kapitału państw. w przemyśle (zwł. energ., hutn., petrochem., lotn.) i transporcie; duże dysproporcje w stopniu rozwoju regionów; mimo decentralizacji obszarem największej koncentracji kapitału i usług pozostaje Region Paryski (Île-de-France); rozwinięty różnorodny przemysł: energetyka jądr. (75% krajowej produkcji energii elektr. — najwyższy,

■ Francja. Saliny koło Salin-de-Giraud w delcie Rodanu

■ Francja. Zbiór winogron w dolinie rzeki Lot

po Litwie, wskaźnik w świecie, 1999) i wodna (kaskady hydroelektrowni na Renie, Rodanie, Dordogne), środków transportu, zwł. samochodowy (Peugeot, Renault, Citroën), lotn. (samoloty wojsk. Mirage, pasażerskie Airbus), kosm. (rakiety Ariane), taboru kol. i stoczn. (okręty atom., platformy wiertnicze), elektron., inform., biotechnol.; znany w świecie producent urządzeń jądr., odzieży, kosmetyków, leków, wina, koniaku, serów (camembert, brie, roquefort, cantal); w portach dowozowych surowców (Marsylia, Hawr, Dunkierka) wielkie rafinerie ropy naft. i huty metali; malejące znaczenie górnictwa (likwidacja kopalń węgla kam.) i tradycyjnych gałęzi przemysłu (włók., hutn.); wydobycie gazu ziemnego (Lacq), soli potasowych i soli kam. (Alzacja), rud uranu (Masyw Centr.); skupienie zakładów przem. w Regionie Paryskim (ok. 25% krajowej produkcji przem.), Nord–Pas-de-Calais, Lotaryngii i Alzacji; dużymi ośr. przemysłu są: Tuluza (lotn., kosm.), Lyon (farm., biotechnol.), Grenoble (atom.). F. jest największym w Europie producentem żywności; użytki rolne zajmują 54,5% pow. kraju, w tym grunty orne 61%, łąki i pastwiska 35%; na pn. kraju przeważają gospodarstwa o pow. ok. 100 ha, na pd. do 20 ha; intensywna uprawa pszenicy, jęczmienia, kukurydzy, buraków cukrowych, słonecznika, warzyw, winorośli, zwł. w Langwedocji, Prowansji, Burgundii, rejonie Bordeaux i Cognac; duże pogłowie bydła, trzody chlewnej, w górach owiec; połowy gł. tuńczyków i skorupiaków. Rozwinięta turystyka, 73 mln turystów zagr. (1999); gł. regiony turyst.: Wybrzeże Lazurowe, Paryż, dolina Loary ze starymi zamkami, Alpy, Bretania. Gęsta sieć komunik. o układzie promienistym; autostrady łączą Paryż z Marsylią, Bordeaux, Lille, Hawrem i in., linie kol. systemu TGV (najszybsza kolej w świecie) z W. Brytanią (poprzez → Eurotunel), Brukselą, Amsterdamem, Tuluzą, Lyonem i in.; gł. porty mor.: Marsylia (przeładunek 93,4 mln t, 1998), Hawr, Dunkierka, Nantes–Saint-Nazaire, Rouen; wielkie międzynar. porty lotn. Orly i Ch. de Gaulle w Paryżu. Wymiana handl. F. stanowi ponad 5% obrotów świat. (4. miejsce w świecie, 1998); dodatni bilans handlu zagr.; eksport sprzętu transportowego, urządzeń i produktów przem., towarów rolno-spoż. (zboże, mięso, sery, wina), energii elektr., import surowców miner. i paliw, maszyn, drewna, używek; wymiana handl. gł. z krajami UE i USA. ■

Frankfurt nad Menem, Frankfurt am Main, m. w Niemczech (Hesja), nad Menem; 646 tys.

mieszk. (2002); wielki ośr. przem. (chem., elektron., maszyn., precyzyjny), kult.-nauk. (Uniw. J.W. Goethego); centrum finansowe i handl. Niemiec (wielka giełda, banki, międzynar. targi i wystawy); siedziba koncernów (Hoechst, AEG-Telefunken); port śródlądowy; gł. port lotn. kraju (ok. 30 mln pasażerów rocznie); duży ośr. turyst.; galerie, muzea (m.in. J.W. Goethego); kościoły (XIV–XIX w.), m.in. katedra (XIV–XV w.), zespół kamienic z ratuszem (XV w.); na przedmieściu w Höchst: kościół (X, XV–XVI w.), ratusz (XVIII w.), pałac (XVIII w.).

Frankońska, Wyżyna, Fränkische Alb, w pol. podręcznikach geografii i atlasach niewłaśc. Jura Frankońska (od nazwy formacji geol.), wyżyna w pd. części Niemiec, otaczająca od wsch. Kotlinę Norymberską; zbud. z wapieni górnojurajskich; opada ku zach. progiem wys. ok. 250 m, tworzącym łuk (dł. ok. 200 km) od kotliny Ries i doliny rz. Wornitz (dopływ Dunaju) w kierunku pn.; najwyższe wzniesienie Hesselberg, 689 m; rozwinięte zjawiska krasowe, malownicze formy skalne; dyslokacje tektoniczne (o kierunku pn.--zach.–pd.-wsch.), wykorzystywane przez dopływy Menu (od pn.-zach.) i Dunaju (od pd.-wsch.), spowodowały rozczłonkowanie W.F. na kilka części; region turyst.; w pn. części (Frankońska Szwajcaria) park nar. (pow. 2346 km^2).

Freetown [frἰ:ta^{u}n], stol. Sierra Leone, nad O. Atlantyckim; 1 mln mieszk. (2002); gł. port handl. i rybacki kraju; przemysł spoż., chem. (w tym farm.), stoczn., włók., rafineryjny; międzynar. port lotn.; uniw.; miasto zał. 1788 przez Brytyjczyków.

Frombork, m. w woj. warmińsko-mazurskim (powiat braniewski), nad Zalewem Wiślanym; 2,8 tys. mieszk. (2000); ośr. turyst.-krajoznawczy i sport. (żeglarstwo, bojery); mały port rybacki, przystań żeglugi pasażerskiej, węzeł dróg lokalnych; mor. przejście graniczne; planetarium, obserwatorium astr.; Międzynar. Festiwale Muzyki Organowej, zloty miłośników astronomii, regaty jachtów śródlądowych; 1278–1945 siedziba diecezji warmińskiej; prawa miejskie 1278–1945 i od 1959; we F. pracował (1510–16 i 1522–43) i zmarł M. Kopernik; Muzeum M. Kopernika;

■ Frombork. Zdjęcie lotnicze

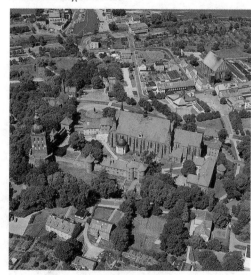

zespół katedralny: katedra (XIV w.), obwarowania wzgórza katedralnego z wieżami i bramami (XIV–XVI w.), kanonie (XV–XVIII w.), pałac (XVI, XVIII w.). ■

front atmosferyczny, wąska strefa przejściowa (warstwa graniczna) między 2 masami powietrznymi w troposferze; również strefa obejmująca obszar przecięcia tej warstwy z powierzchnią Ziemi. Grubość warstwy granicznej wynosi kilkaset metrów; jest nachylona pod b. małym kątem (3–5°) do powierzchni Ziemi i zawsze pochylona w stronę powietrza chłodniejszego; strefa przecięcia tej warstwy z powierzchnią Ziemi ma szerokość kilkudziesięciu km. W strefie tej występują zmiany temperatury, ciśnienia atmosf., kierunku i prędkości wiatru, zachmurzenie i opady. F.a. mogą być s t a c j o - n a r n e (nieruchome), gdy powietrze po obu stronach frontu przemieszcza się równolegle do niego, c i e p ł e, gdy masa powietrza ciepłego napływa na miejsce ustępującego powietrza chłodnego, c h ł o d n e, gdy powietrze chłodne wypiera powietrze ciepłe, z o k l u d o w a n e (f r o n t y o k l u z j i), powstałe z połączenia bardziej aktywnego frontu chłodnego z powolniejszym frontem ciepłym (po obu stronach frontu występuje powietrze chłodne). F.a. są istotnym elementem ruchomych niżów umiarkowanych szer. geogr.; powstają w odpowiednich warunkach (frontogeneza), przemieszczają się razem z niżami i ulegają zanikowi (frontoliza) wraz z wypełnieniem się niżu. F.a. oddzielające podstawowe typy mas powietrznych na kuli ziemskiej noszą nazwę f r o n t ó w g ł ó w n y c h. Są to: front arktyczny (a n t a r k t y c z n y) — dzielący masy powietrzne ark. (antarktyczne) od polarnych (tj. umiarkowanych szer. geogr.), f r o n t p o l a r n y — dzielący masy polarne od zwrotnikowych, f r o n t r ó w n i k o w y — dzielący masy równikowe obu półkul; fronty te sezonowo zmieniają położenie. ■

frontogeneza [łac.-gr.], proces tworzenia się → frontu atmosferycznego.

frontoliza [łac.-gr.], proces zanikania → frontu atmosferycznego.

Froward [frouəd], **Cabo Froward,** przyl. w Chile, na płw. Brunswick, najdalej na pd. wysunięty punkt stałego lądu Ameryki Pd.; 53°54'S, 71°18'W.

Fryzyjskie, Wyspy, niem. **Friesische Inseln,** hol. **Fries(ch)e Eilanden,** archipelag nizinnych, przybrzeżnych wysp na M. Północnym, ciągnący się wzdłuż pn.-zach. wybrzeży Europy na dł. 250 km, między Płw. Jutlandzkim i m. Den Helder (Holandia); od lądu oddzielony płytkim morzem wattowym; pow. 480 km²; wyspy pokryte w większości łąkami; znaczne obszary wydmowe sztucznie utrwalane i chronione przed wiatrami; dzieli się na: W. Zachodniofryzyjskie (Holandia), W. Wschodniofryzyjskie (Niemcy) i W. Północnofryzyjskie (Niemcy, Dania); gł. wyspy: Texel, Rømø, Terschelling, Sylt, Föhr, Ameland, Fanø, Borkum; podstawę gospodarki stanowią: turystyka, hodowla (gł. bydła i owiec) mleczarstwo oraz rybołówstwo; liczne kąpieliska, największe — Westerland na wyspie Sylt.

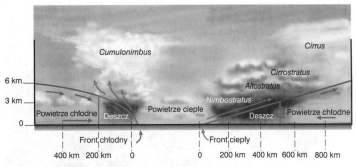

■ Schemat układu frontów atmosferycznych (przekrój pionowy)

Fudżajra, Al-, Al-Fujayrah, emirat w Zjedn. Emiratach Arab., na Płw. Arabskim, nad Zat. Omańską, przy granicy z Omanem; 1,3 tys. km², 99 tys. mieszk. (2002); stol. Al-Fudżajra; górzysty i pustynny; w oazach uprawa palmy daktylowej; koczownicza hodowla wielbłądów.

Fudżi, Fuji-san, wulkan na wyspie Honsiu, najwyższy szczyt Japonii, na pd.-zach. od Tokio; wys. 3776 m; średnica krateru 600 m, głęb. 200 m; wierzchołek przez większą część roku pokryty śniegiem; u podnóża lasy bukowe; ostatni wybuch 1707; wchodzi w skład Parku Nar. Fuji--Hakone-Izu (zał. 1936, pow. 12,3 tys. km²); święta góra Japończyków, odwiedzana przez tysiące pielgrzymów i turystów; ulubiony motyw jap. sztuki i symbol jap. krajobrazu. ■

■ Wulkan Fudżi

Fuentes, Cueva Fuentes, Grande Cueva Fuentes, jaskinia w paśmie Sierra de los Organos, w zach. części Kuby, na zachód od m. Pinar del Río; jaskinia krasowa, jedna z największych w Ameryce Środk., dł. 23,4 km (1995); system obszernych korytarzy, o poziomym rozwinięciu, przechodzący m.in. przez rozległy mogot (ok. 4 km dł.); w F. podłużne i głębokie jeziora, rzeka, kolorowa (m.in. intensywnie czerwona) szata naciekowa; odkryta 1961 i eksplorowana przez Polaków (pierwsza pol. zamorska wyprawa jaskiniowa).

fumarole [wł.], gorące → ekshalacje wulkaniczne (temp. 800–200°C), składające się gł. z pary wodnej z domieszkami dwutlenku węgla, fluoru, chloru, wodoru, azotu, par siarki, także siarkowodoru, chlorowodoru i in.; występują w kraterach i szczelinach czynnych wulkanów.

■ Przełęcz Furka

Fundusz Narodów Zjednoczonych Pomocy Dzieciom, ang. **United Nations Children's Fund,** do 1953 **Międzynarodowy Fundusz Narodów Zjednoczonych Doraźnej Pomocy Dzieciom,** ang. **United Nations International Children's Emergency Fund, UNICEF,** agencja powołana 1946 przez Zgromadzenie Ogólne ONZ jako organ pomocniczy ONZ; siedziba Sekretariatu w Nowym Jorku, pracami kieruje Dyrektor Wykonawczy; jednym z założycieli i pierwszym prezesem Rady Zarządzającej (nacz. władzy złożonej z przedstawicieli 30 krajów, z Polską od 1956) był Polak — L. Rajchman. UNICEF działa na rzecz podnoszenia stanu zdrowotności, wyżywienia i warunków życia dzieci na świecie, gł. w krajach ekonomicznie słabo rozwiniętych, a także (od 1958) w zakresie pomocy socjalnej dzieciom i ich rodzinom; pomoc UNICEF obejmuje ochronę zdrowia, opiekę nad rodziną i dzieckiem, zwalczanie chorób zakaźnych, racjonalne żywienie (m.in. upowszechnianie wiedzy o racjonalnym żywieniu dzieci, pomoc w produkcji mleka w proszku i pokarmów bogatych w białko), nauczanie i szkolenie zaw. dzieci i młodzieży, doraźną pomoc w przypadkach klęsk żywiołowych, dostarczanie niektórych artykułów spoż. oraz środków i urządzeń do ich produkcji, także pomoc we właściwym i ekon. ich wykorzystaniu. Współpracuje z FAO, WHO, UNESCO i komitetami nar. UNICEF. UNICEF jest finansowany ze składek członkowskich państw zrzeszonych, darów instytucji, osób prywatnych i in. źródeł. W 1965 otrzymał Pokojową Nagrodę Nobla.

Fundy [ang. fạndy, franc. fędị], ang. **Bay of Fundy,** franc. **Baie de Fundy,** zatoka O. Atlantyckiego, u wybrzeży Kanady, między płw. Nowa Szkocja a prow. Nowy Brunszwik, pn.-wsch. część zat. Maine; dł. 258 km; głęb. do 214 m; wys. pływów do 18 m (największe w świecie); gł. port — Saint John.

Furka, przełęcz w Alpach Zach., w Szwajcarii, między masywami Damma i św. Gothard; wys. 2431 m; łączy doliny górnego Rodanu i Reuss; przez F. przechodzi droga samochodowa Gletsch (Brig)–Andermatt (Chur); pod F. w tunelu (dł. 1850 m), przebitym na wys. 2163 m — kolejka zębata; na pd. od F. tunel kol. między Oberwald i Realp (dł. 15,4 km), oddany do użytku 1982. ■

G

Gabon, Republika Gabońska, państwo w środk. Afryce, nad O. Atlantyckim; 267,7 tys. km²; 1,3 mln mieszk. (2002), gł. ludy Bantu (Fangowie, Eszira, Adouma); katolicy, protestanci; stol. Libreville; język urzędowy franc.; republika. Obszar wyżynny, wybrzeże nizinne; klimat podrównikowy, wilgotny; liczne rzeki, gł. Ogowe; wilgotne lasy równikowe — ok. 75% powierzchni. Podstawą gospodarki — górnictwo (ropa naft., rudy żelaza, manganu i uranu) i eksploatacja lasów (m.in. heban); uprawa manioku, bananów, trzciny cukrowej, plantacje kakaowca, kawy; przemysł spoż., drzewny, petrochem.; gł. port mor. Port Gentil. ∎

Gaborone [gäbərⁿ°ny], do 1969 **Gaberones,** stol. Botswany, przy granicy z RPA; 223 tys. mieszk. (2002); ośr. handlu bydłem; przemysł spoż., drzewny; połączenie kol. z RPA i Zimbabwe; uniw.; muzea; zał. ok. 1890.

gabro, pospolita magmowa skała głębinowa, w skład której wchodzi gł. plagioklaz i piroksen, często oliwin, niekiedy amfibol; czarna lub ciemnozielona, ziarnista, o teksturze bezładnej; tworzy niekiedy duże masywy; w Polsce występuje w górze Ślęża k. Wrocławia i w okolicach Nowej Rudy; stosowana jako materiał drogowy, bud. i dekoracyjny.

Galápagos, Wyspy Żółwie, Islas Galápagos, Archipiélago de Colón, grupa wysp ekwadorskich na O. Spokojnym, ponad 900 km na zach. od wybrzeży Ekwadoru; pow. 7,8 tys. km²; największe wyspy: Isabela (Albemarle, pow. 4,3 tys. km²), Santa Cruz (Chaves, Indefatigable), Fernandina (Narborough), San Salvador (Santiago, James), San Cristóbal (Chatham); stanowią terytorium Galápagos; ośr. adm. Puerto Baquerizo Moreno (na wyspie San Cristóbal). Wyspy górzyste, pochodzenia wulk.; klimat równikowy dość chłodny (wpływ zimnego Prądu Peruwiańskiego) i suchy. Niżej położone obszary wysp są pokryte suchą sawanną ze znaczną liczbą kaktusów, wyżej występują wiecznie zielone lasy, szczyty górskie porasta roślinność trawiasta, w faunie bogactwo gat. endemicznych; zróżnicowanie niektórych gat. na poszczególnych wyspach (np. łuszczaki *Geospizinae,* które posłużyły Ch.R. Darwinowi za dowód ewolucji gatunków); b. rzadki lądowy legwan

∎ Galápagos. Wulkaniczny krajobraz wyspy Bartolome

Conolopus subcristatus; całkowity brak płazów i ryb słodkowodnych. Park Nar. Galápagos; na wyspie Santa Cruz Międzynar. Stacja Badań Biologicznych im. Ch.R. Darwina. Ludność G. trudni się gł. rolnictwem (uprawa kawy, trzciny cukrowej, drzew cytrusowych i ziemniaków, hodowla bydła), rybołówstwem oraz obsługą stacji nauk. i turystów. ∎

Galdhøpiggen [gạldhöjpịggən], najwyższy szczyt Płw. Skandynawskiego, w Norwegii, w masywie górskim Jotunheimen; wys. 2469 m.

Gaładuś, jez. rynnowe w Polsce i na Litwie, na Pojezierzu Wschodniosuwalskim, w dorzeczu Białej Hańczy, na wys. 134 m; pow. 729 ha (z tego 565 ha w Polsce), dł. 10,6 km, szer. do 1,5 km, maks. głęb. 54,8 m; linia brzegowa dość dobrze rozwinięta; brzegi wysokie, bezleśne; odpływ na wschód Hołnianką przez jez. Hołny do Białej Hańczy. W pobliżu G. leżą jeziora: Dafrajtis (pow. 16 ha), Sztabinki (pow. 60 ha, maks. głęb. 27,8 m) i Pyre (pow. 13 ha). ∎

∎ Gabon

∎ Jezioro Gaładuś

■ Gambia

Gambia, Republika Gambii, państwo w zach. Afryce, nad O. Atlantyckim; 11,3 tys. km²; 1,4 mln mieszk. (2002), ludy Mandingo, Fulanie, Wolofowie; gł. wyznawcy islamu; stol. i jedyny port Bandżul; język urzędowy ang.; republika. Obszar nizinny wzdłuż rz. Gambia; klimat podrównikowy wilgotny; sawanny, na wybrzeżu namorzyny. Słabo rozwinięty kraj roln.; uprawa orzeszków ziemnych (gł. na eksport), palmy oleistej, zbóż; hodowla bydła, owiec; rybołówstwo; przemysł olejarski, włók., drzewny. ■

Ganges, hindi **Gagā,** rz. w Indiach i Bangladeszu; dł. 2700 km, pow. dorzecza 2055 tys. km² (bez Brahmaputry — 1120 tys. km²); wypływa jako Bhagirathi z lodowca Gangotri w Himalajach, na wys. 4600 m; po połączeniu z rz. Alaknanda przyjmuje nazwę Ganges; w górnym biegu płynie przez odgałęzienia Himalajów (w górach Siwalik tworzy liczne progi i wodospady) w wąskiej dolinie, w środk. i dolnym biegu — przez Niz. Hindustańską — w szerokiej (8–12 km); po połączeniu z Brahmaputrą tworzy największą na Ziemi deltę (pow. ok. 80 tys. km², wg innych danych ok. 100 tys. km²), zw. w pd. części Sundarban; uchodzi do Zat. Bengalskiej (gł. ramiona: Hugli i Padma-Meghna); gł. dopływy: Gomati, Ghaghra, Gandak, Kosi (l.), Jamuna, Son, Damodar (pr.); duże wahania stanu wód; letnie wezbrania (do 10 m) powodują katastrofalne powodzie; średni przepływ przy ujściu 35–38 tys. m³/s; pływy mor. sięgają 300 km od ujścia (wys. w Kalkucie 3–3,4 m); wykorzystywana do nawadniania (zasila ok. 10 tys. km kanałów); żegl. 1450 km, do Kalkuty dostępna dla statków mor.; gł. m. nad Gangesem: Kanpur, Allahabad, Waranasi, Patna, Kalkuta; święta rzeka hindusów; pielgrzymki (zwł. do Waranasi), liczne miejsca kremacji i obrzędowych kąpieli; wody Gangesu silnie zanieczyszczone; 1986 opracowano międzynar. 10-letni plan ratowania Gangesu (Ganga Action Plan). ■

■ Ganges. Połączenie odcinka źródłowego Bhagirathi z dopływem Alaknanda w miejscowości Deoprayang (Indie)

Garda, Lago di Garda, Benaco, rzym. **Lacus Benacus,** największe jez. Włoch, u podnóża Alp Wsch., na wys. 65 m; część pn. w tektonicznym obniżeniu między górami Monte Baldo (2218 m) na wsch. i Monte Tremalzo (1975 m) na zach.; pow. 370 km², głęb. do 346 m; do Gardy uchodzi rz. Sarca, wypływa — Mincio; żegluga; nad Gardą liczne ośr. turyst.-wypoczynkowe (najbardziej znane: Riva, Sirmione, Gardone); wzdłuż Gardy (od Riva na pd.) prowadzą 2 drogi samochodowe (Gardesana Occidentale i Gardesana Orientale) z licznymi tunelami.

Gardno, jez. przybrzeżne na Wybrzeżu Słowińskim, na wys. 0,3 m, w obrębie Słowińskiego Parku Nar.; oddzielone od M. Bałtyckiego piaszczystą mierzeją (wydmy do 28 m); pow. 2469 ha (w tym wyspa 0,6 ha), dł. 6,8 km, szer. 4,7 km, maks. głęb. 2,6 m (kryptodepresja); linia brzegowa słabo rozwinięta; przez G. przepływa Łupawa; połączone kanałem z jez. Łebsko; nad G. stare wsie słowińskie: Rowy, Gardna Wielka i Gardna Mała. ■

■ Jezioro Gardno

garnek podlodowcowy, marmit, głębokie (do kilku m), cylindryczne zagłębienie o gładkich ścianach, wyżłobione w litej skale wskutek erozji wód podlodowcowych; wody roztopowe pochodzące z topnienia powierzchni lodowca spadają wraz z okruchami skalnymi w szczeliny lodowcowe, wykonują ruch wirowy i drążą podłoże lodowca.

Garonna, franc. **Garonne,** hiszp. **Garona,** rz. w pd.-zach. Francji; dł. 650 km, pow. dorzecza 56 tys. km²; źródła w Pirenejach, na pn.-wsch. od masywu Maladeta, w Hiszpanii; płynie przez Basen Akwitański; uchodzi estuarium (→ Żyronda) do Zat. Biskajskiej; gł. dopływy: Tarn, Aveyron, Lot, Dordogne (pr.); duże wahania stanu wód (średni przepływ przy ujściu 680 m³/s, maks. — ok. 8000 m³/s); wykorzystywana do nawadniania; powyżej m. Castets, równolegle do Garonny, biegnie Kanał Garoński, łączący się k. Tuluzy z Kanałem Pd.; statki mor. dochodzą do Bordeaux.

Garwolin, m. powiatowe w woj. mazow., nad Wilgą; 16,7 tys. mieszk. (2000); ośr. przem.-usługowy; przemysł maszyn., środków transportu, spoż. (gł. mleczarski i mięsny), odzież., skórz., materiałów bud., drzewny (meble), kosmetyczny; sanatorium; prawa miejskie prawdopodobnie 1423 (przed 1420?).

Gaszerbrum, ang. **Gasherbrum,** łańcuch górski w Karakorum, w Indiach, z 4 szczytami o nazwie Gaszerbrum: Gaszerbrum I, 8086 m, zdobyty 1957 przez amer. wyprawę; Gaszerbrum II, 8035 m, zdobyty 1956 przez austr. wyprawę; Gaszerbrum III, 7952 m, zdobyty 1975 przez pol. wyprawę (kier. W. Rutkiewicz); Gaszerbrum IV, 7980 m.

Gauja, rz. na Łotwie; dł. 460 km, pow. dorzecza 9,6 tys. km²; płynie przez Pojezierze Widzemskie; uchodzi do Zat. Ryskiej; w środk. biegu wcina się w piaskowce dewońskie; fragment doliny k. Siguldy stanowi rezerwat przyr. (w obrębie utworzonego 1973 parku nar.); gł. m. nad Gaują: Valmiera, Kieś.

Gauriśankar, ang. **Gauri Sankar,** szczyt w Himalajach, na zach. od Mount Everestu, na granicy Nepalu i Chin; wys. 7144 m; święta góra Nepalczyków i Tybetańczyków.

Gavarnie [~ni], **Cirque de Gavarnie,** cyrk lodowcowy w Pirenejach Środk., we Francji; dno na wys. 1350 m; z G. wypływa rz. Gave de Pau (l. dopływ Adour), tworząc wodospad (wys. 420 m).

gaz ziemny, występujący w skorupie ziemskiej gaz złożony z węglowodorów, gł. z metanu; zawiera domieszki azotu, helu i in.; palny; powstaje w wyniku rozkładu szczątków org. nagromadzonych w osadach mor.; zwykle towarzyszy ropie naft.; najwięksi producenci: USA, Rosja, Kanada; g.z. w Polsce występuje w Karpatach, na Podkarpaciu, Niżu Pol. i na Pomorzu Zach.; używany gł. jako paliwo (wartość opałowa 35,2–62,8 MJ/m^3), także surowiec przemysłu chemicznego.

gazy cieplarniane, substancje gazowe, których obecność w atmosferze ziemskiej jest gł. przyczyną występowania efektu → cieplarnianego; zalicza się do nich: parę wodną (H_2O), dwutlenek węgla (CO_2), ozon (O_3), metan (CH_4), freony, tlenki azotu; ich cząsteczki pochłaniają promieniowanie elektromagnet., gł. w zakresie widzialnym i podczerwieni.

Gazy, Okręg, arab. **Qitā' Ghazzah,** autonomiczny region w pd. Palestynie, nad M. Śródziemnym; obejmuje wąski pas wybrzeża śródziemnomor. o dł. 50 km, szer. 6 km; 363 km^2; 413 tys. mieszk. (2002), Arabowie, gł. uchodźcy palest.; stol. Gaza; pustynny; uprawa (sztuczne nawadnianie) zbóż, owoców cytrusowych, palmy daktylowej; rzemiosło. Decyzją ONZ z 1947 miał być częścią państwa arab. (zgodnie z podziałem bryt. terytorium mandatowego Palestyny na państwo arab. i żyd.), po wojnie arab.-izrael. 1948–49 pod administracją Egiptu; od 1967 pod okupacją Izraela; 1994, na mocy porozumienia izrael.--palest., utworzenie Autonomii Palestyńskiej.

Gąbin, m. w woj. mazow. (powiat płocki); 4,2 tys. mieszk. (2000); ośr. usługowy regionu roln.; drobny przemysł (odzież., spoż., meblarski, gumowy); prawa miejskie przed 1322; w okolicy G. tereny letniskowe; w pobliskim Konstantynowie był do 1991 maszt radiowy (646 m) należący do Warsz. Radiostacji Centralnej.

Gąsienicowa, Dolina, dolina w Tatrach, na pograniczu Tatr Zach. i Tatr Wysokich, w granicach Tatrzańskiego Parku Nar.; stanowi górną część Doliny Suchej Wody; otoczenie: od zach. — Uhrocie Kasprowe, Kasprowy Wierch i Beskid, od pd. — Świnica i grupa Kozich Wierchów, od wsch. — Granaty i Żółta Turnia; grzbiet Kościelca dzieli D.G. na 2 odgałęzienia: wsch., ze stawami Czarnym Gąsienicowym i Zmarzłym, oraz zach., z pozostałymi stawami (największy Zielony Staw Gąsienicowy); część zach. podchodzi do gł., granicznego grzbietu Tatr, jej dnem, od przełęczy Liliowe, biegnie strefa kontaktu

trzonu krystalicznego Tatr ze skałami osadowymi; zjawiska krasowe: lejki, suche potoki, przepływy podziemne niezgodne z powierzchniowym ukształtowaniem terenu, odwadnianie m.in. przez wywierzysko w Dolinie Goryczkowej; rzeźba polodowcowa: U-kształtny profil poprzeczny doliny, wały moren, jeziora; dawniej, w okresie letnim, intensywna gospodarka pasterska (1963 zakończono wykup hali od 381 współwłaścicieli); dojście z Kuźnic lub Brzezin. Liczne szlaki turyst.; wiele dróg taternickich na otaczające szczyty; znakomite tereny narciarskie, nartostrada do Kuźnic i Jaszczurówki; wyciąg krzesełkowy na Kasprowy Wierch; na Hali Gąsienicowej schronisko PTTK, w pobliżu budynki pozostałe z licznego niegdyś osiedla szałasów i szop pasterskich, ob. użytkowane przez Tatrzański Park Nar., Pol. Związek Alpinizmu i PAN; stacja badawcza PAN i pomiarowo-obserwacyjna Inst. Meteorologii i Gospodarki Wodnej.

Gdańsk, m. wojew. (woj. pomor.), nad Zat. Gdańską, przy ujściu Wisły; w zespole miejsko--portowym Trójmiasto; powiat grodzki; 457 tys. mieszk. (2000); największy ośrodek gosp., nauk., kult. i turyst. (ok. 3 mln turystów rocznie) pn. Polski; stol. metropolii i diecezji gdań. Kościoła rzymskokatol.; porty: handl. (Gdański i Pn.), które przeładowują ok. 40% całości przeładunków krajowych (gł. ładunki masowe; w Porcie Pn. — paliwa), pasażerski (promowe linie międzynar., ponad 120 tys. pasażerów rocznie) i żeglugi śródlądowej; węzeł komunik. (port lotn.); rozwinięty przemysł: maszyn., stoczniowy, chem., petrochem., elektron., spoż., w tym cukierniczy, piwowarski, mięsny, rybny, oraz inform., papiern., poligraf.; rafineria ropy naft.; największy w Polsce i jeden z największych w Europie ośr. obróbki (ok. 50 pracowni) i sprzedaży bursztynu; siedziby central, oddziałów i filii banków; liczne imprezy targowe; konsulaty wielu państw; bogata baza noclegowa, plaże, kąpieliska; szkoły wyższe (m.in. politechnika, akademie, w tym med., uniwersytet), oddział PAN i wiele inst. nauk.; opera, filharmonia, teatry, galerie; muzea (m.in.: Nar., Mor., Historii Miasta

■ Gdańsk. Główne Miasto, zdjęcie lotnicze

G., Archeol.); liczne imprezy kult., w tym: Jarmark Dominikański, Międzynar. Festiwal Teatrów Plenerowych i Ulicznych „Feta", Międzynar. Festiwal Muzyki Organowej. W X w. gród, podgrodzie i port; prawa miejskie od ok. 1261–63; zabytki gł. w obrębie Starego i Gł. Miasta, stanowią jeden z największych zespołów zabytkowych w Polsce (w większości odbud. po zniszczeniach w II wojnie świat.) — got. kościoły halowe: NMP (XIV–pocz. XVI w., ob. konkatedra), Św. Trójcy (XV–XVI w.), Św. Katarzyny (XIII–XV w.); got. mury obronne z basztami i bramami (XIV–XV w.); ratusze: got. Główny (XV, XVI, XVII w.) i manierystyczny Staromiejski (XVI w.), Dwór Artusa (XIV–XVII w.); kamienice (XV–XVIII w., m.in. manierystyczna Złota z pocz. XVII w.) i bramy (Żuraw XIV w., Wyżynna XVI w., Złota XVII w.); Wielki Arsenał (XVII w.), barok. Kaplica Królewska (XVII w.); pomniki: *Bohaterów Westerplatte, Obrońców Poczty Polskiej, Poległych Stoczniowców*. ∎

∎ Zatoka Gdańska. Plaża w Jelitkowie (dzielnica Gdańska)

Gdańska, Zatoka, zatoka M. Bałtyckiego u wybrzeży Polski i obwodu kaliningradzkiego (Rosja), między Mierzeją Helską a płw. Sambia; wcina się 74 km w głąb lądu; w części zach. wyróżnia się najpłytszą jej część — Zat. Pucką; w części pd.-wsch. Mierzeja Wiślana oddziela Zalew Wiślany; szer. u wejścia 107 km, głęb. do 118 m; do Z.G. uchodzą rz.: Wisła, Pregoła i in.; porty: Gdańsk, Gdynia, Bałtyjsk, Puck, Hel. ∎

Gdańskie, Pobrzeże, Pobrzeże Wschodniopomor., wsch. część Pobrzeży Południowobałtyckich; otacza półkolem Zat. Gdańską; dla P.G. charakterystyczne są: izolowane, stromo opadające ku morzu kępy, zbud. gł. z glin zwałowych, piasków i iłów, oraz formy holoceńskie — mierzeje zbud. z piasków mor. i rozległa delta, powstała z namułów rzecznych; P.G. dzieli się na 7 mezoregionów: Pobrzeże Kaszubskie, Mierzeję Helską, Mierzeję Wiślaną, Żuławy Wiślane, Wysoczyznę Elbl., Równinę Warmińską i Wybrzeże Staropruskie.

Gdynia, m. w woj. pomor., nad Zat. Gdańską; w zespole miejsko-portowym Trójmiasto; powiat grodzki; 255 tys. mieszk. (2000); ważny bałt. port mor., duży ośrodek przem., zwł. przemysłu elektromaszyn. (gł. stoczniowego — stocznie Gdynia, Marynarki Wojennej, Remontowa „Nauta", i elektron.), handl., turyst. i nauk.; port handl. o rocznych przeładunkach ok. 8,5 mln t (gł. drobnica oraz węgiel kam., zboża) i przystań promów pasażerskich (ok. 260 tys. pasażerów); ponadto przystanie: żeglarska oraz żeglugi przybrzeżnej, nabrzeża postojowe dla statków szkolnych i odwiedzających miasto statków turyst.; Dowództwo Marynarki Woj., port wojenny, lotnisko wojsk. Babie Doły; dużą rolę odgrywa transport, składowanie i łączność, ponadto rybołówstwo dalekomor. i bałt. wraz z przetwórstwem rybnym; wiele szkół wyższych (Akad. Marynarki Woj., Wyższa Szkoła Mor., wydziału Uniw. Gdań. i in.), placówki badawcze i nauk.-badawcze (Inst. Medycyny Mor. i Tropik., Mor. Inst. Rybacki, Centrum Biologii Morza PAN); obiekty kultury: teatry, muzea (m.in.: Marynarki Woj., Oceanograf. i Akwarium Mor.), muzea-statki (Dar Pomorza, Błyskawica), galerie; Festiwal Pol. Filmów Fabularnych, Gdynia Summer Jazz Days, Motocrossowe Mistrzostwa Świata; turystyka, żeglarstwo. Wieś wzmiankowana 1244; od 1904 kąpielisko mor.; od 1921 budowa portu i miasta; prawa miejskie 1926; kościoły (XVI, XVII, XX w.), dwory (XVIII–XX w.), zabudowa centrum G. oraz port (lata 20. i 30. XX w.); pomnik *Ofiar Grudnia 1970*.

gejzer, gorące źródło (→ cieplice), wyrzucające gwałtownie, w regularnych odstępach czasu wodę i parę wodną (isl. *geysa* 'wybuchać, tryskać'); wybuchy g. odbywają się z różną częstotliwością: od kilku minut do kilku lub kilkunastu godzin albo dni; woda jest wyrzucana do wys. 30–70 m; g. występują na obszarach wulkanicznie czynnych, wyrzucają wodę gruntową ogrzaną przez gorące gazy pochodzenia wulk.; występują gł. na Islandii, w USA (Park Nar. Yellowstone), na Nowej Zelandii, Kamczatce, w Japonii; wody g. zawierają rozpuszczone substancje miner., które się osadzają w otoczeniu g., np. martwica krzemionkowa (gejzeryt), aragonit; wody te wykorzystuje się niekiedy do celów leczn. (w USA, Japonii), a także do ogrzewania (na Islandii). ∎

∎ Gejzer El Tatio na pustyni Atakama (Chile)

Gelibolu, Gallipoli, półwysep w eur. części Turcji, między cieśn. Dardanele a zat. Saros (M. Egejskie); dł. 90 km, szer. do 21 km; wys. maks. 348 m; Park Narodowy Gelibolu-Yarımadası (zał. 1973, pow. 33 tys. ha).

General Carrera [chene~ ka~], chilijska nazwa jez. → Buenos Aires.

Genewa, franc. **Genève,** niem. **Genf,** m. w Szwajcarii, nad Jez. Genewskim i rz. Rodan; stol. kantonu Genewa; 173 tys. mieszk. (2002), zespół miejski 446 tys. (1995); przemysł maszyn., elektron., poligraficzny; ośr. jubilerstwa i

■ Genewa. Widok od strony Jeziora Genewskiego

produkcji zegarków; siedziba wielu organizacji, m.in. Eur. Biura ONZ, Międzynar. Kom. Czerwonego Krzyża, Międzynar. Organizacji Pracy; międzynar. port lotn.; Genewski Inst. Nar., uniw. (zał. 1559); muzea; ośr. turyst.; romańsko-got. katedra St Pierre (XII–XIV w.) z klasycyst. fasadą (XVIII w.) i got. kościoły (XIV–XV w.); ratusz (XV i XVI–XVII w.), kamienice i pałace z XVIII w.; gmach Ligi Narodów (1930), nowocz. dzielnica Le Lignon (1970).　　■

Genewskie, Jezioro, Jezioro Lemańskie, **Lac de Genève, Lac Léman,** jez. w Szwajcarii i Francji, największe w Alpach, w obniżeniu tektonicznym na wys. 372 m; pow. 582 km², głęb. do 310 m; przez Jezioro Genewskie przepływa Rodan; żegluga; na pn. brzegu winnice; nad Jeziorem Genewskim liczne ośr. turyst.-wypoczynkowe i uzdrowiska (m.in. Montreux, Vevey, Thonon-les-Bains, Évian-les-Bains); gł. m.: Lozanna i Genewa; zamek Chillon.

Genezaret, jez. w Izraelu i Syrii, → Tyberiadzkie, Jezioro

Genua, Genova, m. w pn.-zach. Włoszech, nad M. Liguryjskim; stol. regionu autonomicznego Liguria; 679 tys. mieszk. (2002); gł. port mor. kraju (przeładunki 43 mln t rocznie, dowóz ropy naft. i rud metali); rafineria ropy naft., huta żelaza, stocznia, przemysł elektrotechn.; ważny ośr. handl., nauk. (uniw. z XV w., inst. oceanograficzny), kult. (muzea, Międzynar. Konkurs Skrzypcowy im. N. Paganiniego), turyst.; duży węzeł kol. i drogowy; miejsce urodzenia K. Kolumba; katedra (XII–XIV w.), liczne kościoły, pałace (pałac król. — XVII w.); budynek uniw. (XVI–XVII w.), teatr (XVII w.); słynny cmentarz Camposanto.　　■

■ Genua. Fragment miasta

Genueńska, Zatoka, Golfo di Genova, otwarta zatoka M. Liguryjskiego u pn.-zach. wybrzeża Włoch; wcina się 30 km w głąb lądu, szerokość wejścia 96 km; głęb. do 1000– 1500 m; na wybrzeżu wsch., zw. Riviera di Levante, liczne kąpieliska; gł. porty: Genua, Savona.

geoda [gr.], rodzaj → druzy.

geografia [gr. *geōgraphía* 'opis ziemi'], nauka sytuowana na pograniczu dyscyplin przyr. i społecznych. W toku swego rozwoju ewoluowała od opisu rozmieszczenia obiektów na powierzchni Ziemi do poszukiwania prawidłowości przestrzennych („ładu w przestrzeni"), związków przyczynowo-skutkowych zachodzących między poszczególnymi elementami przyrody oraz między przyrodą a człowiekiem. Szerokie i zmienne pole zainteresowań doprowadziło do powstania wielu definicji g. W definicjach starszych, stosunkowo prostych, nacisk był kładziony przede wszystkim (niekiedy wyłącznie) na szczegółowy opis rozmieszczenia obiektów (wg K. Rittera g. jest nauką o przestrzeniach i ich materialnym zapełnieniu), niekiedy także zdarzeń (np. trzęsień ziemi, wojen) i tworów myśli ludzkiej. W nowszych, na ogół bardziej złożonych, g. jest uznawana zwykle za naukę dokonującą syntezy nauk szczegółowych, poszukującą prawidłowości przestrzennych zarówno w sferze przyrody, jak też w ludzkiej działalności i jej efektach, wyjaśniającą związki człowiek–środowisko. W Polsce najpowszechniej przyjmuje się definicję S. Leszczyckiego. Zgodnie z nią g. uznaje się za naukę zajmującą się badaniem powłoki ziemskiej (epigeosfery), jej przestrzennym zróżnicowaniem pod względem przyr. i społ.-gosp. oraz związkami, które zachodzą między środowiskiem przyr. a działalnością społeczeństw. Pojęcie „powłoki ziemskiej", choć nie jest jednoznacznie rozumiane przez poszczególnych badaczy, zostało wprowadzone do definicji, by zaznaczyć, że badania geogr. dotyczą nie tylko obiektów i zdarzeń zachodzących na powierzchni Ziemi, ale też w atmosferze (zwł. w jej dolnych warstwach) oraz w górnych warstwach skorupy ziemskiej. W nowszych definicjach geogr. przeważa odwoływanie się do środowiska przyr., w starszych — do środowiska geograficznego. Terminy te są traktowane jako synonimy, bądź też środowisko geogr. jest uznawane za pojęcie szersze, gdyż obejmuje także wytwory ludzkiej działalności. Rozległy zakres obiektów i zdarzeń, którymi zajmuje się g. stał się przyczyną znacznej dezintegracji dyscypliny w XX w., co niekiedy znajduje swój wyraz w odmawianiu g. rangi jednej nauki i używaniu szerszego określenia „nauki geograficzne" (popularnego m.in. w Polsce od lat 60.). W skrajnych przypadkach w ogóle odmawiano g. rangi nauki, uznając ją za sztukę bądź też za sposób postrzegania świata. Jednak w ostatnich latach znów nasiliła się tendencja do podkreślania jedności g.

Podział geografii na dyscypliny. Wyraźnie wyodrębnionymi działami g. są: g. fizyczna, zajmująca się badaniem środowiska przyr. (w tym oddziaływań człowieka na środowisko), g. społeczno-ekon. badająca przestrzenne aspekty ludzkiej działalności i interakcje człowiek–środowisko, g. regionalna, próbująca wydzielać obszary o wyraźnej odrębności cech przyr. i społ., a w obrębie tych obszarów badać zjawiska społ.-ekon. oraz relacje człowieka ze środowiskiem, a także → kartografia, będąca początkowo specyficzną wyłącznie dla g. metodą gromadzenia danych, ich analizy i prezentacji wyników. Z kartografią ściśle była związana g. matematyczna, dążąca do dokładnego poznania kształtu i wymiarów Ziemi. Jednak współcześnie stanowi ona dział geofizyki, a kartografia staje się niezależną dyscypliną, znajdującą zastosowanie w wielu dziedzinach nauki i w większości dziedzin życia codziennego. Na pograniczu g. pojawiają się natomiast nowe specjalizacje o wyraźnie metodycznym ukierunkowaniu, np. → teledetekcja bazująca na zdjęciach lotn. i satelitarnych oraz elektroniczne metody gromadzenia i przetwarzania danych, zwł. w ramach tzw. geogr. systemów informacyjnych → GIS. Jako oddzielne dyscypliny g. są wydzielane też: g. medyczna (włączana niekiedy do g. społeczno-ekon.), g. historyczna (zajmująca się badaniem stanu środowiska przyr. i krajobrazów kulturowych w przeszłości), historia g. (wraz z historią odkryć geogr., uznawana niekiedy za dział historii) oraz dydaktyka g. (włączana też do pedagogiki). W obrębie g. fizycznej nastąpiła bardzo zaawansowana dalsza specjalizacja, która doprowadziła do wyodrębnienia: geomorfologii zajmującej się badaniem rzeźby powierzchni Ziemi, jej genezą i procesami współcześnie ją kształtującymi, hydrologii badającej wody powierzchniowe i podziemne na lądach, oceanologii (badania wód mor.), klimatologii (badania pogody i klimatu), g. gleb, g. roślin i g. zwierząt. Te dyscypliny szczegółowe, korzystające z dorobku innych nauk (np. geologii, fizyki atmosfery, botaniki), mają tendencję do rozluźniania więzów łączących je z resztą g. i wyodrębniania się w samodzielne wąskie dyscypliny podlegające dalszej specjalizacji (np. w obrębie hydrologii wyróżnia się: potamologię badającą wody płynące, limnologię — wody stojące, geohydrologię — wody gruntowe, krenologię — źródła, hydrometrię i wiele innych). Dyscypliną syntezującą w obrębie g. fizycznej jest g. krajobrazu (kompleksowa g. fizyczna). Bada ona relacje między poszczególnymi elementami środowiska (zwł. obieg materii i energii), wydziela regiony fizycznogeogr. (przyr.), a obecnie w coraz większym stopniu bada też efekty oddziaływania człowieka na środowisko. W obrębie g. społeczno-ekon. (nazywanej też g. człowieka lub antropogeografią) wyróżnia się na ogół g.: ludności, osadnictwa, kultury, rolnictwa, przemysłu, usług (a w jej obrębie m.in. g. komunikacji i szczególnie szybko rozwijającą się w ostatnich dziesięcioleciach g. turyzmu) oraz g. polityczną, ze względu na specyfikę przedmiotu badań i stosowanych metod uznawaną niekiedy za oddzielną gałąź g., równorzędną g. społeczno-ekonomicznej. Specjalizacja w g. społeczno-ekon. jest jednak dużo mniejsza niż w obrębie g. fizycznej. Podejmowane w przeszłości w krajach komunist. administracyjne próby narzucenia ścisłego jej przestrzegania skończyły się fiaskiem. Powstają liczne prace z pogranicza poszczególnych specjali-

zacji, a wielu badaczy często zmienia pole zainteresowań. Podobna sytuacja jest w g. regionalnej, gdzie na ogół silniejsze jest przywiązanie badacza do określonego regionu niż do tematyki (stąd np. specjalizacje w zakresie g. regionalnej Ameryki Łac., Afryki). Dlatego w g. społeczno-ekon. i regionalnej mówić można raczej o kierunkach badawczych niż o dyscyplinach. Najstarszym był kierunek opisowy (wprawdzie do dziś niektóre prace ograniczają się do opisu, ale na ogół uznaje się go tylko za niezbędny etap poprzedzający analizę).

W XIX w. rozwinęły się m.in. kierunki: chorograficzny (gł. celem jest poszukiwanie prawidłowości przestrzennego rozmieszczenia, kierunek ten jest obecny też w g. fizycznej), hist. (nacisk został w nim położony na genezę zjawisk i procesów, kierunek obecny też w g. fizycznej, zwł. w geomorfologii), krajobrazowy (przedmiotem badań g. jest krajobraz, stanowiący widomy wyraz oddziaływania wszelkich czynników: zarówno przyr., jak i antropogenicznych; także i ten kierunek występuje w g. fizycznej, gdzie jednak krajobraz jest odmiennie definiowany) oraz socjologiczny. Ten ostatni kierunek, kładący gł. nacisk na społ. uwarunkowania ludzkiej działalności w przestrzeni i na przestrzenne zróżnicowanie zjawisk społ. (np. zbrodni, zachowań wyborczych) został zapoczątkowany w Stanach Zjedn. w pocz. XX w., następnie szybko się rozwijał i obecnie odgrywa dominującą rolę w g. społeczno-ekonomicznej. Wiele prac geogr. zaliczanych bywa do kierunku ekol., jednak jest to termin wieloznaczny. Początkowo używano go na określenie poglądów tych geografów ekon., którzy w swych badaniach eksponowali fakt, że „Ziemia jest domem człowieka", badali relacje ze środowiskiem przyr., możliwości wyżywienia i pojemność siedlisk. W ostatnich dziesięcioleciach zalicza się do niego gł. prace dotyczące ochrony i kształtowania środowiska przyrodniczego. Niekiedy w g. są wyróżniane także kierunki: teleologiczny i geozoficzny. Zaliczane są do nich prace geografów dotyczące pogranicza g. i filozofii, m.in. następujących zagadnień: celowości istnienia świata i jego elementów, przejawiania się Bożej Opatrzności w stworzeniu „ziemskiego domu człowieka", natury związków człowieka z przyrodą, odpowiedzialności człowieka za Boże dzieło stworzenia, charakteru praw przyrody, którym przypisywane bywają atrybuty boskie. Problematyka ta, stosunkowo popularna w XVIII i XIX w., została następnie niemal całkowicie zarzucona. W ograniczonym zakresie powrót do niej nastąpił w końcu XX w.

Historia geografii. Elementy wiedzy geogr., w postaci znajomości najbliższej okolicy, występują — i występowały — u wszystkich ludów, nawet pierwotnych. Niektóre z nich (np. Polinezyjczycy, Tuaregowie) zdołały nawet zgromadzić informacje o bardzo dużych fragmentach powierzchni Ziemi. Jednak g., jako dyscyplina nauk., została zapoczątkowana w staroż. Grecji. Już wówczas zaznaczyły się 2 podejścia: mat.-kartograficzne oraz opisowe. Głównymi celami pierwszego z nich były: wierne opisanie kształtu Ziemi, poznanie jej rozmiarów oraz sporządzanie dokładnych map. Największy rozkwit przeżywało ono w okresie hellenistycznym, a także po włączeniu wsch. części basenu M. Śródziemnego do państwa rzym., chociaż u samych Rzymian nie znalazło znaczących naśladowców. Reprezentowali je m.in.: Dikearch z Messyny (wprowadził na mapie siatkę równoleżników i południków), Eratostenes z Cyreny, który w III w. p.n.e. jako pierwszy użył terminu „geografia" oraz dokonał pomiaru Ziemi uzyskując wynik zbliżony do rzeczywistego, Klaudiusz Ptolemeusz — autor mapy, na której zaznaczono ok. 8000 nazw obiektów geogr., dla większości z nich podając współrzędne geograficzne. Celem drugiego podejścia był wierny i szczegółowy opis wszystkich znanych obszarów („całego świata"). Spośród Greków starali się tego dokonać m.in.: Herodot, Hekatajos z Miletu, Eratostenes z Cyreny, Strabon (63 r. p.n.e.–20 r. n.e., autor dzieła w 17 księgach *Geographia*, stanowiącego pierwowzór współcześnie wydawanych g. powszechnych), Polibiusz i Posiejdonios. Takie pojmowanie g. zyskało dużą popularność wśród Rzymian, którzy pozostawili wiele opisów znanego im świata lub znacznych jego części, m.in. pióra Pliniusza Starszego (61 r.–113), Pomponiusza Meli i Juby Młodszego. W średniowieczu nastąpił w Europie początkowo kryzys g. związany z ograniczeniem możliwości podróżowania. Nieliczne były szczegółowe mapy małych obszarów, a na mapach, mających przedstawiać całą powierzchnię Ziemi, dążenie do wiernego i maksymalnie szczegółowego ujęcia ustąpiło obrazom bardzo zgeneralizowanym. Jest to zwykle traktowane jako przejaw średniow. ciemnoty i zacofania. Z drugiej jednak strony mapy „T w O" (przedstawiają one w centrum Jerozolimę, Raj bibl. — u góry mapy, schematyczne zarysy Europy, Afryki i Azji rozdzielonych M. Śródziemnym i Nilem, a wokół ocean) mogą być uznane za najbardziej ogólny, a przez to najdoskonalszy model przestrzeni geograficznej. W takim podejściu można się dopatrywać zaczątków XX--wiecznej g. percepcji. W średniowieczu dokładniejsze były arab. mapy świata, na których nie zaznaczano jednak siatki geograficznej. W Europie w opisach geogr. (kosmografiach) dużą rolę odgrywały początkowo elementy baśniowe, stopniowo eliminowane, aż do najdoskonalszego średniow. reportażu z podróży, czyli *Opisania świata* M. Polo. Niemal w tym samym czasie powstawały arabskie opisy świata, zarówno na wpół bajeczne, jak też zadziwiająco rzetelne (najsławniejszy to *Osobliwości miast i dziwy podróży* Ibn Battuty). W epoce wielkich odkryć geogr. (schyłek XV–pocz. XVII w.) nastąpiło bardzo szybkie rozszerzenie horyzontu geograficznego. W następstwie tego faktu pojawiły się liczne nowe „opisania świata" (nazywane wówczas przeważnie kosmografiami), zapoczątkowany został szybki rozwój kartografii (powstały nowe odwzorowania kartograficzne, wydano wiele szczegółowych map i atlasów, m.in. Merkatora 1569, Orteliusza 1570). Metodologicznym ukoronowaniem tego okresu jest *Geographia generalis* G.V. Vareniusa, wyd. 1650 w Amsterdamie. Wprowadziła ona podział g. na tematyczną (mat., fiz. i hist. czyli dzisiejszą społ.-ekon. włącznie z polit.), dążącą do pogłębionej analizy

tematycznie określonego wycinka nauki o Ziemi oraz na g. regionalną, gromadzącą wiedzę z różnych dziedzin, ale dotyczącą tylko części powierzchni Ziemi. Podział ten w zasadzie przetrwał do chwili obecnej, ulegając jedynie uszczegółowieniu. Okres trwający od poł. XVII niemal do poł. XIX w. to „wiek pomiarów" i największej w dziejach g. dominacji metod ilościowych. Równocześnie pod wpływem dominujących prądów filoz. (m.in. mechanicyzmu) w g. zaznaczała się coraz silniejsza dominacja determinizmu. Dokonano szczegółowych pomiarów wielkości Ziemi (w tym jej spłaszczenia), a dzięki wynalezieniu przyrządów pozwalających na dokładne określenie położenia geogr., prowadzenie ciągów niwelacyjnych i triangulacyjnych, większość państw Europy uzyskała pokrycie mapami topograficznymi. Mapy takie wykonano też dla niewielkich obszarów w innych częściach świata. Prace te prowadziły zwykle specjalistyczne służby wojsk., co z kolei zapoczątkowało proces wyodrębniania się z g. kartografii i jej ścisły związek z wojskiem, trwający do schyłku XX w. Wynaleziono też podstawowe instrumenty służące do pomiarów meteorologicznych (np. termometr, od XVIII w. w wielu miejscowościach, m.in. w Warszawie, prowadzono już systematyczne obserwacje pogodowe), w wielu państwach przeprowadzono spisy ludności, wykonywano mapy katastralne. Geografowie dysponowali zatem ogromnym bogactwem danych liczbowych. Najpopularniejszą formą syntetycznej prezentacji wiedzy w tym okresie stały się tablice geograficzne.

Pierwsze symptomy odchodzenia od dominacji ujęć faktograficzno-ilościowych pojawiły się od schyłku XVIII w. W Królewcu prof. geografii i filozof I. Kant w swej klasyfikacji nauk przypisał szczególną rolę g. jako dziedzinie nie ograniczonej przedmiotowo, dokonującej syntezy nauk szczegółowych w porządku chorologicznym (przestrzennym). W 1810–29 w Paryżu została wydana pierwsza nowoczesna geografia powszechna C. Malte-Bruna w 8 tomach. Prawdziwy przełom przyniosły jednak dopiero prace A. von Humboldta (największy rozgłos zyskał spośród nich *Kosmos*, t. 1–5 1845–62) oraz K. Rittera (prof. pierwszej w świecie katedry g. w Berlinie, 1817–59 wydał 20 tomów geografii regionalnej Afryki i Azji). Obaj uczeni uznawali, w ślad za Kantem, g. za syntezę nauk szczegółowych. Dużą wagę przywiązywali do danych liczbowych, ale uznawali je nie za cel badań, ale za środek w poszukiwaniu prawidłowości. Humboldt gł. nacisk kładł na związki między elementami środowiska przyr. (m.in. relacje między klimatem a roślinnością), a Ritter na działalność człowieka i jej związki ze środowiskiem. W 2. poł. XIX w. g. stała się nauką akademicką: powstały liczne katedry g. i geogr. czasopisma naukowe. Najszybciej rozwijała się ona w Niemczech (m.in. A. Hettner, S. Passarge, F. Ratzel — twórca podstaw metodologicznych g. społeczno-ekon., którą nazwał antropogeografią). W obrębie g. została zapoczątkowana specjalizacja badawcza. Mimo, że powstało wówczas wiele syntez ogólnogeogr., pogłębiał się podział na g. fizyczną i społ.-ekon., a w ich obrębie dalsza specjalizacja. Integracyjną funkcję pełniły zał. w tym okresie liczne towarzystwa nauk. (Amerykańskie Towarzystwo Geograficzne, Paryskie Towarzystwo Geograficzne), które utworzyły Międzynar. Unię Geogr., będącą świat. forum dyskusji geograficznych. Dominującymi kierunkami filoz. były determinizm, który dopiero w pocz. XX w. został przezwyciężony przez posybilizm oraz ewolucjonizm. Fakt ten zapoczątkował rozkwit g. regionalnej i trwający do II wojny świat. prymat g. francuskiej, silnie związanej z historią (do wybitnych przedstawicieli należą: P. Vidal de la Blache, L. Fèbvre, L. Gallois, E. de Martonne i in.). Mimo wysiłków integracyjnych, których wyrazem była m.in. nowatorska metodycznie, wielotomowa g. powszechna (*Géographie universelle* 1927–48, 15 tomów, 23 vol.), procesy specjalizacji postępowały nadal. Zaznaczyły się one zwł. w g. fizycznej, gdzie wyodrębniające się dyscypliny badawcze, coraz silniej wiązały się z innymi naukami o Ziemi (np. geomorfologia z geologią, klimatologia z fizyką atmosfery). W przypadku g. roślin i zwierząt doszło do niemal całkowitego zerwania więzów z g. i powstania biogeografii, uznawanej za dyscyplinę nauk biologicznych. Największym osiągnięciem g. niemieckiej okresu międzywojennego było opracowanie teorii ośrodków centr. (W. Christaller), która zapoczątkowała nowy etap w badaniach lokalizacji miast. Jako odrębna dyscyplina na pograniczu g. politycznej powstała w tym okresie geopolityka (gł. w Niemczech i W. Brytanii). Po II wojnie świat. dominującą rolę zaczęła odgrywać g. anglosaska. Cechowało ją ścisłe powiązanie z praktyką (badania prowadzone np. na potrzeby biur projektowych), pogłębienie specjalizacji, dominacja ujęć analitycznych i rozwój metod ilościowych (proces typowy zwł. w latach 60. i 70.). Reakcją na to stało się poszukiwanie nowych inspiracji filoz. (m.in. w fenomenologii, personalizmie, holizmie i w chiń. koncepcjach przestrzeni, np. Y.F. Tuan) oraz dążenie do „humanizacji" g. (pojawiły się m.in.: g. humanistyczna, radykalna, percepcji, czasu, elektoralna, a nawet feministyczna). Rzecznikami humanizacji są m.in. A. Buttimer (od 2000 przewodn. Międzynar. Unii Geogr.) i P. Claval. Po 1917 doszło do odcięcia g. rosyjskiej od gł. nurtu g. światowej. W ZSRR, a po II wojnie świat. także w innych krajach komunist, rozwijała się głównie g. fizyczna, w dużej mierze nastawiona na ścisłą współpracę z praktyką (m.in. planowanie przestrzenne). Mimo istniejących ograniczeń, na gruncie g. fizycznej powstało wiele oryginalnych opracowań syntetycznych, dotyczących zwł. strefowości, metod regionalizacji oraz g. fizycznej kompleksowej. Wyraźny kryzys przeżywała tam natomiast g. społeczno-ekon., podporządkowana celom polit. i nastawiona niemal wyłącznie na gromadzenie danych. Niektóre dyscypliny (np. g. polityczna, g. historyczna, historia g.) w krajach socjalist. zaniknęły niemal zupełnie. Dla jedności g. szczególnie groźna okazała się głoszona ze względów ideol. teza o całkowitej odrębności zjawisk przyr. i społ. oraz wynikające z tego hamowanie badań relacji człowiek–środowisko. G. w bloku państw komunist. zaczęto przedstawiać jako zbiór luźno

powiązanych, odrębnych nauk geograficznych. Jednak począwszy od lat 60. do krajów komunist. zaczęły przenikać, gł. przez Polskę, anglosaskie koncepcje geografii. Pełne otwarcie nastąpiło dopiero po 1989. W ostatnich latach w krajach postkomunist. najszybsze zmiany zachodzą w obrębie najbardziej zaniedbanej g. społeczno-ekonomicznej. Wyraźnie widoczne są 2 przeciwstawne tendencje: specjalizacji, która ma doprowadzić do dokładniejszego poznania poszczególnych elementów środowiska lub działów ludzkiej aktywności oraz poszukiwanie jedności. Temu drugiemu celowi ma służyć rozpatrywanie integrujących zagadnień badawczych (dotyczących np.: ochrony środowiska, klęsk żywiołowych, ekstremalnych zjawisk przyr., zwalczania głodu, struktury krajobrazu) oraz próby ujęć syntetycznych, podejmowane gł. przez geoekologię (powstałą z g. fizycznej kompleksowej) oraz — rzadziej — przez g. regionalną.

Geografia w Polsce. Pierwsze informacje o ziemiach obecnej Polski są przedstawione na mapie Klaudiusza Ptolemeusza. We wczesnym średniowieczu pojedyncze wzmianki znajdują się w kronikach i relacjach podróżników (m.in. Ibrahima Ibn Jakuba — opis podróży do państwa Mieszka I). W kronikach pol. aż do pocz. XV w. informacje geogr. były skromne. Dopiero *Chorographia Regni Poloniae* J. Długosza stanowi obszerny i rzetelny geogr. opis państwa. Na przeł. XV i XVI w. w Akad. Krak. wykładano kosmografię (Marcin Bylica z Olkusza, Jan ze Stobnicy, Wawrzyniec Korwin ze Śląska), szybko wzrastało zainteresowanie światem, m.in. dzięki licznym wyjazdom Polaków na studia zagraniczne. W XVI w. zostały oprac. oryginalne mapy Polski (B. Wapowski, W. Grodecki, którego mapy zostały wprowadzone do atlasów flamandzkich), a pisane po łacinie opisy Polski pióra M. Kromera oraz księstwa moskiewskiego A. Gwagnina wzbogaciły dorobek g. europejskiej. Wiek XVII przyniósł wiele dalszych opracowań kartograficznych (dotyczących jednak niewielkich obszarów), a wiek XVIII — pierwsze pol. podręczniki g. (K. Wyrwicz, F. Siarczyński). W kartografii największe osiągnięcie tego okresu stanowią mapy województw K. de Perthéesa. Wybitnymi geografami 1. poł. XIX w. byli: S. Staszic (prowadził badania terenowe w Karpatach, wykonał pierwszą pol. mapę geol.), J. Śniadecki (autor podręcznika *Jeografia* 1804, dotyczącego głównie g. fizycznej). W tym okresie opracowano też pierwsze pol. podręczniki g. politycznej. Wybitnym osiągnięciem kartograficznym była *Topograficzna Karta Królestwa Polskiego* 1:126 000, oprac. przez Kwatermistrzostwo Generalne (ukończona przez Rosjan 1843). W XIX w. Polacy mieli istotny udział w odkryciach geogr., do czego walnie przyczyniły się zsyłki na Sybir i kolejne fale emigracji po powstaniach. Badali oni m.in.: Syberię (J. Czerski, A. Czekanowski, B. Dybowski i wielu innych), Azję Środk. (B. Grąbczewski), Chile (I. Domeyko), Australię (P.E. Strzelecki), brali udział w wyprawach antarktycznych (H. Arctowski, A.B. Dobrowolski). W 1849 w Krakowie utworzono katedrę g. (drugą w Europie). Kierował nią W. Pol, autor koncepcji pasowego układu rzeźby Polski. Choć po roku został odwołany, wywarł bardzo duży wpływ na całą g. polską epoki rozbiorowej. Miała ona służyć rozbudzaniu uczuć patriotycznych. Nacisk kładziono na związek człowieka z przyrodą (unikając jednak skrajnie deterministycznych twierdzeń), krajoznawstwo, piękno i ekspresję sposobu prezentacji, tak w opracowaniach nauk., jak i popularnych. Po otwarciu 1882 katedry g. na Uniw. Lwowskim stał się on gł. ośrodkiem g. polskiej. Pierwszym kierownikiem katedry był A. Rehman, od 1908 prof. Uniw. Lwowskiego został E. Romer, twórca metody barwnych map poziomicowych, przyjętej następnie w innych krajach Europy, dydaktyk szkolny, klimatolog, geomorfolog, autor licznych opracowań z zakresu antropogeografii. G. rozwijała się także w zaborach ros. i pruskim, mimo odcięcia pol. geografów od katedr uniwersyteckich. Na rozwój g. w zaborze ros. na przeł. XIX i XX w. największy wpływ wywarł W. Nałkowski — nauczyciel i zarazem metodolog g., autor *Geografii malowniczej* i *Zarysu geografii powszechnej rozumowej*, w którym kładł nacisk na wyjaśnianie prawidłowości. W 1880–1902, m.in. przy współpracy historyków, został wydany monumentalny, 15-tomowy *Słownik geograficzny Królestwa Polskiego i innych krajów słowiańskich*. W okresie międzywojennym g. polska znajdowała się pod silnymi wpływami fr. i była bardzo wysoko oceniana w Europie (przyczyniło się do tego m.in. zorganizowanie 1934 kongresu Międzynar. Unii Geogr. w Warszawie, MUG). G. wykładano na uniwersytetach w Warszawie (od 1918 istniał Zakład Geogr. kierowany przez S. Lencewicza, zajmujący się problematyką fizycznogeogr., a od 1938 Zakład Antropogeografii, kierowany przez B. Zaborskiego), Lwowie (m.in. Romer, A. Zierhoffer), Krakowie (L. Sawicki, J. Smoleński), Wilnie (gł. antropogeografia, M. Limanowski) i Poznaniu (S. Pawłowski, S. Nowakowski). Już 1918 utworzono Polskie Towarzystwo Geograficzne i zaczęto wydawać „Przegląd Geograficzny", a 1923 „Czasopismo Geograficzne". Za podsumowanie dorobku międzywojennej g. polskiej można uznać 16-tomową *Wielką geografię powszechną*, wyd. 1932–37. Podczas II wojny świat. prowadzono tajne nauczanie g. na wszystkich poziomach, włącznie z akademickim, powstało wiele opracowań nauk., m.in. dotyczących g. ziem obecnej zach. i pn. Polski. Wielu geografów poniosło śmierć z rąk niem. lub sowieckich. Zniszczone lub rozgrabione zostały zbiory biblioteczne i kartograficzne. Odrodzenie g. polskiej nastąpiło natychmiast po wojnie. Wznowiono wydawanie czasopism nauk., restytuowano Pol. Tow. Geograficzne, uruchamiano studia geogr. na kolejnych uniwersytetach i uczelniach ekonomicznych. G. fizyczna znalazła zastosowanie przy odbudowie i rozbudowie miast i osiedli, co w następnych latach doprowadziło do wyodrębnienia się z niej praktycznego nurtu zw. fizjografią urbanistyczną. Wyrazem wysokiej rangi polskiej g. w świecie było ponowne powierzenie Romerowi funkcji wiceprezesa Międzynar. Unii Geogr. (1945–49, poprzednio 1928–38). Niestety, już po kilku latach zaczęto ograniczać współpracę zagraniczną, ingerować w problematykę badań (zwł. z zakresu g. społeczno-ekon., gdzie praktycznie

zlikwidowano g. usług i g. polityczną, a także ścigano wszelkie odchylenia geopolityczne i deterministyczne). Niektórzy geografowie ze względu na poglądy trafili do więzienia (np. S. Gorzuchowski zmarł w więzieniu we Wronkach). Zunifikowano programy studiów, narzucając ścisły podział branżowy, propagowano osiągnięcia g. rosyjskiej i radzieckiej (w niektórych dyscyplinach g. fizycznej okazywało się to niekiedy twórcze). Choć lansowany światopogląd marksistowski w praktyce sprowadzał się do fasadowych deklaracji, bardzo groźne, także dla stanu późniejszych badań, okazało się uchylanie od rzetelnej dyskusji naukowej. Mimo to g. polska, zwł. fiz., była w tym okresie bardziej niezależna niż w pozostałych krajach komunistycznych.

Po 1956 nastąpiło wyraźne osłabienie presji ideol., ponowne nawiązanie kontaktów z g. zachodnią, nie przerywano przy tym współpracy z g. radziecką i utrzymano dominującą pozycję g. fizycznej. W latach 60. g. polska zaczęła odgrywać rolę pomostu między Wschodem i Zachodem, co zaowocowało szeregiem oryginalnych ujęć i umocniło pozycję Polaków w Międzynar. Unii Geograficznej. Kierowali oni pracami wielu komisji, a 1968–72 S. Leszczycki był przewodn. MUG. Największe uznanie zyskały prace pol. geomorfologów oraz oryginalna typologia i mapy rolnictwa J. Kostrowickiego z zespołem. Nawiązane zostały też liczne kontakty z krajami rozwijającymi się, czemu sprzyjał m.in. rozwój g. regionalnej świata na Uniw. Warsz. (najwięcej prac dotyczyło Ameryki Łac., Afryki i Bliskiego Wschodu). W latach 70. upowszechniło się stosowanie w g. metod mat. („rewolucja matematyczna" została zapoczątkowana w latach 60. w Poznaniu, największą rolę odegrali w niej: Z. Chojnicki, T. Czyż i R. Domański), a na czoło tematyki badawczej wysunęły się zagadnienia związane z ochroną i kształtowaniem środowiska (obecne już w g. polskiej doby rozbiorowej). Najwieksze osiągnięcia pol. powojennej g. fizycznej dotyczą: geomorfologii (A. Jahn, J. Dylik, R. Galon, M. Klimaszewski, S. Kozarski, H. Maruszczak, L. Starkel, J. Szupryczyński), zwł. peryglacjalnej (J. Dylik) i kartowania geomorfologicznego, badania jezior (Z. Mikulski), map hydrograficznych (T. Wilgat, I. Dynowska), regionalizacji fizycznogeogr. i badań nad istotą krajobrazu (T. Bartkowski, J. Kondracki, A. Richling), miar antropopresji i podstaw ochrony środowiska (A.S. Kostrowicki). W g. społeczno-ekon. dużą rolę odegrało badanie zmian przestrzennej struktury zagospodarowania kraju i planowanie przestrzenne (S. Berezowski, Z. Chojnicki, R. Domański, K. Dziewoński, A. Kukliński, Leszczycki, L. Straszewicz, A. Wróbel, A. Wrzosek), prace z g. ludności (A. Jelonek) i — w ostatnich dekadach — z g. turyzmu (S. Liszewski, J. Warszyńska). Do rozwoju dydaktyki g. przyczynili się m.in.: A. Dylikowa, J. Flis, S. Piskorz, J. Winklewski, G. Wuttke, a kartografii — S. Pietkiewicz i L. Ratajski (był on bardzo aktywny także jako popularyzator g.). Podsumowujący charakter miały 2 dzieła wydane w tym okresie: 5-tomowa *Geografia powszechna* (1962–67), ilustrowana nowatorskimi metodycznie mapami krajobrazowymi S. Uhorczaka oraz *Narodowy Atlas Polski* (1973–78, oprac. w Inst. Geografii PAN). Szczególną rolę w rozwoju g. w Polsce w tym okresie odegrało Pol. Tow. Geograficzne, zarówno jako inicjator badań, jak też prac popularyzatorskich. Największe znaczenie miały: wyprawa jachtu Śmiały wokół Ameryki Pd. (1965–66, połączona z badaniami w Chile) oraz wydawanie magazynu „Poznaj Świat". Wprowadzenie stanu wojennego spowodowało tylko krótkotrwałą przerwę w kontaktach zagranicznych, większość z nich zdołano szybko odbudować, Polacy włączyli się w świat. programy badawcze na temat zmian globalnych (Starkel i in.). Największe trudności występują obecnie w kontaktach z geografami z krajów Europy Wschodniej. Po 1989 szczególnie szybko rozwija się g. społeczno-ekon., zwłaszcza g. turyzmu. Pojawiły się całkiem nowe sfery zainteresowań geografów, m.in. powstały prace z g. religii (A. Jackowski), nastąpił renesans g. politycznej, w ramach której zaczęła się wyodrębniać g. elektoralna. Znaczny, choć niewystarczający, był udział geografów w przygotowywaniu reformy adm. kraju (np. przy ustalaniu granic powiatów). Liczne prace dotyczą przestrzennego zróżnicowania poziomu życia, przedsiębiorczości, obecności kapitału zagranicznego itd. Geografowie fiz. uczestniczą w badaniach antropopresji, wydzielaniu obszarów chronionych i in. działaniach na rzecz ochrony środowiska. Otwarcie na świat zaowocowało wydaniem licznych słowników geogr. (część z nich to tłumaczenia), atlasów i 2 oryginalnych g. powszechnych. Podsumowaniem obecnego stanu wiedzy o zróżnicowaniu środowiska przyr. i zmianach społ.-gosp. w Polsce jest *Atlas Rzeczypospolitej Polskiej* (oprac. przez Inst. Geografii i Przestrzennego Zagospodarowania PAN). Badania geogr. są obecnie prowadzone w Polsce w Inst. Geografii i Przestrzennego Zagospodarowania PAN im. S. Leszczyckiego (utworzony 1953 jako Inst. Geografii PAN), na uczelniach (uniwersytety, szkoły pedag., ekon. i politechniki) oraz w specjalistycznych instytutach. Studia geogr. prowadzi się na 10 uniw. (Gdańsk, Kraków, Lublin, Łódź, Poznań, Sosnowiec — Uniw. Śląski, Szczecin, Toruń, Warszawa, Wrocław), w 4 akademiach pedag. (Bydgoszcz, Kielce, Kraków, Słupsk).

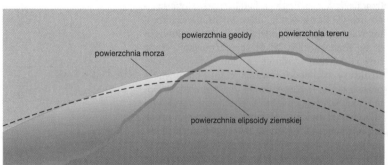

■ Geoida

geografia fizyczna, dział geografii zajmujący się badaniem poszczególnych elementów środowiska przyr., ich przestrzennym zróżnicowaniem i wzajemnymi powiązaniami, w 2. poł. XX w. także antropogenicznymi przekształce-

niami środowiska; g.f. wyróżnił 1650 G.V. Varenius; szczególnie szybki rozwój nastąpił w XIX i XX w., towarzyszyło mu różnicowanie na subdyscypliny oraz coraz silniejsze związki z innymi naukami przyr.; w obrębie g.f. wyróżnia się najczęściej: geomorfologię — badającą rzeźbę powierzchni Ziemi i jej ewolucję, klimatologię i meteorologię — badające atmosferę (zwł. pod kątem zmian klimatycznych i pogodowych), hydrologię z oceanologią, geografię gleb, kompleksową g.f. (geografię krajobrazu) — badającą relacje między elementami środowiska i na tej podstawie wyróżniającą jednostki krajobrazowe oraz regionalne (regionalizacja fizyczno-geogr.); geografia roślin i zwierząt (biogeografia) są zwykle zaliczane do biologii.

geografia historyczna, nauka badająca przemiany środowiska geogr. w przeszłości oraz historię przestrzennych form zasiedlenia i zagospodarowania Ziemi; odtwarza dawne podziały polit. oraz bada dawne oddziaływania między środowiskiem geogr. i społeczeństwami.

geografia regionalna, dział geografii, który dokonuje syntezy wiedzy o wybranych fragmentach powierzchni Ziemi (regionach), zarówno o środowisku przyr., jak też działalności człowieka i jej efektach; niekiedy cel badań jest definiowany jako badanie relacji człowiek–środowisko przyr.; początki w staroż. Grecji; po raz pierwszy wyróżniona 1650 przez G.V. Vareniusa; od pocz. XIX w. częstą formą prezentacji wyników są wielotomowe geografie powszechne; g.r. najsilniej rozwinęła się we Francji w pocz. XX w. (P. Vidal de la Blache, posybiliści), w Polsce m.in. w ośrodku warsz. (Uniw. Warsz.).

geografia społeczno-ekonomiczna, dział geografii, powiązany m.in. z planowaniem przestrzennym, ekonomią, socjologią, historią; zajmuje się badaniem przestrzennego zróżnicowania ludzkiej działalności i jej efektów, także relacji człowiek–środowisko przyr.; w XIX i pocz. XX w. badano gł. rozmieszczenie ludności i form osadnictwa, następnie — zwł. rozmieszczenie różnych działów i gałęzi gospodarki; od lat 60. XX w. wzrost zainteresowania zjawiskami społ.--kult. i polit. (np. geografia przestępczości, turyzmu, religii, wyborcza).

geograficzne współrzędne, współrzędne sferyczne określające położenie punktów na powierzchni Ziemi; są nimi: d ł u g o ś ć   g e o g r a f i c z n a λ — kąt (od 0° do 180°) zawarty między półpłaszczyzną południka przechodzącego przez dany punkt i półpłaszczyzną południka zerowego (przechodzącego przez dawne obserwatorium astr. Greenwich), liczony w kierunku wsch. (długość geogr. wschodnia) lub zach. (długość geogr. zachodnia); s z e r o k o ś ć g e o g r a f i c z n a j — kąt (od 0° do 90°) zawarty między kierunkiem normalnej (prostej prostopadłej) do powierzchni Ziemi w danym punkcie a płaszczyzną równika ziemskiego. Układ w.g. tworzy tzw. s i a t k ę   g e o g r a f i c z n ą składającą się z południków i równoleżników.

geoida [gr.], teoret. powierzchnia stałego potencjału siły ciężkości, pokrywająca się z powierzchnią mórz i oceanów Ziemi, przedłużona umownie pod lądami; kierunek siły ciężkości jest prostop. do powierzchni g. w każdym jej punkcie; kształt g. jest zbliżony do elipsoidy obrotowej, a maks. odchylenia od → elipsoidy ziemskiej są rzędu 100 m; wyznacza się ją na podstawie pomiarów astr.-geod., także satelitarnych, grawimetrycznych i niwelacyjnych; pojęcie g. wprowadził 1873 niem. geodeta i matematyk J. Listing. ∎

geologiczna mapa, mapa przedstawiająca budowę geol. pewnego odcinka powierzchni skorupy ziemskiej; sporządzana gł. na podstawie zdjęcia → geologicznego. Ze względu na treść i przeznaczenie rozróżnia się kilkanaście typów m.g.: mapy stratygraficzne, litologiczne, tektoniczne, hydrogeologiczne, surowcowe i in. M.g. z a k r y t a przedstawia budowę geol. widoczną na powierzchni Ziemi, m.g. o d k r y t a — budowę geol. po usunięciu pokrywy osadów młodszych (najczęściej czwartorzędowych). Zwykle m.g. zawiera przekrój i profil geol. (ilustrujące wgłębną budowę geol. obszaru objętego mapą) oraz tekst objaśniający. M.g. mają duże znaczenie prakt. (w geologii poszukiwawczej, budownictwie, hydrografii). Pierwsza m.g. ukazała się 1644 we Francji. W Polsce pierwszych prób rejestrowania na mapie faktów geol. dokonał S. Staszic; wydawanie pierwszych nowoczesnych m.g. zapoczątkowała 1885 AU w Krakowie (*Atlas geologiczny Galicji* 1885–1914). ∎

geologiczne procesy, zjawiska wywołujące na powierzchni skorupy ziemskiej lub w jej wnętrzu przeobrażenia fiz. lub chem.; są spowodowane działaniem na skorupę ziemską czynników zewn. (→ egzogeniczne procesy) lub czynników mających swe źródło we wnętrzu Ziemi (→ endogeniczne procesy); p.g. modelują oblicze Ziemi.

geologiczne zdjęcie, zestawienie w formie graf. i opisowej wszystkich wyników badań geol. przeprowadzonych w terenie, stanowiące podstawę do sporządzenia mapy geol.; zakres badań terenowych zależy od rodzaju i skali mapy; obejmuje m.in. rejestrację (i analizę) faktów litologicznych, stratygraf., tektonicznych i in. dokonaną w odsłonięciach naturalnych lub sztucznych (np. wiercenia, szyby) oraz badania za pomocą metod geofiz. (np. badania sejsmiczne, grawimetryczne), zwł. w terenie, na którego powierzchni jest mało danych pozwalających na interpretację jego budowy geol.; w badaniach geol. stosuje się często → fotogrametrię.

geologiczny cykl, szereg następujących po sobie zjawisk geol. pozostających we wzajemnym związku; gromadzenie się osadów w ob-

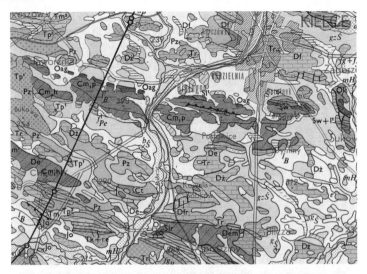

∎ Fragment mapy geologicznej 1:200 000, arkusz Kielce (P. Filonowicz 1978): zakrytej (u góry) i odkrytej (bez utworów czwartorzędowych); barwami i symbolami literowymi przedstawiono wiek utworów

niżonych miejscach powierzchni Ziemi, ich fałdowanie i wypiętrzanie (czemu towarzyszy zwykle magnetyzm i metamorfizm), a następnie niszczenie przez procesy → denudacji; na obniżone wskutek niszczenia lądy wkracza morze, w którym gromadzą się osady i c.g. zaczyna się od nowa.

geologiczny profil, seria skał o zbadanym w danym miejscu następstwie warstw (np. profil kamieniołomu, profil otworu wiertniczego).

geologiczny przekrój, graf. przedstawienie budowy geol. wycinka terenu w rzucie na płaszczyznę pionową; dane do sporządzania p.g. uzyskuje się z wierceń, wkopów, obserwacji ułożenia

∎ Przekrój geologiczny

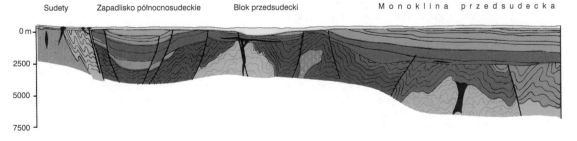

warstw skalnych na powierzchni Ziemi, zwł. na zboczach górskich i w głębokich dolinach, oraz z geom. interpretacji map geologicznych. ■

geomorfologia [gr.], nauka o ukształtowaniu powierzchni Ziemi; zajmuje się opisem form powierzchni Ziemi, bada ich genezę, rozwój i rozmieszczenie, określa także ich wiek. G. jest jedną z nauk o Ziemi, wiąże się ściśle z geologią, geografią fiz., hydrografią, klimatologią, gleboznawstwem, geografią roślin (fitogeografią) oraz geografią człowieka (antropogeografią). G. jako samodzielna dyscyplina geogr. wyodrębniła się ok. poł. XIX w. p.n. morfologii. Początkowo zajmowała się tylko opisem i pomiarem (morfometria) form rzeźby powierzchni Ziemi. Zasada aktualizmu geol. skłoniła badaczy do wyjaśniania pochodzenia form rzeźby i do przyjęcia poglądu, że rzeźba powierzchni Ziemi jest wynikiem ścierania się antagonistycznych sił działających na skorupę ziemską z zewnątrz (→ egzogeniczne procesy) oraz mających źródło we wnętrzu Ziemi (→ endogeniczne procesy). W XIX w. (a niekiedy i w 1. poł. XX w.) formy powierzchni Ziemi traktowano jako wyraz struktur geol. powstałych w wyniku ruchów tektonicznych (g. strukturalna), pomijając wpływ procesów działających na skorupę ziemską z zewnątrz. Pierwsze próby podważenia poglądów reprezentowanych przez zwolenników g. strukturalnej podjęli: K. Gilbert (1877), Mc Gee (1897), W.M. Davis (1905), K. Bryan (1915), W. Penck (1924). Zwrócili oni uwagę na ważną rolę procesów zewn. w kształtowaniu form powierzchni Ziemi; analizowali drobne formy rzeźby, a nawet jej elementy, zwł. stok, na którego powierzchni przebiegają procesy denudacyjne zacierające dawne i stwarzające nowe formy rzeźby. Doprowadziło to do rozwoju panującego obecnie w g. kierunku — g e o m o r f o l o g i i d y n a m i c z n e j . Jest ona ściśle związana z g e o m o r f o l o g i ą k l i m a t y c z n ą , badającą zależność procesów rzeźbotwórczych od warunków klim.; przebieg i intensywność procesów zewn. (egzogenicznych) w dużym stopniu zależą od intensywności i rozmieszczenia zjawisk meteorol. oraz występowania, jakości i rozmieszczenia roślinności, a więc od rodzaju strefy klim., w której te procesy zachodzą. Stąd też rozróżnia się g. glacjalną, peryglacjalną, g. obszarów umiarkowanych, półsuchych, suchych i tropikalnych. Duże znaczenie w badaniach genezy form rzeźby ma analiza budowy wewn. form — struktury i tekstury budujących je skał; dotyczy to zarówno litych skał podłoża, jak i skał luźnych, zazwyczaj przemieszczonych przez procesy zewn.; badania charakteru skał luźnych pozwalają na określenie rodzaju dawnych procesów egzogenicznych, a nawet warunków, w jakich przebiegały, czyli całego ówczesnego środowiska geogr., natomiast określanie masy osadów umożliwia ocenę intensywności procesów. Wyniki badań genet. pozwalają na stworzenie klasyfikacji form rzeźby ze względu na ich genezę, czego wyrazem są nazwy zespołów form rzeźby powierzchni Ziemi, np. góry fałdowe, góry zrębowe, formy glacjalne (→ glacjalna rzeźba), formy krasowe (→ kras), lub nazwy po-

szczególnych typów form, np. góra wyspowa, niecka denudacyjna. Wiek formy powierzchni Ziemi określa się na podstawie jej stosunku do utworów geol. o znanym wieku; stosuje się również metody oznaczania bezwzględnego wieku osadów budujących daną formę (geochronologia izotopowa). Ukształtowanie powierzchni Ziemi przedstawia się m.in. za pomocą m a p y g e o -
m o r f o l o g i c z n e j , która odtwarza pełny obraz rzeźby danego terenu w ujęciu genet. i chronologicznym, informuje o rozmieszczeniu form o określonej genezie i wieku oraz o rozmiarach tych form i ich cechach morfometrycznych.

G. zrodziła się z potrzeb prakt. (zagospodarowanie obszarów nie zasiedlonych w USA, cele wojsk. — gł. we Francji i Austrii). Obecnie służy potrzebom planowania przestrzennego i określa przydatność rzeźby terenu z punktu widzenia osadnictwa, rolnictwa, komunikacji, budowy urządzeń wodnych itp.

geomorfologiczny cykl, cykl denudacyjny, cykl przemian i rozwoju rzeźby jakiegoś obszaru pod wpływem czynników rzeźbotwórczych, które prowadzą przeważnie do obniżenia wyniosłości na powierzchni Ziemi (→ denudacja). Teorię cyklicznego rozwoju rzeźby powierzchni Ziemi pod nazwą c y k l u g e o g r a f i c z n e g o stworzył 1899 W.M. Davis; wg niego cykl geogr. ilustruje idealny rozwój rzeźby w rezultacie działania zewn. czynników geol. (→ egzogeniczne procesy), gł. wody płynącej, od chwili wypiętrzenia danego obszaru (które wg Davisa było b. szybkie i krótkotrwałe, po czym następował okres absolutnej stagnacji tektonicznej), aż do jego całkowitego zrównania (peneplena); c y k l f l u w i a l n y (rzeczny) nazwał Davis c y k l e m n o r m a l n y m . Ponieważ teoria cyklu normalnego nie znalazła zastosowania w odniesieniu do powierzchni całej kuli ziemskiej, 1905 Davis wyodrębnił jeszcze c y k l e o l i c z n y (w klimacie suchym), a 1909 — c y k l g l a c j a l n y (lodowcowy). Każdy cykl ma 3 stadia rozwoju: stadium młodociane, dojrzałe i starcze. Teoria c.g., mimo licznych zastrzeżeń, odegrała przełomową rolę w rozwoju geomorfologii. Obecnie jest zarzucana; rzeźba powierzchni Ziemi jest bowiem rezultatem jednoczesnego działania na skorupę ziemską przeciwstawnych sobie czynników, zarówno zewn., jak i mających źródło we wnętrzu Ziemi (→ endogeniczne procesy), przy czym ogromną rolę w rozwoju rzeźby odgrywają, poza erozją, inne procesy denudacyjne, a zwł., pominięte przez Davisa, → ruchy masowe; przebieg i wydajność procesów denudacyjnych w dużym stopniu zależą od klimatu.

Georgetown [dżɔːˈdżtaᵘn], **Demerara,** stol. Gujany, nad O. Atlantyckim; 226 tys. mieszk. (2002); największe m. i ośr. gosp. kraju; przemysł cukr., tytoniowy, drzewny; gł. port mor. i lotn.; uniw.; muzeum.

Georgia [dżɔːˈdżjə], stan w pd.-wsch. części USA, nad O. Atlantyckim; 152,6 tys. km^2; 8,6 mln mieszk. (2002), w tym 27% ludności murzyńskiej; stol. Atlanta, gł. port Savannah; Niz. Atlantycka, na pn.-zach. Appalachy; gł. rz.: Savannah, Altamaha, Ogeechee; lasy 67% pow.; uprawa bawełny, soi, kukurydzy; hodowla bydła; leśnictwo;

rybołówstwo; elektrownie jądr. i wodne; przemysł spoż., włók., elektron., drzewny; turystyka.

Georgia Południowa [dżo:ᵣdżjə p.], **South Georgia,** wyspa w pd. części O. Atlantyckiego; administracyjnie należy do Falklandów; pow. 3,6 tys. km², gł. osada i port mor. — Grytviken; górzysta, pokryta śniegami przez większą część roku.

geosfery [gr.], koncentryczne sfery wchodzące w skład kuli ziemskiej; do głównych g. należą: → jądro Ziemi, mezosfera i astenosfera — wchodzące w skład → płaszcza Ziemi, oraz litosfera, w której skład wchodzi → skorupa ziemska.

geosynklina [gr.], wg dawnych teorii geotektonicznych wielkie podłużne zagłębienie w skorupie ziemskiej, wypełniane grubymi seriami osadów mor., które ulegają sfałdowaniu i wypiętrzeniu, tworząc pasma górskie.

geotektoniczne teorie, teorie górotwórcze, teorie wyjaśniające powstanie obecnej budowy Ziemi, a zwł. skorupy ziemskiej, powstawanie kontynentów i oceanów oraz łańcuchów górskich. T.g. można podzielić na 2 gł. grupy: 1) t e o r i e   p e r m a n e n c j i   k o n t y n e n t ó w i   o c e a n ó w, zakładające, że położenie geogr. bloków kontynent. nie ulegało w historii geol. znaczniejszym zmianom, a wszelkie zmiany zachodzące w skorupie ziemskiej były wywoływane przez zróżnicowane ruchy pionowe, które mogły prowadzić do wtórnych, poziomych przemieszczeń warstw skalnych; przyczyną ruchów pionowych mogą być różne procesy zachodzące wewnątrz Ziemi, gł. w jej płaszczu; 2) t e o r i e   m o b i l i s t y c z n e, w myśl których przyczyną ruchów górotwórczych jest poziomy ruch poszczególnych partii skorupy ziemskiej (epejroforeza) wywołany procesami zachodzącymi w głębi kuli ziemskiej lub czynnikami kosm. (teoria Wegenera, teoria prądów konwekcyjnych, teoria undacji, teoria tektoniki płyt). T.g. należą do najtrudniejszej, wybitnie hipotetycznej dziedziny geologii; duża liczba t.g. oraz zarzucanie jednych, a wysuwanie innych jest związane z dostosowywaniem teorii do współcz. stanu wiedzy i uwzględnianiem najnowszych wyników badań — poza geologią — również z paleontologii, geofizyki, geochemii, astronomii, oceanologii i in. Każda t.g. jest jednostronna, nie wyjaśnia wszystkich prawidłowości rozwoju skorupy ziemskiej, jednak każda nowa teoria przybliża wyjaśnienie obecnej budowy Ziemi. Ostatnio powszechnie jest przyjmowana teoria tektoniki płyt, która stanowi rozwinięcie i przedstawienie w unowocześnionej formie teorii Wegenera.

geotektonika [gr.], dział → tektoniki.

geotermiczny gradient, przyrost temperatury na jednostkę odległości w głąb Ziemi, zwykle w °C/m lub °C/km. Zob. też geotermiczny stopień.

geotermiczny stopień, odległość w metrach, mierzona pionowo w głąb Ziemi, odpowiadająca wzrostowi temp. o 1°C; wielkość s.g. danego rejonu zależy gł. od przewodnictwa cieplnego skał, sposobu ich rozmieszczenia, nawodnienia, bliskości wulkanów, gorących źródeł; np. w Budapeszcie s.g. wynosi 15 m, w Krośnie — 41,7 m, w

Grass Valley (USA) — 104,1 m, a w Witwatersrand (RPA) — 117 m; w Europie s.g. wynosi średnio 33 m. Zob. też geotermiczny gradient.

Gerlach, szczyt w Tatrach Wysokich, → Gierlach.

■ Ghana

Ghana, Republika Ghany, państwo w Afryce, nad Zat. Gwinejską; 238,5 tys. km²; 19,4 mln mieszk. (2002), ludy Akan, Ewe, Mossi; protestanci, animiści, katolicy; stol. Akra, inne gł. m.: Kumasi, Tamale, Tema (port); język urzędowy ang.; republika. Obszar nizinno-wyżynny, na wsch. góry Togo (do 886 m); klimat podrównikowy wilgotny, na zach. wybrzeżu równikowy; przewaga sawanny. Podstawę gospodarki stanowi uprawa kakaowca (4. miejsce w świat. produkcji ziarna) oraz manioku, kukurydzy; eksploatacja lasów; wydobycie diamentów, boksytów; elektrownia Akosombo i zbiornik Wolta na rz. Wolta; rozwój przemysłu przetwórczego. ■

Ghaty Wschodnie, hindi **Pūrva Ghāṭ,** ang. **Eastern Ghats,** góry krawędziowe w Indiach, wzdłuż wybrzeża Zat. Bengalskiej, ograniczają od wsch. wyż. Dekan; rozdzielone szerokimi dolinami rzek (Godawari, Kryszna, Kaweri) na szereg pasm górskich: Dewodi Munda (najwyższe, 1680 m), Nallamalai, Wellikonda, Palkonda, Śewaradź i in.; zbud. z prekambryjskich skał metamorficznych, gł. gnejsów; resztki lasów monsunowych z drzewem tekowym i sandałowym; plantacje kawy.

Ghaty Zachodnie, hindi **Paścim Ghāṭ,** ang. **Western Ghats,** pasma gór w Indiach, na zach. progu wyż. Dekan; dł. ok. 1800 km; najwyższy szczyt Anajmudi 2695 m; pn. część (zbud. z law, tzw. trap dekański) tworzy stromy, urwisty próg, pd. (gnejsy i kwarcyty) — ma formy łagodniejsze; źródła licznych rzek, m.in. Godawari, Kryszny, Kaweri; resztki wilgotnych lasów równikowych i monsunowych, w pd. części plantacje herbaty.

■ Gibraltar

Gibraltar, terytorium zależne W. Brytanii, na pd. krańcu Płw. Iberyjskiego, m. i port nad Cieśn. Gibraltarską; 5,8 km², 29 tys. mieszk. (2002); twierdza, baza mor. i lotnicza. Gotycki zamek (XIII w.), got. katedra (przebud. XVI w.), kościół protest. w stylu mauretańskim, klasztor Franciszkanów (XVI w.). ■

Gibraltarska, Cieśnina, ang. **Strait of Gibraltar,** hiszp. **Estrecho de Gibraltar,** arab. **Bughāz Jabal Ṭāriq,** cieśnina między Europą (Płw. Iberyjski) a Afryką; łączy O. Atlantycki z M. Śródziemnym; dł. 65 km, szer. 14–44 km, głębokość (na linii największych głębokości) 338–1181 m; 60 km na zach. od C.G. przebiega próg podwodny Spartel — głęb. 58 m; prąd powierzchniowy (ok. 4 km/h) płynie do M. Śródziemnego, prąd przydenny (4–11 km/h) — do O. Atlantyckiego; ważna droga mor.; porty eur.: Algeciras (hiszp.) i Gibraltar (bryt.), afryk.: Tanger (marok.), Ceuta (hiszp.).

Gibsona, Pustynia, Gibson Desert, pustynia skalisto-piaszczysta w Australii, w stanie Australia Zach., między Wielką Pustynią Piaszczystą na pn. a Wielką Pustynią Wiktorii na pd.; w środk. części góry stołowe zbud. z piaskowców; liczne solniska; klimat zwrotnikowy, skrajnie suchy (roczne opady poniżej 250 mm); rezerwat przyrody o pow. 1,9 tys. ha.

Gierlach, Gerlach, Garłuch, Gerlachovský štít, masyw górski w Tatrach Wysokich, w Słowacji, między dolinami: Batyżowiecką i Kaczą (górna część Doliny Białej Wody) a Wielicką; wys. 2655 m; najwyższy w Tatrach i całych Karpatach; ma 2 szczyty oddzielone Przełęczą Tetmajera — G., zw. też Wielkim G., i Zadni G., wys. ok. 2630 m; w pd. stoku G. polodowcowy Gierlachowski Kocioł. ∎

∎ Gierlach

∎ Giewont. Widok z lotu ptaka

Giewont, masyw górski w Tatrach Zach., nad dolinami: Strążyską, Małej Łąki i Kondratową, jeden z najpopularniejszych w Tatrach; wys. 1894 m; dł. grzbietu 2,7 km; pn. urwiska zbud. z wapieni serii wierchowej; u podnóża odsłaniają się dolomity, w pn. i zach. zboczach jaskinie m.in. Śpiących Rycerzy i Juhaska; gł. szczyt jest oddzielony przełęczą Szczerba (1822 m) od poziomej grani wsch., zwanej Długim Giewontem(1867 m); od zach. Mały Giewont (1728 m); ściany pn. opadają ok. 600-metrowym urwis-

kiem; stoki pd. łagodne, trawiaste z płatami kosodrzewiny. Na szczycie żel. krzyż wys. 15 m o konstrukcji kratowej; widok rozległy i piękny, zwł. na Rów Podtatrzański z Zakopanem i Obniżenie Orawsko-Podhalańskie; G. stanowi symbol Zakopanego i jest nabardziej znanym szczytem pol. Tatr; szlaki znakowane z dolin Kondratowej i Strążyskiej. ∎

Gigante, Grotta [g. dżigạnte], jaskinia we Włoszech, w pobliżu granicy ze Słowenią, ok. 10 km na pn. od Triestu; głęb. 119 m, dł. ok. 500 m; 3 otwory na wys. 265 m; w jaskini ogromna komora o wys. 107 m, dł. 130 m i szer. 65 m; bogata szata naciekowa, m.in. duże stalagmity w kształcie pni palmowych (wys. do 12 m); opisywana od 1. poł. XIX w.; 1908 udostępniona dla turystów (oświetlona wówczas przez 4 tys. świec); w jaskini zainstalowany sejsmograf z wahadłem o wys. ok. 100 m (największy na świecie). Obok G.G. muzeum speleologiczne.

GIS, ang. **Geographical Information Systems, systemy informacji geograficznej,** programy komputerowe przeznaczone do przechowywania i przetwarzania informacji o obiektach lokalizowanych na mapach; umożliwia zestawianie map o żądanej treści, odwzorowaniu i skali.

Giżycko, m. powiatowe w woj. warmińsko--mazurskim, nad jez. Niegocin, Kisajno i Tajty; 32 tys. mieszk. (2000); ważny pol. ośrodek turyst.-wypoczynkowy, sportów wodnych i bojerowych; centrum żeglarstwa; stocznia remontowa żeglugi śródlądowej; węzeł drogowy, gł. port i siedziba Żeglugi Mazurskiej; węzeł szlaków wodnych i pieszych; muzeum; Giżyckie Koncerty Organowe i Kameralne, Międzynar. Festiwal Piosenki Żegl. i Mor. Szanty; Międzynar. Zloty Motocykli, Mistrzostwa Polski Jachtów Kabinowych, katamaranów, windsurfingowe i bojerowe; stary gród obronny Prusów; prawa miejskie 1612 (1576?); zamek (XIV–XVI, XVII w.).

glacjalna rzeźba, ukształtowanie powierzchni terenu powstałe w wyniku niszczącej i budującej działalności lodowców oraz wód lodowcowych; do form rz.g. należą m.in.: mutony, cyrki i żłoby lodowcowe, rynny podlodowcowe, moreny, ozy, kemy, sandry; rozróżnia się 2 typy rz.g.: górską (→ alpejska rzeźba) i niżową (np. krajobraz → pojezierza). ∎

glacjał [łac.], okres → zlodowacenia, czyli powstawania lub powiększania się zasięgu lodowców wskutek ochładzania się klimatu i wzrostu ilości opadów atmosf.; z reguły w każdym g. występują okresy chłodniejsze (→ stadiał), przedzielone okresami cieplejszymi (→ interstadiał); podczas g., wskutek uwięzienia wielkich ilości wody w lodowcach, poziom morza ulegał obniżeniu, co objawiało się → regresją morza. Zob. też interglacjał.

glacjologia [łac.-gr.], nauka obejmująca badanie lodowców (powstawanie, rozwój, topnienie), ich wpływu na rzeźbę powierzchni Ziemi, a także warunków klim. oraz rodzaju i ukształtowania podłoża, na którym się tworzą i rozwijają; związana z klimatologią, hydrologią, krystalografią, geofizyką i geologią; częściowo jest nauką eksperymentalną (badanie lodowców w terenie oraz badania modelowe); właściwe sprecyzowanie problematyki g. nastąpiło w XVIII w., gł. na podstawie badań lodowców alp.; w Polsce nowocz. badania glacjologiczne zapoczątkował A.B. Dobrowolski (*Historia naturalna lodu* 1923).

Glasgow [~gᴏᵘ], m. w W. Brytanii (Szkocja), nad rz. Clyde; 609 tys. mieszk. (2002); centrum handlu i przemysłu (m.in. statki, maszyny, chemikalia, piwo); port handl.; węzeł kol. i drogowy, metro (od 1896); międzynar. port lotn.; 3 uniw. (najstarszy zał. 1451); muzea i galeria sztuki; zał. w poł. VI w., 1450 prawa miasta król., od XVII w. ważny ośr. handlu zamor., od końca XVIII w. gwałtowny rozwój przem. i szybki przyrost ludności; rom.-got. katedra, kościół St. Enoch z XVIII w., neogot. budynki uniwersyteckie.

■ Rzeźba glacjalna. Krajobraz moreny dennej z wytopiskami w Parku Narodowym Skaftafell (Islandia)

■ Rzeźba glacjalna. Dolina lodowcowa w Górach Czerskiego na Syberii

gleba [łac.], powierzchniowa, biologicznie czynna warstwa skorupy ziemskiej, powstała z różnych skał macierzystych pod wpływem czynników glebotwórczych (gł. drobnoustroje, wyższe rośliny i zwierzęta, klimat, woda, rzeźba terenu, gospodarka człowieka) i podlegająca stałym przemianom w procesie glebotwórczym. Podstawową funkcją g. jest zapewnienie roślinom warunków wzrostu i rozwoju. Istotną jej cechą jest żyzność; o żyzności g. decydują gł.: jej skład granulometryczny i miner., woda występująca w g., próchnica, drobnoustroje glebowe, działalność człowieka; gł. pierwiastkami wchodzącymi w skład g. są: krzem, glin, żelazo, wapń, w mniejszych ilościach występują magnez, potas, fosfor, sód, a w ilościach śladowych mikroelementy, np. bor, miedź, mangan, molibden, kobalt; w zależności od stopnia zwietrzenia części mineralne g. dzieli się wg wielkości na: części szkieletowe (kamienie, żwir) — powyżej 1 mm średnicy, części ziemiste

— poniżej 1 mm średnicy (piasek, pył), części spławialne — poniżej 0,02 lub 0,01 mm, a wśród nich ważne części ilaste (tzw. ił koloidowy) — poniżej 0,0001 lub 0,0002 mm; cząstki ziemiste, najczęściej połączone w agregaty, tworzą strukturę gleby, określającą stosunki wodno-powietrzne w g.; o strukturze g. decyduje układ cząstek miner., zlepionych substancjami koloidowymi, tworzących różne agregaty; najkorzystniejsza dla roślin uprawnych jest struktura gruzełkowa g., uzyskiwana przez właściwą uprawę i nawożenie. Cząstki g. są otoczone zwykle warstewką wody, która wypełnia poza tym częściowo przestrzenie między nimi lub agregatami; woda pochodząca z opadów atmosf. i skraplania pary wodnej występuje w g. w różnych postaciach, np. woda higroskopijna, błonkowa, kapilarna, grawitacyjna, gruntowa (→ wody podziemne). Woda w g. zawiera rozpuszczone związki chem. i tworzy roztwór glebowy, który w zależności od przewagi jonów kwasowych lub zasadowych ma różny odczyn, wpływający na właściwości gleby jako podłoża dla życia roślin. Roztwór glebowy jest ośr. suspensji koloidów glebowych mających właściwości sorpcyjne; g. zawierające dużą ilość koloidów glebowych odznaczają się większą zasobnością od gleb gruboziarnistych, ubogich w koloidy. W klasyfikacji przyr., w zależności od cech biol., fiz. i chem., rozróżnia się klasy g., a w obrębie klas — typy g., o swoistym → profilu glebowym; profil g. charakteryzują tzw. poziomy genetyczne gleby, tj. warstwy profilu glebowego zróżnicowane m.in. pod względem barwy, składu mech. lub chem., struktury w wyniku działania procesów glebotwórczych (np. przemieszczania się różnych związków w postaci roztworów lub zawiesin); najważniejsze poziomy g. występujące w profilu glebowym to: → akumulacyjny (próchniczny), → eluwialny, → iluwialny, glejowy; miąższość g. określa łączna grubość wszystkich poziomów g. (w g. głębokich ponad 1 m); barwa g. zależy od składu miner., zawartości próchnicy i wody (np. g. zasobne w związki żelaza — barwa czerwona, w próchnicę — ciemnoszara). ■

glebotwórczy proces, przekształcanie się skały macierzystej, np. gliny, lessu, piasku i skał masywnych, w glebę, pod wpływem czynników glebotwórczych (→ gleba); w zależności od skały macierzystej i czynników glebotwórczych, zwł. czynnika klim. i biol., rozróżnia się różne p.g., np. → darniowy, bielicowy, prowadzące do powstania odrębnych typów gleb.

Glifada, Glyfáda, Vliháda, jaskinia w Grecji, na zach. wybrzeżu płw. Mani (Peloponez), ok. 4 km na pd. od miejscowości Areopoli; jedna z najpiękniejszych wodnych jaskiń świata; dł. ponad 6 km, otwór na wys. ok. 50 m (wejście przez pobliski sztuczny tunel); 2 duże, równoległe korytarze z wieloma mniejszymi odnogami, w części zalane wodą; podziemna rzeka z jeziorami o głęb. do 30 m; G. jest częścią systemu krasowego ciągnącego się od Sparty pod górami Tajget; bogata, wielokolorowa i różnorodna szata naciekowa (także pod wodą); bardzo ciepła (temp. powietrza 16–20°C, wody 12°C); odkryta w końcu XIX w.; badana od 1949; udostępniona dla turystów 1963 (trasa o dł. ok. 2 km, z czego

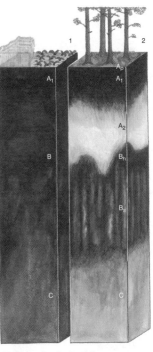

■ Gleba. Przekroje glebowe (miąższości 2 m): 1 gleby brunatnej wytworzonej z gliny, 2 gleby bielicowej wytworzonej z piasku luźnego. A_p poziom ściółki leśnej, A_1 poziom akumulacyjny (próchniczny), A_2 poziom eluwialny (wymywania), B poziom iluwialny (wmywania), B_h poziom iluwialno-próchniczny, B_s poziom iluwialny glinowo--żelazisty, C skała macierzysta gleby

ok. 1,6 km łódką); G. zwiedza ok. 160–300 tys. osób rocznie.

glina, skała osadowa składająca się gł. z iłu z domieszką mułu, piasku, niekiedy żwiru; zwykle żółta, ceglasta lub brun.; zwilżona wodą często staje się plast.; g. r e z y d u a l n a (zwietrzelinowa) jest pozostałym na miejscu produktem wietrzenia różnych skał; → glina zwałowa jest produktem erozji i akumulacji lodowcowej; zwykle zawiera duże ilości żwiru i głazów; g. jest podstawowym surowcem w przemyśle ceram. (np. w produkcji cegły, dachówki, materiałów ogniotrwałych); używana też w budownictwie (np. do zapraw bud.) i garncarstwie; niektóre rodzaje g., bogate w wodorotlenek glinu (g. boksytowe), są surowcami do otrzymywania glinu.

glina zwałowa, glina lodowcowa, glina powstająca w wyniku topnienia lodowca, złożona z nagromadzonego w nim materiału skalnego; g.z. występują powszechnie na obszarach dawnych zlodowaceń, np. w Polsce; odmianą g.z. jest → tillit.

Glinojeck, m. w woj. mazow. (powiat ciech.), nad Wkrą; 3,2 tys. mieszk. (2000); ośrodek usługowy i letniskowy; cukrownia; prawa miejskie od 1993.

Gliwice, m. w woj. śląskim, nad Kłodnicą i Kanałem Gliwickim; pow. grodzki, siedziba pow. gliwickiego; 210 tys. mieszk. (2000); duży ośrodek gosp., handl.-usługowy i nauk. GOP; stol. diecezji gliwickiej Kościoła rzymskokatol.; rozwinięty przemysł paliwowo-energ. (Gliwicka Spółka Węglowa SA: kopalnia węgla kam. Sośnica) i metalurg. (huta Łabędy — stalownia i walcownia metali nieżelaznych), ponadto: maszyn., metalowy i środków transportu (samochody), chem., materiałów bud., precyzyjny, skórz., spoż.; siedziba Gliwickiego Banku Handl. SA, oddziały wielu banków; węzeł komunik.; największy w Polsce port żeglugi śródlądowej; lotnisko sport.; uczelnie (Politechn. Śląska), inst. nauk. (PAN i branżowe); teatry, w tym muz., muzea (Geologii Złóż), galerie; prawa miejskie przed 1276 (1254?); od XIX w. ośr. hutnictwa, przemysłu ciężkiego i górnictwa węglowego; w XIX i XX w. centrum polskości; 2 kościoły (XV w.), drewn. kościół (XVI, XVII, XVIII w.), zespół klasztorny Reformatów (XVII, XX w.).

globus [łac.], kulisty model Ziemi lub innego ciała niebieskiego albo model sfery niebieskiej (g. nieba). G. z kartograficznym obrazem powierzchni Ziemi (→ mapa) zachowuje z punktu widzenia teorii → odwzorowań kartograficznych wszystkie cechy oryginału (kąty, odległości, powierzchnie) w skali jednakowej w każdym punkcie g. Najczęściej wykonuje się g. o treści polit. lub fiz. (z obrazem ukształtowania terenu), rzadziej g. tematyczne (geol., klim.). Pierwszy g. Ziemi, przedstawiający hipotetyczne rozmieszczenie lądów, wykonał prawdopodobnie Krates z Mallos ok. 150 p.n.e. Najstarszym zachowanym g. jest g. M. Behaima z 1492. G. zwany Jagiellońskim (przechowywany w Muzeum UJ) z 1510 jest jednym z pierwszych, na których oznaczono Amerykę. Znanym wytwórcą g. i autorem prac na ich temat był V.M. Coronelli; w Wiedniu

działa od 1952 Międzynar. Tow. Miłośników Globusów im. Coronellego (Coronelli-Weltbund der Globusfreunde).

Glomma, Glåma, rz. w Norwegii; dł. 598 km, pow. dorzecza 41,8 tys. km^2; wypływa z jezior we wsch. części kraju; uchodzi do cieśn. Skagerrak; liczne wodospady (najwyższy Vamma, 31 m); spław drewna; elektrownie wodne.

gloria [łac.], zjawisko opt. w atmosferze ziemskiej wywołane dyfrakcją światła na kropelkach wody lub kryształkach lodu; ma postać jednego lub kilku koncentrycznych, barwnych kręgów wokół cienia obserwatora (lub przedmiotu znajdującego się w pobliżu obserwatora), widzianych na tle mgły lub chmury; w każdym kręgu pierścień wewn. jest niebieskawy, zewn. — czerwony; g. najczęściej można obserwować w górach lub w czasie lotów nad chmurami.

głaz narzutowy, eratyk, fragment skalny różnej wielkości przyniesiony przez lądolód (np. bloki skał skand. w Polsce). ■

■ Głaz narzutowy na brzegu jeziora Gardno

głębinowa strefa → abisal.

Głogów, m. powiatowe w woj. dolnośląskim, nad Odrą; 74 tys. mieszk. (2000); ośr. przem., usługowy i mieszkaniowy Legnicko-Głogowskiego Okręgu Miedziowego, m.in. huta miedzi Głogów z wydziałem metali szlachetnych, zakłady przemysłu: elektromaszyn., dziewiarskiego, obuwn., odzież., spoż., drzewnego; węzeł kol. i drogowy; port na Odrze; szkoły wyższe; Muzeum Archeol.-Hist., Muzeum Hutnictwa i Odlewnictwa Metali Kolorowych; prawdopodobnie jeden z gł. ośr. Dziadoszan, wzmiankowany 1010; ważna rola w walkach obronnych toczonych z cesarstwem niem. przez Bolesława I Chrobrego (1010, 1017) i Bolesława III Krzywoustego (1109); prawa miejskie 1253; ruiny 2 kościołów (XIII, XV w. i XII, XIV w.), zamek (XIII, XVII w.), kościół i kolegium (XVII/XVIII w.).

Głogów Małopolski, m. w woj. podkarpackim (powiat rzesz.); 4,7 tys. mieszk. (2000); ośrodek usługowo-przem.; przemysł: włók. (włókna techn.), materiałów bud., przetwórstwo spoż. i drzewne; zbud. 1570 wg pierwszego na ziemiach pol. planu renes.; prawa miejskie 1578.

Głogówek, m. w woj. opol. (powiat prudnicki), nad Osobłogą i jej dopływem Młynówką; 6,4 tys. mieszk. (2000); ośr. usługowy regionu roln. i ośr. turyst.-krajoznawczy; zakłady przemysłu spoż. i materiałów bud. (ceramika bud.); drobna wytwórczość; węzeł drogowy; muzeum; wzmiankowany 1076; prawa miejskie od 1275; fragmenty murów miejskich (XIV–XV w.) z bramą zamkową (XVII/XVIII w.), kościół (XIV, XV w.), zespół klasztorny (XV, XVII–XVIII w.), zamek (XVI–XVIII w.), ratusz (XVII, XIX w.), kamienice (XVII, XVIII w.), kościół i szpital (XVIII w.).

Głowno, m. w woj. łódz. (powiat zgierski), w widłach Mrogi i jej dopływu Mrożycy (dorzecze Bzury); 15,8 tys. mieszk. (2000); przemysł elektromaszyn. (w tym montaż samochodów dostawczych Mercedes, stocznia jachtowa), odzież., spoż.; rozwinięta uprawa owoców i warzyw; węzeł komunik.; muzeum; prawa miejskie 1427–1870 i od 1925.

Głubczyce, m. powiatowe w woj. opol., nad Psiną (l. dopływ Odry); 13,8 tys. mieszk. (2000); ośr. przem. i usługowy regionu roln.; przemysł: spoż., materiałów bud., dziewiarski, odzież., elektrotechn.; węzeł drogowy i ośr. turyst. w pobliżu przejścia granicznego do Czech; prawa miejskie od 1265–76; kościół (XIII–XIV, XX w.), fragmenty murów miejskich (XIV–XV w.), kaplica (XVI w.), zespół klasztorny (XVIII w.).

Głubczycki, Płaskowyż, czes. **Opavská pahorkatina,** pd. część Niz. Śląskiej, u podnóża Sudetów Wsch., w Polsce (ok. 1,7 tys. km²) i Czechach (390 km²); zbud. z utworów czwartorzędowych o dużej miąższości, gł. glin zwałowych (zlodowacenia Sanu i Odry), pokrytych lessem, w podłożu utwory trzeciorzędowe i kredowe; jest rozległą, falistą równiną (wys. 235–260 m, maks. 315 m w Czechach), rozciętą dolinami l. dopływów Odry i na pn. dolinami prawych dopływów Nysy Kłodzkiej; gł. rz. Osobłoga i Psina; gleby urodzajne, przeważnie czarnoziemne; region roln.; lasy porastają jedynie 4% powierzchni P.G.; gł. m. (w Polsce): Prudnik, Głubczyce.

Głuchołazy, m. w woj. opol. (powiat nyski), nad Białą Głuchołaską, w pobliżu granicy z Czechami; 15,6 tys. mieszk. (2000); ośr. przem. (armatura, meble, wyroby papiern., skórz., odzież) oraz turyst.-wypoczynkowy i uzdrowiskowy (od XIX w.) ze źródłami wód zmineralizowanych; drogowe przejście graniczne; wiele międzynar. imprez sport. i kult.; prawa miejskie przed 1232; kościół (XIII, XVIII w.), wieża przy Bramie Górnej (XIV, XVII w.).

Głuszyca, m. w woj. dolnośląskim (powiat wałb.), nad Bystrzycą, między G. Sowimi a G. Kamiennymi; 7,3 tys. mieszk. (2000); ośr. przemysłu włók.; ponadto przemysł drzewny, odzież., miner.; niewielki ośr. turyst.: zespół sztolni z czasów II wojny świat. — Podziemne Miasto Głuszyca — Kompleks Osówka, tereny narciarskie; prawa miejskie od 1962.

gnejs [niem.], skała metamorficzna składająca się gł. z kwarcu, skaleni i łyszczyków; często zawiera wiele innych minerałów, np. hornblendę, granat, epidot, turmalin, dysten, grafit; jasnoszary, różowy, plamisty lub smużysty, zwykle drobno- lub średnioziarnisty, o teksturze kierunkowej; produkt przeobrażenia granitoidów (ortognejs) lub skał osadowych, gł. mułowców i

wak (paragnejs); najpospolitsza skała metamorficzna kontynent. skorupy ziemskiej; w Polsce występuje w Tatrach i Sudetach; stosowany niekiedy jako materiał budowlany.

Gniew, m. w woj. pomor. (powiat tczewski), przy ujściu Wierzycy do Wisły; 7,0 tys. mieszk. (2000); ośrodek przem. i usługowy regionu roln.; przemysł elektromaszyn., spoż., materiałów bud.; ośr. turyst.-krajoznawczy (turnieje rycerskie, spektakle hist.); siedziba Bractwa Rycerskiego; prawa miejskie od 1297; zamek (XIII, XVII, XVIII w.), kościół (XIV w.), fragmenty murów miejskich (XIV w.), kamienice (przebud. XVII–XX w.). ■

■ Gniew. Zdjęcie lotnicze

Gniewkowo, m. w woj. kujawsko-pomor. (powiat inowrocławski), na pd. skraju Puszczy Bydgoskiej; 7,5 tys. mieszk. (2000); ośr. przem. i usługowy; przemysł: maszyn., metalowy, drzewny, spoż., odzież., ceramiki bud.; węzeł drogowy; prawa miejskie przed 1271 (po 1267?).

Gniezno, m. powiatowe w woj. wielkopol., nad jez.: Jelonek, Świętokrzyskie, Winiary; 72 tys. mieszk. (2000); ogólnopol. ośr. kulturowy i turyst.-krajoznawczy (przy Szlaku Piastowskim) związany z początkami państwa pol. i postacią św. Wojciecha; stol. metropolii i diecezji gnieźnieńskiej Kościoła rzym.-katol.; ważny regionalny ośr. przem.-usługowy; przemysł: maszyn., środków transportu, elektrotechn. i spoż., ponadto odzież., skórz., metal., drzewny, poligra-

■ Gniezno. Panorama miasta z katedrą

ficzny; duży węzeł kol. i drogowy; Wyższe Prymasowskie Seminarium Duchowne, Prymasowski Inst. Teol. i in.; Archiwum Archidiecezjalne, Prymasowskie Wydawnictwo Gaudentinum, księgarnia Archidiecezjalna; teatr, muzea — Archidiecezjalne, Początków Państwa Pol., Pierwszych Piastów na Lednicy. Główny zespół grodowy Polan (koniec VIII w.?); siedziba Mieszka I i Bolesława I Chrobrego; pierwsza stol. Polski. Kolegiata (XII w.); got. katedra z licznymi kaplicami (XIV–XVI, XVII, XVIII w.; na reliktach wcześniejszych budowli z X i XI w.) z bogatym wyposażeniem wnętrza (m.in. słynne rom. Drzwi Gnieźnieńskie, konfesja ze srebrną trumną św. Wojciecha, nagrobki) oraz skarbiec, archiwum i biblioteka kapitulna; zespół klasztorny (XIV w.); kościoły got.; kanonie (XVIII w.). ■

Gnieźnieńskie, Pojezierze, wsch., najwyższa część Pojezierza Wielkopolskiego, między Pozn. Przełomem Warty na zach. a rynną jezior goplańskich na wsch.; wzgórza moren czołowych zlodowacenia Wisły, wys. do 167 m (na pn. od Trzemeszna), miejscami sandry; rozwinięta sieć rynien i jezior polodowcowych, największe jest jez. Gopło (25,5 km²), najgłębsze — Jez. Popielewskie (45,8 m); gł. rz. — Noteć; w pn. części region etnogr.-hist. Pałuki; dobrze zagospodarowana kraina roln.; lasów jest mało, występują miejscami na piaskach sandrowych; turystyka; liczne rezerwaty przyrody. W środk. części regionu leży Gniezno.

Goa, stan w zach. Indiach, nad M. Arabskim, na nadmor. nizinie Konkan; 3,7 tys. km², 1,4 mln mieszk. (2002); stol. Pandżim; wydobycie rud żelaza (ok. 1/3 produkcji krajowej), manganu i boksytów; uprawa ryżu, bananów, palmy kokosowej; gł. port Marmagao.

Gobi, mong. **Gow',** wyżynny obszar suchych stepów, półpustyń i pustyń w Mongolii i Chinach, między Tien-szanem na zach. a Wielkim Chinganem na wsch.; ok. 2 mln km²; niekiedy do Gobi zalicza się również pustynię Ałaszan i wyż. Ordos. Powierzchnia równinna (wys. 900–1200 m); miejscami wznoszą się pasma górskie (wys. do ok. 2000 m) pokryte rumowiskiem skalnym; duże obszary zajmują niskie, kopulaste wzniesienia oraz leżące między nimi kotliny ze słonymi jeziorami; liczne suche doliny (pozostałość dawnej sieci hydrograficznej). Klimat umiarkowany ciepły, wybitnie kontynent., suchy; maks. temperatura w lipcu 45°C, minim. w styczniu –40°C; suma roczna opadów 50–200 mm (maksimum w

lecie); częste burze piaskowe. Bogate zasoby płytkich wód gruntowych. Skąpa roślinność złożona ze skrajnie suchoroślowych półkrzewów i krzewów (tereskien, przęśl, na zach. także saksauł i wiąz pustynny) i słonoroślli; w części pn. pustynne stepy piołunowe i karaganowe. Świat zwierzęcy reprezentują: dziki wielbłąd dwugarbny (baktrian), liczne gryzonie, gady i jako gat. ginący koń Przewalskiego. Bogactwa miner.: ropa naft., węgiel kam., sól kam., rudy żelaza i miedzi. Koczownicze pasterstwo (wielbłądy, konie, kozy); w części pd.-wsch. w oazach uprawa roli. Przez G. przechodzi linia kol. Ułan Bator–Pekin. Słynne stanowiska dinozaurów i ssaków kopalnych (prace poszukiwawcze prowadzone m.in. przez pol.-mong. wyprawy nauk.). ■

Goczałkowickie, Jezioro, zbiornik retencyjny w Kotlinie Oświęcimskiej; utworzony 1956 przez spiętrzenie górnej Wisły zaporą ziemną (wys. 17 m); pow. 32 km², pojemność 166,8 hm³; wykorzystywany do celów przeciwpowodziowych, rekreacyjnych (sporty wodne) i zaopatrzenia w wodę miast GOP; nad zbiornikiem wiele ośr. wypoczynkowych.

Gogolin, m. w woj. opol. (powiat krapkowicki); 6,7 tys. mieszk. (2000); ośr. mieszkaniowy i usługowy regionu wydobycia i przetwórstwa wapienia (w pobliżu cementownia Górażdże); prawa miejskie od 1967.

Golan, Wzgórza, Al-Jawlān, staroż. **Gaulanitis,** region górzysty w pd. Syrii, od zach. ograniczony Rowem Jordanu i Jez. Tyberiadzkim; pow. 1,2 tys. km², 26 tys. mieszk. (1990); kopulaste wzgórza o wys. do 520 m; liczne suche doliny (wadi); suche stepy i zbiorowiska roślinności półpustynnej.

Golczewo, m. w woj. zachodniopomor. (powiat kamieński), między jez. Okonie i Szczucze; 2,8 tys. mieszk. (2000); ośr. usługowy i wypoczynkowy; przetwórstwo rolno-spoż. i drzewne; wytwórnia resorów; węzeł drogowy; prawa miejskie 1990; wieża zamkowa (XV w.).

Goleniów, m. powiatowe w woj. zachodniopomor., nad Iną; 22,8 tys. mieszk. (2000); ośr. przem. i usługowy; rozwinięty przemysł: maszyn., metalowy, drzewny, spoż., chem. i odzież.; ważny węzeł komunik.; na pn.-wsch. od G. lotnisko i port lotn. Szczecina; prawa miejskie od 1268; fragmenty murów miejskich (XIII/XIV–XV w.) z wieżami i bramą (XV w.), kościół (XV w.).

Golfsztrom [niem.], prąd mor. na O. Atlantyckim, → Zatokowy, Prąd.

Golicyna nieciągłość, powierzchnia Golicyna, strefa skokowego wzrostu prędkości rozchodzenia się fal sejsmicznych w obrębie → płaszcza Ziemi, na granicy astenosfery z mezosferą; jest związana ze wzrostem gęstości skał wskutek wysokiego ciśnienia; odkryta 1916 przez B.B. Golicyna.

Golina, m. w woj. wielkopol. (powiat koniński), na obrzeżu Konińskiego Zagłębia Węgla Brunatnego; 4,3 tys. mieszk. (2000); ośr. usługowy regionu roln. i mieszkaniowy dla pracowników pobliskich kopalni węgla brun.; drobny przemysł; prawa miejskie 1362–1870 i od 1921.

■ Gobi w Mongolii, wodopój

Golondrinas, Sótano de las, jaskinia w środk. Meksyku (stan San Louis Potosí), w pd. części Sierra Madre Wsch. (pasmo Sierra de Unión); krasowa studnia w kształcie dzwonu o głęb. 333 m, uważana za największą taką formę na świecie; otwór (dł. 62 m i szer. 49 m) znajduje się na wys. 740 m, poniżej niego jaskinia rozszerza się do dł. 304 m i szer. 134 m; w przedłużeniu S. de las G. występuje ciąg studni o głęb. do 512 m; otwór był znany miejscowym Indianom; 1967 studnia eksplorowana przez Amerykanów; liczne wyprawy speleologiczne, w tym 1980 pierwsze przejście pol.; nazwa jaskini pochodzi od gnieżdżących się w niej tysięcy jaskółek.

■ Gołoborze w Górach Świętokrzyskich

Golub-Dobrzyń, m. powiatowe w woj. kujawsko-pomor., nad Drwęcą; 13,1 tys. mieszk. (2000); ośr. usługowy i turyst.-krajoznawczy; drobny przemysł: spoż., drzewny, materiałów bud., metal.; węzeł drogowy; muzeum; w zamku międzynar. turnieje rycerskie, konkursy krasomówcze, elitarne bale; szlak kajakowy Drwęcy; prawa miejskie: Golub od 1300, Dobrzyń 1789–1870 i od 1919; 1951 adm. połączenie miast; kościół (XIII–XIV w.), zamek krzyżacki, następnie siedziba starostów król., 1611–25 rezydencja Anny Wazówny (XIV, XVII w.), fragmenty murów miejskich (XIV, XV w.), kamienice (XVII, XVIII w.). ■

■ Golub-Dobrzyń. Zamek, zdjęcie lotnicze

Gołańcz, m. w woj. wielkopol. (powiat wągrowiecki), nad Strugą Gołaniecką (pr. dopływ Wełny) i jez. Smolary; 3,5 tys. mieszk. (2000); ośr. usługowy z drobnym przemysłem (spoż., drzewny); prawa miejskie przed 1724; zespół klasztorny pobernardyński (XV/XVI, XVII w.), ruiny got. zamku-wieży (XIV–XV, XVII w.).

Gołdap, m. powiatowe w woj. warmińsko-mazurskim, nad Gołdapą i Jez. Gołdapskim, na skraju Puszczy Rominckiej, przy granicy z Rosją (obwód kaliningradzki); 13,8 tys. mieszk. (2000); ośr. usługowy, turyst.-wypoczynkowy (narciarstwo, turystyka piesza, sporty wodne) oraz uzdrowiskowy (wody mineralne, borowina); drobny przemysł: drzewno-papierniczy, spoż., metal., odzież.; wytwórnia stolarki okiennej z PCV; węzeł dróg lokalnych, drogowe przejście graniczne G.–Gusiew (ruch osobowy dla obywateli Polski i Rosji); prawa miejskie od 1570; kościoły (XVI–XVII w. i XIX w.), domy (XIX w.).

gołoborze, rodzaj rumowiska skalnego, nagromadzenie bloków i odłamków skalnych po-

wstałe w rezultacie wietrzenia twardych, zwięzłych skał, najczęściej w środowisku o dużych skokach temperatury; np. g. powstałe przez wietrzenie kwarcytów kambryjskich na stokach Łysicy w G. Świętokrzyskich. ■

gołoledź, jednorodna przezroczysta warstwa lodu tworząca się na powierzchni Ziemi i na przedmiotach (zwykle od strony nawietrznej) wskutek zamarzania przechłodzonych kropelek mżawki lub deszczu w temp. od 0 do –6°C.

Gondwana, ląd istniejący od górnej jury na obecnej półkuli pd.; był oddzielony od Eurazji oceanem → Tetyda; obejmował znaczną część obszaru Ameryki Pd., Afrykę z Madagaskarem i Płw. Arabskim, Płw. Indyjski, Australię i Antarktydę; obszary te cechuje podobna budowa geol. — są to platformy prekambryjskie, w których pokrywie osadowej występuje charakterystyczna gruba seria gł. lądowych osadów karbońsko--jurajskich (piaskowce, zlepieńce, łupki ilaste) z karbońskimi pokładami węgla zawierającymi szczątki zimnolubnej flory (glosopterydy) oraz z górnokarbońskimi i permskimi utworami lodowcowymi; rozpad G. na obecne kontynenty rozpoczął się w triasie (oddzielenie się Australii), a zakończył w trzeciorzędzie.

Goniądz, m. w woj. podl. (pow. moniecki), nad Biebrzą; 1,9 tys. mieszk. (2000); ośr. usługowy regionu roln. oraz turyst.-krajoznawczy przy szlaku wodnym Biebrzy; drobne przetwórstwo rolno-spoż. i drzewne; siedziba części administracji Biebrzańskiego Parku Nar.; prawa miejskie od 1547.

Gopło, jez. rynnowe na Pojezierzu Gnieźnieńskim; pow. 2180 ha (w tym wyspy o pow. 25 ha),

■ Jezioro Gopło

dł. 25 km, szer. do 2,5 km, maks. głęb. 16,6 m; silnie rozwinięta linia brzegowa; płw. Potrzymiech (dł. ok. 9 km) rozdziela G. na 2 części; brzegi na ogół niskie, miejscami podmokłe; przez G. przepływa Noteć; G. jest połączone żeglownym Kanałem Ślesińskim z Wartą; na pn. krańcu leży Kruszwica; G. wchodzi w skład Nadgoplańskiego Parku Tysiąclecia. ■

Gorce, grupa górska w Beskidach Zach., między Przełęczą Sieniawską na zach. a przeł. Dunajca i dolnym biegiem Kamienicy na wsch.; zbud. z ławic twardych piaskowców (wyniosłości) i podatnych na wietrzenie łupków (przełęcze); dł. 44 km, szer. ok. 15 km; kulminacje: Turbacz (1310 m), Jaworzyna Kamienicka (1288 m), Kiczora (1282 m), Kudłoń (1276 m), Mostownica (1244 m), Gorc (1228 m) i Lubań (1211 m); 5 ważniejszych grzbietów zbiega się koncentrycznie w masywie Turbacza; między grzbietami głębokie doliny potoków: najdłuższa dolina Kamienicy (32 km), najrozleglejsza dolina Ochotnicy; stoki strome porośnięte w reglu dolnym jodłą i bukiem, w reglu górnym — świerkiem; 1981 utworzono Gorczański Park Nar.; na halach śródleśnych i szczytowych wypas owiec i bydła; liczne szałasy pasterskie. Łączna długość znakowanych szlaków turyst. ok. 200 km; doskonałe tereny narciarskie; pod Maciejową, na Turbaczu i Starych Wierchach schroniska PTTK; w okolicznych miejscowościach bazy turystyczne. U podnóża G. leży Nowy Targ i uzdrowisko Rabka Zdrój.

Göreme, wyżyna w azjat. części Turcji, w Anatolii, w pobliżu m. Kayseri; wys. 1400–1500 m; zbud. z trzeciorzędowych tufów wulk.; silnie rozczłonkowana; formy skalne w kształcie grzybów; zespół klasztorów, kościołów i kaplic z VII–XI w.; wydrążonych w skałach; kościoły na ogół 1-nawowe z cylindrycznym sklepieniem z 1 lub 3 absydami, wewnątrz bogato dekorowane malowidłami (sceny rel., motywy krzyża, ornamenty geom.); najbardziej znane kościoły: Tokalı Kilise (największy, z najcenniejszymi malowidłami z 2. poł. X w.), Elmalı Kilise, Karanlık Kilise.

Gorgany, pasmo górskie w Beskidach Wsch., na Ukrainie; najwyższy szczyt Sywula, 1818 m; zbud. gł. z piaskowców; rozcięte poprzecznymi głębokimi dolinami; rumowiska skalne zw. gorganami; na stokach lasy bukowo-jodłowe i świerkowe, powyżej 1400–1450 m — zarośla kosodrzewiny i połoniny.

■ Gorzów Wielkopolski. Widok miasta od strony Warty

Gorlice, m. powiatowe w woj. małopol., przy ujściu Sękówki do Ropy; 30 tys. mieszk. (2000); ośr. przem. związany z wydobyciem i przetwórstwem ropy naft. (Rafineria Nafty „Glimar", Zakład Górnictwa Nafty i Gazu, Przedsiębiorstwo Naftobudowa) oraz ośrodek usługowy regionu; przemysł maszyn., miner., drzewny, spoż.; węzeł drogowy; ośr. turyst.; Muzeum Regionalne PTTK im. I. Łukasiewicza; prawa miejskie przed 1388; kolebka pol. przemysłu naft. (2. poł. XIX w.); dwór (XVI–XVIII w.), kościół (XIX w.).

Gorner, lodowiec w masywie Monte Rosa, w Szwajcarii, drugi pod względem wielkości w Alpach; pow. 64 km^2, dł. 14 km; spływa na zach., w kierunku szwajc. Zermatt.

Gornobadachszański Obwód Autonomiczny, obwód autonomiczny w Tadżykistanie, na Pamirze; 63,7 tys. km^2, 213 tys. mieszk. (2002); ośr. adm. Chorog; hodowla owiec, kóz, jaków; uprawa zbóż, warzyw.

Goryczkowa, Dolina, dolina w Tatrach Zach., pd. odgałęzienie Doliny Bystrej, rozdzielona na 2 ramiona podchodzące pod gł. graniczny grzbiet Tatr: Dolina pod Zakosy i Dolina Świńską; dł. 3 km, pow. 2,8 km^2; otoczona od zach. Kondratowym Wierchem, od pd. Goryczkową Czubą, Pośrednim Wierchem Goryczkowym i Kasprowym Wierchem, od wsch. Suchą Czubą i Myślenickimi Turniami; górne partie, zbud. ze skał krystalicznych, noszą ślady dawnego zlodowacenia, w dolnych warstwach, zbud. ze skał osadowych, rozwijają się współcz. zjawiska krasowe (jaskinie, ponory); odwadniana przez Goryczkowy Potok, w dolnej części okresowo ginący w ponorze. Doskonałe tereny narciarskie: nartostrada, wyczynowa trasa zjazdowa FIS II; z Wyżniej Goryczkowej Równi czynny zimą wyciąg krzesełkowy na Kasprowy Wierch (różnica poziomów 602 m, dł. 1732 m).

Goryczkowe Wywierzysko, jedno z największych wywierzysk w Tatrach, w dolnej części Doliny Goryczkowej, u podnóża pn. stoków Myślenickich Turni, na wys. 1176 m; wypływa spośród głazów i z misy erozyjnej (dł. ok. 4 m) w korycie potoku; wydajność minim. ok. 120 l/s, maks. ponad 8650 l/s, średnia wieloletnia ok. 700 l/s; temp. 4,1–5,4°C; wywierzyskiem wypływają gł. wody z górnej części sąsiedniej Doliny Gąsienicowej ginące w ponorze k. Litworowego Stawu (ok. 2,8 km od G.W., na wys. ok. 1620 m); ten podziemny dopływ potwierdzono 1964 barwieniami (przepływ trwał 23 godz., przy wyższych stanach wody poniżej 10 godz.); jest też możliwe zasilanie z Doliny Cichej.

Gorzów Wielkopolski, m. w woj. lubus. (do 1998 m. wojew.), nad Wartą; powiat grodzki, siedziba wojewody lubuskiego i starosty powiatu gorzowskiego; 126 tys. mieszk. (2000); gł. ośr. gosp. i kult. regionu; rozwinięty przemysł: chem., maszyn., środków transportu, drzewny, włók. i spoż.; ponadto zakłady przemysłu: metal., materiałów bud., obuwn.; liczne przedsiębiorstwa inżynieryjno-budowlane i transportowe; oddziały wielu banków; siedziba Pol.-Niem. Tow. Wspierania Gospodarki; węzeł komunik.; port rzeczny; szkoły wyższe; teatry, muzea; ośr.

obsługi ruchu turyst.; 1945–92 siedziba diecezji (od 1992 zielonogórsko-gorz.); prawa miejskie od 1257; katedra (XIV–XV w.), fragmenty murów miejskich (XVI w.), drewn. spichlerz (XVII w.), zbrojownia (XVIII–XIX w.). ■

Gostynin, m. powiatowe w woj. mazow., nad Skrwą i jez.: Kocioł oraz Czarne, na granicy Gostynińsko-Włocławskiego Parku Krajobrazowego; 20,4 tys. mieszk. (2000); ośr. przem.-usługowy i turyst. (gł. dla mieszkańców Płocka, Włocławka, Łodzi, Torunia i Warszawy); przemysł elektrotechn., precyzyjny, odzież., materiałów bud., drzewny, spoż.; szpital psychiatryczny; prawa miejskie od 1382; pozostałości zamku (XIV–XV w., w XIX w. przebud. na kościół ewang.), klasycyst. ratusz (XIX w.).

Gostyń, m. powiatowe w woj. wielkopol., nad Kanią (pr. dopływ Obry), 20,8 tys. mieszk. (2000); ośr. przem. i handl.-usługowy regionu; przemysł: szkl., spoż. (w tym cukrownia), maszyn., drzewny; ponadto wytwórnie filtrów samochodowych, zabawek (największa w Polsce wytwórnia koni na biegunach) oraz liczne zakłady rzemieślnicze (renowacja starych samochodów, powozów i bryczek, naprawa i produkcja skrzypiec); węzeł drogowy; muzea; prawa miejskie od 1278; kościół (XV, XVI, XVII w.); w pobliżu G. barok. zespół klasztorny Filipinów na Górze Pokoju (XVII–XVIII w., ośr. kultu maryjnego).

Göta [jö:ta:], rz. w pd.-zach. Szwecji; dł. 91 km; wypływa z jez. Wener; uchodzi 2 ramionami do cieśn. Kattegat; w górnym biegu wodospady Trollhättan (wys. 33 m); żegl. (jest częścią Kanału Gotyjskiego); elektrownie wodne; przy ujściu — m. Göteborg.

Göteborg [jö̇təborj], m. w pd.-zach. Szwecji, u ujścia rz. Göta do Kattegatu; ośr. adm. hrabstwa Göteborg och Bohus; 503 tys. mieszk., zespół miejski 744 tys. (2002); drugi ośr. gosp. (po Sztokholmie) oraz gł. port handl. i rybacki kraju; przemysł samochodowy (gł. zakład Volvo), maszyn., petrochem. i in.; węzeł komunik. (międzynar. port lotn.); muzea; zał. na pocz. XVII w., prawa miejskie 1607 i 1621, od XVIII w. gł. ośr. szwedz. handlu zagr.; stary ratusz (XVII, XVIII w.), Dom Kompanii Wschodnioind. (XVIII w.), klasycyst. katedra (XIX w.).

Gotlandia, Gotland, wyspa szwedz., największa na M. Bałtyckim; pow. 3,1 tys. km²; nizinna; lasy iglaste; hodowla bydła; uprawa owsa, żyta, ziemniaków; przemysł cementowy, spoż.; rybołówstwo; turystyka; gł. m. — Visby.

Gotyjski, Kanał, Göta kanal, kanał żegl. w pd. Szwecji, łączący cieśn. Kattegat (port Göteborg) z M. Bałtyckim (port Soderköping nad zatoką Slätbaken), poprzez m.in. rz. Göta i jez.: Wener, Vicken, Wetter, Boren, Roxen; dł. 387 km (w tym sztuczne kanały — 94 km); 58 śluz; zbud. 1800–32; stanowi atrakcję turyst.; żegluga pasażerska o znaczeniu lokalnym.

Gozdnica, m. w woj. lubus. (powiat żagański), w Borach Dolnośląskich; 3,6 tys. mieszk. (2000); zakłady ceramiki bud. i szlachetnej (jedne z największych w Polsce) przerabiające miejscowe złoża iłów mioceńskich; letnisko; prawa miejskie od 1967.

Góra, m. powiatowe w woj. dolnośląskim; 13,1 tys. mieszk. (2000); ośr. usługowy i przetwórstwa rolno-spoż. (cukrownia, mleczarnia z proszkownią mleka, młyn, przetwórnia warzyw i grzybów); ponadto przemysł: metal., odzież. i drzewny; rozdzielnia gazu; siedziby wielu instytucji obsługi rolnictwa; węzeł dróg lokalnych; w pobliżu wydobycie gazu ziemnego; prawa miejskie od 1289 (pierwsza w Polsce miała wójta i ławę miejską); fragmenty murów miejskich (XIV–XV w.), kościół (XV/XVI w.).

Góra Kalwaria, m. w woj. mazow. (powiat piaseczyński), na l. brzegu Wisły; 11,1 tys. mieszk. (2000); ośr. usługowy regionu sadowniczo-warzywniczego i ośr. krajoznawczy; przetwórnia owocowo-warzywna z zamrażalnią, ponadto wytwórnie: sprzętu sport.-turyst., chemii gosp., materiałów bud.; składnica tytoniu; węzeł drogowy; prawa miejskie 1670–1883 i od 1919; od XVII w. katol. ośr. kultowy (Nowe Jeruzalem), pierwsza kalwaria na Mazowszu; 2. poł. XIX–1. poł. XX w. ośr. chasydów; kościół, tzw. Ratusz Piłata (XVII, XVIII w.), zespół klasztorny (XVIII w.), ratusz i jatki (XIX w.).

góra podwodna, wulk. wzniesienie na dnie basenu oceanicznego; g.p. występują pojedynczo lub w postaci łańcuchów górskich o nie wyrównanych grzbietach, zgodnie z przebiegiem rozpadlin i spękań tektonicznych; pojedyncze g.p. osiągają wys. 1–5 km, mają strome zbocza, zazwyczaj kopulasty wierzchołek, wiele z nich ma wierzchołki ścięte (→ gujot); najczęściej występują na O. Spokojnym.

góra stołowa, izolowane wzniesienie o płaskim wierzchołku i stromych, niekiedy wielostopniowych zboczach; powstaje wskutek rozcięcia przez erozję obszaru zbudowanego z poziomo leżących warstw skalnych o różnej odporności; np. G. Stołowa k. Kapsztadu (RPA); do tego typu gór należą też G. Stołowe w Sudetach.

Górne, Jezioro, ang. **Lake Superior,** franc. **Lac Supérieur,** jez. tektoniczno-polodowcowe w Kanadzie i USA, na wys. 183 m, największe i najgłębsze spośród Wielkich Jezior; pow. 82,4 tys. km² (największe słodkowodne jezioro na Ziemi), głęb. do 406 m (kryptodepresja); silnie rozwinięta linia brzegowa; liczne wyspy; odpływ przez rz. Saint Marys do jez. Huron; górny odcinek systemu Drogi Wodnej Św. Wawrzyńca; żegluga od kwietnia do grudnia; gł. porty (zespoły portowe): Thunder Bay (Kanada), Duluth–Superior (USA). Na zach. od J. G. znajdują się największe w USA złoża rud żelaza i okręg górn. Mesabi Range.

górnictwo, dział gospodarki obejmujący ogół procesów związanych z wydobywaniem z ziemi → kopalin użytecznych i z ich przeróbką. Zależnie od rodzaju wydobywanej kopaliny górnictwo można podzielić m.in. na: węglowe, rudne, solne. G. jest również dziedziną nauki, która zajmuje się zagadnieniami związanymi z wydobywaniem kopalin: bada i wyjaśnia zjawiska zachodzące podczas eksploatacji kopalin (np. ruchy górotworu, występowanie wody, gazów) oraz ustala zasady ich racjonalnego wydobywania.

Przedmiotem eksploatacji górn. jest złoże, tj. naturalne nagromadzenie kopaliny użytecznej w skorupie ziemskiej. Eksploatację górn. poprzedzają poszukiwania i badania geol., roboty górn. udostępniające złoże oraz roboty przygotowawcze. Badania geol. określają jakość i ilość kopaliny w złożu, jego formę, miąższość, głębokość zalegania, zawodnienie oraz rodzaj otaczających je skał; umożliwia to ustalenie opłacalności eksploatacji, sposobów wybierania i wzbogacania kopaliny oraz zdolności produkcyjnej kopalni. W zależności od rodzaju złoża i warunków geol. stosuje się rozmaite sposoby eksploatacji: eksploatację naziemną (odkrywkową) — przeprowadzaną w złożach występujących blisko powierzchni Ziemi, po usunięciu nadkładu skał płonnych; eksploatację podziemną (głębinową) — w przypadku głębokiego zalegania złoża, gdy usuwanie grubego nadkładu skał płonnych jest nieopłacalne; eksploatację za pomocą otworów wiertniczych — stosowaną wtedy, gdy eksploatacja innym sposobem nie jest możliwa (kopaliny płynne i gazowe), lub gdy jest mniej opłacalna. Udostępnienie złoża, tj. wykonywanie robót górn. w celu otwarcia dostępu do złoża, przeprowadza się drążąc różnego rodzaju wyrobiska, zw. udostępniającymi (gł. szyby pionowe, sztolnie, wykopy), następnie wykonuje się roboty górn. mające na celu bezpośrednie przygotowanie złoża do eksploatacji (usuwanie nadkładu skał płonnych, drążenie wyrobisk przygotowawczych). Stosuje się rozmaite systemy wybierania kopaliny użytecznej (np. ścianowy, komorowy); za racjonalny jest uważany taki system, którego zastosowanie w danych warunkach pozwala na zachowanie pełnego bezpieczeństwa i dużej wydajności pracy przy najmniejszych kosztach produkcji, możliwie największej koncentracji robót oraz najmniejszych stratach kopaliny. Zasady i warunki poszukiwania i wydobywania kopalin użytecznych są określone przez prawo górnicze.

Górnoreńska, Nizina, franc. **Le Fossé Rhénan, La Plaine du Rhin,** niem. **Oberrheinisches Tiefland, Oberrheinische Tiefebene,** nizina między Wogezami i Lasem Palatyńskim od zach. a górami Schwarzwald i Odenwald od wsch., we Francji i Niemczech; dł. 300 km, szer. 30–50 km, wys. od 250 m na pd. do 80 m na pn.; pod względem geol. stanowi rów tektoniczny powstały w trzeciorzędzie; w dno rowu jest wcięta współcz., holoceńska dolina Renu, po obu jej stronach występują starsze tarasy oraz stożki napływowe rzek spływających z przyległych wzniesień, przykryte częściowo lessem; klimat umiarkowany ciepły (średnia temp. roczna ponad 9°C); uprawa winorośli (od czasów rzym.), drzew owocowych, warzyw; liczne źródła miner.; wzdłuż Renu tranzytowe linie kol. i autostrady; gł. m.: Miluza i Strasburg (Francja), Karlsruhe, Ludwigshafen, Mannheim, Moguncja, Frankfurt n. Menem (Niemcy).

Górnośląski Okręg Przemysłowy, GOP, największy w Polsce zespół miejsko-przem., w pn.-zach. części Górnośląskiego Zagłębia Węglowego; 14 dużych miast, m.in. Katowice, Bytom, Gliwice, Zabrze, Sosnowiec, Chorzów, Ruda Śląska (woj. śląskie); pow. ok. 3,2 tys. km², ok. 3,5 mln mieszk. (ponad 1000 osób na km²), w tym ok. 2,8 mln to ludność miejska; wydobycie węgla kam., rud cynkowo-ołowiowych; hutnictwo, energetyka, przemysł elektromaszyn., chem., miner.; najgęstsza w Polsce sieć kol.; region największego w kraju zagrożenia ekol.; powstał po 1950 z Zagłębia Dąbrowskiego i Zagłębia Górnośląskiego; liczba kopalń wahała się w granicach 80; w latach 90., w ramach restrukturyzacji pol. górnictwa węglowego, rozpoczęto likwidację lub łączenie części mniej wydajnych kopalń.

górotwór → orogen.

górotwórcze ruchy → orogeneza.

górotwórczość → orogeneza.

Górowo Iławeckie, m. w woj. warmińsko-mazurskim (pow. bartoszycki), nad Młynówką (pr. dopływ Elmy), przy granicy z Rosją (obw. kaliningradzki); 4,9 tys. mieszk. (2000); ośr. usługowy; przemysł spoż., drzewny, maszyn., odzież., metal.; węzeł drogowy; ośrodek kultury mniejszości ukr. w Polsce; Muzeum Gazownictwa; prawa miejskie od 1335; kościół (XIV w.).

góry, rozległe, wznoszące się ponad otaczającym terenem obszary powierzchni Ziemi, które charakteryzuje rzeźba o znacznych różnicach wysokości; W skład g. wchodzą formy wypukłe różnego rzędu i formy wklęsłe (doliny, kotliny śródgórskie); pojedyncze formy wypukłe łączą się w grzbiety lub masywy górskie, te w pasma (np. Beskid Sądecki), te zaś w łańcuchy górskie

NAJWYŻSZE SZCZYTY NA ZIEMI		
Nazwa	Położenie	Wysokość w m n.p.m.
Afryka		
Kibo	masyw Kilimandżaro (Tanzania)	5895
Batian	masyw Kenia (Kenia)	5199
Margherita	masyw Ruwenzori (Uganda, Demokr. Rep. Konga)	5109
Ras Daszan	góry Semien (Etiopia)	4620
Meru	wulkan Meru (Tanzania)	4567
Karisimbi	góry Wirunga (Ruanda, Demokr. Rep. Konga)	4507
Elgon	wulkan Elgon (Kenia, Uganda)	4321
Dżabal Tubkal	Atlas (Maroko)	4165
Fako	masyw Kamerun (Kamerun)	4070
Ameryka Południowa		
Aconcagua	Andy (Argentyna)	6960
Ojos del Salado	Andy (Argentyna, Chile)	6885
Tupungato	Andy (Argentyna, Chile)	6800
Nevado Pissis	Andy (Argentyna, Chile)	6779
Mercedario	Andy (Argentyna)	6770
Huascarán	Andy (Peru)	6768
Llullaillaco	Andy (Argentyna, Chile)	6723
Nevado de Cachí	Andy (Argentyna)	6719
Nevado de Ancohuma	Andy (Boliwia)	6650
Yerupaja	Andy (Peru)	6632
Incahuasi	Andy (Argentyna, Chile)	6620
Sajama	Andy (Boliwia)	6542

Ameryka Północna i Środkowa

McKinley	góry Alaska (USA)	6194
Logan	Góry Św. Eliasza (Kanada)	6050
Orizaba	Kordyliera Wulkaniczna (Meksyk)	5700
Góra Św. Eliasza	Góry Św. Eliasza (Kanada)	5489
Popocatépetl	Kordyliera Wulkaniczna (Meksyk)	5452
Lucania	Góry Św. Eliasza (Kanada)	5227
Bona	Góry Wrangla (USA)	5044

Antarktyda

Vinson	Góry Ellswortha (Antarktyda Zach.)	5140
Góra Kirkpatricka	Góry Królowej Aleksandry (Antarktyda Wsch.)	4530
Góra Markhama	Góry Królowej Elżbiety (Antarktyda Wsch.)	4350

Australia

Góra Kościuszki	Alpy Australijskie	2228

Azja

Mount Everest	Himalaje (Chiny, Nepal)	8848
K2	Karakorum (Indie)	8611
K'angcz'endzönga	Himalaje (Indie, Nepal)	8586
Lhoce	Himalaje (Chiny, Nepal)	8516
Makalu	Himalaje (Chiny, Nepal)	8463
Czo Oju	Himalaje (Chiny, Nepal)	8201
Dhaulagiri	Himalaje (Nepal)	8167
Manaslu	Himalaje (Nepal)	8163
Nanga Parbat	Himalaje (Indie)	8126
Annapurna I	Himalaje (Nepal)	8091
Gaszerbrum I	Karakorum (Indie)	8068
Falchan Kangri	Karakorum (Indie)	8047
Gaszerbrum II	Karakorum (Indie)	8035
Sziszapangma	Himalaje (Chiny)	8012
Gaszerbrum IV	Karakorum (Indie)	7980
Gaszerbrum III	Karakorum (Indie)	7952
Annapurna II	Himalaje (Nepal)	7937

Europa

Mont Blanc	Alpy (Francja, Szwajcaria, Włochy)	4807
Dufour	Alpy (Szwajcaria)	4634
Dom	Alpy (Szwajcaria)	4545
Weisshorn	Alpy (Szwajcaria)	4506
Matterhorn	Alpy (Szwajcaria, Włochy)	4478
Finsteraarhorn	Alpy (Szwajcaria)	4274
Aletschhorn	Alpy (Szwajcaria)	4195
Jungfrau	Alpy (Szwajcaria)	4158
Barre des Écrins	Alpy (Francja)	4102
Gran Paradiso	Alpy (Włochy)	4061
Piz Bernina	Alpy (Szwajcaria, Włochy)	4049

Oceania

Jaya	Góry Śnieżne (Nowa Gwinea, Indonezja)	5030
Mauna Kea	wyspa Hawaii (USA)	4205
Mauna Loa	wyspa Hawaii (USA)	4169
Góra Cooka	Alpy Południowe (Nowa Zelandia)	3764
Ruapehu	Wyspa Północna (Nowa Zelandia)	2797

(np. Karpaty); w obręb łańcucha górskiego wchodzą oprócz pasm także kotliny, doliny oraz pogórza; łańcuchy o podobnej budowie geol. i rzeźbie tworzą systemy górskie; g. mogą także występować w odosobnieniu jako g. lub masywy wyspowe; według wysokości wyróżnia się g. niskie (do 500–600 m), np. G. Świętokrzyskie, często zbliżone rzeźbą do wyżyn, g. średnie (do ok. 1500 m), np. Sudety i Beskidy i g. wysokie, np. Tatry, Alpy, Himalaje. W wysokich szerokościach geogr. cechy krajobrazu wysokogórskiego mogą mieć jednak g., których wysokość nie przekracza 1000 m, np. na Spitsbergenie. G. powstają w wyniku ruchów górotwórczych, czyli → orogenezy (góry tektoniczne) lub wskutek procesów wulk. (góry wulkaniczne); ostateczny kształt nadają im zewn. procesy rzeźbotwórcze, jak wietrzenie, erozja i ruchy masowe (→ denudacja); procesy te niekiedy doprowadzają do zrównania pierwotnych gór i odsłonięcia starego podłoża (góry kadłubowe). Góry tektoniczne tworzyły się podczas kilku orogenez (prekambryjskich, kaledońskiej, hercyńskiej i alp.); doprowadziły one do spiętrzenia mas skalnych w postaci fałdów i płaszczowin (góry f a ł d o w e, np. Alpy, Karpaty, Himalaje) lub do pionowego przemieszczenia tych mas wzdłuż linii uskokowych (góry z r ę b o w e, zw. też załomowymi, w których gł. formami są zręby, rowy i zapadliska tektoniczne, np. Sudety, Harz); góry powstałe w wyniku dawnych orogenez (przed orogenezą alp.) są w znacznym stopniu zrównane wskutek długotrwałej denudacji; ich wysokości są niewielkie, a formy grzbietowe łagodne, np. Góry Świętokrzyskie; natomiast góry wypiętrzone podczas orogenezy alp. (np. Alpy, Tatry), odznaczają się dużymi wysokościami względnymi i bezwzględnymi, silnym rozczłonkowaniem i ostrymi grzbietami, gdyż stosunkowo krótko ulegały procesom denudacji. Góry wulkaniczne tworzyły się (i tworzą) w następstwie obfitych erupcji wulk.; mają postać stożków lub kopuł, z obniżeniami kraterowymi (→ wulkan). ∎

Górzno, m. w woj. kujawsko-pomor. (powiat brodnicki), nad jez.: Młyńskim i Górzno; 1,4 tys. mieszk. (2000); ośrodek turyst.-rekreacyjny na skraju Górznieńsko-Lidzbarskiego Parku Krajobrazowego; ośrodek usługowy dla rolnictwa i leśnictwa; drobne przetwórstwo rolno-spoż.; prawa miejskie 1327–1773 i od 1833; kościół parafialny (XVIII w.).

Grabów nad Prosną, m. w woj. wielkopol. (powiat ostrzeszowski), nad Prosną; 2,1 tys. mieszk. (2000); ośr. usługowy; przetwórstwo rolno-spoż. i drzewne; prawa miejskie od 1416.

grad, opad atmosf. składający się z bryłek lodu, najczęściej o średnicy 0,5–5 cm; tworzy się w silnie rozbudowanych chmurach kłębiastych deszczowych (*cumulonimbus*), przy silnych wstępujących prądach powietrza i dużej wodności chmur; ma charakter opadu przelotnego; pada gł. w ciepłej porze roku, najczęściej w umiarkowanych szer. geogr.; często wyrządza znaczne szkody w rolnictwie i ogrodnictwie; obecnie dąży się do zwalczania g., gł. przez wywołanie opadu deszczu z chmury, zanim osiągnie ona niebezpieczne stadium rozwoju.

■ Masyw Gran Paradiso

Grahama, Ziemia → Antarktyczny, Półwysep.

Grajewo, m. powiatowe w woj. podl., nad rz. Ełk; 23,0 tys. mieszk. (2000); ośr. przem.-usługowy; przemysł: drzewny (płyty wiórowe, meble, stolarka bud.), spoż., metal., precyzyjny, odzież., pasmanteryjny, materiałów bud., wyrobów z tworzyw sztucznych; wytwórnie zabawek; wiele przedsiębiorstw budowlano-montażowych; węzeł drogowy; Zakład Doświadczalny „Biebrza" Inst. Melioracji i Użytków Zielonych; ośrodek usługowy regionu turyst.-krajoznawczego; prawa miejskie 1540–1870 i od 1919.

Grampiany, Grampian Mountains, The Grampians, Central Highlands, góry w pn. części W. Brytanii (Szkocja), na pd. od zapadliska Glen More; wys. do 1343 m (Ben Nevis — najwyższy szczyt kraju); zbud. gł. z łupków krystal., gnejsów i granitów; strome stoki, kopulaste wierzchowiny rozcięte wąskimi dolinami rzek; ślady zlodowacenia czwartorzędowego; liczne jeziora, największe — Loch Lomond; torfowiska, wrzosowiska, łąki górskie; turystyka. ■

■ Grampiany. Widok ze szczytu Ben Nevis na dolinę Glenevis

Gran Chaco [g. cząko], kraina geogr. w Ameryce Pd., gł. w Argentynie i Paragwaju, pn.-zach. część Niz. La Platy, między Andami Środk. na zach. a rz. Paragwaj i Parana (od ujścia Paragwaju) na wsch.; powierzchnia równinna, łagodnie nachylona w kierunku pd.-wsch. (wys. od ok. 500 m na pn.-zach. do ok. 40 m na pd.-wsch.); naturalną roślinność stanowi sucha sawanna (formacje chaco) i widne lasy podzwrotnikowe (gł. we wsch. części); w dolinach rzek bagna; klimat zwrotnikowy, suchy; eksploatacja lasów (kebraczo); rozwinięte rolnictwo (kukurydza,

pszenica, trzcina cukrowa, ryż, bawełna, owoce cytrusowe, tytoń), częściowo nawadniane; hodowla bydła i owiec; wydobycie ropy naft. i gazu ziemnego. Tereny naft. w G. Ch. były powodem wojny 1932–35 między Paragwajem a Boliwią (Paragwaj zyskał wówczas 2/3 spornego terytorium).

Gran Paradiso [g. ~dįzo], najwyższy masyw górski w Alpach Graickich, we Włoszech; wys. do 4061 m; stanowi część Parku Nar. Gran Paradiso (zał. 1922, pow. 54 700 ha). ■

Gran Sasso d'Italia, grupa górska w Apeninie Abruzyjskim we Włoszech; wys. 2912 m (Corno Grande — najwyższy szczyt Apenin); zbud. z wapieni; liczne ośr. turyst.-sportowe.

graniak, wielograniec, odłamek skalny o ostrych krawędziach i ścianach zeszlifowanych oraz wygładzonych wskutek uderzeń ziarn piasku niesionego przez wiatr (→ korazja); g. są powszechne na obszarach, które w plejstocenie stanowiły przedpole lądolodu; występuje też na pustyniach żwirowych i kamienistych.

granica wiecznego śniegu, linia wiecznego śniegu, wysokość, powyżej której roczny opad śniegu nie ulega w lecie całkowitemu stopnieniu; położenie g.w.ś. zależy gł. od średniej temperatury lata i od ilości opadów atmosf.; najwyżej wznosi się w pasie równikowym (do ok. 6 tys. m), skąd obniża się ku biegunom (w pn. Grenlandii i na Antarktydzie schodzi do poziomu morza); np. w Alpach — leży na wys. 2500–3200 m, w Himalajach — na wys. 4500–6100 m; powyżej g.w.ś. mogą powstawać → lodowce.

granit [wł. < łac.], skała głębinowa składająca się gł. ze skaleni (mikroklin lub ortoklaz, albit, oligoklaz), kwarcu i biotytu; zawiera też magnetyt, apatyt, cyrkon i in.; jasnoszary, żółtawy lub różowy; struktura równoziarnista lub porfirowa, tekstura zwykle bezładna; powstaje wskutek krystalizacji magmy pierwotnej lub wtórnej, tworzy się także pod wpływem procesów → granityzacji; najbardziej rozpowszechniona skała skorupy ziemskiej; tworzy batolity (zajmujące czasem powierzchnię wielu tysięcy km^2), pnie magmowe, lakolity, żyły; w Polsce występuje w Tatrach i na Dolnym Śląsku, np. w Karkonoszach, okolicach Strzegomia, Strzelina, Kudowy Zdroju; stosowany jako materiał bud., drogowy, dekor. i rzeźbiarski.

granityzacja, proces zachodzący w głębszych partiach skorupy ziemskiej prowadzący do przeobrażenia skał o różnym składzie i różnej genezie w skały składem i strukturą zbliżone do granitów; może to odbywać się przez metamorficzną rekrystalizację materii skalnej bez dopływu obcych składników z zewnątrz; częstsza jest jednak g. związana z → metasomatozą, przeważnie polegającą na dopływie sodu i potasu; g. nie zawsze przebiega do końca, doprowadzając do powstania granitów właściwych, częściej dochodzi do uformowania się skał typu → gnejsów. G. jest przypuszczalnie najważniejszą przyczyną tego, że kontynent. skorupa ziemska składa się gł. z gnejsów i granitoidów.

grań, ostra, często poszarpana, szczytowa partia pasma lub grzbietu górskiego.

GRECJA

Grecja, **Elada, Republika Grecka,** państwo w Europie, na Płw. Bałkańskim, nad morzami: Jońskim, Egejskim i Śródziemnym; 132 tys. km^2; 11,0 mln mieszk. (2002), Grecy, Macedończycy; prawosławni; stol.: Ateny; język urzędowy nowogr.; republika konstytucyjna. 80% obszaru zajmują góry (Pindos, G. Dynarskie); wąskie niziny na wybrzeżu; liczne półwyspy (Peloponez, Chalcydycki) i wyspy (ok. 2000), tworzące archipelagi: W. Jońskich, Sporadów Pn. i Pd., Cyklad; region aktywny sejsmicznie; klimat podzwrotnikowy śródziemnomor.; roślinność uboga (makia, dęby, cyprysy), w górach — sosna. Gospodarka o malejącym udziale rolnictwa, a rosnącym przemysłu i usług. Uprawa oliwek, winorośli, tytoniu, drzew cytrusowych, bawełny i zbóż; rozwinięta hodowla (bydło, trzoda chlewna, kozy, owce) rybołówstwo; wydobycie boksytów, rud żelaza, cynku i ołowiu, węgla brun.; dominuje przemysł spoż. (olejarski, winiarski, tytoniowy), włók. i odzież.; rozwinięta turystyka (zabytki kultury antycznej); rocznie odwiedza kraj ok. 11 mln osób (gł. z Niemiec, W. Brytanii i USA); żegluga kabotażowa; usługi transportowe; kraj taniej bandery (1997 pod gr. banderą pływało ponad 2100 statków o łącznej wyporności ok. 36 mln BRT); największe porty: Pireus, Saloniki, Patras i Wolos. ■

■ Grecja. Meteora, zespół klasztorów

Greenwich [grynydż], dzielnica Wielkiego Londynu (W. Brytania), na pd. brzegu Tamizy; przez dawne obserwatorium astr. (Greenwich Observatory) przebiega linia wyznaczająca południk zerowy; budowle z XVII i XVIII w. (Queen's House, Royal Naval College — ob. muzeum mor.). Część G. wpisana 1997 na Listę Świat. Dziedzictwa Kult. i Przyr. UNESCO.

■ Grecja

■ Grenada

Grenada, państwo w Ameryce Środk. (Indie Zach.), na Grenadynach w Małych Antylach, na M. Karaibskim; 344 km²; 94 tys. mieszk. (2002), Murzyni i Mulaci; katolicy, protestanci; stol. i gł. port: Saint George's; język urzędowy ang.; monarchia konstytucyjna (należy do bryt. Wspólnoty Narodów). Wyspy górzyste, pochodzenia wulk., wys. do 840 m (Saint Catherine, na wyspie Grenada); przybrzeżne rafy koralowe; klimat równikowy wilgotny, cyklony; lasy równikowe; źródła mineralne. Podstawą gospodarki jest rolnictwo i obsługa turystów; uprawa muszkatołowca, trzciny cukrowej, bananów, kakaowca; hodowla owiec, trzody chlewnej; rybołówstwo; produkcja cukru, rumu; liczne hotele. ■

Grenlandia, grenlandzkie **Kalaallit Nunaat,** duń. **Grønland,** wyspa na O. Arktycznym, u wybrzeży Ameryki Pn., największa na kuli ziemskiej; należy do Danii; pow. 2175,6 tys. km²; stol. — Nuuk; języki urzędowe: duń. i eskimoski (dialekt grenlandzki); jednostka monetarna — korona duńska. Większa część G. leży na pn. od koła podbiegunowego pn.; najbardziej na pn. wysunięty punkt — przyl. Morris Jesup (83°39′N); zbud. gł. z archaicznych gnejsów i granitów, przykrytych w części pn. i wsch. osadowymi skałami paleozoiku i mezozoiku; na zach. miejscami utwory trzeciorzędowe; najwyższy szczyt — Góra Gunnbjørna (3700 m); ok. 83% pow. pokrywa czasza lodowa, o miąższości do 3500 m; wybrzeża górzyste, w większości fiordowe, wolne od lodów (z wyjątkiem pn.-zach. i pd.-wsch.); liczne przybrzeżne wyspy; klimat polarny, we wnętrzu kontynent. (charakterystyczne huraganowe wiatry); na wybrzeżu pd. i pd.-zach. klimat subpolarny (wpływ ciepłego prądu); obszary wolne od lodów, gł. na pd. i zach. porasta tundra; w pn.-wsch. części wyspy (od Lodowca Petermanna na pn.-zach. po Kong Oscar Fjord) park nar. o pow. ok. 700 tys. km² (największy na świecie). G. zamieszkują potomkowie Norwegów i Duńczyków (Grenlandczycy), rdzenni Eskimosi oraz Duńczycy; ok. 90% ludności na wybrzeżu pd.-zach.; największe m.: na pd.-zach. — Nuuk, Ilulissat, Sisimiut, Maniitsoq, na pn.-zach. — Qaanaaq, na wsch. — Ammassalik. Podstawą gospodarki G. jest rybołówstwo, łowiectwo mor. i lądowe, hodowla owiec i reniferów (k. Nanortalik i Qaqortoq) oraz górnictwo; wydobywa się rudy żelaza, ołowiu, cynku, grafit i marmury; komunikacja pasażerska i towarowa oparta gł. na żegludze i lotnictwie.

■ Grudziądz. Panorama miasta od strony Wisły

Grenlandzkie, Morze, Grønlandshavet, część O. Arktycznego, między Grenlandią na zach., Spitsbergenem i W. Niedźwiedzią na wsch. oraz Islandią na pd.; pow. 1195 tys. km², średnia głęb. 1444 m, maks. — 5527 m (w części pn. Basenu Grenlandzkiego); powierzchnia dna zróżnicowana, na zach. szeroki szelf, w części środk. przedłużenie Grzbietu Śródatlantyckiego (grzbiety: Islandzki, Mohna); temperatura wód powierzchniowych w lutym od −1°C do 2°C, w sierpniu od poniżej 0°C do 6°C, zasolenie 32–34,5‰; z Arktyki płynie zimny Prąd Wschodniogrenlandzki; wysokość pływów do 4,4 m; rozwinięte rybołówstwo; porty: Akureyri (Islandia), Longyearbyen (Spitsbergen), Ittoqqortoormiit (Grenlandia).

Grodków, m. w woj. opol. (powiat brzeski), nad Grodkowską Strugą (l. dopływ Nysy Kłodzkiej); 9,1 tys. mieszk. (2000); ośrodek usługowy regionu roln.; drobny przemysł spoż., metal., paszowy; węzeł drogowy; Muzeum im. J. Elsnera (urodzony w G.), coroczne Dni Elsnerowskie; prawa miejskie od 1266, kościół (XIII–XVI w.), fragmenty murów miejskich (XIII–XIV, XVII w.).

Grodzisk Mazowiecki, m. powiatowe w woj. mazow.; 26 tys. mieszk. (2000); ośr. przem.--usługowy i mieszkaniowy dla pracujących w Warszawie; przemysł: maszyn., farm., metal. i elektrotechn., ponadto drzewny, papierniczy, poligraficzny, materiałów bud., spoż.; rozwinięte rzemiosło; węzeł drogowy; galeria lud. instrumentów muz.; prawa miejskie 1522–1870 i od 1919; w Jordanowicach dwór (XVIII w.).

Grodzisk Wielkopolski, m. powiatowe w woj. wielkopol.; 13,5 tys. mieszk. (2000); ośr. przem. oraz usługowo-handl.; zakłady: wyposażenia wagonów, tapicerki samochodowej, stolarki aluminiowej, wyrobów parkietowych, przemysłu spoż. (w tym woda miner. z miejscowych źródeł) i elektron.; wytwórnie — pasz, styropianu; rozwinięte rzemiosło i handel skórami zwierząt futerkowych; węzeł drogowy; Muzeum Ziemi Grodziskiej; prawa miejskie przed 1303; kościół (XVII w.), zespół klasztorny (XVII, XVIII w.). W okolicy wydobycie gazu ziemnego.

Grossglockner [~gloknər], najwyższy szczyt Austrii, w Wysokich Taurach (Alpy), w grupie górskiej Glockner; wys. 3797 m; wznosi się ponad lodowcem → Pasterze, do którego prowadzi droga samochodowa (w zimie zamknięta) — odgałęzienie przebiegającej obok drogi glocknerskiej (Bruck–Heiligenblut).

Grójec, m. powiatowe w woj. mazow., nad Molnicą (dorzecze Wisły); 14,9 tys. mieszk. (2000); ośr. przem.-usługowy regionu sadowniczo-warzywniczego; przemysł spoż. (gł. owocowo-warzywny), środków transportu (wyposażenie pojazdów); węzeł drogowy; coroczne Święto Kwitnących Jabłoni; najstarszy ośr. osadniczy pd. Mazowsza; prawa miejskie od 1419.

Grudziądz, m. powiatowe w woj. kujawsko--pomor., nad Wisłą; powiat grodzki, siedziba powiatu grudziądzkiego; 102 tys. mieszk. (2000); ośr. przem. i handl.-usługowy oraz wojsk. ośrodek szkoleniowy o bogatych tradycjach (1920–39 jeden z największych obok Torunia garnizonów w Polsce); przemysł: maszyn. i środków transportu, metal., elektrotechn., gumowy, obuwn., odzież., drzewny, poligraficzny, materiałów bud., spoż.; oddziały banków; przedsiębiorstwa bud.-montażowe i transportowe; węzeł komunik.; w pobliżu G. lotnisko sport. (szybowce); turystyka, sporty wodne; teatr, planetarium i obserwatorium astr.; muzeum; wiele ogólnopol. imprez sport. i kult.; prawa miejskie od 1291; fragmenty murów miejskich (XIV w.), kościoły i kolegium (XIV, XVII, XVIII w.), zespół opacki (XIV, XVII, XVIII w.), zespół klasztorny (XVIII w.), spichlerze (XVII, XVIII w.); bastionowe obwarowania twierdzy (XVIII w.). ■

grunty orne, ziemia orna, w ekonomice rolnej i geografii gosp. część → użytków rolnych, poddawana systematycznej uprawie za pomocą podstawowych narzędzi roln., gł. pługa; na g.o. uprawia się tzw. rośliny polowe.

Gruzja, Sakartwelo, Republika Gruzji, państwo w Azji, na Kaukazie, nad M. Czarnym; w skład G. wchodzą: Abchazja, Adżaria i Osetia Pd.; 69,7 tys. km^2, 5,4 mln mieszk. (2002); stol. Tbilisi; Gruzini 70%, Osetyjczycy 3%, Abchazowie 2%, Ormianie 8%, Rosjanie 6%, Azerbejdżanie i in.; większość wierzących należy do Kościoła gruz.; język urzędowy gruz. (własny alfabet); republika. Na pn. pasma Wielkiego Kaukazu (najwyższa Szchara, 5068 m), na pd. Mały Kaukaz, rozdzielone Niz. Kolchidzką i Niz. Alazańską; gł. rz.: Kura, Rioni; ok. 40% pow. lasy. Gospodarka zrujnowana wojnami domowymi (konflikty etniczne); waluta lari od 1995; uprawa zbóż (kukurydza, pszenica), herbaty, winorośli, drzew cytrusowych; hodowla (bydło, owce, kozy); wydobycie rud manganu, węgla; przemysł spoż., maszyn. i metal., środków transportu, chem., hutnictwo żelaza; rurociąg naft. Baku-Batumi, gazociągi z Rosji i Azerbejdżanu; gł. porty: Suchumi, Batumi, Poti. ■

Grybów, m. w woj. małopol. (powiat nowosądecki), nad Białą; 6,2 tys. mieszk. (2000); niewielki ośrodek przem. (stolarka budowlana, konstrukcje stal., przetwórstwo rolno-spoż., w tym browar) i wypoczynkowy; węzeł drogowy; Muzeum Parafialne; prawa miejskie od 1488.

Gryfice, m. powiatowe w woj. zachodniopomor., nad Regą; 18,0 tys. mieszk. (2000); ośrodek usługowy; zaplecze gosp. dla pobliskich miejscowości nadmor.; rozwinięty przemysł: spoż., drzewny, maszyn. i materiałów bud.; ponadto produkcja galanterii papierniczej (Centrum Internationale) oraz wydobycie i przetwórstwo torfu; węzeł drogowy i kolei wąskotorowych; skansen kolejki wąskotorowej; regionalny ośrodek obsługi ruchu turyst. przy szlaku wodnym Regi; prawa miejskie od 1262; kościół (XIII–XV, XVII w.), fragmenty murów miejskich (XIII–XIV w.).

Gryfino, m. powiatowe w woj. zachodniopomor., na pr. brzegu Odry Wsch., przy ujściu Tywy; 22,5 tys. mieszk. (2000); ośr. handl.-usługowy i mieszkaniowy, m.in. dla pracowników pobliskiej elektrowni cieplnej Dolna Odra (moc 1600 MW) w Nowym Czarnowie oraz zatrudnionych w Szczecinie; drobny przemysł drzewny i przetwórstwo rolno-spoż.; port rzeczny; niewielki ośr. turyst. na końcu szlaku kajakowego Tywy; prawa miejskie 1254; kościół (XIII–XV, XVIII w.), fragmenty murów miejskich; cmentarz wojskowy.

Gryfów Śląski, m. w woj. dolnośląskim (powiat lwówecki), nad Kwisą; 7,8 tys. mieszk. (2000); ośr. turyst. z bazą wypoczynkową nad pobliskim Jez. Złotnickim; zakłady przemysłu: odzież., bawełn., chem., ponadto fabryka mebli giętych; węzeł kol. i drogowy (ruch tranzytowy przez pobliskie przejścia graniczne do Niemiec i Czech); prawa miejskie od 1354; kościół (XV, XVI, XVII w.), ratusz (XVI–XVII, XVIII, XIX w.), kamienice w rynku (XVI–XVII, XVIII w.).

grzbiet śródoceaniczny, podwodny system górski na dnie oceanu, o stromych stokach i skomplikowanej rzeźbie; przebiega przeważnie środkiem oceanu, rozdzielając baseny oceaniczne, przez co wpływa na głębinową cyrkulację wód; wierzchołki wznoszą się przeważnie do 4000 m nad dnem basenów oceanicznych; niektóre szczyty miejscami wynurzają się ponad poziom oceanu w postaci wysp. G.ś. powstaje w miejscu rozsuwania się 2 płyt litosferycznych, wskutek ciągłego wydobywania się lawy bazaltowej ze szczeliny → ryftu, przebiegającego w osiowej części grzbietu (→ tektoniki płyt teoria). Jest pocięty przez pionowe, podłużne względem osi grzbietu uskoki o charakterze rozłamów wgłębnych oraz poprzeczne doliny związane z obecnością uskoków transformacyjnych. G.ś. charakteryzuje silna aktywność sejsmiczna i termiczna; jest to obszar intensywnych współcz. ruchów górotwórczych. Łączna długość g.ś. wynosi ok. 60 tys. km; do największych należą Grzbiet Śródatlantycki i Wzniesienie Wschodniopacyficzne.

grzmot, zjawisko akust. (trzask lub dudnienie) towarzyszące wyładowaniom elektr. w atmosferze ziemskiej (→ piorun); podczas wyładowania wydziela się ciepło, co powoduje ogrzewanie się powietrza, które się rozpręża gwałtownie wzdłuż drogi wyładowania i powoduje powstanie fali uderzeniowej oraz efektu akustycznego.

Gua Air Jernih, Clearwater Cave, jaskinia w Malezji, w stanie Sarawak, przy granicy z Brunei, na pn. wyspy Borneo, w wapiennym masywie Api (wys. do 1756 m); dł. 109 km — najdłuższa w Azji i jedna z 10 najdłuższych w świecie (1999); deniwelacja 355 m; gł. otwór na wys. ok. 200 m; składa się z kilkupiętrowego labiryntu korytarzy, utworzonych w wyniku podziemnego przepływu rz. Sungai Melinau; woda okresowo wypełniająca wiele korytarzy i wypływająca z jaskini jest krystalicznie czysta (stąd nazwa); od 1978 odkryta i eksplorowana, 1990 wstępną część jaskini udostępniono do zwiedzania; wchodzi w skład Parku Nar. Gunung Mulu.

Guadalaviar, rz. w Hiszpanii, → Turia.

Guaíra, kaskada wodospadów w środk. biegu Parany, → Sete Quedas.

Guam, Terytorium Guamu, Territory of Guam, terytorium zamor. USA w Oceanii, na wyspie Guam, największej z wysp Marianów; pow. 541 km^2; 168 tys. mieszk. (2002); ludność rdzenna Czamorro 47%, Filipińczycy 25%, personel wojsk. i ich rodziny; ośr. adm. i gł. port —

■ Gruzja

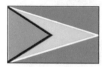

■ Gujana

Agania; wyspa pochodzenia wulk. (wys. do 395 m), w pn. części zbud. z wapieni koralowych; rozwinięta turystyka i rybołówstwo; uprawa owoców, warzyw, kukurydzy, bananów, palmy kokosowej, trzciny cukrowej; hodowla trzody chlewnej, bydła, drobiu; 674 km nowocz. dróg, międzynar. port lotn.; strefa wolnocłowa; wywóz ryb, wyrobów rzemiosła artyst.; import ropy naft. z Singapuru (i reeksport), artykułów żywnościowych. Ważna baza wojsk. USA na O. Spokojnym.

Gubałówka, grzbiet w pd. części Podhala na Pogórzu Gubałowskim, górujący od pn.-zach. nad Zakopanem; wys. od 1120 m w części wsch. (często, choć niesłusznie uważana za kulminacyjną) do ok. 1130 m w części zach.; zbud. ze skał fliszu podhalańskiego (łupki, piaskowce); ma płaski i szeroki wierzchołek, częściowo porośnięty lasem świerkowym; na G. kolejka linowo-terenowa (dł. 1338 m), pokonująca ok. 300 m różnicy wzniesień, zbud. 1938; krzyż żelazny 1873 (pamiątka stłumienia cholery na Podhalu); maszt przekaźnikowej stacji telew. (wys. 53 m); wspaniały punkt widokowy na Rów Podtatrzański i Zakopane, Tatry, Podhale aż po Pieniny i Gorce, Beskid Żywiecki z Babią Górą i Pilskiem; doskonałe tereny narciarskie.

Gubin, m. w woj. lubus. (powiat krośnieński), na pr. brzegu Nysy Łużyckiej, przy granicy z Niemcami; 18,8 tys. mieszk. (2000); ośr. przem., usługowy i handl. (gł. wymiana handl. regionów przygranicznych); przemysł: maszyn., metal., odzież., dziewiarski, obuwn. i spoż.; elektrownia wodna; drogowe i kol. przejścia graniczne; ośrodek obsługi tranzytowego ruchu turyst.; pol. siedziba władz Euroregionu Sprewa–Nysa–Bóbr; muzeum; ruiny kościoła (XV–XVI w.), fragmenty murów miejskich (XVI w.); prawa miejskie od 1235.

Gudżarat, hindi **Gujarāt,** ang. **Gujarat,** stan w zach. Indiach, nad M. Arabskim; 196 tys. km²; 51,6 mln mieszk. (2002), Gudżaratowie; stol. Gandhinagar, największe m. Ahmadabad; nizinny, na pd. wyżynny płw. Kathijawar; rz.: Narbada, Mahi; sieć kanałów nawadniających; suche sawanny; uprawa orzeszków ziemnych (20% zbiorów krajowych), bawełny, zbóż; hodowla bydła, owiec i kóz; wydobycie ropy naft. i gazu ziemnego; przemysł włók., rafineryjny; gł. port Kandla.

■ Wyżyna Gujańska w Wenezueli

Gujana, Guyana, Kooperacyjna Republika Gujany, państwo w Ameryce Pd., nad O. Atlantyckim; 215 tys. km²; 861 tys. mieszk. (2002), Indusi, Murzyni, Metysi i Mulaci; hindusi i protestanci; stol. i gł. port: Georgetown; język urzędowy ang.; republika. Kraj nizinny na pn. i wsch., na pd. Wyż. Gujańska, z najwyższym szczytem Roraima (2772 m); klimat równikowy nad oceanem i podrównikowy na pd.; gł. rz.: Essequibo; lasy równikowe ok. 85% pow. kraju, ponadto sawanny, namorzyny. Podstawą gospodarki jest rolnictwo i górnictwo; uprawa ryżu, trzciny cukrowej, palmy kokosowej; hodowla bydła, trzody chlewnej; wydobycie boksytów, rud manganu, diamentów; rybołówstwo; produkcja cukru, tlenku glinu, rumu.　■

Gujana Francuska, Guyane française, departament zamor. Francji w Ameryce Pd., nad O. Atlantyckim; 90,0 tys. km²; 180 tys. mieszk. (2002), Metysi, Murzyni, Mulaci; stol. i gł. port Kajenna. Nizinna, na pd. Wyż. Gujańska; klimat równikowy, wilgotny; lasy równikowe (na ok. 81% pow.), sawanny, namorzyny. Uprawa ryżu, trzciny cukrowej, kukurydzy; hodowla bydła, trzody chlewnej; eksploatacja lasów; połów ryb i krewetek; wydobycie złota, boksytów (b. bogate złoża); produkcja rumu, cukru; turystyka; w Kourou-Ariane centrum lotów kosmicznych.

Gujańska, Wyżyna, wyżyna w Ameryce Pd., między Niz. Amazonki i Niz. Orinoko, w Wenezueli, Gujanie, Surinamie, Gujanie Franc., Brazylii; od O. Atlantyckiego oddzielona wąską niziną nadbrzeżną; pow. ok. 1,2 mln km². Zbudowana z prekambryjskich skał krystal., miejscami pokryta mezozoicznymi, kontynent. piaskowcami; stanowi falistą peneplenę z potężnymi ostańcowymi górami stołowymi: Auyán Tepuí (2950 m) i Roraima (2772 m) w górach Serra Pacaraima oraz odosobnionymi pasmami górskimi: Serra Imeri (wys. do 3014 m — Pico da Neblina), Serra Parima, Serra de Tumucumaque. Klimat równikowy wilgotny, w części zach. podrównikowy wilgotny suchy. Obszar W.G. odwadniają liczne rz.: Maroni, Courantyne, Essequibo, Caroní i in.; na rzekach liczne progi i wodospady (najwyższy na Ziemi wodospad Salto Angel, wys. 1054 m). Główne formacje roślinne: w górach wilgotne lasy równikowe, w zach. części sawanna, w dolinach rzek lasy galeriowe; na wybrzeżach namorzyny (mangrove). Wydobycie rud żelaza i manganu, złota, diamentów, boksytu.　■

gujot, guyot, podwodna góra wulk. na dnie głębokiego oceanu; strome stoki i płaski, ścięty wierzchołek, zrównany przez fale mor. w dawnych okresach geol. (kreda, paleogen); w zależności od wieku g. jego wierzchołek znajduje się na głęb. 500–2000 m, najczęściej jest pokryty koralami; niektóre g. stały się → atolami.

Gutenberga nieciągłość, powierzchnia Gutenberga, strefa we wnętrzu Ziemi, na głęb. ok. 2900 km, oddzielająca płaszcz Ziemi od jądra Ziemi; jest wyznaczona przez zanik poprzecznych fal sejsmicznych i zmniejszenie się prędkości rozchodzenia się fal podłużnych; odzwierciedla skokową zmianę gęstości materii; odkryta 1914 przez B. Gutenberga.

Gwadalkiwir, Guadalquivir, rz. w pd. Hiszpanii; dł. 550 km, pow. dorzecza 57 tys. km², źródła w G. Betyckich; płynie u podnóża Mesety Iberyjskiej, poniżej Sewilli — przez zabagniony obszar (Las Marismas), dzieląc się na kilka ramion; uchodzi estuarium do Zat. Kadyksu (O. Atlantycki); gł. dopływy: Genil (l.), Guadalimar, Huelva (pr.); żegl. od Kordowy, statki mor. dochodzą do Sewilli; wykorzystywana do nawadniania.

Gwadelupa, Guadeloupe, departament zamor. Francji, w Ameryce Środk. (Indie Zach.), na 8 wyspach w Małych Antylach; 1,7 tys. km², w tym wyspa Gwadelupa 1438 km²; 437 tys. mieszk. (1997), Mulaci, Murzyni, Kreole; katolicy; stol. Basse-Terre; język urzędowy francuski. Wyspy koralowe i wulk.; czynny wulkan Soufrière (1467 m) na Gwadelupie; klimat równikowy wilgotny; cyklony; lasy równikowe; obsługa turystów; uprawa trzciny cukrowej, bananów, ananasów; hodowla bydła, trzody chlewnej; rybołówstwo; produkcja cukru, rumu, mebli; gł. port mor.: Pointe-à-Pitre.

Gwadiana, Guadiana, rz. w Hiszpanii i Portugalii; dł. 834 km, pow. dorzecza 68 tys. km²; źródła w pd. części La Manchy; płynie w głębokiej dolinie przez kotlinę Nowej Kastylii, w szerokiej — przez niz. Estremadury; uchodzi estuarium do Zat. Kadyksu (O. Atlantycki); wykorzystywana do nawadniania (w środk. biegu duży zbiornik Cijara); elektrownie wodne; żegl. od m. Mértola; gł. m. nad Gwadianą — Badajoz.

Gwatemala, Guatemala, Republika Gwatemali, państwo w Ameryce Centr., nad O. Spokojnym i M. Karaibskim; 108,9 tys. km²; 13,7 mln mieszk. (2002), gł. Indianie i Metysi; katolicy; stol. Gwatemala; język urzędowy hiszp.; republika. Kordyliery, wys. do 4220 m (Tajumulco); czynne wulkany (Fuego, 3835 m); trzęsienia ziemi; klimat równikowy wilgotny; jeziora; lasy równikowe i górskie. Kraj roln.; uprawa kawowca, kukurydzy, trzciny cukrowej, bananów; hodowla bydła; eksploatacja lasów (mahoń); rybołówstwo; wydobycie rud antymonu, wolframu i ropy naft.; przemysł cukr., bawełn.; rzemiosło; obsługa turystów; Droga Panamer.; gł. porty mor.: Puerto Barrios nad M. Karaibskim, San José nad O. Spokojnym. ■

Gwatemala, Guatemala, stol. Gwatemali, w dolinie śródgórskiej w Kordylierach, na wys. 1500 m; 1,1 mln mieszk. (2002); centrum gosp. kraju; przemysł tytoniowy, olejarski, włók.; ośrodek kult., nauk. (4 uniw., w tym zał. 1676) i turyst.; węzeł komunik. przy Drodze Panamer., port lotn. La Aurora; miasto zał. 1776; muzea; katedra (XVIII, XIX w.), budowle użyteczności publicznej (XIX w.).

Gwda, rz. na Pojezierzu Południowopomorskim, pr. dopływ Noteci; wypływa na pd.-wsch. od Białego Boru, dł. 145 km, pow. dorzecza 4943 km²; przepływa przez liczne jeziora, m.in. przez Wierzchowo, w dolnym biegu przez porośnięty lasem mieszanym obszar sandrów,

uchodzi w m. Ujście; średni przepływ przy ujściu 26 m³/s; maks. rozpiętość wahań stanów wody w dolnym biegu 3,8 m; liczne niewielkie zbiorniki retencyjne (m.in. Podgajski, Jastrowski, Ptuszowski, Dobrzycki); gł. dopływy: Czernica, Głomia (l.), Piława (pr.); nad G. leży m. Piła. G. stanowi, na prawie całej długości, ciekawy szlak kajakowy.

Gwiazda Północy → Rozewie.

Gwinea, Guinée, Republika Gwinei, państwo w zach. Afryce, nad O. Atlantyckim; 245,9 tys. km²; 8,2 mln mieszk. (2002), gł. Fulanie, Mande; muzułmanie (70%), animiści; stol. i gł. port Konakry; język urzędowy franc.; republika. Obszar wyżynno-górzysty (masywy: Futa Dżalon, Nimba — do 1752 m); wybrzeże nizinne; klimat podrównikowy wilgotny; sawanny, na pd. lasy równikowe. Kraj roln. z rozwijającym się górnictwem; uprawa zbóż, manioku, bananów, kawy, ananasów; hodowla bydła; eksploatacja lasów; rybołówstwo; wydobycie gł. boksytów (2. miejsce w produkcji świat.); produkcja tlenku glinu; przemysł spoż., włók., skórz.-obuwn., drzewny. ■

Gwinea, region geogr. w zach. Afryce, ciągnący się wzdłuż wybrzeża O. Atlantyckiego, gł. Zat. Gwinejskiej, między Gwineą Bissau a Angolą. Dzieli się na Górną G. (Pn.), obejmującą obszar od masywu Futa Dżalon (1538 m) do masywu Kamerun (4070 m), oraz Dolną G. (Pd.), ciągnącą się w kierunku pd., do pn. krańców pustyni Namib; G. obejmuje aluwialne niziny nadbrzeżne z licznymi lagunami oraz pas wewn. wyżyn i masywów górskich, porozdzielanych dolinami licznych rzek (m.in. Wolta, Niger, Kongo, Bandama, Komoe, Ogowe). Klimat w środk. części G. równikowy wilgotny, ku pn. i pd. przechodzący w podrównikowy wilgotny, na pd. krańcach Dolnej G. klimat podrównikowy suchy; średnia temperatura w lipcu lub sierpniu w Górnej G. 21–25°C, w Dolnej G. od 22°C na pn. do 13°C na pd., w marcu lub kwietniu odpowiednio 23–29°C i od 28 do 17°C; średnia roczna suma opadów w części środk. 3000–4000 mm (na stokach Kamerunu ponad 9000 mm), na pn. 1000 mm, na pd. 100–250 mm. Roślinność G. w pobliżu równika stanowią wilgotne lasy równikowe, na pn. i pd. — sawanny, a na skrajnym pd. — półpustynie i pustynie; na podmokłych obszarach nadbrzeżnych — roślinność namorzynowa; bogata fauna (m.in. słonie, hipopotamy, antylopy, pantery, małpy).

Gwinea Bissau, Guiné-Bissau, Republika Gwinei Bissau, państwo w zach. Afryce, nad O. Atlantyckim; 36,1 tys. km²; 1,3 mln mieszk. (2002), gł. ludy Balante, Fulanie, Mandingo, Mandżaka, Pepel; 60% animistów, muzułmanie; stol. i gł. port Bissau; język urzędowy portug.; republika. Obszar nizinny; klimat podrównikowy wilgotny; przewaga sawanny, na wybrzeżu zbiorowiska namorzynowe. Słabo rozwinięty kraj roln., jeden z najbiedniejszych na świecie; uprawa zbóż, orzeszków ziemnych (na eksport), manioku, trzciny cukrowej, palmy kokosowej i oleistej; koczownicza hodowla bydła i kóz; przemysł spoż., drzewny. ■

■ Gwinea

■ Gwatemala

■ Gwinea Bissau

■ Gwinea Równikowa

Gwinea Równikowa, Guinea Ecuatorial, Republika Gwinei Równikowej, República de Guinea Ecuatorial, państwo w zach. Afryce, nad Zat. Gwinejską; obejmuje część kontynent. — Mbini oraz wyspy wulk.: Bioko i Pagalu; 28,1 tys. km², 466 tys. mieszk. (2002), gł. Fangowie, Bubi; ok. 90% chrześcijan, muzułmanie; stol. i gł. port Malabo (Bioko); język urzędowy hiszp.; republika. Przewaga wyżyn i gór (do 3008 m); klimat równikowy wilgotny; lasy równikowe, gł. w Mbini. Słabo rozwinięty kraj roln., gł. uprawy: kakaowiec i banany (Bioko), kawa (Mbini), palma oleista, maniok, bataty; eksploatacja lasów (heban, palisander). ■

Gwinejska, Zatoka, ang. **Gulf of Guinea,** franc. **Golfe de Guinée,** otwarta zatoka O. Atlantyckiego u zach. wybrzeża Afryki, między przyl. Palmas i Lopez; pow. 753 tys. km², średnia głęb. 2676 m, maks. — 5207 m (w części zach.); od zach. do Z.G. wpływa ciepły Prąd Gwinejski, przedłużenie Północnorównikowego Prądu Wstecznego wyspy: Bioko, Książęca, Św. Tomasza; do Z.G. uchodzą m.in. rz.: Niger, Wolta, Ogowe; porty: Abidżan, Akra, Lagos, Port Harcourt, Libreville.

Gwinejski, Basen, ang. **Guinea Basin,** basen oceaniczny w dnie O. Atlantyckiego, między stokiem kontynent. Afryki Równikowej, Grzbietem Śródatlantyckim i Grzbietem Gwinejskim; na pn.-zach. próg Sierra Leone oddziela go od basenu Sierra Leone; głęb. do 5414 m; na dnie równiny abisalne (pd. część równin abisalnych wsch. Atlantyku) otoczone pagórkami abisalnymi, rozległy stożek napływowy rz. Niger oraz pojedyncze góry wulk.; dno pokryte mułem globigerynowym.

Gwinejski, Prąd, ang. **Guinea Current,** ciepły prąd powierzchniowy w O. Atlantyckim, przedłużenie Równikowych Prądów Wstecznych; płynie na pn. od równika w kierunku wsch. wzdłuż wybrzeży Afryki do Zat. Gwinejskiej, po przepłynięciu równika zmienia nazwę na Prąd Angolski; prędkość 3 km/h; temp. wody 27–28°C, zasolenie od 34,5‰ w lecie do 37‰ zimą.

Gydańska, Zatoka, Gydanskaja gubą, zat. M. Karskiego (O. Arktyczny); wcina się 200 km w brzeg Płw. Gydańskiego (Rosja); dł. ok. 200 km, szer. 62 km, głęb. 5–8 m; wybrzeże nizinne, pływy półdobowe do 1 m; przez większą część roku pokryta lodem.

Gydański, Półwysep, Gydanskij połuostrow, płw. na pn.-zach. azjat. części Rosji, między zatokami Obską a Jenisejską (M. Karskie); dł. ok. 400 km, szer. do 400 km; rozczłonkowany, nizinny (wys. do 200 m); zbudowany z łupków metamorficznych i fyllitów, przykrytych trzeciorzędowymi i czwartorzędowymi skałami ilastopiaszczystymi; klimat podbiegunowy, w pn. części biegunowy; średnia temp. w styczniu –30°C, w lipcu 4–11°C, opady 200–400 mm rocznie; tundra, bagna; hodowla reniferów, łowiectwo zwierząt futerkowych, rybołówstwo; bogate złoża i eksploatacja gazu ziemnego.

H

Haga, 's-Gravenhage, Den Haag, m. w zach. Holandii, nad M. Północnym; siedziba parlamentu, rządu i dworu król. (stol. konst. — Amsterdam); 444 tys. mieszk., zespół miejski 699 tys. (2002); przemysł poligraficzny, papierniczy, gumowy; siedziba organizacji międzynar., w tym Międzynar. Trybunału Sprawiedliwości; Król. Akad. Sztuki, Biblioteka Król.; w dzielnicy Scheveningen kąpielisko mor. i port rybacki; od 1815 siedziba dworu król., później też rządu i parlamentu; zespół pałacowy Binnenhof (XIII, XVII–XVIII w.) z Salą Rycerską (XIII, XIX w.), got. kościół Grote Kerk (XIV, XVI w.), barok. Nieuwe Kerk (XVII w.), ratusz (XVI, XVIII w.), pałace XVII w.), neogot. Pałac Pokoju (pocz. XX w.).

Haiti, dawniej **Hispaniola, Española, Santo Domingo,** wyspa w Ameryce Środk. (Indie Zach.), druga po Kubie pod względem wielkości w Wielkich Antylach; nad M. Karaibskim i otwartym O. Atlantyckim; pow. 76,2 tys. km^2; wsch., większą część H. zajmuje → Dominikana, zach. część → Haiti.

Haiti, Haïti, **Republika Haiti,** państwo w Ameryce Środk. (Indie Zach.), w zach. części wyspy Haiti, w Wielkich Antylach, nad M. Karaibskim; 27,8 tys. km^2; 8,3 mln mieszk. (2002), Murzyni i Mulaci; katolicy; kult voodoo; stol. i gł. port: Port-au-Prince; język urzędowy franc.; republika. Kraj górzysty, wys. do 2674 m (La Selle); klimat równikowy wilgotny, cyklony; gł. rz. Artibonite; sawanny. Najuboższy kraj półkuli zach.; rolnictwo: trzcina cukrowa, zboża, palma kokosowa, kawowiec, hodowla bydła, kóz; rybołówstwo; nie eksploatowane zasoby boksytów, rud miedzi, złota; przemysł cukr., tłuszczowy; rzemiosło; obsługa turystów. ∎

Hajnówka, m. powiatowe w woj. podl., nad Leśną, na skraju Puszczy Białowieskiej; 24,1 tys. mieszk. (2000); ważny ośr. przemysłu drzewnego (duży tartak, wytwórnie — mebli, domków letniskowych); ponadto zakłady: suchej destylacji drewna, wikliniarskie, przetwórstwa runa leśnego, maszyn dla leśnictwa i przemysłu drzewnego; drobne zakłady przetwórstwa rolno-spoż.; węzeł drogowy; ośr. kult.-oświat. Białorusinów i turyst.-wypoczynkowy; Międzynar. Festiwal Muzyki Cerkiewnej; 3 parafie prawosł.; prawa miejskie 1951; zabytkowa drewn. cer-

kiew, obok której nowa (1981, dekoracje ścienne J. Nowosielskiego).

hak zboczowy, wygięcie przypowierzchniowych odcinków warstw skalnych w kierunku zgodnym z nachyleniem zbocza; powstaje wskutek spełzywania zwietrzeliny w dół stoku.

Halinów, m. w woj. mazow. (powiat miński), nad Długą (uchodzi do Kanału Żerańskiego), w aglomeracji warsz.; 3,0 tys. mieszk. (2000); ośr. usługowy dla rozwijającej się w regionie przedsiębiorczości; miejscowość letniskowa; rozległe stawy rybne (wędkarstwo), kluby jeździeckie. W okolicy H. m.in. zakłady: Colgate-Palmolive Poland Sp. z o.o., Meble Forniture, Lamiplast (kontenery, kadłuby jachtów).

halny wiatr, pol. nazwa → fenu; silny i porywisty wiatr występujący w Karpatach, powstający przy przechodzeniu mas powietrza ponad grzbietami górskimi po ich zawietrznej stronie; wieje od szczytów ku dolinom; powoduje ocieplenie i spadek wilgotności względnej powietrza.

halo [gr.], zjawisko opt. w atmosferze ziemskiej wywołane załamaniem i odbiciem promieniowania świetlnego (Słońca lub Księżyca) na kryształkach lodu, zwykle w chmurach *cirrostratus* lub mgle lodowej; do najczęściej obserwowanych form h. należą: tęczowe pierścienie wokół tarczy Słońca lub Księżyca (w odległości kątowej 22°) i tęczowe łuki styczne do tych pierścieni — czerwone od strony wewn., niebieskie — od zewnątrz; „słońca poboczne" — jasne, tęczowe plamy leżące po prawej i lewej stronie tarczy Słońca (lub Księżyca), biały krąg poziomy przechodzący przez tarczę Słońca (lub Księżyca), biały słup świetlny. ∎

∎ Haiti

∎ Halo zaobserwowane w Tatrach

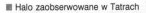

hamada [arab.], **pustynia kamienista,** równina skalna, doskonale oszlifowana przez wiatr, pozbawiona gleby i roślinności; na powierzchni znajdują się tylko duże bloki i okruchy skalne, gdyż piasek i pył są całkowicie wywiane (→ deflacja); często pokryta czarną pokrywą żelazistą (np. w okolicach Asuanu); h. występują m.in. w Afryce i Australii.

■ Hamburg. Fragment portu

Hamburg, m. w Niemczech, nad Łabą, 110 km od M. Północnego, odrębny kraj związkowy; 755 km², 1,7 mln mieszk. (2002); duży port mor. (przeładunek 66 mln t, 1993) i śródlądowy Europy; wielki ośr. przem. (maszyn., stoczn., elektron., chem., 4 rafinerie ropy naft., huty), handl. (międzynar. targi, wystawy i kongresy), finansowy; wielki węzeł kol. i port lotn.; szkoły wyższe (uniw.), inst. hydrograf., znane obserwatorium astr., planetarium; ośr. kultury muz. i turyst. o międzynar. znaczeniu; ogród zool. Hagenbecka — jeden z największych w Europie; muzea; kościoły (XIV, XIV/XV, XVIII w.), ratusz, domy (XVIII–XIX w.), budynki biurowe (XX w.), m.in. Chilehaus. ■

Han-sur-Lesse, Grotte de [grot dö ā sür lęs], **Systeme Han–Belvaux,** świat. sławy jaskinia w Belgii, w Ardenach, ok. 40 km na pd. od Namur, najdłuższa w kraju; dł. 12 km; kilka otworów; sieć korytarzy i komór dużych rozmiarów (największa — Salle du Dôme, 154 × 137 m, wys. 129 m); bardzo bogata i różnorodna szata naciekowa; podziemny przepływ rz. Lesse pod wapiennym grzbietem Boine na odcinku, w linii prostej, ok. 1,1 km (wpływ przez otwór Trou de Belvaux, wypływ w otworze Trou de Han); otwory znane od bardzo dawna; eksplorowana od 1771 od Trou de Han w górę rzeki; 1823 odkrycie suchych korytarzy umożliwiających przejście do podziemnej rzeki i spływ; 1828 udostępniona dla turystów (wielką komorę oświetlano za pomocą balonów); zwiedzana przez ok. 500 tys. osób rocznie.

handel zagraniczny, wymiana części własnej produkcji danego kraju na dobra lub usługi wytwarzane przez inne kraje; obejmuje import, eksport i reeksport; wartość importu i eksportu zestawia się w → bilansie handlowym; w skali państwa h.z. jest najczęściej regulowany przez politykę handl.; środkami polityki handl. są zwł.: cła, opodatkowanie importu oraz stosowanie ulg eksportowych, kontyngentowanie zagr. obrotów towarowych, manipulowanie kursem waluty, gwarantowanie przez państwo kredytów eksportowych, finansowanie produkcji eksportowej; celem stosowania tych środków jest zwykle ograniczenie importu i popieranie eksportu.

Idee wolnego handlu ożyły w podpisanym 1948 Układzie Ogólnym w Sprawie Ceł i Handlu (GATT), ograniczającym stosowanie ceł, postanowieniach rundy tokijskiej GATT (1974) i urugw. (1986) oraz w Świat. Organizacji Handlu (utw. 1994); jednocześnie powstawały unie celne oraz obszary wolnego handlu i integracyjne organizacje gosp. (UE, NAFTA itp.).

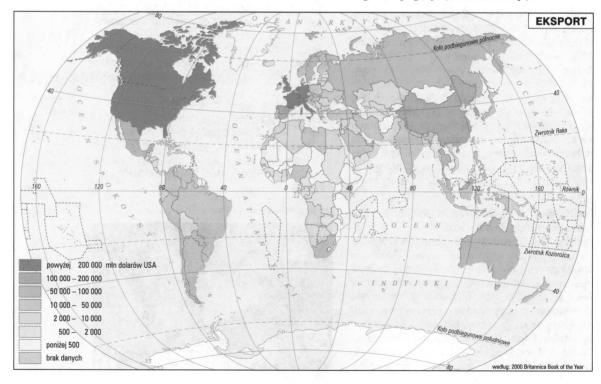

EKSPORT

powyżej 200 000 mln dolarów USA
100 000 – 200 000
50 000 – 100 000
10 000 – 50 000
2 000 – 10 000
500 – 2 000
poniżej 500
brak danych

według: 2000 Britannica Book of the Year

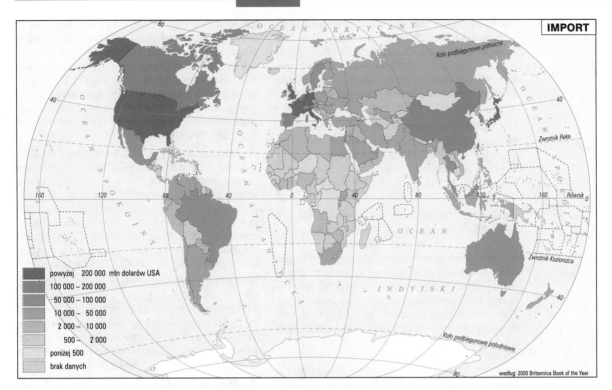

IMPORT

powyżej 200 000 mln dolarów USA
100 000 – 200 000
50 000 – 100 000
10 000 – 50 000
2 000 – 10 000
500 – 2 000
poniżej 500
brak danych

według: 2000 Britannica Book of the Year

Od zakończenia II wojny świat. rosły obroty h.z., a w jego strukturze następowały i następują ciągłe zmiany. Kraje rozwijające się, dążąc do osiągnięcia szybszego wzrostu gosp., zmieniają swą pozycję w handlu międzynar. — z eksporterów surowców stają się eksporterami produktów lub półproduktów. Kraje wysoko rozwinięte wykorzystują swą specjalizację technol., wskutek czego rozwija się między nimi handel wysokowartościowymi towarami. ■

Hangzhou, Hangczou, m. w Chinach, nad M. Wschodniochińskim; ośr. adm. prow. Zhejiang; 2,2 mln mieszk., zespół miejski 6,2 mln (1999); wielki ośr. przemysłu włók. i herbacianego oraz handlu herbatą (m.in. zielona); przemysł elektron., metal., papierniczy; rzemiosło artyst.; port u wylotu Wielkiego Kanału; węzeł kol.; uniw.; ogród bot. z unikatową kolekcją bambusów; ośr. turystyczny.

Hanoi, stol. Wietnamu, na pn. kraju, nad Rz. Czerwoną; zespół miejski 2,5 mln mieszk. (2002); przemysł włók., metal., papierniczy; rzemiosło (wyroby z laki, kości słoniowej, bambusa); węzeł kol. i drogowy, międzynar. port lotn.; uniw., politechn.; muzea; zał. w VI w.; świątynie z XI w., m.in.: Na Jednej Kolumnie, Literatury — poświęcona Konfucjuszowi.

Hańcza, jez. rynnowe na Pojezierzu Wschodniosuwalskim, w dorzeczu Niemna, na wys. 227 m, na obszarze Suwalskiego Parku Krajobrazowego; pow. 311,4 ha, dł. 4,5 km, szer. 1,2 km, maks. głęb. 108,5 m (najgłębsze w Polsce); brzegi na ogół wysokie, na pn.-wsch. porośnięte lasem; dno piaszczysto-żwirowe z dużymi głazami polodowcowymi; przez H. przepływa rz. → Czarna Hańcza; ze względu na właściwości krajobrazowe, morfologiczne i limnologiczne (oligotroficzny typ jeziora rzadko występujący na niżu) objęte ochroną rezerwatową. ■

Harare, do 1981 **Salisbury,** stol. Zimbabwe, w pn. części kraju; 1,9 mln mieszk. (2002); gł. w kraju ośr. przem. (tytoniowy, włók., metal., chem.), handl., kult. (międzynar. targi książki) i nauk. (uniw.); międzynar. port lotn.; w pobliżu wydobycie złota, pirytów, rud wolframu, chromu; zał. 1890 jako bryt. fort.

Harbin, Haerbin, Charbin, m. w pn.-wsch. Chinach, nad rz. Sungari; ośr. adm. prow. Heilongjiang; 4,3 mln mieszk., zespół miejski 9,3 mln (1999); przemysł maszyn., środków transportu (m.in. lotn.), petrochem., elektrotechn., lniarski; port rzeczny; ważny węzeł komunik.; wyższe szkoły (politechn.); festiwal rzeźby w lodzie; miasto po 1898; rozwój dzięki budowie kolei wschodniochiń.; od końca XIX do poł. XX w. liczna kolonia polska.

Hardangervidda [~ŋərwi~], największy płaskowyż w G. Skandynawskich, w Norwegii, na wsch. od Hardangerfjorden; wys. 1200–1400 m (maks. 1691 m); wierzchowina falista, pocięta szerokimi, niegłębokimi dolinami o skalistych zboczach; w części pn. lodowiec Hardangerjøkulen (pow. 78 km^2); przez większą część roku pokrywa śnieżna; roślinność tundrowa z krzewinkami brzozy karłowatej i płożących się wierzb; tereny narciarskie; Park Nar. H.

■ Jezioro Hańcza

Harijana, hindi **Hariyānā,** ang. **Haryana,** stan w pn.-zach. Indiach; 44,2 tys. km², 21,5 mln mieszk. (2002); stol. Czandigarh; obejmuje część Niz. Hindustańskiej i pogórze Himalajów; sieć kanałów nawadniających, zasilanych wodami Jamuny; uprawa zbóż, trzciny cukrowej, bawełny; hodowla bydła i bawołów.

harmattan [arab.?], suchy, silnie zapylony, gorący wiatr pn.-wsch., wiejący w chłodniejszym półroczu (od grudnia do marca) znad Sahary (napływ zwrotnikowego powietrza kontynent.) ponad całą Afrykę Zach. w kierunku Zat. Gwinejskiej.

Harz [harc], średnie góry w Niemczech, między Leine i Sołavą; klas. zrąb obniżający się z pn.--zach. na pd.-wsch. (od 800–900 m do 350–500 m); zbud. z kwarcytów, wapieni, szarogłazów i łupków poprzecinanych intruzjami granitów i gabra, sfałdowanych w orogenezie hercyńskiej; wierzchowina, ponad którą wznosi się granitowa kopuła Brockenu (wys. 1142 m), jest dawną powierzchnią zrównania, wypiętrzoną w formie zrębu w trzeciorzędzie i rozciętą przez doliny rzeczne; miejscami rozwinięty kras (jaskinie ze stalaktytami); zach. część należy do dorzecza Wezery (Oker, Leine), wsch. — Łaby (Bode, Selke, Wipper); na rzekach wiele zapór (m.in. na Bode); rozpowszechnione sztuczne kultury świerka (naturalną szatę leśną tworzyły lasy bukowe, bukowo-świerkowe i świerkowe); torfowiska wysokie (Sonnenberger Moor pod Brockenem); zach. część stanowi park nar. (od 1960, pow. 95 tys. ha); liczne ośr. turyst.--wypoczynkowe i sportów zimowych (Wernigerode, Schierke, Bad Harzburg).

Hawaii [ha:uaji:], wyspa w archipelagu → Hawaje.

Hawaje, Hawaii, archipelag wysp wulk. na O. Spokojnym, rozciągający się na dł. ponad 2500 km z pd.-wsch. na pn.-zach.; stan USA; pow. 16,6 tys. km²; 1,2 mln mieszk. (2002); stol. i gł. port — Honolulu; gł. wyspy: Hawaii (10,4 tys. km²), Maui (1,9 tys. km²), Oahu (1,5 tys. km²), Kauai (1,4 tys. km²), Molokai (671 km²), Lanai (365 km²), Niihau (186 km²), Kahoolawe (117 km²); w zach. części archipelagu liczne atole koralowe; powierzchnia wysp w większości górzysta (strome zbocza gór poprzecinane głębokimi dolinami); na Hawaii czynne wulkany: Mauna Kea (4205 m), Mauna Loa (4169 m); aktywna działalność sejsmiczna; klimat zwrotnikowy morski; średnia temp. w lutym 18–21°C, w sierpniu 21–25°C; roczne opady od 300–400 mm na stokach pd. i zach. do 3500–4000 mm na stokach pn. i wsch. (ponad 12 tys. mm na Kauai); roślinność stanowią wiecznie zielone lasy z zaroślami palmowymi; gleby żyzne, wytworzone na lawach i tufach wulkanicznych. Skład etniczny b. zróżnicowany: ludność pochodzenia azjat. (Japończycy — 23,2%, Filipińczycy — 11,3%, Koreańczycy, Chińczycy), biali (zw. Caucasian — 24,5%), autochtoniczna ludność pochodzenia polinezyjskiego (20%) oraz ludność murzyńska; ponad 4/5 ludności skupia się na wyspie Oahu. Intensywne rolnictwo, uprawa gł. ananasów i trzciny cukrowej, poza tym kawy, bananów,

kwiatów, warzyw; hodowla bydła; rybołówstwo; przemysł cukr. (od 1835), przetwórnie owoców, cementownia, ponadto zakłady przemysłu odzież., poligraficznego, metal., petrochemicznego. Region turyst. o świat. sławie; H. leżą na przecięciu szlaków mor. i lotn. z Ameryki Pn. do Azji i Australii; między wyspami rozwinięta komunikacja lotn. i promowa. Na wyspie Hawaii Park Nar. Wulkany Hawaii.

Hawana, La Habana, stol. Kuby, nad Zat. Meksykańską; 2,3 mln mieszk. (2002) — największe miasto Antyli; gł. port i centrum gosp. kraju; przemysł cukr., tytoniowy, bawełn., farm., rafineria ropy naft.; ośr. kult. (muzea), nauk. (najstarszy uniw. w kraju, zał. 1728) i turyst.; węzeł komunik. (port lotn.); miasto zał. 1519 przez Hiszpanów; w najstarszej części miasta (w stylu kolonialnym) liczne budowle zabytkowe.

Hawela, Havel, rz. w Niemczech, najdłuższy (pr.) dopływ Łaby; dł. 343 km, pow. dorzecza 24,3 tys. km²; źródła na Pojezierzu Meklemburskim; przepływa liczne jeziora (m.in. Schwielow, Trebel, Plauer); gł. dopływ — Sprewa (l.); żegl. 243 km; połączona kanałami z Odrą i Łabą; gł. m. nad H.: Poczdam, Brandenburg.

Hawrań, Havran, najwyższy szczyt Tatr Bielskich, w Słowacji, między Nowym Wierchem a Płaczliwą Skałą; wys. 2152 m.

Hebrydy, Wyspy Hebrydzkie, Hebrides, Western Isles, archipelag ok. 500 wysp bryt. na O. Atlantyckim, u pn.-zach. wybrzeży Szkocji; pow. 7,3 tys. km²; obejmuje 2 grupy wysp: H. Zewnętrzne (gł. wyspy: Lewis, North Uist, South Uist) oraz H. Wewnętrzne (Skye, Mull, Islay, Jura i liczne mniejsze); ok. 100 wysp jest nie zamieszkanych; powierzchnia pagórkowata i górzysta; częste sztormy; obszar emigracyjny, o systematycznie zmniejszającej się liczbie ludności; hodowla bydła i owiec; produkcja tkanin (w tym tradycyjnego tweedu); dawniej gł. gałęzią gospodarki było rybołówstwo, obecnie większość ludności zatrudniona w mor. flocie handl.; gł. miejscowość — Stornoway (na wyspie Lewis).

Hekla, czynny wulkan w pd. Islandii; wys. 1491 m; w czasach hist. zanotowano ponad 20 silnych wybuchów (pierwszy 1104, ostatni 1980/81); podczas wielkiego wybuchu 1947/48 wysokość Hekli zwiększyła się z 1447 m do 1502 m, następnie obniżyła się przez obrywy na ścianach krateru.

Hel, m. w woj. pomor. (powiat pucki), na krańcu Mierzei Helskiej; 4,7 tys. mieszk. (2000); Garnizon Marynarki Wojennej i port wojenny; port rybacki i żeglugi przybrzeżnej (połączenia z Trójmiastem; od 1966 komora celna); przetwórstwo rybne; ośrodek turyst.-wypoczynkowy, kąpielisko mor. i letnisko; Obserwatorium Geofiz. PAN, stacje — meteorol., mor. Uniw. Gdań. (z fokarium, pol. centrum badań ssaków mor.); portowe molo i promenada, punkty widokowe: latarnia mor. (41 m), dzwonnica (21 m) byłego kościoła, ob. Muzeum Rybołówstwa; prawa miejskie przed 1351–1872 i od 1963.

Helsinki, szwedz. **Helsingfors,** stol. Finlandii, nad Zat. Fińską; 575 tys. mieszk., zespół miejski

■ Helsinki. W głębi katedra Św. Mikołaja

1,1 mln (2002); gł. ośr. gosp., kult. i nauk. oraz port handl. kraju; ośr. adm. prow. Uudenmaa; przemysł stoczn., maszyn., elektrotechn., spoż., chem., włók., ceramiczny, papierniczy; węzeł komunik.: międzynar. port lotn., port promowy (m.in. połączenie z Gdańskiem); 2 akad. nauk, uniw.; ośr. turyst.; zał. 1550 przez Gustawa I Wazę; 1952 XV Letnie Igrzyska Olimpijskie, 1973 i 1975 obrady KBWE; klasycyst. budowle (XIX w.): katedra Św. Mikołaja, sobór prawosł., budynek senatu, uniw., biblioteka, obserwatorium, ratusz, pałac prezydenta; domy o klasycyst. fasadach; nowocz. architektura: gmach parlamentu, stadion olimpijski, gmach kongresowy Finlandia Talo.   ■

Helska, Mierzeja, Mierzeja Pucka, pn.-zach. część Pobrzeża Gdań.; piaszczysty półwysep w kształcie kosy nad M. Bałtyckim, ciągnie się od Kępy Swarzewskiej w kierunku pd.-wsch. ku środkowi Zat. Gdańskiej; oddziela Zat. Pucką od otwartego morza; M.H. powstała pod wpływem działalności fal i wiatrów, które usypały dochodzące do 23 m wys. wydmy (najwyższe między Juratą i Helem), unieruchomione przez porastający je bór sosnowy; linia brzegowa od strony otwartego morza wyrównana, z piękną plażą, od strony Zat. Puckiej — liczne niewielkie zatoki; dł. 34 km, szer. od 100–150 m (najwęższe miejsce między Chałupami a Kuźnicą) do 3 km (na cyplu); wyróżnia się klimatem o typowych cechach mor. (średnia temp. w styczniu od 0° do –1°C, w lipcu 17°–18°C). M.H. jest stale niszczona przez fale sztormowe, wymaga ochrony i zabezpieczeń techn.; wybudowanie we Władysławowie portu, a gł. osłaniającego go falochronu, przerwało naturalny proces przenoszenia materiału piaszczystego w kierunku mierzei (ciągłe niebezpieczeństwo przerwania mierzei, zwł. w jej najwęższym odcinku); wzdłuż półwyspu prowadzi linia kol.; 2 latarnie mor. (na cyplu i w Jastarni); atrakcyjny region letniskowy; kąpieliska: Hel, Jastarnia, Jurata, Kuźnica, Chałupy.   ■

hematyt, minerał, tlenek żelaza Fe_2O_3; krystalizuje w układzie trygonalnym; tworzy żelazistoczarne kryształy o połysku metalicznym (błyszcz żelaza), ciemnoczerwone skupienia skrytokrystal. (żelaziak czerwony), odmiany naciekowe (krwawnik) i pylaste (śmietana hematytowa); bogata ruda żelaza; używany także jako pigment miner. i kamień ozdobny.

hieroglify [gr.], wypukłe nierówności o charakterystycznych, często złożonych kształtach, występujące na dolnych (spąg) powierzchniach warstw skał osadowych; są to odlewy śladów utworzonych na dnie przez czynniki mech. (h. mechaniczne, np. ślady erozji prądu wodnego) lub śladów poruszania się po dnie zwierząt (h. organiczne, zw. też skamieniałościami śladowymi). Badania h. dostarczają wielu danych o środowisku i warunkach sedymentacji osadów i skał, w których są znajdowane; pozwalają też na ustalenie, gdzie jest góra i dół warstwy skalnej, co ma duże znaczenie w ustalaniu budowy geol. silnie sfałdowanych masywów górskich.

Himaćal Pradeś, hindi **Himācal Pradeś,** ang. **Himachal Pradesh,** stan w Indiach, w Himalajach, przy granicy z Chinami; 55,7 tys. km², 6,2 mln mieszk. (2002); stol. Simla; głębokie doliny rz.: Satledź, Ćenab; lasy iglaste; uprawa zbóż, ziemniaków, na pd. — herbaty i owoców (brzoskwinie, morele); elektrownie wodne, największa Bhakhra Nangal; pozyskanie drewna; turystyka.

■ Mierzeja Helska. Zdjęcie lotnicze

Himalaje, chiń. **Himalaya Shan,** tybet. **Kangripejde,** hindi i nepalskie **Himālaya,** urdu **Himalāyā,** ang. **Himalaya(s),** łańcuch górski w Azji Pd., na terytorium Chin, Indii, Nepalu, Bhutanu i Pakistanu, najwyższy na Ziemi; oddzielony od Karakorum głęboką doliną górnego Indusu, od gór chiń.-birmańskich — przełomową doliną Brahmaputry; dł. ok. 2500 km, szer. 180–350 km; średnia wys. ok. 6000 m; 10 szczytów o wys. ponad 8000 m, najwyższy — Mount Everest — 8848 m.

Budowa geologiczna. H. powstały podczas orogenezy alp. w wyniku kolizji kontynentu azjat. z platformą dekańską, która wcześniej była częścią prakontynentu Gondwana; ruchy wznoszące trwają w H. nadal (od górnego plejstocenu wysokość H. wzrosła o ok. 1500 m). Strukturalnie w przekroju poprzecznym tworzą rodzaj wielkiego wachlarza (w pn. części fałdy i płaszczowiny są obalone ku pn., w pd. — ku pd.). H. dzielą się na kilka równol. pasm górskich opadających 3 stopniami ku Niz. Hindustańskiej. Najwyższy stopień i gł. grzbiet H. tworzą Wysokie (Wielkie) H. (szer. 50–90 km), o rzeźbie alp., oddzielone od Transhimalajów podłużnymi tektonicznymi dolinami Indusu i Brahmaputry; są one zbud. ze skał krystal. prekambru oraz osadowych, magmowych i metamorficznych — od karbonu do kredy. Na pd. od Wysokich H. ciągną się Małe H., silnie rozczłonkowane na

■ Himalaje. W głębi szczyt Amai Dablang (Nepal)

oddzielne pasma i masywy; w zach. ich części leży Kotlina Kaszmirska, we wsch. wiele mniejszych kotlin (m.in. Kotlina Katmandu). Najniższy stopień tworzą góry Śiwalik (wys. 900–1200 m), pocięte głębokimi dolinami licznych rzek. Małe H. i góry Śiwalik są zbud. z osadowych i magmowych skał mezozoicznych i trzeciorzędowych.

Klimat. H. stanowią granicę między strefą klimatów zwrotnikowych na pd. (klimat zwrotnikowy monsunowy, dość wilgotny) i podzwrotnikowych na pn. (klimat górski, chłodny i suchy). W związku ze znacznym wzniesieniem silnie wykształcona piętrowość klimatu. Na przedgórzach średnia temp. w styczniu ok. 10°C, w lipcu

ok. 25°C, na wys. 2000 m odpowiednio 6°C i 18°C, na wys. 4500 m w ciągu całego roku poniżej 0°C. Opady w H., związane z letnim monsunem, przypadają na lato (od maja do października); roczna suma opadów na pd. stokach we wsch. części 2000–3000 mm i więcej, w zach. — ok. 1000 mm, na stokach pn. (osłoniętych przed wpływem monsunu) 100–250 mm.

Stosunki wodne. H. są odwadniane ku pd.; wielkie rz.: Indus, Satledź (dopływ Indusu), Brahmaputra wypływają po pn. stronie Wysokich H. i początkowo płyną równolegle do gł. grzbietu, a następnie skręcają na pd. i przecinają H., tworząc głębokie, przełomowe doliny; w Wysokich H. ma źródła Ganges; na licznych dopływach Indusu, Gangesu (Ghaghra, Gandak, Kosi) i Brahmaputry — progi i wodospady; duże wahania stanu wód: wysoki w lecie, związany z deszczami monsunowymi i topnieniem lodowców, niski — w zimie. Nieliczne jeziora, największe Wular w Kotlinie Kaszmirskiej. H. są silnie zlodowacone; granica wiecznego śniegu na pn. stokach H. przebiega na wys. 5700–6100 m (podnosi się z zach. na wsch.), na pd. — obniża się do 4500–5000 m; liczne lodowce (największe w masywach Mount Everest i K'angcz'endzónga) o łącznej pow. ok. 33 tys. km². Powszechne ślady zlodowacenia plejstoceńskiego (doliny U-kształtne, moreny) o zasięgu znacznie większym niż współczesne.

Świat roślinny. H. leżą na granicy 2 państw roślinnych (Paleotropis i Holarctis) i odznaczają się wielkim zróżnicowaniem roślinności. W niższych rejonach stoków pd. występują od strony wsch. wilgotne lasy tropik. (z udziałem palm, figowców i bambusów), przechodząc ku zach. w formacje bardziej suche: lasy zrzucające okresowo liście, lasy twardolistne (z akacją i oliwką), lasostepy i stepy Pendżabu oraz pustynie (w dolinie Indusu); wyższe piętra roślinności tworzą lasy mieszane i iglaste (miejscami z udziałem

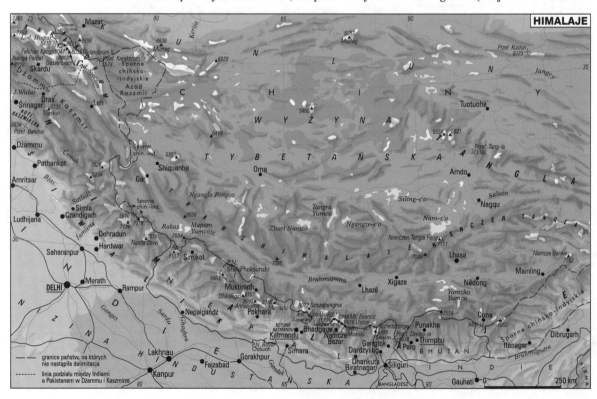

cedrów), subalp. zarośla (m.in. różaneczników) i alp. łąki, sięgające po wieczne śniegi. Na stokach pn. rozciągają się rozległe stepy. Układ i zasięg pięter roślinności jest w poszczególnych częściach H. różny (górna granica lasu na wys. od 2250 m na zach. do ponad 4000 m na wsch.); roślinność naturalna (zwł. leśna) silnie zniszczona pod wpływem działalności gosp. człowieka.

Świat zwierzęcy. H. tworzą granicę między 2 krainami zoogeogr.: paleark. i orientalną. W niższych piętrach pd. strony H. ze ssaków występują: słoń indyjski, niedźwiedź himalajski, panda mała, lampart, wiele gat. małp; z ptaków: kur bankiwa, bażanty. W piętrze wysokogórskim oraz na stokach pn. żyją: himalajska odmiana niedźwiedzia brun., irbis, wiele gat. gryzoni, z pustorożców: tar, argali i jak.

Bogactwa miner.: rudy miedzi i chromu, złoto, szafiry. Ludność zamieszkuje gł. urodzajne doliny i kotliny (zwł. kotliny Katmandu i Kaszmirską) oraz pd. pogórze i góry Śiwalik; w niższych częściach dolin uprawa ryżu, herbaty, owoców cytrusowych, w wyższych (ponad 2500 m) — pszenicy, ziemniaków, warzyw; hodowla bydła (jaków), owiec i kóz. H. są trudno dostępne (przełęcze na wys. ok. 5000 m); gł. szlaki komunik. przechodzą doliną rz. Dras z pd. Kaszmiru do doliny górnego Indusu (Śrinagar–Leh) oraz przez przełęcze Dżelep-la (4386 m) i Tang-la (5481 m) z Sikkimu do doliny Brahmaputry (Gangtok–Xigaze). W Wysokich H. Park Nar. Sagarmatha, w górach Śiwalik — Park Nar. Royal Chitwan, wpisane na Listę Świat. Dziedzictwa Kult. i Przyr. UNESCO.

Większość szczytów w H. już zdobyto; pomiary szczytów prowadzono od 1. poł. XIX w., a oficerowie Survey of India wchodzili powyżej 6000 m; wysokie przełęcze forsowały tysięczne rzesze pielgrzymów. Początki alpinizmu (dziś zw. tu himalaizmem) sięgają poł. XIX w.; pierwszy 7-tysięcznik (Trisul, 7120 m) został zdobyty 1907; do 1950 najwyższym zdobytym szczytem była Nanda Dewi, 7816 m (1936); 1950–63 (tzw. złoty okres himalaizmu) — wejścia na wszystkie 8-tysięczne szczyty — od Annapurny (Francuzi, 1950) do Sziszapangma (Chińczycy, 1963). Największy rozgłos wywołało pierwsze wejście na Mount Everest (29 V 1953) przez wyprawę bryt. (próby od 1921); na szczycie stanęli E. Hillary i N. Tenzing; jednocześnie trwała penetracja niższych partii — do najtrudniejszych zdobyczy należały: Amai Dablang 6856 m (1961), Dżannu

Himalaje. Park Narodowy Sagarmatha, górna część piętra lasów iglastych (wys. ok. 3800 m)

Himalaje. Wieś Namcze Bazar (Nepal)

7710 m (1962), Dhaulagiri IV 7661 m (1975), Changabang 6864 m (1976), Gauriśankar 7144 m (1979). Duże partie H. pozostawały wówczas zamknięte z przyczyn polit.; V 1970 wyprawa bryt. pokonała pd. ścianę Annapurny, inicjując himalaizm sport., czyli zdobywanie największych urwisk himalajskich. 17 II 1980 wyprawa pol., wejściem na Mount Everest, zapoczątkowała himalaizm zimowy i 3. sezon wyprawowy. Debiutem pol. w H. było (1939) pierwsze wejście na trudną Nanda Dewi Wsch. (7434 m); wybitnych pierwszych wejść na szczyty dokonały wyprawy Pol. Klubu Górskiego: 1974 na K'angbacz'en (7902 m), 1978 na dziewicze K'angcz'endzöngi — Pd. i Środk. (obie po ok. 8500 m), należące do 7 najwyższych gór świata; z 7 nepalskich 8-tysięczników zdobytych zimą, na wszystkie pierwsi weszli Polacy. ■

Himalaje, Małe, ang. **Lesser Himalaya,** część Himalajów, na terytorium Nepalu i Indii; jeden z 2 stopni pośrednich między Wysokimi Himalajami na pn. i Niz. Hindustańską na pd.; szer. 20–100 km, wys. od 2500 m na wsch. do ponad 5000 m na zach., w paśmie Pir Pandźal; składają się z licznych krótkich pasm i masywów rozdzielonych przełomowymi dolinami rzecznymi; na starasowanych stokach uprawa zbóż, herbaty, tytoniu i warzyw.

Himalaje, Wysokie, ang. **Great Himalaya,** pn. i najwyższa część łańcucha Himalajów, w Nepalu, Indiach, Chinach, Pakistanie i Bhutanie; średnia wys. ok. 6000 m, najwyższym szczytem jest Mount → Everest, położony w Himalajach Nepalu, a wys. 8000 m przekracza 9 dalszych

SZCZYTY HIMALAJÓW O WYSOKOŚCI POWYŻEJ 8000 m	
Nazwa	Wysokość (w m)
Mount Everest	8848
K'angcz'endzönga	8586
Lhoce	8516
Makalu	8463
Czo Oju	8201
Dhaulagiri	8167
Manaslu	8163
Nanga Parbat	8126
Annapurna	8091
Sziszapangma	8012

szczytów; składają się z wielu izolowanych masywów i pasm górskich, rozdzielonych głębokimi przełomami rzecznymi i zapadliskowymi obniżeniami; dzielą się na Himalaje: Wsch., Bhutanu, Sikkimu, Nepalu, Garhwalu i Zachodnie.

Hindukusz, afgańskie **Kohı Hindūkuš,** hindi i urdu **Hindūkuś,** ang. **Hindu Kush,** góry w środk. części Azji, w Afganistanie, Pakistanie i Indiach, od zach. graniczą z górami Safed Koh, na wsch. — z wyż. Pamiru, górami Karakorum i Himalajami; dł. ok. 800 km; najwyższy szczyt Tiricz Mir, 7690 m. H. jest jednym z najwyższych łańcuchów górskich powstałych wskutek orogenezy alp. w trzeciorzędzie i na początku czwartorzędu; ruchy wznoszące w H. trwają w nadal. H. ma budowę wachlarzową, fałdy i płaszczowiny obalone są ku pn. i pd.; jest zbud. z paleozoicznych skał magmowych i metamorficznych (gł. granity, gnejsy) oraz z jurajskich, kredowych i trzeciorzędowych skał osadowych (gł. piaskowce i wapienie). H. dzieli się na H. Zachodni (do przełęczy Chawak), H. Środkowy (do przełęczy Chatinza An) i H. Wschodni. W części wsch. wysokogórskie płaskowyże (wys. ok. 4000 m), ponad którymi wznoszą się masywy o rzeźbie alp.; część zach. niższa (przeważają wys. 2500–4000 m); trudno dostępny. Klimat górski w strefie podzwrotnikowej, chłodny i suchy; roczna suma opadów we wsch. części H. ok. 50 mm, w pn.-zach. 400–800 mm, w pd.-wsch. do 1000 mm (wpływ monsunu letniego). H. stanowi dział wodny między dorzeczami Amu-darii i Indusu. Szatę roślinną H. tworzą gł. suche stepy i półpustynie z kolczastymi, poduszkowatymi krzewinkami oraz kserofityczna roślinność wysokogórska; na stokach pn. miejscami lasostep; w bardziej wilgotnej części pd.-wsch. występuje twardolistna roślinność leśna (dęby), a wyżej lasy iglaste z sosną, świerkiem i cedrem himalajskim oraz łąki alp.; granica wiecznego śniegu na wys. ok. 5000 m; liczne lodowce (o łącznej pow. ok. 6200 km^2). Bogactwa miner.: węgiel kam., rudy żelaza i metali nieżelaznych, beryl; w dolinach i kotlinach uprawa zbóż, drzew owocowych, winorośli; przez przełęcz Salang (wys. 3878 m) prowadzi droga samochodowa Kabul–Mazar-i Szarif.
Po II wojnie świat. rozwój alpinizmu, najpierw od strony Pakistanu; 1950 Norweg P. Kvernberg zdobył najwyższy szczyt H. (Tiricz Mir, 7690 m); 1959 wyprawa wł. weszła na Sarghrar (7349 m),

■ Hindukusz. Dolina Band-i Amir (Afganistan)

1969 Hiszpanie — na Istor-o-Nal (7485 m); latem 1960 Polacy i Japończycy dotarli w głąb afgańskiego H., zdobywając najwyższy szczyt tego kraju — Noszak 7492 m (16 VIII Japończycy, 27 VIII Polacy). Inicjatorem i kierownikiem pol. wyprawy był B. Chwaściński, który 1939 budował w Afganistanie drogi. W 1962–79 intensywna eksploracja, najpierw H. Wysokiego, potem całego pasma; 1963–67 wyprawy z krajów alp. (gł. Austrii) zdobyły 10 szczytów 7-tysięcznych. W 1962–83 odbyło się ok. 75 wypraw pol. i wzięło w nich udział ok. 550 osób — pierwsze wejścia na Koh-i Tez (7015 m) i liczne szczyty 6- i 5--tysięczne; powstały nowe trudne drogi, napisano na temat H. prace nauk. (m.in. J. Wala jest świat. sławy ekspertem w dziedzinie topografii H.). W 1977 pol.-ang. wyprawa zapoczątkowała przejścia największych ścian H. (m.in. Koh-i Bandaka 6843 m, Koh-i Mandaras 6628 m). 13 II 1973 T. Piotrowski i A. Zawada zdobyli Noszak (pierwsze na świecie wejście na szczyt 7-tysięczny zimą); inwazja ZSRR, a następnie wojna domowa w Afganistanie (lata 80. i 90. XX w.) przerwały działalność w H., dziś ograniczoną do sporadycznych wypraw w pakistańską część gór.   ■

Hindustańska, Nizina, hindi **Bhārat ke maidān,** nizina w Indiach, Pakistanie i Bangladeszu, między Himalajami a Dekanem; dł. 3000 km, szer. 250–300 km; wys. do 200 m. Powstała na miejscu zapadliskowej cieśniny mor. wypełnionej w trzeciorzędzie i czwartorzędzie osadami rzek himalajskich. Obejmuje niziny Indusu i Gangesu łącznie z deltą Gangesu i Brahmaputry. Klimat zwrotnikowy, na Niz. Indusu suchy i wybitnie suchy, na Niz. Gangesu monsunowy; średnia temp. w lipcu 30–36°C, w styczniu 15–18°C; roczna suma opadów na zach. poniżej 400 mm (na pustyni Thar poniżej 100 mm), w części środk. ok. 700 mm, na wsch. — 1000–2000 mm. Żyzne gleby aluwialne. Roślinność naturalna całkowicie wyniszczona, we wsch. części pozostałości wiecznie zielonych lasów tropikalnych. Gęsta sieć rzek i kanałów nawadniających; częste katastrofalne powodzie spowodowane dużymi opadami w lecie i intensywnym spływem powierzchniowym wód opadowych w pd., pozbawionych lasów, Himalajach. N.H. należy do najgęściej zaludnionych (500–600 mieszk. na km^2) i ważnych regionów roln. na świecie (uprawa zbóż, juty, bawełny, trzciny cukr., herbaty); wydobycie ropy naft., gazu ziemnego, soli kam.; gł. m. Kalkuta, Waranasi, Dakka, Karaczi. N.H. jest jednym z najstarszych ośr. cywilizacji ludzkiej, kolebką 2 wielkich religii: hinduizmu i buddyzmu.

hipocentrum [gr.-łac.], **ognisko trzęsienia ziemi,** punkt we wnętrzu Ziemi, w którym zaczyna się trzęsienie ziemi i z którego najwcześniej rozchodzą się fale sejsmiczne. Położenie h., które określa się podając lokalizację → epicentrum oraz głębokość ogniska, jest wyznaczane na podstawie odczytów czasów przyjścia fal sejsmicznych zarejestrowanych przez sejsmografy.

hipsograficzna krzywa, wykres liniowy w układzie współrz. prostokątnych ilustrujący strukturę wysokościową (i głębokościową) dowolnego obszaru. Na osi pionowej odkłada się wysokości i głębokości w stosunku do przyjętego poziomu morza, na osi poziomej — powierzchnie stref o odpowiednich wysokościach (głębokościach). Krzywa ilustrująca tylko strukturę głębokościową (poniżej poziomu morza lub jeziora) nosi nazwę k r z y w e j b a t y m e t r y c z n e j. K.h. przedstawia syntetycznie ukształtowanie terenu i pozwala na obliczenie m.in. objętości lądów, mórz, jezior. Zob. też krzywa hipsograficzna Ziemi.

hipsometria [gr.], dziedzina geodezji i kartografii, obejmująca pomiary ukształtowania terenu, poprzez wyznaczanie wysokości punktów terenu w stosunku do przyjętego poziomu odniesienia (zwykle poziomu morza), oraz przedstawianie tego ukształtowania w formie graf., przede wszystkim w postaci map poziomicowych, a także profili i wykresów.

■ Hirosima. Widok na Muzeum Pokoju

Hirosima, Hiroshima, m. w Japonii (pd.-zach. Honsiu), nad Wewnętrznym M. Japońskim; 1,1 mln mieszk. (2002); przemysł maszyn., stoczn., chem., samochodowy (Mazda); port handl. i lotn.; węzeł kol. na trasie superekspresu Shinkansen; uniw.; 6 VIII 1945 USA po raz pierwszy użyły broni jądr., zrzucając bombę atom. na H.; zginęło 80 tys. osób, większość miasta uległa zniszczeniu; po wojnie miasto zostało odbud.; Muzeum Pokoju i Park Pokoju poświęcone pamięci ofiar wybuchu bomby atomowej.　■

Hispaniola, wyspa w Ameryce Środk. (Indie Zach.), w Wielkich Antylach, → Haiti.

Hiszpania, España, Królestwo Hiszpańskie, państwo w pd.-zach. Europie, na Płw. Iberyjskim oraz na Balearach i W. Kanaryjskich, nad M. Śródziemnym i O. Atlantyckim; 504,8 tys. km², 41,2 mln mieszk. (2002); stol. Madryt; język urzędowy hiszp., równorzędne: kataloński, galisyjski, baskijski; dziedziczna monarchia parlamentarna; podział adm.: 17 regionów autonomicznych; terytoria zamor.: Ceuta i Melilla (pn. Afryka).

Warunki naturalne

Kraj wyżynno-górski; ok. 2/3 pow. zajmuje Meseta Iberyjska, ograniczona od pn. G. Kantabryjskimi, od pn.-wsch. G. Iberyjskimi, a od pd. górami Sierra Morena; G. Kastylijskie dzielą Mesetę Iberyjską na kotliny Starej i Nowej Kastylii; na pn.-wsch. wznoszą się Pireneje; między Pirenejami a G. Iberyjskimi leży Kotlina Aragońska, oddzielona od M. Śródziemnego G. Katalońskimi; na pd. H. — Niz. Andaluzyjska i G. Betyckie (Mulhacén, 3478 m — najwyższy szczyt H.);

pow. Balearów wyżynna; W. Kanaryjskie górzyste (Pico de Teide, 3718 m — najwyższy szczyt H.), pochodzenia wulkanicznego. Klimat podzwrotnikowy, na wybrzeżach — mor., we wnętrzu Płw. Iberyjskiego — kontynent.; średnia temp. w styczniu poniżej 0°C w Pirenejach, 3–7°C na obszarze Mesety Iberyjskiej, 10–12°C na wybrzeżach H. i na Balearach, 18°C na W. Kanaryjskich; średnia temp. w lipcu do 15°C w Pirenejach, 18–20°C na wybrzeżach pn., 24–27°C na większości obszaru i do 29°C na Niz. Andaluzyjskiej; roczna suma opadów 300–500 mm, na pn.-zach. ponad 1000 mm, w górach do 2000 mm; największa rz. Ebro uchodzi do M. Śródziemnego, inne rz.: Duero, Tag, Gwadiana, Gwadalkiwir — do O. Atlantyckiego; na większości rzek duże wahania stanów wód; rzeki wykorzystywane do sztucznego nawadniania i do celów energetycznych. W pd. i środk. części kraju roślinność śródziemnomor. — zachowane szczątkowo wiecznie zielone lasy z dębem korkowym, oliwką, pinią; zbiorowiska wtórne: zarośla typu makia, na wyżynach suche murawy; w górach wykształcona piętrowość roślinna; lasy (często niszczone przez pożary) zajmują 31% pow. kraju.

Ludność

Państwo wielonarodowościowe: Hiszpanie (73%), Katalończy (16% — Katalonia, pn.-wsch. Walencja i Baleary), Galisyjczycy (pn.-zach. H.), Baskowie (region Baskonii i Nawarry); katolicy (98%); przyrost naturalny wykazuje tendencję spadkową (z 7,5‰–1980 do 1,7‰–1990, 1999 wyniósł 0,2‰); średnia gęstość zaludnienia 79 mieszk. na 1 km²; ludność rozmieszczona nierównomiernie, skupiona na wybrzeżach (prow. Vizcaya 513 osób na 1 km²), zwł. śródziemnomor.; stopniowo wyludnia się wnętrze kraju (prow. Soria 9 osób na 1 km²); maleje emigracja, rośnie imigracja, gł. z Portugalii, Afryki; w miastach 64% mieszk.; największe m.: Madryt, Barcelona, Walencja, Sewilla, Saragossa, Málaga, Bilbao. Struktura zatrudnienia: usługi 61% ludności zawodowo czynnej, przemysł — 30%, rolnictwo — 8%.

Gospodarka

Kraj zaliczany do grupy państw wysoko rozwiniętych; znaczny napływ kapitału zagr. — inwestycje w przemyśle i turystyce; duże dysproporcje regionalne w rozwoju gosp., najwyższy poziom osiągnęły regiony: Madryt, Katalonia, Baleary, najniższy — Estremadura, Kastylia-La Mancha.

■ Hiszpania

■ Hiszpania. Uprawa oliwek w Andaluzji

Bardzo ważną rolę w gospodarce H. odgrywa turystyka (ponad 60 mln osób rocznie, wpływy 26,8 mld dol. USA, 1996); gł. regiony turyst.: wybrzeże M. Śródziemnego (Costa Brava, Costa Dorada, Costa del Sol) i Zat. Biskajskiej, Baleary, W. Kanaryjskie, ponadto Sierra Nevada oraz Madryt, Barcelona, Sewilla, Grenada; H. dysponuje jedną z największych na świecie baz hotelowych. Przemysł środków transportu, maszyn. i metal. dostarcza ok. 30% wartości przemysłu przetwórczego; gł. gałęzie przemysłu: samochodowy (Barcelona, Valladolid), stoczn. (Kadyks, El Ferro, Vigo), chem. (w tym petrochem. — Tarragona, Huelva), hutnictwo żelaza (największa huta w Avilés) i metali nieżelaznych, włók. (zwł. bawełn. skoncentrowany w Katalonii); duże znaczenie ma przemysł spoż. (winiarski, olejarski, rybny, przetwórstwo owocowo-warzywne) rozmieszczony w całym kraju, największe ośr.: Madryt, Barcelona, Walencja; 33% produkowanej energii elektr. pochodzi z elektrowni jądr.; górnictwo ma coraz mniejsze znaczenie (likwidacja nierentownych kopalń); najważniejsze surowce miner.: węgiel kam. (gł. w G. Kantabryjskich), sole potasowe (Katalonia), rudy żelaza (Baskonia), rtęć (Almadén w Sierra Morena), cynk i ołów (Sierra Morena, G. Kantabryjskie). 2/3 użytków roln. stanowią grunty orne i sady; rozpowszechniony system dzierżawy ziemi; latyfundia zajmują ponad połowę powierzchni ogólnej wszystkich gospodarstw i są rozmieszczone gł. na Mesecie Iberyjskiej i w Andaluzji; drobne gospodarstwa (minifundia)

przeważają w pn. części kraju (Galicia, Baskonia); rolnictwo H. specjalizuje się w produkcji roślinnej; wśród upraw trwałych dominują oliwki (2. miejsce w świecie, 1995) w pd. części H., winorośl w Katalonii, Walencji i Andaluzji, drzewa cytrusowe w Murcji i Walencji; największą powierzchnię gruntów ornych zajmują zboża: pszenica, gł. na Mesecie Iberyjskiej, żyto i kukurydza na pn., ryż na pd.; ponadto warzywa, ziemniaki, buraki cukrowe; na pd. zbiór kory z dębu korkowego; na W. Kanaryjskich uprawa bananów i trzciny cukrowej; hodowla owiec (Meseta Iberyjska), bydła (pn. część kraju); rozwinięte rybołówstwo mor. (gł. tuńczyki i sardynki); gł. porty rybackie: Vigo, La Coruña, Huelva. Transport samochodowy, kol. (w tym linia szybkiej kolei AVE Madryt–Sewilla), lotn. (30 międzynar. portów lotn.); gł. porty mor.: Bilbao, Barcelona, Algeciras–La Línea, Tarragona; eksport maszyn, środków transportu, artykułów spoż., owoców cytrusowych; import urządzeń i sprzętu transportowego, paliw; handel gł. z Francją, Niemcami, Włochami, W. Brytanią.

Hiuma, Hiiumaa, wyspa na M. Bałtyckim, na pd. od wejścia do Zat. Fińskiej; wchodzi w skład Estonii; pow. 965 km²; zbud. gł. z wapieni; powierzchnia nizinna (do 54 m); lasy sosnowe; rybołówstwo, hodowla bydła; gł. m. Kärdla.

Ho Chi Minh, Ho Szi Min, Miasto Ho Chi Minha, do 1976 **Sajgon,** m. w pd. Wietnamie, nad rz. Sajgon, w pobliżu jej ujścia do M. Południowochińskiego; największe miasto w kraju — 3,3 mln mieszk., zespół miejski 5,7 mln (2002);

obszar gł. inwestycji zagr. w Wietnamie; przemysł włók. i odzież., elektron., samochodowy (montownie); rzemiosło (wyroby ze złota, laki); port handl.; 2 uniw., Inst. Indochiń.; 1954–75 stol. Wietnamu Południowego.

Hokkaido, Hokkaidō, do 1869 **Ezo (Jezo),** druga pod względem wielkości wyspa Japonii, najdalej na pn. wysunięta w archipelagu W. Japońskich; administracyjnie ma status okręgu specjalnego; stanowi też oddzielny region ekon.-administracyjny H. ze stolicą w Sapporo; pow. 78,5 tys. km^2; stosunkowo słabo zaludniona, ok. 1/4 ludności skupia się w Sapporo. Powierzchnia w większej części górzysta (najwyższe szczyty to wulkany: Asahi-dake, 2290 m, Tokachi-dake, 2077 m); wzdłuż wybrzeża niziny; klimat umiarkowany ciepły, odmiana monsunowa; znaczne spadki temperatury (do –10° w styczniu) w półroczu zimowym, spowodowane wpływem zimowego prądu Oja Siwo; największe opady (gł. śnieżne) w zimie; rzeki krótkie (najdłuższa — Ishikari), zasobne w wodę; liczne jeziora lagunowe (największe — Saroma); ok. 70% pow. pokrywają lasy (gł. iglaste). Parki narodowe. Użytki rolne stanowią ok. 15% pow.; uprawa ryżu, jęczmienia, ziemniaków, roślin paszowych; hodowla bydła i owiec; wydobycie węgla kam. (ok. 60% wydobycia krajowego), rud żelaza, manganu, chromu, rtęci, siarki oraz złota; rozwinięty zwł. przemysł drzewny, papierniczy, piwowarski, rybny; przemysł ciężki reprezentuje huta żelaza w m. Muroran oraz stocznie w Hakodate i Muroran; dużą rolę odgrywa rybołówstwo; region o znaczeniu turyst., skansen w Sapporo; 1985 oddano do użytku najdłuższy w świecie podmor. tunel kol. Seikan, łączący H. z wyspą Honsiu; gł. m. i ośrodki gosp.: Sapporo (także ośr. nauki i kultury), Asahikawa, Hakodate.

Holandia, Nederland, **Królestwo Holandii,** państwo w Europie Zach., nad M. Północnym; 41,5 tys. km^2; 16,2 mln mieszk. (2002), Holendrzy (96%), Fryzowie; katolicy, protestanci; stol. konst. Amsterdam, siedziba rządu Haga; język urzędowy niderlandzki; monarchia konstytucyjna. 60% pow. to płaskie niziny i depresje (do 5 m p.p.m.), powstałe w wyniku osuszania jezior i zatok mor.; od 1932 osuszanie zbiornika IJsselmeer, od 1958 ujść Renu, Skaldy i Mozy, odgrodzonych tamami od M. Północnego; na pd. wapienne wysoczyzny; liczne przybrzeżne

■ Holandia. Krajobraz rolniczy Fryzji

wyspy (największa Walcheren), połączone groblami z lądem; klimat umiarkowany ciepły mor.; resztki lasów sosnowo-dębowych, torfowiska; żyzne gleby na polderach. Kraj wysoko rozwinięty; przemysł maszyn. (urządzenia hydrotechn.), elektron. (aparatura med., komputery, sprzęt radiowo-telew. wytwarzane w zakładach koncernu Philips), rafineryjny (największy w świecie kompleks rafinerii ropy naft. w Rotterdamie), chem., spoż. (sery: gouda, edamski); wydobycie gazu ziemnego; intensywna hodowla bydła i trzody chlewnej, uprawa zbóż, buraków cukrowych, na polderach — kwiatów; transport samochodowy, żegluga śródlądowa (5 tys. km kanałów i uregulowanych rzek); gł. porty mor.: Rotterdam (największy w świecie), Amsterdam. ■

Hölloch, jaskinia krasowa w Szwajcarii, w Alpach Glarneńskich, w dolinie rz. Muota, ok. 12 km na pd.-wsch. od Schwyz, w jednym z największych obszarów krasu alp.; jedna z najdłuższych jaskiń świata, 2. w Europie (po Jaskini Optymistycznej); dł. 175 km, deniwelacja 941 m (1999), rozciągłość ponad 5,6 km; utworzona w wapieniach kredy; 3 otwory: dolny (gł.) na wys. 734 m, górne — ok. 1250 m; bardzo rozbudowana, wielopoziomowa sieć korytarzy i studni; wielkie komory: Schwarzer Dom (dł. 106 m, szer. 66 m, wys. 75 m) i Hundertausend Blöcke (dł. 200 m, szer. 45 m, wys. 30 m); odwadniana przez wywierzysko Schleichender Brünnen; przy wysokich stanach woda wypełnia kilkadziesiąt km jaskini i podnosi się o ok. 180 m (największe na świecie spiętrzanie poziomu wody znane w jaskiniach); pierwsze badania 1875; systematyczna eksploracja od 1948.

■ Holandia

Hollywood [họlyᵘud], dzielnica m. Los Angeles w USA (Kalifornia); od ok. 1910 ośr. produkcji filmów; centrum amer. przemysłu film., rozgłośni radiowych i telew.; znane wytwórnie film. (m.in. Metro-Goldwyn-Mayer), słynne kina, teatry; redakcje czasopism branżowych i in.; sala teatralna i muszla koncertowa wg projektu F.L. Wrighta.

holocen [gr.], młodsza epoka czwartorzędu, obejmująca polodowcowy, współcz. etap historii Ziemi; rozpoczął się ok. 10 tys. lat temu; także nazwa jednostki stratygraficznej (oddziału) obejmującej powstałe w tym czasie kompleksy skalne.

Homat Bürnü düdenleri-Yedi Miyariar, System Kembos, najdłuższy w świecie podziemny przepływ krasowy, w pd.-zach. Turcji, w Taurusie Zach., między jez. Beyşehir a doliną rz. Manavgat; dł. 75 km (w lini prostej); deniwelacja ok. 750 m; utworzony w wapieniach górnokredowych; zaczyna się przy pd.-zach. brzegu jez. Beyşehir, w jaskiniowym ponorze Homat Bürnü düdenleri (o chłonności 10 m³/s, na wys. ok. 1120 m), przebiega pod górami Dedegöl i poljem Kembos, a kończy wypływem Yedi Miyariar (ponad 8 m³/s) w dnie dolnego odcinka kanionu rz. Manavgat; w kanionie jaskinia Altinbesik (dł. 5,7 km).

Homole, wąwóz w Małych Pieninach; ciągnie się od Jaworek (część Szczawnicy) na pd. w kierunku najwyższego szczytu Pienin — Wysokiej (Wysokich Skałek), 1050 m; wyżłobiony w wapieniach przez potok Kamionka, tworzący malownicze kaskady; wąwóz ma początkowo kształt litery V, ściany strome, wysokie (ok. 120 m), porośnięte naskalną roślinnością o charakterze pierwotnym; w górnej części osuwiskowe rumowisko skalne złożone z dużych bloków wapienia, porośniętych lasem świerkowym (osuwisko przypomina Wantule w Tatrach), powyżej wąwóz rozszerza się i rozgałęzia na 2 ramiona: pd., zw. Dolina, z potokiem Kamionka (prowadzi tędy znakowany szlak turyst. na Wysoką), i pd.--zach., zw. Koniowiec. Wąwóz jest rezerwatem krajobrazowym.

Honduras, Republika Hondurasu, państwo w Ameryce Centr., nad M. Karaibskim i O. Spokojnym; 112,1 tys. km²; 6,4 mln mieszk. (2002), Metysi, Indianie; katolicy; stol.: Tegucigalpa; język urzędowy hiszp.; republika. Kordyliery, wys. do 2865 m (Las Minas); wulkany; na pn. Wybrzeże Moskitów; klimat równikowy wilgotny; lasy równikowe. Podstawą gospodarki jest rolnictwo plantacyjne; uprawa trzciny cukrowej, bananów, kawowca, zbóż; hodowla bydła; rybołówstwo; zasoby srebra, rud cynku, ołowiu; przemysł cukr., drzewny; obsługa turystów; Droga Panamer.; gł. porty mor.: Puerto Cortés nad M. Karaibskim, Amapala nad O. Spokojnym. ∎

Hongkong, chiń. **Xianggang, Specjalny Region Administracyjny ChRL Hongkong,** terytorium autonomiczne w pd.-wsch. Chinach, nad M. Południowochińskim; obejmuje wyspę Hongkong, płw. Koulun i przybrzeżne wyspy; 1,1 tys. km², 7,4 mln mieszk. (2002, zespół miejski H., dawniej Victoria–Koulun); b. gęsto zaludniony —

■ Hongkong. Widok ogólny

ponad 6200 mieszk. na 1 km²; podstawą gospodarki jest przemysł przetwórczy (zwł. odzież., bawełn., elektron., precyzyjny, chem., zabawkarski) i handel; 2. po Singapurze port (wolnocłowy) w pd.-wsch. Azji (przeładunek 117 mln t, 1999) z wielkimi terminalami kontenerowymi; ośr. handl.-finansowy o międzynar. znaczeniu — jedna z największych azjat. giełd papierów wartościowych, banki zagr. i chiń.; węzeł komunikacji lotn. (obsługuje ok. 20 mln pasażerów rocznie); turystyka zagr.; intensywna uprawa ryżu, warzyw, drzew owocowych; hodowla drobiu; rybołówstwo; wymiana handl. stanowi ok. 3,5% obrotów międzynar.; świat. eksporter odzieży, wyrobów włók., zabawek, sprzętu elektron., zegarków. ∎

Honolulu, m. w USA, stol. stanu Hawaje, na wyspie Oahu; 371 tys. mieszk. (2002), zespół miejski 874 tys. (1994); słynny ośr. turyst.--wypoczynkowy, kąpielisko z plażą Waikiki; przetwórstwo owoców, przemysł petrochem., stoczn., odzież.; transpacyficzny port lotniczy i morski; uniw.; ogrody, parki, akwarium; Iolali Palace (dawna rezydencja monarchów hawajskich, XIX w.); w pobliżu port woj. Pearl Harbor (gł. baza Floty Pacyfiku). ∎

■ Honolulu

■ Honduras

Honsiu, Honshū, dawniej **Hondo,** największa wyspa Japonii; pow. 231,1 tys. km². Większą część powierzchni zajmują góry i wyżyny (najwyższy szczyt wulkan Fudżi, 3776 m); wzdłuż wybrzeża i w dolinach rzek niziny (największa Kantō); linia brzegowa H. silnie rozwinięta; częste trzęsienia ziemi i wybuchy wulkanów; klimat monsunowy, na pn. umiarkowany ciepły, na pozostałym obszarze podzwrotnikowy mor.; częste tajfuny; rzeki krótkie, zasobne w wodę (najdłuższe: Shinano, Tone); największe jez. — Biwa; ponad 66% pow. pokrywają lasy (gł. liściaste). H. jest najgęściej zaludnioną i najlepiej rozwiniętą pod względem gosp. częścią Japonii; na wyspie wyróżnia się 5 regionów ekon.-adm.: Tohoku (gł. ośr. Sendai), Kantō (Tokio), Chūbu (Nagoja), Kinki (konurbacja Osaka–Kōbe–Kioto), Chūgoku (Hirosima); największa koncentracja ludności i przemysłu występuje wzdłuż pd. części wyspy, od niz. Kantō po pn. wybrzeże wyspy Kiusiu (→ Megalopolis Nippon); w obrębie pd. pasa H. główne okręgi przemysłowe J.: Keihin, Hanshin, Chūkyō, Kitakiusiu i in.; największe ośr. przem. są połączone nowocz. systemem komunik. (m.in. system → Shinkansen); łączność H. z sąsiednimi wyspami umożliwiają linie promowe, mosty kol.--drogowe, tunele podmor. — z Hokkaido najdłuższy na świecie podmor. tunel kol. Seikan; gł. aglomeracje miejsko-przem.: Tokio, Jokohama, Osaka, Nagoja, Kioto, gł. port Kōbe — największy w Japonii, jeden z większych w świecie; liczne zabytki architektury, muzea.

Horn [orn], **Cabo de Hornos,** skalisty przyl. na wyspie Horn, w archipelagu Ziemi Ognistej (Chile), najdalej na pd. wysunięty punkt Ameryki Pd.: 55°59′S, 67°16′W. Linia biegnąca od przyl. Horn do Płw. Antarktycznego oddziela umownie O. Atlantycki od O. Spokojnego.

Hortobágy [hǫrtoba:di], dawniej zasolony step (tzw. puszta) na Węgrzech, na wsch. od Cisy (powstał w wyniku wyrębu lasów); dzięki melioracji region roln. (uprawa ryżu, kukurydzy, pszenicy, hodowla); wprowadzono również sztuczne zalesienia; na zach. od Debreczyna resztka stepu kostrzewowo-ostnicowego (od 1973 park nar., pow. 52 tys. ha).

Hotan He, dawniej **Chotan-daria,** rz. w zach. Chinach, w Kotlinie Kaszgarskiej, pr. dopływ Tarymu; powstaje z połączenia rz. Karakax He (źródła w Karakorum) i Jurungkax He (źródła w Kunlunie); dł. ok. 1100 km; w dolnym biegu płynie przez pustynię Takla Makan; do Tarymu uchodzi tylko w porze letniej.

Houston [hjų:stǝn], m. w USA (Teksas), nad Zat. Meksykańską; 2 mln mieszk. (2002), zespół miejski 3,7 mln, region metropolitalny H.–Galveston–Brazoria 4,1 mln (1994); gł. port handl. USA (przeładunki 87 mln t, 1992); przemysł rafineryjny, chem., maszyn., metal., elektron.; wielki węzeł komunik.; uniw., zespół wyższych szkół med. (i szpitali); ośr. kontroli lotów kosmicznych.

Howerla, Howerła, najwyższy szczyt Beskidów i Ukrainy, w pasmie Czarnohory; wys. 2061 m.

Hrubieszów, m. powiatowe w woj. lubel., nad Huczwą; 20,1 tys. mieszk. (2000); ośr. usługowy i oświat. regionu roln.; drobne zakłady przetwórstwa rolno-spoż. i drzewnego; węzeł drogowy, stacja graniczna na szerokotorowej linii hutn.--siarkowej z bazą przeładunkową; Muzeum im. S. Staszica, galeria; prawa miejskie od 1400; 1801 H. zakupił S. Staszic; Muzeum im. S. Staszica; zespół klasztorny Dominikanów (XVIII w.), cerkiew, ob. kościół (XVIII–XIX w.), dwór (XVIII w.), dworki podmiejskie i domy (XVIII, XIX w.), cerkiew (XIX w.).

Huang He, Huang-ho, Żółta Rzeka, tybet. **Ma-cz'u,** rz. w Chinach; dł. 5464 km, pow. dorzecza 752,4 tys. km²; źródła w Tybecie, w górach Bayan Har Shan, na wys. 4500 m; w górnym biegu płynie licznymi przełomami, w głębokiej i wąskiej (miejscami do 50–100 m) dolinie, przez Wyż. Tybetańską; w biegu środk., na Wyż. Lessowej, spływające wody opadowe i dopływy dostarczają do H.H. olbrzymie ilości pyłu, co powoduje zmianę zabarwienia wód H.H. na kolor żółty; w dolnym biegu, na Niz. Chińskiej, płynie korytem położonym 3–10 m powyżej poziomu niziny; przy ujściu do zat. Bo Hai (M. Żółte) dzieli się na 3 gł. ramiona i tworzy deltę narastającą rocz-

■ Rzeka Huang He w okolicach Bingling

nie ok. 290 m (pow. delty ok. 2,5 tys. km²); gł. dopływy: Tao He, Wei He, Luo He (pr.), Fen He (l.); duże wahania stanu wód, od 4–5 m na nizinie do 10–20 w odcinkach przełomowych; najwyższy stan wód w lipcu–sierpniu (związany z opadami monsunowymi), najniższy w styczniu–lutym; średni roczny przepływ przy ujściu 1500 m³/s, maks. 22 000 m³/s; częste katastrofalne powodzie spowodowane obfitymi opadami letnimi i zamulaniem koryta rzeki (H.H. transportuje rocznie ok. 1380 mln t zawiesiny, do 34 kg w 1 m³); wielokrotne zmiany biegu, w ciągu ostatnich 4000 lat zanotowano 7 wielkich zmian koryta: H.H. łączyła się z rz. Huai He na pd. i Hai He na pn.; wykorzystywana do nawadniania; liczne elektrownie wodne: w wąwozie Sanmenxia 3 elektrownie, w pobliżu m. Lanzhou elektrownia o mocy 1225 MW; połączona Wielkim Kanałem z Jangcy; gł. m. nad H.H.: Lanzhou, Baotou, Zhengzhou, Kaifeng, Jinan; w delcie H.H. wydobycie ropy naft. (ok. 30 mln t rocznie). ■

Huang-ho, rz. w Chinach, → Huang He.

■ Masyw wulkaniczny Huascaran

Huascarán [uaskaran], **Nevado Huascarán,** masyw wulk. w Kordylierze Białej (Kordyliera Zach.), w Andach Pn., najwyższy szczyt Peru, wys. 6768 m (wierzchołek pd.); wieczne śniegi; lodowce; zdobyty 1932; 1971 zdobyty przez wyprawę pol. zorganizowaną z okazji 50. rocznicy III powstania śląskiego, następne pol. wyprawy 1973, 1975; 1962 olbrzymia lawina z Huascarán spowodowała zniszczenie wsi Ranrahirca (zginęło ok. 3000 osób). ■

Huautla [ᵘautla], **Sistema Huautla,** najgłębsza jaskinia krasowa Ameryki, w pd. Meksyku (stan Oaxaca), w pd. części gór Sierra Madre Wsch., w pasmie Sierra Mazateca; głęb. 1475 m, dł. 56,7 km (1999); 15 otworów, gł. na wys. 1750–2237 m; 3 kaskadowe ciągi korytarzy (szer. do 100 m, wys. do 30 m) i studni łączące się na głęb. ok. 1000 m, podziemne rzeki, syfony (dł. do 500 m); woda z jaskini wypływa wywierzyskiem położonym 7 km dalej i ok. 185 m niżej w kanionie rz. Santo Domingo; eksplorowana przez grotołazów amer. od 1965.

Hudson [hadsn], rz. w USA, w stanach Nowy Jork i New Jersey; dł. 492 km, pow. dorzecza ok. 35 tys. km²; wypływa z obszaru wyżynno--górskiego Adirondack, w pobliżu szczytu Marcy; uchodzi do zat. Upper New York Bay (O. Atlantycki); gł. dopływ — Mohawk (pr.); połączona z Wielkimi Jeziorami systemem kanałów New York State Barge Canal oraz z dorzeczem Rz. Św. Wawrzyńca przez Champlain Canal; elektrownie wodne; żegl. od m. Troy, stanowi ważną drogę wodną; największy port rzeczny — Albany, przy ujściu — Nowy Jork.

Hudsona, Cieśnina [c. had~], ang. **Hudson Strait,** franc. **Détroit d'Hudson,** cieśnina na O. Arktycznym, u pn.-wsch. wybrzeży Kanady, między płw. Labrador a Ziemią Baffina; łączy Zat. Hudsona z O. Atlantyckim (M. Labradorskie); pow. 197 tys. km², z zat. Ungava (u wybrzeży płw. Labrador); dł. ok. 800 km, szer. 115–250 km, głębokość na torze wodnym 115–407 m; przez 8 mies. w roku zajęta przez dryfujące lody; wys. pływów 7,4–12,4 m.

Hudsona, Zatoka [z. had~], ang. **Hudson Bay,** franc. **Baie d'Hudson,** zatoka O. Arktycz-

nego, u pn.-wsch. wybrzeży Kanady, wcinająca się daleko w głąb lądu Ameryki Pn.; przez Cieśn. Hudsona łączy się z O. Atlantyckim (M. Labradorskie), przez zat. Basen Foxe'a — z cieśninami w Archipelagu Arktycznym; na pd. tworzy drugorzędną Zat. Jamesa; pow. 848 tys. km², głęb. do 301 m; wys. pływów 5–8 m; do Zatoki Hudsona uchodzą liczne rzeki, m.in. Churchill, Nelson, Winisk, Albany; gł. porty: Churchill, Port Nelson.

Hudsońska, Nizina [n. had~], ang. **Hudson Bay Lowlands,** franc. **Basses-Terres,** nizina w Kanadzie, nad Zat. Hudsona, między rz. Churchill a Zat. Jamesa; dł. ok. 1200 km, szer. do 300 km; położona w obrębie prekambryjskiej tarczy kanad., pokryta młodszymi osadami (gł. czwartorzędowymi); klimat na pd. umiarkowany chłodny, wybitnie kontynent., na pn. subpolarny; gł. rz.: Churchill, Nelson, Severn, Albany; liczne jeziora polodowcowe, rozległe obszary bagniste; na pd. lasy iglaste przechodzące ku pn. w tundrę; większa część Niziny Hudsońskiej bezludna, słabo zagospodarowana; gł. m.: Fort Albany, Fort Severn, Churchill.

Humboldta, Prąd, zimny prąd mor. na O. Spokojnym, → Peruwiański, Prąd.

huragan [hiszp.], niezwykle gwałtowny, porywisty wiatr o średniej prędkości 120 i więcej km/h; h. nazywane są też → cyklony tropikalne w rejonie M. Karaibskiego.

Huron [hju̯ərən], ang. **Lake Huron,** franc. **Lac Huron,** jez. tektoniczno-polodowcowe w Kanadzie i USA, na wys. 177 m; drugie pod względem wielkości wśród Wielkich Jezior (po Jez. Górnym); pow. 59,6 tys. km², głęb. do 228 m (kryptodepresja); silnie rozwinięta linia brzegowa; w pn.-wsch. części H. 2 duże zat.: Georgian Bay i North Channel; ok. 3 tys. wysp (największa Manitoulin); łączy się z Jez. Górnym poprzez rz. Saint Marys, z jez. Michigan — przez cieśn. Mackinac, z jez. Erie — przez rz. i jez. Saint Clair oraz rz. Detroit; część systemu Drogi Wodnej Św. Wawrzyńca; żegluga od kwietnia do grudnia; porty nad H.: Bay City, Port H., Sarnia.

Hvannadalshnúkur [kwątnada:lsknu:kür], wulkan w Islandii; wznosi się ponad pd. skrajem lodowca Vatnajökull; wys. 2119 m (najwyższy szczyt Islandii).

hydrografia [gr.], dział geografii fiz. traktujący wody jako element środowiska geogr.; w procesie rozwoju nauk fizycznogeograficznych h. stała się odrębną nauką (→ hydrologia); obecnie przedmiotem jej badań jest rejestracja wód na Ziemi (kartowanie i mapy hydrograf.); nazwa h. jest stosowana także na określenie wojsk. służby mor. (Biuro Hydrograf. Marynarki Wojennej) w odniesieniu do opracowywanych przez nią tzw. locji na potrzeby żeglugi morskiej.

hydrologia [gr.], nauka o wodach występujących w przyrodzie. Stanowi gałąź geofizyki, a także jest jedną z nauk fizycznogeogr., zw. dawniej hydrografią. W szerokim ujęciu przedmiotem jej badań jest hydrosfera, przyjęto jednak traktować h. jako naukę o wodach lądowych (h. kontynentalna), morza i oceany są bowiem przedmiotem oceanologii; także wilgoć atmosf. jest przedmiotem badań hydrometeorologii, stanowiącej dział → meteorologii (fizyki atmosfery).

Przedmiot i metody badań. Głównym przedmiotem badań h. jest krążenie wody w przyrodzie, z uwzględnieniem jej właściwości fiz. i chemicznych. Podstawą systemu hydrograficznego jest → zlewnia. Pojęcie zlewni, gdy obejmuje ona cały system rzeczny, tj. rzekę gł. i jej dopływy, jest równoznaczne z pojęciem → dorzecza. Zespół dorzeczy odprowadzający wodę do jednego morza stanowi → zlewisko tego morza. Granicą zlewni jest → dział wodny. Wody powierzchniowe stanowią obiekty hydrograficzne. Rozróżniamy obiekty: punktowe — naturalne wypływy wód podziemnych → źródła, → młaki, wycieki i wysięki; liniowe — sieć rzeczna: cieki naturalne (strugi, potoki, rzeki) oraz cieki sztuczne (rowy i kanały otwarte); obszarowe — wody stojące naturalne (stawy naturalne, sadzawki, jeziora), mokradła, a także lodowce, oraz sztuczne (stawy, osadniki, zbiorniki retencyjne). Ważnym elementem hydrosfery są wody podziemne — przedmiot badań hydrogeologii, będącej działem geologii. Wyróżnia się tu wody podziemne głębokie, zgromadzone zwykle w tzw. nieckach hydrogeol., oraz wody podziemne płytkie, zasilające wody powierzchniowe, tj. biorące udział w obiegu wody w zlewni. Obieg wody na kuli ziemskiej stanowi zamknięty cykl hydrologiczny, który można wyrazić za pomocą równania tzn. bilansu wodnego (zlewni, dorzecza, regionu). Bilans wodny globu ziemskiego charakteryzuje równowaga między parowaniem wody a opadem atmosf.; średnio w obiegu rocznym na globie ziemskim bierze udział ok. 577 tys. km^3 wody. Współczesna h. rozpatruje obieg wody jako system hydrologiczny (system obiegu wody) opisany za pomocą modelu hydrologicznego, w którym poszczególne procesy obiegu wody są wyrażone przez funkcje matematyczne. Modelowanie mat. przyczyniło się do lepszego poznania skomplikowanych procesów hydrologicznych. W rozwoju h. nader ważne znaczenie ma państw. służba hydrologiczna, która dysponuje siecią posterunków i stacji, prowadzących systematyczne obserwacje i pomiary elementów hydrologicznych ustroju wodnego, opracowuje i publikuje ich wyniki oraz opracowania-monografie zjawisk i procesów hydrologicznych. Na szczególne wyróżnienie zasługuje służba prognoz, a także opinii i ekspertyz hydrologicznych. Zmienność wielkości i rodzajów opadów atmosferycznych wywołuje zjawiska ekstremalne w postaci susz wywołanych długotrwałym okresem bezopadowym lub powodzi, będących wynikiem intensywnego zasilania rzek (wysokim poziomem wody); mówimy wówczas o losowości zjawisk hydrologicznych. Wielkość tych zjawisk określa prawdopodobieństwo ich pojawiania się (w %); dotyczy to przede wszystkim przepływu rzecznego, np. 1% prawdopodobieństwo pojawiania się wielkiej lub małej wody, oznacza wodę pojawiającą się raz na 100 lat (tzw. 100-letnia wielka lub mała woda). Znajomość zjawisk katastrofalnych jest niezbędna do należytego prowadzenia ochrony przed nimi; ich prognoza jest ważnym zadaniem służby hydrologicznej.

Zmienność przepływu rzecznego jest najważniejszym czynnikiem ustroju (reżimu) wodnego; odzwierciedla on wpływ wywierany na obieg wody przez środowisko przyrodnicze. Ustrój wodny jest najczęściej związany z klimatem, zasilaniem rzek i zmiennością przepływu. Rozróżnia się ogólnie: ustroje proste (po jednym w ciągu roku okresie niżówki i wezbrania) oraz ustroje złożone (o dwóch lub więcej okresach niżówkowych i wezbraniowych).

H. współczesna przykłada dużą wagę do badań fiz. i chem. właściwości wód. Wymiana ciepła między wodą a atmosferą oraz wodą a podłożem (brzegami a dnem) kształtuje temperaturę wody (ustrój termiczny wód) oraz zjawiska lodowe w zimie. Ze względu na słabe przewodnictwo ciepła w wodzie kształtowanie temperatury zależy od jej dynamiki, a zatem od stopnia mieszania się wody. W czasie zimy ujemna temperatura powietrza kształtuje ustrój lodowy, charakteryzujący się najpierw pojawieniem śryżu, a następnie lodu brzegowego i częściowego zamarznięcia obiektu (rzeki, jeziora), powstaniem pokrywy lodowej, która w końcu okresu zimowego pęka tworząc krę lodową — zjawisko mogące powodować tzw. zatory lodowe przyczyniające się do wywołania powodzi. Ustrój termiczny jezior kształtuje się pod wpływem konwekcji ciepła w głąb jeziora (w lecie) i ogrzewania coraz głębiej położonych warstw wody; w głębszych jeziorach tworzy się tzw. uwarstwienie termiczne wody. Spływ wody po powierzchni terenu i w glebie, tzw. spływ powierzchniowy i podpowierzchniowy (hypodermiczny) sprzyja wymywaniu cząstek gleby i ruch materiału stałego. Materiał ten dostaje się do rzek i wraz z materiałem będącym wynikiem erozji rzecznej (brzegów i dna) stanowi rumowisko rzeczne.

Działy hydrologii. Wśród podstawowych (naczelnych) nauk w h. wyróżnia się: h. o g ó l n ą (najczęściej występuje w tytułach podręczników tzw. h. kontynentalnej), h. d y n a m i c z n ą zajmującą się opisywaniem zjawisk i procesów hydrologicznych oraz zachodzących między nimi zależności w czasie, h. r e g i o n a l n ą (p o r ó w n a w c z ą) badającą procesy hydrologiczne kształtujące się pod wpływem klimatu i środowiska przyr. w różnych strefach geogr. oraz h. s t o s o w a n ą (i n ż y n i e r s k ą) związaną bezpośrednio z zastosowaniem h. do rozwiązywania zagadnień wodnogospodarczych.

Zależnie od przedmiotu badań (typu obiektu hydrograficznego) wyróżnia się działy: h. r z e k (potamologia) badającą ustrój hydrologiczny rzek, h. j e z i o r (limnologia) badającą ustrój hydrologiczny zbiorników wodnych, h. b a g i e n (paludologia) zajmującą się zjawiskami fiz., ruchem wilgoci i procesem wymiany wody między bagnem a otaczającym środowiskiem, h. l o d u (kriologia), której podmiotem badań jest lód naturalny w hydrosferze, h. l o d o w c ó w (glacjologia) zajmującą się lodem naturalnym na lądach, h. ź r ó d e ł (krenologia) rozpatrującą geol. i geomorfologiczne warunki występowania źródeł, sposoby ich zasilania, skład chem. i termikę wody oraz h. g l e b (pedohydrologia) zajmującą się procesami wilgotnościowymi w glebie.

hydrologiczny rok, okres obejmujący pełen cykl zjawisk wodnych (zimowe gromadzenie się zasobów wody, wiosenny ich odpływ oraz letnie i jesienne wyczerpywanie); stany wód w ciekach i w gruncie są najniższe w okresie rozpoczęcia i zakończenia r.h.; w Polsce r.h. trwa od 1 XI do 31 X; obejmuje półrocze zimowe (1 XI–30 IV) i letnie (1 V–31 X).

hydrometeory [gr.], zjawiska związane z występowaniem w atmosferze ziemskiej ciekłych lub stałych produktów kondensacji pary wodnej (z wyjątkiem chmur), np. opady, osady atmosferyczne.

hydrometria [gr.], dział hydrologii stanowiący jej podstawę empiryczną; przedmiotem h. są obserwacje wszelkich zjawisk hydrolog. (zmiany poziomu wód powierzchniowych i podziemnych oraz form ich zlodzenia), a także pomiary: głębokości obiektów wodnych (np. rzek, jezior), nachylenia zwierciadła wód płynących, prędkości i natężenia przepływu wody, ruchu i ilości materiału stałego wleczonego przez rzeki lub unoszonego z prądem wody (→ rumowisko rzeczne), temperatury i składu chem. wód, opadów i osadów atmosf. oraz parowania z powierzchni wody i gruntu. W ogólnym ujęciu h. obejmuje wszelkie obserwacje i pomiary niezbędne do poznania ustroju hydrolog. obiektów wodnych.

hydrosfera [gr.], wodna powłoka Ziemi przenikająca skorupę ziemską i atmosferę, obejmująca wodę występującą w przyrodzie w stanie stałym, ciekłym i gazowym; h. stanowią: oceany, morza, rzeki, jeziora, bagna, lodowce kontynent. (lądolody), lodowce górskie, pokrywa śnieżna, lód gruntowy, wody podziemne oraz para wodna występująca w atmosferze i skorupie ziemskiej. H. pokrywa 70,8% pow. Ziemi w postaci wód otwartych i 3,0% pow. w postaci lodowców. H. jest w ciągłym ruchu (→ wody krążenie w przyrodzie), cechuje ją stałość zasobów wodnych (ok. 1,3 mld km^3), gromadzi gł. wody słone (wody słodkie stanowią 2,5% objętości h.; 70% wody słodkiej magazynują lodowce). W h. najwcześniej rozwinęło się życie i z niej się wywodzą organizmy lądowe.

hydrotermalne procesy, procesy zachodzące w skorupie ziemskiej pod wpływem roztworów wodnych o temp. 400–1000°C (tzw. roztworów hydrotermalnych), powstałych z przegrzanych par pochodzenia magmowego lub z wód obecnych w skałach rozgrzanych pod wpływem ciepła Ziemi; roztwory te krążą w skałach i wskutek obniżenia się ciśnienia i spadku temperatury oraz reakcji roztworów ze skałami krystalizuje z nich wiele minerałów, skupiających się często w złoża, zw. hydrotermalnymi.

hypolimnion [gr.], dolna, stagnująca warstwa wody w jeziorze, kształtująca się w okresie letniego uwarstwienia termicznego (stratyfikacji); zalega poniżej → metalimnionu; jest najzimniejszą warstwą wód jeziora, o względnie stałej temperaturze, słabo oświetloną, b. różnie natlenioną, często o dużej miąższości.

I

Iberyjski, Półwysep, Półwysep Pirenejski, hiszp. i portug. **Península Ibérica,** największy półwysep Europy Pd., między M. Śródziemnym a O. Atlantyckim; pow. 580 tys. km²; oddzielony Cieśn. Gibraltarską od Afryki; z trzonem lądowym Europy połączony zwężeniem, przeciętym na całej szerokości łańcuchem Pirenejów. Linia brzegowa słabo rozwinięta; wybrzeże pn.-zach. riasowe. 60% pow. zajmuje Meseta Iberyjska od wsch. ograniczona G. Iberyjskimi; na pd. ciągną się G. Betyckie, z najwyższym szczytem P.I. — Mulhacén (3478 m); między Pirenejami a G. Iberyjskimi leży Kotlina Aragońska; wąskie niziny wzdłuż wybrzeży (na zach. Południowoportugalska, na pd. Andaluzyjska). Klimat podzwrotnikowy, w części pn. i pn.-zach. — morski, we wnętrzu — suchy, na pd. i pd.-wsch. wybrzeżu — typu śródziemnomor.; średnia temp. w styczniu od 3–7°C do 10–12°C na pd., w lipcu 18–20°C na pn. i pn.-zach., do 28°C na pn.-wsch.; suma roczna opadów 300–600 mm, na pn. i pn.-zach. 700–1000 mm, w górach do 2000 mm; gł. rz.: Ebro, Duero, Tag, Gwadiana, Gwadalkiwir, Júcar. Roślinność przeważającej części P.I. ma charakter śródziemnomor.; pierwotnie panowały wiecznie zielone lasy twardolistnych dębów, dziś w znacznym stopniu wyniszczone i zastąpione przez wtórne wiecznie zielone zarośla typu makia (matorral); w głębi P.I. są rozpowszechnione zbiorowiska niskich, aromatycznych krzewinek (tomillares), w dorzeczu Ebro — skąpa roślinność trawiasta; w górach śródziemnomor. części P.I. rosną lasy zrzucające liście na zimę: dębowe (z *Quercus pyrenaica*) i kasztanowe (na pn. także bukowe) oraz lasy sosnowe (z *Pinus nigra* subsp. *Salzmannii*); na najwyższych grzbietach występują kolczaste krzewinki poduszkowe; w części pn.-zach. roślinność atlantycka: dąbrowy zrzucające liście na zimę z *Quercus robur*, wrzosowiska (*brezales*) i wtórne łąki. Bogactwa miner.: węgiel, rudy żelaza, cynku, wolframu i rtęci, piryty. Na P.I. leżą: Hiszpania, Portugalia, Gibraltar.

Iberyjskie, Góry, Cordillera Ibérica, **Sistema Ibérico,** góry w Hiszpanii, ograniczają od wsch. Mesetę Iberyjską; wys. do 2313 m (Moncayo); zbud. gł. z wapieni, piaskowców i kwarcytów sfałdowanych w orogenezie alp.; stromo opadają ku Kotlinie Aragońskiej; formy krasowe; stanowią dział wodny między zlewiskami O. Atlantyckiego i M. Śródziemnego; zachowane we fragmentach lasy zrzucające liście na zimę (dębowe, na pn. także bukowe) lub sosnowe; na szczytach roślinność wysokogórska z udziałem krzewinek poduszkowych; wydobycie rud żelaza; przez G.I. przechodzi linia kol. Madryt–Saragossa.

Ibiza, katalońskie **Eivissa,** wyspa w archipelagu Balearów, na M. Śródziemnym, należąca do Hiszpanii; pow. 572 km²; wyżynna, wys. do 475 m; sadownictwo (migdałowce, figowce, oliwki); rybołówstwo; rozwinięta turystyka; gł. m. — Ibiza.

Içá [isą], nazwa dolnego biegu rz. → Putumayo, w Brazylii.

Idaho [ajdəhoᵘ], stan USA w G. Skalistych; 216,4 tys. km², 1,3 mln mieszk. (2002); stol. Boise; uprawa (sztuczne nawadnianie) pszenicy, ziemniaków; sadownictwo; hodowla bydła, owiec; leśnictwo (lasy ok. 40% pow.); wydobycie srebra; przemysł spoż., drzewny, jądr.; turystyka; na granicy ze stanem Wyoming Park Nar. Yellowstone.

Ifflis, Anou Ifflis, najgłębsza jaskinia Afryki, w pn. Algierii, w wapiennych górach Dżurdżura (Atlas Tellski); głęb. 1170 m (2001), dł. 2 km; otwór na wys. 2160 m; krasowa, rozwinięta pionowo z ciągiem stromo nachylonych korytarzy o licznych progach i studniach (głęb. do 90 m); na głęb. 200 m ciek wodny tworzący w dolnych partiach jaskini syfony, wypływa jako źródło wywierzyskowe na wys. 950 m; eksplorowana przez grotołazów franc., odkryta 1980 do głęb. 87 m, 1981 — do 300 m, 1983 — do syfonu na głęb. 975 m. Formy pokrywające ściany jaskini na głęb. 200–530 m przypominają skórę pantery, stąd nazwa Anou Ifflis ['jaskinia pantery'].

Igielny, Przylądek, Agulhas, ang. **Cape Agulhas,** afrikaans **Kaap Agulhas,** przyl. w RPA, najdalej na pd. wysunięty punkt Afryki; 34°51′S, 19°59′E; w pobliżu przechodzi południk (20°E) przyjmowany za granicę między O. Atlantyckim i O. Indyjskim.

Iguaçu [iguasu], portug. **Saltos do Iguaçu,** hiszp. **Cataratas del Iguazú,** wodospad na rzece Iguaçu (23 km od jej ujścia do Parany), na gra-

■ Wodospad Iguaçu

nicy Brazylii i Argentyny; w Parku Narodowym Iguaçu wpisanym na Listę Świat. Dziedzictwa Kult. i Przyr. UNESCO; wys. 72 m, szer. ok. 2,5 km; znany obiekt turystyczny. Odkryty 1542 przez A. Nuñez Cabeza de Vaca.   ■

Île-de-France [il dö frã:s], region adm. i kraina hist. w pn. Francji, w Basenie Paryskim; 12 tys. km², 11 mln mieszk. (1999); ośr. adm. Paryż; nizinny; szerokie doliny Sekwany, Marny, Oise; największa w kraju koncentracja przemysłu (ponad 26% produkcji krajowej), gł. samochodowego i elektron. oraz usług; intensywna uprawa zbóż, warzyw i kwiatów; turystyka (Paryż, Fontainebleau, Wersal).

Illamina, Puertas de [p. de ijamịna], baskijskie **Illamina'ko Ateak,** jaskinia w Hiszpanii, najgłębsza w Pirenejach i jedna z najgłębszych w świecie, w pd. części masywu Pierre Saint Martin, w pobliżu granicy z Francją; głęb. 1408 m, dł. 14,5 km; otwór na wys. 1980 m; jaskinia krasowa utworzona w wapieniach kredy; ciąg studni o głęb. do 80 m połączony z ciągiem korytarzy o niewielkim nachyleniu i rozciągłości ok. 5,75 km; długie (do 450 m) i wąskie meandry i ogromne komory, m.in. Roncal (dł. 500 m, szer. 100 m, wys. 120 m); bogata szata naciekowa; jaskiniowa rzeka z efektownymi wodospadami; w dolnej partii 6 syfonów o dł. do 100 m; woda z P. de I. wypływa w wywierzysku Illamina w pobliżu znanego wąwozu Kakouetta, we Francji; odkryta 1979, wyeksplorowana przez franc. grotołazów.

Illinois [ylənọjz], stan w USA, nad jez. Michigan; 150 tys. km², 12,6 mln mieszk. (2002); stol. Springfield, gł. m. Chicago; wysoko rozwinięty region gosp.; hutnictwo żelaza, przemysł maszyn., elektron., spoż., chem., rafineryjny; największy w kraju zespół elektrowni jądr.; intensywna uprawa kukurydzy, soi, pszenicy; hodowla bydła i trzody chlewnej; gęsta sieć komunik.; żegluga śródlądowa.

iluwialny poziom glebowy, poziom wymywania, głębsza warstwa gleb, zwł. bielicoziemnych, zawierająca związki żelaza, wapnia, glinu i in. (uwolnione w procesie rozkładu minerałów glebowych), wymyte z → akumulacyjnego poziomu glebowego i → eluwialnego poziomu glebowego przez przesiąkającą wodę; gromadzenie się tych substancji w i.p.g. jest powodowane gł. przez koagulację koloidów, krystalizację soli, sorpcję gleby; i.p.g. ma zwykle

ciemną, brun. barwę i jest bardziej zbity od innych poziomów.

Iława, m. powiatowe w woj. warmińsko-mazurskim, nad jez. Jeziorak i rz. Iławką (pr. dopływ Drwęcy); 34 tys. mieszk. (2000); ośrodek przem.-usługowy, turyst. i sportów wodnych; przemysł drzewny i spoż.; duże zakłady naprawy samochodów (także produkcja części), ponadto wytwórnie: pasz, materiałów budowlanych, odzieży, kosmetyków; hodowla sandacza; węzeł kol. i drogowy; przystanie, m.in. Żeglugi Ostródzko-Elbląskiej; stacja limnologiczna UMK w Toruniu; międzynar. festiwale jazzu tradycyjnego Złota Tarka i muzyki szantowej, Mistrzostwa Świata Modeli Pływających, regaty żeglarskie; prawa miejskie od 1305; got. kościół (XIV w.).

Iławskie, Pojezierze, wsch. część Pojezierza Wschodniopomor. między doliną Wisły na zach. a Pasłęką na wsch.; urozmaicona rzeźba młodoglacjalna; z pd.-zach. na pn.-wsch., od Gardei po Morąg, ciągnie się pas moren czołowych wyznaczający zasięg fazy pomor. zlodowacenia Wisły; wys. wzniesień wzrasta od 50–60 m na krawędzi doliny Wisły do 140 m na pn.-wsch.; znaczna liczba jezior polodowcowych: Jeziorak (3460 ha), Narie, Drwęckie, Dzierzgoń; z Jezioraka i Jez. Drwęckiego prowadzą kanały, które zostały połączone przez system pochylni z jez. Druzno na Żuławach Wiślanych i z rz. Elbląg (Kanał Elbląski); połączenia te są wykorzystywane w sezonie letnim dla turystyki wodnej. Region ma charakter rolniczy. Liczne miasta, m.in. położony przy krawędzi doliny Wisły — Kwidzyn, Malbork nad Nogatem, Iława nad Jeziorakiem i Ostróda nad Jez. Drwęckim.

Iłowa, m. w woj. lubus. (powiat żagański), nad Czerną Małą (dorzecze Bobru); 4,1 tys. mieszk. (2000); ośr. usługowy i turyst.-wypoczynkowy; przemysł szkl., tkanin techn., drzewny; prawa miejskie 1679–pocz. XIX w. i od 1962.

Iłża, m. w woj. mazow., nad Iłżanką; 5,4 tys. mieszk. (2000); ośr. usługowy; drobny przemysł metal., przetwórstwo rolno-spoż. i drzewne, produkcja artykułów papiern., wytwórnia nawozów wapniowych; tradycyjny ośrodek garncarski; miejscowość turyst.-krajoznawcza; muzeum; prawa miejskie 1294 (1239?)–1870 i od 1925; grodzisko wczesnośredniow. zw. Kopcem Tatar.; ruiny zamku biskupów krak. (XIII, XIV, XVI w.), późnorenes.-barok. kościół (XVII w., przebud.).

Imatra, wodospad w pd.-wsch. Finlandii, na Pojezierzu Fińskim, na rz. Vuoksi, 7 km od jej wypływu z jez. Saimaa; składa się z szeregu progów o szer. 23–50 m; wys. całkowita 18,4 m; średni roczny przepływ wody 475–620 m³/s; energia wodospadu wykorzystywana do celów energ. — elektrownia wodna o mocy 155 MW (największa w Finlandii).

Imielin, m. w woj. śląskim (powiat tyski), nad Imielinką i Przemszą (wsch. granica I.), w pd.-wsch. części GOP; 7,6 tys. mieszk. (2000); drobny przemysł metal., przetwórstwo chem. i rolno-spoż.; eksploatacja kruszywa; prawa miejskie 1967–75 i od 1994; od 1975 w granicach Tych, 1977–94 dzielnica Mysłowic. W pobliżu kamieniołomy dolomitu i wapienia.

imigracja [łac.], ruch wędrówkowy ludności związany ze zmianą miejsca stałego zamieszkania, rozpatrywany od strony kraju przybycia; także grupa ludzi osiadła w obcym kraju w wyniku tego ruchu; i. jest końcowym momentem procesu, którego początek stanowi → emigracja i dlatego oba te zjawiska rozpatruje się zwykle łącznie.

import [łac.], przywóz z zagranicy towarów, usług, kapitałów; zob. też handel zagraniczny.

Ina, rz. na Pojezierzu Ińskim oraz równinach Nowogardzkiej, Pyrzyckiej i Goleniowskiej, pr. dopływ Odry (Domiąży); dł. 129 km, pow. dorzecza 2189 km², wypływa z torfowiska na pn.--wsch. od Ińska, w górnym biegu przepływa przez kilka niewielkich jezior, w dolnym płynie przez Puszczę Goleniowską; uchodzi do Odry poniżej jez. Dąbie tworząc deltę; średni przepływ przy ujściu 11,8 m³/s; maks. rozpiętość wahań stanów wody w dolnym biegu 3,8 m; gł. dopływy: Stobnica, Mała I. (l.), Krępiel (pr.); gł. miasta nad I.: Stargard Szczeciński, Goleniów.

Inari, Inarijärvi, jez. w pn. Finlandii, w tektonicznym obniżeniu, na wys. 118 m; pow. 1386 km², głęb. do 60 m; ok. 3 tys. wysp; do Inari wpada rz. Ivalo, wypływa — Paatsjoki, uchodząca do M. Barentsa; zamarza od listopada do marca; rybołówstwo.

Indiana [yndiänə], stan w USA, na pn. sięga do jez. Michigan; 92,9 tys. km², 6,2 mln mieszk. (2002); stol. Indianapolis, inne ważne m. Gary; wydobycie węgla kam., ropy naft.; przemysł (hutn., lotn., samochodowy, elektron.) skupiony na pn.; intensywna hodowla bydła, trzody chlewnej i uprawa kukurydzy, sorga, pszenicy; sadownictwo i warzywnictwo; 150 tys. km autostrad.

Indie, hindi Bhārat, ang. India, Republika Indii, państwo w Azji Pd., nad M. Arabskim, Zat. Bengalską i M. Andamańskim; pow. 3287,6 tys. km² (z wyspami: Lakszadiwy, Andamany i Nikobary), rozciągłość południkowa 3214 km, równoleżnikowa 2933 km, dł. linii brzegowej 6083 km; 1047,1 mln mieszk. (2002); stol. Delhi; język urzędowy: hindi, ang. (tymczasowy język pomocniczy); republika związkowa; składa się z 25 stanów (pn. część stanu Dżammu i Kaszmir zajęta przez Pakistan) i 7 terytoriów związkowych.

Warunki naturalne
Ponad 60% pow. I. stanowi Półw. Indyjski z wyż. Dekan, ograniczoną krawędziowymi górami Ghatami Zach. i Ghatami Wsch. od wąskich nizin nadmor. Wybrzeża Malabarskiego i Wybrzeża Koromandelskiego; na pn. Himalaje (Nanga

■ Indie. Adżanta, wykute w skale świątynie i klasztory buddyjskie

Parbat, 8126 m), opadające 3 stopniami (Wysokie Himalaje, Małe Himalaje, Siwalik) do płaskiej Niz. Hindustańskiej; w pn.-zach. przedłużeniu Himalajów (na terenach zajętych przez Pakistan) góry Karakorum (K2, 8611). Klimat zwrotnikowy monsunowy, wilgotny na wybrzeżach, kontynent. suchy w głębi kraju i skrajnie suchy na pn.-zach. (pustynia Thar); w Himalajach i Karakorum klimat podzwrotnikowy górski, chłodny; średnia temp. w styczniu od 15°C u podnóża Himalajów do 28°C na pd., w najcieplejszym miesiącu maju odpowiednio 27–30°C, na pustyni Thar do 36°C; duże zróżnicowanie wielkości opadów: 11 000 mm rocznie na pn.--wsch. (Ćerapundźi), 3000 mm w Ghatach Zach., 300–500 mm w środk. Dekanie, poniżej 100 mm na pustyni Thar; pora deszczowa od czerwca do listopada. Gęsta sieć rzek, wyzyskiwanych do nawadniania, gł.: Ganges (święta rzeka hindusów), Brahmaputra, tworzące przy ujściu wspólną, największą na Ziemi deltę, Mahanadi, Godawari, Kryszna, Kaweri. Lasy (20% pow.) monsunowe i równikowe wilgotne zachowały się w górach, na pozostałym obszarze sawanny, suche stepy, przechodzące na pn.-zach. w pustynie; na Niz. Hindustańskiej jeden z największych na Ziemi obszarów występowania żyznych gleb aluwialnych. Częste klęski żywiołowe: cyklony tropik. na wybrzeżach, powodzie, długotrwałe susze, trzęsienia ziemi w Himalajach. Obszary chronione zajmują 4,4% pow.; 54 parki nar., w tym znane: Kaziranga i Manas w stanie Asam (wilgotny las równikowy z dziko żyjącym nosorożcem, słoniem, tygrysem).

Ludność
Najludniejsze po Chinach państwo świata; 1961–95 liczba ludności wzrosła o ok. 0,5 mld (z 446

सत्यमेव जयते

■ Indie

■ Indie. Nowe Delhi, widok głównej ulicy Radźpath z Bramą Indii w głębi

INDIE

mln do 936 mln) w wyniku wysokiego przyrostu naturalnego: 25‰ rocznie w latach 60. i 70., 21‰ w latach 80., ok. 19‰ — 1995; w 2000 liczba ludności przekroczyła miliard; prawie połowa ludności w wieku poniżej 19 lat; przeciętna długość życia 60 lat. Kraj wielonar., zróżnicowany etnicznie, językowo i religijnie; w użyciu ok. 850 języków (z dialektami ok. 1700) z 4 rodzin językowych: indoeur., drawidyjskiej, austroazjat. i chiń.-tybet.; 74% ludności (mieszkańcy pn. i środk. I.) posługuje się językami indoeur., gł. hindi (39%), bengalskim, marathi, urdu, gudźarati, biharskim; 24% (mieszkańcy pd. I.) mówi językami drawidyjskimi, gł. telugu i tamilskim; 48% (1995) ludności w wieku poniżej 15 lat to analfabeci. Hinduizm wyznaje 81% ludności, islam 12%, pozostali to chrześcijanie, sikhowie, buddyści, dźiniści; częste konflikty na tle rel., zwł. między muzułmanami, hindusami i sikhami; utrzymuje się tradycyjny podział społeczeństwa na stany (warny) i kasty (dźati). Średnia gęstość zaludnienia 316 mieszk. na 1 km^2 (1999), na Niz. Hindustańskiej i wybrzeżach do 500–600 mieszk. na km^2; niski stopień urbanizacji (w miastach 28% ludności), 23 ponadmilionowe zespoły miejskie, największe: Bombaj, Kalkuta, Delhi, Madras, Hajdarabad, Bangalur; w wielkich miastach znaczną część ludności stanowią bezdomni; ok. 67% ludności zawodowo czynnej pracuje w rolnictwie.

Gospodarka

Kraj rozwijający się, z dużym udziałem sektora państw. w gospodarce, zwł. w przemyśle ciężkim, transporcie, handlu i bankowości; sektor prywatny wytwarza 40% produkcji przem. i całą rolną; od 1991 stopniowa prywatyzacja przedsiębiorstw państw., liberalizacja handlu (obniżanie ceł importowych), otwarcie gospodarki dla inwestycji zagr.; duże tempo wzrostu gosp. (ponad 5% — 1995, ok. 6% — 1997). Podstawą gospodarki jest tradycyjne rolnictwo; użytki rolne 55% pow.; postępujący proces rozdrabniania gospodarstw rolnych — połowa o pow. poniżej 0,5 ha; rozpowszechniona dzierżawa ziemi; rośliny żywieniowe zajmują ponad 80% areału upraw, najwięcej zboża (ryż — 2. miejsce, po Chinach w produkcji świat., pszenica, proso), rośliny strączkowe (groch, fasola), oleiste (orzeszki ziemne — 2. miejsce, rzepak) i trzcina cukrowa; uprawa bawełny, juty (Bengal Zach.), herbaty (1. miejsce, stany Asam, Tamilnadu) oraz kawowca, kauczukowca, palmy kokosowej i przypraw korzennych (pieprz, imbir) na pd. kraju; największe w świecie pogłowie bydła (219 mln sztuk, 2000) wykorzystywanego jako siła pociągowa; hodowla kóz, owiec, wielbłądów, słoni. Duże zasoby surowców miner.; wydobycie węgla kam. (zagłębie Damodar), ropy naft. ze złóż podmor. w Zat. Kambajskiej, rud żelaza (Goa, Madhja Pradeś), manganu, chromu (2. miejsce w świecie), boksytów, miki, kamieni szlachetnych; elektrownie węglowe (80% produkcji energii elektr.), wodne i jądr.; w gospodarstwach domowych powszechne wykorzystanie na opał suszonego nawozu, drewna, słomy; rozwinięte tradycyjne gałęzie przemysłu przetwórczego: włók., zwł. bawełn., cukr., olejarski, garbarski oraz rzemiosło (tkaniny, biżuteria); w rozbudowie przemysł maszyn., samochodowy, chem., rafineryjny, elek-

■ Indie. Plantacja herbaty w okolicach Dardżylingu

tron. i inform. (Bangalur) oraz kosm. (satelity telekomunik.); koncentracja różnorodnego przemysłu w wielkich miastach, zwł. Bombaju, Kalkucie, Delhi, Madrasie. Turystyka zagr. (4,1 mln osób, 1996, gł. z W. Brytanii, USA, Niemiec, Francji i Kanady), gł. obiekty: groty Adżanta, zespół świątyń Elura, Agra z Tadż Mahal, Puri, Khadźuraho, parki narodowe. W przewozach dominuje transport kol. i samochodowy; magistralne linie kol. i drogowe łączą Delhi z Bombajem, Kalkutą, Madrasem, Hajdarabadem i in.; największe porty mor.: Bombaj, Kalkuta, Madras, Marmagao. Wymiana handl. I. stanowi 0,7% (1998) obrotów świat.; eksport tekstyliów, skór, obuwia, komputerów, surowców miner., herbaty, juty, przypraw korzennych, kamieni szlachetnych, import maszyn i urządzeń przem., paliw, złota (największy importer na świecie). ■

Indie Zachodnie, ang. **West Indies,** hiszp. **Indias Occidentales,** wyspiarska część Ameryki Środk.; obejmuje Wielkie i Małe Antyle oraz archipelag Bahamów; w okresie wielkich odkryć geogr. nazwa I.Z. obejmowała całą Amerykę, wskutek błędnego mniemania K. Kolumba, że dotarł do Indii w Azji; I.Z. obejmują 13 państw i 11 terytoriów zależnych, łącznie 235,4 tys. km^2, bez wysp na M. Karaibskim, należących do Wenezueli.

Indochiński, Półwysep, półwysep w Azji Pd., między Zat. Bengalską i M. Andamańskim a M. Południowochińskim; od Sumatry oddzielony cieśn. Malakka; na pd. tworzy drugorzędny Płw. Malajski; pow. ok. 2,3 mln km^2; rozwinięta linia brzegowa. Bardzo urozmaicona rzeźba; wysokie, południkowo przebiegające łańcuchy górskie (Patkaj, G. Arakańskie z najwyższą na półwyspie Górą Wiktorii — 3053 m, na zach., G. Annamskie na wsch.), szerokie płaskowyże (Szan, Korat, Tran Ninh), rozległe nadrzeczne niziny zakończone potężnymi deltami rzek; rozwinięte zjawiska krasowe. Klimat zwrotnikowy monsunowy, wybitnie wilgotny; w części wewn., otoczonej górami — suchszy, na wybrzeżach pd. i wsch. oraz na Płw. Malajskim — równikowy wybitnie wilgotny; roczna suma opadów 1000–2000 mm, na zach. stokach gór wybrzeży zach. — 3000–6000 mm, w kotlinach — ok. 700 mm; opady letnie, oprócz części pn.-wsch. (jesienno-zimowe) i pd. (całoroczne); na Płw. Malajskim średnie temp. miesięczne 26–28°C, na pozostałym obszarze średnia temp. w styczniu od 16°C na pn.

do 25°C na pd., w kwietniu do 30°C. Główne rz.: Mekong, Menam, Saluin, Irawadi; liczne jeziora, największe Tonle Sap. Panującą formacją roślinną na wybrzeżach i Płw. Malajskim są wilgotne lasy równikowe; część środk. zajmują lasy gł. monsunowe (z udziałem drzewa tekowego), przechodzące w osłoniętych przed opadami obszarach w sawanny i silnie kserotermiczne zbiorowiska trawiaste; na terenach bagiennych rosną zarośla bambusowe; w części pn. występują lasy mieszane i iglaste z udziałem m.in. dębów, kasztanów i sosen; na niskich podmokłych wybrzeżach namorzyny. Pierwotna roślinność P.I. została zniszczona na dużych obszarach, częściowo przez założenie plantacji tropik. roślin użytkowych (m.in. kauczukowca, olejowca, palmy kokosowej, trzciny cukrowej, ananasów) i pól ryżowych. Na P.I. leżą: Kambodża, Wietnam, Laos, Tajlandia, część Birmy i Malezji.

■ Indonezja

Indonezja, Indonesia, Republika Indonezji,
państwo w Azji Pd.-Wsch., na Archipelagu Malajskim i w zach. części Nowej Gwinei; pow. 1919,4 tys. km² (z wodami terytorialnymi 3,8 mln km²), 217,7 mln mieszk. (2002); stol. Dżakarta; język urzędowy indonezyjski (alfabet łac.); republika; podział adm.: 24 prow., w tym Timor Wsch. (1976 włączony do I. na mocy ustawy parlamentu indonez., ob. administrowany przez ONZ), 2 dystrykty autonomiczne (Aceh, Jogyakarta) i dystrykt metropolitalny (Dżakarta).

Warunki naturalne
W skład I. wchodzi ok. 13,7 tys. wysp należących do pacyficznego systemu alpidów azjat.; rozciągłość z zach. na wsch. ponad 4800 km, z pn. na pd. — 2000 km; 9/10 pow. kraju stanowią Sumatra, Kalimantan (indonez. część Borneo), Sulawesi (Celebes), Jawa i Irian Jaya (zach. część Nowej Gwinei); z ok. 400 wulkanów ponad 100 czynnych, najaktywniejsze: Gamalama (na wyspie Halmahera), Semeru, Merapi i Tengger (na

■ Indonezja. Fragment śródmieścia Dżakarty

Jawie); największe katastrofalne wybuchy: 1815 Tambora (na wyspie Sumbawa), 1883 Krakatau, 1963 Agung (Bali); częste trzęsienia ziemi. Klimat równikowy wybitnie wilgotny (roczne opady 2000–3000 mm, w górach 4000 mm i więcej), na wsch. Jawie i w Małych W. Sundajskich suchszy (1000–2000 mm); b. wysoka wilgotność powietrza (do 95%). Bogata roślinność; 60% pow. lasy z cennymi gat. drzew (tekowe, sandałowe, hebanowe, kamforowe); lokalnie występują sawanny i zbiorowiska wysokich traw zw. alang alang; na Jawie i Małych W. Sundajskich pierwotna roślinność uległa zniszczeniu. Fauna b. zróżnicowana: słoń ind. i tapir malaj. (Sumatra), orangutan, endemiczna małpa nosacz, nosorożec sumatrzański (Kalimantan), stekowce i torbacze, ptaki rajskie (Nowa Gwinea). 30 parków nar. (największe: Gunung Leuser — Sumatra, Kotawaringin Sampit — Kalimantan, Ujungkulon — Krakatau i część zach. wybrzeża Jawy), w tym 6 rezerwatów biosfery (m.in. warany na wyspie Komodo).

Ludność
Indonezyjczycy (gł. Jawajczycy, Sundajczycy, Madurowie, Balijczycy, Malajowie, Minangka-

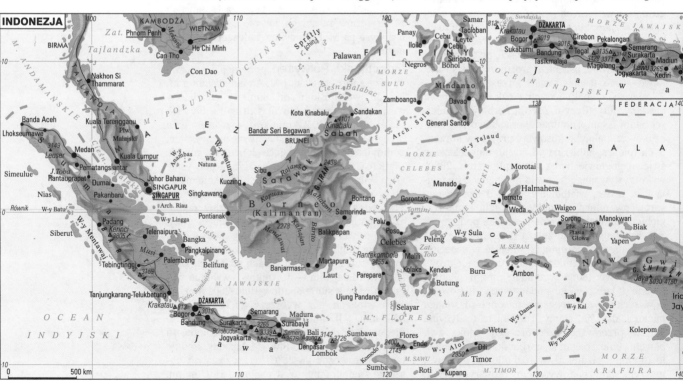

bau, Bugijczyzy, Aczinowie) 95%, ponadto gł. Chińczycy, Indusi, Papuasi; w użyciu 25 języków lokalnych i ponad 250 różnych dialektów; muzułmanie 87% (największe państwo islamskie świata), chrześcijanie 9,6%, hinduiści 1,9%, buddyści, tradycyjne wierzenia; przyrost naturalny (bez Timoru Wsch.) 14,5‰ (1997), wskaźnik urodzeń 24,7‰; wysoka umieralność niemowląt (59‰, 1998); 36% ludności w wieku poniżej 15 lat, tylko ok. 6% — powyżej 60 lat; zamieszkanych ok. 6 tys. wysp; 2/3 ludności skupia się na Jawie, Madurze i Bali (jeden z najgęściej zaludnionych obszarów świata); ludność miejska 37% (1997); największe m. poza stol.: Surabaya, Bandung, Medan, Palembang, Semarang, Ujung Pandang.

Gospodarka

Kraj roln. z rozwijającym się przemysłem, należy do eksporterów ropy naft.; stopniowa liberalizacja gospodarki; programy rozwoju wsparte znacznymi kredytami zagr.; struktura wytwarzania produktu krajowego brutto (w % — 1996): rolnictwo 16, przemysł 42 (w tym górnictwo 10), usługi 32. Grunty orne 16% pow., łąki i pastwiska 6% (1998), ok. 1/2 sztucznie nawadniana; najważniejsze uprawy żywieniowe: ryż (zbiory 51 mln t — 2000), kukurydza, bataty, maniok, soja, orzeszki ziemne; uprawy eksportowe: trzcina cukr. (zbiory 30 mln t), kauczukowiec (2. miejsce w świecie w produkcji kauczuku), palma kokosowa (1/4 świat. produkcji kopry), olejowiec, kawa, herbata, kakaowiec (3.), tytoń, rośliny korzenne (pieprz, goździkowiec, drzewo muszkatołowe); hodowla bydła, trzody chlewnej; pozyskanie drewna 191 hm³ (udział w świecie 5,8%, 1999); zbiór różnorodnych produktów leśnych (żywice, garbniki); połowy mor. 4,1 mln t (1999), gł. krewetki i tuńczyk. Wydobycie ropy naft. (74,1 mln t — 1997), gazu ziemnego (3291 petadżuli, 1998), węgla kam. (70,7 mln t), rud cyny (2. miejsce w świecie — 1992), niklu i miedzi, boksytów, złota, srebra; gł. gałęzie przemysłu przetwórczego: rafineryjny, spoż. (łuszczarnie ryżu, cukr., olejarski, tytoniowy), lekki (włók., obuwn.), drzewny, chem. (gumowy, nawozy miner.), cementowy, samochodowy (montaż), elektrotechn. i elektron.; rozwinięte rzemiosło (batiki, wyroby ze srebra). Linie kol. (dł. 6,5 tys. km — 1995) tylko na Jawie, Madurze i Sumatrze; transport rzeczny, żegluga kabotażowa; gł. porty mor.: Tanjungperiuk (Dżakarta),

■ Indonezja. Wioska Bena na wyspie Flores

Tanjungperak (Surabaya), Belawan (Medan), Ujung Pandang (Makasar); łączne przeładunki w portach 419 mln t (1999); 8 międzynar. portów lotn. (największe: Dżakarta, Denpasar, Surabaya, Manado). Najważniejsze artykuły eksportu: ropa naft. i jej produkty, gaz płynny, węgiel kam., kawa, herbata, drewno, kauczuk, cyna, nawozy azotowe; gł. partnerzy handl.: Japonia (26% eksportu i 20% importu — 1994), USA,- Singapur, Australia i Niemcy. W 1997 I. odwiedziło 5,2 mln turystów zagr.; gł. regiony turyst.: Jawa, Bali, Sumatra. ■

Indus, chiń. **Shiquan He,** hindi i urdu **Sindh,** tybet. **Sengek'ambab,** rz. w Chinach, Indiach i Pakistanie; dł. 3180 km, pow. dorzecza 960 tys. km²; źródła w Transhimalajach, w paśmie górskim Kajlas; w górnym biegu płynie rowem tektonicznym, równolegle do Himalajów, w głębokiej i wąskiej dolinie przez pd.-zach. część Wyż. Tybetańskiej, następnie przełamuje się głębokim na 4–5 tys. m przełomem między Hindukuszem i Himalajami; na przedgórzu Himalajów tworzy wraz z dopływami olbrzymi stożek napływowy Pendżab; w środk. i dolnym biegu płynie przez Niz. Indusu (zach. część Niz. Hindustańskiej), na skraju pustyni Thar; przy ujściu do M. Arabskiego tworzy deltę o pow. ok. 8 tys. km²; gł. dopływy: Satledź (l.), Gilgit, Kabul (pr.); wysokie stany wód (związane z topnieniem śniegów i lodowców w górnym biegu i opadami monsunowymi — w dolnym) od marca do września, niskie — od grudnia do lutego; średni roczny przepływ w Hajdarabadzie 3850 m³/s (maks. — ponad 30 tys. m³/s); 1973 i 1992 katastrofalne powodzie; żegl. od m. Dera Ismail Khan; wykorzystywana do nawadniania; w górnym biegu hydrowęzeł Tarbela; gł. m. nad I.: Sakkhar, Hajdarabad, na zach. skraju delty — Karaczi. Dolina I. była kolebką protoind. starożytnej cywilizacji.

industrializacja [łac.], **uprzemysłowienie,** proces polegający na szybszym rozwoju przemysłu od innych działów gospodarki nar. — rolnictwa i usług. I. przejawia się wzrostem wolumenu produkcji przem., zwiększaniem udziału przemysłu w wytwarzaniu produktu krajowego brutto oraz odsetka pracowników zatrudnionych w przemyśle w ogólnej liczbie zatrudnionych. I. została zapoczątkowana w W. Brytanii w końcu XVIII w. i wraz z rozwojem kapitalizmu objęła inne kraje, gł. eur. oraz niektóre ich kolonie. Dla współcz. krajów wysoko rozwiniętych i. stanowiła etap przejściowy na drodze do społeczeństwa postindustrialnego, w którym przeważająca część produktu krajowego brutto jest wytwarzana w sferze usług. W krajach obozu komunistycznego i. forsowano kosztem rozwoju innych działów gospodarki i dobrobytu społeczeństwa; mimo wysokich kosztów społ. w większości eur. krajów tego obozu proces i. trwał stosunkowo krótko i szybko osiągnęły one status państw uprzemysłowionych, w których przemysł ma większy udział w tworzeniu produktu krajowego brutto niż inne działy gospodarki. Spośród krajów rozwijających się, które rozpoczęły i. po II wojnie świat., status państw uprzemysłowionych osiągnęły: Hongkong, Korea Pd., Singapur i Tajwan, zw. również państwami nowo uprzemysłowionymi lub „azjat. tygrysami". Brak sukcesów w uprzemysławianiu innych krajów, mimo wysiłków ich rządów i pomocy międzynar., dowodzi, iż jest to proces trudny do zrealizowania. Niektórzy teoretycy sądzą, że jest możliwe dokonanie „żabiego skoku" od społeczeństwa roln. do postprzem. z pominięciem etapu i.; jak dotychczas nie znajduje to potwierdzenia w faktach.

Indyjski, Ocean, najmniejszy z 3 oceanów świata, położony w większości na półkuli pd., między Afryką, Azją, Australią i Antarktydą; Ocean Indyjski obejmuje: M. Czerwone, M. Arabskie z zat. Adeńską, Perską, Omańską i Kambajską, Bengalską; M. Andamańskie bez cieśn. Malakka; morza Timor i Arafura z zat. Karpentaria, Wielką Zat. Australijską z Cieśn. Bassa; morza w Antarktyce (Kosmonautów, Przyjaźni, Davisa, Mawsona, d'Urville'a); wg Międzynar. Biura Hydrograficznego w Monako morza Timor i Arafura powinno się zaliczać do O. Spokojnego. Umowna granica z O. Atlantyckim przebiega od Afryki do Antarktydy wzdłuż południka 20°E, z O. Spokojnym — od pn. wejścia do cieśn. Malakka wzdłuż pd. brzegów Archipelagu Ma-

lajskiego i Nowej Gwinei do Cieśn. Torresa, a następnie na pd. od Australii i Tasmanii do Antarktydy wzdłuż południka 146°55′E. Powierzchnia 76 170 tys. km^2; średnia głęb. 3897 m, maks. — 7729 m w Rowie Jawajskim (wg innych źródeł, m.in. *The Encyclopedia of Oceanography*, wyd. 1966 w Nowym Jorku, największą głębokość O.I. zmierzono w Rowie Amiranckim na pn.-wsch. od Madagaskaru — 9074 m). Powierzchnia wysp 826 tys. km^2, największe (powyżej 1000 km^2): Madagaskar, Cejlon, Tasmania, Timor, Sumba, Kerguelena, Kangura, Sokotra, Reunion, Mauritius, Zanzibar, Pemba; największe archipelagi: Andamany, Malediwy, Nikobary. O.I. powstał w wyniku rozpadu lądu → Gondwana i stopniowego odsuwania się od siebie jej fragmentów; rozpad ten rozpoczął się w jurze; dno oceanu pokrywają gł. osady kredowe i kenozoiczne. Ukształtowanie dna O.I. jest bardzo urozmaicone; przebieg grzbietów śródoceanicznych ma kształt odwróconej litery Y: Grzbiet Arabsko-Indyjski przebiega z Zat. Adeńskiej ku środk. części oceanu, gdzie w strefie rozłamu na pd.-wsch. od wyspy Rodrigues (Maskareny) rozdziela się na Grzbiet Zachodnioindyjski bieg-

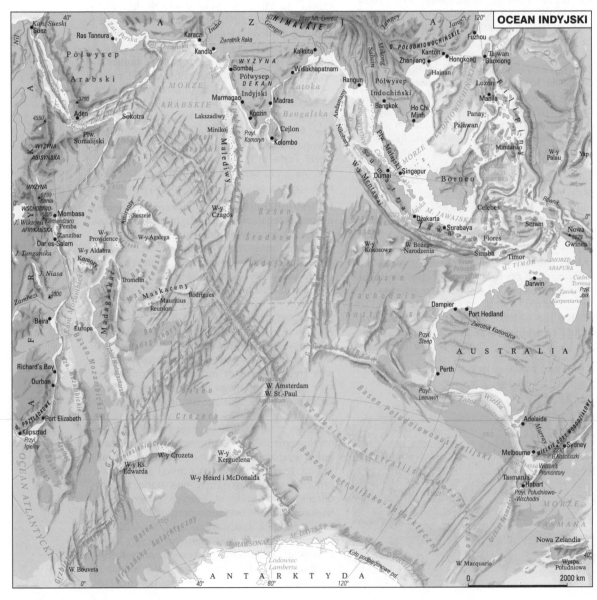

nący na pd.-zach. ku O. Atlantyckiemu i Grzbiet Środkowoindyjski biegnący na pd.-wsch. w kierunku O. Spokojnego; pozostałe wzniesienia dna O.I. są wyższe od grzbietów śródoceanicznych i mają inną genezę; należą do nich m.in. grzbiety: Malediwski, Seszelski i Madagaskarski w zach. części oceanu oraz płaski Grzbiet Kergueleński w części pd.; najbardziej charakterystyczną formą dna O.I. jest wąski zrębowy Grzbiet Wschodnioindyjski (Grzbiet 90°E) rozciągający się na długości ok. 4600 km od 10°N do 34°S, pokrywający się z południkiem 90°E — prawdopodobnie najdłuższa prawie idealnie prosta forma dna oceanu światowego; baseny oceaniczne Somalijski, Maskareński, Madagaskarski, Mozambicki i Agulhas są położone na zach. od grzbietów śródoceanicznych wzdłuż afryk. stoków kontynent., baseny Arabski, Środkowoindyjski, Zachodnioaustralijski (Kokosowy) i Południowoaustralijski — na pn. i wsch. od grzbietów śródoceanicznych wzdłuż azjat. i austral. stoków kontynent., a baseny Afrykańsko-Antarktyczny i Australijsko-Antarktyczny na pd. wzdłuż stoków Antarktydy; w środk. części oceanu, w rozwidleniu grzbietów Zachodnioindyjskiego i Środkowoindyjskiego, jest położony Basen Crozeta; dno basenów oceanicznych zajmują rozległe równiny abysalne, największa — w Basenie Afrykańsko-Antarktycznym (Równina Enderby); w basenach Arabskim i Środkowoindyjskim rozciągają się daleko na pd. rozległe stożki akumulacyjne z materiału naniesionego przez rz. Indus, Ganges i Brahmaputrę; w basenach zach. i wsch. występują licznie wulkany podmor., zwł. w Madagaskarskim i Zachodnioaustralijskim. Najgłębszymi formami dna O.I., poza rowami oceanicznymi Jawajskim i Amiranckim, są głębie w strefach rozłamów, Diamantina (7102 m) na pd.-zach. od Australii, Vema (6492 m) w pd. części Grzbietu Arabsko-Indyjskiego oraz wsch., głęboka część Basenu Zachodnioaustralijskiego (do 6927 m). Szelfy w O.I. zajmują najmniej powierzchni dna spośród oceanów świata, najszersze są w Zat. Perskiej, u wybrzeży Indii i Bangladeszu, w M. Andamańskim, u wybrzeży Australii w zat. Karpentaria i Wielkiej Zat. Australijskiej; szelfy, stoki kontynent. i dno basenów są porozcinane kanionami podmor., najdłuższe: Indusu (115 km) w M. Arabskim, Gangesu (125 km, względna głęb. do 1300 m) w Zat. Bengalskiej, Martaban (150 km) w M. Andamańskim. Prądy powierzchniowe O.I. tworzą 2 wielkie systemy cyrkulacji wód znacznie różniące się od siebie; w pn. części oceanu, sięgającej na pd. do ok. 10°S, kierunek, prędkość, wielkość przepływu i temperatura wody prądów powierzchniowych zmieniają się sezonowo, gł. pod wpływem monsunów, natomiast w pd. części prądy wchodzą w skład stałej cyrkulacji antycyklonalnej, jak w pozostałych oceanach na półkuli pd.; na pn. od równika w zimie przepływa ze wsch. na zach. Prąd Monsunowy; jego przedłużenie, Prąd Somalijski, kieruje się na pd.-zach., wzdłuż wybrzeży Afryki; na pd. od równika pojawia się w tej porze roku Równikowy Prąd Wsteczny o kierunku z zach. na wsch.; w lecie kierunki prądów są odwrócone, z tym że zamiast Równikowego Prądu Wstecznego wy-

stępuje strefa konwergencji (opadanie wód powierzchniowych w głąb oceanu), a płynący teraz w kierunku odwrotnym (na pn.-wsch.) Prąd Somalijski jest prądem chłodnym, mimo że płynie od równika; stała cyrkulacja pd. części O.I. obejmuje płynący ze wsch. na zach. między 5° a 22°S Prąd Południoworównikowy, który u pn. wybrzeży Madagaskaru wchodzi częściowo w skład systemu prądów zmiennych pn. części oceanu, tzn. w lecie tworzy Prąd Somalijski, a w zimie zawraca na wsch. jako Równikowy Prąd Wsteczny; odnoga pd. Prądu Południoworównikowego opływa Madagaskar od wsch. i pd., gdzie po połączeniu się z Prądem Mozambickim tworzy prąd Agulhas, który z kolei na pd. od Afryki miesza się w strefie konwergencji z płynącym na wsch. → Antarktycznym Prądem Okołobiegunowym; w pd. części O.I. od Antarktycznego Prądu Okołobiegunowego oddziela się i opływa zach. wybrzeża Australii zimny Prąd Zachodnioaustralijski, który łącząc się we wsch. części oceanu z Prądem Południoworównikowym zamyka cyrkulację antycyklonalną. Temperatura wód powierzchniowych w strefie równikowej jest stała i wynosi 28–29°C; na pn. od równika od 23–25°C na otwartym oceanie do ponad 30°C na M. Czerwonym i w Zat. Perskiej w sierpniu; na półkuli pd. temperatury wód są znacznie niższe i wynoszą w lecie (zima na pn.) 21–25°C na szerokości 30°S oraz 5–9°C na — 50°S, w zimie (lato na pn.) odpowiednio — 16–20°C i 3–5°C; u wybrzeży Antarktydy temp. do –1°C; średnia temperatura wód powierzchniowych O.I. wynosi 17°C. Zasolenie wód powierzchniowych O.I. jest duże, na M. Arabskim dochodzi do 36,5‰, w Zat. Perskiej — 40‰, na M. Czerwonym — 42‰; w pd. części oceanu w średnich szer. geogr. wynosi 35,5‰, w wodach antarktycznych 33,5‰; najniższe jest w lecie w pn. części Zat. Bengalskiej (25–26‰) i M. Andamańskiego (20‰); średnie zasolenie wód powierzchniowych O.I. wynosi 34,8‰. Zjawiska lodowe (pak polarny, kry) osiągają szer. 65–68°S w lecie i 55°S w zimie, pojedyncze góry lodowe wielkich rozmiarów (dł. do 100 km) — 35°S. Największe rzeki uchodzące do O.I. (wg odpływu): Ganges z Brahmaputrą, Irawadi, Saluin, Zambezi, Indus, Murray. Najważniejszy szlak żeglugowy: Kanał Sueski–porty Indii–cieśn. Malakka (do Singapuru i Azji Wsch.); największe przewozy: Zat. Perska–Kanał Sueski (ropa naft.), porty Indii–cieśn. Malakka (rudy żelaza, gł. do Japonii).

Świat roślinny. W strefie gorącej charakterystyczne są brunatnice (gronorosty i turbinaria), zielenice (pełzatka, walonia), krasnorosty (laurencja, gracilaria) oraz glony wapienne (halimeda i litotamnion), tworzące zespoły związane z rafami koralowymi; w płytkich wodach przybrzeżnych, na piaszczystych dnach występują podwodne łąki rośliny kwiatowej posidonia; przy zamulonych brzegach i w pobliżu ujść rzecznych — zarośla namorzynów (mangrowe). W litoralu strefy umiarkowanej występują endemiczne gat. brunatnic z grupy morszczynów i listownic, brunatnice z rodzaju wielkomorszczyn, lesonia, eklonia oraz krasnorosty (szkarłatnica, galaretówka); na pd., w strefie Prądu Zachodnich Wiatrów, oderwane od podłoża plechy brunatnic tworzą pływające łany;

w wodach subantarktycznych bogactwo brunatnic zaznacza się gł. w sublitoralu.

Świat zwierzęcy. Fauna tropik. wód O.I. jest b. bogata; rozmaitość gat. planktonowych i fauny pelagicznej (wiciowce, meduzy i rurkopławy, osłonice, w chłodniejszych rejonach masowo eufauzje); spośród ryb: makrelowce, ostroszowce, rekiny, u wybrzeży pd. Afryki trzonopłetwe (latimeria); z ssaków: diugonie, kaszaloty, foki i uchatki; w strefie przybrzeżnej liczne rafy koralowe, bogata fauna denna (kraby, mięczaki — także perłopławy, szkarłupnie); u wybrzeży Indii kilka gat. endemicznych, jadowitych wężów mor. (z rodziny *Hydrophiidae*); gł. łowiska znajdują się u wybrzeży Płw. Indyjskiego (makrele, ostroszowce, sardyny, rekiny, płastugi), Afryki (śledzie, sardele, langusty), Australii (żółwie oraz strzykwy), w strefie wód antarktycznych (wieloryby). ∎

∎ Innsbruck

Indyjski, Półwysep, półwysep w Azji Pd., między M. Arabskim a Zat. Bengalską; pow. ok. 2 mln km²; dł. do 2 tys. km, szer. ok. 1,7 tys. km; brzegi niskie, słabo rozczłonkowane; środk. część P.I. zajmuje wyż. → Dekan, opadająca stromo ku wąskim nizinom nadbrzeżnym (Wybrzeże Koromandelskie, Wybrzeże Malabarskie); na P.I. leży większa część Indii.

inflacja [łac.], stały wzrost przeciętnego poziomu cen w gospodarce.

Inflanckie, Pojezierze, Latgales angstrene, część Pojezierza Wschodniobałtyckiego na pn. od Dźwiny, w granicach Łotwy; najwyższe wzniesienie 289 m (Lielais Liepu Kalns); wśród licznych jezior (ponad 600) największe Raźno; lasy iglaste i mieszane silnie wytrzebione.

Inguszetia, Gialgiajny, republika w Rosji, na Kaukazie, utw. VI 1992; granica między I. a Czeczenią nie wytyczona; 488 tys. mieszk. (2002); stol. (tymczasowa) Nazrań; wydobycie ropy naft.; uprawy: zboża, buraki cukrowe, słonecznik; hodowla.

Inn, rz. w Szwajcarii, Austrii i Niemczech, największy (pr.) dopływ Dunaju; dł. 510 km, pow.

dorzecza 25,7 tys. km²; źródła w masywie Bernina; przez Alpy płynie w głębokiej i szerokiej, podłużnej dol. (zw. w Szwajcarii Engadyną); pod m. Kufstein tworzy przełom przez Tyrolsko-Bawarskie Alpy Wapienne; dolny bieg na przedpolu Alp (Wyż. Bawarska); maks. przepływ przy ujściu 1280 m³/s, minim. — 348 m³/s; gł. dopływ Salzach (pr.); elektrownie wodne; gł. m. nad Innem — Innsbruck.

Innsbruck [ynsbruk], m. w zach. Austrii, w Alpach, nad rz. Inn; stol. kraju związkowego Tyrol; 115 tys. mieszk. (2002); ośr. turyst. i sportów zimowych o międzynar. znaczeniu (zimowe igrzyska olimpijskie 1964 i 1976); węzeł komunik. na szlaku transalp.; uniw.; muzea; od 1239 miasto; od 1420 stol. Tyrolu; 2 zamki (XIII w., XV, XVIII w.), rezydencja Goldenes Dachl (XV, XVI w.), ratusz, got., renes. i barok. kościoły, kamienice (XVII–XVIII w.); na przedmieściu Wilten opactwo (XVII–XVIII w.). ∎

Inowrocław, m. powiatowe w woj. kujawsko-pomor.; 79 tys. mieszk. (2000); od 1876 uzdrowisko (solanki, borowina) i ośr. turyst. na Szlaku Piastowskim; przemysł chem. (przetwórstwo wydobywanej w pobliskiej Górze i dostarczanej rurociągiem soli kam. — zakłady sodowe, warzelnia) i szkl. (szkło kryształowe i gosp.), ponadto przemysł elektromaszyn., odzież., poligraf., materiałów bud., spoż.; węzeł kol. i drogowy; lotnisko sport.; Muzeum im. J. Kasprowicza; Ogólnopol. Forum Ratownictwa Med.; prawa miejskie od 1238; rom. kościół NMP (XIII w.), późnogot. kościół (XV–XVI, XVII w.).

insolacja [łac.] → nasłonecznienie.

integracja gospodarcza, powiązania i współzależności między krajami określonego regionu geogr., zawierającymi umowy dotyczące swobody przepływu wszystkich rodzajów pracy i kapitału oraz produktów przez istniejące między tymi krajami granice. Zob. mapa: Ważniejsze międzynarodowe organizacje gospodarcze. ∎

interglacjał [łac.], cieplejszy okres pomiędzy dwoma → glacjałami, w którym lodowce zanikały lub ograniczały swój zasięg do b. małych obszarów; w i., na skutek stopnienia wielkich mas lodu, poziom morza się podnosił, co objawiało się → transgresją morza.

Interior Uplands [yntiərjər ¸aplǝndz], równiny w USA, → Wewnętrzne Wyżyny.

intersekcja [łac.], obraz, który powstaje wskutek przecięcia się powierzchni utworu geol. (np. warstwy, uskoku) z powierzchnią terenu; i. pozwala na ustalenie wgłębnej budowy geol. terenu; ma duże znaczenie w badaniach tektonicznych oraz przy wykonywaniu i interpretacji map geologicznych.

interstadiał [łac.], krótki, cieplejszy okres w → glacjale, między okresami chłodnymi (→ stadiał), podczas którego lodowce cofały się z niektórych obszarów (na stosunkowo niewielkie odległości).

intruzja magmy: 1) wciskanie się magmy w wyższe partie skorupy ziemskiej; zachodzi w wyniku zaburzenia równowagi dynamicznej w zbiorniku magmowym lub w jego otoczeniu; **2)** masy skalne utworzone z magmy zakrzepłej w głębi Ziemi; zależnie od kształtu, wielkości i sposobu ułożenia tych mas pośród skał otaczających, wśród i.m. rozróżnia się wiele form: batolit, etmolit, fakolit, dajka, sill; mogą być one ułożone zgodnie z powierzchniami ukierunkowania (np. powierzchniami warstwowania) skał otaczających (np. sill) lub niezgodnie (np. dajka).

inwersja rzeźby, odwrócenie ukształtowania powierzchni terenu w stosunku do jego tektoniki, spowodowane zróżnicowaną odpornością skał na działanie czynników denudacyjnych; polega na powstaniu dolin w osiach antyklin zawierających mało odporne skały w jądrze i tworzeniu się grzbietów w strefach synklinalnych (np. pasma Babiej Góry i Gorców są pasmami synklinalnymi). ■

inwersja temperatury, rozkład temperatury powietrza w troposferze odznaczający się wzrostem temperatury ze wzrostem wysokości (zazwyczaj wzrostowi wysokości odpowiada spadek temperatury); może występować zarówno w przyziemnej warstwie powietrza, jak i w swobodnej troposferze. I.t. przyziemna powstaje wskutek wypromieniowania ciepła przez podłoże i przyziemną warstwę powietrza, która staje się chłodniejsza od warstw leżących wyżej (inwersja radiacyjna), lub wskutek napływania cieplejszego powietrza nad chłodniejsze podłoże (inwersja adwekcyjna). I.t. w swobodnej troposferze tworzy się w wyniku zstępujących ruchów powietrza, podczas których ulega ono ogrzewaniu w następstwie sprężania (inwersja osiadania), bądź na powierzchniach frontalnych (inwersja frontalna). I.t. występuje również w stratosferze i mezosferze na wys. 30–50 km oraz w termosferze; w tych warstwach jest ona zjawiskiem typowym i wynika z intensywnego pochłaniania (gł. przez cząsteczki ozonu w stratosferze oraz atomy tlenu w termosferze) nadfioletowego promieniowania słonecznego.

Inylczek Południowy, Engilczek, największy lodowiec Tien-szanu, w Kirgistanie; dł. 59,5 km; masywem Chan Tengri oddzielony od Inylczka Pn.; dł. 38,2 km; oba lodowce dolinne silnie rozczłonkowane (typu dendrytycznego).

Ińsko, m. w woj. zachodniopomor. (powiat stargardzki), nad jez. Ińsko, przy wypływie rz. Iny, na obszarze Ińskiego Parku Krajobrazowego; 2,1 tys. mieszk. (2000); ośr. turyst. (sporty wodne, wędkarstwo) i usługowy dla rolnictwa; drobny przemysł; prawa miejskie przed 1300.

Ińsko, jez. morenowe na Pojezierzu Ińskim; pow. 509 ha (w tym 3 wyspy o pow. 22,3 ha), dł. 5,4 km, szer. 2,1 km, maks. głęb. 42 m; złożone z kilku rynien jeziornych; linia brzegowa dobrze

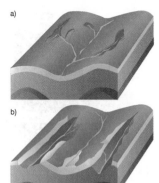

■ Inwersja rzeźby: a), b), c) stadia rozwoju

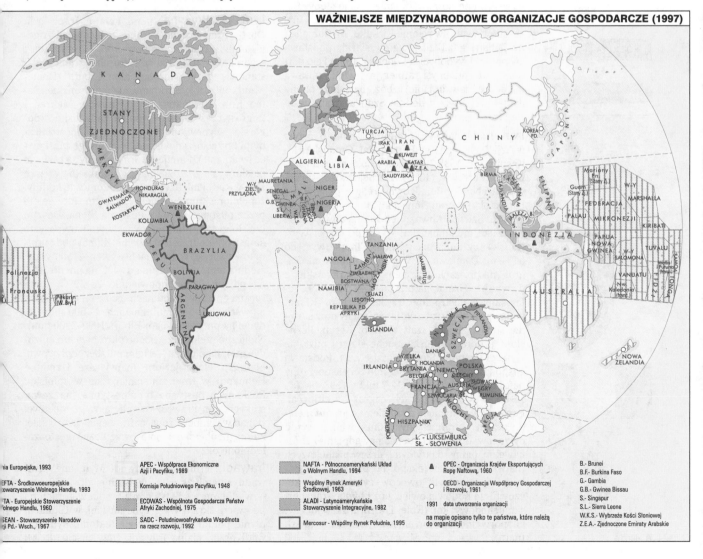

WAŻNIEJSZE MIĘDZYNARODOWE ORGANIZACJE GOSPODARCZE (1997)

...nia Europejska, 1993

EFTA - Środkowoeuropejskie Stowarzyszenie Wolnego Handlu, 1993

...TA - Europejskie Stowarzyszenie Wolnego Handlu, 1960

...EAN - Stowarzyszenie Narodów ...ji Pd.- Wsch., 1967

APEC - Współpraca Ekonomiczna Azji i Pacyfiku, 1989

Komisja Południowego Pacyfiku, 1948

ECOWAS - Wspólnota Gospodarcza Państw Afryki Zachodniej, 1975

SADC - Południowoafrykańska Wspólnota na rzecz rozwoju, 1992

NAFTA - Północnoamerykański Układ o Wolnym Handlu, 1994

Wspólny Rynek Ameryki Środkowej, 1963

ALADI - Latynoamerykańskie Stowarzyszenie Integracyjne, 1982

Mercosur - Wspólny Rynek Południa, 1995

OPEC - Organizacja Krajów Eksportujących Ropę Naftową, 1960

OECD - Organizacja Współpracy Gospodarczej i Rozwoju, 1961

1991　data utworzenia organizacji

na mapie opisano tylko te państwa, które należą do organizacji

B.- Brunei
B.F.- Burkina Faso
G.- Gambia
G.B.- Gwinea Bissau
S.- Singapur
S.L.- Sierra Leone
W.K.S.- Wybrzeże Kości Słoniowej
Z.E.A.- Zjednoczone Emiraty Arabskie

■ Irak

■ Iran

■ Irlandia

rozwinięta; brzegi przeważnie wysokie, miejscami urwiste, pn. — zalesione; przez I. przepływa rz. Ina łącząc je z jez. Stobnica; na pd. brzegu leży miasto I.; jezioro wchodzi w skład Ińskiego Parku Krajobrazowego; na pn.-wsch. brzegu I. rezerwat leśny Kamienna Buczyna (las bukowy, morena czołowa nad I.). ■

Iowa [ajoᵘə], stan w USA, między rz.: Missisipi i Missouri; 145,8 tys. km², 3 mln mieszk. (2002); stol. Des Moines, inne gł. m.: Cedar Rapids, Davenport; równinny; na rzekach zbiorniki retencyjne; gł. w kraju region uprawy kukurydzy i soi (Corn Soy Belt) oraz owsa; hodowla bydła, trzody chlewnej; przemysł mięsny, młynarski, maszyn rolniczych.

Irak, Al-'Irāq, Republika Iracka, państwo w Azji Zach., nad Zat. Perską; 438,3 tys. km²; 23,8 mln mieszk. (2002), Arabowie (77%), Kurdowie (gł. w Kurdyjskim Okręgu Autonomicznym), Turkmeni; muzułmanie (islam jest religią państw.); stol. Bagdad, inne m.: Al-Basra, Mosul, Kirkuk, Irbil; język urzędowy arab.; republika. W środk. części aluwialne niziny Mezopotamii, na pn.-wsch. G. Kurdystańskie (wys. do 3612 m, Buz Dagh), na zach. piaszczyste i kamieniste pustynie (Syryjska, Wielki Nefud). Klimat zwrotnikowy suchy i skrajnie suchy, w G. Kurdystańskich podzwrotnikowy górski; rz.: Tygrys, Eufrat i Szatt al-Arab, wyzyskiwane do nawadniania; suche stepy. Bogate złoża ropy naft. (13,4 mld t, 1993, ok. 10% zasobów świat.) w rejonie Kirkuku, Ar-Rumajla i Az-Zubajr, gazu ziemnego i siarki; podstawą gospodarki wydobycie (124 mln t, 1999) i eksport ropy naft.; przemysł rafineryjny, włók.; uprawa (sztuczne nawadnianie) zbóż, bawełny, palmy daktylowej, zwł. w dolinie Szatt al-Arab; gęsta sieć rurociągów. ■

Iran, İrān, Islamska Republika Iranu, państwo w Azji Zach., nad Zat. Perską, Zat. Omańską i M. Kaspijskim; 1633,2 tys. km²; 65,5 mln mieszk. (2002), Persowie (46%), Azerbejdżanie, Kurdowie, Arabowie, Beludżowie; religia państw. islam; stol. Teheran, inne m.: Meszhed, Isfahan, Tebriz, Sziraz, Ahwaz; język urzędowy pers.; republika muzułmańska. W środk. części Wyż. Irańska, ograniczona górami: Elburs (wys. do 5604 m, Demawend), Wschodnioirańskimi, Zagros, na pn.-zach. fragment Wyż. Armeńskiej z dużym jez. Urmia, na pd.-zach. — Niz. Mezopotamskiej; katastrofalne trzęsienia ziemi. Klimat podzwrotnikowy i zwrotnikowy suchy oraz skrajnie suchy; gł. rz.: Szatt al-Arab, Karun; liczne słone jeziora i solniska; suche stepy i pustynie (Wielka Pustynia Słona, Daszt-e Lut). Podstawą gospodarki wydobycie (177 mln t) i eksport ropy naft.; bogate złoża ropy (12,7 mld t, 1993, ok. 9% zasobów świat.) w górach Zagros i szelfie Zat. Perskiej; eksploatacja gazu ziemnego, rud metali; przemysł rafineryjny, hutn., włók.; wyrób dywanów; uprawa (sztuczne nawadnianie) zbóż, bawełny, palmy daktylowej, drzew pistacjowych (największy świat. eksporter pistacji), migdałowców, winorośli, owoców cytrusowych; koczownicza hodowla owiec, kóz i bydła; transport samochodowy, kol. (Kolej Transirańska), juczny; gł. porty mor.: Chorramszahr, Abadan, Chark (naft.). ■

■ Jezioro Ińsko. Zdjęcie lotnicze

■ Irak. Okolice miasta Agra

Irańska, Wyżyna, pers. **Felāt-e Irān,** urdu **Daśt-e-Irān,** wyżyna w Iranie, częściowo w Afganistanie i Pakistanie; pow. ok. 2,7 mln km²; średnia wys. ok. 1300 m. Naturalne granice W.I. stanowią góry fałdowań alp.: Elburs (Demawend, 5604 m), Turkmeńsko-Chorasańskie, Safed Koh, Hindukusz, Sulejmańskie, Mekran i Zagros; część środk. zajmuje zapadlisko śródgórskie, wypełnione paleozoicznymi, mezozoicznymi i trzeciorzędowymi utworami (gł. piaskowce i wapienie). Panującą formą rzeźby są rozległe płaskowyże rozdzielone górami (najwyższe Kuh-e Rud) i międzygórskie, tektoniczne kotliny, zapełnione rumowiskiem skalnym lub zajęte przez pustynie (Wielka Pustynia Słona, Daszt-e Lut, Registan, Margo); wygasłe wulkany; częste katastrofalne trzęsienia ziemi. Klimat podzwrotnikowy suchy, w kotlinach wewn. — pustynny; średnia temp. w styczniu od –4°C na pn. do 10°C na pd., w lipcu odpowiednio 25–29°C; suma roczna opadów w kotlinach ok. 50 mm, w górach na wsch. 100–300 mm, na zach. — 500 mm (jedynie na pn. stokach gór Elburs 1000–2000 mm). Nieliczne rzeki (przeważnie okresowe lub epizodyczne), najdłuższa — Helmand; bezodpływowe, płytkie i słone jeziora (największe Hamun-e Helmand) w lecie zmieniające się w solniska. Roślinność pustynna i półpustynna, na zewn. stokach gór krawędziowych lasy, gł. dębowe. Bogactwa miner.: ropa naft., węgiel kam., sole: kam., glauberska i potasowa; liczne gęsto zaludnione oazy.

Irawadi, birmańskie **Erawadi Myit,** ang. **Irrawaddy,** najdłuższa rz. w Birmie; dł. 2150 km, pow. dorzecza 430 tys. km²; źródła w górach na pd.-wsch. skraju Wyż. Tybetańskiej, w Chinach; płynie południowo w rowie tektonicznym Irawadi przez nizinę Irawadi; przy ujściu do M.

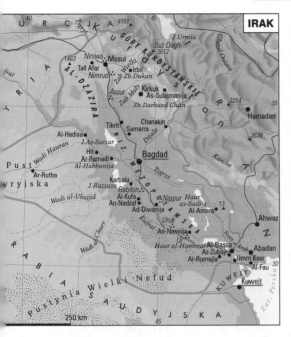

Andamańskiego tworzy deltę (pow. 30 tys. km^2); gł. dopływy: Mu, Czinduin (pr.), Szueli, Mjitnge (l.); najwyższe stany wód w sierpniu i wrześniu, najniższe — w marcu i kwietniu (w dolnym biegu wahania stanu wody 10–11 m); średni roczny przepływ przy ujściu 13 600 m^3/s; żegl. 1100 km (podczas wysokiego stanu wód — 1440 km); gł. m. nad I.: Mandalaj, na wsch. krańcu delty — Rangun; delta I. stanowi ważny region uprawy ryżu.

Irazú [~su], **Volcán Irazú,** najwyższy czynny wulkan w paśmie górskim Cordillera Central, w Kostaryce, w pobliżu m. San José; wys. 3432 m; od 1723 zanotowano ok. 20 erupcji — ostatnia 1974; wierzchołek Irazú jest jedynym miejscem na kontynencie Ameryki Pn., skąd są widoczne jednocześnie O. Atlantycki (M. Karaibskie) i O. Spokojny.

Irkuck, m. obw. w Rosji, nad Angarą; 594 tys. mieszk. (2002); duży węzeł drogowy przy Kolei Transsyberyjskiej; przemysł maszyn. i metal., drzewno-papierniczy, chem., spoż., lekki; elektrownia wodna; Irkuckie Centrum Nauk. Syberyjskiego Oddziału Ros. AN; 9 szkół wyższych (w tym uniw.); międzynar. port lotn.; muzea; zał. 1661, miasto od 1686; cerkwie (XVIII w.), budynki użyteczności publ. (XIX w.).

Irlandia, irl. **Éire,** ang. **Ireland,** wyspa na O. Atlantyckim, w grupie W. Brytyjskich; pow. 84 tys. km^2; część pn.-wsch. (większa część hist. prow. Ulaidh) zajmuje → Irlandia Północna, wchodząca w skład Zjednoczonego Królestwa W. Brytanii i Irlandii Pn.; pozostały obszar zajmuje państwo → Irlandia.

Irlandia, irl. **Éire,** ang. **Ireland,** państwo w Europie Zach., nad O. Atlantyckim i M. Irlandzkim, zajmuje większą część wyspy Irlandia; 70,3 tys. km^2, 3,8 mln mieszk. (2002); katolicy ok. 90%, protestanci; stol. i gł. port Dublin, inne gł. m.: Corcaigh, Luimneach; język urzędowy: irl. i ang. (irl. posługuje się ok. 14% ludności); republika. Kraj nizinny, na pd. i na wybrzeżach stare masywy górskie (wys. do 1041 m). Klimat

■ Iran, domy wydrążone w skałach we wsi Chandovan na południowy zachód od Tebrizu

■ Islandia

umiarkowany mor.; liczne rzeki (najdłuższa Sionna), dużo jezior (Loch Coirib, Loch Measca); torfowiska, łąki. Kraj przem.-roln.; przemysł spoż. (zwł. mięso, piwo i whisky), elektron. (komputery), chem., włók.; hodowla bydła i owiec; uprawa zbóż (jęczmień, pszenica), ziemniaków, buraków cukrowych; wydobycie rud ołowiu i cynku, torfu; baza przeładunkowa ropy naft. na wyspie Whiddy; międzynar. porty lotn. Shannon i Dublin obsługują przeloty na trasie Europa–Ameryka; rozwinięta turystyka. ■

Irlandia Północna, Northern Ireland, część Zjedn. Królestwa W. Brytanii i Irlandii Pn.; zajmuje pn.-wsch. część wyspy Irlandia; 14,2 tys. km^2, 1,7 mln mieszk. (2002); gł. katolicy (38%), anglikanie (23%) i prezbiterianie (21%);stol. Belfast, in. gł. m.: Londonderry, Armagh; powierzchnia nizinno-wyżynna; hodowla bydła, owiec (łąki i pastwiska 70% pow.); uprawy: jęczmień, owies, ziemniaki, len; przemysł (stoczn., włók., lotn.) skupiony w regionie stolicy. Utworzona 1921 z części prow. Ulaidh (ang. Ulster) o przewadze ludności protest. pochodzenia ang. i szkockiego.

■ Islandia. Wodospad Svartifoss wśród kolumn bazaltowych

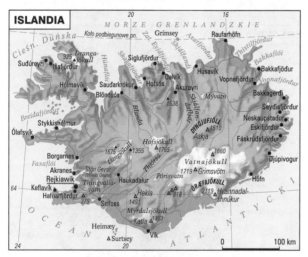

Irlandzkie, Morze, ang. **Irish Sea,** irl. **An Mhuir Mheann,** morze O. Atlantyckiego, między Irlandią a W. Brytanią; z otwartym oceanem łączy się cieśninami: na pn. Kanałem Północnym, na pd. Kanałem Św. Jerzego; pow. ok. 105 tys. km^2 (z akwenami w cieśninach); średnia głęb. 60 m, maks. — 272 m; liczne zatoki; większe wyspy: Anglesey, Man, Arran, Islay,

Jura; temperatura wód powierzchniowych od 5°C w zimie do 16,5°C w lecie, zasolenie 32,0–34,9‰; wysokość pływów od 2,9 m u wybrzeży Irlandii do 10,2 m u wybrzeży W. Brytanii; rozwinięta żegluga i rybołówstwo; gł. porty: Dublin i Belfast w Irlandii, Glasgow i Liverpool w W. Brytanii.

Irtysz, rz. w Kazachstanie i azjat. części Rosji, najdłuższy (l.) dopływ Obu; dł. 4248 km, pow. dorzecza 1,6 mln km^2; wypływa jako Czarny Irtysz na pd. stokach Ałtaju Mongolskiego, w Chinach; na Niz. Zachodniosyberyjskiej tworzy liczne odnogi i starorzecza; w dolnym biegu dolina szeroka do 35 km; gł. dopływy: Iszym, Toboł, Konda (l.), Om, Tara (pr.); średni przepływ przy ujściu 2830 m^3/s (maks. 12 100 m^3/s, min. 297 m^3/s); żegl. 3784 km; wykorzystywana do nawadniania; zasila Kanał Irtysz–Karaganda; w górnym biegu Zbiornik Buchtarmski (z jez. Zajsan), oraz elektrownie Buchtarmska i Ust--Kamienogorska; gł. m. nad Irtyszem: Ust-Kamienogorsk, Semipałatyńsk, Pawłodar, Omsk, Tobolsk, przy ujściu — Chanty-Mansyjsk.

Islamabad, stol. Pakistanu, na zach. przedgórzu Himalajów; ośr. adm. stołecznego terytorium federalnego; 587 tys. mieszk. (2002); ośr. nauk.--kult.: akad. nauk, literatury, 3 uniw., w tym islamski, biblioteka nar., inst. jądr.; przemysł włók., taboru kol.; międzynar. port lotn.; budowę I. rozpoczęto 1961, wykorzystując tradycyjne elementy architektury muzułm.; stol. od 1966.

Islandia, Ísland, Republika Islandii, państwo w pn. Europie, na wyspie Islandia na O. Atlantyckim i O. Arktycznym; 103,0 tys. km^2; 288 tys. mieszk. (2002), Islandczycy (96%), Duńczycy, Amerykanie, Szwedzi; dominuje luteranizm; stol. i gł. port mor. Rejkiawik (56% mieszk. kraju); język urzędowy isl.; republika. Kraj górzysto--wyżynny z pokrywami lawowymi; lodowce (ok. 12% pow.); wys. do 2119 m (Hvannadalshnúkur); trzęsienia ziemi, czynne wulkany (Hekla), gejzery; klimat od umiarkowanego chłodnego mor. do subpolarnego; roślinność tundrowa, torfowiska; gospodarka oparta gł. na rybołówstwie i przemyśle rybnym; przemysł spoż., włók., stoczn. (statki rybackie), hutnictwo aluminium; hodowla owiec, bydła; transport samochodowy i kabotażowy; gł. port lotn. Keflavík; eksport ryb i ich przetworów, aluminium i skór. ■

Ismaiła Samanidy, Szczyt, do 1962 **Pik Stalina,** 1963–98 **Pik Komunizmu,** szczyt w Tadżykistanie, w G. Akademii Nauk (Pamir); zwornik dla biegnących na zach. G. Piotra Pierwszego; wys. 7495 m; na stokach wieczne śniegi i lodowce o pow. ok. 130 km^2, największe: Biwacznyj (37 km^2), Bielajewa oraz Pamirskoje firnowoje płato, przez które prowadzi większość dróg wspinaczkowych na szczyt; zdobyty 1933 przez J. Abałakowa. ■

Issyk-kul, bezodpływowe jez. w Tien-szanie, w Kirgistanie, w Kotlinie Issykkulskiej, na wys. 1608 m; pow. 6,2 tys. km^2, dł. 178 km, szer. do 60 km, głęb. do 668 m; brzeg pd. wysoki, stromy; woda słonawa (5,8‰); do I. uchodzi ponad 50 rzek (najdłuższe Tiup, Dżyrgałan); w zimie nie zamarza; rybołówstwo; żegluga (przystanie Issyk-kul, Karakoł); nad I. grupa kąpielisk, m.in. Czołpon Ata; część jeziora pod ochroną (Rezerwat Issykkulski).

Istria, słoweń. **Istra,** półwysep w Chorwacji, Słowenii i Włoszech, między zat.: Triesteńską a Kvarner i Rijecką (M. Adriatyckie); pow. ok. 4 tys. km^2; górzysty (najwyższy szczyt Učka, 1396 m); w części pn.-wsch. rozwinięte zjawiska krasowe; brzeg wsch. wysoki i stromy; liczne zatoki; klimat śródziemnomor.; gł. rz.: Dragonja, Mirna, Raša; zarośla typu sziblak, w górach lasy (gł. dębowe); uprawa zbóż, winorośli, oliwek; hodowla bydła; wydobycie węgla kam. (zagłębie Raša), boksytów, soli z wody mor.; turystyka; liczne kąpieliska (największe Opatija); gł. m.: Triest, Pula, Koper.

Itaka, **Ithaki,** wyspa gr. na M. Jońskim, w archipelagu W. Jońskich (region adm.), na pn.-wsch. od Kefalinii; pow. 96 km^2; górzysta (wys. do 804 m); zarośla typu makia; uprawa winorośli, oliwek; gł. miejscowość — Itaka. Według *Odysei* Homera ośr. państwa Odyseusza; wg W. Dörpfelda była nim sąsiednia wyspa Leukada (nowogr. Lefkas).

Iwonicz Zdrój, m. w woj. podkarpackim (powiat krośnieński), w Beskidzie Niskim; 2,4 tys. mieszk. (2000); uzdrowisko (od XIX w.) i ośr. turyst.-wypoczynkowy; źródła miner. (szczawy) znane od 1578, borowina; prawa miejskie od 1973.

Izbica Kujawska, m. w woj. kujawsko-pomor. (powiat włocławski); 2,7 tys. mieszk. (2000); ośr. usługowy dla rolnictwa; drobny przemysł, gł. spoż.; prawa miejskie 1394–1870 i od 1973.

■ Szczyt Ismaiła Samanidy

Izera, **Jizera,** rz. w Czechach, w górnym biegu częściowo na granicy z Polską, pr. dopływ Łaby; dł. 164 km; źródła w G. Izerskich; gł. m. nad Izerą — Mladá Boleslav.

Izerskie, Góry, najdalej na zach. wysunięta cz. Sudetów, ograniczona od zach. Bramą Żytawską (240 m), a na wsch. przełęczami Szklarską (886 m) i Zimną (525 m); G.I. składają się z czterech równoległych grzbietów rozdzielonych dolinami Kwisy, Małej Kamiennej, Izery i Kamiennej: Wysokiego (Wysoka Kopa, 1126 m), Kamienickiego (Kamienica, 973 m), Średniego i Izery (1121 m), 2 ostatnie w całości po stronie Czech; ku pn. G.I. opadają progiem tektonicznym ku Pogórzu Izerskiemu. G.I. zbud. są z prekambryjskich granitognejsów, gnejsów i łupków łyszczykowatych, z którymi związane jest nieznaczne okruszcowanie (m.in. cyną), występowanie skał żyłowych (żyła kwarcu eksploatowana na Izerskich Garbach) i radoczynnych wód miner. (Świeradów Zdrój, Czerniawa Zdrój). Zdegradowane, łagodne wierzchowiny porastają sztucznie wprowadzone świerczyny, znacznie zniszczone gł. w następstwie zanieczyszczenia atmosfery; spłaszczenia grzbietowe o słabym drenażu, przy chłodnym i wilgotnym klimacie sprzyjają rozwojowi wysokogórskich torfowisk wysokich z bogatymi, rzadkimi zbiorowiskami roślinnymi, dostarczającymi borowiny; rzadka sieć osadnicza i duża lesistość sprawiają, że świat zwierzęcy (jelenie, sarny, dziki, lisy, głuszce, cietrzewie i in.) jest bogatszy niż gdzie indziej w Sudetach. Na wsch. krańcu G.I. największy w Sudetach ośrodek rekreacyjno-wypoczynkowy — Szklarska Poręba.

izobara [gr.], linia na mapie pogody i klim. lub na diagramie aerologicznym, łącząca punkty o jednakowej wartości ciśnienia atmosf. zmierzonej w tym samym czasie i sprowadzonej do jednego poziomu, zwykle do poziomu morza; również linia łącząca punkty o tej samej wartości średniej ciśnienia atmosf.; i. przedstawiają rozkład niżów i wyżów atmosferycznych.

izobaryczna powierzchnia, powierzchnia jednakowego ciśnienia, fikcyjna powierzchnia w atmosferze ziemskiej przechodząca przez punkty o jednakowych wartościach ciśnienia atmosferycznego. Mapy p.i. z naniesionymi → izohipsami, przedstawiające wysokości n.p.m. (lub nad poziomem niżej położonej p.i.) danej p.i. w różnych punktach atmosfery, nazywają się mapami topografii barycznej; dostarczają one informacji o rozkładzie ciśnienia i temperatury w atmosferze i są wykorzystywane w prognozowaniu pogody.

izobata [gr.], linia łącząca punkty o jednakowej głębokości, wykreślana na mapach batymetrycznych. Zob. też poziomica.

izochrona [gr.], linia na mapie łącząca punkty odpowiadające jednoczesnemu występowaniu danego zjawiska lub jego trwaniu przez taki sam okres; np. na mapie pogody punkty jednoczesnego występowania burz lub na mapie sejsmicznej punkty, do których w jednakowym czasie doszła fala sejsmiczna wywołana trzęsieniem ziemi; w geografii ekon. linia łącząca punkty o jednakowej w czasie dostępności komunikacyjnej.

izohalina [gr.], linia łącząca punkty o jednakowym zasoleniu wody; i. wykreśla się na mapach zasolenia wód zbiorników wodnych (oceanów, mórz, słonych jezior) albo wzdłuż określonego profilu na przekroju poprzecznym zbiornika.

izohela [gr.], linia na mapie klim. łącząca punkty o jednakowej wartości → usłonecznienia w tym samym czasie.

izohieta [gr.], linia na mapie klim. łącząca punkty o takiej samej ilości opadów atmosf. w tym samym czasie.

izohipsa [gr.], linia na mapie łącząca punkty o tej samej wysokości względem przyjętego poziomu (zwykle poziomu morza); w meteorologii zazwyczaj linia jednakowej wysokości danej powierzchni izobarycznej na górnej mapie → pogody. Zob. też poziomica.

izolinia [gr.], linia na mapie lub wykresie łącząca punkty o jednakowych wartościach elementu czy wskaźnika lub natężenia bądź czasu występowania zjawiska; np. izobara, izohipsa, izoklina.

izosejsta [gr.], linia na mapie łącząca punkty, w których natężenie trzęsienia ziemi (→ Mercallego–Cancaniego–Sieberga skala) w tym samym czasie jest jednakowe; i. mają często kształt zbliżony do koła lub elipsy.

izostazja [gr.], stan równowagi mas między skorupą ziemską a górnym płaszczem Ziemi. Na istnienie tej równowagi wskazuje rozkład anomalii grawimetrycznych: nad oceanami, mimo małej gęstości wód oceanicznych, stwierdza się tylko anomalie dodatnie, a na kontynentach, zwł. na obszarach górskich i wyżynnych — anomalie ujemne (mimo dodatkowego przyciągania mas skalnych leżących n.p.m.). Według J.H. Pratta (1854) i. jest uwarunkowana różną gęstością poszczególnych bloków skorupy ziemskiej: pod kontynentami występuje materiał o mniejszej gęstości, niż pod dnem oceanicznym; na pewnej głębokości (zw. głębokością kompensacji) ciśnienie jest jednakowe zarówno pod kontynentem, jak i pod dnem oceanicznym. Według G. Airy'ego (1855) poszczególne bloki skorupy ziemskiej zanurzone w materiale płaszcza Ziemi mają tę samą gęstość lecz różną grubość, przy czym im blok jest grubszy, tym głębiej jest zanurzony. Odciążenie lub obciążenie części skorupy ziemskiej prowadzi do zaburzenia i., a wskutek dążenia skorupy ziemskiej do osiągnięcia stanu równowagi powoduje pionowe ruchy skorupy ziemskiej (tzw. ruchy izostatyczne), np. Skandynawia stopniowo podnosi się od czasu stopnienia pokrywającego ją niegdyś lądolodu.

izoterma [gr.], linia na mapie pogody lub mapie klim. łącząca punkty o takiej samej wartości temperatury powietrza w tym samym czasie.

izotermiczna warstwa, warstwa powietrza w atmosferze ziemskiej, w której temperatura nie zmienia się wraz ze zmianą wysokości; warstwą taką jest np. w przybliżeniu dolna część stratosfery.

Izrael, Iśrā'ēl, **Państwo Izrael,** państwo w Azji Zach., nad M. Śródziemnym i zat. Akaba (M. Czerwone); 21,1 tys. km² (ze wsch. Jerozolimą); 6,4 mln mieszk. (2002), Żydzi (82% ludności), Arabowie; religia państw. judaizm; ponad 90% ludności w miastach; stol. Jerozolima, największe m. Tel Awiw-Jaffa; język urzędowy: hebr., arabski; republika; brak konstytucji. Na pn. wyż. Galilei z licznymi wzniesieniami, najwyższe

■ Izrael

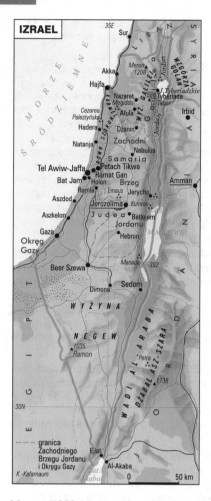

Meron (1208 m), na pd. pustynna wyż. Negew, na wsch. Jez. Tyberiadzkie, dolina rz. Jordan i M. Martwe i sucha dolina Wadi al-Araba, nad Morzem Śródziemnym wąska nizina zw. równiną Szaron; wybrzeże mor. wyrównane z wałami wydmowymi; klimat podzwrotnikowy suchy, na wybrzeżu wilgotny. Kraj wysoko rozwinięty choć gospodarka utrudniona ze względu na stały konflikt izraelsko-arabski; nowocz. przemysł: aparatura elektron., med., broń, leki, urządzenia poligraficzne; obróbka diamentów; intensywna uprawa (drzewa cytrusowe, winorośl, zboża) i hodowla; turystyka, gł. pielgrzymki do Ziemi Świętej; gł. porty: Hajfa, Ejlat. ■

■ Izrael. Ruiny miasta Gamla w Górach Galilejskich, w głębi Jezioro Tyberiadzkie

J

Jabłonowe, Góry, Jabłonowyj chriebiet, pasmo górskie w Rosji, w Zabajkalu; dł. ok. 650 km; wys. do 1680 m; zbud. z granitów, łupków krystal. i piaskowców; tajga modrzewiowa lub świerkowo-jodłowa (na stokach pd. — bory sosnowe), powyżej 1200–1400 m tundra i rumowiska skalne.

Jabłonowo Pomorskie, m. w woj. kujawsko-pomor. (powiat brodnicki), nad Lutrynią (l. dopływ Osy); 3,3 tys. mieszk. (2000); ośr. usługowy regionu roln.; węzeł kol.; drobny przemysł; prawa miejskie od 1962.

Jagnięcy Szczyt, słowac. **Jahňací štít,** szczyt w Tatrach Wysokich, na Słowacji; ostatni ku wsch. w gł. grzbiecie tatrzańskim; wys. 2229 m; szlak turyst. z Doliny Kieżmarskiej.

Jakucja, Sacha, republika w Rosji, nad M. Łaptiewów i M. Wschodniosyberyjskim; 3,1 mln km², 916 tys. mieszk. (2002); stol. Jakuck; Jakuci 33%, Rosjanie 50%, Ukraińcy, Ewenkowie, Eweni, Czukcze. Większą część zajmują G. Wierchojańskie i G. Czerskiego, na pn. niziny; w rejonie Ojmiakonu biegun zimna półkuli pn. (ok. –70°C); gł. rzeki: Lena, Oleniok, Jana, Indygirka; ok. 4/5 pow. tajga modrzewiowa; wydobycie diamentów, złota, węgla; przemysł drzewny, spoż.; myślistwo, połów ryb; hodowla (bydło, konie, renifery); żegluga na Pn. Drodze Mor., gł. port — Tiksi.

Jałta, m. na Ukrainie (Krym), nad M. Czarnym; 81 tys. mieszk. (2002); uzdrowisko, rozlewnia wód miner.; port mor.; ośr. turyst., rejsy po morzu; liczne parki; w pobliżu Nikicki Ogród Bot. (zał. 1812); pozostałości średniow. obwarowań; cerkiew orm. (XX w.).

Jamajka, Jamaica, państwo w Ameryce Środk. (Indie Zach.), na wyspie Jamajka na M. Karaibskim; 11,4 tys. km²; 2,7 mln mieszk. (2002), Murzyni i Mulaci; protestanci, katolicy; stol.: Kingston; język urzędowy ang.; monarchia konstytucyjna (należy do bryt. Wspólnoty Narodów). Wyżynno-górzysta, wys. do 2256 m; klimat równikowy wilgotny; zjawiska krasowe; gorące źródła miner.; lasy równikowe. Podstawą gospodarki górnictwo, rolnictwo i turystyka; wydobycie boksytów — 3. miejsce w świecie, ponadto gipsu; uprawa trzciny cukrowej, drzew cytrusowych,

kawowca, bananów; hodowla kóz, bydła; rybołówstwo; przemysł cukr., chemiczny. ■

Jamalsko-Nieniecki Okręg Autonomiczny, w Rosji (obw. tiumeński), nad M. Karskim; 750,3 tys. km², 492 tys. mieszk. (2002), Rosjanie 59%, Ukraińcy 17%, Nieńcy 4%, Chantowie, Komiacy i in.; ludność miejska 80%; ośr. adm. Salechard; wydobycie gazu ziemnego (wielkie złoża na płw. Jamał) i ropy naft.; hodowla reniferów, myślistwo, rybołówstwo; gazociągi do eur. części Rosji i Europy Zach.; żegluga na Pn. Drodze Morskiej.

Jamał, półwysep na pn. azjat. części Rosji, między zatokami Obską i Bajdaracką (M. Karskie); pow. 122 tys. km²; nizinny (wys. do 84 m); występuje wieczna marzłoć; liczne jeziora; roślinność tundrowa; hodowla reniferów; łowiectwo zwierząt futerkowych; bogate złoża gazu ziemnego; w budowie (1999) gazociąg tranzytowy Jamał–Europa Zach. (dł. 4200 km); zakończenie pol. odcinka (2 równol. rurociągi dł. 650 km, średnicy 1,4 m) planowane na 2004.

Jamno, jez. przybrzeżne na Wybrzeżu Słowińskim; na wys. 0,1 m; dawna zatoka mor. odcięta od M. Bałtyckiego piaszczystą, zalesioną mierzeją; pow. 2240 ha, dł. 10,1 km, szer. 3,4 km, maks. głęb. 3,9 m (kryptodepresja); linia brzegowa słabo rozwinięta; brzegi niskie, przeważnie podmokłe; strefa przybrzeżna silnie porośnięta szuwarami; połączone z morzem przekopem zw. Jamneńskim Nurtem; na mierzei kąpieliska mor. Mielno i Unieście. Okolice J. i sąsiedniego jez. Bukowo stanowią obszar krajobrazu chronionego.

Jamuna, Dźamna, hindi **Yamunā,** ang. **Jamuna, Jamna,** rz. w Indiach, najdłuższy (pr.) dopływ Gangesu; dł. 1384 km, pow. dorzecza 351 tys. km²; źródła w Himalajach; w środk. i dolnym biegu płynie przez Niz. Hindustańską, gł. dopływy: Ćambal, Betwa (pr.); wykorzystywana do nawadniania; gł. m. nad Jamuną: Delhi, Agra, przy ujściu — Allahabad.

Jamusukro, Yamoussoukro, od 1983 stol. konst. Wybrzeża Kości Słoniowej, w pd. części kraju; 196 tys. mieszk. (2002); ośr. handl. w regionie roln.; kościół Matki Bożej Pokoju (XX w.), wzorowany na Bazylice Św. Piotra w Rzymie.

■ Jamajka

Jan Mayen [ja:n mɑ̨jjən], wulk. wyspa norw. na M. Grenlandzkim, ok. 500 km na wsch. od Grenlandii; pow. 372,5 km²; powierzchnia górzysto-wyżynna (góry wulk. do wys. 2277 m; ostatnie erupcje — 1971–73); lodowce; roślinność tundrowa; stanowiska fok; ważna stacja radiowo-meteorol.; jedynymi mieszkańcami wyspy są pracownicy stacji. Odkryta 1607 przez H. Hudsona.

■ Jangcy. Przełom Trzech Wąwozów

Jangcy, chiń. **Chang Jiang,** tybet. **Dri-cz'u,** najdłuższa rz. Chin i Azji; dł. 6300 km, pow. dorzecza 1818 tys. km². Źródła w górach Tangla na Wyż. Tybetańskiej; kolejno przybiera nazwy: Tuotuo He, Tongtian He, Jinsha Jiang, od m. Yangzhou — Jangcy; w górnym biegu płynie w głębokiej dolinie między południkowo biegnącymi łańcuchami górskimi Wyż. Tybetańskiej; w środk. biegu przez Kotlinę Syczuańską (szer. rzeki 400–800 m), następnie przełamuje się przez góry ograniczające kotlinę od wsch., tworząc tzw. Przełom Trzech Wąwozów (Chang Jiang Sanxia); w dolnym biegu, na Niz. Jangcy, płynie korytem szerokim na ponad 2 km, tworzy liczne rozgałęzienia i starorzecza; w m. Zhenjiang J. przecina Wielki Kanał; przy ujściu do M. Wschodniochińskiego tworzy deltę (dł. 330 km), która narasta przeciętnie 1 km w ciągu 100 lat. Główne dopływy: Xiang Jiang, Yuan Jiang, Gan Jiang (pr.), Yalu Jiang, Min Jiang, Jialing Jiang, Han Shui (l.). Najwyższe stany wód, związane z opadami monsunowymi, w lipcu i sierpniu; roczna amplituda wahań stanów wody w Kotlinie Syczuańskiej 20–30 m, w odcinkach przełomowych — 30–40 m, w dolnym biegu — 10–15 m; średni roczny przepływ w dolnym biegu 34 tys. m³/s, najwyższy zanotowany — 90,2 tys. m³/s; pływy mor. sięgają 750 km w górę rzeki; wykorzystywana do nawadniania (liczne tamy, kanały, sztuczne jeziora); w Przełomie Trzech Wąwozów usytuowana duża elektrownia wodna, powyżej m. Yichang — węzeł wodny Gezhou Ba (tama o dł. 2560 m, zbiornik retencyjny i 2 elektrownie wodne o mocy 960 MW i 1760 MW). 2002 rozpoczęto wysiedlanie ludności z rejonu Przełomu Trzech Wąwozów, gdzie powstaje największy na świecie hydrowęzeł. Żeglowna na dł. 2800 km, do Wuhanu dostępna dla statków mor.; gł. m. nad J.: Chongqing, Wuhan, Nankin, w pobliżu ujścia — Szanghaj.   ■

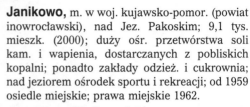

■ Japonia

Janikowo, m. w woj. kujawsko-pomor. (powiat inowrocławski), nad Jez. Pakoskim; 9,1 tys. mieszk. (2000); duży ośr. przetwórstwa soli kam. i wapienia, dostarczanych z pobliskich kopalni; ponadto zakłady odzież. i cukrownia; nad jeziorem ośrodek sportu i rekreacji; od 1959 osiedle miejskie; prawa miejskie 1962.

Janowiec Wielkopolski, m. w woj. kujawsko-pomor. (powiat żniński), nad Wełną; 4,3 tys. mieszk. (2000); ośr. usługowy regionu roln.; drobny przemysł, gł. spoż.; węzeł kol.; prawa miejskie przed 1458.

Janów Lubelski, m. powiatowe w woj. lubel., na pn. skraju Lasów Janowskich; 12,3 tys. mieszk. (2000); ośr. przem.-usługowy i turyst.--wypoczynkowy; przemysł maszyn., metal., odzież., drzewny, spoż.; węzeł drogowy; muzeum, siedziba zarządu Parku Krajobrazowego Lasy Janowskie; prawa miejskie od 1640; kościół i klasztor podominikański (XVII, XVIII i XIX/ XX w.).

Japonia, Nihon, Nippon, państwo we wsch. Azji, na Wyspach Japońskich, na O. Spokojnym; obejmuje 4 duże wyspy: Honsiu, Hokkaido, Kiusiu, Sikoku (ciągną się na dł. 2200 km) i ok. 4000 mniejszych (największa Okinawa w archipelagu Riukiu); pow. 377,8 tys. km², 127,5 mln mieszk. (2002); stol. Tokio; język urzędowy: jap.; konstytucyjna monarchia dziedziczna; podział adm.: 47 prefektur.

Warunki naturalne
Wyspy Japońskie leżą w aktywnej sejsmicznie okołopacyficznej strefie górotwórczej, stanowią nadwodną część potężnego łańcucha górskiego wznoszącego się z dna oceanu; w pobliżu wielkie głębie oceaniczne, m.in. Rów Japoński. Około 80% pow. kraju zajmują niewysokie góry i wyżyny; w środk. części wyspy Honsiu, w strefie wielkiego rowu tektonicznego zw. Fossa Magna, najwyższa góra J. — wulkan Fudżi, 3776 m; niziny wzdłuż wybrzeży i w dolinach rzek, największa niz. Kantō; liczne czynne wulkany, najaktywniejsze: Asama-yama (Honsiu), Aso-san (Kiusiu); źródła miner., gł. termalne; b. częste (czasami katastrofalne) trzęsienia ziemi. Klimat monsunowy, na pn. umiarkowany ciepły mor., na pd. podzwrotnikowy i zwrotnikowy mor.; średnia temp. w styczniu od –10°C na Hokkaido i w górach do 14–18°C na Riukiu, w lipcu od 18–20°C na pn. do 28°C na pd.; opady wzrastają ku pd., od 800–1500 mm rocznie na Hokkaido do 2000–3000 mm na Riukiu; wiosną i jesienią tajfuny. Rzeki krótkie, zasobne w wodę, wykorzystane do celów hydroenerg. i nawadniających; jeziora kraterowe, kalderowe oraz lagunowe, największe Biwa (tektoniczne); 66% pow. zajmują lasy, od iglastych typu tajgi w pn. Hokkaido do podzwrotnikowych na Riukiu; obszary chronione stanowią ponad 14% pow., 28 parków nar., największy — Daisetsu-zan (grupa wulkanów w środk. Hokkaido).

Ludność
Japończycy (ok. 99% ludności J.), Koreańczycy, Chińczycy, Amerykanie; na Hokkaido ok. 50 tys. Ajnów; przeważają religie shintō i buddyzm; mały przyrost naturalny — 2,3‰ (1999), od 1980 spadek (z 8,6‰) wskutek zmniejszania się

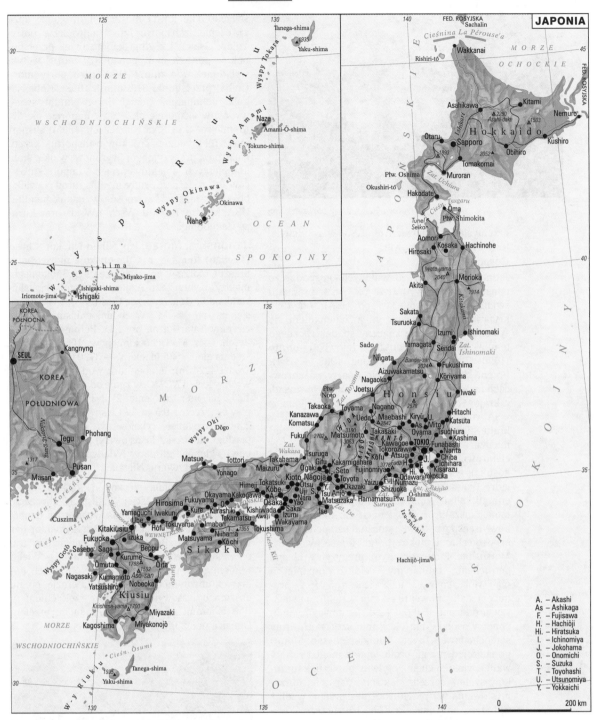

■ Japonia. Osaka, fragment miasta

wskaźnika urodzeń i wzrostu wskaźnika zgonów; 17% ludności w grupie wiekowej ponad 65 lat, 15% w wieku poniżej 15 lat; postępujący proces starzenia się społeczeństwa; przeciętne trwanie życia ponad 80 lat — najwyższe w świecie; średnia gęstość zaludnienia 335 mieszk. na km², największa koncentracja ludności w pasie przem. — pd. Honsiu (→ Megalopolis Nippon), pn. Kiusiu i Sikoku (ponad 1600 mieszk. na km²); w miastach 78,4% ludności (2000); największe m.: Tokio, Jokohama, Osaka, Nagoja, Kioto, Kōbe tworzą konurbacje miejsko-przem. i regiony metropolitalne; Tokio–Jokohama, najludniejszy region świata — ok. 27 mln mieszk.; struktura zatrudnienia: 61% ludności aktywnej zawodowo w usługach (gł. w handlu), 36,4% w

■ Japonia. Gifu, widok z góry zamkowej

przemyśle i budownictwie, 1,8% w rolnictwie, leśnictwie i rybołówstwie.

Gospodarka

Jedno z najlepiej rozwiniętych gospodarczo państw świata, wytwarza ok. 15% produktu świat. brutto (2. miejsce po USA); od 1991 kryzys gosp., związany gł. z załamaniem się systemu bankowego; znaczny spadek rocznego tempa wzrostu produktu krajowego brutto (1990–97 średnio 1,2% rocznie, 1998 — –3%). Przemysł prawie całkowicie oparty na surowcach importowanych; ropa naft. importowana gł. z krajów arab. nad Zat. Perską, węgiel kam. z USA, rudy metali z Australii, Indii i Brazylii; w kraju niewielkie wydobycie węgla kam., rud miedzi, siarki; 59% energii elektr. wytwarzają elektrownie cieplne (największe: Kashima, Yokosuka), tylko 10% — wodne; duże elektrownie jądr. (Fukushima, Takahama) — ponad 30% energii; silnie rozwinięte hutnictwo żelaza i metali nieżel., przemysł maszyn., metal., środków transportu (zwł. stoczn., samochodowy), elektrotechn. i elektron. (gł. koncerny: Sony, Matsushita, Pioneer, Sanyo), precyzyjny, chem., petrochem., rafineryjny, celulozowo-papierniczy, włók., spoż.; 2. na świecie (po USA) producent stali surowej (94,2 mln t, 1999), największy producent statków (zwł. tankowce), samochodów osobowych (ok. 8 mln sztuk); gł. firmy samochodowe: Toyota, Honda, Nissan Motor; ponadto jeden z gł. producentów miedzi rafinowanej, włókien chem., etylenu, papieru, kauczuków syntet., sprzętu elektron.; najsilniej uprzemysłowiona wyspa Honsiu (pas przem. wzdłuż wybrzeża od Tokio do Kōbe i wybrzeże Wewnętrznego M. Japońskiego) i pn.-zach. Kiusiu (gł. ośr.: Kitakiusiu, Fukuoka). Intensywne rolnictwo o wysokim stopniu mechanizacji (1 ciągnik na 1,8 ha gruntów ornych) i kulturze roln.; użytki rolne zajmują ok. 14% pow. kraju; uprawa ryżu (41% pow. zasiewów), pszenicy, batatów, drzew owocowych (m.in. jabłonie, grusze, mandarynki), roślin przem. (herbata, tytoń, buraki i trzcina cukrowa, soja, rzepak); hodowla bydła, trzody chlewnej i kur (gł. Hokkaido); jedwabnictwo; połowy makreli, sardynek, tuńczyka, łososia, krabów, krewetek (5,2 mln t — 3. miejsce w świecie, po Chinach i Peru, 1999), wielorybnictwo, marikultury; gęsta sieć komunik.; jedne z najszybszych kolei na świecie Shinkansen (1938 km); między wyspami komunikacja promowa, tunele podmor. (m.in. Seikan — najdłuższy na

świecie, 53,8 km) i mosty kol.-drogowe; duże znaczenie transportu lotn. (największe porty: Tokio, Osaka) i żeglugi kabotażowej; przeładunek w portach mor. ponad 879 mln t, w tym wyładunek 754 mln t (1999); gł. porty mor.: Chiba (przeładunki 91,8 mln t, 1998), Kōbe,Nagoja, Jokohama. Udział J. w handlu świat. wynosi w eksporcie ok. 8%, w imporcie ok. 5% (3. miejsce po USA i Niemczech, 1995); eksport maszyn i urządzeń, środków transportu, sprzętu elektron., precyzyjnego, wyrobów włók., stali, kompletnych obiektów przem.; import surowców (gł. ropa naft., rudy metali, surowce włók., boksyty), maszyn, żywności; wymiana handl. z USA, krajami Azji Pd.-Wsch. i Wsch. oraz Europy Zachodniej. ■

Japońskie, Morze, jap. **Nihon-kai**, kor. **Chosn (Taehan) tonghae**, ros. **Japonskoje morie**, przybrzeżne morze w pn.-zach. części O. Spokojnego, między wybrzeżem Azji a wyspami Sachalin, Hokkaido i Honsiu; przez Cieśn. Koreańską łączy się na pd. z M. Wschodniochińskim, przez cieśniny Tatarską na pn. i La Pérouse'a na pn.--wsch. — z M. Ochockim; pow. 1062 tys. km², średnia głęb. 1535 m, maks. — 3720 m (wg innych źródeł 4224 m); temperatura wód powierzchniowych w lecie 17–27°C, w zimie od –1,7°C na pn. do 12°C na pd.; zasolenie 27,0–34,8‰; wysokość pływów średnio 0,5 m, w Cieśn. Tatarskiej — do 2,3 m; rozwinięte rybołówstwo (sardyna, śledź, płastugi, tuńczyk, łososiowate); połowy ostryg, pereł i glonów; gł. porty: Władywostok, Czhongdzin, Wonsan, Otaru, Niigata.

jar, kanion, dolina rzeczna o wąskim dnie i b. stromych, najczęściej skalistych zboczach; powstaje w wyniku b. intensywnej erozji dennej spowodowanej obniżeniem bazy erozyjnej (np. jar Dniestru) lub silnym wypiętrzaniem obszaru, przez który płynie rzeka (jar Kolorado, → Wielki Kanion); jary powstają także na obszarach pokrytych utworami b. podatnymi na erozję, np. na obszarach lessowych (m.in. jar rzek chiń.); w Polsce jarami są np. dolina Prądnika, przełom Dunajca przez Pieniny. ■

■ Jar rzeki Verdon w południowej Francji

Jarocin, m. powiatowe w woj. wielkopol.; 26 tys. mieszk. (2000); przemysł maszyn., materiałów bud., drzewny, ponadto zakład odzież. i mleczarnia; węzeł kol. i drogowy; muzeum; 1980–94 Festiwale Muzyki Rokowej; prawa miejskie przed 1307 (w końcu XIII w.); kościół (XVII, XVIII w.), ratusz (XVIII/XIX w.), pałac z parkiem (XIX w.).

Jarosław, m. powiatowe w woj. podkarpackim, nad Sanem; 42 tys. mieszk. (2000); ośr. przem., usługowy, turyst. i kult.; przemysł spoż. (cukierniczy, mięsny, zbożowy), dziewiarski i szkl., ponadto przemysł drzewny, materiałów bud. i eksploatacja gazu ziemnego; węzeł drogowy; muzeum; Państw. Wyższa Szkoła Zaw.; prawa miejskie przed 1370 (po 1340); liczne zespoły klasztorne, kościoły, kolegia (XVI, XVII, XVIII w.), kamienice (XVII–XVIII w., m.in. Orsettich — ob. muzeum).

Jasielsko-Krośnieńska, Kotlina, obniżenie śródgórskie w pd.-zach. części Pogórza Środkowobeskidzkiego; położona w obrębie zapadliska tektonicznego tzw. centr. depresji karpackiej; otoczona pogórzami: od pd. Jasielskim i Bukowskim, od pn.-wsch. Dynowskim i od pn.-zach. Strzyżowskim; zbud. z mało odpornych trzeciorzędowych piaskowców i łupków krośnieńskich. Jest to najstarszy w Polsce region wydobycia ropy naft.; ob. ma charakter roln.-przem.; gł. ośr. są m. Krosno i Jasło.

Jasień, m. w woj. lubus. (powiat lubuski), nad Lubszą (pr. dopływ Nysy Łużyckiej); 4,7 tys. mieszk. (2000); fabryka maszyn bud., wytwórnia mebli, tartak; prawa miejskie od 1660.

jaskinia, naturalna pusta przestrzeń (pustka) w skale (lub lodzie lodowcowym) o rozmiarach umożliwiających eksplorację przez człowieka; wg obecnie stosowanych (w większości krajów) kryteriów za j. jest uważany obiekt o dł. od 3 m (w niektórych rejonach nawet od 2 m). J. mają najrozmaitsze formy i kształty, począwszy od niewielkich skalnych wiszarów czy zagłębień w skale i pojedynczych komór, poprzez pojedyncze proste korytarze, po skomplikowane, niezwykle rozbudowane przestrzennie sieci (labirynty) korytarzy, komór i studni, rozciągnięte na przestrzeni wielu km i liczące kilkaset km długości. J. należące do jednego systemu krasowego odwodnienia albo jednego ciągu pustek w potoku lawowym lub znajdujące się np. w jednym masywie skalnym określa się mianem systemu jaskiniowego (w Polsce największy jest system jaskiniowy Lodowego Źródła w Tatrach Zach., o łącznej długości korytarzy ponad 70 km).
Przy opisie j. używa się m.in. następujących danych morfometrycznych: długość j. — suma długości wszystkich poznanych w j. korytarzy, studni i komór; głębokość j. — różnica wysokości między najwyżej położonym otworem a najniższym osiągniętym w j. punktem (dnem j.); wysokość j. — różnica wysokości między najwyżej położonym otworem j. a najwyższym poznanym w niej punktem; deniwelacja j. — suma głębokości i wysokości j.; rozciągłość j. (czasem mylona z jej długością) — odległość (mierzona w linii prostej) między najbardziej oddalonymi, znanymi w j. punktami.
Elementy jaskini. O t w o r y j. (czyli ich naturalne wyloty) mają przekrój od ok. 400 cm^2 (z trudem pokonywany przez człowieka) do ponad 100 tys. m^2; do największych należą otwory olbrzymich jaskiniowych studni, największy ma średnicę ponad 400 m (otwór studni Minye na Nowej Brytanii, o głęb. 417 m). W Polsce największy otwór ma tatrzańska j. Komora

■ Jaskinia. Formy naciekowe w Cristal Onyx Cave (część Jaskini Mamuciej w USA)

Gwiaździsta (ponad 20 m wys. i 10 m szer.). K o r y t a r z e j a s k i n i o w e mają bardzo różne kształty i wymiary, od niewielkich kanałów czy szczelin, o szer. ok. 20 cm (największe zwężenia korytarzy są zw. zaciskami), po wielkie tunele, których szer. i wys. przekracza 100 m, a przekrój nawet 3 tys. m^2 (j. Nam Hin Boon w G. Annamskich w Laosie); najobszerniejsze korytarze powstają w warunkach krasu tropik., największe są znane w pd.-wsch. Chinach, na Płw. Indochińskim oraz na Borneo i w Ameryce Środk.; w Polsce najobszerniejsze korytarze poznano w Jaskini Czarnej w Tatrach Zach. (szer. do kilku m, wys. — kilkanaście m). W niektórych rejonach krasowych sieć korytarzy jaskiniowych jest niezwykle rozbudowana, ich dł. dochodzi do 300 km pod 1 km^2 terenu (Ukraina — Podole). Fragmenty korytarzy, w których strop schodzi poniżej poziomu wody, lodu lub osadów są zw. syfonami. Odcinki j. o przebiegu pionowym lub o bardzo dużym upadzie to s t u d n i e j a s k i n i o w e; najgłębsza pionowa studnia jaskiniowa (Vrtglavica Vertigo w Alpach Julijskich w Słowenii) ma głęb. 643 m; w Tatrach najgłębszą jest Studnia Wazeliniarzy w Śnieżnej Studni, o głęb. 230 m. Rozszerzenia w korytarzach to k o m o r y j a s k i n i o w e (sale); największe znane: Sarawak Chamber na Borneo (dł. 700 m, szer. 450 m, średnia wys. 100 m, pow. 162,7 tys m^2) i Sala Miao w Getuhe Dong w Chinach (dł. 700 m, szer. 215 m i wys. do 100 m, pow. 116 tys. m^2); w Europie — komora w Torca del Carlista w Hiszpanii (dł. 520 m, szer. 245 m, wys. do 120 m, pow. 76,7 tys. m^2). W Polsce wymiary największych komór dochodzą do kilkudziesięciu m (np. komora w Jaskini Ciemnej ma dł. ok. 80 m, szer. do 20 m i wys. do 10 m).

Typy jaskiń. Istnieje wiele różnych podziałów j., m.in. ze względu na czas ich powstania, genezę, położenie, litologię, morfologię, znaczenie i wykorzystanie. Ze względu na czas powstania rozróżnia się j. pierwotne (syngenetyczne) powstające wraz z otaczającą je skałą i jaskinie wtórne (epigenetyczne) tworzące się w już istniejącej skale; do pierwotnych należą j. lawowe, gazowe, martwicowe i rafowe; najliczniejsze z nich (znanych jest kilkanaście tys.) są j. l a w o w e; tworzą się w potokach lawowych (niemal wyłącznie law zasadowych), kiedy w czasie spływu potoku zakrzepnie jego powierz-

■ Jaskinia Carlsbad Caverns, szata naciekowa

chnia, a wnętrze wypełnia płynąca, wciąż rozgrzana lawa, która po wypłynięciu spod zakrzepłej powierzchni pozostawia pustkę w formie tunelu; od powierzchni oddziela je zwykle kilku- lub kilkunastometrowa warstwa skały, niekiedy jest jednak ona cieńsza od 1 m. J. lawowe są j. najmłodszymi, np. na wulkanie Kilauea niektóre powstały w czasie spływu lawy III 2001. W niektórych tego typu j. (największe i najliczniejsze są na Islandii — ok. 10 tys., i na Hawajach — ponad 1200) spotyka się oryginalne lawowe „stalagmity" i „stalaktyty" (m.in. w formie kilkudziesięciocentymetrowych, bardzo cienkich „makaronów"), powstające w temp. ok. 1000°C; największą taką j. jest Kazamura (Kilauea, Hawaje), dł. 61,5 km, głęb. 1101 m i rozciągłości 32,28 km. W lawach o dużej lepkości (kwaśnych) powstają j. g a z o w e — kuliste pustki tworzące się wewnątrz pokrywy lawowej podczas jej odgazowania; zwykle są to pojedyncze komory, dla których typowe jest występowanie na ścianach kryształów różnych minerałów. J. m a r t w i c o w e powstają wraz z martwicą w formie komór w jej wnętrzu; najbardziej znane takie j. to Höllgrotten w Szwajcarii i j. przy Jeziorach Plitwickich w Chorwacji; największa tego typu j. na świecie (dł. ok. 280 m, z 40-metrowym syfonem) znajduje się w Gwatemali nad rz. Cahabón; w Polsce — jedyna znana — Schronisko w Laskach (k. Bolesława). J. r a f o w e tworzą się w wyniku nierównomiernego rozrastania się rafy (najczęściej rafy koralowej) i mają zwykle formę nieregularnych komór.

Wśród j. wtórnych ze względu na genezę rozróżnia się m.in.: j. krasowe, tektoniczne, erozyjne (gł. abrazyjne, korazyjne, suffozyjne), wulkaniczne; zwykle przy tworzeniu j. współdziałają różne procesy. Najliczniejsze i największe są j. k r a s o w e (ok. 90% wszystkich znanych j.), utworzone przede wszystkim w wyniku rozpuszczania skał przez wodę; specyficznym typem j. krasowych są j. h y d r o t e r m a l n e, utworzone wskutek rozpuszczania skał przez napływające z głębi ziemi ciepłe wody, zwykle o temp. 60–100°C (kras hydrotermalny); są one częste np. na Węgrzech (m.in. w Budapeszcie), w Polsce taką genezę ma znana tatrzańska j. Dziura. Bardzo liczne są też j. t e k t o n i c z n e, popularnie zwane j. szczelinowymi, powstające najczęściej w wyniku procesów tektonicznych;

charakterystyczne dla nich są korytarze w formie wąskich a wysokich szczelin i komory zawaliskowe. J. a b r a z y j n e, powstające wskutek → abrazji (gł. mor., u podnóża klifu), są bardzo liczne m.in. na Płw. Apenińskim, w pn. Irlandii, na Hebrydach, na wybrzeżach Kalifornii, najbardziej znana — Jaskinia Fingala w Szkocji. J. k o r a z y j n e (eoliczne), powstają wskutek erozji eolicznej — niszczenia skały przez niesiony wiatrem piasek. J. s u f f o z y j n e tworzą się wskutek wypłukiwania cząstek skalnych ze skał sypkich i słabo spojonych; powstają gł. w lessach (w Polsce m.in. na Wyż. Sandomierskiej); w Parku Stanowym Anza-Borrego Desert w pd. Kalifornii (USA) występują j. utworzone w glinie (największa dł. 341 m). J. w u l k a n i c z n e są pustymi, nieczynnymi kominami wulkanicznymi; największe z nich: j. Prihnukagigur na Islandii — komin wulkaniczny w kształcie dzwonu (głęb. ok. 200 m), i Gouffre Tarisson w masywie Soufrière w zach. Gwadelupie (głęb. 120 m, z jeziorem wody o temp. 50°C na dnie). Niewielkich rozmiarów j. powstają też w wyniku wietrzenia mrozowego, np. unikatowa Jaskinia Komonieckiego w Beskidzie Małym (komora o pow. ok. 115 m^2).

Ze względu na położenie rozróżnia się m.in. j. p o d w o d n e, tj. leżące poniżej zwierciadła wody i całkiem lub w większej części wypełnione wodą; najdłuższą znaną j. podwodną jest Ox Bel Ha na Jukatanie, dł. 70,65 km, a najgłębszą (głęb. do 308 m) — słynna Fontaine de Vaucluse we Francji; w j. Bushmansgat w RPA istnieje największa w świecie jaskiniowa komora wypełniona wodą (ponad 7 mln m^3); do j. podwodnych należą głównie j. p o d m o r s k i e, znajdujące się (przynajmniej częściowo) poniżej obecnego poziomu morza i wypełnione (przynajmniej częściowo) jego wodami; zwykle znajdują się w wybrzeżu, ale mogą być też w dnie morza, w znacznej odległości od brzegu (np. Trou Bleu leżąca ok. 55 km od brzegu Jukatanu); największe poznano na Jukatanie, Florydzie i Bahamach (sławne „blue holes") oraz przy pn. wybrzeżach M. Śródziemnego (np. j. Chauvet).

Ze względu na ilość wody występującej w j. rozróżnia się m.in.: j. s u c h e, w których nie ma w ogóle wody, albo też występuje ona lokalnie, np. w postaci niewielkiego deszczu podziemnego, i j. w o d n e, w których płyną większe potoki lub występują liczne zbiorniki wodne (w Polsce np. Jaskinia Wodna pod Pisaną). Największe w świecie pod względem powierzchni jaskiniowe jezioro znajdujące się w j. Dragon's Breath Hole (Drachenhauchloch) w Namibii (dł. ponad 200 m i szer. do 120 m) ma od 1,9 ha do 2,6 ha (zależnie od poziomu wody). W Polsce największe jezioro jaskinowe ma dł. 20 m (w Ptasiej Studni). J., przez które (lub przez których część) przepływa (lub przepływał) ciek, są zw. p r z e p ł y w o w y m i; największy znany w świecie przepływ wody występuje w j. Xe Bang Fai w G. Annamskich w Laosie; j. ta przebija na wylot ok. 5-kilometrowy grzbiet górski, płynie przez nią rzeka mająca w porze deszczowej przepływ ponad 500 m^3/s (odwadnia obszar o pow. 1300 km^2, z rocznymi opadami ok. 2500 mm). Najdłuższą podziemną rzekę (dł. 11,75 km) poznano w j. Hang Khe Rhy w G. Annamskich w Wietnamie. J., która jest końcową częścią systemu krasowego i z której na powierzchnię wypływa lub dawniej wypływała woda, jest zwana j. w y w i e r z y s k o w ą. Największe przepływy cieków powstałych w systemie krasowym osiągają 250 m^3/s.

Ze względu na wypełnienie rozróżnia się m.in.: j. n a c i e k o w e, zawierające duże ilości → nacieków jaskiniowych, np. Jaskinia Bielska, Jaskinia Demenowska (w Polsce np. j.: Niedźwiedzia i Raj); czasem wypełniają one nawet cały przekrój j. i osiągają niekiedy ogromne rozmiary, wys. największych znanych stalagmitów przekracza 38 m (np. w chińskiej j. Getuhe Dong), a cieniutkie stalagmity (tzw. makarony) o jednorodnej (poniżej 1 cm) średnicy osiągają dł. ponad 6 m; j. l o d o w e, w których powstaje lód utrzymujący się przez cały rok; na świecie jest znanych kilka tys. takich j., zwykle nagromadzony w nich lód ma objętość od kilku do kilkadziesięciu (rzadziej kilkuset) m^3, a w największych przekracza 100 tys. m^3 (Dobszyńska Jaskinia Lodowa); do najbardziej znanych j. lodowych należą m.in. j. Eisriesenwelt, Kungurska Jaskinia Lodowa, Jaskinia Demenowska, Silicka Jaskinia Lodowa; w Polsce największą jest Jaskinia Lodowa w Ciemniaku (maksymalnie 1,5 tys. m^3 lodu).

J. spotyka się w niemal wszystkich typach skał. W zależności od skały w jakiej się utworzyły rozróżnia się j. w a p i e n n e (większość znanych j., w tym najdłuższe i najgłębsze), d o l o m i t o w e, m a r m u r o w e, g i p s o w e (najdłuższa Jaskinia Optymistyczna na Ukrainie, dł. 212 km, najgłębsza — j. Dahredj w Algierii, głęb. 212 m; w Polsce najdłuższą jest Jaskinia Skorocicka, dł. 352 m), z l e p i e ń c o w e (największa Jaskinia Orieszna, dł. 58 km), b a z a l t o w e (najsłynniejsza Jaskinia Fingala u wybrzeży Szkocji), g r a n i t o w e (najdłuższa Bat Cave w USA, dł. 1,7 km, najgłębsza Faille du Mont Sapey we Francji, głęb. 180 m; w Polsce największe w Tatrach Wysokich), p i a s k o w c o w e (najdłuższa Grotte de Pézenas we Francji, dł. 5,9 km, najgłębsza Cova del Serrat del Vent, Hiszpania, głęb. 215 m; w Polsce jest ponad 600 takich j., głównie w Karpatach fliszowych, najdłuższa — Jaskinia w Trzech Kopcach, dł. 942 m); znane są też j. s o l n e (m.in. w Iranie, Izraelu, Rumunii, Tadżykistanie, największa Me'arat w Izraelu ma dł. 5,7 km i głęb. 135 m), j. k w a r c y t o w e (największa Gruta do Centenário w Brazylii, dł. 4,63 km i głęb. 454 m), j. ł u p k o w e (największa Gruta dos Ecos, Brazylia, dł. 1,4 km, głęb. 125 m). W lodowcach, m.in. na Islandii, Spitsbergenie, Grenlandii, Antarktydzie, w Andach, Kordylierach, Alpach, Pamirze, tworzą się j. l o d o w c o w e; gdy powstają na styku lodowca z podłożem, zarówno w skałach podłoża, jak i lodzie lodowcowym, są zw. p o d l o d o w c o w y m i; najdłuższa Paradise Ice w USA, dł. 24,1 km, najgłębsza Kverkfjöll na Islandii, głęb. 525 m.

Rozmieszczenie jaskiń. Obecnie na świecie jest znanych ponad 250 tysięcy j., najwięcej (ok. 180 tys.) w Europie, kolejno (po kilkadziesiąt tys.) w Azji i Ameryce Pn., a następnie (kilkanaście tys.) w Ameryce Pd. i (po kilka tys.) w Australii, Oceanii i Afryce. Taki ilościowy rozkład j. jest przede wszystkim rezultatem bardzo nierównomierne-

■ Jaskinia Rieseneishohle („Parsifaldom") w masywie Dachstein (Alpy Salzburskie)

go stopnia speleologicznego zbadania terenu. Najlepiej została poznana Europa, ale i w niej co roku są wciąż odkrywane setki j. Największe obszary występowania j. znajdują się w Azji (np. powierzchnia obszarów krasowych w Chinach jest szacowana na ponad 1 mln km^2) i w Ameryce Pn., niektóre z nich są jeszcze nierozpoznane; przyczyną tego bywa, oprócz niekorzystnego położenia j. (daleki i trudny dostęp), sytuacja polit. (zwł. w pd.-wsch. Azji). W niektórych rejonach do niedawna j. były traktowane jako obiekty militarne (np. wykorzystywane jako schrony, szpitale, składy broni itp.), w wielu innych badania j. wymagają specjalnych zezwoleń (np. ze względu na możliwość istnienia zabytków archeol., zwł. w krajach Ameryki Środk. i Ameryki Pd., albo ze względu na przepisy ochrony przyrody).

Najwięcej j. poznano m.in. w Alpach (ponad 25 tys.), Karpatach (ponad 17 tys.), G. Dynarskich (ponad 10 tys.), Jurze (ponad 7 tys.), na Kubie (ponad 10 tys.). Nagromadzenie j. na niektórych obszarach jest ogromne, np. w Szwajcarii na obszarze alpejskiego krasu Innerbergli k. Interlaken o pow. 0,35 km^2, są 452 j. Z j. krasowych najbardziej na pn. (ok. 80° N) są położone j. wapienne w pn-wsch. Grenlandii, najdalej na pd. (ok. 52° S) — j. w pd. Patagonii w Ameryce Południowej. Na Antarktydzie j. lodowcowe poznano w górach Erebus. Najwyżej położona jest j. Rakhiot w Himalajach (na wys. ok. 6600 m), najniżej ze znanych leży j. Me'arat (ok. 390 m p.p.m.) W G. Dynarskich pustki krasowe stwierdzono do głęb. 3 km p.p.m. Na terenie Polski jest znanych ponad 3600 j.

Znaczenie jaskiń. J. mają duże znaczenie turyst., setki j. udostępniono do zwiedzania w sposób zorganizowany, najbardziej znane — m.in. Postojna, Baradla, Eisriesenwelt; w Polsce jest ich 9, najliczniej jest zwiedzana Smocza Jama w Krakowie. J. są także wykorzystywane jako miejsca kultu, m.in. j. Massabielle w Lourdes, j. Amarnath w pn.-zach Indiach czy j. Batu w Malezji; w Polsce — np. Jaskinia Św. Rozalii w G. Perzowej (przekształcona w kapliczkę). J. mają też znaczenie dla archeologii (bogate znaleziska archeol.) i historii (z niektórymi z nich są związane wydarzenia hist.).

Wszechstronnym badaniem j. zajmuje się speleologia.

Jasło, m. powiatowe w woj. podkarpackim, nad Wisłoką; 39 tys. mieszk. (2000); ośr. przemysłu paliwowego (rafineria ropy naft., przedsiębiorstwo poszukiwań nafty i gazu), chem. i spoż., ponadto przemysł szkl. (huta szkła — szkło przem. i witrażowe), drzewny; ważny węzeł kol. i drogowy; ośrodek obsługi ruchu turyst.; w pobliżu J. złoża ropy naft. (eksploatacja od 2. poł. XIX w.); muzeum; prawa miejskie od 1366.

Jastarnia, m. w woj. pomor. (powiat pucki), na Mierzei Helskiej, nad M. Bałtyckim; 4,1 tys. mieszk. (2000); uzdrowisko i ośr. turyst.-wypoczynkowy, kąpielisko mor. (1. poł. XX w.); port rybacki, przetwórnia ryb; prawa miejskie od 1973.

Jastrowie, m. w woj. wielkopol. (powiat złotowski), nad Oską (pr. dopływ Gwdy), w pobliżu jezior Jastrowskiego i Dużego; 8,9 tys. mieszk. (2000); wytwórnia rowerów, materiałów bud., zakłady drzewne i spoż.; ośr. turyst.; węzeł drogowy; prawa miejskie od 1603.

Jastrzębie Zdrój, m. w woj. śląskim, na obszarze Rybnickiego Okręgu Węglowego; powiat grodzki; 102 tys. mieszk. (2000); wydobycie węgla kam. i gazu ziemnego; przemysł spoż. i materiałów bud.; od 1861 uzdrowisko (solanki, borowina), ob. funkcje leczn. w zaniku; węzeł kol.; prawa miejskie od 1963.

Jaunde, Yaoundé, stol. Kamerunu, w pd.-wsch. części kraju; 800 tys. mieszk. (1992), zespół miejski 1,4 mln (2002); ważny ośr. handl.; przemysł spoż. (m.in. wytwórnie masła kakaowego), włók., drzewny, metal.; port lotn.; uniw.; miasto zał. 1888.

■ Jawa. Uprawy tarasowe

Jawa, wyspa w Indonezji, w Wielkich W. Sundajskich; 126 tys. km^2; górzysta, liczne wulkany (najwyższy Semeru, 3676 m), na pn. niziny; częste trzęsienia ziemi; gł. uprawy: ryż, trzcina cukrowa, palma kokosowa, herbata, tytoń, drzewo chinowe; hodowla bydła; największe m. i ośr. przem.: Dżakarta (stol.), Surabaya, Bandung, Semarang. ■

Jawajskie, Morze, malajskie **Laut Jawa,** wewn. morze indonez., w zach. części O. Spokojnego, między wyspami Sumatrą na zach., Bangka, Belitung i Borneo na pn., Celebes na zach. oraz Jawą na pd.; Cieśn. Sundajską połączone z O. Indyjskim; pow. 552 tys. km^2 (bez morza Bali i Cieśn. Makasarskiej); średnia głęb. 111 m, maks. — 1272 m (w części wsch.); dno szelfowe; liczne wyspy i rafy koralowe; temperatura wód powierzchniowych 27–29°C, za-

solenie 30,0–33,5‰; wysokość pływów od 2,1 m u wybrzeża Borneo do 1,0 m u wybrzeża Jawy; rybołówstwo; połów pereł; gł. porty: Banjarmasin (Borneo), Ujung Pandang (Celebes), Surabaya i Dżakarta (Jawa).

Jawor, m. powiatowe w woj. dolnośląskim, nad Nysą Szaloną; 26 tys. mieszk. (2000); przemysł maszyn., metal., chem., drzewny, spoż., miner.; rozwinięte uprawy szklarniowe; węzeł drogowy, lotnisko sanitarne; muzeum; prawa miejskie przed 1275 (po 1250?); kościół got. (XIV w.), barok. Kościół Pokoju (XVII w. — na Liście Świat. Dziedzictwa Kult. i Przyr. UNESCO), fragmenty murów miejskich (XIV–XVI w.), wieża ratuszowa (XIV, XVII w.), zespół klasztorny (XV, XVIII–XIX w.), kamienice (XVI–XVIII w.); w pobliżu J. kamieniołomy granitu i bazaltu.

Jaworowa, Dolina, Javorová dolina, w Tatrach, na Słowacji, najdalej wysunięta ku wsch. po pn. stronie Tatr Wysokich; w najwyższej części D.J., w Zadniej Dolinie — Żabi Staw Jaworowy; doliny boczne: Koperszadów Zadnich (z Doliną Kołową) i Czarna Jaworowa (z Czarnym Stawem); dnem doliny płynie Jaworowy Potok; rezerwat przyrody; u wylotu osiedle turyst. — Jaworzyna Spiska.

Jaworowe Szczyty, szczyty w gł. grani wsch. części Tatr Wysokich, na Słowacji, między dolinami Staroleśną i Jaworową; najwyższe — Jaworowy Szczyt (Javorový štít), wys. 2417 m i Mały Szczyt Jaworowy (Malý Javorový štít), wys. 2385 m.

Jaworzno, m. w woj. śląskim, w widłach Przemszy i Białej Przemszy, na obszarze GOP; powiat grodzki; 97 tys. mieszk. (2000); ośr. przem.; wydobycie węgla kam., piasku; elektrownie; przemysł miner. i chem.; węzeł kol. i drogowy; wieś wzmiankowana ok. 1242; prawa miejskie od 1933.

Jaworzyna Śląska, m. w woj. dolnośląskim (powiat świdnicki); 5,2 tys. mieszk. (2000); zakłady porcelany stołowej, mebl.; duży węzeł kol.; Skansen Lokomotyw Parowych; prawa miejskie od 1954; w okolicy eksploatacja piasku, iłów i glin ceramicznych.

Jaworzynka, Jaskinia Jaworowa, Javorinka, najdłuższa i najgłębsza jaskinia słowac. Tatr, w pn. części masywu Czarnogórskiej Czuby (Tatry Wysokie); dł. 6,3 km, deniwelacja 361 m; rozciągłość ok. 1,25 km (największa w Tatrach); otwór na wys. 1215 m; krasowa, wytworzona w plejstocenie przez podziemne przepływy wód lodowcowych; nachylony, kręty ciąg korytarzy z potokiem (4 progi z wodospadami); we wstępnych partiach okresowy syfon zamykający dostęp do jaskini przez 8–10 miesięcy w roku; na dnie syfon Morskie Oko (głęb. 40 m); miejscami ciekawa szata naciekowa; eksplorowana od 1973 przez grotołazów z Białej Spiskiej.

Jaya, dawniej **Carstensz, Sukarno,** masyw wulk. w G. Śnieżnych w Irianie Zach. (Indonezja), najwyższy szczyt Nowej Gwinei; wys. 5030 m; wieczne śniegi i lodowce; zdobyty 1962.

jądro Ziemi, barysfera, centr. część kuli ziemskiej, o promieniu ok. 3470 km, masie ok. 185 ·

· 10^{23} kg (ok. 31% całkowitej masy Ziemi) i średniej gęstości ok. 10,6 g/cm^3. Według współcz. poglądów jądro Ziemi jest utworzone ze stopu niklu (Ni) i żelaza (Fe) — stąd używana niekiedy nazwa nife, być może z pewnym udziałem pierwiastków lekkich (wg niektórych uczonych do 20%), najprawdopodobniej krzemu. Na podstawie badań sejsmologicznych w jądrze Ziemi rozróżniono 3 strefy: jądro zewn., strefę przejściową i jądro wewnętrzne. Jako granicę → płaszcza Ziemi i jądra przyjmuje się tzw. nieciągłość Gutenberga — strefę (na głęb. ok. 2900 km), w której obserwuje się gwałtowny spadek prędkości podłużnych fal sejsmicznych, a poprzeczne fale sejsmiczne, poczynając od niej, przestają przenikać w głąb Ziemi. J ą d r o z e w n ę t r z n e (grub. ok. 2080 km) ma charakter cieczy o temp. 4000–4800°C i dużej przewodności elektr.; przyjmuje się, iż dzięki występującym w jądrze zewn. (prawdopodobnie na wielką skalę) prądom konwekcyjnym płyną w nim prądy elektr. wywołujące pole magnet. Ziemi. J ą d r o w e w n ę t r z n e (o promieniu ok. 1250 km) ma charakter ciała stałego prawdopodobnie o b. dużej sztywności, gęstość jego wzrasta wraz ze wzrostem głębokości, osiągając wartość 16–18 g/cm^3 w środku Ziemi, gdzie ciśn. wynosi ok. 400 GPa, a temp. dochodzi do 6500°C. Charakter s t r e f y p r z e j ś c i o w e j (grub. ok. 140 km) nie jest dotychczas wyjaśniony; prawdopodobnie między jądrem zewn. a wewn. nie ma nagłej zmiany składu chem.; wg niektórych uczonych w obrębie strefy przejściowej następuje stopniowe przejście od fazy ciekłej do stałej. Badania jądra Ziemi są jednym z gł. problemów geofizyki.

Jean-Bernard, Réseau [rezǫ żǎ berną:r], **Gouffre Jean-Bernard,** jaskinia krasowa we Francji, w masywie Folly (Alpy Sabaudzkie), ok. 20 km na pn.-zach. od Chamonix-Mont-Blanc; 3. pod względem głębkości na świecie (2000); głęb. 1602 m, dł. 20 km; rozciągłość ok. 6,1 km; 11 otworów na wys. 1840–2315 m; utworzona w wapieniach kredowych; łagodnie nachylony ciąg meandrów z niewielkimi progami i nielicznymi studniami; w górnej części, zwł. w rejonie otworów, liczne boczne odgałęzienia, w jednym — studnia o głęb. 140 m; jaskiniowa rzeka; dolne partie przedzielone 3 syfonami wodnymi (największy dł. 45 m, głęb. 8 m); odkryta 1963.

Jedlicze, m. w woj. podkarpackim (powiat krośnieński), nad Jasiołką; 5,6 tys. mieszk. (2000); rafineria ropy naft., zakłady przetwórstwa tworzyw sztucznych; prawa miejskie 1768–1880 i od 1967.

Jedlina Zdrój, m. w woj. dolnośląskim (powiat wałb.), we wsch. części G. Wałbrzyskich; 5,4 tys. mieszk. (2000); uzdrowisko i ośr. wypoczynkowy; wody miner. (szczawy); zakłady porcelany techn., tkalnia bawełny, wytwórnia tektury; od 1723 rozwój uzdrowiska; prawa miejskie 1768–1919 i od 1967; domy zabytkowe (XVII–XIX w.).

Jedwabne, m. w woj. podl. (powiat łomżyński); 2,0 tys. mieszk. (2000); ośr. usługowy dla rolnictwa; drobny przemysł; prawa miejskie 1736–1866 i od 1927.

Jegrznia, w górnym biegu **Lega,** rz. na Pojezierzu Mazurskim i Niz. Północnopodlaskiej, pr. dopływ Biebrzy; dł. 111 km, pow. dorzecza 1011 km^2; wypływa na pn. od Olecka, przepływa przez kilka jezior, m.in. Selmęt Wielki, po czym przybiera nazwę Małkiń, przepływa Jez. Rajgrodzkie i dalej płynie jako J., uchodzi do Biebrzy powyżej m. Goniądz starym korytem rz. Ełk; dawniej J. była dopływem rz. Ełk; maks. rozpiętość wahań stanów wody w dolnym biegu 1,8 m; nad J. leżą Olecko i Rajgród.

Jelcz-Laskowice, m. w woj. dolnośląskim (powiat oławski), nad Młynówką Jelecką (pr. dopływ Odry); 15,6 tys. mieszk. (2000); ośr. przemysłu środków transportu (autobusy, samochody ciężarowe i specjalne); nad zalewem tereny rekreacyjne; prawa miejskie od 1987, po połączeniu wsi Jelcz i Laskowice.

Jelenia Góra, m. w woj. dolnośląskim, nad Bobrem; powiat grodzki, siedziba powiatu jeleniogór.; 93 tys. mieszk. (2000); ośr. przem. i usługowy regionu Karkonoszy; przemysł: chem. (zakłady farm. Jelfa — m.in. największy w Europie producent maści), szkl., elektromaszyn., włók., odzież.; instytucje finansowo-ubezpieczeniowe; duży węzeł kol. przy międzynar. drodze Świnoujście–Praga; ośr. usługowy regionu turyst. z bogatą infrastukturą; ważny ośr. nauk.: Wydział Gospodarki Regionalnej i Turystyki wrocł. Akad. Ekon. im. O. Langego, filie — Politech. Wrocł. i Uniw. Wrocł.; teatry, filharmonia, galerie sztuki, muzea; imprezy kult. o charakterze międzynar. i ogólnopol.: festiwale Teatrów

■ Jelenia Góra. Zdjęcie lotnicze

Ulicznych, Muzyki Organowej, Muzyki Wiedeńskiej, Międzynar. Spływ Kajakowy na Bobrze; siedziba aeroklubu; prawa miejskie przed 1288; 1975–98 siedziba województwa; 2 kościoły: późnogot. (XIV–XV w.) i barok. (XVIII w.), kamienice szczytowe, podcieniowe, z dekoracją fasad (XVII–XVIII w.), ratusz (XVIII w.). ■

Jeleniogórska, Kotlina, śródgórska kotlina w Sudetach Zach., ograniczona od pd. Karkonoszami, od zach. Pogórzem Izerskim i G. Izerskimi, od pn. G. Kaczawskimi i od wsch. Rudawami Janowickimi; pow. ok. 270 km^2, wys. średnio 350–400 m. Geneza K.J. nie jest w pełni wyjaśniona; przeważają poglądy o jej denudacyjnym charakterze, związanym z wewn. strukturą granitu; z na ogół płaskiego dna, pokrytego osadami glacjalnymi (iły warwowe, piaski fluwioglacjalne, gliny morenowe) i rzecznymi (piaski, mady), wyrastają (zwł. w środk. części) wzgórza o wysokości względnej ok. 150 m (Grodna, 506 m), w większości porośnięte lasem i często zwieńczone malowniczymi skałami. Główną rzeką jest Bóbr, do którego w okolicach Jeleniej Góry uchodzą Kamienna, Łomnica i Radomierka. Podstawę gospodarki stanowi przemysł o starych tradycjach, sięgających XIII–XIVw., gł.: chem., maszyn., szklarski, papiern., włók., drzewny i in.; rolnictwo i leśnictwo odgrywają podrzędną rolę; rozwinięta turystyka. Ośrodkiem przem., adm., węzłem kol. i drogowym oraz centrum turyst. jest Jelenia Góra.

■ Jemen

Jemen, Al-Yaman, Republika Jemeńska, państwo w Azji Zach., na Płw. Arabskim, nad M. Czerwonym, M. Arabskim i Zat. Adeńską; 528 tys. km^2 (z wyspą Sokotra na O. Indyjskim); 16,7 mln mieszk. (2002), Arabowie; muzułmanie (islam religią państw.); stol. Sana, inne m.: Aden, Al-Hudajda (porty mor.); język urzędowy arab.; republika. Na zach. i pd.-zach. masywy gór zrębowych (wys. do 3760 m), na wsch. płaskowyż Hadramaut, na pn. pustynia Ar-Rub al--Chali; wąski pas nizin na wybrzeżu, nad M. Czerwonym niz. Tihama. Klimat zwrotnikowy suchy i skrajnie suchy; liczne suche doliny (wadi), gł. rzeka stała Hadramaut; roślinność pustynna, w górach kolczasta sawanna i suche stepy. Jeden z najsłabiej rozwiniętych i najbiedniejszych krajów świata; duża emigracja zarobkowa do krajów nad Zat. Perską; pomoc finansowa bogatych państw arab.; podstawą gospodarki tradycyjne rolnictwo; uprawa zbóż, bawełny, kawy i palmy daktylowej; koczownicza hodowla owiec i wielbłądów; od 1991 wzrastające wydobycie ropy naft.; rzemiosło (tkaniny, wyroby skórz., metal.); drogi samochodowe wzdłuż wybrzeża, w głębi transport juczny. ■

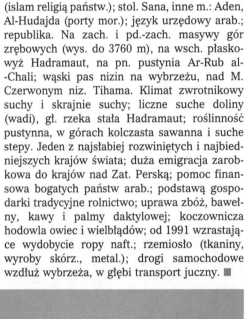

■ Jerozolima. Panorama miasta

Jenisej, Jenisiej, rz. w azjat. części Rosji, gł. w Kraju Krasnojarskim; powstaje w Tuwie z połączenia Wielkiego Jeniseju (źródła w Sajanie Wsch.) i Małego Jeniseju (źródła w Kotlinie Darchackiej na terytorium Mongolii); dł. 3487 km (od źródeł Małego Jeniseju — 4102 km), pow. dorzecza 2580 tys. km^2. W górnym biegu przełamuje się przez Sajan Zach. w wąskiej

(ok. 100 m) dolinie; od ujścia Angary płynie wsch. skrajem Niz. Zachodniosyberyjskiej, u podnóża Wyż. Środkowosyberyjskiej; szer. doliny 15–20 km (miejscami do 40 km), liczne odgałęzienia, starorzecza, wyspy; uchodzi do Zat. Jenisejskiej (M. Karskie); gł. dopływy: Kan, Angara, Podkamienna Tunguzka, Dolna Tunguzka, Kurejka (pr.), Abakan, Turuchan (l.); średni przepływ przy ujściu 19 800 m^3/s (maks. w Igarce 142 000 m^3/s); roczny odpływ 624 km^3 (najbardziej zasobna w wodę rzeka w pn. części Azji); zamarza od końca października do pocz. czerwca w dolnym biegu; na wiosnę zatory lodowe spiętrzają wodę do 20 m. Ważna droga wodna Syberii, do Igarki dostępna dla statków mor.; spław drewna; rybołówstwo; elektrownie: Krasnojarska, Sajańsko-Szuszeńska i zbiorniki retencyjne; gł. m. nad J.: Kyzył, Abakan, Diwnogorsk, Krasnojarsk, Jenisejsk, Igarka, Dudinka. W dorzeczu ponad 100 tys. jezior, o łącznej pow. 13 115 km^2; rezerwaty: Sajańsko-Szuszeński (389,6 tys. ha) i Stołby.

Jerozolima, hebr. **Yĕrûšālaîm**, arab. **Al-Quds**, stol. Izraela, na wyż. Judei; część zach. — Nowe Miasto należy do Izraela, część wsch. — Stare Miasto pod okupacją Izraela; 685 tys. mieszk. (2002), Żydzi, Arabowie; siedziba parlamentu (Kneset), rządu; wielki ośr. kultu rel. chrześcijan, wyznawców judaizmu i islamu; miejsce pielgrzymek; ośr. turyst. i handl.; przemysł poligraficzny, odzież., skórz., farm.; rzemiosło (wyrób pamiątek); Uniw. Hebrajski; Muzeum Izraela, Inst. Yad Vashem z Mauzoleum Pamięci Ofiar Holocaustu; w Starym Mieście dzielnice: muzułm., chrześc., orm. i żydowska.

We wsch. części J. zabytki staroż., hellenistyczno-rzym. grobowce skalne, łuki, kolumny, pozostałości akweduktu; w obrębie Starego Miasta (otaczające mury z XVI w.) święte miejsca 3 religii; na wzgórzu Moria — Św. Skała, czczona przez wyznawców judaizmu (miejsce ofiary Abrahama) i przez muzułmanów (miejsce wniebowzięcia Mahometa); na niej Salomon wzniósł ok. 960 p.n.e. świątynię, zniszczoną ostatecznie 70 r. n.e. przez Rzymian — jedyna pozostałość fragment Muru Zach. (tzw. Ściana Płaczu). W obrębie Starego Miasta znajduje się via Dolorosa (Droga Cierpienia Jezusa), bazylika Ecce Homo (X–XII w., w miejscu twierdzy rzym.), łuk Ecce Homo (część bramy triumfalnej z czasów Hadriana); gł. ośr. kultu chrześc. jest Bazylika Grobu Św. na wzgórzu Golgota (ob. z XII w., wielokrotnie przebud.); pod kościołem grobowiec skalny; we wsch. części Starego Miasta Góra Oliwna z kościołem Wniebowzięcia NMP (XII w.); na pd. Starego Miasta na górze Syjon m.in.: tzw. grób Dawida, Wieczernik (miejsce Ostatniej Wieczerzy, ob. budowla z XII–XIV w. w rękach muzułm.); w dzielnicy orm. m.in. kościół Św. Jakuba (XII w.); liczne klasztory i kościoły różnych wyznań chrześc. (gł. z 2. poł. XIX w.); w dzielnicy żyd. (zniszczonej 1949–67) ruiny synagog (niektóre odbud.), wykopaliska archeol.; w zach. części J. budowle nowocz. z XX w.■

jet stream [dżet stri:m ang.], → prąd strumieniowy.

■ Jezioro Jeziorak. Zdjęcie lotnicze

Jeziorak, jez. rynnowe na Pojezierzu Iławskim, w dorzeczu Drwęcy; pow. 3460 ha (w tym 20 wysp o pow. 240 ha), dł. 27,4 km, szer. 2,4 km, maks. głęb. 12 m; w pn. części rozczłonkowane na kilka odnóg (pn.-zach. jest traktowana jako samodzielne Jez. Płaskie); brzeg zach. i częściowo wsch. porośnięte lasem iglastym; z J. wypływa rz. Iławka; od pn. J. ma połączenie z jez. Ewingi; liczne ośr. turyst.-wypoczynkowe; nad J. leży m. Iława. ■

Jeziorany, m. w woj. warmińsko-mazurskim (powiat olsztyński), nad Symsarną (pr. dopływ Łyny); 3,5 tys. mieszk. (2000); ośr. usługowy dla rolnictwa; przemysł spoż.; prawa miejskie od 1338; kościół (XIV, XX w.), brama cmentarna (XVIII w.); w pobliżu 2 rezerwaty ornitologiczne.

jezioro, naturalny, śródlądowy zbiornik wodny powstający w zagłębieniu terenu, o brzegach ukształtowanych pod wpływem działania falowania i prądów wodnych, charakteryzujący się stosunkowo powolną wymianą wody. J. mają różne pochodzenie, kształty i rozmiary; zajmują powierzchnię od kilku m^2 do kilkuset tysięcy km^2; powierzchnia wszystkich jezior na świecie wynosi ok. 2,5 mln km^2, w Polsce — ok. 3,2 tys. km^2. Powstanie j. zależy od: procesów rzeźbiących powierzchnię Ziemi, prowadzących do utworzenia zagłębienia (misa jeziorna), od warunków klim. regulujących wypełnianie zagłębienia wodą oraz od rodzaju podłoża warunkującego zatrzymanie wody lub jej odpływ. Misy jeziorne powstają pod wpływem procesów → endogenicznych (ruchy tektoniczne i wulk.) oraz → egzogenicznych (erozyjna i akumulacyjna działalność lodowców i wód lodowcowych, wytapianie brył martwego lodu lub wiecznej zmarzliny, zjawiska krasowe, sufozja, erozja rzeczna, działalność akumulacyjna fal mor., akumulacja org.), a także działalności człowieka. Ze względu na procesy rzeźbotwórcze, w wyniku których powstaje misa jeziorna, rozróżnia się różne typy j., m.in.: t e k t o n i c z n e, powstałe w obniżeniach i rowach tektonicznych oraz rynnowych rozpadlinach; w u l k a n i c z n e, powstałe w kraterach (j. kraterowe) i kalderach (jezioro kalderowe) wygasłych wulkanów, w zagłębieniach lawy (j. lawowe) oraz w tzw. maarach; l o d o w c o w e (polodowcowe), powstałe dzięki erozyjnej i akumulacyjnej działalności lodowców gór-

skich (np. j. cyrkowe) oraz lodowców kontynent. (m.in. j. rynnowe, morenowe, sandrowe, oczka wytopiskowe); k r a s o w e, powstałe w zapadliskach i lejach na obszarach zbud. ze skał wapiennych lub gipsowych; r z e c z n e, powstałe w odciętych meandrach; d e l t o w e, położone w deltach dużych rzek; p r z y b r z e ż n e, oddzielone od morza mierzeją, wałem wydm lub osadami rzecznymi; e o l i c z n e, powstałe w zagłębieniach między wydmami; z a p o r o w e, powstałe wskutek przegrodzenia doliny rzecznej; r e l i k t o w e, stanowiące część dawnego morza lub rozległego j.

Z upływem czasu misa jeziorna wypełnia się osadami dennymi, składającymi się z cząstek miner. (produktów erozji) i org. (produktów rozkładu organizmów w wodzie jeziornej). Nawarstwianie się osadów na dnie misy jeziornej, przy jednoczesnym zarastaniu brzegów, prowadzi do zaniku j.; stopniowo zmienia się ono w trzęsawisko, a następnie w torfowisko. J. są zasilane w wodę przez dopływy powierzchniowe i podziemne oraz opady atmosf.; ubytek wody jest spowodowany odpływem powierzchniowym i podziemnym oraz parowaniem. Obieg wody w j. wyraża bilans wodny; od wielkości elementów bilansowych zależy wielkość wahań zwierciadła wody w jeziorze. Ze względu na charakter wymiany wody j. dzieli się na: b e z o d p ł y w o w e, czyli nie mające odpływu, o d p ł y w o w e, odprowadzające część wód w postaci odpływu rzecznego, oraz p r z e p ł y w o w e, leżące na trasie biegu rzeki i będące jej rozszerzeniem. Intensywność wymiany wody w j. jest na ogół niewielka i dość zróżnicowana (największa cechuje jeziora przepływowe). J. można podzielić także na s t a ł e (stale wypełnione wodą) i o k r e s o w e (misa jeziorna jest wypełniona w okresie zasilania, np. → szott czy sebka). Termika j. jest regulowana przez sezonowe zmiany w dopływie i stratach ciepła. Wody j. nagrzewają się gł. przez pochłanianie promieniowania słonecznego; straty ciepła są związane z wypromieniowaniem, parowaniem i tworzeniem się pokrywy lodowej. Ciepło jest rozprowadzane w masie wód j. przez ruchy wody spowodowane gł. oddziaływaniem wiatru i prądami konwekcyjnymi (opadanie chłodnych, cięższych wód powierzchniowych i wypychanie przez nie na powierzchnię wód głębszych). Wody j. charakteryzuje pionowy układ temperatury (stratyfikacja termiczna); występuje układ prosty (temperatura wody obniża się wraz z głębokością) i odwrócony (wzrost temperatury wód wraz z głębokością). Charakter termiki wód jeziornych zależy od położenia geogr. i od głębokości zbiornika. W zależności od strefy klim. rozróżnia się j.: p o l a r n e, zimne (temperatura wody zawsze poniżej +4°C), o stale występującym odwróconym uwarstwieniu termicznym (temperatura wody zawsze poniżej +4°C); s u b p o l a r n e, zimne, o temperaturze wód powierzchniowych przeważnie poniżej +4°C, jedynie w ciągu krótkiego lata wzrastającej powyżej tej wartości; występuje w nich odwrócone uwarstwienie termiczne, z dość długim okresem cyrkulacji trwającej od wiosny do jesieni, w czasie której może wystąpić krótkotrwałe i słabo zaznaczone proste

NAJWIĘKSZE JEZIORA NA ZIEMI

Jezioro	Powierzchnia w tys. km²	Głębokość maksymalna w m	Średnia wysokość zwierciadła w m n.p.m.
Kaspijskie Morze	376,0[a]	1 025	-27,5[b]
Gòme	82,4	406	183
Wiktorii	68,0	80	1 134
Huron	59,6	228	177
Michigan	57,8	281	177
Aralskie	40,0[c]		
Tanganika	34,0	1 435	773
Bajkał	31,5	1 620	456
Wielkie Niedźwiedzie	31,1	413	156
Niasa	30,8	708	472
Wielkie Niewolnicze	28,5	600	156
Erie	25,7	64	174
Winnipeg	24,6	214	217
Ontario	19,5	236	75
Ładoga (z wyspami)	18,1	230	4
Czad	10–26	11	240
Balchasz	17–22	26	342

[a] 1986 (1980 pow. wynosiła 368 tys. km²); [b] 1929–80 poziom obniżył się o ok. 2,5 m; [c] 1961–87 poziom obniżył się o ok. 13 m.

uwarstwienie termiczne, z b. płytkim → epilimnionem; u m i a r k o w a n e, o wyraźnie zaznaczonym zróżnicowaniu termicznym w ciągu roku, objawiającym się występowaniem 2 okresów pełnej cyrkulacji (jesiennej i wiosennej) oraz uwarstwieniem odwróconym w zimie i — prostym w lecie; s u b t r o p i k a l n e, przeważnie o prostym uwarstwieniu termicznym, z dość regularnym okresem pełnej cyrkulacji w zimie (temperatura wód powierzchniowych utrzymuje się w ciągu całego roku powyżej +4°C, latem wzrasta powyżej +25°C); t r o p i k a l n e, o wysokiej temperaturze w ciągu całego roku, najczęściej 20–30°C, prostym uwarstwieniu termicznym, ze słabo zaznaczonym pionowym gradientem termicznym. Wody j. różnią się składem chem. i stopniem mineralizacji; skład chem. wód zależy od jakości wód dopływów powierzchniowych i podziemnych, czynników klim. (temperatura, opad, parowanie) oraz świata org. zamieszkującego wody jezior. W strefach o klimacie wilgotnym i o parowaniu umiarkowanym przeważają j e z i o r a s ł o d k o w o d n e (o mineralizacji do 5‰ i przewadze ilościowej węglanów), w strefach suchych — j e z i o r a s ł o n e (o mineralizacji powyżej 16‰); wydziela się także j e z i o r a s ł o n a w e (o mineralizacji 5–16‰), będące na ogół zbiornikami odciętymi od morza piaszczystą mierzeją, wydmami lub osadami rzecznymi, mające jednak kontakt z morzem.
J. mają duże znaczenie dla człowieka; wywierają korzystny wpływ na klimat przyległych obszarów, wpływają korzystnie na ustrój (reżim) rzek wypływających z nich (łagodzą wezbrania i podnoszą niżówki), są naturalnymi zbiornikami retencyjnymi, źródłem wielu surowców miner. (różnych soli, kredy jeziornej, borowiny), stanowią źródło zaopatrzenia w wodę, są podstawą rybołówstwa śródlądowego, są wykorzystywane jako szlaki komunik., są obiektami atrakcyjnymi do uprawiania turystyki i wypoczynku. Zob. też stratyfikacja jezior. ∎

Jeziorsko, zbiornik retencyjny na Warcie, w Kotlinie Sieradzkiej; utworzony 1986 przez spiętrzenie środk. biegu Warty zaporą betonową w Skęczniewie (wys. 12 m); pow. 42,3 km², pojemność całkowita 202,8 hm³; zbudowany gł. w celu zaspokojenia potrzeb rolnictwa (nawodnienie użytków rolnych), gospodarki komunalnej, przemysłu i żeglugi; w budowie elektrownia wodna o mocy 3,8 MW.

Jezo [dźedzo], dawna nazwa jap. wyspy → Hokkaido.

Jędrzejów, m. powiatowe w woj. świętokrzyskim; 17,4 tys. mieszk. (2000); ośr. przem.-usługowy i krajoznawczy; przemysł dziewiarski, maszyn., spoż. (m.in. browar, fermentownia tytoniu fr. firmy Seita); węzeł drogowy; Państw. Muzeum im. Przypkowskich (jedna z największych w świecie kolekcja zegarów słonecznych); prawa miejskie 1271–1870 i od 1916; opactwo Cystersów (zał. XII w., pierwsze w Polsce) z późnorom. kościołem (XIII, XV, XVIII w.) — słynne organy z XVIII w.; kościół (XV, XVI–XVIII w.).

jęzor lodowcowy, masy lodu wypływające z → lodowca.

Jialing Jiang, Cialing-ciang, rz. w Chinach, l. dopływ Jangcy; dł. 1119 km, pow. dorzecza 159,7 tys. km²; źródła w górach Qin Ling, przepływa Kotlinę Syczuańską; wykorzystywana do nawadniania; żegl.; przy ujściu — m. Chongqing.

Jiu [żiu], **Jiul,** rz. w pd.-zach. Rumunii, l. dopływ Dunaju; dł. 331 km, pow. dorzecza 10,5 tys. km²; źródła w górach Sureanu; tworzy przełom (dł. 33 km) przez Karpaty Pd.; środk. i dolny bieg na Niz. Wołoskiej; duże wahania stanu wód; w górnym biegu zagłębie węglowe; gł. m. nad Jiu: Petroszany, Tîrgu Jiu, Krajowa.

Johannesburg, m. w pn.-wsch. części RPA; od 1994 ośr. adm. prow. Gauteng; 1,6 mln mieszk. (2002), zespół miejski 5 mln; gł. ośr. gosp. kraju, w regionie górn.-przem. Witwatersrand; przemysł chem., metal., maszyn., włók.; produkcja i szlifiernie diamentów (w tym syntet.); ważny węzeł komunikacji, zwł. lotn.; ośr. nauk. (2 uniw., inst. badań med., obserwatorium astr.).; galerie, muzea, m.in. afrykanistyczne; miasto zał. 1886 po odkryciu złóż złota, jako osada górnicza.

Jokohama, Yokohama, m. w Japonii (Honsiu), nad Zat. Tokijską; 3,5 mln mieszk. (2002); J. z Tokio tworzy najludniejszy region metropolitalny świata — 26,8 mln mieszk. (1995); drugi po Tokio ośr. gosp. kraju, w okręgu przem. Keihin; przemysł gł. elektron., środków transportu, maszyn., chem., rafineryjny; ważny port handl., wielki węzeł komunik.; ośr. nauk. (kilka uniw.); muzea; powstała 1858 z połączenia 2 osad rybackich: J. i Kanagawa; 1859 ogłoszona portem otwartym; w latach 70. XIX w. stała się jednym z najważniejszych portów Japonii; 1923 poważnie zniszczona wskutek trzęsienia ziemi; zabytkowy cmentarz cudzoziemców (XIX w.). ∎

■ Jokohama, centrum

jonosfera [gr.], warstwa atmosfery ziemskiej odznaczająca się obecnością znacznej liczby swobodnych elektronów i jonów; rozciąga się w górę od wys. 50–60 km do 800 km nad powierzchnią Ziemi.

Jońskie, Morze, gr. **Jonion pelagos,** wł. **Mar Jonio,** część M. Śródziemnego między Płw. Apenińskim i Sycylią na zach. a Płw. Bałkańskim i Peloponezem na wsch.; na pd. granica umowna — wzdłuż linii łączącej przyl. Passero (Sycylia) z przyl. Tenaron (Peloponez); na pn. połączone cieśn. Otranto z M. Adriatyckim, na zach. — Cieśn. Mesyńską z M. Tyrreńskim, na wsch. — przez Kanał Koryncki z M. Egejskim; pow. ok. 200 tys. km², średnia głęb. 2200 m, maks. — 5121 m (w Rowie Helleńskim, największa na M. Śródziemnym); dno urozmaicone; większe zat.: Tarencka, Patras, Koryncka; na wsch. archipelag W. Jońskich; temperatura wód powierzchniowych od 12,5–14,0°C w zimie do 25,5°C w lecie, zasolenie — 38,5–38,9‰; rozwinięte rybołówstwo (sardynki, szproty, kalmary); gł. porty: Tarent i Katania we Włoszech, Patras i Kalame w Grecji.

Jońskie, Wyspy, Jonii nisi, archipelag wysp gr. na M. Jońskim, wzdłuż zach. wybrzeży Grecji; pow. 2,3 tys. km²; gł. wyspy: Kefalinia (781 km²), Kerkira (641 km²), Zakinthos (402 km²), Lefkas (302 km²), Itaka (96 km²); powierzchnia górzysta (wys. do 1627 m na Kefalinii); częste trzęsienia ziemi; uprawa gł. winorośli, oliwek, drzew cytrusowych; rybołówstwo; przemysł spoż.; turystyka; gł. m.: Kerkira, Lefkas.

Jordania, Al-Urdunn, Jordańskie Królestwo Haszymidzkie, państwo w Azji Zach., częściowo na Płw. Arabskim, nad Zat. Akaba (M. Czerwone); 97,7 tys. km²; 5,4 mln mieszk. (2002), Arabowie (90% mieszk.), Czerkiesi, Ormianie, uchodźcy palest.; muzułmanie (93%), chrześcijanie; wysoki przyrost naturalny — ponad 30‰

rocznie; stol. Amman, inne m.: Az-Zarka, Irbid, Al-Akaba (jedyny port mor.); język urzędowy arab.; monarchia konstytucyjna. Powierzchnia wyżynna; na zach., wzdłuż granicy z Izraelem dolina Jordanu (gł. region roln. kraju) i M. Martwe, na pn.-wsch. kamienista Pustynia Syryjska (ok. 80% pow. J.); klimat podzwrotnikowy i zwrotnikowy suchy, na pn.-zach. wilgotny. Gospodarka oparta na usługach (gł. bankowych i turyst.), wydobyciu i eksporcie fosforytów oraz rolnictwie; uprawa (sztuczne nawadnianie) pszenicy, drzew cytrusowych, winorośli; koczownicza hodowla kóz, owiec, wielbłądów; znane ośr. turyst.: Petra, Amman, Madaba, Al-Akaba. ■

Jordanów, m. w woj. małopol. (powiat suski), na pd. skraju Beskidu Makowskiego, nad Skawą; 4,8 tys. mieszk. (2000); ośr. usługowy i turyst.-wypoczynkowy; przemysł metal. (armatura) i odzież.; prawa miejskie od 1564.

Jordanu, Rów (Dolina), hebr. **'Emeq ha-Yardēn,** arab. **Al-Ghawr,** rów tektoniczny na Bliskim wsch., w pobliżu wybrzeża M. Śródziemnego, w Izraelu, Jordanii i Palestynie; stanowi pn. odgałęzienie wielkiego systemu ryftów, ciągnącego się od Afryki Wsch. (→ Wielkie Rowy Afrykańskie) przez M. Czerwone i zat. Akaba do doliny Jordanu i Bekaa (w Libanie); powstał w trzeciorzędzie; dł. ok. 450 km, szerokość od kilku do ok. 30 km, maks. głębokość ok. 800 m p.p.m. (dno M. Martwego); w części pn. zajęty przez Jez. Tyberiadzkie (powierzchnia wody 210 m p.p.m.) i dolinę rz. Jordan, w części pd. przez M. Martwe (najgłębsza depresja na świecie, powierzchnia wody 405 m p.p.m.) oraz uchodzącą do zat. Akaba suchą dolinę Wadi al-Araba. Strefy krawędziowe R.J. tworzą od strony zach. wyżyny Galilei, Samarii, Judei i pustynnego Negewu, od wsch. — gł. masywy górskie, najwyższy Dżabal asz-Szara (wys. do 1738 m).

Jork, Cape York Peninsula, półwysep w Australii, w stanie Queensland, między zat. Karpentaria a M. Koralowym; zakończony przyl. Jork (10°41'S); dł. ok. 650 km, szer. u podstawy 800 km; nizinny, na wsch. pasma Wielkich G. Wododziałowych; klimat podrównikowy wilgotny, w pn. części typu monsunowego; liczne rzeki; 7 parków nar. (m.in. pod ochroną fragment lasów na wsch. wybrzeżu); w pn.-zach. części największe na świecie złoża boksytów; gł. m. — Cairns.

Jostedalsbreen, największy lodowiec na lądzie eur., w G. Skandynawskich, w Norwegii, między Sognefjorden i Nordfjord; pow. 486 km²; pojedyncze nunataki (najwyższy Lodalskåpa, 2083 m).

Jotunheimen, masyw górski w G. Skandynawskich, w Norwegii, na pn.-wsch. od Sognefjorden; zbud. gł. z gabra i diabazów; ponad zrównaną powierzchnią (wys. 2000–2400 m) wznoszą się odosobnione szczyty, najwyższe: Galdhøpiggen 2469 m i Glittertind 2451 m; strome stoki; lodowce fieldowe; region turystyczny; park narodowy.

Józefów, m. w woj. mazow. (powiat otowcki), w widłach Świdra i Wisły; 15,1 tys. mieszk. (2000); ośr. usługowo-mieszkaniowy w strefie

■ Jordania

podmiejskiej Warszawy o funkcjach turyst.-rekreacyjnych; drobny przemysł; prawa miejskie od 1962.

Józefów, m. w woj. lubel. (powiat biłgorajski), na Roztoczu Środk., na pn. skraju Parku Krajobrazowego Puszczy Solskiej, nad Niepryszką (dorzecze Tanwi); 2,6 tys. mieszk. (2000); ośr. usługowy dla rolnictwa; drobny przemysł; turystyka; prawa miejskie 1725–1870 i od 1988.

Juan Fernández [chuạn ~deṭ], grupa 3 wulk. wysp chilijskich na O. Spokojnym, ok. 640 km na zach. od m. Valparaíso; obejmuje wyspy: Robinson Crusoe (Más a Tierra, pow. ok. 94 km²), Alejandro Selkirk (Más Afuera, pow. ok. 86 km²), Santa Clara (pow. ok. 13 km²); bogata flora z licznymi endemitami. Odkryte w 2. poł. XVI w. przez hiszp. żeglarza J. Fernándeza; 1704–09 na największej z wysp przebywał ang. marynarz Alexander Selkirk, pierwowzór Robinsona Crusoe, bohatera powieści D. Defoe.

Jugosławia, Jugoslavija, **Federalna Republika Jugosławii,** od 2002 **Serbia i Czarnogóra,** państwo w pd. Europie, na Płw. Bałkańskim, nad M. Adriatyckim; 102,3 tys. km²; 10,2 mln mieszk. (2002), Serbowie (62% ludności), Albańczycy (okręg Kosowo), Czarnogórcy, Węgrzy (okręg Wojwodina); prawosławni, katolicy, muzułmanie; stol. Belgrad, inne m.: Nowy Sad, Kragujevac, Podgorica; język urzędowy serbski; republika federalna. Składa się z Serbii i Czarnogóry. Na pd. pasma G. Dynarskich i G. Północnoalbańskie (wys. do 2656 m) z rozwiniętą rzeźbą krasową, na wsch. G. Wschodnioserbskie i część

■ Jugosławia

JUGOSŁAWIA

Bałkanów, na pn., w międzyrzeczu Sawy, Dunaju i Cisy aluwialne niziny; klimat umiarkowany ciepły, na pd. podzwrotnikowy; w górach lasy dębowobukowe i świerkowe. Gospodarka zniszczona w wyniku długotrwałej wojny domowej; mało zasobne złoża surowców miner. (rudy miedzi, cynku i ołowiu, boksyty, węgiel brun.); przemysł przetwórczy rozwinięty gł. w Serbii (maszyn., zbrojeniowy, chem., włók.); uprawa zbóż, buraków cukrowych, słonecznika; sadownictwo: winorośl, brzoskwinie, śliwy, na pd. oliwki i drzewa cytrusowe; hodowla bydła (w górach — owiec i kóz); transport samochodowy i wodny.	■

Jukatan, hiszp. **Península de Yucatán,** ang. **Yucatan Peninsula,** półwysep w Ameryce Środk., w Meksyku, Gwatemali i Belize, między Zat. Meksykańską a M. Karaibskim; pow. ok. 180 tys. km²; zbud. z wapieni trzeciorzędowych (rozwinięte zjawiska krasowe); wybrzeże niskie, akumulacyjne; równiny, na pd. góry Maya (wys. do 1122 m); klimat podrównikowy wilgotny; roczna suma opadów od 500 mm na pn. do 3800 mm na pd.; średnia temp. w styczniu 20–22°C, w lipcu 25–29°C; las równikowy, sawanna, wzdłuż wybrzeża namorzyny; gł. m.: Belize, Mérida, Campeche.

Jukatańska, Cieśnina, Canal de Yucatán, cieśnina w zach. części O. Atlantyckiego, między płw. Jukatan a Kubą; łączy M. Karaibskie z Zat. Meksykańską; szer. ok. 200 km, głęb. do 2779 m; przez C.J. przepływa ciepły Prąd Karaibski (do Zat. Meksykańskiej).

Jukon, Yukon River, rz. w pn.-zach. Kanadzie i USA (stan Alaska); wypływa z G. Nadbrzeżnych; dł. ok. 3180 km, pow. dorzecza ok. 900 tys. km²; uchodzi do zat. Norton (M. Beringa), tworząc deltę; gł. dopływy: White, Tanana (l.), Pelly, Porcupine, Koyukuk (pr.); zamarza na ok. 8 mies.; żegl. od m. Whitehorse; gł. m. nad J.: Whitehorse, Dawson (Kanada), Fort Yukon, Tanana, Galena (USA).

Jukon, ang. **Yukon Territory,** franc. **Territoire du Yukon,** terytorium autonomiczne w pn.-zach. Kanadzie; 483,5 tys. km², 29 tys. mieszk. (2002); stol. Whitehorse; wyżynno-górzysty (Logan, 6050 m — najwyższy w kraju); tajga; górnictwo (rudy metali nieżel., złoto, srebro); leśnictwo i myślistwo; transport lotn., rzeczny.

Jungfrau [juŋfrau], szczyt w Alpach Berneńskich, w Szwajcarii; wznosi się nad głęboką doliną Lauterbrunnen (dno na wys. 800–900 m) i ponad lodowcem Aletsch; wys. 4158 m; wraz z sąsiednimi szczytami Mönch i Eiger odwiedzany przez licznych turystów; kolej zębata z miejscowości Grindelwald i Wengen (od Eigergletscher w tunelu, dł. 7,1 km) do schroniska na przełęczy Jungfraujoch (wys. 3454 m), obok stacja doświadczalna (z obserwatorium astr.).

Jura, góry na pograniczu Francji i Szwajcarii, między dolinami Rodanu i Renu; ciągną się pasem szer. od 15 km na pd. do 80 km na środk. części; od Alp oddzielone Wyż. Szwajcarską; najwyższy szczyt Crêt de la Neige, 1718 m; zbud. gł. z margli i wapieni jurajskich (stąd pochodzi nazwa systemu jura) sfałdowanych w szereg regularnych antyklin pochylonych ku zach.;

między antyklinami w płaskich synklinach występują wapienne utwory kredy i trzeciorzędu; stromo opadają w kierunku doliny Aare i jezior: Genewskiego, Neuchâtel, Biel, stopniami — ku wyż. Burgundii; rzeźba krasowa; rzeki (Ain, Doubs, Birs) płyną na przemian dolinami podłużnymi i wąskimi przełomami; naturalną szatę roślinną w niższym piętrze (do 1000 m) tworzą mieszane lasy liściaste, wyżej (do 1600 m) buczyny i lasy jodłowo-bukowe z domieszką świerka; murawy alp. na najwyższych szczytach; hodowla bydła typu mlecznego; gospodarka leśna; rozwinięty przemysł precyzyjny (m.in. tradycyjna produkcja zegarków) i snycerka; na nasłonecznionych stokach do wys. 500–600 m winnice; turystyka.

Jutlandzki, Półwysep, Jutlandia, duń. **Jylland,** niem. **Jütland,** półwysep w Europie, między M. Północnym a M. Bałtyckim; ok. 40 tys. km², stanowi 70% pow. Danii, część pd. należy do Niemiec (Szlezwik-Holsztyn). Przeważa rzeźba pagórkowata; najwyższe wzniesienie Yding Skovhøj, 173 m; w części wsch. wały moren czołowych, na zach. równiny sandrowe; wybrzeże pd.-zach. wattowe; liczne krótkie rzeki i niewielkie jeziora (gł. polodowcowe). Klimat umiarkowany ciepły, mor.; średnia temp. w styczniu ok. 0°C, w lipcu 16°C; roczna suma opadów 600–800 mm (część wsch. nieco suchsza i chłodniejsza). We wnętrzu P.J. resztki rozległych niegdyś wrzosowisk atlantyckich i torfowiska oraz skrawki ubogich lasów dębowych i dębowo-brzozowych; w części wsch. miejscami lasy bukowe. Większą część P.J. zajmują pola uprawne i użytki zielone; hodowla bydła; gł. m.: Århus i Ålborg.

Jutrosin, m. w woj. wielkopol. (powiat rawicki), nad Orlą; 1,8 tys. mieszk. (2000); ośr. handl.- usługowy regionu roln.; drobny przemysł; prawa miejskie przed 1472.

K

K2, Czogori, Godwin Austen, najwyższy szczyt Karakorum, w pasmie Baltoro Mustagh, w Indiach (stan Dżammu i Kaszmir), na obszarze pod faktyczną kontrolą Pakistanu; wys. 8611 m, drugi szczyt na Ziemi (po Mount Evereście); odkryty 1856 i jako drugi szczyt pomierzony w Karakorum nazwany K2 przez T.G. Montgomery'ego; zbudowany ze skał magmowych i metamorficznych; pokryty wiecznym śniegiem; ze stoków spływają lodowce Savoia, Filippi i Godwin Austen, które łączą się na płaskowyżu Concordia na wys. 4690 m, tworząc lodowiec Baltoro, przez który prowadzi tradycyjne dojście pod K2; ze względu na niezwykle strome zbocza uważana za jedną z najtrudniejszych dla wspinaczki gór Ziemi; zdobyty 1954 przez wyprawę wł. (A. Compagnoni i L. Lacedelli); 1986 pierwsze pol. wejścia: 23 VI — W. Rutkiewicz (pierwsza kobieta na szczycie), 8 VII — J. Kukuczka, T. Piotrowski (nową drogą); trudne drogi wspinaczkowe (2 najtrudniejsze pol.); do 2002 ok. 200 wejść na szczyt, większość od południa; ok. 50 ofiar śmiertelnych (4 Polaków); u podnóża góry Kopiec Gilkeya, gdzie są pochowane niektóre odnalezione ofiary K2 (m.in. H. Krüger-Syrokomska).

Kabardo-Bałkaria, Kabarty-Balker, republika w Rosji, na Kaukazie; 12,5 tys. km², 790 tys. mieszk. (2002); stol. Nalczyk; Kabardyjczycy 48%, Bałkarzy 9%, Rosjanie 32% i in.; ludność miejska 58%; wydobycie i hutnictwo metali nieżel. (wolfram, molibden); przemysł maszyn., spoż., lekki, drzewny; uprawa zbóż, winorośli, sadownictwo; hodowla (bydło, owce, konie); turystyka wysokogórska i alpinizm (region Elbrusu).

Kabul, stol. Afganistanu, na wsch. kraju, nad rz. Kabul, w kotlinie górskiej na pd. Hindukuszu, na wys. ok. 1800 m; 2,1 mln mieszk. (2002); ośr. rzemiosła i handlu; uniw., politechn.; międzynar. port lotn.; muzea; wielokrotnie niszczony podczas długotrwałej wojny domowej, trwającej od 1978, także w czasie nalotów amer. 2001; stare miasto — cytadela Bala Hisar (V w.), liczne bazary; nowe miasto — grobowiec Babura (XVI w.), meczet (XVII w.); w okolicy pozostałości buddyjskich klasztorów, kolumn i stup.

Kabul, rz. w Afganistanie i Pakistanie, pr. dopływ Indusu; dł. 460 km; źródła w górach Koh-i Baba; żegl. 120 km; wykorzystywana do nawad-

■ Rzeka Kabul

niania; elektrownie wodne; gł. miasto nad Kabulem — Kabul. ■

Kaczawa, rz., l. dopływ środk. Odry; dł. 84 km, pow. dorzecza 2261 km²; źródła w G. Kaczawskich; płynie przez Pogórze Kaczawskie, Niz. Śląsko-Łużycką i Niz. Śląską; uchodzi poniżej Prochowic; średni przepływ powyżej ujścia 8,4 m³/s; maks. rozpiętość wahań stanów wody w dolnym biegu 4,4 m; gł. dopływy: Nysa Szalona (pr.), Czarna Woda (l.); w górnym biegu w Kaczorowie i Świerzawie przeciwpowodziowe zbiorniki wodne; gł. miasta nad K.: Złotoryja, Legnica. W średniowieczu z piasków w dolinie K. wydobywano złoto.

Kaczawskie, Góry, pasmo górskie w Sudetach Zach., o kierunku pn.-zach. — pd.-wsch., od doliny Bobru na zach. po dolinę Nysy Szalonej na wsch.; rozczłonkowane przez Kaczawę i jej dopływy na szereg mniejszych pasm i izolowanych garbów; są to m.in.: Grzbiet Pn. (Okole, 721 m) — od doliny Bobru k. Wlenia po dolinę Kaczawy, Grzbiet Pd. (Skopiec, 724 m) — od doliny Lipki na pn.-zach. po dolinę Świdnej i Bobru na pd.-wsch., Mały Grzbiet (Stromiec,

551 m, Szybowisko, 561 m) — na pn. od Jeleniej Góry, Grzbiet Wsch. (Żeleźniak, 666 m) — na wsch. od doliny Kaczawy; pd.-wsch. część Grzbietu Pd., oddzielona Przełęczą Radomierską (532 m), nosi nazwę G. Ołowianych (Turzec 690 m). G.K. mają złożoną budowę geol.; składają się na nią różnowiekowe i różnorodne kompleksy skalne: łupki metamorficzne, wapienie krystaliczne, zieleńce, piaskowce, zlepieńce, porfiry, melafiry i bazalty; jaskinie; kamieniołomy wapienia; wyższe partie G.K. porastają drzewostany świerkowe (sztucznie wprowadzone), niższe — lasy liściaste. Osią morfologiczną jest dolina Kaczawy; wzdłuż niej przebiegają linie komunik. i koncentruje się osadnictwo sięgające czasów paleolitu (jaskinie na górze Połom k. Wojcieszowa). Dolina Kaczawy, ze względu na liczne zabytki hist. i interesujące przekroje geol., należy do najatrakcyjniejszych pod względem krajoznawczym na Dolnym Śląsku. Główny ośr. miejski G.K. — Wojcieszów.

Kagera, rz. w Ruandzie, Burundi i Tanzanii, powstaje z połączenia rz.: Nyawarongu (źródła w Ruandzie) i Ruvuvu (w Burundi); dł. ok. 420 km; uchodzi do Jez. Wiktorii; liczne wodospady; żeglowna w dolnym biegu; w środk. biegu Park Narodowy Kagera; uważana za źródłową rzekę Nilu; odkryta 1876 przez H.M. Stanleya.

Kair, Al-Qāhirah, stol. Egiptu, nad Nilem; 7,8 mln mieszk. (2002), Wielki K. — 15,5 mln (z m. Giza); największe m. Afryki i Bliskiego Wschodu, centrum polit. i kult. świata arab.; wielki ośr. finansowo-handl. i turystyki zagr.; przemysł włók., chem., spoż., elektrotechn., skórz., metalurg., cementowy; rzemiosło artyst.; 5 uniw. (muzułm. Al-Azhar z X w., Uniw. Kairski w Gizie); węzeł komunik. (port lotn. Heliopolis); port rzeczny; resztki twierdzy rzym. i kościoły koptyjskie; Nilometr na wyspie Roda (VIII w.), fragmenty murów miejskich i cytadela (XII w.) z meczetami (XIV, XIX w.), mauzolea kopułowe (XV, XVI w.), ponad 500 meczetów. ∎

Kajenna, Cayenne, stol. Gujany Franc., nad O. Atlantyckim; 58 tys. mieszk. (2002); gł. port handl. i rybacki kraju; przemysł spoż. (destylarnie rumu), drzewny; ośr. handl.-usługowy; port lotniczy.

Kajmany, Cayman Islands, terytorium zależne W. Brytanii w Ameryce Środk. (Indie Zach.), na wyspach Kajmany i in. na M. Karaibskim; 259 km^2; 45 tys. mieszk. (2002), Murzyni i Mulaci, biali; stol., gł. port mor. i lotn. Georgetown; język urzędowy ang.; wyspy nizinne, koralowe; klimat równikowy wilgotny, cyklony; wilgotne lasy równikowe; obsługa turystów; usługi finansowe; połów i hodowla żółwi mor.; uprawa palmy kokosowej, mango; hodowla bydła. Wyspy odkryte 1503 przez K. Kolumba.

Kalabryjski, Półwysep, pd.-zach. część Płw. Apenińskiego we Włoszech (region Kalabria), między M. Jońskim a M. Tyrreńskim; oddzielony od Sycylii Cieśn. Mesyńską; pow. ok. 15 tys. km^2; większą część P.K. zajmuje Apenin Kalabryjski (wys. do 1956 m w masywie Aspromonte), zbud. z granitów, gnejsów, łupków krystal., na wsch. z wapieni, margli i piaskowców; na

wybrzeżu niewielkie niziny; trzęsienia ziemi; krótkie rzeki okresowe (fiumare); liczne sztuczne jeziora; do wys. 700 m resztki lasów z dębem ostrolistnym i sosną alepską, wtórne zarośla typu makii i uprawy (owoce cytrusowe, oliwki, figi); do 1100 m lasy dębowe i kasztanowe, powyżej — bukowe z domieszką jodły; gł. m. Catanzaro.

Kalahari, bezodpływowa kotlina w Afryce Pd., gł. w Botswanie; otoczona pasmem wyżyn południowoafryk.: od zach. wyżynami Damara i Nama, od pd. płaskowyżem Karru Wysokiego, od pd.-wsch. i wsch. wyżynami Weldów Oranii i Transwalu oraz Matabele i Maszona, a od pn. wyżyną Barotse; w centrum K. przeważają wys. 800–1000 m, na wsch. i zach. krańcach 1000–1500 m; wypełniona gł. utworami trzeciorzędowymi (piaski i piaskowce pochodzenia kontynent.), leżącymi na podłożu gł. paleozoicznym; w pd. części K. długie wały piaszczyste i utrwalone wydmy (wys. do 100 m), w części środk. płytkie zagłębienia nieckowate, wypełnione okresowo wodą oraz suche koryta rzeczne, na pn. bagna Okawango i Makgadikgadi oraz jez. Ngami; klimat zwrotnikowy, kontynent. suchy, na wsch. wilgotniejszy; średnia roczna suma opadów od poniżej 100 mm (na pd.-zach. i pd.) do ok. 500 mm (na pn. i wsch.); rzeki w większości okresowe; roślinność gł. sawannowa; w części środk., w obniżeniach, sucha sawanna z pojedynczymi krzewami (gł. akacje), na pn. wilgotna sawanna (akacje, baobaby), stanowiąca przejście do lasów zrzucających liście w porze suchej; na pd. roślinność półpustynna; myślistwo i pasterstwo; liczne parki nar. (m.in. Kalahari Gemsbok, Chobe, Kalahari) i rezerwaty zwierzyny.

∎ Kair. Widok miasta z cytadeli

kalcyt, minerał, odmiana polimorficzna węglanu wapnia $CaCO_3$ krystalizująca w układzie trygonalnym; zwykle bezbarwny, biały lub żółtawy; rozpowszechniony; gł. składnik kopalnych skorupek organizmów mor., wapieni i marmurów; tworzy nacieki jaskiniowe; surowiec przemysłu ceram. i szkl., także opt. (szpat islandzki).

kaldera [hiszp.], rozległe zagłębienie w szczytowej części wulkanu, najczęściej mieszanego, powstające zwykle przy końcu erupcji wulk. wskutek rozsadzenia lub zapadnięcia się części wulkanu; w utworzonym zagłębieniu po pewnym czasie tworzy się nowy stożek wulk. zakończony kraterem; wulkanami kalderowymi są np.: Wezuwiusz, Kilimandżaro; k. są często wypełnione wodą (np. Jez. Kraterowe w USA, średnicy ok. 10 km i głęb. ok. 700 m).

Kaledońskie, Góry, Góry Północnoszkockie, **North-West (Northern) Highlands,** góry w pn. części W. Brytanii (Szkocja), na pn. od zapadliska Glen More; najwyższy szczyt Carn Eige, 1182 m; powstałe w orogenezie kaledońskiej; rozcięte głębokimi dolinami; liczne ślady zlodowacenia czwartorzędowego; wrzosowiska.

Kaletańska, Cieśnina, franc. **Pas de Calais,** ang. **Strait of Dover,** cieśnina między W. Brytanią a Francją; łączy M. Północne z cieśn. La Manche; dł. 37 km, najmniejsza szer. 32 km, najmniejsza głęb. 21 m (na torze wodnym); liczne, niebezpieczne dla żeglugi ławice; przez C.K. przepływa prąd mor. z zach. na wsch. (prędkość 2,7–3,7 km/h); gł. porty: Dover, Calais, Boulogne-sur-Mer; stanowi ważną drogę mor. — liczne połączenia promowe W. Brytanii z kontynentem; pod dnem tunele kol. (Eurotunel).

Kalety, m. w woj. śląskim (powiat tarnogórski), nad Małą Panwią; 9,0 tys. mieszk. (2000); przemysł drzewno-papiern.; węzeł kol.; w 2. poł. XVIII w. działalność Jana Koulhaasa — hutnika i wynalazcy, który 1789 skoksował węgiel kam., wytwarzał stal na skalę przem. w hucie w K.; prawa miejskie od 1951.

Kalifornia, California, stan na zach. USA, nad O. Spokojnym; 411 tys. km², 34,9 mln mieszk. (2002); gł. m.: Los Angeles, San Francisco, San Diego, Sacramento (stol.); południkowo biegnące góry: Nadbrzeżne i Sierra Nevada, rozdzielone tektoniczną Doliną Kalifornijską (strefa najsilniejszych trzęsień ziemi w USA), w pd.-wsch. części pustynne obszary wyżyn (pustynia Mojave) i kotlin (Dolina Śmierci, najniższy punkt kraju — 86 m p.p.m.); na pn. lasy z sekwoją, na pd. chaparral (makia); najludniejszy, silnie uprzemysłowiony region USA; wydobycie ropy naft., gazu ziemnego; świat. centrum produkcji półprzewodników i komputerów (Dolina Krzemowa); przemysł lotn., samochodowy, film. (Hollywood); przetwórstwo warzyw i owoców; wysoko wydajne rolnictwo (sztuczne nawadnianie); turystyka (wpływy ok. 40 mld dol. rocznie); liczne parki nar. (Yosemite) i pomniki przyrody (Dolina Śmierci). Zamieszkana pierwotnie przez Indian; od 2. poł. XVIII w. kolonizowana przez Hiszpanów (dotarli tu po raz pierwszy ok. 1540);

■ Kalifornia. Park Narodowy Yosemite

od 1821 w granicach Meksyku; po wojnie meksyk. 1846–48 włączona do USA; „gorączka złota" po odkryciu 1848 złóż w okolicach Sacramento; od 1850 stan. ■

Kalifornijska, Dolina, Great Central Valley, Valley of California, tektoniczna nizina śródgórska w USA, między G. Nadbrzeżnymi a Sierra Nevada; dł. ok. 700 km, szer. ok. 80 km, wys. do 120 m; wzdłuż zach. skraju D.K., częściowo w G. Nadbrzeżnych, biegnie uskok San Andreas — strefa najsilniejszych trzęsień ziemi w USA; klimat podzwrotnikowy kontynent., wybitnie suchy; roczna suma opadów od 150 mm na pd. do 800 mm na pn.; gł. rz.: Sacramento, San Joaquin; sztucznie nawadniana; D.K. należy do najintensywniej zagospodarowanych rolniczo regionów USA (uprawa winorośli, warzyw, oliwek, drzew owocowych i bawełny); eksploatacja ropy naft., gazu ziemnego, złota i platyny; gł. m. — Sacramento.

Kalifornijska, Zatoka, Golfo de California, zatoka O. Spokojnego u wybrzeża Ameryki Pn., oddzielona od otwartego oceanu Płw. Kalifornijskim; pow. ok. 180 tys. km², dł. 1240 km, szer. do 220 km, średnia głęb. ok. 750 m, maks. — 3292 m; liczne wyspy, największe: Tiburón, Angel de la Guarda; do Z.K. uchodzi rz. Kolorado; połów ryb i pereł; porty: La Paz, Guaymas, Topolobampo, Puerto Penasco.

Kalifornijski, Półwysep, Kalifornia Dolna, Península de la Baja California, Baja California, półwysep w pn.-zach. części Meksyku, nad O. Spokojnym; wydłużony w kierunku pd.-wsch., oddziela Zat. Kalifornijską od otwartego oceanu; pow. 144 tys. km², dł. 1200 km, szer. 50–250 km, górzysty (wys. do 3078 m w górach Sierra San Pedro Mártir); klimat zwrotnikowy suchy, na krańcach pd. podrównikowy suchy; średnie temp. w styczniu od 10°C na pn. do 18°C na pd., w lipcu 25–38°C; roczna suma opadu 150–250 mm; roślinność gł. pustynna i półpustynna; wydobycie rud miedzi, manganu, magnezytów, soli kam., srebra, złota; gł. m.: La Paz.

Kalimantan, indonez. nazwa wyspy → Borneo.

Kalisz, m. w woj. wielkopol., nad Prosną i jej dopływami Pokrzywnicą i Swędrnią; powiat grodzki, siedziba powiatu kal.; 108 tys. mieszk. (2000); ważny ośr. przem.-usługowy i nauk.-kult. Wielkopolski; stol. diecezji kal. Kościoła rzymskokatol.; przemysł: włók. (firanki, koronki, wyroby ażurowe, runowe, dziewiarskie, jedwabnicze), spoż. (największe w kraju zakłady koncentratów spoż. Winiary-Nestle oraz wytwórnie lodów, pieczywa cukiern., napojów bezalkoholowych, przetwórstwo mięsa i mleka), chem., materiałów bud., środków transportu (Wytwórnia Sprzętu Komunik. PZL, spółki z kanadyjskim producentem silników lotn. PrattWhitney, zakłady Aerotech, wytwórnia części samochodowych), ponadto m.in. produkcja urządzeń komunalnych, fortepianów i pianin, pasz; liczne przedsiębiorstwa handl., budowlane i transportowe; duży węzeł drogowy; teatr, filharmonia z orkiestrą symfoniczną, Książnica Kaliska im. A. Parczewskiego, muzeum; tow. kult. (Przyjaciół Nauk, Miłośników Kalisza, Kaliskie Tow. Muz.); Kaliskie Spotkania Teatr., międzynar. festiwale — Pianistów Jazzowych, Muzyki Perkusyjnej; Państw. Wyższa Szkoła Zaw., filie uczelni pozn. — UAM, Akad. Ekon., politechniki, Wyższe Seminarium Duchowne; liczne obiekty sport.-rekreacyjne, w tym kompleks sport. z najstarszym w kraju torem kolarskim, stadionami i halą lekkoatletyczną; do niedawna utożsamiany z nazwą geogr. Kalisia (wzmiankowana w poł. II w. przez Klaudiusza Ptolemeusza); jeden z węzłowych punktów na tzw. szlaku bursztynowym; prawa miejskie przed 1268 (1260?); kościoły i zespoły klasztorne (XIII–XVIII w.), m.in. katedra (XIV–XV w.) i kościół Jezuitów z kolegium (XVI w.); fragmenty murów miejskich (XV w.), liczne budowle klasycyst. (XIX w.), m.in. pałac arcybiskupów gnieźn. (gmach Komisji Wojew.), gmach Trybunału, kamienice (XIX w.). ■

■ Kalisz. Zdjęcie lotnicze

Kalisz Pomorski, m. w woj. zachodniopomor. (powiat drawski), nad Drawicą (l. dopływ Drawy) i jez.: Bobrowo Duże, Bobrowo Małe i Młyńskie; 4,1 tys. mieszk. (2000); ośr. usługowo-przem.; przemysł materiałów bud., chem., drzewny; ośrodek obsługi ruchu turyst., punkt wyjściowy do leżącego na południe od K.P. Drawieńskiego Parku Nar.; prawa miejskie od 1303.

Kalla, Kallavesi, najgłębsze jez. w Finlandii, na Pojezierzu Fińskim, na wys. 82 m; pow. 900 km², głęb. do 102 m; liczne wyspy; na zach. brzegu m. Kuopio.

Kalwaria Zebrzydowska, m. w woj. małopol. (powiat wadowicki), nad rz. Cedron (dorzecze Wisły); 4,5 tys. mieszk. (2000); od XVII w. największe, po Jasnej Górze, sanktuarium katol. w Polsce, odwiedzane przez ok. 1 mln pielgrzymów rocznie; ośr. rzemieślniczy, gł. branży meblarskiej (także meble artyst.) i obuwn.; przetwórnia owoców i warzyw; węzeł kol. i drogowy; Wyższe Seminarium Duchowne, zespół szkół drzewnych; coroczne letnie targi meblowe, festiwale muz.; prawa miejskie 1617–1896 i od 1934; barok. zespół odpustowy fundacji M. Zebrzydowskiego: manierystyczny kościół i klasztor Bernardynów (XVII w.), wokół na wzgórzach zespół kaplic kalwaryjskich (XVII–XIX w.) — doroczne wielkotygodniowe misteria Drogi Krzyżowej z udziałem licznych pielgrzymów (od XVIII w.).

Kałuszyn, m. w woj. mazow. (powiat miński), nad Witówką (dorzecze Liwca); 2,9 tys. mieszk. (2000); ośr. usługowy dla rolnictwa; drobny przemysł elektrotechn., chem., skórz., spoż., drzewny; prawa miejskie przed 1662, potwierdzone 1718.

Kama, rz. w Rosji, najdłuższy (l.) dopływ Wołgi; dł. 1805 km, pow. dorzecza 507 tys. km²; źródła na Wale Górnokamskim; w górnym biegu płynie w szerokiej, zabagnionej dolinie; uchodzi do Zbiornika Samarskiego; gł. dopływy: Czusowa, Biełá, Wyszera (l.), Wiatka (pr.); średni przepływ przy ujściu ok. 3500 m³/s; spław drewna; żegl. 966 km (podczas wysokiego stanu wód — 1566 km); elektrownie: Kamska, Wotkińska, Dolnokamska i zbiorniki retencyjne; gł. m. nad K.: Solikamsk, Perm, Nabieriežne Czełny.

Kambodża, Kampuchea, Królestwo Kambodży, 1976–89 **Kampucza,** państwo w pd.-wsch. Azji, na Płw. Indochińskim, nad Zat. Tajlandzką; 181 tys. km²; 13 mln mieszk. (2002), Khmerowie 92%, Wietnamczycy, Chińczycy; religia państw. buddyzm; b. niski stopień urbanizacji (ok. 12% ludności w miastach); stol. Phnom Penh, inne m.: Kompong Som, Pursat; język urzędowy khmerski; monarchia. W środk. części aluwialna Niz. Mekongu z dużym jez. Tonle Sap, otoczona G. Kardamonowymi i odgałęzieniami G. Annamskich; klimat zwrotnikowy monsunowy, na pn. bardziej suchy, na pd. wilgotny; pora deszczowa maj–październik; lasy (74% pow.) monsunowe z drzewem sandałowym i tekowym, równikowe wilgotne, na wybrzeżu — namorzynowe. Kraj słabo rozwinięty, jeden z najbiedniejszych w świecie; gospodarka zniszczona długotrwałą wojną domową; uprawa roślin żywieniowych (ryż, maniok, bataty); plantacje kauczukowca, palmy cukrowej i kokosowej; hodowla bydła, bawołów (siła pociągowa) i trzody chlewnej; połowy ryb; niewielkie zakłady przem. (łuszczarnie ryżu, cukrownie, cegielnie, gumowy); pozyskiwanie drewna i żywicy na eksport; żegluga śródlądowa na Mekongu i jego dopływach. ■

■ Kambodża

Kambryjskie, Góry, Cambrian Mountains, góry w pd.-zach. części W. Brytanii (Walia); najwyższy szczyt Snowdon, 1085 m; zbud. ze skał osadowych i wulk.; grzbiety górskie szerokie i spłaszczone, głęboko rozcięte dolinami; cyrki lodowcowe; wrzosowiska, torfowiska; rezerwaty przyrody.

Kamczatka, półwysep w azjat. części Rosji (Obwód Kamczacki), między M. Ochockim a M. Beringa; z lądem łączy się wąskim (do 100 km) przesmykiem Parapolski Dół; pow. 370 tys. km², dł. 1200 km, szer. do 450 km. Wybrzeże wsch. silnie rozczłonkowane, z głęboko wciętymi zatokami; z pn. na pd. ciągną się wulk. góry: Środkowe (wys. do 3621 m) i Wschodnie (2485 m) rozdzielone obniżeniem tektonicznym (szer. do 50 km), zw. Kotliną Kamczacką; wzdłuż wybrzeża zach. silnie zabagniona nizina; ponad 160 wulkanów (28 czynnych), najwyższy i jeden z najaktywniejszych na Ziemi Kluczewska Sopka, 4750 m; liczne cieplice (w części wsch. Dolina Gejzerów); gł. rzeka Kamczatki, największe

■ Kamczatka. Fumarole koło wulkanu Dzendzur

Jez. Kronockie (245 km²). Klimat umiarkowany chłodny; roczne opady do 1000 mm; na najwyższych szczytach wieczne śniegi i lodowce (ponad 400). Rzadkie lasy złożone z brzozy Ermana, w Kotlinie Kamczackiej tajga modrzewiowa: duże obszary zajmują zarośla limby karłowatej, olszy kamczackiej i zbiorowiska wysokich bylin. Rezerwat Kronocki (utworzony 1934, od 1967 pow. 1099 tys. ha), od 1985 rezerwat biosfery; na wybrzeżu legowiska zwierząt płetwonogich. ■

■ Kamerun

Kamerun, franc. **Cameroun,** ang. **Cameroon, Republika Kamerunu,** państwo w Afryce, nad Zat. Gwinejską; 475,4 tys. km²; 15,9 mln mieszk. (2002), gł. ludy Bantu, Bamileke, Hausa; animiści, katolicy, muzułmanie; stol. Jaunde; gł. m. i port Duala; język urzędowy: franc., ang.; republika. Wyżynny (wyż. Adamawa), na wybrzeżu masyw wulk. Kamerun (4070 m); klimat równikowy wilgotny, na pn. podrównikowy suchy; lasy (50% pow.) równikowe, galeriowe w dolinach rzek (gł. Sanaga), sawanny; parki nar. (Benue) i rezerwaty (Faro). Podstawą gospodarki — rolnictwo (uprawa kakaowca, kawy, kauczukowca, bawełny; hodowla bydła) i górnictwo (ropa naft., gaz ziemny, rudy żelaza, boksyty); eksploatacja lasów (heban, mahoń); hutnictwo aluminium, przemysł spoż., drzewny, gumowy, bawełniany. ■

Kamerun, franc. **Mont Cameroun,** ang. **Cameroon Mountain,** masyw wulk. w Kamerunie, nad Zat. Gwinejską; wys. do 4070 m (Fako); czynny wulkan, ostatni wybuch 1959; liczne boczne stożki i kratery; w masywie K. występują największe (ok. 10 tys. mm) opady w Afryce; piętrowy układ roślinności, od lasów równikowych do roślinności alp.; rezerwat fauny; na stokach uprawa kakaowca, bananów; zdobyty 1861 przez R.F. Burtona; 1884 wejście S. Rogozińskiego.

Kamienna, rz. na Wyż. Kieleckiej, l. dopływ Wisły; dł. 138 km, pow. dorzecza 2008 km²; źródła na obszarze Garbu Gielniowskiego, płynie przez Staropol. Okręg Przem., uchodzi powyżej wsi Solec nad Wisłą; średni przepływ w

pobliżu ujścia 10,2 m³/s; maks. rozpiętość wahań stanów wody w dolnym biegu 2 m; w środk. biegu 3 zbiorniki retencyjne (Bliżyn, Starachowicki, Brody Iłżeckie); gł. dopływ — Świślina (pr.); gł. miasta nad K.: Skarżysko-Kamienna, Starachowice, Ostrowiec Świętokrzyski.

Kamienna Góra, m. powiatowe w woj. dolnośląskim, nad Bobrem; 23,0 tys. mieszk. (2000); duży ośr. przemysłu włók. (tkalnia jedwabiu, zakłady lniarskie, dziewiarskie); ponadto przemysł maszyn. (maszyny włók.), odzież., skórz.--obuwn. oraz drobne zakłady metal., materiałów bud., drzewne i spoż.; węzeł kol. i drogowy; ośr. wypoczynkowy i sanatoryjny; prawa miejskie od 1292; muzeum tkactwa; renes. zamek (XVI w.), 2 kościoły (XVI, XVIII w.), kamienice (XVIII w.); w pobliżu wydobycie dolomitu i piasku kwarcowego.

Kamienne, Góry, łańcuch górski w Sudetach Środk., ciągnący się od okolic Lubawki na zach. po Nową Rudę na wsch.; część zach., między dolinami Bobru (Bramą Lubawską) i Zadrnej, nosi nazwę G. Kruczych. G.K. są zbud. z porfirów i melafirów permu, eksploatowanych w kamieniołomach jako kamień drogowy (największe zasoby w Polsce); Przełęcz Ulanowicka k. Lubawki oddziela część pd., składającą się z 2 równoległych grzbietów: Szeroka (843 m), Owcza Głowa (750 m); przełomowa dolina Zadrnej k. Kamiennej Góry (tzw. Brama Czadrowska) oddziela G. Krucze od grzbietu Czarnego Lasu (Czuba, 660 m), który ku pd. przechodzi we Wzgórza Krzeszowskie (627 m) i zamyka od pn. Kotlinę Krzeszowską; na wsch. od Czarnego Lasu, oddzielone doliną Grządzkiego Potoku, ciągną się 2 równoległe grzbiety Pasma Lesistej: część pn. nosi nazwę Dzikowiec (836 m), część pd. tworzą masywy Wysokiej (807m) i Lesistej Wielkiej (851 m); przełom Ścinawki między Unisławiem Śląskim a Mieroszowem odcina od masywu Lesistej Wielkiej izolowaną, porfirową kopułę Stożka Wielkiego (840 m); ostatni, wsch. człon G.K. stanowią G. Suche (Waligóra, 936 m, najwyższy szczyt G.K.) między dolinami: Ścinawki na zach., Bystrzycy na wsch. i Rybnej na północy. G.K., intensywnie urzeźbione, o dużych wysokościach względnych i stromych stokach, porośnięte prawie w całości lasem mieszanym (zagrożonym wskutek zanieczyszczeń powietrza), mają wybitne walory krajobr., które uzupełniają zabytki architektury Chełmska Śląskiego i Krzeszowa.

Kamień Krajeński, m. w woj. kujawsko--pomor. (powiat sępoleński), nad Kamionką (pr. dopływ Brdy); 2,3 tys. mieszk. (2000); ośr. usługowy dla rolnictwa; drobny przemysł spoż. i metal. (opakowania); gród wzmiankowany 1107; prawa miejskie od 1359.

Kamień Pomorski, m. powiatowe w woj. zachodniopomor., u ujścia rz. Świniec do Zalewu Kamieńskiego, naprzeciw W. Chrząszczewskiej; 9,7 tys. mieszk. (2000); uzdrowisko (od poł. XIX w.), ośrodek turyst. i usługowy, także dla pobliskich miejscowości sanatoryjno-wczasowych; wody miner. (solanki) i złoża borowiny; zakłady: Górnictwa Nafty i Gazu, naprawy maszyn roln., przetwórstwa drzewnego i rolno-spoż.; węzeł drogowy; przystań żeglugi pasażerskiej, port rybacki i sportów wodnych; muzeum; Międzynar. Festiwal Muzyki Organowej i Kameralnej (w katedrze); rom.-got. katedra (XII, XIII, XV w.), z organami (XVII w.), kościół (XIV–XV w., ob. muzeum); fragmenty murów miejskich (XIII/XIV w.), got. pałac biskupi (XV–XVI w.), ratusz (XV, XVI w.), dom (XVIII w.).

Kamieńsk, m. w woj. łódz. (powiat radomszczański), nad Jeziórką (pr. dopływ Widawki); 2,8 tys. mieszk. (2000); ośr. usługowy; drobny przemysł spoż.; węzeł drogowy; prawa miejskie 1374–1870 i od 1994.

Kampala, stol. Ugandy, w pobliżu Jez. Wiktorii; zespół miejski 953 tys. mieszk. (2002); gł. ośr. handl., przem. (włók., spoż., drzewny, maszyn.) i kult. kraju; port lotn. w pobliskim Entebbe; węzeł drogowy; uniw.; zał. 1890 jako bryt. fort; prawa miejskie 1949.

Kampania, Campania, region autonomiczny w pd. Włoszech, nad M. Tyrreńskim; 13,6 tys. km², 5,9 mln mieszk. (2002); stol. Neapol, inne m. Salerno; górzysty (Apeniny Pd.); częste trzęsienia ziemi; czynny wulkan Wezuwiusz; sadownictwo (winorośl, oliwki, jabłonie) i warzywnictwo; przemysł skupiony w aglomeracji Neapolu; turystyka (Pompeje, Sorrento, Capri).

Kan-i-Gut, jaskinia krasowa w Kirgistanie, we wsch. części masywu Burgan-Tasz (G. Turkiestańskie), na pd.-zach. od m. Isfara (w Uzbekis-

tanie); dł. 3 km, deniwelacja 175 m; utworzona w paleozoicznych wapieniach; 18 obszernych komór o wys. do 40–50 m połączonych poziomymi korytarzami i studniami o głęb. do 50 m; hydrotermalne złoża rud zawierających m.in. żelazo, baryt i ołów z domieszką srebra, eksploatowane od IX do XX w.; przy wydobyciu pracowali m.in. zesłańcy; ze względu na bardzo trudne warunki pracy nazywana kopalnią śmierci; 1972 badana przez pol. wyprawę.

Kanada, Canada, państwo w pn. części Ameryki Pn., między O. Arktycznym, O. Spokojnym i O. Atlantyckim; pow. 9970,6 tys. km² (drugie, po Rosji, pod względem powierzchni na świecie); rozciągłość południkowa ponad 5 tys. km, równoleżnikowa ok. 5 tys. km; obejmuje liczne wyspy (Archipelag Arktyczny, Nowa Fundlandia); 31,5 mln mieszk. (2002); stol. Ottawa; język urzędowy: ang. i franc.; związkowa monarchia konst.; 10 prow. i 3 terytoria.

Warunki naturalne

Wyraźnie zaznacza się południkowy układ krain fiz.-geogr.; ok. 3/4 pow. K. zajmują wyżyny i góry; na zach., wzdłuż wybrzeża O. Spokojnego, alp. system Kordylierów (Logan, 6050 m — najwyższy szczyt K.); w części środk.-zach. Wielkie Równiny (prerie) i niz. rz. Mackenzie; we wsch. i środk.-wsch. części tarcza laurentyńska — prekambryjska platforma tworząca rozległy płaskowyż, opadający na pd. wyraźnymi progami skalnymi; na wsch. wydźwignięta krawędź tarczy stanowi pasmo górskie Ziemi Baffina, a na płw.

■ Kanada

■ Kanada. Jezioro Huron

Labrador — góry Torngat; w obniżeniu tarczy Niz. Hudsońska i niziny Archipelagu Arktycznego; w pd.-wsch. części K. obszary nizinne występują nad Wielkimi Jeziorami i w dolinie Rz. Św. Wawrzyńca; wzdłuż wybrzeża O. Atlantyckiego (do Nowej Fundlandii) kanad. część Appalachów; duży wpływ epoki lodowcowej na rzeźbę K. (liczne formy polodowcowe, jeziora); zach. wybrzeża wysokie i silnie rozczłonkowane — w pobliżu liczne wyspy (Vancouver, Królowej Charlotty), wsch. o podobnym charakterze, pn. mniej urozmaicone, pn.-wsch. z głęboko wciętymi zatokami (Zat. Hudsona). Klimat od umiarkowanego (ciepły i chłodny) na pd. do subpolarnego i polarnego na pn., we wnętrzu kraju kontynent. suchy; na wybrzeżu wsch. wpływ zimnego Prądu Labradorskiego, na zach. — ciepłego Prądu Alaski; duże zróżnicowanie temp.; średnia temp. w styczniu od powyżej 0°C na zach. do –10°C na wsch. i do –35°C i mniej na pn., w lipcu od 3–5°C na pn. do 21°C na pd.; największe opady na zach. stokach Kordylierów (2500, miejscami 6000 mm rocznie), najmniejsze — we wnętrzu kraju (do 400 mm), na wsch. 1000–1400 mm rocznie. Główne rz. w zach. części K.: Mackenzie (najdłuższa), Jukon, Kolumbia, Fraser, we wsch.: Nelson z Saskatchewan, Rz. Św. Wawrzyńca (część Drogi Wodnej Św. Wawrzyńca), Churchill; rzeki kanad. przez 5–9 mies. pokryte lodem; ogromna liczba jezior, największe: Wielkie Jez. Niedźwiedzie, Wielkie Jez. Niewolnicze, Winnipeg oraz graniczne z USA — Górne, Huron, Erie, Ontario; na pn. (w strefie zmarzliny wieloletniej) i w środk. części K. rozległe obszary bagienne. W Archipelagu Arktycznym lodowce lub skąpa ro-

■ Kanada. Widok Calgary

ślinność pustyni polarnej, w pn. części bezleśna tundra, przechodząca ku pd. w szeroką strefę borealnych lasów iglastych tajgi kanad. (świerk, jodła balsamiczna, sosna, modrzew); w regionie Wielkich Jezior i dolinie Rz. Św. Wawrzyńca lasy mieszane i liściaste (choina kanad., klon cukrowy, buk amer.); na obszarze Wielkich Równin naturalne prerie (zajęte pod uprawę); w Kordylierach i na wybrzeżu O. Spokojnego bujne lasy iglaste.

Ludność

Ludność pochodzenia franc. (23%) oraz ang., irl., szkoc. (łącznie 21%), ponadto niem., wł., ukr., pol.; Indianie i Eskimosi zaledwie 2% mieszk.; przeważają katolicy i protestanci; przyrost naturalny 6–8‰ rocznie; struktura wiekowa ludności: 21% w wieku do 15 lat, 12% w wieku ponad 65 lat; przeciętne trwanie życia 78 lat; jedno z najsłabiej zaludnionych państw świata (średnio 3 osoby na km^2); ponad 90% ludności w pasie (szer. 300 km) wzdłuż pd. granicy kraju (zwł. w dolinie Rz. Św. Wawrzyńca, nad jez.: Ontario, Erie); obszary pn. i pn.-wsch. prawie bezludne; w miastach mieszka prawie 78% ludności, największe aglomeracje tworzą: Toronto, Montreal, Vancouver (łącznie ponad 335 ludności K.); struktura zatrudnienia (1996 — w %): usługi 64 (z czego 20 — handel), przemysł 32, rolnictwo, leśnictwo i rybołówstwo 4.

Gospodarka

Wysoko rozwinięty kraj przem.-roln. o bogatych zasobach naturalnych (surowce miner., leśne, potencjał hydroenerg.); silne powiązanie i uzależnienie od gospodarki USA (kapitał amer. kontroluje ok. 40% kanad. gospodarki); wydobycie ropy naft., gazu ziemnego i węgla kam. (gł. prow. Alberta), rud niklu i miedzi (Ontario, Manitoba), cynku i ołowiu (Kolumbia Bryt.), żelaza (Labrador) i uranu oraz złota, azbestu, soli potasowych. W produkcji energii elektr. (4% produkcji świat.) w przeliczeniu na 1 mieszk. (17,7 tys. kWh, 1999) K. zajmuje 2. miejsce w świecie (po Norwegii); 58% energii elektr. wytwarzają elektrownie wodne; przemysł przetwórczy rozwinięty gł. nad Wielkimi Jeziorami i w dolinie Rz. Św. Wawrzyńca, najważniejsze gałęzie: celulozowo-papierniczy (661 kg papieru i tektury na 1 mieszk. — 3. miejsce po Finlandii i Szwecji, 1999), hutnictwo niklu, aluminium, miedzi i cynku, chem. (zwł. petrochem.), samochodowy, lotn., taboru kol., elektrotechn., drzewny, spożywczy. Użytki rolne zajmują ok. 8% pow.; duże gospodarstwa rolne, ponad 100 ha, zwł. na zach.; najważniejszy region roln. w tzw. prowincjach preriowych (Manitoba, Saskatchewan, Alberta) wyspecjalizowany w uprawie zbóż i hodowli bydła (ok. 13 mln sztuk rocznie); duże zbiory pszenicy, na 1 mieszk. — 857 kg (2. miejsce po Australii, 2000); w prowincjach nad Wielkimi Jeziorami warzywnictwo, sadownictwo, uprawa roślin przem. (len, tytoń, buraki cukrowe), pastewnych oraz intensywna hodowla bydła mlecznego, drobiu, zwierząt futerkowych; tradycyjne leśnictwo, jeden z największych świat. producentów drewna (186 hm^3, 1999); rybołówstwo mor. i słodkowodne (ponad 1 mln t ryb, 1999). W 1998 K. odwiedziło ok. 18,5 mln turystów zagr. (75% z USA). W przewozach gł. rolę odgrywają linie kol. — 87 tys. km (2 transkontynent.) i szlaki wodne, zwł. Rz. Św. Wawrzyńca z gł. portami: Port Cartier, Montreal, Thunder Bay; transkanad. droga samochodowa, 7314 km; w użytkowaniu 13 mln samochodów osobowych, tj. 459 na 1000 mieszk. (3. miejsce w świecie, 1998); rozwinięty transport lotn. (zwł. na pn.) i rurociągowy (ok. 34 tys. km naftociągów); gł. port mor. Vancouver (przeładunki 70 mln t rocznie). Wymiana handl. K. stanowi 3,6% obrotów świat. (8. miejsce w świecie, 1995); eksport maszyn, urządzeń i sprzętu transportowego, produktów chem. (m.in. nawozy azotowe) i in. artykułów przem., surowców, towarów rolno-spoż., gł. pszenicy (3. eksporter na świecie), i ryb; największy świat. eksporter tarcicy, papieru gazetowego, aluminium; gł. partner handl. K. — USA (75% wymiany handl.), ponadto Japonia, W. Brytania, Niemcy, Meksyk. ◼

kanał, **kanał wodny**, sztuczny ciek wodny na powierzchni ziemi (kanał otwarty, inaczej odkryty), czasem pod powierzchnią (kanał zakryty), umożliwiający żeglugę lub przepływ (przerzut) wody. Zależnie od przeznaczenia rozróżnia się kilka typów k. K a n a ł y ż e g l o w n e (sztuczne drogi wodne) umożliwiają transport wodny; k. żeglowne m o r s k i e łączą morza i oceany lub odchodzą w głąb lądu; mogą być otwarte (między łączonymi zbiornikami wodnymi nie ma różnicy poziomów) — poziom tych k. jest identyczny z poziomem mórz (np. Kanał Sueski, Kanał Koryncki), albo zamknięte — różnica poziomów między łączonymi zbiornikami wymaga zastosowania śluz (Kanał Panamski, Kanał Kiloński); k. żeglowne ś r ó d l ą d o w e umożliwiają żeglugę statkom śródlądowym: a) t r a n z y t o w e — łączą kilka dorzeczy (np. system k. łączących Odrę, Łabę, Wezerę i Ren); b) w o d o d z i a ł o w e — łączą dorzecza 2 rzek (np. Kanał Bydgoski); c) l a t e r a l n e (boczne) — łączą 2 punkty tej samej rzeki w celu ominięcia zakoli lub biegną równolegle do brzegu jeziora w celu uniezależnienia transportu od falowania wiatrowego; d) o d g a ł ę ź n e — łączą drogę wodną z ośrodkiem przem. (np. Kanał Gliwicki). K a n a ł y m e l i o r a c y j n e (często w postaci szerokiego rowu) doprowadzają wodę do terenów nawadnianych, rozprowadzają wodę po nawadnianym terenie (k. nawadniające i in. irygacyjne), odprowadzają nadmiar wody z terenów zabagnionych lub depresji (k. odwadniające). K a n a ł y p r z e r z u t o w e — przerzucają wodę z terenów o nadmiarze wody na tereny, na których występuje jej deficyt, np. Kanał Kalifornijski dostarcza rocznie ok. 230 mln m^3 wody dla miast i przemysłu oraz ok. 715 mln m^3 wody do nawadniania. K a n a ł y e n e r g e t y c z n e doprowadzają wodę od ujęcia do turbin elektrowni wodnej (k. derywacyjne) lub doprowadzają i odprowadzają wodę w otwartych systemach chłodzenia elektrowni cieplnych. K a n a ł y ś c i e k o w e (odkryte lub zakryte) zbierają ścieki i odprowadzają je do oczyszczalni lub do rzek. Najstarsze ślady k. nawadniających, znalezione na terenach Mezopotamii (w m. Nippur), pochodzą z ok. 5200 p.n.e.; najstarszym k. żeglownym był k. łączący Nil i M. Czerwone, oddany do

WAŻNIEJSZE KANAŁY ŚRÓDLĄDOWE

Kanał (państwo)	Rodzaj kanału	Połączenie	Długość w km	Rok otwarcia
Świat				
Kalifornijski (USA)	P	Góry Skaliste–pd. Kalifornia	1 102	1969
New York State Barge Canal (USA)	Ż	Hudson–jez. Erie	837	1918
Illinois	Ż	jez. Michigan–Missisipi	523	1933
Śródlądowy (Niemcy)	Ż	Łaba–Ems	321	1938
Białomorsko–Bałtycki	Ż	M. Białe–jez. Onega	227	1933
Alberta (Belgia)	Ż	Moza–Skalda	130	1940
Wołga–Don (Rosja)	Ż	Wołga–Don	101	1952
Polska				
Wieprz–Krzna	M	Wieprz–Krzna	140,0	1961
Augustowski	Ż	Narew–Niemen	102,0[a]	1840
Elbląski	Ż	Jez. Drwęckie–jez. Druzno	62,5	1850
Gliwicki	Ż	Gliwice–Odra	41,2	1941
Ślesiński	Ż	Warta–jez. Gopło	32,0	1950
Notecki	Ż	Noteć–Kanał Bydgoski	25,0	1892
Bydgoski	Ż	Brda–Noteć	24,7	1774[b]
Żerański	Ż	Wisła–Narew	17,6	1963
Łączański	Ż	Wisła–Wisła	17,2	1961

[a] W tym 80 km w granicach Polski; [b] 1914 przebudowany; M — melioracyjny; Ż — żeglowny; P — przerzutowy.

NAJWAŻNIEJSZE KANAŁY MORSKIE — ŻEGLOWNE

Kanał (państwo)	Połączenie	Długość w km	Rok otwarcia
Wellandzki (Kanada)[a]	jez. Ontario–jez. Erie	45,0	1829
Sueski (Egipt)	M. Śródziemne–M. Czerwone	180,0	1869
Koryncki (Grecja)	M. Jońskie– M. Egejskie	6,3	1893
Kiloński (Niemcy)	M. Północne–M. Bałtyckie	98,7	1895
Panamski (Panama)	O. Atlantycki–O. Spokojny	81,6	1914

[a] Kanał śródlądowy dla statków mor., część Drogi Wodnej Św. Wawrzyńca łączącej O. Atlantycki z Wielkimi Jeziorami.

◼ Skrzyżowanie Kanału Centralnego z Loarą w Digoin (Francja)

użytku 518 p.n.e. (co potwierdzają pewne świadectwa); od V w. p.n.e. do końca XIII w. n.e. trwała budowa Wielkiego Kanału z Pekinu do Hangzhou (zwanego Kanałem Cesarskim) o dł. 1400 km (obecnie dł. 1782 km); w Europie pierwsze k. powstały w staroż. Rzymie; rozwój budowy k. nastąpił w XV w. w związku z wynalezieniem śluzy komorowej. W Polsce pierwsze k. zbudowano w XVIII w. (k.: Ogińskiego, Królewski, Bydgoski). ◼

■ Wyspy Kanaryjskie. Krajobraz Teneryfy

Kanaryjskie, Wyspy, Islas Canarias, archipelag wulk. na O. Atlantyckim, na pn.-zach. od wybrzeży Afryki, stanowi autonomiczny region Hiszpanii; pow. 7,3 tys. km²; gł. m.: Santa Cruz de Tenerife (stol.) i Las Palmas; obejmuje 7 większych wysp: Teneryfa (2,1 tys. km²), Fuerteventura (1,7 tys. km²), Gran Canaria (1,5 tys. km²), Lanzarote, La Palma, Gomera i Hierro (Ferro) oraz 6 małych bezludnych wysepek; powierzchnia górzysta; czynne wulkany na wyspach: Teneryfa (Pico de Teide, 3718 m), La Palma, Lanzarote i Gomera, objęte zespołem geol. parków nar.; klimat podzwrotnikowy mor.; w naturalnej szacie roślinnej liczne endemity (m.in. dracena smocza); region turyst. o świat. sławie, rozwinięta infrastruktura hotelowa, liczne ośr. wypoczynkowe, plaże, kąpieliska; ważną rolę odgrywa gospodarka mor. (porty handl., pasażerskie, bunkrowe, rybołówstwo); uprawa warzyw, drzew owocowych, bananów; hodowla owiec, kóz, bydła; przemysł spoż., rafineria ropy naft., rzemiosło artyst.; dobrze rozwinięta międzynar. komunikacja lotnicza. ■

■ Kanton

Kandahar, m. w pd.-wsch. Afganistanie, w międzyrzeczu Arghandabu i Tarnaku, na pn. od pustyni Registan; ośr. adm. prow. Kandahar; 339 tys. mieszk. (2002); drugie, po Kabulu, miasto w kraju; zbud. na pocz. XVIII w., 1747–76 pierwsza stol. Afganistanu; ośr. rzemiosła (dywany, biżuteria) i handlu owocami, bawełną; węzeł drogowy, port lotn.; mauzoleum zał. miasta Ahmada Szaha Durraniego (XVIII w.).

K'angbacz'en, ang. **Kangbachen,** szczyt w Wysokich Himalajach, w Nepalu, w pobliżu granicy z Indiami, w masywie K'angcz'endzöngi; wys. 7903 m; zbud. z prekambryjskich gnejsów i granitów; zlodowacony; zdobyty 1974 przez pol. wyprawę.

K'angcz'endzönga, ang. **Kan(g)chenjunga,** masyw górski w Himalajach, na granicy nepalsko-ind.; w kopule szczytowej poza gł. szczytem K'angcz'endzönga (wys. 8586 m) wyróżnia się 3 wierzchołki: Yalung Kang (ok. 8450 m), K'angcz'endzöngę Środkową (8490) i K'angcz'endzöngę Południową (ok. 8500 m); silnie zaśnieżona; ze stoków spływa 5 lodowców; szczyt K'angcz'endzönga zdobyty 1955 przez wyprawę bryt. pod kierownictwem Ch. Evansa; Yalung Kang zdobyty 1973 przez wyprawę jap.; 1978 wyprawa pol. (kier. P. Młotecki) dokonała pierwszych wejść na K'angcz'endzöngę Południową (E. Chrobak i W. Wróż) i K'angcz'endzöngę Środkową (W. Brański, Z. Heinrich i K. Olech). Pod szczytem K. zaginęła 1992 W. Rutkiewicz.

kanion [hiszp.] → jar.

Kansas [känzəs], **Kansas River, Kaw,** rz. w USA, w stanie Kansas, pr. dopływ Missouri; powstaje z połączenia rz. Republican i Smoky Hill, wypływających z Wielkich Równin; dł. (od źródeł Smoky Hill) ok. 1170 km, pow. dorzecza ok. 158 tys. km²; gł. dopływ Big Blue (l.); zbiorniki retencyjne; elektrownie wodne; gł. m. nad Kansas: Salina, Topeka, Kansas City (przy ujściu).

Kansas [känzəs], stan w środk. części USA; 213,1 tys. km², 2,7 mln mieszk. (2002); stol. Topeka, gł. m.: Kansas City, Wichita; Wielkie Równiny, na zach. przedgórze G. Skalistych; gł. rz.: Missouri, Arkansas, Kansas; region uprawy pszenicy, kukurydzy, sorga, jęczmienia i hodowli bydła; wydobycie ropy naft., gazu ziemnego; przemysł młynarski, mięsny, lotn. (Wichita).

Kantabryjskie, Góry, Cordillera Cantábrica, góry w Hiszpanii, na pn. skraju Mesety Iberyjskiej; stromo opadają ku Zat. Biskajskiej; dł. ok. 600 km; najwyższy szczyt Peña de Cerredo, 2648 m (w masywie Picos de Europa); wsch. część (G. Baskijskie) należy do strefy fałdowań alp., zach. — zbudowana gł. z wapieni, marmurów i kwarcytów sfałdowanych w orogenezie hercyńskiej; silnie rozczłonkowane; formy krasowe, b. liczne jaskinie; w najwyższym piętrze ślady zlodowacenia czwartorzędowego; na pn. stokach lasy dębowe (do 1000 m) i bukowe (do 1700 m), na pd. — zarośla typu makia; Park Nar. Picos de Europa; wydobycie węgla kam., rud żelaza i cynku.

Kanton, Guangzhou, m. w Chinach, nad M. Południowochińskim, u ujścia Rz. Perłowej; ośr. adm. prow. Guangdong; 4,3 mln mieszk., zespół miejski 6,8 mln (1999); wielki ośr. przem.

(maszyn., rafineryjny, hutn., chem., samochody Peugeot, motocykle Yamaha i Suzuki), handl. (międzynar. targi), nauk. (uniw., filia Chiń. AN) i turyst.; muzeum; ważny port handl. i lotn.; kąpielisko; ogród bot.; miasto znane od III w. p.n.e.; 1842 otwarty dla handlu zagranicznego. ∎

Kańczuga, m. w woj. podkarpackim (powiat przeworski), nad Mleczką (pr. dopływ Wisłoka); 3,1 tys. mieszk. (2000); drobny przemysł maszyn., spoż., drzewny; w okolicy wydobycie gazu ziemnego i alabastru; prawa miejskie przed 1442–1896 i od 1934.

Kap-Kutan, najdłuższa jaskinia kontynent. Azji, we wsch. Turkmenistanie, u pd.-zach. podnóża pasma górskiego Kugitangtau, ok. 35 km na pn.--wsch. od m. Czarszanga; dł. 57 km (2000), głęb. 310 m; 2 otwory: Kap-Kutan i Promieżutoczna; jaskinia krasowa utworzona w wapieniach jurajskich; system dużych korytarzy, miejscami rozbudowany i przechodzący w labirynty kanałów krasowych mniejszych rozmiarów; rozciągłość ok. 2 km; b. bogata szata naciekowa, w części utworzona i przekształcona przez wody termalne, m.in. kryształy fluorytu (dł. do 10 cm) z galeną, kwarcem i kalcytem; partie przy otworze K.-K. znane od dawna miejscowej ludności i wykorzystywane jako zagroda dla bydła; eksploracja od 1959; 1985 połączenie z Jaskinią Promieżutoczną.

Kapowa, Jaskinia, Kąpowa pieszczera, jaskinia krasowa w eur. części Rosji, w Baszkirii, u pd. podnóża góry Masim (Ural Pd.), na pr. brzegu rz. Bieła; jedna z największych na Uralu; dł. 2,6 km, deniwelacja 103 m, pow. 20,2 tys. m²; utworzona w wapieniach; za ogromnym otworem (szer. 20 m, wys. 60 m), obszerny korytarz dł. ok. 300 m zakończony komorą o szer. 40 m i wys. 26 m; w połowie korytarza odgałęzienie górnego piętra jaskini; w partiach przyotworowych jezioro z syfonem o głęb. 33 m i dł. 70 m — okresowo przepływa jaskiniowa rzeka.

Kapsztad, afrikaans **Kaapstad,** ang. **Cape Town,** stol. konstytucyjna RPA, ośr. adm. Prow. Przylądkowej Zach. (do 1994 Prow. Przylądkowej), nad O. Atlantyckim; 2,7 mln mieszk. (2002), zespół miejski 3,1 mln — największe miasto kraju; przemysł środków transportu, metal., chem., rafineryjny; ważny port handl. i pasażerski oraz węzeł komunik.; uniw.; obserwatorium astr.; ośr. turyst. położony amfiteatralnie wokół Zat. Stołowej, u podnóża G. Stołowej; ogród bot. zał. 1652 przez Holendrów. ∎

kaptaż rzeczny, przeciągnięcie, zdobycie górnego odcinka rzeki słabiej erodującej przez rzekę aktywniejszą; zachodzi gł. wskutek silniejszej erozji wstecznej jednej z rzek, spowodowanej np. jej większym spadkiem; k.rz. może być też wywołany przez ruchy tektoniczne; o dokonanym kaptażu świadczy opuszczona przez rzekę, często zabagniona część doliny oraz silny zakręt rzeki; przykładem k.rz. jest kaptaż części Mozy przez Mozelę (powyżej m. Toul); w Polsce — kaptaż Pokrzywianki przez Czarną Nidę.

Kapuas, rz. w Indonezji, na wyspie Borneo; dł. 1040 km, pow. dorzecza 97 tys. km²; źródła w górach Kapuas; uchodzi do M. Południowochiń-

skiego tworząc deltę; żegl. ok. 900 km; w delcie m. Pontianak.

kar [niem.] → cyrk lodowcowy.

Kara Bogaz Goł, bezodpływowe jez. (dawniej zatoka-laguna) na wsch. wybrzeżu M. Kaspijskiego w Turkmenistanie; pow. 18 tys. km²; 1983 całkiem wyschło, od 1984 woda doprowadzana ponownie z morza (2 km³/rok); obecnie słone bagna — obszar katastrofy ekol.; zarys brzegów i powierzchni w ciągu roku zmienne; największe w świecie złoże mirabilitu, ośr. wydobycia — Bekdasz.

Kara-kum, Garagum, piaszczysta pustynia w Turkmenistanie, na Niz. Turańskiej; ok. 350 tys. km²; powierzchnia równinna, lekko falista, w części pn.-wsch. wały piaszczyste, wys. 40–60 m; na wsch. skraju płynie Amu-daria, na pd.-wsch. giną w piaskach Tedżen i Murgab; w części pd. Kanał Karakumski; klimat umiarkowany ciepły, kontynent., wybitnie suchy; roczna suma opadów 60–150 mm; średnia temp. w styczniu od –5°C na pn. do 3°C na pd., w lipcu od 28°C do 34°C (dobowe wahania temp. do 50°C); bogate zasoby wód gruntowych; zarośla złożone z białego i czarnego saksaułu (nad rzekami lasy topolowe i bagna porosłe trzciną); na wiosnę roślinność efemeryczna; wypas owiec karakułowych i wielbłądów; wydobycie gazu ziemnego (złoża: Szatłyk, Gugurtli, Naip, Aczak); ludność skupiona w oazach i w dolinach rzek. W pobliżu m. Czardżou stacja nauk.-badawcza Inst. Pustyń Akad. Nauk Turkmenistanu i rezerwat biosfery Repetek.

∎ Kapsztad

Karaczajo-Czerkiesja, Karaczaj-Czirkas, republika w Rosji, na Kaukazie; 14,1 tys. km², 431 tys. mieszk. (2002); stol. Czerkiesk; Rosjanie 42%, Karaczajowie 31%, Czerkiesi 10%, Abazowie, Nogajowie i in.; ludność miejska 46%; przemysł petrochem., spoż., lekki; wydobycie węgla; hodowla bydła i owiec; uprawy: zboża, słonecznik, buraki cukrowe, warzywa, owoce; turystyka górska, alpinizm (rejon Elbrusu); uzdrowiska: Dombaj, Teberda.

Karaczi, właśc. **Karaći,** urdu **Karāc,** ang. **Karachi,** m. w pd. Pakistanie, nad M. Arabskim; stol. prow. Sindh; zespół miejski 10,2 mln mieszk. (2002); największe miasto i ośr. gosp. kraju; przemysł włók. (50% produkcji krajowej), samochodowy, rafineryjny, gumowy, skórz., hutn.; gł. port handl. Pakistanu (przeładunki ponad 15 mln t rocznie), wywóz bawełny, tkanin, skór, przywóz ropy naft.; tranzytowy port lotn. na szlaku Europa–Azja Pd.-Wsch.; banki krajowe i zagr.; targi międzynar.; 3 uniw.; muzea; w pobliżu K. elektrownia jądr.; zał. przez kupców ind. na pocz. XVIII w.

Karaibskie, Morze, ang. **Carribean Sea,** hiszp. **Mar Caribe,** franc. **Mer des Caraïbes,** morze w zach. części O. Atlantyckiego, między Ameryką Pd. i Ameryką Centr. a Małymi i Wielkimi Antylami; przez Cieśn. Jukatańską łączy się z Zat. Meksykańską, przez cieśniny między wyspami Antyli — z otwartym oceanem; Kanał Panamski łączy je z O. Spokojnym; pow. 2777 tys. km^2, głęb. średnia 2429 m, maks. — 7680 m, w Rowie Kajmańskim (głębia Bartlett). Liczne rafy koralowe i wyspy, największe: Jamajka, Pinos, Margarita, Gonâve, Cozumel, Curaçao; największe zat.: Honduraska, Darién, Wenezuelska, Moskitów, Batabanó, Guacanayabo, Gonâve; ukształtowanie dna urozmaicone; największe baseny: Jukatański, Kolumbijski, Wenezuelski (głęb. do 6060 m na pd. od wyspy Puerto Rico); największe grzbiety podmor.: Kajmański, Beata, Ptasi; Rów Kajmański od Basenu Kolumbijskiego jest oddzielony obszernymi wyniesieniami Banco Rosalina i Banco Pedro. Temperatura wód powierzchniowych od 28–29°C w lecie do 25–26°C w zimie, zasolenie — 35,5–36,0‰; przez M.K. przepływa Prąd Karaibski; wysokość pływów do 1 m; gł. rzeki uchodzące do M.K.: Magdalena, Atrato; rybołówstwo (tuńczyki, makrela); rybactwo sport.; rozwinięta żegluga, gł. na szlakach do Kanału Panamskiego; gł. porty: Maracaibo, La Guaira, Santo Domingo, Santiago de Cuba, Puerto Cortés, Kingston.

Karakałpacka, Republika, Karakałpacja, republika autonomiczna w Uzbekistanie, nad Jez. Aralskim; 164,9 tys. km^2, 1,6 mln mieszk. (2002); stol. Nukus; Karakałpacy 32%, Uzbecy 33%, Kazachowie 26% i in.; zach. część na wyż. Ustiurt, wsch. — na pustyni Kyzył-kum; uprawa bawełny, ryżu, melonów, drzew owocowych; hodowla owiec karakułowych, jedwabników.

Karakorum, hindi **Karākoram,** urdu **Quarāqoram,** ang. **Karakoram Range,** chiń. **Karakorum Shan,** łańcuch górski w Indiach i Chinach, drugi po Himalajach pod względem wys. na Ziemi; ciągnie się z pn.-zach. na pd.-wsch. między Himalajami a Kunlunem; od zach. graniczy z Hindukuszem i Pamirem; dł. ok. 800 km; średnia wys. ok. 6000 m; najwyższe szczyty: K2 8611 m, Gaszerbrum I 8068 m, Falchan Kangri 8047 m, Gaszerbrum II 8035 m. Zbudowany gł. z prekambryjskich gnejsów i granitów sfałdowanych w alp. orogenezie. Szczyty ostre i nagie, doliny głębokie i wąskie; silnie zlodowacony (największe lodowce Sjaczen, Hispar, Baltoro); linia wiecznego śniegu na pn. stokach na wys. ok. 5900 m, na pd. — ok. 4700 m. Klimat górski w strefie podzwrotnikowej, chłodny i suchy; roczna suma opadów 50–250 mm. Roślinność uboga; na stokach pd. do wys. 3500 m lasy (złożone z osiki, brzozy, cedru). Trudno dostępne; przez przełęcz Karakorum (wys. 5574 m) przechodzi droga łącząca Indie i Pakistan z Chinami; 1962–78 przez K. zbudowano Szosę Karakorumską (dł. ok. 800 km) z doliny Indusu, przez m. Gilgit,

dolinę rz. Hunza, przełęcz Khundźerab (wys. 4709 m) do Kaszgaru. K. jest celem licznych wypraw alpinistycznych. Szczyty 8-tysięczne zdobyto: 1954 K2 — Włosi, 1956 Gaszerbrum II (Austriacy), 1957 Broad Peak (Falchan Kangri) — Austriacy i Niemcy, 1958 Gaszerbrum I (Amerykanie). Polskie wyprawy od 1969, m.in.: pierwsze wejścia na Kunyang Kisz (1971), Shisparé (1974), Gaszerbrum III (1975), Broad Peak Central (1975), Distaghil East (1980), Masherbrum (1981); pierwsze wejścia kobiece: na Gaszerbrum II (1975), Rakaposhi (1979), Broad Peak (1983), K2 (1986). Sezon wspinaczkowy trwa w K. od czerwca do końca sierpnia; co roku przyjeżdża 50–70 wypraw (ostatnio liczne komercyjne), przy czym wyprawy na szczyty niższe niż 6000 m nie są rejestrowane. Od 1982 nieliczne wejścia od strony Chin (gł. na K2).

Karawanki, niem. **Karawanken,** słoweń. **Karavanke,** pasmo górskie w Pd. Alpach Wapiennych (Alpy Wsch.), na granicy Austrii (Karyntia) i Słowenii, między Drawą i Sawą; najwyższy szczyt Grintavec, 2558 m; zbud. z łupków i wapieni; formy polodowcowe; przez Karawanki przechodzi w tunelu Karawanki (dł. 7976 m) międzynar. linia kol. Monachium–Triest oraz pod przełęczą Loibl (1370 m) w tunelu (dł. 1560 m) droga samochodowa Klagenfurt–Lublana; wydobycie rud cynku i ołowiu; ośr. turyst.: Eisenkappel, Jezersko; wsch. część Karawanki nosi nazwę Alp Kamiennych.

Karczew, m. w woj. mazow. (powiat otwocki), nad Jagodną, w pobliżu jej ujścia do Wisły; 10,3 tys. mieszk. (2000); ośr. przem.-rzemieślniczy; przemysł spoż., chem., w tym farm., elektrotechn., energ.; montownia samochodów Mercedes; prawa miejskie 1548–1870 i od 1959; kościół (XVIII, XX w.).

Kardamonowe, Góry, khmerskie **Phnom Kravanh,** góry zrębowe w Kambodży i Tajlandii, ograniczają od pd.-zach. Niz. Mekongu; wys. do 1813 m (Aural); tworzą szereg masywów oddzielonych głębokimi obniżeniami; w pd. części opadają stromą (ponad 1000 m) krawędzią ku nizinom nadmorskim; lasy tropik. z cennymi gat. drzew (m.in. tekowe, żelazne).

Karelia, Karjala, republika w Rosji, nad M. Białym; 172,4 tys. km^2; 746 tys. mieszk. (2002), Karelowie 11%, Rosjanie 71%, Białorusini, Finowie i in.; ludność miejska 74%; stol. Petrozawodzk; ponad 1/2 pow. lasy; 40 tys. jezior, na pd. Ładoga i Onega; przemysł drzewno-papierniczy, maszyn., hutnictwo; wydobycie rud żelaza, miki; uprawy: rośliny pastewne, ziemniaki; hodowla bydła, myślistwo, rybołówstwo; turystyka; Kanał Białomorsko-Bałtycki.

Kargowa, m. w woj. lubus. (powiat zielonogórski), nad Obrzycą; 3,6 tys. mieszk. (2000); niewielki ośr. przem.-usługowy regionu roln.; przemysł spoż., m.in. fabryka cukierków (zakład firmy Nestle), kaszarnia; ponadto zakład ceramiki bud., wytwórnie: maszyn stolarskich, opakowań kartonowych; ośr. obsługi ruchu turyst.; prawa miejskie od 1661; barok. pałac Augusta II (XVIII w.), ratusz (XVIII, XIX w.), domy o konstrukcji ryglowej (XIX w.).

■ Karkonosze. Czarny Grzbiet

■ Karkonosze. Widok na Śnieżkę

Karkonosze, Krkonoše, najwyższy masyw górski Sudetów, w Polsce i Czechach; rozciąga się od Przełęczy Szklarskiej na zach. po Przełęcz Kowarską na wsch.; pow. ok. 650 km² (ok. 28% w granicach Polski); dł. gł. pasma ok. 35 km, szer. ok. 25 km, wys. 1350–1450 m; najwyższe szczyty: Śnieżka, 1602 m, Wielki Szyszak, 1509 m (w paśmie gł.), Studniční hora, 1554 m, Luční hora, 1547 m (w paśmie pd.); szczyty K. mają charakterystyczne kopulaste kształty (rozległa powierzchnia zrównania), są pokryte rumowiskiem skalnym; osobliwością rzeźby K. są liczne skałki granitowe o fantazyjnych kształtach (np. Końskie Łby, Pielgrzymy, Słonecznik) oraz cyrki lodowcowe, zwykle wypełnione wodą (jez. Mały i Wielki Staw); gł. pasmo K. (graniczne) jest zbud. z granitów (intruzja w orogenezie hercyńskiej), pasmo po stronie czes. — z gnejsów i łupków krystal. sfałdowanych w orogenezie kaledońskiej; oba pasma łączą się w masywie Śnieżki, zbud. ze skał metamorficznych; gęsta sieć rzeczna — na stokach pn. dopływy Bobru, z pd. wypływa Łaba i Úpa. Piętrowy układ roślinności; w reglu dolnym (do ok. 1000 m) niegdyś lasy świerkowe i bukowe, obecnie drzewostany świerkowe, w reglu górnym (do ok. 1250 m) — zwarte lasy świerkowe, powyżej (do ok. 1500 m) — piętro kosodrzewiny i hal; ponad górną granicą lasu, niekiedy także w obszarze regla górnego, występują torfowiska wysokie. Wyższe partie K. (od ok. 600–1000 m) podlegają ochronie w Karkonoskim Parku Nar. (utworzony 1959),

graniczącym od pd. z czes. parkiem narodowym. Region turyst.; liczne szlaki piesze, wyciągi krzesełkowe, nartostrady. Główne ośr. turyst.-wypoczynkowe na obrzeżach K. (w Polsce) to: Szklarska Poręba i Karpacz. ■

Karlino, m. w woj. zachodniopomor. (powiat białogardzki), nad Parsętą; 6,0 tys. mieszk. (2000); ośr. usługowy regionu roln.; przemysł drzewny, firmy budowlano-instalacyjne, m.in. Petrico SA; węzeł drogowy; prawa miejskie od 1385; kościół (XV–XVI w.). W pobliżu K. (obręb Daszewo 1) 9 XII 1980 nastąpiła erupcja i zapalenie się ropy i gazu ziemnego, ob. czynna Kopalnia Nafty i Gazu. W Krzywopłotach nad Radwią ośrodek rekreacyjno-wypoczynkowy i stadnina koni.

Karlowe Wary, Karlový Vary, dawniej **Karlsbad,** m. w zach. Czechach, nad rz. Ohrza, u podnóża Rudaw; 55 tys. mieszk. (1996); uzdrowisko o świat. sławie; gorące źródła miner. (temp. 41–72°C); produkcja porcelany, soli karlsbadzkiej, likieru Becherovka; węzeł kol.; międzynar. festiwale film.; muzea; kościoły (XVI–XIX w.), dawna wieża zamkowa (XVII w.), zespół budowli kąpieliskowych i liczne budowle klasycyst. (XIX w.).

Karolina Południowa, South Carolina, stan w USA, nad O. Atlantyckim; 80,6 tys. km², 4,1 mln mieszk. (2002), w tym 30% ludności murzyńskiej; stol. Columbia, inne m. Charleston (gł. port); Niz. Atlantycka, na zach. Appalachy; lasy ok. 60% pow.; uprawa bawełny, tytoniu, soi, sadownictwo i warzywnictwo; hodowla bydła; leśnictwo i rybołówstwo; elektrownie jądr.; przemysł lekki, jądrowy.

Karolina Północna, North Carolina, stan w USA, na Niz. Atlantyckiej i w Appalachach; 136,6 tys. km², 8,3 mln mieszk. (2002), w tym 22% ludności murzyńskiej; stol. Raleigh, gł. m.: Charlotte, Greensboro; Niz. Atlantycka, na zach. Appalachy; przemysł włók., tytoniowy, elektron., meblarski; uprawa tytoniu (1. miejsce w zbiorach krajowych), kukurydzy, soi; sadownictwo; hodowla bydła; eksploatacja lasów (64% pow.); turystyka.

Karoliny, Wyspy Karolińskie, Carolines, Caroline Islands, archipelag na O. Spokojnym, w Mikronezji; obejmuje ok. 950 wysp o łącznej pow. 1,3 tys. km²; większość wysp tworzy terytorium Federacji Mikronezji — stany Yap, Chuuk (Truk) Pohnpei, Kosrae, zach. część stanowi republikę Palau (Belau). Wyspy Yap i Palau leżą na długim grzbiecie wulk. ciągnącym się w kierunku pn. poprzez Mariany do Japonii; wsch. część K. składa się z licznych atoli i wysp wulk. wznoszących się z dna oceanu. Klimat równikowy wybitnie wilgotny; średnie temp. miesięczne 24–29°C; suma roczna opadów od 1800 mm na zach. do 6500 mm na wsch.; zach. część K. jest obszarem powstawania tajfunów. Na wulk. wyspach wilgotne lasy równikowe, na koralowych roślinność uboga (gł. gaje palmy kokosowej). Uprawa palmy kokosowej, roślin bulwiastych (kolokazja, pochrzyn, bataty), bananów, drzewa chlebowego; połów ryb (tuńczyka); rzemiosło artyst., budowa łodzi.

Karpacz, m. w woj. dolnośląskim (powiat jeleniogór.), w Karkonoszach; 5,6 tys. mieszk. (2000); duży ośr. turyst.-wypoczynkowy (od poł. XIX w.) i sportów zimowych oraz największa oprócz Szklarskiej Poręby stacja klim. Sudetów; sanatorium; muzea (Muzeum Sportu i Turystyki Regionu Karkonoszy); początki osadnictwa związane z napływem w XIV w. poszukiwaczy złota i kamieni półszlachetnych; prawa miejskie od 1959.

Karpaty, rum. **Carpaţii,** niem. **Karpaten,** węg. **Kárpátok,** jeden z największych łańcuchów górskich w Europie, położony w jej środk. części, w Austrii, Czechach, Słowacji, Węgrzech, Polsce, Ukrainie i Rumunii; tworzą szeroki łuk wygięty ku pn.-wsch., o dł. ok. 1300 km i szer. od 120 do 350 km; na zach. dolina Dunaju k. Bratysławy i Wiednia oddziela je od Alp, a Brama Morawska od Sudetów; na pd. przełom Dunaju zw. Żelazną Bramą — od Bałkanów.

Warunki naturalne

Budowa geologiczna. K. są najdalej na pn. wysuniętym łańcuchem górskim alp. strefy fałdowej Europy. Ich powstanie jest związane z likwidacją oceanicznej płyty litosferycznej oceanu Tetydy i → subdukcją płyty europejskiej; zbud. są gł. z mezozoicznych i kenozoicznych skał osadowych; mniejszą rolę odgrywają leżące pod nimi paleozoiczne skały metamorficzne i skały głębinowe oraz trzeciorzędowe skały wulkaniczne. Utwory te zostały sfałdowane, pocięte

uskokami i w postaci → płaszczowin ponasuwane na siebie i na swe przedpole w późnej kredzie i trzeciorzędzie. W podziale geol. wzdłuż łuku K. rozróżnia się 2 wielkie jednostki: K. Wewnętrzne i K. Zewnętrzne.

K. Wewnętrzne ciągną się od okolic Bratysławy po rejon Żelaznej Bramy; są podzielone na 2 bloki: słowacki i siedmiogrodzki przez śródgórskie zapadlisko panońskie; są zbud. gł. z silnie sfałdowanych w postaci płaszczowin różnorodnych skał mezozoicznych (wapienie, dolomity, margle, radiolaryty, łupki i piaskowce), spod których w wypiętrzonych masywach ukazują się paleozoiczne skały metamorficzne (gnejsy, łupki krystal., amfibolity) i magmowe (granitoidy), biorące częściowo również udział w ruchach tektonicznych. W zapadliskach między wypiętrzonymi masywami znajdują się płaty trzeciorzędowych osadów → fliszu i górnokenozoicznych osadów (piaski, iły, żwiry) zw. molasą, powstałych z niszczenia wypiętrzanego górotworu. Ruchy powodujące deformacje tektoniczne w K. Wewnętrznych zachodziły w późnej kredzie i trzeciorzędzie; w późnej kredzie, w czasie subhercyńskiej fazy orogenezy alp., powstały m.in. płaszczowiny tatrzańskie (wierchowe i reglowe), a w czasie fazy laramijskiej — płaszczowiny Pienin; ruchy te trwały do miocenu, towarzyszył im wulkanizm andezytowy (w Pieninach) i bazaltowy (np. masyw Vihorlat na Słowacji, w K. rumuńskich). Ostateczne wypiętrzenie K. Wewnętrznych nastąpiło w neogenie.

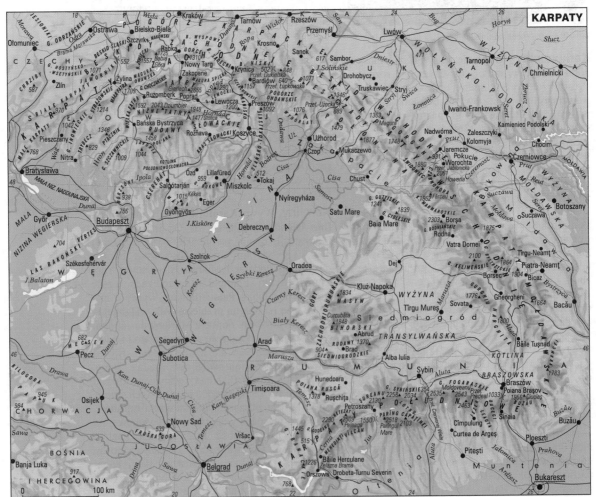

Najwyższe grupy górskie uległy plejstoceńskim zlodowaceniom (np. Tatry), które nadały im rzeźbę młodoglacjalną.

K. Zewnętrzne ciągną się od okolic Wiednia do rz. Dymbowicy w Rumunii; są zbud. gł. z górnojurajskich, kredowych i trzeciorzędowych osadów fliszu (tzw. K. fliszowe); są to naprzemianległe piaskowce, mułowce i łupki ilaste, tworzące płaszczowiny (m.in.: skolską, śląską i magurską) ponasuwane w miocenie na osady zapadliska przedkarpackiego. Zapadlisko to wypełniają mor. osady neogenu (piaski, muły, iły, a także gipsy i sole) leżące płasko na strukturach platformowego przedpola K., a sfałdowane od strony nasuniętych na nie płaszczowin K. Wewnętrznych; najsilniejsze ruchy tektoniczne w K. Zewnętrznych zachodziły na granicy paleogenu i neogenu (faza sawska orogenezy alp.) oraz w miocenie (faza styryjska tej orogenezy) i były związane z subdukcją fragmentów eur. płyty litosferycznej leżących w podłożu płaszczowin w rejonie dzisiejszych Pienin.

Ukształtowanie powierzchni. K. składają się z szeregu pasm i masywów górskich, miejscami także obszarów wyżynnych, oddzielonych od siebie dolinami, kotlinami i nisko położonymi przełęczami; pasma K. cechują się zróżnicowaną wysokością bezwzględną od kilkuset do ponad 2,5 tys. m; najwyższym szczytem jest Gierlach (2655 m), w słowac. części Tatr. K. (wg najczęściej stosowanego podziału) dzielą się na 3 gł. części: K. Zachodnie, K. Wschodnie i K. Południowe; 2 ostatnie części łączy się niekiedy ze sobą (K. Południowo-Wschodnie); w obręb K. włącza się też często, położone wewnątrz łuku K.: Wyż. Transylwańską i G. Zachodniorumuńskie.

K. Zachodnie ciągną się od okolic Wiednia po Przełęcz Łupkowską (640 m), są najszerszą i najbardziej złożoną częścią K.; dzieli się je na: Zewnętrzne, Centralne i Wewnętrzne K. Zachodnie. Do Zewnętrznych K. Zachodnich zalicza się: K. Austriacko-Morawskie, K. Środkowomoraw-

■ Karpaty. Dolina Pięciu Stawów Spiskich w Tatrach (Słowacja)

■ Karpaty. Beskid Niski, cerkiew w Leszczynach

skie, Białe K. i Beskidy Zach. z najwyższym pasmem Beskidem Żywieckim (Babia Góra 1725 m) oraz, stanowiące najbardziej pn., zewn. pas — Pogórze Karpackie. Najwyższe, Centralne K. Zachodnie składają się z 2 ciągów górskich utworzonych przez izolowane masywy krystal. z płaszczowinowymi pokrywami skał osadowych, przeważnie węglanowych. Do pierwszego, bardziej zewn. z tych ciągów należą: Małe K., Łańcuch Małofatrzański (góry: Inowieckie, Strażowskie i Mała Fatra) i Łańcuch Tatrzański (Tatry i G. Choczańskie). Drugi ciąg tworzą: Łańcuch Wielkofatrzański (Ptacznik, G. Kremnickie i Wielka Fatra) oraz Niżne Tatry. W obrębie Centralnych K. Zachodnich występuje szereg tektonicznych kotlin; należą do nich: Obniżenie Orawsko-Podhalańskie (z pasmem Pienin) oraz kotliny: Nitrzańska, Turczańskia, Liptowska, Popradzka i Hornadzka; wsch. część regionu zajmują fliszowe G. Lewockie. Na pd. od pasa kotlin rozciągają się Wewnętrzne K. Zachodnie, wśród których największym i najwyższym pasmem są Rudawy Słowackie (Stolica 1477 m). Na pd. wsch. od nich znajduje się Kras Słowacko-Węgierski, a na pd. Średniogórze Północnowęgierskie. Na wsch. od Rudaw Słowackich leży rozległa Kotlina Koszycka, zamknięta od wsch. pasmem G. Slańsko-Tokajskich.

K. Wschodnie ciągną się od Przeł. Łupkowskiej do przełęczy Predeal (1033 m) i dzielą na: Zewnętrzne K. Wschodnie i Wewnętrzne K. Wschodnie; zbud. są gł. ze skał fliszowych. W skład Zewnętrznych K. Wschodnich wchodzą Beskidy Wsch., w których wyróżniono Beskidy Lesiste (m.in. Bieszczady Zach. i Wsch., Gorgany), Beskidy Połonińskie z najwyższym w całych Beskidach pasmem Czarnohory (Howerla 2061 m) oraz K. Mołdawsko-Munteńskie i Subkarpaty Wschodnie. Wewnętrzne K. Wschodnie, z dużym udziałem skał pochodzenia wulk., składają się z K. Marmaroskich, G. Rodniańskich i G. Bystrzyckich oraz wulk. łańcuchów: Wyhorlacko-Gutyjskiego i Kelimeńsko-Hargickiego.

K. Południowe cechują się brakiem pasa fliszowego i wulk.; trzon gór tworzą wysokie, stare masywy krystaliczne. Wyróżnia się tu szereg grup górskich, rozdzielonych dolinami poprzecznymi, częściowo przełomowymi. Są to (od wsch.): Grupa Fogaraska z najwyższymi w K. Południowych G. Fogaraskimi (Moldoveanu 2544 m), Grupa Parîngu, Grupa Godeanu-Retezat i G. Banac-

■ Karpaty. Widok ze szczytu Tarnicy (Bieszczady)

kie oraz położony na pn.-zach. masyw Poiana Ruscă. Od południa gł. ciągowi K. Południowych towarzyszą Subkarpaty Południowe. Pomiędzy K. Wschodnimi a K. Południowymi znajdują się G. Zachodniorumuńskie, z najwyższym Masywem Bihorskim oraz Wyż. Transylwańska, stanowiąca wypełnione neogeńskimi osadami zapadlisko śródgórskie, wypiętrzone i rozcięte dolinami z końcem pliocenu.

Współczesna rzeźba K. kształtuje się już od paleogenu i jest uwarunkowana różnymi czynnikami, przede wszystkim tektoniką (w tym neotektoniką), rodzajem i odpornością skał oraz zmiennością klimatyczną (od suchego, gorącego klimatu w neogenie do umiarkowanego z kilkoma okresami zimnymi w plejstocenie). Wysokości pasm górskich, ich przebieg, występowanie kotlin, układ i charakter dolin są często uwarunkowane neotektoniką (liczne antecedentne doliny przełomowe) i różną odpornością skał. Oprócz procesów fluwialnych i denudacyjnych dużą rolę w kształtowaniu rzeźby odegrały: zlodowacenie plejstoceńskie, które objęło wyższe pasma górskie, procesy wulkaniczne oraz krasowe. Obszary krasowe zbud. gł. ze skał węglanowych (wapienie i dolomity) występują w Centralnych K. Zachodnich i Wewnętrznych K. Zachodnich (najważniejsze w G. Strażowskich, Wielkiej i Małej Fatrze, Tatrach, Niżnych Tatrach, Rudawach Słowackich, Krasie Słowackim, G. Bukowych) oraz w Wewnętrznych K. Wschodnich, m.in. w G. Rodniańskich, K. Południowych (G. Banackie, Mehedinți, Piatra Crăiului) i w G. Zachodniorumuńskich (największy w Masywie Bihorskim); zajmują pow. ok. 8 tys. km²; w kilku regionach K. Wschodnich występują niewielkie obszary krasu solnego. W K. znajduje się ponad 17 tys. jaskiń; najdłuższymi są: Peștera Vîntului (dł. ponad 42 km) i Sistemul Humpleu (37 km), Demenowska (ponad 32 km), Baradla (25 km) oraz Wielka Jaskinia Śnieżna (ponad 22 km), która jest także najgłębszą jaskinią w K. (deniwelacja 814 m). K. cechują się dużą różnorodnością typów rzeźby, od polodowcowej wysokogórskiej (najsilniej rozwiniętej w Tatrach, Niżnych Tatrach, Czarnohorze, G. Rodniańskich, G. Fogaraskich, Paringu, Retezacie i Godeanu) przez średniogórską po pogórską. ■

Klimat. W K. panuje górski klimat umiarkowany ciepły; na pn. stokach K. Zachodnich — przejściowy między mor. i kontynent., ich stokach pd. oraz pd.-zachodnich. K. Wschodnich i stokach północnych K. Południowych — pośredni między mor. i kontynent., na wsch. stokach K. Wschodnich — kontynent., a na południowych K. Południowych — kontynent. suchy. Wykształcona piętrowość klim., zwł. w najwyższych częściach. Temperatura maks. w styczniu–lutym poniżej 0°C, powyżej 2000 m –6°C, minim. w wyższych partiach –15°C, skrajnie –30°C (Kasprowy Wierch), –36°C (Omul); w lipcu–sierpniu powyżej 2000 m maks. 7–10°C, minim. 1–5°C. Roczna suma opadów na stokach eksponowanych na pn.-zach. i zach. masy powietrza wynosi 1000–1200 mm, w najwyższych partiach 1500–1800 mm na pn. i 1000 mm na pd., na zawietrznych 500–1000 mm; opady całoroczne, maksimum wiosenne i wczesnoletnie (czerwiec). W odpowiednich warunkach pogodowych rozwija się cyrkulacja górsko-dolinna, z gór wieją feny: na pn. stronę K. Zachodnich — halny, w stronę Wielkiej Niz. Węgierskiej — koszawa, do Niz. Wołoskiej — crivet.

Wody. K. należą do zlewisk: M. Czarnego (90%) i Bałtyckiego; przez ich pn. część przebiega zatem, stosunkowo krętą linią, gł. eur. wododział. Oddziela on dorzecza Wisły i Odry od dorzeczy Dunaju i Dniestru. Północny skłon K. Zachodnich i pn.-zach. skłon K. Wschodnich leży w dorzeczu górnej Wisły. Głównymi karpackimi dopływami Wisły są: Soła, Skawa, Raba, Dunajec, Wisłoka i San. Niewielki pn.-zach. fragment odwadniają dopływy Odry: Ostrawica i Olza. Północna część K. Wschodnich należy do dorzecza Dniestru; gł. karpackimi dopływami Dniestru są: Strwiąż, Stryj, Świca, Łomnica i Bystrzyca. Pozostała część K. należy do dorzecza Dunaju. Wschodni skłon K. odwadniają Prut (z dopływem Czeremosz) oraz przede wszystkim Seret i jego liczne dopływy (Mołdawa, Bystrzyca, Trotuș, Putno, Buzău). Do karpackich dopływów dolnego Dunaju należą: Jałomica, Ardżesz, Aluta, Jiu i Temesz. Wnętrze łuku karpackiego odwadnia Cisa z dopływami (Marusza, Keresz, Crasna, Samosz, Bodrog, Hornád i Zagyva); wody z pd.-zach. skłonu K. Zachodnich

■ Karpaty. Góry Fogaraskie, Diabelski Żleb

zbierają dopływy środk. Dunaju: Ipola, Hron, Wag (z Nitrą) i Morawa (z Beczwą). Rzeki karpackie posiadają ustrój śnieżno-deszczowy z 2 wezbraniami w ciągu roku. Szczególnie duże wezbrania, mające niekiedy charakter katastrofalnych powodzi, występują w miesiącach letnich, gł. w lipcu. W K. znajduje się ok. 500 jezior o niewielkich rozmiarach. Są to gł. jeziora polodowcowe, największe (Morskie Oko, 34,5 ha) i najgłębsze (Wielki Staw, 79 m) znajdują się w Tatrach; ponadto występują jeziora wulkaniczne (największe Świętej Anny w masywie Harghita, 22 ha), osuwiskowe (największe Roşu w G. Bystrzyckich, 12 ha), krasowe i in. Ponadto w K. znajduje się szereg sztucznych zbiorników wodnych, pełniących funkcję przeciwpowodziową, energ., rekreacyjną.

Gleby. Pogórza i dolne stoki pokrywają gleby brunatne leśne (Cambisols), w K. Wschodnich — także szare gleby leśne (Greyzems), natomiast wyżej położone partie gór — górskie gleby brunatne kwaśne. W piętrze lasów iglastych (powyżej ok. 1200 m) i kosodrzewiny rozwijają się górskie gleby bielicowe (Podzols), a ponad nimi — gleby łąk górskich oraz inicjalne gleby skaliste (Leptosols).

Świat roślinny i zwierzęcy. Roślinność K. jest zróżnicowana na piętra roślinności, których granice przebiegają wyżej w części pd. niż w pn.; pd.-wsch. część K. ma także większą liczbę gat. endemicznych. Piętro pogórza jest najsilniej odlesione i zamienione na pola uprawne i łąki; roślinność naturalną stanowią w nim lasy dębowo-grabowe, w pd.-wsch. części ciepłolubne dąbrowy. Piętro regla dolnego budują lasy bukowe lub bukowo-jodłowe, na ubogim podłożu także lasy świerkowo-jodłowe; w niższej części tego piętra są jeszcze spotykane uprawy owsa i ziemniaków. Piętro regla górnego jest obszarem występowania borów świerkowych. W obrębie pięter reglowych typowe jest występowanie polan ze zbiorowiskami trawiastymi i ziołoroślowymi, będącymi skutkiem gospodarki pasterskiej; w niektórych grupach górskich (np. Tatry) przy górnej granicy lasu rośnie limba i modrzew. Piętro subalp., wznoszące się ponad górną granicą lasu, jest porośnięte przez zarośla kosodrzewiny a w K. Wschodnich także przez zarośla olszy zielonej; te zbiorowiska zaroślowe są w wielu miejscach zastąpione powypasowymi murawami i borówczyskami. Piętro subniwalne, w którym rośnie luźna roślinność wysokogórska, występuje jedynie w Tatrach. Piętro zwartych muraw alp. (pięro halne) rozciąga się wyżej. Istotnym czynnikiem różnicującym roślinność w obrębie danego piętra klim.-roślinnego jest podłoże krzemianowe lub wapienne.

Fauna K. obejmuje gat. pospolite w całej Europie: zając, sarna, jeleń, dzik, lis pospolity, borsuk miejscami także wilk, ryś i niedźwiedź, zięba i sikora bogatka, jaszczurka zwinka i padalec, ropucha szara. Zwierzęta typowo górskie to: kozica, świstak, nornik śnieżny (*Microtus nivalis*), pomurnik, płochacz halny (*Prunella collaris*). Zwierzęta pn.-górskie: orzechówka, dzięcioł trójpalczasty. Bardzo liczne gat. endemicznych karpackich bezkręgowców: owadów, ślimaków i in., zwł. na wsch. i pd., np. od Czarnohory bardzo

dekoracyjny ślimak *Helicigona aetiops* o lśniącej czarno-brązowej muszli.

Ochrona przyrody. Do 2000 w K. utworzono 18 parków nar. (6 w Polsce, 7 na Słowacji, 2 na Ukrainie, 2 na Węgrzech i 1 w Rumunii, gdzie istnieje ponadto 12 obszarów uznawanych za parki nar., ale o nie uregulowanej ostatecznie sytuacji prawnej) o łącznej pow. ok. 840 tys. ha; pierwsze powstały w latach 30. XX w.: 1935 — Park Nar. Retezat w K. Południowych, 1932 — Pieniński w K. Zachodnich, 1934 — Czarnohorski w K. Wschodnich (2 ostatnie nie zostały do wybuchu II wojny świat. ostatecznie zatwierdzone); 1992 w K. powstał, jako pierwszy w Europie, Międzynar. Rezerwat Biosfery K. Wschodnie obejmujący Bieszczadzki Park Nar. i 2 parki krajobrazowe oraz słowac. rezerwat Wschodnie K. (1997 przekształcony częściowo w Park Nar. Połoniny), a 1998 rozszerzony o przygraniczne obszary chronione na Ukrainie; status rezerwatów biosfery mają też parki nar.: Babiogórski, Tatrzański (pol. i słowac.), Retezat oraz rezerwat Pietrosul Mare w G. Rodniańskich, a także Kras Słowacko-Węgierski (jaskinie z tego obszaru i Jaskinia Dobszyńska Lodowa zostały wpisane na Listę Świat. Dziedzictwa Kult. i Przyr. UNESCO).

Ludność i gospodarka

K. zamieszkuje ok. 15 mln osób, średnio ok. 70 osób na km^2. Najgęściej są zaludnione kotliny i pn. stoki K. Zachodnich (ponad 200 osób na km^2). Specyficzną cechą kultury ludowej K. jest jedność wynikająca ze wspólnej tradycji pasterskiej o rum. lub bałkańskim, a być może nawet trackim rodowodzie, która ukształtowała gł. zrąb tradycji lud. stworzonej z elementów wniesionych przez mieszkających w K.: Czechów, Niemców, Polaków, Rumunów, Słowaków, Ukraińców (Rusinów), Węgrów. Istotną rolę odegrała wędrówka w XIV–XV w. pasterzy wołoskich wzdłuż łuku K. aż po morawską część Zewnętrznych K. Zachodnich, której ślady można dostrzec w nazewnictwie geogr., zwyczajach ludności, budownictwie ludowym. W szczegółach, jednak kultura lud. przedstawia bardzo zróżnicowaną mozaikę wynikającą z wieloetniczności, a przede wszystkim z trudności komunik. (do 2. poł. XIX w.), które spowodowały, że prawie w każdej dolinie powstał nieco inny folklor. Tradycyjna kultura góralska najlepiej zachowała się w Rumunii, gdzie w położonych głęboko w górach osadach, ludność kultywuje dawne obyczaje, kwitnie tradycyjne rzemiosło i na co dzień nosi się stroje regionalne; tam również odbywa się najwięcej festiwali prezentujących zespoły folklorystyczne. Na Ukrainie najlepiej dawne tradycje zachowali Huculi, a w Polsce górale podhalańscy (stroje, budownictwo, muzyka). Na włączanej często do K. Wyżynie Transylwańskiej wyraźną odrębność zachowali Sasi (potomkowie niem., średniow. osadników) i Szeklerzy. Grupą nie ulegającą asymilacji są, osiadli od wieków, Romowie zamieszkujący cały łuk K., szczególnie liczni w Rumunii i na Słowacji. W pol. części K., prócz górali pol., mieszkali od wieków górale ruscy, których kultura uległa zniszczeniu po wysiedleniach 1946–47 (w znacznym stopniu kultura Łemków, a całkowicie — Bojków). Najciekawszym wytworem lud. kultury są, spotykane na większości obszaru K., drewniane cerkwie o zróżnicowanych formach architektonicznych. Elementy folkloru K. można poznać m.in. na Festiwalu Ziem Górskich organizowanym corocznie w Zakopanem.

Znaczenie gospodarcze K. jest największe dla Słowacji i Rumunii, gdzie stanowią odpowiednio 61% i 49% pow. kraju (ok. 60% wraz z G. Zachodniorumuńskimi i Wyż. Transylwańską). W K. występują złoża gazu ziemnego i ropy naft. (zwł. w Rumunii), węgla kam. i brun., rud żelaza i metali kolorowych (częściowo już wyeksploatowane); w przeszłości dużą rolę odgrywało wydobycie srebra i złota, których zasoby są obecnie w zasadzie wyczerpane (niewielkie ilości wydobywa się w Rumunii). Ważną rolę odgrywa wydobycie soli kamiennej i surowców skalnych. Duże znaczenie mają lasy karpackie jako źródło surowca drzewnego (także do tradycyjnej produkcji węgla drzewnego). W rolnictwie podstawową rolę odgrywa hodowla, gł. owiec i bydła, a także sadownictwo. Uprawa roli występuje gł. w dnach kotlin i dolin rzecznych oraz na niższych stokach górskich (na północy: żyto, owies i ziemniaki, po pd. i pd.-wsch. stronie: kukurydza, buraki cukrowe, winorośl i tytoń). Przemysł rozwija się w miastach położonych w kotlinach śródgórskich i na obrzeżu gór; do największych ośrodków miejskich i przem. należą: Bratysława, Koszyce, Bielsko-Biała, Kluż-Napoka, Tîrgu Mureş, Sybin, Braszów, a na obrzeżach: Kraków, Miszkolc i Ploeszti.

Od XIX w. rozwija się turystyka i rekreacja, gł. w pol. i słowackiej części K. Poznawanie K. odegrało ważną rolę w rozwoju pol. turystyki górskiej, gł. w K. Zachodnich i, do II wojny świat., w pol. części K. Wschodnich (Czarnohora, Gorgany); od lat 70. XX w. stały się popularne K. rumuńskie (m.in. góry: Marmaroskie, Fogaraskie; w latach 80. nastąpiło ponowne turyst. odkrycie K. ukraińskich; 1980 pierwszego przejścia całego łuku K. dokonała wyprawa Studenckiego Koła Przewodników Beskidzkich z Warszawy (kier. A. Wielocha). Głównymi ośrodkami turystycznymi K. są: Zakopane, Wisła, Szczyrk, Krynica Zdrój, liczne mniejsze miejscowości po pd. stronie Tatr z centrum w Starym Smokowcu, Liptowski Mikułasz i in.; największe uzdrowiska: Pieszczany, Sinaia, miejscowości w dolinie Prahovy i Aluty, a także Poiana Braşov; uzdrowiskiem o znaczeniu międzynar. jest Băile Herculane w górach Mehedinţi (K. Południowe).

■ Karpaty. Bardejovské Kúpele, dom zdrojowy

W czasach historycznych K. nie stanowiły nieprzebytej bariery komunik.; niejednokrotnie przekraczały je fale wędrówek ludów, wykorzystując przełomowe doliny, nisko położone przełęcze, kotliny śródgórskie. Sieć komunikacyjna K. jest dobrze rozwinięta; jej znaczny rozwój nastąpił w XIX w., gdy większość K. znajdowała się w obrębie Austro-Węgier. Efektem jest powstanie wielu transkarpackich szlaków kol. i drogowych oraz kilka biegnących wzdłuż łańcucha K. W K. Zachodnich najważniejszą funkcję pełnią trasy łączące Polskę z państwami położonymi na pd. (przez Bramę Morawską oraz Przełęcz Jabłonkowską, doliną Orawy, Popradu i przez Przełęcz Dukielską). W K. Wschodnich najważniejsze szlaki komunik., przecinają gł. grzbiet K. przez przełęcze: Użocką, Tatarską i doliną Oporu na Ukrainie oraz dolinami Mołdawy i Trotuşu w Rumunii. W K. Południowych gł. linie komunik. łączą środk. i pd. Rumunię dolinami Jiu, Aluty i Prahovy. ■

Karpaty, Białe, słow. **Biele Karpaty,** czes. **Bílé Karpaty,** pasmo górskie w Karpatach Zach. w Słowacji i Czechach; najwyższy szczyt Velka Javořina (970 m); zbud. z fliszu; od strony doliny Wagu (na wsch.) przylega pas skałek wapiennych, wys. do 925 m (Chmel'ová) z bogatą roślinnością kserotermiczną; tereny chronione.

Karpaty, Małe, Malé **Karpaty,** pasmo górskie w Karpatach Zach. w Słowacji, między doliną Dunaju pod Bratysławą i Wagiem; wys. do 768 m (szczyt Záruby); zbud. gł. z granitów, łupków krystal., w części pn. — z wapieni i dolomitów; w dolnym piętrze pola uprawne i winnice; powyżej 300 m ciepłolubne dąbrowy, od 450 m lasy bukowe z niewielką domieszką jodły; tereny chronione (rezerwaty przyrody); region turyst. i rekreacyjny dla mieszkańców Bratysławy.

Karpaty Marmaroskie, Munţii Maramureşului, część Wewn. Karpat Wsch. na granicy Rumunii i Ukrainy, pomiędzy dolinami Czarnego Czeremoszu, Białej Cisy i jej l. dopływu Vişeu; najwyższy szczyt Fărcău (1962 m); zbud. ze skał metamorficznych, wapieni oraz andezytów i bazaltów.

Karpaty Mołdawsko-Munteńskie, Munţii Moldovei, część Zewn. Karpat Wsch. w Rumunii; obejmują liczne równol. pasma górskie, m.in.: góry Bukowiny, Stîni Şoare, Ceahlu, Tarcu, G. Czukaskie, Vrancei, Buzu (Ciucaş 1956 m); zbud. gł. z piaskowców, margli i zlepieńców; łagodne formy i płaskie wierzchowiny; rozczłonkowane dolinami Suczawy, Mołdawy, Bystrzycy, Trotuş i Buzu (dopływy Seretu); lasy dębowo-bukowe i iglaste, powyżej 1500 m hale; źródła miner. (uzdrowiska); liczne monastery; turystyka.

Karpentaria, Gulf of Carpentaria, zatoka w pd.-wsch. części morza Arafura; wcina się ok. 670 km w głąb pn. Australii, między Ziemię Arnhema a płw. Jork; pow. 328 tys. km², szer. ok. 600 km, głęb. do 71 m; wzdłuż zach. wybrzeży liczne wyspy, największe: Groote Eylandt, Wellesley; temperatura wód powierzchniowych 23–29°C, zasolenie — 34,5–35,5‰; wzdłuż wybrzeży silne prądy pływowe; wys. pływów 2,4–3,6 m; do zatoki K. uchodzą rz.: Flinders, Leichhardt, Mitchell; gł. port Weipa.

■ Karru Wielkie

Karru, ang. **Karroo,** afrikaans **Karoo,** kraina geogr. w RPA, na pd. od rz. Oranje; obejmuje Karru Małe (Południowe), stanowiące kotlinę śródgórską (wys. 300–600 m) w G. Przylądkowych, Karru Wielkie — przedgórskie zapadlisko (wys. 450–750 m) na pn. od G. Przylądkowych i Karru Wysokie (Północne) — rozległy płaskowyż (wys. 1000–1500 m) na pn. od Karru Wielkiego do rz. Oranje; Karru Wysokie i Wielkie są zbud. z paleozoicznych i mezozoicznych piaskowców i łupków pochodzenia lądowego (tzw. formacji karru), wśród których występują górnopaleozoiczne osady lodowcowe i mezozoiczne doleryty, Karru Małe — z mor. osadów mezozoicznych; klimat od podzwrotnikowego mor. w Karru Małym do zwrotnikowego skrajnie suchego na pn. Karru Wysokiego; przeważa roślinność półpustynna (gł. sukulenty, suchorośla) formacji k.; krótkie rzeki okresowe; w Karru Wysokim liczne jeziora okresowe; hodowla gł. owiec i kóz (Karru Wysokie i Wielkie); na obszarach sztucznie nawadnianych uprawa zbóż, roślin cytrusowych, winnej latorośli (Karru Małe). ■

Karskie, Morze, Karskoje morie, część O. Arktycznego u pn. wybrzeży Azji, między wyspami Wajgacz, Nową Ziemią i Ziemią Franciszka Józefa na zach. a Ziemią Pn. i płw. Tajmyr na wsch.; przez cieśn. Karskie Wrota łączy się z M. Barentsa, przez Cieśn. Wilkickiego — z M. Łaptiewów; pow. 883 tys. km^2, średnia głęb. 118 m, maks. — 620 m, w Rynnie Św. Anny (na pn.); większą część dna zajmuje szelf; wzdłuż Nowej Ziemi ciągnie się rynna o głęb. do 540 m, wzdłuż Ziemi Pn. — Rynna Woronina (do 450 m); największe zat.: Obska, Jenisejska, Gydańska; największe wyspy: Biała, Uszakowa, Szmidta, Sibiriakowa. Temperatura wód powierzchniowych w lecie 6–2°C, w zimie do –1,8°C, zasolenie — 8,0–33,5‰; w zimie pokryte lodem, gł. stałym, w lecie lodem pływającym; do Morza Karskiego uchodzą Ob i Jenisej; gł. port — Dikson; przez M.K. przebiega najtrudniejszy nawigacyjnie odcinek Pn. Drogi Morskiej.

Karskie Wrota, Karskije Worota, cieśnina między wyspami Nowa Ziemia i Wajgacz; łączy M. Barentsa z M. Karskim; dł. 33 km, szer. 45–55 km, głęb. 52 m; silne prądy pływowe (do 4,6 km/h); przez większą część roku pokryta lodami; stanowi część Pn. Drogi Morskiej.

kartografia [gr.], dziedzina nauki i techniki obejmująca teorię oraz metody sporządzania i użytkowania map, a także atlasów, globusów, modeli plast. i in.; również dziedzina działalności organiz. i usługowej związana z opracowywaniem, reprodukowaniem i rozpowszechnianiem map. Według nowszych definicji k. jest dziedziną zajmującą się przekazywaniem informacji odniesionych do przestrzeni (gł. geogr.), zakodowanych w formie graf. lub cyfrowej. Obejmuje ona wszystkie etapy od pozyskania informacji do jej prezentacji. W k. rozróżnia się 2 podstawowe, ściśle z sobą związane, działy: k. teoretyczną (kartologię) i k. praktyczną. Do k a r t o g r a f i i t e o r e t y c z n e j należą: teoria przekazu kartograf. (m.in. teoria mapy, k. matematyczna), kartoznawstwo (historia kartografii i kartoznawstwo systematyczne) i metodyka kartograf. (m.in. metody sporządzania map, metody analizy i interpretacji map). Do k a r t o g r a f i i p r a k t y c z n e j zalicza się m.in. nauczanie k., reprodukcję kartograf. powiązaną z poligrafią; oraz użytkowanie map, do którego należy m.in. kartometria. Ponadto wyodrębnia się osobne działy k. tematycznej, takie jak k. geologiczna, gleboznawcza, gosp., hist. i in., związane z geologią, naukami geogr. i in. dyscyplinami zajmującymi się przestrzennym rozmieszczeniem obiektów badań.

kartograficzna generalizacja, celowy wybór i uproszczenie treści mapy z podkreśleniem charakterystycznych cech przedstawionego obszaru lub zjawiska. Konieczność g.k. wynika z ograniczonej powierzchni mapy, malejącej wraz ze zmniejszaniem jej skali, oraz z różnego przeznaczenia (np. g.k. mapy szkolnej powinna być inna niż mapy turyst.) lub sposobu użytkowania map (np. mapy ścienne na ogół wymagają większej generalizacji). Rozróżnia się generalizację ilościową (np. pominięcie mniejszych miast, drugorzędnych linii kol.) oraz jakościową (np. pominięcie rodzajów lasów, a oznaczenie tylko ich występowania). G.k. jest uważana za proces subiektywny, wymagający dobrej znajomości tematu przedstawionego na mapie. Stosuje się też komputerowe sposoby g.k., wykorzystujące zależności mat., jednak mają one wąskie zastosowanie, gł. przy sporządzaniu planów i map w dużych skalach.

kartograficzne rzuty, rodzaj → odwzorowań kartograficznych.

kartogram [gr.], mapa przedstawiająca dane statyst. dotyczące określonego zjawiska (np. gęstości zaludnienia, stopnia zalesienia lub uprzemysłowienia); dane grupuje się w klasy (zwykle nie więcej niż 10), a klasom przypisuje się różne barwy lub desenie, którymi pokrywa się odpowiednie pola na mapie; w obrębie pola o danej barwie lub deseniu natężenie zjawiska traktuje się jako jednorodne.

kartometria [gr.], dział kartografii zajmujący się metodami przeprowadzania pomiarów na mapie oraz analizą ich dokładności w celu wyznaczenia długości, powierzchni, objętości lub innych parametrów (np. nachyleń, gęstości) dotyczących obiektów i zjawisk geograficznych. Przy wykonywaniu pomiarów używa się specjalnych przyrządów (krzywomierzy, planimetrów), a w celu osiągnięcia większej precyzji stosuje się metody mat. i statystyczne.

Kartuzy, m. powiatowe w woj. pomor., nad jez.: Karczemne, Klasztorne, Mielenko; 15,9 tys. mieszk. (2000); ośr. przem. i usługowy dla zaplecza roln. oraz okolicznych ośrodków wczasowych i letnisk; miejscowość turyst.; przemysł: spoż., metal., drzewny, ponadto produkcja pomocy nauk., leków, rękodzieło artyst. (hafciarstwo, ceramika); węzeł kol. i drogowy; Muzeum Kaszubskie; wieś wzmiankowana 1391; prawa miejskie od 1923; kościół Kartuzów (XIV/XV, XVII w.) z zachowanym got. refektarzem i eremem.

Karwendel, grupa górska w Północnotyrolskich Alpach Wapiennych w Austrii, od pd. ograniczona doliną Innu; najwyższy szczyt Birkkarspitze (2749 m); liczne turnie, cyrki lodowcowe, ściany skalne, potężne usypiska; lasy klonowo-bukowe, wyżej świerkowo-jodłowe (do 1700–1800 m), łąki alp.; park nar. (zał. 1933, pow. 72 tys. ha).

Karyntia, Kärnten, kraj związkowy w pd. Austrii; 9,5 tys. km², 560 tys. mieszk. (2002); stol. Klagenfurt; górzysty: Wysokie Taury, Alpy Karnickie i Gailtalskie, Karawanki (na pd.); na wsch. Kotlina Klagenfurcka; hodowla bydła i owiec; leśnictwo; wydobycie magnezytu; turystyka; liczne ośr. wypoczynkowe i sportów zimowych.

Kasai, portug. **Cassai,** franc. **Kasaï,** w dolnym biegu **Kua,** rz. w Angoli i Zairze, l. dopływ Konga; dł. 2000 km, pow. dorzecza ok. 880 tys. km²; wypływa na wyż. Lunda; uchodzi do Konga koło m. Kwamouth; gł. dopływy: Lulua, Sankuru (pr.), Kuango (l.); wysokie stany wód od października do marca; w górnym biegu liczne progi i wodospady; żegl. w dolnym i częściowo środk. biegu, na dł. 790 km od ujścia; liczne gat. ptactwa wodnego, hipopotamy, krokodyle; gł. port nad K. — Ilebo; w dorzeczu K. (gł. w okolicy m. Tshikapa) wydobycie diamentów z aluwiów; odkryta 1854 przez D. Livingstone'a.

kaskada [franc. < wł.]: **1)** wodospad, którego wody spadają z progu o budowie stopniowej (kilka stopni skalnych); **2)** szereg stopni wodnych zbud. na rzece w celu polepszenia warunków żeglugi lub wykorzystania energii wodnej.

Kaskadowe, Góry, ang. **Cascade Range,** franc. **Chaîne des Cascades,** łańcuch górski w Kordylierach Środk., w USA i Kanadzie; dł. ok. 1000 km; najwyższy szczyt Rainier, 4392 m (park nar.); zbud. z granitów i gnejsów oraz skał wulk.; liczne stożki wygasłych lub czynnych wulkanów; najwyższe piętra pokryte wiecznym śniegiem i lodowcami; rozcięte doliną rz. Kolumbia; na obszarze G.K. fumarole, gorące źródła, w pd. części — Jez. Kraterowe (stanowi park nar.); lasy iglaste; złoża rud chromu, niklu, molibdenu, cynku, miedzi oraz złota; ważny region turystyczny.

Kaspijskie, Morze, pers. **Daryā-ye Khazar,** ros. **Kaspijskoje morie,** największy bezodpływowy zbiornik wodny na Ziemi, w Europie i Azji, 27 m (1995) poniżej poziomu oceanu świat.; nad M.K.

leży Rosja, Kazachstan, Turkmenistan, Iran i Azerbejdżan; pow. 376 tys. km² (1986), średnia głęb. 180 m, maks. — 1025 m (w części pd.); poziom wody M.K. obniżył się o ponad 2 m od 1929 (ówczesna pow. 422 tys. km²); najniższy poziom M.K. w ciągu ostatnich 400 lat zanotowano 1977 (–29 m); większe zat.: Kazaska, Krasnowodzka, Komsomolec, Mangyszłacka, → Kara Bogaz Goł (1980 oddzielona tamą w celu zmniejszenia tempa obniżania się poziomu M.K.); rozciągłość południkowa 1200 km, średnia szer. 325 km. Temperatura wód powierzchniowych od poniżej 0°C do 10°C w zimie, 24–32°C w lecie, zasolenie — od 0,05‰ u ujścia Wołgi do 11–13‰ w części pd.-wsch.; do M.K. uchodzą rz.: Wołga, Ural, Kura, Terek, Kuma i in.; rozwinięte rybołówstwo i żegluga, prom kol. Baku–Turkmenbaszy; wydobycie ropy naft. ze złóż pod dnem morza; gł. porty: Baku, Astrachań, Turkmenbaszy, Machaczkała, Bandar-e Anzeli.

Kasprowa, Dolina, dolina w Tatrach Zach., pd.-wsch. odgałęzienie Doliny Bystrej, na pd. od Kuźnic; dł. 3 km, pow. 2,8 km²; odwadniana przez okresowy Kasprowy Potok; dzieli się na Dolinę Suchą Kasprową i mniejszą Dolinę Stare Szałasiska; otoczenie: od zach. — Myślenickie Turnie i Sucha Czuba, od pd. — Kasprowy Wierch, od wsch. — Uhrocie Kasprowe, Kopa Magury i Zawrat Kasprowy; w górnej części skały krystaliczne, ślady dawnego zlodowacenia, krajobraz alepjski; dno silnie faliste, pokryte granitowymi głazami, porosłe kosodrzewiną; w części środk., w pobliżu dobrze zaznaczonej granicy świerkowego lasu górnego regla, największe w pol. Tatrach Zach. skupisko limb (ok. 300); w dolnych partiach skały osadowe, dobrze zachowane moreny czołowe i boczne; liczne jaskinie, gł. w zach. stoku Zawratu Kasprowego.

Kasprowa Niżnia, Jaskinia, jaskinia w Tatrach Zach., w Dolinie Kasprowej, u podnóża Zawratu Kasprowego; dł. ok. 3 km; deniwelacja ok. 50 m; otwór na wys. 1228 m; jaskinia krasowa o rozwinięciu poziomym; utworzona w wapieniach; 2 ciągi korytarzy i komór rozchodzące się ok. 100 m od otworu; rozciągłość ok. 750 m; w pn. odgałęzieniu 7 syfonów o dł. 580 m, w tym jeden o dł. 333 m — najdłuższy w Polsce i Tatrach; wiosną i latem często wypływa woda pochodząca z Doliny Gąsienicowej. Wstępna część jaskini znana od dawna góralom; wzmiankowana w 1. poł. XIX w. (L. Zejszner); eksplorowana m.in. przez M. Zaruskiego (1913) i M. Świerza (1921); 1951–53 duże odkrycia grotołazów krak. i zakopiańskich; 1996 eksploracja ciągu syfonalnego (K. Starnawski).

Kasprowy Wierch, szczyt w Tatrach Zach., na granicy ze Słowacją; wznosi się nad dolinami: Goryczkową, Kasprową, Gąsienicową i Cichą; wys. 1987 m; wierzchołek zbud. z granitów i łupków krystalicznych na podłożu skał osadowych; obok szczytu obserwatorium meteorol. uruchomione 1938; na wys. 1959 m górna stacja kolejki linowej z Kuźnic (zbud. 1935–36) z restauracją, dyżurką GOPR oraz stacją wyciągu krzesełkowego z Doliny Gąsienicowej; po stronie zach. stacja wyciągu krzesełkowego z Doliny Goryczkowej. Węzeł szlaków turyst.; znakomite tereny narciarskie, zjazdowe trasy wyczynowe (od granicy lasu kilka nartostrad); doskonały punkt widokowy odwiedzany rocznie przez ponad milion turystów.

Kastylijskie, Góry, Kordyliera Centralna, Cordillera Central, Sistema Central, góry w Hiszpanii, w środk. części Mesety Iberyjskiej; oddzielają wyżynne kotliny Starej i Nowej Kastylii; zbud. z granitów i łupków krystal., sfałdowanych gł. w orogenezie hercyńskiej; obejmują szereg zrębów górskich, biegnących prawie równoleżnikowo; orograficznie dzielą się na 3 gł. grupy: Sierra de Guadarrama, Sierra de Gredos (Almanzor, 2592 m) i Sierra de Gata; na wierzchowinach stare powierzchnie zrównań; w najwyższych partiach formy glacjalne. Roślinność leśna tylko częściowo zachowana; u podnóży wiecznie zielone twardolistne lasy dębowe i zarośla typu makii; na stokach lasy dębowe zrzucające liście na zimę i lasy sosnowe; powyżej 2000 m roślinność wysokogórska (z udziałem kolczastych krzewinek poduszkowatych i muraw alp.). Góry Kastylijskie stanowią dział wodny między dorzeczami Tagu i Duero.

Kaszgarska, Kotlina, Kotlina Tarymska, Tarim Pendi, bezodpływowa kotlina w zach. części Chin, ograniczona górami Altun Shan, Kunlun i Tien-szan oraz Pamirem; na wsch. otwarta ku Gobi; dł. ok. 1500 km, szer. ok. 650 km; pow. ok. 1 mln km^2; wys. 700–1300 m; w części środk. pustynia Takla Makan; u podnóży gór urodzajne równiny (wys. 1000–1500 m); klimat umiarkowany ciepły, kontynent., wybitnie suchy; suma roczna opadów od ok. 5 mm na pd.-wsch. do ok. 100 mm na zach.; zimą i wiosną burze pyłowe; rzeki tylko na skraju K.K. (najdłuższe: Tarym i Czerczen-daria); nieliczne okresowe jeziora (największe Lob-nor); bogactwa miner.: rudy cynku, ołowiu i żelaza, węgiel kam., ropa naft., złoto. Ludność skupiona w oazach u podnóża gór; gł. m.: Kaszgar, Shache, Hotan, Aksu, Kuqa. Przez K.K. przechodził Jedwabny Szlak.

Kaszubskie, Pobrzeże, pn.-zach. część Pobrzeża Gdań., rozciągająca się od przyl. Rozewie na pn. po deltę Wisły na pd.-wsch.; ma charakterystyczny krajobraz, na który składają się 4 płaty wysoczyzny morenowej, rozdzielone fragmentami dolin glacjofluwialnych: Płutnicy, Redy, martwej doliny w pn.-zach. części Gdyni oraz Obniżenia Redłowskiego; płaty wysoczyzn noszą nazwę kęp: Swarzewskiej, Puckiej, Oksywskiej, Redłowskiej i opadają ku Zat. Gdańskiej wysokimi urwiskami; wymienione pradoliny funkcjonowały w czasie, gdy Zat. Gdańska była wypełniona lodem lodowcowym; odcinek martwej pradoliny pod Gdynią został wykorzystany do budowy basenów portowych, podczas gdy sama Gdynia rozbudowała się nie tylko w obrębie pradoliny, ale również na otaczających ją wzniesieniach, a zwł. na Kępie Redłowskiej; zachował się na niej objęty ochroną fragment lasu liściastego z bukiem oraz jarzębem szwedz., stanowiącym osobliwość florystyczną naszego wybrzeża (najdalej na pd. wysunięte stanowisko tego drzewa). Region gęsto zaludniony, o rozwiniętej gospodarce mor. i funkcjach wypoczynkowo-turyst.; Gdańsk, Gdynia, Sopot oraz kilka mniejszych miejscowości tworzą największą konurbację na Pobrzeżach Południowobałtyckich i na pol. wybrzeżu — Trójmiasto.

Kaszubskie, Pojezierze, Pojezierze Kartuskie, pn.-zach. część Pojezierza Wschodniopomor., na zach. od doliny Wisły; najwyższa część wszystkich pojezierzy pomor. — osiąga we Wzgórzach Szymbarskich wys. 329 m (Wieżyca), przy czym wysokości względne dochodzą tu do 160 m; od położonych pośrodku regionu kulminacji teren obniża się nierównomiernie we wszystkich kierunkach (stosunkowo najmniej na zach.); ciągi moren czołowych rozdzielone malowniczymi jeziorami rynnowymi; szczególnie duże skupisko jezior występuje na pn.-zach. od Wieżycy, w dorzeczu górnej Raduni, zajmują one pow. 20,9 km^2, do największych należą: Raduńskie i Ostrzyckie; obszar źródłowy licznych rzek, m.in.: Raduni, Wierzycy, Wdy, Słupi, Łeby. Rozwinięta turystyka, ze względu na swoje walory krajobr. region zw. Szwajcarią Kaszubską. Główne ośr.: Kartuzy, Kościerzyna.

Katalońskie, Góry, Cordillera Costero Catalana, góry w pn.-wsch. Hiszpanii, nad M. Śródziemnym; zbud. z granitów, kwarcytów, piaskowców i wapieni; obejmują 2 równol. pasma (rozdzielone rowem tektonicznym): wewn. (najwyższy szczyt Matagalls, 1676 m) i nadmor. (wys. 500–600 m), stromo opadające ku wybrzeżu Costa Dorada; zarośla typu makii, wiecznie zielone lasy twardolistne z udziałem dębu korkowego (*Quercus suber*).

Katar, Qatar, Państwo Kataru, państwo w pd.--zach. Azji, na Płw. Arabskim, nad Zat. Perską; 11,0 tys. km^2; 611 tys. mieszk. (2002), Arabowie miejscowi (25% ludności) oraz napływowi z Jordanii i Palestyny, imigranci z Pakistanu, Indii, Bangladeszu; religia państw. islam; stol. Ad-Dauha; język urzędowy arabski; emirat. Zajmuje nizinny i pustynny płw. Katar; klimat zwrotnikowy wybitnie suchy; brak wód lądowych. Podstawą gospodarki wydobycie ze złóż lądowych i podmor. ropy naft. i gazu ziemnego oraz eksport ropy naft., produktów naft. i skroplonego gazu ziemnego; przemysł rafineryjny, nawozów sztucznych, odsalania wody mor. — podstawa zaopatrzenia ludności w wodę; porty mor.: Ad-Dauha, Musajid (naft.). ■

katarakta [łac. < gr.], rodzaj → progu rzecznego, grzęda zbud. ze skał b. odpornych na erozję, często — skał krystal., występująca w obrębie zwartych koryt rzecznych (np. na Nilu, Huang He). ■

■ Katar

■ Katarakty na Nilu koło Asuanu (Egipt)

■ Katmandu. Zabytkowa zabudowa Durbar Square

Katmandu, ang. **Kathmandu,** stol. Nepalu, w Himalajach, w Kotlinie Katmandu, na wys. ok. 1360 m; 640 tys. mieszk. (2002); siedziba króla; centrum gosp. i kult. kraju; przemysł bawełn., jutowy, cukr., drzewny; rzemiosło (snycerstwo, garncarstwo); międzynar. port lotn.; uniw.; ośr. turyst. o świat. znaczeniu; muzeum nar.; zał. 724 jako Kantipura; ob. nazwa od 1593; świątynie Śiwy oraz buddyjskie (XVI–XVII w.), pagoda Kath Mandir z XVI w., kompleks pałacowo-świątynny Hanuman Dhoka (XV–XVII w.), zabytkowe domy o bogatej dekoracji z drewna i metalu (XVII–XVIII w.). ■

Katowice, m. wojew. (woj. śląskie), nad Rawą i Kłodnicą; powiat grodzki; 342 tys. mieszk. (2000); wielki ośr. gosp. oraz dyspozycyjny i usługowy GOP; stol. archidiecezji i metropolii katow. Kościoła rzmskokatol.; górnictwo węgla kam. (kopalnie: Katowice-Kleofas, Murcki, Staszic, Wujek, Wieczorek z doświadczalną kopalnią Jan) oraz hutnictwa żelaza (huta Baildon z elektrostalownią, prasownią i nową linią ciągłego odlewania stali; huta Ferrum, produkująca rury spiralnie spawane) i metali nieżelaznych (huta Szopienice); ponadto przemysł metal., elektrotechn., spoż., miner.; wielki węzeł komunik. (port lotn. w Pyrzowicach); ośr. nauk. (Uniw. Śląski, akademie — med., ekon., wychowania fiz., muz., filia krak. ASP; instytuty przem., biura projektowe i ośrodki badawczo-rozwojowe, w

■ Katowice. Widok na dzielnice przemysłowe

tym Gł. Inst. Górnictwa) i kult. (filharmonia, orkiestra, teatry; muzea); ośr. handl.-wystawienniczy; liczne przedstawicielstwa firm zagr. i spółek joint-venture, przedsiębiorstwa handlu zagr., transportowe i bud., banki (m.in. centrala Banku Śląskiego SA i Górnośląskiego Banku Gosp. SA), domy i biura maklerskie; duże zanieczyszczenie powietrza, hałdy i wyrobiska, tąpnięcia gruntu; prawa miejskie od 1865; w XIX w. ośr. polskości; od 1922 w Polsce; 1953–56 p.n. Stalinogród; kościół drewn. (XVI w.), spichlerz drewn. (XVII w.), 2 kościoły (XIX w.); pomniki: *Powstańców Śląskich,* ku czci górników poległych w kopalni Wujek, marsz. J. Piłsudskiego. ■

Kattegat, cieśnina między półwyspami Jutlandzkim i Skandynawskim, na pn. od wyspy Zelandia; przez cieśn. Sund, Wielki Bełt i Mały Bełt łączy M. Bałtyckie ze Skagerrakiem i M. Północnym; na zach., przez cieśn. Limfjorden,

■ Kattegat. Zdjęcie lotnicze

połączona bezpośrednio z M. Północnym; należy do Cieśn. Duńskich; pow. 22,3 tys. km², dł. ok. 200 km, szer. 60–122 km, głęb. do 124 m; wyspy: Laeso, Anholt; stanowi gł. akwen mieszania się wód bałtyckich z oceanicznymi; temperatura wód powierzchniowych od 2°C w lutym do 17°C w sierpniu, zasolenie — od 18,5‰ na pd. do 29,6‰ na pn.; gł. porty: Göteborg, Ålborg (nad Limfjorden). ■

Katuń, rz. w azjat. części Rosji, w Ałtaju; po połączeniu z Biją tworzy Ob; dł. 688 km, pow. dorzecza 60,9 tys. km²; wypływa z Lodowca Katuńskiego, na stokach masywu Biełucha; w środk. biegu płynie w szerokiej dolinie; gł. dopływ Czuja (pr.); doliną K. przechodzi Trakt Czujski (z Nowosybirska przez Bijsk do Mongolii).

kauczukodajne rośliny, nazwa ponad 200 gat. drzew, krzewów i roślin zielnych dwuliściennych, występujących w stanie dzikim oraz uprawianych w strefie międzyzwrotnikowej i podzwrotnikowej dla substancji z grupy węglowodorów nienasyconych, z których się otrzymuje kauczuk naturalny; substancje te są zawarte zwykle w soku mlecznym; największe znaczenie gosp. mają r.k. drzewiaste, tworzące sok mleczny w korze, mniejsze — rośliny zielne, zawierające lateks w korzeniach i kłączach. Najcenniejszą r.k. jest kauczukowiec brazyl.; w Brazylii otrzymuje się także kauczuk niższej jakości — z drzew Manihot glaziovii i Hancornia speciosa; w Ameryce Środk. i pn. części Ameryki Pd. uprawia się rodzime drzewa: Sapium aucuparium, Sapium jenmanii, Castilla elastica i Castilla ulei; w Azji, oprócz kauczukowca brazyl., uprawia się gł. figowiec sprężysty, czyli gumowe drzewo; w Afryce uprawia się obecnie gł. kauczukowiec, w miejsce rodzimych kauczukowatych roślin, takich jak *Landolphia gummifera* czy *Euphorbia intisy*.

Kaukaz, obszar górski w Azji, między morzami: Czarnym, Azowskim i Kaspijskim, od Obniżenia Kumsko-Manyckiego na pn. do granic Turcji i Iranu na pd.; wchodzi w skład Federacji Ros. (kraje Krasnodarski i Stawropolski, republiki: Karaczajo-Czerkiesja, Kabardo-Bałkaria, Osetia Pn., Inguszetia, Czeczenia, Dagestan), Gruzji, Armenii i Azerbejdżanu; pow. ok. 440 tys. km²; dzieli się na Przedkaukazie, Wielki K., Zakaukazie oraz Mały K. (pn. obrzeża Wyż. Armeńskiej). Łańcuch górski sfałdowany i wypiętrzony w trzeciorzędzie w wyniku orogenezy alp.; jest zbud. gł. z mezozoicznych i trzeciorzędowych skał osadowych (wapieni, piaskowców, łupków ilastych) oraz ze skał wulk.; zapadliska przedgórskie są wypełnione osadami trzeciorzędu i czwartorzędu. Wielki K. (zw. często K.) ciągnie się na dł. ponad 1100 km; jego oś orograficzną tworzą 2 równo-

legle pasma: Główne lub Wododziałowe (najwyższy szczyt Szchara, 5058 m) i Boczne (Elbrus 5642 m, Dychtau 5203 m, Kazbek 5033 m); pocięty głębokimi dolinami; najwyższe partie mają typową rzeźbę alp.; pn. stoki zach. i środk. części (pasma Pasterskie i Skaliste) są kuestami; we wsch. części występują szerokie i płaskie grzbiety o stromych stokach; na kuestach silnie rozwinięte zjawiska krasowe (jaskinie Woroncowa, Nowoatońska, Sataplia); w okolicy Piatigorska liczne lakolity. Na pn. od Wielkiego K. leży Przedkaukazie (Niz. Kubańska, Wyż. Stawropolska i Niz. Nadkaspijska), na pd. — obniżenie Zakaukazia (niziny: Kolchidzka na zach., Kurańska i Lenkorańska na wsch., rozdzielone G. Suramskimi), ograniczone od pd. pasmami Małego K. (Giamysz 3724 m) i G. Tałyskimi.

Klimat K. z powodu wysokości, urozmaiconej rzeźby oraz bliskości mórz b. zróżnicowany. Grzbiet Wielkiego K. jest granicą klim. między strefą umiarkowaną na pn. (klimat umiarkowany ciepły suchy) i podzwrotnikową na pd. (klimat podzwrotnikowy, na nizinach Kolchidzkiej i Lenkorańskiej wilgotny, na Kurańskiej — suchy, na pozostałym obszarze kontynent.). W Wielkim K. silnie wykształcona piętrowość klimatyczna. Średnia temp. w styczniu na nizinach od ok. –5°C na

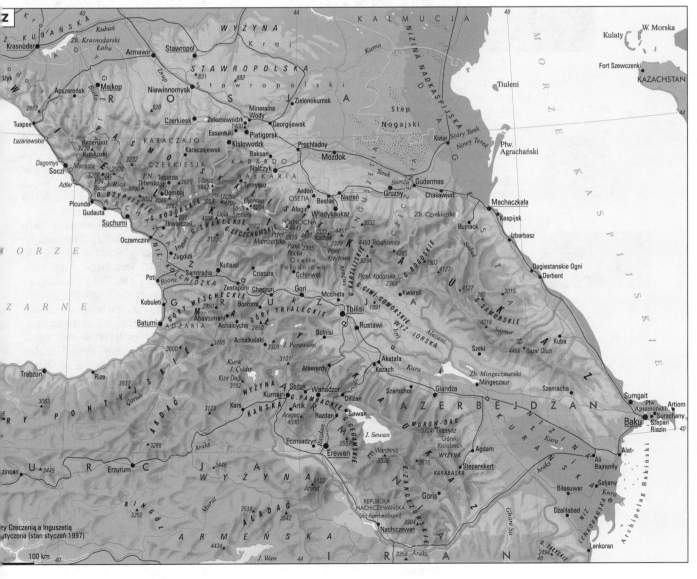

■ Kaukaz. Dolina lodowcowa Alibek

■ Kaukaz. Wypas owiec

pn. do 4–6°C na pd., w lipcu od 23–24°C na zach. do 25–29°C na wsch.; w Wielkim K., na wys. 2000 m od –8°C w styczniu do 13°C w sierpniu, w Małym K. odpowiednio –12°C i 18°C. Suma roczna opadów od 200 mm na Niz. Kurańskiej i wsch. Przedkaukaziu do 1800 mm na Niz. Kolchidzkiej; w środk. i zach. części Wielkiego K. 2500 mm, na stokach zach. i pd.-zach. do 4000 mm, w Małym K. 400–800 mm; na zach. opady gł. jesienno-zimowe, na wsch. — wiosenne. Lodowce (ok. 2000) zajmują 1428 km², wieczne śniegi pokrywają najwyższe partie części zach. i środk. (na wys. 2000 m pokrywa śnieżna leży 6 mies.). Rzeki K. należą do zlewiska M. Kaspijskiego (Kura z Araksem, Sułak, Terek, Kuma), M. Czarnego (Rioni, Inguri) i M. Azowskiego (Kubań); największe jezioro — Sewan.

K. odznacza się b. bogatą florą (ponad 6000 gat.) i wyjątkowo dużym zróżnicowaniem zbiorowisk roślinnych. W części zach. Przedkaukazia występują stepy (obecnie przeważnie zaorane) i lasostepy, we wsch. — półpustynie; pustynie występują także na Niz. Kurańskiej i w dolinie środk. Araksu. Na nizinach Kolchidzkiej i Lenkorańskiej oraz w ich otoczeniu rosną bogate lasy liściaste, z zimozielonym podszytem, obfitujące w relikty trzeciorzędowe. Piętro lasów górskich w Wielkim K. i na pn. stokach Małego K. tworzą buczyny (z bukiem wsch. *Fagus orientalis*), ponad nimi (gł. na zach. i pd.-zach.) lasy jodłowo-świerkowe z jodłą kaukaską *Abies Nordmanniana* i świerkiem kaukaskim *Picea orientalis*. Powyżej granicy lasów występują subalp. łąki i zarośla różanecznika kaukaskiego *Rhododendron caucasicum*, wyżej — murawy alp.; na najwyższych szczytach w

■ Kazachstan

miejscach wolnych od wiecznych śniegów i lodów b. skąpa roślinność piętra niwalnego. Stoki pd. Małego K. są bezleśne, porośnięte roślinnością stepową lub półpustynną. Dla ochrony pierwotnej roślinności utworzono w K. wiele rezerwatów przyrody, największy — Kaukaski (263,3 tys. ha), najliczniej odwiedzane: Teberda i Rica. Bogactwa naturalne: ropa naft. i gaz ziemny, węgiel kam., rudy żelaza, manganu, miedzi, molibdenu, cynku i ołowiu, kobaltu i chromu, boksyty, kamienie bud. (zwł. tufy), wody mineralne. Znane uzdrowiska: Kisłowodzk, Essentuki, Piatigorsk, Żeleznowodzk, Borżomi, na czarnomor. wybrzeżu: Anapa, Soczi, Batumi; rozwinięta turystyka i alpinizm. ■

Kaukaz, Mały, Małyj Kawkaz, góry w Azerbejdżanie, Armenii i Gruzji, ograniczają od pn. Wyż. Armeńską; dł. ok. 600 km; gł. pasma: Mescheckie, Trialeckie, Somcheckie, Marguskie, Szachdaskie, Murow-dag (Giamysz, 3724 m), Karabaskie; w zach. części zbud. z fliszu i skał wulk. paleogenu i górnej kredy, w środk. i wsch. — z utworów mezozoicznych (wapienie, piaskowce, grube pokrywy skał wulk.); na pn. stokach lasy, gł. liściaste, na pd. — stepy; w górnym piętrze łąki górskie.

Kazachstan, Kazakstan, Republika Kazachstanu, państwo w Azji, pn.-zach. skraj w Europie, nad M. Kaspijskim; 2717,3 tys. km²; 14,4 mln mieszk. (2002), Kazachowie 44%, Rosjanie 36%, Ukraińcy 5%, Niemcy 4%, Uzbecy, Polacy 0,5% i in.; wierzący gł. muzułmanie i prawosławni; stol. Astana, inne gł. m.: Ałma Ata, Karaganda, Czymkent, Semipałatyńsk; język urzędowy: kazaski, status języka międzynar. ma ros.; republika; podział adm.: 14 obwodów i 2 miasta wydzielone. W środk. części Pogórze Kazaskie, na wsch. i pd.-wsch. pasma Ałtaju, Ałatau Dżungarskiego i Tien-szanu (wys. do 4973 m); klimat umiarkowany ciepły, wybitnie kontynent., na pd. — suchy; gł. rz.: Irtysz, Ural, Syr-daria; liczne jeziora (największe Bałchasz); katastrofa ekol. w rejonie Jez. Aralskiego, strefa skażenia radiologicznego wokół Semipałatyńska, Karagandy i Pawłodaru. Gospodarka w okresie transformacji; waluta tenge od 1993; wydobycie węgla kam. (56,3 mln t — 1999), ropy naft. (26,7 mln t), gazu ziemnego, rud żelaza, chromu, ołowiu, cynku, miedzi, niklu, fosforytów, złota; hutnictwo żelaza i metali nieżel.; przemysł chem., elektromaszyn., lekki, spoż., rafineryjny, materiałów bud.; uprawy: zboża (pszenica, jęczmień), ziemniaki, buraki cukrowe, słonecznik, bawełna, warzywa (zwł. melony); hodowla owiec, bydła, trzody chlewnej, koni, wielbłądów; rurociągi naft. i gazociągi na Ural i do eur. części Rosji. ■

Kazanłycka, Kotlina, Kazanłyszka kotłowina, śródgórska kotlina w Bułgarii, między Bałkanami a Sredną Gorą; średnia wys. ok. 350 m; przez K.K. płynie rz. Tundża; klimat umiarkowany ciepły, kontynent. (suma roczna opadów ok. 550–650 mm); plantacje róż i in. roślin olejkodajnych, winnice, sady; gł. m. Kazanłyk.

Kazaskie, Pogórze, obszar górzysty w Kazachstanie, między Niz. Turańską i Ałtajem; dł. 1200 km, szer. do 950 km. P.K. wchodzi w skład geosykliny uralsko-mong.; zach. część należy do strefy fałdowań kaledońskiej, wsch. — hercyńskiej; zbud. gł. ze skał metamorficznych i magmowych. Powierzchnia przeważnie zrównana, we wsch. części bardziej rozczłonkowana; na przemian występują niewysokie wzgórza i uwały o łagodnych zboczach i tereny równinne; w środk. części G. Karkaralińskie (do 1403 m) i odosobnione masywy górskie, najwyższy Aksoran, 1566 m; w rozległych obniżeniach liczne jeziora, największe Tengiz; gł. rz.: Iszym, Nura, Sary-su. Klimat umiarkowany ciepły, suchy, wybitnie kontynent., na pd. pustynny; średnia temp. w styczniu od –14°C do –18°C, w lipcu 20–24°C; zimą mrozy do –40°C, letnie maksima 35°C; roczna suma opadów 300 mm. Stepy kostrzewowo-ostnicowe w większości zaorane i zajęte pod uprawę zbóż; na pd. i wsch. półpustynie i piołunowo słonoroślne pustynie, w górach lasy sosnowe. Wydobycie węgla kam., rud żelaza, miedzi i manganu, złota; gł. m.: Karaganda, Akmoła.

Kazbek, gruz. **Mkinwari,** osetyjskie **Urschoch,** ros. **Kazbiek,** masyw wulk. w Wielkim Kaukazie, w Pasmie Bocznym, na granicy Gruzji i Rosji (Osetia Pn.); wys. 5033 m; wznosi się nad doliną Tereku; na stokach subalp. łąki, powyżej wieczne śniegi i lodowce dolinne (o pow. 135 km²); na Lodowcu Gergeckim stacja meteorol.; region alpinizmu i turystyki; po wsch. stronie K. przechodzi Gruz. Droga Wojenna.

Kazimierz Dolny, m. w woj. lubel. (powiat puławski), nad Wisłą; 3,9 tys. mieszk. (2000); ośr. turyst.-krajoznawczy (od końca XIX w.); plenery malarskie; drobny przemysł; Muzeum Nadwiślańskie (z oddziałami). Prawa miejskie przed 1370 (1365?) do 1870 i od 1928; ruiny zamku król. z wieżą (XIV w.), fara (XVI–XVII w.) z organami (XVII w.), barok. zespół klasztorny Reformatów (XVII–XVIII w., sanktuarium maryjne), dawny szpital z kościołem Św. Anny (XVII w.), późnorenes. spichlerze (XVII w.), kamienice podcieniowe o dekoracji późnorenes.-manierystycznej — Przybyłowskie, Celejowska (XVII/XVIII w.), drewn. i murowane domy, wille (XVIII, XIX, XX w.); zabytki kultury żyd. — synagoga (XVIII w.), cmentarz, drewn. jatki.

Kazimierza Wielka, m. powiatowe w woj. świętokrzyskim, nad Nidzicą; 6,2 tys. mieszk. (2000); ośr. usługowy regionu roln. z rozwiniętym przemysłem spoż., m.in. cukrownia Łubna; ponadto wytwórnie sprzętu drogowego, materiałów bud., artykułów papierniczych, stolarki bud. z tworzyw sztucznych i aluminium; węzeł drogowy; wieś wzmiankowana 1326; prawa miejskie od 1959.

Kąty Wrocławskie, m. w woj. dolnośląskim (powiat wrocł.), nad Bystrzycą; 5,2 tys. mieszk. (2000); ośr. przem. i usługowy w sąsiedztwie Podwrocławskiego Centrum Inwestycyjnego i Dolnośląskiego Centrum Hurtu Rolno-Spoż.; węzeł komunik.; ośrodek konferencyjno-szkoleniowy Sobiesław Zasada Centrum SA; prawa miejskie przed 1298; późnogot. kościół (1500–20).

Kcynia, m. w woj. kujawsko-pomor. (powiat nakielski); 4,6 tys. mieszk. (2000); ośr. usługowy; drobny przemysł; prawa miejskie od 1262, roz-

kwit w XVI w.; w 2. poł. XVIII w. jedna z gł. kolonii żyd. w Wielkopolsce; Pałucka Izba Muzealna; późnobarok. zespół klasztorny Karmelitów z krużgankami (1779–80).

Kebnekaise [~kajse], szczyt w G. Skandynawskich, najwyższy w Szwecji; wys. 2111 m.

Kefalinia, dawniej **Kefalonia, Cefalonia,** staroż. **Kefallenia,** wyspa gr. na M. Jońskim, największa w W. Jońskich (region adm.); pow. 746 km²; górzysta (wys. do 1627 m); uprawa winorośli, figowców, oliwek; rybołówstwo; gł. m. Argostolion.

kem [ang.], pagórek o płaskim wierzchołku (wysokość od kilku do kilkudziesięciu metrów, szerokość do kilkuset metrów), zbud. z warstwowanych piasków, mułków i żwirów, osadzonych w szerokich szczelinach i zagłębieniach martwego lodu przez wody roztopowe; w Polsce k. szczególnie często występują na obszarach przedostatniego i ostatniego zlodowacenia.

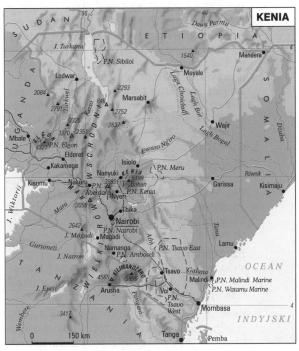

Kenia, Kenya, Republika Kenii, państwo we wsch. Afryce, nad O. Indyjskim; 580,4 tys. km²; 33,1 mln mieszk. (2002), gł. ludy Bantu, Somalijczycy, Boran, Masajowie; animiści, katolicy, protestanci; stol. Nairobi, inne m.: Mombasa (gł. port), Kisumu, Nakuru; język urzędowy: suahili, ang.; republika. Płaskowyż z masywami wulk. (Kenia, 5199 m), rozcięty Wielkim Rowem Wsch. (→ Wielkie Rowy Afrykańskie); na wsch. nizina nadmor.; klimat podrównikowy suchy, na wybrzeżu i w górach wilgotny; wielkie jez.: Wiktorii, Turkana; sawanny, stepy, w górach lasy wiecznie zielone; liczne parki nar. (m.in. Kenia, Elgon, Meru) i rezerwaty przyrody. Kraj roln. (uprawa kawy, herbaty, agawy sizalskiej, zbóż; hodowla bydła, owiec) z rozwijającym się przemysłem przetwórczym (gł. spoż., włók., drzewny, chem., samochodowy); turystyka. ∎

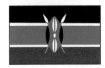

Kenia, ang. **Mount Kenya,** masyw wulk. w Kenii; wys. 5199 m (Batian), drugi (po Kilimandżaro) pod względem wysokości w Afryce; stoki

∎ Kenia

do 1200 m porasta wiecznie zielony las równikowy, do 3000–3200 m wilgotne lasy górskie i sawanny, wyżej łąki wysokogórskie; partie szczytowe Kenii pokryte wiecznym śniegiem i lodowcami (15); powyżej 3300 m Park Narodowy Kenia; zdobyty 1899, pol. wyprawy 1974, 1975.

Kennedy'ego, Przylądek, 1963–73 nazwa przyl. → Canaveral, w USA.

Kent's Cavern [kents käwən], jaskinia krasowa w pd.-zach. W. Brytanii, na Płw. Kornwalijskim, w m. Torbay; utworzona w wapieniach neogenu; dł. ok. 900 m; 2 otwory na wys. ok. 60 m n.p.m. (w budynku w środku miasta); kilka obszernych komór połączonych korytarzami; miejscami bogata różnokolorowa szata naciekowa, m.in. naciek zw. Lew z napisem z 1688. Znana od dawna; udostępniona dla turystów na dł. 370 m; wykorzystywana do uroczystych obchodów Świąt Bożego Narodzenia.

Kerala, stan w pd.-zach. Indiach, nad M. Arabskim; 38,9 tys. km^2; 32,5 mln mieszk. (2002), gł. Keralczycy; stol. Triwandrum, gł. porty mor. Koczin, Kalikat; na zach. nizinne Wybrzeże Malabarskie, na wsch. góry Ghaty Zach. (Anajmudi, 2695 m); lasy równikowe wilgotne; gł. w kraju region uprawy kauczukowca, pieprzu, imbiru, kardamonu; plantacje palmy kokosowej i areka, kawowca, herbaty; liczne zakłady przemysłu drzewnego, obróbki kauczuku, przetwórnie kopry, kawy i herbaty; na wybrzeżu wydobycie piasków monacytowych.

Kerczeńska, Cieśnina, ros. **Kierczenskij proliw,** ukr. **Kerczeńska protoka,** cieśnina między Płw. Kerczeńskim i Płw. Tamańskim; łączy M. Azowskie z M. Czarnym; dł. ok. 41 km, szer. 4–45 km, głęb. 5–15 m (toru wodnego); w zimie pokryta pływającym lodem; prom kol.; port — Kercz.

Kerczeński, Półwysep, Kerczeńśkyj piwostriw, wsch. część Płw. Krymskiego na Ukrainie; ok. 3 tys. km^2; nizinny (wys. do 190 m); wulkany błotne; wydobycie rud żelaza; gł. m. Kercz.

Keresz, węg. **Körös,** rum. **Criş(ul),** rz. na Węgrzech, l. dopływ Cisy; dł. 303 km, pow. dorzecza 27,5 tys. km^2; powstaje z połączenia Kereszu Białego (Crişul Alb) dł. 216 km i Kereszu Czarnego (Crişul Negru) dł. 167 km, płynących przez terytorium Rumunii (źródła w Masywie Bihorskim); duże wahania stanu wód; gł. dopływy: Szybki Keresz, Hortobágy (pr.); wykorzystywana do nawadniania; przy ujściu — m. Csongrád.

Kerguelena, Wyspy [w. ~gelena], Îles Kerguélen, archipelag ok. 300 wysp wulk., w pd. części O. Indyjskiego; należy do Francji; pow. 6,2 tys. km^2; największa Wyspa Kerguelena (pow. 5,8 tys. km^2, górzysta, wys. do 1960 m — Mont Ross; liczne jeziora i lodowce); W.K. leżą w okołobiegunowej strefie klim. (niskie temperatury powietrza, duża wilgotność, silne wiatry); skąpa roślinność subantarktyczna; żyją tu foki i liczne ptaki (m.in. pingwiny); franc. baza nauk. i ośrodek adm. — Port-Jeanne d'Arc (zał. 1908), stacja nauk. Port-aux-Français (zał. 1950). Odkryte 1772 przez franc. żeglarza Y.J. Kerguelena.

Kerkira, dawniej **Korfu,** staroż. **Korkyra,** wyspa gr. na M. Jońskim, w W. Jońskich (region adm.),

oddzielona od Płw. Bałkańskiego cieśniną Kerkira; 641 km^2; w części pn. górzysta (wys. do 906 m), na pd. pagórkowata; uprawa winorośli, oliwek, drzew cytrusowych; przemysł spoż.; rybołówstwo; rozwinięta turystyka; gł. miasto i port — Kerkira.

Kerulen, mong. **Cherlen gol,** chiń. **Herlen He,** rz. w Mongolii i Chinach; dł. 1264 km, pow. dorzecza 116,4 tys. km^2; źródła w górach Chentej; na dł. 900 km od ujścia nie przyjmuje żadnego dopływu; uchodzi do jez. Hulun Nur; letnie powodzie; nad Kerulenem — m. Czojbalsan.

Kędzierzyn-Koźle, m. powiatowe w woj. opol., nad Odrą, Kłodnicą i Kanałem Gliwickim; 70 tys. mieszk. (2000); wielki ośr. przemysłu chem.: Zakłady Azotowe Kędzierzyn SA, Zakłady Chem. Blachownia, ponadto produkcja i przetwórstwo tworzyw sztucznych, gazów techn., różnorodnych środków chem. dla przemysłu; Inst. Ciężkiej Syntezy Org.; przemysł maszyn., metal., elektrotechn., drzewny, papierniczy, odzież., włók., skórz., poligraficzny, spoż.; Stocznia Remontowa Żeglugi Śródlądowej; od 1990 Śląski Wolny Obszar Celny; siedziby oddziałów wielu banków; węzeł kol. i drogowy; jeden z największych w kraju portów śródlądowych (Koźle); muzeum; szkoły — żeglugi śródlądowej, chem.; wieś K. znana od XIII w.; prawa miejskie od 1951; 1975 połączony z Koźlem, Kłodnicą i Sławięcicami w jedno miasto.

Kępice, m. w woj. pomor. (powiat słupski), nad Wieprzą; 4,5 tys. mieszk. (2000); ośr. usługowy regionu rolno-leśnego; zakłady garbarskie; w X–XII w. gródek; prawa miejskie od 1967.

Kępno, m. powiatowe w woj. wielkopol., nad Samicą (l. dopływ Prosny); 15,1 tys. mieszk. (2000); ośr. przemysłu maszyn., ponadto przemysł spoż., drzewny (tarcica, meble), chem. (środki piorące), metal., materiałów bud., odzież.; węzeł komunik.; muzeum; 1282 Mściwój II zawarł tu tajny układ z Przemysłem II, przekazując mu Pomorze Gdań.; prawa miejskie przed 1283–XIV w. i od 1660; domy (XVIII, XIX w.), synagoga i ratusz (XIX w.).

Kętrzyn, m. powiatowe w woj. warmińsko-mazurskim, nad rz. Guber; 30 tys. mieszk. (2000); ośr. przem., handl.-usługowy i kult.-oświat.; przemysł: elektrotechn. (sprzęt oświetleniowy), spoż. (cukrownia, browar, zakłady koncentratów spoż., drożdży), odzież., ponadto drukarnia oraz wytwórnie: narzędzi specjalistycznych, mebli; węzeł drogowy, lotnisko Aeroklubu Krainy Jezior — Kętrzyn Wilamowo; Stado Ogierów; Centrum Szkolenia Straży Granicznej; muzeum; prawa miejskie od 1357 i ponownie 1378; w czasie II wojny świat. w pobliskiej Gierłoży kwatera A. Hitlera; muzea; kościół (XIV–XVI w.), zamek krzyżacki (XIV, XVII w.), mury miejskie (XIV w.), loża masońska (XIX w.).

Kęty, m. w woj. małopol. (powiat oświęcimski), nad Sołą; 19,5 tys. mieszk. (2000); przemysł metal., maszyn., włók., drzewny; węzeł drogowy; muzeum; prawa miejskie od 1277; 2 kościoły (XVII, XVIII w.), zespół klasztorny Reformatów (XVIII w.), domy (XVIII, XIX w.).

Khao Chongpran, Tham, jaskinia krasowa w środkowozach. Tajlandii, ok. 105 km na pd. wsch. od Bangkoku; zamieszkiwana przez największą na świecie kolonię nietoperzy z gat. *Tadarida plicada*, szacowaną na ok. 4–5 mln osobników; powstała w wapieniach permskich; dł. ok. 250 m; tworzą ją 3 połączone komory (największa dł. ponad 70 m i szer. 25 m), do których prowadzi 6 otworów, z czego 2 (studnie głęb. 30 m i 15 m) wykorzystują nietoperze, penetrujące obszar ok. 2,5 tys. km^2 — co noc zjadają 25 t owadów, co ma duże znaczenie dla lokalnej gospodarki (eliminują szkodniki niszczące uprawy); jaskinia chroniona.

Kibo, najwyższy szczyt Afryki (5895 m) w masywie wulk. → Kilimandżaro w Tanzanii.

Kielce, m. wojew. (woj. świętokrzyskie) w G. Świętokrzyskich, nad Bobrzą i jej dopływem Silnicą; powiat grodzki, siedziba powiatu kiel.; 211 tys. mieszk. (2000); duży ośrodek przem., usługowo-handl. i kult.-nauk.; stol. diecezji kiel. Kościoła rzymskokatol.; bardzo dobrze rozwinięty przemysł materiałów bud. i elektromaszyn.; ponadto chem., odzież., włók., szkl., drzewny, papierniczy, spoż., poligraficzny; liczne przedsiębiorstwa budowlano-montażowe (m.in. Exbud, Echo Investment, Mitex, PIA „Piasecki"), banki, biura maklerskie; ośr. wystawienniczo-targowy z Centrum Targowym Kielce; węzeł drogowy i kol.; liczne uczelnie: Politechn. Świętokrzyska, Akad. Świętokrzyska, Wyższe Seminarium Duchowne i in.; inst. nauk.-badawcze: Laserowe Centrum Technologii Metali (utworzone 1999 przy politechnice), oddział Państw. Inst. Geol. w Warszawie z Muzeum Zbiorów Geol., Kieleckie Tow. Nauk. i in.; teatry, filharmonia; imprezy artyst., m.in. festiwale: Harcerski Kultury Młodzieży Szkolnej, Jeunesses Musicales; muzea: Nar. (oddział), Zabawkarstwa (jedyne w Polsce), Lat Szkolnych S. Żeromskiego, Wsi Kieleckiej, Pamięci Nar., Skarbiec Katedralny; duży ośrodek turyst. z rozwiniętą bazą noclegową i obiektami sport.-rekreacyjnymi; prawa miejskie przed 1412 (ok. 1364?); wczesnobarok. pałac Biskupów Krak. (XVII w., T. Poncino, ob. Muzeum Nar.), barok. katedra (XVII, XIX w.) i kościół Św. Trójcy (XVII, XIX w.), kamienice (XVII, XVIII w.), romant. pałacyk (XIX w.); zespół klasztorny Bernardynów na Karczówce. ■

Kietrz, m. w woj. opol. (powiat głubczycki); 6,7 tys. mieszk. (2000); zakłady ceramiki bud., tkanin dekor.; cmentarzysko kultury przedłuż., łuż. i lateńskiej (XV–VI w. p.n.e.) — 2,5 tys. grobów, gł. ciałopalnych; prawa miejskie od 1321; kościół (XVII, XVIII w.).

Kieżmarska, Dolina, dolina Bielej vody (Keżmarskej), dolina w Tatrach, na Słowacji, oddzielająca Tatry Bielskie od Tatr Wysokich; górną część D.K. stanowi dolina Przednie Koperszady; boczna — Dolina Białych Stawów z Białymi Stawami; dolna część doliny zalesiona; D.K. należy do najpopularniejszych w słowac. Tatrach (tereny narciarskie w Dolinie Białych Stawów, schroniska); ślady dawnego górnictwa.

Kigali, stol. Ruandy, w środk. części kraju; 365 tys. mieszk. (2002); ośr. handl.; przemysł spoż., włók., chem., cementowy; port lotniczy.

■ Kielce. Pałac Biskupów Krakowskich

■ Kijów. Monastyr Wydubiecki, XVII–XVIII w.

Kijów, Kyjiw, stol. Ukrainy, nad Dnieprem; miasto wydzielone; 2,6 mln mieszk. (2002); międzynar. targi; przemysł maszyn., środków transportu (stoczn.), elektrotechn. i elektron., chem., lekki, spoż.; węzeł komunik.; AN Ukrainy; 18 szkół wyższych (w tym uniw. i konserwatorium); muzea; pozostałości Złotej Bramy (XI w.), sobór Sofijski (XI, XVII–XVIII w., mozaiki i freski z XI, XII w.); klasztor Ławra Peczerska (XI w.), m.in. z ruinami soboru Uspieńskiego (XI w.), cerkwią Troicką (XII, XVII–XVIII w.); barok. cerkwie (XVII–XVIII w.), m.in. Andrejewska (2. poł. XVIII w.); budowle klasycyst. i eklekt., m.in. gmach muzeum sztuki. Nie zachował się żaden z dawnych kościołów katol. wzniesionych na Padole w XVI i XVII w. (dominikański, jezuicki i bernardyński); istnieją: kościół Św. Aleksandra (1. poł. XIX w., po 1945 zamieniony na planetarium, zwrócony wiernym 1990) i Św. Mikołaja (XIX/XX w.). ■

Kiklades, gr. wyspy na M. Egejskim, → Cyklady.

Kilauea [ki:laueja:], **Kilauea Crater,** czynny wulkan na wyspie Hawaii, w archipelagu Hawajów (USA); uważany przez wulkanologów za samodzielny wulkan tarczowy, na zach. graniczy z wulkanem Mauna Loa; wys. 1243 m; zbud. z law bazaltowych; na szczycie kaldera (ponad 10 km^2); w bocznym kraterze Halemaumau 1823–1924 i 1952–68 znajdowało się jezioro lawowe o zmiennym poziomie; od 1750 zanotowano 74 erupcje; silne wybuchy: 1955 (trwał 88 dni), 1975, 1983 (potok lawy dł. 48 km dopłynął do morza), ostatni — w maju 1990; na zach.

krawędzi kaldery obserwatorium wulkanologiczne (czynne od 1912); na stokach lasy z drzewiastymi paprociami, uprawa trzciny cukrowej i drzew owocowych; stanowi część Parku Nar. Wulkany Hawaii.

Kilia, ukr. **Kilija,** rum. **Bratul Chilia,** pn., gł. ramię deltowe Dunaju, na granicy ukr.-rum.; dł. 116 km; niesie ok. 68% wody; z powodu dużego zamulenia niedogodne dla żeglugi; gł. m. nad Kilia: Izmaił, Kilia, Wiłkowo.

Kilimandżaro, Kilimanjaro, masyw wulk. w Tanzanii, przy granicy z Kenią; zbud. gł. z trachitów, bazaltów i fonolitów; składa się z trzech wulkanów: Kibo — najwyższy szczyt Afryki (5895 m), Mawenzi (5150 m), Shira (3943 m); do wysokości 1000 m występują sawanny, do 2000 m — pola uprawne i plantacje kawy, bananów i in. (gł. na pd. stokach), do 2900 m — wiecznie zielone lasy górskie przechodzące wyżej w zarośla bambusów, wrzoścow, do 4800 m — łąki wysokogórskie, wyżej mchy i porosty; na wierzchołkach wieczne śniegi i lodowce; objęty Parkiem Narodowym K. (wpisany na Listę Świat. Dziedzictwa Kult. i Przyr. UNESCO); zdobyty 1889 przez niem. podróżnika H. Meyera; pierwszym Polakiem, który dokonał wejścia na K., był zoolog A.W. Jakubski (1910); 1975 — pierwsza pol. wyprawa alpinistyczna. ∎

Kiloński, Kanał, Nord-Ostsee-Kanal, kanał mor. w pn. Niemczech, w kraju związkowym Szlezwik-Holsztyn; łączy M. Bałtyckie (Holtenau — przedmieście Kilonii) z M. Północnym (m. Brunsbüttel); skraca drogę wodną między tymi morzami o ok. 700 km; dł. 98,7 km, szer. 100 m, głęb. 11 m; 2 śluzy; zbud. 1887–95, przebudowany i pogłębiony 1909–14, w latach 70. poszerzony; prawnie umiędzynarodowiony (od 1919).

Kinabalu, szczyt w Malezji, w górach Barisan, w pn.-wsch. części Borneo, najwyższy w Archipelagu Malajskim; wys. 4101 m; na zboczach las równikowy wilgotny; obszar chroniony — Park Nar. Kinabalu.

King George Island [kyŋ dżo:rdż ajlənd] → Króla Jerzego, Wyspa, w Antarktyce.

Kingston [kyŋstən], stol. Jamajki, nad M. Karaibskim; zespół miejski 584 tys. mieszk. (2002); gł. port i ośr. gosp. wyspy; rafineria ropy naft.; przemysł maszyn.; strefa wolnocłowa; kąpielisko mor.; port lotn.; uniwersytet.

Kinnarodden [~ruddən], przyl. na Płw. Skandynawskim, → Nordkyn.

Kinszasa, Kinshasa, do 1966 **Léopoldville,** stol. Demokr. Rep. Konga, nad Kongiem; wydzielony okręg stołeczny; 6,3 mln mieszk. (2002); największe miasto środk. Afryki, gł. ośrodek przem. (włók., spoż., skórz.-obuwn., metal., gumowy, środków transportu), handl. i nauk. (uniw.) kraju; port rzeczny; międzynar. port lotn.; muzeum nar.; na przedmieściach slumsy; miasto zał. 1881.

Kioto, Kyōto, m. w Japonii (środk. Honsiu); 1,5 mln mieszk. (2002); z Osaką i Kōbe tworzy region metropolitalny — ok. 14 mln mieszk.; ważny ośr. w okręgu przem. Hanshin (przemysł maszyn., lotn., elektron., chem., jedwabn.); tradycyjne rzemiosło; wielki węzeł komunik. (kolej Shinkansen); ośr. kult.-nauk. (3 uniw., najstarszy zał. 1639), rel. oraz turyst. o międzynar. znaczeniu; ogród bot.; muzea. Liczne drewn. zabytki architektury mieszczące bogate zbiory sztuki, przede wszystkim świątynie (VIII–XIX w.); rezydencje cesarskie ze słynnymi ogrodami (XVII w.); w pobliżu K. świątynie buddyjskie z IX w.

kipiel, fala przybojowa, mor. fala ulegająca deformacji przy wybrzeżu; k. k l i f o w a powstaje w wyniku uderzania fal całą masą o stromy brzeg, co powoduje spiętrzanie wody na wys. 30–60 m; k. p l a ż o w a występuje na wybrzeżach płaskich, powstaje w wyniku załamania (przewracania się) fal wywołanego zmianą prędkości ich ruchu wskutek zmniejszania się głębokości morza; podczas załamania fal powstają tzw. grzywacze.

∎ Kilimandżaro

Kirgiskie, Góry, Ałatau Kirgiski, pasmo górskie w Tien-szanie, w Kirgistanie i Kazachstanie; dł. 375 km; najwyższy szczyt Ałamedyn Zach., 4875 m; na stokach stepy i lasy (jałowcowo--świerkowe), powyżej 2500 m łąki alp., od 3700 m wieczne śniegi i lodowce; źródła miner. (Issyk--Ata); złoża rud polimetalicznych.

Kirgistan, Kyrgyzstan, Republika Kirgiska, państwo w środk. Azji; 198,5 tys. km^2; 5,1 mln mieszk. (2002), Kirgizi 57%, Rosjanie 19%, Uzbecy 13%, Ukraińcy, Niemcy i in.; wierzący gł. muzułmanie sunnici; stol. Biszkek; język urzędowy: kirg. i ros.; republika; podział adm.: 7 obwodów i 1 miasto wydzielone. Część pd.-zach. w G. Hisarsko-Ałajskich, pn.-wsch. — w Tien--szanie (Pik Pobiedy, 7439 m); wysokogórskie kotliny (Tałaska, Czujska, Ałajska); gł. rz.: Naryn, Czu, Tałas, jez. Issyk-kul; pustynie i półpustynie, górskie stepy, lasy. Gospodarka w okresie transformacji; waluta som od 1993; wydobycie węgla, rud metali nieżel., złota; hutnictwo (rtęć, antymon); przemysł maszyn., lekki, spoż., materiałów bud.; uprawy: zboża, bawełna, ziemniaki, warzywa, winorośl, drzewa owocowe, tytoń, buraki cukrowe, rośliny narkotyczne; hodowla owiec, bydła, koni; transport samochodowy; uzdrowiska (Czołpon Ata, Dżałał Abad). ∎

Kiribati, Republika Kiribati, państwo w Oceanii, w Polinezji; w skład K. wchodzą: W. Gilberta, Line (bez wysp Jervis, Palmyra i Kingman Reef) i Feniks (łącznie 32 atole) oraz Banaba; 810 km^2, 95 tys. mieszk. (2002); stol. Bairiki, w atolu Tarawa; ludność rdzenna, gł. katolicy i protestanci;

∎ Kirgistan

∎ Kiribati

język urzędowy: kiribati i ang.; republika; rozciągłość z zach. na wsch. 3870 km, z pn. na pd. — 2050 km; największa wyspa Kiritimati; uprawa palmy kokosowej, bananów, drzewa chlebowego; połów tuńczyka; eksport kopry, ryb. ■

Kiritimati, Christmas Island, Wyspa Bożego Narodzenia, największa wyspa koralowa na O. Spokojnym (w grupie Line), wchodzi w skład państwa Kiribati; pow. 388 km^2; duża plantacja palmy kokosowej; przez plaże K. w okresie rozrodu wędrują wielomilionowe stada czerwonych krabów (*Grapsus grapsus*); międzynar. port lotn. Cassidy. Wyspa odkryta 1777 przez J. Cooka.

Kiruna, m. w pn. Szwecji, w Laponii, u podnóża G. Skandynawskich; 19 tys. mieszk. (2002); gł. w Europie ośr. wydobycia rud. żelaza; wywóz przez porty w Narwiku (Norwegia) i Luleå; lotnisko; kościół drewn. (pocz. XX w.).

Kisajno, część jeziora → Mamry.

Kisalföld [kịszol~] → Węgierska, Mała Nizina.

Kisielice, m. w woj. warmińsko-mazurskim (powiat iławski), nad Gardeją (pr. dopływ Osy); 2,4 tys. mieszk. (2000); ośr. usługowy; drobny przemysł; prawa miejskie 1331–1946 i od 1986.

Kiszyniów, Chişinău, stol. Mołdawii, nad rz. Byk (dopływ Dniestru); 712 tys. mieszk. (2002); przemysł elektrotechn., maszyn. i metal., spoż. (winiarski, tytoniowy), lekki, chem.; węzeł drogowy, port lotn.; AN Mołdawii; 7 szkół wyższych (w tym uniw.); muzea; wzmiankowany od XV w.; cerkiew (XIX w.); sobór (XIX w.); liczne budowle użyteczności publ. i domy z XIX w.

Kiusiu, Kyūshū, trzecia pod względem wielkości wyspa Japonii; pow. 42,1 tys. km^2. Powierzchnia w większości górzysto-wyżynna (najwyższy szczyt — wulkan Kujū-san, 1788 m); czynne wulkany, częste trzęsienia ziemi; klimat podzwrotnikowy, monsunowy; częste tajfuny; liczne, krótkie, zasobne w wodę rzeki; ponad 60% pow. pokrywają lasy. Najsilniej jest uprzemysłowiona pn.-zach. część wyspy — okręg przem. Kitakiusiu; eksploatacja węgla kam., rud cyny, cynku, ołowiu, miedzi, ponadto manganu, molibdenu oraz złota i srebra; rozwinięte hutnictwo żelaza i metali nieżel., przemysł chem., stoczn., maszyn., metal., porcelanowy; na nizinach (gł. pn.-zach. i pd. część K.) uprawa ryżu, pszenicy, jęczmienia, batatów, tytoniu, herbaty, mandarynek; hodowla bydła, jedwabników; dobrze rozwinięte rybołówstwo; K. połączona mostem wiszącym dł. 1084 m i 2 tunelami podmor.: drogowym i kol. z wyspą Honsiu; gł. miasta i ośr. gosp.: Kitakiusiu, Fukuoka, Kumamoto, Nagasaki, Kagoshima; w komunikacji gł. rolę odgrywa żegluga przybrzeżna; gł. porty: Kitakiusiu, Nagasaki. K. wraz z przyległymi grupami wysp (m.in. Amakusa, Gotō) oraz pn. częścią archipelagu Riukiu (grupy wysp Ōsumi, Amami i Tokara) tworzy region ekon.-adm. Kiusiu — pow. 42 tys. km^2; pod względem adm. obejmuje 7 prefektur.

Kiwu, Lac Kivu, jez. tektoniczne na granicy Zairu i Ruandy, w Wielkim Rowie Zach. (→ Wielkie Rowy Afrykańskie), na wys. 1460 m; pow. ok. 2650 km^2, dł. 100 km, szer. do 50 km, głęb. do 480 m; odpływ wód przez rz. Ruzizi do jez.

Tanganika; brzegi urozmaicone, skaliste; liczne wyspy (największa Idjwi); obfituje w ryby; część K. wchodzi w skład Parku Nar. Wirunga.

Klagenfurcka, Kotlina, Klagenfurter Becken, zapadliskowa kotlina w Alpach Wsch., w Austrii (Karyntia), między Alpami Noryckimi a Karawankami; średnia wys. 450 m; liczne wały moren czołowych; w obniżeniach jeziora (największe Wörther, pow. 19,3 km^2, głęb. do 85 m); przez K.K. płynie Drawa z dopływami Glan i Gurk; gorące źródła (Villach); turystyka; gł. m. — Klagenfurt.

Kleczew, m. w woj. wielkopol. (powiat koniń.), nad jez. Stępa; 4,1 tys. mieszk. (2000); ośr. usługowy i mieszkaniowy dla pracowników Kopalni Węgla Brun. Konin; siedziba dyrekcji Kopalni i zakłady naprawcze; prawa miejskie 1366–1870 i od 1919; kościół (XV/XVI w.).

Kleszczele, m. w woj. podl. (powiat hajnowski), nad Nurcem; 1,6 tys. mieszk. (2000); ośr. usługowy i rozwijające się letnisko; drobny przemysł drzewny i spoż.; prawa miejskie 1529–1950 i od 1993; cerkiew i dzwonnica (XIX w.).

klif [ang.], **faleza,** urwisko brzegu mor. (lub jeziornego); powstaje na wysokich wybrzeżach zbud. ze skał zwięzłych, wskutek niszczącej działalności falowania (→ abrazja); fale podcinają brzeg, co prowadzi do tworzenia się w nim zagłębienia, zw. niszą abrazyjną lub podciosem brzegowym; w miarę pogłębiania się niszy następuje obrywanie się coraz wyższych partii brzegu i powstawanie stromego urwiska, u którego podstawy rozwija się słabo pochylona w kierunku morza powierzchnia, zw. p l a t f o r - m ą   a b r a z y j n ą; w ten sposób k. stale się cofa (k. żywy), aż do momentu, w którym znajdzie się poza zasięgiem fali przybojowej (k. martwy); w Polsce k. znajdują się m.in. w Międzyzdrojach, Jastrzębiej Górze, Orłowie.

klimat [gr. *klíma, klímatos* 'nachylenie powierzchni Ziemi w danym punkcie względem Słońca'], charakterystyczny dla danego obszaru zespół zjawisk i procesów atmosferycznych (warunków pogodowych), kształtujący się pod wpływem właściwości fiz. i geogr. tego obszaru, określony na podstawie wyników wieloletnich obserwacji i pomiarów meteorologicznych. Jest to w pewnym sensie synteza pogody. Do opisu k. danego miejsca są stosowane różnorodne metody statyst., określające wartości średnie, najczęstsze i ekstremalne poszczególnych elementów k. (takich jak: ciśnienie atmosf., temperatura i wilgotność powietrza, wiatr, opady i in.), rozkłady częstości i prawdopodobieństwa ich występowania. K. stanowi jeden z ważnych elementów środowiska geograficznego. Badaniem k. zajmuje się k l i - m a t o l o g i a.
W zależności od skali przestrzennej wyróżnia się: makroklimat, mezoklimat, topoklimat lub k. lokalny (miejscowy) i mikroklimat. M a k r o - k l i m a t [gr. *makrós* 'wielki', 'rozległy', 'długotrwały'] jest to k. dużych stref geogr., kontynentów, oceanów i ich dużych części, o względnie jednorodnych czynnikach geogr. i warunkach ogólnej cyrkulacji atmosfery. M e z o k l i - m a t [gr. *mésos* 'środkowy'] oznacza k. niewiel-

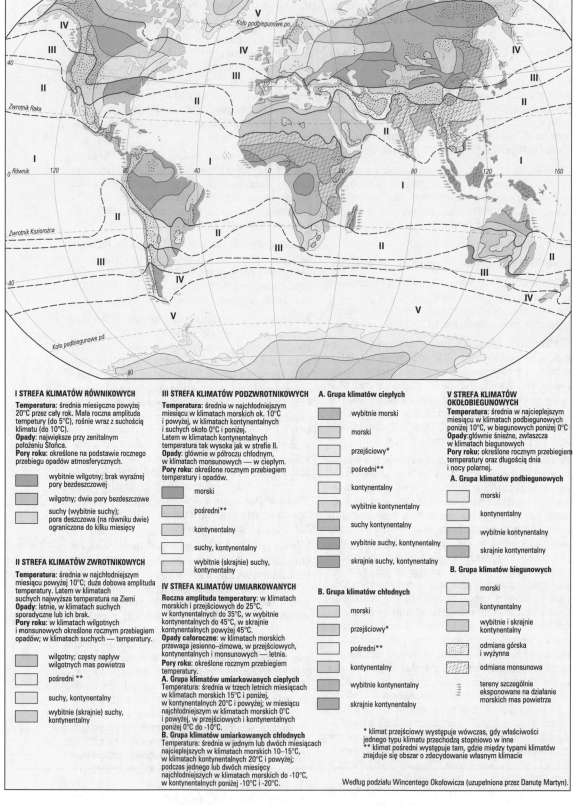

KLIMATY

I STREFA KLIMATÓW RÓWNIKOWYCH

Temperatura: średnia miesięczna powyżej 20°C przez cały rok. Mała roczna amplituda temptury (do 5°C), rośnie wraz z suchością klimatu (do 10°C).
Opady: największe przy zenitalnym położeniu Słońca.
Pory roku: określone na podstawie rocznego przebiegu opadów atmosferycznych.

- wybitnie wilgotny; brak wyraźnej pory bezdeszczowej
- wilgotny; dwie pory bezdeszczowe
- suchy (wybitnie suchy); pora deszczowa (na równiku dwie) ograniczona do kilku miesięcy

II STREFA KLIMATÓW ZWROTNIKOWYCH

Temperatura: średnia w najchłodniejszym miesiącu powyżej 10°C; duża dobowa amplituda temperatury. Latem w klimatach suchych najwyższa temperatura na Ziemi
Opady: letnie, w klimatach suchych sporadyczne lub ich brak.
Pory roku: w klimatach wilgotnych i monsunowych określone rocznym przebiegiem opadów; w klimatach suchych — temperatury.

- wilgotny; częsty napływ wilgotnych mas powietrza
- pośredni **
- suchy, kontynentalny
- wybitnie (skrajnie) suchy, kontynentalny

III STREFA KLIMATÓW PODZWROTNIKOWYCH

Temperatura: średnia w najchłodniejszym miesiącu w klimatach morskich ok. 10°C i powyżej, w klimatach kontynentalnych i suchych około 0°C i poniżej.
Latem w klimatach kontynentalnych temperatura tak wysoka jak w strefie II.
Opady: głównie w półroczu chłodnym, w klimatach monsunowych — w ciepłym.
Pory roku: określone rocznym przebiegiem temperatury i opadów.

- morski
- pośredni **
- kontynentalny
- suchy, kontynentalny
- wybitnie (skrajnie) suchy, kontynentalny

IV STREFA KLIMATÓW UMIARKOWANYCH

Roczna amplituda temperatury: w klimatach morskich i przejściowych do 25°C, w kontynentalnych do 35°C, w wybitnie kontynentalnych do 45°C, w skrajnie kontynentalnych powyżej 45°C.
Opady całoroczne: w klimatach morskich przewaga jesienno–zimowa, w przejściowych, kontynentalnych i monsunowych — letnia.
Pory roku: określone rocznym przebiegiem temperatury.
A. Grupa klimatów umiarkowanych ciepłych
Temperatura: średnia w trzech letnich miesiącach w klimatach morskich 15°C i poniżej, w kontynentalnych 20°C i powyżej; w miesiącu najchłodniejszym w klimatach morskich 0°C i powyżej, w przejściowych i kontynentalnych poniżej 0°C do -10°C.
B. Grupa klimatów umiarkowanych chłodnych
Temperatura: średnia w jednym lub dwóch miesiącach najcieplejszych w klimatach morskich 10–15°C, w klimatach kontynentalnych 20°C i powyżej; podczas jednego lub dwóch miesięcy najchłodniejszych w klimatach morskich do -10°C, w kontynentalnych poniżej -10°C i -20°C.

A. Grupa klimatów ciepłych

- wybitnie morski
- morski
- przejściowy*
- pośredni**
- kontynentalny
- wybitnie kontynentalny
- suchy kontynentalny
- wybitnie suchy, kontynentalny
- skrajnie suchy, kontynentalny

B. Grupa klimatów chłodnych

- morski
- przejściowy*
- pośredni**
- kontynentalny
- wybitnie kontynentalny
- skrajnie kontynentalny

V STREFA KLIMATÓW OKOŁOBIEGUNOWYCH

Temperatura: średnia w najcieplejszym miesiącu w klimatach podbiegunowych poniżej 10°C, w biegunowych poniżej 0°C
Opady: głównie śnieżne, zwłaszcza w klimatach biegunowych
Pory roku: określone rocznym przebiegiem temperatury oraz długością dnia i nocy polarnej.

A. Grupa klimatów podbiegunowych

- morski
- kontynentalny
- wybitnie kontynentalny
- skrajnie kontynentalny

B. Grupa klimatów biegunowych

- morski
- kontynentalny
- wybitnie i skrajnie kontynentalny
- odmiana górska i wyżynna
- odmiana monsunowa
- tereny szczególnie eksponowane na działanie morskich mas powietrza

* klimat przejściowy występuje wówczas, gdy właściwości jednego typu klimatu przechodzą stopniowo w inne
** klimat pośredni występuje tam, gdzie między typami klimatów znajduje się obszar o zdecydowanie własnym klimacie

Według podziału Wincentego Okołowicza (uzupełniona przez Danutę Martyn).

kiego regionu geogr., małego obszaru Ziemi o wymiarach liniowych rzędu 10–100 km, charakteryzujący się wewn. jednorodnością oraz odrębnością w odniesieniu do warunków klim. obszarów sąsiadujących z nim i kształtujący się gł. pod wpływem rzeźby terenu, np. k. doliny, zbocza o określonej ekspozycji, wierzchowiny, k. Podhala. Oprócz mezoklimatu wyróżnia się także t o p o k l i m a t [gr. *tópos* 'miejsce', 'okolica'] oznaczający k. miejsca lub niewielkiego stosunkowo jednorodnego obszaru (rzędu od 1 do 100 km²), którego cechy kształtują się pod wpływem czynników występujących na danym obszarze lub w jego najbliższym otoczeniu, np. rzeźby, rodzaju gleb, szaty roślinnej, zabudowy. Do określenia k. w tej skali stosuje się też termin

k. l o k a l n y lub k. m i e j s c o w y. M i k r o k l i-
m a t [gr. *mikrós* 'mały'] jest to k. niewielkiego
obszaru o powierzchni rzędu od kilku do kilkuset
m^2, o właściwościach różniących dany obszar
od k. otaczającego go środowiska, np. k. pola,
zbocza, wąwozu, skraju lasu, brzegu jeziora,
korony drzewa; R. Geiger określił tym terminem
k. p r z y z i e m n e j w a r s t w y p o w i e t r z a
(do 2 m) nad określoną jednorodną powierzchnią, zw. powierzchnią czynną. Warunki mikroklim. zamkniętych pomieszczeń, we wnę-
trzach domów, magazynach, ładowniach statków itp. są określane nazwą k r y p t o k l i m a t
(mikroklimat wnętrza). Termin obejmuje również obiekty naturalne, takie jak np. jaskinie,
nory zwierząt. M i k r o k l i m a t s z k l a r n i charakteryzuje się podwyższoną temperaturą nawet
przy braku dostawy ciepła z opalania, co wynika
z faktu, że szklany dach przepuszcza bez przeszkód promieniowanie słoneczne krótkofalowe,
natomiast zatrzymuje promieniowanie długofalowe uchodzące ze szklarni, przy braku wymiany
powietrza między wnętrzem szklarni a otaczającą atmosferą; w atmosferze zbliżoną funkcję
pełni para wodna i niektóre gazy (np. dwutlenek
węgla), dzięki czemu zjawisko to jest znane p.n.
efekt cieplarniany lub szklarniowy. K. jest ściśle
związany z atmosferą Ziemi i wchodzi w skład
większego systemu globalnego, obejmującego
oprócz atmosfery (powłoki powietrznej) także
hydrosferę (wody), kriosferę (lody i pokrywę
śnieżną), litosferę (powierzchnię lądów i dno
oceanów) oraz biosferę (organizmy żywe). Naruszenie równowagi między elementami tego
systemu jest jedną z przyczyn zmian k.
C z y n n i k i k. są to najważniejsze wielkości określające warunki zewn. (pozaziemskie) i plane-
tarne (ziemskie) oraz warunki fiz. lub geogr. (nie
będące elementami k.), decydujące o stanie systemu klimatycznego. Dzielą się na czynniki astr.,
radiacyjne, cyrkulacyjne, geogr., ekol. i antropogeniczne. Pod względem energ. najważniejszymi
czynnikami kształtującymi k. są: stała słoneczna,
bilans promieniowania i bilans cieplny, pojemność cieplna i energia ruchu oceanów, prądy
mor., energia ruchu ogólnej cyrkulacji atmosfery, wybuchy wulkanów. Czynniki astr. i solarne
powodują generowanie cyklu rocznego i dobo-
wego w przebiegu zjawisk klim., a także określonych cykli wieloletnich, takich jak 11-letni cykl
słoneczny czy też cykle o okresach dłuższych:
22 i 76 lat. W 1920 jugosłowiański astronom M.
Milanković wyjaśnił cykliczność niektórych zjawisk klimatycznych, m.in. występowanie dużych
zlodowaceń, trzema cyklami astr.: zmianą w
ciągu 100 tys. lat kształtu orbity Ziemi, w ciągu
41 tys. lat — nachyleniem osi Ziemi do płaszczyzny ekliptyki i zmieniającym się w ciągu
26 tys. lat położeniem osi naszej planety w
wyniku precesji.
Czynniki cyrkulacyjne decydują o obiegu ciepła i
wilgoci na kuli ziemskiej. O krążeniu powietrza
decyduje zróżnicowanie ciśnienia atmosf. tworzącego wyraźne ośrodki zw. centrami aktywności atmosfery. Na przykład, Wyż Azorski i Niż
Islandzki decydują o przepływie powietrza nad
Europą. Miarą natężenia tego przepływu jest
wskaźnik oscylacji północnoatlantyckiej, tzw.

NAO (*North Atlantic Oscillation*). Ze wskaźnikiem oscylacji ciśnienia w pd. części O. Spokojnego wiąże się zjawisko El Niño w postaci
znacznego podniesienia temperatury powierzchni wody w strefie Prądu Równikowego, wpływa-
jącego na osłabienie zimnego Prądu Peruwiańskiego. Zjawisko to było najsilniejsze w latach:
1891, 1925, 1941, 1965, 1972, 1982–83, 1987, 1992
i 1998. Przypisuje się mu znaczny wpływ na
występowanie ekstremalnych zjawisk klim. w odległych obszarach (telekoneksje). Wśród czynników geogr. największy wpływ na k. wywiera rozmieszczenie oceanów i mórz oraz prądy mor., a
na lądach — orografia oraz rozmieszczenie
pokrywy roślinnej, śnieżnej i lodowej. Działalność człowieka (czynnik antropogeniczny) wpływa coraz silniej na k. poprzez emisję do atmosfery pyłów i gazów, a także poprzez zmianę tzw.
powierzchni czynnej (zabudowa terenu, wycinanie lasów itp.). Wśród czynników naturalnych na
k. wpływają też wybuchy wulkanów. Po erupcji
1912 wulkanu Katmai na Alasce ilość docierającego do powierzchni Ziemi promieniowania słonecznego zmniejszyła się o 20% i w wielu miejscach obserwowano obniżenie się temperatury
powietrza. Wulkan Saint Helens (USA) 1980
wyrzucił do atmosfery do 250 mln t pyłu. Wpływ
na k. miała też erupcja wulkanu El Chichón III
1982 oraz Pinatubo na Filipinach 1991.
Jednymi z najważniejszych e l e m e n t ó w k. są:
promieniowanie słoneczne, temperatura i opady.
Promieniowanie całkowite, czyli ilość energii
promieniowania słonecznego dochodząca do powierzchni Ziemi w ciągu roku, zmienia się na kuli
ziemskiej w szerokich granicach. Sumy roczne są
niższe od 2500 MJ m^{-2} w obszarach podbiegunowych, a przekraczają 9200 MJ m^{-2} w Afryce na
pograniczu Sudanu i Egiptu (w Polsce ok. 3500–
3800 MJ m^{-2}). Saldo promieniowania (zarówno w
zakresie krótkofalowym jak i długofalowym)
osiąga w skali rocznej wartości ujemne jedynie
nad lądolodami Antarktydy i Grenlandii oraz w
centr. części Arktyki. Najwyższe sumy roczne,
przekraczające 6000 MJ m^{-2}, występują nad
oceanami strefy międzyzwrotnikowej. Średnio w
Polsce wartość ta wynosi ok. 1200–1500 MJ m^{-2}.
Temperatura powietrza odznacza się wyraźnym
przebiegiem rocznym. W styczniu średnia temperatura na obszarze wsch. Syberii obniża się
poniżej –40°C (Ojmiakon i Wierchojańsk –47°C).
Najwyższa występuje we wnętrzu Australii
(34°C). W lipcu we wnętrzu Antarktydy średnia
temperatura spada poniżej –55°C, natomiast na
obszarach pustynnych Sahary dochodzi do 40°C.
Absolutne maksimum temperatury powietrza
wynosi 57,8°C i zostało zanotowane w Al-Azizija
w Libii 13 IX 1922, natomiast 56,7°C zmierzono w
Dolinie Śmierci (Kalifornia) 10 VII 1913.
W Polsce najwyższą temp. 40,2°C stwierdzono
w Prószkowie k. Opola 29 VII 1921. Za najniższą temperaturę powietrza uważa się wartość
–89,4°C zmierzoną 21 VII 1983 na stacji Wostok
na lądolodzie Antarktydy na wys. 3420 m (wg nie
potwierdzonych danych na biegunie geogr. 1965
zarejestrowano –94,5°C). Na półkuli pn. zmierzono –67,8°C w Ojmiakonie na Syberii 6 II 1933.
W Polsce najniżej spadła temperatura do –40,6°C
w Żywcu 10 II 1929.

Amplituda roczna temperatury (różnica między średnią temperaturą najcieplejszego i najchłodniejszego miesiąca) jest miarą kontynentalizmu k. Nad większością oceanów amplituda ta nie przekracza 10°C, a w strefie równikowej jest nawet mniejsza od 2,5°C. Natomiast we wsch. Syberii przekracza aż 60°C. W Polsce zmienia się z zach. na wsch. od 19°C do 23°C.

Opady atmosf. są również jednym z najważniejszych elementów k. Ich ilość jest bardzo zróżnicowana w zależności od warunków lokalnych. Ogólnie najwyższe opady, przekraczające w ciągu roku 1000 mm, występują w strefie równikowej, gdzie w wielu miejscach sięgają średnio nawet 2000–5000 mm, a w skrajnych przypadkach wywołanych gł. sprzyjającymi warunkami orograficznymi, nawet powyżej 10 000 mm. Z drugiej strony w obszarach podzwrotnikowych spotyka się roczne sumy opadów mniejsze od 250 mm, a w wielu miejscach nawet poniżej 100 mm (pustynie). Za najwyższe średnie roczne opady na świecie uważa się wartość 13 299 mm zmierzoną w miejscowości Lloró w Kolumbii. Kolejne rekordowe wartości to 11 872 mm w Mawsyran w Indiach i 11 684 mm na stacji meteorologicznej na stokach Waialeale (1569 m) na wyspie Kauai (Hawaje) oraz 10 278 mm w Debundscha w Kamerunie. Najwyższą sumę w jednym roku wynoszącą 23 000 mm zanotowano w Ćerapundźi (Indie, Asam) 1981, a VII 1861 spadło tam aż 9300 mm, co uchodzi za najwyższą zanotowaną sumę miesięczną opadów. Maksimum dobowe opadu 1880 mm wystąpiło 15 III 1952 w Cilaos na wyspie Reunion na O. Indyjskim. Dla porównania, w Polsce średnia roczna suma opadów zmienia się od ok. 500–550 mm w Wielkopolsce i na Kujawach do ponad 700 mm na pojezierzach i na wyżynach. Największe roczne sumy opadów występują w Tatrach, dochodząc do 1721 mm na Kasprowym Wierchu. Najwyższy opad dobowy 300 mm zmierzono na Hali Gąsienicowej 30 VI 1973.

Ze względu na zróżnicowanie temperatury na kuli ziemskiej obserwuje się strefowy rozkład k. (strefy → klimatyczne). W obrębie stref klimatycznych wyróżnia się odrębne jednostki typologiczne (typy → klimatów), zależnie od cech rocznego przebiegu temperatury i opadów. Temperatura powietrza zmniejsza się z wysokością przeciętnie o 0,6°C na każde 100 m. Powoduje to występowanie w obszarach górskich bardzo dużego zróżnicowania k. w postaci p i ę t e r k l i m a t y c z n y c h . W najwyższych partiach gór wysokich we wszystkich strefach klim. wyróżnia się piętro niwalne, odznaczające się występowaniem wiecznych śniegów i lodów. Wysokość granicy wiecznego śniegu zmienia się od poziomu morza w obszarach podbiegunowych do 2000–3000 m w strefie umiarkowanej i ok. 4500–5500 m w obszarach podzwrotnikowych i równikowych. W Polsce w Karpatach występuje 6 pięter klimatycznych (wg M. Hessa). W Tatrach powyżej 2200 m znajduje się piętro zimne, gdzie średnia roczna temperatura spada poniżej -2°C. Powyżej 1850 m (górna granica kosodrzewiny) występuje piętro umiarkowanie zimne o temperaturze niższej od 0°C. Od wys. 1550 m (powyżej górnej granicy lasu) zaczyna się piętro bardzo

chłodne ze średnią roczną temperaturą niższą od 2°C. Piętro chłodne (regiel górny) rozciąga się od 1150 do 1550 m (średnia roczna temp. 2–4°C). Niżej znajduje się piętro umiarkowanie chłodne (regiel dolny), o średniej rocznej temp. 4–6°C. Najniższe piętro umiarkowanie ciepłe (poniżej 670–750 m) odznacza się średnią roczną temperaturą wyższą od 6°C. W Sudetach granice poszczególnych pięter leżą ok. 250–350 m niżej niż w Karpatach.

Nieodłączną cechą k. jest jego zmienność. Po okresie zlodowacenia w Europie od ok. 10 tys. lat temu rozpoczął się okres cieplejszy, zw. holocenem, w którego obrębie występowały fluktuacje k. o okresie 1000–1500 lat. Na uwagę zasługuje najcieplejszy okres, tzw. optimum atlantyckie ok. 7700–5000 lat temu, kiedy temperatura była nawet o 2°C wyższa niż współcześnie. W ostatnim tysiącleciu po okresie ocieplenia średniow. od poł. XVI w do poł. XIX w. zaznaczyła się faza chłodna k., zw. mała epoką lodową. W XX w. obserwowano stopniowe ocieplenie klimatu, częściowo przypisywane działalności gosp. człowieka i wzmożonemu efektowi cieplarnianemu w związku ze zwiększającą się zawartością dwutlenku węgla w powietrzu. ∎

klimatologia [gr.], nauka przyr., dział geografii fiz., zajmujący się badaniem → klimatu w różnych skalach czasowych i przestrzennych, na tle i w powiązaniu z innymi elementami środowiska geogr. (→ meteorologia). Głównym zadaniem k. jest analiza i opracowywanie statyst. wyników wieloletnich pomiarów meteorologicznych, a następnie ich synteza poprzez interpretację fiz. i geogr. oraz wyciąganie wniosków dotyczących prawidłowości i przyczyn zróżnicowania przestrzennego klimatu oraz jego zmienności czasowej. Dalszym celem jest poznanie tendencji zmian klimatu poprzez zastosowanie metod modelowania matematycznego. Pozwala ono na podejmowanie prób prognozowania i tworzenia scenariuszy zmian klimatu globalnego w przyszłości.

Podział klimatologii

Ze względu na przedmiot badań w k. wyróżniona została: k l i m a t o l o g i a o g ó l n a lub f i z y c z n a — badanie procesów i zjawisk klimatycznych (meteorologicznych), polegające na ich fiz. interpretacji oraz na ustalaniu związków pomiędzy różnymi elementami klimatu, bez uwzględnienia ich zróżnicowania przestrzennego; w jej obrębie można wyróżnić k l i m a t o n o m i ę , która zajmuje się poszukiwaniem praw fiz. pozwalających na wyjaśnienie zjawisk klimatycznych oraz ich zróżnicowania czasowego i przestrzennego; gł. metodą jest tworzenie modeli fiz.-numerycznych klimatu; k. r e g i o n a l n a , zw. niekiedy k l i m a t o g r a f i ą — badanie i opisywanie klimatu określonych obszarów geogr. (regionów) lub miejscowości oraz wydzielanie stref i regionów klimatycznych (strefy → klimatyczne, typy → klimatów); p a l e o k l i m a t o l o g i a — badanie i rekonstrukcja klimatu minionych epok geol.; k. h i s t o r y c z n a — badanie i rekonstrukcja warunków klimatycznych w czasach hist., w okresie przed wprowadzeniem pomiarów instrumentalnych; podstawowym materiałem do badań są źródła hist. pisane oraz wykopaliska archeol. (dane pośrednie); d e n d-r o k l i m a t o l o g i a — badanie zmian klimatu na podstawie rocznych przyrostów słojów drzew. Ze względu na stosowane metody badawcze wyróżnia się klasyczną k. s t a t y s t y c z n ą oraz rozwijającą się współcześnie k. d y n a m i c z n ą i s y n o p t y c z n ą. W k. s t a t y s t y c z n e j do przedstawiania stosunków klimatycznych wykorzystuje się metody statystyki mat., poprzez wyznaczanie na podstawie wieloletnich zbiorów danych meteorologicznych wartości średnich i skrajnych, miar dyspersji (np. odchylenie standardowe, współczynnik zmienności), parametrów rozkładu prawdopodobieństwa i in. poszczególnych elementów klimatu (temperatury, ciśnienia, opadów itd.). Analizą częstości występowania zespołów elementów klimatu, nazywanych typami pogody, zajmuje się k. k o m p l e k-s o w a. W k. d y n a m i c z n e j klimat uważa się za wynik dynamicznych i termodynamicznych procesów atmosf., a w szczególności procesów związanych z ogólną cyrkulacją atmosfery. Ten dział k. zajmuje się badaniem dynamiki i genezy klimatu przy zastosowaniu metod fizyki atmosfery; najczęściej uwzględnia się czynniki cyrkulacyjne, gł. prądy i masy powietrzne. Pewną modyfikacją tej części k. jest k. s y n o p t y c z-n a, wykorzystująca do badań różnorodne materiały synoptyczne, gł. m a p y s y n o p t y c z n e i m a p y t o p o g r a f i i b a r y c z n e j. Zajmuje się zarówno częstością występowania (także w przebiegu rocznym i wieloletnim) układów barycznych, mas powietrznych, frontów, typów sterowania, a zwł. t y p ó w c y r k u l a c j i, jak też określeniem wpływu typów cyrkulacji na kształtowanie poszczególnych elementów klimatu. K. synoptyczna uważa c y r k u l a c j ę a t m o s f e r y za najważniejszy czynnik klimatu; w jej obrębie wyróżnia się k. m a s p o w i e t r z n y c h zajmującą się badaniem: 1) częstości występowania i zasięgu geogr. m a s p o w i e t r z n y c h, 2) wpływu mas powietrznych na poszczególne elementy klimatu.

Osobną grupę stanowi k. s t o s o w a n a, która zajmuje się wykorzystaniem wyników badań klimatycznych do celów gosp. działalności człowieka. Zależnie od działu gospodarki wyróżnia się różne działy k. stosowanej. K. t e c h n i c z n a zajmuje się badaniem elementów klimatu istotnych dla projektów budowlanych i konstrukcji k. (i n ż y n i e r s k a, k. p r z e m y s ł o w a), w tym także oceną warunków klim. danego terenu do celów planowania przestrzennego (b o n i t a c j a k l i m a t u). K. m i e j s k a zajmuje się badaniem klimatu obszarów zurbanizowanych i przemysłowych. W obszarach miejskich i przem. wyróżnia się k. z a n i e c z y s z c z e ń, która zajmuje się badaniem struktury przestrzennej i czasowej zanieczyszczeń powietrza w danym miejscu lub obszarze w powiązaniu z warunkami meteorologicznymi (monitoring atmosfery). K. l o t n i-c z a bada klimat na potrzeby lotnictwa; m.in.: zajmuje się oceną warunków klimatu lokalnego przy projektowaniu lotnisk, a także oceną klimatu lotnisk istniejących oraz tras powietrznych z uwzględnieniem takich elementów, jak dane radiolokacyjne, zwł. dotyczące wysokości pod-

stawy chmur, częstości występowania mgieł i burz. Ważnym działem k. na potrzeby lotnictwa jest też a e r o k l i m a t o l o g i a — nauka o klimacie a t m o s f e r y s w o b o d n e j (zazwyczaj do wys. 20–25 km, tj. gł. → troposfery i → stratosfery, niekiedy do → mezosfery włącznie). Do opracowań aeroklim. wykorzystywane są wieloletnie wyniki pomiarów s t a c j i a e r o l o g i c z-n y c h (radiosondażowych i pilotażowych). K. m o r s k a zajmuje się badaniem klimatu obszarów mor. i oceanicznych. Wyróżnia się też k. g ó r s k ą. K. r o l n i c z a zw. często a g r o k l i-m a t o l o g i ą, zajmuje się badaniem oddziaływania klimatu i jego elementów na produkcję roln.; zajmuje się m.in. : rejonizacją agroklimatyczną, klim. podstawami nowych metod agrotechniki, rozmieszczeniem i określeniem prawdopodobieństwa występowania zjawisk pogody i klimatu niekorzystnych dla rolnictwa oraz poznaniem mikroklimatu pól uprawnych. K. l e ś-n a zajmuje się badaniem wzajemnych zależności zachodzących między warunkami pogodowymi i klim. a lasem; do jej zadań należy wyjaśnianie wpływu klimatu na życie zbiorowisk leśnych, poznawanie klimatu lokalnego obszarów leśnych oraz badanie wpływu lasu na procesy pogodowe i warunki klim. na obszarach sąsiadujących z lasem. Ważnym działem k. stosowanej jest b i o k l i m a t o l o g i a, badająca związki organizmów żywych z cechami fiz. środowiska określającymi warunki klim.; obejmuje badanie wpływu poszczególnych elementów klimatu (temperatury, wilgotności, nasłonecznienia itp.) oraz ogólnego wpływu klimatu na życie organiczne. W jej obrębie można wyróżnić k. e k o-l o g i c z n ą, zw. niekiedy e k o k l i m a t o l o-g i ą, badającą przystosowanie organizmów żywych do ich środowiska klim. (e k o k l i m a t); określa ona fizjol. adaptację roślin i zwierząt do warunków klim. z uwzględnieniem zróżnicowania geograficznego. K. m e d y c z n a lub l e-k a r s k a bada wpływ klimatu na zdrowie człowieka i rozmieszczenie chorób oraz analizuje różne klimaty pod kątem klimatoterapii. K. u z d r o w i s k o w a lub b a l n e o k l i m a t o l o-g i a zajmuje się badaniem klimatu uzdrowisk pod kątem przydatności dla celów leczn. oraz oceną oddziaływania na człowieka naturalnych wód miner. i klimatu, w celach profilaktycznych lub leczniczych. Za jeden z działów klimatologii, ściśle związany z naukami biol., jest uważana f e n o l o g i a, badająca zależności terminów okresowych zjawisk w życiu roślin i zwierząt (f a z a f e n o l o g i c z n a) od sezonowych zmian pogody i warunków klimatycznych.

Wraz z rozwojem nowych technik pomiarowych powstały nowe działy k.: k. s a t e l i t a r n a — zajmująca się wykorzystaniem zdjęć satelitarnych do badań klim., np. nad zróżnicowaniem zachmurzenia, temperatury powierzchni czynnej, wskaźnika rozwoju roślinności (NDVI) itp. oraz k. r a d a r o w a — zajmująca się badaniem statyst. zróżnicowania w czasie i przestreni echa r a d a r u m e t e o r o l o g i c z n e g o.

Zależnie od skali przestrzennej klimatu wyróżnia się m a k r o k l i m a t o l o g i ę, m e z o k l i-m a t o l o g i ę lub t o p o k l i m a t o l o g i ę oraz m i k r o k l i m a t o l o g i ę. K. w a r s t w y g r anicznej jest działem mezoklimatologii zajmującym się zróżnicowaniem pionowym temperatury, wilgotności, wiatru i strumieni ciepła w warstwie granicznej atmosfery. K. jest ściśle powiązana z innymi naukami przyr., zwł. z geofizyką, w tym gł. z meteorologią (fizyką atmosfery), korzystając z ich metod, praw i pojęć a także wyników pomiarów i analiz modelowych. Z astronomią wiąże się poprzez badania wpływu Słońca oraz innych ciał niebieskich na warunki klim. Ziemi. Z geografii fiz. oraz hydrologii i oceanografii k. korzysta przy badaniu i wyjaśnianiu przyczyn zróżnicowania przestrzennego klimatu.

klimatów, typy, jednostki stosowane w klasyfikacji klimatu; odznaczają się charakterystycznymi dla danego typu klimatu cechami przebiegu elementów klimatu odmiennymi od innych typów; ten sam typ klimatu może występować w różnych obszarach geogr., w przeciwieństwie do regionów klimatycznych. Pojęcie „typ klimatu" został wprowadzony do klimatologii pod koniec XIX w. przez W. Köppena, niezależnie od stref → klimatycznych. Podstawowe typy klimatu wyróżnia się, biorąc pod uwagę wyniesienie terenu, odległość od oceanów i położenie w stosunku do nich, roczną zmienność temperatury i opadów. Są to klimaty: górski (kształtujący się pod wpływem wysokości, z charakterystycznym piętrowym zróżnicowaniem temperatury i opadów), mor. (o niewielkich wahaniach temperatury, dużych opadach zwł. w porze zimowej; występuje gł. w strefie umiarkowanej), kontynent. (o dużych rocznych wahaniach temperatury i stosunkowo małych opadach z maksimum w lecie), śródziemnomor. (ciepły, z suchym latem i deszczową zimą; charakterystyczny dla strefy podzwrotnikowej), monsunowy (o regularnej zmienności sezonowej, z suchą zimą i deszczowym latem; występuje w strefie międzyzwrotnikowej, podzwrotnikowej i umiarkowanej), stepowy (o skąpych opadach niewystarczających do wegetacji drzew, ale dostatecznych dla wzrostu traw), klimat pustynny (skrajnie suchy; występuje zarówno w strefie zwrotnikowej, jak i w głębi kontynentów strefy podzwrotnikowej i umiarkowanej).

Köppen wyróżnił 11 podstawowych typów klimatu: Af — klimat wilgotnych lasów równikowych (deszczowych), Aw — klimat sawann, BS — klimat stepowy, BW — klimat pustynny, Cw — klimat umiarkowanie ciepły z suchą zimą, Cs — klimat umiarkowanie ciepły z suchym latem (śródziemnomor.), Cf — klimat umiarkowanie ciepły o równomiernym w ciągu roku rozkładzie opadów, Dw — klimat umiarkowanie chłodny (śnieżno-leśny albo borealny) z suchą zimą, Df — klimat umiarkowanie chłodny o równomiernym rozkładzie opadów, ET — klimat tundry, EF — klimat wiecznego mrozu (wiecznych śniegów i lodów). W podziale W. Okołowicza zmodyfikowanym przez D. Martyn zostały wydzielone 34 typy klimatów. Wśród nich najczęściej spotyka się klimat wybitnie wilgotny lub wilgotny, suchy lub wybitnie suchy, pośredni między wilgotnym a suchym, wybitnie mor. lub mor., przejściowy, kontynent., wybitnie i skrajnie kontynentalny.

Wyróżniono także odmianę monsunową klimatu. Zob. mapa: Strefy klimatyczne świata.

klimatyczne, strefy, największe jednostki w podziałach klimatycznych świata, stanowiące obszar, w którym panują podobne warunki makroklimatyczne. S.k. układają się w przybliżeniu w postaci równoleżnikowych pasów, odznaczających się charakterystycznym, właściwym sobie klimatem, różnym od klimatu innych stref. S.k. są wynikiem dopływu zróżnicowanych ilości ciepła słonecznego w różnych szerokościach geogr., a także strefowego rozkładu charakteru ogólnej cyrkulacji atmosferycznej, temperatury, wilgotności powietrza, ilości opadów i in. elementów klimatu. W obszarach górskich warunki klim. zmieniają się wraz ze wzrostem wysokości, dzięki czemu wykształcają się piętra klimatyczne. Pierwszego wydzielenia s.k. na podstawie zróżnicowania kąta padania promieni słonecznych (czynnik solarny) dokonali staroż. Grecy (III w. p.n.e). Wydzielono 5 stref rozgraniczonych zwrotnikami i kołami podbiegunowymi: strefę gorącą (międzyzwrotnikową), 2 strefy umiarkowane i 2 strefy chłodne. Nowsze podziały uwzględniające temperaturę powietrza pojawiły się dopiero w XIX w. (A. Supan, A. Wojejkow, W. Köppen). Do najbardziej rozpowszechnionych należy podział na s.k. Köppena, uwzględniający gł. kryteria termiczne i opadowe. Autor ten wyróżnia 5 podstawowych s.k.: A — strefa równikowa wilgotna, o średniej temperaturze najchłodniejszego miesiąca równej lub wyższej od $18°C$, z opadami rocznymi przekraczającymi 750 mm; B — strefa klimatów suchych, o małych opadach; w jej obrębie występują 2 podstrefy: BS — klimat stepowy, i BW — klimat pustynny; C — strefa klimatu umiarkowanie ciepłego; jej granice wyznacza średnia temperatura najchłodniejszego miesiąca, od strony równika $18°C$, a od strony biegunów $-3°C$; D — strefa klimatu umiarkowanie chłodnego (borealnego), której granicą od strony równika jest izoterma najchłodniejszego miesiąca $-3°C$, natomiast od strony bieguna izoterma najcieplejszego miesiąca $10°C$ (jej przebieg pokrywa się mniej więcej z pn. granicą lasu); w zimie tworzy się tam trwała pokrywa śnieżna; strefa ta występuje wyłącznie na kontynentach półkuli pn.; E — strefa klimatów podbiegunowych, w której temperatura najcieplejszego miesiąca nie podnosi się powyżej $10°C$; w jej obrębie występują 2 podstrefy: ET — klimatu tundry, oraz EF — klimatu wiecznego mrozu (z temperaturą najcieplejszego miesiąca niższą od $0°C$). W. Okołowicz także wydzielił 5 głównych s.k.: klimatów równikowych, zwrotnikowych, podzwrotnikowych, umiarkowanych i okołobiegunowych.

Klimczok, najwyższy szczyt pn.-wsch. pasma Beskidu Śląskiego, opadającego stromo ku Pogórzu Śląskiemu; wys. 1117 m; zbud. z piaskowców; ku zach. rozciąga się ramię Stołów (1035 m) i Błatni (917 m), ku pn. ramię Szyndzielni (1026 m), ku wsch. ramię Magury (1095 m), oddzielone od K. bezleśnym siodłem ze schroniskiem PTTK (na wys. 1034 m); stoki zalesione; wyciągi narciarskie, 2 nartostrady do Szczyrku; dojście szlakami turyst. z: Bielska-Białej, Szczyrku, Brennej, Jaworza, Wapiennicy i Przełęczy Salmopolskiej.

klin wysokiego ciśnienia, obszar podwyższonego ciśnienia atmosf., znajdujący się między 2 obszarami obniżonego ciśnienia; stanowi zwykle peryferyjną część → wyżu atmosferycznego; na mapie pogody przedstawiają go izobary w kształcie litery U. Zob. też zatoka niskiego ciśnienia.

Kluczbork, m. powiatowe w woj. opol., nad Stobrawą; 27 tys. mieszk. (2000); ośr. przem. i usługowy regionu roln.; rozwinięte przetwórstwo rolno-spoż. i drzewne oraz przemysł maszyn., metal., materiałów bud., ponadto zakłady odzież., dziewiarskie, drukarnia; ważny węzeł kol. przy drodze Poznań–Katowice; prawa miejskie od 1274; muzeum; kościół (XIV, XVIII w.), fragmenty murów miejskich (XV/XVI w.), ratusz i 2 kamienice (XVII w.), zakład dla ubogich (XVIII, XIX w.).

Kluczewska Sopka, Kluczewskaja sopka, czynny wulkan w Rosji, na Kamczatce; wys. 4750 m; najwyższy i najbardziej aktywny w Eurazji; zbud. z andezytowo-bazaltowej lawy (typ stratowulkanu); regularny stożek z kraterem na wierzchołku; 84 boczne wulkany i kratery; wieczne śniegi i lodowce; na stokach fumarole i solfatary; od 1697 zanotowano ponad 70 erupcji, w tym ok. 50 silnych; ostatni wybuch — 1993; u podnóża stacja wulkanologiczna.

Kłecko, m. w woj. wielkopol. (powiat gnieźnieński), nad jez.: Kłeckim i Gorzuchowskim; 2,7 tys. mieszk. (2000); ośr. usługowy dla rolnictwa; drobny przemysł; VIII–X w. gród z rozległym podgrodziem; prawa miejskie od 1255.

Kłobuck, m. powiatowe w woj. śląskim, nad Białą Okszą (pr. dopływ Liswarty); 13,9 tys. mieszk. (2000); ośr. przem. i usługowy regionu uprawy warzyw i sadownictwa; przemysł: maszyn., chem., elektrotechn., drzewny, obuwn., odzież. i spoż.; węzeł dróg lokalnych przy magistrali węglowej Górny Śląsk–Gdynia; prawa miejskie 1339–1870 i od 1919; zespół klasztorny Kanoników Regularnych, fundacji Jana Długosza (XV, XVII w.).

Kłodawa, m. w woj. wielkopol. (powiat kolski), nad Rgilewką (pr. dopływ Warty); 7,1 tys. mieszk. (2000); ośr. wydobycia soli (złoża soli kam. i potasowo-magnezowych w słupowym wysadzie permskim) z największą pol. kopalnią Kłodawa; ponadto przemysł maszyn., spoż., materiałów bud.; węzeł komunik; prawa miejskie 1383–1870 i od 1925; zespół klasztorny Karmelitów (XVIII w.).

Kłodzko, m. powiatowe w woj. dolnośląskim, nad Nysą Kłodzką; 30 tys. mieszk. (2000); największy ośrodek gosp., kult.-oświat. i turyst. ziemi kłodzkiej; przemysł elektromaszyn., drzewny, spoż., materiałów bud., papierniczy, odzież., dziewiarski; ponadto wytwórnie: sprzętu wędkarskiego, wyrobów jubilerskich; siedziba pol. Sekretariatu Euroregionu Glacensis; ważny węzeł kol. i drogowy; oddział zamiejscowy Uniw. Wrocławskiego, filie Politechn. Dolnośląskiej i Wyższej Szkoły Zarządzania i Finansów we Wrocławiu, Wyższe Seminarium Duchowne

■ Kłodzko. Widok z twierdzy

Franciszkanów; siedziba kilku zgromadzeń zakonnych; muzeum; duży ośrodek turyst.-krajoznawczy (Podziemna Trasa Turyst. im. Tysiąclecia Państwa Pol., Twierdza Kłodzka) i sportów zimowych; jedna z najstarszych miejscowości na Śląsku, wzmiankowana 981; prawa miejskie od ok. 1275 (1250?); prawdopodobnie w końcu XIV w. powstała tu pierwsza część jednego z najstarszych zabytków piśmiennictwa pol., tzw. *Psałterza floriańskiego*; got. most (XIV w.) z posągami późnobarok., kościół farny (XV, XVII, XVIII w.), ratusz (XVI–XVII, XIX w.), zespół klasztorny Franciszkanów (XVII, XVIII w.), liczne kamienice (XVI, XVII, XVIII w.), na miejscu zamku twierdza bastionowa (XVII–XVIII w.). ■

Knivskjellodden [kni:wszelu~], przyl. w Norwegii, na wyspie Magerøy, najdalej na pn. wysunięty punkt Europy; 71°11′08″N, 25°43′E; w pobliżu — Przyl. Północny.

Knurów, m. w woj. śląskim (powiat gliwicki), w Rybnickim Okręgu Węglowym; 43 tys. mieszk. (2000); kopalnie węgla kam., firmy projektowo-budowlane obiektów przem., różnorodna drobna wytwórczość; wieś zał. w końcu XIII w.; prawa miejskie od 1951.

Knyszyn, m. w woj. podl. (powiat moniecki), na pn.-zach. skraju Puszczy Knyszyńskiej; 2,9 tys. mieszk. (2000); ośr. usługowy dla rolnictwa i turystyki; drobny przemysł drzewny, spoż., materiałów bud., gospodarstwo rybackie; węzeł drogowy; ośrodek sztuki lud.; prawa miejskie od 1568.

Kōbe [ko:be], m. w Japonii (Honsiu), nad Wewnętrznym M. Japońskim; 1,5 mln mieszk. (2002); z Osaką i Kioto tworzy region metropolitalny — ok. 14 mln mieszk.; gł. port handl. kraju (przeładunek ok. 170 mln t); wielki ośr. handl., finansowy i przem. (gł. stoczn., maszyn., lotn., elektron., chem., hutn.) oraz węzeł komunik. (kolej Shinkansen); 2 uniw.; do 1860 mała wieś rybacka p.n. Ichinotani; 1995 katastrofalne trzęsienie ziemi.

Kobylin, m. w woj. wielkopol. (powiat krotoszyński), nad Radęcą (pr. dopływ Orli); 2,9 tys. mieszk. (2000); ośr. usługowy; drobny przemysł; prawa miejskie od 1303; późnogot. kościół (XVI w.), zespół klasztorny Bernardynów (XV, XVI, XVIII w.).

Kobyłka, m. w woj. mazow. (powiat wołomiński); 16,6 tys. mieszk. (2000); ośr. usługowo-mieszkaniowy w pn.-wsch. części aglomeracji warsz.; Centrum Nauk.-Produkcyjne Elektroniki Profesjonalnej ZANTEN, Przem. Inst. Maszyn Bud.; drobne zakłady przem. i liczne hurtownie; wieś wzmiankowana w 1. poł. XV w.; prawa miejskie od 1969; późnobarok. kościół pojezuicki fundacji Załuskich (XVIII w.) — polichromia i wystrój rokokowy.

Kock, m. w woj. lubel. (powiat lubartowski), w widłach Czarnej i Tyśmienicy; 3,6 tys. mieszk. (2000); ośr. usługowy dla rolnictwa; drobny przemysł (metal., spoż., meblarski); gospodarstwo rybackie; węzeł drogowy; prawa miejskie 1417–1870 i od 1919; klasycyst. kościół (XVIII w.) oraz klasycyst. pałac i park Jabłonowskich (XVIII, XIX w.).

Koh-i Baba, Kohı Bābā, pasmo górskie w zach. części Hindukuszu, w Afganistanie; najwyższy szczyt Szach Fuladi, 5135 m; roślinność półpustynna i stepowa; źródła rzek: Helmand, Harirud, Kabul; przez Koh-i Baba biegnie droga samochodowa Kabul–Herat.

■ Kolonia. Widok miasta, w głębi katedra

Kokosowe, Wyspy, Cocos Islands, Keeling Islands, 2 atole na O. Indyjskim (łącznie 27 wysp), stanowią terytorium zamor. Australii; ok. 3 tys. km na pn.-zach. od Perth; pow. 14,2 km²; mieszkańcy gł. Malajowie (sprowadzeni tu do pracy na plantacje kokosowca w 1827); zamieszkane tylko wyspy West i Home. Dochody z emisji i sprzedaży znaczków pocztowych (od 1979 czynny urząd pocztowy z biurem filatelistycznym); wywóz kopry; lotnisko na wyspie West służy do międzylądowań na trasie Sydney (Perth)–Johannesburg.

Kokszaał-tau, Kakszaał-Tau, pasmo górskie w Tien-szanie, na granicy Kirgistanu i Chin; dł. ok. 400 km; najwyższy szczyt Pik Pobiedy, 7439 m; zbud. z łupków ilastych, piaskowców, wapieni, z intruzjami granitów; pocięte wąskimi, głębokimi dolinami rzek; na pd. stokach roślinność stepowa, na pn. — łąki górskie; lodowce (łączna pow. 983 km²).

Kolbuszowa, m. powiatowe w woj. podkarpackim, nad Nilem (l. dopływ Łęgu); 9,0 tys. mieszk. (2000); ośr. usługowy regionu; przemysł: spoż., obuwn., materiałów bud., drzewny, metal., odzież.; siedziby oddziałów kilku banków, przedsiębiorstw transportowych, hurtowni; węzeł dróg lokalnych; skansen etnogr. budownictwa lud. (gł. z XIX w.) Lasowiaków i Rzeszowiaków; prawa miejskie od 1700; kościół (XVIII, XX w.), synagoga (XVIII, XIX w., ob. muzeum).

Kolchidzka, Nizina, aluwialna nizina w Gruzji, nad M. Czarnym, w dolnym biegu rzek Rioni i Inguri; wys. do 150 m; dawniej silnie zabagniona, obecnie w większości osuszona przez wprowadzenie zadrzewień eukaliptusów; gł. uprawy: drzewa cytrusowe, herbata, drzewo tungowe; źródła miner. (Ckaltubo); gł. m. Poti.

kolizja kontynentów, zderzenie bloków kontynent. spowodowane ich dryfem związanym z przemieszczeniami płyt litosfery; w strefie k.k. powstają góry fałdowe (tzw. orogen kolizyjny).

Kolno, m. powiatowe w woj. podl.; 11,2 tys. mieszk. (2000); ośr. usługowy dla rolnictwa; przetwórstwo mleka, wytwórnia pasz, fabryka przyrządów i uchwytów; rozwinięte rzemiosło (krawiectwo); węzeł dróg lokalnych; prawa miejskie od 1425.

Kolonia, Köln, m. w Niemczech (Nadrenia Pn.-Westfalia), nad Renem; 967 tys. mieszk. (2002); wielki ośr. przem. (silniki, samochody Ford, wagony kol., włókna sztuczne, kosmetyki, leki, kable, piwo, odzież), handl. (międzynar. targi żywności, mebli) i finansowy (giełda, banki); duży węzeł komunik. (port lotn. K.–Bonn); port rzeczny; uniw., konserwatorium; turystyka; parki, ogrody; muzea (Wallraf-Richartz-Museum); pozostałości zabytków rzym. (III w.) oraz liczne budowle, gł. średniow., zniszczone w czasie II wojny świat., odbud., m.in.: rom. kościół Panny Marii na Kapitolu (VII, XI w.), słynna katedra (IX, XIII–XVI, XIX w.), got. dom tańca — Gürzenich (XV w.), got.-renes. ratusz (XV–XVI w.). ■

Kolonowskie, m. w woj. opol. (powiat strzelecki), nad Małą Panwią; 4,1 tys. mieszk. (2000); ośr. usługowy dla ważnego węzła kol.; zakłady przemysłu: chem., drzewnego, papiern., metal.; osiedle zał. w końcu XVIII w.; prawa miejskie od 1973.

Kolorado, ang. Colorado River, hiszp. Río Colorado, rz. w USA (stany: Kolorado, Utah, Arizona) i Meksyku; dł. ok. 2330 km, pow. dorzecza ok. 632 tys. km²; źródła w G. Skalistych; przecina w głębokich kanionach Wyż. Kolorado; największy kanion w środk. biegu K. (→ Wielki Kanion); uchodzi do Zat. Kalifornijskiej tworząc deltę; progi i bystrza w górnym biegu; gł. dopływy: San Juan, Małe Kolorado, Gila (l.), Green (pr.); średni roczny przepływ 508 m³/s; kilka zbiorników wodnych (największe: Mead, Powell) i elektrowni wodnych; ze zbiornika Havasu doprowadza się wodę Akweduktem Kolorado do m. Los Angeles i San Diego; Kolorado zasila system kanałów nawadniających Imperial Valley (dł. ok. 4700 km); żegl. na dł. 980 km.

Kolorado, Colorado, stan w środkowo-zach. części USA, w G. Skalistych i na Wyż. Kolorado; 269,5 tys. km², 4,5 mln mieszk. (2002); stol. Denver (zespół miejski skupia 80% ludności K.); gł. rz.: Kolorado, Arkansas, Platte Pd.; wiele jezior górskich (Summit na wys. 3883 m); wydobycie rud: uranu, molibdenu, wanadu; przemysł metalurg., maszyn., lotn., elektron.; uprawa (sztuczne nawadnianie) pszenicy, kukurydzy, buraków cukrowych; hodowla bydła, owiec; ważny region turyst.; uzdrowiska klim., ośr. sportów zimowych (Colorado Springs). ■

Kolorado, Wyżyna, Colorado Plateau, rozległa wyżyna śródgórska w Kordylierach, w pd.--zach. części USA, w stanach Utah, Arizona, Nowy Meksyk, Kolorado; pow. ok. 300 tys. km²; wys. 1800–3000 m, maks. 3851 m (Humphreys Peak); zbud. ze skał krystal. przykrytych grubą warstwą poziomo zalegających skał osadowych (od dolnego paleozoiku do czwartorzędu), pocięta uskokami; w strefie brzeżnej masywy wygasłych wulkanów; rozcięta głębokimi kanionami rz. Kolorado i jej dopływów; klimat podzwrotnikowy kontynent., wybitnie suchy; średnia temp. w styczniu od –8 do –5°C, w lipcu 20–25°C; roczna suma opadów 100–250 mm; W.K. zajmuje półpustynia słona lub piołunowa, z bylicą trójzębową; wyżej widne lasy niskich sosen i drzewiastych jałowców; złoża rud uranowo-wanadowych, polimetalicznych, srebra, złota, węgla kam.; liczne parki nar. (m.in. Wielkiego Kanionu) i pomniki przyrody; rezerwaty Indian.

■ Wyżyna Kolorado. Kanion rzeki San Juan

Kolski, Półwysep, Kolskij połuostrow, półwysep w Rosji (obwód murmański), między M. Barentsa a M. Białym; pow. ok. 100 tys. km²; w zach. części zrębowe wzniesienia (najwyższe Chibiny, 1191 m) rozdzielone tektonicznymi obniżeniami, w pd. — silnie zabagniona, pagórkowata nizina; świeże ślady ostatniego zlodowacenia; pn. wybrzeże klifowe; klimat umiarkowany chłodny, w części pn.-wsch. — subpolarny, łagodzony wpływem ciepłego Prądu Zatokowego; krótkie rzeki o bystrym nurcie; liczne jeziora (największe Imandra); tajga sosnowo-świerkowa, na pn. roślinność tundrowa; wielkie złoża apatytów, nefelinów, rud niklu i żelaza; gł. m. Murmańsk. W portach P.K. nagromadzenie przeznaczonych do złomowania podwodnych okrętów o napędzie atom. (ze względu na brak wagonów do przewozu odpadów nuklearnych do zakładów przetwarzania na Uralu); pomoc finansowa Finlandii na poprawę bezpieczeństwa i ochronę środowiska.

Kolumbia, Columbia River, rz. w Kanadzie (prow. Kolumbia Bryt.) i USA (stan Waszyngton); dł. 1947 km, pow. dorzecza ok. 670 tys. km²; źródła w G. Skalistych (w Kanadzie); płynie w głębokim kanionie przez Wyżynę Kolumbii i G. Kaskadowe; uchodzi estuarium do O. Spokojnego; gł. dopływy: Snake, Clark Fork, Kootenay (l.); średni roczny przepływ u ujścia 8470 m³/s, liczne progi i wodospady; 11 elektrowni wodnych o łącznej mocy 7800 MW (największe przy zaporach Grand Coulee, John Day, The Dalles); żegl. 1038 km (do Vancouver — 160 km — dostępna dla statków oceanicznych); gł. m. nad K.: Richland, Vancouver (koło m. Portland).

Kolumbia, Colombia, Republika Kolumbii, państwo w Ameryce Pd., nad O. Spokojnym i M. Karaibskim; 1138,9 tys. km²; 43,5 mln mieszk. (2002), Metysi, biali, Mulaci, Murzyni, Indianie; katolicy; stol. Bogota, inne gł. m.: Medellín, Cali, Barranquilla; język urzędowy hiszp.; republika. Na zach. pasma Andów, na pn. niziny nadmor. i góry Sierra Nevada de Santa Marta, na wsch. Niz. Orinoko, na pd.-wsch. Niz. Amazonki; klimat wilgotny, podrównikowy na pn. i równikowy na pd.; gęsta sieć rzek, gł. dopływy Amazonki i Orinoko, największa rz. Magdalena

uchodzi do M. Karaibskiego; lasy równikowe, sawanny (llanos). Podstawą gospodarki jest rolnictwo i przemysł; uprawa kawowca (3. miejsce w zbiorach świat., 2000), kakaowca, bawełny, trzciny cukrowej, bananów; nielegalna uprawa krzewu kokainowego; hodowla bydła, owiec; eksploatacja lasów (drewno, lateks); najważniejszym bogactwem miner. jest ropa naft. (wydobycie w dolinie Magdaleny i przy granicy z Wenezuelą), ponadto eksploatacja gazu ziemnego, węgla kam., rud żelaza, złota, szmaragdów; rafinerie ropy naft., hutnictwo, przemysł odzież., cukr.; sieć komunik. słabo rozwinięta; gł. porty: Buenaventura, Santa Marta. ■

Kolumbia Brytyjska, ang. British Columbia, franc. Colombie britannique, prowincja w Kanadzie, nad O. Spokojnym; 947,8 tys. km², 4,1 mln mieszk. (2002); stol. Victoria, gł. m. i port Vancouver; G. Nadbrzeżne i G. Skaliste, rozdzielone doliną rz. Fraser; leśnictwo (lasy 50% pow.), górnictwo (metale nieżel.) i rolnictwo (hodowla bydła mlecznego, warzywnictwo, sadownictwo); połów łososi; przemysł drzewno-papierniczy, hutn., stoczn., spoż.; turystyka.

Kolumbii, Wyżyna, Columbia Plateau, śródgórska wyżyna w pn.-zach. USA, w stanach Waszyngton, Oregon, Idaho, między G. Skalistymi a G. Kaskadowymi; pow. ok. 518 tys. km²; średnia wys. 1050 m, maks. 2997 m (w górach Wallowa); W.K. stanowi rozległa pokrywa bazaltowa, rozcięta głębokimi kanionami rz. Kolumbia i jej dopływu Snake; klimat podzwrotnikowy kontynent., wybitnie suchy; roślinność gł. pustynna i półpustynna; ważny region roln. (sztucznie nawadniany) — uprawa zbóż, buraków cukrowych i owoców; wydobycie rud cynku i ołowiu, srebra.

■ Kolumbia

■ Kolumbia. Plantacje kawy w okolicach Antioquia

Koluszki, m. w woj. łódz.; 13,0 tys. mieszk. (2000); ośr. usługowy związany z dużym węzłem kol.; jedyny w kraju oddział niedoręczonych przesyłek pocztowych; punkt przeładunkowy produktów naft. (koniec rurociągu dystrybucyjnego z rafinerii płockiej); przemysł: dziewiarski, odzież., drzewny i spoż.; ponadto m.in. duża odlewnia żeliwa, zakłady budowy maszyn; wieś wzmiankowana 1399; prawa miejskie od 1949.

Kołgujew, wyspa na M. Barentsa; wchodzi w skład obwodu archangielskiego Rosji; pow. 5200 km²; nizinna (wys. do 176 m); liczne jeziora i bagna; roślinność tundrowa; hodowla reniferów, łowiectwo, rybołówstwo.

Koło, m. powiatowe w woj. wielkopol., nad Wartą; 24,1 tys. mieszk. (2000); duży ośrodek przemysłu spoż.; ponadto zakłady: ceram. wyrobów sanitarnych, materiałów i wyrobów ściernych, urządzeń bud. i dla przemysłu drzewnego, rur z tworzyw sztucznych, wyrobów z fajansu; węzeł drogowy przy linii kol. Warszawa–Poznań; Muzeum Technik Ceram.; prawa miejskie od 1362; ruiny zamku (XIV w.), got. kościół (XIV/ /XV w.), późnobarok. zespół klasztorny Bernardynów (XVIII w.), klasycyst. ratusz (XIX w.).

Kołyma w okolicach Zyrianki

Kołobrzeg, m. powiatowe w woj. zachodniopomor., nad M. Bałtyckim; 48 tys. mieszk. (2000); port handl. i rybacki; od końca XVIII w. duże uzdrowisko (solanki, borowina), kąpielisko mor. i ośr. wypoczynkowy; przemysł elektromaszyn., rybny, mięsny, materiałów bud.; Muzeum Oręża Pol.; najstarsza osada z VII–VIII w. na W. Solnej; gród w Budzistowie z poł. IX w.; got. kolegiata (XIV–XV w., ob. konkatedra), katownia (XV, XVII w.), latarnia mor. (XVIII, XX w.), ratusz (XIX w.); pomnik *Zaślubin Polski z Morzem*.

Kołyma, rz. w azjat. części Rosji, w Syberii Wsch.; powstaje z połączenia rz. Kułu i Ajan--Juriach (źródła w G. Chałkańskich); dł. 2129 km, pow. dorzecza 643 tys. km²; uchodzi do M. Wschodniosyberyjskiego tworząc deltę (pow. 3 tys. km²); gł. dopływy: Korkodon, Omołon (pr.), Jasaczna, Ożogina (l.); średni przepływ przy ujściu 3900 m³/s; zamarza na ok. 8 mies.; regularna żegluga od Ust-Sredniekana; w budowie (1989) Elektrownia Kołymska; w dorzeczu złoża złota.

Komory

kometa [łac. < gr.], drobne lodowo-pyłowe ciało Układu Słonecznego poruszające się wokół Słońca po eliptycznej, wydłużonej orbicie; składa się z jądra (jedna lub kilka brył) o rozmiarach od kilku do kilkudziesięciu km i gazowo-pyłowej otoczki, która w pobliżu Słońca rozbudowuje się w zawierającą jądro głowę k. oraz charakterystyczny, skierowany od Słońca, warkocz k. długości mln km; niektóre k. po rozpadzie dają początek rojom meteoroidów. Do najbardziej znanych k. należą: k. Halleya o średnim okresie obiegu wokół Słońca 76 lat, znana już w starożytności, ostatnio obserwowana 1986, badana przez sondy kosm. Wega i Giotto, k. Enckego o najkrótszym znanym obiegu wokół Słońca (3,3 lat), k. Shoemaker–Levy 9, odkryta 1993, która okazała się satelitą Jowisza; podczas jednego z przejść w pobliżu planety rozpadła się, a przy kolejnym powrocie do Jowisza (1994) jej fragmenty zderzyły się z planetą (co było obserwowane i zarejestrowane).

Komi, republika w pn.-wsch. części eur. Rosji; 415,9 tys. km²; 1,1 mln mieszk. (2002), Komiacy 23%, Rosjanie 58% i in.; stol. Syktywkar, in. gł. m.: Workuta, Peczora; w środk. części wyż. Timan, na wsch. pasma Uralu (Narodna, 1895 m); lasy ok. 70% pow.; wydobycie węgla kam. (Peczorskie Zagłębie Węglowe), ropy naft. (rurociąg Usińsk–Uchta–Jarosław) i gazu ziemnego (gazociąg Wuktył–Uchta–Torżok); przemysł drzewno-papierniczy, spoż.; hodowla bydła, na pn. — reniferów.

Komi-Permiacki Okręg Autonomiczny, okręg autonomiczny w Rosji (obw. permski), na Przeduralu; 32,9 tys. km²; 150 tys. mieszk. (2002), Komi-Permiacy 60%, Rosjanie 36% i in.; ludność miejska 31%; ośr. adm. Kudymkar; przemysł drzewny (4/5 pow. lasy), maszyn., lekki; myślistwo.

komin wulkaniczny, zbud. ze skał magmowych lub piroklastycznych ciało skalne, będące wypełnieniem dawnego przewodu wulk.; odmianą k.w. jest → diatrema.

Komodo, wyspa w Indonezji, w Małych W. Sundajskich, między Sumbawą i Flores; pow. 494 km²; na K. żyje endemiczny gat. warana, *Varanus komodoensis*; park nar. (zał. 1938, ok. 150 tys. ha).

Komonieckiego, Jaskinia, jaskinia we wsch. części Beskidu Małego, w pd. stoku Smrekowicy, w dolinie potoku Dusica; duży otwór (szer. 16 m, wys. 1,5–2,5 m) na wys. ok. 700 m, w skalnym progu wodospadu małego potoku; jedna duża komora o dł. 17 m, wys. 1–2 m i pow. 115 m² (największa tego typu forma w Karpatach fliszowych); jaskinia warstwowa, utworzona w piaskowcach, gł. w wyniku wietrzenia mrozowego; znana od dawna miejscowej ludności; wzmiankowana 1699 przez A. Komonieckiego w rękopisie *Dziejopis żywiecki* — odszukana na jego podstawie 1983; znaleziska z końca paleolitu lub mezolitu oraz XVI–XVII w.; od 1993 pomnik przyrody.

Komory, franc. **Comores,** arab. **Al-Qumur, Federalna Islamska Republika Komorów,** państwo afryk. na archipelagu Komorów (bez Majotty), na O. Indyjskim, na zach. od Madagaskaru; 2,2 tys. km² (Wielki Komor 1,1 tys. km²); 611 tys. mieszk. (2002), potomkowie Arabów zmieszani z Malgaszami i ludami Bantu; religia państw. islam; stol. i gł. port Moroni; język urzędowy: arab., franc.; republika. Górzyste; lasy równikowe. Uprawa manioku, batatów, bananów, na eksport — goździkowca, palmy kokosowej, roślin olejkodajnych; chów bydła, kóz; połów tuńczyka; produkcja olejków eterycznych.

Komoryn, hindi **Kanyākumār,** ang. **Cape Comorin,** skalisty przyl. w Indiach, najdalej na pd. wysunięty punkt Płw. Indyjskiego; 8°05'N, 77°33'E.

kompakcja [łac.], jeden z etapów → diagenezy.

Komunizmu, Pik, szczyt w Tadżykistanie, → Ismaiła Samanidy, Szczyt.

Konakry, Conakry, stol. Gwinei, nad O. Atlantyckim; zespół miejski 1,6 mln mieszk. (2002); gł. port i ośr. gosp. kraju; przemysł spoż., włók., drzewny, cementowy, montownia samochodów, rafineria ropy naft.; międzynar. port lotn.; zał. 1884 na miejscu osady tubylczej.

kondensacja w atmosferze ziemskiej, skraplanie lub zestalanie się pary wodnej zawartej w powietrzu atmosf.; prowadzi do powstania chmur, mgieł i opadów; rozpoczyna się wówczas, gdy para wodna osiąga stan nasycenia, co w atmosferze ziemskiej następuje najczęściej w wyniku ochłodzenia się powietrza do temperatury punktu rosy; ochłodzenie powietrza może nastąpić wskutek jego zetknięcia się z chłodnymi przedmiotami lub podłożem (wychłodzonym przez wypromieniowanie ciepła), w wyniku adiabatycznego rozprężania się powietrza (podczas jego wznoszenia się) lub wskutek mieszania się mas powietrza o różnej temperaturze i wilgotności. K. w a.z. rozpoczyna się na tzw. j ą d r a c h k o n d e n s a c j i — drobnych cząstkach pochodzenia naturalnego i przem. (→ aerozol atmosferyczny), przede wszystkim na higroskopijnych kryształkach soli mor. lub cząstkach kwasów. W ich nieobecności kondensacja wymagałaby przesycenia 400–800%.

Konga, Demokratyczna Republika, République Démocratique du Congo, 1971–97 **Zair,** państwo w środk. Afryce, w dorzeczu Konga; 2344,9 tys. km², 55 mln mieszk. (2002), gł. ludy: Bantu, Azande, nilockie, Pigmeje; obozy uchodźców, gł. z Ruandy; religie: katol., protest., afrochrześc.; stol. Kinszasa, inne m.: Lubumbashi, Mbuji-Mayi, Kananga, Kisangani, Kolwezi; język urzędowy franc.; republika. Zajmuje obszar Kotliny Konga z otaczającymi wyżynami (Lunda); na wsch. za górami Mitumba Wielki Rów Zach. z jeziorami (Tanganika, Kiwu, Edwarda, Alberta) i masywami wulk. (Ruwenzori — do 5109 m, Wirunga); klimat równikowy i podrównikowy wilgotny, na pd. skraju — suchy; lasy równikowe (74% pow.), wilgotne sawanny; parki nar. (Wirunga, Salonga). Kraj roln. o wielkich zasobach surowców miner.; uprawa zbóż, manioku, bananów, batatów, plantacje kawowca, palmy oleistej, kakaowca, kauczukowca; rybołówstwo śródlądowe; eksploatacja lasów; wydobycie rud miedzi, kobaltu (1. miejsce w świat. produkcji), diamentów (2. miejsce), ropy naft., siarki i in.; duże zasoby energii wodnej

DEMOKRATYCZNA REPUBLIKA KONGA

(zespół elektrowni Inga na rz. Kongo); hutnictwo (gł. miedzi), przemysł spoż., włók., skórz., gumowy, drzewny; gł. region gosp. w prow. Shaba; żegluga; gł. porty śródlądowe: Kinszasa, Mbandaka, mor. — Matadi. ■

Konga, Kotlina, Bassin du Congo, Bassin du Zaïre, rozległa kotlina w środk. Afryce, w dorzeczu rz. Kongo, na obszarze Zairu, Konga, Rep. Środkowoafrykańskiej i Angoli; pow. ok. 3 mln km²; od pn. ograniczona wyżynami Adamawa i Azande, od wsch. — górami Mitumba, od pd. — wyżynami Shaby i Lunda; wypełniona gł. płytowo zalegającymi piaskowcami, iłowcami i wapieniami jury i kredy o miąższości do 3500 m; dno kotliny jest silnie zabagnioną niziną aluwialną (wys. 300–400 m); gęsta sieć rzeczna; na rzekach liczne progi i wodospady; szczątkowe jeziora (Mai Ndombe, Tumba) rozległego jeziora trzeciorzędowego; klimat równikowy wilgotny, na pd. skraju podrównikowy wilgotny; średnia roczna suma opadów 1500–2000 mm, średnia roczna temp. ok. 25°C; naturalną szatę roślinną K.K. stanowią wiecznie zielone lasy równikowe i wilgotne sawanny (gł. na pd.); bogata fauna (goryle, szympansy, słonie, bawoły, żyrafy, okapi, antylopy, nosorożce, hipopotamy, krokodyle, ok. 400 gat. ptaków); obszar rzadko zaludniony; plantacje olejowca gwinejskiego, kawy, bawełny, kakao i in.; eksploatacja lasów; hodowla zwierząt utrudniona ze względu na występowanie muchy tse-tse; na pd. skraju K.K. wydobycie diamentów.

Kongo, Congo, Zair, Zaïre, w górnym biegu **Lualaba,** rz. w Demokr. Rep. Konga, w dolnym biegu stanowi granicę z Kongiem i Angolą; dł. 4320 km, pow. dorzecza 3691 tys. km²; druga (po Nilu) pod względem długości rzeka w Afryce; wypływa w górach Mitumba, w pobliżu granicy z

■ Demokratyczna Republika Konga

Zambią, na wys. 1435 m; w górnym biegu płynie ku pn., przez wyżynny obszar (przepływa jez. Upemba), następnie kieruje się do Kotliny Konga, pokonując szereg progów skalnych; w środk. biegu (od Wodospadów Stanleya do m. Kinszasa) płynie w płaskiej, często zabagnionej dolinie, początkowo ku pn.-zach., następnie na zach. i pd.-zach.; na tym odcinku tworzy liczne rozgałęzienia, wyspy i rozlewiska (szer. doliny do 20 km); w dolnym biegu, na dł. 350 km, przełamuje się przez G. krystal. w głęboko wciętej dolinie, pokonując liczne progi (Wodospady Livingstone'a); uchodzi estuarium (szer. do 17 km) do O. Atlantyckiego; gł. dopływy: Ubangi (pr.), Lomami, Kasai (l.); najwyższe stany wód (na dopływach na półkuli pn. gł. w październiku, na półkuli pd. w maju) są związane z deszczami zenitalnymi; K. względem zasobów wody zajmuje drugie (po Amazonce) miejsce na świecie; średni roczny przepływ przy ujściu ok. 40 tys. m³/s, roczny odpływ ok. 1230 km³; bogactwo flory i fauny (ok. 400 gat. ptaków, ok. 1 tys. gat. ryb i in.); ze względu na progi i wodospady żegl. odcinkami (między m. Bukama i Kongolo, Kisangani i Kinszasa oraz poniżej m. Matadi); ogólna długość dróg żegl. w dorzeczu Konba ok. 14 tys. km; zasoby energ. dorzecza K. (największe w świecie) ocenia się na ok. 130 mln kW, z czego wykorzystuje się tylko ok. 1 mln kW; w górnym biegu zbiornik retencyjny Nzilo z elektrownią; w dolnym biegu koło m. Matadi zespół wielkich elektrowni — Inga; gł. m. nad K.: Kisangani, Mbandaka, Kinszasa, Brazzaville, Matadi. Ujście K. odkrył 1482 portug. żeglarz D. Cao; bieg rzeki zbadał 1876–77 H.M. Stanley.

■ Kongo

Kongo, Congo, Republika Konga, państwo w środk. Afryce, nad O. Atlantyckim; 342 tys. km²; 3,2 mln mieszk. (2002), gł. ludy Kongo i Bateke; katolicy, animiści, protestanci; stol. Brazzaville; język urzędowy franc.; republika. Obszar wyżynny w dorzeczu Konga; klimat wilgotny, na pn. równikowy, na pd. podrównikowy; lasy (62% pow.) równikowe, galeriowe w dolinach rzek, bujne sawanny. Słabo rozwinięty kraj roln. (uprawa manioku, taro, zbóż, plantacje palmy oleistej, trzciny cukrowej, tytoniu) z rozwijającym się górnictwem (ropa naft., sole potasowe, fosforyty); eksploatacja lasów; przemysł spoż., włók., cementowy; żegluga śródlądowa; gł. port mor. Pointe-Noire; tranzyt towarów do Rep. Środkowoafryk. i Czadu. ■

Koniecpol, m. w woj. śląskim (powiat częstoch.), przy ujściu Białki do Pilicy; 6,7 tys. mieszk. (2000); ośr. przem.-usługowy i turyst.-krajoznawczy na szlaku kajakowym Pilicy; przemysł: chem., drzewny, metal., skórz.; węzeł kol.; muzeum; Festiwal Pieśni Pielgrzymkowej i Liturgicznej „Gaudium et Gloria"; prawa miejskie 1443–1870 i od 1927; muzeum; wczesnobarok. zespół kościoła parafialnego (XVII w.), pałac Koniecpolskich (XVII, XIX w.) z parkiem, kaplica (XVIII w., ob. kościół).

Konin, m. w woj. wielkopol., nad Wartą; powiat grodzki, siedziba powiatu konin.; 82 tys. mieszk. (2000); gł. ośr. mieszkaniowy i usługowy Konin. Zagłębia Węgla Brun.; kopalnia, elektrownie, huta i walcownia aluminium; przemysł maszyn.,

spoż., odzież., materiałów bud. i in.; wiele przedsiębiorstw bud.-montażowych (gł. budownictwo energ.); węzeł drogowy; Wyższa Szkoła Zaw., filie uczelni pozn., toruń., łódz.; stacja badawcza Inst. Podstaw Inżynierii Środowiska PAN, ośrodek badawczo-rozwojowy przemysłu spirytusowego; Muzeum Okręgowe w zamku w Gosławicach, galerie; Międzynar. Dziecięcy Festiwal Piosenki i Tańca; prawa miejskie przed 1293; 1975–1998 stol. woj.; kościół (XIV–XV w.), barok. zespół klasztorny Reformatów (XVIII w.), ratusz (XIX w.), domy (XVIII–XIX w.); najstarszy kam. słup drogowy w Polsce z łac. napisem z datą 1151; niegdyś wyznaczał połowę drogi między Kruszwicą a Kaliszem; ob. przy kościele Św. Bartłomieja.

konkrecja [łac.], skupienie miner. występujące w skałach osadowych, różniące się składem i budową od skały otaczającej, np. k. chalcedonu w wapieniach, k. pirytu w skałach ilastych; zwykle ma kształt kulisty, elipsoidalny lub soczewkowaty, średnicę od kilku mm do kilku m, budowę często koncentrycznie warstwowaną lub promienistą; wzrasta od jądra ku powierzchni; k. tworzą się w końcowych stadiach sedymentacji osadu lub jego wczesnej → diagenezy przez skupienie substancji miner. pierwotnie w skale rozproszonej (np. → kukiełki lessowe) lub doprowadzenie substancji miner. z zewnątrz. K. manganowe, zbud. z naprzemianległych warstewek tlenku manganu i wodorotlenku żelaza, pokrywają ogromne obszary dna oceanicznego.

Konstancin-Jeziorna, m. w woj. mazow. (powiat piaseczyński), nad Jeziorką (l. dopływ Wisły); 17,2 tys. mieszk. (2000); uzdrowisko (solanki termalne — tężnia) i ośr. lecznictwa rehabilitacyjnego; zakłady papiernicze (papier czerpany); powstał 1969 z połączenia m. Skolimów-Konstancin i m. Jeziorna; zabudowa o charakterze uzdrowiskowo-letniskowym, gł. secesyjna (XIX/XX w.); papiernia (XIX w.), kościół (XX w.).

Konstantynopol, m. w Turcji, → Stambuł.

Konstantynów Łódzki, m. w woj. łódz. (powiat pabianicki), nad Nerem; 17,6 tys. mieszk. (2000); ośrodek przem.-mieszkaniowy w aglomeracji łódz.; przemysł włók., odzież., drzewny, obuwn., spoż.; prawa miejskie 1830–70 i od 1924.

kontynent [łac.], wielki ląd o powierzchni przekraczającej kilka mln km², otoczony przez morza i oceany; k. grupują się gł. na półkuli pn.; rozróżnia się 6 k.: Eurazję, Afrykę, Amerykę Pn., Amerykę Pd., Antarktydę i Australię; ogólna powierzchnia k. wynosi 147,9 mln km², co stanowi 29% powierzchni kuli ziemskiej; pochodzenie i obecne rozmieszczenie k. jest rozmaicie tłumaczone (→ geotektoniczne teorie).

konurbacja [łac.], typ policentryczny → aglomeracji miejsko-przem., najczęściej silnie zindustrializowanej, w której żadne miasto nie ma znaczenia dominującego (np. GOP na Górnym Śląsku, Zagłębie Ruhry w Niemczech, Zagłębie Donieckie na Ukrainie).

konwekcyjnych prądów teoria, teoria → geotektoniczna, w myśl której przyczyną ruchów fałdowych i powstawania gór są prądy konwekcyjne w podłożu skorupy ziemskiej, wywołane różnicami temperatury związanymi z ciepłem wnętrza Ziemi oraz ciepłem wydzielającym się podczas rozpadu pierwiastków promieniotwórczych; istnieją prądy wstępujące, poziome i zstępujące; 2 zbieżne prądy zstępujące powodują powstanie strefy wsysania i tworzenie się geosynkliny, a następnie jej sfałdowanie; gdy temperatura podłoża skorupy ziemskiej zostaje wyrównana, prądy konwekcyjne ustają, a obszar wsysania izostatycznie się wypiętrza. T.p.k. została wysunięta przez O. Ampferera (1906), a następnie rozbud. i zmodyfikowana, gł. przez A. Holmesa (1929), F.A. Vening-Meinesza (1936, 1948), D. Griggsa i J.D. Bernala (1960).

Końskie, m. powiatowe w woj. świętokrzyskim; 22,3 tys. mieszk. (2000); ośr. przem.-usługowy; przemysł ceram. i metal., ponadto: meblarski, odzież., spoż.; węzeł drogowy; zał. prawdopodobnie w XI w.; od końca XVII w. rozwój przemysłu metal.; prawa miejskie od 1748; wielkie cmentarzysko wczesnośredniow., z grobami obwarowanymi kamieniami; pałac Małachowskich (XVIII w.).

kopaliny użyteczne, substancje pochodzenia nieorg. lub org. nagromadzone w skorupie ziemskiej, mające przy danym stanie techniki i technologii zastosowanie w gospodarce; są wydobywane w kopalni (podziemnej, odkrywkowej) lub z otworu wiertniczego i wykorzystywane w stanie naturalnym lub po odpowiedniej obróbce bądź przeróbce. Pojęcie k.u. zmienia się wraz z rozwojem cywilizacji; uznanie danej skały czy minerału za k.u. jest zależne od potrzeb człowieka oraz od poziomu techniki i technologii. W zaraniu dziejów człowiek korzystał z b. nielicznych k.u., przede wszystkim z krzemienia. Stopniowo weszły w użycie metale rodzime, potem dopiero rudy metali. Dzięki rozwojowi nauki, techniki i technologii przeróbki wzrastają możliwości szerszego wykorzystania skał i minerałów, które stają się ważnymi k.u., np. rudy uranu (traktowane jako k.u. dopiero od kilkudziesięciu lat), boksyty, rudy zawierające pierwiastki śladowe (german, selen) i in.
W przeciwieństwie do k.u. skały, które nie przedstawiają wartości gosp., a pośród których lub z którymi występują w przyrodzie k.u., noszą nazwę s k a ł p ł o n n y c h; ta sama skała w jednym przypadku może być k.u., w innym — skałą płonną; np. wapień przy wydobywaniu węgla jest uważany za skałę płonną, a jeżeli jest przedmiotem eksploatacji — za k.u.
Ze względu na stan skupienia k.u. dzielą się na: stałe (np. węgle, rudy, sole), ciekłe (ropa naft., wody miner.) i gazowe (gaz ziemny). W zależności od zastosowania w gospodarce najczęściej rozróżnia się: k o p a l i n y u ż y t e c z n e e n e r g e t y c z n e, do których należą: węgiel kam. i brun., torf, ropa naft., gaz ziemny i łupki bituminczne; k o p a l i n y u ż y t e c z n e m e t a l i c z n e, obejmujące rudy wszystkich metali; k o p a l i n y u ż y t e c z n e n i e m e t a l i c z n e, do których zalicza się surowce chem. (np. siarka, fosforyty, sól kam.), ceram. (np. kaolin, dolomit, magnezyt), kamienie szlachetne, surowce izolacyjne (np. łyszczyki, azbest), materiały bud. (kamienie bud., piaski, żwiry) i in. Nagromadzenie k.u. o

wartości gosp. nosi nazwę → złoża; wydobyta ze złoża k.u. jest surowcem mineralnym.

Kopenhaga, København, stol. Danii, na Zelandii i Amager, nad cieśn. Sund; 626 tys. mieszk., zespół miejski 1,1 mln (2002); największe miasto i ośr. gosp. kraju; przemysł środków transportu, maszyn., metal.; wielki port handl. połączony organizacyjnie z portem w Malmö (Szwecja); wielki międzynar. port lotn. (Kastrup); metro; od 2000 K. połączona ze Szwecją przeprawą tunelowo-mostową przez Sund; akad. nauk, uniw.; znany lunapark Tivoli; muzea; od 1254 prawa miejskie; kościoły, m.in.: Św. Piotra (XVI–XIX w.), Św. Ducha (XVI, XVIII w.), Marmurowy (XVIII, XIX w.), giełda (XVII w.), pałace, m.in.: Christiansborg, Charlottenborg, Amalienborg (wszystkie XVIII w.), budowle użyteczności publ. (XIX w.). ■

■ Kopenhaga. Ulica i stary kanał Nyhavn w centrum miasta

Kopet-dag, pn. część G. Turkmeńsko-Chorasańskich w Turkmenistanie i Iranie; dł. ok. 650 km, wys. do 3117 m; zbud. gł. ze skał osadowych; rozwinięty kras; częste trzęsienia ziemi; w dolnym piętrze roślinność półpustynna, powyżej 500 m — stepowa; liczne źródła miner.; Rezerwat Kopetdaski (utworzony 1976, pow. 49,8 tys. ha); u pn. podnóża leży m. Aszchabad.

kopuła lawowa, kopuła wulkaniczna, wzniesienie o stromych stokach i zaokrąglonym wierzchołku, powstałe w wyniku wypływu i spiętrzenia lawy o dużej lepkości; k.l. jest np. wulkan Puy de Dôme w Owernii (Francja); w Polsce — góra Chełmiec k. Wałbrzycha.

Koralowe, Morze, Coral Sea, półotwarte morze w zach. części O. Spokojnego, między Australią, Nową Gwineą, Nową Brytanią, Wyspami Salomona, Nowymi Hebrydami, Nową Kaledonią oraz wyspą Lord Howe; na zach. łączy się przez Cieśn. Torresa z morzem Arafura, na pd.-wsch. graniczy z morzem Fidżi, na pd. z M. Tasmana. Powierzchnia 4791 tys. km², bez części pn. (M. Salomona) — 4068 tys. km²; średnia głęb. ok. 2400 m, maks. — 9140 m, w Rowie Bougainville'a (M. Salomona); ukształtowanie dna b. urozmaicone: liczne baseny, rowy i grzbiety podwodne oraz rafy koralowe; wzdłuż wybrzeża austral. bariera koralowa — Wielka Rafa Koralowa (wpisana na Listę Świat. Dziedzictwa Przyr. i Kult. UNESCO); obszar aktywny sejsmicznie (zwł. na pn.); wulkany podmorskie. Temperatura wód powierzchniowych od 28°C przez cały rok na pn. do 24°C w lecie i 19°C w zimie na pd., zasolenie — 34,5–35,5‰. Prądy mor. ciepłe: w części pn. — Południoworównikowy płynący ze wsch., w części zach. — Wschodnioaustralijski płynący z pn.; wys. pływów ok. 2 m, u wybrzeży austral. — do 7,2 m. Główne porty: Brisbane i Townsville w Australii, Port Moresby (Papua-Nowa Gwinea), Numea (Nowa Kaledonia).

korazja [łac.], żłobienie, zdzieranie i wygładzanie powierzchni skał wskutek uderzeń ziarn piasku niesionego przez wiatr (→ deflacja); różne części skały, zależnie od twardości, w różnym stopniu ulegają k.; piasek jest niesiony przez wiatr zwykle na wys. 1–3 m, żłobi więc ściany skalne tylko na określonej wysokości, co prowadzi do wytworzenia swoistych form skalnych, podobnych do grzybów, ambon, stołów itp.; na urwistych stokach tworzą się jardangi — żebra skalne ułożone zgodnie z kierunkiem wiatru, przedzielone niszami; w wyniku k. tworzą się również → graniaki. Zob. też eoliczne procesy.

Kordyliera Nadbrzeżna, Cordillera de la Costa, łańcuch górski w Ameryce Pd., → Andy.

Kordyliera Środkowa, Cordillera Central, łańcuch górski w Ameryce Pd., → Andy.

Kordyliera Wschodnia, Cordillera Oriental, łańcuch górski w Ameryce Pd., → Andy.

Kordyliera Wulkaniczna, Cordillera Neovolcánica, łańcuch górski w Meksyku zamykający od pd. Wyż. Meksykańską, złożony z szeregu wulkanów; najwyższy szczyt — czynny wulkan Orizaba, 5700 m; dł. ok. 700 km; powyżej ok. 4500 m wieczne śniegi; najaktywniejsze wulkany: Nevado de Colima, Popocatépetl; złoża antymonu i złota; parki nar., m.in.: Volcán de Colima i Nevado de Toluca.

Kordyliera Zachodnia, Cordillera Occidental, łańcuch górski w Ameryce Pd., → Andy.

Kordyliery, system górski w Ameryce Pn.; ciągnie się wzdłuż O. Spokojnego, od płw. Alaska do Przesmyku Panamskiego, na dł. ok. 8 tys. km, przez terytoria USA, Kanady, Meksyku i państw Ameryki Środk.; najwyższy szczyt McKinley (6194 m). K. dzielą się na K. Północne (w stanie Alaska i w Kanadzie), K. Środkowe (w USA) i K. Południowe (na pd. od USA).

Budowa geologiczna. K. zostały ostatecznie sfałdowane i wypiętrzone w wyniku kilku faz orogenezy alp. (wcześniej działały tu również

■ Kordyliery. Park Narodowy Glacier (Kanada)

orogenezy starsze). Strefa zach. (G. Nadbrzeżne, Sierra Madre Pd.), zbud. gł. z osadowych i wulk. skał trzeciorzędu, powstała pod koniec trzeciorzędu; strefa ta jest do dziś b. aktywna tektonicznie (wulkanizm, trzęsienia ziemi); najaktywniejsze wulkany: Izalco (1965 m) w Salwadorze, Fuego (3865 m) w Gwatemali, Saint Helens (2950 m) w USA, Pavlof (2518 m) w stanie Alaska w USA. Strefa środk. (G. Kaskadowe, Sierra Nevada, Sierra Madre Zach. i in.), zbud. z osadowych i magmowych skał paleozoicznych, triasowych i jurajskich, została sfałdowana w końcu jury. Strefa wsch. (G. Skaliste), zbud. gł. z osadowych i wulk. skał paleozoicznych i mezozoicznych, powstała w końcu kredy (faza laramijska). Między strefą środk. i wsch. istnieją śródgórskie masywy (wewn. wyżyny: Wyż. Kolumbii, Wyż. Kolorado i pd. Wyż. Meksykańska), zbud. z magmowych i metamorficznych skał prekambryjskich oraz z niesfałdowanych skał gł. paleozoicznych i mezozoicznych.

Rzeźba. K. Północne początkowo przebiegają równoleżnikowo, łukiem otwartym w kierunku pd., po czym skręcają, utrzymując ogólny kierunek pd.-wschodni. Na terenie stanu Alaska wyróżnia się: G. Brooksa (Isto, 2761 m), łańcuch górski Alaska (McKinley, 6194 m), G. Aleuckie (Redoubt, 3108 m) oraz góry na wyspie Kodiak, na płw. Kenai, pasmo Chugach, należące do najmłodszej strefy Kordylierów. Na obszarze Kanady K. ciągną się 2 wyraźnymi pasmami; na wsch. G. Skaliste (Robson, 3954 m), wraz z szerokim do 600 km przedpolem Wielkich Równin, na zach. G. Nadbrzeżne (Coast Mountains), przedłużające się ku pn. w G. Św. Eliasza (Logan, 6050 m, najwyższy w Kanadzie); pasma te dzieli podłużna strefa wyżyn wewnętrznych. K. Środkowe stanowią szeroką, zróżnicowaną strefę górską; na wsch. G. Skaliste, podzielone na szereg łańcuchów z licznymi szczytami przekraczającymi 4 tys. m (Elbert, 4399 m), na zach. 2 równoległe ciągi pasm górskich: G. Nadbrzeżne (Coast Ranges) oraz G. Kaskadowe i Sierra Nevada (Whitney, 4418 m), oddzielone doliną rz. Willamette i Doliną Kalifornijską; środk. część tej strefy zajmują: Wyż. Kolumbii, Wielka Kotlina z licznymi zapadliskowymi obniżeniami (Dolina Śmierci, do 86 m p.p.m.) i obszarami pustynnymi, przechodząca ku pd. w Wyż. Kolorado, głęboko porozcinaną licznymi kanionami rzek. K. Południowe mają charakter gór krawędziowych; obejmują Wyż. Meksykańską z obrzeżającymi ją górami: od wsch. — Sierra Madre Wsch. (Peña Nevada, 4054 m), od zach. — Sierra Madre Zach. (Mohinora, 3992 m), od pd. — Kordyliera Wulkaniczna z potężnymi stożkami czynnych wulkanów: Orizaba (5700 m), Popocatépetl (5452 m), Nevado de Colima (4265 m), Paricutín (2808 m); nadbrzeżne pasma górskie stanowią góry Płw. Kalifornijskiego i Sierra Madre Południowa. Na pd. od przesmyku Tehuantepec K. obniżają się, zwężają i rozpadają na krótkie łańcuchy ze stożkami wulkanów: Tajumulco (4220 m), Fuego (3835 m), Chirripó Grande (3820 m), w antylskim odgałęzieniu K. wysokość dochodzi do 3175 m (Duarte na wyspie Haiti).

Klimat. W wyniku dużej rozciągłości południkowej K. przebiegają przez wszystkie strefy klim., od klimatów okołobiegunowych na pn. do równikowych na pd.. Ze względu na znaczne wzniesienie prawie całe K. mają klimat górski z wyraźną piętrowością, zwł. w K. Południowych. Ograniczenie przez nadbrzeżne łańcuchy górskie wpływu O. Spokojnego powoduje znaczne różnice klim. pomiędzy zach. i wsch. częścią K. Najobfitsze opady występują na zach. stokach G. Nadbrzeżnych (w zach. Kanadzie do 5000 mm). Ilość ich znacznie maleje ku wschodowi. Kotliny śródgórskie i wsch. stoki G. Skalistych otrzymują poniżej 500 mm opadów. Najsuchszym obszarem jest Wielka Kotlina i Wyż. Kolorado — 100–300 mm. Mała ilość opadów występuje również w pn. części Wyż. Meksykańskiej i w strefie subpolarnej. Na obszarze Ameryki Środk. opady wzrastają do ponad 2000 mm rocznie, zwł. po stronie wsch., otwartej na wpływy pasatów. Linia wiecznego śniegu przebiega na pn. na wys. 600 m, w pd. Kanadzie — 1800 m, w G. Kaskadowych — 2500 m, w Sierra Nevada — 3800 m i w Meksyku — 4600 m.

Stosunki wodne. Wschodni łańcuch K. — G. Skaliste, stanowi gł. dział wód Ameryki Pn.; K. są odwadniane przez źródłowe rz. Mackenzie, Saskatchewan, Missouri (i jej pr. dopływy), Rio Grande i inne uchodzące do O. Atlantyckiego oraz przez Jukon, Fraser, Kolumbię (z dopływem Snake), Kolorado, uchodzące do O. Spokojnego. Rzeki K. charakteryzują się dużymi spadkami; w celu wykorzystania zasobów energ. zbudowano liczne zapory (m.in. Hoover Dam na Kolorado oraz Roosevelta na rz. Salt). W środk. części K. — rzeki okresowe, słone błota i słone jeziora (największe Wielkie Jez. Słone) oraz kotliny bezodpływowe (Dolina Śmierci, Bolsón de Mapimí). W K. występują liczne bogactwa miner.: złoto, srebro, rudy miedzi, cynku, ołowiu, molibdenu i uranu, ropa naft., gaz ziemny, węgiel kam. i brun. W celu zachowania naturalnego środowiska utworzono w K. liczne parki nar., m.in.: Katmai, Denali — w stanie Alaska (USA), Jasper, Banff — w Kanadzie, Glacier, Yellowstone, Wielkiego Kanionu, Olympic, Mount Rainier, Yosemite, Sekwoi — w USA; niektóre parki nar. w Kanadzie i USA są wpisane na Listę Świat. Dziedzictwa Kult. i Przyr. UNESCO.

Świat roślinny. Szata roślinna K. jest bardzo zróżnicowana i rozmieszczona strefowo. W skrajnie pn. części występuje tundra ark.--górska i bory świerkowe; w zach. części K., w Kanadzie i na pn. USA — bujne lasy iglaste (w drzewostanie sekwoja, mamutowiec, jedlica zielona, żywotniki), we wsch. — lasy borealne, gł. świerkowe, wyżej z jodłą górską; dalej na pd. przeważają formacje suchoroślowe, które wyżej przechodzą w piętro widnych lasów z sosną żółtą, ponad którym występuje piętro lasów jodłowo-świerkowych, a następnie piętro alp.; na Wyż. Meksykańskiej występuje roślinność pustynna i półpustynna lub suche lasy sosnowo--dębowe, a na wilgotnych stokach gór — lasy liściaste; dalej na pd. — lasy subtropik. zrzucające liście w porze suchej. ∎

Korea Południowa, Taehan, **Republika Korei,** państwo we wsch. Azji, na pd. Płw. Koreańskiego, nad M. Żółtym i M. Japońskim; 99,3 tys.

km²; 48,7 mln mieszk. (2002), Koreańczycy (ok. 100% ludności); protestanci, katolicy, wyznawcy konfucjanizmu, taoizmu, szamanizmu i licznych sekt rel.; przyrost naturalny ok. 10‰ rocznie; przeciętna długość życia 74 lata; duża gęstość zaludnienia (472 mieszk. na 1 km²); w miastach 85% mieszk.; stol. Seul, inne m.: Pusan, Tegu, Inczhon, Kwangdzu, Tedzon; język urzędowy koreań.; republika. Na wsch. G. Wschodniokoreańskie, opadające stromo do M. Japońskiego, na zach. aluwialna nizina o b. rozczłonkowanej linii brzegowej; wiele zatok i wysp, największa Dzedzu-do z wulkanem Halla-san (wys. 1950 m); klimat monsunowy, na pn. umiarkowany ciepły, na pd. podzwrotnikowy; na wybrzeżach częste tajfuny; gęsta sieć krótkich rzek górskich, gł.: Naktong-gang i Hang-gang; lasy (66% pow.) z dębem, lipą amurską i sosną na pn., z wiecznie zielonymi dębami, kameliami i bambusami na południu. Kraj nowo uprzemysłowiony o wysokiej dynamice wzrostu i dużym znaczeniu w gospodarce świat.; w latach 80. wzrost gosp. o ok. 10% rocznie, na pocz. lat 90. — 8%; od 1997 kryzys gosp. związany z rosnącym zadłużeniem zagr. (125 mld dol. USA, 1998), załamaniem systemu bankowego i bankructwem koncernów przem. (Kia). K.P. należy do największych w świecie producentów i eksporterów części komputerowych, półprzewodników oraz elektroniki użytkowej (odbiorniki telew., chłodziarki, zamrażarki, pralki), wytwarzanych gł. w zakładach koncernów Samsung i Lucky Goldstar, statków (tankowce, 2. miejsce po Japonii w produkcji świat.), samochodów osobowych i ciężarowych (Daewoo, Hyundai); rozwinięty przemysł rafineryjny, petrochem. i hutn. w portach dowozowych ropy naft. i rud metali, ponadto gumowy, włókien chem., tworzyw sztucznych oraz tradycyjny włók.; malejące wydobycie węgla kam., rud żelaza, wolframu, miedzi; ok. 60% energii elektr. dostarczają elektrownie cieplne, 38% jądr.; koncentracja zakładów przem. w okręgu Seul-Inczhon i nadmor. pasie przem. Ulsan–Pusan-Masan. Uprawa ryżu, jęczmienia, soi, ziemniaków, na pd. owoców cytrusowych, herbaty; hodowla trzody chlewnej; rybołówstwo. Transport kol., samochodowy, żegluga kabotażowa; przeładunek w portach mor. 704 mln t (2-krotna przewaga wyładunku nad załadunkiem, 1998); największe porty: Inczhon, Pusan, Ulsan, Masan. Wymiana handl. (ok. 4% obrotów świat.) gł. z Japonią, USA, Chinami. ∎

Korea Północna, Chosn, **Koreańska Republika Ludowo-Demokratyczna, KRL-D,** państwowe wsch. Azji, na pn. Płw. Koreańskiego i u jego nasady, nad M. Żółtym i M. Japońskim; 120,5 tys. km²; 24,8 mln mieszk. (2002), Koreańczycy; w większości ateiści, buddyści; ludność miejska ok. 60%; stol. Phenian, inne m.: Hamhyng, Czhongdzin; język urzędowy koreań.; republika. Na pn. G. Północnokoreańskie (wulkan Pektu-san, 2744 m), na wsch. G. Wschodniokoreańskie; wąskie niziny nad M. Żółtym; klimat umiarkowany monsunowy, na pn. chłodny, na pd. ciepły; liczne rzeki górskie, gł. Amnok-kang; lasy (75% pow.) świerkowe, jodłowe i modrzewiowe. Kraj o centr. systemie planowania gosp.; sektor państw. obej-

∎ Korea Południowa

∎ Korea Północna

muje całość gospodarki; od końca lat 80. głęboki kryzys gosp. związany z b. dużym deficytem energii i żywności (racjonowanie produktów żywnościowych); pomoc humanitarna krajów rozwiniętych. Podstawą gospodarki przemysł ciężki; górnictwo węgla kam. i rud metali (żelaza, wolframu); energetyka wodna (66% produkcji energii elektr., 1998), hutnictwo, przemysł zbrojeniowy, taboru kol., chem.; użytki rolne 17% pow. kraju; uprawa zbóż (ryż, kukurydza), ziemniaków, soi; hodowla trzody chlewnej, jedwabników; rybołówstwo mor.; eksploatacja lasów; transport kol., żegluga przybrzeżna; gł. port mor. Nampho. ■

Koreańska, Cieśnina, koreań. **Chosn haehyop, Taehan haehyp,** jap. **Chōsen-kaikyō,** cieśnina w zach. części O. Spokojnego, między Płw. Koreańskim a wyspami jap. Honsiu, Kiusiu i archipelagiem Goto; łączy M. Japońskie z M. Wschodniochińskim; przez cieśn. Shimonoseki (między Honsiu i Kiusiu) połączona z Wewn. M. Japońskim; dł. 390 km, szer. 180–220 km; liczne wyspy, największe: Dzedzu-do, archipelag Cuszima, Iki; podrzędne cieśn.: Dzedzu (między Płw. Koreańskim a wyspą Dzedzu-do), Cuszimska (między wyspami Cuszima i Iki); głęb. 115–230 m; najmniejsza głęb. na torze wodnym 73 m; przez C.K. przepływa ciepły Prąd Cuszimski (odnoga prądu Kuro Siwo z M. Wschodniochińskiego); gł. porty: Fukuoka, Shimonoseki, Pusan.

■ Półwysep Kornwalijski. Wrzosowiska

Koreański, Półwysep, Chosn pando, Taehan pando, półwysep w Azji Wsch., między M. Japońskim a M. Żółtym; od W. Japońskich oddzielony Cieśn. Koreańską; dł. ok. 600 km, szer. 130–200 km; pow. ok. 150 tys. km². Wybrzeże wsch. wyrównane, zach. i pd. silnie rozczłonkowane, riasowe. P.K. stanowi wsch. część prekambryjskiej platformy chiń., do której przylegają różnowiekowe pasma górskie; u nasady P.K. ciągną się G. Północnokoreańskie, wyniesione do 2485 m (szczyt Guunoon), wzdłuż wsch. wybrzeża — G. Wschodniokoreańskie (najwyższy szczyt Sorak-san, 1708 m); część zach. — pagórkowata. Klimat pn. części umiarkowany kontynent. odmiany monsunowej, pd. — podzwrotnikowy monsunowy; średnia temp. w styczniu od –10°C, –15°C na pn. do powyżej 0°C na pd.; w lipcu odpowiednio od 20°C do 25°C; średnia roczna suma opadów (gł. letnich) od 800 mm na nizinach do 1500 mm w górach; wiosną i jesienią częste tajfuny. Liczne krótkie rzeki (najdłuższa Naktong-gang), zasobne w

wodę. Pierwotne lasy (liściaste, zrzucające liście na zimę i wiecznie zielone) zachowały się w górach. Na P.K. leży większa część Korei Pn. i Korea Południowa.

Korfantów, m. w woj. opol. (powiat nyski), nad Ścinawą Niemodlińską (pr. dopływ Nysy Kłodzkiej); 2,0 tys. mieszk. (2000); ośr. usługowy regionu roln.; drobny przemysł drzewny (meble) i obuwn.; spółdzielnia lud.-artyst., wytwórnia sprzętu rehabilitacyjno-ortopedycznego; Opol. Centrum Rehabilitacji; węzeł dróg lokalnych; prawa miejskie XV w. (1408?)–1945 i od 1993; pałac (XVII, XIX w.), częściowo w ruinie. ■

Korfu, nazwa gr. wyspy i m. → Kerkira.

Koriacki Okręg Autonomiczny, okręg autonomiczny w Rosji (obw. kamczacki), nad M. Beringa i M. Ochockim; 301,5 tys. km²; 27 tys. mieszk. (2002), Koriacy 17%, Czukcze, Itelmeni, Rosjanie 62%, Ukraińcy; ośr. adm. Pałana; wydobycie węgla brun.; hodowla reniferów; myślistwo i rybołówstwo.

Kornwalijski, Półwysep, Cornwall, półwysep w W. Brytanii (Anglia), między Kanałem Bristolskim a cieśn. La Manche; zakończony przylądkami Land's End i Lizard Point; linia brzegowa silnie rozwinięta; pd. wybrzeże riasowe; wnętrze P.K. zajmują rozległe, kopulaste wzniesienia (najwyższe Dartmoor, 621 m); klimat umiarkowany ciepły, wybitnie mor. (średnia temp. w styczniu ok. 6°C, w lipcu 16°C); lasy dębowe, na obszarach wyżej wzniesionych wrzosowiska i torfowiska; liczne kąpieliska mor.; turystyka; gł. m. Plymouth. ■

Koronowo, m. w woj. kujawsko-pomor. (powiat bydg.), nad Brdą; 10,7 tys. mieszk. (2000); ośr. usługowy regionu turyst.-wypoczynkowego; w dzielnicy Pieczyska ośr. wypoczynkowe i sportów wodnych, w dzielnicy Romanowo klub i przystań żeglarska; przemysł spoż., ponadto produkcja: pasz, podnośników rampowych, grzejników łazienkowych, szkła ozdobnego, oraz zakłady obróbki drewna; węzeł drogowy; prawa miejskie od 1368; dawne opactwo Cystersów: kościół (1289–poł. XIV w.) z obrazami B. Strobla i klasztor.

Koronowskie, Jezioro, Koronowski Zbiornik Wodny, zbiornik retencyjny w Dolinie Brdy. Koncepcję budowy tamy i elektrowni w pobliżu Koronowa oprac. prof. K. Pomianowski i mgr inż. A. Hoffmann w czasach II Rzeczypospolitej; w latach 30. przeprowadzono badania geol., 1953 powstał projekt budowy, zrealizowany 1956–1962. Jezioro powstało przez spiętrzenie dolnego biegu Brdy zaporą ziemną w Pieczyskach; pow. 16,5 km², dł. ok. 28 km, szer. do 1,2 km, maks. głęb. 20 m, pojemność całkowita 90 hm³, użytkowa — 22 hm³, wys. piętrzenia 20 m; urozmaicona linia brzegowa; kilka długich zatok (zalane doliny dopływów Brdy), tworzących części J.K., o odmiennych nazwach: Nowozamrzeńskie (ujście Kamionki), Łachowo (ujście Sępolnej), Długie (ujście rz. Krówka poprzez jez. Piaseczno i Stoczek), Koronowskie, Olszewko (ujście rz. Kręgiel), Lipusz, Tuszyny, Czarne i Białe; brzegi J.K. przeważnie wysokie, porośnięte zwartym suchym lasem sosnowym. We w. Samociążęk, 6,5 km od zbiornika, hydroelektrownia (26 MW), którą z J.K. łączy, biegnący rynną jeziorną równoległą do Brdy, kanał lateralny (dł. 11 km).

korozja magmowa, proces nadtapiania przez magmę wykrystalizowanych już z niej minerałów wskutek ponownego wzrostu temperatury w zbiorniku magmowym.

Korsyka, Corse, wyspa w pn. części M. Śródziemnego, oddzielona od Sardynii cieśn. Bonifacio; region adm. Francji, złożony z dep.: Corse-du-Sud i Haute-Corse; pow. 8,7 tys. km^2; ośr. adm. Ajaccio. Powierzchnia górzysta, pocięta głębokimi dolinami rzek (największe: Golo, Tavignano); w zach. części stare masywy granitowe z najwyższym szczytem K. — Monte Cinto (2710 m), na pn.-wsch. młode góry fałdowe, zbud. gł. z łupków; wzdłuż wsch. wybrzeża aluwialna nizina nadmor.; wybrzeże zach. górzyste, z licznymi zatokami (największe Sagone, Ajaccio), wsch. — wyrównane z jeziorami lagunowymi. Klimat śródziemnomor.; średnia temp. w styczniu 11–13°C, w lipcu 23°C; opady gł. zimowe, od 800 do 1500 mm; do wys. ok. 800 m makia, powyżej lasy bukowe, kasztanowe, dębowe i sosnowe. Jeden ze słabiej rozwiniętych gospodarczo regionów Francji; znaczne bezrobocie oraz odpływ ludności do metropolii, która pokrywa większość wydatków budżetowych regionu; rozwinięta turystyka (liczne kąpieliska mor.); na nizinie uprawa winorośli, oliwki, drzew cytrusowych; na terenach górzystych ekstensywny chów owiec; przemysł rolno-spoż.; gł. porty mor.: Ajaccio, Bastia.

Korsze, m. w woj. warmińsko-mazurskim (powiat kętrzyński); 5,0 tys. mieszk. (2000); węzeł kol.; ośr. usługowy regionu roln.; drobny przemysł, gł. spoż.; prawa miejskie od 1962.

Koryncka, Zatoka, Korinthiakos kolpos, zatoka M. Jońskiego (M. Śródziemne) wcinająca się 130 km w głąb wybrzeża Grecji; szer. do 35 km (u wejścia 3 km), głęb. do 935 m; przez Kanał Koryncki łączy się z M. Egejskim; port — Korynt.

Koryncki, Kanał, Diorikstis Korinthu, kanał mor. w środk. Grecji, przecinający Przesmyk

■ Kanał Koryncki

Koryncki; łączy Zat. Sarońską (M. Egejskie) z Zat. Koryncką; dł. 6,3 km, szer. 24,6 m, głęb. 7 m; zbud. 1881–93. ■

kosa, rodzaj → mierzei.

Kosowo, Kosovo, Kosowo i Metochia, okręg w Jugosławii, w pd.-zach. Serbii; 10,9 tys. km^2; 2 mln mieszk. (2002), Albańczycy, Serbowie; stol. Prisztina; górzyste; kotliny: Kosowe Pole, Metochia; lasy dębowe; słabo rozwinięty region roln.; uprawa zbóż, winorośli; hodowla owiec; wydobycie węgla brun., rud cynku, ołowiu, chromu; 1945–90 okręg autonomiczny w Serbii; przeważający w K. Albańczycy domagają się niepodległości.

Kosów Lacki, m. w woj. mazow. (powiat sokołowski), na pd. od Nadbużańskiego Parku Krajobrazowego; 2,4 tys. mieszk. (2000); ośr. usługowy regionu roln.; rozwinięte przetwórstwo rolno-spoż., w tym duża mleczarnia; węzeł dróg lokalnych; prawa miejskie 2000.

Kostaryka, Costa Rica, Republika Kostaryki, państwo w Ameryce Centr., nad O. Spokojnym i M. Karaibskim; 51,1 tys. km^2; 3,8 mln mieszk. (2002), ludność pochodzenia hiszp., Indianie, Metysi, Murzyni; katolicy; stol.: San José; język urzędowy hiszp.; republika. Kraj górzysty (Kordyliery), wys. do 3820 m (Chirripó Grande); czynne wulkany; klimat równikowy wilgotny; lasy równikowe i górskie. Podstawą gospodarki jest rolnictwo plantacyjne; uprawa trzciny cukrowej, bananów, kawowca, olejowca; hodowla bydła; rybołówstwo; przemysł cukr., papierniczy; obsługa turystów; Droga Panamer.; gł. porty mor.: Limón nad M. Karaibskim, Puntarenas nad O. Spokojnym. ■

■ Kostaryka

Kostrzyn, m. w woj. lubuskim (powiat gorzowski), przy ujściu Warty do Odry, przy granicy z Niemcami; 17,5 tys. mieszk. (2000); ważny ośr. przemysłu drzewno-papierniczego oraz ośrodek handl.-usługowy; Zakłady Kostrzyn Paper (jedna z największych papierni w kraju), wytwórnia części do maszyn; duży węzeł kol. i drogowy z przejściem granicznym; port rzeczny nad Wartą; Stow. „Sztuka na granicy" z siedzibą w Centrum Edukacji Przyr. i Badań Nauk. w pobliskiej Chyrzynie (międzynar. plenery malarskie); muzeum przyr.; w podziemiach d. twierdzy miejsce zimowania nietoperzy (6. co do wielkości w Polsce); prawa miejskie od 1300; zamek-twierdza (XIV–XIX w.), obwarowania bastionowe (XVI w.).

Kostrzyn, m. w woj. wielkopol. (powiat pozn.); 8,1 tys. mieszk. (2000); ośr. usługowy regionu roln. z rozwiniętym przemysłem meblarskim; szkółki drzew ozdobnych i owocowych; węzeł komunik.; prawa miejskie od 1251; kościół (XVI, XVIII w.).

Koszalin, m. w woj. zachodniopomor., na wybrzeżu M. Bałtyckiego (13 km od morza); powiat grodzki, siedziba powiatu koszal.; 113 tys. mieszk. (2000); ośr. usługowy, przem. i adm. zach. części regionu Pomorza Środk.; stol. diecezji koszal.-kołobrzeskiej Kościoła rzymskokatol.; przemysł: spoż., maszyn., elektron., drzewny, materiałów bud., chem., ponadto zakłady: produkcji urządzeń handl., części samochodowych, ozdób choinkowych, odzieżowe, graficzne i in.; węzeł komunik.; w Zegrzu Pomorskim (28 km od K.) lotnisko obsługujące loty czarterowe; oddziały wielu banków i towarzystw ubezpieczeniowych; liczne imprezy targowe; ośr. obsługi ruchu turyst., z bogatą bazą noclegową, oraz kult. i nauk.; teatry, filharmonia, muzeum, regionalna rozgłośnia radiowa i ośrodek telew. (od 1991); Świat. Festiwal Chórów Polonijnych, Międzynar. Festiwal Muzyki Organowej i Wokalnej, Międzynar. Dni Muzyki Perkusyjnej, Nadbałtycka Wiosna Esperancka; szkoły wyższe, w tym politechn., Wyższe Seminarium Duchowne i Wyższy Inst. Wiedzy Religijnej; ślady działalności człowieka z okresu kultury łuż. i wczesnego średniowiecza; prawa miejskie od 1266; 1950–98 stol. woj.; muzeum; fragmenty murów miejskich (XIII–XIV w.), got. katedra NMP i kaplica (XIV w.), got. kamienica (częściowo zrekonstruowana), Dom Kata (XVIII w.).

Koszalińskie, Pobrzeże, Pobrzeże Słowińskie, środk. część Pobrzeży Południowobałtyckich, położona między doliną dolnej Parsęty na zach. a przyl. Rozewie na wsch.; dł. ok. 190 km, szer. 25–30 km (tylko wzdłuż Parsęty do 60 km); wyraźnie różni się zarówno od głęboko wysuniętego na pd. Pobrzeża Szczec., jak również od otaczającego Zat. Gdańską Pobrzeża Gdań.; obejmuje pas nadmor. zw. Wybrzeżem Słowińskim (liczne jeziora przybrzeżne, m.in.: Łebsko, Gardno, Jamno) oraz równiny i wysoczyzny morenowe przecięte dolinami rzek (Parsęty, Grabowej, Wieprzy, Słupi, Łupawy, Łeby) i odcinkami pradolin; oddzielone stopniem terenowym o wys. 50–100 m od położonego na pd. Pojezierza Zachodniopomorskiego. Region turyst., wypoczynkowy i uzdrowiskowy; liczne kąpieliska nadmor., m.in. Mielno, Darłowo, oraz uzdrowiska: Kołobrzeg, Ustka, Łeba; porty rybackie i żeglugi przybrzeżnej (Kołobrzeg, także handl., Darłowo, Ustka, Łeba); w rejonie jez. Gardno i Łebsko utworzono Słowiński Park Narodowy. Na P.K. wyróżnia się następujące regiony: równiny Białogardzką i Słupską, wysoczyzny Damnicką i Żarnowiecką oraz Pradolinę Redy-Łeby.

Kościan, m. powiatowe w woj. wielkopol., nad Kanałem Kościańskim (część Kanału Obry); 24,4 tys. mieszk. (2000); ważny ośr. przemysłu spoż.; ponadto zakłady mebl., aparatury chem., ceramiki bud., poligraficzne, wytwórnie gazów techn. i urządzeń komunalnych; siedziba oddziałów kilku banków; węzeł drogowy; Oddział Zamiejscowy UAM; muzeum; duży szpital dla nerwowo i psychicznie chorych; prawa miejskie przed 1289 (po 1253)–1332 i ponownie od 1400; muzeum; kościół (XIV, XV–XVI w.) z późnogot. tryptykiem (1507). W pobliżu wydobycie gazu ziemnego.

Kościelec, strzelisty szczyt w Tatrach Wysokich, w grzbiecie odbiegającym na pn. od Zawratowej Turni (2247 m) i stanowiący grzędę międzydolinną rozdzielającą Dolinę Gąsienicową na 2 części; wys. 2155 m; wierzchołek przypomina piramidę lub dach kościoła; zbud. z grubych ławic granitu zapadających ku pn.; na pn. oddzielony przełęczą Karb (1853 m) od Małego Kościelca (1863 m), na pd. — Przełęczą Kościel-

cową (2115 m) od Zadniego Kościelca (2162 m); jedyny punkt widokowy na wszystkie Stawy Gąsienicowe; dojście szlakiem od przełęczy Karb; na ścianach drogi wspinaczkowe.

Kościeliska, Dolina, dolina walna w Tatrach Zach., opada ku pn. spod najwyższego ich masywu, Bystrej (2248 m); wylot (na wys. 927 m) w osiedlu Kiry; otoczenie: od pd. i wsch. — grzbiet gł. Tatr (Błyszcz, Kamienista, Smreczyński Wierch, Tomanowy Wierch, Ciemniak, Krzesanica i Małołączniak), od pn.-wsch. — Skoruśniak, Hruby Regiel i Mały Regiel, od zach — Ornak, Kominiarski Wierch, Stoły i Kopki. Długość 9 km, pow. 39 km^2, 4-kilometrowy odcinek dolny, zbud. ze skał osadowych, zwiera się skalnymi bramami: Pola, Kraszewskiego i Kantaka; na pd.-wsch. odgałęzia się od niej wąwóz Kraków, a niżej — samodzielna Dolina Miętusia; morfologia tego odcinka jest ściśle związana z budową geol., a tutejsze jaskinie należą do nadłuższych i najgłębszych w Tatrach (system Wysoka–Za Siedmiu Progami, Bańdzioch Kominiarski, Czarna, Miętusia, Zimna i in.); ponad górną bramą (Brama Pola), dno na wys. 1050 m, dolina rozszerza się w wachlarz dolin: Pyszniańską, Tomanową, wyciętych gł. w utworach krystalicznych i zlodowaconych w czwartorzędzie. Środkową i górną część D.K. obejmuje rezerwat ścisły Tatrzańskiego Parku Nar. (naturalne świerczyny, starodrzewy górnoreglowe ze skupiskami limb, ostoje jeleni, niedźwiedzi, kozic); na grzbiecie morenowym, nad Doliną Pyszniańską, leży Smreczyński Staw, pod Siwą Przełęczą — 2 małe Siwe Stawki. Dnem D.K. spływa Potok Kościeliski, w górnym biegu zw. Pyszniańskim, a od Kir w dół — Kirową Wodą; jego faktyczna zlewnia jest większa od orograficznej (→ Lodowe Źródło). Od XV w. do ok. 1870 w D.K. było rozwinięte górnictwo, najpierw kruszców, później rud żelaza; na polanie Stare Kościeliska do 1841 czynna kuźnica; od pocz. XIX w. dolina była celem wycieczek, gł. atrakcje stanowiły: Smreczyński Staw, wypływ spod Pisanej Skały, Lodowe Źródło, kapliczka zw. zbójecką, a od ok. 1885 także jaskinie — Mylna, Raptawicka, Smocza Jama, ob. również udostępnione dla turystów (a także jaskinie: Mroźna i Obłazkowa). D.K. jest masowo odwiedzana; do schroniska PTTK na Polanie Ornaczyńskiej wiedzie droga jezdna, zamknięta dla pojazdów mech.; na szczyty i przełęcze prowadzą liczne szlaki turystyczne.

Kościerzyna, m. powiatowe w woj. pomor., w pobliżu jezior Garczyn, Sudomie, Wierzysko; 23,7 tys. mieszk. (2000); lokalny ośrodek przem. i usługowy dla roln. zaplecza oraz okolicznych ośrodków wczasowych i letniskowych; miejscowość turyst.; przemysł: spoż., drzewny, odzież., metal.; węzeł kol. i drogowy; ośrodek oświat., kult. z prężnym kaszubskim ruchem regionalnym, muzea; prawa miejskie w 2. poł. XIV w. (przed 1403); od XIX w. ośr. polskości na Kaszubach i ruchu młodokaszubskiego.

Kościuszki, Góra, Mount Kosciusko, najwyższy szczyt Australii (stan Nowa Pd. Walia), w G. Śnieżnych (Alpy Austral.); wys. 2228 m; źródła Swampy Plain (dopływ Murray) i Rz. Śnieżnej;

zdobyta i nazwana 1840 przez P.E. Strzeleckiego; na Górze Kościuszki wmurowana pamiątkowa płyta w setną rocznicę jej zdobycia; stanowi część Parku Nar. Kościuszki (największego w Nowej Pd. Walii); turystyka i sporty zimowe (wyciągi krzesełkowe i narciarskie).

kotlina, zagłębienie powierzchni Ziemi, najczęściej okrągłe lub podłużne o wklęsłym lub płaskim dnie; rozróżnia się k. zamknięte, tzw. bezodpływowe, i k. otwarte, z których odpływ wód odbywa się przez obniżenia w częściach peryferyjnych; k. powstają wskutek zapadania się pewnych obszarów powierzchni Ziemi (np. pod wpływem osiadania gruntów w wyniku eksploatacji górn.) lub wskutek erozyjnego działania czynników zewn. (gł. wody).

Kotte, tamilskie **Kōṭṭai,** stol. konst. Sri Lanki (stol. adm. — Kolombo), w pobliżu Kolombo; 128 tys. mieszk. (2002); siedziba parlamentu.

Kowal, m. w woj. kujawsko-pomor. (powiat włocławski); 3,4 tys. mieszk. (2000); ośr. usługowy; wytwórnia mebli; węzeł drogowy; prawa miejskie 1519–1870 i od 1919; miejsce urodzenia Kazimierza III Wielkiego; kościół (XVII w.).

Kowalewo Pomorskie, m. w woj. kujawsko-pomor. (powiat golubsko-dobrzyński), nad Strugą (pr. dopływ Drwęcy); 4,1 tys. mieszk. (2000); ośr. usługowy dla rolnictwa; węzeł kol. i drogowy; prawa miejskie 1275–1833 i od 1929.

Kowary, m. w woj. dolnośląskim (powiat jeleniogórski), nad potokiem Jedlica (dorzecze Bobru); 12,9 tys. mieszk. (2000); uzdrowisko (wody miner. radoczynne), ośr. wypoczynkowy i sportów zimowych; fabryki: dywanów, filców, porcelany techn. i in.; prawa miejskie od 1513; XIX w.–1961 górnictwo wysokowartościowych rud żelaza (przejściowo także uranu); kościół (XV–XVI, XVII w.), ratusz (XVII w.), domy (XVIII, XIX i XX w.).

Kozi Wierch, szczyt w Tatrach Wysokich, najwyższy w grupie Kozich Wierchów, między dolinami: Gąsienicową a Pięciu Stawów Polskich; wys. 2291 m; najwyższy niegraniczny szczyt pol. Tatr; zbud. z granitów; oddzielony wąską Kozią Przełęczą Wyżną (ok. 2240 m) od grani Kozich Czub (2266 m); na pn., ku Dolince Koziej, i na pd.-zach., ku Dolince Pustej, opadają wysokie ściany (drogi wspinaczkowe). Szlaki turyst. z Doliny Pięciu Stawów Polskich (łatwy) i z Dolinki Koziej przez Kozią Przełęcz oraz Żlebem Kulczyńskiego (trudniejsze); granią K.W. przechodzi jeden z najciekawszych odcinków Orlej Perci (klamry, łańcuchy, drabinki); wspaniały widok, podobny do panoramy ze Świnicy.

Koziegłowy, m. w woj. śląskim (powiat myszkowski), nad rz. Boży Stok (l. dopływ Warty); 2,5 tys. mieszk. (2000); ośr. wyrobów lud. i rękodzieła artyst.; drobne zakłady metal. i przetwórstwa spoż. oraz dziewiarskie; ośrodek usługowy regionu roln.; węzeł drogowy; prawa miejskie 1402–1870 i od 1950; kościół (XV, XVI, XVII w.).

Kozienice, m. powiatowe w woj. mazow., na skraju Puszczy Kozienickiej, nad Zagożdżonką (l. dopływ Wisły); 20,4 tys. mieszk. (2000); ośr. przem. i usługowo-mieszkaniowy dla pracowni-

ków pobliskiej elektrowni cieplnej Kozienice; zakłady: mebl., artykułów biurowych, elektrotechn., materiałów bud., spoż.; węzeł drogowy; stadnina koni pełnej krwi ang. i klub jeździecki; miejsce urodzenia Zygmunta I Starego; prawa miejskie od 1549; pozostałości dawnej rezydencji Stanisława Augusta (XVIII w.), przebud. w końcu XIX w.; w oficynie pałacowej — muzeum.

Koźmin Wielkopolski, m. w woj. wielkopol. (powiat krotoszyński), nad Orlą; 7,1 tys. mieszk. (2000); lokalny ośrodek usługowy regionu roln.; niewielkie zakłady przemysłu: maszyn., metal., chem., spoż.; węzeł drogowy; prawa miejskie od 1283; zamek (XV–XVI w.), kościoły (XVI, XVII w.).

Kożuchów, m. w woj. lubus. (powiat nowosolski); 9,9 tys. mieszk. (2000); ośr. usługowy regionu; zakłady produkujące części samoch., ponadto drobny przemysł drzewny, materiałów bud., odzież. i spoż.; węzeł dróg lokalnych; prawa miejskie przed 1295; zamek (XV w.), kościół i mury miejskie (XV–XVI w.), kamienice (XVI, XVII, XIX w.); w zamku izba instrumentów muz., turnieje rycerskie.

Kórnik, m. w woj. wielkopol. (powiat poznański), nad Jez. Kórnickim; 6,2 tys. mieszk. (2000); ważny ośr. kult.-nauk. i krajoznawczy; Inst. Dendrologii PAN z arboretum (największe w Polsce — 3000 gat. i odmian drzew i krzewów), Zakład Doświadczalny PAN obejmujący „Szkółki Kórnickie"; siedziby kilku tow. kult.; dom rodzinny W. Szymborskiej; przemysł spoż. i poligraf.; ośrodek usług logistyczno-transportowych; węzeł drogowy; prawa miejskie od 1426–50; 1961 do K. włączono Bnin; kościół parafialny (XV, XVIII w.); zamek, pierwotnie Górków (XVI w.), przebud. całkowicie na neogot. rezydencję dla Działyńskich (XIX w., K.F. Schinkel) — ob. muzeum i biblioteka PAN (dawna Biblioteka Kórnicka), park geom. i krajobrazowy (XVIII/XIX w.).

kra lodowcowa, wielki płat lub blok skalny wyrwany z podłoża i przeniesiony na znaczną odległość przez przesuwający się lądolód; w Polsce k.l. występuje m.in. w okolicach Łukowa, gdzie wśród utworów plejstoceńskich znajdują się iły jurajskie (przywleczone prawdopodobnie z Litwy) z licznymi amonitami i bułami sferosyderytów.

Krajenka, m. w woj. wielkopol. (powiat złotowski), nad Głomią (l. dopływ Gwdy); 3,7 tys. mieszk. (2000); ośr. usługowy regionu roln. i turyst.; przemysł drzewny; prawa miejskie od 1420.

Krakatau, Krakatoa, czynny wulkan w Indonezji, w Cieśn. Sundajskiej, między Sumatrą a Jawą; nadwodna część K. tworzy wyspę o pow. 10,5 km^2, wys. do 813 m; ostatni wielki wybuch 27 VIII 1883 (jedna z największych katastrof wulk. w dziejach świata) spowodował olbrzymią falę mor. (tsunami) wys. do 36 m, która obiegła połowę kuli ziemskiej; ok. 40 tys. osób straciło życie; eksplozja K. wyrzuciła w powietrze 18 km^3 materiału skalnego; popiół i gazy wulk. utrzymywały się w atmosferze ponad rok, powodując osobliwe zjawiska na niebie (niebieskie słońce, zielony księżyc); wybuch słyszano w promieniu ponad 3 tys. km; 1928/29 w pobliżu K. wynurzyła się nowa wyspa wulk. Rakata, wys. do 132 m; od 1680 zanotowano 31 erupcji, ostatnie 1950–52, 1972–73, 1980.

Krakowsko-Częstochowska, Wyżyna, Jura Krakowska, wsch. część Wyż. Śląsko-Krakowskiej, będąca płytą wapieni górnojurajskich, wzniesioną od ok. 300 m w okolicach Częstochowy do 450–500 m w części pd.-wsch. (maks. do 512 m pod Jerzmanowicami); wyżyna jest

■ Wyżyna Krakowsko-Częstochowska, widok z Góry Zborów na Skały Kroczyckie

lekko pochylona ku pn.-wsch., natomiast ku Obniżeniu Górnej Warty opada stromą, ok. 100 m, krawędzią; ponad płaską powierzchnię wyżyny wznoszą się ostańcowe skałki wapienne, czasami zwieńczone ruinami zamków; pd. część W.K.--Cz. (Garb Tenczyński) jest oddzielona od reszty regionu (wyż. Częstochowskiej i Olkuskiej) zapadliskiem tektonicznym (Rów Krzeszowicki); rolnictwo; gleby zróżnicowane: bielice, rędziny, brunatnoziemy; lasy zachowały się prawie wyłącznie na zboczach dolin pd. części wyżyny. Region atrakcyjny krajobrazowo, liczne szlaki turyst. (m.in. poprowadzony krawędzią W.K.-Cz. Szlak Orlich Gniazd). Dla ochrony wartości przyrodniczych W.K.-Cz. utworzono Zespół Jurajskich Parków Krajobr. (1982), a w części pd. Ojcowski Park Nar. (1956). Główne m. (całkowicie w granicach W.K.-Cz.) — Olkusz, Wolbrom oraz, położone na pograniczu regionu — Częstochowa i Kraków. ■

Kraków, m. wojew. (woj. małopol.) nad Wisłą; powiat grodzki, siedziba powiatu krak.; 738 tys. mieszk. (2000); największy ośr. gosp., kult. i nauk. w pd. Polsce; stol. metropolii i diecezji krak. Kościoła rzymskokatol. oraz siedziba die-

■ Kraków. Panorama miasta

cezji Kościoła polskokatol.; konsulaty wielu państw; dominuje hutnictwo żelaza i stali (Huta im. T. Sendzimira), przemysły tytoniowy i farm.; ponadto przemysł: metal., maszyn., elektrotechn., kosmetyczny i chemii gosp., spoż., materiałów bud., drzewny, odzież. i skórzany; duży ośr. poligraficzny i wydawniczy m.in. wydawnictwa książkowe (Uniw. Jagiellońskiego, Znak), prasowe (ponad 20 tytułów, w tym Przekrój, Tygodnik Powszechny, Dziennik Pol.) oraz muz.; ważny ośr. finans.-handl. z rozbudowaną infrastrukturą usługową; centrale: Banku Przem.-Handl., Banku Współpracy Regionalnej oraz Krak. Banku Spółdzielczego i Małopol. Banku Regionalnego; wiele cyklicznych imprez targowo-promocyjnych; węzeł komunik., port lotn. (Balice); wielki ośrodek nauk. i szkolnictwa wyższego o starych tradycjach (najstarsza pol. uczelnia — Uniw. Jagielloński, zał. 1364), w którym studiuje ok. 128 tys. osób rocznie i pracuje ponad 10 tys. nauczycieli akademickich; bogate (prawie 2 mln woluminów) księgozbiory udostępnia 70 bibliotek, m.in. Jagiellońska, biblioteki PAU i PAN; obserwatorium astr.; największa w Polsce liczba klasztorów i zgromadzeń zakonnych (ok. 80); najważniejsze, obok Warszawy, centrum kultury i sztuki w Polsce, skupiające kilkanaście teatrów (Stary Teatr, Teatr im. J. Słowackiego, Teatr „Bagatela", Krakowski Teatr — Scena STU, Teatr Lalki, Maski i Aktora „Groteska") i instytucji muz. (opera, operetka, filharmonia, chóry), w których odbywa się ponad 3100 spektakli rocznie; stacje telew. i radiowe (radio RMF FM), kluby i stow. studenckie; festiwale — Muzyka w Starym Krakowie, Filmów Krótkometrażowych, Kultury Żyd., Muzyki Cerkiewnej, Międzynar. Triennale Grafiki, Krak. Zaduszki Jazzowe oraz imprezy kultywujące folklor i tradycje; dzięki historii, bogactwu zabytków (ok. 6 tys. obiektów zabytkowych) oraz wielu atrakcjom miasto jest największym obok Warszawy ośrodkiem turyst. w kraju (ok. 4,4 mln turystów rocznie); wiele klubów i obiektów sport., w tym: stadiony piłkarskie (Wisła, Cracovia).

Ślady osadnictwa z paleolitu i mezolitu; prawa miejskie od 1257.

Najcenniejszy zespół zabytkowy w Polsce; na Wawelu: katedra (XI–XVIII w.) z renes. kaplicą Zygmuntowską (XVI w.) i zamek król. (XIV–XIX w.); na Rynku Gł.: got. kościół Mariacki (XIV–XV w.), Sukiennice (XIV–XVI w.); fragmenty got. murów (XIII–XV w.) z barbakanem i Bramą Floriańską; Collegium Maius (XV–XVI w.); kościoły: rom. (Św. Andrzeja), got. (Franciszkanów, Dominikanów, Augustianów, Kanoników Laterańskich), barok. (Św. Piotra i Pawła, Św. Anny, Misjonarzy, Paulinów na Skałce), zespół zabytków żyd. na Kazimierzu, z tzw. Starą Synagogą (XVI w.), liczne kamienice (XIV–XIX w.), pałace (XV–XVIII w.), gmachy użyteczności publ. z XIX i XX w. (teatry: Słowackiego i Stary, Muzeum Nar.); współcz. budowle (kościoły w Nowej Hucie i Mistrzejowicach); ponad 30 muzeów, ponad 70 galerii sztuki i liczne instytucje wystawiennicze (Galeria Międzynar. Centrum Kultury, Ośr. Dokumentacji Sztuki T. Kantora — Cricoteka, Tow. Przyjaciół Sztuk Pięknych — Pałac Sztuki). ■

Krapkowice, m. powiatowe w woj. opol., przy ujściu Osobłogi do Odry; 19,6 tys. mieszk. (2000); ośr. przem.-usługowy i kult.-oświat.; zakłady papiern., maszyn., obuwn. i spoż.; węzeł drogowy; prawa miejskie od 1294; kościół (XIV–XVI, XVIII, XIX–XX w.), fragmenty murów miejskich (XIV–XVI w.), pałac (XVII, XVIII w.).

kras, krasowienie, procesy krasowe, procesy rozpuszczania skał (wapieni, dolomitów, gipsów, soli kamiennej) przez wody powierzchniowe i podziemne, prowadzące do rozwoju podziemnej cyrkulacji wód i powstania charakterystycznych form powierzchni Ziemi, zw. formami krasowymi. K. nazywa się też obszar, na którym te procesy i formy występują.

Do najbardziej rozpowszechnionych skał ulegających k. należą wapienie. Węglan wapnia $CaCO_3$ rozpuszcza się stosunkowo słabo w zwykłej wodzie, natomiast w wodzie zawierającej dwutlenek węgla CO_2 rozpuszczalność jego wzrasta 10-krotnie, gdyż wówczas przechodzi on w łatwo rozpuszczalny wodorowęglan wapnia $Ca(HCO_3)_2$. Źródłem CO_2 jest atmosfera, ale wody opadowe najbardziej wzbogacają się w ten gaz, przechodząc przez pokrywę roślinną i glebę. O rozwoju i przebiegu k. decyduje także możliwość krążenia wód w szczelinach skalnych, umożliwiających przenikanie wód w głąb masywów skalnych. Duży wpływ na rozwój k. ma wysokość i ukształtowanie terenu; procesy krasowe szczególnie intensywnie zachodzą na obszarach położonych wysoko, o znacznych deniwelacjach (woda może dłużej krążyć) oraz na obszarach płaskich i słabo nachylonych (prawie cała woda opadowa wsiąka w głąb). Formy krasowe tworzą się zarówno na powierzchni terenu (formy powierzchniowe), jak i w głębi masywów skalnych (formy podziemne). Rozwój form krasowych na nagich, pozbawionych roślinności powierzchniach skalnych nosi nazwę k.

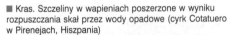

■ Kras. Szczeliny w wapieniach poszerzone w wyniku rozpuszczania skał przez wody opadowe (cyrk Cotatuero w Pirenejach, Hiszpania)

■ Kras powierzchniowy w Górach Krymskich (Eski-Kermen)

odkrytego (nagiego), pod ziemią — k. podziemnego, pod przykryciem zwietrzelinowo-darniowym — k. zielonego, a pod powłoką skał wodoprzepuszczalnych (np. piasków) — k. zakrytego.

Do krasowych form powierzchniowych należą: lapiaz, czyli zespół drobnych form występujących na pochyłych, nagich powierzchniach skalnych pociętych szczelinami, powstałych w wyniku spływania wód opadowych i roztopowych; w jego skład wchodzą żłobki i żebra krasowe, ospa krasowa, jamy i kieszenie krasowe; żłobki krasowe są to bruzdy o przebiegu zgodnym z nachyleniem powierzchni skalnej, przedzielone ostrymi lub zaokrąglonymi grzbietami — żebrami krasowymi; kształt i wielkość tych form zależy od warunków klimatycznych i gęstości szczelin; w miarę rozwoju żłobków krasowych postępuje niszczenie oddzielających je żeber. Liczne, drobne i chaotycznie rozmieszczone zagłębienia w skale wapiennej są zw. ospą krasową; w sprzyjających warunkach mogą się one pogłębiać i powiększać, tworząc miseczkowate formy średnicy od kilku cm do kilku m, o płaskim dnie i stromych zboczach, zw. kamenicami; ich rozwój jest związany z wodą stagnującą w niewielkich obniżeniach skalnych. Jamy i kieszenie krasowe są nieregularnymi zagłębieniami głębokości od kilku cm do kilkunastu m, powstałymi wskutek działalności wody opadowej; największą szerokość osiągają w miejscu krzyżowania się szczelin skalnych; są zwykle wypełnione materiałem zwietrzelinowym. Leje (lejki) krasowe to okrągłe lub eliptyczne zagłębienia w kształcie mis lub lejów, często bezodpływowe, niekiedy zajęte przez niewielkie jeziora; są bardzo charakterystyczne dla rzeźby obszarów krasowych, powstają gł. w miejscu krzyżowania się szczelin odprowadzających wody opadowe; osiągają wymiary od kilkuset m do kilku km średnicy, a ich głębokość dochodzi do kilkudziesięciu m; tworzą się w wyniku rozpuszczania skał przez wody w warstwie przypowierzchniowej, bądź zapadania się stropów podziemnych kanałów krasowych; w dnach lejów, gdzie nagromadza się nieprzepuszczający wody materiał skalny, może powstać oczko wodne. Łączenie się lejów prowadzi do powstania dużych i nieregularnych obniżeń krasowych, zw. uwałami; w Polsce uwały występują na obszarze Niecki Nidziańskiej (k. gipsowy). Największymi formami krasowymi są p o l j a — wielkie kotliny o powierzchni dochodzącej nawet do 600 km^2, stromych zboczach i prawie płaskich dnach wyścielonych skałami niekrasowiejącymi; w obrębie polji mogą więc płynąć rzeki stałe lub okresowe; na Płw. Apenińskim i Płw. Bałkańskim spotyka się polja wypełnione wodami jeziornymi lub mor.; ponad dna polji wznoszą się niekiedy pojedyncze pagóry — ostańce, zw. humami, a na obszarach klimatu tropikalnego → mogotami. Cechą charakterystyczną obszarów krasowych jest brak wód powierzchniowych i zanik sieci rzecznej. Miejsce, w którym potoki i rzeki na powierzchni ziemi spływają szerokimi szczelinami do kanałów podziemnych, nosi nazwę p o n o r u. Wody krasowe wypływają na powierzchnię zwykle na dnie największych obniżeń danego terenu krasowego, tworząc obfite źródła krasowe (wywierzyska), potoki lub nawet rzeki. Do form krasu podziemnego należą → jaskinie (krasowe), w obrębie których występują korytarze, komory, kominy (pionowe szczeliny, węższe u góry, szersze u dołu) i studnie (pionowe kanały o wygładzonych przez spływające wody ścianach) krasowe; wszystkie te formy tworzą podziemny system krasowy.

Rozwój rzeźby krasowej w dużym stopniu zależy od klimatu. Klimat suchy (pustynny) i chłodny nie sprzyja rozwojowi procesów krasowych; z powierzchniowych form k. w tych warunkach są znane tylko żłobki krasowe, których powstanie jest związane z wodami okresowymi lub roztopowymi. W klimatach umiarkowanych zjawiska krasowe zachodzą bardzo wolno. Najintensywniej procesy krasowe rozwijają się w klimacie gorącym i wilgotnym; k. sprzyja duża ilość opadów atmosferycznych oraz duża zawartość w powietrzu CO_2, produkowanego przez bujną roślinność. Dominują wówczas formy kopiaste (mogoty) lub wieżowe, poprzedzielane lejami, uwałami i poljami. K. tego typu jest znany np. z Kuby, Jamajki i pd.-wsch. Chin. K. obszarów wysokogórskich jest zróżnicowany: w górnych partiach przeważają formy powierzchniowe, w niższych — intensywnie rozwijają się formy podziemne. Typowym obszarem występowania k. są wapienne pasma G. Dynarskich, a zwł. obszar płaskowyżu Kras w Słowenii, skąd pochodzi nazwa zjawisk krasowych.

W Polsce k. jest znany z Wyżyny Krakowsko-Częstochowskiej, zbudowanej z wapieni jurajskich; na tym obszarze zjawiska krasowe rozwijały się gł. w trzeciorzędzie, a rzeźba krasowa została częściowo zatarta w czwartorzędzie; typowo wysokogórski k. występuje w Tatrach Zach.; jest to k. młody, gł. czwartorzędowy; niewielkie rejony k. znajdują się w Sudetach, G. Świętokrzyskich, na Lubelszczyźnie i w dolinie Nidy koło Buska (k. gipsowy). Znany jest też w Polsce k. kopalny — w okolicach Opoczna i Starachowic, gdzie wapienne formy krasowe, powstałe w dawnych okresach geol., zostały przykryte młodszymi, nieprzepuszczającymi wody utworami czwartorzędowymi. ■

Kras, Karst, płaskowyż w pn.-zach. części G. Dynarskich, w Słowenii; wys. 300–500 m; zbud. z wapieni; silnie rozwinięte zjawiska krasowe; głębokie żłoby, leje, polja (najbardziej charakterystyczne formy krasu dynarskiego), ponory; w pd. części jaskinia → Postojna.

Kras Morawski, Moravský kras, obszar krasowy w Czechach, na Wyż. Czesko-Morawskiej; pow. 85 km^2; typowe formy rzeźby krasowej: leje, jaskinie z podziemnymi rzekami i jeziorami, studnie jaskiniowe (→ Macocha); rezerwaty przyrody.

Kras Słowacki, Slovenský kras, obszar krasowy w Wewn. Karpatach Zach., w Słowacji, w pobliżu granicy z Węgrami; zbud. z triasowych wapieni stoliwa (wys. 450–600 m) rozdzielone dolinami dopływów Slany; leje i zapadliska (do 80 na 1 km^2), pionowe przepaście, rozległy system jaskiń (m.in. Domica, po stronie węg. Baradla); jaskinie K.S. wpisane na Listę Świat. Dziedzictwa Kult. i Przyr. UNESCO.

Krasne, jez. pochodzenia krasowego na Równinie Łęczyńsko-Włodawskiej, w dorzeczu Tyśmienicy, na pd.-zach. od Sosnowicy, na wys. 164 m; pow. 76 ha, dł. 1,2 km, szer. 0,9 km, maks. głęb. 33,0 m; jedno z najciekawszych jezior regionu i trzecie pod względem głębokości; misa K. składa się z 2 lejów krasowych — głębszy do 33 m, płytszy do 23 m; dokoła jeziora piaszczysta plaża; K. prawie nie zarasta.

Krasnobród, m. w woj. lubel. (powiat zamojski), nad Wieprzem, w granicach Krasnobrodzkiego Parku Krajobrazowego; 3,0 tys. mieszk. (2000); ośr. turyst.-wypoczynkowy, uzdrowiskowy (źródła solanki) i pielgrzymkowy; drobne przetwórstwo rolno-spoż.; sanatorium rehabilitacyjne; prawa miejskie 1576–1870 i od 1994; podominikański zespół klasztorny, Sanktuarium Maryjne: barok. kościół fundacji Marii Kazimiery, od 1864 parafialny Nawiedzenia NMP (1690–99, J.M. Link, fasada 1767–69), wewnątrz słynący łaskami obraz Matki Bożej Krasnobrodzkiej (ok. poł. XVII w., koronowany 1965), klasztor (1. poł. XVIII w.).

Krasnodarski, Kraj, jednostka adm. w Rosji, na Kaukazie, nad M. Czarnym; 76 tys. km^2, 5,1 mln mieszk. (2002); stol. Krasnodar; uprawa zbóż (pszenica, ryż, kukurydza), słonecznika, buraków cukrowych, tytoniu, winorośli, na pd. — herbaty; hodowla bydła, trzody chlewnej, owiec; wydobycie ropy naft. i gazu ziemnego; przemysł spoż., maszyn. i metal., chem., lekki, cementowy; uzdrowiska i kąpieliska: Soczi, Gelendżyk, Anapa; porty: Noworosyjsk, Tuapse.

Krasnojarski, Kraj, jednostka adm. w Rosji, w środk. Syberii (dorzecze Jeniseju); 2,3 mln km^2, 2,9 mln mieszk. (2002); stol. Krasnojarsk; ludność miejska 74%; wydobycie węgla kam., rud żelaza i metali nieżel., hutnictwo (Norylsk); przemysł maszyn. i metal., chem., drzewny; Elektrownia Krasnojarska na Jeniseju (6000 MW); uprawa zbóż, lnu, ziemniaków; hodowla zwierząt futerkowych; gł. porty: Dikson, Dudinka. ■

Krasnystaw, m. powiatowe w woj. lubel., nad Wieprzem; 20,8 tys. mieszk. (2000); ośr. przemysłu spoż. (cukrownia, mleczarnia, fermentownia tytoniu, browar), ponadto zakłady odzież., ceramiki sanitarnej, opakowań, materiałów bud.;

węzeł drogowy; muzeum; Ogólnopol. Święto Chmielarzy i Piwowarów „Chmielaki Krasnystawskie" (od 1971); prawa miejskie od 1394; zespół klasztorny Augustianów (XVII–XVIII w.), barok. kolegium pojezuickie z kościołem (XVII–XVIII, XX w.).

Kraśnik, m. powiatowe w woj. lubel., nad Wyżnicą (pr. dopływ Wisły); 37 tys. mieszk. (2000); ośr. przem. i usługowy; przemysł elektromaszyn. z największym zakładem regionu — Fabryką Łożysk Tocznych SA, ponadto przetwórstwo rolno-spoż., drzewno-papiern., chem. oraz: wytwórnie odzieży, zabawek, materiałów bud.; węzeł drogowy; muzea; prawa miejskie od 1377; zespół klasztorny Kanoników Laterańskich: kościół (XV, XVI w., sanktuarium maryjne), klasztor (XV/XVI, XVII, XVIII w.).

krater meteorytyczny, zagłębienie na powierzchni Ziemi z obrzeżającym je pierścieniowym wałem, powstałe wskutek upadku meteorytu; liczne kratery obserwowane na powierzchni Księżyca są prawdopodobnie k.m.

krater wulkaniczny, lejowate zagłębienie (zwykle o średnicy kilkuset m) na szczycie wulkanu, niekiedy na jego stokach (krater boczny — pasożytniczy), stanowiące wylot przewodu wulk. doprowadzającego z głębi na powierzchnię Ziemi produkty erupcji wulk.; powstaje podczas eksplozji wulkanu przez rozkruszenie szczytowej części stożka wulk. oraz przez osuwanie się ścian. Zob. też kaldera.

krenologia [gr.], nauka o źródłach, dział hydrogeologii (na pograniczu z hydrologią); k. obejmuje badanie geol. i geomorfologicznych warunków występowania źródeł, sposobów ich zasilania, wydajności, składu chem. wody i stosunków termicznych.

Kreta, Kriti, największa wyspa gr. na M. Śródziemnym, na pd.-wsch. od Peloponezu; stanowi region adm.; pow. 8,3 tys. km² (dł. 260 km, szer. do 60 km); wyspa górzysta (Idi, 2456 m); klimat śródziemnomor.; średnia temp. w lipcu 26°C, w styczniu 11–13°C; opady gł. zimowe od 400 mm na wsch. do ok. 1000 mm w górach; twardolistne zarośla (frygana), w górach zachowane częściowo wiecznie zielone lasy dębowe; uprawa winorośli, oliwek, drzew cytrusowych, zbóż, tytoniu, warzyw; wypas owiec i kóz; rybołówstwo; przemysł spoż., rzemiosło artyst.; region turyst. o znaczeniu międzynar. (kąpieliska mor., zabytki); gł. m., porty mor. i lotn.: Chania, Iraklion; połączenia promowe z portem Pireus i wyspami: Rodos, Naksos, Itaka.

kriologia [gr.], nauka zajmująca się wszystkimi postaciami lodu występującymi w przyrodzie; podstawy rozwoju k. dał pol. polarnik A.B. Dobrowolski w dziele *Historia naturalna lodu* (1923). Zob. też glacjologia.

krioturbacje [gr.-łac.], zaburzenia w ułożeniu warstw luźnych osadów (żwirów, piasków, mułów, iłów) powstające na obszarach równinnych w klimacie zimnym w strefie wieloletniej zmarzliny, wskutek kolejnego zamarzania i odmarzania gruntu nasyconego wodą; objawiają się pofałdowaniem, powyginaniem i porozrywaniem pierwotnie poziomo leżących warstw lub wciśnięciem w warstwy wyższe osadów zalegających niżej.

Krobia, m. w woj. wielkopol. (powiat gostyński); 3,9 tys. mieszk. (2000); ośr. usługowy regionu roln.; różnorodny drobny przemysł; węzeł gazociągów biegnących z pd. Wielkopolski do ośr. przem. zach. Polski oraz węzeł dróg lokalnych; prawa miejskie przed 1290 (1286?); kościół (XIII, XVII w.).

Krokodyla, Rzeka, ang. **Crocodile River,** afrikaans **Krokodil-rivier,** nazwa górnego biegu rz. → Limpopo, w Afryce Południowej.

Krosno, m. w woj. podkarpackim, nad Wisłokiem; powiat grodzki, siedziba powiatu krośn.; 50 tys. mieszk. (2000); duży ośr. przemysłu szkl. (huty, drobne zakłady szkła artyst., zdobnictwa wyrobów szklanych, produkcji ozdób choinkowych) i gł. ośr. Krośnieńsko-Jasielskiego Zagłębia Naft. (przedsiębiorstwa kopalnictwa i budownictwa naftowego, zakłady urządzeń naftowych); przemysł elektromaszyn., obuwn., drzewny, spoż., odzież., materiałów bud.; Centr. Szkoła Lotn.-Techn. Aeroklubu Pol. w Krośnie oraz Aeroklub Podkarpacki (lotnisko); węzeł drogowy; Państw. Wyższa Szkoła Zaw.; muzea; prawa miejskie przed 1367; od poł. XIX w. centrum adm. i handl. zagłębia naft.; w okresie międzywoj. eksploatacja gazu ziemnego; 1975–1998 stol. woj.; fara (XVI, XVII w.) z kaplicą Porcjuszów (XVII w.), zespół klasztorny Franciszkanów (XV–XVI, XVII w.) z wczesnobarok. kaplicą Oświęcimów (XVII w.), zespół klasztorny Kapucynów (XVIII, XIX w.), kamienice z podcieniami (XVIII, XIX w.).

Krosno Odrzańskie, m. powiatowe w woj. lubus., przy ujściu Bobru do Odry; 12,3 tys. mieszk. (2000); ośr. przem.-usługowy; przemysł: maszyn., materiałów bud., drzewny i spoż.; węzeł drogowy; port rzeczny i przystań statków spacerowych; ośr. turyst.; grodzisko (VII–XI w.); pozostałości systemu obronnego (X–XI w.) w miejscu przeprawy na Odrze; prawa miejskie przed 1238 (1217?); ruiny zamku (XIII–XVI w.), fragmenty murów obronnych (XIV w.), kościół (XVIII w.).

■ Kraj Krasnojarski. Krasnojarska Elektrownia Wodna

Krośniewice, m. w woj. łódz. (powiat kutnowski); 4,4 tys. mieszk. (2000); ośr. usługowy regionu roln. i ważny węzeł drogowy; drobny przemysł; Muzeum im. J. Dunin-Borkowskiego; prawa miejskie przed 1442–1870 i od 1926.

Krotoszyn, m. powiatowe w woj. wielkopol.; 29 tys. mieszk. (2000); ośr. handl.-usługowy i przem.; przemysł: maszyn., metal., spoż., materiałów bud., drzewny, chem., odzież.; węzeł kol. i drogowy; muzeum; prawa miejskie od 1415; późnogot. kościół Braci Czeskich (XVI w.), późnobarok. kościół i klasztor Trynitarzy (XVIII w.), drewn. dom (XVIII w.).

■ Wyspa Króla Jerzego

Króla Jerzego, Wyspa, King George Island, antarktyczna wyspa w archipelagu Szetlandów Pd.; dł. ok. 80 km, szer. 30 km; w większości pokryta śniegiem i lodem; wys. do 655 m (Hopeful); klimat subpolarny; średnia temp. w lipcu ok. –8°C, w styczniu ok. 1°C; częste, mało obfite opady (ok. 230 dni w roku); średnia roczna suma opadów ok. 400 mm; nad Zat. Admiralicji od 1977 działa pol. stacja nauk. Arctowski. ■

Królowej Maud, Ziemia [z. k. mo:d], Queen Maud Land, część Antarktydy Wsch., nad O. Atlantyckim i O. Indyjskim, między Ziemią Enderby i Ziemią Coatsów; pokryta lądolodem do wys. ponad 3500 m; równolegle do wybrzeża ciągną się góry, m.in. G. Mühlinga-Hofmanna (wys. do 3074 m), G. Sør Rondane (Góra Widerøego, 3180 m); w części nadmor. wyróżnia się wybrzeża: Księżniczki Marty, Księżniczki Astrid (ze Wzgórzami Schirmachera), Księżniczki Ragnhildy, Księcia Haralda; latem u wybrzeży pingwiny cesarskie, w górach ptaki; kilka stacji nauk., m.in. Sanae (RPA) i ros. Nowołazariewska.

krupy lodowe → ziarna lodowe.

krupy śnieżne, opad atmosf. w postaci białych nieprzezroczystych ziarn lodu o średnicy 1–15 mm; wypadają zwykle z chmur *cumulonimbus* lub *stratocumulus*; mają charakter opadu przelotnego.

Kruszcowe, Góry, góry w Czechach i Niemczech, → Rudawy.

Kruszwica, m. w woj. kujawsko-pomor. (powiat inowrocławski), nad jez. Gopło; 9,6 tys. mieszk. (2000); ośr. przemysłu spoż. (zakłady tłuszczowe, zbożowo-młynarskie, cukrownia, wytwórnia win i przetworów owocowo-warzywnych), ponadto drobne przetwórstwo chem. i drzewne; gospodarstwo rybackie; siedziba zarządu Nadgoplańskiego Parku Tysiąclecia; ośr.

turyst. na Szlaku Piastowskim i ośr. sportów wodnych; prawa miejskie przed 1303; na płw. Ostrów Rzępowski (dawna wyspa) gród i otwarte osady kultury łuż.; na Starym Rynku osada prapol. (VI–VII w.); w poł. X w. gród z podgrodziem na wyspie (ob. półwysep z Mysią Wieżą; w K. zlokalizowana legenda o Popielu); rom. kolegiata (XII, XVI, XIX w., reromanizowana po 1945), ruiny zamku (XIV w.) z Mysią Wieżą.

Krutynia, rz. na Pojezierzu Mazurskim; dł. 100 km, pow. dorzecza 711 km²; wypływa z jez. Warpuny, na pn.-zach. od Mrągowa, przepływa przez liczne jeziora przybierając różne nazwy, m.in. Babięcka Struga, Spychowska Struga i K. (od Jez. Mokrego); w dolnym biegu płynie przez Puszczę Piską; uchodzi do jez. Bełdany; bieg kręty; średni przepływ przy ujściu 4,1 m³/s; maks. rozpiętość wahań stanów wody w dolnym biegu 1,1 m; nad K. ośr. turyst.-wypoczynkowy Krutyń; K. prowadzi turyst. szlak wodny.

Krym, Półwysep Krymski, Krymśkyj piwostriw, półwysep w pd. części Ukrainy, między M. Czarnym a M. Azowskim; od 1991 ma status republiki autonomicznej; pow. 27 tys. km²; 2,7 mln mieszk. (1993), w tym 1,6 mln Rosjan i ok. 260 tys. Tatarów krymskich; stol. — Symferopol; ludność miejska 70%.

Większa część nizinna, na pd. wznoszą się G. Krymskie (najwyższy szczyt Romankosz, 1545 m), opadające stromo ku wąskiej strefie nadbrzeżnej (zw. Pd. Wybrzeżem Krymu); z lądem połączony Przesmykiem Perekopskim (szer. do 8 km); na wsch. i zach. drugorzędne płw.: Kerczeński i Tarchankucki; wzdłuż pn.-wsch. wybrzeża system zalewów → Siwasz. Klimat umiarkowany ciepły, na pd. wybrzeżu śródziemnomor.; średnia temp. w styczniu od 1°C na pn. do 4°C na pd., w lipcu ok. 24°C; roczna suma opadów od 300–500 mm na pd. do 500–700 mm na wsch. i ok. 1000–1200 mm na zach. stokach gór; opady gł. w

■ Krym. Jaskółcze Gniazdo — zameczek na przylądku Aj Todor, XIX/XX w.

zimie. Okresowe rzeki, najdłuższa Sałgir (204 km); ponad 50 słonych jezior (w tym kilka dużych limanowych). Pierwotne stepy (ostnicowe i ostnicowo-piołunowe) zostały zajęte pod uprawę; w G. Krymskich lasy, gł. liściaste; na pd. wybrzeżu parki i ogrody z roślinnością śródziemnomor. i in.; w pobliżu Jałty Nikicki Ogród Bot. (zał. 1812, ok. 1200 ha).
Wydobycie rud żelaza (Kercz), gazu ziemnego oraz soli kam. (Siwasz); liczne źródła miner. (m.in. w pobliżu Bakczysaraju); przemysł spoż. (winiarski, owocowo-warzywny, rozlewnie wód miner.), maszyn., stoczn., elektrotechn., chem., lekki, materiałów bud.; w latach 80. ze względów ekol. wstrzymano budowę Krymskiej Elektrowni Jądr., k. Simeiz elektrownia słoneczna; uprawa zbóż, winorośli, drzew owocowych, tytoniu, roślin olejkodajnych, słonecznika, ponadto soi, ryżu, warzyw; hodowla drobiu, bydła, owiec; pd. wybrzeże stanowi ważny region turyst.-wypoczynkowy, największe uzdrowiska: Jałta, Ałuszta, Ałupka, Gurzuf, Eupatoria, Saki. Górska linia trolejbusowa Symferopol–Ałuszta–Jałta; przeprawa promowa przez Cieśn. Kerczeńską; rozwinięta żegluga pasażerska i turyst.; gł. porty mor.: Kercz, Sewastopol, Jałta, Teodozja; port lotn. — Symferopol; wywóz win, konserw, zboża i in. artykułów spoż. (gł. do Rosji). ∎

Krymski, Półwysep, na Ukrainie, → Krym.

Krymskie, Góry, Góry Taurydzkie, Krymśki hory, góry na Ukrainie, w pd. części Płw. Krymskiego; zbud. z łupków ilastych, piaskowców, wapieni, w strefie brzegowej wychodnie skał magmowych zakrzepłych w postaci lakolitów (m.in. Ajudah); wyróżnia się 3 równol. pasma: Pd. (niekiedy zw. Jajła), rozbite na liczne masywy stołowe (najwyższy Babuga Jajła z kulminacją Romankosz, 1545 m) oraz Środk. (wys. do 750 m) i Pn. (do 350 m) o charakterze kuest; liczne formy krasowe; rumowiska skalne; w dolnym piętrze resztki lasów dębowych z drzewiastymi jałowcami, wyżej lasy sosnowe (z sosną krymską) i bukowe; wierzchowiny bezleśne, porośnięte murawami (letnie pastwiska); rezerwaty: Jałtański, Karadagski, na przyl. Martjan.

Krynica Morska, m. w woj. pomor. (powiat nowodworski), na Mierzei Wiślanej, nad Zat. Gdańską i Zalewem Wiślanym; 1,3 tys. mieszk. (2000); kąpielisko mor. i ośr. wypoczynkowy; wody miner. (solanki); prawa miejskie od 1991.

Krynica Zdrój, m. w woj. małopol. (powiat nowosądecki), na pograniczu Beskidu Sądeckiego i Niskiego; 12,9 tys. mieszk. (2000); od 2. poł. XIX w. jedno z największych polskich uzdrowisk (szczawy, borowina); ośr. turyst.-wypoczynkowy i sportów zimowych; w K. mieszkał i tworzył malarz Nikifor Krynicki; muzea (Muzeum Nikifora); prawa miejskie od 1933; cerkiew (XIX w.); zabudowa częściowo drewn., o charakterze uzdrowiskowym, secesyjne pensjonaty; Stare Łazienki Miner. (XIX w.), pensjonat Patria (XX w.), Nowa Pijalnia (XX w.).

kryptodepresja [gr.-łac.] → depresja.

Kryszna, Kriszna, hindi **Kr̥ṣṇā,** ang. **Krishna,** rz. w pd. Indiach; dł. 1280 km, pow. dorzecza 330 tys. km^2; źródła w Ghatach Zach.; płynie przez wyż. Dekan, następnie przełamuje się przez Ghaty Wsch.; uchodzi do Zat. Bengalskiej tworząc deltę; gł. dopływy: Bhima (l.), Tungabhadra (pr.); żegl. w dolnym biegu; wykorzystywana do nawadniania; w środk. biegu hydrowęzeł — Nagardźun Sagar; gł. m. nad Kryszną — Widźajawada.

Krywań, Kriváň, szczyt w bocznej grani Tatr Wysokich, w Słowacji, między dolinami: Koprową, Niefcerką i Ważecką; wys. 2494 m; od XV w. ze stoków Krywania wydobywano m.in. antymonit i złoto; opiewany w pieśniach i legendach słowac.; duży ruch turystyczny.

Krzepice, m. w woj. śląskim (powiat kłobucki), nad Liswartą; 4,7 tys. mieszk. (2000); ośr. usługowy regionu roln.; drobny przemysł; prawa miejskie przed 1357–1870 i od 1919; kościół (XV, XVII w.), z zachowanym skrzydłem klasztoru Kanoników Laterańskich.

Krzeszowice, m. w woj. małopol. (powiat krak.), nad Rudawą (l. dopływ Wisły), między parkami krajobrazowymi Dolinki Krakowskie a Tenczyńskim; 10,5 tys. mieszk. (2000); ośr. turyst.-krajoznawczy i uzdrowiskowy; wody mineralne; drobny przemysł; muzeum; prawa miejskie od 1933; kościół (XIX w.), pałac Potockich (XIX, XX w.), pałacyk tzw. Vauxhall (XVIII, XIX w.).

krzywa hipsograficzna Ziemi, krzywa w układzie współrzędnych prostokątnych ilustrująca strukturę wysokościową powierzchni globu, zwykle konstruowana razem dla obszarów mor. (dno oceaniczne) i lądowych; pokazuje, jaka część powierzchni Ziemi leży powyżej danej wysokości lub w pewnym przedziale wysokościowym. Wskazuje na istnienie 5 pięter wysokościowych: 1) rowy oceaniczne — poniżej 6000 m p.p.m. (ok. 2% pow. Ziemi), 2) dna basenów oceanicznych — od 6000 do 3000 m p.p.m. (ok. 52%), 3) stoki kontynent. — od 3000 do 200 m p.p.m. (ok. 12%), 4) szelfy, niziny i wyżyny kontynent. — od 200 m p.p.m. do 1000 m (ok. 21%), 5) wysokie wyżyny i góry — powyżej 1000 m (ok. 13%). K.h.Z. można też konstruować dla mniejszych obszarów: kontynentów i ich części, krajów, dorzeczy itp. Podwodna część k.h.Z. nosi nazwę krzywej batygraficznej.

Krzywiń, m. w woj. wielkopol. (powiat kościański), nad Kanałem Kościańskim (część Kanału Obry); 1,4 tys. mieszk. (2000); ośr. usługowy dla rolnictwa i rozwijający się ośr. turyst.; drobny przemysł; prawa miejskie od ok. 1270 (po 1262); kościół (XV, XVI w.), ołtarze manierystyczny i wczesnobarok. oraz got. rzeźby.

Krzyż Wielkopolski, do 1992 **Krzyż,** m. w woj. wielkopol. (powiat czarnkowsko-trzcianecki), na wschód od ujścia Drawy do Noteci, w otoczeniu lasów Puszczy Drawskiej, w pobliżu Drawieńskiego Parku Nar.; 6,5 tys. mieszk. (2000); węzeł kol. (od 2. poł. XIX w.) i rozwijający się ośr. turyst.; przemysł drzewny i materiałów bud.; port rzeczny na Noteci; prawa miejskie od 1936.

ksenolit [gr.], **porwak,** fragment obcej skały występujący w obrębie skały magmowej; pochodzi ze skał, z którymi magma kontaktowała się w czasie swego istnienia.

■ Kuba

Książ Wielkopolski, m. w woj. wielkopol. (powiat śremski); 2,6 tys. mieszk. (2000); ośr. usługowo-handl. regionu roln.; drobny przemysł chem. i spoż.; rozwinięte rzemiosło; węzeł dróg lokalnych; prawa miejskie przed 1372 (1333–70)–1870; kościół klasztorny Augustianów (XIV w.); kościół (XV, XVII w.); manierystyczny pałac Myszkowskich tzw. Mirów (XVI w., S. Gucci, XIX w. neogot. przebudowa), park geom. (XVIII w.).

Książęca, Wyspa, Ilha do Príncipe, wyspa wulk. u zach. wybrzeży Afryki, w Zat. Gwinejskiej; wchodzi w skład Wysp Św. Tomasza i Książęcej; pow. 142 km²; powierzchnia górzysta (wys. do 948 m); klimat podrównikowy wilgotny; uprawa kawy, kakaowca, palmy kokosowej; rybołówstwo; gł. miejscowość Santo António.

Księcia Edwarda, Wyspa, ang. Prince Edward Island, franc. Île du Prince-Edouard, wyspa kanad. na O. Atlantyckim, w Zat. Św. Wawrzyńca; najmniejsza prowincja Kanady; pow. 5,7 tys. km²; stol. Charlottetown; nizinna, w znacznej części zalesiona; złoża węgla kam., gazu ziemnego oraz rud uranu i wanadu; dominuje rolnictwo (hodowla bydła, uprawa zbóż, ziemniaków), rybołówstwo (m.in. połów skorupiaków); przemysł gł. spożywczy.

■ Kuesta w górach Dżabal at-Tabaga (Tunezja)

Księżyc, naturalny satelita Ziemi; drugi (po Słońcu) pod względem jasności obiekt nieba; półoś wielka orbity okołoziemskiej 384 402 km, okres obiegu wokół Ziemi ok. 27 dób, równy okresowi obrotu K. wokół własnej osi (powoduje, że z Ziemi jest widoczna zawsze ta sama strona K.), promień 1738 km (0,273 promienia Ziemi), masa równa 1/81 masy Ziemi, przyciąganie 6-krotnie mniejsze od ziemskiego, średnia odległość od Ziemi 384,4 tys. km; brak atmosfery jest przyczyną dużych wahań temp. powierzchni, od –160°C w ciągu nocy księżycowej do +120°C w dzień; na powierzchni występują liczne kratery (częściowo skutek uderzeń meteorytów), góry oraz rozległe równiny, zw. morzami; jedyne, poza Ziemią, ciało niebieskie, na którym przebywał człowiek (po raz pierwszy N. Armstrong, E.E. Aldrin 21 VII 1969 podczas wyprawy Apolla 11).

Kua, Kwa, nazwa dolnego biegu rz. → Kasai, w środk. Afryce.

Kuala Lumpur, stol. Malezji, na zach. wybrzeżu Płw. Malajskiego; od 1974 Terytorium Federalne; 1,4 mln mieszk. (2002), Chińczycy, Malajowie, Indusi; centrum gosp. kraju; przemysł elektron. (półprzewodniki, odbiorniki telew.), samochodowy, gumowy; banki zagr. i krajowe; giełda kauczuku, oleju palmowego, cyny; targi międzynar.; uniw., politechn.; Inst. Kauczuku; międzynar. port lotn.; zał. ok. 1860; muzeum; świątynie buddyjskie, hind., meczety.

Kuba, Cuba, Republika Kuby, państwo w Ameryce Środk. (Indie Zach.), na wyspie Kuba w Wielkich Antylach; 110,9 tys. km²; 11,7 mln mieszk. (2002), ludność pochodzenia hiszp., Mulaci, Murzyni, Chińczycy; katolicy, ateiści; stol. i gł. port mor.: Hawana, inne m.: Santiago de Cuba, Camagüey; język urzędowy hiszp.; republika. Wyspa nizinna, na wsch. góry Sierra Maestra (Turquino, 1974 m); zjawiska krasowe; klimat równikowy wilgotny, cyklony; lasy, sawanny, na wybrzeżach namorzyny. W gospodarce dominuje sektor państw.; uprawa trzciny cukrowej, tytoniu, olejowca, bananów, kawowca; hodowla bydła, owiec; wydobycie rud niklu, rud żelaza, rybołówstwo; przemysł cukr., tytoniowy, maszyn.; obsługa turystów; żegluga kabotażowa.

Kudowa Zdrój, m. w woj. dolnośląskim (powiat kłodzki), u podnóża G. Stołowych; 10,0 tys. mieszk. (2000); uzdrowisko (szczawy), jedno z najstarszych w Europie (od 1638); ośr. turyst. i sportów zimowych; drobny przemysł; przejście graniczne do Czech (Kudowa-Słone); prawa miejskie od 1945; w pn. części miasta, w Czermnej, kaplica wyłożona czaszkami (XVIII w.).

kuesta [hiszp.], stromy, asymetryczny stopień lub próg powstały na obszarze o budowie monoklinalnej (→ monoklina) wskutek różnej odporności warstw skalnych na denudację; typowymi k. są progi Basenu Paryskiego, progi w pd. Brazylii; w Polsce — na Wyż. Śląskiej i Krakowsko-Częstochowskiej (monoklina śląsko-krakowska przechodząca ku pn.-zach. w monoklinę przedsudecką). ■

Kujawskie, Pojezierze, wsch. część Pojezierza Wielkopol., między Pojezierzem Gnieźnieńskim na zach., a Kotliną Płocką na wsch.; wysoczyzna jeziorna, której pd. granicę stanowi linia najdalszego zasięgu ostatniego zlodowacenia (wyraźna granica krajobr.); równina, na pn.-zach. i pd.-wsch. urozmaicona 2 równoleżnikowymi pasmami wzgórz morenowych (wys. do 159 m, na pd.-zach. od Brdowa), między którymi płynie Noteć; jeziora niewielkie, poza jeziorami w rynnie goplańskiej, największe — Jez. Głuszyńskie (609 ha); nieliczne lasy; żyzna, dosyć gęsto zaludniona kraina rolnicza. Wiele niewielkich miast, największe, położony na pograniczu P.K., Gostynin oraz Radziejów, Brześć Kujawski.

kujawsko-pomorskie, województwo, woj. w środk. Polsce; 17 970 km², 2,1 mln mieszk. (2000), stol. — Bydgoszcz, in. większe m.: Toruń (siedziba sejmiku wojew.), Grudziądz, Włocławek, Inowrocław; dzieli się na 4 powiaty grodzkie, 19 powiatów ziemskich i 144 gminy. Krajobraz urozmaicony, gł. młodoglacjalny na pojezierzach: Wielkopol., Dobrzyńsko-Chełmiń. i Południowopomor., które przecina Pradolina Tor.-Eberswaldzka, a na pd.-wsch. staroglacjalny (Wysoczyzna Kłodawska). Gęsta sieć rzeczna, gł. rz. — Wisła; liczne jeziora polodowcowe, największe — Gopło, zbiorniki retencyjne. Lasy zajmują 22,3 % pow. (Bory Tucholskie, Puszcza Bydg.); 7 parków krajobrazowych. Gęstość zaludnienia — 117 mieszk. na km², w miastach 62,3 % ludności (2000). Województwo przem.- -roln.; bogate, eksploatowane złoża soli kam. (tzw. Zagłębie Kujawskie); rozwinięty gł. przemysł chem., drzewno-papierniczy, maszyn. i spoż., ponadto odzież., włók., mebl., mineralny. Użytki rolne zajmują 56,2% pow.; uprawia się zboża (pszenica, żyto), buraki cukrowe i ziemniaki; duże znaczenie hodowli trzody chlewnej oraz koni. Gęsta sieć drogowa; żegluga na Wiśle i Kanale Bydg.; port lotn. w Bydgoszczy. Rozwinięta turystyka (Bory Tucholskie i pojezierza), uzdrowiska (Ciechocinek, Wieniec Zdrój).

kukiełki lessowe, laleczki lessowe, drobne konkrecje wapienne występujące w lessach; tworzą się wskutek ługowania przez krążące w skale wody rozproszonego węglanu wapnia, który następnie wytrąca się w wolnych przestrzeniach skały lessowej.

Kuku-nor, chiń. **Qinghai Hu,** tybet. **C'ongombo,** bezodpływowe słone jez. w Chinach, największe na Wyż. Tybetańskiej, w tektonicznej kotlinie u pd. podnóża gór Qilian Shan, na wys. 3205 m; pow. ok. 4583 km², głęb. do 33 m; zbadane po raz pierwszy 1872 przez N.M. Przewalskiego.

Kułogorska, Jaskinia, Kułogorskaja-Troja, jaskinia krasowa na pn. eur. części Rosji, w dolinie rz. Kułoj, ok. 125 km na wsch. od Archangielska, jedna z najdłuższych gipsowych jaskiń świata; dł. 15 km, deniwelacja 11 m; utworzona w dolnopermskich gipsach i anhydrytach; rozbudowany system korytarzy i komór (największe mają dł. 30 m, szer. 20 m, wys. 4 m) o rozwinięciu poziomym; jeziorka; we wstępnych partiach liczne różnorodne formy lodowych nacieków; znana od dawna, była opisywana już w poł. XIX w.; duże nowe odkrycia 1987.

Kuma, rz. w Rosji, we wsch. części Przedkaukazia; dł. 500–800 km, pow. dorzecza 33,5 tys. km²; źródła w Wielkim Kaukazie, na stokach Pasma Skalistego; na Niz. Nadkaspijskiej dzieli się na liczne odnogi; ginie w piaskach lub okresowo uchodzi do M. Kaspijskiego; gł. dopływ — Podkumok (pr.); wykorzystywana do nawadniania (Kanał Terek–Kuma); gł. m. nad Kumą: miner. Wody, Prikumsk.

Kumbryjskie, Góry, Cumbrian Mountains, masyw górski w W. Brytanii, w pn.-zach. Anglii; najwyższy szczyt Scafell, 978 m; zbud. gł. z paleozoicznych łupków i kwarcytów poprzecinanych intruzjami granitów; liczne cyrki lodowcowe, jeziora morenowe; na stokach wrzosowiska, w dolinach lasy dębowe i brzozowe; Park Nar. Lake District (od 1951, pow. 224,3 tys. ha).

Kumsko-Manyckie, Obniżenie, Kumo-Manyczskaja wpadina, tektoniczne obniżenie w Rosji, oddziela Przedkaukazie od Niz. Wschodnioeuropejskiej, oraz łączy Niz. Kubańską z Niz. Nadkaspijską; szer. 20–30 km; liczne słone jeziora (największe Manycz-Gudiło) i zbiorniki; Kanał Kumsko-Manycki; O.K.-M. stanowi jedną z umownych granic między Europą i Azją.

Kungurska, Jaskinia Lodowa, Kungurskaja ledianaja pieszczera, jaskinia krasowa w eur. części Rosji, na Płaskowyżu Ufijskim, ok. 80 km na pd. wsch. od Permu; dł. 5,7 km, deniwelacja 30 m, rozciągłość 0,9 km; utworzona w gipsach i anhydrytach; otwór w stromym, skalistym brzegu rz. Syłwa; poziomo rozwinięta sieć obszernych korytarzy i ok. 60 komór, największa — Komora Geografów (dł. 155 m, szer. 32 m); ponad 50 podziemnych jezior; duże nagromadzenia lodu; w głębi stała temp. 5°C, w części do 200 m od wejścia zimą obniża się do –30°C; znana od dawna; 1703 pierwszy plan (wydrukowany 1730); opisywana od pocz. XVIII w.; 1927 objęta ochroną; ponad otworem średniow. grodzisko i pozostałości okopów Jermaka z 1578; przy jaskini stacja badawcza Ros. Akad. Nauk (zał. 1948); turyst. trasa o dł. 1,5 km; zwiedzana przez ok. 200 tys. osób rocznie.

Kunlun, Kunlun Shan, system górski w Chinach, stanowi pn. i pn.-wsch. obrzeżenie Wyż. Tybetańskiej; dł. ok. 2500 km, szer. od 150 km na zach. do 600 km na wsch.; średnia wys. szczytów ok. 6000 m; najwyższy szczyt Muztag (6987 m). K. powstał w wyniku orogenezy hercyńskiej; rozdziela prekambryjskie masywy: tarymski na pn. i tybet. na pd.; jest zbud. z paleozoicznych skał osadowych (piaskowce, wapienie) oraz granitów i skał metamorficznych (gł. gnejsy i łupki krystal.); w orogenezie alp. w trzeciorzędzie uległ spękaniu i wypiętrzeniu. Obejmuje liczne równol. pasma górskie, rozdzielone tektonicznymi kotlinami (największa Kotlina Cajdamska); na wsch. od rz. Czerczen-daria rozgałęzia się na 2 odnogi: Altun Shan i Qilian Shan (na pn.) oraz właściwy K. (na pd.); właściwy K. dzieli się na K. Zachodni (do ok. 82°E) i K. Wschodni; pn. stoki K. Zachodniego strome, silnie pocięte dolinami rzek; w K. Wschodnim (gł. pasma: G. Przewalskiego, Burhan Budai Shan, Kokoszili, Bayan Har Shan) kopulaste szczyty i łagodne stoki pokryte rumowiskiem skalnym. Klimat górski na pograniczu strefy umiarkowanej i podzwrotnikowej, chłodny i suchy; roczna suma opadów poniżej 100 mm, na krańcach pd.-wsch. do 500 mm. K. stanowi gł. dział wodny Azji Środk.; źródła m.in. Huang He, Czerczen-darii; w środk. części gór liczne niewielkie, bezodpływowe jeziora. W K. Zachodnim występują lasy iglaste, powyżej 3200–3700 m — górskie stepy i półpustynie; powyżej 4200 m wieczne śniegi i lodowce; w K. Wschodnim panuje wysokogórska chłodna pustynia. K. jest trudno dostępny i słabo zbadany. Osiedla tylko w dolinach i kotlinach K. Zachodniego.

Kunming, m. w pd.-zach. Chinach; ośr. adm. prow. Yunnan; 1,8 mln mieszk., zespół miejski 4,7 mln (1999); ważny ośr. przem.: metalurg., maszyn ciężkich, obrabiarek, elektrotechn., nawozów azotowych, opt.; węzeł komunik. (port lotn.); szkoły wyższe; liczne parki.

Kunów, m. w woj. świętokrzyskim (powiat ostrowiecki), nad Kamienną; 3,2 tys. mieszk. (2000); ośr. usługowo-przem.; fabryka maszyn roln., drobne przetwórstwo drzewne; prawa miejskie 1467 (ponowna lokacja 1535)–1870 i od 1990.

Kura, gruz. **Mtkwari,** rz. w Turcji, Gruzji i Azerbejdżanie, najdłuższa w Zakaukaziu; dł. 1364 km, pow. dorzecza 188 tys. km²; źródła na Wyż. Armeńskiej; uchodzi do M. Kaspijskiego, tworząc deltę (pow. 100 km²); w górnym biegu przełamuje się przez Mały Kaukaz (głęb. doliny 1300–1500 m); w dolnym biegu płynie licznymi zakolami przez Niz. Kurańską; dopływy: Aragwi, Alazani (l.), Araks (pr.); wykorzystywana do nawadniania (Zbiornik Mingeczaurski); część wód K. skierowana kanałem do rz. Araks; elektrownie wodne; spław drewna; żegl. w dolnym biegu; gł. m. nad K.: Borżomi, Gori, Mccheta, Tbilisi, Rustawi, Mingeczaur.

Kuro Siwo, jap. **Kuroshio,** ciepły prąd mor. w pn.-zach. części O. Spokojnego, przedłużenie pn. odnogi Prądu Północnorównikowego; płynie od wyspy Luzon (Filipiny) wzdłuż wsch. wybrzeży Tajwanu, pd. i pd.-wsch. wybrzeży Japonii, następnie ok. 36°N i 145°E skręca na wsch., przechodząc w Prąd Północnopacyficzny; pd. część K.S. (od Filipin do Japonii) jest nazywana prądem Mindanao; prędkość zmienna od ok. 2 km/h do 6 km/h; średni przepływ 40–50 mln m³/s, miejscami do 70 mln m³/s; nurt głęboki, do ok. 2500 m, szer. ok. 100 km; K.S. stanowi najpotężniejszy, po Prądzie Zatokowym w O. Atlantyckim, strumień ciepłej wody w oceanie świat.; temperatura wód powierzchniowych w zimie 10–20°C, w lecie 25–28°C, zasolenie — 34,5‰; wpływa łagodząco na klimat; w oddziaływaniu, jak też w swej genezie i strukturze jest podobny do Prądu Zatokowego; nazwa od ciemnobłękitnej barwy wody (jap. *kuro* — 'czarny', *shio* — 'prąd').

■ Kuwejt

Kurońska, Mierzeja, litew. **Kurši nerija,** ros. **Kurskaja kosa,** piaszczysty wał oddzielający Zalew Kuroński od otwartego M. Bałtyckiego; pn. część należy do Litwy, pd. wchodzi w skład obwodu kaliningradzkiego (Rosja); dł. 98 km, szer. 0,4–3,8 km; wysokie wydmy (do 70 m), resztki lasów sosnowych; w litew. części rezerwat krajobrazowy (utworzony 1960) i leśny park państw. (od 1976); m. Neringa.

Kuroński, Zalew, litew. **Kurši marios,** ros. **Kurskij zaliw,** zatoka M. Bałtyckiego u wybrzeży Litwy i obwodu kaliningradzkiego (Rosja), oddzielona od pełnego morza Mierzeją Kurońską; pow. 1613 km², dł. 98 km, szer. do 46 km, głęb. do 6,5 m; do Z.K. uchodzą Niemen i skanalizowana prawa odnoga Pregoły; na pn. — port Kłajpeda, u wylotu wąskiej cieśniny łączącej Z.K. z otwartym M. Bałtyckim.

Kurylski, Prąd, prąd mor. na O. Spokojnym, → Oja Siwo.

Kutno, m. powiatowe w woj. łódz., nad Ochnią (l. dopływ Bzury); 50 tys. mieszk. (2000); ośr. przem., handl.-usługowy i ważny węzeł komunik. na skrzyżowaniu szlaków o znaczeniu ogólnopol. i międzynar.; przemysł: farm., maszyn., metal., elektron. i elektrotechn., spoż., paszowy, odzież.; rzemieślnicze zakłady haftu artyst.; ponadto dystrybucja i serwisowanie samochodów ciężarowych Volvo i Renault oraz centr. magazyn części firmy Scania; duży ośrodek hodowli róż, siedziba i zakład doświadczalny nasion buraka cukrowego; wielki węzeł kol. ze stacją manewrową i lokomotywownią Azory oraz węzeł drogowy; Kolegium Ekon. Uniw. Łódzkiego, Wyższa Szkoła Gospodarki Krajowej; muzea; Święto Róż; młodzieżowy ośrodek do gry w baseball i softball — Eur. Centrum Małej Ligi Baseballu; prawa miejskie od 1386; muzea (Muzeum Bitwy nad Bzurą); pałac (XVIII w.); neogot. kościoły (XIX–XX w.).

Kuwasy, rozległe torfowisko typu niskiego w Kotlinie Biebrzańskiej, na wsch. od Grajewa; pow. ok. 40 km²; zmeliorowane i użytkowane gł. jako łąki uprawne.

Kuwejt, Al-Kuwayt, Państwo Kuwejtu, państwo w Azji Zach., na Płw. Arabskim, nad Zat. Perską; 17,8 tys. km² (z przybrzeżnymi wyspami); 2 mln mieszk. (2002), Arabowie miejscowi — Kuwejtczycy (52% ludności) i imigranci z innych krajów arab.; religia państw. islam; ludność miejska 96%; stol. Kuwejt, inne m.: As-Salamija, Hawalli; język urzędowy arab.; monarchia konstytucyjna. Kraj nizinny i pustynny (pustynia kamienista i piaszczysta); klimat zwrotnikowy wybitnie suchy; wody artezyjskie w oazach i odsolona woda mor. podstawą zaopatrzenia ludności w wodę. Jeden z najbogatszych krajów arab.; wydobycie ropy naft. z b. zasobnych (13 mld t, 1993) złóż lądowych (pole Al-Burkan) i podmor.; przemysł rafineryjny, odsalania wody mor.; eksport ropy i produktów naft.; gł. port naft. Mina al-Ahmadi. ■

Kuźnia Raciborska, m. w woj. śląskim (powiat raciborski), nad Rudą (pr. dopływ Odry); 6,1 tys. mieszk. (2000); ośr. przem.-usługowy; fabryka obrabiarek, wytwórnia prefabrykatów betonowych, tartak; przetwórstwo rolno-spoż.; węzeł drogowy; prawa miejskie od 1967.

Kverkfjöll, najgłębsza podlodowcowa jaskinia świata, w środkowowsch. Islandii, w pn. stokach lodowca Kverkfjöll (część Vatnajökull); głęb. 525 m, dł. 2,85 km; 3 otwory w górnej części lodowca; ciąg zróżnicowanych pod względem kształtu korytarzy i studni (głęb. do 35 m), częściowo wymytych przez wody geotermalne w lodzie lodowcowym i skałach podłoża (miejscami lód tworzy tylko strop korytarza), a cześciowo utworzonych w wyniku gorących ekshalacji wulk. i przepływu powietrza; dnem gł. ciągu płynie rzeka; ze względu na czynniki tworzące jaskinię ma ona (w przeciwieństwie do typowych jaskiń podlodowcowych) stały przebieg korytarzy; eksplorowana przez grotołazów szwajcarskich 1980, 1982 i 1985.

kwarc [niem.], minerał, dwutlenek krzemu SiO_2; krystalizuje w układzie trygonalnym lub heksagonalnym; pospolity w skorupie ziemskiej; ważny składnik wielu skał magmowych, osadowych i metamorficznych; zwykle bezbarwny lub biały; tworzy kryształy i skupienia skrytokrystal. (chalcedon); używany w przemyśle szkl. i ceram., w optyce, k. syntet. — do wyrobu rezonatorów piezoelektr. (piezokwarc); odmiany (np. kryształ górski, ametyst, cytryn) — także w jubilerstwie.

kwaśne opady, opady, gł. deszczowe, o kwaśnym odczynie (pH do ok. 4–4,5), powstające w wyniku pochłaniania przez kropelki wody gazowych zanieczyszczeń powietrza tworzących z nią kwasy (tzw. bezwodników kwasowych), gł. dwutlenku siarki (SO_2; szacuje się, że w Europie jest on w 60% sprawcą kwaśnych opadów), tlenków azotu (NO_x), siarkowodoru (H_2S), dwutlenku węgla (CO_2; jego naturalna obecność w powietrzu powoduje zakwaszenie wody deszczowej do pH ok. 5,6), chlorowodoru (HCl); „kwaśne" zanieczyszczenia powietrza pochodzą ze źródeł naturalnych (gł. wybuchy wulkanów, pożary lasów) i antropogenicznych (powstają m.in. w wyniku spalania paliw, procesów technol., transportu); zanieczyszczenia mogą być przenoszone na duże odległości (nawet do 500 km) i w postaci kwaśnych opadów powodują obumieranie lasów, zakwaszanie wód powierzchniowych (ustalono, że przy pH = 5,4 ustaje reprodukcja wszystkich gat. ryb) i gleb (uwalnianie toksycznego glinu; wymywanie substancji odżywczych), niszczenie materiałów konstrukcyjnych.

Kwidzyn, m. powiatowe w woj. pomor., nad Liwą; 39 tys. mieszk. (2000); ośrodek przem. i usługowy; zakłady celulozowo-papiern. (największe w Polsce, uruchomione 1981), przemysł: elektron. i elektrotechn., spoż., drzewny, metal., ponadto zakłady: wyrobów z tworzyw sztucznych, olejów silnikowych i smarów; Wyższa Szkoła Zarządzania; stadnina koni; prawa miejskie od ok. 1254 (po 1233); got. zespół katedralno-zamkowy kapituły pomezańskiej (XIV w.): konkatedra z kaplicą bł. Doroty z Mątowów, zamek z danskerem — ob. muzeum.

Kwisa, rz., l. dopływ dolnego Bobru; dł. 127 km, pow. dorzecza 1026 km^2; źródła w G. Izerskich; przepływa przez Pogórze Izerskie i Bory Dolnośląskie; uchodzi powyżej Żagania; średni przepływ w pobliżu ujścia 8,0 m^3/s; maks. rozpiętość wahań stanów wody w dolnym biegu 4,5 m; zbiorniki wodne (z elektrowniami) w Leśnej i Złotnikach Lubańskich; gł. m. nad K.: Gryfów Śląski, Lubań.

Kyzył-kum, pustynia w Uzbekistanie i Kazachstanie, na Niz. Turańskiej, między Amu-darią, Syr-darią i Jez. Aralskim; ok. 300 tys. km^2; piaszczysta, miejscami gliniasta i kamienista; część środk. zajmuje rozległy płaskowyż (wys. ok. 200 m) z oddzielnymi masywami górskimi (najwyższy Tamdy-tau, 922 m); liczne kotliny i suche doliny; klimat umiarkowany ciepły, kontynent. wybitnie suchy; średnia temp. w styczniu od –9°C do 0°C, w lipcu 26–29°C; suma roczna opadów ok. 200 mm; bogate zasoby wód gruntowych, duże obszary zajmują zarośla złożone z czarnego saksaułu, w kotlinach słonorośla; na wiosnę roślinność efemeryczna; w dolinach Amu-darii i Syr-darii lasy topolowe oraz zarośla trzciny; kilka rezerwatów przyrody. Wypas owiec karakułowych; na obszarach sztucznie nawadnianych (Kanał Kyzyłkumski) uprawa bawełny, ryżu; wydobycie gazu ziemnego (gazociąg Gazli–Ural), złota.

L

La Mancha, kraina w Hiszpanii, → Mancha, La.

La Manche [la mã:sz], **Kanał Angielski,** ang. **English Channel,** cieśnina między wybrzeżem zach. Europy a W. Brytanią; przez Cieśn. Kaletańską łączy M. Północne z otwartym O. Atlantyckim; pow. ok. 75 tys. km², dł. ok. 520 km, szer. od 32 km w Cieśn. Kaletańskiej do 180 km na zach.; rozwinięta linia brzegowa — zatoki (Saint-Malo, Sekwany), półwyspy (Cotentin), wyspy (Wight, Jersey, Guernsey); maks. głęb. 172 m, najmniejsza — 35 m (na torze wodnym); ukształtowanie dna urozmaicone, liczne mielizny, zwł. w części wschodniej. Temperatura wód powierzchniowych w sierpniu 16–17°C, w lutym 7–10°C, zasolenie — 34,0–35,3‰; przez L.M. przepływa stały ciepły prąd z zach. na wsch. (do 3 km/h); wys. fal wiatrowych do 8 m, pływów — do 12,2 m w zat. Saint-Malo; częste mgły; do L.M. uchodzą Sekwana i Somma; rozwinięte rybołówstwo. Ważna, b. uczęszczana droga mor. z pn. i zach. Europy na otwarty ocean; gł. porty: Portsmouth, Southampton, Plymouth, Hawr (z Rouen), Cherbourg.

La Paz [la pas], m. w zach. Boliwii, w Andach Środk., na płaskowyżu Altiplano, na wys. 3600–4100 m; siedziba władz państwa; 805 tys. mieszk. (2002); największe miasto, ośr. gosp. i kult. kraju; przemysł spoż., włók., chem., papierniczy; węzeł komunik. przy Drodze Panamer., port lotn.; 2 uniw.; turystyka; muzea; zał. 1548 przez Hiszpanów; od 1899 faktyczna stol. Boliwii; zabytki z okresu kolonialnego, m.in. kościół San Francisco (XVIII w.). ∎

La Plata, Río de la Plata, lejkowate ujście rz. Parany i Urugwaju do O. Atlantyckiego, na granicy Argentyny i Urugwaju, największe estuarium na świecie; dł. 320 km, szer. do 220 km; nad L.P. m.: Buenos Aires i Montevideo; estuarium odkrył 1516 żeglarz hiszp. J.D. de Solis.

La Platy, Nizina, nizina w Ameryce Pd., między Andami, Wyż. Brazylijską, O. Atlantyckim i Wyż. Patagońską, gł. w dorzeczu Parany i Urugwaju; pow. ok. 2 mln km²; zbud. z osadów kontynent. trzeciorzędowych i czwartorzędowych; ze względu na znaczną rozciągłość południkową klimat jest zróżnicowany — od zwrotnikowego wilgotnego na pn. do podzwrotnikowego kontynent. na pd.; w części pn.-zach. wyodrębnia się suche sawannowe Gran Chaco, na pn. — lesiste i częściowo podmokłe Międzyrzecze Argentyńskie (z krainą Pantanal) oraz na pd. — stepową i półpustynną krainę Pampa.

Labrador, ang. **Labrador Peninsula,** franc. **Péninsule de Labrador,** największy półwysep w Ameryce Pn., w Kanadzie, między Zat. Hudsona a ujściem Rz. Św. Wawrzyńca; pow. ok. 1,5 mln km²; zbud. z utworów prekambryjskich; wyżynny, wys. do 1676 m (w górach Torngat); liczne jeziora polodowcowe (Michikamau, Mistassini, Lobstick) dające początek rzekom (Ashuanipi--Churchill, Kaniapiskau, La Grande, Manicouagan) spływającym promieniście ku wybrzeżom (wybrzeże wsch. — fiordowe); na pd. klimat umiarkowany chłodny, w środk. i pn. części subpolarny, na pn. krańcach polarny; średnia temp. w styczniu od –29°C na pn.-zach. do –15°C na pd.-wsch., w lipcu od 5°C na pn. do 17°C na pd.--zach.; roczna suma opadów od 400 mm na pn.--zach. do 1000 mm na pd.-wsch.; w pd. części duże zalesienie (lasy iglaste), na pn. tundra; złoża rud żelaza (jedne z największych w Ameryce Pn.), uranu, niklu, miedzi; gł. m.: Fort Chimo, Happy Valley-Goose Bay, Sept-Îles, Schefferville.

Lacjum, Lazio, region autonomiczny we Włoszech, na Płw. Apenińskim, nad M. Tyrreńskim; 17,2 tys. km², 5,3 mln mieszk. (2002); stol. Rzym; na wybrzeżu wąskie niziny, w głębi przedgórza Apenin Środk.; gł. rz. Tyber; rozwinięty prze-

∎ La Paz. Panorama miasta

mysł farm., odzież., elektron. i in., skupiony w Rzymie; uprawa warzyw, winorośli, oliwek; region turyst. o międzynar. znaczeniu.

Lagos [lągosz], największe m. Nigerii (do 1991 stol.), nad Zat. Gwinejską; 8 mln mieszk., zespół miejski 9,1 mln (2002); część ludności w slumsach; gł. ośr. przem. (spoż., włók., metal., chem., skórz., stoczn.), handl. i nauk. (2 uniw.) kraju; ważny port handl.; międzynar. port lotn.; muzeum nar.; nazwa portug. z przeł. XV i XVI w.■

■ Lagos. Panorama miasta

laguna [wł.], część morza odcięta od morza otwartego przez lido, rafę barierową lub atol; l. są zazwyczaj płytkie, toteż na obszarach o dużych różnicach między przypływem i odpływem dna ich są odsłaniane podczas odpływu; z biegiem czasu l. są zamulane, przeobrażają się w bagniska i torfowiska; w suchym klimacie wody l. mogą wyparowywać, co prowadzi do powstania m.in. złóż solnych.

lahar [indonez.] → spływ popiołowy.

lakier pustyniowy, polewa pustyniowa, cienka, ciemna, lśniąca powłoka pokrywająca skały na pustyniach, niekiedy — w wysokich górach; składa się gł. z tlenków żelaza i manganu; powstaje wskutek szybkiego parowania wody i osadzania rozpuszczonych w niej składników; częściowo chroni skałę przed dalszym wietrzeniem.

lakolit [gr.], forma intruzji magmowej w kształcie bochenka lub grzyba, ułożona zgodnie z warstwowaniem skał otaczających; podstawa l. jest płaska, strop — kopułowato wygięty; w części spągowej bywa zachowany kanał doprowadzający magmę; l. powstają dość płytko pod powierzchnią Ziemi (0,5–3 km), tworzą je np. drobnoziarniste granity lub sjenity; formą pokrewną jest l o p o l i t, którego część górna jest płaska (lub wklęsła), dolna zaś zapadnięta.

Lakszadiwy, wyspy ind., → Lakszadwip.

Lakszadwip, hindi **Lakṣadvp,** ang. **Lakshadweep Union Territory,** dawniej **Lakkadiwy, Minikkoj i Amindiwy,** terytorium związkowe Indii, na O. Indyjskim, u pd.-zach. wybrzeży Płw. Indyjskiego; 32 km^2, 62 tys. mieszk. (2002); ośr. adm. Kawaratti; obejmuje 2 grupy koralowych wysp: Lakszadiwy i Amindiwy oraz wyspę Minikkoj w archipelagu Malediwów; uprawa palmy kokosowej.

Lamberta, Lodowiec, Lambert Glacier, największy lodowiec na Antarktydzie; tworzy się w najwyższej części Anktartydy Wsch. i spływa wykorzystując obniżenie między Ziemią Mac Robertsona a Ziemią Księżniczki Elżbiety; dł. ok. 400 km, szer. do ok. 100 km; czoło lodowca przylega do dużego Lodowca Szelfowego Amery'ego, pokrywającego częściowo Zat. Prydza (O. Indyjski).

laminacja [łac.], zróżnicowanie się skały osadowej lub metamorficznej na drobne, mniej więcej równol. warstewki (laminy), różniące się składem miner. lub chem., wielkością ziarna, twardością, barwą i in.; zwykle ułatwia dzielenie się skały na cienkie płytki (zgodnie z płaszczyznami warstewkowania).

Lamprechtsofen, jaskinia krasowa w Austrii, w masywie Leoganger Steinberge (Alpy Salzburskie), ok. 40 km na pd.-zach. od Salzburga; druga co do głębokości na świecie (po Jaskini Wroniej); głęb. 1632 m, dł. 50 km, rozciągłość ok. 5,5 km; otwory: dolny (gł.) — na wys. 664 m, w dnie doliny rz. Saalach, górne — na wys. 2137 m (N-132), 2184 m (Vogelschacht) i 2285 m (PL-2); utworzona w wapieniach i dolomitach; ciągi korytarzy, komór i studni, miejscami znacznych rozmiarów; potok (wodospady, jeziorka, syfony) wypływający dolnym otworem — przepływ od 0,012 m^3/s do 5 m^3/s (po opadach we wstępnych partiach bardzo szybki przybór wody — przypadki odcięcia ludzi przez wodę). Znana od bardzo dawna; wzmianka o zwiedzaniu 1167; od 1. poł. XIX w. popularny cel wycieczek; eksplorowana od 1964, gł. przez pol. grotołazów — ok. 30 wypraw (w większości kierowanych przez A. Ciszewskiego), 1977 do głęb. 855 m (W.W. Wiśniewski, R. Kujat, K. Bębenek) — 1. pol. jaskiniowy rekord świata; 1990 połączona z jaskinią N-132, 1995 z Vogelschacht, 1998 z Pl-2, co dało L. pozycję najgłębszej w świecie (do 2001); wstępna część od 1905 udostępniona dla turystów na dł. ok. 600 m.

Landsort, największa głębia M. Bałtyckiego, ok. 50 km na pn. od wyspy Gotlandia, u wybrzeży Szwecji; głęb. 459 m.

Landy, Landes, nizina aluwialna w pd.-zach. Francji (Akwitania), nad Zat. Biskajską, między Żyrondą a środk. i dolnym biegiem rz. Adour; szer. 100–150 km; wybrzeże wyrównane, lagunowe z licznymi przybrzeżnymi jeziorami; wzdłuż wybrzeża ciągnie się pas wydm na szer. 7–8 km, o wys. 50–100 m; od XVIII w. obszar osuszany i zalesiany, gł. sosną nadmor. (ok. 10 tys. km^2); jeden z największych zespołów leśnych w zach. Europie; eksploatacja lasów; przemysł drzewny i papierniczy; rozwinięta turystyka; liczne miejsca wypoczynkowe, gł. nad zat. Arcachon; usługi związane także z instalacjami wojsk.; uprawa gł. kukurydzy, roślin pastewnych; w zat. Arcachon hodowla ostryg; od 1954 eksploatacja ropy naft. w Parentis-en-Born.

■ Las Vegas. Grand Hotel i Kasyno Metro-Goldwyn-Mayer

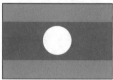

■ Laos

Laos, Lao, **Laotańska Republika Ludowo-Demokratyczna,** państwo w Azji, na Płw. Indochińskim; 236,8 tys. km^2; 6 mln mieszk. (2002), Laotańczycy (67%), Tajowie, Khmerowie; buddyści, animiści; stol. Wientian; język urzędowy laotański; republika. Na pn. pasma górskie (wys. do 2820 m) o układzie południkowym, rozcięte głębokimi dolinami rzecznymi, na wsch. krystal. masywy G. Annamskich (wys. do 2711 m); wąskie niziny nad Mekongiem; klimat zwrotnikowy monsunowy; lasy (ponad 50% pow.), gł. monsunowe z drzewem tekowym. Słabo rozwinięty kraj roln.; uprawa ryżu, trzciny cukrowej, batatów, kawowca, na pn. maku na opium; hodowla bydła i bawołów; pozyskiwanie drewna na opał i eksport; drobny przemysł (łuszczarnie ryżu, cukrownie, tartaki) i rzemiosło (tkactwo); żegluga śródlądowa. ■

lapiaz, zespół drobnych form krasowych (→ kras), powstałych wskutek rozpuszczającego działania wód opadowych spływających po pochyłych, nagich powierzchniach skał krasowiejących.

lapille [wł. < łac.], drobne kawałki lawy (wielkości grochu lub orzecha wł.) wyrzucone przez wulkan podczas wybuchu i zakrzepłe w powietrzu w czasie lotu; powstają także przez rozkruszenie zastygłej lawy z poprzednich wybuchów.

Laponia, kraina w pn. Europie, w pn. części Płw. Skandynawskiego i na Płw. Kolskim; w większości położona poza pn. kołem podbiegunowym; zach. część Laponii należy do Norwegii i Szwecji, środk. do Finlandii, wsch. do Rosji; słabo zaludniona; pierwotną ludność stanowią Lapończycy, obecnie w mniejszości; linia brzegowa na zach. i pn. silnie rozwinięta, liczne fiordy i archipelagi; obejmuje pn. część G. Skandynawskich, w części norw. zerodowanych, na pn. z falistymi wyżynami; na obszarze Szwecji przeważnie górzysta (do 2111 m), w części fiń. wyżynna i nizinna z licznymi jeziorami polodowcowymi (największe Inari) i rzekami uchodzącymi do Zat. Botnickiej; długa ostra zima, krótkie lato; w części pd. lasy sosnowe i świerkowe, na pn. — rzadkie brzozowe i roślinność tundrowa; wydobycie surowców miner., gł. rud żelaza (Kiruna, Gällivare), niklu i apatytów (Płw. Kolski), miedzi, złota, srebra; eksploatacja lasów; pasterstwo reniferów; rybołówstwo; latem — turystyka; naj-

większe m.: Narwik (Norwegia), Kiruna (Szwecja), Rovaniemi (Finlandia), Murmańsk (Rosja).

Las Vegas [las węjgəs], m. w USA (Nevada); 518 tys. mieszk. (2002), zespół miejski 1,1 mln (1994); słynny ośr. rozrywkowy i turyst., uzdrowisko; liczne hotele, domy gry, kasyna; międzynar. port lotn.; w pobliżu → Wielki Kanion. ■

Laurazja, pierwotny wielki kontynent półkuli pn.; obejmował Amerykę Pn., Europę i pn. Azję; od pd. był ograniczony oceanem → Tetydy; istniał w permie i triasie.

Laurencja, dawny kontynent złożony gł. z tarcz: kanad. i grenlandzkiej; istniała we wczesnym paleozoiku; u schyłku syluru stała się częścią Euroameryki.

lawa [wł.], magma wydobywająca się na powierzchnię Ziemi podczas erupcji wulk. i oddająca do atmosfery swe składniki lotne (np. parę wodną, dwutlenek węgla); temperatura wydobywającej się l. wynosi 1000–1400°C, temp. krzepnięcia — 600–700°C; l. bogate w krzemionkę (l. kwaśne) mają dużą lepkość, są mało ruchliwe,

■ Gorąca lawa wypływająca podczas wybuchu Etny

tworzą krótkie potoki lub kopuły lawowe (np. l. wulkanu Merapi na Jawie); l. ubogie w krzemionkę (l. zasadowe) mają małą lepkość, łatwo płyną, tworzą długie (do 50 km) potoki oraz pokrywy lawowe, zajmujące niekiedy obszary o powierzchni setek tysięcy km^2 (np. w Patagonii, na Islandii); l a w y p o d u s z k o w e (gł. bazaltowe), zakrzepłe w postaci brył o kształcie spłaszczonych bochnów, powstają wskutek erupcji podmor. pod wpływem gwałtownego stygnięcia pod wodą. Produktami krzepnięcia l. są skały wylewne. ■

lawina [łac.], zsuwające się lub staczające z dużą prędkością ze stoku górskiego masy śniegu; l a w i n y p y ł o w e, z puszystego śniegu, tworzą się po obfitych opadach śnieżnych, ześlizgują się po powierzchni starszego, już przeobrażonego śniegu, nie niszczą podłoża; l a w i n y g r u n t o w e, z wilgotnego, ciężkiego śniegu, powstają podczas odwilży (zwł. wiosną), niszczą podłoże — zdzierają glebę, pokrywę zwietrzelinową i roślinną; niesiony materiał osadzają w postaci usypisk u podnóża stoków; l. stanowią duże niebezpieczeństwo, zwł. na obszarach górskich stale zamieszkanych (np. w Norwegii, Szwajcarii).

Lazurowa, Jaskinia, Jaskinia Błękitna, Grotta Azzurra, jedna z najsłynniejszych jaskiń na świecie, we Włoszech, w pn.-zach. krańcu Capri; otwór w pionowym wapiennym urwisku opadającym wprost do morza, sklepienie wznosi się niewiele nad powierzchnię wody; za nim rozległa i wysoka komora o dnie leżącym kilkanaście m poniżej poziomu wody; światło słoneczne przechodzące przez podwodną część otworu nadaje wodzie kolor błękitny i sprawia, że J.L. robi wrażenie oświetlonej błękitnym światłem; znana w starożytności (dostęp po schodach wykutych w skale), wykorzystywana przez Rzymian jako naturalne nimfeum mor.; znaleziono w niej posągi m.in. Posejdona; w średniowieczu rzadko zwiedzana (trudny dostęp, strach przed potworami, za które brano leżące w wodzie antyczne posągi); wzmiankowana 1605; 1826 odwiedzili ją niem. malarze A. Kopisch i E. Fries, od tego czasu popularna atrakcja turyst.; należy do jaskiń najliczniej zwiedzanych we Włoszech. Znany motyw malarski; bardzo częsta w utworach poetyckich i prozie pol. XIX i XX w.; zwiedzali ją i opisywali m.in.: F.S. Dmochowski *Włochy* (1837), J. Słowacki *Beniowski* (1841), J.I. Kraszewski *Kartki z podróży* (1858–64), H. Siemiradzki, A. Asnyk, K. Makuszyński, W. Orkan.

Lazurowe, Wybrzeże, Côte d'Azur, Riwiera Francuska, wsch. część śródziemnomor. wybrzeża Francji (Prowansja), między Cassis a granicą wł.; wielki region turyst.-wypoczynkowy; od pocz. XIX w. teren wypoczynku, gł. zimowego, bogatych Francuzów i Anglików, od lat międzywojennych również letniego; podstawą gospodarki jest obsługa ruchu turyst. — ok. 10 mln osób rocznie, gł. z krajów Europy Zach. i USA; intensywna zabudowa całego wybrzeża do celów wypoczynkowych; liczne porty jachtowe, kąpieliska, kasyna gry; gł. ośr.: Nicea, Antibes, Cannes, Mentona, Saint-Tropez, Hyères; rolnictwo ograniczone do uprawy kwiatowych roślin ozdobnych. ■

ląd, część skorupy ziemskiej nie pokryta wodami mórz i oceanów; dla dużych lądów przyjęto termin → kontynent; powierzchnia ogólna l. wynosi ok. 149 mln km² (29% pow. Ziemi), średnia wys. 875 m.

Lądek Zdrój, m. w woj. dolnośląskim (powiat kłodzki), w G. Złotych, w dolinie rz. Biała Lądecka; 6,9 tys. mieszk. (2000); uzdrowisko (znane od końca XV w., rozbud. XIX w.); radoczynne cieplice siarczkowe i fluorkowe, borowina; ośr. turyst. i sportów zimowych; prawa miejskie przed 1325 (1278–1290?); późnobarok. kościół (XVIII w.); w pobliżu L.Z. wydobycie białych i różowych marmurów.

lądolód, lodowiec kontynentalny, masy lodu o grubości do kilku tysięcy metrów, pokrywające wielkie obszary powierzchni Ziemi; niezależnie od rzeźby podłoża l. ma wypukłą powierzchnię (czasza lodowa); od najwyższej, centr. części lód posuwa się promieniście ku krawędziom l., tworząc miejscami wielkie jęzory lodowcowe (tzw.

loby); współcześnie l. występują na Antarktydzie i Grenlandii; w plejstocenie pokrywały olbrzymie obszary kuli ziemskiej (→ czwartorzęd, zlodowacenie).

lądotwórcze ruchy → epejrogeneza.

Leeward Islands [li:uərd ajləndz], wyspy w Indiach Zach. (Ameryka Środk.), w Małych Antylach, → Podwietrzne, Wyspy.

legenda [łac.], krótki tekst umieszczony na marginesie mapy lub planu geod. (albo na oddzielnych kartkach, np. w atlasie), objaśniający występujące na nich symbole graf. i barwne.

Legionowo, m. powiatowe w woj. mazow.; 51 tys. mieszk. (2000); ośr. przem.-usługowy i mieszkaniowy; przemysł: odzież., spoż., metal., materiałów bud., drzewny, chem., zakłady artykułów: techn. i turyst. (namioty, spadochrony, balony, paralotnie), biurowych; rzemiosło, składy i hurtownie; węzeł drogowy i kol.; Ośr. Aerologii Inst. Meteorologii i Gospodarki Wodnej, Centrum Szkolenia Policji, Dowództwo I Warsz. Dywizji Zmechanizowanej; prawa miejskie od 1952.

■ Lazurowe Wybrzeże. Nicea

Legnica, m. w woj. dolnośląskim, nad Kaczawą; powiat grodzki, siedziba powiatu legn.; 109 tys. mieszk. (2000); największy ośrodek przem., usługowy i kult.-nauk. Legnicko-Głogowskiego Okręgu Miedziowego; stol. diecezji dolnośląskiej Kościoła rzymskokatol.; dominuje przemysł metalurg., w tym wielki Kombinat Górn.-Hutn. Miedzi „Polska Miedź" SA, do którego należą (w obrębie L.): huta miedzi, zakłady mech., fabryka przewodów nawojowych; ponadto przemysł: maszyn., dziewiarski, odzież., papierniczy, poligraficzny, spoż., metal. oraz fabryka pianin i fortepianów, zakłady zielarskie; ważny węzeł komunik.; lotnisko; uczelnie, w tym filia Politechn. Wrocł., Państw. Wyższa Szkoła Zaw., Wyższe Seminarium Duchowne; teatr, orkiestra symfoniczna; Muzeum Miedzi, Galeria Sztuki; prawa miejskie przed 1252 (po 1242?); 1975–1998 stol. woj.; zamek książęcy (XIII, XVI–XVII w.), got. katedra (XIV w.), fragmenty murów miejskich (XIV w.), kamienice (XVI–XVIII w.), kościół i kolegium Jezuitów (XVIII w. z kaplicą ostatnich Piastów — XVII w.), Akad. Rycerska (XVIII w.), pałac opatów lubiąskich (XVIII w., ob. muzeum), zabytkowe domy i kramy.

Lemańskie, Jezioro, w Szwajcarii i Francji, → Genewskie, Jezioro.

Lemnos, staroż. nazwa wyspy gr., → Limnos.

■ Lesotho

■ Lena w środkowym biegu

Lena, rz. w azjat. części Rosji, w Syberii Wsch.; dł. 4400 km, pow. dorzecza 2490 tys. km^2; źródła w G. Bajkalskich; w górnym biegu dolina wąska, w środk. — rozszerza się do 30 km; w odległości ok. 130 km od ujścia dzieli się na liczne odnogi (gł. — Bykowska); uchodzi do M. Łaptiewów tworząc deltę (ok. 30 tys. km^2); gł. dopływy: Kirenga, Witim, Olekma, Ałdan (pr.), Niuja, Wiluj (l.); średni przepływ przy ujściu 16 500 m^3/s (maks. 166 000 m^3/s, minim. — 366 m^3/s); rocznie transportuje do morza ok. 12 mln t osadów; zamarza w dolnym biegu od końca września do początku czerwca; żegl. od m. Ust-Kut (port Osietrowo), podczas wysokiego stanu wód od miejscowości Kaczug; rybołówstwo (muksun, sielawa syberyjska, nelma, omul); gł. m. nad L. — Jakuck. ■

Lenina, Pik, najwyższy szczyt G. Zaałajskich (Pamir), na granicy Kirgistanu i Tadżykistanu; wys. 7134 m; lodowce; pierwsze wejście 1934 (W.M. Abałakow, K. Czernucha, I. Łukin).

Leniwka, w dolnym biegu **Martwa Wisła,** rz., dawniej ujściowe l. ramię Wisły; do 1840 uchodziła do Zat. Gdańskiej w Wisłoujściu k. Gdańska; 1840 przedarła się przez pas wydm k. wsi Górki Wsch. tworząc nowe ujście (nazwane przez W. Pola Wisłą Śmiałą); w wyniku wykonania 1895 Przekopu Wisły k. Świbna i wybudowania śluzy w Przegalinie wody L. skierowano wprost do morza; obecnie dawna L. na dł. 44,6 km, tj. od Nogatu do Szkarpawy, jest korytem Wisły; od śluzy w Przegalinie do ujścia w Gdańsku, na dł. 27 km, stanowi koryto Martwej Wisły, ok. 4,5 km od Szkarpawy do śluzy w Przegalinie jest starorzeczem.

Lesbos, Lezwos, Mitilini, wyspa gr. na M. Egejskim (region adm. W. Egejskie Pn.), w pobliżu wybrzeży Azji Mniejszej; pow. 2,2 tys. km^2; dobrze rozwinięta linia brzegowa, u pd. wybrzeży głęboko wcięte zat. Kaloni i Jeras; powierzchnia górzysta (wys. do 967 m); uprawa oliwek, warzyw, drzew cytrusowych, winorośli, figowców, migdałowców, zbóż; wydobycie magnezytów, barytu, rud ołowiu, chromu; źródła miner.; rybołówstwo; turystyka; gł. m. Mitilini.

Lesko, m. powiatowe w woj. podkarpackim, nad Sanem; 6,8 tys. mieszk. (2000); ośr. usługowy i turyst. regionu Bieszczad; przemysł drzewny (meble) i spoż.; Wystawa Rolna i Targi Spoż.; węzeł komunik.; początek drogowej obwodnicy bieszczadzkiej; Aeroklub Bieszczadzki z lotniskiem szybowcowym i dla paralotniarzy w pobliskiej Bezmiechowej; źródła słabo zmineralizowanych wód siarczkowych; wczesnośredniow. cmentarzysko kurhanowe; muzeum; prawa miejskie między 1456 a 1472; kościół (XVI, XVIII w.), zamek m.in. Kmitów i Krasickich (XVI, XVII, XIX w.), synagoga (XVII w.), cmentarz żyd. (nagrobki z XVI w.).

Lesotho, Królestwo Lesotho, państwo w pd. Afryce, enklawa na obszarze RPA; 30,4 tys. km^2; 2,5 mln mieszk. (2002), gł. lud Soto; protestanci, katolicy; stol. Maseru; język urzędowy: ang., sesuto; monarchia konstytucyjna. Wyżyna ograniczona od pd. i wsch. G. Smoczymi; klimat zwrotnikowy górski, na wsch. wilgotny; gł. rz. Oranje; sawanny. Słabo rozwinięty kraj roln.; uprawa kukurydzy, pszenicy, sorga, roślin strączkowych; pasterstwo owiec, bydła, kóz; wydobycie diamentów; rzemiosło; drobny przemysł spoż., włók.; turystyka. ■

less [niem.], skała osadowa złożona gł. z pyłu kwarcowego (do 80%), minerałów ilastych i kalcytu; żółty, kruchy, porowaty; powstaje zwykle wskutek nawiewania pyłu przez wiatr; używany do wyrobu materiałów bud.; jest skałą macierzystą żyznych gleb; w Polsce występuje gł. na Wyż. Lubelskiej i Małopolskiej, na Przedgórzu Sudeckim; grube pokrywy lessowe zajmują wielkie obszary w Azji (np. Wyż. Lessowa). ■

■ Less

Lessowa, Wyżyna, Huangtu Gaoyuan, obszar lessowy w Chinach, największy na świecie, na pd.-wsch. od wyż. Ordos, w środk. części dorzecza Huang He; na powierzchni gruba (średnio 50–60 m, maks. 500–600) pokrywa osadów lessowych, nawiewanych od plejstocenu z Gobi; ponad pokrywą lessową wznoszą się paleozoiczne pasma górskie o wys. do 2831 m; silnie rozwinięta erozja, liczne wąwozy z wydrążonymi jaskiniami mieszkalnymi; klimat umiarkowany ciepły suchy; suma roczna opadów od 200 mm na zach. do 500 mm na pd.-wsch.; częste burze pyłowe, roślinność gł. stepowa, w górach płaty lasów dębowo-świerkowych; uprawa pszenicy i kukurydzy; wydobycie węgla kam.; w pn. części Wielki Mur (Chiński); gł. m. Taiyuan. ■

Leszczyńskie, Pojezierze, pd. część Pojezierzy Południowobałtyckich, położona między dolinami Odry na zach. i Warty na wsch.; obejmuje strefę brzeżną ostatniego zlodowacenia w fazie najdalszego jego zasięgu na pd. (faza leszczyńska); dzieli się na 4 regiony: pojezierza: Sławskie (jeziora — największe Jez. Sławskie, wzgórza morenowe, kemy) i Krzywińskie (liczne jeziora, wzgórza morenowe, wys. do 150 m) oraz Równinę Kościańską (bezjeziorna wysoczyzna morenowa) i Wał Żerkowski (glacjotektonicznie spiętrzony wał, wys. do 161 m).

Leszno, m. w woj. wielkopol., na Wysoczyźnie Leszczyńskiej; powiat grodzki, siedziba powiatu leszcz.; 63 tys. mieszk. (2000); duży ośr. przem., nauk. i sport.-rekreacyjny; przemysł maszyn. i metal., ponadto elektrotechn., spoż., odzież., oraz zakłady fermentacyjne Akwawit (kwas mlekowy, kleje, spirytusy przem.), materiałów bud., chem., mebl.; ważny węzeł drogowy i kol.; lotnisko sport.; regionalny ośrodek nauk., m.in.: oddziały zamiejscowe pozn. uczelni, Państw. Wyższa Szkoła Zaw.; muzeum; ośr. sportów lotn. (centrum szkolenia Aeroklubu RP, Aeroklub Leszczyński, zawody i pokazy międzynar.) i motocyklowego; prawa miejskie od 1547; XVI–XVII w. gł. ośr. braci czes. w Polsce; 1975–1998 stol. woj.; zbór (XVII w.), barok. kościół parafialny (XVII, XVIII, XIX w.), ratusz (XVII, XVIII w.), kościół ewang. (XVIII w.), kamienice (XVII–XIX w.).

Leśna, m. w woj. dolnośląskim (powiat lubański), nad Kwisą; 4,8 tys. mieszk. (2000); ośr. usługowo-przem. i turyst.; zakłady przemysłu: jedwabn., dziewiarskiego, metal.; w przełomie Kwisy kajakarski tor slalomowy (zawody międzynar.); prawa miejskie przed 1329–1945 i od 1962. W pobliżu L. zapory tworzące jez. — Leśniańskie i Złotnickie, przy nich elektrownie wodne; ponadto w okolicy: eksploatacja bazaltu.

Leśnica, m. w woj. opol. (powiat strzelecki), nad rz. Cedroń, na granicy Parku Krajobrazowego Góra Świętej Anny; 3,1 tys. mieszk. (2000); ośr. usługowo-handl. regionu roln. oraz ośrodek turyst. na skrzyżowaniu szlaków do sanktuarium na Górze Św. Anny; przetwórstwo rolno-spoż. i rzemiosło; prawa miejskie przed 1382; Muzeum Czynu Powstańczego.

Lewin Brzeski, m. w woj. opol. (powiat brzeski), nad Nysą Kłodzką i jej pr. dopływem Ścinawą; 6,0 tys. mieszk. (2000); ośr. usługowy regionu uprawy buraka cukrowego, rzepaku i rzepiku; rozwinięty przemysł spoż. i materiałów bud.; ponadto drobny przemysł odzież., drzewny i elektromaszyn.; prawa miejskie od 1284; kościół (XIV, XVI, XVII w.), pałac (XVIII w.).

Leżajsk, m. powiatowe w woj. podkarpackim, nad Sanem; 14,9 tys. mieszk. (2000); ośr. przem., usługowy, turyst., kultu rel. katolików i pielgrzymek chasydów; rozwinięty przemysł spoż. (browar, zakłady tytoniowe, przetwórnia owoców i warzyw Hortex), ponadto zakłady przemysłu: maszyn., metal., chem., drzewnego, włók.; rękodzieło artyst. i lud.; węzeł drogowy; prawa miejskie od 1397; od XVI/XVII w. ośr. kultu maryjnego; XVIII–poł. XX w. ośr. chasydzki; Muzeum Prowincji oo. Bernardynów; kościół

(XVII w.), późnorenes.-barok. zespół klasztorny Bernardynów (XVII w.) z polichromią późnobarok. i słynnymi organami oraz rokok. ołtarzami.

Lębork, m. powiatowe w woj. pomor., nad Łebą; 37 tys. mieszk. (2000); ośr. przem. i usługowy dla roln. zaplecza; przemysł: maszyn., metal., spoż., farm., drzewny, materiałów bud.; węzeł kol. i drogowy; prawa miejskie od 1341; muzeum z galerią sztuki; fragmenty murów miejskich (XIV w.), kościół (XV, XX w.).

Lędziny, m. w woj. śląskim (powiat tyski), w pd.-wsch. części GOP; 16 tys. mieszk. (2000); ośr. przem.-mieszkaniowo-roln.; kopalnia węgla kam. Ziemowit, Centrum Badań i Dozoru Górnictwa Podziemnego; liczne gospodarstwa rolne, stawy rybne; węzeł kol.; prawa miejskie od 1966; 1975–91 w granicach m. Tychy.

■ Wyżyna Lessowa. Widoczny wąwóz głęboko wcięty w osady lessu

■ Lhasa. Zamek Potala

Lhasa, Lasa, m. w Chinach, na Wyż. Tybetańskiej; ośr. adm. Tybetańskiego Regionu Autonomicznego, na wys. 3630 m; 115 tys. mieszk. (2002); rzemiosło (w tym artyst.); drobny przemysł drzewny, skórz., włók.; giełda połączona satelitarnie z giełdami w Szanghaju i Shenzhen; węzeł drogowy; ośr. turyst.; zał. w VII w.; od XVI w. siedziba dalajlamy; zamek Potala (dawna rezydencja dalajlamy) z 2. poł. XVII w.; świątynia buddyjska Dżo-bo-k'ang z VII w.; liczne pagody i domy z XVII i XVIII w.; w pobliżu L. gorące źródła. ■

Lhoce, ang. **Lhotse,** szczyt w Himalajach, na granicy Nepalu i Chin, w pobliżu Mount Everestu, czwarty pod względem wysokości na Ziemi; wys. 8516 m; zdobyty po raz pierwszy 1956 przez szwajc. wyprawę, 1979 przez polską pod kier. A. Bilczewskiego. Na pd. ścianie L. zginął 1989 J. Kukuczka.

Liban, Lubnān, Republika Libańska, państwo w Azji Zach., nad M. Śródziemnym; 10,4 tys. km^2; 4 mln mieszk. (2002), Arabowie (83%), Palestyńczycy (uchodźcy), Ormianie; muzułma-

■ Liban

nie (sunnici, szyici, druzowie), chrześcijanie (maronici, prawosławni, grekokatolicy); ponad 80% ludności mieszka w miastach; stol. Bejrut, inne m.: Trypolis, Sajda; język urzędowy arab.; republika. Kraj górzysty: góry Liban (wys. do 3083 m) i Antyliban rozdzielone głęboką, tektoniczną doliną Bekaa; częste trzęsienia ziemi; klimat podzwrotnikowy śródziemnomor.; rz.: Litani, Asi; makia, resztki lasów z cedrem libańskim. Gospodarka zniszczona długotrwałą wojną domową, podstawą są usługi (handel i finanse); przemysł rafineryjny, włók., przetwórstwo owoców; rzemiosło (biżuteria); sadownictwo (oliwki, cytrusy, winorośl, banany) i warzywnictwo; uprawa zbóż, bawełny; hodowla owiec i kóz. ■

Liban, Jabal Lubnān, pasmo górskie w Libanie, wzdłuż wybrzeża M. Śródziemnego; najwyższy szczyt Kurnat as-Sauda, 3083 m; od wsch. ograniczone rowem tektonicznym Bekaa; zbud. gł. z trzeciorzędowych wapieni i piaskowców; silnie pocięte uskokami na oddzielne bryły; formy krasowe; zarośla typu makia, w części środk. resztki lasów (m.in. cedr libański w rezerwatach); rozwinięte sadownictwo, gł. owoców cytrusowych, oliwek, jabłoni i śliw; przez L. przechodzi droga Bejrut–Damaszek.

Liberia, Republika Liberii, państwo w Afryce, nad O. Atlantyckim; 111,4 tys. km^2; 2,8 mln mieszk. (2002), gł. ludy Kpelle, Bassa, Grebo; protestanci, katolicy, animiści; stol. i gł. port Monrowia; język urzędowy ang.; republika. Północno-wsch. część wyżynna z masywami górskimi (do 1752 m); wybrzeże nizinne; klimat równikowy wybitnie wilgotny; lasy równikowe, wilgotne sawanny. Kraj słabo rozwinięty; wydobycie rud żelaza, diamentów; uprawa manioku, ryżu, na eksport — kauczukowca, kawowca, palmy oleistej; rybołówstwo; eksploatacja lasów (m.in. heban); przemysł hutn., spoż., drzewny; największa nośność floty handl. (88,5 mln DWT, 1999) na świecie (kraj tzw. taniej bandery). ■

Libia, Lbiyyah, Libijska Arabska Dżamahirija Ludowo-Socjalistyczna, państwo w Afryce Pn., nad M. Śródziemnym; 1759,5 tys. km^2; 7 mln mieszk. (2002), Arabowie, Berberowie; religia państw. islam; stol. i gł. port Trypolis, inne m.: Bengazi, Az-Zawija, Misrata; język urzędowy arab.; republika. Ponad 90% pow. w obrębie Sahary; pustynie piaszczyste (Libijska), kamieniste (Al-Hamada al-Hamra), żwirowe; masywy wulk.: Dżabal as-Sauda, Al-Harudż al-Aswad, Tibesti

(wys. do 2286 m); klimat zwrotnikowy wybitnie suchy, na wybrzeżu podzwrotnikowy śródziemnomor.; suche doliny (wadi); roślinność pustynna, półpustynna, na wybrzeżu makia. Podstawą gospodarki wydobycie ropy naft. i gazu ziemnego (pole naft. Zaltan); przemysł chem. (gaz skroplony), rafineryjny, spoż., cementowy, metal., włók.; na wybrzeżu i w oazach uprawa zbóż, oliwek, drzew cytrusowych, palmy daktylowej; koczownicza hodowla bydła, owiec, kóz, wielbłądów; transport drogowy i rurociągowy; porty naft.: Az-Zuwajtina, As-Sidr i in. ■

Libiąż, m. w woj. małopol. (powiat chrzanowski); 18,1 tys. mieszk. (2000); ośr. przem.; kopalnia węgla kam. Janina, z zakładem wzbogacania miału węglowego, kopalnia dolomitu, ponadto różnorodny drobny przemysł; węzeł drogowy; muzeum; prawa miejskie od 1969.

Libijska, Pustynia, Aṣ-Ṣaḥrā' al-Lbiyyah, pustynia we wsch. części Sahary, na obszarze Libii, Egiptu i Sudanu; zajmuje wielką nieckę wypełnioną osadami paleozoiku, mezozoiku i trzeciorzędu (gł. piaskowce, łupki, wapienie); na pd. ostańce krystal. skał fundamentu prekambryjskiego; powierzchnia (ok. 2 mln km^2) wyżynna, lekko nachylona ku pn., od pd. i zach. ograniczona krawędziami gór i wyżyn (m.in. Tibesti, Ennedi, Darfur); wsch. granicę stanowi Nil; przeważają wys. 500–400 m; w części pd. oddzielne masywy (Dżabal al-Uwajnat, 1934 m); na wsch. tektonicznie uwarunkowane obniżenia deflacyjne (największe Al-Kattara, 133 m p.p.m.); większa część P.L. pokryta wydmami (wys. do 300 m); klimat zwrotnikowy, skrajnie suchy (pustynny); dobowe wahania temp. do 30°C; roczna suma opadów od ok. 100 mm na pn. do 10 mm i mniej na pd.; średnia temp. miesięczna od 13–15°C w styczniu do 32–35°C w lipcu; nieliczne wadi (gł. na zach.); roślinność pustynna (akacje, tamaryszki); większe oazy: Al-Kufra, Siwa, Fajum, Al--Charidża; wydobycie ropy naft. (pn. Libia).

Libreville [librövi̧l], stol. Gabonu, nad Zat. Gwinejską; zespół miejski 541 tys. mieszk. (2002); przemysł drzewny, chem., włók., spoż.; port rybacki, handl. (w Owendo, w pobliżu L.), lotn.; uniw.; L. zał. 1849 jako osada uwolnionych niewolników w miejscu franc. fortu z 1843.

lido, włoska nazwa wynurzonego nad powierzchnię morza przybrzeżnego wału piaszczystego (bariery piaszczystej) na wybrzeżu M. Adriatyckiego, oddzielającego lagunę od otwartego morza. Zob. też mierzeja.

Lido di Venezia [l. di wenęcja], wyspa wł., między Laguną Wenecką a M. Adriatyckim, administracyjnie stanowi część Wenecji; luksusowe kąpielisko o świat. sławie; festiwale film.; port lotn. Wenecji.

Lidzbark, Lidzbark Welski, m. w woj. warmińsko-mazurskim (powiat działdowski), nad rz. Wel i Jez. Lidzbarskim, w pd. części Welskiego Parku Krajobrazowego; 8,4 tys. mieszk. (2000); ośr. usługowy regionu roln. i ośr. turyst.-wypoczynkowy; przemysł materiałów bud., spoż., drzewny; węzeł drogowy; muzea: pożarnictwa, przyrody; prawa miejskie od ok. 1325; 2 kościoły (XIV, XVIII i XIX w.), domy (XIX w.).

■ Liberia

■ Libia

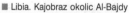
■ Libia. Kajobraz okolic Al-Bajdy

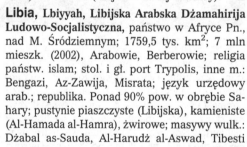

Lidzbark Warmiński, m. powiatowe w woj. warmińsko-mazurskim, u ujścia Symsarny do Łyny; 17,6 tys. mieszk. (2000); ośr. usługowy, przem. i turyst.-krajoznawczy na Szlaku Kopernikowskim; przemysł: spoż., farm., drzewny, odzież.; wytwórnie urządzeń magazynowych, opakowań foliowych, drukarnia; węzeł drogowy; na Krzyżowej Górze ośrodek sportów zimowych i kolarstwa górskiego; Muzeum Warmińskie; prawa miejskie od 1308; siedziba biskupów warmińskich 1350–1795; muzeum; fragmenty murów miejskich (XIV w.), zespół zamkowy (XIV, XV, XVI, XVIII w.), oranżeria (XVIII w.), kościół (XIV, XV, XVIII, XIX w.), dawny kościół drewn. (XIX w.).

Liechtenstein, Księstwo Liechtensteinu, państwo w zach. Europie, w Alpach; 160 km²; 34 tys. mieszk. (2002); Liechtensteinczycy (64%), Szwajcarzy, Austriacy; katolicy; stol. Vaduz; język urzędowy niem.; monarchia konst., księstwo. Alpy Retyckie przecięte doliną górnego Renu; klimat umiarkowany ciepły górski; lasy bukowe i świerkowe. Kraj wysoko rozwinięty; przemysł opt., precyzyjny (części do rakiet i samolotów); usługi finansowe (siedziby licznych banków i firm zagr.); turystyka. ∎

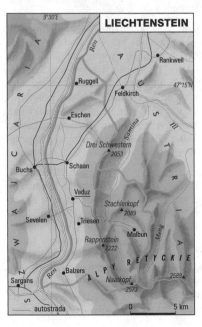

∎ Liechtenstein. Widok na Vaduz i dolinę Renu

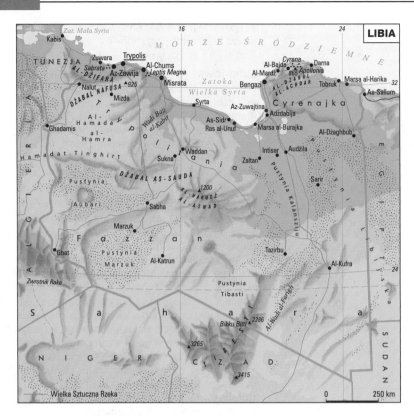

Liguryjskie, Morze, franc. **Mer Ligurienne,** wł. **Mar Ligure,** część M. Śródziemnego, między Korsyką i Elbą a wybrzeżem Francji, Monako i Włoch; połączone Cieśn. Korsykańską z M. Tyrreńskim; w pn. części — Zat. Genueńska; pow. 15 tys. km², głęb. do 2850 m (Basen Liguryjski); temperatura wód powierzchniowych w lecie ponad 25°C, w zimie 12,5–13°C, zasolenie ok. 38‰; do M.L. uchodzi rz. Arno; gł. porty: Nicea, Genua, Livorno, La Spezia; na Wybrzeżu Lazurowym i Riwierze Włoskiej słynne kąpieliska mor., m.in.: Cannes, Monte Carlo, San Remo, Rapallo.

Liliowe, łagodna przełęcz w gł. grzbiecie Tatr, między Beskidem (2012 m) a Skrajną Turnią (2096 m); wys. 1952 m; powstała w mało odpornych na erozję wapieniach jurajskich, marglach środkowokredowych, a także w piaskowcach triasowych; umowna granica pomiędzy Tatrami Zach. i Tatrami Wysokimi; szlaki turyst. Kasprowy Wierch–Świnica i z Hali Gąsienicowej.

Lilongwe [lylǫŋᵘej], stol. Malawi, nad rz. Lilongwe; 486 tys. mieszk. (2002); ośr. handlu tytoniem, herbatą; przemysł tytoniowy, cementowy, odzież., meblarski; międzynar. port lotniczy; miasto zał. 1902.

Lima, stol. Peru, nad O. Spokojnym; 7,6 mln mieszk. (2002); największy ośr. gosp. kraju; przemysł lekki, spoż., drzewny, chem.; centrum kult. (muzea) i nauk. (najstarszy w Ameryce Pd. uniw., zał. 1551); węzeł komunik. (port lotn.) przy Drodze Panamer.; turystyka; zał. 1535 przez Hiszpanów (F. Pizarro); dzielnica z zabudową kolonialną; katedra La Asunción (XVI–XVII w.), kościoły (XVI–XVIII w.), domy z patio (XVI–XVIII w.), pałace (XVIII w.).

liman [ros. < tur. < gr.], płytki, słony zbiornik wodny, powstały w wyniku zatopienia przez wody mor. wylotu nadbrzeżnego jaru (doliny

∎ Liechtenstein

na obszarze o budowie płytowej) i odcięcia go od morza mierzeją; występują na wybrzeżach M. Czarnego i M. Azowskiego.

Limanowa, m. powiatowe w woj. małopol., w Beskidzie Wyspowym; 14,7 tys. mieszk. (2000); ośr. usługowy, przem., turyst. i pielgrzymkowy (Sanktuarium Matki Bożej Bolesnej z Małą Kalwarią Limanowską); przemysł: drzewny, materiałów bud., precyzyjny, metal., spoż., odzież., chemii gosp.; turyst. baza noclegowa, szlaki piesze; zespoły folklorystyczne; prawa miejskie od 1565.

Limau, Lubang, jaskinia krasowa w Malezji, w pn.-środk. części Borneo, w wapiennym masywie Subis położonym na wybrzeżu M. Południowochińskiego, na pd.-zach. od m. Miri, na terenie Parku Nar. Niah; dł. ok. 9 km (największa w kraju poza górami Mulu), deniwelacja 114 m, ponad 8 otworów; rozbudowana na kilku poziomach sieć obszernych korytarzy o rozciągłości ponad 800 m; szata naciekowa m.in. w postaci nietypowych, dużych stalagmitów w formie grzyba, utworzonych w wyniku wypreparowania dolnej części przez guano nietoperzy, usunięte później przez wodę; bogata fauna jaskiniowa; wyeksplorowana i skartowana 1981 przez pol. grotołazów (największe pol. odkrycie jaskiniowe dokonane poza terenem Europy).

Limay [limąi], rz. w Argentynie, jedna ze źródłowych → Negro.

Limfjorden [~juːrdən], cieśnina w pn. części Danii, między Płw. Jutlandzkim a wyspą Vendsyssel-Thy; łączy M. Północne z cieśn. Kattegat; dł. ok. 180 km, szer. 0,5–12 km; głęb. 2,5–24 m, na torze wodnym; liczne zatoki, rozgałęzienia i wyspy (największe: Mors, Fur); rybołówstwo, hodowla ostryg; gł. port Ålborg — dostępny dla statków oceanicznych od wsch. (z Kattegatu).

limnigraf [gr.], samopiszący → wodowskaz do ciągłej rejestracji zmian poziomu wody w zbiorniku wodnym.

limnologia [gr.], nauka o zbiornikach wód śródlądowych, zajmująca się zarówno badaniami hydrolog., jak i biol.; stanowi dział hydrologii kontynent. (→ hydrologia) i hydrobiologii; podstawą l. są badania chem. i fiz. właściwości środowiska wodnego; są prowadzone też badania organizmów wodnych oraz prace z zakresu biocenologii, które doprowadziły do nowocz., całościowych badań nad produkcją biol. wód śródlądowych.

Limnos, staroż. **Lemnos,** wyspa gr. w pn. części M. Egejskiego (region adm. W. Egejskie Pn.), na zach. od wejścia do cieśn. Dardanele; pow. 476 km²; linia brzegowa dobrze rozwinięta, u pd. wybrzeży głęboko wcięta zat. Mudros; powierzchnia wyżynna (wys. do 430 m); uprawa winorośli, oliwek, pszenicy; rybołówstwo; rozwinięta turystyka; gł. m. Mudros, Kastron.

Limpopo, w górnym biegu **Rzeka Krokodyla,** rz. w Afryce Pd.; dł. 1600 km, pow. dorzecza 440 tys. km²; wypływa z progu Witwatersrand (RPA), w pobliżu Johannesburga; opływa na zach. i pn. Transwal; bieg dolny na niz. Mozam-

biku; uchodzi do O. Indyjskiego, na pn.-wsch. od m. Maputo; gł. dopływy: Olifants (pr.), Nuanetsi, Changane (l.); wykorzystywana do nawadniania; żegl. w dolnym biegu; w środk. biegu stanowi granicę między RPA a Botswaną i Zimbabwe; w dorzeczu Limpopo Park Nar. Krugera (w RPA, przy granicy z Mozambikiem); ujście Limpopo odkrył 1489 Vasco da Gama.

linia wiecznego śniegu → granica wiecznego śniegu.

linia zmiany daty, linia na mapie czasów strefowych; przy jej przekraczaniu ze wsch. na zach. dodaje się, zaś z zach. na wsch. odejmuje jeden dzień; przebiega zasadniczo wzdłuż południka 180°, z odchyleniami uwzględniającymi granice państw.

Liońska, Zatoka, zatoka M. Śródziemnego, → Lwia, Zatoka.

Liparyjskie, Wyspy, Wyspy Eolskie, Isole Lipari, Isole Eolie, archipelag 18 wulk. wysp wł. na M. Tyrreńskim, na pn. od Sycylii; pow. 117 km², ok. 10 tys. mieszk.; gł. wyspy: Lipari (37,3 km²), Salina (26,1 km²), Vulcano (20,9 km²), Stromboli (12,2 km²), Filicudi (9,5 km²); na wyspach Stromboli i Vulcano czynne wulkany; uprawa winorośli, figowców, oliwek; hodowla owiec; rybołówstwo; wyrób wina; eksploatacja pumeksu; rozwinięta turystyka; gł. m. i port — Lipari.

Lipiany, m. w woj. zachodniopomor. (powiat pyrzycki), nad jez. Wądół (Lipiańskie Pn.) i jego pd. zbiornikiem Jez. Kościelnym (Lipiańskie Pd.) oraz rz. Myśla; 4,4 tys. mieszk. (2000); ośr. usługowo-handl.-przem. i turyst.-krajoznawczy; przemysł spoż., odzież., metal. oraz przetwórstwo drewna; drukarnia; początek szlaku kajakowego Myślą; węzeł drogowy; prawa miejskie przed 1302; fragmenty murów miejskich (XIV w.).

Lipno, m. powiatowe w woj. kujawsko-pomor., nad rz. Mień (pr. dopływ Wisły); 15,7 tys. mieszk. (2000); ośr. usługowy regionu roln.; przemysł gł. spoż. i metal., ponadto drobna różnorodna wytwórczość; węzeł drogowy; prawa miejskie od 1349; 2 kościoły (XIV, XIX w.), ratusz i kamienice (XIX w.).

Lipsk, m. w woj. podl. (powiat augustowski), nad Biebrzą, przy pn. granicy Biebrzańskiego Parku Nar., w pobliżu granicy z Białorusią; 2,8 tys. mieszk. (2000); ośr. usługowy dla rolnictwa oraz turystyki; spływy kajakowe i tratwami; zakład podzespołów telew., drobne przetwórstwo rolno-spoż. i drzewne; tradycje sztuki lud. (pisanki, tkaniny) i folkloru; muzeum; prawa miejskie 1580–1870 i od 1983; dawny układ przestrzenny (XVI w.).

Lipsk, Leipzig, m. w Niemczech (Saksonia), nad Białą Elsterą; 410 tys. mieszk. (2002); ważny ośr. przem. (maszyn., środków transportu, elektron., chem., poligraficzny, odzież.) i handl. (centrum wystawienniczo-kongresowe, m.in. międzynar. targi książki od 1594); uniw. (zał. 1409), Saska AN, instytuty nauk., wielka biblioteka, słynna orkiestra symf. Gewandhaus; ośr. turyst.; duży węzeł komunik.; muzea; prawa miejskie 1165; ważny ośr. handlu międzynar., zwł. od XV w. (targi lipskie); kościoły (XIV–XVIII w.), ratusz (XVI w.), giełda (XVII w.), domy (XVI–XVIII w., m.in. Piwnica Auerbacha, XVI w.), pałac (XVIII w.), pomnik *Bitwy narodów* (ukończony 1913). ■

Lipsko, m. powiatowe w woj. mazow., nad Krepianką (l. dopływ Wisły); 6,7 tys. mieszk. (2000); ośr. usługowy regionu; przemysł spoż. i metal. oraz różnorodna drobna wytwórczość; węzeł drogowy; prawa miejskie 1613–1870 i od 1958.

Liswarta, rz. na Wyż. Woźnicko-Wieluńskiej, l. dopływ górnej Warty; dł. 93 km, pow. dorzecza 1558 km^2; źródło na wsch. od Koszęcina, uchodzi w pobliżu wsi Kule; średni przepływ przy ujściu 8,0 m^3/s; maks. rozpiętość wahań stanów wody w dolnym biegu 3,4 m; nad L. leży m. Krzepice.

Litewskie, Pojezierze, Pojezierze Wileńskie, Aukstaucin aukstuma, środk. część Pojezierzy Wschodniobałtyckich, odpowiadająca nadniemeńskiemu płatowi lodowcowemu ostatniego zlodowacenia; większa część tego regionu leży na terytorium Litwy; w granicach Polski znajduje się jego zach. część, obejmująca część Puszczy Romminckiej i Pojezierze Wschodniosuwalskie, całe Pojezierze Zachodniosuwalskie oraz Równinę Augustowską; odrębność P.L. wyraża się nie tylko w odmiennym niż na Pojezierzu Mazurskim układzie wałów morenowych, ale również w cechach hydrograf. (prawie cały region leży w dorzeczu Niemna), a także w najsilniej w Polsce wyrażonych cechach kontynentalnych klimatu, średnie miesięczne temp. powietrza wahają się w Suwałkach od –5,6°C do+17,3°C, przy średniej rocznej temp. ok. 6°C, zima pojawia się tu najwcześniej w Polsce (poza terenami górskimi) — w końcu listopada, trwa 114 dni, pokrywa śnieżna zalega 101 dni, w ciągu roku jest 169 dni pochmurnych. Główne m.: Suwałki, Sejny, Augustów.

litofacja [gr.-łac.], rodzaj → facji.

litologia [gr.], nauka o skałach, synonim petrografii; w Polsce termin stosowany gł. na określenie opisowej petrografii skał osadowych.

litometeory [gr.], zjawiska związane z występowaniem w atmosferze ziemskiej skupisk cząstek stałych (np. pyłów z gleb i skał, zarodników roślin); zalicza się do nich zmętnienia atmosfery, zamiecie i wiry pyłowe oraz piaskowe i in.

litoral [łac.], przybrzeżna, dobrze prześwietlona strefa zbiorników wodnych, obejmująca pas dna (bental): w morzach od brzegu po kraniec szelfu (do głęb. ok. 200 m), w jeziorach — po granicę ławicy przybrzeżnej (do głęb. ok. 30 m), oraz rozciągające się nad nim wody (nerytyczna strefa); rozróżnia się e u l i t o r a l — górną część l., dobrze prześwietloną, z falami przyboju, kipieli, pływów, oraz s u b l i t o r a l — dolną część l., o słabszym dopływie światła i spokojniejszych wodach; warunki życia w l. zależą od charakteru dna, temperatury, zasolenia i in.; fauna i flora l. odznaczają się bujnością i różnorodnością oraz zróżnicowaniem zespołów; l. jest strefą samowystarczalną, dostarczającą pokarmu (gł. trypton) innym strefom (→ batial, abisal, profundal) mórz i jezior.

■ Lipsk

litosfera [gr.], zewn., najbardziej sztywna sfera kuli ziemskiej leżąca powyżej astenosfery; w jej skład wchodzi → skorupa ziemska i oddzielona od skorupy nieciągłością → Mohorovičicia górna część → płaszcza Ziemi; rozróżnia się l i t o s f e r ą   o c e a n i c z n ą, występującą pod oceanami, na którą składa się skorupa oceaniczna o grub. 6–12 km i górna część płaszcza Ziemi — warstwa perydotytowa (zbud. z perydotytu), o średniej grub. ok. 50 km, oraz l i t o s f e r ą   k o n t y n e n t a l n ą, złożoną ze skorupy kontynent., o średniej grub. ok. 35 km, i górnej części płaszcza Ziemi, o średniej grub. 60–80 km, w skład której, oprócz perydotytu, być może wchodzi eklogit. L. jest rozbita na wielkie, przemieszczające się poziomo, fragmenty, zw. → płytami litosferycznymi.

Litwa, Lietuva, Republika Litewska, państwo w Europie Wsch., nad M. Bałtyckim; 65,2 tys. km^2; 3,5 mln mieszk. (2002), Litwini 81%, Rosjanie 8%, Polacy 7% i in.; większość wierzących katolicy; stol. Wilno, in. gł. m.: Kłajpeda, Kowno; język urzędowy litew.; republika. Na zach. Pojezierze Żmudzkie, na wsch. Pojezierze Litew. (wys. do 292 m); gł. rz. Niemen, liczne jeziora; ok. 1/4 pow. lasy. Reforma gospodarki najmniej zaawansowana wśród krajów nadbałtyckich; wa-

■ Litwa

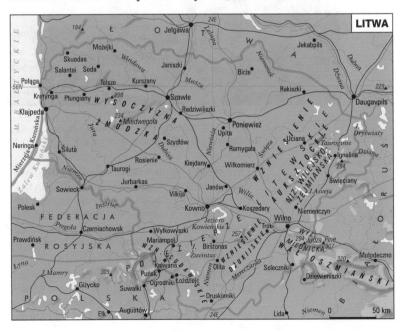

■ Litwa. Kowno, panorama starego miasta

luta lit od 1993; paliwa i surowce importowane; Ignalińska Elektrownia Jądr. dostarcza 85% energii elektr.; przemysł maszyn., stoczn., precyzyjny, elektrotechn., chem. (nawozy miner.), lekki (dziewiarski), spoż.; rzemiosło artyst. (wyroby z bursztynu); hodowla bydła, trzody chlewnej; uprawa zbóż, ziemniaków, buraków cukrowych, lnu; gł. port Kłajpeda, w Butinge terminal naft.; uzdrowiska: Druskieniki, Połąga, Birsztany. ■

Lizbona, Lisboa, stol. Portugali, w pobliżu ujścia Tagu do O. Atlantyckiego; 558 tys. mieszk., zespół miejski 2,6 mln (2002); największe miasto i ośr. gosp. kraju; koncentracja przemysłu (stoczn., rafineryjny, hutn., włók., przetwórstwo korka) i rzemiosła artyst.; węzeł komunikacji mor. i lotn. o międzynar. znaczeniu; gł. port handl. kraju; akad. nauk, 3 uniw. (w tym zał. 1290); muzea. Romańsko-got. katedra; kościoły (XVI–XVIII w.); got.-renes. klasztor Hieronimitów (XVI w.); pozostałości pałacu król. z XVI w. (tarasy pałacowe); wieża Belém (XVI w.); zabudowa placu Handlowego (Praça do Comércio, XVIII w.); pałace (XVI–XVIII w.); arsenał (XVIII w.); słynny most na rz. Tag (1963–66). ■

■ Lizbona

Llanos [lją~], nizina w Ameryce Pd., → Orinoko, Nizina.

Llullaillaco [ljuljajljąko], **Volcán Llullaillaco,** czynny wulkan w Andach Środk. (Kordiliera Gł.), na granicy Chile i Argentyny, na pd.-zach. od przełęczy Socompa, na obszarze Puna de Atacama; wys. 6723 m (najwyższy czynny wulkan na Ziemi, zanotowane erupcje: 1854, 1868, 1877); wieczne śniegi. Zdobyty 1953.

Loara, Loire, najdłuższa rz. Francji; dł. 1020 km, pow. dorzecza 115 tys. km², źródła w górach Vivarais, w pobliżu szczytu Gerbier-de-Jonc; przepływa Masyw Centr., Basen Paryski i Masyw

Armorykański; uchodzi estuarium do Zat. Biskajskiej; gł. dopływy: Allier, Cher, Indre, Vienne (l.), Maine (pr.); duże wahania stanu wód; żegl. w dolnym biegu, statki mor. dochodzą do Nantes; połączona kanałami z Saoną i Sekwaną; gł. m. nad L.: Roanne, Orlean, Tours, Nantes, przy ujściu — Saint-Nazaire. W dolinie środk. L. zespół got.-renes. zamków, m.in.: Chambord, Blois, Chaumont, Amboise, Chenonceaux, Azay-le-Rideau.

lob lodowcowy → lądolód.

Lob-nor, Lop Nur, bezodpływowe słone jez. w Chinach, we wsch. części Kotliny Kaszgarskiej, na wys. ok. 780 m; pow. 2,6 tys. km²; głęb. do 1 m; położenie i wymiary zmienne (wskutek zasypywania wydmami piaszczystymi); okresowo dopływa rz. → Tarym.

Loch Ness [lok nes], jez. w pn. części W. Brytanii (Szkocja), w obniżeniu tektonicznym Glen More, na wys. 16 m; pow. 65 km², dł. 36 km, szer. 1,6 km, głęb. do 230 m; brzegi wysokie, skaliste; z Loch Ness wypływa rz. Ness uchodząca do zat. Moray Firth (M. Północne); stanowi część Kanału Kaledońskiego (otwarty 1882). Znane z legendy o potworze zamieszkującym jego wody.

■ Góra lodowa u wybrzeży Antarktydy

lodowa góra, pływająca po morzu lub oceanie bryła lodu, odłamana od czoła lądolodu lub lodowca uchodzącego do morza; długość g.l. (największe u wybrzeży Antarktydy) dochodzi do 150 km, a wys. do 150 m; ponad powierzchnię wody wystaje tylko ok. 1/9 część ich masy; g.l. przenoszone przez prądy mor. mogą przemieszczać się na znaczne odległości zagrażając żegludze; były przyczyną licznych katastrof, m.in. zderzenie z g.l. było powodem zatonięcia 1912 statku pasażerskiego Titanic. ■

Lodowaty Północny, Ocean → Arktyczny, Ocean.

lodowe zjawiska, formy zlodzenia wód powierzchniowych — płynących i stojących; wyróżnia się 3 fazy zlodzenia wód płynących: zamarzanie, trwałą pokrywę lodową i spływ lodów; w fazie zamarzania tworzy się lód denny, lód brzegowy i śryż, w drugiej fazie — pokrywa lodowa (gł. forma zlodzenia), w trzeciej — kra lodowa; do form zlodzenia rzek należą także zatory — śryżowy i lodowy; w przebiegu zlodzenia wód stojących wydziela się 2 fazy — tworzenie się stałej pokrywy lodowej oraz jej zanikanie.

Lodowe Źródło, wywierzysko w Tatrach Zach., w Dolinie Kościeliskiej, u wylotu Bramy Kraszewskiego; wypływa na wys. 970 m, w miejscu styku wapieni wierchowych z warstwami łupków reglowych; odwadnia m.in. wsch. część masywu Czerwonych Wierchów (Wielka Jaskinia Śnieżna); wydajność zmienna, średnio 250–620 l/s, temp. 4–5°C. Do poł. XIX w. wody z L.Ź. wprawiały w ruch maszyny kuźnicy na polanie Stare Kościeliska (zachowany przekop).

lodowiec, masa lodu powstała na lądzie powyżej granicy wiecznego śniegu, znajdująca się w stałym, powolnym ruchu; tworzy się z nagromadzonego w dużych ilościach śniegu, który wskutek ciągłego topnienia i zamarzania pod wpływem zmian temperatury i ciśnienia warstw nadległych ulega rekrystalizacji i przeobraża się w → firn, lód firnowy i b. zbity lód lodowcowy. Rozmiary i kształty l. są różne, zależnie od warunków klim. i ukształtowania terenu. Rozróżnia się l o d o w c e k o n t y n e n t a l n e, pokrywające ogromne obszary kuli ziemskiej (→ lądolód), i l o d o w c e g ó r s k i e, składające się zwykle z pola → firnowego i wypływającego z niego mas lodu, zw. jęzorami lodowcowymi. Ruch l. odbywa się pod wpływem siły ciężkości i ciśnienia nadległych warstw lodowo-śnieżnych (pod ciśnieniem lód staje się plast.), pewną rolę odgrywa też zjawisko regelacji. Prędkość poruszania się l. zależy gł. od masy lodu i nachylenia podłoża, np. l. alpejskie posuwają się ok. 0,1–0,25 m na dobę, l. himalajskie 2–3,7 m na dobę, lodowce alaskie — do 12 m na dobę, a niektóre jęzory (loby) l. grenlandzkich — do 30 m na dobę; natomiast we wnętrzu wielkich lądolodów prędkości są małe (9–20 m na rok). Pod wpływem ruchu l. w jego górnej, nieplast. części powstają pęknięcia i szczeliny (głęb. do 50 m). Rozmiary l. zależą od wielkości akumulacji śniegu (zasilania l.) i intensywności topnienia l. (→ ablacja lodowcowa); gdy wskutek znacznej przewagi ablacji nad zasilaniem (np. przy schodzeniu l. w dół, w cieplejsze strefy) l. staje się b. cienki, górna, spękana jego część dochodzi do podłoża i ruch l. ustaje (→ lód martwy). Najdłuższym górskim lodowcem świata jest Lodowiec Fedczenki na Pamirze (77 km). L. posuwając się niszczy podłoże oraz przenosi na znaczne odległości i osadza materiał skalny zw. → moreną; w wyniku działalności l. i wód lodowcowych powstaje swoisty typ rzeźby powierzchni Ziemi (→ glacjalna rzeźba, alpejska rzeźba).   ■

Lodowy Szczyt, L'adový štít, masyw w gł. grzbiecie Tatr Wysokich, na Słowacji, między dolinami Jaworową i Pięciu Stawów Spiskich; wys. 2628 m; w pd. grani L.Sz. wyróżnia się szczyt Lodowa Kopa (2611 m), w pn.-wsch. — Śnieżny Szczyt (2467 m).

Lofoty, Lofoten, grupa przybrzeżnych wysp norw., na M. Norweskim, na przestrzeni 110 km z pn. na pd., oddzielona od lądu cieśn. Vestfjorden; pow. 1425 km², ok. 26 tys. mieszk.; gł. wyspy: Austvågøya, Gimsøya, Vestvågøya i Moskenesøya; powierzchnia górzysta, wys. do 1161 m (na Austvågøya); linia brzegowa silnie rozwinięta; klimat umiarkowany chłodny, wybitnie mor.; roślinność tundrowa; uprawa ziemniaków, zbóż; rozwinięte rybołówstwo (gł. połowy dorsza); produkcja nawozów z odpadów rybnych; turystyka; gł. miejscowość i port — Svolvær, na Austvågøya.   ■

■ Lodowiec na południu Spitsbergenu

■ Czoło lodowca Cetlina w Pamirze

Logan [ḷougən], ang. **Mount Logan,** franc. **Mont Logan,** szczyt w Górach Św. Eliasza (Kordyliery Pn.), najwyższy w Kanadzie; wys. 6050 m (drugi pod względem wysokości w Ameryce Pn.); wielkie lodowce: Logan, Seward, Hubbarda i in.

loksodroma [gr.], linia na powierzchni kuli lub na jakiejkolwiek innej powierzchni obrotowej przecinająca wszystkie południki tej powierzchni pod stałym kątem α; gdy α jest kątem ostrym lub rozwartym ($\alpha \neq 0°$, $90°$, $180°$), to l. ma kształt spirali z punktem asymptotycznym na biegunie; na mapie sporządzonej w odwzorowaniu Mercatora l. jest linią prostą, co znajduje zastosowanie w nawigacji (droga po l. oznacza drogę po stałym kursie); termin l. wprowadził Snellius (1624).

■ Lofoty. Osada rybacka Hamnøy na wyspie Moskenesøya

Lombardia, region autonomiczny w pn. Włoszech; 23,9 tys. km², 9 mln mieszk. (2002); stol. Mediolan, inne m.: Brescia, Bergamo; na pn. Alpy (Bernina, 4049 m), na pd. Niz. Padańska; na przedgórzu Alp jez.: Maggiore, Como, Garda; najbogatszy i najlepiej rozwinięty region kraju;

energetyka wodna, hutnictwo metali, przemysł środków transportu, rafineryjny, włók., elektron.; intensywna uprawa zbóż, warzyw i hodowla bydła; liczne uzdrowiska, ośr. sportów zimowych i wodnych.

Lome, Lomé, stol. Togo, nad Zat. Gwinejską; 675 tys. mieszk. (2002); przemysł spoż., włók., chem., petrochem., huta stali, montownia motorowerów; gł. port handl., lotn.; uniw.; muzeum nar.; zał. w końcu XVIII w.

■ Londyn. Trafalgar Square

Londyn, London, stol. Zjedn. Królestwa W. Brytanii i Irlandii Pn., nad Tamizą; Wielki Londyn 1580 km^2, 7,4 mln mieszk. (2002), obejmuje City of London (2,7 km^2, 4 tys. mieszk. — 1991) i 32 dzielnice (borough); siedziba bryt. Wspólnoty Narodów; świat. centrum finansowo-handl. (giełda papierów wartościowych, banki); wielki port dostępny dla statków mor.; rozwinięty przemysł środków transportu, elektrotechn. i elektron., petrochem., odzież., szlifiernie diamentów; 3 międzynar. porty lotn. (największy Heathrow), węzeł kol. i drogowy, metro (od 1863, najstarsze w Europie); międzynar. ośr. kultury (opera, teatry, muzea) i turystyki; liczne szkoły wyższe (w tym 9 uniw., najstarszy z 1836) i instytuty nauk.-badawcze; średniow. twierdza Tower; rom.

■ Londyn. Dzielnica Greenwich, dawne obserwatorium astronomiczne (widoczna linia południka zerowego)

kościoły; got. Opactwo Westminsterskie z późnogot. kaplicą Henryka VII; Banqueting Hall w pałacu Whitehall — I. Jonesa; St Paul's Cathedral — Ch. Wrena; rezydencje w dzielnicy Adelphi — R. Adama (w większości nie istniejące) i podmiejskie, m.in. Kenwood House i Osterley Park House; liczne klasycyst. budowle, m.in. Buckingham Palace, gmach British Museum; neogot. budynki parlamentu i Tower Bridge; z lat 50. XX w. Royal Festival Hall; z lat 80. i 90.: postmodernist. gmach Towarzystwa Ubezpieczeń Lloyda, centrum handl. z dominujacym biurowcem Canada Tower, kompleks handl.-biurowy Charing Cross — połączenie architektury wiktoriańskiej z high-technology końca XX w. ■

Londyński, Basen, niz. w W. Brytanii (Anglia), w dolnym biegu Tamizy; stanowi synklinę wypełnioną trzeciorzędowymi piaskami, żwirami i glinami, ograniczoną kredowymi kuestami: Chiltern (wys. do 260 m) od pn.-zach. i North Downs (wys. do 294 m) od pd.; resztki lasów liściastych, na piaskach bory i wrzosowiska; gł. region roln. W. Brytyjskich; w B.L. leży Londyn.

lopolit [gr.], forma intruzji magmowej pokrewna → lakolitowi.

Los Angeles [l. ąndżələs], m. w USA (Kalifornia), nad O. Spokojnym; 3,8 mln mieszk. (2002), zespół miejski L.A.–Long Beach 9,2 mln, region metropolitalny L.A.–Riverside–Orange County 15,3 mln (1994); gł. ośr. gosp. i kult.-nauk. zach. części USA, drugi po Nowym Jorku; świat. centrum przemysłu lotn. (firmy Lockhead, Douglas) oraz elektron., petrochem., maszyn., samochodowy, stoczn.; produkcja filmów w Hollywood; ważny port handl.; wielki węzeł komunik. (zwł. lotn.); 2 uniw., politechn., instytuty nauk.; turystyka zagr.; miasto powstało wokół misji franciszkańskiej, zał. 1781 przez Hiszpanów; po wojnie meksyk. 1846–48 włączone do USA; 1994 dotknięte trzęsieniem ziemi; kościół Nuestra Señora de la Reina de los Angeles i Lugo House, ob. część Uniw. Loyoli (obydwa z 1. poł. XIX w.), liczne domy i budowle reprezentacyjne (2. poł. XIX w.), gmachy projektowane przez F.L. Wrighta i R. Neutrę.

Lotaryngia, Lorraine, region adm. i kraina hist. we wsch. Francji, przy granicy z Belgią, Luksemburgiem i Niemcami; 23,5 tys. km^2, 2,3 mln mieszk. (1999); ośr. adm. Nancy, inne m. Metz, Épinal; zajmuje Wyż. Lotaryńską z szerokimi dolinami: Mozeli, Mozy i Saony, na granicy z Alzacją masywy Wogezów; jeden z gł. regionów przem. kraju; od poł. XIX w. do końca lat 80. górnictwo węgla kam., rud żelaza i hutnictwo metali, ob. gł. przemysł maszyn., samochodowy i elektron., gumowy; na pd. uprawa zbóż i hodowla bydła.

lód, woda w stanie stałym; bezbarwne przezroczyste kryształy (w grubych warstwach niebieskawe); temp. topnienia l. (powstałego z wody chemicznie czystej) pod ciśn. 1013,25 hPa przyjęto za zero skali Celsjusza; w porównaniu z wodą, l. ma mniejszą gęstość (0,9168 g/cm^3), tj. większą objętość właściwą (w sieci przestrzennej lodu, między połączonymi za pomocą wiązań wodorowych cząsteczkami wody, występują pus-

te przestrzenie); powoduje to np. pękanie zamkniętych naczyń, rozsadzanie bloków skalnych, w szczelinach których zamarza woda;
wiąże się z tym również zamarzanie powierzchni
np. rzek, jezior, co stanowi ochronę głębszych
warstw wody przed oziębieniem i umożliwia
utrzymanie w nich życia organicznego. W powietrzu atmosf., w wyniku procesów kondensacji pary wodnej, powstają kryształy l., które
wchodzą w skład chmur, tworzą opady (np.
→ śnieg, grad) lub osady atmosf. (→ szron,
sadź). Nagromadzenie dużych mas l. na powierzchni Ziemi doprowadza do tworzenia się
→ lodowców i lądolodów. Zob. też lód morski.

lód martwy, część lodowca pozbawiona dopływu nowych, poruszających się mas lodowcowych; w szerokich szczelinach l.m. osadzają się
piaski i żwiry tworzące → kemy, → ozy i in.
formy akumulacji lodowcowej; po stopnieniu
brył l.m. powstają bezodpływowe zagłębienia,
zw. wytopiskami, np. → oczka lodowcowe.

lód morski, lód powstający w morzu, w temp.
wody ok. –1°C do –2°C, zależnie od jej zasolenia
(–1,91°C przy zasoleniu 35‰); tworzy się w morzach polarnych, a także w morzach wyższych i
średnich szer. geogr.; l.m. różni się od lodu
słodkowodnego m.in.: zasoleniem, które jednak
na ogół nie przekracza 1% (l.m. jest tym bardziej
słony, im jest młodszy i im prędzej powstaje),
pojemnością cieplną (zwiększa się ona wraz ze
wzrostem zasolenia i temperatury wody) i gęstością (zależnie od zasolenia i porowatości lodu
wynosi ona 0,920–0,953 g/cm³); ze względu na
małą gęstość l.m. wystaje nad powierzchnię
wody na 1/7 do 1/10 swojej grubości. W średnich
szer. geograficznych l.m. pojawia się sezonowo,
na ogół późną jesienią, i zanika w okresie
jesienno-letnim; w wyższych szerokościach, w
morzach polarnych, utrzymuje się trwała pokrywa lodowa zmieniająca jednak zależnie od pory
roku swój zasięg, grubość i gęstość; masa l.m.
przyrasta od spodu o ok. 1,5–5,0 m rocznie, a
całkowita miąższość może dochodzić do 9 m.
Przeważającą formą l.m. spotykaną w oceanie
jest lód dryfujący pod wpływem działania wiatru
i prądów mor. (polarny → pak pokrywa 75%
pow. O. Arktycznego); inną formą jest lód
brzegowy, nieruchomy, przyrośnięty do wybrzeży lądu.

Lualaba, rz. w Zairze, górny bieg Konga; dł. ok.
2100 km; wypływa w górach Mitumba, w pobliżu
granicy z Zambią, na wys. 1435 m; w górnym
biegu przepływa jez. Upemba (Park Nar. Upemba); poniżej Wodospadów Stanleya przyjmuje
nazwę Kongo; gł. dopływ — Luapula (pr.); ze
względu na progi i wodospady żegl. odcinkami
(między m. Bukama i Kongolo oraz poniżej m.
Kindu); w górnym biegu 2 hydroelektrownie. W
1871 do L. dotarł D. Livingstone, uznając błędnie,
że jest źródłową rzeką Nilu; dopiero 1876–77 H.
Stanley spłynął L. ustalając, że jest ona górnym
biegiem Konga.

Luanda, Loanda, stol. Angoli, nad O. Atlantyckim; 2,2 mln mieszk. (2002); gł. ośr. gosp.
(przemysł spoż., rafineryjny, włók., cementowy, drzewny) i kult.-nauk. kraju; ważny port

■ Luanda

handl., lotn.; uniw.; muzea (m.in. antropol.); w
pobliżu złoża ropy naft.; zał. 1575 przez Portugalczyków.   ■

Lubachowskie, Jezioro, Lubachowski
Zbiornik Wodny, Jezioro Bystrzyckie, zbiornik
retencyjny na Bystrzycy, w G. Sowich; utworzone 1917 przez spiętrzenie rzeki zaporą kam.;
pow. 0,5 km², dł. 3,2 km, szer. 0,3 km, maks.
głęb. 30 m, pojemność całkowita 8 hm³, pojemność powodziowa 2 hm³; brzegi wysokie, częściowo zalesione; wykorzystywane do zaopatrywania w wodę zakładów przem. i ochrony przeciwpowodziowej; przy zaporze elektrownia wodna o
mocy 1,2 MW. Nad J.L. leży Zagórze Śląskie.

Lubaczów, m. powiatowe w woj. podkarpackim, nad Lubaczówką; 12,8 tys. mieszk. (2000);
ośr. przem.-usługowy; zakłady: wyrobów galan-
teryjnych, maszyn bud., odzież., przetwórstwa
rolno-spoż., drzewne; węzeł drogowy na trasie
do przejść granicznych w Hrebennem i Korczo-
wej przy linii kol. Munina–Hrebenne; muzeum;
prawa miejskie od 1376; 1945–92 ośr. archidiecezji; konkatedra (XIX, XX w.), zabytkowe domy
i zabudowania gosp. (XIX w.). W pobliżu L. wydobycie gazu ziemnego (Szczutków) i zdewas-
towana, nieczynna kopalnia siarki w Baszni.

Lubań, m. powiatowe w woj. dolnośląskim, nad
Kwisą; 24,1 tys. mieszk. (2000); ośrodek przem.-
-usługowy i turyst. na Szlaku Wygasłych Wulkanów oraz ośr. handl. (przejścia graniczne do
Czech i Niemiec w odległości 15–25 km); rozwinięty przemysł: elektromaszyn. i drzewno-
-papierniczy; siedziba Łużyckich Kopalni Bazaltu; ważny węzeł kol.; muzeum; prawa miejskie
przed 1268 (po 1237?); fragmenty murów miejskich (XIV, XVI w.), ratusz (XVI w.), domy
(XVIII, XIX w.).

Lubartów, m. powiatowe w woj. lubel., nad
Wieprzem; 23,8 tys. mieszk. (2000); ośr. handl.-
-usługowy i przem.; zakłady przemysłu: spoż.,
szkl., materiałów bud., odzież., metal., skórz.,
mebl.; drukarnie; węzeł drogowy; muzea; prawa
miejskie od 1543; w XVI w. ważny ośr. reformacji; pałac i park Lubomirskich (XVII, XVIII w.),
oranżeria (XVIII w.); późnobarok. kościół parafialny (XVIII w.) z rokok. wyposażeniem; zespół
klasztorny Kapucynów (XVIII w.).

Lubawa, m. w woj. warmińsko-mazurskim (powiat iławski), nad rz. Sandela (dorzecze Drwęcy); 9,3 tys. mieszk. (2000); ośr. usługowy dla
rolnictwa oraz obsługi ruchu turyst. na Szlaku

Kopernikowskim oraz w kierunku jezior mazurskich i Pól Grunwaldzkich; przemysł drzewny i spoż.; węzeł drogowy; prawa miejskie od 1303–11; XIII–XVIII w. ośr. dóbr biskupów chełmińskich; kościoły (XIV, XVI, XVIII w.).

Lubawka, m. w woj. dolnośląskim (powiat kamiennogórski), nad Bobrem, przy granicy z Czechami; 6,9 tys. mieszk. (2000); ośr. turyst.-wypoczynkowy; przemysł: dziewiarski, drzewny, metal.; wytwórnie materiałów izolacyjnych i artykułów z tworzyw sztucznych; przejścia graniczne (kol. i drogowe); prawa miejskie przed 1292.

Lubelska, Wyżyna, zach. część Wyż. Lubelsko-Lwowskiej; między przełomową doliną Wisły na zach. a strefą działu wodnego Wieprza i Bugu na pd.-wsch.; zbud. z margli i opoki kredowej, pokrytych w części pn.-zach. i wsch. płatami lessu; łagodne garby wyżynne wznoszą się od 180 do 313 m; w marglach kredowych występują szczeliny, którymi krążą wody podziemne, wy-

■ Wyżyna Lubelska. Krajobraz okolic Lublina

dostające się na powierzchnię licznymi, niekiedy obfitymi źródłami; sieć hydrograf. regionu tworzą: w części wsch. i środk. — Wieprz z Bystrzycą i Porem, w części zach. — Wisła z Wyżnicą i Chodelką; urodzajne gleby brun. i czarnoziemy (wytworzone z lessów) oraz gleby typu rędzin (wytworzone na wapieniach), sprzyjają rozwojowi rolnictwa; lasów jest mało, gł. lasy liściaste — dębowo-grabowe i bukowe (na linii doliny Wieprza przebiega wsch. granica buka); w pd. części wyżyny, k. Annopola, występują fosforyty. Główne m.: położony nad Bystrzycą — Lublin, a na pd.-wsch. Zamość, ponadto Krasnystaw, Kraśnik, zabytkowy Kazimierz Dolny i uzdrowisko Nałęczów. W obrębie W.L. wyróżnia się: Małopolski Przełom Wisły, Płaskowyż Nałęczowski, Równinę Bełżycką, Kotlinę Chodelską, Wzniesienia Urzędowskie, Płaskowyż Świdnicki, Wyniosłość Giełczewska, Działy Grabowieckie i Padół Zamojski.   ■

lubelskie województwo, woj. we wsch. Polsce, graniczy z Białorusią i Ukrainą; 25 115 km², 2,2 mln mieszk. (2000), stol. — Lublin, in. większe m.: Biała Podlaska, Chełm, Zamość, Puławy; dzieli się na 4 powiaty grodzkie, 20 powiatów ziemskich i 212 gmin. Krajobraz urozmaicony, na pd. wyżynny (częściowo lessowa Wyż. Lubelska i Roztocze), na pozostałym obszarze nizinny (Polesie Zach. i Wołyńskie oraz staroglacjalna

Niz. Południowopodlaska). Główne rz.: graniczny Bug oraz Wieprz, Tanew; jeziora krasowe (Równina Łęczyńsko-Włodawska), torfowiska i tereny bagienne; najdłuższy w Polsce kanał — Wieprz–Krzna. Lasy zajmują 21,7 % pow. (Lasy Janowskie, Puszcza Solska); parki nar. — Roztoczański, Poleski i wiele parków krajobrazowych. Gęstość zaludnienia — 89 mieszk. na km², w miastach 46,8 % ludności (2000). Województwo roln.-przem.; bogate złoża węgla kam. eksploatowane w Lubel. Zagłębiu Węglowym (Bogdanka) oraz surowce skalne (margle, wapienie, opoki); rozwinięty gł. przemysł środków transportu, metal., chem., miner. (cementowy), spoż.; ponadto elektrotechn., dziewiarski, odzież., obuwn., meblarski. Użytki rolne zajmują 68,4 % pow.; uprawia się zboża (pszenica, żyto), buraki cukrowe (16% krajowej pow. zasiewów), ziemniaki, chmiel (2/3 produkcji krajowej), tytoń; rozwinięta hodowla trzody chlewnej i drobiarstwo. Dosyć rzadka sieć komunik.; ważne przejścia graniczne. Najlepiej zagospodarowane regiony turyst. — Równina Łęczyńsko-Włodawska, Roztocze, okolice Kazimierza Dolnego; uzdrowisko w Nałęczowie.

Lubień Kujawski, m. w woj. kujawsko-pomor. (powiat włocł.), nad Jez. Lubieńskim; 1,4 tys. mieszk. (2000); ośr. wypoczynkowy i sztuki lud.; drobny przemysł; prawa miejskie 1489–1870 i od 1919.

Lubin, m. powiatowe w woj. dolnośląskim, nad Zimnicą (l. dopływ Odry); 82 tys. mieszk. (2000); ważny ośr. mieszkaniowy, przem. i handl.-usługowy; Kombinat Górn.-Hutn. Miedzi „Polska Miedź SA" (Legnicko-Głogowski Okręg Miedziowy), do którego należą (w obrębie L.): firmy inwestycyjne, zakłady — transportowy, elektroenerg., doświadczalny oraz kopalnia rud miedzi Zakład Górn. Lubin; przemysł materiałów bud., metal., odzież. i spoż.; przedsiębiorstwa usługowe, związane gł. z górnictwem miedzi; centrala Cuprum Banku SA; duży węzeł drogowy; lotnisko sport. i Aeroklub Zagłębia Miedziowego; prawa miejskie od ok. 1295; ruiny zamku i fragmenty murów miejskich (XIV w.), kościół (XIV–XVI w.).

Lublana, Ljubljana, stol. Słowenii, nad rz. Ljubljanica, w pobliżu ujścia do Sawy; 256 tys. mieszk. (2002); największe miasto i ośr. gosp. kraju; przemysł maszyn., elektron., farm., włók.; węzeł komunik.; międzynar. port lotn.; Słoweń. Akad. Nauk i Sztuk, uniw., inst. nauk. (jądr., elektron.); międzynar. targi gastronomiczne; muzea; średniow. zamek (przebud. XVI, XVII w.); katedra Św. Mikołaja (XVIII w.), kościół Św. Jakuba (XVII w.); ratusz (XV, XVIII w.); budynek seminarium duchownego (XVII w.).

Lublin, m. wojew. (woj. lubel.), nad Bystrzycą; powiat grodzki, siedziba powiatu lubel.; 356 tys. mieszk. (2000); największe miasto, ośrodek gosp., nauk. i kult. we wsch. części Polski; stol. metropolii i diecezji lubel. Kościoła rzymskokatol. (liczne klasztory i zgromadzenia zakonne) oraz stol. diecezji lubel.-chełm. Pol. Autokefalicznego Kościoła Prawosław.; przemysł: środków transportu, spoż., chem., maszyn., elektron. i elektrotechn., skórz., poligraf.; ponadto duża odlewnia żeliwa oraz przemysł: odzież., drzewno-papierniczy, materiałów bud., zabawkarski; ważny węzeł kol. i drogowy; centrale: Lubel. Banku Regionalnego SA, Wsch. Banku Cukrownictwa SA; Targi Wsch.; szkoły wyższe, m.in.: UMCS, KUL, politechn., akad. — med., roln., Wyższe Seminarium Duchowne; Oddział PAN, instytuty nauk.; ogród bot.; duże biblioteki; teatry, filharmonia; liczne muzea, w tym: Zamek Lubelski, Archidiecezjalne Sztuki Sakralnej, Cefarmu, W. Pola, Muzeum na Majdanku, galerie sztuki, stacje telew. i rozgłośnie radiowe, wydawnictwa; Międzynar. Konkursy Młodych Skrzypków; ośr. turyst.-krajoznawczy. Prawa miejskie od 1317; zamek król. (XIV, XVII, XIX w.) z kaplicą Św. Trójcy (XIV w.) z rus.-bizant. polichromią (XV w.); zabytkowy zespół Starego Miasta; fragmenty murów miejskich (XIV, XVIII w.), katedra (XVII–XIX w.), kościoły i zespoły klasztorne, m.in. Bernardynów, Brygidek i Dominikanów (XV–XVIII w.), pałace (XVII–XIX w.), Stary i Nowy Ratusz (XVI, XVII i XIX w.).■

Lubliniec, m. powiatowe w woj. śląskim, nad Lublinianką i Leśnicą (pr. dopływy Małej Panwi); 27 tys. mieszk. (2000); ośr. przem.-usługowy; przemysł: włók., elektromaszyn., chem., materiałów bud., drzewny i spoż.; duże gospodarstwa ogrodnicze; ważny węzeł komunik.; prawa miejskie od 1300.

Lubniewice, m. w woj. lubus. (powiat sulęciński), między jez. Lubiąż i Krajnik; 2,0 tys. mieszk. (2000); ośr. turyst.-wypoczynkowy; stadnina koni; drobny przemysł; prawa miejskie 1808–1945 i od 1994; got. kościół (XV w.), neorenes. zamek (pocz. XX w.).

Lubomierz, m. w woj. dolnośląskim (powiat lwówecki), nad Oldzą (pr. dopływ Kwisy); 2,0 tys. mieszk. (2000); ośr. usługowy; drobny przemysł; Muzeum Kargula i Pawlaka (miejsce akcji filmów S. Chęcińskiego); Ogólnopol. Przegląd Komedii Film. (od 1997); na miejscowym hipodromie wystawa koni hodowlanych; prawa miejskie od 1291; zespół klasztorny Benedyktynek (XV/XVI, XVIII w.), kamienice (XVI, XVII, XIX w.), ratusz (XVII, XIX w.). W pobliskim Wojciechowie kamieniołom bazaltu.

Luboń, m. w woj. wielkopol. (powiat pozn.), nad Wartą; 22,6 tys. mieszk. (2000); ośr. przem. i mieszkaniowy dla pracujących w Poznaniu; rozwinięty przemysł chem. i spoż.; różnorodne drobne przedsiębiorstwa produkcyjne i usługowe; Inst. Chemii Nieorg.; węzeł kol.; miasto utw. 1954 z połączenia miejscowości Luboń, Lasek i Żabikowa.

Luboń Wielki, szczyt w Beskidzie Wyspowym, na pn. od Rabki; wys. 1022 m; kulminacja izolowanego wału górskiego między Naprawą i Rabą Niżną; zbud. ze skał fliszu karpackiego; stoki strome, lesiste, pocięte gł. dolinami potoków; na stoku pd.-wsch. grupa urwistych skałek piaskowcowych serii magurskiej i jaskinia (wejście na wys. ok. 880 m, dł. ok. 8 m); w pobliżu wierzchołka schronisko PTTK i telew. stacja przekaźnikowa; węzeł szlaków turyst. z Rabki, Mszany Dolnej, Jordanowa; na zach. grzbiecie, między L.W. a Luboniem Małym, leży osiedle Surówka.

■ Lublin. Plac Zamkowy

Lubraniec, m. w woj. kujawsko-pomor. (powiat włocł.), nad Zgłowiączką; 3,3 tys. mieszk. (2000); ośr. handl.-usługowy regionu roln.; drobny przemysł; gospodarstwo rybne z ośrodkiem zarybieniowym; prawa miejskie 1509–1870 i od 1919; synagoga (XVIII w.), pałac (XIX w.).

Lubrzanka, Lubżanka, rz. w G. Świętokrzyskich, pr. źródłowy ciek Czarnej Nidy; dł. 33,6 km, pow. dorzecza 253 km²; między Radostową a Klonówką w Paśmie Masłowskim tworzy piękny przełom; 1973 utworzono na L. zbiornik wodny w Cedzynie — miejsce wypoczynku mieszkańców Kielc.

Lubsko, m. w woj. lubus. (powiat żarski), nad Lubszą (pr. dopływ Nysy Łużyckiej); 15,5 tys. mieszk. (2000); ośr. przem.-usługowy; przemysł: drzewny, elektrotechn., spoż.; duże gospodarstwo ogrodniczo-sadownicze; węzeł drogowy w pobliżu (ok. 30 km) przejść granicznych z Niemcami w Gubinie, Olszynie i Zasiekach (planowane otwarcie 2002); prawa miejskie od 1283; kościół (XIII–XVII, XIX w.), baszta (XV w.), ratusz (XVI w.), zabytkowe kamienice.

Lubuskie, Pojezierze, Pojezierze Brandenbursko-Lubuskie, pd.-zach. część Pojezierzy Południowobałtyckich, w Polsce i w Niemczech; rozciąga się na pd. od Pradoliny Tor.-Eberswaldzkiej, po obu stronach Odry; różni się istotnymi cechami przyr. od położonego na wsch. Pojezierza Wielkopolskiego; P.L. cechują wysokie cokoły, zbud. z zaburzonych glacjotektonicznie warstw trzeciorzędowych, przedzielone równinami sandrowymi; wzniesienia przekraczają miejscami 200 m (maks. 227 m na Pojezierzu Łagowskim), głębokie rynny wypełniają wody jezior; klimat jest tu wilgotniejszy niż dalej na wsch.; lesistość terenu znaczna, a dla zespołów leśnych charakterystyczne jest występowanie buka. Główne m. (w Polsce): Słubice, Rzepin, Sulęcin, Świebodzin, Międzyrzecz, Zbąszyń. Na P.L. (w granicach Polski) rozróżnia się: Lubuski Przełom Odry, Pojezierze Łagowskie, Równinę Torzymską i Bruzdę Zbąszyńską. Nazwa P.L. nawiązuje do hist. dzielnicy Polski, położonej po obu stronach Odry — Ziemi Lubuskiej, z gł. ośr. w niem. m. Lebus.

lubuskie, województwo, woj. w zach. Polsce, graniczy z Niemcami; 13 984 km², 1,0 mln mieszk. (2000), stol. — Gorzów Wielkopol., w Zielonej Górze siedziba sejmiku wojew.; dzieli się na 2 powiaty grodzkie, 12 powiatów ziemskich i 83 gminy. Krajobraz urozmaicony, ukształtowany na pd. podczas zlodowacenia Warty (Wał Trzebnicki, wys. do 228 m, Bory Dolnośląskie), na pozostałym obszarze w czasie zlodowacenia Wisły (pojezierza: Południowopomor., Lubuskie, Wzniesienia Zielonogór., zach. część pradolin Tor.-Eberswaldzkiej i Warciańsko-Odrzańskiej). Główne rz.: środk. Odra z dopływami i dolna Warta z Notecią i Obrą; jeziora polodowcowe (największe Jez. Sławskie) i starorzecza. Lasy zajmują 48,8% pow. (największa lesistość w kraju), gł. Bory Dolnośląskie, Bory Zielonogór., puszcze: Gorzowska, Notecka, Drawska i Lubuska; Park Nar. Ujście Warty; na pn.-wsch. część Drawieńskiego Parku Nar., 3 parki krajobrazowe. Gęstość zaludnienia — 73 mieszk. na km^2, w miastach 64,7% ludności (2000). Województwo przem.-roln.; rozproszone złoża ropy naft., gazu ziemnego, węgla brun.; rozwinięty gł. przemysł włók., odzież., chem., maszyn., metal. i elektrotechn., drzewno-papierniczy, mineralny. Użytki rolne zajmują 39,8% pow. (najmniej w Polsce); uprawia się zboża (żyto, pszenżyto, pszenica) i ziemniaki; hodowla trzody chlewnej. Dosyć gęsta sieć kol. i drogowa; żegluga na Odrze i Warcie; port lotn. w Zielonej Górze; ważne przejścia graniczne. Najlepiej zagospodarowane regiony turyst. — Pojezierze Łagowskie i Pojezierze Sławskie.

Lugano, Lago di Lugano, Ceresio, rzym. **Lacus Ceresius,** jez. w Szwajcarii i Włoszech, w Alpach Lugańskich, na wys. 271 m; pow. 49 km^2, głęb. do 288 m; silnie rozczłonkowane; odpływ do jez. Maggiore przez rz. Tresa; żegluga; przez L. na grobli (dł. 700 m) przechodzi linia kol. i autostrada Bazylea–Mediolan; nad Lugano liczne ośr. turyst.-wypoczynkowe, gł. m. — Lugano.

Luksemburg, luksemburskie **Lëtzebuerg,** franc. **Luxembourg,** niem. **Luxembourg, Wielkie Księstwo Luksemburga,** państwo w zach. Europie, w Ardenach; 2,6 tys. km^2; 446 tys. mieszk. (2002), Luksemburczycy (73%), Portugalczycy, Włosi, Francuzi; katolicy (91%); w miastach 84% mieszk.; stol. Luksemburg, inne m.: Esch-sur--Alzette, Differdange; język urzędowy: franc., niem., luksemburski; dziedziczna monarchia konst., księstwo. Powierzchnia wyżynna i górzysta (wys. do 562 m); klimat umiarkowany ciepły, mor.; głębokie doliny: Mozeli, Alzette;

■ Luksemburg

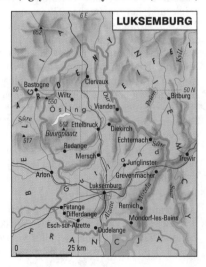

lasy dębowe i bukowe. Kraj wysoko rozwinięty; podstawą gospodarki usługi finansowe (siedziby licznych banków zagr.) i turyst. oraz przemysł (hutn., metal., tworzyw sztucznych, energetyka wodna); największa w świecie produkcja stali surowej na 1 mieszk. — 6341 kg (1995); uprawa zbóż, ziemniaków, buraków cukrowych, winorośli; hodowla bydła; gęsta sieć kol. i drogowa. ■

Luksemburg, luksemburskie **Lëtzebuerg,** franc. **Luxembourg,** niem. **Luxembourg,** stol. Luksemburga, na pd. kraju, nad rz. Alzette; 82 tys. mieszk. (2002); międzynar. ośr. finansowy; liczne banki, w tym Eur. Bank Inwestycyjny; przemysł metal., farm.; międzynar. targi wielobranżowe; uniw.; muzea; 1244 prawa miejskie; barok. katedra Notre Dame (XVII w.), kościół St Michel (X, XV–XVII w.), pałac książęcy (XVI, XVII, XIX w.), fortyfikacje (XVII w.), Pałac Sprawiedliwości (XVI, XIX w.), zabytkowe domy.

Luray Cavern [lụreı kä̯wǝᵣn], jaskinia krasowa w USA, w pn. części stanu Wirginia, w dolinie rz. Shenandoah, k. m. Luray; utworzona w wapieniach ordowiku; wyjątkowo bogata, wielokolorowa szata naciekowa (m.in. bardzo liczne stalaktyty, wysokie wieżowe stalagmity, kolumny naciekowe); 1954–56 z 37 stalaktytów skonstruowano organy (jedyne na świecie); odkryta 1878; 1901 nad jaskinią wybudowano sanatorium, klimatyzowane powietrzem z jaskini; zwiedzana przez ok. 0,5 mln osób rocznie.

Lusaka, stol. Zambii, w pd.-zach. części kraju; zespół miejski 1,2 mln mieszk. (2002); gł. ośr. handl. i kult. kraju; przemysł włók., spoż., obuwn., chem., metal., montaż traktorów; międzynar. port lotn.; uniw.; zał. 1935 jako stol. Rodezji Północnej.

Luzon [lusǫn], największa wyspa Filipin, między M. Południowochińskim a M. Filipińskim; 104,7 tys. km^2; górzysta (Cordillera Central — wys. do 2928 m, Sierra Madre), wąskie niziny na wybrzeżu; wygasłe i czynne wulkany (Mayon, Taal, Pinatubo); częste trzęsienia ziemi; liczne rzeki górskie, gł. Cagayan, Agno; jez.: Laguna de Bay, Taal; lasy równikowe wilgotne (w górach); gł. region gosp. kraju; uprawa ryżu, kukurydzy, trzciny cukrowej, banana manilskiego, palmy kokosowej; wydobycie rud miedzi, chromu; przemysł przetwórczy skupiony w aglomeracji Manili.

Lwia, Zatoka, Zatoka Liońska, Golfe du Lion, zatoka M. Śródziemnego, u pd. wybrzeża Francji; wcina się 125 km w głąb lądu, szer. wejścia 245 km, głęb. do 2000 m; temperatura wód powierzchniowych od 13°C zimą do 22°C latem, zasolenie 37,7‰; liczne jeziora przybrzeżne, uchodzi Rodan; gł. port — Marsylia.

Lwów, m. obw. na Ukrainie, nad Pełtwią (dopływ Bugu); 779 tys. mieszk. (2002); przemysł środków transportu (autobusy), maszyn., elektrotechn. i elektron., precyzyjny, chem., lekki, spoż., miner.; węzeł kol., międzynar. port lotn.; 10 szkół wyższych (w tym uniw. i politechn.); Zach. Centrum Nauk. AN Ukrainy; muzea, galeria obrazów. Pozostałości cerkwi (XIII w.) i Wysokiego Zamku (XIV w.); stare miasto z bogatą zabudową hist.; katedra łac. (XIV–XVIII w.) z kaplicami (XVII w.) Boimów i Kampianów; kościoły, m.in. Benedyktynek (XVI w.), Karmelitów Bosych (XVII w.), Karmelitanek Bosych (XVII w.), Bernardynów (XVII w.), Matki Boskiej Śnieżnej (XVI, XIX w.), Dominikanów (XVIIIw.), Św. Elżbiety (XIX w.); ponadto katedra Ormiańska (XIV w.); synagoga (XVII w.); cerkiew Wołoska (XIII, XVI/XVII w.); greckokatol. katedra Św. Jura (XVIII w.); ratusz (XIX w.); pałace: Arcybiskupi, Lubomirskich; arsenały (XVI–XVIII w.); kamienice (XV–XVIII w.); budynki użyteczności publ. (XIX i pocz. XX w.), m.in. Ossolineum, teatr miejski, uniw., politech.; pomniki, m.in. A. Mickiewicza (1889); Cmentarz Łyczakowski z Cmentarzem Obrońców Lwowa. ∎

Lwówek, m. w woj. wielkopol. (powiat nowotomyski); 2,9 tys. mieszk. (2000); ośr. usługowy regionu roln.; drobny przemysł i rzemiosło; rozwinięte przetwórstwo rolno-spoż. i drzewne; węzeł dróg lokalnych; muzeum; prawa miejskie od 1414.

Lwówek Śląski, m. powiatowe w woj. dolnośląskim, nad Bobrem; 10,2 tys. mieszk. (2000); ośr. drobnego przemysłu i handl.-usługowy regionu; przemysł: spoż., materiałów bud., drzewny, odzież. i włók.; węzeł komunik.; Lwóweckie Lato Agatowe z Międzynar. Sympozjum Gemmologicznym i Giełdą Minerałów; w pobliżu L. wydobycie anhydrytu; prawa miejskie od 1217; kościół i zespół klasztorny (XIII, XV–XVI, XIX w.), mury miejskie (XIII–XVI w.), ratusz (XIV–XVI, pocz. XX w.) z nagrobkiem książąt jaworskich (XIV w.); ławy chlebowe i szewskie (XV w., przebud.), domy (XVI, XVIII w.). W pobliżu L.Ś. wydobycie surowców skalnych oraz kilkanaście jaskiń, m.in. krasowa Jaskinia Czerwona (dł. 65 m).

∎ Lwów. Panorama miasta (na pierwszym planie kościół Dominikanów)

Lyon [lją], m. w środk. Francji, u ujścia Saony do Rodanu; ośr. adm. regionu Rodan-Alpy i dep. Rhône; 444 tys. mieszk., zespół miejski 1,7 mln mieszk. (2002); duży ośr. przemysłu chem. (włókna i tworzywa sztuczne, leki) i biotechnol., przemysł samochodowy (Renault), elektron., tradycyjny jedwabn.; wielkie banki (Crédit Lyonnais), giełda; wielobranżowe targi międzynar.; jeden z gł. węzłów kol. i drogowych kraju; port lotn.; akad. nauk (zał. 1700), 4 uniw. (w tym katol.); muzea, m.in. tkactwa; zał. 43 r. p.n.e. rzym. Lugdunum; pozostałości architektury galorzym., m.in. teatr; rom.-got. katedra St Jean (XII–XV w.); kościoły: m.in. rom. St Martin d'Ainay (XII w.), bazylika Notre Dame de Fourviere (XIX w.); ratusz (XVII w.), szpital (XVIII w.), domy zabytkowe (XV–XVIII w.).

Ł

Łaba, czes. **Labe,** niem. **Elbe,** rz. w Czechach i Niemczech; dł. 1165 km (z tego w Czechach 357 km), pow. dorzecza 144 tys. km², źródła w Karkonoszach, na pd. stoku Łabskiego Szczytu, na wys. 1380 m. W górnym biegu typowo górska rzeka (duży spadek, wąska dolina); po opuszczeniu gór płynie szeroką doliną przez Kotlinę Czeską; tworzy przełomy przez Średniogórze Czeskie i G. Połabskie (Saska Szwajcaria); na Pogórzu Saskim, a następnie na Niz. Niemieckiej wykorzystuje odcinki plejstoceńskich pradolin; uchodzi do Zat. Helgolandzkiej (M. Północne) estuarium o dł. ponad 100 km i szer. do 15 km; gł. dopływy: Wełtawa, Ohrza, Mulda, Soława (l.), Izera, Czarna Elstera, Hawela, Elde (pr.). Najwyższe stany wody występują wiosną w związku z roztopami (w górnym biegu zaznaczają się również letnie wezbrania deszczowe), najniższe — w końcu lata i na początku jesieni; wahania stanów wody przed ujściem do morza dochodzą do 7,6 m; średni przepływ wynosi 790 m³/s, odpływ — 25 km³; pokrywa lodowa w górnym biegu utrzymuje się do 2–3 miesięcy, w środk. i dolnym — często nie występuje. Duże znaczenie transportowe (gł. przewozy stopów żelaza, metali kolorowych, fosforytów); żegl. od m. Kolín (940 km), do Hamburga dostępna dla statków mor. (głęb. toru wodnego 13,5 m); połączona z M. Bałtyckim (kanały: Kiloński i Łaba–Lubeka), Renem (Kanał Śródlądowy) i Odrą (kanały Łaba–Hawela, Odra–Hawela, Odra–Sprewa); gł. m. nad Ł.: Hradec Králové, Uście nad

■ Łaba. Widok z twierdzy Königstein w Saskiej Szwajcarii (Niemcy)

Łabą, Drezno, Magdeburg, Hamburg; silnie zanieczyszczona w Czechach, zwł. przez jej l. dopływy Ohrzę i Bílinę. ■

Łabiszyn, m. w woj. kujawsko-pomor. (powiat żniński), nad Notecią; 4,4 tys. mieszk. (2000); ośr. usługowy regionu roln.; różnorodny przemysł, m.in. zakłady: mebl., odzieżowe, gumowe, przetwórstwa rolno-spoż.; węzeł dróg lokalnych; prawa miejskie 1369; barok. kościół Reformatów (XVII–XVIII, XX w.).

Ładoga, Ładożskoje oziero, Newo, jez. w pn. części Rosji, największe w Europie, na wys. 4 m; pow. 17,7 tys. km², średnia głęb. 51 m, maks. — 230 m; linia brzegowa silnie rozwinięta (zwł. na pn.); brzegi pn.-zach. skaliste; 660 wysp (z tego ponad 500 w części pn.); do Ł. uchodzi 35 rzek (najdłuższe: Swir, Wołchow, Vuoksi), wypływa — Newa; rybołówstwo; żegluga (stanowi część Wołżańsko-Bałtyckiej Drogi Wodnej); gł. m. nad Ł.: Priozorsk, Petrokrepost, Nowa Ładoga, Sortawala.

Łagowskie, Pojezierze, Wzgórza Osieńsko-Sulechowskie, najwyższa część Pojezierza Lubuskiego, położona na pd. od Kotliny Gorzowskiej, między Lubuskim Przeł. Odry na wsch. a Bruzdą Zbąszyńską na zach.; obejmuje zaburzone pod naciskiem lodowca osady czwartorzędowe i trzeciorzędowe z pokładami węgla brun.; najwyższym wzniesieniem jest szczyt Bukowca (227 m); występuje tu wiele jezior rynnowych, najpiękniejsze znajdują się w okolicach Łagowa (Ciecz, Jez. Łagowskie); w pn. części lasy bukowe (Puszcza Lubniewicka), od 1985 Łagowski Park Krajobrazowy; region atrakcyjny dla turystyki.

Łańcut, m. powiatowe w woj. podkarpackim; 18,2 tys. mieszk. (2000); ośr. przem., usługowy i turyst.-krajoznawczy (ok. 200 tys. turystów rocznie); przemysł gł. elektromaszyn., odzież., spoż.; węzeł drogowy; miejsce licznych spotkań, także kursów i seminariów o charakterze polit., gosp. i kult., o zasięgu krajowym i międzynar.; Festiwal Muz. w Łańcucie, Mistrzowskie Kursy Muz. im. Zenona Brzewskiego; prawa miejskie między 1349 a 1369; 1549–1616 jeden z największych ośr. protest. w Polsce; w XIX w. ośr. chasydów; zamek Lubomirskich i Potockich (XVII, XVIII i koniec XIX–pocz. XX w., ob. muzeum), powozownia (XVIII w., ob. Muzeum Powozów), ogród (XVIII, pocz. XX w.) i park krajobrazowy (XVIII/ /XIX, XX w.) — jedna z najwspanialszych barok. rezydencji magnackich w Polsce; kościół (XV, XVII, XIX w.), zespół klasztorny Dominikanów (XV w., przebud.), klasztor (XVIII, XIX w.), synagoga (XVIII w., ob. muzeum).

Łańskie, Jezioro, Łańsk, jez. rynnowe na Pojezierzu Olsztyńskim, w dorzeczu Łyny, na wys. 125 m; pow. 1049,6 ha, dł. 10,5 km, szer. 0,5– 2,2 km, maks. głęb. 53,8 m; linia brzegowa dobrze rozwinięta, kilka rozczłonkowanych półwyspów, z których wsch., tzw. Lalka, sięga w jezioro 1,3 km; w części pn. kilka niewielkich wysp (łączna pow. 7,3 ha); od zach. — Płw. Rybacki; brzegi wysokie, strome, przeważnie zalesione (lasy ramuckie); przez J.Ł. przepływa Łyna, łącząc je z jeziorami Kiernoz Wielki i Ustrych. Na pn. od J.Ł. 1982 utworzono częściowy rezerwat leśny (pow. 1815,9 ha) — różnorodne zespoły leśne, 4 jeziora śródleśne, przełomowy odcinek doliny Łyny.

Łaptiewów, Morze, Łaptiewych morie, część O. Arktycznego u wybrzeży Azji, między płw. Tajmyr i Ziemią Pn. na zach. a W. Lachowskimi i W. Nowosyberyjskimi na wsch.; przez Cieśn. Wilkickiego połączone z M. Karskim, przez Cieśn. Dymitra Łaptiewa i Cieśn. Sannikowa — z M. Wschodniosyberyjskim; pow. 662 tys. km^2; średnia głęb. 519 m, maks. — 3385 m, w Basenie Nansena (na pn.); większą część dna zajmuje szelf o głęb. do 50 m; liczne zatoki, największe: Chatańska, Oleniocka, Buorchaja; liczne wyspy, największa Wielki Begiczew; temperatura wód powierzchniowych w lecie od 0°C na pn. do 4– 6°C na pd. (przy ujściach rzek 10°C), w zimie (pod lodem) –1,8°C na pn. do –0,8°C na pd., zasolenie — od 32‰ na pn. do 17–18‰ na pd.; w lecie część pd. wolna od lodów; do M.Ł. uchodzą rz.: Lena, Chatanga, Jana; gł. port — Tiksi.

Łapy, m. w woj. podl. (powiat białost.), w dolinie Narwi, w pd.-zach. części otuliny Narwiańskiego Parku Krajobrazowego; 17,6 tys. mieszk. (2000); ośr. przem.-usługowy; zakłady: naprawcze taboru kol., przetwórstwa spoż. (duża cukrownia i mleczarnia), metal., maszyn., odzież., stolarki bud.; węzeł kol.; ośr. wypoczynkowy; prawa miejskie od 1925.

Łasin, m. w woj. kujawsko-pomor. (powiat grudziądzki), nad Jez. Łasińskim; 3,2 tys. mieszk. (2000); ośr. usługowy dla rolnictwa i turystyki; drobne przetwórstwo rolno-spoż.; wytwórnia opakowań blaszanych; węzeł drogowy; muzeum pożarnictwa; od 1306 miasto, 1830–86 przejściowo pozbawiony praw miejskich; kościół (XIV, XVII-XX w.).

Łask, m. powiatowe w woj. łódz., nad Grabią (pr. dopływ Widawki); 20,3 tys. mieszk. (2000); ośr. handl.-usługowo-przem. regionu roln. (uprawa róż, drzew i krzewów ozdobnych oraz truskawek) z rozwiniętym rzemiosłem oraz ośrodek letniskowy (dzielnica Kolumna), gł. dla mieszkańców Łodzi; przemysł: odzież., materiałów bud., metal., drzewno-papierniczy, spoż., chem.; ważny węzeł drogowy; prawa miejskie od 1422; kościół (dawna kolegiata, XVI, XVIII w.) z płaskorzeźbą A. della Robbii (XV w.), drewn. kościół (XVII w.).

Łaskarzew, m. w woj. mazow. (powiat garwoliński), nad Promnikiem (pr. dopływ Wisły); 4,6 tys. mieszk. (2000); ośr. usługowy dla rolnictwa; drobny przemysł; lud. ceramika użytkowa; prawa miejskie 1418–1870 i od 1969.

ławica, warstwa skał osadowych odgraniczona wyraźną powierzchnią od skał leżących nad nią i pod nią lub wyróżniająca się spoistością albo innymi cechami od warstw sąsiednich; w obrębie ł. mogą występować podrzędne warstwy lub laminy (→ laminacja).

Ławki, Bagno Ławki, torfowisko niskie w pd.- -zach. części Kotliny Biebrzańskiej; ma charakter torfowiska pierwotnego; zabagnione, porośnięte gł. mchami i turzycami, użytkowane jako mało wydajne łąki kośne; rzadko spotykany typ krajobrazu bagiennego.

Łaziska Górne, m. w woj. śląskim (powiat mikołowski); 22,8 tys. mieszk. (2000); ośr. górn.- -przem.; kopalnia węgla kam. Bolesław Śmiały; huta żelaza (największy pol. producent żelazostopów), elektrownia (moc 1155 MW), zakłady tworzyw sztucznych; ponadto wiele firm bud., usługowo-handl. i produkcyjnych (materiały budowlane, podzespoły elektron., kable, wyroby metal., artykuły spoż.); wieś powstała w XV w.; prawa miejskie od 1951; drewn. kościół (XVI w.).

Łazy, m. w woj. śląskim (powiat zawierciański); 7,2 tys. mieszk. (2000); duża stacja rozrządowa na linii kol. Warszawa–Katowice; przemysł miner.; ośrodek obsługi ruchu turyst. w pobliżu szlaków Parku Krajobrazowego Orlich Gniazd; prawa miejskie od 1967.

Łeba, m. w woj. pomor. (powiat lęborski), przy ujściu Łeby do M. Bałtyckiego, między jez.: Łebsko i Sarbsko, w pobliżu Słowińskiego Parku Nar.; 4,1 tys. mieszk. (2000); port rybacki, nowocz. port jachtowy (na 120 jednostek) i przystań pasażerska; kąpielisko mor. i jeden z największych pol. nadmor. ośr. wypoczynkowych; ośr. sportów wodnych (żeglarstwo, windsurfing) i wędkarstwa; prawa miejskie od 1357; 1570 przesunięta w głąb lądu (Stara Łeba zniszczona przez powtarzające się powodzie i wędrujące piaski, 1558 zatopiona).

Łeba, rz. na Pojezierzu Kaszubskim i Pobrzeżu Koszalińskim; dł. 117 km, pow. dorzecza 1801 km^2; źródła na zach. od Kartuz, w górnym biegu przepływa przez liczne, niewielkie jeziora, w dolnym — przez jez. Łebsko; uchodzi do M. Bałtyckiego; średni przepływ powyżej ujścia 11,3 m^3/s; maks. rozpiętość wahań stanów wody w dolnym biegu 2,5 m; nad Ł. leżą m.: Lębork, przy ujściu — Ł.

Łebsko, jez. przybrzeżne na Wybrzeżu Słowińskim, na wys. 0,3 m; w obrębie Słowińskiego Parku Nar.; oddzielone od M. Bałtyckiego mierzeją (z wędrującymi wydmami); pow. 7142,2 ha (w tym wyspy o pow. 2,2 ha), dł. 16,4 km, szer. 7,6 km, maks. głęb. 6,3 m (kryptodepresja); linia brzegowa słabo rozwinięta; pn. — brzegi piaszczyste, pd. — zabagnione; przez Ł. przepływa

Łeba; od zach. Ł. łączy się poprzez kanał z jez. Sarbsko; na pd. brzegu stare wsie rybackie — Kluki (skansen słowiński), Izbica, Gać, Żarnowska; fragmenty jeziora i terenów nadbrzeżnych — rezerwaty ścisłe. W pobliżu Ł. przy ujściu Łeby do M. Bałtyckiego leży m. Łeba.

Łęczna, m. powiatowe w woj. lubel., nad Wieprzem, w otoczeniu Nadwieprzańskiego Parku Krajobrazowego; 22,6 tys. mieszk. (2000); ośr. usługowy i mieszkaniowy Lubelskiego Zagłębia Węglowego; zakłady szwalnicze, spoż., drzewne, materiałów bud.; przedsiębiorstwa handl. i budowlano-montażowe; węzeł drogowy; prawa miejskie od 1467; od XVI w. jeden z największych w kraju ośr. handlu końmi i bydłem; od 1674 miejsce wielokrotnych posiedzeń Sejmu Żydów Korony; w XIX w. ośr. chasydów.

Łęczyca, m. powiatowe w woj. łódz., nad Bzurą; 16,5 tys. mieszk. (2000); ośr. usługowo-przem. regionu roln.; przetwórstwo rolno-spoż., ponadto zakłady: metal., włók., odzież.; firmy transportowo-spedycyjne; węzeł drogowy; VI–VIII w. gród; prawa miejskie przed 1267; got. kościół (XV, XVII–XVIII w.), zespół klasztorny Bernardynów (XVII w.), zamek król. (XIV, XVI w., częściowo rozebrany XIX w., ob. muzeum), kamienice (XIX w.).

Łęczyńsko-Włodawska, Równina, Pojezierze Łęczyńsko-Włodawskie, pd. część Polesia Podlaskiego, położona między Garbem Włodawskim na pn. a Pagórami Chełm. na pd. oraz Wysoczyzną Lubartowską na zach. a doliną Bugu na wsch.; jest to najbardziej płaska część Polesia Podlaskiego z licznymi bagnami i torfowiskami, np. Krowie Bagno (pow. 40 km²) i jeziorami krasowymi (68 o łącznej pow. ponad 27 km²), wśród których największe jest jez. Uściwierz (pow. 284 ha), najgłębsze — Piaseczno (głęb. maks. 39 m); region turyst.; na terenach przyległych do Krowiego Bagna utworzono Poleski Park Narodowy, we wsch. części regionu w lasach na pd. od Włodawy Sobiborski Park Krajobrazowy, na pn. od Łęcznej — Park Krajobrazowy Pojezierze Łęczyńskie. W zach. części R.Ł.-W. powstało Lubelskie Zagłębie Węglowe. Główne m. — Łęczna (na pd.-zach. regionu).

łęk → synklina.

Łęknica, m. w woj. lubus. (powiat żarski), nad Nysą Łużycką, przy granicy z Niemcami; 2,7 tys. mieszk. (2000); ośr. handl.-usługowy (wielkie targowisko, hurtownie) i obsługi ruchu turyst. między Polską a Niemcami (drogowe przejście graniczne); drobny przemysł metal.; nieczynne, zabytkowe (XIX w.) — huta szkła i kopalnia węgla brunatnego (wydobycie do 1973); wzdłuż rzeki, pol. część rezerwatu kulturowego — Park Mużakowski; dawniej część miasta Mużakowa (ob. po stronie niem.), znanego od średniowiecza; prawa miejskie od 1969.

Łobez, m. powiatowe w woj. zachodniopomor., nad Regą; 10,8 tys. mieszk. (2000); ośr. przem.--usługowy i obsługi ruchu turyst. przy szlaku kajakowym Regi; przemysł: spoż., paszowy, gum., maszyn., metal., odzież.; rzemiosło; ośr. jeździecki przy Stadzie Ogierów (kryta ujeżdżalnia, hipodrom; zawody jeździeckie i w powoże-

niu zaprzęgami); prawa miejskie przed 1295; got. kościół parafialny (XV w.).

Łobżenica, m. w woj. wielkopol. (powiat pilski), nad Łobżonką (pr. dopływ Noteci); 3,2 tys. mieszk. (2000); ośr. handl.-usługowy regionu roln.; drobne przetwórstwo rolno-spoż. i drzewne; węzeł dróg lokalnych; prawa miejskie od 1314; domy szkieletowe (XVIII w.).

Łochów, m. w woj. mazow. (pow. węgrowski), nad Liwcem; 6,4 tys. mieszk. (2000); ośr. usługowo-handl. dla rolnictwa i regionu kolonijno--letniskowego; różnorodny drobny przemysł; węzeł drogowy; prawa miejskie od 1969.

Łomianki, m. w woj. mazow. (powiat warsz. zach.), na wsch. skraju Kampinoskiego Parku Nar., w pobliżu Wisły; 13,0 tys. mieszk. (2000); ośr. mieszkaniowy i usługowy; zakłady Polmo Łomianki SA oraz różnorodna drobna wytwórczość; liczne warsztaty samochodowe i hurtownie, firmy budowlano-montażowe; siedziby m.in. Mazow. Banku Spółdz., Inst. Studiów nad Rodziną Uniw. Kardynała Stefana Wyszyńskiego, regionalnego Radia Mazowsze; prawa miejskie od 1989.

Łomnica, Lomnický štít, szczyt w bocznej grani Tatr Wysokich, w Słowacji, między dolinami Zimnej Wody a Kieżmarską; wys. 2632 m (drugi po Gierlachu pod względem wysokości w Tatrach); na Ł. prowadzi z Tatrzańskiej Łomnicy kolejka linowa (ze stacją przesiadkową Łomnicki Staw); obserwatoria astronomiczne.

Łomonosowa, Grzbiet, podwodny asejsmiczny grzbiet na dnie M. Arktycznego; ciągnie się od Wyspy Ellesmere'a przez okolice bieguna pn. do W. Nowosyberyjskich; oddziela baseny oceaniczne Makarowa i Amundsena; dł. 1700–1800 km, szer. u podstawy 60–200 km, w szczytowych, płaskich partiach — średnio 30 km; wysokość nad dnem basenów 3300–3700 m; głębokość nad grzbietem 975–1650 m. Odkryty 1948.

Łomża, m. w woj. podl., nad Narwią; pow. grodzki, siedziba pow. łomż.; 65 tys. mieszk. (2000); rozwijający się ośr. przem., usługowy i kult.; stol. diecezji łomż. Kościoła rzymskokatol.; rozwinięty przemysł rolno-spoż. (duży browar, wytwórnia pasz i in.), drzewny (meble, stolarka bud.), materiałów bud.; ponadto różnorodny drobny przemysł, wiele przedsiębiorstw montażowo-bud.; oddziały banków; węzeł drogowy; uczelnie, w tym: Wyższe Seminarium Duchowne, Diecezjalny Inst. Organistyki, Wyższa Szkoła Agrobiznesu; teatry, orkiestra kameralna, galerie sztuki; muzeum; X–XIII w. gród; prawa miejskie 1418; 1975–1998 stol. województwa; got. kościół, ob. katedralny (XVI, XVII w.) z późnorenes. nagrobkami, zespół klasztorny Kapucynów (XVIII w.).

Łosice, m. powiatowe w woj. mazow., nad Toczną (l. dopływ Bugu); 7,8 tys. mieszk. (2000); ośr. usługowy regionu roln.; drobny przemysł; węzeł dróg lokalnych; prawa miejskie 1505–1870 i od 1915.

Łosośna, Łośnia, w górnym biegu **Łososina,** w dolnym **Wierna Rzeka,** rz., l. dopływ Białej Nidy, płynie przez Płaskowyż Suchedniowski, Wzgórza Łopuszańskie i Pasmo Przedborsko-Małogoskie; dł. 35,6 km, pow. dorzecza 314 km^2; wypływa na wys. 277 m z łąk, na pd.-wsch. od Radoszyc; płynie na pd., w dolnym biegu ma charakter rzeki górskiej, przełamuje się między pasmami Chęcińskim a Przedborsko-Małogoskim malowniczą doliną; uchodzi na wys. 211 m na zach. od Chęcin; średni spadek doliny w górnym biegu ok. 2,5‰, w dolnym — 1,5‰; maks. rozpiętość wahań stanów wody 2,0 m. Upamiętniona przez S. Żeromskiego w powieści *Wierna Rzeka*.

Łotwa, Latvija, Republika Łotewska, państwo w Europie Wsch., nad M. Bałtyckim; 64,6 tys. km^2; 2,3 mln mieszk. (2002), Łotysze 54%, Rosjanie 33%, Białorusini 4%, Ukraińcy, Polacy 2,2%, Litwini i in.; wierzący: luteranie, katolicy, prawosławni; stol. Ryga; język urzędowy łotewski; republika. W środk. części Wzniesienia Widzemskie (wys. do 311 m), na zach. Pojezierze Inflanckie; gł. rz.: Dźwina, Gauja, Lelupa; liczne jeziora; ponad 40% pow. lasy. Gospodarka w okresie transformacji; waluta łat od 1993; import paliw, niewielkie wydobycie ropy naft.; przemysł elektrotechn. i elektron., precyzyjny, środków transportu, maszyn. i metal., chem., lekki (włók., dziewiarski), spoż. (rybny), drzewno-papierniczy; rzemiosło artyst. (wyroby z bursztynu); hodowla bydła, trzody chlewnej, zwierząt futerkowych; uprawy: zboża (żyto, jęczmień), buraki cukrowe, ziemniaki; gł. porty: Ryga, Lipawa, Windawa; gł. uzdrowisko — Jurmala. ◼

Łowicko-Błońska, Równina, pd.-zach. część Niz. Środkowomazowieckiej, położona na pd. od dol. Wisły i Bzury; płaska równina denudacyjna (wys. 85–100 m), przecięta szeregiem małych dopływów Bzury (Moszczenica, Mroga, Skierniewka, Rawka, Sucha, Pisia, Utrata); między Skierniewicami a Żyrardowem zachowane pozostałości dawnych puszcz — Bolimowskiej i Mariańskiej; 1986 utworzono Bolimowski Park Krajobrazowy. Region roln., rozwinięte warzywnictwo i sadownictwo (dobre gleby pyłowe i czarne ziemie). Osiedla miejskie skupiły się gł. wzdłuż Bzury (Łęczyca, Łowicz, Sochaczew), przy linii kol. Warszawa–Skierniewice (Pruszków, Milanówek, Grodzisk Mazow., Żyrardów) oraz między Warszawą a Sochaczewem (Błonie). ◼

Łowicz, m. powiatowe w woj. łódz., nad Bzurą; 32 tys. mieszk. (2000); ośr. przem. i usługowy regionu warzywniczo-sadowniczego; stol. diecezji łowickiej Kościoła rzymskokatol.; rozwinięty przemysł: spoż., włók. i odzież., ponadto produkcja pasz, przetwórstwo tworzyw sztucznych, wyrób opakowań, węzeł kol. i drogowy; uczelnie, w tym Mazow. Wyższa Szkoła Humanist.-Pedag., Wyższe Seminarium Duchowne; ośr. turyst.--krajoznawczy; muzea; zachowane tradycje sztuki i folkloru lud.; od XIV w. ośr. księstwa łowickiego; prawa miejskie przed 1359 (po 1342); renes.--barok. zabudowa Rynku Kościuszki z kolegiatą (ob. katedra, XVII w. — bogate wyposażenie, m.in. nagrobki prymasów) oraz klasycyst. ratuszem i pocztą (XIX w.); gmach pomisjonarski z kaplicą (XVII w., ob. muzeum), późnobarok. kościół Pijarów (XVIII w.), kościoły (XVI–XX w.), ruiny zamku prymasowskiego (XV–XVII w.), romant. pałacyk gen. S. Kickiego (XIX w.).

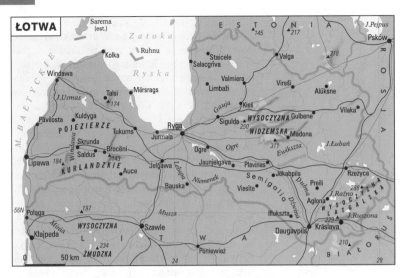

łódzkie, województwo, woj. w środk. Polsce; 18 219 km^2, 2,6 mln mieszk. (2000), stol. — Łódź, in. większe m.: Piotrków Trybunalski, Tomaszów Mazow., Bełchatów, Kutno, Sieradz, Skierniewice; dzieli się na 3 powiaty grodzkie, 21 powiatów ziemskich i 177 gmin. Krajobraz mało urozmaicony; przeważają staroglacjalne bezjeziorne wysoczyzny, równiny denudacyjne i zasypania rzeczno-lodowcowego środk. części Nizin Środkowopol., rozcięte szerokimi dolinami rzek; jedynie na pd. fragmenty wyżyn — Małopolskiej (Wyż. Przedborska) i Śląsko-Krakowskiej (Wyż. Wieluńska). Przez w.ł. przebiega dział wodny dorzeczy Wisły i Odry; gł. rz.: Warta, Pilica, Bzura; zbiorniki retencyjne. Lasy zajmują 20,1% pow. (najmniejsza lesistość w kraju), gł. Puszcza Pilicka; 5 parków krajobrazowych. Gęstość zaludnienia — 147 mieszk. na km^2, w miastach 64,9% ludności (2000). Województwo przem.-roln.; w pd. części regionu Bełchatowskie Zagłębie Węgla Brun. (górnictwo, energetyka — elektrownia Bełchatów o mocy 4230 MW), na pn. złoża soli kam. i rud żelaza (nie eksploatowane); rozwinięty gł. przemysł włók. i odzież. (Łódzki Okręg Przem.) oraz maszyn., metal. i elektrotechn., chem., miner. (szkl., cementowy, ceram.), drzewno-papiern., spożywczy. Użytki rolne zajmują 69,3% pow.; uprawia się zboża (żyto, pszenica) i ziemniaki, ponadto warzywa i owoce; hodowla bydła mlecznego. Gęsta sieć kol. i drogowa. Najlepiej zagospodarowane turystycznie są okolice Jez. Sulejowskiego, Jeziorska i Spały.

◼ Łotwa

◼ Równina Łowicko-Błońska. Okolice Żelazowej Woli

Łódź, m. wojew. (woj. łódz.), na obszarze źródliskowym Bzury i Neru; pow. grodzki, siedziba pow. łódz.-wsch.; 797 tys. mieszk. (2000); 2. pod względem liczby ludności miasto w Polsce; wielki ośrodek przem., handl.-usługowy i kult.-nauk.; wraz z otaczającymi miastami tworzy centrum Łódzkiego Okręgu Przem.; stol. archidiecezji łódz. Kościoła rzymskokatol. i diecezji łódz.-pozn. Pol. Autokefalicznego Kościoła Prawosławnego; mimo prowadzonej od pocz. lat 90. XX w. polityki dywersyfikacji gałęzi przemysłu miasto jest nadal jednym z najważniejszych ośr. przemysłu włók. i odzież. w Europie; są zakłady przemysłu bawełn., wełn. (przędzalnie czesankowe), jedwabn., dziewiarsko-pończoszniczego, tkanin dekoracyjnych, filcowego; działają Krajowa Izba Mody, Pol. Izba Przemysłu Tekstylnego; rozwinięty jest również przemysł: spoż., elektromaszyn. oraz chem. (gumowy, farm., kosmetyczny), obuwn., materiałów bud., poligraficzny, drzewny; siedziby wielu przedsiębiorstw inżynieryjno-budowlanych i transportowych, centrale banków (Przem. SA, Spółdzielczy Rzemiosła SA, LG Petro Bank SA) oraz oddziały i filie ponad 50 banków, także zagr., oddziały i punkty obsługi klienta domów maklerskich, firm ubezpieczeniowych; różnorodne targi i wystawy; węzeł komunik.; jeden z gł. ośr. szkolnictwa wyższego w Polsce (ok. 80 tys. studentów, 2000/ /2001); 7 uczelni państw. (Uniw. Łódzki, Politechn. Łódzka, akad. — med. cywilna i wojsk., muz., sztuk pięknych, PWSFTViT), 15 wyższych szkół niepublicznych, w tym 4 wyznaniowe; działa ok. 40 instytutów i jednostek nauk.-badawczych, szpitale kliniczne, specjalistyczne, Inst. Centrum Zdrowia Matki Polki; duży ośrodek kult.; liczne teatry, w tym muz., filharmonia, muzea, galerie i towarzystwa społ.-kult.; Łódz. Spotkania Baletowe, Festiwal Sztuki Operatorskiej — Camerimage, Międzynar. Festiwal Szkół Film. i Telew. Mediaschool. W XIV w. wieś Łodzia; prawa miejskie od 1423; zespół klasztorny Franciszkanów na Łagiewnikach (XVIII w.); XIX w. rozplanowanie i powstanie gł. zabudowy miasta: ratusz, zespoły fabryczne (Geyera, I.K. Poznańskiego, D.K. Scheiblera), osiedla robotn. (na Księżym Młynie), pałace i wille fabrykantów (Poznańskich, Scheiblerów, Kindermanna, Herbstów), kamienice czynszowe, budynki użyteczności publ. — zbud. w stylach hist.; największy w kraju kompleks architektury secesyjnej. ∎

■ Łódź. Widok ogólny na ulicę Piotrkowską

łuk wysp, łukowato wygięte pasmo wysp w peryferyjnych częściach oceanu, zwykle zwrócone wypukłością ku jego wnętrzu; zazwyczaj jest złożony z 2–3 równol. szeregów wysp: zewn., położony od strony oceanu, sąsiaduje z rowem oceanicznym, środk. — charakteryzuje intensywny wulkanizm, a wewn. — wulkanizm wygasły. Ł.w. są zbud. ze skorupy ziemskiej suboceanicznej (przejściowej między kontynent. i oceaniczną), odznaczają się obecnością anomalii grawimetrycznych i dużą sejsmicznością; wg teorii → tektoniki płyt ich występowanie jest związane ze strefami → subdukcji.

Łukcze, jez. krasowe na Równinie Łęczyńsko--Włodawskiej, w dorzeczu Tyśmienicy, w pd. części Parku Krajobrazowego Pojezierze Łęczyńskie, na wys. 163 m; pow. 57 ha, dł. 1,4 km, szer. 0,5 km, maks. głęb. 8,9 m; dawniej jezioro bezodpływowe, obecnie sztucznie włączone do odpływu; składa się z 2 części, pn. i pd., oddzielonych przewężeniem; wokół brzegu szeroki pas roślinności wodnej, miejscami brzeg piaszczysty; nad Ł. ośrodki wypoczynkowe i budownictwo letniskowe.

Łuknajno, Łuknajny, jez. wytopiskowe w Krainie Wielkich Jezior Mazurskich, na wys. 116 m; pow. 680 ha, dł. 3,3 km, szer. 2,9 km, maks. głęb. 3 m; linia brzegowa słabo rozwinięta; brzegi na ogół niskie, niedostępne (zatorfione); połączone krótką, 10 m, strugą z jez. Śniardwy; Ł. jest rezerwatem dzikiego łabędzia niemego (jedna z największych ostoi w Europie) oraz dogodnym tarliskiem dla ryb (gł. płoci) z kompleksu jez. Śniardwy; rezerwat Jezioro Łuknajno został wpisany przez UNESCO na listę świat. rezerwatów biosfery.

Łuków, m. powiatowe w woj. lubel., nad Krzną Pd.; 32 tys. mieszk. (2000); ośr. przem.-usługowy regionu roln.; przemysł maszyn., drzewny, skórz., spoż., odzież.; węzeł kol. i drogowy; Ośr. Dydaktyczno-Konferencyjny KUL; prawa miejskie od 1403; muzeum; 2 zespoły klasztorne — Bernardynów i Pijarów (XVIII w.).

Łupawa, rz. na Pojezierzu Zachodniopomorskim i na Pobrzeżu Koszalińskim; dł. 99 km, pow. dorzecza 925 km²; wypływa z jez. Jasień; w dolnym biegu przepływa jez. Gardno; uchodzi do M. Bałtyckiego k. wsi Rowy; maks. rozpiętość wahań stanów wody w dolnym biegu 2,6 m; szlak kajakowy częściowo o charakterze górskim.

Łupkowska, Przełęcz, przełęcz w gł. grzbiecie Beskidów, na zach. od Łupkowa, na granicy ze Słowacją; wys. 640 m; uważa się ją za granicę między Beskidem Niskim a Bieszczadami Zach.; pod P.Ł. tunel kol. (zbud. XIX w., dł. 642 m), którym przebiega linia kol. z Polski przez Słowację na Węgry.

łuska, fragment większej struktury tektonicznej, np. fałdu, płaszczowiny, ograniczonej przez powierzchnie → nasunięcia; ł. często występują na obszarach o tektonice alpejskiej.

Łyna, rz. w Polsce i Rosji (obwód kaliningradzki), na Pojezierzu Olsztyńskim i na Niz. Staropruskiej, l. dopływ Pregoły; dł. 264 km (190 km w Polsce), pow. dorzecza 7126 km² (5719 km² w Polsce); źródła (o dużej wydajności) w pobliżu wsi Łyna, w górnym biegu przepływa przez wiele jezior, m.in. Jez. Łańskie; średni przepływ w pobliżu granicy 25,3 m^3/s; maks. rozpiętość wahań stanów wody 5,9 m; gł. dopływy w Polsce: Maróżka, Elma (l.), Wadąg, Guber (pr.); nad Ł. leżą m.: Olsztyn, Dobre Miasto, Lidzbark Warmiński, Bartoszyce, Sępopol.

Łysa Góra, Święty Krzyż, d. **Łysiec,** drugi, najwyższy po Łysicy szczyt G. Świętokrzyskich, położony na wsch., krańcu pasma Łysogór, w pobliżu Nowej Słupi, w Świętokrzyskim Parku Nar.; wys. 595 m; zbud. z kwarcytów i łupków kambryjskich; od wsch. ograniczona doliną Słupianki (gł. łysogórski uskok tektoniczny), na zach. obniża się do Przełęczy Huckiej (495 m); szczyt oraz jego rozległe pochyłe spłaszczenie, ciągnące się na wsch. — bezleśne; na stokach pd. i pn. rozległe gołoborza, niżej las jodłowo-bukowy (często powyżej 200 lat), bogate runo; wieża przekaźnikowa TV (134 m, oddana do użytku 1966); punkt widokowy; węzeł szlaków turystycznych. W 1. poł. XII w. założono tu opactwo (kościół i klasztor) ufundowane przez Bolesława III Krzywoustego; najważniejsze w kraju (po Jasnej Górze) miejsce kultu rel. i pielgrzymek (do 1819 — kasata opactwa); 1936 odrodzenie klasztoru związane z przybyciem tu oblatów; podczas okupacji niem. w części zabudowań klasztornych mieściło się więzienie; 1941–42 niem. obóz zagłady jeńców sow., zginęło 6 tys. (wielu zmarło śmiercią głodową) — pochowani na polanie Bielnik. Na wsch. od telew. wieży przekaźnikowej zespół opactwa benedyktyńskiego.

Łysa Polana, łąka dolinna w Tatrach Wysokich, w Dolinie Białki, w pobliżu granicy ze Słowacją; wys. 970–1020 m; Ł.P. przecina szosa do Morskiego Oka; kilka zabudowań, m.in. leśniczówka TPN; ok. 500 m na pd.-zach. (pocz. Drogi Wolności — słowac. obwodnicy tatrzańskiej) popularne przejście graniczne; budynek odpraw granicznych i celnych (970 m) na pol. stronie zbud. 1959–61; od zach. urwisko dolomitowe Łysa Skałka (1119 m), porośnięte lasem reliktowej sosny zwyczajnej.

Łysica, Góra Świętej Katarzyny, najwyższe wzniesienie Łysogór i całych G. Świętokrzyskich, na pd.-wsch. od wsi Święta Katarzyna; wys. 612 m; zbud. z kwarcytów i łupków kambryjskich; szczyt ma dwa wierzchołki; wsch. to skalna grań (wychodnia kwarcytów) — tzw. Skała (Skałka) Agaty (zw. też Zamczyskiem) o dł. prawie 0,5 km i wys. do kilku metrów, zach. — z pamiątkowym krzyżem (1930) i wieżą triangulacyjną; szczyt otacza od pn. i pd. ogromne rumowisko skał kwarcytowych, tzw. gołoborze. Ł. jest całkowicie pokryta lasem; partie szczytowe porasta jodła, niżej — las jodłowo-bukowy; na pd. stoku (na wys. 590 m) — małe torfowisko. Na zach. stokach znajdują się: kapliczka z gontowym dachem (przy drodze), gdzie na wewn. ścianie podpis S. Żeromskiego z 1882, pomnik Żeromskiego, źródło i kapliczka Św. Franciszka. Z Ł. ograniczony widok tylko na pn., w kierunku Góry Miejskiej.

Łysogóry, środk., najwyższa część grzbietu gł. (zw. również pasmem gł.) G. Świętokrzyskich, od przełomu Lubrzanki (na zach.) do przełomu Słupianki (na wsch.); maks. wys. 612 m (Łysica), dł. 15 km; zbud. z kwarcytów i łupków kambryjskich, które zostały sfałdowane w czasie orogenezy kaledońskiej, po czym odmłodzone morfologicznie w orogenezie hercyńskiej i następnie w alpejskiej. Właściwe Ł. ciągną się od Św. Katarzyny po tektonicznie uwarunkowany przeł. Słupianki, tworząc wysoki wał o prawie symetrycznym spadku stoków i niewielkich deniwelacjach grzbietu; część zachodnia Ł., po wieś Św. Katarzyna, obejmuje Radostową i Grzbiet Kraiński; w profilu podłużnym Ł. wyróżniają się: na zach. krańcu — Łysica (najwyższy szczyt G. Świętokrzyskich), łagodnie obniżająca się do grzbietowej przełęczy Św. Mikołaja, na wsch. krańcu, nad Przełęczą Hucką (495 m) — Łysa Góra (595 m); w szczytowych i stokowych partiach Ł. ciągną się 3 poziomy kwarcytowych rumowisk skalnych, tzw. gołoborzy, od których skalnych postaci — łysin — pochodzi nazwa pasma. Zachodnia i pd. część Ł. jest odwadniana do Nidy (przez Lubrzankę i Belniankę), pn. i wsch. — do Kamiennej (przez Pokrzywiankę i Słupiankę). Ł. mają najchłodniejszy klimat w całych G. Świętokrzyskich; średnia temp. stycznia wynosi –5°C (wszystkie dane dla Łysej Góry), średnia lipca 16°C, okres wegetacyjny 187 dni (w rejonie Kielc — 210), opady do 700 mm rocznie, pokrywa śnieżna zalega ponad 100 dni (w rejonie Kielc — 60). Od Łysicy po Łysą Górę, od połowy wysokości stoków aż po grzbiet Ł., góry są zalesione; wyjątek stanowi rejon na pd. od Przełęczy Huckiej; przeważa drzewostan jodłowy (okazy do 45 m wys.) i jodłowo-bukowy z domieszką jaworu, klonu i lipy szerokolistnej; od dominującego gat. drzew pochodzi nazwa Puszcza Jodłowa. Całe pasmo, oprócz rejonu Przełęczy Huckiej, wchodzi w skład Świętokrzyskiego Parku Narodowego. Niegdyś w rejonie Ł. (Mąchocice, Łysica, Ciekoty) wydobywano rudę żelaza. Zarówno na pn., jak i na pd. stokach pasma znajduje się kilka wsi i przysiółków; pod Przełęczą Hucką leży Szklana Huta — poza Sudetami i Karpatami najwyżej położona wieś w Polsce; w XVI–XVIII w. była tam czynna huta szkła (stąd nazwa). Poniżej Szklanej Huty — wieś Stara Huta, w której znajdują się charakterystyczne dla rejonu świętokrzyskiego zagrody typu obronnego.

M

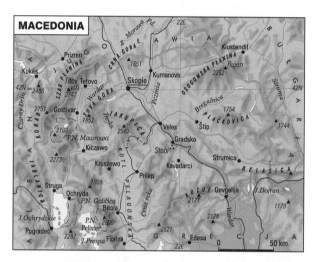

MACEDONIA

maar [niem.], krater wulkanu eksplozywnego powstały przez jednorazowy wybuch wulkanu o dużej sile eksplozji; ma postać lejkowatego zagłębienia, zwykle otoczonego wałem tufowym, przechodzącego w głąb w → diatremę; m. są często wypełnione wodą (np. jez. Laacher w górach Eifel); znane także we Francji (Owernia), Włoszech i in. krajach.

Macedonia, Makedonija, Republika Macedonii, państwo w Europie Pd., na Płw. Bałkańskim; 25,7 tys. km^2; 2,1 mln mieszk. (2002), Macedończycy (64%), Albańczycy, Turcy; prawosławni, muzułmanie; stol. Skopie; język urzędowy maced.; republika. Górzysta: Korab (wys. do 2764 m), Szar Płanina, Crna Gora, Jakupica; kotliny tektoniczne; klimat podzwrotnikowy kontynent.; gł. rz. Wardar; na pd. jez. (Ochrydzkie, Prespa). Gospodarka w okresie przejściowym od centr. planowanej do rynkowej; podstawą — rolnictwo i górnictwo; w kotlinach uprawa zbóż, buraków cukrowych, słoneczników, bawełny, brzoskwiń, winorośli, rozwinięte warzywnictwo; w górach pasterska hodowla owiec; wydobycie rud metali (żelaza, chromu). ■

■ Macedonia

Mackenzie [məkenzy], **Mackenzie River,** rz. w zach. Kanadzie; powstaje z połączenia rz. Peace i Athabaska, wypływających z G. Skalistych i płynie jako Rz. Niewolnicza; po przepłynięciu Wielkiego Jez. Niewolniczego przyjmuje nazwę M.; dł. od źródeł Peace 4240 km (dł. od

Wielkiego Jez. Niewolniczego 1600 km), pow. dorzecza 1760 tys. km^2; uchodzi do M. Beauforta tworząc deltę; średni roczny przepływ 11 tys. m^3/s; gł. dopływy: Liard, Peel (l.), Wielka Rz. Niedźwiedzia (pr.); zamarza na ok. 9 mies.; żegl. 2000 km od m. Fort Smith (nad Rz. Niewolniczą); gł. m. nad M.: Norman Wells, Aklavik.

Macocha, Propast Macocha, studnia jaskiniowa we wsch. Czechach, w pn. cz. Morawskiego Krasu, ok. 4 km na wsch. od m. Blansko, jedna z najwybitniejszych form krasowych w kraju; obszerna studnia o głęb. 168 m (do powierzchni wody 138,4 m); otwór o wymiarach 174 m na 76 m; jest częścią największej jaskini Czech (Amatérská jeskyně, 34,9 km); utworzona w dewońskich wapieniach; ściany pionowe, częściowo przewieszone; przez środek dna M. przepływa rz. Punkva; znana od bardzo dawna, ważna dla rozwoju speleologii; 1723 na dno zszedł L. Schopper z Brna (1. na świecie znane przejście głębokiej studni jaskiniowej); 1914 odkryto przejście do Jaskini Punkvy, a 1975 pokonano syfon wodny łączący M. z gł. częścią Amatérská jeskyně; najbardziej znany obiekt jaskiniowy w Czechach, popularna atrakcja turyst. (taras widokowy, trasa turyst. przez dno) corocznie zwiedzana przez ok. 200 tys. osób.

Madagaskar, malgaskie **Madagasikara,** franc. **Madagascar, Republika Madagaskaru,** do 1975 **Republika Malgaska,** państwo w Afryce, na wyspie Madagaskar i przybrzeżnych wyspach, na O. Indyjskim; 587 tys. km^2; 14,9 mln mieszk. (2002), 99% Malgaszów; animiści, katolicy, protestanci; stol. Antananarywa; język urzędowy: malgaski, franc.; republika. Wyżynno-górzysty rozcięty rowami tektonicznymi, uskokami; masywy wulk.: Tsaratanana (Maromokotro, 2876 m), Ankaratra, Andringitra; wybrzeża nizinne; klimat od równikowego wilgotnego na wsch. do podrównikowego suchego na zach.; cyklony tropik.; gęsta sieć rzek; bogata flora i fauna z endemitami. Słabo rozwinięty kraj roln.; uprawa manioku, ryżu, trzciny cukrowej, batatów, bananów, na eksport — wanilii (1. miejsce w zbiorach świat.), kawy, goździkowca, pieprzu; hodowla bydła; rybołówstwo; przemysł spoż., włók., skórz.; gł. porty: Toamasina (rafineria), Mahajanga. ■

Madagaskar, malgaskie **Madagasikara,** franc. **Madagascar,** wyspa na O. Indyjskim, oddzielona od kontynentu Afryki cieśn. Kanał Mozambicki o szer. 422 km; czwarta pod względem wielkości wyspa świata (po Grenlandii, N. Gwinei i Borneo) i największa wyspa Afryki; pow. ok. 587 tys. km²; powstała wskutek oddzielenia się od kontynentu afryk. w górnej jurze, ok. 150 mln lat temu; długotrwała izolacja sprzyjała wykształceniu specyficznego dla M. świata roślin (lasy podzwrotnikowe, monsunowe, sawanna; liczne gat. endemiczne) oraz zwierząt. Na M. i przybrzeżnych wyspach leży państwo→ Madagaskar.

Madeira, rz. w Boliwii i Brazylii, pr. dopływ Amazonki; powstaje z połączenia rz. Mamoré i Beni, wypływających w Kordylierze Wsch. (Andy), w Boliwii; dł. 3230 km (z Mamoré), pow. dorzecza 1391 tys. km²; przepływ przy ujściu 4,2–39,0 tys. m³/s; żegl. 1060 km, od m. Pôrto Velho do ujścia; w górnym biegu liczne wodospady; gł. dopływ — Aripuanã (pr.).

Madison [mädysn], rz. źródłowa → Missouri.

Madre Wschodnia, Sierra, Sierra Madre Oriental, łańcuch górski w Kordylierach, we wsch. Meksyku (wsch. obrzeżenie Wyż. Meksykańskiej); dł. ok. 1200 km, szer. 80–200 km; najwyższy szczyt Peña Nevada (4054 m); zbud. gł. z mezozoicznych i trzeciorzędowych wapieni i piaskowców, miejscami przykrytych lawami; opada stromo ku Zat. Meksykańskiej; klimat zwrotnikowy, górski; w części pn. pokryty kserofilnymi krzewami, w pd. na wsch. stokach lasy tropik., na zach. kolczaste zarośla oraz pustynie i półpustynie kaktusowe; w wyższych piętrach lasy dębowe i sosnowe oraz roślinność alp.; złoża rud ołowiu, miedzi, srebra, złoto, ropa naft.; parki narodowe.

Madre Zachodnia, Sierra, Sierra Madre Occidental, łańcuch górski w Kordylierach, w zach. Meksyku (zach. obrzeżenie Wyż. Meksykańskiej); dł. ok. 1300 km, szer. 80–200 km; najwyższy szczyt Mohinora (3992 m); zbud. z prekambryjskich łupków krystal., paleozoicznych i mezozoicznych wapieni i piaskowców, przykrytych trzeciorzędowymi lawami i tufami; opada ku Zat. Kalifornijskiej rozległymi stopniami; klimat zwrotnikowy, górski; na zach. stokach lasy liściaste, wyżej iglaste, na wsch. — kserofilne, kolczaste zarośla oraz kaktusowe półpustynie; złoża rud miedzi, antymonu, srebra; Park Nar. Barranca del Cobre.

Madryt, Madrid, stol. Hiszpanii, w środk. części kraju, u podnóża gór Sierra de Guadarrama; stol. regionu autonomicznego Madryt; 2,9 mln mieszk. (2002), zespół miejski 4,9 mln (1991); duży ośr. przemysłu (samochodowy, lotn., elektron., zbrojeniowy, odzież.), rzemiosła artyst., finansowy i handl.; gł. węzeł komunik. Płw. Iberyjskiego z wielkim portem lotn.; Hiszp. Akad. Król. (zał. 1713), 6 uniw.; ośr. turyst. o świat. znaczeniu; muzea, m.in. Prado. Liczne kościoły — m.in. S. Pedro el Real (XIV w.), got.-renes. Capila del Obispo, katedra S. Isidoro el Real (XVII w.), kościół S. Francisco el Grande (XVII w.) z kaplicą dekorowaną malowidłami ściennymi F. Goi; Pałac Król. (XVIII w.); za-

■ Madryt. Plac Hiszpański

budowa Plaza Mayor (XVII w.); neoklas. pałace, budynki użyteczności publ. (XIX, XX w.). ■

mady rzeczne, napływowe gleby wytworzone z osadów (namułów) rzecznych; zbud. z warstw odpowiadających kolejnym wylewom rzek; żyzne; dzielą się na właściwe, próchnicze i brunatne.

Magellana, Cieśnina, Estrecho de Magallanes, cieśnina między kontynentem Ameryki Pd., wyspami Riesco i Manuel Rodríguez oraz Wyspami Królowej Adelajdy a wyspami Ziemi Ognistej, w Chile; łączy O. Atlantycki z O. Spokojnym; połączona z O. Spokojnym 4 innymi cieśninami między wyspami Ziemi Ognistej; dł. 574 km, szer. 2,2–45 km; brzegi gł. wysokie i skaliste; linia brzegowa b. rozwinięta — liczne wyspy, półwyspy i szerokie zatoki, największe: Lomas (u wejścia z O. Atlantyckiego), San Felipe, Inútil, Almirantazgo, Otway, Skyring, Beauforta; głębokości b. zróżnicowane, maks. — do 1180 m, najmniejsza na torze wodnym — 19,8 m. Żegluga niebezpieczna (liczne skały podwodne i mielizny, stałe silne wiatry zach., silne prądy pływowe 15–25 km/h); wysokość pływów od 12 m u wejścia (z O. Atlantyckiego) do 1,2 m w części środk. i 2,1 m w części zach. (wyjście na O. Spokojny); port — Punta Arenas. Odkryta i sforsowana 1520 przez F. Magellana.

Maggiore [madżdżiore], Lago Maggiore, Verbano, rzym. Lacus Verbanus, jez. polodowcowe we Włoszech i Szwajcarii, w Alpach Zach., na wys. 194 m; pow. 212 km², głęb. do 372 m; brzegi wysokie i strome; w części zach. duża zatoka z grupą wysp Borromee; przez Maggiore przepływa rz. Ticino (dopływ Padu); rybołówstwo, żegluga; nad Maggiore ożywiony ruch turyst.; gł. m. — Locarno.

magma [gr.], gorąca masa powstająca w wyniku lokalnego topnienia skał (wskutek wzrostu temperatury) w głębi skorupy ziemskiej lub w jej podłożu (w górnym → płaszczu Ziemi), zdolna

■ Madagaskar

do płynięcia i podnoszenia się ku powierzchni Ziemi (→ intruzja magmy); w skład m., oprócz fazy ciekłej — stopionych krzemianów — wchodzą kryształy różnych minerałów, częściowo już z niej wykrystalizowane bądź będące nie stopionymi jeszcze reliktami skał, z których m. powstała, lub też pochodzące ze skał otaczających, w które m. wtargnęła; ponadto m. zawiera składniki lotne (wodę, dwutlenek węgla, dwutlenek siarki, siarkowodór, fluor, chlor i in.), częściowo rozpuszczone w niej pod wpływem dużego ciśnienia; zmniejszenie ciśnienia powoduje wydzielenie się par i gazów w postaci pęcherzyków zawieszonych w m. Magma wydobywająca się na powierzchnię Ziemi nosi nazwę → lawy. Temperatura m. podczas erupcji wynosi 1000°C i więcej, w warunkach głębinowych z reguły jest znacznie niższa (od 900 do 600°C). M. wchodząca po raz pierwszy w skład skorupy ziemskiej jest nazywana m. juwenilną (najczęściej jest to wytopiona z górnego płaszcza Ziemi m. bazaltowa), natomiast m. powstająca powtórnie wskutek procesów → anateksis i palingenezy ze skał uprzednio istniejących w skorupie ziemskiej nosi nazwę m. palingenetycznej (zwykle jest to m. granitowa). Produktami krzepnięcia m. są skały magmowe.

magmatyzm [gr.], zespół procesów geol. prowadzących do powstania magm i ich ruchów w skorupie ziemskiej; obejmuje również wszelkie objawy oddziaływania magm na otoczenie, a także zastyganie ich w skały magmowe i wydzielanie różnorodnych złóż mineralnych.

magmowe skały, produkty krzepnięcia magmy (lub lawy). S.m. klasyfikuje się na podstawie ich składu chem. i miner. (co jest uwarunkowane gł. składem chem. magmy) oraz rodzaju struktury i tekstury, zależących od warunków fizykochem. w skorupie ziemskiej, w których magma krzepnie. Najogólniejsza klasyfikacja chemiczna s.m. opiera się na zawartości w nich krzemionki SiO_2, która jest najważniejszym składnikiem każdej magmy; najuboższe w SiO_2 (poniżej 40–45% masowych) są skały ultrazasadowe (ultrabazyty), np. perydotyt, dunit; skały zasadowe (bazyty) zawierają 45–53% SiO_2, np. cieszynit, bazanit; skały obojętne (pośrednie) mają 53–65,5% SiO_2, np. sjenit, dioryt, gabro; najbogatsze w SiO_2 (powyżej 65,5%) są skały kwaśne — granit, granodioryt, tonalit, dacyt. S.m., zależnie od warunków powstania, dzieli się na: skały głębinowe (plutoniczne), krystalizujące na dużych głębokościach w skorupie ziemskiej w warunkach powolnego spadku temperatury i pod wysokim ciśnieniem; mają one strukturę pełnokrystal., gł. gruboziarnistą, a teksturę bezładną i zbitą, np. granit, gabro, dioryt, sjenit; skały hipabisalne, powstałe przez krystalizację magmy na mniejszych głębokościach pod powierzchnią Ziemi niż skały głębinowe, bez wyraźnego wpływu warunków fiz. panujących na powierzchni Ziemi, np. diabaz, fonolit; skały subwulkaniczne, zastygłe niezbyt głęboko pod powierzchnią Ziemi, np. tefryt; skały hipabisalne i subwulk. zwykle są średnio- lub drobnoziarniste; jeśli występują w postaci żył, np. apofiz, dajek, są zw. ska-

łami żyłowymi, np. lamprofiry; skały wylewne (wulkaniczne), powstałe przez zakrzepnięcie szybko ochładzającej się lawy na powierzchni Ziemi, odznaczają się strukturą skrytokrystal. (afanitową), niekiedy porfirową, często zawierają szkliwo wulk., wyjątkowo mogą być całkowicie szkliste (np. obsydian); są zbite lub porowate (gąbczaste, pęcherzykowate), przy czym pory stanowią pozostałość po pęcherzykach gazów, które wydzieliły się z lawy wskutek spadku ciśnienia (np. → pumeks); często puste miejsca po pęcherzykach gazowych są wypełnione wtórnymi minerałami, np. kalcytem, chlorytem; najbardziej rozpowszechnionymi skałami wylewnymi są bazalt, andezyt i ryolit.

magnetyt, minerał z grupy spineli, tlenek żelaza Fe_3O_4; krystalizuje w układzie regularnym; czarny, o połysku półmetalicznym; silnie magnet.; jest najbogatszą rudą żelaza; gł. złoża: Szwecja, Rosja, Ukraina, USA, Brazylia; w Polsce m. był wydobywany na Dolnym Śląsku (m.in. w Kowarach).

magnituda [łac.] → Richtera skala.

Maharasztra, hindi **Mahārāṣṭra,** ang. **Maharashtra,** stan w Indiach, na pn.-zach. Płw. Indyjskiego, nad M. Arabskim; 307,7 tys. km², 98,6 mln mieszk. (2002); stol. Bombaj, inne m.: Puna, Nagpur; wyżynny; pn.-zach. część wyż. Dekan z Ghatami Zach., opadającymi stromo do wąskiej niz. Konkan; lasy monsunowe, sawanny; jeden z najlepiej rozwiniętych stanów Indii; uprawa pszenicy, ryżu, bawełny, trzciny cukrowej; na wsch. gł. w kraju region uprawy pomarańcz; wydobycie ropy naft. ze złóż podmor., rud manganu, boksytów; elektrownie wodne, jądr., przemysł bawełn., cukr., w Bombaju także samochodowy, rafineryjny, elektron., stoczn.; turystyka (Elefanta, Adżanta, Elura).

Maine [mejn], stan na pn.-wsch. USA, nad O. Atlantyckim; 86,2 tys. km², 1,3 mln mieszk. (2002); stol. Augusta, gł. m. i port Portland; wyżynno-górzysty (Appalachy), wybrzeże nizinne; liczne przybrzeżne wyspy; lasy ok. 85% pow.; przemysł drzewno-papierniczy, włók., skórz., rybny; leśnictwo; uprawa ziemniaków, roślin pastewnych, drzew owocowych; hodowla drobiu; rybołówstwo; promy do Kanady; turystyka (kąpieliska, ośr. sportów wodnych). Obszar zasiedlany od XVII w. przez kolonistów ang.; 1652–1820 w obrębie kolonii Massachusetts; od 1820 stan.

Majlis al-Jinn, jaskinia krasowa w pn.-wsch. Omanie, w górach Dżabal Bani Dżabir, na płaskowyżu Salma; utworzona w wapieniach eoceńskich; 3 otwory na wys. ok. 1400 m doprowadzają do jednej ogromnej komory o dł. 310 m, szer. 225 m i wys. 120 m (pow. 58 tys. m², obj. 4 mln m³); oryginalna szata naciekowa, m.in. tysiące pereł jaskiniowych o średnicy do 4 cm, stalagmity, w tym unikatowe żółtozielone (zabarwione przez związki żelaza i glony); okresowe jezioro. Znana od dawna miejscowej ludności (w sąsiedztwie otworów groby z epoki brązu); 1983 odnaleziona przez geologów w czasie poszukiwań podziemnych źródeł wody i wyeksplorowana; na dnie bardzo liczne kości zwierząt zarówno gatunków żyjących obecnie, jak i kopalnych.

Majorka, Mallorca, wyspa hiszp. na M. Śródziemnym, największa w archipelagu Balearów; pow. 3,6 tys. km², wzdłuż pn.-zach. wybrzeży pasmo Sierra de Alfabia (wys. do 1445 m), na pd.-wsch. wyżyna z rozwiniętą rzeźbą krasową, część środk. zajmuje urodzajna nizina; region turyst. o świat. sławie, rozwinięta infrastruktura hotelowa i sieć komunik.; międzynar. port lotn.; ludność utrzymuje się gł. z usług turyst., rzemiosła artyst. (hafty, biżuteria, ceramika), rolnictwa (uprawa gł. winorośli, oliwek, drzew cytrusowych, wypas owiec) i rybołówstwa; saliny mor.; gł. m. i port — Palma de Mallorca.

Makalu, szczyt w Himalajach, na granicy Nepalu i Chin, na pd.-wsch. od Mount Everestu, piąty pod względem wysokości na Ziemi; wys. 8463 m; silnie zlodowacony; zdobyty 1955 przez franc. wyprawę; pol. wejścia: 1981 — J. Kukuczka, 1982 — A. Czok (ścianą zach.).

Makau, portug. **Macao, Macau,** chiń. **Aomen,** terytorium chiń. (1557–1999 w posiadaniu Portugalii), u ujścia rz. Xi Jiang do M. Południowochińskiego; 16 km², 480 tys. mieszk. (2002); obejmuje m. Makau (na płw. Makau) i przybrzeżne wyspy; ośr. adm. Makau; podstawą gospodarki — obsługa turystów zagr. (ok. 6 mln osób rocznie), międzynar. usługi bankowe i produkcja odzieży; handel złotem; rybołówstwo i przetwórstwo ryb; przemysł włók., tworzyw sztucznych, elektron., ceramiczny; żegluga kabotażowa. ∎

Maków Mazowiecki, m. powiatowe w woj. mazow., nad rz. Orzyc; 10,7 tys. mieszk. (2000); ośr. usługowo-przem. regionu roln.; zakłady spoż. (duża mleczarnia), wyrobów metal., części samochodowych, naprawy maszyn roln., szwalnie, wytwórnie mebli i stolarki budowlanej; węzeł drogowy; wzmiankowany 1065; prawa miejskie od 1421; kościół (XV w., przebud.).

Maków Podhalański, m. w woj. małopol. (powiat suski), nad Skawą; 5,9 tys. mieszk. (2000); ośr. turyst.-wypoczynkowy i leczn. (szpital chorób płuc); baza noclegowa, szlaki turyst.; drobne przetwórstwo drzewne (zabawki), metal., spoż.; rękodzieło lud. i artyst.; prawa miejskie od 1843.

makroklimat [gr.], klimat dużych obszarów, kształtowany przez czynniki geogr., gł.: szer. geogr., wysokość n.p.m., rzeźbę terenu, odległość od oceanów; ma wpływ m.in. na rozmieszczenie gleb oraz gatunków roślin i zwierząt (→ klimat).

Maladeta, najwyższy masyw górski w Pirenejach, w Hiszpanii; wys. do 3404 m (Aneto); zbud. z granitów i gnejsów; w najwyższym piętrze wieczne śniegi i niewielkie lodowce.

Malajski, Archipelag, największe na Ziemi skupisko wysp, między Azją i Australią; obejmuje Wielkie W. Sundajskie (Sumatra, Jawa, Borneo, Celebes), Małe W. Sundajskie (Bali, Lombok, Sumbawa, Sumba, Flores, Timor) i Moluki (Halmahera, Seram, Buru, Aru, Tanimbar); pow. ok. 1,7 mln km², ponad 200 mln mieszk. (1999); rozciągłość równoleżnikowa 4600 km, południ-

kowa — 2000 km; niekiedy do A.M. zalicza się Archipelag Filipiński. Wyspy zbud. gł. ze skał krystal., piaskowców i wapieni górnego mezozoiku i trzeciorzędu; oprócz Borneo leżą w strefie aktywnej sejsmicznie; liczne czynne i wygasłe wulkany, częste trzęsienia ziemi; na Sumatrze i na Borneo rozległe aluwialne niziny, silnie zabagnione. Klimat równikowy wybitnie wilgotny, tylko na wsch. Jawie i Małych W. Sundajskich podrównikowy wilgotny; na nizinach średnia temp. miesięczna wynosi 25–28°C, w górach 15–17°C (absolutne minimum na wys. 1500–2000 m do –3°C), w pn. części Borneo w górach Kinabalu na najwyższych szczytach śnieg leży przez większą część roku; średnia roczna suma opadów na nizinach 1500–2000 mm, na dowietrznych stokach gór 4000–5000 mm; opady w zasadzie całoroczne; na wsch. Jawie i Małych W. Sundajskich opady maleją do 800 mm, silniej zaznacza się pora sucha (do 6 mies. na Bali) i wilgotna; opady mają charakter ulewny (burzowy); liczba dni z burzą rośnie od 30–40 w roku w pn. części Celebesu i Borneo do 80 i więcej w pn.--wsch. części Sumatry. Panującą formacją roślinną są wilgotne lasy tropik.; na wsch. lasy monsunowe i sawanny; w górach wybitnie piętrowy układ roślinności; na błotnistych wybrzeżach mor. występują namorzyny (mangrowe); na znacznych obszarach A.M. (zwł. na Jawie i Małych W. Sundajskich) pierwotna szata roślinna uległa zniszczeniu, a miejsce jej zajęły uprawy lub wtórne zbiorowiska trawiaste i zarośla. Bogactwa miner.: ropa naft. i gaz ziemny, węgiel kam., rudy cyny (ok. 23% znanych zasobów świat.), boksyty, rudy miedzi i niklu, złoto, diamenty. Większą część A.M. stanowi terytorium Indonezji, pn.-zach. Borneo wchodzi w skład Malezji (stany Sabah i Sarawak), na pn. wybrzeżu leży sułtanat Brunei.

∎ Makau. Fragment miasta

Malajski, Półwysep, malajskie **Semananjung Tanah Melayu,** pd. część Płw. Indochińskiego, między M. Andamańskim a M. Południowochińskim; od Sumatry oddzielony cieśn. Malakka; pow. ok. 190 tys. km²; dł. ok. 1100 km, szer. maks. 330 km, u nasady 40 km (przesmyk Kra). Środkiem P.M. ciągną się silnie rozczłonkowane, zbud. gł. z granitów, pasma górskie (najwyższy szczyt Tahan, 2190 m); na wybrzeżach szerokie niziny, miejscami zabagnione; liczne, krótkie rzeki (najdłuższa Pahang, 434 km). We wnętrzu wilgotne lasy równikowe; na nizinach znacznie

■ Malawi

uboższe wtórne lasy i zarośla, zbiorowiska trawiaste i duże plantacje kauczukowca oraz palmy oleistej; na pd.-zach. wybrzeżu namorzyny. Bogate złoża rud cyny. Na P.M. leżą zach. część Malezji i pd. Tajlandii.

Malakka, indonez. i malajskie Selat Melaka, ang. Strait of Malacca, cieśnina między Płw. Malajskim a Sumatrą; łączy M. Andamańskie z M. Południowochińskim (przez Cieśninę Singapurską); pow. 65 tys. km^2; dł. 937 km, najmniejsza szer. 15 km; głęb. do 1404 m, najmniejsza na torze wodnym — 12 m; brzegi niskie, z namorzynami; na pd. liczne bagniste wyspy; z pd.-wsch. na pn.-zach. przepływa stały prąd mor. (0,5–1 km/h); wys. pływów do 5,2 m; ważna droga mor.; porty: Singapur, Port Kelang, Medan.

Malaspina [mäləspi:nə], **Malaspina Glacier,** lodowiec podgórski (piedmontowy) na pd. wybrzeżu stanu Alaska (USA), nad zat. Alaska, u podnóża G. Św. Eliasza, utworzony z połączenia lodowców górskich; pow. ok. 4 tys. km^2.

Malawi, Republika Malawi, państwo we wsch. Afryce, wzdłuż jez. Niasa; 118,5 tys. km^2; 11,0 mln mieszk. (2002), ludy Bantu (gł. Malawi, Makua); animiści, katolicy, protestanci; stol. Lilongwe, największe m. Blantyre; język urzędowy: ang., chichewa; republika. Wyżynne, w obrębie Wielkich Rowów Afryk. z jez. Niasa i doliną rz. Shire; na pd. góry Mlandżi (do 3000 m); trzęsienia ziemi; klimat podrównikowy, wilgotny na pn., suchy na pd.; katastrofalne susze; sawanny, w dolinach rzek lasy galeriowe. Słabo rozwinięty kraj roln.; uprawa kukurydzy, prosa, manioku, bananów, na eksport — tytoniu, herbaty, bawełny; hodowla bydła; rybołówstwo; przetwórstwo produktów rolnych. ■

Malbork, m. powiatowe w woj. pomor., nad Nogatem; 40 tys. mieszk. (2000); ośr. przem., usługowy i turyst.-krajoznawczy; przemysł spoż. (cukrownia, wytwórnia makaronów, słodownia i in.), maszyn., włók., ponadto zakłady przemysłu: chem., odzież., materiałów bud., drzewnego; węzeł kol. i drogowy, niewielki port rzeczny na Nogacie; ośrodek oświat. (Oddział Zamiejscowy Wyższej Szkoły Mor. w Gdyni) i kult.; prawa miejskie od ok. 1286; 1309–1457 siedziba wielkiego mistrza zakonu i stol. państwa krzyżackiego, jedna z najpotężniejszych warowni w Europie; Muzeum Zamkowe — monumentalny got. zamek krzyżacki (Zamek Wysoki, Średni, Niski — XIII–XIV, XIV w.), mury miejskie z bramami (XIV w.); ratusz (XIV, XV w.), kościół (XV–XVI w.).

Male, stol. Malediwów, na wyspie Male, nad O. Indyjskim; 74 tys. mieszk. (2002) — jedyne miasto w kraju; przemysł rybny, odzież.; rzemiosło (wyroby z korala i włókien kokosowych); porty: lotn., handl. (wolnocłowy), rybacki.

Malediwy, malediwskie **Dhivehi Rajjge,** ang. **Maldives, Republika Malediwów,** państwo w Azji Pd., na archipelagu Malediwów, na O. Indyjskim; 298 km^2; 294 tys. mieszk. (2002), Malediwczycy, Arabowie; muzułmanie (islam religią państw.); stol. i jedyne m. Male; język urzędowy malediwski; republika. Około 1200 nizinnych,

■ Malediwy

■ Malezja

koralowych wysp, tworzących 19 atoli; klimat równikowy wilgotny. Podstawą gospodarki turystyka (nowocz. ośr. dla turystów zagr.), rybołówstwo i uprawa palmy kokosowej; żegluga przybrzeżna; połączenia lotn. z Indiami i Sri Lanką. ■

Malezja, malaj. **Melaysia,** ang. **Malaysia,** państwo w Azji Pd.-Wsch., na Płw. Malajskim (M. Zach.) i pn. Borneo (M. Wsch. — stany: Sarawak, Sabah), nad M. Południowochińskim; od Indonezji oddzielona cieśn. Malakka, od Singapuru — cieśn. Johor; 329,8 tys. km^2; 23,7 mln mieszk. (2002), Malajowie (62% ludności), Chińczycy, Indusi; islam religią państw.; muzułmanie (53%), buddyści, taoiści, hindusi; stol. Kuala Lumpur, inne m.: Ipoh, Johor Baharu, Malakka, Penang; język urzędowy: malaj., w stanach Sarawak i Sabah także ang.; związkowa monarchia konst.; składa się z 13 stanów i 2 terytoriów federalnych. Ponad 50% pow. to góry i wyżyny; w M. Zach. południkowe pasma górskie (wys. do 2190 m, Tahan), w M. Wsch. — silnie rozczłonkowane, z najwyższym szczytem w kraju (Kinabalu, 4101 m); na wybrzeżach zabagnione niziny; przybrzeżne wyspy (Penang, Labuan); klimat równikowy wybitnie wilgotny, monsunowy; nasilenie opadów od listopada do marca; gęsta sieć krótkich rzek, gł. Pahang, Perak i Rajang na Borneo; lasy (58% pow.) równikowe wilgotne, na wybrzeżach — namorzynowe; znane parki nar. (Kinabalu, Sepilok — największe w świecie siedlisko orangutanów). Kraj nowo uprzemysłowiony o wysokim tempie wzrostu gosp. (ok. 5% rocznie w latach 80., 9% — do poł. lat 90.), związany z dużym napływem kapitału zagr.; wydobycie ropy naft. i gazu ziemnego ze złóż podmor. u wybrzeży Sarawaku i Sabahu, rud cyny (największe złoża wświecie, dolina Kinta), żelaza, miedzi; elektrownie naft. i gazowe; przemysł elektron. (półprzewodniki, układy scalone — 3., po USA i Japonii, producent na świecie, odbiorniki telew., radiowe), samochodowy (montownie), rafineryjny, hutnictwo cyny; liczne olejarnie, tartaki, zakłady obróbki kauczuku; gł. ośr. przem.: Kuala Lumpur, Penang; rozwinięte rolnictwo plantacyjne: kauczukowiec, palma oleista (ok. 50% świat. produkcji oleju palmowego) i kokosowa, kakaowiec; eksploatacja lasów; turystyka (ponad 6 mln turystów zagr. rocznie); żegluga kabotażowa, transport samochodowy

■ Malezja. Wybrzeże w okolicy Kota Baharu

(szosy wzdłuż wybrzeży) i lotn.; portymor.: Port Kelang, Penang; jeden z gł. świat. eksporterów urządzeń i podzespołów elektron., oleju palmowego, kauczuku naturalnego, cyny; wywóz ropy naft., drewna. ■

Mali, Republika Mali, państwo w zach. Afryce; 1240,2 tys. km², 10,2 mln mieszk. (2002), ludy Mande, Gur, Fulanie, na Saharze Tuaregowie i Arabowie; ok. 90% muzułmanów; stol. Bamako, inne m.: Mopti, Ségou; język urzędowy franc.; republika. Wyżynne, 3/4 obszaru w obrębie Sahary; na wsch. masyw Adras des Iforas (wys. do 890 m); klimat suchy, na pd.-zach. podrównikowy, na pn. zwrotnikowy; uboga sieć rzek, gł. Niger z tzw. wewn. deltą Macina; półpustynie, pustynie, sawanny. Słabo rozwinięty kraj roln.; uprawa zbóż, manioku oraz bawełny i orzeszków ziemnych na eksport; hodowla kóz, owiec, bydła; zbiór gumy arab.; rybołówstwo śródlądowe; rzemiosło; przemysł włók., spoż., metal.; żegluga na Nigrze. ■

Mallorca [maljorka], wyspa hiszp., → Majorka.

Malta, Republika Malty, państwo w Europie Pd., na w.: Malta, Ghawdex, Kemmuna i in., na M. Śródziemnym; 316 km²; 382 tys. mieszk. (1995), Maltańczycy; katolicy; w miastach 83% ludności; stol., największe m. i port Valletta; język urzędowy: maltański, ang.; republika. Powierzchnia wysp (Malta, Ghawdex, Kemmuna) nizinna z wieloma wapiennymi wzgórzami; klimat podzwrotnikowy śródziemnomor.; makia. Rozwinięta turystyka (liczne kąpieliska mor.) i usługi transportowe (kraj taniej bandery); przemysł spoż., elektron. i tekstylny; w rolnictwie dominują uprawy trwałe: drzewa cytrusowe, migdałowce, figowce, winorośl; rybołówstwo. ■

Malwiny, wyspy na O. Atlantyckim, → Falklandy.

Mała Panew, rz. na Niz. Śląskiej, pr. dopływ górnej Odry; dł. 132 km, pow. dorzecza 2131 km²; źródła na pd.-wsch. od m. Woźniki, uchodzi w pobliżu wsi Czarnowąsy; średni przepływ w pobliżu ujścia 11 m³/s; maks. rozpiętość wahań stanów wody w dolnym biegu 3,0 m; gł. dopływ Chrząstawa (l.); w dolnym biegu, powyżej Turawy, zbiornik wodny (Jezioro Turawskie) wykorzystywany m.in. do regulacji przepływu Odry oraz do celów energ.; gł. m. nad M.P. — Kalety.

Małe Pieniny, wsch. część Pienin; ciągnie się na dł. ok. 14 km, szerokim (ok. 4 km) grzbietem od doliny Dunajca do przełęczy Rozdziela (862 m); pn. stoki leżą w granicach Polski, pd. i

wsch. na Słowacji. W rzeźbie M.P. zaznacza się stopień pogórski ze spłaszczeniami ok. 700 m i falista wierzchowina grzbietowa wys. 700–800 m, ponad którą wznoszą się wapienne stożki Szafranówki (742 m), Łaźnych Skał (775 m), Rabsztyna (847 m) i najwyższa w całych Pieninach — Wysoka (1050 m); stoki pd. strome, pn. łagodniejsze, porozcinane wąskimi dolinami potoków (wąwóz Homole). Szata roślinna, z wyjątkiem roślinności naskalnej, niemal całkowicie przeobrażona przez człowieka; w krajobrazie dominują łąki i pastwiska, we wsch. części występują większe obszary lasów świerkowych; rezerwaty przyrody (Wysokie Skałki, Wąwóz Homole, Biała Woda i in.); kilka szlaków turyst., dobre tereny narciarskie; bazy wypadowe w M.P. — Szczawnica i Jaworki.

Małej Łąki, Dolina, dolina walna w Tatrach Zach., jedyna wyżłobiona w całości w skałach osadowych; opada na pn. spod Małołączniaka i Kondrackiej Kopy, od wsch. otacza ją grzbiet Giewontu, Grzybowca i Łysanek, od zach. — Wielka Turnia, Skoruśniak i Hruby Regiel; dł. 5,5 km, szer. do 1,5 km, pow. 6 km²; dolina powstała na linii uskoku tektonicznego, dzielącego regle na zakopiańskie i zach.; część pn. ostro wcięta, z Potokiem Małołąckim, część południowa Ukształtna, wyraźna rzeźba polodowcowa, liczne formy krasowe; w górze 2 kotły, zw. Niżnią i Wyżnią Świstówką, w ich otoczeniu jaskinie, m.in. → Śnieżna Jaskinia, Wielka; brak stałego powierzchniowego potoku. W połowie długości, na wys. 1150–1200 m, piękna Wielka Polana (dno d. jeziora morenowego), niegdyś, zabudowana szopami i szałasami i intensywnie wypasana; dnem D.M.Ł. wiedzie szlak turyst. na Przełęcz Kondracką, krzyżujący się ze Ścieżką nad Reglami na skraju Wielkiej Polany; wylot koło szosy Zakopane–Kiry, przy wylocie nieczynny kamieniołom eoceńskich wapieni numulitowych.

Małogoszcz, m. w woj. świętokrzyskim (powiat jędrzejowski), w Paśmie Przedborsko-Małogoskim; 4,2 tys. mieszk. (2000); ośr. przem.--usługowy; duża cementownia Małogoszcz, wchodząca w skład koncernu Lafarge; zakłady obuwn., spoż., drzewne; węzeł drogowy; ośrodek turyst.-krajoznawczy; w X w. strażnica na pd. granicy państwa Mieszka I; prawa miejskie przed 1342–1870 i od 1996; 2 kościoły (XVI w.).

Małomice, m. w woj. lubus. (powiat żagański), nad Bobrem; 3,9 tys. mieszk. (2000); ośr. usługowy przy linii kol. Wrocław–Żagań; przemysł materiałów bud., metal. i drobne przetwórstwo spoż.; prawa miejskie od 1969.

Małopolska, Wyżyna, Wyżyna Środkowomałopolska, część Wyż. Polskich, położona między łukiem Pilicy pod Tomaszowem Mazow. a łukiem Wisły od Krakowa po ujście Kamiennej; w jej skład wchodzi wypiętrzenie Wyż. Kieleckiej, ze sfałdowanym trzonem paleozoicznym oraz towarzysząca mu od zach. Niecka Nidziańska; trzecim makroregionem jest Wyż. Przedborska, stanowiąca pewnego rodzaju człon przejściowy do położonych dalej na pn. obszarów zasypania czwartorzędowego.

■ Mali

■ Malta

małopolskie, województwo, woj. w pd. Polsce, graniczy ze Słowacją; 15 108 km², 3,2 mln mieszk. (2000), stol. — Kraków, inne większe m.: Tarnów, Nowy Sącz, Oświęcim, Chrzanów, Olkusz; dzieli się na 3 powiaty grodzkie, 19 powiatów ziemskich i 181 gmin. Krajobraz b. urozmaicony; wys. od 2499 m w Tatrach (Rysy) do 100 m w dolinie Wisły; dwa dominujące regiony — wyżynny na pn. (pd., krasowa część Wyż. Krakowsko-Częstochowskiej, wsch. skraj Wyż. Śląskiej, pd. fragment Niecki Nidziańskiej) i górski na pd. (Zewnętrzne Karpaty Zach. z Beskidami i pogórzem, Centralne Karpaty Zach. z Tatrami, Podhalem i Pieninami) rozdziela przebiegające równoleżnikowo, rozszerzające się ku wsch. tektoniczne obniżenie pn. Podkarpacia (kotliny: Sandomierska i Oświęcimska). Główne rz.: Wisła, Dunajec, Poprad; górskie jeziora polodowcowe, zbiorniki retencyjne. Lasy zajmują 28,8% pow., gł. w górach oraz w Kotlinie Sandom. — Puszcza Niepołomicka; 6 parków nar.: Babiogórski, Gorczański, Ojcowski, Pieniński, Tatrzański, część Magurskiego oraz 11 krajobrazowych. Gęstość zaludnienia — 212 mieszk. na km², w miastach 50,4% ludności (2000). Województwo przem.-roln.; złoża rud cynku i ołowiu eksploatowane w Olkuszu i Trzebionce, soli kam. (Wieliczka, Bochnia — wydobycie wstrzymane), węgla kam., liczne niewielkie złoża ropy naft. i gazu ziemnego; rozwinięty gł. przemysł metalurg., maszyn., metal., środków transportu, precyzyjny, elektrotechn. i elektron., chem., petrochem., ponadto spoż., odzież., obuwn., miner., meblarski. Użytki rolne zajmują 58,2% pow.; hodowla gł. bydła oraz owiec i koni; uprawa zbóż (pszenica, jęczmień), ziemniaków, tytoniu, chmielu, warzyw i owoców. Gęsta sieć kol. i drogowa; port lotn. w Krakowie (Balice). Rozwinięta turystyka (ok. 7 mln turystów rocznie) i sporty zimowe (Tatry z Zakopanem, Pieniny, Gorce), wiele uzdrowisk (Rabka Zdrój, Krynica Zdrój, Piwniczna i in.); licznie odwiedzany jest Kraków, Oświęcim, Wieliczka.

Mamry, jez. morenowe na Pojezierzu Mazurskim, w Krainie Wielkich Jezior Mazurskich, w dorzeczu Węgorapy, drugie po Śniardwach pod względem powierzchni w Polsce; obejmuje 6 połączonych ze sobą zbiorników wodnych (jezior): jezioro M. (Mamry właściwe lub pn. pow. 2559 ha, maks. głęb. 43,8 m, największa wyspa Upałty), jez. Święcajty (pow. 817 ha, maks. głęb. 28 m), jez. Kirsajty (pow. 211 ha, maks. głęb. 5,8 m, największa wyspa Kirsajty), jez. Dargin (pow. 3033,5 ha, maks. głęb. 37,6 m), Jez. Dobskie (pow. 1798,7 ha, maks. głęb. 22,5 m, z największą wyspą Wysoki Ostrów), jez. Kisajno (pow. 2018,9 ha, maks. głęb. 25 m, z wyspami — Duży Ostrów, Górny Ostrów, Sosnowy Ostrów, Wielka Kiermuza); ogólna powierzchnia M. wynosi 10 439 ha, w tym 33 wyspy o pow. 213 ha; na wyspach jezior M. właściwe i Kisajno — rezerwaty, miejsca lęgowe ptaków wodnych i błotnych, na wyspie Wysoki Ostrów na Jez. Dobskim — kolonia kormoranów; M. łączy się na pd. przez system kanałów i jezior z jez. Niegocin i jez. Śniardwy; w pobliżu pn. brzegu leży Węgorzewo, na pd.-wsch. Giżycko; przez M. prowadzi szlak żeglugi śródlądowej Węgorzewo–Ruciane-Nida; nad jeziorem liczne ośr. turyst.-wypoczynkowe; sporty wodne, bojery; rozwinięta gospodarka rybacka.

Mamucia, Jaskinia, Dachstein-Mammuthöhle, jaskinia krasowa w środk. Austrii, w kraju związkowym Górna Austria, w pn.-wsch. części masywu Dachstein (Alpy Salzburskie), w stokach opadających do jez. Hallstatt, ok. 3 km na pd.-wsch. od miejscowości Obertaun; jedna z najdłuższych i najgłębszych jaskiń świata; dł. 53 km; głęb. 1199 m (2000); 7 otworów: gł. na wys. 1324 m, pozostałe 1259–1392 m i 1815 m; utworzona w wapieniach; rozbudowana sieć korytarzy i komór (często dużych rozmiarów, stąd nazwa J.M.); dolna część to jeden ciąg studni i meandrów; eksplorowana od 1910; objęta ochroną 1928; udostępniona dla turystów (trasa dł. ok. 800 m), w pobliżu stacja kolejki linowej. W 1998 wpisana na Listę Świat. Dziedzictwa Kult. i Przyr. UNESCO.

Mamucia, Jaskinia, Mammoth Cave, jaskinia krasowa w USA, w stanie Kentucky, w dorzeczu rz. Green; najdłuższa znana w świecie, ponad 560 km; tworzy pięciopoziomowy system komór i korytarzy; od 1941 stanowi park nar. (pow. ok. 20,8 tys. ha), wpisany na Listę Świat. Dziedzictwa Kult. i Przyr. UNESCO.

Man [män], wyspa na M. Irlandzkim, dependencja Korony bryt.; 572 km²; 77 tys. mieszk. (2002), ludność celt.; stol. i gł. port Douglas; nizinno-wyżynna, wys. do 620 m; turystyka; uprawa warzyw, drzew owocowych; hodowla owiec, bydła.

Managua, stol. Nikaragui, nad jez. Managua; 1,1 mln mieszk. (2002); gł. ośr. gosp. i kult. kraju; rafineria ropy naft., przemysł cementowy, włók., spoż.; węzeł komunik. przy Drodze Panamer. (port lotn.); uniw.; muzea; miasto zał. 1855 jako stol. państwa na miejscu starego osiedla indiań.; nowocz. budowle użyteczności publ. (rezydencja prezydenta, bank), katedra (XX w.).

Manama, Al-, Al-Manāmah, stol. Bahrajnu, na wyspie Al-Bahrajn, nad Zat. Perską; 148 tys. mieszk. (2002); ośr. przem. (rafineryjny, hutn.) i finansowy; siedziba kilkudziesięciu banków zagr.; międzynar. port lotn., wolnocłowy port handl. (tranzyt do innych krajów zatoki) i rybacki.

Manasarowar, jez. w Chinach, → Mapam Yumco.

Manaslu, Kutang, szczyt w Himalajach, w Nepalu, na pn.-zach. od m. Katmandu; wys. 8163 m; zdobyty 1956 przez jap. wyprawę, 1971 pierwsze wejście zach. ścianą od pn. (wyprawa jap.), 1972 — od pd. (R. Messner); 1984 pierwsze wejście zimowe dokonane przez Polaków (K. Berbeka i R. Gajewski).

Manaus, m. w pn.-zach. Brazylii, nad Amazonką; stol. stanu Amazonas; 1,5 mln mieszk. (2002); port dostępny dla statków mor.; gł. ośr. gosp. i kult. brazyl. Amazonii; rafineria ropy naft., huta żelaza, przemysł spoż., drzewny; węzeł komunik. (port lotn.); uniw.; muzeum; ogród bot. i zool.; miasto zał. 1660 przez Portugalczyków; burzliwy rozwój w okresie gorączki kauczukowej w Amazonii (XIX/XX w.); teatr Amazonas (XIX/XX w.). ∎

Mancha, La [la mạncza], kraina w Hiszpanii, w kotlinie Nowej Kastylii, w dorzeczu Gwadiany; powierzchnia równinna, wys. ok. 700 m; rozwinięte zjawiska krasowe; klimat podzwrotnikowy kontynent. (roczne opady do 350 mm); rzadkie zarośla typu garig i tomillar; słabo zaludniona, ludność skupia się w wielkich wsiach; uprawa zbóż, winorośli, poza tym oliwek, migdałowców, bawełny, ryżu; hodowla owiec. Miejsce urodzenia Don Kichota, bohatera powieści M. de Cervantesa.

Manchester [mạnczystǝʳ], m. w W. Brytanii (Anglia); 394 tys. mieszk. (2002), obszar metropolitalny Wielki Manchester 2,6 mln (1995); drugie po Londynie centrum finansowo-handl.; ośr. informacji komputerowej; wielki browar, przemysł maszyn., farm., elektron. i elektrotechn.; węzeł komunik. — port lotn., port mor. połączony Kanałem Manchesterskim z M. Irlandzkim; ośr. kult. (orkiestra symf., muzea), nauk. (2 uniw., inst. nauk.) i turyst.; zał. w X w. w miejscu dawnej warowni rzym.; od 2. poł. XVIII w. gwałtowny rozwój przem.; w XIX w. największy świat. ośr. włókiennictwa, symbol bryt. kapitalizmu, ośr. liberalizmu i walki o reformy polit.; gotycka katedra, szpital (XV–XVII w.), kościół Św. Anny (XVIII w.); liczne budowle reprezentacyjne z XIX w., ratusz.

Mandżurska, Nizina, Nizina Chin Północno--Wschodnich, Dongbei Pingyuan, Songliao, największa nizina w Chinach, w dorzeczu Sungari i Liao He, nad Zat. Liaotuńską, ograniczona Wielkim Chinganem, Małym Chinganem i G. Wschodniomandżurskimi; na pd. łączy się z Niz. Chińską; pow. 350 tys. km^2; stanowi zapadlisko tektoniczne wypełnione trzeciorzędowymi i plejstoceńskimi osadami, gł. aluwialnymi; wys. 50–200 m. Klimat umiarkowany chłodny kontynent., monsunowy; średnia temp. w styczniu od –8°C na wybrzeżu do –20°C we wnętrzu niziny, minim. do –45°C, w lipcu powyżej 20°C, maks. ponad 35°C; opady gł. w półroczu letnim, od 400 mm na pn. do 700 mm na wsch.; wiosną na pd. częste burze pyłowe; roślinność leśno-stepowa; duże kompleksy gleb czarnoziemnych; na pn.-wsch. bagna. Ważny region gosp.; gł. uprawy: pszenica, sorgo, soja, buraki cukrowe; złoża ropy naft. (zagłębie Daqing), węgla kam. (Fushun, Fuxin), rud żelaza (Anshan); rozwinięty przemysł, zwł. hutnictwo żelaza; gł. m.: Shenyang, Anshan, Changchun, Harbin.

Manila, stol. Filipin, na wyspie Luzon, nad Zat. Manilską (M. Południowochińskie); 1,6 mln mieszk. (1992), zespół miejski 13,5 mln (2002); największy ośr. przem. (ok. 90% produkcji krajowej) i kult. kraju; montownie samochodów, zakłady elektron., włók., cukrownie; banki krajowe i zagr.; siedziba Azjat. Banku Rozwoju; gł. port handl. kraju (przeładunki 31 mln t, 1998); wywóz kopry, cukru, rud metali, nawozów sztucznych, przywóz gł. ropy naft.; międzynar. port lotn.; akad. nauk, 18 uniw., w tym Św. Tomasza (zał. 1611); Międzynar. Inst. Ryżu;

muzea. Miasto zał. 1571 przez M. Lópeza de Legazpi; fragmenty fortyfikacji (XVI w.), kościoły (XVI–XVII, XIX w.), budynki użyteczności publ. (koniec XIX w.), pałac prezydenta.

Manipur, stan w pn.-wsch. Indiach, przy granicy z Birmą; 22,3 tys. km^2; 2,4 mln mieszk. (2002), gł. Mejthejowie; stol. Imphal; górzysty (g. Manipur); lasy (60% pow.) z drzewem tekowym i sandałowym; pozyskanie drewna; uprawa ryżu, kukurydzy; hodowla bawołów, słoni, jedwabników; rzemiosło.

Manitoba [mänytoᵘbǝ], ang. **Lake Manitoba,** franc. **Lac Manitoba,** jez. polodowcowe w Kanadzie, w prowincji Manitoba, na wys. 248 m; pow. 4,7 tys. km^2; głęb. do 28 m; w części pn. silnie rozwinięta linia brzegowa; połączone z jez. Winnipeg i Winnipegosis; obfituje w ryby.

Manitoba [mänytọᵘbǝ], prowincja w Kanadzie, nad Zat. Hudsona; 650 tys. km^2, 1,2 mln mieszk. (2002); stol. Winnipeg (60% ludności prowincji); falista wyżyna; na pn.-wsch. Niz. Hudsońska; liczne jeziora polodowcowe (Winnipeg); gł. rz.: Red, Nelson, Churchill; region uprawy pszenicy; hodowla bydła, trzody chlewnej; leśnictwo; wydobycie rud metali nieżel. (gł. miedź); przemysł spoż., metalurg., środków transportu, chem., hutn.; transkontynent. linie kol.; gł. port Churchill.

Manycz Zachodni, Zapadnyj Manycz, rz. w Rosji, l. dopływ Donu, w zach. części Obniżenia Kumsko-Manyckiego; dł. 219 km, pow. dorzecza 35,4 tys. km^2; wykorzystywana do nawadniania; zasilana wodami rz. Kubań; żegl. 179 km.

∎ Manaus. Teatr Amazonas

mapa [łac.], graficzny obraz powierzchni Ziemi, innego ciała niebieskiego lub nieba, zmniejszony w sposób określony matematycznie (→ odwzorowania kartograficzne, skala), uogólniony (→ kartograficzna generalizacja) i umowny (tj. sporządzony z zastosowaniem umownych znaków). Ze względu na treść rozróżnia się m. ogólnogeograficzne, które dzielą się na topograf. i przeglądowe, oraz m. tematyczne. M a p y o g ó l n o g e o g r a f i c z n e przedstawiają elementy krajobrazu, a więc ukształtowanie terenu i jego pokrycie: wody, szatę roślinną, osiedla, drogi; mapy t o p o g r a f i c z n e (w skalach większych od 1 : 500 000) wykonuje się na podstawie szczegółowych pomiarów terenowych, a ostatnio także obrazów lotn. i satelitarnych; m a p y p r z e g l ą d o w e otrzymuje się przez zmniejszenie i generalizację m. topograficznych. Mapy tematyczne prezentują wybrane zagadnienia fizyczno-geogr. lub społ.-gosp., zwykle na podstawie lub z wykorzystaniem elementów treści m. ogólnogeograficznych (np. m. geologiczne, klimatologiczne, mor., ludnościowe, roln.). Ze względu na przeznaczenie rozróżnia się m.in. m. szkolne, nawigacyjne, wojsk., turyst., nauk., a ze względu na formę użytkowania m. ścienne, podręczne, ekranowe itp. Szczególną m. jest mapa sporządzona na → globusie, przedstawiająca wierny geometrycznie obraz całej powierzchni Ziemi. Usytuowanie rysunku m. w stosunku do stron świata nosi nazwę o r i e n t a c j i m.; w średniowieczu stosowano orientację wsch. (górna część m. oznaczała kierunek wsch.); z czasem utrwaliła się w kartografii orientacja pn. (górna część m. jest kierunkiem pn.).

mapa morska, przedstawiona na płaszczyźnie w odpowiedniej skali część powierzchni kuli ziemskiej zawierająca morza, oceany lub ich fragmenty wraz z wybrzeżami. M.m. zależnie od swego przeznaczenia, oprócz siatek współrz. i zarysu brzegów, zawierają wiele informacji potrzebnych nawigatorowi (np. o głębokościach, rodzaju dna, położeniu latarń mor. i rodzaju ich świateł, przeszkodach nawigacyjnych itp.). Każde państwo mor. wydaje m.m. swoich przybrzeżnych akwenów oraz wód najczęściej uczęszczanych przez jego statki. M.m. całego świata, powszechnie wykorzystywane na statkach wszystkich bander, wydaje Admiralicja Brytyjska. M.m. można podzielić na i n f o r m a c y j n e: wiatrów, prądów mor., zalodzenia, zasolenia, magnet., rybackie, szlaków oceanicznych, i n a w i g a c y j n e, które w zależności od skali dzieli się na: generalne (1 : 25 000 000 do 1 : 500 000), drogowe (1 : 500 000 do 1 : 200 000), brzegowe (1 : 200 000 do 1 : 75 000) i plany (1 : 50 000 do 1 : 1000). Mapy różnych skal mogą mieć naniesione dodatkowo siatki linii pozycyjnych hiperbolicznych systemów nawigacyjnych.

M.m. nawigacyjne są na ogół sporządzane w → odwzorowaniu Merkatora, w związku z czym cechuje je wierność odwzorowania kątów (kierunków), co ułatwia żeglugę wg wskazań kompasu magnet. czy girokompasu; zmienna skala odległości jest równoznaczna z kątową skalą szerokości geogr. zamieszczoną na lewej i prawej ramce mapy (jednej minucie kątowej odpowiada odległość 1 mili mor. — 1852 m). Niektóre m.m. nawigacyjne (np. plany, mapy okolic podbiegunowych) są sporządzane w rzucie gnomonicznym. M.m. nawigacyjne muszą być stale aktualizowane.

Mapam Yumco, tybet. **Co-mawang,** dawniej **Manasarowar,** jez. w Chinach, na Wyż. Tybetańskiej, między masywami górskimi Kajlas i Namnani Feng, na wys. 4602 m; pow. ok. 520 km^2, głęb. ok. 80 m; podziemny odpływ do jez. Rakas, z którego wypływa rz. Satledź; wg wierzeń Tybetańczyków i Indusów święte jezioro; nad Mapam Yumco znajdują się liczne klasztory.

Maputo, do 1975 **Lourenço Marques,** 1975–76 **Kan Fumo,** stol. Mozambiku, nad O. Indyjskim; 1,1 mln mieszk. (2002), zespół miejski 1,6 mln; największy ośr. przem. (spoż., metal., cementowy,

drzewny, chem. i in.), handl. i nauk.-kult. (uniw.) kraju; ważny port handl. (tranzyt z RPA i Suazi); międzynar. port lotn.; uzdrowisko, kąpielisko; zał. w końcu XVIII w. osada portugalska.

Maracaibo [~kąiwo], wysłodzone jez. lagunowe w pn.-zach. Wenezueli, w zapadlisku śródgórskim; połączone szeroką (do 13 km) i płytką (głęb. 2–4 m) cieśniną z Zat. Wenezuelską (M. Karaibskie); pow. 16,3 tys. km^2, głęb. do 250 m; na wybrzeżu i z dna jeziora wydobywa się ropę naft.; żegluga; nad cieśniną most dł. 8,7 km, szer. 17,4 m.

Marañón [~njǫn], rz. w Peru, jedna ze źródłowych → Amazonki.

mareograf [łac.-gr.], przyrząd rejestrujący samoczynnie zmiany poziomu morza. Najczęściej stosuje się m. p ł y w a k o w e; ruch pływaka zostaje przeniesiony na mechanizm rejestrujący, za którego pośrednictwem wahania poziomu morza zostają zapisane (mareogram) w postaci linii ciągłej na papierze umieszczonym na obracającym się ze stałą szybkością bębnie; zmiany położenia pływaka mogą być też przetwarzane na sygnały elektr., a następnie rejestrowane. Stosuje się też m. g ł ę b i n o w e, których działanie jest oparte na zjawisku zmian ciśnienia hydrostatycznego pod wpływem zmian poziomu wody.

Margherita [~gerįta], najwyższy szczyt masywu Ruwenzori, na granicy Ugandy i Zairu; wys. 5109 m.

margiel [niem. < łac.], skała osadowa składająca się gł. z węglanów i minerałów ilastych; może zawierać kwarc, glaukonit, bituminy i in.; przy zawartości ponad 50% węglanu wapnia ($CaCO_3$) przechodzi w wapień marglisty, przy przewadze minerałów ilastych — w iły margliste; barwa biała, szara lub brun.; powstaje w środowisku mor. i jeziornym (m. jeziorne, m. łąkowe); rozpowszechniony zwł. w osadach mezozoicznych, np. kredowych; w Polsce występuje m.in. na Wyż. Lubelskiej; stosowany do wyrobu cementu, także jako nawóz mineralny.

Margonin, m. w woj. wielkopol. (powiat chodzieski), nad Jez. Margonińskim; 2,9 tys. mieszk. (2000); ośr. usługowy regionu turyst.; drobny przemysł; w pobliżu stadnina koni; prawa miejskie od ok. 1402; barok. kościół (XVII, XVIII w.), zabytkowe domy (XVIII/XIX w.).

Mariany, Północne, Northern Mariana Islands, terytorium stowarzyszone z USA, w Oceanii; 457 km^2; obejmuje archipelag Mariany bez wyspy Guam (łącznie 16 wysp, zamieszkanych 6); 78 tys. mieszk. (2002); stol. Capitol Hill na wyspie Saipan; uprawy: palma kokosowa, drzewo chlebowe, pomidory, melony; połów tuńczyka; turystyka; ob. status od 1986; do 1990 w obrębie Powierniczych Wysp Pacyfiku.

Mariański, Rów, Mariana Trench, rów oceaniczny w zach. części dna O. Spokojnego, uznawany za najgłębszy w oceanie świat.; ciągnie się łukiem w zach. części Basenu Wschodniomariańskiego, na wsch. i pd. od Marianów; dł. 2550 km, średnia szer. 70 km, głęb. do 11 022 m (w głębi Witiaź) lub 11 034 m (w głębi Challenger), przy dokładności pomiarów echosondą ±50 m. W 1960 J. Piccard i D. Walsch opuścili się w R.M. batyskafem na głęb. 11 515 m (wg ich pomiarów).

Marica, tur. **Meriç,** nowogr. **Ewros,** staroż. **Hebros,** rz. w Bułgarii, Turcji i Grecji; dł. 525 km, pow. dorzecza 53,8 tys. km^2; źródła w górach Riła; płynie przez Niz. Tracką; uchodzi do M. Egejskiego tworząc deltę; gł. dopływy: Tundża, Ergene (l.), Arda (pr.); wykorzystywana do nawadniania; żegl. od m. Edirne; gł. m. nad M. — Płowdiw.

Marki, m. w woj. mazow. (powiat wołomiński), nad Długą (uchodzi do Kanału Żerańskiego); 17,7 tys. mieszk. (2000); ośr. przem.-usługowy oraz mieszkaniowy dla pracujących w Warszawie; przemysł: elektromaszyn., chem., materiałów bud., drzewny; zakłady poligraficzne, wytwórnie odzieży, palarnia kawy Tchibo; wieś zał. w końcu XVI w.; prawa miejskie od 1967.

Marmara, Marmara Denizi, część M. Śródziemnego, morze między Płw. Bałkańskim a półwyspem Azji Mniejszej; należy do cieśn. tureckich; cieśn. Bosfor łączy je z M. Czarnym, cieśn. Dardanele — z M. Egejskim; pow. 10,9 tys. km^2, średnia głęb. 324 m, maks. — 1389 m; temperatura wód powierzchniowych od 7–9°C w zimie do 27°C w lecie, zasolenie — od 23‰ u wejścia do Bosforu do 38,5‰ w Dardanelach; największa wyspa — M.; rybołówstwo; przez M. przechodzi jedyna droga mor. z M. Czarnego; gł. port — Stambuł.

marmit [franc.] → garnek podlodowcowy.

Marmolada, najwyższy szczyt Dolomitów, we Włoszech; wys. 3342 m; w grupie górskiej Marmolada największy lodowiec Pd. Alp Wapiennych (o pow. 3,5 km^2).

marmur [łac. < gr.], skała metamorficzna składająca się gł. z ziaren kalcytu (rzadziej dolomitu); może zawierać piroksen, granat, plagioklaz, kwarc i in.; barwa biała, szara, różowa, zielonkawa, czarna — zależy od rodzaju i ilości domieszek. Powstaje przez przeobrażenie wapieni. W największych ilościach występuje we Włoszech (Carrara), Grecji (Pentelikon, wyspa Paros), Kanadzie, Rosji, USA, pn. Afryce; w Polsce znajduje się na Dolnym Śląsku, np. w okolicach Kłodzka i Głuchołazów (m.in. złoże w Sławniowicach eksploatowane od ok. 600 lat). Potocznie m. nazywa się też zbite, skrytokrystal. wapienie dające się polerować, np. m. kieleckie i chęcińskie występujące w G. Świętokrzyskich (Bolechowice, Szewce, G. Zelejowa i in.). M. i podobne do nich wapienie stanowią materiał bud., dekor., rzeźb., są także surowcami przemysłu chem., szklarskiego i in.

Marna, Marne, rz. we Francji, pr. dopływ Sekwany; dł. 525 km, pow. dorzecza 12,7 tys. km^2; źródła na wyż. Langres; przecina Szampanię, opływa Île-de-France; uchodzi do Sekwany w pobliżu Paryża; gł. dopływy: Saulx, Ourcq (pr.), Grand Morin (l.); żegl. od m. Saint-Dizier; równolegle do M. od Épernay do Vitry-le-François biegnie kanał boczny łączący się z kanałami Marna–Saona i Marna–Ren; gł. m. nad M. — Châlons-en-Champagne.

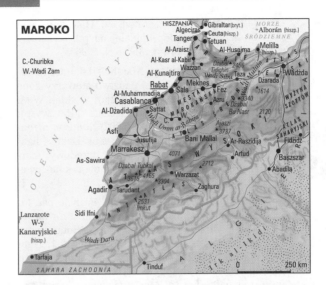

■ Maroko. Atlas Średni, okolice zapory Bin al-Wadżda

Maroko, Al-Maghrib, Królestwo Maroka, państwo w Afryce Pn., nad O. Atlantyckim i M. Śródziemnym; 446,6 tys. km^2; 30 mln mieszk. (2002), Arabowie oraz Berberowie; religia państw. islam; stol. Rabat, inne m.: Casablanca (gł. port mor.), Marrakesz, Fez, Meknes; język urzędowy arab.; monarchia konstytucyjna. Na pn.-zach. Meseta Marokańska otoczona od pd. i wsch. góry Atlas (Dżabal Tubkal, 4165 m); pd.--wsch. część na Saharze; niziny na wybrzeżu atlantyckim; klimat podzwrotnikowy, na wybrzeżach mor., w głębi kraju suchy i skrajnie suchy (odmiana górska); stepy, półpustynie, na pn. makia; w górach resztki lasów. Kraj roln., z rozwijającym się przemysłem; uprawa zbóż, buraków i trzciny cukrowej, oliwek, w oazach — palmy daktylowej; gł. rośliny eksportowe: owoce cytrusowe (zwł. pomarańcze), pomidory, winorośl; hodowla owiec, bydła, kóz; połowy sardynek, makreli, tuńczyka; wydobycie fosforytów oraz rud ołowiu, manganu, żelaza; przemysł chem. (nawozy fosforowe), cementowy, rybny, olejarski, włók., skórz., montaż samochodów osobowych i wagonów kol.; rozwinięta turystyka. ■

■ Maroko

Marrakesz, Marrākush, franc. **Marrakech,** m. w środk. Maroku, u podnóża Atlasu Wysokiego; 746 tys. mieszk. (2002); ośr. handlu, rzemiosła (dywany, wyroby z safianu i skóry) i turystyki; przemysł spoż., włók.; uniw.; muzea; węzeł komunik. (port lotn.); zał. 1062 przez Almorawidów; zabytkowe mury miejskie z bramami, cytadela, meczety (XII, XVI w.), madrasa (XIV w.), pałace (XVI, XIX w.), założenia ogrodowe Agdal i Manara.

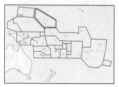

■ Wyspy Marshalla

Marroquí [~roki], przyl. w Hiszpanii, nad Cieśn. Gibraltarską, najdalej na pd. wysunięty punkt lądowy Europy; 35°58′N, 5°36′W.

Marshalla, Wyspy, Marshall Islands, Republika Wysp Marshalla, państwo stowarzyszone z USA, w Oceanii (Mikronezja); w skład W.M. wchodzą 2 grupy atoli (łącznie 1150 wysp); 181 km², 71 tys. mieszk. (2002), ludność rdzenna, gł. katolicy i protestanci; stol. Dalap-Uliga-Darrit w atolu Majuro; język urzędowy: marshall i ang.; republika. Eksport oleju kokosowego, kopry, konserw rybnych, korali.   ■

Marsylia, Marseille, m. w pd. Francji, nad M. Śródziemnym; ośr. adm. regionu Prowansja-Alpy-Wybrzeże Lazurowe i dep. Bouches-du-Rhône; 815 tys. mieszk., zespół miejski 1,5 mln mieszk. (2002); największy port mor. Francji (przeładunki gł. ropy naft.) z wielkimi terminalami naft. (Fos-sur-Mer), gazowymi i rudowymi; rurociągi do Lyonu, Strasburga, Karlsruhe (Niemcy); rafineria ropy naft., huta żelaza, stocznia; duży port pasażerski (linie promowe do Genui, Tunisu, Algieru, Casablanki), port rybacki, międzynar. port lotn.; targi międzynar.; 3 uniw. (najstarszy zał. 1409); liczne muzea. Założona ok. 600 p.n.e. kolonia gr. Massalia. Kościoły m.in.: rom.-got. St Victor (XI–XIV w.), dawna katedra rom. La Major (XII, XIX w.), kaplica la Vieille-Charité; ratusz (XVII w.); nowocz. blok mieszkalny Unité d'Habitation (poł. XX w.) projektu Le Corbusiere'a.

Martwa Wisła, dolny bieg dawnej Leniwki, l. ujściowego ramienia Wisły; dł. 27 km, pow. dorzecza 1735 km²; rozpoczyna się w Przegalinie, gdzie jest oddzielona śluzą od Przekopu Wisły; uchodzi do Zat. Gdańskiej 2 korytami: Wisłą Śmiałą, oddzielającą się w Górkach Wsch., i korytem M.W., uchodzącej w centrum Gdańska; M.W. jest obecnie kanałem żeglugowym, a odcinek od śluzy w Płoni Małej — kanałem portowym Gdańska; maks. rozpiętość wahań stanów wody 3,7 m; gł. dopływ — Motława (l.) z Radunią.

martwa woda, obszar wodny, na którym powstają fale wewn. hamujące ruch obiektów pływających (statków, żaglowców); zjawisko powstawania fal wewn. występuje wówczas, gdy cienka, powierzchniowa warstwa wody zalega nad warstwą o większej gęstości; w tych warunkach energia poruszającego się obiektu wprawia w ruch falowy wodę znajdującą się na granicy warstw, powodując ruch orbitalny cząstek wody w obydwu warstwach, o kierunku przeciwnym do poruszającego się obiektu pływającego.

Martwe, Morze, arab. **Al-Baḥr al-Mayyit,** hebr. **Yam ha-Melaḥ,** bezodpływowe jez. w pd.-zach. Azji, w Izraelu i Jordanii, w tektonicznym Rowie Jordanu; dł. 76 km, szer. do 16 km, pow. ok. 1000 km², powierzchnia wody 405 m p.p.m. — najgłębsza depresja na Ziemi, głęb. do 399 m (ok. 800 m poniżej poziomu M. Śródziemnego); brzegi górzyste i pustynne; b. duże zasolenie — ok. 26% (gł. chlorki magnezu i sodu); do M.M. uchodzi rz. Jordan; wydobycie soli, gł. kam. i potasowej. Na zach. wybrzeżu M.M. liczne uzdrowiska, m.in. Enot Zuqim, Hamme Mazor, Hamme Zohar.

Marusza, rum. **Mureş(ul),** węg. **Maros,** rz. w Rumunii i na Węgrzech (odcinek ujściowy), najdłuższy (l.) dopływ Cisy; dł. 883 km, pow. dorzecza ok. 30 tys. km²; źródła w Karpatach Wsch.; w górnym biegu płynie w głębokiej i szerokiej dolinie przez Wyż. Transylwańską, w środk. — w obniżeniu między G. Zachodniorumuńskimi a Karpatami Pd.; gł. dopływy: Wielka Tyrnawa z Małą Tyrnawą (l.); żegl. w dolnym biegu; gł. m. nad M.: Tîrgu Mureş, Alba Iulia, Deva, Arad, przy ujściu — Segedyn.

Maryland [męəryland], stan w USA, nad zat. Chesapeake; 27,1 tys. km², 5,4 mln mieszk. (2002); stol. Annapolis, gł. m. i port Baltimore; niziny na wsch., na zach. Appalachy; silnie zurbanizowany i uprzemysłowiony (gł. hutnictwo żelaza, przemysły: lotn., chem., elektron., odzież.); intensywne warzywnictwo, sadownictwo, uprawa tytoniu, soi; hodowla drobiu, bydła; połów ostryg, skorupiaków; turystyka.

marzłość, wieczna → zmarzlina wieloletnia.

Maseru, stol. Lesotho, w zach. części kraju, w pobliżu granicy z RPA; 169 tys. mieszk. (2002); jedyne miasto kraju, ośr. handl. i turyst.; przemysł spoż. (gł. mleczarski), produkcja spadochronów; międzynar. port lotn.; uniw.; miasto zał. 1869.

Maskat, Masqaṭ, stol. Omanu, w pn.-wsch. części kraju, nad Zat. Omańską; zespół miejski 228 tys. mieszk. (2002); ośr. handlu i rzemiosła (wyrób broni, złotnictwo); przemysł spoż., nawozów sztucznych, cementowy; uniw.; w pobliżu port handl. Matrah i rafineria ropy naftowej.

Massachusetts [mäsəczu:syts], stan w USA, nad O. Atlantyckim; 21,5 tys. km², 6,4 mln mieszk. (2002); gł. m.: Boston (stol., port), Springfield, Worcester; nizinno-wyżynny, na zach. Appalachy; jeden z najgęściej zaludnionych i uprzemysłowionych stanów; przemysł elektron., maszyn.,chem., stoczn., włók.; intensywne warzywnictwo, sadownictwo, uprawa tytoniu; hodowla bydła; połów małży, homarów; turystyka.

Maszewo, m. w woj. zachodniopomor. (powiat goleniowski), nad Stepnicą (uchodzi do Zalewu Szczec.); 3,0 tys. mieszk. (2000); ośr. usługowy; drobne przetwórstwo rolno-spoż.; węzeł drogowy; prawa miejskie od 1278; fragmenty murów miejskich (XIII–XIV w.), kościół (XIV/XV w., przebud.).

Mato Grosso, Chapada de (Planalto do) Mato Grosso, płaskowyż w Brazylii, w środk. części Wyż. Brazylijskiej; wys. 600–700 m, maks. — 893 m (Serra Azul); opada wysokimi stopniami na pd.-zach., ku zabagnionej dolinie Paragwaju; rozcięty dolinami rzek na stoliwa, zw. chapada; na skraju miejscami silnie rozczłonkowane pasma górskie, tzw. serras (m.in. Serra dos Parecis, Serra do Roncador, Serra de São Jeronimo); stanowi dział wodny między dorzeczami Amazonki i Parany; suche lasy kolczaste i sawanny, wzdłuż rzek — lasy galeriowe; wypas bydła; wydobycie diamentów.

Mátra [mą:tro], góry wulk. na Węgrzech, w Średniogórzu Północnowęgierskim; wys. do 1015 m (Kékes — najwyższy szczyt kraju); zbud.

z zastygłej lawy andezytowej (wylewy nastąpiły w miocenie), na obrzeżu występują także tufy i zlepieńce andezytowe; rumowiska skalne; pd. stoki rozcięte głębokimi dolinami, opadają łagodnie ku Wielkiej Niz. Węgierskiej; liczne źródła miner.; na pn. stokach i na najwyższych grzbietach rosną lasy bukowe, na pd. i w niższych piętrach — lasy dębowe i dębowo-grabowe; u pd. podnóża (pas pagórków Mátraalja) winnice i sady.

Matterhorn, franc. **Cervin,** wł. **Cervino,** szczyt w Alpach Penniñskich, na granicy szwajc.-wł.; wys. 4478 m; ma kształt piramidy wznoszącej się na ok. 1000 m ponad lodowcami; trudno dostępny; kolejka linowa z Zermatt do wys. 2583 m (Schwarzsee Hôt); zdobyty 1865 (E. Whymper); pierwsze wejście zimowe od strony pn. 1965 (W. Bonatti). ∎

∎ Matterhorn

Maui, wyspa USA, na O. Spokojnym, → Hawaje.

Mauna Kea [m. kęja:], wygasły wulkan i najwyższy szczyt Hawajów (USA), na wyspie Hawaii; wys. 4205 m (z częścią podwodną10 200 m); zbud. z law oliwinowo-bazaltowych i andezytowych; wierzchołek przez większą część roku pokryty śniegiem; w dolnym piętrze plantacje ananasów, bananów, kawy; ostatni zanotowany wybuch ok. 800 r.; na szczycie obserwatorium astr. Mauna Kea Observatory z olbrzymim teleskopem zwierciadłowym.

Mauna Loa [m. lǫua:], czynny wulkan na wyspie Hawaii, w archipelagu Hawajów (USA); wys. 4169 m (z częścią podwodną 9000 m); typu tarczowego, zbud. z law oliwinowo-bazaltowych; szczytowy krater Mokuaweoweo ma obwód ok. 8 km; średnica u podstawy 150 km; największy zanotowany wybuch 1881; na stoku stacja klim. (od 1958 prowadzi pomiary zawartości tlenku węgla w powietrzu); stanowi część Parku Nar. Wulkany Hawaii.

Mauretania, arab. **Muritāniyyā,** franc. **Mauritanie, Mauretańska Republika Islamska,** państwo w Afryce Pn., nad O. Atlantyckim; 1025,5 tys. km^2; 2,6 mln mieszk. (2002), Arabowie, Berberowie, na pd. ludy murzyńskie; religia państw. islam; stol. i gł. port mor. Nawakszut; język urzędowy arab.; republika muzułmańska. Powierzchnia nizinno-wyżynna (do 732 m), większa część w obrębie Sahary; klimat zwrotnikowy skrajnie suchy (długotrwałe susze); rzeki okresowe, jedyna stała — Senegal (graniczna); pustynie (kamieniste, piaszczyste), półpustynie, na pd. sawanny. Kraj słabo rozwinięty; podstawą gospodarki wpływy z dzierżawy łowisk; połowy sardynek, tuńczyka; przetwórstwo ryb; wydobycie rud żelaza; koczownicze pasterstwo wielbłądów, bydła, owiec, kóz; w oazach uprawa prosa, sorga, roślin strączkowych, palmy daktylowej.∎

Mauritius, państwo afryk. w archipelagu Maskarenów, na O. Indyjskim; 2 tys. km^2; 1,2 mln mieszk. (2002), Indusi i Afrykanie; stol. i gł. port mor. Port Louis; język urzędowy ang.; republika. Wyspy wyżynne (największe Mauritius i Rodrigues); klimat równikowy wybitnie wilgotny; cyklony tropikalne. Podstawą gospodarki — uprawa trzciny cukrowej i produkcja cukru (na eksport); hodowla bydła, owiec; rybołówstwo; przemysł wełn., odzież., rybny; szlifiernie diamentów; turystyka. ∎

Mazar-i Szarif, **Mazārı Šarif,** m. w pn. Afganistanie, na równinie Baktrii; ośr. adm. prow. Balch; 240 tys. mieszk. (2002); przemysł nawozów sztucznych, włók., garbarski; ośr. handlu skórami karakułowymi, bawełną; święte miasto szyitów; muzeum; zespół budowli (XV w.) wzniesionych nad domniemanym grobem kalifa Alego.

mazowieckie, województwo, woj. w środkowo-wsch. Polsce; największe w kraju pod względem powierzchni i ludności: 35 597 km^2, 5,1 mln mieszk. (2000), stol. — Warszawa, in. większe m.: Radom, Siedlce, Ostrołęka, Płock, Pruszków, Legionowo, Ciechanów; dzieli się na 5 powiatów grodzkich, 37 powiatów ziemskich i 315 gmin. Krajobraz mało urozmaicony; przeważają staroglacjalne bezjeziorne wysoczyzny, równiny denudacyjne i zasypania rzeczno-lodowcowego środk. i wsch. części Nizin Środkowopol., rozcięte szerokimi dolinami rzek, gł. Wisły (tarasy, miejscami z wydmami i bagnami — Puszcza Kampinoska); jedynie na zach. fragment młodoglacjalnych Pojezierzy Południowobałtyckich (część Kotliny Płockiej i Pojezierza Dobrzyńskiego), a na pd. — Wyż. Małopolskiej (część Przedgórza Iłżeckiego i Garbu Gielniowskiego, wys. do 325 m). Gęsta sieć rzeczna, gł. rz. — Wisła, z dopływami (Narew z Bugiem, Pilica, Bzura, Wkra); nieliczne jeziora polodowcowe, gł. w okolicy Gostynina, zbiorniki retencyjne. Lasy zajmują 22,0% pow. (puszcze Kampinoska, Pilicka, Kozienicka, Biała, Kurpiowska); Kampinoski Park Nar., 8 parków krajobrazowych. Gęstość zaludnienia — 142 mieszk. na km^2, w miastach 64,3% ludności (2000). Województwo przem.-roln.; największe w kraju inwestycje zagr., zwł. w Warszawie i okolicach; rozwinięty różnorodny przemysł, gł. elektrotechn., elektron., środków transportu, maszyn., metal., pre-

∎ Mauretania

∎ Mauritius

cyzyjny, chem. (farm., petrochem., tworzyw sztucznych), ponadto skórzano-obuwn., włók., odzież., materiałów bud., spoż., drzewno-papierniczy; duża elektrownia Kozienice, mniejsze w Warszawie (Żerań, Kawęczyn); rozwinięte usługi, zarówno rynkowe (pośrednictwo finans., handel), jak i nierynkowe (administracja państw., edukacja, ochrona zdrowia). Użytki rolne zajmują 67,3% pow.; uprawia się zboża (żyto, pszenica) i ziemniaki; hoduje się bydło mleczne, trzodę chlewną, drób; rowinięte warzywnictwo i sadownictwo (Grójec, Warka). Gęsta sieć komunik., gł. wokół węzła warsz.; żegluga na Wiśle i Kanale Żerańskim; krajowy i międzynar. port lotn. w Warszawie; jedyne w Polsce metro (w Warszawie); rurociąg „Przyjaźń" (z odnogą do płoc. rafinerii). Rozwinięta turystyka weekendowa i budownictwo letniskowe; najliczniej jest odwiedzana, także przez turystów zagr., Warszawa, ponadto Płock, Pułtusk, Żelazowa Wola, uzdrowisko — Konstancin-Jeziorna.

■ McKinley

Mazurska, Równina, pd. część Pojezierza Mazurskiego, obejmująca pn. część wielkiej równiny sandrowej, zbud. z piasków glacjofluwialnych; R.M. od stanowiącej jej przedłużenie Równiny Kurpiowskiej różni się występowaniem jezior; największe: Roś, Nidzkie; szlakiem dawnego odpływu wód z topniejącego lodowca kierują się na pd. do Narwi rz.: Omulew, Szkwa, Rozoga i Pisa; na znacznej części R.M. rosną lasy, wsch. część tych lasów nosi nazwę Puszczy Piskiej, a zach. jest częścią Puszczy Nidzickiej; region atrakcyjny turystycznie; największe ośr. miejskie: Szczytno, Pisz, Ruciane-Nida.

Mazurskie, Pojezierze, zach. część Pojezierzy Wschodniobałtyckich, między doliną Pasłęki na zach. i Rospudy na wsch.; obejmuje moreny czołowe 3 faz ostatniego zlodowacenia, które tworzą zarys odrębnego płata (lobu) lodowca; płat ten pod koniec zlodowacenia składał się z 2 członów: mniejszego lobu Łyny na zach. i większego, właściwego lobu mazurskiego. Rzeźba silnie pagórkowata (maks. wys. 309 m — Szeska Góra). Przez P.M. przebiega w kierunku z pd.--zach. na pn.-wsch. dział wód Pregoły i Narwi: do Pregoły płyną Łyna z Gubrem i Węgorapa, do Narwi — Omulew, Rozoga, Szkwa, Pisa oraz Biebrza z Ełkiem i Rospudą. Rzeki są zasilane gł. przez jeziora, które zajmują ok. 7% pow., a w Krainie Wielkich Jezior Mazurskich nawet ok. 20%; tu też znajdują się największe jeziora pol.: Śniardwy i Mamry. Klimat P.M. cechują stosun-

■ Pojezierze Mazurskie. Widok na jezioro Tałty

kowo długie i mroźne zimy oraz krótki okres wegetacyjny (180–190 dni); lesistość duża, obok sosny występuje świerk; dosyć liczne są torfowiska z reliktami roślinności tundrowej; region turyst.-wypoczynkowy; gł. m.: Olsztyn, Giżycko, Ełk, Szczytno, Pisz; w pd. części Krainy Wielkich Jez. Mazurskich utworzono Mazurski Park Krajobrazowy. P.M. składa się z mniejszych jednostek fizycznogeogr. (mezoregionów), są to: Pojezierze Olsztyńskie, Pojezierze Mrągowskie, Kraina Wielkich Jezior Mazurskich, Kraina Węgorapy, Wzgórza Szeskie, Pojezierze Ełckie i Równina Mazurska.   ■

Mbabane, stol. Suazi, w zach. części kraju; 78 tys. mieszk. (2002); gł. ośr. handl. kraju; rzemiosło; przemysł spoż., włók., drzewny; linie kol. do Mozambiku i RPA.

McKinley [məkynly], **Mount McKinley,** najwyższy szczyt Ameryki Pn., w górach Alaska (USA, stan Alaska); od 1917 stanowi część Parku Nar. Denali (pow. ok. 785 tys. ha); wys. 6194 m; wieczne śniegi, lodowce (największy Kichatna); zdobyty 1913; pierwsze wejście pol. 1972 (M. Głogoczowski); 1974 i 1985 — pol. wyprawy alpinistyczne.   ■

meander [łac. < gr.], **zakole,** zakręt koryta rzecznego w kształcie pętli; tworzy się wskutek erozji bocznej, najczęściej w dolnym i środkowym biegu rzeki, gdzie ma ona mały spadek i płynie powoli, często po własnych osadach;

■ Meandry Neru w Kotlinie Kolskiej

w miarę rozwoju m. przesuwają się stopniowo w dół rzeki, co jest gł. przyczyną poszerzania się doliny rzecznej; niekiedy pętlicowo wygięte m. zostają odcięte od biegu rzeki (np. podczas wysokiego stanu wód) tworząc → starorzecza; nazwa m. pochodzi od rz. Meander (ob. Menderes) w Azji Mniejszej, płynącej licznymi zakolami. ■

Mecsek [meczek], góry na Węgrzech, między Dunajem a Drawą; wys. 400–600 m, maks. 682 m (szczyt Zengő); zbud. z piaskowców, łupków i wapieni; stromo opadają ku pd., w stronę równiny Peczu; charakterystyczne szerokie płaskie grzbiety oraz wapienne stoliwa; na pn. stokach lasy mieszane, na pd. — winnice i sady; źródła miner.; wydobycie węgla kam. i rud uranu.

Mediolan, Milano, m. w pn. Włoszech, na pn. skraju Niz. Padańskiej; stol. regionu autonom. Lombardia i ośr. adm. prow. Mediolan; 1,3 mln mieszk., zespół miejski 4,0 mln (2002); największy ośr. przem. kraju; przemysł lotn., taboru kol.,

■ Mediolan. Katedra

środków transportu (motocykle), chem., jedwabn., hutn., rafineryjny; siedziba wielkich banków, firm ubezpieczeniowych i wydawniczych; gł. węzeł kol. i drogowy Włoch, 2 międzynar. porty lotn.; 3 uniw.; Biblioteka Ambrosiana; słynny teatr operowy La Scala (otwarty 1778), konserwatorium im. G. Verdiego; muzea, w tym Leonarda da Vinci, galerie malarstwa (Pinakoteka Ambrosiana, zał. 1618). Założony w IV w. p.n.e., rzym. Mediolanum; gotycka katedra (XIV, XV, XIXw.); kościoły, rom. S. Ambrogio (IX, XI–XII w.), S. Lorenzo (VI, XII, XVI w.), renes. S. Maria delle Grazie (w przyległym klasztorze słynny fresk *Ostatnia Wieczerza* Leonarda da Vinci), zamek Sforzów (XV w.). ■

Medyna, Al-Madnah, m. w zach. Arabii Saudyjskiej, w krainie Al-Hidżaz, w oazie; 819 tys. mieszk. (2002); jeden z gł. ośr. kultu rel. muzułmanów, cel pielgrzymek do grobu Mahometa; rzemiosło; szkoły muzułm., w tym uniw.; połączenie drogowe z Mekką, Ar-Rijadem, Amma-

nem; port lotn.; przedmuzułm. m. Jasrib; 622 była miejscem schronienia Mahometa po opuszczeniu Mekki (hidżra); mury miejskie (VII w.), meczet Al-Haram an-Nabawi (VII, VIII, XIX w., wg tradycji wzniesiony na miejscu domu Mahometa) z grobami Mahometa, jego córki Fatimy oraz pierwszych kalifów.

Megalopolis [megəlopəlys], strefa koncentracji ludności miejskiej w pn.-wsch. części USA, nad O. Atlantyckim, rozciągająca się na długości kilkuset km od Bostonu do Waszyngtonu; jeden z największych zurbanizowanych regionów świata, skupiający ok. 50 mln mieszk.; obejmuje m.in. zespoły miejskie Nowego Jorku, Filadelfii, Waszyngtonu, Bostonu i Baltimore.

Megalopolis Nippon, strefa koncentracji ludności miejskiej w Japonii — jeden z najbardziej zurbanizowanych i uprzemysłowionych regionów świata; rozciąga się na dł. ok. 1000 km, wzdłuż pd. wybrzeży wyspy Honsiu, od niz. Kantô do pn. wybrzeży wyspy Kiusiu (tzw. pas przemysłowy); zajmuje obszar o pow. ok. 41 tys. km² (11% terytorium państwa) i skupia ok. 70 mln mieszk. (60% ogółu ludności); obejmuje największe aglomeracje miejskie (9 miast powyżej 1 mln mieszk.) i okręgi przem. Japonii (Keihin, Hanshin, Chūkyô, Kitakiusiu), połączone nowocz. systemem komunik. (m.in. system → Shinkansen); w N.M. jest zatrudnionych w przemyśle ponad 65% ludności zawodowo czynnej zatrudnionej w całym przemyśle jap. i wytwarza się ok. 75% krajowej wartości produkcji przemysłowej.

Meghalaja, hindi **Meghālaya,** ang. **Meghalaya,** stan w pn.-wsch. Indiach, przy granicy z Bangladeszem; 22,4 tys. km², 2,4 mln mieszk. (2002); ludy Khasi i Garo; stol. Śilong; górzysty (g. Khasi); klimat zwrotnikowy monsunowy; w miejscowości Ćerapundźi największa na Ziemi średnia roczna suma opadów (ponad 11 tys. mm); lasy monsunowe; uprawa ryżu, trzciny cukrowej, juty i herbaty; pozyskiwanie drewna; rzemiosło.

Mekka, Makkah, m. w zach. Arabii Saudyjskiej, w krainie Al-Hidżaz, w oazie; 1,5 mln mieszk. (2002); gł. w świecie ośr. kultu rel. muzułmanów — ponad 5 mln pielgrzymów rocznie odwiedza miejsce urodzenia Mahometa; duży ośr. handlu i rzemiosła; muzułm. akad. teol., biblioteki i szkoły muzułm., siedziba Ligi Świata Muzułmańskiego; połączenie autostradą z Dżuddą (port pasażerski i lotn. obsługujący pielgrzymów), Ar

■ Mekka. Widok ogólny

■ Meksyk

-Rijadem, Medyną; warowna twierdza, meczet Al-Masdżid al-Haram (VII, XVI w.) z rozległym dziedzińcem otoczonym galeriami z kolumnami (7 minaretów), pośrodku którego znajduje się Al--Kaba.   ■

Meklemburskie, Pojezierze, Mecklenburgische Seenplatte, część Pojezierzy Południowobałtyckich w Niemczech, między dolną Odrą a Łabą; 2 ciągi moren czołowych ostatniego zlodowacenia; wys. do 178 m (Helpter Berge); ok. 800 jezior, największe Müritz i Schwerin, najgłębsze — Schaal (do 71,5 m); liczne rzeki: dopływy Łaby (Hawela, Elde) i przymorza bałtyckiego (Warnow, Recknitz, Piana, Uecker); lasy bukowe, w zagłębieniach terenu olsy i roślinność bagienna; region turyst.-wypoczynkowy.

Mekong, chiń. **Lancang Jiang,** tybet. **Dza-cz'u,** khmerskie **Meôngk,** laotańskie i tajskie **Mae Nam Khong,** wietn. **Mê Công, Cu'u Long,** najdłuższa rz. na Płw. Indochińskim; dł. 4500 km, pow. dorzecza 810 tys. km^2; źródła w górach Tangla na Wyż. Tybetańskiej; płynie przez terytorium Chin, Laosu, Kambodży, Wietnamu; częściowo wyznacza granice między Laosem a Birmą i Tajlandią; uchodzi do M. Południowochińskiego tworząc deltę (pow. 70 tys. km^2), narastającą 80–100 m rocznie; w górnym i środk. biegu liczne progi i wodospady; gł. dopływy: Mun, Tonle Sap (pr.), Se Kong (l.); średni przepływ przy ujściu 12 000 m^3/s (maks. w sierpniu 30 000 m^3/s, minim. w kwietniu — 1500 m^3/s); wahania poziomu wody w dolnym biegu do 12 m (związane z występowaniem pory deszczowej); żegl. od m. Kratie (podczas wysokiego stanu wód od Wientianu); statki mor. dochodzą do m. Phnom Penh; dolina i delta M. stanowią ważny region uprawy ryżu; gł. m. nad M.: Luang Prabang, Wientian, Phnom Penh.

Meksyk, México, **Meksykańskie Stany Zjednoczone,** państwo w Ameryce Pn., nad O. Spokojnym, Zat. Meksykańską i M. Karaibskim; 1958,2 tys. km^2; 100,3 mln mieszk. (2002); stol. Meksyk; język urzędowy hiszp.; republika związkowa; składa się z 31 stanów i stołecznego dystryktu federalnego.

Warunki naturalne

Powierzchnia wyżynno-górzysta (ok. 80% powyżej 1000 m); na pn. i w środk. części kraju Wyż. Meksykańska otoczona pasmami Kordylierów: Sierra Madre Wsch., Sierra Madre Zach., Kordyliera Wulk. (od pd.) z licznymi czynnymi wulkanami: Orizaba (5700 m — najwyższy szczyt M.), Popocatépetl, Nevado de Colima; w pd. części kraju góry Sierra Madre Pd., Sierra Madre de Chiapas i wyż. Chiapas; nad Zat. Meksykańską i M. Karaibskim niziny; półwyspy: górzysty Kalifornijski oddzielony wąską Zat. Kalifornijską od Wyż. Meksykańskiej i nizinny Jukatan; w pd. i środk. M. silne trzęsienia ziemi. Klimat zwrotnikowy wybitnie suchy na pn.-zach., kontynent. suchy na Wyż. Meksykańskiej i wilgotny na wybrzeżu Zat. Meksykańskiej; na pd. kraju klimat podrównikowy i równikowy wilgotny, na wybrzeżu O. Spokojnego, opływanym przez zimny Prąd Kalifornijski — suchy; w górach piętra klimat.; roczna suma opadów od 50–100 mm na pn.-zach., 200–500 mm w środk. M. do 2500–4000 mm na krańcach pd.; średnia roczna temp. od poniżej 18°C do 27°C, w górach chłodniej; na wybrzeżach zwł. wsch. częste cyklony tropikalne. Obszar M. należy do zlewiska O. Spokojnego i Zat. Meksykańskiej (O. Atlantycki); krótkie rzeki z licznymi progami i wodospadami, gł.: Río Bravo del Norte (graniczna z USA), Río Grande de Santiago, Balsas; największe jez. Chapala. Około 24% (1994) pow. zajmują lasy: mieszane i

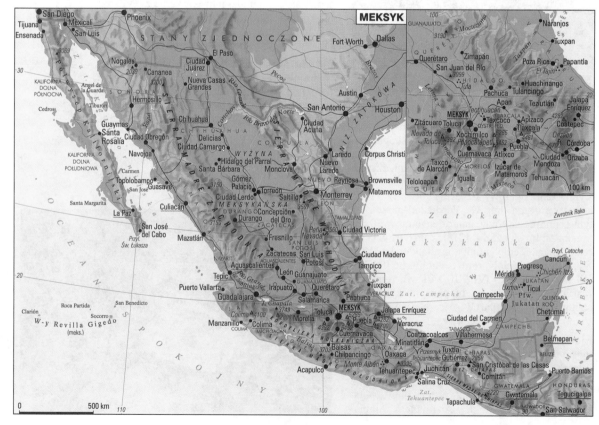

iglaste w górach, podzwrotnikowe okresowo zrzucające liście na zach., namorzynowe na wybrzeżach, wilgotne równikowe na Jukatanie; na Wyż. Meksykańskiej i Płw. Kalifornijskim roślinność półpustynna i pustynna; 45 parków nar. (w tym wulkany: Orizaba, Toluca, Popocatépetl) i rezerwatów (łącznie ok. 5% pow. kraju).

Ludność

Meksykanie, w tym Metysi (ok. 60%), Indianie (30%, gł. Majowie, Aztekowie i Zapotekowie) oraz ludność pochodzenia eur.; katolicy (95%); wysoki, choć stopniowo malejący przyrost naturalny: 19,5‰ –1995–2000 (22,4‰ - 1990–95, a 35‰ - 1970–77); średnia gęstość zaludnienia 48 osób na km^2; najgęściej zaludnione doliny śródgórskie w pd. części Wyż. Meksykańskiej i wybrzeża; najrzadziej — płw. Jukatan i pn. część kraju; ludność miejska stanowi ok. 73%; gł. m.: Meksyk (największa aglomeracja świata, skupia ponad 20% ludności kraju), Guadalajara, Monterrey, Puebla, Ciudad Juárez, León; stała migracja do miast; rosną dzielnice nędzy (colonias proletarias) otaczające wielkie miasta; duża emigracja zarobkowa do USA; struktura zatrudnienia (1998): rolnictwo — 20%, przemysł — 24%, usługi — 56%.

Gospodarka

Jeden z najlepiej rozwiniętych krajów Ameryki Łac. o dużym udziale sektora państw. w gospodarce, zwł. przemyśle; stosunkowo szybki wzrost gosp. do poł. lat 90. (4–5% rocznie, 1990–94) związany z napływem kapitału zagr., zagospodarowaniem nowych złóż surowców energ. i prywatyzacją (od 1987) sektora państw.; w 2. poł. lat 90. recesja gosp. spowodowana obsługą olbrzymiego zadłużenia zagr. (167 mld dol. USA, 1999). Podstawowe znaczenie w gospodarce ma górnictwo ropy naft. i gazu ziemnego; M. posiada największe na półkuli zach., po Wenezueli, zasoby ropy naft. (6,9 mld t, 1993), także duże złoża gazu ziemnego; wydobycie ze złóż lądowych (Tampico, Poza Rica, Veracruz) i podmor. w strefie Zat. Meksykańskiej; ponadto eksploatacja rud metali: cynku i ołowiu (pn. część Wyż. Meksykańskiej), srebra (stany Chihuahua i Zacatecas, 1. miejsce w świat. produkcji), miedzi (stan Sonora), rtęci (stany Durango, Zacatecas), żelaza (na pd.-zach.); produkcja siarki rodzimej (stan Veracruz) i odzyskanej; 74% (1999) energii elektr. dostarczają elektrownie cieplne, 17% — wodne, pozostałą część — geotermalne i jądr.; rozwinięty przemysł rafineryjny, petrochem. i chem. (kwas siarkowy i nawozy sztuczne) zlokalizowany na wsch. wybrzeżu, poza tym hutnictwo żelaza i metali nieżelaznych (skoncentrowane w pn. części kraju), włók. (Orizaba, Puebla, Meksyk), samochodowy (samochody osobowe, ciężarowe firm Volkswagen, Renault, Ford, Nissan produkowane w m.: Puebla, Toluca, Cuernavaca), spoż. — młyny, cukrownie, olejarnie; najszybciej rozwijają się zakłady przem. na pn. kraju (Ciudad Juárez, Tijuana, Matamoros), przetwarzające surowce i półfabrykaty importowane z USA i eksportujące tam gotowe wyroby. Grunty orne i sady zajmują 12% pow. kraju, łąki i pastwiska — 40% (1994); 1/4 ziem uprawnych jest sztucznie nawadniana; najważniejsze rośliny żywieniowe: kukurydza (wybrzeże Zat. Meksy-

■ Meksyk. Teotihuacan, Piramida Słońca

kańskiej i wysokie kotliny śródgórskie), pszenica (na pn. kraju), ryż (stan Veracruz) i powszechnie uprawiana fasola (obok kukurydzy podstawa wyżywienia ludności), przem.: trzcina cukrowa (gł. w stanie Veracruz), bawełna (pn. stany), agawa henequen (Jukatan), używki: kawowiec (Veracruz, Chiapas, Oaxaca), kakaowiec (cały zbiór ze stanów Tabasco i Chiapas), wanilia; sadownictwo: drzewa cytrusowe, palma kokosowa, bananowiec, winorośl; na pn. rozwinięta mięsna hodowla bydła, w centrum kraju — trzody chlewnej, owiec, koni; eksploatacja lasów (m.in. zbiór chicle); rybołówstwo (połowy 1,2 mln t, 1999); rzemiosło artyst.; rośnie znaczenie turystyki (21 mln osób, gł. z USA, 1996 — wpływy 6,9 mld dol. USA), znane ośr.: Acapulco, Puerto Vallarta, stol. kraju; transport samochodowy (Droga Panamer.), sieć kol. słabo rozwinięta; gł. porty mor.: Tampico i Veracruz nad Zat. Meksykańską, Manzanillo, Mazatlán i Guaymas nad O. Spokojnym; 15 międzynar. portów lotn.; eksport ropy naft. i gazu ziemnego, samochodów, bawełny, cukru, owoców, kawy, siarki; wymiana handl. (1,7% obrotów świat., 1995) gł. z USA i Kanadą (w ramach NAFTA) oraz Japonią, Niemcami, Hiszpanią. ■

Meksyk, Ciudad de México, stol. Meksyku, w pd. części Mesy Centr., na wys. ok. 2250 m; największa aglomeracja świata; 15,5 mln mieszk. (1995), zespół miejski 21 mln (2002); ośr. adm.

■ Meksyk. Plac Trzech Kultur (na pierwszym planie ruiny twierdzy azteckiej)

stołecznego dystryktu federalnego; hutnictwo żelaza, rafinerie ropy naft., przemysł maszyn., samochodowy, elektrotechn., poligraficzny; wielki węzeł komunik. (Droga Panamer., port lotn.); metro; ośr. nauki (7 akad., liczne uczelnie, najstarszy uniw. zał. 1553), kultury (muzea) i turystyki; letnie igrzyska olimpijskie 1968; silne trzęsienia ziemi, ostatnie 1985. Założony 1521/22 przez Hiszpanów na gruzach azteckiego Tenochtitlánu. Barokowo-klasycyst. katedra (XVI, XVII–XIX w.), barok. kościoły i klasztory, ratusz, domy i pałace (XVII w.), cytadela (XVII w.), budowle użyteczności publ. z XVIII i XIX w. (m.in. w stylu eklekt.), liczne budowle nowocz. (miasteczko uniwersyteckie, stadion olimpijski). ∎

Meksykańska, Wyżyna, Gran Altiplanicie **Mexicana,** wyżyna w pn. i środk. Meksyku; pow. ok. 1,2 mln km^2; ograniczona od wsch. górami Sierra Madre Wsch., od zach. — Sierra Madre Zach.; od pd. zamknięta pasmem Kordyliery Wulkanicznej (Orizaba 5700 m, Popocatépetl, Iztaccíhuatl, Colima); ku pn. przechodzi w wyżyny śródgórskie USA. W pn. części (zw. Mesą Północną) występują rozległe kotliny (bolsony, największy — Bolsón de Mapimí), rozdzielone niewysokimi pasmami górskimi; pd. część (zw. Mesą Centralną) jest wysokim lawowym płaskowyżem (wys. 2000–2600 m) z kilkoma kotlinami; najwyżej położona jest kotlina Toluca (2800 m); na wsch. od niej leży kotlina Anáhuac, z m. Meksyk. Klimat zwrotnikowy kontynent. suchy, na pd. podrównikowy, wilgotny; roczna suma opadów od ok. 300 mm na pn. do ok. 1000 mm na pd.; charakterystyczne piętra klim.: tierra templada (umiarkowane), tierra frío (chłodne) i tierra helada (mroźne). Rzeki przeważnie okresowe, na pd. stałe, najdłuższe: Conchos na pn. i Lerma na pd.; liczne jeziora tektoniczne, największe jez. Chapala. Roślinność w pn. części półpustynna i pustynna: skrajnie suchoroślowe krzewy, jukki, kaktusy, agawy; po deszczach rozwijają się obficie efemeryczne trawy i inne rośliny zielne; w pd. części pierwotna roślinność (przeważnie leśna) została w całości zastąpiona przez uprawy rolne (sztuczne nawadnianie); lasy występują w górach (do 2800 m dębowe i dębowo-sosnowe, wyżej jodłowo-sosnowe), powyżej 3800 m piętro hal wysokogórskich. Bogate złoża rud cynku, ołowiu, rtęci, żelaza, miedzi i antymonu, węgla kam., srebra i złota; liczne źródła miner.; ludność skupiona w pd. części wyżyny.

Meksykańska, Zatoka, ang. **Gulf of Mexico,** hiszp. **Golfo de México,** zatoka w zach. części O. Atlantyckiego, u wybrzeży Ameryki Pn., między płw. Floryda i Jukatan; od M. Karaibskiego i otwartego oceanu oddzielona Kubą; w pd. części drugorzędna zat. Campeche; przez Cieśn. Jukatańską łączy się z M. Karaibskim, przez Cieśn. Florydzką — z otwartym oceanem; pow. 1602 tys. km^2; średnia głęb. 1522 m, maks. — 5203 m (głębia Sigsbee w zach. części Basenu Meksykańskiego); większą część dna Z.M. zajmuje Basen Meksykański o kształcie regularnej niecki; na pn., w stoku kontynent., kaniony podmorskie. Przez Cieśn. Jukatańską przenikają do Z.M. masy wód ciepłego Prądu Karaibskiego powodujące podnoszenie się poziomu wody w zatoce i odpływ jej przez Cieśn. Florydzką jako Prąd Florydzki (początek Prądu → Zatokowego). Temperatura wód powierzchniowych w lutym od 18°C na pn. do 24°C na pd., w sierpniu 28–29°C, zasolenie — 36–36,7‰; Z.M. leży na drodze gwałtownych cyklonów tropikalnych w lecie i jesieni; wysokość pływów 0,5–1,7 m. Do Z.M. uchodzą rz.: Missisipi, Rio Grande; połowy ryb, ostryg i pereł, krewetek, gąbek; u wybrzeży Meksyku wydobycie ropy naft. z dna; gł. porty: Houston, Nowy Orlean, Tampa, Hawana, Veracruz, Tampico.

Melanezja, ang. **Melanesia,** franc. **Mélanésie,** zach. część Oceanii; w skład M. wchodzą wyspy: Nowa Gwinea, Admiralicji, Nowa Irlandia, Nowa Brytania, Salomona, Vanuatu, Lojalności, Nowa Kaledonia i Fidżi; pow. 980 tys. km^2. Największe wyspy (Nowa Gwinea, Nowa Brytania, Nowa Irlandia) są pochodzenia kontynent., małe — wulk. lub koralowe. Klimat na większości wysp równikowy wybitnie wilgotny; średnie temp. miesięczne 25–28°C; w pd. części roczna suma opadów 1500–2000 mm (maksimum w miesiącach letnich), w pn. — do 7000–9000 mm (obfite opady w ciągu całego roku). Panującą formacją roślinną są wilgotne, bujne, wiecznie zielone lasy równikowe; ku pd. lasy te stopniowo ubożeją, przyjmując na Nowej Kaledonii charakter podzwrotnikowy; na bagiennych brzegach mor. występują namorzyny (mangrowia). Prymitywna uprawa roli (kolokazja, maniok, pochrzyn, bataty), plantacje użytkowych roślin tropik. (palma kokosowa, trzcina cukrowa, kakaowiec, kawa); chów trzody chlewnej, drobiu; połów ryb, żółwi, pereł; eksploatacja lasów; wydobycie rud niklu, chromu, manganu (Nowa Kaledonia) i miedzi (Papua-Nowa Gwinea), złota (Fidżi, Wyspy Salomona), ropy naft. (Irian Zachodni).

Melar, Mälaren, jez. w pd. Szwecji, w tektonicznym obniżeniu, na wys. 0,3–0,6 m; pow. 1140 km^2, głęb. do 60 m (kryptodepresja); linia brzegowa silnie rozwinięta; liczne wyspy; połączone z M. Bałtyckim i jez. Hjälmar; żegluga; na wsch. brzegu Sztokholm.

Melbourne [mę̣lbəˑʳn], m. w Australii, nad zat. Port Phillip (Cieśn. Bassa); stol. i gł. port stanu

■ Melbourne

Wiktoria; 3,4 mln mieszk. (2002); drugie po Sydney miasto, centrum finansowo-handl. i kult.; przemysł samochodowy, maszyn., lekki, spoż., chem.; międzynar. port lotn.; 5 uniw. (w tym stanowy); miasto zał. 1834–35; galeria sztuki i sala koncertowa; katedry: St James i St Patrick (XIX w.); liczne eklekt. gmachy rządowe i użyteczności publ. z XIX w. (parlament); domy w stylu kolonialnym. ■

Men, Main, rz. w Niemczech, pr. dopływ Renu; dł. 524 km, pow. dorzecza 26,5 tys. km^2; powstaje z połączenia Białego Menu (źródła w Smreczanach) i Czerwonego Menu (źródła na Wyż. Frankońskiej); płynie zakolami przez pn. część Progów Szwabsko-Frankońskich; uchodzi do Renu naprzeciw Moguncji (do pliocenu obniżeniem Rednitz, poprzez Altmühl, łączył się z Dunajem); gł. dopływy: Frankońska Soława, Kinzig (pr.), Altmühl, Regnitz, Tauber (l.); żegl. 396 km, stanowi część drogi wodnej Ren–Men–Dunaj; gł. m. — Frankfurt n. Menem.

Menam, Mae Nam Chao Phraya, rz. na Płw. Indochińskim, gł. rzeka Tajlandii; dł. 365 km, pow. dorzecza 160 tys. km^2; powstaje z połączenia rz.: Ping (dł. 590 km) i Nan (627); płynie przez Niz. Menamu; uchodzi do Zat. Tajlandzkiej tworząc rozległą deltę; wykorzystywana do nawadniania; żegl. podczas wysokiego stanu wód od m. Uttaradit; w górnym biegu spław drewna; w delcie M. — Bangkok.

Menderes, Büyük Menderes Nehri, staroż. **Meander,** rz. w zach. Turcji; dł. 529 km; źródła na Wyż. Anatolijskiej; w dolnym biegu tworzy liczne zakola (→ meander); uchodzi do M. Egejskiego.

Menorca [menọrka], wyspa hiszp., → Minorka.

Mer de Glace [m. dö glas], lodowiec w Alpach Zach., we Francji, największy w masywie Mont Blanc; pow. 33 km^2, dł. 12 km; spływa w kierunku doliny Chamonix-Mont-Blanc (do wys. 1180 m).

Mercallego–Cancaniego–Sieberga skala [s. m. kank~ zib~], dwunastostopniowa skala intensywności (natężeń) trzęsień ziemi oparta na opisie reakcji istot żywych na trzęsienie oraz skutków trzęsienia w określonym miejscu na powierzchni Ziemi. Intensywność trzęsienia ziemi w otoczeniu → epicentrum przedstawia się za pomocą sekwencji → izosejst, reprezentujących odpowiednie stopnie skali (podobnie jak warstwice służące do określania wysokości). Istnieje kilka modyfikacji tej skali dla różnych obszarów, np. w Japonii stosuje się skalę siedmiostopniową.

Mercedario [~sɛdạrio], **Cerro Mercedario,** najwyższy szczyt gór Cordillera de la Ramada w Kordylierze Gł. (Andy Pd.), na pn. od masywu Aconcagua, w Argentynie; wys. 6770 m; wieczne śniegi i lodowce. Pierwsze wejście 1934 (pol. wyprawa andyjska).

Mersey [mə:^{r}zy], rz. w W. Brytanii, w pn.-zach. Anglii; dł. 110 km; źródła w G. Pennińskich; uchodzi estuarium do M. Irlandzkiego; gł. dopływ Irwell (pr.); wzdłuż Mersey biegnie żegl. Kanał Manchesterski (łączący Manchester z morzem); gł. m. nad M. — Liverpool; pod M. (między Liverpoolem i Birkenhead) tunele: kol. i 2 samochodowe.

Meru, wulkan w pn. Tanzanii, na pd.-zach. od Kilimandżaro; wys. 4567 m; na stokach (gł. pd.) uprawa kawy, bawełny, bananów; najwyższy czynny wulkan w Afryce (ostatni wybuch 1910); partie szczytowe objęte Parkiem Narodowym Meru. W 1975 — pol. wyprawa alpinistyczna.

Meseta Iberyjska, Meseta (Central), kraina wyżynno-górska w środk. części Płw. Iberyjskiego, w Hiszpanii i Portugalii; ograniczona górami: Kantabryjskimi, Iberyjskimi i Sierra Morena; na zach. opada progami w kierunku O. Atlantyckiego. Obszar M.I. został sfałdowany w orogenezie hercyńskiej, następnie zrównany przez procesy denudacji oraz pocięty uskokami, w wyniku czego powstało wiele zrębowych wzniesień (G. Kastylijskie, G. Katalońskie) oraz zapadlisk tworzących wysokie płaskowyże (kotliny Starej i Nowej Kastylii); płaskowyże są rozczłonkowane głębokimi dolinami rzek (gł. Tag, Duero). Skąpa roślinność — zarośla typu makia i tomillar oraz suche murawy; w górach resztki lasów sosnowych i dębowych. Wydobycie rud miedzi, ołowiu, rtęci i żelaza; w pd.-wsch. części (La Mancha) ważny region uprawy zbóż i winorośli; hodowla owiec; gł. m. Madryt. ■

■ Meseta Iberyjska. Krajobraz terenów uprawnych

Mesta, gr. **Nestos,** rz. w Bułgarii i Grecji; dł. 273 km; źródła w górach Riła; płynie w głębokiej dolinie między masywami Rodop i Pirinu; uchodzi do M. Egejskiego, tworząc deltę; wykorzystywana do nawadniania.

Mesyńska, Cieśnina, Stretto di Messina, staroż. **Scylla i Charybda,** cieśnina na M. Śródziemnym, między Płw. Apenińskim a Sycylią; łączy M. Jońskie z M. Tyrreńskim; dł. 32 km, najmniejsza szer. 3,3 km, głębokość toru wodnego 90–274 m; niebezpieczna dla żeglugi — kierunek prądu zmienia się kilka razy na dobę, a prędkość może osiągać 10 km/h; porty Mesyna i Reggio di Calabria (połączone promami).

metalimnion [gr.], środk. warstwa wody w jeziorach; oddziela nagrzane wody powierzchniowe (→ epilimnion) od chłodnych wód głębinowych (hypolimnion); jest granicą dobowych wahań temperatury wody; w jeziorach leżących w umiarkowanej strefie klim. występuje w okresie letniego uwarstwienia termicznego wód; wraz z upływem lata grubość m. waha się od jednego do kilkunastu m; w głębokich jeziorach obszarów tropikalnych m. występuje stale.

metamorficzne skały, skały powstałe przez przeobrażenie, wskutek procesów → metamorfizmu, skał już istniejących. Zespół cech s.m., czyli fację metamorficzną (→ facja) określają warunki ciśnienia i temperatury, w których przebiegają procesy metamorficzne, oraz skład chem. skały wyjściowej. Minerały s.m. mogą pochodzić ze skał pierwotnych lub tworzyć się w wyniku metamorfizmu, jak np. dysten czy staurolit, znane wyłącznie ze s.m. Im głębsza strefa metamorfizmu i im wyższa temperatura przeobrażeń, tym mniejszą ilość minerałów uwodnionych (zawierających wodę w postaci cząsteczek H_2O lub grup OH) zawiera s.m. Struktury s.m. są zawsze krystal. (kryształy tworzące się w procesie metamorfizmu są zw. blastami; tekstury są zbite, masywne, bezładne lub kierunkowe, najczęściej równol. (wskutek: lineacji, foliacji i laminacji). Klasyfikację s.m. przeprowadza się gł. na podstawie rodzaju metamorfizmu; produktami metamorfizmu regionalnego są np. zieleńce, łupki krystal., marmury, gnejsy, granulity; metamorfizm kontaktowy powoduje powstawanie np. hornfelsów i skarnów; wskutek metamorfizmu dyslokacyjnego powstają mylonity i kataklazyty.

metamorfizm [gr.], przebudowa wewn. skał w głębi skorupy ziemskiej w wyższej temperaturze i pod większym ciśnieniem niż panujące na powierzchni Ziemi; polega na zmianie składu miner. i chem., struktury i tekstury, przy czym przeobrażenia zachodzą gł. w stanie stałym. W wyniku m. powstają skały metamorficzne.
W zależności od gł. czynnika powodującego przeobrażenie skał rozróżnia się 3 gł. rodzaje m. Metamorfizm dyslokacyjny (kinetyczny) zachodzi w płytkich strefach skorupy ziemskiej pod wpływem ruchów górotwórczych; na ogół nie prowadzi do tworzenia się nowych minerałów; następstwem tego procesu, powodującego kruszenie, rozcieranie i sprasowanie rozdrobnionych składników skały, jest powstanie nowych, charakterystycznych struktur i tekstur skał. Metamorfizm kontaktowy (termiczny) jest spowodowany działaniem wysokiej temperatury w sąsiedztwie intruzji magmowej; zasięg tego typu procesów zależy od podatności na przeobrażenia skał otaczających intruzję i od ilości dostarczanego przez tę intruzję ciepła; waha się od kilku cm do setek i więcej metrów; najbardziej podatne na procesy m. kontaktowego są wapienie, dolomity, margle i łupki ilaste. Metamorfizm regionalny (termodynamiczny) jest spowodowany jednoczesnym działaniem podwyższonej temperatury i zwiększonego ciśnienia w rezultacie pogrążenia całych kompleksów skalnych w głąb skorupy ziemskiej wskutek ruchów górotwórczych.

meteoroidy [gr.], okruchy skalne o rozmiarach od ułamka milimetra do wielu metrów, poruszające się wokół Słońca; mogą powstawać w wyniku rozpadu komet lub zderzeń planetoid, stąd częstym zjawiskiem są roje m. (i roje meteorów).

meteorologia [gr.], **fizyka atmosfery**, dział geofizyki zajmujący się badaniem zjawisk i procesów zachodzących w atmosferze ziemskiej oraz tych procesów zachodzących na powierzchni Ziemi, które mają bezpośredni wpływ na procesy atmosf.; meteorologia zajmuje się gł.: składem i budową atmosfery ziemskiej, promie-

niowaniem w atmosferze ziemskiej, obiegiem ciepła w atmosferze i na powierzchni Ziemi, obiegiem wilgoci i zmianami stanu skupienia wody w atmosferze (z uwzględnieniem wpływu podłoża na te procesy), ruchami powietrza w atmosferze, zjawiskami związanymi z elektrycznością atmosf. oraz zjawiskami opt. i akust.; obejmuje metody przewidywania rozwoju i przebiegu procesów atmosf., a także bada wpływ człowieka na te procesy oraz zależności między zjawiskami atmosf. a życiem org. i różnymi formami prakt. działalności człowieka. Podstawowym źródłem informacji o procesach atmosf. są wyniki obserwacji naziemnych; do pomiarów elementów meteorol. (ciśnienia, temperatury, wilgotności i in.) stosuje się, oprócz dość prostych przyrządów (np. barometrów, termometrów, deszczomierzy), także bardziej skomplikowaną aparaturę (np. radar, lidar, radioteodolit), a obserwacje są prowadzone przez sieć stacji → meteorologicznych. Obserwacje i pomiary wykonuje się także za pomocą balonów, rakiet i sztucznych satelitów (meteorologia satelitarna). Ponadto przeprowadza się różne doświadczenia zarówno w laboratoriach, jak i w warunkach naturalnych (np. nad rozpraszaniem chmur i mgieł oraz wywoływaniem opadów). Stosuje się również metody polegające na konstruowaniu fiz. i mat. modeli zjawisk atmosf. i ich badaniu przy użyciu komputerów (wykorzystywane gł. przy prognozowaniu pogody). W meteorologii wyodrębnia się następujące działy: meteorologię dynamiczną, zajmującą się badaniem ruchów powietrza atmosf. oraz związanych z nimi przemian energii w atmosferze; meteorologię synoptyczną, obejmującą badania procesów atmosf. związanych z pogodą i jej przewidywaniem; meteorologię chemiczną (chemia atmosfery), zajmującą się gł. zagadnieniami dotyczącymi składu atmosfery; meteorologię fizyczną (fizyka atmosfery w bardziej ścisłym znaczeniu), badającą opt., akust. i elektr. zjawiska atmosf. oraz zajmującą się fizyką chmur i opadów atmosf.; aktynometrię; radiometeorologię; meteorologię jądrową, zajmującą się badaniem zjawisk związanych z obecnością w atmosferze naturalnych i sztucznych pierwiastków promieniotwórczych. Meteorologia stosowana obejmuje zastosowanie w praktyce wyników badań meteorol.; do meteorologii stosowanej zalicza się m.in. biometeorologię i meteorologię lotniczą. W ścisłym związku z meteorologią pozostają: aeronomia i → klimatologia.

meteorologiczna stacja, jednostka służby meteorol., której zadaniem jest systematyczne dostarczanie wyników pomiarów i obserwacji podstawowych elementów i zjawisk meteorol. (ciśnienia atmosf., temperatury i wilgotności powietrza, kierunku i prędkości wiatru, ilości opadów atmosf., zachmurzenia i in.); s.m. są rozmieszczone na całej kuli ziemskiej, zarówno na lądzie, jak i na oceanach (na statkach pływających lub zakotwiczonych); na obszarach trudno dostępnych dla człowieka (np. lodach Arktyki) działają stacje automatyczne; zależnie od programu obserwacyjnego i metod pomiaru rozróżnia się stacje: synoptyczne, aerologiczne, klimatologiczne, agrometeorol., lotn.-meteorol. oraz stacje przeznaczone do pomiarów specjalnych (np. aktynometryczne).

meteorologiczny klucz, opracowana przez Światową Organizację Meteorologiczną instrukcja kodowania wyników obserwacji i pomiarów meteorol. w celu ich szybkiego przesyłania środkami telekomunikacji; m.in. stacje meteorol. synoptyczne stosują klucz o nazwie SYNOP, stacje aerologiczne — TEMP, statki meteorol. — SHIP.

meteory [gr.], ogólna nazwa zjawisk meteorol. występujących w atmosferze ziemskiej (z wyłączeniem chmur) i na powierzchni Ziemi; należą do nich: zjawiska opt., tj. → fotometeory, elektr., tj. → elektrometeory, oraz → hydrometeory i → litometeory.

meteoryty [gr.], części → meteoroidów, które po przejściu przez atmosferę ziemską spadły na powierzchnię Ziemi; rozróżnia się m. metaliczne (syderyty), m. kam. (aerolity) i m. mieszane, metaliczno-kam. (syderolity); badaniem m. zajmuje się meteorytyka.

mezoklimat [gr.], **klimat miejscowy,** klimat niewielkich obszarów o względnie jednorodnym podłożu, kształtowany przez charakter podłoża (woda, ląd, rodzaj skały) i jego pokrycia (roślinność, pokrywa śnieżna, zabudowa) oraz rzeźbę terenu, np. m. doliny, m. miasta. Zob. też klimat.

Mezopotamska, Nizina, arab. (Irak) **Al-'Irāq al-'Arab,** pers. **Jolge-ye Mezopotām,** aluwialna nizina w Iraku, Kuwejcie i Iranie, w pd. części Mezopotamii; stanowi trzeciorzędowe zapadlisko tektoniczne, wypełnione osadami naniesionymi gł. przez Eufrat i Tygrys; wys. poniżej 100 m; na pd. rozległe bagna i jeziora (największe Haur al-Hammar) tworzące w okresie wezbrań rzek wielkie rozlewiska; roślinność półpustynna i pustynna, wzdłuż Eufratu i Tygrysu lasy łęgowe (złożone gł. z wierzb i topoli); żyzny region roln.; na terenach sztucznie nawadnianych uprawa zbóż, bawełny, palmy daktylowej; wydobycie ropy naft. (rejon Al-Basry). ■

mezosfera [gr.], jedna z geosfer wchodząca w skład płaszcza Ziemi (tzw. płaszcz dolny).

mgła, zawiesina b. małych (o średnicy poniżej 0,05 mm) kropelek wody (przy b. niskich temperaturach — kryształków lodu) w przyziemnej warstwie powietrza, zmniejszająca widzialność poniżej 1 km; powstaje wskutek kondensacji pary wodnej zawartej w atmosferze. M. r a d i a c y j n a powstaje nad lądem wskutek silnego ochłodzenia się powietrza od zimnego podłoża, którego temperatura spada w wyniku wypromieniowania ciepła (np. podczas pogodnej nocy); m. a d w e k c y j n a tworzy się w ciepłej masie powietrza napływającej nad chłodne podłoże; szczególnie często występuje nad powierzchnią zbiorników wodnych. W obszarze wielkich miast lub ośr. przem. tworzy się b. gęsta m. unosząca cząstki zanieczyszczeń (np. fabrycznego dymu i spalin), tzw. s m o g; jest ona niebezpieczna dla człowieka, niekiedy powoduje gwałtowny wzrost śmiertelności wskutek chorób dróg oddechowych i układu krążenia.

Miami [majämy], m. w USA (Floryda), nad O. Atlantyckim; 375 tys. mieszk. (2002), zespół miejski 2 mln, region metropolitalny M.–Fort Lauderdale 3,4 mln (1994); kąpielisko i ośr. wypoczynkowy o świat. sławie; przemysł warzywno-owocowy, odzież., metal.; ośr. handl.; węzeł komunikacji lotn.; 2 uniw.; kościół klasztorny Św. Bernarda z Clairvaux z fragmentami z XII w. (przeniesionymi z Hiszpanii); w pobliżu Park Nar. Everglades.

Miasteczko Śląskie, m. w woj. śląskim (powiat tarnogórski); 7,6 tys. mieszk. (2000); ośr. przem.-usługowy; huta cynku i ołowiu „Miasteczko Śląskie" (także produkcja srebra, kadmu, kwasu siarkowego); cegielnia; węzeł komunik. przy kol. magistrali węglowej GOP–Gdynia; prawa miejskie 1561–1742, 1866–1945, 1963–1975 i od 1994; 1975–94 część m. Tarnowskie Góry; drewn. kościół (XVII w.).

Miastko, m. w woj. pomor. (powiat bytowski), nad Studnicą (l. dopływ Wieprzy); 11,9 tys. mieszk. (2000); ośr. usługowo-przem. oraz turyst.-krajoznawczy; przemysł drzewny, materiałów bud., skórz., spoż., tworzyw sztucznych (laminaty), elektrotechn.; w mieście i nad okolicznymi jeziorami (Bobięcińskie Wielkie, Świeszyno, Słosinko) tereny rekreacyjne; prawa miejskie od 1617; kościół (XVIII, XIX w.).

■ Nizina Mezopotamska. Rozlewiska Eufratu

miąższość, grubość warstwy (także kompleksu warstw) lub innego płaskiego ciała geol., mierzona prostopadle do ich powierzchni.

Michigan [mỵszygən], **Lake Michigan,** jez. tektoniczno-polodowcowe w USA, trzecie pod względem wielkości wśród Wielkich Jezior, na wys. 177 m; pow. 57,8 tys. km², głęb. do 281 m (kryptodepresja); linia brzegowa słabo rozwinięta; w części pn. wyspy; połączone z jez. Huron przez cieśn. Mackinac oraz z rz. Missisipi przez system kanałów i rz. Illinois; część systemu Drogi Wodnej Św. Wawrzyńca; pn. część zimą zamarza; rybołówstwo; gł. m. nad M.: Chicago, Milwaukee.

Michigan [mỵszygən], stan w USA, w regionie Wielkich Jezior; 251,5 tys. km², 10 mln mieszk. (2002); stol. Lansing, gł. m. Detroit (zespół miejski skupia 48% ludności M.); wyżynny, rozdzielony jez. — Górne, Michigan, Huron; wydobycie rud żelaza i miedzi; elektrownie jądr. i wodne; w Detroit świat. centrum produkcji samochodów;

przemysł maszyn., metal., chem.; hodowla bydła mlecznego; uprawa zbóż, roślin pastewnych, drzew owocowych, warzyw; leśnictwo (na pn.); rybołówstwo; żegluga na Drodze Wodnej Św. Wawrzyńca; liczna Polonia.

Miechowska, Wyżyna, zach. część Niecki Nidziańskiej, region przejściowy do Wyż. Krakowsko-Częstochowskiej; od zach. sąsiaduje z Wyż. Olkuską, od pn. z Płaskowyżem Jędrzejowskim, od pd. i pd.-wsch. z Płaskowyżem Proszowickim; wys. od ok. 300 m na wsch. do 400 m na zach., najwyższe wzniesienie — Biała Góra (416 m), k. stacji kol. Tunel; wzniesienia W.M. zbudowane z opoki i margli kredowych, zaś wydłużone obniżenia tektoniczne, zw. padołami, wypełniają mor. iły mioceńskie (torton); wyżynę przecinają niewielkie dopływy Wisły: Dłubnia, Szreniawa, Nidzica; kilka rezerwatów roślinności stepowej; znaczną część powierzchni wyżyny pokrywają lessy z urodzajnymi glebami brun., na wsch. od Miechowa i Słomnik duże płaty rędzin kredowych. Region roln.; gł. m.: Miechów, Słomniki.

Miechów, m. powiatowe w woj. małopol., nad Miechówką (l. dopływ Szreniawy); 11,9 tys. mieszk. (2000); ośr. usługowy regionu roln.; przetwórstwo rolno-spoż., wytwórnie: odzieży skórz. i kożuchów, zabawek, urządzeń przem.; węzeł drogowy przy linii kol. Warszawa–Kraków; muzea — Regionalne i Kościuszkowskie, galeria; ok. 1163–XIX w. gł. siedziba zakonu bożogrobców (miechowitów) w Polsce; prawa miejskie od 1290; zespół klasztorny Bożogrobców (XIII, XIV/XV, XVI, XVIII w.), drewn. dworek (XVIII w.).

Miedwie, jez. rynnowe na Równinie Pyrzycko--Stargardzkiej, na wys. 14 m; pow. 3527 ha, dł. 16,2 km, szer. 3,2 km, maks. głęb. 43,8 m (kryptodepresja) linia brzegowa słabo rozwinięta; brzegi niskie, miejscami zabagnione; przez M. przepływa Płonia, łącząc je z jez. Dąbie; nad jeziorem ośr. turyst.-wypoczynkowy Morzyczyn; z M. rurociągiem doprowadzana jest woda do Szczecina.

Miejska Górka, m. w woj. wielkopol. (powiat rawicki), nad Dąbroczną (pr. dopływ Orli); 3,1 tys. mieszk. (2000); ośr. usługowy regionu roln.; zakłady przemysłu materiałów bud. i spoż., huta szkła kryształowego; jako miasto wzmiankowana 1422; kościół (XV w., przebud.), zespół klasztorny Reformatów (XVIII w.); kościół ewang. (XVIII w.).

Mielec, m. powiatowe w woj. podkarpackim, nad Wisłoką; 64 tys. mieszk. (2000); duży ośrodek przem., zwł. przemysłu środków transportu, z największym w mieście zakładem — Wytwórnią Sprzętu Komunik. PZL-Mielec (od 1998 Pol. Zakłady Lotn. Sp. z o.o.), w którym znaczny spadek zamówień rządowych spowodował załamanie produkcji (od 1990); nastąpiła restrukturyzacja zakładów lotn. (wydzielono nowe podmioty gosp., spadła liczba zatrudnionych, do produkcji wprowadzono nowe samoloty); różnorodny przemysł: drzewny, materiałów oraz konstrukcji bud., środków transportu, chem., maszyn., elektron. i elektrotechn., metal., spoż.,

odzież.; węzeł drogowy; lotnisko; szkoły wyższe; muzeum; prawa miejskie od 1470; kościół (XVII, XVIII w.).

mielizna: 1) piaszczyste lub żwirowe, płytkie miejsce w korycie rzecznym, powstałe wskutek osadzenia rumowiska niesionego przez rzekę; 2) wzniesienie dna mor. w strefie przybrzeżnej, powstałe z nagromadzenia piasków i żwirów; warstwa wody nad m. nie przekracza 2 m; m. zagrażają bezpieczeństwu żeglugi.

Mieroszów, m. w woj. dolnośląskim (powiat wałb.), u podnóża G. Kamiennych, nad Ścinawką, w pobliżu granicy z Czechami; 5,0 tys. mieszk. (2000); ośr. przem.-usługowy; fabryki: wkładów odzieżowych, mebli, materiałów bud. i spoż.; tartak; węzeł dróg lokalnych; drogowe i kol. przejścia graniczne; ośr. turyst.; prawa miejskie od 1497; kościół (XV, XVII–XVIII w.), kamienice renes. i barokowe.

mierzeja [niem.], wynurzony nad powierzchnię morza przybrzeżny wał piaszczysty (bariera piaszczysta) różnej szerokości zamykający całkowicie lub częściowo zatokę mor. (np. Mierzeja Wiślana); odcięta przez m. część morza jest zw. zalewem (np. Zalew Wiślany, Zalew Kuroński); m. powstaje na płaskich wybrzeżach przez nagromadzenie piasku przemieszczanego przez fale i prądy przybrzeżne; m. łącząca się tylko jednym końcem z lądem nosi nazwę k o s y lub przesypu (np. kosa Helu), m. łącząca wyspę z lądem lub wyspy ze sobą jest zw. t o m b o l o. Zob. też lido.

Mieszczorska, Nizina, Mieszczorskaja nizmiennost', Mieszcziora, nizina w Rosji, na wsch. od Moskwy, między Klaźmą na pn. i Oką na pd.; aluwialno-sandrowa równina (wys. do 130 m), zbud. z piasków i iłów; dużo bagien i jezior; lasy mieszane, na piaskach bory sosnowe, w dolinach rzek — łąki.

Mieszkowice, m. w woj. zachodniopomor. (powiat gryfiński), nad Jez. Mieszkowickim; 3,6 tys. mieszk. (1998); ośr. usługowy; drobny przemysł, gł. spoż.; prawa miejskie przed 1298; fragmenty murów miejskich (XIV w.).

Międzybórz, m. w woj. dolnośląskim (powiat oleśnicki); 2,4 tys. mieszk. (2000); ośr. usługowy regionu roln.-leśnego; drobne zakłady przemysłu drzewnego i przetwórstwa rolno-spoż.; węzeł dróg lokalnych; prawa miejskie od 1637.

Międzychód, m. powiatowe w woj. wielkopol., nad Wartą, Jez. Miejskim, Kuchennym i Sołeckim; 11,2 tys. mieszk. (2000); ośr. przem.-usługowy z rozwiniętym handlem; przemysł spoż., drzewny, chem., metal., materiałów bud.; rzemiosło; firmy budowlano-transportowe; węzeł drogowy; ośrodek turyst.-wypoczynkowy; Miejski Ośrodek Sportu Turystyki i Rekreacji, do którego należy również pobliski ośrodek wypoczynkowy Ustronie w Mierzynie; zawody hippiczne; prawa miejskie przed 1400; 2 kościoły (XVI–XVII, XX w. i XIX w.), domy (XVIII/XIX w.).

Międzylesie, m. w woj. dolnośląskim (powiat kłodzki), nad Nysą Kłodzką, w pobliżu granicy z Czechami, w otulinie Śnieżnickiego Parku Krajobrazowego; 2,8 tys. mieszk. (2000); ośr. obsługujący ruch tranzytowy między Polską i Czechami, przy międzynar. linii kol. Wrocław–Praga (z przejściem granicznym M.–Lichkov) i drodze z Wałbrzycha (przejście Boboszów–Dolní Lipka na Przełęczy Międzyleskiej); drobny przemysł; turystyka krajoznawcza; prawa miejskie przed 1249; zamek (XVI, XVII w.), kościół (XVII–XVIII w.), domy (XVIII, XIX w.).

międzymorze, przesmyk, wąski pas lądu oddzielający 2 morza, np. Przesmyk Koryncki (szer. 6,3 km), Przesmyk Panamski (szer. 47 km).

Międzynarodowa Unia Geograficzna, ang. **International Geographical Union,** franc. **Union Géographique Internationale,** organizacja nauk., zał. 1922 w Brukseli; najwyższym organem MUG jest Zgromadzenie Ogólne; organizacja ma na celu popieranie studiów geogr., inicjowanie i koordynację prac badawczych, organizowanie międzynar. kongresów geogr. i konferencji regionalnych oraz prac specjalnych komisji w okresach między kongresami; kongresy odbywają się co 3–4 lata (1934 odbył się w Warszawie XIV Międzynar. Kongres Geogr.). Polska jest czł. Unii od 1925; pol. geografowie biorą czynny udział w jej pracach; wiceprezesi Unii: E. Romer (1928–38 i 1946–49), S. Pawłowski (1938–39), S. Leszczycki (1964–68 i 1972–76), J. Kostrowicki (1976–84); prezes Unii — S. Leszczycki (1968–72); M.U.G. wydaje półrocznik „The IGU Newsletter".

Międzynarodowy Bank Odbudowy i Rozwoju, ang. **International Bank for Reconstruction and Development, IBRD,** organizacja wyspecjalizowana ONZ; powstał 1945 na mocy umów z Bretton Woods (1944); siedziba w Waszyngtonie; celem jest udzielanie długookresowych pożyczek państwom członkowskim na ich odbudowę i rozwój; liczba głosów, którą rozporządzają poszczególne kraje członkowskie, zależy od wielkości ich wpłat do kapitału IBRD, dlatego jego działalność kształtują największe i najbogatsze państwa; liczy 176 czł. (1993); 1950 Polska wystąpiła z IBRD, a od 1986 ponownie jest jego członkiem.

Międzynarodowy Fundusz Walutowy, ang. **International Monetary Fund, (IMF),** organizacja wyspecjalizowana ONZ, powstała 1947 z inicjatywy USA na mocy umów z Bretton Woods (1944); siedziba w Waszyngtonie; celem jest udzielanie pomocy krajom członkowskim na stabilizację walut, ułatwianie międzynar. współpracy walutowej, przywrócenie w świecie wymiany wielostronnej (multilateralizm); wskutek uzależnienia liczby głosów, którą dysponują w Międzynarodowym Funduszu Walutowym, kraje członkowskie od wielkości wpłat, na działalność Funduszu wywierają wpływ przede wszystkim państwa najbardziej uprzemysłowione, gł. USA; liczy 178 czł. (1993); Polska 1950 wystąpiła z Międzynarodowego Funduszu Walutowego, a od 1986 ponownie jest jego członkiem.

Międzynarodowy Trybunał Sprawiedliwości, ang. **International Court of Justice,** franc. **Cour Internationale de Justice,** gł. organ sądowy ONZ, z siedzibą w Hadze, rozstrzyga spory między państwami (jeżeli wyrażą zgodę na jurysdykcję MTS) oraz wydaje opinie doradcze w kwestiach prawnych na prośbę organów ONZ oraz innych organizacji międzynar. upoważnionych przez Zgromadzenie Ogólne ONZ.

Międzyrzec Podlaski, m. w woj. lubel. (powiat bialski), w miejscu połączenia Krzny Pd., Krzny Pn. i Kanału Wieprz–Krzna; 18,3 tys. mieszk. (2000); ośr. usługowy regionu roln.; przemysł rolno-spoż., drzewny, odzież., ponadto zakłady przemysłu maszyn., skórz. oraz produkcja pędzli i szczotek; węzeł drogowy; prawa miejskie przed 1477; kościół (XVIII, XIX w.).

Międzyrzecz, m. powiatowe w woj. lubus., u ujścia Paklicy do Obry; 20,0 tys. mieszk. (2000); ośr. przem.-usługowy; zakłady przemysłu: materiałów bud., elektromaszyn., drzewnego, chem., skórz., odzież., spoż.; ponadto przedsiębiorstwa bud., montażowe i instalacyjne; węzeł kol. i drogowy; ośr. wypoczynkowy Głębokie; prawa miejskie przed 1259; ruiny zamku (XIV–XVI w.), 2 kościoły (XIV–XVI w. i XIX w.), synagoga (XIX w.), dom starostów (XVIII, XIX w.) — ob. muzeum, neoklasycyst. ratusz.

Międzyzdroje, m. w woj. zachodniopomor. (powiat kamieński), na wyspie Wolin, nad M. Bałtyckim, w otulinie Wolińskiego Parku Nar.; 5,9 tys. mieszk. (2000); uzdrowisko (solanki), od 1830 kąpielisko mor. oraz ośr. wypoczynkowy; Międzynar. Dom Kultury z muzeum figur woskowych; festiwale: Międzynar. Pieśni Chóralnej, film. Wakacyjny Festiwal Gwiazd; siedziba dyrekcji i muzeum przyr. Wolińskiego Parku Nar.; rezerwat żubrów; prawa miejskie od 1945.

międzyzwrotnikowa strefa zbieżności, równikowy pas ciszy, strefa przejściowa między systemami cyrkulacji powietrza w atmosferze ziemskiej na półkuli pn. i na półkuli pd.; występują w niej słabe wiatry lub cisza.

Mięguszowiecka, Dolina, słowac. **Mengusovská dolina,** rozległa dolina po pd. stronie Tatr Wysokich, na Słowacji; w górnej części dzieli się na odnogę pn. — Dolinę Żabią (z niewielkimi Stawami Mięguszowieckimi) i pn.-zach. — Dolinę Hińczową (ze Stawami Hińczowymi); w rozszerzonej środk. części D.M. — Popradzki Staw (hotel górski), od którego ku pn.-wsch. odchodzi Dolina Złomisk; dnem D.M. płynie Potok Mięguszowiecki; koło Popradzkiego Stawu — symbol. cmentarz ofiar Tatr.

Mięguszowieckie Szczyty, grupa szczytów w gł. grani Tatr Wysokich, na granicy ze Słowacją, pomiędzy przełęczami Hińczową (2323 m) a Czarnostawiańską (ok. 2340 m); wznoszą się nad dolinami: Rybiego Potoku i Mięguszowiecką; zbud. z granitów i gnejsów; bogata flora alpejska; najwyższy — Mięguszowiecki Szczyt (2438 m), drugi po Rysach pod względem wysokości w Polsce, piętrzy się 1045 m ponad taflą Morskiego Oka; kiedyś zdobywany przez wprawnych turystów tzw. Drogą po Głazach. Między Mięguszowiecki Szczyt Czarny (2410 m) a najniższy w grupie Pośredni Mięguszowiecki Szczyt (2393 m) wgłębia się Mięguszowiecka Przełęcz pod Chłopkiem, udostępniona szlakiem znad Morskiego Oka; wiele długich dróg taternickich o dużym stopniu trudności.

Miętusia, Dolina, dolina w Tatrach Zach., wsch. odgałęzienie (największe) Doliny Kościeliskiej; dł. 5,5 km, pow. 6 km²; otoczenie: od pd. gł. grzbiet Tatr, między Ciemniakiem a Małołączniakiem w Czerwonych Wierchach, od zach. — grzbiet Upłazu, od wsch. Skoruśniak, Hruby Regiel i Kończysta Turnia; powstała w skałach osadowych; w górze wiszące dolinki — Mułowa i Litworowa, uważane za przemodelowane przez lodowce zapadliska krasowe, opadające wspólnym progiem 300–350 m wys. do niższego kotła Wielkiej Świstówki (dno 1348 m), poniżej którego leżą słynne → Wantule; obszar ten jest silnie skrasowiały, m.in. jaskinie: Ptasia Studnia, Wielka Litworowa, Miętusia; rozwinięty system wód podziemnych; Potok Miętusi wypływa na wys. 1450 m i wpada do Kościeliskiego na wys. 953 m. W XIX w. D.M. prowadzono prace górn.; kopalnia rudy żelaza w Skoruśniaku ok. 1800 pokrywała połowę zapotrzebowania huty w Kuźnicach; szlak turyst. w dolnej części doliny — Ścieżka nad Reglami (wsch. stokiem biegnie szlak na Małołączniak); nazwa doliny pochodzi od nazwiska górali — Miętusów, do których należała hala.

migracja [łac.], proces przemieszczeń przestrzennych ludzi, zmiany miejsca zamieszkania (pobytu) osób, które przenoszą się z miejsca pochodzenia (miejsca wyjazdu) do miejsca przeznaczenia (miejsca przyjazdu). Według kryterium czasu m. dzieli się na stałe (trwała zmiana miejsca zamieszkania), czasowe (sezonowa lub okresowa zmiana miejsca zamieszkania), wahadłowe (codzienne dojazdy z miejsca zamieszkania do miejsca pracy lub nauki). Ze względu na odległość rozróżnia się m.: wewnętrzne (w obrębie danego państwa — wewnątrzregionalne lub międzyregionalne), zewn. (poza granice państwa — kontynent., międzykontynent.). Biorąc pod uwagę organizację można wyróżnić m.: żywiołowe, planowe (np. repatriację), legalne, nielegalne, dobrowolne, przymusowe (przesiedlenia, wysiedlenia, deportacje). W zależności od przyczyn m. dzieli się na zarobkowe, rodzinne, narodowościowe, rel., polit., rekreacyjne, turystyczne. Specyficzne są m. pozorne spowodowane zmianami adm. jednostek osiedleńczych, np. włączeniem wsi do obszaru miasta. Osoby migrujące są zw. ludnością mobilną, niemigrujące zaś ludnością stabilną. Napływ ludności na dane terytorium to → imigracja, odpływ to → emigracja. Powrót do dawnego miejsca zamieszkania (migracja powrotna) to reemigracja.

Mikołajki, m. w woj. warmińsko-mazurskim (powiat mrągowski), nad Jez. Mikołajskim; 3,7 tys. mieszk. (2000); duży ośrodek żeglarski i turyst.-wypoczynkowy, jedno z gł. centrów turystyki wodnej w Polsce, gdzie odbywają się prestiżowe regaty, m.in. Żeglarskie Mistrzostwa Polski Dziennikarzy; rozwinięty przemysł drzewny, ponadto drobny przemysł odzież. i spoż.; gospodarstwo rybackie; ważny węzeł szlaków wodnych i pieszych; Obserwatorium regionalne Inst. Meteorologii i Gospodarki Wodnej, stacja hydrobiol. Inst. Ekologii PAN; Muzeum Przyr.; prawa miejskie od 1726.

Mikołajskie, Jezioro, jez. rynnowe w Krainie Wielkich Jezior Mazurskich, w dorzeczu Pisy, na wys. 116 m, w środk. części długiej (ok. 30 km) rynny, ciągnącej się od Rynu do Rucianego-Nidy; pow. 499 ha, dł. 5,8 km, szer. 0,5–1,6 km, maks. głęb. 25,9 m; linia brzegowa słabo rozwinięta; brzegi wysokie, zwł. zach. (miejscami do 12 m ponad lustro wody), zalesione (Puszcza Piska); od wsch. łączy się bezpośrednio z jez. Śniardwy; na południu przechodzi w jez. Bełdany, te 3 jeziora rozdziela rozległy płw. Popielski Róg (w. Wierzba, przystań promowa), na północy J.M. łączy się cieśniną, nad którą leżą Mikołajki, z jez. Tałty; trasa statków Żeglugi Mazurskiej.

Mikołów, m. powiatowe w woj. śląskim, w pd. części GOP; 39 tys. mieszk. (2000); ośrodek przem.-usługowy: kopalnia doświadczalna Gł. Inst. Górnictwa — Barbara; przemysł elektromaszyn., chem., materiałów bud., poligraficzny, spoż., papierniczy; węzeł drogowy; prawa miejskie od 1547; 3. kościoły i synagoga (XVI, XIX w.), domy (XVIII–XIX w.).

mikroklimat [gr.], klimat małego fragmentu powłoki ziemskiej (np. część stoku górskiego, jaskini, dzielnicy miasta), wyróżniający się wśród większego obszaru (gór, całego miasta i in.); kształtuje się na skutek odmiennych warunków fiz. (usłonecznienie, wilgotność, rodzaj podłoża, wiatry) danej części środowiska w stosunku do sąsiednich obszarów, np. łagodny pd. stok porośnięty łąką a pn. skalisty stok, górn. dzielnica miasta a tereny rekreacyjne. Nazwą m. określa się również klimat przyziemnej warstwy powietrza, ważny dla agroklimatologii.

mikrokontynent [gr.-łac.], **mikropłyta, terran,** niewielki w stosunku do kontynentu fragment kontynent. skorupy ziemskiej, tworzący wyspę lub wyniesienie podmor. w obrębie skorupy oceanicznej; m. mogą być samodzielnymi płytami litosferycznymi, które przemieszczając się odgrywają istotną rolę w procesach deformacji skorupy ziemskiej; w wyniku → subdukcji otaczającej m. skorupy oceanicznej mogą one ulec dobudowaniu do kontynentu.

Mikronezja, Micronesia, środk. część Oceanii; w skład M. wchodzą: Mariany, Karoliny, Wyspy Marshalla, Wyspy Gilberta, Nauru, Banaba (Ocean); pow. ok. 2,7 tys. km²; rozciągłość z zach. na wsch. ponad 5 tys. km. Największe wyspy (Guam, zach. Karoliny) pochodzenia kontynent., pozostałe koralowe (W. Marshalla składają się z największych na Ziemi atoli). Klimat na większości wysp równikowy wybitnie wilgotny, pod wpływem pn.-wsch. pasatów; średnia temp. miesięczna 26–28°C; roczna suma opadów od 1500 mm na pn. (opady w lecie) do 6000 mm na pd. (opady całoroczne); w zach. części M. występują cyklony tropikalne. Na wyspach w zach. części M. na stokach nawietrznych rosną wilgotne lasy równikowe, w obszarach suchych — niskie lasy, zarośla i sawanny; wyspy koralowe mają roślinność b. skąpą i ubogą. Najważniejsze uprawy: palma kokosowa, drzewo chlebowe, banany, rośliny bulwiaste (kolokazja, pochrzyn, maniok); rozwinięte rybołówstwo; wydobycie fosforytów; turystyka.

Mikronezji, Federacja, Federated States of Micronesia, państwo stowarzyszone z USA w Oceanii; obejmuje archipelag Karoliny bez wysp Palau; 700 km², 154 tys. mieszk. (2002); ludność rdzenna, gł. katolicy; stol. Palikir na wyspie Pohnpei; język urzędowy ang.; republika; w skład F.M. wchodzą 4 stany: Yap, Chuuk (Truk), Pohnpei (Ponape) i Kosrae; eksport kopry, oleju kokosowego, ryb, plecionek (mat); układ (do 2001, przedłużenie negocjowane) powierzył USA sprawy polityki obronnej zagr. M., zobowiązując je do udzielenia jej pomocy finansowej w wysokości ok. 2 mld dol. USA. ∎

mikrosejsmy [gr.], drgania gruntu rozchodzące się w skorupie ziemskiej jako powierzchniowe fale sejsmiczne; powstają pod wpływem wiatru, przyboju fal mor., falowania dużych jezior, a także działalności człowieka (gł. zakłóceń przem.); intensywne m. są związane z przejściem niżów atmosf. nad oceanami; m. wywołane czynnikami naturalnymi są obserwowane w odległości do 3000 km od ich źródła.

Mikstat, m. w woj. wielkopol. (powiat ostrzeszowski); 1,9 tys. mieszk. (2000); ośr. usługowy dla rolnictwa; prawa miejskie przed 1366; drewn. kościół (XVIII w.).

Milanówek, m. w woj. mazow. (powiat grodziski), w aglomeracji warsz.; 14,8 tys. mieszk. (2000); znany ośr. hodowli jedwabników i produkcji jedwabiu naturalnego, ponadto fabryka narzędzi chirurgicznych i dentystycznych oraz zakłady odzież., poligraf., przetwórstwa spoż., artykułów gospodarstwa domowego, wyrobów z tworzyw sztucznych; znana w Europie pracownia konserwacji zabytkowych mebli; Muzeum Rzeźby J. Szczepkowskiego, galeria; prawa miejskie od 1951.

Milickie, Stawy, stawy rybne w dolinie Baryczy; budowane od XIII w. przez cystersów; zasilane wodami Baryczy i jej dopływów; ostoja ptaków, gł. wodnych i błotnych; gniazduje tu ok. 150 gat., a ponad 50 gat. jest uznanych za przelotne, m.in. żuraw, bocian czarny, czapla purpurowa, gęś gęgawa i szara (największe miejsce lęgowe gęsi w Europie Środk.), łabędź niemy, liczne gat. kaczek, kania rdzawa, orlik krzykliwy, bielik; 1963 utworzono rezerwat ornitologiczny „Stawy Milickie" o pow. 5324 ha, z pięcioma kompleksami stawowymi: Stawno (1583,45 ha), Potasznia (390 ha), Ruda Sułowska (750,27 ha), Radziądz (787,24 ha), Jamnik (297,04 ha), które od 1996 znajdują się w Parku Krajobrazowym „Dolina Baryczy" (pow. 87 tys. ha); S.M. zostały wpisane na listę najcenniejszych obszarów wodno-błotnych międzynar. Konwencji Ramsar, są w programie ONZ Living Lakes jako jeden z 13 unikatowych świat. obszarów wodnych.

Milicko-Głogowskie, Obniżenie, zach. część Nizin Środkowopol.; obejmuje pas obniżeń, częściowo o charakterze pradoliny, częściowo — zagłębień końcowych lodowca zlodowacenia Warty, oddzielający wysoczyzny południowowielkopol. od Wału Trzebnickiego; uważane bywa za część tzw. pradoliny barycko-głogowskiej; dzieli się na 4 mezoregiony: Obniżenie Nowosolskie, Pradolinę Głogowską, Kotlinę Żmigrodzką i Kotlinę Milicką.

Milicz, m. powiatowe w woj. dolnośląskim, nad Baryczą, w Parku Krajobrazowym „Dolina Baryczy"; 12,6 tys. mieszk. (2000); ośr. przem.--usługowy i obsługi ruchu turyst.; zakłady przemysłu: drzewnego, elektromaszyn., materiałów bud., odzież., włók., spoż.; wytwórnie: ozdób choinkowych, zabawek; węzeł dróg lokalnych; szlaki i ścieżki przyr.-dydaktyczne; Ogólnopol. Zlot Ornitol.; lotnisko sanitarne; prawa miejskie przed 1323; ruiny zamku (XIV, XVI–XVII w.), kościół (XVIII w.), neoklasycyst. pałac (XVIII/ /XIX w.), park krajobrazowy (XIX w.). W dolinie Baryczy największy w Polsce kompleks stawów rybnych, gdzie wielki ośrodek hodowli ryb (gł. karpia oraz lina i szczupaka); wśród stawów rezerwat faunistyczny Stawy Milickie.

Miłakowo, m. w woj. warmińsko-mazurskim (powiat ostródzki), nad Miłakówką (l. dopływ Pasłęki), w pobliżu jez. Mildze; 2,8 tys. mieszk. (2000); ośr. wypoczynkowy i usługowy; przetwórstwo rolno-spoż. i miner.; węzeł drogowy; prawa miejskie 1323–1945 i od 1998; kościół (XIV, wnętrze XIX w.).

Miłomłyn, m. w woj. warmińsko-mazurskim (powiat ostródzki), nad Kanałem Elbląskim; 2,3 tys. mieszk. (2000); ośr. turyst., przystań żeglugi na kanale; zakłady drzewne; prawa miejskie 1335–1945 i od 1998; fragmenty murów miejskich (XIV w.), kościół (XIV, XIX/XX w.).

Miłosław, m. w woj. wielkopol. (powiat wrzesiński), nad Miłosławką (dorzecze Warty), przy granicy Żerkowsko-Czeszewskiego Parku Krajobrazowego; 3,6 tys. mieszk. (2000); ośr. usługowy; niewielkie zakłady naprawcze sprzętu roln., odzieżowe, spoż.; prawa miejskie przed 1397; pałac (XIX w., rozbud.).

Mindanao, wyspa w pd. części Filipin, oddziela morza Sulu i Celebes od M. Filipińskiego (otwarty O. Spokojny); pow. 94,6 tys. km² (ok. 32% pow. kraju); gł. m.: Davao, Zamboanga, Butuan, Cagayan de Oro, Iligan; powierzchnia w przeważającej części górzysta, liczne wygasłe i czynne wulkany (najwyższe: Apo, 2954 m, Butuluan, 1100 m), częste trzęsienia ziemi; w dolinach rzek i wzdłuż wybrzeża niziny (częściowo zabagnione); linia brzegowa silnie rozwinięta; klimat równikowy wybitnie wilgotny, częste cyklony tropik., zwł. na wsch. wybrzeżu; gęsta sieć rzeczna, gł. rz.: Mindanao (dł. 550 km), Agusan (dł. ok. 300 km), w zach. części jez. Lanao (pow. 347 km²); lasy równikowe z udziałem lauanu (mahoń filipiński); rozwinięte gł. rolnictwo; uprawa ryżu, kukurydzy, banana manilskiego (1/2 produkcji krajowej), palmy kokosowej, ananasów, kawy, herbaty, tytoniu; wydobycie rud chromu, niklu, miedzi, żelaza oraz złota i srebra; eksploatacja lasów; rybołówstwo; rozwinięta żegluga kabotażowa oraz transport drogowy. Silne wpływy kultury islamu, zwł. w pd.-zach. części wyspy.

mineralizacja [łac.], procesy powstawania w skale nowych minerałów wskutek wydzielania się ich z krążących w tej skale roztworów miner., gazów i par; minerały te mają postać warstewek,

∎ Federacja Mikronezji

żyłek, gniazd lub rozproszonych ziarn. M. są też nazywane minerały, zwł. o charakterze kopaliny użytecznej, będące produktami procesu mineralizacyjnego, np. m. miedziowa, m. cynkowa. Rodzajem m. jest → fosylizacja.

minerał [łac.], związek chem. lub pierwiastek chem. powstały w przyrodzie w sposób naturalny, o określonym składzie chem. i właściwościach fiz. i chem. oraz strukturze krystalicznej. Zwykle nazwą m. określa się składniki skorupy ziemskiej, jednakże z m. są też zbud. Księżyc i meteoryty. Nazwą m. bywają, niezbyt poprawnie, obejmowane również substancje sztucznie wytworzone, analogiczne do m. naturalnych (minerały syntetyczne). Ze względu na genezę rozróżnia się m. pierwotne i wtórne; m. p i e r w o t n e wydzielają się bezpośrednio z danego środowiska; mogą krystalizować z magmy (m. magmowe), z przegrzanych par i gorących roztworów wydzielających się z magmy (m. pneumatolityczne i hydrotermalne), z par i gazów wulk. (m. wulkaniczno-ekshalacyjne), z wód źródlanych, jeziornych lub mor. (m. osadowe); m i n e r a ł y w t ó r n e powstają z m. pierwotnych (i zajmują ich miejsce) wskutek ich fiz. i chem. przeobrażeń, w wyniku procesów → wietrzenia, → diagenezy i → metamorfizmu. Zespoły m. występujące w skorupie ziemskiej w wielkich masach noszą nazwę → skał.

Minnesota [mynysoᵘtə], stan w pn.-środk. części USA, dochodzący do Jez. Górnego; 218,6 tys. km², 5 mln mieszk. (2002); stol. Saint Paul, gł. m.: Minneapolis, Duluth (port); falista równina; w części pn.-wsch. pasma wzgórz wys. do 711 m; gł. rz. Missisipi; jeziora polodowcowe, bagna; hodowla bydła mlecznego; uprawa zbóż, soi, buraków cukrowych, roślin pastewnych; ważny obszar wydobycia rud żelaza w USA; przemysł hutn., mięsny, młynarski, maszyn roln.; turystyka (zwł. na pn.).

Minorka, Menorca, wyspa hiszp. na M. Śródziemnym, w archipelagu Balearów; pow. 668 km²; przeważającą część powierzchni zajmuje wapienny płaskowyż. Region turyst. o świat. sławie; ludność utrzymuje się gł. z usług turyst., rolnictwa (uprawa zbóż, winorośli, drzew cytrusowych, wypas owiec) i połowu ryb; gł. m., port mor. i międzynar. lotnisko — Mahón.

Mińsk, stol. Białorusi, nad Swisłoczą (dopływ Berezyny); 1,8 mln mieszk. (2002); targi międzynar.; przemysł środków transportu, maszyn. i metal., elektron., lekki, spoż., chem.; węzeł kol.; AN Białorusi; 14 szkół wyższych (w tym uniw.); muzea; wzmiankowany 1067; prawa miejskie od 1499; stare miasto; kościoły, m.in. Jezuitów (XVII, XVIII w., ob. katedra), tzw. Czerwony Kościół (pocz. XX w.); cerkiew Petropawłowska (XVII w.), liczne cerkwie; pałac Wańkowiczów (XIX w.); budynki użyteczności publ. (XIX w.).

Mińsk Mazowiecki, m. powiatowe w woj. mazow., nad Srebrną (dorzecze Świdra); 37 tys. mieszk. (2000); ośr. przem.-usługowy; rozwinięty przemysł: elektromaszyn., materiałów bud., odzież., obuwn., spoż., chem., drzewny; firmy budowlane i inżynieryjno-montażowe, składy i hurtownie; Pułk Lotnictwa Myśliwskiego; węzeł drogowy; Ośrodek Neurologii Porównawczej PAN; prawa miejskie od 1421; w XIX w. ośr. chasydów; pałac (XVII, XIX w.), poczta (XIX w.), budynek dawnego starostwa (XIX w.).

miraż [franc.], zjawisko opt. w atmosferze ziemskiej polegające na powstawaniu obrazów (pojedynczych lub wielokrotnych, prostych lub odwróconych) przedmiotów oddalonych od obserwatora i zwykle normalnie niewidocznych; powstaje wskutek różnej wartości współczynnika załamania światła w powietrzu o różnej temperaturze — promienie świetlne, biegnące przez nierównomiernie nagrzaną warstwę powietrza, ulegają tak silnej refrakcji, że warstwa ta zachowuje się w stosunku do nich jak zwierciadło; m. występuje np. wtedy, gdy powierzchnia Ziemi (piasek pustyni, asfaltowa szosa) jest silnie nagrzana przez Słońce i zalegająca nad nią bezpośrednio warstwa powietrza jest znacznie cieplejsza niż warstwy leżące wyżej lub odwrotnie — gdy ciepłe powietrze zalega nad chłodniejszym morzem; w Polsce m. pojawiają się na Pustyni Błędowskiej; m. pojawiający się w Cieśn. Mesyńskiej na M. Śródziemnym (niekiedy również w innych miejscach) jest zw. fatamorganą.

Mirolda, Gouffre, jaskinia krasowa we Francji, w masywie Criou (Alpy Sabaudzkie), ok. 20 km na pn.-zach. od Chamonix-Mont-Blanc, trzecia pod względem głębokości jaskinia świata (2001); głęb. 1610 m, dł. 12 km; 4 otwory: gł. na wys. 1880 m, najwyższy — 2336 m; utworzona w wapieniach urgońskich; łagodnie nachylony ciąg meandrów (miejscami ciasnych) z niewielkimi progami o rozciągłości ponad 3 km; w górnej części odchodzi oddzielny ciąg meandrów o głęb. 716 m; jaskiniowe potoki z kilkoma syfonami wodnymi; odkryta 1973 i poznana do głęb. 127 m, a 1998 do aktualnej głębokości.

Mirosławiec, m. w woj. zachodniopomor. (powiat wałecki), nad Korytnicą (l. dopływ Drawy); 2,5 tys. mieszk. (2000); lokalny ośr. usługowy regionu roln. i turyst. oraz ośrodek usługowy i mieszkaniowy dla obsługi lotniska wojsk.; produkcja: przyczep i maszyn roln., konstrukcji stal. oraz maszyn dla szkółek leśnych, kabli, przewodów i drutów; wytwórnie wód mineralnych; węzeł drogowy; prawa miejskie od 1303.

Mirsk, m. w woj. dolnośląskim (powiat lwówecki), nad Kwisą; 4,3 tys. mieszk. (2000); niewielki ośr. przemysłu włók. i spoż. oraz obsługi ruchu turyst.-krajoznawczego na szlaku Gryfów Śląski–Szklarska Poręba; sporty zimowe; prawa miejskie przed 1337; kościół (XVI, XVIII w.), 2 ratusze (XVI w. i XVIII w.), kamienice (XVIII, XIX w.).

misa deflacyjna, duże zagłębienie kotlinowe w powierzchni terenu, powstające wskutek wywiewania przez wiatr zwietrzałego materiału skalnego (→ deflacja); tworzy się na obszarach zbud. ze skał o różnej odporności na wietrzenie, w obrębie skał mało odpornych (kształt m.d. jest zgodny z przebiegiem ukazujących się na powierzchni skał mało odpornych); głębokość niektórych m.d. sięga do poziomu wód gruntowych; m.d. są rozpowszechnione np. na Saharze. Zob. też eoliczne procesy.

Missisipi [mysysypy], **Mississippi River,** rz. w USA; dł. 3778 km, od źródeł Missouri — 5969 km (trzecia na świecie pod względem długości — po Nilu i Amazonce), pow. dorzecza 3,22 mln km^2. Wypływa z jez. Itasca, w Parku Nar. Itasca, w pn. części stanu Minnesota; w górnym biegu dolina M. miejscami rozszerza się do 10 km; między ujściem rz. Rock i Des Moines liczne progi skalne; powyżej ujścia rz. Ohio M. wypływa na Niz. Zatokową; płynie po niej rozległymi zakolami; w dolnym biegu liczne odnogi i starorzecza; szerokość doliny osiąga 100 km; uchodzi do Zat. Meksykańskiej kilkoma ramionami (zw. pass, gł. — South-West Pass), tworząc deltę o pow. ok. 36 tys. km^2; rocznie niesie średnio ok. 500 mln t materiału skalnego (delta M. wysuwa się w morze, rocznie 50–100 m); gł. dopływy: Minnesota, Des Moines, Missouri, Arkansas, Red (pr.), Chippewa, Wisconsin, Illinois, Ohio (l.); b. zmienny stan wód; częste katastrofalne powodzie; większą część wód doprowadzają do M. jej l. dopływy (gł. Ohio); średni przepływ przy ujściu 19 000 m^3/s (maks. 59 000 m^3/s, minim. 5000 m^3/s); średni roczny odpływ 600 km^3. M. stanowi ważną drogę wodną (długość dróg żegl. całego dorzecza M. — ok. 25 tys. km); żegl. od m. Minneapolis (ponad 3000 km do ujścia); do Baton Rouge dostępna dla statków mor.; połączona z Wielkimi Jeziorami żegl. kanałami i skanalizowanymi rzekami (Illinois Waterway); wykorzystywana do nawadniania; w górnym biegu elektrownie wodne; gł. m. nad M.: Minneapolis, Saint Paul, Saint Louis, Memphis, Baton Rouge, Nowy Orlean.

Missisipi [mysysypy], **Mississippi,** stan w USA, nad rz. Missisipi i Zat. Meksykańską; 123,5 tys. km^2; 2,9 mln mieszk. (2002), najwięcej (36%) w kraju ludności murzyńskiej; stol. Jackson; zalesiona Niz. Zatokowa; słabo zurbanizowane; region uprawy bawełny, soi, kukurydzy; hodowla bydła; leśnictwo i rybołówstwo; wydobycie ropy naft., gazu ziemnego; przemysł drzewny, chemiczny, spoż.; żegluga śródlądowa; gł. port mor. Gulfport.

Missouri [myzuəry], **Missouri River,** rz. w USA, najdłuższy (pr.) dopływ Missisipi; powstaje w pobliżu m. Three Forks z połączenia 3 rzek źródłowych (Jefferson, Madison i Gallatin), wypływających z G. Skalistych; dł. 3727 km (od źródeł Jefferson — 4076 km), pow. dorzecza 1370 tys. km^2; płynie przez Wielkie Równiny, tworząc liczne wodospady; uchodzi do Missisipi powyżej m. Saint Louis; gł. dopływy: Yellowstone, Cheyenne, Platte, Kansas (pr.), Milk, Dakota (l.); b. zmienny stan wód; wysoki na wiosnę (często katastrofalne powodzie) i niski w lecie; średni przepływ przy ujściu 2000 m^3/s (maks. 25 000 m ^{3}/s, minim. 120 m^3/s); żegl. podczas wysokiego stanu wód od m. Fort Benton; elektrownie wodne; wykorzystywana do nawadniania (największe sztuczne jez.: Fort Peck, Sakakawea, Oahe, Sharpe, Francis Case); gł. m. nad M.: Sioux City, Omaha, Kansas City.

Missouri [myzuəry], stan w środk. części USA, nad rz. Missisipi; 180,5 tys. km^2, 5,7 mln mieszk. (2002); stol. Jefferson City, gł. m.: Saint Louis, Kansas City; Wielkie Równiny, na pd. wyż. Ozark; gł. rz. Missouri; ważny region roln.; uprawa kukurydzy i soi (Corn Soy Belt), pszenicy, sorga; hodowla bydła, trzody chlewnej; wydobycie rud cynku, ołowiu; przemysł (lotn., spoż., skórz.) skupiony w gł. miastach; żegluga śródlądowa.

Misti, El Misti, Volcán de Misti, El Volcán de Arequipa, czynny wulkan w Kordylierze Zach. (Andy Pn.) w Peru, na zach. od jez. Titicaca; wys. 5825 m; wierzchołek pokryty wiecznym śniegiem; ostatnia erupcja 1878; u podnóża — m. Arequipa.

mistral [franc.], silny, chłodny, suchy wiatr pn. lub pn.-zach., występujący gł. w zimie i na wiosnę w dolinie Rodanu i nad Zat. Lwią (część śródziemnomor. wybrzeża Francji); pojawia się, gdy nad zach. częścią M. Śródziemnego panuje niskie ciśnienie, a nad zach. Europą — wysokie, co powoduje spływ chłodnego powietrza ku południowi.

Mitchell [myczl], **Mount Mitchell,** najwyższy szczyt Appalachów, w Paśmie Błękitnym, w USA (stan Karolina Pn.); wys. 2037 m.

Mizoram, stan w pn.-wsch. Indiach, przy granicy z Bangladeszem i Birmą; 21,1 tys. km^2; 908 tys. mieszk. (2002), ludy Mizo; stol. Ajdźal; górzysty (g. Luszaj); lasy monsunowe; uprawa zbóż, roślin strączkowych, imbiru, ananasów; pozyskiwanie drewna; rzemiosło.

Mjøsa [mjøsa], największe jez. Norwegii, w obniżeniu tektonicznym, na wys. 124 m; pow. 368 km^2, głęb. do 443 m (kryptodepresja); u schyłku plejstocenu stanowiło końcową część fiordu; do M. uchodzi rz. Lågen (Gudbrandsdalslågen), wypływa Vorma (pr. dopływ Glommy); żegluga, spław drewna; gł. m. nad Mjøsą: Hamar, Gjøvik.

młaka, powierzchniowy, rozlewny wypływ wody podziemnej, zatorfiony lub zabagniony, mający na ogół odpływ; występuje na obszarach płaskich, na których wysączająca się woda gruntowa nie może swobodnie odpłynąć, nasyca warstwę przypowierzchniową lub zwietrzelinę, powodując zabagnienie terenu i rozwój roślinności bagiennej; odpływ z m., o ile zachodzi, przybiera postać cieku dopiero w pewnej odległości od miejsca wypływu; także mokra łąka porośnięta gł. turzycami, sitami, wełnianką, mchami.

Mława, m. powiatowe w woj. mazow.; 31 tys. mieszk. (2000); ośr. przem.-usługowy; rozwinięty przemysł elektron., spoż. i skórz.-obuwn.; ponadto przemysł: maszyn., materiałów bud., przetwórstwo drzewne, wyrób opakowań; firmy budowlano-montażowe i transportowe; węzeł drogowy przy linii kol. Warszawa–Gdańsk; Państw. Wyższa Szkoła Zaw.; muzeum; prawa miejskie od 1429; kościół (XV, XVIII w.); ratusz i drewn. spichlerz (XVIII w.).

Młynary, m. w woj. warmińsko-mazurskim (powiat elbl.), nad Baudą; 1,8 tys. mieszk. (2000); ośr. usługowy dla rolnictwa i leśnictwa; drobne przetwórstwo rolno-spoż.; węzeł drogowy; muzeum; prawa miejskie przed 1329 (po 1320)–1945 i od 1984; kościół (XIV, XVII w.).

mofety [wł.], chłodne (o temp. poniżej 100°C) → ekshalacje wulkaniczne, składające się gł. z dwutlenku węgla (np. m. w Psiej Grocie k. Neapolu, o temp. 25°C); m. występują b. długo po zupełnym ustaniu działalności wulkanicznej.

Mogadiszu, Muqdisho, stol. Somalii, nad O. Indyjskim; 1,2 mln mieszk. (2002); gł. ośr. gosp. (przemysł spoż., włók., skórz., drzewny, stoczn.) kraju; port handl., lotn.; uniw.; muzeum; zał. w IX w. przez Arabów; zabytkowe meczety (XII, XIX w.) i domy.

Mogielnica, m. w woj. mazow. (powiat grójecki), nad Mogielanką (l. dopływ Pilicy); 2,7 tys. mieszk. (2000); ośr. usługowy regionu roln.--sadowniczego; przetwórstwo rolno-spoż., tworzyw sztucznych, skór; prawa miejskie 1317–1870 i od 1919; klasycyst. ratusz (XIX w.).

Mogilno, m. powiatowe w woj. kujawsko--pomor., nad Jez. Mogileńskim i rz. Panna; 12,8 tys. mieszk. (2000); ośr. przem.-usługowy dla rolnictwa; przemysł maszyn., materiałów bud., spoż., dziewiarski; ośrodek krajoznawczy na Szlaku Piastowskim; muzeum; prawa miejskie od 1398; opactwo Benedyktynów (kościół XI, XVI w., z rom. kryptą i późnobarok. fasadą, klasztor); got. kościół parafialny (XVI w.). W pobliskiej w. Przyjma otworowa kopalnia soli kam. Mogilno, uruchomiona 1986; w wypłukanych wysadach solnych duże podziemne kawernowe zbiorniki gazu ziemnego.

mogot, kopiasty, stromościenny pagór (wys. do 300 m), zbud. ze skał wapiennych, wznoszący się na prawie płaskiej równinie; jest formą ostańcową powstałą wskutek procesów krasowych zachodzących w klimacie gorącym i wilgotnym; m. są rozpowszechnione w pd. Chinach (m.in. w okolicach m. Guilin), na Kubie, Jawie; w Polsce taką samą genezę mają skałki na Wyż. Krakowsko-Częstochowskiej (np. w Ogrodzieńcu).

Mohorovičicia nieciągłość, powierzchnia Mohorovičicia, powierzchnia Moho, strefa we wnętrzu Ziemi, którą charakteryzuje skokowy wzrost prędkości rozchodzenia się podłużnych fal sejsmicznych, oddzielająca skorupę ziemską od podścielającego ją → płaszcza Ziemi; zmiana prędkości rozchodzenia się fal sejsmicznych jest związana ze zmianą składu chem. ośrodka, a więc jego gęstości i właściwości sprężystych; odkryta 1909 przez A. Mohorovičicia.

Mojave [mohạ:wy], **Mohave, Mojave Desert,** pustynia w USA, w stanie Kalifornia, w pd. części Wielkiej Kotliny; pow. ok. 39 tys. km²; piaszczysto-żwirowa; miejscami wznoszą się nagie masywy górskie; klimat zwrotnikowy, wybitnie suchy (roczne opady 45–130 mm); słone jeziora i bagna, okresowe rzeki; złoża rud żelaza, manganu, wolframu oraz złota, srebra; nieliczne oazy.

Mojżesza, Góra, góra na płw. Synaj (Egipt), → Synaj (góra).

mokradło → bagno.

molasa [franc. < łac.], osady, najczęściej lądowe (gł. piaskowce i zlepieńce), o wielkiej miąższości, powstałe w wyniku silnej erozji świeżo wypiętrzonego łańcucha górskiego (stąd są zw. osadami diastroficznymi); sedymentacja m. zachodziła na przedpolu gór w → rowach przedgórskich. Zob. też flisz.

Moldoveanu [~wiạnu], najwyższy szczyt Karpat Pd. i Rumunii, w G. Fogaraskich; wys. 2543 m.

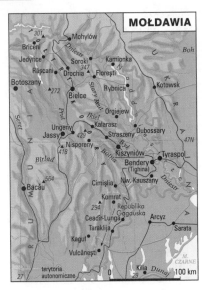

■ Mołdawia

Mołdawia, Moldova, Republika Mołdawii, państwo w pd.-wsch. Europie; 33,7 tys. km²; 4,2 mln mieszk. (2002), Mołdawianie 65%, Ukraińcy 14%, Rosjanie 13%, Gagauzi 3,5% i in.; wierzący gł. prawosławni; stol. Kiszyniów, inne gł. m.: Tyraspol, Bielce, Bendery; język urzędowy mołdawski; republika; w skład M. wchodzi Naddniestrze i Rep. Gagauska. Kraj wyżynny, pocięty dolinami rzek i wąwozami; gł. rz.: Dniestr i Prut; klimat umiarkowany ciepły, suchy. Gospodarka w okresie transformacji; waluta lej mołd. od 1993; użytki rolne 78% pow. (1994); uprawa zbóż (pszenica, kukurydza), winorośli, drzew owocowych i krzewów, słonecznika, buraków cukrowych, tytoniu; hodowla bydła, trzody chlewnej, owiec, jedwabników; przemysł spoż. (winiarski, cukr., olejarski), lekki, maszyn., elektrotechn., chem., drzewny. ■

Mołdawska, Wyżyna, Podişul Moldovei, wyżyna w Rumunii, na wsch. od Karpat Mołdawskich; budowa płytowa; na powierzchni utwory trzeciorzędowe (wapienie, gliny, piaski); rozcięta dolinami Seretu, Prutu i ich dopływów na oddzielne pagórkowate wzniesienia (wys. do 593 m); ważny region roln.; uprawa zbóż, buraków cukrowych, winorośli, hodowla bydła; gł. m. Jassy.

Mombasa, m. w Kenii, nad O. Indyjskim; zespół miejski 704 tys. mieszk. (2002); przemysł spoż., włók., chem., rafineryjny (naftociąg do Nairobi); gł. port handl. kraju; międzynar. port lotn.; ośr. turyst.; kąpielisko; zał. w XII w.

■ Mombasa. Główna ulica (kły są symbolem miasta)

arab. faktoria handl.; fort (XVI, XVII w., ob. muzeum). ■

Møn [mö:n], wyspa duń. w Cieśninach Duńskich, na pd. od Zelandii; pow. 217,8 km²; nizinna; uprawa pszenicy, jęczmienia, buraków cukrowych; hodowla bydła typu mlecznego i drobiu; przemysł cukr., mleczarski; turystyka; połączona mostami: z Zelandią i z wyspą Falster (poprzez małą wyspę Farø); gł. m. i port — Stege. Zasiedlona w starożytności; wiele zabytków, m.in. kościoły, najstarszy z 1100.

■ Monachium. Widok z ratusza

Monachium, München, m. w Niemczech, nad Izarą; stol. kraju związkowego Bawaria; 1,2 mln mieszk. (2002); gł. ośr. gosp. i kult.-nauk. pd. Niemiec; przemysł samochodowy (BMW), lotn., precyzyjny, elektron. (Siemens), maszyn., chem., piwowarski; duże banki, instytucje handl., międzynar. urząd patentowy; miejsce kongresów i targów; wielki węzeł komunik. (2 porty lotn.); szkoły wyższe, m.in. uniw. (zał. 1471), Bawarska AN; ośr. turyst. o międzynar. znaczeniu; muzea (Stara i Nowa Pinakoteka); słynny festiwal piwny, festiwal operowy; od 1158 miasto; kościoły (XIII–XVI, XVIII w.), barok. i klasycyst. pałace (Rezydencja Elektorska, XVI–XIX w.), budowle klasycyst. (Gliptoteka, Propyleje) i eklekt. (XIX w.); zespół pałacowo-parkowy Nymphenburg (XVII–XVIII w.); zespół budowli olimpijskich (1968–72). ■

monadnok → twardzielec.

Monako, Monaco, Księstwo Monako, państwo-miasto w pd. Europie, nad M. Śródziemnym, na pn.-wsch. od Nicei; 1,95 km²; 33 tys. mieszk. (2002), Monageskowie (elitarni obywatele księstwa, ok. 17%), imigranci z Francji, Włoch;

katolicy; stol. Monako; język urzędowy franc.; księstwo. Zajmuje wąski, skalisty pas Wybrzeża Lazurowego; klimat podzwrotnikowy śródziemnomorski. Podstawą gospodarki: usługi finansowe (siedziba wielu banków i firm zagr.), turystyka i handel. ■

Mongolia, Mongol, państwo w środkowowsch. Azji; 1566,5 tys. km²; 2,5 mln mieszk. (2002), Mongołowie (89% ludności), Kazachowie; gł. lamaiści; b. mała gęstość zaludnienia (2 mieszk. na 1 km²); stol. Ułan Bator, inne m.: Darchan, Erdenet; język urzędowy mong.; republika. Kraj górzysto-wyżynny; góry: Ałtaj Mongolski (wys. do 4362 m), Ałtaj Gobijski, Chentej, rozdzielone tektonicznymi kotlinami, największa Kotlina Wielkich Jezior z dużymi jeziorami: Uws-nuur, Chjargas-nuur; na wsch. wyżynna Równina Wschodniomon., na pd. — Gobi; klimat umiarkowany wybitnie kontynent., chłodny i ciepły (na pd.); na pn. występuje zmarzlina wieloletnia; ok. 60% pow. to obszary bezodpływowe; gł. rz.: Orchon, Selenga, Kerulen; tajga modrzewiowa (na pn.), stepy, półpustynie i pustynie (na pd). Podstawą gospodarki tradycyjna, koczownicza hodowla owiec, kóz, bydła, koni i wielbłądów; wydobycie fluorytów, rud miedzi, węgla brun.; przemysł skórz.; transport juczny, samochodowy i kol. (Kolej Transmong. łącząca Ułan Bator z Rosją i Chinami). ■

■ Mongolia

■ Mongolia. Jurta na Gobi

Mongolska, Wyżyna, wyżyna w Azji Środk., w Mongolii i pn. Chinach, ograniczona Wielkim Chinganem na wsch., górami Qilian Shan na pd., kotlinami Kaszgarską i Dżungarską na zach. i górami pd. Syberii na pn.; pow. ok. 3 mln km². W pn. części góry (Ałtaj Mongolski, Ałtaj Gobijski, Changaj, Chentej) o formach przeważnie łagodnych (płaskie wierzchołki, zaokrąglone grzbiety, szerokie doliny rzeczne) oraz wysoko położone kotliny (największa — Wielkich Jezior); pd. część stanowi obszerne równinne obniżenie (→ Gobi). Klimat umiarkowany, kontynent., wybitnie suchy, o ciepłych latach i surowych długich zimach; suma roczna opadów 100–300 mm (tylko w górach pn. części do 500 mm). Najdłuższe rz.: Selenga z Orchonem, Dzawchan, Chowd-gol, Kerulen i Onon; liczne suche doliny, w pn. części — jeziora (największe Chubsuguł). Panującą formacją roślinną są stepy przechodzące ku pd. w półpustynne; na pn.-zach. lasy typu tajgi, w najwyższych górach roślinność alp., pola firnowe i lodowce. Bogactwa miner.: rudy żelaza, manganu i wolframu, złoto, sól kamienna.

■ Monako

■ Monte Rosa. Na pierwszym planie lodowiec Gorner

■ Montreal. Widok śródmieścia ze wzgórza Ont Royal

monoklina [gr.], zespół warstw skalnych nachylonych w jednym kierunku na dużej przestrzeni (np. w Polsce m. przedsudecka).

Monrowia, Monrovia, stol. Liberii, nad O. Atlantyckim; 543 tys. mieszk. (2002); przemysł spoż., drzewny, włók., rafineryjny; gł. port handl. kraju; międzynar. port lotn.; uniw.; zał. 1822 przez wyzwolonych Murzynów amer., nazwana na cześć prez. USA, J. Monroego.

■ Mont Blanc

monsun [arab.], wiatr sezonowy, który w ciepłej porze roku wieje znad morza na ląd, a w porze chłodnej znad lądu w stronę morza; wraz ze zmianą kierunku następuje nagła zmiana pogody; m. zimowemu (lądowemu) towarzyszy przeważnie pogoda sucha, m. letniemu (mor.) — deszczowa; m. są wywołane sezonowymi zmianami ciśnienia atmosf. nad kontynentem i oceanem (w ciepłej porze roku nad lądem panuje niskie ciśnienie, a nad oceanem wysokie, w chłodnej porze roku — przeciwnie); najsilniej wykształcony system cyrkulacji monsunowej występuje w pd. i pd.-wsch. Azji; do m. bywają także zaliczane podobne wiatry wsch. Afryki Równikowej, pn. Australii oraz słabsze i mniej regularne wiatry pd. wybrzeża Alaski oraz pn. Kanady, pn.-wsch. Europy i pn. Syberii.

Mont Blanc [mą blã], wł. **Monte Bianco,** masyw górski w Alpach Zach., na pograniczu franc.-wł.-szwajc.; dł. 35 km; wys. do 4807 m (szczyt Mont Blanc — najwyższy w Europie); zbud. ze skał krystal.; gł. szczyt w kształcie szerokiej piramidy, inne (Mont Maudit 4468 m, Grandes Jorasses 4206 m, Aiguille Verte 4127 m) w kształcie ostrych turni (iglic); liczne lodowce (największy

→ Mer de Glace); granica wiecznego śniegu na wys. 3000–3200 m; obserwatorium astr. i meteorol.; pod Mont Blanc tunel drogowy Mont Blanc; z Chamonix-Mont Blanc prowadzi kolejka linowa na Aiguille du Midi (3843 m), następnie ponad lodowcem Géant do miejscowości Entrèves (Włochy). Szczyt Mont Blanc zdobyty po raz pierwszy 1786 (J. Balmat, M.G. Paccard); świat. centrum alpinizmu. ■

Montana [~tänə], stan w pn.-zach. części USA; 380,3 tys. km^2; 912 tys. mieszk. (2002), w tym ok. 50 tys. Indian; stol. Helena, gł. m: Billings, Great Falls; na zach. G. Skaliste, na wsch. Wielkie Równiny (prerie); gł. rz. Missouri z Yellowstone; lasy iglaste; ekstensywna hodowla bydła, owiec; uprawa (sztuczne nawadnianie) pszenicy, jęczmienia, owsa; leśnictwo; wydobycie rud miedzi, cynku, ołowiu; hutnictwo miedzi, przemysł drzewny, spoż., maszyn roln.; turystyka; parki nar. (Glacier, Yellowstone).

Monte Cassino [m. ka~], **Montecassino,** wzgórze we Włoszech, w Apeninie Środk., między Rzymem a Neapolem; wys. 519 m; u podnóża m. Cassino.

Monte Rosa [m. roza], franc. **Mont Rose,** masyw górski w Alpach Pennińskich, na granicy szwajc.-wł.; zbud. z granitów i gnejsów; 8 szczytów powyżej 4000 m, najwyższy — Dufour 4634 m (drugi pod względem wys. w Alpach); lodowce (największy → Gorner); kolejka linowa z doliny Zermatt do wys. 3820 m. ■

Montreal, m. w Kanadzie (Quebec), nad Rz. Św. Wawrzyńca; 1 mln mieszk. (2002), zespół miejski 3,1 mln (1991), ok. 2/3 pochodzenia franc.; największe miasto, ośr. gosp. i kult.-nauk. kraju; przemysł lotn., taboru kol., stoczn., maszyn., elektron.; ważny port handl. i węzeł komunik.; 5 uniw.; muzeum sztuki; XXI Letnie Igrzyska Olimpijskie 1976; osiedle zał. 1642 przez franc. misjonarzy w Nowej Francji; od 1826 port oceaniczny i śródlądowy; pozostałości fortyfikacji; budowle w stylu kolonialnym: kościół Bonsecours i seminarium St Sulpice, neogot. kościoły z XIX w.; Château de Ramezay, dawna rezydencja gubernatora, ob. Muzeum Sztuki Ludowej. ■

Montserrat [~rät], terytorium zależne W. Brytanii w Ameryce Środk. (Indie Zach.), na wyspie Montserrat w Małych Antylach, w archipelagu W. Podwietrznych, na M. Karaibskim; 102 km^2; 3,5 tys. mieszk. (2002), Murzyni, biali; protestanci; stol. i gł. port mor. Plymouth; język urzędowy ang.; wyspa górzysta (wys. do 914 m); klimat równikowy wilgotny; obsługa turystów; uprawa bawełny, trzciny cukrowej, drzew cytrusowych; hodowla bydła, kóz; eksploatacja lasów; rybołówstwo; przemysł spoż., włókienniczy. Wyspa zamieszkana przez Indian, 1493 odkryta przez K. Kolumba; od 1783 posiadłość W. Brytanii.

Mońki, m. powiatowe w woj. podl., na skraju otuliny Biebrzańskiego Parku Nar. i Parku Krajobrazowego Puszczy Knyszyńskiej; 11,0 tys. mieszk. (2000); regionalny ośr. usługowy i oświat.-kult.; różnorodny drobny przemysł, w tym zwł. spoż.; Krajowe Dni Ziemniaka, ogólnopol. wystawa ogierów; prawa miejskie od 1965.

Morawa, Velika Morava, rz. w Jugosławii (Serbia), pr. dopływ Dunaju; powstaje z połączenia M. Zachodniej (wypływa z masywu górskiego Golija) i M. Południowej (źródła w masywie Skopska Crna gora w Macedonii); dł. 221 km (z M. Południową — 563 km), pow. dorzecza 38 tys. km², płynie w szerokiej dolinie tworząc liczne meandry; duże wahania stanu wód; doliną M. biegnie linia kol. i droga samochodowa Belgrad–Skopie–Saloniki.

Morawa, czes. i słow. **Morava,** niem. **March,** rz. w Czechach, w dolnym biegu wyznacza granicę między Słowacją a Czechami i Austrią, l. dopływ Dunaju; dł. 329 km; źródła w Sudetach, w Masywie Śnieżnika; płynie w obniżeniu między Wyż. Czesko-Morawską a Karpatami Zach.; gł. dopływ Dyja (pr.); żegl. 70 km; gł. m. nad M. — Ołomuniec.

Morawska, Brama, Moravská brána, obniżenie między Sudetami a Karpatami, w Czechach; wys. ok. 310 m; przez B.M. prowadził szlak handl. (bursztynowy) z pd. Europy nad M. Bałtyckie, obecnie przebiega droga samochodowa i linia kol. Wiedeń–Warszawa.

Morąg, m. w woj. warmińsko-mazurskim (powiat ostródzki), nad jez. Skiertąg; 15,1 tys. mieszk. (2000); ważny ośr. przem., turyst. i usługowy regionu; przemysł drzewny (sklejki), maszyn., odzież. i spoż.; węzeł drogowy; muzeum; prawa miejskie od 1327; pozostałości zamku krzyżackiego i murów obronnych (XIV, XVI, XVIII w.), got. kościół (XIV, XVI w.) z polichromią z XV w., ratusz (XV w.).

Mordy, m. w woj. mazow. (powiat siedl.); 1,9 tys. mieszk. (2000); ośr. usługowy dla rolnictwa; przemysł spoż.; prawa miejskie 1486–1870 i od 1919; kościół (XVIII w.), pałac (XVIII, XIX w.), brama z późnobarok. wieżą (XVIII w.).

morena [franc.], materiał skalny transportowany i osadzany przez lodowiec; pochodzi gł. z niszczenia stoków górskich otaczających lodowiec, także z niszczenia podłoża lodowca. Do m. niesionych na powierzchni lodowca (m. powierzchniowych) należą m o r e n y b o c z n e — wały usypane z ostrokrawędzistych okruchów skalnych po obydwu stronach jęzora lodowcowego, oraz m o r e n y ś r o d k o w e, powstałe przeważnie przez połączenie m. bocznych łączących się lodowców; m o r e n ę w e w n ę t r z n ą stanowi materiał skalny niesiony wewnątrz lodowca; m. d e n n a, będąca nagromadzeniem gliny zwałowej, powstaje z materiału skalnego pochodzącego z niszczenia podłoża i materiału wytopionego z lodowca. W czasie postoju i topnienia lodowca materiał morenowy osadza się, tworząc swoiste formy rzeźby powierzchni Ziemi; u czoła lodowca, w miarę topnienia lodu, powstają wały lub pagórki m o r e n y c z o ł o w e j i m. bocznych; odsłania się również m. denna, tworząca lekko faliste lub płaskie równiny. Podczas zlodowacenia plejstoceńskiego Niż Środkowoeuropejski został pokryty grubą pokrywą utworów morenowych przyniesionych przez lądolód; są to głównie m. denne, zawierające m.in. głazy pochodzące z obszarów Skandynawii, oraz m. czołowe, tworzące łuki wzniesień (dł. od kilku do kilkunastu km) równol. do dawnych krawędzi lądolodu. ∎

■ Morena czołowa lodowca Fee w Alpach Pennińskich (Szwajcaria)

morfografia [gr.], **orografia,** dział → geomorfologii obejmujący opisywanie form rzeźby powierzchni Ziemi na podstawie ich wyglądu zewn.; do pojęć morfograficznych należą np.: nizina, równina, dolina, kotlina, grzbiet górski.

morfometria [gr.], dział → geomorfologii obejmujący pomiary form powierzchni Ziemi (długość, szerokość, wysokość, głębokość, stromość stoków, ich rozczłonkowanie i in.).

morska woda, woda mórz i oceanów, stanowi 97,2% ogólnej ilości wody występującej w hydrosferze (ok. 1350 mln km³); jest roztworem, w którego skład wchodzą prawie wszystkie znane pierwiastki chem.; skład w.m. jest jednakowy w całym oceanie, różna jest natomiast koncentracja soli miner.; woda stanowi ok. 96,5% masy mórz i oceanów; zawartość poszczególnych jonów w stosunku do ogólnej zawartości soli miner. w w.m. wynosi: chlorkowych — 55,3%, sodu — 30,7%, siarczanowych — 7,7%, magnezu — 3,7%, wapnia — 1,2%, potasu — 1%, dwuwęglanowych — 0,4%, ponadto w.m. zawiera brom i stront oraz ślady jodu, kobaltu, wanadu i in.; zawartość soli miner. w jednostce objętości w.m. określa jej zasolenie (ogólna ilość soli w gramach, w dcm³ wody, wyrażona w promilach); przeciętne zasolenie w.m. wynosi 35‰; w wodach oceanicznych waha się ono od 32‰ (obszary okołobiegunowe) do 38‰ (strefa zwrotnikowa); w morzach przyjmuje b. zróżnicowane wartości, od 3‰ (tzw. morza słonawe) do 40‰. W w.m. znajdują się także rozpuszczone gazy, pochodzące z atmosfery oraz procesów chem. i biol. zachodzących w wodzie i na dnie akwenu; zawartość gazów rozpuszczonych w w.m. (tlen, dwutlenek węgla, siarkowodór, amoniak) zależy gł. od intensywności falowania i pionowego mieszania się wody oraz jej wymiany z sąsiednimi akwenami; rozpuszczalność gazów zmniejsza się wraz ze wzrostem temperatury i zasolenia w.m.; stężenie tlenu rozpuszczonego w wodzie morskiej wynosi zwykle 4–6 mg/l. Średnia roczna temperatura wód powierzchniowych oceanu wynosi 17,4°C (lądu 14,3°C); w morzach strefy tropikalnej dochodzi ona do 35°C, w morzach strefy polarnej do –1,9°C; wody głębokie w większości mórz i oceanów mają temp. niską, od 5°C do niekiedy –1°C; roczna amplituda temperatury w.m. w strefie międzyzwrotnikowej dochodzi do 2,6°C, w średnich szer. geogr. osiąga 4–8°C (w morzach płytkich, np. u pd. wybrzeży M. Bałtyckiego 17–18°C); dobowa amplituda temperatury w wodach otwartych dochodzi do 0,2°C, w morzach przybrzeżnych — do 1–2°C. W.m. ma różną barwę: ciemnobłękitną (ocean i wiele mórz zwrotnikowych szer. geogr.), błękitną (np. M. Śródziemne), zielonkawą (miejscami wody strefy równikowej), silnie zielonkawą (morza subpolarne), zielonoszarą (np. M. Bałtyckie), czy zielonkawą z odcieniem żółtym (np. M. Białe). Barwa w.m. zależy od jej przezroczystości; wodę b. przezroczystą, szafirową i niebieską cechuje minim. ilość zawiesiny tak miner., jak i planktonu; największa przezroczystość występuje w M. Sargassowym — 66,5 m; w O. Spokojnym osiąga 59 m, O. Indyjskim — 40–50 m, M. Śródziemnym — 60 m, M. Bałtyckim (część pd.) — 13 m, M. Białym — 8 m.

morskie fale, fale tworzące się na powierzchni mórz i oceanów (fale powierzchniowe) lub wewnątrz nich (fale wewn.). Podczas falowania cząsteczki wody na powierzchni wykonują okresowe ruchy wahadłowe wokół swego położenia równowagi po zamkniętych orbitach kołowych lub eliptycznych; wahania cząsteczek wody są przekazywane do pewnej głębokości cząsteczkom położonym w warstwie przypowierzchniowej, przy czym w miarę rozchodzenia się fal w głąb promienie orbit zmniejszają się aż do głębokości równej długości fali, gdzie woda jest już w bezruchu falowym; jeśli falowanie zachodzi na powierzchni wody płytkiej, to spłaszczenie orbit cząsteczek wody zwiększa się wraz z głębokością, wskutek czego cząstki wody przy samym dnie wykonują jedynie płaskie ruchy oscylacyjne.
Fale powierzchniowe, ze względu na siłę, która je wywołuje, dzieli się na: w i a t r o w e (tzw. wymuszone), powstające w wyniku oddziaływania wiatru na powierzchnię wody; początkowo, po pojawieniu się wiatru, powstają fale pierwotne w postaci b. drobnych zmarszczek, zw. falami kapilarnymi, przy dalszym trwaniu wiatru — fale wyraźniejsze, zw. grawitacyjnymi; przy wietrze umiarkowanym (6–7 m/s) na grzbietach fal pojawia się piana; wraz ze wzrostem prędkości wiatru następuje wzrost wysokości, długości i prędkości fal; podczas silnych sztormów (ponad 20 m/s) występują olbrzymie fale układające się szeregowo, o przewalających się grzbietach (na otwartym oceanie osiągają wys. 7–8 m, maks. 16–17 m); gdy prędkość wiatru zaczyna maleć, falowanie powoli przybiera charakter rozkołysu (martwa fala); p ł y w o w e, związane z przyciąganiem Księżyca i Słońca (→ pływy); b a r y c z n e (→ sejsze), związane z przemieszczaniem się układów barycznych (cyklony, tajfuny), spowodowane zmianami ciśnienia atmosf. nad powierzchnią akwenu; s e j s m i c z n e (→ tsunami), wywołane trzęsieniami dna mor. oraz wybuchami podwodnych wulkanów; o k r ę t o w e, powstające przy ruchu ciał stałych w wodzie. Każda fala, niezależnie od przyczyny ją wywołującej, ulega deformacji przy zbliżeniu się do miejsc płytkich, a szczególnie do wybrzeża; wraz ze zmniejszaniem się głębokości

akwenu prędkość i długość fali ulegają zmniejszeniu wskutek tarcia cząsteczek wody o dno, podczas gdy wysokość fali w miarę zbliżania się do brzegu stale wzrasta, co może wywołać zjawisko przyboju (łamania się fali). Fale wewn. powstają wewnątrz masy wodnej mórz i oceanów, na powierzchni rozdzielającej warstwy wody o różnej gęstości, gdy jedna z tych warstw porusza się względem drugiej; najczęściej występują w oceanie fale wewn. pływowe; szczególnym przypadkiem fal wewn. jest → martwa woda.

Morskie Oko, jez. polodowcowe w Tatrach Wysokich, w Dolinie Rybiego Potoku, największe w Tatrach, na wys. 1395 m; pow. 34,5 ha (wg innych obliczeń 34,9 ha), dł. 862 m, szer. 566 m, maks. głęb. 50,8 m; od pn. zamknięte moreną; pn.-wsch. brzeg oraz znaczną część wsch. porasta las świerkowy, pozostałe — kosodrzewina; wokół jeziora liczne stanowiska limby; w M.O. żyją pstrągi; z M.O. wypływa Rybi Potok; nad jeziorem — schronisko PTTK im. S. Staszica; licznie odwiedzane przez turystów.

Moryń, m. w woj. zachodniopomor. (powiat gryfiński), nad jez. Morzycko, w sąsiedztwie Cedyńskiego Parku Krajobrazowego; 1,6 tys. mieszk. (2000); ośr. turyst.-wypoczynkowy i usługowy dla rolnictwa; drobny przemysł spoż. i drzewny; prawa miejskie przed 1306; kościół i mury obronne (XIII w.).

morze, wyodrębniona część oceanu, zwykle przylegająca do kontynentu, oddzielona od otwartych wód oceanicznych łańcuchami wysp, półwyspami lub podwodnymi progami, utrudniającymi wymianę wód głębinowych; powierzchnia m. na Ziemi wynosi 40 mln km² (11% pow. oceanu). Ze względu na warunki wymiany wód m. z wodami oceanicznymi rozróżnia się m.: p r z y b r z e ż n e, położone na skrajach wielkich basenów oceanicznych, częściowo lub w całości w zasięgu szelfu kontynent., odznaczające się łatwą wymianą wód z oceanem (np. M. Północne); ś r ó d z i e m n e, otoczone przez lądy, połączone z oceanem wąskimi i na ogół płytkimi cieśninami; wśród nich rozróżnia się m. międzykontynent. (np. M. Śródziemne, M. Czarne) i wewnątrzkontynent. (zwykle szelfowe, np. M. Bałtyckie, M. Białe); m i ę d z y w y s p o w e (girlandowe), oddzielone od wód otwartego oceanu wyspami lub archipelagami (np. M. Koralowe). Niektóre m. przybrzeżne są nazywane zatokami (np. Zat. Hudsona, Zat. Perska); m. nazywa się również wielkie jeziora o znacznym zasoleniu wód (np. Jez. Aralskie, M. Martwe), a także niektóre części otwartych wód oceanicznych, położone niekiedy dość daleko od lądu (np. M. Sargassowe, M. Norweskie).
Geologicznie m. są tworami młodymi; prawie wszystkie (w granicach zbliżonych do dzisiejszych) powstały w trzeciorzędzie, a ostatecznie zostały ukształtowane w czwartorzędzie; m. głębokie (tzw. oceaniczne) są pochodzenia tektonicznego, m. płytkie (tzw. kontynent.) powstały w wyniku zatopienia przez wody oceaniczne brzeżnych części kontynentów. Głębokość m. jest zróżnicowana; najpłytszym m. jest M. Azowskie (średnia głęb. 9 m), do najgłębszych należą M. Karaibskie (do 7680 m) i Banda (do 7440 m).

Ze względu na duży wpływ kontynentów woda mor. różni się pod względem fizykochem. od wód otwartego oceanu; średnia roczna temperatura wód mor. jest wyższa od temperatury wód otwartego oceanu na tej samej szer. geogr.; największe wahania temperatury wód m. występują w strefie umiarkowanej, najmniejsze — w strefie międzyzwrotnikowej. Duży wpływ na termiczne uwarstwienie wód w m. mają → pływy. Znaczne części m. arktycznych i niektórych antarktycznych stale pokrywa lód; zasięg tej pokrywy zwiększa się zimą; przeważnie każdej zimy tworzy się ona także na krótszy lub dłuższy okres na niektórych m. strefy umiarkowanej.
Zasolenie wód mor. zależy od wielkości parowania, opadów atmosf. i dopływu słodkich wód rzecznych; zasolenie wód powierzchniowych m. otwartych (o swobodnej wymianie z oceanem wód zarówno powierzchniowych jak i głębinowych) jest zbliżone do zasolenia wód oceanicznych; przy utrudnionej wymianie wód (morza półzamknięte) różnice zasolenia mogą być znaczne; m. o dodatnim bilansie wodnym (małe parowanie, duży dopływ wód rzecznych) mają mniejsze zasolenie wód, niż przeciętne w oceanie (np. M. Bałtyckie), m. o bilansie ujemnym (duże parowanie, mały dopływ wód rzecznych) — zasolenie większe (np. M. Śródziemne). W m. głębokich wydziela się 3 strefy życia org.: → litoral, → pelagial, → abisal; w m. płytkich (szelfowych) nie ma strefy abisalnej i związanej z nią fauny głębinowej, dużo jest natomiast gatunków fauny endemicznej, przystosowanej do zróżnicowanych warunków życia w wodach przybrzeżnych.
Sytuacja prawna. Na przeł. XVII i XVIII w. ukształtowała się zwyczajowa zasada prawna wolności m. pełnego (zw. też otwartym), a zarazem zasada władztwa państwa na m. przybrzeżnych; klas. prawo mor. zostało skodyfikowane w konwencjach genewskich z 1958. Jednak nie zostały one powszechnie przyjęte, a większość państw rozwijających się żądała ich rewizji. Jednocześnie wystąpiła tendencja do rozszerzania władzy państw nabrzeżnych do 200 mil morskich. Te nowe kierunki znalazły wyraz w konwencji prawa m., przyjętej 1982. Pod względem prawnym wśród obszarów mor. rozróżnia się obecnie: 1) wody wewn. (porty, zatoki), na których państwo nadbrzeżne sprawuje pełną władzę suwerenną; 2) m. terytorialne, pas wód mor. przyległych do wybrzeża albo do wód wewn., który stanowi również integralną część terytorium państwa; państwo może tu m.in. sprawować kontrolę nad statkami obcymi, wydawać przepisy w sprawach bezpieczeństwa żeglugi, celnych, sanitarnych, ma wyłączność rybołówstwa; władzę tę ogranicza tylko tzw. prawo nieszkodliwego przepływu, przysługujące statkom i okrętom wszystkich państw bez specjalnego zezwolenia; szerokość m. terytorialnego reguluje państwo nadbrzeżne; wynosiła ona zwykle od 3 do 12 mil mor., obecnie większość państw posiada 12-milowe morze terytorialne; również szerokość polskiego m. terytorialnego od 1978 wynosi 12 mil; 3) strefa przyległa ciągnąca się poza m. terytorialnym, nie stanowiąca terytorium państwa; uprawnienia państwa sprowadzają się tu do kontroli celnej, sanitarnej i imigra-

cyjnej; od 1978 Polska nie posiada strefy przyległej; 4) szelf kontynent., płytkie przybrzeżne dno mor. poza m. terytorialnym, na którym wyłączne prawo eksploatacji jego bogactw posiada państwo nadbrzeżne; niektóre płytkie m. śródlądowe (jak M. Bałtyckie) całe są położone na szelfie; 5) niekiedy państwa ustanawiają poza granicami m. terytorialnego tzw. strefę wyłącznego rybołówstwa dla własnych obywateli, która sięga 200 mil; od 1978 została ustalona pol. strefa rybołówstwa mor. na zewnątrz od granicy m. terytorialnego; jej granice określono za pomocą współrzędnych geogr., gdyż np. na M. Bałtyckim nie ma możliwości ustanowienia strefy 200-milowej; 6) wyłączna strefa ekon. rozciąga się poza m. terytorialnym; państwo nadbrzeżne posiada w niej suwerenne prawo eksploatacji zasobów żywych, miner. wód mor., dna mor. i jego podziemia; obecnie wiele państw ustanowiło wyłączne strefy ekon., które zastępują strefy wyłącznego rybołówstwa i szelf kontynent. (Polska uczyniła to 1991); strefa ekon. nie może przekraczać 200 mil mor., licząc od linii podstawowej, od której jest mierzone m. terytorialne; 7) m. pełne (otwarte) nie podlega zwierzchności żadnego państwa, korzystanie z niego jest wolne dla wszystkich, zgodnie z tradycyjną zasadą wolności m., która oznacza: wolność żeglugi, rybołówstwa, zakładania kabli podmor. i rurociągów oraz wolność przelotu; statki na m. pełnym podlegają jurysdykcji państwa bandery, z wyjątkiem prawa powszechnej represji piractwa oraz tzw. prawa pościgu, które przewiduje możliwość ścigania i zatrzymania statku obcego na m. pełnym, jeśli naruszył on przepisy prawne państwa nadbrzeżnego, a pościg został rozpoczęty na wodach wewnętrznych, m. terytorialnym lub w strefach przyległych i nie był przerwany; 8) dno m. i oceanów poza granicami jurysdykcji państw. (tj. poza granicami stref ekon. i szelfu) w konwencji z 1982 zostało uznane za „wspólne dziedzictwo ludzkości"; jego bogactwa mają być eksploatowane pod kontrolą międzynar., a korzyści z tej eksploatacji dzielone między wszystkie państwa; przewiduje się także powołanie Organizacji Dna Mor., która będzie się zajmować eksploatacją dna m. i oceanów. Całość regulacji sytuacji prawnej obszarów mor. i eksploatacji ich zasobów zawiera konwencja z 1982, która reguluje także sprawę pokojowego załatwienia sporów i przewiduje powstanie Międzynar. Trybunału Prawa Morza. Wejście w życie konwencji nastąpi w rok po ratyfikowaniu jej przez 60 państw (do 1992 ratyfikowało ją przeszło 50 państw). Do czasu wejścia w życie konwencji obowiązują nadal normy zwyczajowe, a częściowo także konwencje genewskie z 1958. Ponadto wiele zagadnień (np. ochrona środowiska mor., ratownictwo mor., rybołówstwo) regulują specjalne umowy międzynar., powszechne bądź regionalne. Dużą rolę w rozwoju współpracy międzynar. na morzach odgrywa Międzynarodowa Organizacja Morska.

morze epikontynentalne, względnie płytkie i krótkotrwałe w sensie geol. morze pokrywające → szelf lub wnętrze kontynentu, np. M. Bałtyckie, M. Północne.

Mosicatunga [~ka~], wodospad w Afryce, → Wiktorii, Wodospad.

Mosina, m. w woj. wielkopol. (powiat pozn.), nad Kanałem Mosińskim, na pd.-wsch. krańcu Wielkopol. Parku Nar., w otoczeniu lasów; 12,2 tys. mieszk. (2000); ośr. usługowo-przem. i obsługi ruchu turyst.; zakłady przemysłu materiałów bud., drzewnego i odzież.; rozwinięte sadownictwo i uprawy pod osłonami; prawa miejskie od 1302. W pobliżu na obszarze Rogalińskiego Parku Krajobrazowego największe w Europie skupisko starych dębów — pomników przyrody (dęby rogalińskie).

Moskwa, stol. Rosji, nad rz. Moskwa, m. wydzielone; 8,4 mln mieszk. (2002); wielki węzeł komunik. (11 linii kol., 4 porty lotn., 3 porty rzeczne, metro); międzynar. targi; przemysł elektromaszyn. (m.in. samochodowy), chem., lekki (włók.), spoż., poligraficzny, kombinat metalurg.; Ros. AN, ponad 1000 instytutów nauk.-badawczych, 80 szkół wyższych (15 uniw. i konserwatorium); muzea. Wzmiankowana od 1147; najważniejszy w M. zespół zabytkowy Kreml i pl. Czerwony z cerkwią Wasyla Błogosławionego (XVI w.) oraz mauzoleum Lenina; obronne monastyry (XVI–XVII w.); cerkwie (XVI–XIX w.); klasycyst. pałace (XVIII w.), rezydencje (ob. muzea); liczne budowle eklekt. (XIX, XX w.), często wzorowane na budowlach starorus. (Muzeum Hist.) i secesyjnych; współcz. układ przestrzenny miasta — wynikiem przebudowy realizowanej od 1935; budowle powstałe po 1917: siedziby redakcji gazet — „Izwiestija" i „Prawda", nowy gmach Ros. Biblioteki Państw., hotel Moskwa; z lat 50. i 60.: Uniw. im. M.W. Łomonosowa i in. reprezentacyjne wieżowce w stylu realizmu socjalist., Centr. Stadion na Łużnikach, zabudowa Prospektu Kalinina i gmach dawnego RWPG; z lat 70. — hotel Rosija, 80. — wioska olimpijska; pod koniec lat 90. powstaje w M. wiele nowych gmachów użyteczności publ. (podziemne miasteczko handl.-rozrywkowe na pl. Maneżowym, biurowiec Gazpromu), prowadzi się też prace konserwatorskie zabytkowych budowli (Galeria Tretiakowska), a także rekonstrukcyjne (sobór Chrystusa Zbawiciela, na miejscu wysadzonego przez J. Stalina 1931).

Motława, rz. na Pojezierzu Starogardzkim i Żuławach Wiślanych; l. dopływ Martwej Wisły; dł. 65 km, pow. dorzecza 1511 km^2; wypływa jako Szpęgawa z Jez. Szpęgawskiego, na Pojezierzu Starogardzkim; przepływa Jez. Rokickie, po czym przybiera nazwę M.; w dolnym biegu płynie przez Żuławy Wiślane; ujście M. oraz przekopane ujściowe ramię — Nowa M. — są częścią portu w Gdańsku; gł. dopływ — Radunia (l.).

Moza, franc. **Meuse,** flam. **Maas,** rz. we Francji, Belgii i Holandii; dł. 925 km, pow. dorzecza 49 tys. km^2; źródła u podnóża wyż. Langres (na wys. 384 m); płynie przez Wyż. Lotaryńską, Ardeny (głęboka dolina o stromych zboczach) i Niz. Holenderską; uchodzi do Hollands Diep (dawniej zatoka M. Północnego) tworząc wspólną deltę z Renem; gł. dopływy: Sambra (l.), Ourthe (pr.); ważna droga wodna, połączona ze Skaldą

(Kanał Alberta) i rz. Aisne (Kanał Ardeński); od m. Givet skanalizowana, dostępna dla statków o nośności 1350 t; w górnym biegu M. przecina Kanał Marna–Ren; gł. m. nad M.: Verdun, Sedan, Charleville-Mézières, Namur, Liège, Maastricht.

Mozambicki, Kanał, franc. **Canal de Mozambique,** malgaskie **Mozambika Lakandranon'i,** portug. **Canal de Moçambique,** cieśnina na O. Indyjskim, między Madagaskarem a Afryką; dł. 1670 km, szer. 422–925 km, najmniejsza głęb. 117 m, maks. — do ok. 3000 m (na torze wodnym); przez K.M., wzdłuż wybrzeży afryk., płynie ciepły Prąd Mozambicki (odgałęzienie Prądu Południoworównikowego); gł. porty: Beira w Mozambiku, Mahajanga na Madagaskarze.

Mozambik, Moçambique, **Republika Mozambiku,** państwo w pd.-wsch. Afryce, nad O. Indyjskim; 801,6 tys. km^2; 17,7 mln mieszk. (2002), ludy Bantu (Makwa, Tsonga); ok. 1,5 mln uchodźców, gł. z Malawi; animiści oraz katolicy, muzułmanie; stol. Maputo, inne m.: Nampula, Beira; język urzędowy portug.; republika. Płaskowyż z masywami górskimi (do 2593 m), pocięty uskokami; wybrzeże i pd. część nizinna; klimat podrównikowy wilgotny, na pd. zwrotnikowy suchy; gł. rz.: Zambezi, Limpopo; na granicy z Malawi jez. Niasa; sawanny, lasy galeriowe, namorzyny. Gospodarka znacznie zniszczona w czasie wojny domowej; słabo rozwinięty kraj roln.; uprawa zbóż, manioku, orzeszków ziemnych, na eksport — bawełny, nanercza, trzciny cukrowej, palmy kokosowej; elektrownia Cabora Bassa na Zambezi; połów krewetek; żegluga na Zambezi; gł. porty: Maputo, Beira. ■

Mozela, franc. **Moselle,** niem. **Mosel,** rz. we Francji, Luksemburgu i Niemczech, l. dopływ Renu; dł. 545 km, pow. dorzecza 28,2 tys. km^2; źródła w pd. Wogezach; w dolnym biegu płynie przez Reńskie G. Łupkowe w głębokiej dolinie, tworząc liczne meandry; gł. dopływy: Meurthe, Saara, Ruwer (pr.); ważna droga wodna (od Frouard dostępna dla statków o nośności 1500 t); połączona kanałami z Saoną, górnym Renem, Marną, Mozą oraz z górną Saarą; elektrownie wodne; gł. m. nad M.: Metz, Thionville, Trewir, przy ujściu — Koblencja.

Mrągowo, m. powiatowe w woj. warmińsko-mazurskim, nad jeziorem Czos i Juno; 23,2 tys. mieszk. (2000); ośr. turyst., usługowy i przem.; przemysł drzewny, odzież. i spoż.; węzeł drogowy; ważny węzeł tras turyst.; Muzeum Ziemi Mrągowskiej; Międzynar. Festiwal Muzyki Country „Piknik Country", Festiwal Kultury Kresowej, Mazurska Noc Kabaretowa; prawa miejskie od 1404–07; kościół (XVIII w.), domy (XVIII, XIX w.), ratusz (XIX w., ob. muzeum).

Mrągowskie, Pojezierze, środk. część Pojezierza Mazurskiego; wysoczyzna morenowa tworząca garb z kulminacjami ponad 200 m (maks. 221 m), górujący zarówno nad Pojezierzem Olsztyńskim od zach., jak i nad Krainą Wielkich Jezior Mazurskich od wsch.; teren jest pożłobiony w kierunku południkowym przez szereg długich rynien jeziornych (np. sorkwicka, mrągowska i in.), a w kierunku równoleżnikowym przecięty kilkoma łańcuchami moren czo-

■ Mozambik

łowych; wzdłuż rynien ciągną się wały ozów i kemów; na wysoczyźnie między rynnami przeważa glina zwałowa. Jeziora zajmują ok. 5% pow. (ok. 90 km^2), największe, położone na pd., Jez. Mokre (846 ha); dział wód Wisły i Pregoły (część zachodnia P.M. jest odwadniana przez Narew do Wisły, wsch. zaś przez Guber do Łyny i Pregoły). Obszary leśne występują tylko na piaskach lodowcowo-rzecznych, w pd. części regionu (część Puszczy Piskiej), gdzie utworzono kilka rezerwatów faunistycznych, florystycznych, leśnych, torfowiskowych. Największym ośr. miejskim jest położone centralnie Mrągowo; na pn. krańcu leży zabytkowy Reszel, na pd., na granicy Równiny Mazurskiej — Szczytno.

Mrocza, m. w woj. kujawsko-pomor. (powiat nakielski); 4,1 tys. mieszk. (2000); ośr. usługowy regionu roln.; przetwórstwo rolno-spoż. i drzewne oraz różnorodna wytwórczość; prawa miejskie od 1393.

Mroźna, Jaskinia, jaskinia we wsch. zboczu Doliny Kościeliskiej (Tatry Zach.), w skałach Organów; powstała w wapieniach jurajskich, na linii wielkich szczelin; wejście, sztucznie przekopane 1952, w Dolince Zbójnickiej na wys. 1112 m, wyjście na wys. 1118 m — w pobliżu wejścia do Jaskini Zimnej; dł. 503 m; jaskinia pozioma, na średniej wys. ok. 1100 m i ok. 120 m nad dnem Doliny Kościeliskiej; nacieki kalcytowe, stalaktyty, 3 niewielkie jeziorka; udostępniona do zwiedzania (światło elektr., przewodnicy); odkryta 1938 przez S. Zwolińskiego.

Mszana Dolna, m. w woj. małopol. (powiat limanowski), w Beskidzie Wyspowym, w pobliżu ujścia Mszanki do Raby, w otulinie Gorczańskiego Parku Nar.; 7,1 tys. mieszk. (2000); ośr. usługowo-przem. i turyst.-wypoczynkowy; zakłady przemysłu: spoż. (wyroby cukiern.), drzewnego; produkcja artykułów ściernych; węzeł drogowy; prawa miejskie od ok. 1346 i ponownie od 1952.

Mszczonów, m. w woj. mazow. (powiat żyrardowski); 6,2 tys. mieszk. (2000); ośr. usługowo--przem.; przemysł: odzież., spoż., skórz., metal., drzewny, chem., materiałów bud.; w zach. części powstaje dzielnica przem. (pow. 300 ha) z centrum logistyczno-dystrybucyjnym Europa Park; węzeł kol. i drogowy; prawa miejskie od 1377; w XIX w. ośr. chasydów.

Mugodżary, góry w Kazachstanie, w przedłużeniu Uralu; najwyższy szczyt Wielki Boktybaj, 657 m; obejmują 2 równol. pasma rozdzielone Kotliną Ałabaską; zbud. z kwarcytów, łupków krystal., gnejsów, granitów, piaskowców; w pd.--zach. części silnie rozczłonkowane; na pd. roślinność półpustynna, na pn. — stepowa; złoża rud miedzi i chromu, ropy naft., fosforytów.

Mulhacén [mulaten], najwyższy szczyt Płw. Iberyjskiego, w Hiszpanii, w G. Betyckich, w pasmie Sierra Nevada; wys. 3478 m; pokryty śniegiem.

Murchisona, Wodospady [w. merczysona], **Murchison Falls,** wodospad na Nilu Wiktorii, w pobliżu jego ujścia do Jez. Alberta, w Ugandzie; powstał na odcinku przełomu rzeki przez próg krystal. na granicy niecki Uniamwezi i Wielkiego

Rowu Zach. (→ Wielkie Rowy Afrykańskie); wys. 120 m; wchodzi w skład Parku Nar. Kabalega; odkryty 1864 i nazwany na cześć R.I. Murchisona.

Müritz [mü:ryc], jez. w Niemczech, na Pojezierzu Meklemburskim, na wys. 62 m; pow. 116,8 km^2, głęb. do 33 m; przez M. płynie rz. Elde (dopływ Łaby); nad jeziorem liczne ośr. wypoczynkowe; na wsch. Park Nar. Müritz.

Murmańsk, m. obw. w Rosji, nad M. Barentsa; 361 tys. mieszk. (2002); nie zamarzający port mor.; baza floty handl. i rybackiej; pocz. Północnej Drogi Mor.; przemysł rybny, stoczn. (remont statków); 3 szkoły wyższe; zał. 1916; 1941–45 docelowy port konwojów murmańskich. ∎

∎ Murmańsk. Widok od strony portu

Murowana Goślina, m. w woj. wielkopol. (powiat pozn.), nad Goślinką (pr. dopływ Warty), przy zach. granicy Parku Krajobrazowego Puszcza Zielonka; 9,7 tys. mieszk. (2000); ośr. usługowo-mieszkaniowy w pobliżu Poznania oraz obsługi ruchu turyst.; drobny przemysł i rzemiosło; węzeł drogowy; Leśny Zakład Doświadczalny pozn. Akad. Roln. z arboretum (pow. 90 ha) w pobliskiej Zielonce; w mieście i okolicach rozwinięta uprawa warzyw; prawa miejskie przed 1389; kościół (XIX w.).

Murray [mąry], gł. rz. Australii; dł. ok. 2600 km, pow. dorzecza 1063 tys. km^2 (14% pow. kontynentu); źródła w G. Śnieżnych, na wys. ok. 1830 m; na większej dł. brzeg pd. stanowi granicę między Nową Pd. Walią i Wiktorią, dolny bieg w stanie Australia Pd.; po wypływie z gór w szerokiej dolinie tworzy liczne zakola i rozgałęzienia; na dł. 425 km przed ujściem dolina (do 30 m głęb.) wcięta w poziomo zalegające wapienie; uchodzi do jez. Alexandrina, odgrodzonego od O. Indyjskiego piaszczystym wałem; b. duże wahania stanu wód; średni przepływ 470 m^3/s; wiosną i latem katastrofalne powodzie; gł. dopływy: Murrumbidgee, Darling (pr.); w górnym biegu zasilana wodami Rz. Śnieżnej (kompleks hydroenerg. w G. Śnieżnych); wykorzystywana do nawadniania (zbiorniki Hume, Victoria, Chowilla); żegluga turyst. (od m. Albury); gł. m. nad M.: Albury-Wodonga, Mildura, Renmark.

Musała, najwyższy szczyt Bułgarii i Płw. Bałkańskiego, w górach Riła; wys. 2925 m.

Muszyna, m. w woj. małopol., nad Popradem, w pobliżu granicy ze Słowacją; 5,1 tys. mieszk. (2000); uzdrowisko i ośr. wypoczynkowy; wody miner. (szczawy), borowina; kol. stacja graniczna na linii Kraków–Budapeszt; kamieniołom piaskowca, rozlewnia wody miner.; prawa miejskie 1364–1896 i od 1934; muzeum Państwa Muszyńskiego (w dawnej karczmie z XVIII w.); ruiny zamku biskupów krak. (XIV w.), kościół (XVII w.).

muton [franc.], **baraniec,** podłużny pagórek podłoża skalnego (wysokość od kilkunastu cm do kilkudziesięciu m, długość — kilkaset m), wygładzony i porysowany przez lodowiec; m. występują (najczęściej gromadnie) na obszarach dziś i dawniej zlodowaconych (np. w Finlandii, pd. Szwecji, w Tatrach).

Muztag, Muzitage, Uług Muz-tag, najwyższy szczyt Kunlunu, w Chinach, w G. Przewalskiego; wys. 6987 m.

Mylna, Jaskinia, jaskinia w Dolinie Kościeliskiej (Tatry Zach.), w stoku Raptawickiej Turni; powstała w wapieniach górnojurajskich; otwory (3) pd. na wys. 1098 m, otwór pn. (sztucznie przekopany 1949) na wys. 1090 m; jaskinia pozioma o deniwelacji ok. 20 m, stanowi b. skomplikowany labirynt korytarzy i sal, część ciągu wydrążyły odnogi potoku, który przepływał tu w okresie zlodowacenia; łączna dł. przeszło 1300 m, z czego oznakowano i udostępniono turystom ok. 300 m; szlak w J.M. rozpoczyna salka z dwoma oknami skalnymi (Okna Pawlikowskiego); odkryta 1885 przez J.G. Pawlikowskiego.

mylonityzacja [gr.], proces metamorfizmu dyslokacyjnego polegający na rozkruszaniu i kierunkowym wyprasowywaniu rozdrobnionych składników skały; zachodzi w płytkich strefach skorupy ziemskiej pod wpływem ruchów górotwórczych, często zapoczątkowuje procesy metamorfizmu regionalnego; prowadzi do powstania łupkowatych skał zw. m y l o n i t a m i, pospolitych na obszarach sfałdowanych, np. w Alpach, Sudetach, Tatrach.

Mysłowice, m. w woj. śląskim, nad Czarną Przemszą, w GOP; powiat grodzki; 79 tys. mieszk. (2000); ośr. wydobycia węgla kam. oraz obsługi górnictwa; rozwija się przemysł: materiałów bud., elektromaszyn., spoż., inform., drzewny, chem. i spoż.; węzeł kol. i drogowy; Centr. Muzeum Pożarnictwa; prawa miejskie przed 1360–1744 i od 1861; zabytkowy układ urb., kościół (XVI, XVIII, XIX w.). Na pd. M. jez. Dziećkowice.

Myszków, m. powiatowe w woj. śląskim, nad Wartą, w pobliżu Parku Krajobrazowego Orlich Gniazd; 34 tys. mieszk. (2000); ważny ośr. przem., zwł. przemysłu obuwn., metal. i papierniczy, ponadto zakłady: materiałów bud., wyrobów dziewiarskich, odzieży, także skórz., akumulatorów, soków i napojów gazowanych, wyrobów mlecznych, zabawek, przetwórstwa tworzyw sztucznych; nie eksploatowane złoża rud molibdenowo-wolframowo-miedziowych, zasoby wód miner. częściowo wykorzystywane przez Wytwórnię Wód Gazowanych „Jurajska"; węzeł kol. i drogowy; wieś wzmiankowana 1442; prawa miejskie od 1950.

Myszyniec, m. w woj. mazow. (powiat ostrołęcki), nad Rozogą; 3,1 tys. mieszk. (2000); ośr. -usługowy regionu roln., krajoznawczy i kult. Kurpiów; rzemiosło lud. i artyst.; węzeł drogowy; prawa miejskie 1789–1870 i od 1993.

Myślenice, m. powiatowe w woj. małopol., nad Rabą; 17,9 tys. mieszk. (2000); ośr. przem.-usługowy; przemysł: elektromaszyn., odzież., drzewny (meble), spoż.; ponadto zakłady: ceramiki bud., wytwórnia guzików, drukarnia, przedsiębiorstwo pszczelarsko-farm.; rozwinięte ogrodnictwo i pszczelarstwo; węzeł drogowy; turystyka i sporty zimowe; muzeum, galeria; prawa miejskie przed 1354; kościół (XV, XVII, XVIII w.), zajazd, tzw. Dom Grecki (XIX w.).

Myślenickie Turnie, wierch w Tatrach Zach., w grzbiecie opadającym na pn. z Kasprowego Wierchu, między dolinami: Bystrej i Kasprową; wys. 1360 m; zbud. z wapieni środk. triasu, tworzących od zach. przepaściste ściany (u ich stóp Jaskinia Goryczkowa, dł. 260 m); stoki lesiste; pośrednia stacja kolejki linowej z Kuźnic na Kasprowy Wierch (maszynownia, przesiadka); obok wyczynowa narciarska trasa zjazdowa FIS I i nartostrada do Doliny Goryczkowej; dojście szlakiem turyst. Kuźnice–Kasprowy Wierch.

Myśliborskie, Pojezierze, zach. część Pojezierza Zachodniopomor., między doliną Odry na zach. a doliną górnej Płoni na wsch.; wały morenowe są wzniesione 20–40 m ponad leżącą na pd. sandrową Równiną Gorzowską, w niewielu miejscach przekraczają 100 m, przy czym największe wzniesienie — Góra Czcibora (167 m), znajduje się na zach. od Chojny, nad krawędzią doliny Odry; liczne, gł. południkowo rozciągnięte jeziora, największe — Jez. Myśliborskie (618 ha); rozległe lasy, zwł. w zach. części regionu; 1991 utworzono Barliniecko-Gorzowski Park Krajobrazowy; turystyka, rolnictwo, leśnictwo. Główne m. — Myślibórz.

Myślibórz, m. powiatowe w woj. zachodniopomor., nad Myślą i Jez. Myśliborskim; 12,6 tys. mieszk. (2000); ośr. przem.-usługowy i turyst.; przemysł odzież., materiałów bud., spoż., maszyn., drzewny (meble); węzeł drogowy; turystyka i sporty wodne (żeglarstwo, kajakarstwo, w tym spływy Myślą); cel pielgrzymek, zwł. w czasie Święta Miłosierdzia Bożego (wrzesień); muzeum; prawa miejskie od 1262–70; cenny zespół architektury got.: kościół parafialny (XIII, XV w.), zespół klasztorny (XIII–XV w.), 2 kaplice (XIV w. i XV w.), pozostałości obwarowań miejskich (XIV w.); ratusz (XVIII w.).

Myzeqeja, Myzeqe, nizina w Albanii, na wybrzeżu M. Adriatyckiego; stanowi jeden z najważniejszych regionów roln. kraju; wydobycie ropy naft. i gazu ziemnego; gł. m.: Fieri, Lushnja.

mżawka, opad atmosf. składający się z b. dużej liczby drobnych kropelek wody (średnica 0,1– 0,5 mm); pada z niskich → chmur warstwowych *stratus.*

N

Nachiczewańska, Republika, republika autonomiczna w Azerbejdżanie, na pr. brzegu Araksu; 5,5 tys. km², 366 tys. mieszk. (2002); stol. Nachiczewan; wydobycie soli kam., rud molibdenu i ołowiu; przemysł spoż., lekki, maszyn. i metal., metariałów bud.; uprawa zbóż, bawełny, winorośli, drzew owocowych (gł. na gruntach nawadnianych); hodowla owiec, jedwabników.

nacieki jaskiniowe, nacieki miner. powstające w jaskiniach, zwł. krasowych, w wyniku wytrącania się kalcytu (niekiedy gipsu, aragonitu) z wody spływającej po ich ścianach lub kapiącej ze stropu; rozróżnia się m.in.: stalaktyty, stalagmity, kolumny naciekowe (stalagnaty). ■

Nadbrzeżna, Nizina, Coastal Plain, obszar nizinny wzdłuż wsch. wybrzeża Ameryki Pn., w USA i Meksyku; dł. 5200 km od płw. Cape Cod na pn. od płw. Jukatan na pd.; dzieli się na Niz. Atlantycką i Niz. Zatokową.

Nadbrzeżne, Góry, ang. **Coast Mountains,** franc. **Chaîne Côtière,** pasma górskie w pd.--zach. części Kanady (prow. Kolumbia Bryt.); stanowią pd. część wewn. łuku pacyficznego łańcucha nadbrzeżnego Kordylierów; ciągną się w przedłużeniu Gór Św. Eliasza; na pd. przechodzą w G. Kaskadowe; dł. ok. 1600 km; najwyższy szczyt — Waddington (4042 m); silnie rozczłonkowane; liczne ślady zlodowacenia czwartorzędowego oraz współcz. lodowce górskie; zach. stoki tworzą wybrzeże fiordowe; rzeki (gł. Fraser, Skeena, Stikine) przecinają G.N. przełomowymi dolinami; klimat umiarkowany chłodny, górski; duże opady (2000–6000 mm); gęste lasy iglaste (gł. świerk sitkajski, jodła, w części pd. daglezja); bogate złoża miner. (rudy miedzi i antymonu, złoto, srebro, węgiel kam., ropa naft.); pn.-zach. część wewn. łuku pacyficznego łańcucha nadbrzeżnego Kordylierów leży w USA (stan Alaska) i obejmuje góry: Św. Eliasza, Wrangla, Alaska, Aleuckie oraz wyspy Aleuty.

Nadbrzeżne, Góry, ang. **Coast Ranges,** franc. **Chaîne Côtière,** pasma górskie w pn.-zach. części Stanów Zjedn. i zach. Kanadzie; stanowią pd. część zewn. łuku pacyficznego łańcucha nadbrzeżnego Kordylierów; dł. ok. 1700 km; najwyższy szczyt Thompson (2744 m); obejmują liczne, krótkie pasma, przebiegające równolegle wzdłuż wybrzeża stanów Waszyngton, Oregon i Kalifornia; ograniczają od zach. dolinę rz. Willamette i Dolinę Kalifornijską; klimat górski, na pn. umiarkowany ciepły, na pd. podzwrotnikowy; w pn. części lasy iglaste (gł. świerk sitkajski, daglezja, sekwoja), w pd. — twardolistne zarośla (chapparral); złoża złota, srebra, rud żelaza, wanadu, manganu i chromu; pn. część zewn. łuku pacyficznego łańcucha nadbrzeżnego Kordylierów obejmuje pasma górskie tworzące wyspy przybrzeżne (Kodiak, Archipelag Aleksandra, Wyspy Królowej Charlotty, Vancouver) w USA i Kanadzie.

■ Nacieki aragonitowe w Wind Cave (USA)

Naddnieprzańska, Nizina, Prydniprowśka nyzowyna, nizina na Ukrainie, na l. brzegu Dniepru; od wsch. ograniczona Wyż. Środkoworosyjską; falista, łagodnie nachylona ze wsch. na zach. (wys. do 226 m); klimat umiarkowany ciepły, na pd. — suchy; ważny region roln. (czarnoziemy); gł. m. Kijów (wsch. dzielnice).

Naddnieprzańska, Wyżyna, Prydniprowśka wysoczyna, wyżyna na Ukrainie, między środk. biegiem Dniepru i Bohu; pagórkowata (wys. do 323 m); stromo opada ku dolinie Dniepru; głęboko rozcięta wąwozami i dolinami rzek (zwł. w części wsch.); wydobycie rud żelaza i manganu; gł. m.: Kijów, Czerkasy, Krzywy Róg.

Naddunajska, Mała Nizina, część Niziny → Środkowodunajskiej, na Słowacji.

Naddunajska, Nizina, Nizina Dolnodunajska, nizina u podnóża Karpat Pd., większa część w Rumunii (→ Wołoska, Nizina), pd. — w Bułgarii; ciągnie się wzdłuż Dunaju, od Żelaznej Bramy do M. Czarnego; szer. 40–120 km; stanowi tektoniczne obniżenie wypełnione lessami i aluwiami, od pd. ograniczone wypiętrzoną w końcu trzeciorzędu płytą (tzw. Wyż. Naddunajska).

Nadkaspijska, Nizina, ros. **Prikaspijskaja nizmiennost',** nizina w Kazachstanie i Rosji, nad M. Kaspijskim, w dorzeczu Wołgi, Uralu, Emby i Tereku. Pod względem geol. stanowi tektoniczne obniżenie wypełnione utworami paleozoiku, mezozoiku i kenozoiku (o b. dużej miąższości); w czwartorzędzie kilkakrotnie zalewana przez morze, które w pn. części pozostawiło osady ilaste, w pd. — piaszczyste. Powierzchnia równinna; miejscami wznoszą się odosobnione wzniesienia, kopuły diapirowe związane z wysadami soli (wys. do 149 m); pd. część leży p.p.m. (do 28 m); liczne słone jeziora (największe Szałkar, Baskunczak i Elton). Klimat umiarkowany ciepły, kontynent., wybitnie suchy; średnia temp. w styczniu od –14°C na pn. do –8°C na wybrzeżu, w lipcu 22–23°C; suma roczna opadów od 150–200 mm na pd.-wsch. do 350 mm na pn.-zach.; częste suchowieje. Roślinność półpustynna (na pn. przewaga traw, na pd. bylic i słonorośli). wykorzystywana jako pastwiska; wzdłuż Wołgi basztany; wydobycie ropy naft. i gazu ziemnego (w dorzeczu Emby), soli kam.; gł. m.: Astrachań, Atyrau.

Nadłabskie Góry Piaskowcowe, góry w Niemczech i Czechach, → Połabskie, Góry.

Nadwiślańska, Nizina, zach. część Kotliny Sandomierskiej; obejmuje szeroką dolinę Wisły od Krakowa po Zawichost; dł. ok. 175 km; rozszerza sie ku wsch.; wypełniona czwartorzędowymi osadami rzecznymi o miąższości dochodzącej do kilkunastu metrów; od pn. jest ograniczona wyraźną krawędzią erozyjną Wyż. Małopolskiej, dochodzącą do 80 m wys. względnej; na N.N. wyróżnia się obok tarasu zalewowego wyższy taras piaszczysty (częściowo z wydmami) i taras przykryty lessem; do doliny Wisły na tym obszarze włączają się z pd. doliny jej karpackich dopływów: Raby, Dunajca i Wisłoki, które przy ujściach usypały stożki napływowe; pod osadami rzecznymi zalegają utwory morza mioceńskiego, zawierające bogate złoża siarki rodzimej, eksploatowane odkrywkowo i metodą podziemnego wytapiania w okolicach Tarnobrzega po obu brzegach Wisły; w widłach Raby i Wisły, na podmokłych terenach, zachowały się reszki Puszczy Niepołomickiej.

NAFTA → Północnoamerykański Układ Wolnego Handlu.

Nafud, An-, pustynia na Płw. Arabskim, → Nefud, Wielki.

Nagaland, hindi **Nāgālaiṇḍ,** stan w pn.-wsch. Indiach, przy granicy z Birmą; 16,6 tys. km^2; 2 mln mieszk. (2002), plemiona Nagów; stol. Kohima; górzysty (g. Patkaj); lasy monsunowe; pozyskiwanie drewna; uprawa ryżu; hodowla jedwabników; tkactwo, garncarstwo.

Nairobi, stol. Kenii, w pd. części kraju, na wys. 1650 m; zespół miejski 2,5 mln mieszk. (2002); dzielnice slumsów; największe miasto wsch.

Afryki; przemysł spoż., włók., drzewny, chem., skórz., montownia autobusów; ważny węzeł drogowy; międzynar. port lotn.; uniw.; w pobliżu Park Nar. Nairobi; miasto zał. 1900.

Nakło nad Notecią, m. powiatowe w woj. kujawsko-pomor., przy wlocie Kanału Bydgoskiego do Noteci; 20,1 tys. mieszk. (2000); ośr. przem.-usługowy; przemysł elektromaszyn., poligraf., odzież., przetwórstwo rolno-spoż. i drzewne; składy budowlane; węzeł drogowy; zespół szkół żeglugi śródlądowej; stanica wodna z przystanią jachtową, kajakowy węzłowy punkt etapowy; Muzeum Ziemi Krajeńskiej; w XI w. warowny gród pomor.; prawa miejskie od 1299; spichlerz (XVIII/XIX w.), 2 kościoły (XIX w.), domy (XVIII–XIX/XX w.).

Nałęczowski, Płaskowyż, pn.-zach. część Wyż. Lubelskiej, między doliną Wisły na zach. i Bystrzycy na wsch.; wys. ok. 200–250 m; powierzchnię P.N. buduje gruba seria lessów, opadająca na pn. i pd. 2 równoległymi stopniami o wys. 20–30 m; płaskowyż jest rozcięty (zwł. od strony doliny Wisły) gęstą siecią wąwozów (Kazimierski Park Krajobr.) oraz dol.: dopływu Wisły — Bystrej, oraz dopływów Bystrzycy — Ciemięgi i Czechówki; region w znacznej części bezleśny; urodzajne gleby lessowe zajęte pod uprawy rolne; w górnym biegu Bystrej leży Nałęczów, na krańcach wsch. Lublin, a na zach. Kazimierz Dolny. ■

■ Płaskowyż Nałęczowski. Wąwóz lessowy w okolicach Kazimierza Dolnego

Nałęczów, m. w woj. lubel. (powiat puławski), nad Bystrą (pr. dopływ Wisły), w Kazimierskim Parku Krajobrazowym; 5,0 tys. mieszk. (2000); uzdrowisko (od XIX w.) i ośr. wypoczynkowy; wody miner. (szczawy), borowina; rozlewnia wody miner. Nałęczowianka, ponadto różnorodne drobne przetwórstwo rolno-spoż. i drzewne; muzea; prawa miejskie od 1963; zespół pałacowo-zdrojowy z parkiem (dawna rezydencja Małachowskich, XVIII, XIX w.), tzw. Chata S. Żeromskiego (pocz. XX w., ob. muzeum).

Namib, pustynia w Namibii, na wybrzeżu O. Atlantyckiego, między ujściami rz. Kunene (na pn.) a Oranje (na pd.); dł. 1300 km, szer. 50–130 km; wznosi się stopniami w głąb lądu — do 750 m na pd. i 1525 m na pn.; na pn. gł. żwirowo--gruzowa, na pd. piaszczysta; rozcięta dolinami rzek okresowych i epizodycznych; klimat zwrotnikowy skrajnie suchy z wpływami chłodnego Prądu Benguelskiego; temperatury w ciągu całego roku stosunkowo niskie; średnia temperatura w najcieplejszym miesiącu (luty) 17–19°C, w najchłodniejszym (lipiec lub sierpień) 12–13°C; średnia roczna suma opadów 10–100 mm; znaczna wilgotność powietrza — częste mgły i niskie chmury (wpływ oceanu); roślinność Namibu stanowią gł. suchoroślowe krzewy i rośliny zielne, zwł. trawy; największą osobliwością florystyczną jest welwiczja; pn. skraj pustyni wchodzi w skład Parku Nar. Etosza; na pd. Namibu, koło m. Lüderitz, eksploatacja diamentów. ∎

Namibia, Republika Namibii, do 1968 **Afryka Południowo-Zachodnia,** państwo w pd.-zach. Afryce, nad O. Atlantyckim; 824,3 tys. km²; 1,8 mln mieszk. (2002), gł. ludy Bantu; protestanci oraz animiści, katolicy; stol. Windhuk, inne miasta, zarazem porty: Walvis Bay, Lüderitz; język urzędowy: afrikaans, ang.; republika. Wyżynna (wyż. Damara — do 2600 m i Nama); wzdłuż wybrzeża pustynia Namib; klimat zwrotnikowy, kontynent. suchy, na zach. wybitnie suchy; rzeki stałe na granicach, gł. Oranje. Podstawą gospodarki górnictwo i pasterska hodowla owiec karakułowych, bydła; świat. producent diamentów (w tym jubilerskich); wydobycie rud uranu i in.; przemysł spoż., skórz., rafinacja ołowiu, miedzi; rybołówstwo. ∎

Namysłów, m. powiatowe w woj. opol., nad Widawą; 16,7 tys. mieszk. (2000); ośr. przemysłu spoż. (jeden z najstarszych w Europie browarów), ponadto zakłady przemysłu elektrotechn., metal., szkl., skórz. i drzewnego; ośrodek usługowy regionu roln.; węzeł drogowy; muzeum; prawa miejskie od ok. 1249; fragmenty murów miejskich (XIV, XV w.), zamek (XIV, XVI, XVIII, XIX w.), 2 kościoły (XV, XVII w. i XIV, XVII, XVIII w.), ratusz (XIV, XV w.).

Nan Ling → Południowochińskie, Góry.

Nan-szan, góry w Chinach, → Qilian Shan.

Nanda Dewi, masyw górski w zach. Himalajach, w Indiach, na zach. od jez. Rakas; wyróżnia się szczyty: Nanda Dewi, wys. 7816 m, zdobyty 1936 przez ang.-amer. wyprawę, oraz Nanda Dewi Wschodni, wys. 7434 m, zdobyty 1939 przez pol. wyprawę (J. Bujak i J. Klarner); lodowce; trudno dostępny.

Nanga Parbat, szczyt w masywie Nanga Parbat, w zach. Himalajach, w Indiach, na pn. od m. Śrinagar; wznosi się ok. 7000 m nad doliną Indusu; wys. 8126 m; wieczne śniegi i lodowce; trudno dostępny; zdobyty 1953 samotnie przez Austriaka H. Buhla (członka niem.-austr. wyprawy), 1978 zdobyty samotnie przez R. Messnera nową drogą na ścianie Diamir.

Nankin, Nanjing, m. w Chinach, nad Jangcy; ośr. adm. prow. Jiangsu; 2,9 mln mieszk., zespół miejski 5,4 mln (1999); wielki ośr. przem. (hutnictwo żelaza, maszyn roln., obrabiarek, samochodowy, stoczn., elektron., chem., petrochem.),

nauk. (uniw., filia Chiń. AN, obserwatorium astr.) i turyst.; muzea; ważny port rzeczny, lotn. i węzeł kol.; zał. w I tysiącl. p.n.e.; mauzoleum Sun Yat-sena; zachowana część murów miejskich z bramami; w pobliżu nekropole cesarskie, do których prowadzą shendao z kam. figurami (V–VI, XIV w.).

Narew, rz., pr. dopływ Wisły (do 1962 uznawana za dopływ Bugu); dł. 484 km (w Polsce 448 km), pow. dorzecza 75 175 km² (w Polsce 53 873 km²); źródła na obszarze Puszczy Białowieskiej, w Białorusi; przez Niz. Północnopodlaską płynie w podmokłej, zatorfionej dolinie (bagno Wizna), pod Łomżą tworzy przełom; następnie płynie przez Niz. Północnomazowiecką w pradolinie; uchodzi pod Modlinem; średni przepływ powyżej ujścia 324 m³/s; maks. rozpiętość wahań stanów wody w dolnym biegu 6,6 m; żegl. 300 km; gł. dopływy: Supraśl, Biebrza, Pisa, Omulew, Orzyc, Wkra (pr.), Narewka, Bug (l.); między Dębem a Pułtuskiem zbiornik retencyjny — Jez. Zegrzyńskie i elektrownia wodna (w Dębem), w okolicy wsi Bondary — jez. Siemianówka; Kanał Żerański łączy Jez. Zegrzyńskie z Wisłą w obrębie Warszawy; gł. m. nad N.: Łomża, Ostrołęka, Pułtusk, Nowy Dwór Mazowiecki. ∎

Narocz, Naracz, największe jez. na Białorusi, w dorzeczu Wilii, na wys. 165 m; pow. 80 km², głęb. do 24,8 m; pn. i pn.-zach. brzegi strome (wys. do 45–50 m), pd. — przeważnie płaskie, piaszczyste, miejscami porośnięte lasami sosnowymi i mieszanymi; z Naroczy wypływa rz. Narocz (pr. dopływ Wilii).

∎ Namibia

∎ Narew. Rozlewiska koło Stękowej Góry

∎ Pustynia Namib

■ Nauru

Narodna, Narodnaja, Naroda, najwyższy szczyt Uralu, w Uralu Subpolarnym, w Rosji, na granicy rep. Komi i obwodu tiumeńskiego; wys. 1895 m; lodowce.

Narol, m. w woj. podkarpackim (powiat lubaczowski), nad Tanwią, między parkami krajobrazowymi Południoworoztoczańskim i Puszczy Solskiej; 2,1 tys. mieszk. (2000); ośr. usługowy i krajoznawczy na szlakach do parków krajobrazowych; przemysł drzewny, metal.; agroturystyka; prawa miejskie 1592–1880, ponownie od 1996; barok.-klasycyst. pałac (1770–81), częściowo w ruinie, park geom.; klasycyst. kościół (1790–1804).

Narwik, Narvik, m. w pn. Norwegii, nad Ofotfjorden (M. Norweskie); 14 tys. mieszk. (2002); port wywozu rud żelaza z Kiruny i Gällivare w Szwecji; przemysł rybny, stoczniowy.

Nasielsk, m. w woj. mazow. (powiat nowodworski), nad Nasielną (l.dopływ Wkry); 7,0 tys. mieszk. (2000); ośr. usługowy (także dla okolicznych terenów letniskowych) i przem.; odlewnia aluminium i stopów, produkcja odzieży, materiałów i urządzeń elektrotechn., wyrobów metal. i in.; węzeł drogowy; wzmiankowany 1065; prawa miejskie od 1386; kościół (XIX w.). Na pd. zachód od miasta węzeł kol. na linii Warszawa–Gdańsk.

nasłonecznienie, insolacja, stosunek energii promieniowania słonecznego do powierzchni, na którą ono pada, i do czasu, w którym trwa napromieniowanie; wielkość n. zależy od wartości stałej słonecznej, wysokości Słońca nad horyzontem, zachmurzenia, przezroczystości atmosfery oraz od kąta nachylenia danej powierzchni względem kierunku promieni słonecznych; jednostką n. jest $J/(m^2 \cdot s)$.

Nassau, stol. Bahamów, na wyspie New Providence, nad O. Atlantyckim; zespół miejski 179 tys. mieszk. (2002); gł. ośr. gosp. kraju; przemysł odzież., spoż.; ważny port lotn. i mor. (wywóz owoców cytrusowych); znany ośr. finansowy i turyst.-wypoczynkowy.

nasunięcie, nieciągła deformacja tektoniczna, powstała wskutek poziomego przemieszczenia mas skalnych na znaczną odległość (nawet do 200 km); stanowi rodzaj odwróconego → uskoku, nachylonego pod b. małym kątem; występuje powszechnie na obszarach o tektonice alpejskiej.

■ Neapol. Panorama miasta, w głębi Wezuwiusz

Nauru, Naoero, Republika Nauru, państwo w Oceanii, na koralowej wyspie Nauru (Mikronezja); 21,3 km²; 1,3 tys. mieszk. (2002), w tym 60% ludności rdzennej; stol. Jaren; język urzędowy: nauru i ang.; republika. Wydobycie i eksport fosforytów. ■

Nawakszut, arab. Nawākshūt, franc. Nouakchott, stol. Mauretanii, na wybrzeżu O. Atlantyckiego; 426 tys. mieszk. (2002); gł. port handlowy kraju (wywóz ropy naftowej, rud miedzi); przemysł rybny, cukrowniczy; zakład odsalania wody morskiej; zał. 1903; uniwersytet; międzynar. port lotniczy.

nawałnica, szkwał, gwałtowny, krótkotrwały (kilkuminutowy) wzrost prędkości wiatru o co najmniej 8 m/s (przy początkowej prędkości wiatru nie mniejszej niż 11 m/s); najczęściej towarzyszy silnie rozbud. → chmurom *cumulonimbus.*

Ndżamena, Ndjamena, do 1973 **Fort Lamy,** stol. Czadu, nad rz. Szari; 602 tys. mieszk. (2002); gł. ośr. przem. (mięsny, olejarski, skórz., włók.), handl. i nauk.-kult. (uniw., muzeum nar.) kraju; węzeł drogowy i port lotn.; miasto zał. ok. 1900.

Neagh, Lough [loch nej], największe jez. na W. Brytyjskich, w Irlandii Pn., na wys. 15 m; pow. 396 km², głęb. do 31 m; przez Lough Neagh płynie rz. Bann (uchodząca do Kanału Pn.); żegluga, rybołówstwo.

Neapol, Napoli, m. w pd. Włoszech, nad Zat. Neapolitańską (M. Tyrreńskie), u podnóża Wezuwiusza; stol. regionu autonomicznego Kampania i ośr. adm. prow. Neapol; 992 tys. mieszk. (2002); gł. ośr. gosp. i nauk. pd. Włoch; rafineria ropy naft., huta żelaza, przemysł lotn., stoczn., opt., poligraficzny; porty: handl., pasażerski, woj., rybacki; międzynar. port lotn.; uniw. (zał. 1224, gmach XVI–XVIII w.), konserwatorium; inst. mor., obserwatorium wulkanologiczne; ośr. międzynar. turystyki; muzea; średniowieczne zamki, liczne kościoły, m.in. got. katedra (XIII–XV, XVIII w.), kartuzja (XIV i XV, XVIIII w.) — ob. muzeum; pałace renes., m.in. Palazzo Reale (XVII–XIX w.), Palazzo Capodimonte ze słynnymi galeriami malarstwa i sztuki zdobniczej; bramy miejskie, m.in. Porta Campana (XV–XVI w.); teatr S. Carlo (XVIII w.). ■

Neckar [nękar], rz. w Niemczech, pr. dopływ Renu; dł. 367 km; źródła w górach Schwarzwald, na wys. 706 m; w dolnym biegu płynie w głębokiej i wąskiej dolinie u pd. podnóża masywu Odenwald; gł. dopływ Jagst (pr.); żegl. 203 km, od Plochingen skanalizowana (26 stopni wodnych); gł. m. nad Neckar: Stuttgart, Heilbronn, Heidelberg, przy ujściu — Mannheim.

Nefud, Mały, Ad-Dahnä', pustynia piaszczysta w środk. części Płw. Arabskiego, w Arabii Saudyjskiej; ciągnie się południkowo między pustyniami Wielki Nefud na pn. i Ar-Rub al--Chali na pd., w obniżeniu przed progiem strukturalnym Dżabal Tuwajk; dł. ok. 1300 km, szer. 25–80 km; wędrujące wydmy; przez Mały Nefud drogi samochodowe w kierunku Zat. Perskiej i Mezopotamii i linia kol. Ar-Rijad–Az--Zahran.

Nefud, Wielki, An-Nafud, Pustynia Czerwona, pustynia w pn. części Płw. Arabskiego, w Arabii Saudyjskiej, od pd. łączy się z pustynią Mały Nefud; piaszczysta (wys. barchanów do 100 m), podłoże stanowią intensywnie wietrzejące, kredowe piaskowce i wapienie; góry wyspowe (wys. do 1000 m); roczna suma opadów poniżej 100 mm; skąpa roślinność; koczownicze pasterstwo; na skraju oazy.

Negew, Negeb, wyżynny, pustynny region w pd. Izraelu; od wsch. ograniczony Rowem Jordanu; wyniesiony do ok. 900 m na pn., 500–600 m w centrum i 700–800 m na pd.; rzeki okresowe; uprawa (sztuczne nawadnianie) zbóż, drzew owocowych i warzyw; wydobycie fosforytów, rud miedzi; gł. m.: Beer Szewa, na wybrzeżu Zat. Akaba — Ejlat.

Negro, Rio Negro, w górnym biegu **Guainía,** rz. w pn.-zach. Brazylii, l. dopływ Amazonki; dł. ok. 2300 km, pow. dorzecza 691 tys. km^2; źródła na wsch. przedgórzu Andów (Mesa de Yambi), w Kolumbii; w górnym odcinku częściowo wyznacza granicę między Wenezuelą a Kolumbią; od m. Castanheiro płynie w szerokiej dolinie, tworząc liczne odnogi i jeziora; uchodzi do Amazonki ok. 20 km poniżej m. Manaus; średni przepływ przy ujściu 29,3 tys. m^3/s; gł. dopływy Branco (l.); w górnym biegu przez rz. Casiquiare łączy się z Orinoko (bifurkacja rzeki); żegl. ok. 1000 km od ujścia.

Negro, Río Negro, rz. w pd. Argentynie; wypływa z Andów Patagońskich jako rz. Neuquén; dł. ok. 1300 km, pow. dorzecza 146 tys. km^2; drugą źródłową rzeką Negro jest Limay (dł. 420 km); uchodzi do O. Atlantyckiego; średni przepływ przy ujściu 950 m^3/s; w środk. biegu rozwidla się tworząc 2 duże i liczne małe wyspy; wykorzystywana do nawadniania; żegl. ok. 400 km.

Negro, Río Negro, rz. w Urugwaju, l. dopływ rz. Urugwaj; dł. 800 km; dorzecze 70,6 tys. km^2; źródła w Brazylii, na wsch. od m. Bagé; powyżej m. Paso de los Toros zbiornik wodny Rincón del Bonete (pow. 1400 km^2); elektrownie wodne; żeglowna od m. Mercedes.

■ Nepal. Okolice Pokhary, w głębi szczyt Maczhapuczhar w masywie Annapurny

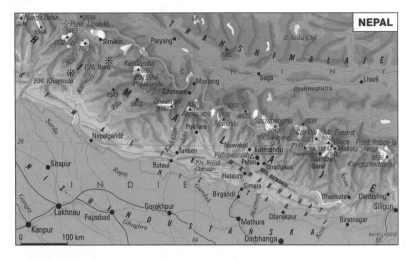
NEPAL

Nekla, m. w woj. wielkopol. (powiat wrzesiński), nad Moskawą (dorzecze Warty); 3,2 tys. mieszk. (2000); ośr. usługowy przy międzynar. drodze i linii kol. Berlin–Warszawa oraz turyst. Szlaku Piastowskim z Gniezna do Giecza; przetwórstwo rolno-spoż., drzewne i tworzyw sztucznych; prawa miejskie 2000; park podworski (XVIII–XIX w.).

neotektonika [gr.], struktury tektoniczne powstałe w wyniku najmłodszych ruchów tektonicznych (→ tektonika).

Nepal, Nepāl, Królestwo Nepalu, państwo w Azji Pd., w Himalajach; 147,2 tys. km^2; 25,3 mln mieszk. (2002), Nepalczycy (60%), Newarowie, Bhotyjczycy, Szerpowie, uchodźcy tybet.; hindusi (hinduizm religią państw.), buddyści; wysoki przyrost naturalny (ok. 25‰ rocznie); w miastach 10% ludności; stol. i największe m.: Katmandu, inne m.: Patan, Biratnagar, Pokhara; język urzędowy nepalski; monarchia konstytucyjna. Około 80% kraju zajmują góry; na pn. Wysokie Himalaje z 8 szczytami o wys. powyżej 8000 m, w tym najwyższy szczyt na Ziemi — Mount Everest (8848 m), w środk. części gęsto zaludniona Kotlina Katmandu, na pd. skraj Niz. Hindustańskiej, zw. równiną Taraj; klimat podzwrotnikowy górski, na pd. zwrotnikowy monsunowy; gęsta sieć rzek (dorzecze Gangesu), gł.: Karnali, Kali Gandaki; lasy monsunowe z drzewem sandałowym i damarzykiem, mieszane, iglaste, łąki alp. i lodowce (powyżej 4000–4500 m, ok. 15% pow. kraju); postępujący wyrąb lasów związany z powiększaniem areału rolnego; znane parki nar.: Sagarmatha, Royal Chitwan. Jeden z najsłabiej rozwiniętych krajów świata; tarasowa uprawa zbóż (gł. ryż), juty, trzciny cukrowej, soi, herbaty; pozyskiwanie drewna na opał i eksport; drobny przemysł i rzemiosło; rozwój usług turyst. (trekingi, wyprawy himalajskie). ■

Ner, rz. na Wysoczyźnie Łaskiej i w Kotlinie Kolskiej, pr. dopływ środk. Warty; dł. 126 km, pow. dorzecza 1866 km^2; źródła w pobliżu Wiśniowej Góry, na pd.-wsch. od Łodzi, w dolnym odcinku pradolinnym dawniej zabagnione dno doliny jest obecnie uregulowane i użytkowane pod łąki; uchodzi w pobliżu wsi Majdany; średni przepływ powyżej ujścia 10,0 m^3/s; maks. rozpiętość wahań stanów wody w dolnym biegu 3,5 m; gł. m. nad N. — Konstantynów Łódzki.

■ Nepal

■ Nepal. Stupa Swayambunath w Kotlinie Katmandu

nerytyczna strefa, przybrzeżne, dobrze prześwietlone wody mórz i oceanów, także wielkich jezior, ponad dnem → litoralu; bogata fauna, np. widłonogi, rurkopławy, krążkopławy, ryby i flora — gł. glony, wiele gat. tworzących rozmieszczone piętrowo pasma.

Netta, w górnym biegu **Rospuda,** rz. na Pojezierzu Litewskim i w Kotlinie Biebrzańskiej, pr. dopływ Biebrzy; dł. 102 km, pow. dorzecza 1336 km²; wypływa z Jez. Czarnego na Pojezierzu Zachodniosuwalskim; przepływa przez kilka jezior; od jez. Necko przybiera nazwę N.; uchodzi we wsi Dębowo w Kotlinie Biebrzańskiej; średni przepływ w pobliżu ujścia 8 m³/s; maks. rozpiętość wahań stanu wody w dolnym biegu 2,0 m; częściowo skanalizowana (Kanał Augustowski); nad N. leży m. Augustów.

Nevada [newą:də], stan w zach. części USA; 286,3 tys. km², 2,2 mln mieszk. (2002); stol. Carson City, gł. m. i międzynar. ośr. turyst.: Las Vegas i Reno (w ich aglomeracjach 80% ludności stanu); wyżynno-górzysty (Wielka Kotlina); pustynie, półpustynie; wydobycie rud miedzi, manganu, rtęci; wielka elektrownia i zapora Hoover Dam na Kolorado; przemysł hutn., elektron., chem.; hodowla bydła, owiec; uprawa (sztuczne nawadnianie) bawełny, pszenicy, kukurydzy; transport drogowy.

Nevada, Sierra [syerə nəwą:də], pasmo górskie w Kordylierach, w USA, w stanie Kalifornia; dł. ok. 700 km; najwyższy szczyt Whitney, 4418 m; stromo opada ku Wielkiej Kotlinie, łagodnie — ku Dolinie Kalifornijskiej; stoki zach. poprzecinane głębokimi, wąskimi dolinami licznych dopływów rzek Sacramento i San Joaquin; w pn. części rzeźba glacjalna; liczne jeziora polodowcowe, głębokie doliny i wodospady; lasy iglaste: na zach. stokach gęste (gł. sekwoja, daglezja i świerk), na wsch. — rzadkie (m.in. drzewiasty jałowiec i sosna); powyżej 3000 m — roślinność wysokogórska; złoża złota, srebra,

■ Sierra Nevada. Dolina rzeki Owens

platyny, rud wanadu i chromu; przez S.N. przechodzą 3 linie kol. i kilka dróg samochodowych; ożywiony ruch turyst.; słynne parki nar.: Yosemite (wpisany na Listę Świat. Dziedzictwa Kult. i Przyr. UNESCO), Kings Canyon i Sekwoi.   ■

Nevada, Sierra, pasmo górskie w Hiszpanii, w G. Betyckich; wys. do 3478 m (Mulhacén — najwyższy szczyt Płw. Iberyjskiego); zbud. ze skał krystal.; formy polodowcowe; w pobliżu szczytu Veleta (wys. 3392 m) niewielki lodowiec (położony najdalej na pd. w Europie); ośr. sportów zimowych; wydobycie rud żelaza.

New Hampshire [nju: hämpszyə'], stan w pn.-wsch. części USA, nad O. Atlantyckim; 24 tys. km², 1,3 mln mieszk. (2002); stol. Concord, gł. m.: Manchester, Nashua; wyżynno-górzysty, w części środk. G. Białe; na wybrzeżu nizina; gł. rz. Merrimack; liczne jeziora; przemysł skórz., obuwn., włók., elektron.; hodowla bydła mlecznego; warzywnictwo i sadownictwo; 1788 weszło w skład Stanów Zjedn. jako stan założycielski.

New Jersey [nju: dżə'zy], stan w pn.-wsch. części USA, nad O. Atlantyckim; 20,2 tys. km², 8,6 mln mieszk. (2002); stol. Trenton, gł. m.: Newark, Jersey City; obszar (gł. nizinny) silnie zurbanizowany i uprzemysłowiony (poligraficzny, elektron., maszyn., farm., odzież.) z intensywnym rolnictwem (hodowla bydła mlecznego; warzywnictwo, sadownictwo); kąpieliska, ośr. wypoczynkowe.

New York [nju: jo:'k], m. w USA, → Nowy Jork.

Newa, Niewa, rz. w pn.-zach. części Rosji; dł. 74 km, dorzecze 281 tys. km²; wypływa z jez. Ładoga; uchodzi do Zat. Fińskiej tworząc rozległą deltę; średni przepływ przy ujściu 2520 m³/s; wahania stanu wód w strefie ujściowej do 4 m, spowodowane wdzieraniem się wód z Zat. Fińskiej przy sztormowych wiatrach zach. (katastrofalne powodzie 1824, 1924, 1965); stanowi część Wołżańsko-Bałtyckiej Drogi Wodnej; na 42 wyspach delty i na przyległej nizinie leży Petersburg.

Nezyderskie, Jezioro, niem. **Neusiedler See,** węg. **Fertő-tó,** bezodpływowe jez. w Austrii i na Węgrzech, u podnóża G. Litawskich, na wys. 115 m; pow. ok. 330 km², głęb. 0,5–2,0 m; duże wahania stanu wód; brzegi zarośnięte trzciną; woda słonawa; kanałem Hanság połączone z rz. Répce (dorzecze Dunaju); park nar.; od 1977 rezerwat biosfery.

Ngorongoro, Ngorongoro Crater, kaldera w pn. Tanzanii, na zach. od masywu Kilimandżaro, w rezerwacie krajobrazowo-zwierzęcym Ngorongoro; wys. do 2338 m, średnica 22 km, głęb. do 1800 m; rezerwat wpisany na Listę Świat. Dziedzictwa Kult. i Przyr. UNESCO.

Niagara, ang. **Niagara Falls,** franc. **Escarpement du Niagara,** wodospad na rzece Niagara, na granicy Kanady i USA, ok. 30 km od jez. Erie; powstał przed 9–10 tys. lat; rozdzielony W. Kozią (Goat Island) na 2 części: zach. (Canadian Falls lub Horseshoe Falls), szer. ok. 900 m, wys. 48 m, i wsch. (American Falls), szer. 300 m, wys. 51 m;

próg skalny N. w części wsch. cofa się rocznie średnio o ok. 0,08 m, w zach. — miejscami do 1,5 m; 2 elektrownie wodne; popularny obiekt turyst. (ponad 5 mln turystów rocznie). ■

Niamej, Niamey, stol. Nigru, nad Nigrem; 623 tys. mieszk. (2002); ośr. handlu i rzemiosła; przemysł młynarski, mięsny, włók., chem., skórz.; port rzeczny, lotn.; uniw., inst. naukowe; muzeum narodowe.

Niasa, Malawi, ang. **Lake Nyasa, Lake Malawi,** portug. **Lago Niassa,** jez. tektoniczne w Afryce Wsch., w Malawi, Tanzanii i Mozambiku, w pd. części systemu Wielkich Rowów Afrykańskich, na wys. 472 m; pow. 30,8 tys. km², dł. 580 km, szer. do 80 km, głęb. do 706 m (kryptodepresja); linia brzegowa mało urozmaicona, z wyjątkiem pd. i pd.-zach. wybrzeży; liczne małe przybrzeżne wyspy (największa Likoma); przeważają skaliste i strome brzegi (zwł. na pn.); odpływ przez rz. Shire do Zambezi; w N. żyją krokodyle, hipopotamy; zasobne w ryby; ptactwo wodne; pd. skraj N. w obrębie Parku Nar. Malawi (wpisanego na Listę Świat. Dziedzictwa Kult. i Przyr. UNESCO); żegluga; gł. porty: Nkhotakota, Karonga. Odkryte 1616 przez Portugalczyków, ponownie — 1859 przez szkoc. badacza Afryki, D. Livingstone'a.

Nida, w górnym biegu do ujścia Czarnej Nidy, Biała Nida, rz. na Wyż. Przedborskiej i w Niecce Nidziańskiej, l. dopływ górnej Wisły; dł. 151 km, pow. dorzecza 3865 km²; źródła na pn.-wsch. od m. Szczekociny; płynie na wsch., przez Nieckę Włoszczowską, częściowo zabagnioną i miejscami dość szeroką doliną; od ujścia Czarnej Nidy w Żernikach płynie na pd. i pd.-wsch. przełamując się przez pasma i garby z opoki kredowej, uchodzi we wsi Nowy Korczyn; średni przepływ w pobliżu ujścia 22 m³/s; maks. rozpiętość wahań stanów wody w dolnym biegu 2,4 m; gł. dopływy: Łosośna, Czarna Nida (l.), Mierzawa (pr.); nad N. leży m. Pińczów.

Nidziańska, Niecka, rozległe nieckowate obniżenie w obrębie Wyż. Małopolskiej, między Wyż. Krakowsko-Częstochowską na zach. a Wyż. Kielecką na wsch.; zbud. ze skał kredowych; wys. 200–300 m, maks. 416 m (Biała Góra k. Tunelu); środkiem N.N. płynie Nida; w dolnym biegu wykorzystuje ona d. zatokę młodotrzeciorzędowego morza, stanowiącą odgałęzienie basenu podkarpackiego; osadami tego morza są miękkie wapniste piaskowce, wapienie, iły i gipsy; rozwinięte zjawiska krasowe: leje, zapadliska, niewielkie jaskinie (Nadnidziański Park Krajobrazowy); region mało zalesiony; gł. tereny roln.; w części wsch. eksploatowane złoża siarki; wody miner. chlorkowo-jodkowo-sodowe z siarkowodorem. Główne m.: Jędrzejów, Busko Zdrój, Staszów, Miechów; w obrębie N.N. występują garby i drugorzędne niecki, które pozwalają wyróżnić następujące jednostki regionalne: Płaskowyż Jędrzejowski, Wyż. Miechowską, Dolinę Nidy, Nieckę Solecką, Garb Pińczowski i Nieckę Połaniecką.

Nidzica, m. powiatowe w woj. warmińsko-mazurskim, nad Nidą (górny bieg Wkry); 15,5 tys. mieszk. (2000); ośr. usługowo-przem. i turyst.-krajoznawczy; różnorodny przemysł, gł. drzewny i spoż.; węzeł kol. i drogowy; prawa miejskie od 1381; zachowany dawny układ urb.; got. zamek krzyżacki (XIV–XV w.), 2 kościoły (XIV–XV, XVIII w. i XIX w.).

Nidzkie, Jezioro, jez. rynnowe na Równinie Mazurskiej, w Puszczy Piskiej, na obszarze Mazurskiego Parku Krajobrazowego; pow. 1831 ha (w tym 11 wysp o pow. 13 ha), dł. 23 km, szer. 3,8 km, maks. głęb. 23,7 m; silnie rozwinięta linia brzegowa (dł. 68 km); brzegi przeważnie wysokie; na pn. J.N. łączy się przez jez. Guzianka Wielka i Guzianka Mała z jez. Bełdany, na pn.-wsch. z jez. Wiartel; nad jeziorem leży m. Ruciane-Nida (ośr. turyst.-wypoczynkowy); przez J.N. prowadzi turyst. szlak kajakowy Sorkwity-Jabłoń; zach. część jeziora oraz pobliskie lasy stanowią rezerwat krajobrazowy Jezioro Nidzkie.

Niebieskie Źródła, Błękitne Źródła, źródła krasowe w Tomaszowie Mazowieckim, w dolinie Pilicy; wywierzyska o dużej wydajności, silnie pulsujące na dnie 2 basenów źródłowych; w okolicy rozlewiska i wysepki, podmokły las olchowy i bór sosnowy, ostoja ptaków wodnych; rezerwat krajobrazowy Niebieskie Źródła (pow. 28,7 ha).

niecka: 1) w geologii — rozległa, łagodna synklina; 2) w znaczeniu geomorfologicznym — niewielkie, podłużne obniżenie terenu, odznaczające się łagodnym profilem poprzecznym i brakiem wyraźnego załamania między dnem a stokiem; n. te powstają gł. wskutek spłukiwania i spełzywania materiału skalnego, np. n. ablacyjne, formowane przez spłukiwanie i spełzywanie na obszarze bezleśnym, n. denudacyjne, pospolite na obszarach rzeźby peryglacjalnej, powstałe gł. przez spłukiwanie i → soliflukcję; na podłożu zmarzliny wieloletniej.

■ Wodospad Niagara, część amerykańska

Niedźwiedzia, Wyspa, Bjørnøya, górzysta wyspa norw. na M. Barentsa, między Płw. Skandynawskim a archipelagiem Spitsbergen; pow. ok. 185 km², zamieszkana okresowo przez pracowników stacji meteorol. i rybaków; złoża węgla kam. i fosforytów. Odkryta 1596 przez W. Barentsa.

Niedźwiedzie, Wielkie Jezioro, ang. **Great Bear Lake,** franc. **Grand Lac de l'Ours,** jez. polodowcowe w pn.-zach. Kanadzie, na wys. 156 m; pow. 31,1 tys. km², głęb. do 413 m (kryptodepresja); brzegi wysokie, skaliste, silnie rozczłonkowane, zalesione; odpływ przez Wielką Rz.

Niedźwiedzią (dł. ponad 150 km) do rz. Mackenzie; zamarza na ok. 8 mies.; rybołówstwo; żegluga; gł. m. nad Wielkim Jeziorem Niedźwiedzim: Port Radium — ośr. wydobycia rud uranu.

Niegocin, jez. morenowe w Krainie Wielkich Jezior Mazurskich; pow. 2603,9 ha (w tym 3 wyspy o pow. 4 ha), dł. 10,8 km, szer. 4,8 km, maks. głęb. 39,7 m; linia brzegowa słabo rozwinięta, w pd.-zach. części N. zatoka zw. Jez. Bocznym (pow. 183 ha, dł. 3 km); brzegi niewysokie, prawie bezleśne; na pd. łączy się przez kanał Kula z Jez. Jagodnym, na pn. — kanałami z jez. Mamry; leży na dziale wodnym Wisły i Pregoły; przez N. prowadzi szlak żeglugowy Węgorzewo–Giżycko–Ruciane-Nida; nad jeziorem leży m. Giżycko (ośr. turyst.-wypoczynkowy i sportów wodnych).

■ Niemcy

Niemcy, Deutschland, Republika Federalna Niemiec, RFN, państwo w środk. Europie, nad M. Północnym, Cieśn. Duńskimi i M. Bałtyckim; pow. 357 tys. km², 82 mln mieszk. (2002); stol. Berlin (ustanowiona 1991), tymczasowa siedziba rządu — Bonn (do 1999); język urzędowy niem.; republika związkowa; składa się z 16 krajów związkowych; do N. należą wyspy na M. Północnym (Wschodniofryzyjskie, część Północnofryzyjskich, Helgoland), na M. Bałtyckim (Rugia, większa część Uznamu, Fehmarn).

Warunki naturalne
Na pn. Niz. Północnoniemiecka z rzeźbą młodoglacjalną (Pojezierza Meklemburskie, Brandenburskie) i peryglacjalną, przecięta szerokimi pradolinami (Toruńsko-Eberswaldzka, Warszawsko-Berlińska, Wrocławsko-Magdeburska); strefa starych gór zrębowych i wyżyn hercyńskich (tzw. Średniogórze Niem.) obejmuje: na zach. Reńskie G. Łupkowe, na pd.-zach. krystaliczne góry Schwarzwald (Feldberg, 1493 m), w środk. części Harz, Las Turyński oraz Wyż. Szwabską i Wyż. Frankońską z Progami Szwabsko-Frankońskimi, na wsch. (wzdłuż granicy czes.) Rudawy, Las Czeski, Szumawę i Las Bawarski; wzdłuż Renu, między Schwarzwaldem i Reńskimi G. Łupkowymi tektoniczna Niz. Górnoreńska; na pd. alp. obszar Wyż. Bawarskiej a wzdłuż granicy austr. i szwajc. Alpy Bawarskie (Zugspitze, 2963 m) i Alpy Salzburskie; wybrzeże nizinne i piaszczyste z wałami wydmowymi. Klimat umiarkowany ciepły, na wybrzeżu M. Północnego i zachodzie — mor., na pozostałym obszarze pod przeważającym wpływem mor. mas powietrza; średnie temp. w styczniu na wybrzeżu i zach. 0–

■ Niemcy. Jezioro Ammer w Bawarii

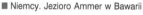
■ Niemcy. Jezioro Ammer w Bawarii

■ Niemcy. Widok Bambergu

1°C (na Niz. Górnoreńskiej 2°C), na pd. i w górach od –2 do –5°C, w lipcu odpowiednio 16–18°C (na Niz. Górnoreńskiej 21°C) i 12–14°C; opady roczne najwyższe w górach (ponad 1000 mm, w Alpach do 2000 mm), na pozostałym obszarze 500–800 mm. Gęsta sieć rzeczna; gł. rz.: Ren z Menem, Łaba z Sołavą, Dunaj, Wezera, Ems, Odra (na granicy z Polską) połączone systemem kanałów żegl. (Śródlądowy, Ren-Men–Dunaj, Odra–Hawela, Odra–Sprewa i in.); jeziora zgrupowane na pn. pojezierzach (największe jez.: Müritz, Schwerin) oraz na przedgórzu alp. i w Alpach (Jez. Bodeńskie, Chiem). Lasy (ok. 29% pow.) brzozowo-dębowe, sosnowo-dębowe i bukowe na pn. (zwł. pojezierzach), w górach — iglaste (świerkowe i sosnowe); obszary chronione zajmują ok. 26% pow. kraju.

Ludność
Niemcy (ok. 94% ludności), imigranci z Turcji, byłej Jugosławii (gł. Serbowie), Włoch, Grecji i in.; nieliczna Polonia; ok. 100 tys. Łużyczan; dominują luteranie i katolicy; malejący przyrost naturalny, od lat 70. przeważnie ujemny (–1,2‰, 2000), wpływa na proces starzenia się społeczeństwa niem.; najwięcej ludności, ponad 47%, w grupie wiekowej od 40 do 65 i więcej lat, najmniej — 21,5% w wieku poniżej 20 lat (1995); przeciętne trwanie życia 76 lat; średnia gęstość zaludnienia 229 mieszk. na km², najgęściej zaludnione obszary zach., zwł. Nadrenia Pn.--Westfalia — w Zagłębiu Ruhry ponad 1200 mieszk. na km²; w miastach ponad 85% ludności; gł. m. (poza stol.): Hamburg, Monachium, Kolonia, Frankfurt n. Menem, Essen, Dortmund, Düsseldorf, Stuttgart, Brema, Duisburg, Lipsk, Hanower, Drezno; struktura zatrudnienia: ponad 58% ludności zawodowo czynnej w usługach, ok. 38% w przemyśle i budownictwie, ok. 4% w rolnictwie, leśnictwie i rybołówstwie; wskaźnik bezrobocia przekracza 10% (1996).

Gospodarka
Zjednoczenie N. (1990) oparte na unii walutowej, gosp. i socjalnej zapoczątkowało we wsch. części N. (była NRD) przemiany demokr. w życiu polit. oraz przebudowę systemu gosp. — proces przechodzenia do gospodarki rynkowej; koszty

prywatyzacji sektora państw. obejmującego prawie całą gospodarkę dawnej NRD szacowane na ok. 550 mld dol. USA (1995); mimo napływu olbrzymiego kapitału (rodzimy i zagr.) do landów wsch. utrzymują się znaczne dysproporcje w stopniu rozwoju gosp. obu części N. Wysoko rozwinięty kraj przem. z intensywnym, towarowym rolnictwem, wytwarza ok. 10% produktu świat. brutto (3. miejsce po USA i Japonii). Duże zasoby węgla kam. (Zagłębie Ruhry, Zagłębie Saary) i węgla brun. (Saskie i Łużyckie Zagłę-

bia Węglowe oraz Nadreńskie Zagłębie Węgla Brun.); wydobycie rud żelaza i metali nieżel., soli potasowych, ropy naft. i in.; malejące znaczenie górnictwa (likwidacja kopalń) i hutnictwa, krajowe zapotrzebowanie na surowce pokrywa import. Około 67% energii elektr. wytwarzają elektrownie cieplne; największe hydroelektrownie na alp. dopływach Dunaju oraz Łabie, Soławie, jądr. w różnych częściach kraju (największe Biblis, Brunsbüttel); gł. gałęzie przemysłu przetwórczego: środków transportu, zwł. samocho-

■ Niemcy. Berlin, zabudowa w rejonie Placu Poczdamskiego

dowy (Daimler-Benz, Volkswagen, BMW) — 3. miejsce w świat. produkcji samochodów osobowych (po USA i Japonii), stoczn. i taboru kol., maszyn. i metal. (maszyny i urządzenia górn., hutn., obrabiarki, konstrukcje stal.), elektrotechn. i elektron. (Siemens, IBM Deutschland), inform. (SAP), chem. (BASF, Hoechst), rafineryjny (gł. rafinerie w Ingolstadt, Karlsruhe, Schwedt) i petrochem. (Veba AG) oraz hutnictwo żelaza i metali nieżel. (Krupp–Thyssen); duże znaczenie ma przemysł opt. i precyzyjny (Zeiss w Jenie), włók., spoż. (3. miejsce w świat. produkcji piwa, po USA, Chinach), porcelanowy (Miśnia, Drezno), poligraficzny i in.; koncentracja przemysłu w konurbacjach reńsko-ruhrskiej i reńsko-meńskiej oraz zagłębiach węglowych — Saskim i Łużyckim. Użytki rolne zajmują ok. 50% pow.; wysoki stopień mechanizacji i chemizacji rolnictwa; na zach. przewaga gospodarstw o pow. 20 ha, na wsch. dużych, powyżej 200 ha; uprawa pszenicy, jęczmienia, żyta, owsa, buraków cukrowych, ziemniaków, rzepaku, roślin pastewnych, chmielu, tytoniu oraz winorośli (gł. w dolinach Renu, Mozeli); warzywnictwo i sadownictwo; hodowla trzody chlewnej, bydła, drobiu; rybołówstwo mor.; gł. porty rybackie: Cuxhaven, Bremerhaven, Rostock. Turystyka — ok. 20 mln turystów zagr. rocznie; gł. regiony turyst.: Alpy, góry Średniogórza Niem. (zwł. Schwarzwald, Harz, Las Turyński, Rudawy), dolina Renu, wybrzeże mor. z przybrzeżnymi wyspami oraz pojezierza. Wszechstronnie rozwinięty transport; sieć kol. jedna z najgęstszych na świecie (10,7 km linii na 100 km², 1998); ponad 11 tys. km autostrad; transport rurociągowy, gł. naftociągi z portów śródziemnomor. do Ingolstadt i Karlsruhe oraz z Rotterdamu i Wilhemshaven do Zagłębia Ruhry; rozwinięta żegluga, zwł. na Renie i kanałach śródlądowych; w Duisburgu jeden z największych portów śródlądowych świata (przeładunek ok. 50 mln t; gł. porty mor.: Hamburg (przeładunek 66 mln t), Wilhelmshaven (33 mln t), Brema i Bremerhaven, Lubeka; największy międzynar. port lotn. we Frankfurcie n. Menem (ok. 30 mln pasażerów rocznie); w Berlinie 3 porty lotn. (gł. Tegel). Wymiana handl. N. stanowi 8,4% obrotów świat. w imporcie i 9,8% w eksporcie (2. miejsce po USA, 1999); dodatni bilans handlu zagr.; eksport samochodów, maszyn i urządzeń, obrabiarek, wyrobów chem., hutn., precyzyjnych, elektrotechn., sprzętu elektron.; import produktów przetwórstwa przem., maszyn, urządzeń i sprzętu transportowego, paliw i surowców miner., towarów rolno-spoż.; handel gł. z krajami UE, USA i Japonią.   ■

Niemcza, m. w woj. dolnośląskim (powiat dzierżoniowski), nad Ślęzą; 3,4 tys. mieszk. (2000); ośr. usługowy regionu turyst.; niewielkie zakłady przemysłu metal., drzewnego, dziewiarskiego, odzież. i spoż.; wzmiankowana 1017; prawa miejskie prawdopodobnie od ok. 1282; zamek (XIV–XV, XVI, XIX w.), pozostałości murów miejskich (XV w.), domy (XVIII–XX w.).

Niemen, białorus. **Nioman,** litew. **Nemunas,** ros. **Nieman,** rz. na Białorusi i Litwie, w dolnym biegu (na dł. 99 km od ujścia) wyznacza granicę między Litwą i Rosją (obwód kaliningradzki); dł. 937 km, pow. dorzecza 98,2 tys. km²; źródła na pd.-zach. od Mińska; w górnym biegu dolina szeroka, bieg kręty; w środk. biegu płynie przez Pojezierze Litewskie tworząc wielkie zakola i progi; przy ujściu do Zalewu Kurońskiego dzieli się na 2 ramiona (gł. — Rusa); gł. dopływy: Berezyna, Mereczanka, Wilia, Niewiaża, Dubisa, Minia (pr.), Szczara oraz płynące z terytorium Polski Świsłocz, Czarna Hańcza i Szeszupa (l.); wahania stanu wód w środk. biegu do 10 m; maks. przepływ na wiosnę 6820 m³/s; żegl. od Kowna; połączona z Dnieprem (Kanał Ogińskiego), Wisłą (Kanał Augustowski) i Kłajpedą (Kanał Kłajpedzki); gł. m. nad N.: Grodno, Druskieniki, Olita, Kowno, Sowieck.

Niemiecka, Nizina, Nizina Północnoniemiecka, Norddeutsches Tiefland, Norddeutsche Tiefebene, część Niz. Środkowoeuropejskiej na zach. od Odry i Nysy Łużyckiej, w Niemczech, między M. Północnym i M. Bałtyckim a Średniogórzem Niemieckim; zbud. z piasków, glin i iłów pochodzenia lodowcowego, lodowcowo-rzecznego i rzecznego; wyróżnia się 3 strefy krajobrazowe: staroglacjalną (na pd.-zach.) z zatartą rzeźbą lodowcową i szerokimi dolinami, młodoglacjalną (Pojezierze Meklemburskie) i nadmor.; gł. rz.: dolne biegi Łaby, Wezery i Ems (uchodzą do M. Północnego), połączone Kanałem Śródlądowym; klimat umiarkowany ciepły, mor.; średnia roczna temp. 8–9°C, roczne opady 500–750 mm; na terenach gliniasto-piaszczystych rosną lasy mieszane z bukiem, na piaszczystych — bory sosnowe. Uprawa żyta, ziemniaków, u podnóża gór pszenicy i buraków cukrowych, wokół wielkich miast warzyw i owoców, tytoniu, roślin strączkowych; w dolinach rzek hodowla bydła; wydobycie soli potasowych, ropy naft. i gazu ziemnego; gł. m.: Hamburg, Berlin.

Niemodlin, m. w woj. opol. (powiat opol.), nad Ścinawą Niemodlińską (pr. dopływ Nysy Kłodzkiej); 7,0 tys. mieszk. (2000); ośr. usługowy; przemysł drzewny i materiałów bud., ponadto zakłady techniki i ochrony środowiska, browar; hodowla i przetwórstwo drobiu; siedziba gospodarstwa rybackiego (w okolicznych stawach hodowla karpia); węzeł dróg lokalnych w pobliżu autostrady A4; prawa miejskie od ok. 1283;

kościół (XIV–XVI, XVIII w.), zamek (XVI–XVII, XVIII w.).

Nieniecki Okręg Autonomiczny, okręg autonomiczny w Rosji (obw. archangielski), nad M. Białym, M. Barentsa i M. Karskim; 176,7 tys. km², 46 tys. mieszk. (2002), Nieńcy 12%, Komiacy, Rosjanie 66% i in.; ośr. adm. Narjan Mar; hodowla reniferów i zwierząt futerkowych, myślistwo, rybołówstwo; żegluga na Peczorze.

Niepołomice, m. w woj. małopol. (powiat wielicki), na skraju Puszczy Niepołomickiej; 7,3 tys. mieszk. (2000); ośr. przem. oraz ośrodek usługowy i turyst.; przemysł spoż.: (w tym coca-cola, soki), metal., przetwórstwa tworzyw sztucznych, kosm., maszyn., ponadto fabryki stolarki budowlanej z PCV i drewna, zakłady wikliniarsko-trzciniarskie, duża garbarnia; port przeładunkowy na Wiśle; szlaki piesze, rowerowe i konne do Puszczy Niepołomickiej; Młodzieżowe Obserwatorium Astronom., Muzeum Sztuki Współcz. (w zamku); po wybudowaniu przez Kazimierza III Wielkiego zameczku myśliwskiego miejsce król. polowań i zjazdów szlachty; prawa miejskie od 1896; got. kościół (XIV, XVII w.) z manierystyczną kaplicą Branickich (koniec XVI w.) i barok. Lubomirskich (XVII w.), renes. zamek król. (XVI, XVII w.). W pobliżu ośr. hodowli żubrów (zał. 1925).

Nieszawa, m. w woj. kujawsko-pomor. (powiat aleksandrowski), nad Wisłą; 2,3 tys. mieszk. (2000); ośr. usługowy przy przeprawie promowej przez Wisłę; przetwórstwo rolno-spoż.; ponadto zakłady dziewiarskie, wytwórnia farb i lakierów, wikliniarstwo; niewielki ośrodek turyst.-krajoznawczy; eksploatowane źródła wód miner.; przystań rzeczna; Muzeum im. S. Noakowskiego; prawa miejskie od 1431; kościół (XV, XVI w.), zespół klasztorny Franciszkanów (XVII–XVIII w.), ratusz (XIX w.).

Nietoperzowa, Jaskinia, Jaskinia Jerzmanowicka, jaskinia w Dolinie Będkowskiej (Wyż. Olkuska), w stoku wzgórza Jama; powstała w wapieniach jurajskich; dł. korytarzy 306 m. W namulisku jaskini odnaleziono liczne szczątki zwierząt plejstoceńskich, gł. niedźwiedzi jaskiniowych. W jaskini siedlisko nietoperzy nocków i podkowców. W guanie nietoperzy żyje b. rzadki gatunek owada bezskrzydłego, który został tu odkryty. Ślady pobytu człowieka paleolit., m.in. dawnych ognisk z węglami pochodzącymi z drewna limb, co świadczy o ówczesnym zimnym klimacie; badania archeol. prowadzone kilkakrotnie dostarczyły ważnego materiału, na którego podstawie została odkryta tzw. kultura jerzmanowicka, datowana na górny paleolit (ok. 38 000 p.n.e.); niżej zalegały warstwy z paleolitu środkowego.

Niewolnicze, Wielkie Jezioro, ang. **Great Slave Lake,** franc. **Grand Lac des Esclaves,** jez. polodowcowe w pn.-zach. Kanadzie, na wys. 156 m; pow. 28,5 tys. km², głęb. do 600 m (kryptodepresja); liczne wyspy; silnie rozwinięta linia brzegowa; zach. brzeg niski, zalesiony, wsch. i pn. — wysoki, porośnięty roślinnością tundrową; do Wiekiego Jeziora Niewolniczego uchodzi Rz. Niewolnicza, wypływa → Macken-

zie; zamarza na ok. 8 mies.; rybołówstwo; żegluga; gł. m. nad Wiekim Jeziorem Niewolniczym: Yellowknife — ośr. wydobycia złota.

niezgodność → dyskordancja.

Niger, rz. w zach. Afryce, na terytorium Gwinei, Mali, Nigru, Beninu i Nigerii; dł. 4160 km, pow. dorzecza 2092 tys. km² (trzecia pod względem długości i powierzchni dorzecza rzeka w Afryce); wypływa jako Dżoliba w masywie górskim Loma w pd. Gwinei, w pobliżu granicy z Sierra Leone; początkowo płynie w wąskiej dolinie na pn.-wsch. przez wyżynny obszar, tworząc liczne progi, następnie między miastami Ké-Macina i Timbuktu — przez szeroką, silnie zabagnioną równinę napływową, dzieląc się na liczne odnogi (wewn. delta N., zw. Macina); poniżej Timbuktu skręca na wsch., potem zmienia kierunek na pd.-wsch., przepływa przez wyżyny Górnej Gwinei, początkowo w głębokiej, następnie w szerokiej dolinie, tworząc liczne progi; w dolnym biegu N. płynie przez aluwialną nizinę; uchodzi do Zat. Gwinejskiej tworząc deltę (pow. ok. 24 tys. km²); średni roczny przepływ przy ujściu ok. 12 tys. m³/s, maks. 30–35 tys. m³/s; w dolnym biegu 2 wezbrania w ciągu roku; w środk. biegu (Niamej) podczas niskich stanów wód średni przepływ wynosi tylko 76 m³/s (w latach suszy na granicy wyschnięcia); średni roczny odpływ — 378 km³; gł. dopływy: Milo i Bani (pr.), Kebbi (Sokoto), Kaduna i Benue (l.); liczne gatunki ryb, krokodyle, hipopotamy; wykorzystywana do nawadniania (zapory wodne — Sansanding i w pobliżu m. Bamako); żegl. odcinkami i ok. 750 km od ujścia; w dolnym biegu hydrowęzeł Kainji, projektowana budowa drugiego w miejscowości Jebba (Nigeria); gł. miasta nad N.: Bamako, Timbuktu, Niamej, na wsch. skraju delty — Port Harcourt; w delcie N. bogate złoża ropy naftowej.

Niger, Republika Nigru, państwo w zach. Afryce, w obrębie Sahary; 1267 tys. km²; 11,5 mln mieszk. (2002), ludy Hausa (50%), Songhajowie, Dżerma; muzułmanie oraz animiści; stol. Niamej; język urzędowy franc.; republika. Wyżynny (do 1900 m na wyż. Aïr); klimat suchy, na pn. zwrotnikowy, na pd. podrównikowy (długotrwałe susze); wadi, rzeki okresowe, jedyna stała — Niger. Jeden z najsłabiej rozwiniętych krajów Afryki; uprawa prosa, sorgo, batatów, na eksport — trzciny cukrowej, orzeszków ziemnych, bawełny; hodowla kóz, bydła, owiec; eksploatacja bogatych złóż uranu; rzemiosło; drobny przemysł; 2 transsaharyjskie szlaki drogowe. ■

■ Niger

Nigeria, Federacyjna Republika Nigerii, państwo w Afryce, nad Zat. Gwinejską; 923,8 tys. km²; najludniejszy kraj afryk. — 146,7 mln mieszk. (2002), gł. ludy: Hausa, Jorubowie, Ibo, Fulanie; muzułmanie, animiści; stol. Abudża, gł. m.: Lagos, Ibadan, Ogbomosho, Kano; język urzędowy ang. (w użyciu 200 języków i dialektów); republika; składa się z 36 stanów i Stołecznego Terytorium Federalnego. Przewaga wyżyn (Dżos); na wsch. góry Shebsi (wys. do 2042 m), na pd. nizina nadmor.; klimat podrównikowy suchy na pn., równikowy wybitnie wilgotny na pd.; gł. rz.: Niger z Benue, Kaduna; sawanny (na pn. suche), lasy równikowe, galeriowe. Podstawę

■ Nigeria

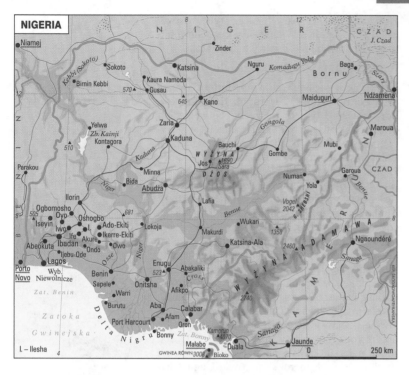

NIGERIA

gospodarki stanowi rolnictwo i górnictwo; uprawa jamu, manioku, zbóż, na eksport — palmy oleistej (świat. producent nasion i oleju), kakaowca, orzeszków ziemnych, bawełny; hodowla bydła (na pn.), owiec, kóz; eksploatacja lasów (mahoń); wydobycie ropy naft. z bogatych złóż w delcie Nigru i na szelfie (duży udział kapitału bryt.), gazu ziemnego, rud cyny, kolumbitu; elektrownie wodne (gł. Kainji); przemysł włók., spoż., maszyn., chem., rafineryjny, montownie środków transportu; tradycyjne tkactwo, garncarstwo; stosunkowo gęsta sieć komunik., w delcie — rurociągowa; żegluga; gł. porty: Lagos, Port Harcourt, nowocz. port naft. Bonny. ■

Nikaragua, Lago de Nicaragua, jez. w Nikaragui, największe w Ameryce Środk., w obniżeniu tektonicznym, na wys. 34 m; pow. 8,4 tys. km², głęb. do 70 m (kryptodepresja); połączone przez rz. Tipitapa z jez. Managua; odpływ przez rz. San Juan do M. Karaibskiego; w środk. części wyspa wulkaniczna Ometepe; żegluga; gł. m. nad N. — Granada.

Nikaragua, Nicaragua, Republika Nikaragui, państwo w Ameryce Centr., nad O. Spokojnym i M. Karaibskim; 130 tys. km²; 5,6 mln mieszk. (2002), Metysi, biali, Murzyni, Indianie; katolicy; stol. Managua, inne m.: León, Matagalpa; język urzędowy hiszp.; republika. W zach. i środk. N. Kordyliery, wys. do 2107 m (Mogotón); na wsch. niziny; liczne czynne wulkany (Concepción); trzęsienia ziemi; klimat równikowy wilgotny; jez.: Nikaragua i Managua; lasy równikowe i mieszane górskie, sawanny, namorzyny. Podstawą gospodarki jest rolnictwo; uprawa trzciny cukrowej, bawełny, kawowca, bananów, drzew cytrusowych; hodowla bydła; eksploatacja lasów; złoża srebra, złota, rud miedzi; przemysł spoż., drzewny; gł. porty: Corinto (O. Spokojny), Puerto Cabezas (M. Karaibskie). ■

■ Nikaragua

Nil, arab. **Nahr an-Nl,** ang. **Nile,** rz. w Afryce, na obszarze Burundi, Ruandy, Ugandy, Sudanu i

Egiptu; dł. 6671 km (najdłuższa na Ziemi, wg danych peruwiańskich dłuższa jest Amazonka 7025 km), pow. dorzecza 2870 tys. km². Za źródłową rzekę N. uważa się Kagerę, wypływającą na terytorium Burundi, na pd.-zach. od jez. Kiwu i uchodzącą do Jez. Wiktorii; od Jez. Wiktorii N. płynie na pn.-zach. jako N. Wiktorii, pokonując wychodnie skał krystal. (wodospady Ripon i Owena), przepływa jez. Kioga i uchodzi do Jez. Alberta, tworząc przed ujściem Wodospady Murchisona; z Jez. Alberta wypływa w kierunku pn.-wsch. jako N. Alberta; od ujścia rz. Aswa (pr. dopływ) przybiera nazwę N. Górski (Baḥr al--Jabal), który po przyjęciu l. dopływu Baḥr al--Ghazal, płynie dalej jako N. Biały (Al-Baḥr al--Abyaḍ), początkowo w kierunku wsch., a po przyjęciu pr. dopływu Sobat — w pn.; w Chartumie rzeka przyjmuje największy swój dopływ — N. Błękitny (Al-Baḥr al-Azraq, pr.) i przybiera nazwę N.; od tego miejsca płynie przez pustynny obszar Sahary w głęboko wciętej dolinie, przyjmując duży pr., okresowy dopływ — Atbarę; między Chartumem i Asuanem N. pokonuje wychodnie skał krystal. Pustyni Nubijskiej wielką pętlą, tworząc 6 katarakt; poniżej Asuanu płynie między płaskowyżami Pustyni Libijskiej (od zach.) i Pustyni Arabskiej (od wsch.); uchodzi do M. Śródziemnego 2 gł. ramionami — Rosetta (zach.) i Damietta (wsch.), tworząc deltę (pow. 22 tys. km²).

Ustrój wodny N. jest złożony i uwarunkowany gł. rozkładem opadów w dorzeczu N. Białego i N. Błękitnego; w czasie wysokiego stanu wód najwięcej wody doprowadza N. Błękitny — 69% (Nil Biały 14%, Atbara 17%), przy niskim stanie wód — N. Biały, 83% (N. Błękitny 17%); średni roczny przepływ w Kairze wynosi 2284 m³/s; przepływy maks. i minim. są regulowane przez Wielką Tamę Asuańską. Żeglowny od Dżuby, z przerwami między Asuanem i Asz-Szallal (I katarakta), następnie między Wadi Halfa a Karmą (II i III katarakta) oraz między Kurajmą a Chartumem (IV, V i VI katarakta). Wody N. od najdawniej-

■ Nil. Widok doliny znad świątyni Hatszepsut w Tebach

szych czasów służą do nawadniania; obecnie istnieje 9 zapór wodnych; powyżej Asuanu największy w Afryce Hydrowęzeł Asuański; w dolnym biegu (poniżej Asuanu) i na obszarze delty gęsta sieć kanałów nawadniających; Hydrowęzeł Asuański umożliwia nawodnienie ok. 8 tys. km^2 nowych ziem uprawnych, wybud. elektrownia dostarcza ok. 50% energii elektr. Egiptu. Zmniejszony przepływ wód N. poniżej Wielkiej Tamy Asuańskiej ma wiele negatywnych skutków, m.in. mniejsze są wylewy N. (wiosenne i letnie), tym samym zasięg osadzanych mułów, które od wieków użyźniały gleby w dolinie dolnego N.; maleje również roczny przyrost delty N. — gł. region roln. Egiptu. Żyzna dolina N. była już zasiedlona w paleolicie; w starożytności stanowiła centrum rozwoju cywilizacji na terenie Afryki, zwł. w staroż. Egipcie. Główne m. nad N.: Chartum, Asuan, Kair, na skraju delty — Aleksandria. ■

Nil Błękitny, arab. **Al-Baḥr al-Azraq,** amharskie **Abbaj,** rz. w Etiopii i Sudanie, pr., najdłuższy i najzasobniejszy w wodę dopływ Nilu; dł. ok. 1600 km; wypływa z jez. Tana na Wyż. Abisyńskiej; na terytorium Etiopii płynie w głębokiej dolinie, tworząc progi i wodospady, w Sudanie — przez obszar równinny; uchodzi w Chartumie; znaczne wahania przepływów, przy ujściu: maks. (sierpień) wynosi ponad 5800 m^3/s, minim. (luty) — ok. 130 m^3/s; gł. dopływy: Didesa (l.), Dindar (pr.); wykorzystywany do nawadniania; żegl. na dł. 580 km; 2 hydrowęzły (w pobliżu m. Ar-Rusajris, Sannar); gł. m. nad N.B. — Wad Madani.

nimbostratus [łac.], *Ns,* **chmura warstwowa deszczowa,** rodzaj → chmury.

Nisko, m. powiatowe w woj. podkarpackim, nad Sanem; 15,8 tys. mieszk. (2000); ośr. przem.- -usługowy; rozwinięty przemysł spoż. (mięsny, zbożowo-młynarski), drzewny, metal., ceram. i chem.; przedsiębiorstwo rolno-przem.; węzeł drogowy; Wyższa Szkoła Ekon.; 1896 zaliczone do miasteczek; od 1933 prawa miejskie.

Niue [ni:u̯:ej], wyspa koralowa na O. Spokojnym w Polinezji, terytorium stowarzyszone z Nową Zelandią; 263 km^2, 1,7 tys. mieszk. (2002); stol. Alofi; eksport kopry, miodu, owoców; odkryta 1774 przez J. Cooka; 1901 zaanektowana przez Nową Zelandię, ob. status od 1974.

niwacja [łac.], proces niszczenia podłoża przez wielokrotnie topniejący i zamarzający śnieg, który nie przekształcił się jeszcze w lód; zachodzi w wysokich górach w pobliżu granicy wiecznego śniegu oraz w krajach polarnych na obszarach pozbawionych lodowców; prowadzi do spłaszczenia i podcięcia zboczy oraz tworzenia się drobnych zagłębień terenu, zw. nieckami (niszami) niwalnymi; na stokach o dużym spadku nagromadzony śnieg osuwa się w postaci → lawin, które erodują podłoże.

nizina, obszar leżący na wys. od 0 do 300 m n.p.m.; rozróżnia się n. płaskie (równinne), faliste (o wysokościach względnych do 30 m) i pagórkowate (o wysokościach względnych do 60 m); większość n. powstała wskutek akumulacji osadów na obszarach tektonicznie obniżonych, np.

Niz. Amazonki, Niz. Hindustańska, Niz. Panońska; n. tworzyły się też w wyniku wynurzenia się dna mor. zbud. z poziomo ułożonych warstw skalnych (np. Niz. Zachodniosyberyjska) lub długotrwałej denudacji — są to nizinne → powierzchnie zrównania, np. Finlandia, pn. część Ameryki Pn.; obszary n. zajmują ok. 1/3 pow. kontynentów.

niż atmosferyczny, niż baryczny, obszar niskiego ciśnienia atmosf., w którym ciśnienie maleje ku środkowi tego obszaru; na mapie pogody jest objęty zamkniętymi izobarami; cyrkulacja atmosfery w n.a. ma charakter cyklonalny (→ cyklon).

Niżne Tatry, Nízke Tatry, pasmo górskie w Karpatach Zach., w Słowacji; od pn. ograniczone Kotliną Liptowską, od pd. — brużdą Hronu; najwyższy szczyt Dziumbier, 2043 m; gł. grzbiet zbud. z granitów, gnejsów i łupków krystal., pn. skłon — z wapieni i dolomitów; w Dolinie Demenowskiej kilka dużych jaskiń krasowych; górna granica lasu na wys. 1450 m na zach. i 1550 m na wsch.; piętro kosodrzewiny sięga do wys. 1760–1800 m; w obrębie parku nar. (utworzonego 1978) kilka rezerwatów przyrody; rozwinięta turystyka.

niżówka, okres niskich stanów wody w rzece, wywołany zmniejszonym zasilaniem; występuje w wyniku wyczerpywania się zasobów wodnych dorzecza, zazwyczaj na skutek długotrwałej suszy (n. letnia lub letnio-jesienna), a także przy braku zasilania podczas mroźnych zim (n. zimowa); długotrwały brak opadów atmosf. powoduje takie obniżenie zwierciadła wód gruntowych, że wiele małych cieków i źródeł wysycha zupełnie.

Nogat, rz., pr. ujściowe ramię Wisły; dł. 62 km, pow. dorzecza 1330 km^2; płynie przez Żuławy Wiślane; w pobliżu Elbląga tworzy drugorzędną deltę i uchodzi wieloma odnogami do Zalewu Wiślanego; gł. dopływ — Liwa (pr.). N. w dawnych wiekach był gł. ramieniem Wisły; od 1916, po zamknięciu N. śluzą w Mątowskim Cyplu, przepływ jest regulowany zależnie od potrzeb rolnictwa i żeglugi; skanalizowany; nad N. leży m. Malbork.

Nordkapp [nụ:rdkạp] → Północny, Przylądek.

Nordkyn [nụ:rdki:n], **Nordkinn, Kinnarodden,** skalisty przyl. na Płw. Skandynawskim, w Norwegii; zakończenie drugorzędnego półwyspu N.; najdalej na pn. wysunięty punkt lądu eur.; 71°08′N, 27°40′E. ■

■ Półwysep i przylądek Nordkyn (na linii horyzontu)

Norfolk [nɔːˈfək], **Norfolk Island, Terytorium Wyspy Norfolk, Territory of Norfolk Island,** wyspa wulk. na O. Spokojnym, ponad 1500 km od Sydney; stanowi terytorium zamor. Australii; pow. 34,5 km²; ośr. adm. Kingston; otoczona rafami koralowymi; wybrzeże przeważnie klifowe; resztki lasów araukariowych; uprawa palmy Kentia, zbóż, owoców, kwiatów; ok. 80 km dróg samochodowych, lotnisko; corocznie Norfolk odwiedza ponad 20 tys. turystów; eksport nasion araukarii, sadzonek palmy Kentia.

Normandzki, Półwysep → Cotentin.

Normandzkie, Wyspy, Channel Islands, grupa wysp w cieśn. La Manche, dependencje Korony bryt.; 195 km², największe wyspy: Jersey, Guernsey, Alderney, Sark; wyżynne; hodowla bydła, uprawa warzyw, kwiatów; gł. m. Saint Helier (na Jersey).

■ Norwegia. Lillehammer

Norwegia, Norge, Królestwo Norwegii, państwo w Europie Pn., na Płw. Skandynawskim, wyspach przybrzeżnych i archipelag 323,9 tys. km²; 4,5 mln mieszk. (2002), Norwegowie 97%, Lapończycy; luteranie 88%, katolicy; stol. Oslo, inne gł. m. i porty: Bergen, Trondheim, Stavanger; język urzędowy norw.; monarchia konstytucyjna. Rozciąga się 1750 km wzdłuż wybrzeża fiordowego (linia brzegowa 2650 km, z fiordami i zatokami ponad 20 tys. km), od M. Barentsa do Skagerraku; powierzchnia górzysta, wys. do 2469 m — Galdhøpiggen w G. Skandynawskich; lodowce; klimat od subpolarnego do umiarkowanego mor. ciepłego; liczne krótkie rzeki (z najwyższymi w Europie wodospadami) i polodowcowe jeziora; lasy (28% pow.) i tundra. Podstawą wysoko rozwiniętej gospodarki przem. jest górnictwo i rybołówstwo; ropa naft., gaz ziemny, rudy żelaza, miedzi, tytanu i in. metali; prawie 100% energii z elektrowni wodnych (największa w świecie produkcja w przeliczeniu na 1 mieszk. — 29,9 tys. kW·h, 1999); przemysł elektrochem., stoczn., rafineryjny, drzewny, hutn., maszyn.; niski odsetek użytków rolnych (3% pow.), gł. hodowla owiec, bydła (na pn. reniferów), uprawa jęczmienia i owsa; rozwinięta turystyka; żegluga kabotażowa; eksport ropy naft., gazu ziemnego, metali, ryb. ■

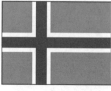

■ Norwegia

Norweskie, Morze, Norskehavet, część O. Arktycznego, między Płw. Skandynawskim a Szetlandami, W. Owczymi, Islandią, wyspą Jan Mayen i Wyspą Niedźwiedzią; pow. 1383 tys. km²; średnia głęb. 1742 m, maks. — 3970 m, w części środk. (Basen Norweski); w pn. części dna Basen Lofocki (głęb. ok. 3500 m); temperatura wód powierzchniowych od 2–7°C w lutym do 8–12°C w sierpniu, zasolenie — 34,0–35,2‰; M.N. nie zamarza przez cały rok — z pd.-zach. na pn.-wsch. przepływa ciepły Prąd Norweski (przedłużenie Prądu Północnoatlantyckiego, gł. nurtu systemu Prądu Zatokowego); wys. pływów 2,5–3,5 m; bogate łowiska ryb (gł. dorsz, śledź); gł. porty: Trondheim, Tromsø, Narwik. W dnie M.N. złoża ropy naft. (wydobycie w części pd., na pn.-wsch. od Szetlandów).

Nosal, szczyt reglowy w Tatrach Zach., między dolinami Bystrej a Olczyską; wys. 1206 m; zbud. z wapieni triasowych i dolomitów, tworzących przepaściste skałki i fantazyjne turniczki na stokach pd.-zach.; u podnóża od pn.-zach. jaskinia Dziura pod Nosalem (dł. 12 m); bogata flora (szarotki) i fauna (ryś, ostoja puchacza); na stoku pn. wyciąg krzesełkowy czynny zimą i tor slalomowy; piękny widok na otoczenie Doliny Bystrej i Podhale.

Noszak, Kohı Nawšax, szczyt w Hindukuszu, najwyższy w Afganistanie; wys. 7485 m; zdobyty 1960 przez wyprawy jap. i pol. (kier. B. Chwaściński); cel licznych wypraw pol.; pierwsze wejście zimowe 1973 (A. Zawada, T. Piotrowski).

nośność statku, masa ładunku, bunkru, zapasów i ludzi, jaką statek może przyjąć nie przekraczając dopuszczalnej linii zanurzenia; wyraża się zwyczajowo w tonach nośności — tzw. martwej wagi — DW, tDW, DWT (deadweight ton); jednostką n.s. jest tona (1 Mg) lub tona ang. (1,016 Mg).

Noteć, rz., pr., największy dopływ Warty; dł. 388 km, pow. dorzecza 17 330 km²; wypływa z jez. Przedecz na Pojezierzu Kujawskim; przepływa liczne jeziora, m.in.: Modzerowskie, Gopło, Mielno, Wolickie; w m. Pakość łączy się z N. Zachodnią (źródła na Pojezierzu Gnieźnieńskim); uchodzi pod Santokiem w Pradolinie Toruńsko-Eberswaldzkiej; średni przepływ w pobliżu ujścia 75 m³/s; maks. rozpiętość wahań stanów wody w dolnym biegu 4,4 m; gł. dopływy: Gwda, Drawa (pr.); żegl. od jez. Gopło (295 km), skanalizowana od m. Nakło n. Notecią do m. Krzyż Wielkopolski; N. wraz z Kanałem Bydgoskim i Wartą tworzy drogę wodną Wisła-Odra, a przez Kanał Ślesiński, jez. Gopło i Górny Kanał Notecki — drogę wodną Warta-Kanał Bydgoski; gł. m. nad N. — Nakło n. Notecią. ■

■ Dolina Noteci w okolicy Krzyża Wielkopolskiego

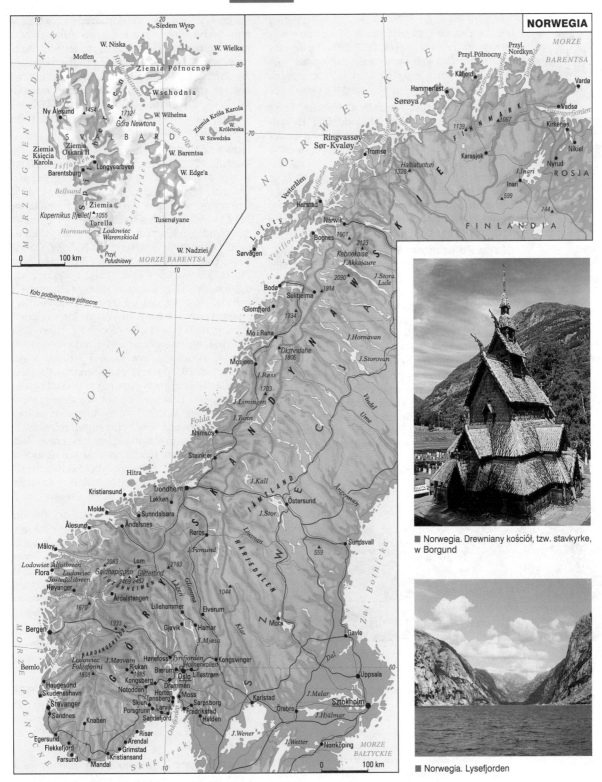

NORWEGIA

■ Norwegia. Drewniany kościół, tzw. stavkyrke, w Borgund

■ Norwegia. Lysefjorden

Nowa Dęba, m. w woj. podkarpackim (powiat tarnobrzeski); 12,2 tys. mieszk. (2000); ośr. przem.-usługowy przy drodze i linii kol. Tarnobrzeg–Rzeszów; przemysł metal., ponadto: elektrotechn., środków transportu, precyzyjny, zbrojeniowy, farm., papierniczy; przetwórstwo rolno-spoż. i tworzyw sztucznych; duża jednostka wojsk. (w pobliżu poligon); prawa miejskie od 1961.

Nowa Fundlandia, ang. **Newfoundland,** franc. **Terre-Neuve,** prowincja w Kanadzie, nad O. Atlantyckim; obejmuje wyspę Nowa Fundlan-

dia i pn.-wsch. Labrador; 405,7 tys. km^2, 531 tys. mieszk. (2002); stol. Saint John's; wyżynna, wybrzeża nizinne; liczne jeziora polodowcowe; lasy iglaste, lasotundra i tundra; eksploatacja lasów; wydobycie gł. rud żelaza (Labrador); przemysł drzewny, papierniczy, rybny, skórz.; rybołówstwo (gł. dorsze); hodowla bydła; żegluga kabotażowa.

Nowa Gwinea, wyspa na O. Spokojnym, druga po Grenlandii pod względem wielkości na Ziemi; 785 tys. km^2; zach. część w Indonezji (prow. Irian Jaya), wsch. — państwo Papua-Nowa Gwinea;

■ Nowa Zelandia

górzysta (wys. do 5030 m), na pd. zabagniona nizina; czynne wulkany; klimat równikowy wilgotny; gł. rz.: Fly, Sepik, Mamberamo; bogata roślinność (2/3 gat. endemicznych); ponad 70% pow. lasy; złoża ropy naft., złota, rud miedzi. Wyspa odkryta 1526 przez Portugalczyków.

Nowa Kaledonia, Nouvelle-Calédonie, **Terytorium Zamorskie Nowa Kaledonia i Dependencje,** terytorium zamor. Francji w Oceanii (Melanezja); 19,1 tys. km², 448 tys. mieszk. (1999); stol. Numea; obejmuje w.: Nowa Kaledonia (16,8 tys. km²), Lojalności, Pins oraz liczne rafy koralowe; wydobycie rud niklu i chromu; hutnictwo niklu; uprawa palmy kokosowej, kawy, bananów; hodowla bydła; połów ryb; turystyka.

Nowa Południowa Walia, New South Wales, najlepiej gospodarczo rozwinięty stan Australii; 801,6 tys. km²; 6,6 mln mieszk. (2002), w tym ludność rdzenna 1,2%; stol. Sydney, inne gł. m.: Newcastle, Wollongong, Broken Hill; 2/3 pow. niziny, we wsch. części najwyższe pasma Wielkich G. Wododziałowych; wydobycie węgla kam., rud ołowiu, cynku i miedzi, szafirów, złota, z piasków miner. rutylu i cyrkonu; przemysł spoż., elektromaszyn., chem., hutnictwo metali; gł. region roln. Riverina; uprawy: zboża (pszenica), ziemniaki, ryż, bawełna, słonecznik, trzcina cukrowa, drzewa owocowe, winorośl; hodowla owiec, bydła, trzody chlewnej; przeładunek w portach ok. 77 mln t (największy zespół portowy Sydney).

■ Nowa Zelandia. Krajobraz Wyspy Północnej

Nowa Ruda, m. w woj. dolnośląskim (powiat kłodzki), w Sudetach Środk., w dolinie Włodzicy (l. dopływ Ścinawki); 27 tys. mieszk. (2000); od 1. poł. XV w. do końca 2000 ośr. wydobycia węgla kam.; przemysł miner., mebl., włók., odzież.; węzeł drogowy; ośr. usługowy regionu turyst.; Podziemna Turyst. Kopalnia Węgla (tzw. Muzeum Górnictwa); prawa miejskie przed 1353; zamek (XVI–XVII, XVIII w.), 2 kościoły (XVI, XVIII w. i XVII, XIX w.), domy (XVIII w.).

Nowa Sarzyna, m. w woj. podkarpackim (powiat leżajski), nad Trzebośnicą (l. dopływ Sanu); 7,0 tys. mieszk. (2000); ośrodek przemysłu chem. (żywice syntetyczne, tworzywa sztuczne, silikony, środki ochrony roślin) z największym zakładem w mieście — „Organika-Sarzyna" oraz ośr. usługowy regionu rozwiniętej wytwórczości wikliniarskiej; prawa miejskie od 1973.

Nowa Sól, m. powiatowe w woj. lubus., nad Odrą; 42 tys. mieszk. (2000); duży ośr. przem.-usługowy; przemysł: elektromaszyn., włók., w tym fabryka nici, przetwórstwo rolno-spoż. i drzewno-papiernicze, ponadto różnorodny drobny przemysł; węzeł kol. przy drodze Świnoujście–Praga; port rzeczny i stocznia remontowa żeglugi śródlądowej; muzeum; prawa miejskie od 1743; 2 kościoły (XVI–XIX w. i XIX w.), dawny zbór (XVIII, XX w.), magazyny solne (XVIII/XIX w.), domy (XIX w.).

Nowa Zelandia, New Zealand, państwo w Oceanii; 270,5 tys. km²; 3,8 mln mieszk. (2002), w tym Maorysi ok. 10%; stol. Wellington; protestanci (gł. anglikanie) 65%, katolicy 15%, tradycyjne wierzenia; 70% ludności skupia się na Wyspie Pn.; w miastach 85%, największe — Auckland; język urzędowy: ang. i maoryski; monarchia konstytucyjna; terytoria N.Z.: W. Cooka, Niue, Tokelau. N.Z. składa się z 2 dużych wysp: Pn. (115,8 tys. km²) i Pd. (151,2 tys. km²) rozdzielonych Cieśn. Cooka oraz licznych małych; rozciągłość z pn. na pd. ponad 1600 km; 3/4 obszaru góry i wyżyny; na Wyspie Pn. wulkany i gejzery, na Wyspie Pd. w Alpach Pd. (Góra Cooka 3764 m) wieczne śniegi i lodowce; częste trzęsienia ziemi; liczne rzeki i jeziora, wodospady; lasy 28% pow.; 12 parków nar. (najstarszy Fiordland). Kraj gosp. rozwinięty; hodowla owiec (47,6 mln — 1998), bydła; uprawa zbóż (pszenica, jęczmień, kukurydza), ziemniaków; sadownictwo (plantacje kiwi); przemysł rolno-spoż., maszyn., lekki, drzewno-papierniczy, chem.; hutnictwo aluminium (Bluff), montaż samochodów; wydobycie gazu ziemnego; rybołówstwo; transport mor. i lotn.; turystyka; N.Z. należy do świat. eksporterów masła, mięsa, wełny i serów. ■

Nowe, m. w woj. kujawsko-pomor. (powiat świecki), nad Wisłą, u ujścia Mątawy; 6,8 tys. mieszk. (2000); ośr. usługowo-przem.; rozwinięty przemysł drzewny, ponadto przetwórstwo zboża, mięsa, tworzyw sztucznych i in.; prawa miejskie przed 1290–1308 i od 1350; zachowane zabytki z XIV w.: 2 kościoły i kaplica szpitalna (przebud.), pozostałości zamku krzyżackiego i murów miejskich.

Nowe Hebrydy, archipelag na O. Spokojnym, w Oceanii; od 1980 niepodległe państwo Vanuatu.

Nowe Miasteczko, m. w woj. lubus. (powiat nowosolski); 2,9 tys. mieszk. (2000); lokalny ośr. usługowy regionu roln.; fabryka mebli, drobne przetwórstwo rolno-spoż.; węzeł dróg lokalnych; prawa miejskie 1296–po 1918 i od 1945.

Nowe Miasto Lubawskie, m. powiatowe w woj. warmińsko-mazurskim, nad Drwęcą; 10,9 tys. mieszk. (2000); ośr. przem.-usługowy i turyst.; przemysł spoż., materiałów bud., drzewny; muzeum; prawa miejskie od 1325; kościół (XIV–XV w.) z malowidłami got. i z XVII w. — ośr. kultu maryjnego, fragmenty murów miejskich (XIV w.).

Nowe Miasto nad Pilicą, m. w woj. mazow. (powiat grójecki), nad Pilicą; 4,5 tys. mieszk. (2000); ośr. usługowy regionu letniskowo-wypoczynkowego na szlaku kajakowym Pilicy; drobny przemysł (odzież., drzewny, spoż.); gospodarstwo rybackie; węzeł drogowy; duża jednostka wojsk. z lotniskiem; muzeum; prawa miejskie

1400–1870 i od 1919; zespół klasztorny Kapucynów oraz pałac i park (XVIII w.).

Nowe Skalmierzyce, m. w woj. wielkopol. (powiat ostrowski); 5,2 tys. mieszk. (2000); ośr. usługowy regionu roln. i mieszkaniowy dla pracujących w Kaliszu; zakłady urządzeń kol. oraz przetwórstwa rolno-spoż.; duża stacja rozrządowa na linii Łódź–Ostrów Wielkopol.; prawa miejskie od 1962.

Nowe Warpno, m. w woj. zachodniopomor. (powiat policki), na półwyspach Jez. Nowowarpieńskiego, ok. 300 m od granicy z Niemcami, na pn. skraju Puszczy Wkrzańskiej; 1,4 tys. mieszk. (2000); ośr. wypoczynkowy i sportów wodnych (żeglarstwo, kajakarstwo) oraz handl. i obsługi ruchu turyst. związany z mor. przejściem granicznym; rozwinięte przetwórstwo rybne; przystanie — rybacka, sport., żeglugi przybrzeżnej i promowa, gł. do niem. Altwarp (Stare Warpno) oraz duże targowisko; prawa miejskie przed 1352; kościół (XV, XVII, XIX w.), ratusz (XVII w.).

Nowogard, m. w woj. zachodniopomor. (powiat goleniowski), nad Jez. Nowogardzkim; 17,4 tys. mieszk. (2000); ośr. handl. i usługowy dla rolnictwa; przemysł: spoż., metal., odzież. i obuwn.; elektrownia wiatrowa (255 kW); lokalny węzeł drogowy; prawa miejskie od 1309; zamek (XVI, XVIII, XIX w.), kościół (XVI w.).

Nowogrodziec, m. w woj. dolnośląskim (powiat bolesławiecki), nad Kwisą; 4,1 tys. mieszk. (2000); ośr. usługowy regionu wydobycia i przetwórstwa glinki ceram.; ponadto wytwórnia kosmetyków i artykułów higienicznych; węzeł dróg lokalnych, w pobliżu autostrady A4; prawa miejskie od 1233; pozostałości murów miejskich (XIV–XV w.), zespół klasztorny Magdalenek (XVII, XVIII w.), ratusz (XVIII w.).

Nowogród, m. w woj. podl. (powiat łomż.), przy ujściu Pisy do Narwi; 2,0 tys. mieszk. (2000); ośr. usługowy, turyst.-krajoznawczy i kult. Kurpiów; rzemiosło lud. i artyst.; muzeum Skansen Kurpiowski im. A. Chętnika; Ogólnopol. Dni Kultury Kurpiowskiej; szlaki piesze do Puszczy Kurpiowskiej oraz kajakowe; drobny przemysł (przetwórstwo rolno-spoż., wikliniarstwo, wytwórnia opakowań); węzeł dróg lokalnych; prawa miejskie 1427–1870 i od 1927; kościół (XVI w.).

Nowogród Bobrzański, m. w woj. lubuskim (powiat zielonogór.), nad Bobrem; 5,2 tys. mieszk. (2000); ważny ośr. przemysłu materiałów bud. związany z lokalnymi złożami surowców skalnych; zakłady zbożowe; węzeł dróg lokalnych; ośr. kolonijny i krajoznawczy; prawa miejskie przed 1314–1945 i od 1988; 2 kościoły (XV, XIX w. i XIV, XVIII w.), domy (XVIII, XIX w.).

Nowosybirsk, 1903–25 **Nowonikołajewsk,** m. obw. w Rosji, nad Obem, największe na Syberii; 1,4 mln mieszk. (2002); węzeł komunik.; międzynar. targi; przemysł maszyn. i metal., elektrotechn., chem., hutnictwo; Syber. Oddział Ros. AN; 14 szkół wyższych (w tym 4 uniw. i konserwatorium); muzea, galeria obrazów; zał. w końcu XIX w.; sobór (XX w.).

Nowy Brunszwik, ang. **New Brunswick,** franc. **Nouveau-Brunswick,** prowincja we wsch. Kanadzie, nad O. Atlantyckim; 73,4 tys. km^2; 763 tys. mieszk. (2002), ok. 30% pochodzenia franc.; gł. m.: Saint John, Moncton, Fredericton (stol.); wyżynno-nizinny; lasy ponad 80% pow.; eksploatacja lasów; przemysł drzewno-papierniczy; wydobycie węgla kam.; rybołówstwo.

Nowy Dwór Gdański, m. powiatowe w woj. pomor., na Żuławach Wiślanych; 10,5 tys. mieszk. (2000); ośr. przem. i handl.-usługowy regionu roln.; przemysł spoż., maszyn., metal., odzież., materiałów bud., mebl., ponadto produkcja szkl. ozdób choinkowych oraz wyrobów z tworzyw sztucznych; lokalny węzeł drogowy; muzeum; zał. 1570; 1920–39 w granicach Wolnego Miasta Gdańska; pozostałości zamku Wejherów (XVI/XVII w.), domy konstrukcji ryglowej, z podcieniami (XVIII, XIX w.).

Nowy Dwór Mazowiecki, m. powiatowe w woj. mazow., przy ujściu Narwi do Wisły; 28 tys. mieszk. (2000); ośr. przem. i usługowy, także dla pobliskich terenów letniskowych; rozwinięty przemysł chem., ponadto lekki, spoż., elektromaszyn., drzewny; wytwórnie artykułów szkolno-biurowych, opakowań, materiałów bud., sprzętu wędkarskiego, zakłady poligraf.; składy, hurtownie i agencje celne; ważny węzeł drogowy; prawa miejskie 1374–poł. XVII w. i od 1782; 1961 do N.D.M. włączono Modlin; kościół (XVIII w., rozbud. 1981–85).

Nowy Jork, New York, stan w USA, między Wielkimi Jeziorami a O. Atlantyckim; 127,2 tys. km^2, 19,2 mln mieszk. (2002); stol. Albany, gł. m.: Nowy Jork (w aglomeracji 50% ludności stanu), Buffalo, Rochester, Syracuse; wyżynno-górzysty (Appalachy), niziny na wybrzeżu, w dolinie rz. Hudson i nad jez. Ontario; najsilniej rozwinięty gospodarczo stan USA; przemysł gł. odzież., poligraficzny, farm., maszyn., elektron., środków transportu; hodowla bydła mlecznego, drobiu; sadownictwo, warzywnictwo; wszechstronnie rozwinięty transport; turystyka (wodospad Niagara).

Nowy Jork, New York, m. w USA (stan Nowy Jork), przy ujściu rz. Hudson do O. Atlantyckiego; położony na wyspach (Manhattan) i kontynencie; jedna z największych aglomeracji świata; 8,1 mln mieszk. (2002), zespół miejski 8,6 mln, region metropolitalny N.J.–Northern New Jersey–Long Island (10 tys. km^2) — 20,1 mln (1999); siedziba ONZ; centrum handl.-finans. świata (giełda nowojorska, wielkie banki, międzynar. korporacje, towarzystwa ubezpieczeniowe); gł. ośr. przem. (odzież., poligraficzny, spoż., środków transportu, chem., maszyn., elektron. i in.) USA i Ameryki Pn.; zespół portowy N.J. połączony systemem kanałów z Wielkimi Jeziorami i Rz. Św. Wawrzyńca; wielki węzeł komunikacji, zwł. lotn. (Port Lotn. J.F. Kennedy); liczne szkoły wyższe (m.in. Uniw. Columbia), wielkie biblioteki, instytucje muz. (Metropolitan Opera), muzea (Metropolitan Museum of Art, Museum of Modern Art), galerie; rozległe parki (Central Park); gł. dzielnica Manhattan; duże skupisko Polonii. Założony w XVII w. przez Holendrów p.n. Nowy Amsterdam. Budowle z XVIII w., m.in. kościół St Paul's Chapel, i XIX w., m.in. ratusz, National

■ Nowy Jork. Gmach Giełdy Nowojorskiej na Wall Street

Academy of Design; liczne wieżowce z XX w., np. neogot. Woolworth Building; zespół wieżowców Rockefeller Center i gmachów ONZ; 11 IX 2001 wieżowce World Trade Center zniszczone w wyniku ataku terrorystycznego. ■

Nowy Meksyk, New Mexico, stan w pd.-zach. części USA, graniczy z Meksykiem; 314,9 tys. km², 1,8 mln mieszk. (2002), w tym ok. 22% pochodzenia meksykańskiego i 9% Indian; stol. Santa Fe, gł. m. Albuquerque; wyżynno-górzysty (G. Skaliste, Wielkie Równiny); prerie, półpustynie, pustynie, w górach rzadkie lasy; dominuje rolnictwo (uprawa pszenicy, kukurydzy, sorga, bawełny; hodowla bydła) i górnictwo (rudy uranu, miedzi, molibdenu); przemysł drzewny, spoż.; turystyka; parki narodowe.

Nowy Orlean, New Orleans, m. w USA (Luizjana), w delcie Missisipi; 489 tys. mieszk. (2002, 62% ludności murzyńskiej), zespół miejski 1,3 mln (1994); wielki ośrodek przem. (gł. rafineryjny, chem., stoczn., włók.), port handl. i lotn.; 4 uniw.; ośrodek turyst.; zał. 1718 przez Francuzów; kościoły z XVIII i XIX w., m.in. bazylika Św. Ludwika, liczne domy mieszkalne i budowle użyteczności publ. z XVIII–XIX w., m.in. Old Louisiana State Bank.

Nowy Sącz, m. w woj. małopol., nad Dunajcem i jego dopływami: Popradem, Kamienicą i Łubianką; powiat grodzki, siedziba powiatu nowosądeckiego; 84 tys. mieszk. (2000); ośr. usługowy, przem., kult., nauk. i oświat. regionu; różnorodny przemysł elektromaszyn., w tym naprawa taboru kol., produkcja sprzętu komputerowego (Optimus SA), maszyn i urządzeń dla górnictwa; ponadto przemysł spoż., drzewny, w tym mebl. (meble skórzane), chem. (elektrody węglowe), skórz., odzież., materiałów bud.; firmy budowlano-montażowe i transportowe; siedziba oddziałów banków; ważny węzeł kol. i drogowy;

Państw. Wyższa Szkoła Zaw., Wyższa Szkoła Biznesu — National-Luis University, z elektron. centrum informacji dla przedsiębiorców; teatry (amatorski i lalkowy); Sądecki Park Etnograf., galerie sztuki; zespoły folklorystyczne, kluby sport.; Dni Sztuki Wokalnej im. Ady Sari, Święto Bursztynowego Szlaku i in.; ośr. obsługi ruchu turyst. z rozwiniętą turyst.-wypoczynkową bazą noclegową i wieloma obiektami sport.; prawa miejskie od 1292; 1975–1998 stol. woj.; ruiny zamku król. (XIV, XVII w.), zabytkowy układ urb. Starego Miasta, kościoły (XIII, XIV w.), kanonia (XV/XVI, XVII, XIX w. — ob. muzeum), ratusz (XIX w.).

Nowy Staw, m. w woj. pomor. (powiat malborski), na Żuławach Wiślanych, nad Świętą (pr. dopływ Szkarpawy); 4,2 tys. mieszk. (2000); ośr. usługowy dla rolnictwa; przemysł spoż. (cukrownia); prawa miejskie od 1343; 1920–39 w granicach Wolnego Miasta Gdańska; kościół (XIV//XV w., przebud.), domy o konstrukcji szkieletowej (XIX w.).

Nowy Targ, m. powiatowe w woj. małopol., przy połączeniu Czarnego i Białego Dunajca; 35 tys. mieszk. (2000); gł. ośr. gosp. i kult.-oświat. Podhala; przemysł skórz., w tym zakłady obuwn. i kuśnierskie; ponadto przemysł: odzież., spoż., drzewny, materiałów bud.; rozwinięta wytwórczość lud.-artyst.; węzeł drogowy; lotnisko Aeroklubu Tatrzańskiego; Podhalańska Państw. Wyższa Szkoła Zaw.; zespoły folklorystyczne, chóry, galeria; wiele imprez kult., m.in.: konkurs muzyków podhalańskich — Góralskie Nucicki, Ogólnopol. Konkurs Literacki im. S.J. Leca; ośr. obsługi ruchu turyst. regionu Gorców, Pienin i Spiszu, z bazą noclegową; prawa miejskie od 1336; 2 kościoły (XIV, XVII, XVIII w. i XV w., przebud.).

Nowy Tomyśl, m. powiatowe w woj. wielkopol., nad Szarką (pr. dopływ Obry); 15,2 tys. mieszk. (2000); ośr. przem.-usługowy regionu uprawy chmielu, wikliny i szparagów; fabryka sprzętu med. i narzędzi chirurgicznych; ponadto przetwórstwo rolno-spoż. oraz zakłady przemysłu: odzież., chem., drzewnego, elektrotechn.; węzeł dróg lokalnych; Muzeum Wikliniarstwa i Chmielarstwa; prawa miejskie od 1786; barok.-klasycyst. kościół (XVIII w.), zabytkowe domy (XVIII, XIX w.).

Nowy Wiśnicz, m. w woj. małopol. (powiat bocheński); 2,4 tys. mieszk. (2000); letnisko, ośr. turyst. i usługowy; drobny przemysł spoż. i skórz.; muzeum J. Matejki i S. Klimowskiego; prawa miejskie 1616–1934 i od 1994; zespół wczesnobarok. budowli (1. poł. XVII w.): zamek Lubomirskich (wcześniej Kmitów), kościół parafialny, klasztor pokarmelicki (z pozostałościami kościoła i obwarowaniami), ratusz; zabytkowe domy (XVII–XIX w.); cmentarz żyd. z nagrobkami z XVII–XIX w.

Nubijska, Pustynia, arab. **Aṣ-Ṣaḥrā' an-Nūbiyyah,** pustynny płaskowyż w pn.-wsch. Sudanie, między Nilem a górami Atbaj; na wsch. wychodnie prekambryjskiego podłoża, przykryte miejscami piaskowcami nubijskimi pochodzenia kontynent.; obniża się stopniami ze wsch. na zach. (od 1000 do 350 m); ponad piaszczystą, miejscami kamienistą powierzchnię wznoszą się góry wyspowe (Dżabal Kurur, 1240 m); pocięta licznymi suchymi dolinami — wadi (największe Wadi Dżabdżaba, Wadi Amur); klimat zwrotnikowy kontynent., skrajnie suchy; średnia temp. w styczniu 15–19°C, w kwietniu 32–34°C; średnia roczna suma opadów poniżej 25 mm; roślinność pustynna złożona z suchoroślowych traw i niskich kolczastych krzewów; koczownicze pasterstwo wielbłądów, owiec, kóz; złoża rud żelaza, manganu oraz złota.

nunatak [eskimoskie], skalista wyniosłość wystająca ponad powierzchnię otaczającego ją ze wszystkich stron lodowca górskiego lub lądolodu; obecnie n. występują np. w przybrzeżnych częściach Grenlandii, a także na Spitsbergenie.

Nunavut, region autonomiczny w pn. Kanadzie; obejmuje większość wysp Archipelagu Arktycznego, dystrykt Keewatin i pn.-wsch. fragment dystryktu Mackenzie; pow. ponad 2 mln km², 29 tys. mieszk. (2002), w tym 80% Eskimosów; ludność skupiona w 25 rozproszonych osadach; centrum adm. Iqaluit (dawniej Frobisher Bay) na Ziemi Baffina. Utworzony 1999 na mocy umowy zawartej 1993 między rządem federalnym Kanady i przedstawicielami ludności rdzennej (Eskimosów), dążącej do zapewnienia sobie większych praw do ziemi, udziału w zyskach z eksploatowanych zasobów naturalnych, wpływu na ochronę środowiska i większych praw polit.; ma ułatwić Eskimosom zachowanie tradycji i odrębności kult., a jednocześnie zapewnić ich pełniejszą integrację z całym społeczeństwem Kanady.

nurt rzeczny, struga wody w rzece (prąd wodny) mająca największą prędkość; w korytach o przebiegu prostym n.rz. znajduje się mniej więcej pośrodku rzeki, w korytach o przebiegu krętym — zawsze po wklęsłej stronie zakrętu; bieg n.rz. zależy gł. od rzeźby dna koryta i stanu wody w rzece.

Nurzec, rz. na Niz. Północnopodlaskiej, pr. dopływ Bugu; dł. 100 km, pow. dorzecza 2102 km²; źródła w pobliżu wsi Czeremcha na pd.-zach. skraju Puszczy Białowieskiej; płynie w szerokiej, miejscami zabagnionej dolinie, uchodzi w Ślepowronach; średni przepływ w pobliżu ujścia 5,5 m³/s; maks. rozpiętość wahań stanów wody w dolnym biegu 3,0 m; gł. dopływ Leśna (l.); nad N. leżą m.: Brańsk, Ciechanowiec, Kleszczele.

Nuuk, duń. **Godthåb,** stol. Grenlandii, na pd.--zach. wybrzeżu wyspy; 14 tys. mieszk. (2002); gł. miasto, port, ośr. gosp. i kult.-nauk. wyspy; przemysł rybny; stocznie rybackie; połów fok, wielorybów; rzemiosło; uniw. (zał. 1983); zał. 1721 przez norw. misjonarza H. Egede.

Nysa, m. powiatowe w woj. opol., nad Nysą Kłodzką; 48 tys. mieszk. (2000); ośr. przem. i nauk.-kult.; dobrze rozwinięty przemysł elektromaszyn. (samochody dostawcze, wyposażenie cukrowni, rafinerii naft. i in.) oraz spoż.; ponadto wytwórnie materiałów bud., mebli, pomocy nauk., zakłady zielarskie, garbarnia; duży węzeł drogowy i kol.; ośrodek turyst. z licznymi obiektami sport.-rekreacyjnymi; Wydział Teol. Uniw. Opol., Wyższe Seminarium Misyjne Księży Werbistów, Wyższe Seminarium Duchowne Śląska Opol.; muzeum; wiele koncertów muz.; prawa miejskie od 1223; got. kolegiata (XIV–XVI w.), barok. zespoły klasztorne z kościołami m.in.: Jezuitów, Bożogrobców i Franciszkanów (XVII, XVIII w.), barok. pałac biskupów wrocł. (XVII, XVIII w.), fragmenty fortyfikacji (XVII–XIX w.) i murów miejskich (XIV, XVI w.), Dom Wagi (XVII w.), kamienice (XVII–XIX w.).

Nysa Kłodzka, rz., l. dopływ środk. Odry; dł. 182 km, pow. dorzecza 4566 km²; wypływa z masywu Śnieżnika; płynie przez Kotlinę Kłodzką, następnie przełamuje się przez G. Bardzkie, po czym przepływa Niz. Śląską, uchodzi koło Rybnika; średni przepływ w pobliżu ujścia 41,7 m³/s; maks. rozpiętość wahań stanów wody w dolnym biegu 4,9 m; gł. dopływy: Bystrzyca Dusznicka, Ścinawka (l.), Biała Lądecka, Biała Głuchołaska, Ścinawa Niemodlińska (pr.); w Otmuchowie i Głębinowie utworzono zbiorniki retencyjne w celu poprawienia żeglugi na Odrze, jak również obniżenia fali powodziowej na N.K.; przy zbiornikach elektrownie wodne; gł. m. nad N.K.: Kłodzko, Paczków, Nysa.

Nysa Łużycka, niem. **Görlitzer Neisse,** czes. **Lužická Nisa,** rz. na granicy Polski i Niemiec oraz w Czechach, l. dopływ Odry, dł. 252 km (graniczna 198 km), pow. dorzecza 4297 km²; źródła w G. Izerskich, płynie na Pogórzu Zachodniosudeckim i przez Niz. Śląsko-Łużycką, uchodzi we wsi Kosarzyn; średni przepływ w pobliżu ujścia 32 m³/s, gwałtowne wezbrania; w maks. rozpiętość wahań stanów wody w dolnym biegu 5,5 m; gł. dopływy: Mandau (l.), Witka, Lubsza (pr.); żegl. od Gubina (15 km); elektrownie wodne; gł. m. nad N.Ł.: Liberec, Żytawa, Görlitz, Zgorzelec, Forst, Guben, Gubin.

O

Oahu, wyspa pochodzenia wulk. na O. Spokojnym, w archipelagu Hawajów, należy do USA (stan Hawaje); pow. 1,6 tys. km²; skupia ponad 80% ludności Hawajów; gł. miasto i port Honolulu; plantacje ananasów i trzciny cukrowej; warzywnictwo; turystyka; baza wojsk. Pearl Harbor.

■ Oaza Berica w Algierii

oaza [łac. < gr. < egip.], obszar o obfitej roślinności na pustyni lub półpustyni; o a z y n a t u-r a l n e są związane z występowaniem na nieznacznej głębokości słodkich wód gruntowych, z wypływem źródeł lub zalewaniem terenów przyrzecznych (np. dolina dolnego Nilu, Eufratu i Tygrysu); o a z y s z t u c z n e powstają przez nawadnianie obszarów pustynnych wodami gruntowymi (m.in. studnie artezyjskie) lub rzecznymi (kanały nawadniające); gł. rośliną uprawną w o. jest palma daktylowa; uprawia się również drzewa cytrusowe, figowce, granatowce, zboża, bawełnę, warzywa i in.; o. były i są ważnymi etapami na szlakach prowadzących przez obszary pustynne, szczególnie w krajach arab., np. w Egipcie, Libii, Algierii.   ■

Ob, Ob', rz. w azjat. części Rosji; powstaje z połączenia rzek Bija i Katuń, wypływających z lodowców Ałtaju; dł. 3650 km (od źródeł rz. Katuń 4338 km), pow. dorzecza 2990 tys. km². O. jest typową rzeką nizinną (na dł. 3000 km spadek 0,03‰); płynie przez Niz. Zachodniosyberyjską w b. szerokiej dolinie (do 60 km); uchodzi do Zat. Obskiej (M. Karskie), tworząc deltę (ponad 4 tys. km²); gł. dopływy: Wasiugan, Wielki Jugan, Irtysz, Sośwa Pn. (l.), Czumysz, Tom, Czułym, Ket, Tym, Wach (pr.); średni przepływ przy ujściu 12 500 m³/s (maks. 42 800 m³/s, minim. 1650 m³/s); średni roczny odpływ ok. 400 km³; zamarza na ok. 8 mies. w dolnym biegu; gł. droga wodna Syberii Zach.; spław drewna; obfituje w ryby; powyżej Nowosybirska elektrownia wodna i zbiornik retencyjny; gł. m. nad O.: Barnauł, Kamień nad Obem, Nowosybirsk, Kołpaszewo, Surgut, Salechard. W dorzeczu O. znajdują się bogate złoża ropy naft. i gazu ziemnego oraz olbrzymie obszary leśne.

obłoki świecące, chmury obserwowane nocą na wys. 75–92 km; mają postać woalu, wstęg, zasłon, zwykle barwy niebieskiej lub srebrzystej; są cienkie i przezroczyste (można przez nie obserwować gwiazdy), w czasie zmierzchu tak jaskrawe, że z łatwością można rozróżnić szczegóły ich struktury; występują nader rzadko, w obszarach o szer. geogr. 45–75°N.

Oborniki, m. powiatowe w woj. wielkopol., przy ujściu Wełny do Warty; 17,6 tys. mieszk. (2000); ośr. usługowo-przem.; przemysł spoż., metal., drzewny (meble, domy w technologii kanad.); huta szkła; prawa miejskie przed 1339.

Oborniki Śląskie, m. w woj. dolnośląskim (powiat trzebnicki); 8,2 tys. mieszk. (2000); ośr. leczn.-wypoczynkowy (duży zespół sanatoriów, w tym prewentoria i sanatoria przeciwgruźlicze) oraz ośr. przem. (meble, odzież., cukierki, wyroby pończosznicze); wieś lokowana w XIII/XIV w.; od 1835 uzdrowisko; prawa miejskie od 1945.

Obra, rz., l. dopływ dolnej Warty; dł. 253 km; pow. dorzecza 4021 km²; źródła ok. 6,5 km na pn. od Koźmina (Niz. Południowowielkopolska); na terenie tzw. łęgów obrzańskich dzieli się na ramiona (kanały): Obrzański Kanał Pn., Obrzański Kanał Pd., Obrzański Kanał Środk. oraz Kanał Mosiński; tu następuje sztuczna bifurkacja — część wód kieruje się na zach. kanałami: Środk. i Pn., które po połączeniu tworzą ponownie O., oraz Pd. do Obrzycy (dopływ Odry), część na pn.-wsch. (Kanałem Mosińskim) do Warty; następnie O. płynie na pn. przez Pojezierze Lubuskie, przepływa przez Jezioro Zbąszyńskie i uchodzi poniżej Skwierzyny; średni przepływ w pobliżu ujścia 10,1 km³/s; maks. rozpiętość wahań stanów wody w dolnym biegu 2,2 m; największy dopływ — Mogilnica (pr.); gł. m. nad O.: Kościan, Zbąszyń, Międzyrzecz.

obryw, gwałtowne oderwanie się mas skalnych od stromego, urwistego stoku; także nazwa powstałego w ten sposób rumowiska skalnego. O. tworzy się gł. wskutek podcięcia stoku przez erozję (np. rzeczną, lodowcową), często w wyniku trzęsienia ziemi lub przez działalność człowieka; prędkość przemieszczania się materiału skalnego wynosi kilkadziesiąt m/s, niekiedy dochodzi do 150 m/s; o. stanowią duże niebezpieczeństwo dla człowieka. Zob. też osuwisko.

Obrzycko, m. w woj. wielkopol. (powiat szamotulski), przy ujściu Samy do Warty; 2,3 tys. mieszk. (2000); ośr. usługowy; drobny przemysł; prawa miejskie przed 1458–ok. 1580, 1638–1934 i od 1990; późnobarok. kościół (XVIII w., rozbud. 1906).

ocean [łac. < gr.], **ocean światowy, wszechocean, wszechmorze,** gł. część hydrosfery, powłoka wody → morskiej pokrywająca 71% pow. Ziemi (powierzchnia oceanu wynosi 361 mln km²). Wody o. są rozmieszczone nierównomiernie, na półkuli pn. zajmują 61%, na pd. — 81% pow.; objętość wód o. wynosi 1370,4 mln km³ (bez mórz — 1338,5 mln), średnia głęb. 3704 m (największa w Rowie Mariańskim — 11 034 m). O. dzieli się umownie na 4 części (oceany): Ocean → Spokojny, Ocean → Atlantycki, Ocean → Indyjski oraz Ocean → Arktyczny. Przylegające do kontynentów części o., oddzielone od niego archipelagiem wysp, półwyspem lub progiem podwodnym, stanowią → morza, a części o. półkoliście wcinające się w głąb kontynentu, bez wyraźnego oddzielania od o. — zatoki. Granicą między o. a atmosferą ziemską jest poziom morza (poziom o.).
Teorie pochodzenia basenów oceanicznych są zarazem teoriami pochodzenia o. (→ geotektoniczne teorie). W topografii dna oceanicznego wydziela się kilka wielkich form i wiele małych, różniących się nachyleniem, charakterem urzeźbienia i budową geol.; rzeźba dna o. kształtuje się gł. pod działaniem sił endogenicznych (→ endogeniczne procesy), ale także — egzogenicznych (→ egzogeniczne procesy); pierwsze z nich odgrywają gł. rolę przy powstawaniu wielkich form dna o., drugie powodują wyłącznie powstawanie małych form dna. Dno o. jest pokryte głębokowodnymi osadami biogenicznymi (krzemionkowe i wapienne) i poligenicznymi (czerwony ił głębokowodny) oraz osadami płytkowodnymi, terrygenicznymi, zalegającymi na szelfie.
Cechą charakterystyczną wód o. jest ich zasolenie; od niego zależą gęstość i temperatura zamarzania wód, także prędkość rozchodzenia się dźwięku, załamanie promieni świetlnych, przewodnictwo elektr. oraz życie organizmów mor.; przeciętne zasolenie wód powierzchniowych o. wynosi ok. 35‰, w pobliżu równika jest na poziomie 34,5‰ (zasilanie z deszczy zenitalnych),

w strefie pasatów wzrasta do 38‰ (wysoka temperatura powietrza, duże parowanie, małe opady atmosf.), w strefie umiarkowanej ma wartość zbliżoną do średniego zasolenia o., na obszarach podbiegunowych obniża się do 30‰ (małe parowanie, topnienie lodów pochodzenia lądowego); o zmianie zasolenia wraz z głębokością decydują procesy pionowego mieszania i poziomego przenoszenia wód przez prądy powierzchniowe i głębinowe; w częściach o. o dodatniej wymianie wilgoci (opad przewyższa parowanie) lub dodatnim bilansie wód słodkich zasolenie wody rośnie wraz z głębokością: na obszarach podbiegunowych do głęb. 200 m (po osiągnięciu maksimum nie ulega prawie zmianie aż do dna), w rejonach subark. do 1500 m (głębiej zmiany są nieznaczne), w strefie równikowej do 100 m (głębiej zmiany są nieznaczne); na obszarach o ujemnym bilansie wilgoci zasolenie wody mor. maleje wraz z głębokością — w szerokościach umiarkowanych do głęb. 600–1000 m (głębiej zmiany są nieznaczne), w strefie pasatów do 1000 m (głębiej zasolenie jest stałe); w strefie głębinowej wartości zasolenia w całym o. są podobne.
Procesy cieplne zachodzące w o. są złożone; gł. źródło ciepła powierzchniowej warstwy wody stanowi promieniowanie słoneczne; jest ono pochłaniane przez b. cienką warstwę wody (na głęb. 1 cm przenika zaledwie 1/100 część jego promieniowania cieplnego), ale otrzymywane ciepło jest przekazywane głębiej w wyniku mech. mieszania wód wywołanego falowaniem, pływami oraz prądami mor., a także dzięki ruchom konwekcyjnym zachodzącym na skutek ogrzewania się wód powierzchniowych w dzień i ochładzania nocą, również w wyniku mieszania się wód mniej słonych a chłodnych z bardziej słonymi a cieplejszymi; dopływowi ciepła do o. towarzyszy jego ubytek wywołany parowaniem (80% pochłanianej przez o. energii słonecznej jest zużywane na parowanie) i turbulentną wymianą z atmosferą. Średnia temp. wód wynosi 3,8°C; średnia roczna temp. wód powierzchniowych wynosi 17,4°C (na równiku — 27°C, na obszarach polarnych pn. — –0,75°C, na pd. — –0,79°C); temperatura wód oceanicznych obniża się wraz z głębokością (z wyjątkiem obszarów polarnych, gdzie początkowo wzrasta); jej spadek następuje przeważnie szybko do głęb. 300–500 m, wolniej — do 1200–1500 m; poniżej temperatura wody jest mniej więcej stała; na głęb. 1500–4000 m wynosi ona przeważnie 3–4°C, głębiej 2° i mniej.
Około 6% powierzchni o. (gł. obszary podbiegunowe oraz sezonowo niektóre morza i zatoki w strefie klim. umiarkowanej) pokrywają lody; coroczne ich topnienie wpływa na zmianę gęstości i pionową cyrkulację wód; zmienność temperatury, zasolenia i gęstości wraz z głębokością decydują o stateczności mas wodnych o. (→ wodna, masa).
Wody o. są w ciągłym ruchu; rozróżnia się ruchy rytmiczne (falowanie, wywołane gł. oddziaływaniem wiatru), stałe (→ prądy morskie) i periodyczne (→ pływy); dzięki tym ruchom woda oceaniczna ulega mieszaniu i przemieszczaniu się, tj. cyrkulacji.
O. ma ogromny wpływ na kształtowanie przyrody na Ziemi; jest gł. źródłem wilgoci atmosf., z

jego powierzchni wyparowuje rocznie ok. 500 tys. km³ wody, jest źródłem dopływu tlenu do atmosfery (pochłania rocznie ok. 55 mld t tlenu atmosf., a wydziela go 61 mld t), jest gł. akumulatorem ciepła słonecznego (magazynuje ok. $32 \cdot 10^{26} \cdot J \approx 76 \cdot 10^{25}$ cal), przez co wpływa na klimat lądów. ■

Oceania, zbiorowa nazwa wysp w środk. i zach. części O. Spokojnego, między 28°25'N (atol Kure) i 52°37'S (wyspa Campbell) oraz między 130°38'E (wyspa Salawati) i 105°28'W (Sala y Gómez); z Australią tworzy część świata; pow. lądowa ok.1,3 mln km², wodna — ok. 70 mln km²; obejmuje 4 regiony geogr.: Melanezję, Mikronezję, Polinezję i Nową Zelandię (wg niektórych podziałów Nowa Zelandia jest zaliczana do Polinezji).

Warunki naturalne

Wyspy Melanezji, Nowej Zelandii i zach. Mikronezji są pochodzenia kontynent., wsch. Mikronezji i Polinezji są wierzchołkami podwodnych wulkanów lub atolami; najwyższe na Ziemi wulkany (z częścią podwodną ponad 9000 m) utworzyły się w Polinezji (Mauna Kea i Mauna Loa); największe na Ziemi atole (o średnicy ponad 100 km) powstały w Mikronezji (Wyspy Marshalla); w zach. części O. rafy są utworzone przez koralowce, we wsch. — przez krasnorosty lub okrzemki; wyspy w zach. części O. leżą w strefie aktywnej sejsmicznie (wulkany, trzęsienia ziemi); ok. 80% pow. lądowej O. stanowią Nowa Gwinea i Nowa Zelandia; łącznie w skład O. wchodzi ponad 7500 wysp.

Klimat na przeważającej części wysp równikowy, ze średnią temp. miesięczną 25–28°C i b. małymi wahaniami rocznymi (1–3°C); wyspy najdalej wysunięte na pn. i pd. mają klimat zwrotnikowy, Nowa Zelandia — podzwrotnikowy i umiarkowany ciepły; na Hawajach średnia temp. miesięczna wynosi 18–25°C, na pd. Nowej Zelandii 5–14°C; sumy opadów silnie zróżnicowane; najwyższe opady na wyspach w pobliżu równika w zach. części O.: 2000–4000 mm, na stokach dowietrznych niektórych wysp (eksponowanych na pasaty) 7000–9000 mm; sumy roczne opadów maleją ku wsch. i wraz z szer. geogr. (do 1500–1000 mm), występują jednak znaczne różnice w wielkości opadów na stosunkowo bliskich wyspach, uzależnione od wys. n.p.m. i ekspozycji zboczy (np. w archip. Hawaje na wyspie Kauai — 12 000 mm, na Oahu — ok. 700 mm); w obszarze Karolin oraz pd. Polinezji występują cyklony tropik. (przeciętnie kilka razy w roku).

Świat roślinny

O. znajduje się w obrębie 2 państw roślinnych: tropik. Starego Świata (*Paleotropis*) oraz wokółbiegunowego pd. (*Holantarctis*); na pn. roślinność ma charakter paleotropikalny, a im dalej na wsch., tym jest uboższa; na pd.-zach. zaznaczają się wpływy austral., a na pd. — wpływy flory holantarktycznej. Na wyspach kontynent. Melanezji panują wilgotne lasy równikowe; ku pd. przechodzą one stopniowo w lasy podzwrotnikowe, a na pd. Nowej Zelandii — w lasy strefy umiarkowanej. Wulkaniczne wyspy Mikronezji i Polinezji, zwł. od wilgotnej strony dowietrznej, są porośnięte lasami równikowymi lub podzwrotnikowymi; na suchych skłonach zawietrznych spotyka się roślinność sawannową i trawiastą. Małe wyspy koralowe mają roślinność skąpą i monotonną (gł. wtórne gaje palmy kokosowej i niskie zarośla).

Świat zwierzęcy

O. należy do austral. krainy zoogeogr.; najbogatsza w gat. jest fauna Nowej Gwinei, na pozostałych wyspach fauna uboga — całkowity brak ro-

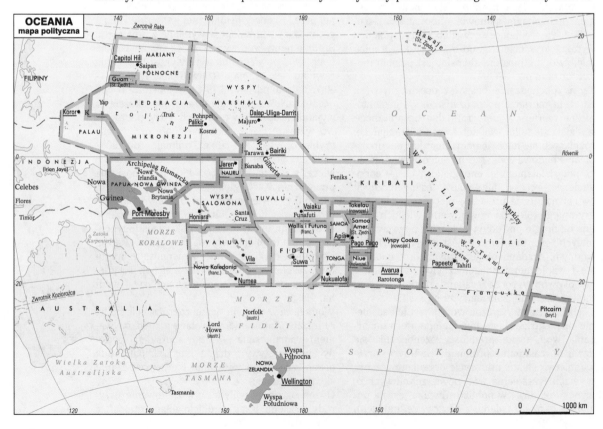

PODZIAŁ POLITYCZNY OCEANII Z AUSTRALIĄ[a]

Państwo lub terytorium	Powierzchnia w tys. km^2	Ludność w tys. (2000)	Stolica lub ośrodek administracyjny	Ustrój lub status polityczny
Państwa niepodległe				
Australia	7 682,3	18 967[b]	Canberra	związkowa monarchia konstytucyjna[c]
Fidżi	18,3	817	Suwa	republika
Kiribati	0,8	83	Bairiki	republika
Marshalla, Wyspy	0,2	63[b]	Dalap-Uliga-Darrit	republika[d]
Mikronezji, Federacja	0,7	119	Palikir	republika[d]
Nauru	0,02	12	Jaren	republika
Nowa Zelandia	270,5	3 862	Wellington	monarchia konstytucyjna[c]
Palau	0,5	19	Koror	republika[d]
Papua-Nowa Gwinea	462,8	4 702 [b]	Port Moresby	monarchia konstytucyjna[c]
Salomona, Wyspy	27,6	444[b]	Honiara	monarchia konstytucyjna[c]
Samoa	2,8	174	Apia	monarchia konstytucyjna
Tonga	0,7	99	Nukualofa	monarchia konstytucyjna
Tuvalu	0,03	12	Funafuti	monarchia konstytucyjna[c]
Vanuatu	12,2	190	Vila	republika
Terytoria niesamodzielne i zależne				
Cooka, Wyspy	0,2	19	Avarua	terytorium stowarzyszone z Nową Zelandią
Guam	0,5	155[b]	Agania	terytorium zamorskie Stanów Zjednoczonych
Mariany Północne	0,5	74[b]	Capitol Hill	terytorium stowarzyszone ze Stanami Zjednoczonymi
Midway[d]	0,008	1[f]	—	terytorium zamorskie Stanów Zjednoczonych
Niue	0,3	2	Alofi	terytorium stowarzyszone z Nową Zelandią
Norfolk	0,03	2	Kingston	terytorium zamorskie Australii
Nowa Kaledonia	19,1	214	Numea	terytorium zamorskie Francji
Pitcairn	0,04	0,06[g]	Adamstown	terytorium zależne Wielkiej Brytanii
Polinezja Francuska	4,2	235	Papeete	terytorium zamorskie Francji
Samoa Amerykańskie	0,2	63	Pago Pago	terytorium zamorskie Stanów Zjednoczonych
Tokelau	0,01	2	Fakaofo	terytorium zależne Nowej Zelandii
Wake	0,005	1	—	terytorium zamorskie Stanów Zjednoczonych
Wallis i Futuna	0,3	14	Mata Utu	terytorium zamorskie Francji

[a] Bez Hawajów wchodzących w skład Stanów Zjednoczonych, Irianu Jaya — prow. Indonezji oraz W. Wielkanocnej, należącej do Chile; [b] 1999; [c]państwo należące do bryt. Wspólnoty Narodów i uznające za głowę państwa monarchę bryt., który jest reprezentowany przez gubernatora generalnego; [d] państwo stowarzyszone ze Stanami Zjednoczonymi; [e] z atolem Johnston; [f] 1993; [g] 1994.

dzimych ssaków z wyjątkiem nietoperzy; wszędzie liczne gat. wprowadzone przez człowieka: szczury, króliki, jelenie, kozice, zdziczałe konie, lisy; na wszystkich większych wyspach żyły bogate i różnorodne fauny endemicznych ptaków, często olbrzymich i nielotnych, wytępione przez ludność pierwotną przed przybyciem Europejczyków, np. na Hawajach ok. 50 gat. (w tym 4 gat. nielotnych kaczek olbrzymich), na Nowej Zelandii ok. 12 gat. moa, jastrząb olbrzymi i orzeł olbrzymi. Flora i fauna wysp O. zostały w dużym stopniu lub zupełnie zniszczone, m.in. wskutek rabunkowego wyrębu lasów, zakładania plantacji tropik. roślin użytkowych, a także w wyniku przeprowadzanych na wielu wyspach prób z bronią jądr. lub przeludnienia niektórych atoli. Atol Taiaro w Polinezji Franc. oraz 3 parki nar. w Nowej Zelandii są wpisane na Listę Świat. Dziedzictwa Kult. i Przyr. UNESCO.

Ludność

13,6 mln mieszk. (1996 — 0,2% ludności świata); ponad 1/2 to ludność rdzenna posługująca się b. licznymi językami, klasyfikowanymi w 3 grupach: polinezyjskiej, indonezyjsko-oceanicznej (obie z rodziny języków austryjskich) oraz papuaskiej (o nie ustalonym pokrewieństwie z sąsiednimi grupami i językami). 56% rdzennej ludności stanowią Papuasi, 26% Melanezyjczycy (gł. mieszkańcy Papui-Nowej Gwinei, Fidżi, Wysp Salomona, Vanuatu, Nowej Kaledonii) i Mikronezyjczycy (gł. Tungarowie), 16,5% Polinezyjczycy (Maorysi, Samoańczycy, Hawajczycy, Tongatańczycy, Tahitańczycy) oraz ok. 1,5% ludność Czamorro i Palau (z grupy tagalskiej). Ludność O. jest b. młoda; największy odsetek dzieci i młodzieży mają Samoa, Wyspy Salomona i Wyspy Marshalla; zamieszkanych jest 2100 wysp; rozmieszczenie ludności b. nierównomierne; najgęściej za-

■ Oceania. Wioska w Nowej Gwinei

ludnione państwa: Nauru (524 mieszk. na km²) i Tuvalu (385), najsłabiej: Papua-Nowa Gwinea (10), Nowa Zelandia (13), Vanuatu i Wyspy Salomona (po 14); ludność skupia się w osiedlach wiejskich, przeważnie na wybrzeżach wysp; wysoki udział ludności miejskiej na Hawajach i w Nowej Zelandii (ponad 80%).

oceanologia [gr.], **oceanografia,** nauka o oceanie świat. (wszechocean) jako części hydrosfery; bada zjawiska i procesy w nim zachodzące oraz wzajemne związki między oceanem, skorupą ziemską i atmosferą. Ze względu na zakres badań o. obejmuje: o c e a n o l o g i ę f i z y c z n ą, zajmującą się badaniem właściwości fiz. wody mor. i procesami fiz. zachodzącymi w wodach mor., o c e a n o l o g i ę c h e m i c z n ą, poświęconą badaniom składu chem. wody mor. i jego zmienności, o c e a n o l o g i ę b i o l o g i c z n ą, zajmującą się badaniem organizmów mor. i warunków ich życia, geologię m o r s k ą — naukę o budowie geol. oceanów i mórz, oraz o c e a n o l o g i ę r e g i o n a l n ą, zajmującą się ogólną charakterystyką poszczególnych oceanów i mórz. Podstawowym źródłem poznania zjawisk i procesów zachodzących w oceanach i morzach są wyniki obserwacji i pomiarów, dokonywanych gł. przy użyciu różnego rodzaju statków, najczęściej w czasie specjalnie organizowanych wypraw badawczych. Światowymi ośrodkami o. są Międzynarodowa Rada Badania Mórz (Kopenhaga) i Międzynar. Komisja Oceanograf. (przy UNESCO). W Polsce zagadnieniami o. zajmują się instytuty nauk. przy szkołach wyższych w Trójmieście i Szczecinie oraz Inst. Oceanologii PAN w Sopocie, Centrum Biologii Morza PAN w Gdyni, Oddział Morski Inst. Meteorologii i Gospodarki Wodnej w Gdyni, Mor. Inst. Rybacki w Gdyni oraz Inst. Mor. w Gdańsku. Ogólną koordynację badań mor. i współpracę z organizacjami międzynar. prowadzi Kom. Badań Morza PAN w Gdańsku.

Ochockie, Morze, ros. **Ochotskoje morie,** jap. **Hok kai,** morze w pn.-zach. części O. Spokojnego, u wsch. wybrzeży Azji; oddzielone od otwartego oceanu płw. Kamczatka i Kurylami, od M. Japońskiego — wyspami Sachalin i Hokkaido; przez cieśn. Tatarską i La Pérouse'a łączy się z M. Japońskim; pow. 1603 tys. km²; średnia głęb. 821 m, maks. — 3916 m (Basen Kurylski w części pd.); linia brzegowa dobrze rozwinięta, liczne zatoki (największa — Szelichowa); nie-

liczne wyspy (największe W. Szantarskie); temp. wód powierzchniowych w lutym od –1,8°C na pn. do 2°C na pd., w sierpniu odpowiednio od 10°C do 18°C, zasolenie — od 27–30‰ u wybrzeży na pn. do 34‰ w części środk. i na pd.; pokrywa lodowa utrzymuje się na większości powierzchni morza pół roku; wys. pływów 0,8–7,0 m, maks. — do 13 m w Zat. Penżyńskiej (na pn.); do M.O. uchodzą rz.: Amur, Uda, Ochota, Penżyna; M.O. należy do najbardziej obfitujących w ryby mórz na kuli ziemskiej; rozwinięte rybołówstwo (łososiowate, płastugi, śledzie, dorsze, kraby); gł. porty: Magadan, Korsakow. Od 1992 Rosja usiłuje ograniczać połowy na międzynar. wodach M.O.

Ochrydzkie, Jezioro, alb. **Liqeni i Ohrit,** maced. **Ohridsko ezero,** łac. **Lacus Lychnidus,** jez. w Albanii i Macedonii, drugie co do wielkości (po Jez. Szkoderskim) na Półw. Bałkańskim; w tektonicznej kotlinie na wys. 693 m; pow. 367 km² (z tego w Albanii 111,4 km²), głęb. średnia 138 m, maks. — 294 m; zach. i wsch. brzegi wysokie, skaliste, pn. i pd. — niskie, z piaszczystymi plażami; średnia temperatura wód powierzchniowych w zimie wynosi 5,4°C, w lecie — 22°C, poniżej 100–130 m utrzymuje się stała temperatura (ok. 6°C); woda b. przezroczysta, wahania poziomu niewielkie (30–40 cm); zasilane podziemnym dopływem z jez. Prespa; z J.O. wypływa Czarny Drin, jedna z dwóch rzek źródłowych Drinu; niezwykła fauna, porównywalna tylko z fauną Bajkału i wielkich jezior afryk.; wiele form endemicznych, zwł. wśród bezkręgowców, m.in. ślimaki z rodzaju przytulik, ponadto obfituje w ryby, kilka gat. endemicznych, m.in. pstrągi *Salmo etnica koruma* i *Salmo thymi orhidanus steind*; nad J.O. zimują liczne ptaki przelotne (czaple, bociany, gęsi, pelikany); rybołówstwo, żegluga; gł. m. nad J.O.: Pogradec, Ochryda.

Ocko-Dońska, Nizina, Oksko-Donskaja rawnina, nizina w środk. Rosji, między wyżynami Środkoworosyjską i Nadwołżańską; część pn. i środk. nosi nazwę Niz. Tambowskiej; wys. do 180 m; rozcięta szerokimi dolinami dopływów Donu i Oki; klimat umiarkowany ciepły, o cechach kontynent.; ważny region rolniczy.

oczka lodowcowe, małe, przeważnie okrągłe jeziora (średnica do 60 m, głęb. do 5 m) powstałe po wytopieniu się brył martwego lodu; występują licznie na obszarach ostatniego zlodowacenia, np. na Pojezierzu Mazurskim, Pojezierzu Pomorskim, na Litwie, także w Tatrach; formy podobne do o.l. powstają też w strefie rzeźby → peryglacjalnej wskutek wytapiania się soczewek lodu gruntowego z → pingo.

Odessa, m. obw. na Ukrainie, nad M. Czarnym; 990 tys. mieszk. (2002); duży port mor.; przemysł maszyn. i metal., spoż., chem., lekki; port lotn.; 14 szkół wyższych (w tym uniw. i konserwatorium); Pd. Centrum Nauk. AN Ukrainy; muzea; w starożytności kolonia gr. Istrion; plac z pomnikiem pierwszego burmistrza O. i gubernatora Noworosji — ks. A.E. Richelieu; od placu do portu prowadzą słynne schody zw. Potiomkinowskimi (XIX w.); klasycyst. pałac Potockiego (XIX w., ob. muzeum); budowle eklekt. z końca XIX i pocz. XX w.

Odolanów, m. w woj. wielkopol. (powiat ostrowski), nad Baryczą; 5,0 tys. mieszk. (2000); ośr. przem.-usługowy regionu wydobycia gazu ziemnego i dla rolnictwa; prawa miejskie przed 1373; muzeum; kościoły (XVIII w.).

odpływ, ilość wody odpływająca z określonego obszaru (zlewni), mierzona w przekroju koryta rzeki, w ciągu określonego czasu, np.: miesiąca, roku; jednostką o. jest m³ lub km³; o. jednostkowy — ilość wody odpływająca z jednostki powierzchni zlewni w ciągu 1 s; wyraża się on w l/(s · km²); jest to tzw. względna miara o.; warstwa o. — warstwa wody odpływająca ze zlewni w określonym czasie, wyrażona w mm; współczynnik o. — iloraz warstwy o. i wysokości opadu atmosf., wyrażony w procentach.

odpływ → pływy.

Odra, niem. **Oder,** rz. w Polsce i Czechach, częściowo wyznacza granicę z Niemcami, druga co do długości w kraju; długość 854 km (w Polsce 742 km), pow. dorzecza 118 861 km² (w tym 106 056 km² w Polsce). Wypływa z G. Odrzańskich (Sudety), na terenie Czech, na wys. 634 m. Przepływa przez Bramę Morawską. Od Bogumina do ujścia Olzy (pr. dopływ) jest rzeką graniczną między Polską a Czechami. Początkowo O. płynie na pn., od Kędzierzyna-Koźla (wlot Kanału Gliwickiego) na pn.-zach. przez Niz. Śląską. Między Kędzierzynem-Koźle a Brzegiem Dolnym, na dł. 186 km jest skanalizowana (23 stopnie wodne). Na tym odcinku do O. uchodzą jej dopływy: Kłodnica, Mała Panew, Stobrawa, Widawa (pr.), Osobłoga, Nysa Kłodzka, Oława, Ślęza, Bystrzyca (l.). Poniżej Brzegu Dolnego na swobodnie płynącym środk. biegu rzeki większymi dopływami są: Barycz, Obrzyca (pr.), Kaczawa, Bóbr, Nysa Łużycka (l.). Od ujścia Nysy Łużyckiej O. ponownie skręca na pn. i staje się na dł. 179 km rzeką graniczną między Polską a Niemcami; 11 km poniżej ujścia Nysy Łużyckiej bierze początek pd. odgałęzienie Kanału O.–Sprewa, a ok. 23 km dalej jego pn. odgałęzienie. Na obszarze Pradoliny Toruńsko-Eberswaldzkiej O. przyjmuje swój największy dopływ — Wartę (pr.), a dalej na pn. — Myślę. Pod Zatoniem Górnym odgałęzia się Kanał O.–Hawela. W pobliżu Cedyni O. skręca na pn.-wsch., przecinając wzniesienia Pojezierza Zachodniopomorskiego. Poniżej Widuchowej następuje rozdział O. na O. Wschodnią i O. Zachodnią. Główny nurt rzeki biegnie O. Wschodnią. O. Zachodnia na dł. pierwszych 17 km jest rzeką graniczną z Niemcami. O. Wschodnia powyżej Szczecina rozdziela się znów na 2 ramiona: prawe, zw. Regalicą, prowadzi większość wód O. do jez. Dąbie, lewe zaś, jako O., skręca do O. Zachodniej i łączy się z nią w pobliżu Szczecina; dalej płynie wzdłuż jez. Dąbie, łącząc się z nim kilkoma odgałęzieniami. Poniżej Szczecina O. łączy się z wodami wypływającymi z pn. krańca jez. Dąbie (m.in. Regalicy) i płynie dalej szerokim korytem jako Domiąża; rozdziela się na Szeroki i Wąski Nurt. Uchodzi do Roztoki Odrzańskiej (pd. część Zalewu Szczecińskiego). O. należy do rzek ubogich w wodę. Częstym zjawiskiem są niżówki letnio-jesienne, stąd wynika konieczność kanalizacji O. jako szlaku żeglugowego oraz budowa zbior-

■ Dolina Odry koło Kędzierzyna-Koźla

ników retencyjnych na dopływach, zasilających rzekę w okresie niskich stanów wody; największe zbiorniki retencyjne znajdują się na dopływach: Nysie Kłodzkiej w Otmuchowie i Głębinowie oraz na Małej Panwi w Turawie. Średni przepływ O. w dolnym biegu wynosi 533 m³/s; maks. rozpiętość wahań stanów wody w dolnym biegu 5,7 m. O. wykorzystywana jest do celów energ. (7 elektrowni, największa w Brzegu Dolnym o mocy 9,7 MW). Żeglowna na dł. 711 km, jest ważną drogą wodną; przez Kanał Gliwicki łączy Górnośląski Okręg Przemysłowy z M. Bałtyckim, poprzez Wartę, Noteć i Kanał Bydgoski połączona jest z Wisłą; poprzez kanały: Odra–Sprewa i Odra–Hawela włączona do śródlądowych dróg wodnych zach. Europy. Główne m. nad O.: Ostrawa, Racibórz, Opole, Wrocław, Nowa Sól, Frankfurt, Szczecin. ∎

Odry Dolnej, Dolina, pd.-zach. część Pobrzeża Szczec.; obejmuje dolinę Odry od dużego zakola pod Cedynią, gdzie rzeka zmienia kierunek biegu z pn.-zach. na pn.-wsch., po Zalew Szczec.; dł. ok. 85 km; w części pd. dolina jest stosunkowo wąska (2–3 km) i ma wysokie brzegi, rozszerza się ku pn. i w okolicach Szczecina osiąga 10–12 km szerokości, tworząc równinę akumulacyjną. Koryto Odry pod Widuchową dzieli się na 2 ramiona: Odrę Zach. i Odrę Wsch. (Regalicę), połączone licznymi rozgałęzieniami; dno doliny jest zabagnione; Odra Wsch. tworzy pod Szczecinem wielkie rozlewisko, zw. jez. Dąbie; Odra Zach. niesie gł. masę wody i, po połączeniu z odpływem jez. Dąbie lejkowatym ujściem, zw. Roztoką Odrzańską, uchodzi do Zalewu Szczecińskiego. W pn. części regionu utworzono Park Krajobrazowy Doliny Dolnej Odry.

odsłonięcie, miejsce, w którym utwory geol. są widoczne na powierzchni ziemi, nie pokryte warstwą zwietrzeliny lub gleby; naturalne (np. skarpa rzeczna, ściana skalna) lub sztuczne (np. kamieniołom).

odwzorowania kartograficzne, określone matematycznie sposoby przedstawiania na płaszczyźnie powierzchni kuli ziemskiej lub innego ciała niebieskiego. Odwzorowanie w przypadku kuli ziemskiej przeprowadza się w taki sposób, aby każdemu punktowi na powierzchni kuli lub elipsoidy (będących modelami powierzchni Ziemi) jednoznacznie odpowiadał określony punkt lub zbiór punktów na płaszczyźnie. W ten sposób

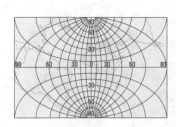

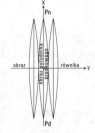

Odwzorowanie Gaussa–Krügera

Strefy elipsoidy ziemskiej w odwzorowaniu Gaussa–Krügera

siatka geogr. zostaje odwzorowana w siatkę kartograf., złożoną z obrazów południków i równoleżników, stanowiącą podstawowy element map. Związek mat. pomiędzy współrz. geogr. (szer. geogr. φ i dł. geogr. λ) punktu na powierzchni Ziemi a współrz. prostokątnymi (x, y) tego punktu na płaszczyźnie można przedstawić w postaci: $x = f_1 (\varphi, \lambda)$, $y = f_2 (\varphi, \lambda)$.

Przy różnych funkcjach f_1 i f_2 otrzymuje się odwzorowania o różnych właściwościach. Wobec nierozwijalności kuli (elipsoidy) na płaszczyznę, wierne zachowanie w odwzorowaniu równocześnie kątów, odległości i powierzchni jest niemożliwe (jest możliwe przy odwzorowaniu na kulę, → globus). Ważną klasę odwzorowań (tzw. r z u - t y k a r t o g r a f i c z n e) uzyskuje się przez rzutowanie geom. powierzchni kuli na płaszczyznę lub pomocnicze powierzchnie rozwijalne, którymi są pobocznice stożka lub walca, przy czym każda z tych 3 powierzchni może być styczna do powierzchni kuli (elipsoidy) lub przecinać ją wzdłuż pewnych linii. Zależnie od powierzchni, na którą odwzorowuje się siatkę geogr., rozróżnia się o d w z o r o w a n i e k a r t o g r a f i c z n e: p ł a s z c z y z n o w e, zw. też a z y m u t a l n y m i (zachowują azymuty z punktu styczności, zw. punktem głównym odwzorowania kartograficznego), s t o ż k o w e, w a l c o w e i u m o w n e. Do pierwszych zalicza się o d w z o r o w a n i e k a r t o g r a f i c z n e g n o m o n i c z n e (wykorzystywane w nawigacji mor. i lotn.), w którym wszystkie koła odwzorowują się jako linie proste. Do o.k. umownych należą także o.k., które są zdefiniowane wzorami mat., ale nie mają prostej interpretacji geom.; zalicza się do nich odwzorowania p s e u d o p ł a s z c z y z n o w e, p s e u - d o s t o ż k o w e, p s e u d o w a l c o w e, w i e l o - ś c i e n n e i in. Zależnie od położenia powierzchni odwzorowania w stosunku do kuli ziemskiej rozróżnia się o d w z o r o w a n i e k a r t o g r a - f i c z n e n o r m a l n e (gdy płaszczyzna jest styczna do kuli na biegunie, a oś stożka lub walca jest równocześnie osią biegunową kuli), p o p r z e c z n e (gdy płaszczyzna jest styczna na równiku, a oś stożka lub walca pokrywa się z jedną z osi równika) oraz u k o ś n e (gdy płaszczyzna oraz osie stożka lub walca zajmują położenie pośrednie). Stosowanie o.k. o określonych właściwościach zależy od przeznaczenia mapy; w przypadku map nawigacyjnych i topograf. przeznaczonych do celów wojsk. stosuje się o.k. wiernie zachowujące kąty, tzw. r ó w n o k ą t n e (→ odwzorowanie Merkatora, → odwzorowanie Gaussa–Krügera), w przypadku map szkolnych — o.k. wiernie zachowujące powierzchnie, tzw. r ó w n o p o w i e r z c h n i o w e (odwzorowanie

azymutalne Lamberta, → odwzorowanie Mollweidego), w przypadku map radiofonicznych — o.k. wiernie zachowujące odległości z punktu gł. (odwzorowanie azymutalne równoodległościowe Postela). Mapy świata wykonuje się zwykle w tzw. odwzorowaniach d o w o l n y c h nie zachowujących w pełni ani powierzchni, ani kątów, ani odległości (odwzorowanie Winkela, → odwzorowanie Służby Topograficznej Wojska Polskiego). Teoria zniekształceń odwzorowawczych N.A. Tissota (1824–80) pozwala na ich obliczenie w dowolnym punkcie mapy i ocenę odwzorowania.

odwzorowanie Gaussa–Krügera, rodzaj → odwzorowania kartograficznego walcowego równokątnego; polega na odwzorowaniu stref elipsoidy ziemskiej, ograniczonych południkami (szerokość stref najczęściej 3° lub 6°), na powierzchnię walca eliptycznego o osi prostop. do osi elipsoidy, a stycznego do elipsoidy wzdłuż środk. południka strefy. Po rozwinięciu walca środk. południk i równik odwzorowują się jako linie proste wzajemnie prostop.; pozostałe południki i równoleżniki odwzorowują się jako linie krzywe. Obrazy równika i środk. południka w każdej strefie przyjmowane są za osie x i y układów współrz. prostokątnych oznaczonych na mapie. O.G.-K. jest stosowane do map topograf.; w Polsce w okresie międzywojennym było używane do niektórych obliczeń geod., a od 1952 jest stosowane na wszystkich wojsk. mapach topograf. w skalach większych niż 1 : 500 000 (w strefach 6-stopniowych). Na terytorium Polski południkami środk. są 15° i 21° dł. geogr. wschodniej. Teorię tego odwzorowania oprac. niem. matematyk C.F. Gauss (ok. 1820–1830), a uzupełnił ją i rozpowszechnił odwzorowanie niem. geodeta L. Krüger (1912). ∎

odwzorowanie Merkatora, rodzaj → odwzorowania kartograficznego walcowego równokątnego. W o.M. → loksodromy (linie przecinające wszystkie południki pod stałym kątem) odwzorowują się jako linie proste, przecinające obrazy południków pod takim samym kątem; znajduje to zastosowanie w nawigacji: po połączeniu linią prostą punktu wyjściowego z punktem docelowym na mapie można zmierzyć kąt, pod jakim linia ta przecina południki, a więc wyznaczyć kurs statku lub samolotu. W przypadku odwzorowania całej kuli ziemskiej w położeniu normalnym ze względu na wiernokątność odwzorowania dochodzi do b. dużego powiększenia

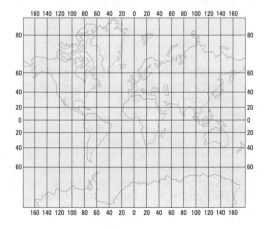

powierzchni okolic wokółbiegunowych (bieguny odwzorowują się w nieskończoności). Odwzorowanie jest stosowane powszechnie do map nawigacyjnych (mor. i lotn.) w różnych skalach. Po raz pierwszy zastosował je 1569 Merkator do 18-arkuszowej mapy świata w skali (na równiku) ok. 1 : 21 000 000; jego teorię oprac. 1599 ang. matematyk E. Wright i 1668 szkoc. matematyk J. Gregory. Wprowadzenie o.M. do map mor. spowodowało przewrót w żegludze, znakomicie ułatwiając nawigację. Zob. też odwzorowanie Gaussa–Krügera. ■

odwzorowanie Mollweidego, rodzaj → odwzorowania kartograficznego; zaliczane do pseudowalcowych odwzorowań równopolowych; polega na odwzorowaniu całej kuli ziemskiej w formie elipsy, której dłuższa oś ($4R$) jest obrazem równika, krótsza ($2R$) — obrazem środk. południka, a bieguny odwzorowują się w postaci punktów. Poza położeniem normalnym bywa stosowane w położeniach ukośnym i poprzecznym. Autorem odwzorowania (1805) jest niem. matematyk C. Mollweide (1774–1825). Ze względu na równopolowość i stosunkowo korzystny rozkład zniekształceń kątów

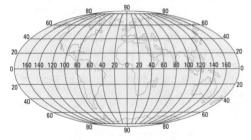

o.M. spopularyzował w okresie międzywojennym w pol. kartografii szkolnej E. Romer; po wojnie F. Uhorczak zastosował je m.in. do map tematycznych świata w *Geografii powszechnej PWN*. Obecnie najczęściej stosowane do map świata wyd. przez Pol. Przedsiębiorstwo Wydawnictw Kartograficznych im. E. Romera. ■

odwzorowanie Służby Topograficznej Wojska Polskiego, rodzaj → odwzorowania kartograficznego; należy do tzw. odwzorowań dowolnych (nie zachowuje wiernie ani powierzchni ani kątów). O.s.t.W.P. zachowuje kształt obiektów (kontynentów, wysp, państw) oraz wzajemne proporcje ich wielkości najbardziej zbliżone do rzeczywistych przy najkorzystniejszym rozkładzie zniekształceń odwzorowawczych (najmniejsze zniekształcenia powierzchni przypadają na rozwinięte gospodarczo obszary w średnich szer. geogr.). Równik (0,85 dł. rzeczywistej w danej skali) i środk. południk od-

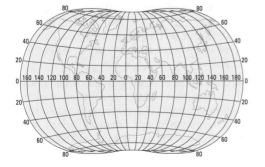

wzorowują się w nim jako linie proste wzajemnie prostop., pozostałe równoleżniki i południki jako linie krzywe, a bieguny jako odcinki krzywych, równe 0,268 dł. równika. Opracowane 1965 przez pol. kartografa W. Grygorenkę specjalnie do map całego globu ziemskiego w *Atlasie świata służby topograficznej WP* (1962–68, ang. wersja *Pergamon World Atlas* 1968). Stosowane m.in. w *Encyklopedii powszechnej PWN*, w niektórych czasopismach i szkolnych podręcznikach geografii. ■

OECD → Organizacja Współpracy Gospodarczej i Rozwoju.

ofiolit [gr.], **kompleks ofiolitowy,** zespół skał stanowiący fragment oceanicznej skorupy ziemskiej i górnego płaszcza Ziemi; w dolnej części o. występują skały ultrazasadowe — perydotyty i dunity, zwykle przeobrażone w serpentynity; nad nimi znajdują się gabra, wyżej — zasadowe skały wulk. w postaci law poduszkowych i żył, tworzących zwarte pakiety i płyty; skały te są przykryte krzemionkowymi osadami głębokomor., gł. radiolarytami, z przeławiceniami łupków mułkowych i wapieni; często o. nie są kompletne z powodu zaburzeń tektonicznych. O. występują w strefach kolizji → płyt litosferycznych; stanowią ślad po zanikłych oceanach. Za klas. jest uznawany o. masywu Troodos na Cyprze; są znane m.in. o. z Nowej Fundlandii, Nowej Kaledonii; w Polsce za o. jest uważany kompleks skał Ślęży.

ognie świętego Elma, słabe, przeważnie ciche wyładowania elektr. w atmosferze ziemskiej; mają postać świecących wiązek pojawiających się na ostrych narożach i krawędziach przedmiotów znajdujących się nad powierzchnią Ziemi (np. na końcach piorunochronów, masztów lub skrzydeł samolotów); występują podczas burz przy dużym natężeniu pola elektr. w atmosferze.

Ogrodzieniec, m. w woj. śląskim (powiat zawierciański), na Szlaku Orlich Gniazd; 4,5 tys. mieszk. (2000); ośr. turyst.-krajoznawczy; drobny przemysł; prawa miejskie 1386–1870 i od 1973; ruiny got.-renes. zamku Bonerów (XVI w., fragmenty XIV–XV w.).

Ohio [ohąjoᵘ], **Ohio River,** rz. we wsch. części USA, l. dopływ Missisipi; powstaje k. Pittsburgha z połączenia rz. Allegheny i Monongahela (źródła w Appalachach); dł. 1580 km, pow. dorzecza 525,6 tys. km², gł. dopływy: Wabash (pr.), Kentucky, Cumberland, Tennessee (l.); duże wahania stanu wód (katastrofalne powodzie); średni roczny odpływ 237 km³ (O. dostarcza trzecią część zasobów wodnych Missisipi); żegl. na całej długości; połączona kanałami z Wielkimi Jeziorami; gł. m. nad O.: Pittsburgh, Cincinnati, Louisville.

Ohio [ohąjoᵘ], stan w USA, nad jez. Erie; 106,8 tys. km², 11,4 mln mieszk. (2002); gł. m.: Cleveland, Cincinnati, Columbus (stol.); część wsch. i środk. wyżynna, zach. nizinna (Niz. Centralna); gł. rz. Ohio; wysoko rozwinięty gospodarczo; wydobycie gł. węgla kam.; hutnictwo żelaza, przemysł maszyn., lotn., samochodowy, gumowy; intensywna uprawa kukurydzy i soi (region Corn Soy Belt), roślin pastewnych, ziemniaków; hodowla bydła, trzody chlewnej; żegluga (Droga Wodna Św. Wawrzyńca).

Oja Siwo, jap. **Oyashio, Prąd Kurylski,** zimny prąd mor. w pn.-zach. części O. Spokojnego; płynie z M. Beringa na pd.-zach., wzdłuż wsch. brzegów Kamczatki, Kuryli i Hokkaido; prędkość ok. 1,5 km/h, przepływ przy pd. Kurylach do 15 mln m^3/s; temperatura wód powierzchniowych w lutym 0–2°C, w sierpniu 8–13°C, zasolenie — 33,7–34,0‰; u wybrzeży Kamczatki zw. Prądem Kamczatki; na ok. 37–40°N łączy się z pn. odnogą prądu Kuro Siwo dając początek Prądowi Północnopacyficznemu.

Ojmiakońska, Wyżyna, Ojmiakonskoje nagorje, wyżyna w azjat. części Rosji (Jakucja), między górami: Wierchojańskimi i Czerskiego, w dorzeczu Indygirki; rozczłonkowana na oddzielne płaskowyże, wys. do 1400 m; rzadkie lasy modrzewiowe, powyżej 1200 m — tundra górska; w Obniżeniu Ojmiakońskim (wzdłuż Indygirki) biegun chłodu półkuli pn. (najniższe notowane temp. ok. –70°C).

Ojos del Salado [ochos d. s.], **Cerro Ojos del Salado,** wygasły wulkan w Andach Środk. (Kordyliera Gł.), na pd. skraju płaskowyżu Puna de Atacama, na granicy Chile i Argentyny; wys. 6885 m, drugi wg wysokości szczyt w Ameryce Pd.; powyżej 5000 m wieczne śniegi i lodowce; zdobyty 1937 przez II pol. wyprawę andyjską (J.T. Wojsznis, J.A. Szczepański).

Oka, rz. w Rosji, najdłuższy (pr.) dopływ Wołgi; dł. 1500 km, pow. dorzecza 245 tys. km^2; źródła na Wyż. Środkoworosyjskiej; w środk. biegu prawy brzeg wysoki, w dolnym — liczne starorzecza; średni przepływ przy ujściu 1300 m^3/s; gł. dopływy: Moskwa, Klaźma (l.), Moksza (pr.); żegl. od m. Czekalin, poniżej ujścia Moskwy na dł. 100 km skanalizowana; gł. m. nad O.: Orzeł, Kaługa, Sierpuchow, Kołomna, Riazań, Murom, przy ujściu — Niżni Nowogród.

Okeechobee [oukyczouby], jez. w USA, w pd. części Florydy, na pn. skraju bagien Everglades; pow. 1,8 tys. km^2, głęb. do 6 m; niskie brzegi; połączone kanałami z O. Atlantyckim; do O. uchodzi rz. Kissimmee (dł. 225 km); żegluga turyst.; nad O. rezerwat Indian Seminolów.

Okinawa, Okinawa-jima, wyspa jap. na O. Spokojnym, największa w archipelagu Riukiu; pow. 1,2 tys. km^2; gł. miasto i port — Naha; powierzchnia części środk. i pn. — wyżynna (maks. wys. 498 m), pd. — nizinna; wybrzeża otoczone rafami koralowymi; klimat podzwrotnikowy mor., monsunowy; częste tajfuny; uprawa ryżu, warzyw, batatów, trzciny cukrowej, bananów, ananasów, mandarynek; rozwinięte rybołówstwo (gł. tuńczyka); przemysł spoż., drzewny, włók., cementowy; rzemiosło artyst.; turystyka. Wyspa Okinawa wraz z grupą wysp Sakishima (pd. część archipelagu Riukiu) tworzy region ekon.-adm. Okinawa, w granicach prefektury o tej samej nazwie (pow. 2,3 tys. km^2).

Oklahoma [ouklǝhǫumǝ], stan w środk. części USA; 181,2 tys. km^2; 3,5 mln mieszk. (2002), ok. 250 tys. Indian; gł. m.: Oklahoma City (stol.), Tulsa; wyżynno-górzysty (g. Ouachita); częste susze; gł. rz. Red i Arkansas; na preriach uprawa zbóż, bawełny, roślin pastewnych; hodowla bydła, owiec; wydobycie ropy naft., gazu ziemnego, rud cynku, ołowiu; przemysł petrochem., spoż., maszyn., lotniczy.

okluzja [łac.], rodzaj → frontu atmosferycznego.

okno tektoniczne, występujący w obrębie płaszczowiny izolowany obszar, w którym rozcięcie erozyjne spowodowało odsłonięcie podłoża płaszczowiny; o.t. występują na terenach o tektonice alp. (→ tektonika), często wraz z → czapkami tektonicznymi; w Polsce o.t. są znane z Karpat fliszowych.

Okonek, m. w woj. wielkopol. (powiat złotowski), nad Czarną (pr. dopływ Gwdy); 3,9 tys. mieszk. (2000); ośr. usługowy; przemysł maszyn., wełn. (tkaniny gobelinowe, przędza), drzewny; prawa miejskie od 1754.

okres, jednostka czasu w dziejach Ziemi; jest częścią ery, dzieli się na epoki; np. dewon, jura; zob. też stratygrafia.

Oksford, Oxford, m. w W. Brytanii (Anglia), nad Tamizą; ośr. adm. hrab. Oxfordshire; 122 tys. mieszk. (2002); znany ośr. nauk. z najstarszym uniw. (zał. XII w.) w W. Brytanii; przemysł poligraficzny (Oxford University Press), samochodowy, elektrotechn.; ośr. kult. (biblioteka, muzeum przyr. — najstarsze w Anglii) i turystyczny; katedra (XI–XVI w.) z bogatym wyposażeniem wnętrza; kościoły, m.in.: rom. — St Peter in the East (XII w.), got. — St Giles (XII, XIII w.), klasycyst. — All Saints (XVIII w.); zespół kolegiów uniw. (XIII–XVI w., przebud. i rozbud. XVII–XIX w.), m.in.: New College, Exeter College, Queen's College, Magdalen College, Corpus Christi College, Trinity College; Sheldonian Theatre, biblioteka Radcliffe Camera; w pobliżu O. barokowa rezydencja Blenheim Castle (1715, J. Vanbrugh).

Olandia, Öland, przybrzeżna wyspa szwedz. na M. Bałtyckim, oddzielona od wybrzeży Szwecji Cieśn. Kalmarską; pow. 1,3 tys. km^2; nizinna; w środk. i pn. części kompleksy leśne, w pd. bezleśna równina Stora Alvaret (zespoły roślinności stepowej); łąki; intensywna hodowla bydła; na wybrzeżach aluwialnych uprawa owsa, jęczmienia, buraków cukrowych; rybołówstwo; przemysł cementowy, rafinacja cukru; eksploatacja wapieni; turystyka; od 1972 połączona mostem ze stałym lądem; gł. m. Borgholm.

Olczyskie Wywierzysko, źródło krasowe, największe wywierzysko w Tatrach Zach., na wsch. skraju Hali Olczyskiej, w dolinie o tej nazwie, na wys. 1070 m; daje początek Olczyskiemu Potokowi; wydajność zmienna, średnio 2 m^3/s; temp. wody 4,5°C; stanowi wypływ podziemnego cieku, odwadniającego, niezgodnie ze zlewnią powierzchniową, m.in. część doliny Pańszczyca.

Olecko, m. powiatowe (powiat olecko-gołdapski) w woj. warmińsko-mazurskim, nad Jez. Oleckim Wielkim; 16,8 tys. mieszk. (2000); ośr. turyst.-wypoczynkowy; przemysł spoż.; węzeł kol. i drogowy; prawa miejskie od 1560; kościół parafialny (XIX w.).

oleiste rośliny, rośliny uprawne, także występujące dziko, których nasiona lub owoce, o zawartości 20–70% tłuszczu, stanowią surowiec do otrzymywania olejów roślinnych. Najwięcej olejów roślinnych, o przewadze nasyconych kwasów tłuszczowych, dostarczają r.o. strefy międzyzwrotnikowej i podzwrotnikowej, zawierające powyżej 50% tłuszczu, niektóre uprawiane na plantacjach, m.in. palma oleista, palma kokosowa, atalia, migdałowiec zwyczajny, oliwka eur., drzewo tungowe, orzech ziemny, sezam, rącznik, soja; mniejsze ilości tłuszczu zawierają: bawełna, fałdzistka, maziczka siewna. W strefie umiarkowanej uprawia się r.o. o zawartości tłuszczu poniżej 50%, z przewagą nienasyconych kwasów tłuszczowych, np. rzepak, lnicznik, len oleisty, katran abisyński, dynię oleistą, słonecznik, gorczycę; słoma stanowi m.in. surowiec do wyrobu papieru i płyt izolacyjnych. R.o. wymagają na ogół starannej uprawy i silnego nawożenia.

Olesno, m. powiatowe w woj. opol., nad Stobrawą; 10,5 tys. mieszk. (2000); ośr. usługowo-przem; zakłady młynarskie, drzewne, ceramiki bud., wytwórnia armatury; prawa miejskie przed 1292; Muzeum im. J.N. Jaronia; kościół (XVI, XVII w.).

Oleszyce, m. w woj. podkarpackim (powiat lubaczowski), nad rz. Przerwa (pr. dopływ Lubaczówki, 3,5 tys. mieszk. (2000); ośr. usługowy; prawa miejskie 1576–1880 i od 1989.

Oleśnica, m. powiatowe w woj. dolnośląskim, nad Oleśnicą (pr. dopływ Widawy); 39 tys. mieszk. (2000); ośr. przem.-usługowy; różnorodny przemysł, m.in. zakłady: naprawcze taboru kol., drzewne, obuwn., wytwórnia hydrauliki motoryzacyjnej; węzeł kol. i drogowy; oddział Muzeum Archeol. we Wrocławiu; prawa miejskie od 1255; 2 kościoły (XIV–XVI, XVII/XVIII w. i XIV–XVI w.), zamek książęcy (XIV, XVI w.), dawna synagoga, od końca XVII w. kościół ewang. (XIV, XVIII w.), obwarowania miejskie (XIV, XVI w.).

Olifants [olyfənts], nazwa trzech rzek w RPA: 1) największy, pr. dopływ rz. Limpopo; dł. 560 km, pow. dorzecza 39 tys. km^2; wypływa z progu Witwatersrand; uchodzi do Limpopo w Mozambiku; w górnym biegu zapory i zbiorniki wodne, w środk. przepływa przez Park Nar. Krugera; 2) rz. w pd.-zach. części Prow. Przylądkowej; dł. 250 km; uchodzi do O. Atlantyckiego; 3) rz. w pd. części Prow. Przylądkowej, jeden ze źródłowych odcinków rz. Gourits, uchodzącej do O. Indyjskiego; dł. 185 km. Wykorzystywane do nawadniania.

Olimp, Olimbos, masyw górski w Grecji, w pobliżu Zat. Salonickiej; wys. do 2917 m (Mitikas

■ Olimp

— najwyższy szczyt kraju); zbud. z łupków krystal. i zmetamorfizowanych wapieni; strome stoki pocięte głębokimi i wąskimi dolinami; w najwyższym piętrze rzeźba glacjalna; na pd. stokach lasy dębowe (do 1500 m) i sosnowe (*Pinus heldreichii*); powyżej 2500 m murawy alp.; na pn. stokach lasy dębowe (do 1000 m) i jodłowe (do 2000 m), subalp. i alp. łąki; w zimie pokryte śniegiem; park nar. (zał. 1938, ok. 4000 ha). Według wierzeń staroż. Greków siedziba bogów gr., stąd zw. olimpijskimi.　■

olistolit [gr.], duży blok skalny (umownie o średnicy przekraczającej 4 m), często oderwany ze skłonu basenu sedymentacyjnego pakiet warstw skalnych pozostających w swym pierwotnym układzie, który się zsunął po stoku tego basenu na dno i został pogrzebany w osadzie; o. występują często z olistostromami — warstwami różnorodnego materiału okruchowego tkwiącymi w masie drobnoziarnistego i ilastego osadu, powstałymi wskutek podmor. ześlizgiwania się okruchowego materiału skalnego po stoku basenu.

■ Wyżyna Olkuska. Dolina Prądnika

Olkuska, Wyżyna, pd. część Wyż. Krakowsko-Częstochowskiej, położona między obniżeniem Białej Przemszy-Szreniawy na pn. a Rowem Krzeszowickim na pd.; zbud. z wapieni górnojurajskich; wznosi się ponad 400 m, a najwyższy punkt osiąga 512 m (k. Jerzmanowic); ku zachodowi W.O. opada progiem denudacyjnym; znaczna różnica wysokości między wierzchowiną wyżyny a doliną Wisły pod Krakowem (ponad 200 m) uwarunkowała powstanie wąwozów charakteryzujących doliny: Prądnika, Racławki, Będkówki i in.; w dolinie Prądnika, ze względu na bogactwo form skalnych, występowanie licznych jaskiń i różnorodność zespołów roślinnych, utworzono Ojcowski Park Narodowy; region roln.; w rejonie Olkusza eksploatacja rud cynku i ołowiu, kamieniołomy wapienia; uczęszczany region turyst., Szlak Orlich Gniazd. Główne m. Olkusz.

Olkusz, m. powiatowe w woj. małopol., na Szlaku Orlich Gniazd; 40 tys. mieszk. (2000); ośr. przem. i turyst.; zakłady górn. rud cynkowo-ołowiowych, fabryka naczyń emaliowanych; przemysł spoż., drzewny; muzea (Muzeum Pożarnictwa Ziemi Olkuskiej); prawa miejskie od 1299; XIV–XVII w. gł. ośr. górnictwa kruszcowego w Małopolsce; got. kościół (XIV, XV, XVII w.) z got. i renes. polichromią.

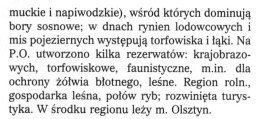

■ Olsztyn. Zamek

Olsztyn, m. wojew. (woj.warmińsko-mazurskie), nad Łyną i kilkoma jeziorami; powiat grodzki, siedziba powiatu olsztyń.; 173 tys. mieszk. (2000); gł. ośr. gosp. i kult. Warmii i Mazur; stol. metropolii i diecezji olszt. Kościoła rzymskokatol.; przemysł gum. (opony), spoż., mebl., środków transportu, metal., materiałów bud., odzież.; oddziały wielu banków; przedsiębiorstwa bud. i transportowe; węzeł kol. i drogowy; lotnisko Aeroklubu Warmińsko-Mazurskiego; szkoły wyższe, w tym Uniw. Warmińsko-Mazurski; planetarium i obserwatorium astr.; instytuty nauk.; teatry, filharmonia; regionalne ośr. radiowe i telew.; ośr. turyst.-wypoczynkowy i krajoznawczy na Szlaku Kopernikowskim; Muzeum Warmii i Mazur; prawa miejskie od 1353; 1516–19 i 1520–21 administratorem dóbr kapitularnych był M. Kopernik; fragmenty murów miejskich (XIV w.), got. katedra (XV, XVI w.), zamek (XIV, XVI, XVIII w., ob. muzeum), drewn. spichlerz (przeł. XVIII i XIX w.). ■

Olsztynek, m. w woj. warmińsko-mazurskim (powiat olszt.); 7,8 tys. mieszk. (2000); ośrodek przem.-usługowy i turyst.-krajoznawczy; przemysł spoż., drzewny, paszowy; węzeł drogowy; Muzeum Budownictwa Lud. (skansen); prawa miejskie od 1359; fragmenty murów miejskich (XIV w.).

Olsztyńskie, Pojezierze, zach. część Pojezierza Mazurskiego, rozciągająca się po obu stronach górnego biegu Łyny, od pn. sąsiaduje z Równiną Ornecką, Wzniesieniami Górowskimi i Równiną Sępopolską, od wsch. z Pojezierzem Mrągowskim, od pd. z Równiną Mazurską i Garbem Lubawskim, od zach. z Pojezierzem Sławskim. P.O. odpowiada zasięgowi wyodrębniającego się w czasie ostatniego zlodowacenia płata lodowcowego, tzw. lobu Łyny, którego fazy zaniku zaznaczają łuki wałów morenowych, sięgające na zach. po Morąg, na pd. po Nidzicę, a na wsch. po linię Szczytno–Biskupiec. Wysokości wzgórz morenowych nie przekraczają na ogół 200 m. Zachodnim skrajem P.O. płynie Pasłęka, część wsch. odwadniana jest do Łyny przez rz. Wadąg; jeziora skupione są gł. w pd. i środk. części regionu, największe to Łańskie (1050 ha), przez które przepływa Łyna oraz Dadaj, leżące w górnym dorzeczu Wadąga; najgłębsze jez.: Łańskie (53,8 m), Pluszne (52 m). Północna część P.O. jest zbud. gł. z gliny zwałowej, pd. — gł. z piasków lodowcowo-rzecznych, na których rosną duże kompleksy lasów (lasy prudzkie, ra-

muckie i napiwodzkie), wśród których dominują bory sosnowe; w dnach rynien lodowcowych i mis pojeziernych występują torfowiska i łąki. Na P.O. utworzono kilka rezerwatów: krajobrazowych, torfowiskowe, faunistyczne, m.in. dla ochrony żółwia błotnego, leśne. Region roln., gospodarka leśna, połów ryb; rozwinięta turystyka. W środku regionu leży m. Olsztyn.

Olt, rz. w Rumunii, → Aluta.

Olza, czes. **Olše,** rz. w Beskidach i na Pogórzu Śląskim, w Czechach i Polsce, pr. dopływ górnej Odry; dł. 86 km (w Polsce 14 km), pow. dorzecza 1118 km² (w Polsce 479 km²); górny bieg w Polsce, od Jasnowic do Cieszyna płynie w Czechach, od Cieszyna do Kaczyc jest rzeką graniczną, do Gołkowic ponownie w Czechach; uchodzi we wsi O.; średni przepływ (w Cieszynie) 89 m³/s; maks. rozpiętość wahań stanów wody 4,5 m; gł. m. nad O.: Trzyniec, Karwina, Czeski Cieszyn, Cieszyn.

Oława, m. powiatowe w woj. dolnośląskim, między Oławą a Odrą; 32 tys. mieszk. (2000); ośr. przem.-usługowy; przemysł środków transportu, papierniczy, chem., spoż., miner.; na Odrze śluza przeładunkowa; prawa miejskie przed 1235 (1234?); kościół (XIII/XIV, XVI, XVII w.), pozostałości zamku (XIV, XVI w.), barok. pałac (XVII w.), neoklasycyst. ratusz (XIX w., wieża XVII w.), kamienice (XVIII w.).

Oman, 'Umān, **Sułtanat Omanu,** państwo w pd.-zach. Azji, na Płw. Arabskim, nad Zat. Omańską i M. Arabskim; 212,5 tys. km²; 3,0 mln mieszk. (2002), Arabowie (88% ludności) miejscowi i napływowi z innych krajów arab., imigranci z Indii, Pakistanu; religia państw. islam; w miastach ok. 12% mieszk.; stol. Maskat; język urzędowy arab.; sułtanat. Wyżynny i pustynny (Ar-Rub al-Chali), na pn. góry Al-Dżabal al-Achdar (wys. do 3083 m); przybrzeżne w.: Masira, Kuria Muria; klimat zwrotnikowy suchy i skrajnie suchy; brak rzek stałych. Podstawą gospodarki wydobycie i eksport ropy naft.; przemysł rafineryjny, odsalarnia wody mor.; rzemiosło (tkactwo, budowa łodzi); w oazach uprawa palmy daktylowej i zbóż; koczownicza hodowla kóz, owiec i wielbłądów; gł. port mor. Matrah. ■

Omańska, Zatoka, arab. **Khalj 'Umān,** pers. **Daryā-ye 'Omān,** zatoka w pn.-zach. części M. Arabskiego, między wybrzeżem Iranu a Płw. Arabskim; przez cieśn. Ormuz łączy się z Zat. Perską; dł. ok. 450 km, szer. u wejścia 330 km, głęb. do 3694 m; brzegi słabo rozwinięte; gł. port — Maskat.

Omo, rz. w Etiopii; dł. ok. 800 km; wypływa ze środk. części Wyż. Abisyńskiej; w górnym i środk. biegu płynie w wąskiej dolinie (znaczny spadek, liczne progi), w dolnym — w szerokiej (liczne meandry); uchodzi do jez. Turkana; gł. dopływ — Godżeb (pr.); rezerwat przyrody. W dolinie O. (wpisana na Listę Świat. Dziedzictwa Kult. i Przyr. UNESCO) znaleziska kultury Olduvai — szczątki australopiteka i człowieka pierwotnego (Homo erectus), kości dawnych zwierząt, kam. narzędzia.

Omulew, rz. na Pojezierzu Mazurskim i Niz. Północnomazowieckiej, pr. dopływ dolnej Narwi; dł. 114 km, pow. dorzecza 2053 km²; wypływa na pd. od jeziora O.; przepływa przez Puszczę Kurpiowską; uchodzi poniżej Ostrołęki; średni przepływ w pobliżu ujścia 11 m^3/s; maks. rozpiętość wahań stanów wody 7,2 m; gł. dopływy: Sawica, Wałpusza (l.), Płodownica (pr.).

Onega, Onieżskoje oziero, Oniego, jez. w pn. części Rosji (większa część w Karelii), drugie (po Ładodze) pod względem wielkości w Europie, na wys. 33 m; pow. 9720 km^2, średnia głęb. 29 m, maks. — 127 m; pn. brzegi wysokie, silnie rozczłonkowane, skaliste, pd. — niskie i płaskie; liczne wyspy (największe: Wielka Klimecka i Wielka Lelikowska); do O. uchodzą m.in. rz.: Szuja, Wytiegra, Wodła, Suna, wypływa — Swir; żegluga, połączone z dorzeczem Wołgi (Wołżańsko–Bałtycka Droga Wodna), z morzami: Bałtyckim i Białym (Kanał Białomorsko-Bałtycki); rybołówstwo; w pn. części wyspa Kiży; gł. m. nad O.: Petrozawodzk, Kondopoga, Miedwieżjegorsk, Powieniec.

Onon, rz. w Mongolii i Rosji; źródła w górach Chentej; po połączeniu z Ingodą tworzy Szyłkę (jedną ze źródłowych rzek Amuru); dł. 1032 km, pow. dorzecza 96,2 tys. km^2; spławna; wykorzystywana do nawadniania.

Ontario [onteərjou], ang. **Ontario Lake,** franc. **Lac Ontario,** jez. tektoniczno-polodowcowe na granicy USA i Kanady, najmniejsze z pięciu Wielkich Jezior, na wys. 75 m; pow. 19,5 tys. km^2, głęb. do 236 m (kryptodepresja); linia brzegowa wyrównana, tylko w części pn.-wsch. zatoki i wyspy; do Ontario uchodzi rz. Niagara, wypływa z niego Rz. Św. Wawrzyńca; połączone z jez. Erie i Huron (kanały: Wellandzki i Trent) oraz z rz. Hudson i Ottawa (kanały Rideau i New York State Barge Canal); stanowi część systemu Drogi Wodnej Św. Wawrzyńca; żegluga od kwietnia do grudnia; gł. m. nad Ontario: Toronto, Hamilton, Rochester.

Ontario [onteərjoᵘ], prowincja w Kanadzie, między Wielkimi Jeziorami i Zat. Hudsona; 1,1 mln km^2, 12 mln mieszk. (2002); gł. m.: Toronto (stol.), Hamilton, Ottawa; obszar wyżynny w obrębie tarczy kanad.; na pn. Niz. Hudsońska; tundra, lasy iglaste, na pd. — mieszane i liściaste; najlepiej rozwinięty region kraju; przemysł samochodowy, metalurg., elektron., spoż., papierniczy; wydobycie rud miedzi, niklu, uranu, złota; intensywna uprawa pszenicy, tytoniu; sadownictwo, warzywnictwo; hodowla bydła mlecznego; leśnictwo; transkontynent. szlaki komunikacyjne.

ONZ → Organizacja Narodów Zjednoczonych.

ooidy [gr.], kuliste ziarna miner. o średnicy poniżej 2 mm, zbud. z jądra (okruch miner.) i koncentrycznych powłok, najczęściej węglanowych (kalcyt, aragonit) lub żelazistych (np. hematyt, getyt); tworzą skały osadowe zw. → oolitami. Zob. też pizoidy.

oolit [gr.], **ikrowiec,** skała osadowa składająca się ze scementowanych spoiwem → ooidów. Najczęściej o. jest odmianą wapienia (wapień oolitowy), w którym zarówno ooidy jak i ich spoiwo są zbud. z węglanu wapnia (kalcytu lub aragonitu). W o. krzemionkowym ooidy krzemionkowe są spojone chalcedonem i kwarcem. O. żelaziste składają się z ooidów szamozyto-

wych, hematytowych lub getytowych oraz ilastego, marglistego lub węglanowego spoiwa; niekiedy są bogatymi rudami żelaza. O. powstają na ogół w płytkim, ruchliwym środowisku wodnym (współcześnie — np. w M. Czerwonym), występują gł. w osadach mor., są także znane z osadów gorących źródeł, jezior oraz jaskiń. W Polsce wapienie oolitowe występują np. w utworach jurajskich na Wyż. Krakowsko-Częstochowskiej, żelaziste rudy oolitowe — w okolicach Częstochowy, w G. Świętokrzyskich, k. Łęczycy.

opad nawalny, bardzo silny, krótkotrwały (kilka do kilkunastu minut) opad; występuje w czasie burzy; pot. zw. oberwaniem chmury.

opady atmosferyczne, wypadające z chmur produkty kondensacji pary wodnej zawartej w atmosferze ziemskiej (→ kondensacja w atmosferze ziemskiej); występują w postaci deszczu, mżawki, śniegu, krupy śnieżnej, gradu. Powstają wtedy, gdy krople wody i kryształki lodu, pozostające w chmurach odpowiednio długo, osiągają rozmiary, przy których prądy pionowe w chmurze nie mogą ich utrzymać w stanie zawieszenia; w chmurach złożonych tylko z kropel wody wzrost rozmiarów kropel następuje w wyniku łączenia się (koalescencji) mniejszych kropli w większe; w przypadku chmur złożonych zarówno z kropel wody, jak i kryształków lodu, procesem prowadzącym do powstawania dużych cząstek chmurowych jest szybki wzrost kryształków lodu kosztem wyparowujących kropel wody (w wyniku różnicy prężności nasyconej pary wodnej nad wodą i nad lodem); chmury składające się tylko z kryształków lodu są b. trwałe, w zasadzie nie dają opadów. O.a. towarzyszą chmurom *altostratus, nimbostratus, stratus, cumulus* (b. rzadko) i *cumulonimbus.* Do pomiaru ilości o.a. służy deszczomierz. Od wielu lat przeprowadza się próby wywoływania opadów z chmur, które w naturalnych warunkach opadu nie dają, a także przyspieszania powstania opadu (mające na celu zapobieganie opadom gradu lub rozwojowi huraganu); polegają one na rozpylaniu w chmurze cząstek substancji higroskopijnych, mogących stanowić jądra kondensacji pary wodnej, oraz stałego dwutlenku węgla, kryształów lodu lub jodku srebra — będących zarodziami krystalizacji w lody.

Opalenica, m. w woj. wielkopol. (powiat nowotomyski), nad Mogilnicą (pr. dopływ Obry); 9,0 tys. mieszk. (2000); ośr. usługowy dla rolnictwa; cukrownia, wytwórnia sprzętu roln.; węzeł kol.; prawa miejskie przed 1401 (po 1399).

Opatów, m. powiatowe w woj. świętokrzyskim, nad Opatówką; 7,1 tys. mieszk. (2000); ośr. usługowy i turyst.-krajoznawczy; drobny przemysł; węzeł drogowy; prawa miejskie od 1282; rom. kolegiata (XII, XV, XVI, XVIII w.), wewnątrz renes. nagrobki Szydłowieckich, m.in. Krzysztofa, z tzw. *Lamentem Opatowskim* (1. poł. XVI w.); zespół klasztorny Bernardynów (XVIII w.).

OPEC → Organizacja Krajów Eksportujących Ropę Naftową.

Opoczno, m. powiatowe w woj. łódz., nad Drzewiczką; 22,6 tys. mieszk. (2000); ośr. przemysłu miner. (wapienniki, zakłady materiałów ogniotrwałych, płytek ceram.); przemysł wełniany; odlewnia żeliwa; węzeł kol.; prawa miejskie od 1344; zamek (XIV w.) — ob. muzeum, drewn. kościół (XVIII w.?), dawna synagoga (XVIII w.), domy drewn. i murowane (XVII–XIX w.), m.in. Dom Esterki (XVI? w.).

Opole, m. wojew. (woj. opol.), nad Odrą; powiat grodzki, siedziba powiatu opol.; 129 tys. mieszk. (2000); ośr. przem., kult. i nauk.; stol. diecezji opol. Kościoła rzymskokatol.; przemysł: cementowy, środków transportu, maszyn., spoż., odzież., drzewny; węzeł komunik., port rzeczny; szkoły wyższe, w tym UnI w. Opol., Wyższe Seminarium Duchowne, instytuty nauk.; teatry, filharmonia, rozgłośnia radiowa; Festiwal Piosenki Pol.; muzea (Muzeum Śląska Opol.), w dzielnicy Bierkowice Muzeum Wsi Opol. — skansen; ogród zool.; turystyka. Na cyplu w. Pasieka, zw. Ostrówkiem, w ramionach Odry, w VIII w. osada, przekształcona w X w. w gród-miasto, egzystujące do XIII w.; prawa miejskie przed 1254; wieża (XIV w.), zw. Piastowską — pozostałość zamku; katedra (XV, XVI w., fasada XIX/XX w.); 2 zespoły klasztorne — Franciszkanów i Dominikanów (XIV–XX w.); got. kaplica szpitalna (XV w.); got.-renes. kolegium Jezuitów (ob. muzeum) i kamienice (przebud. XVIII w.). ■

■ Opole. Widok z wieży ratusza

■ Oranje w górnym biegu

Opole Lubelskie, m. powiatowe w woj. lubel.; 9,4 tys. mieszk. (2000); ośr. usługowy regionu roln. (uprawa buraków cukr.); przemysł spoż. (cukrownia, mleczarnia); węzeł drogowy; prawa miejskie przed 1418–1870 i od 1957; pałac Lubomirskich (XVII, XVIII w.); zespół klasztorny Pijarów — kościół (XVII, XVIII w.) z rokok. polichromią i wystrojem; w pobliżu O.L., we wsi Niezdów, klasycyst. pałac i park Lubomirskich (XIX w.).

opolskie, województwo, woj. w pd. Polsce, graniczy z Czechami; 9412 km² (najmniejsze w kraju), 1,1 mln mieszk. (2000), stol. — Opole, in. większe m.: Kędzierzyn-Koźle, Brzeg, Nysa; dzieli się na: 1 powiat grodzki, 11 powiatów ziemskich i 71 gmin. Krajobraz urozmaicony; na pd. Sudety (G. Opawskie, wys. 890 m) i Pogórze Sudeckie, na wsch. klinami wcinają się: Próg Woźnicki (część Wyż. Woźnicko-Wieluńskiej) i wzgórza garbu Chełm (Wyż. Śląska); na pozostałym obszarze bezjeziorne równiny peryglacjalne pd. części Nizin Środkowopol., przechodzące ku pd. w lessowy Płaskowyż Głubczycki (Niz. Śląska). Gęsta sieć rzeczna, gł. rz. — Odra z dopływami (Osobłoga, Nysa Kłodzka, Mała Panew, Stobrawa); brak jezior naturalnych, kilka zbiorników retencyjnych. Lasy zajmują 26,7% pow., największy kompleks leśny — Bory Stobrawskie; 2 parki krajobrazowe. Gęstość zaludnienia — 112 mieszk. na km², w miastach 52,4% ludności (2000). Województwo przem.-roln.; rozwinięty różnorodny przemysł, gł. maszyn., środków transportu, metalurg. (huty w Ozimku i Zawadzkiem), chem., miner. (cementowo-wapienniczy, ceram.), ponadto skórzano-obuwn., włók. (bawełn.), spoż., celulozowo-papierniczy, meblarski. Użytki rolne zajmują 62% pow.; uprawia się zboża (pszenica, jęczmień), rzepak i rzepik, buraki cukrowe, ziemniaki; rozwinięta hodowla trzody chlewnej. Gęsta sieć kol. i drogowa; żegluga na Odrze i Kanale Gliwickim (porty w Kędzierzynie-Koźlu, Brzegu i Opolu); przejścia graniczne do Czech. Najlepiej zagospodarowane turystycznie są G. Opawskie oraz okolice sztucznych jezior — Turawskiego, Otmuchowskiego i Nyskiego; licznie odwiedzane są: Opole, Paczków, Brzeg (zabytki).

Optymistyczna, Jaskinia, jaskinia na Ukrainie (obwód tarnopolski), na Wyż. Podolskiej; powstała w gipsach; łączna dł. korytarzy 208 km (najdłuższa w Europie); odkryta 1966 przez speleologów lwowskich.

Oranje, Orange, rz. w Lesotho, w RPA i Namibii; dł. 1860 km, pow. dorzecza 1020 tys. km²; wypływa w G. Smoczych; płynie na zach. do O. Atlantyckiego; w górnym i środk. biegu przepływa przez wyż. Wysoki Weld w głęboko wciętej dolinie, w dolnym biegu — przez obszary półpustynne i pustynne (niekiedy wysycha); gł. dopływy: Vaal, Caledon (pr.); liczne progi i wodospady (największy Aughrabies, wys. 146 m — park nar.); duże wahania stanu wód (charakterystyczne powodzie letnie); gł. m. nad O. — Upington; w realizacji (od 1966) kompleksowy projekt zagospodarowania dorzecza O., tzw. Orange River Project, w ramach którego zbud. na O. (poniżej ujścia rz. Caledon) 2 duże zbiorniki retencyjne z elektrowniami Hendrik Verwoerd i Van der Kloof; projekt ten przewiduje nawodnienie ponad 300 tys. ha gruntów; po zbudowaniu 12 zapór woda będzie dostarczana do miast: Port Elizabeth, Bloemfontein i Kimberley. ■

Orawsko-Nowotarska, Kotlina, pn. najniższa część Podhala, między Beskidem Żywieckim i Gorcami na pn. a Pogórzem Spisko-Gubałowskim na pd.; wys. 500–700 m; dno kotliny równinne, wypełnione utworami czwartorzędowymi;

odwadniana na zach. przez Orawę, na wsch. przez Czarny Dunajec do Dunajca; na zach. regionu znajduje się część Jez. Orawskiego na Orawie, na wsch., wcinając się klinem w Pieniny — Jez. Czorsztyńskie na Dunajcu; w pd. części kotliny wielkie żwirowiska — stożki napływowe rzek płynących z Tatr: Czarnego i Białego Dunajca oraz dopływu Dunajca — Białki. Na dziale wodnym rzek wytworzyły się w holocenie rozległe torfowiska wysokie, z licznymi reliktami glacjalnymi (m.in. kosodrzewina w odmianie bagiennej); na znacznych obszarach kotliny zachowały się podmokłe bory sosnowo-świerkowe; zaludnienie dość duże, wsie rozlokowały się wzdłuż biegu rzek. Główny ośr. miejski — Nowy Targ.

Orawsko-Podhalańskie, Obniżenie → Podhale.

Orchon, rz. w pn. Mongolii, pr. dopływ Selengi; dł. 1124 km, pow. dorzecza 132,8 tys. km^2; źródła w górach Changaj; gł. dopływy: Toła, Charaa-gol, Jöröö-gol (pr.); w górnym biegu wodospad (wys. 20 m); zamarza na ok. 6 mies.; żegl. w dolnym biegu; w dolinie Orchon na gruntach sztucznie nawadnianych uprawa pszenicy i jęczmienia; gł. m. nad O. — Suche Bator.

Ordos, Ordos Gaoyuan, pustynna wyżyna w Chinach, w wielkim zakolu rz. Huang He, od zach. graniczy z pustynią Ałaszan, od pd. z Wyż. Lessową; wys. 1100–1500 m; na zach. wznoszą się góry stołowe Zhuozi Shan (wys. do 3015 m); zbud. gł. z mezozoicznych piaskowców i łupków ilastych zalegających na krystal. podłożu platformy chiń.; na pn. i pd. lotne piaski; liczne suche doliny i bezodpływowe jeziora; klimat umiarkowany, kontynent., skrajnie suchy; roślinność w pn.-zach. części pustynna, w pd.-wsch. — półpustynna (gł. piołuny); złoża węgla kam., ropy naft., sody (w jeziorach); pasterstwo (owce, wielbłądy, konie), w oazach — uprawa zbóż; w pd. części O. znajduje się część Wielkiego Muru Chińskiego.

Oregon, stan w pn.-zach. części USA, nad O. Spokojnym; 251,4 tys. km^2, 3,5 mln mieszk. (2002); stol. Salem, gł. m. i port Portland; w zach. części G. Nadbrzeżne i G. Kaskadowe, wsch. — Wyż. Kolumbii; na pd. Wielka Pustynia Piaszczysta; lasy (gł. iglaste) 50% pow.; eksploatacja lasów (1. miejsce w USA w pozyskaniu drewna); przemysł drzewny, celulozowo-papierniczy, spoż.; wydobycie rud cyrkonu, tytanu, niklu oraz złota i srebra; hydroelektrownie na rz. Kolumbia; uprawa pszenicy, warzyw, owoców w dolinie rz. Willamette; pasterska hodowla bydła; połowy łososi, tuńczyka.

Organizacja Krajów Eksportujących Ropę Naftową, ang. **Organization of the Petroleum Exporting Countries, OPEC,** organizacja międzyrządowa krajów wytwarzających ponad 30% i posiadających ok. 75% świat. złóż ropy naft., powołana 1960 w Bagdadzie; siedziba w Wiedniu; członkami są: Algieria, Arabia Saudyjska, Ekwador, Gabon, Indonezja, Irak, Iran, Katar, Kuwejt, Libia, Nigeria, Wenezuela, Zjednoczone Emiraty Arab.; celem OPEC jest ujednolicenie polityki w dziedzinie produkcji i zbytu ropy naft. przez ustalanie limitów wydobycia i cen oraz zabezpieczenie interesów jej producentów, a także prowadzenie badań w zakresie wykorzystania energii i perspektyw przemysłu petrochemicznego.

Organizacja Narodów Zjednoczonych, ONZ, uniwersalna organizacja międzynar., utw. 1945 na podstawie *Karty Narodów Zjednoczonych*, podpisanej 26 VI 1945 podczas konferencji w San Francisco; gł. cele: utrzymanie międzynar. pokoju i bezpieczeństwa, organizowanie współpracy i popieranie rozwoju przyjaznych stosunków między państwami; podstawowe zasady działania: suwerenność i równość państw oraz nieinterwencja w ich sprawy wewn., pokojowe rozstrzyganie sporów, przestrzeganie przez państwa zobowiązań międzynar., powstrzymanie się od groźby użycia siły w stosunkach między państwami, współdziałanie w akcjach ONZ, zapewnienie, aby również państwa nie należące do ONZ nie naruszały pokoju; gł. organy: Zgromadzenie Ogólne, Rada Bezpieczeństwa, Sekretariat na czele z sekr. generalnym (od 1997 K. Annan), Rada Gosp.-Społ., Rada Powiernicza (1994 zawiesiła działalność) i Międzynar. Trybunał Sprawiedliwości; ponadto stałe agendy i organy specjalne ONZ, stałe komisje Rady Gosp.-Społ., komisje powoływane przez Zgromadzenie Ogólne oraz organizacje wyspecjalizowane; ONZ może powoływać siły pokojowe lub siły zbrojne; czł. pierwotni (1945) — 51 państw (w tym Polska), ob. 190.

Organizacja Narodów Zjednoczonych do Spraw Oświaty, Nauki i Kultury, ang. **United Nations Educational, Scientific and Cultural Organization, UNESCO,** organizacja wyspecjalizowana ONZ, zał. 1946, siedziba w Paryżu; inicjuje, koordynuje i organizuje współpracę w zakresie oświaty, nauki i kultury; wspiera zwł. rozwój szkolnictwa i zwalczanie analfabetyzmu, upowszechnianie myśli nauk. i kultury oraz działania na rzecz ochrony dziedzictwa kult. i przyr.; czł. (1996): 185 państw, w tym Polska.

Organizacja Narodów Zjednoczonych do Spraw Wyżywienia i Rolnictwa, ang. **Food and Agriculture Organization of the United Nations, FAO,** organizacja wyspecjalizowana ONZ, zał. 1945, siedziba w Rzymie; działa na rzecz modernizacji produkcji żywnościowej, zwalczania głodu, podnoszenia poziomu rolnictwa, leśnictwa i rybołówstwa w skali świat.; prowadzi badania i oprac. informacje na temat rolnictwa i żywności; czł. (1996): 175 państw, w tym Polska, oraz UE.

Organizacja Współpracy Gospodarczej i Rozwoju, ang. **Organization for Economic Cooperation and Development, OECD,** utworzona 1960 w miejsce Organizacji Europejskiej Współpracy Gospodarczej, działa od 1961, siedziba w Paryżu; zrzesza najwyżej rozwinięte państwa świata o ustroju demokr. i gospodarce rynkowej; stanowi forum konsultacji i koordynacji polityki ekon. i społ.; czł.: pocz. 16 państw zachodnioeur., Kanada i USA, 1997 — 29 państw (Polska od 1996).

organogeniczne formy, formy powierzchni Ziemi powstałe w wyniku akumulacji szczątków org. oraz działalności żywych organizmów roślinnych (formy fitogeniczne) i zwierzęcych (formy zoogeniczne); do f.o. należą np. równiny lub pagóry torfowiskowe, rafy koralowe, kopce termitów. Zob. też antropogeniczne formy.

Orinoko, Río Orinoco, rz. w Wenezueli, w środk. biegu częściowo graniczna z Kolumbią, trzecia pod względem długości w Ameryce Pd.; dł. 2730 km, pow. dorzecza 994 tys. km², źródła w górach Serra Parima; płynie u podnóża Wyż. Gujańskiej; uchodzi do O. Atlantyckiego tworząc deltę (pow. ok. 40 tys. km²); gł. dopływy: Caura, Caroní (pr.), Guaviare, Meta, Arauca, Apure (l.); przez rz. Casiquiare łączy się z systemem Amazonki (bifurkacja rzeki); duże wahania stanu wód; pływy mor. docierają do m. Ciudad Bolívar (400 km od ujścia); maks. przepływ w dolnym biegu 55 tys. m³/s, minim. — 5–7 tys. m³/s, średni roczny — 29 tys. m³/s; żegl. w dolnym biegu (podczas wysokiego stanu wód od m. Puerto Carreño); do Ciudad Bolívar dostępna dla statków mor.; gł. miasta nad O.: Ciudad Bolívar, Ciudad Guayana.

Orinoko, Nizina, Llanos, Llanos del Orinoco, nizina w Wenezueli i Kolumbii, między Andami Pn. a Wyż. Gujańską, w dorzeczu Orinoko; pow. ok. 1 mln km²; pod względem geol. stanowi tektoniczne obniżenie, wypełnione mezozoicznymi i trzeciorzędowymi osadami przykrytymi plejstoceńskimi aluwiami (o znacznej miąższości); równinna, lekko nachylona ku wsch.; klimat podrównikowy wilgotny (pora deszczowa w lecie, sucha zima); w porze deszczowej rzeki wzbierają i zalewają duże obszary, w porze suchej często całkowicie wysychają; roślinność trawiasta (sawannowa) z rzadko rosnącymi pojedynczymi palmami (formacja llanos), jedynie w dolinach rzek występują lasy galeriowe; pasterska hodowla bydła i owiec, miejscami uprawa kukurydzy, ryżu, bawełny, tytoniu, sezamu; złoża ropy naft. i gazu ziemnego; gł. m.: Maturín, El Tigre, San Fernando de Apure.

Orizaba [~sąwa], **Pico de Orizaba, Volcán Citlaltépetl,** czynny wulkan w pd. części Wyż. Meksykańskiej, w Kordylierze Wulkanicznej, najwyższy szczyt Meksyku i najwyższy czynny wulkan w Ameryce Pn.; wys. 5700 m; na stokach lasy; powyżej 4500 m pola firnowe i lodowce; od 1537 zanotowano 8 silnych erupcji, ostatni wybuch 1941; pierwsze wejście pol. 1968.

Orla Perć, szlak turyst. pieszy w Tatrach Wysokich; biegnie grzbietem łączącym Świnicę z Wołoszynem, od przełęczy Zawrat przez Kozie Wierchy, Granaty, Buczynowe Turnie do przełęczy Krzyżne; dł. 5 km; kilka szlaków łącznikowych; trasa w zasadzie 2-dniowa, jedna z najpiękniejszych i najbardziej emocjonujących w Tatrach, dość trudna i wymagająca dużego doświadczenia w turystyce górskiej; liczne ubezpieczenia: klamry, łańcuchy, drabinki — mimo tego częste wypadki; szlak wytyczył 1903–05 ksiądz W. Gadowski; pomysł nazwy dał poeta F.H. Nowicki.

Orlickie, Góry, czes. **Orlické hory,** pasmo górskie w Sudetach Środk., gł. w Czechach (w Polsce — niewielka pn. część), oddzielone od G.

Bystrzyckich dolinami Bystrzycy Dusznickiej i Dzikiej Orlicy; najwyższy szczyt Velká Deštná, 1115 m (w Czechach), w Polsce — graniczna Orlica, 1084 m; słabo rozczłonkowane pasmo dł. ok. 40 km; zbud. z gnejsów i łupków prekambryjskich; prawie w całości porośnięte lasem świerkowym; G.O. cechuje najwyższa w Sudetach, obok Karkonoszy, ilość opadów i długotrwałe zaleganie pokrywy śnieżnej; gł. miejscowość pol. części G.O. — dzielnica Dusznik Zdroju — Zieleniec, znany ośrodek narciarski.

Ormuz, arab. **Mądą Hurmuz,** pers. **Tang-ye Hormoz,** cieśnina łącząca Zat. Perską z Zat. Omańską M. Arabskiego (O. Indyjski); dł. 195 km, najmniejsza szer. 54 km, głębokość toru wodnego 27,5–71 m; wyspy: Keszm, O., Larak; silne prądy pływowe (do 7,4 km/h); wysokość pływów do 4,4 m; port Bandar Abbas.

Orneta, m. w woj. warmińsko-mazurskim (powiat lidzbarski), nad Drwęcą Warmińską (pr. dopływ Pasłęki); 9,6 tys. mieszk. (2000); ośr. usługowy; przemysł metal. (śruby), odzież., drzewny (meble); prawa miejskie od 1313; kościół (XIV, XV w.), ratusz (XIV w.), kościół ewang. (XIX w.).

orogen [gr.], **górotwór,** obszar sfałdowany i wypiętrzony w wyniku ruchów górotwórczych (→ orogeneza).

orogeneza [gr.], **ruchy górotwórcze, górotwórczość,** krótkotrwałe (w skali geol.), epizodyczne ruchy skorupy ziemskiej, zachodzące na znacznych obszarach, prowadzące do powstania gór (orogenu); powodują fałdowanie wcześniej nagromadzonych osadów, powstawanie nasunięć i płaszczowin, co znacznie zmniejsza szerokość strefy objętej deformacjami; procesom tym zwykle towarzyszą zjawiska → magmatyzmu i → metamorfizmu. Termin o., oznaczający powstawanie gór w sensie geol. — jako pasm fałdowych, niekiedy jest używany w odniesieniu do tworzenia się gór w sensie topograficznym, tj. do wypiętrzenia pewnych obszarów względem otoczenia wzdłuż pionowych uskoków, w postaci dużego zrębu (góry zrębowe). Przyczyny powstawania gór w obydwu znaczeniach są różnie tłumaczone przez poszczególne teorie → geotektoniczne; do niedawna tworzenie się gór wiązano z istnieniem → geosynklin i fałdowaniem nagromadzonych w nich osadów; obecnie za przyczynę powstawania gór są uważane kolizje → płyt litosferycznych w strefach subdukcji (→ tektoniki płyt teoria). W historii Ziemi wyróżniono kilka głównych o.: prekambryjskie (Gotydy, Karelidy, Saamidy), o. kaledońską, o. hercyńską i o. alpejską. W każdej o. rozróżnia się kilka (niekiedy kilkanaście) faz orogenicznych, czyli okresów wzmożonych fałdowań. Poszczególne o. zaznaczyły się na całej kuli ziemskiej, jednak natężenie fałdowań było różne na różnych obszarach, np. kimeryjskie fazy orogeniczne w Europie były b. słabe, natomiast w Azji i Ameryce Pn. doprowadziły do powstania ogromnych łańcuchów górskich.

Orontes, rz. w Libanie, Syrii i Turcji, → Asi.

ortodroma [gr.], najkrótsza linia łącząca 2 punkty na zakrzywionej powierzchni (np. na powierzchni Ziemi) i na niej leżąca; na powierzchni kuli o. jest łuk koła wielkiego, przechodzącego przez dane 2 punkty; na powierzchni kuli ziemskiej, w przeciwieństwie do → loksodromy, o. przecina południki pod różnymi kątami.

Orzesze, m. w woj. śląskim (powiat mikołowski), nad Bierawką; w GOP; 19,0 tys. mieszk. (2000); ośr. przem. i mieszkaniowy; przemysł maszyn., huta szkła; węzeł kol.; wieś wzmiankowana w XIII w.; prawa miejskie od 1962; kościół (XVI w.).

Orzyc, rz. na Niz. Północnomazowieckiej, pr. dopływ dolnej Narwi; dł. 146 km, pow. dorzecza 2074 m^2; źródła na wsch. od Mławy; płynie na pn. w zabagnionej dolinie, po czym zatacza wielki łuk i kieruje się na pd.-wsch.; uchodzi poniżej wsi Przeradowo; średni przepływ w pobliżu ujścia 9,3 m^3/s; maks. rozpiętość wahań stanów wody w dolnym biegu 3,4 m; gł. dopływ — Węgierka (pr.); m. nad O.: Chorzele, Maków Mazowiecki.

Orzysz, m. w woj. warmińsko-mazurskim (powiat piski), nad jez. Orzysz i Sajno; 6,1 tys. mieszk. (2000); ośr. turyst.-wypoczynkowy i sportów wodnych; drobny przemysł; zał. w XV w.; prawa miejskie od 1725.

osadowe skały, skały powstałe na powierzchni skorupy ziemskiej w wyniku nagromadzenia materiału pod wpływem wietrzenia, procesów życiowych, sedymentacji i diagenezy; składają się z okruchów miner. i skalnych, pochodzących z niszczenia skał już istniejących, minerałów nowo powstałych, ze szkieletów miner. organizmów i ich szczątków oraz produktów rozkładu dawnych organizmów, także z produktów erupcji wulk. i — w b. niewielkiej ilości — z materiału pochodzącego z przestrzeni kosmicznej. Cechą charakterystyczną s.o. jest przede wszystkim ich uławicenie (→ ławica) i → warstwowanie. S.o. mogą być skonsolidowane (np. piaskowce, wapienie, margle) lub luźne (np. piaski, iły, muły), powstałe zarówno w zbiornikach wodnych, jak i na lądzie.

S.o., zależnie od składu miner. i genezy dzielą się na: s k a ł y o k r u c h o w e (klastyczne), zbud. gł. z okruchów miner. i skalnych dawnych skał (klastów); mogą być luźne lub scementowane np. spoiwem ilastym, krzemionkowym, węglanowym, żelazistym; ze względu na wielkość okruchów (ziarn) rozróżnia się wśród nich: psefity, psamity, aleuryty i pelity; do skał okruchowych należą: brekcje, żwiry, zlepieńce, piaski, muły, lessy, piaskowce, mułowce; s k a ł y i l a s t e, składające się gł. z minerałów ilastych (powyżej 50% masowych), z podrzędną zawartością pyłu kwarcowego, łyszczyków, tlenków i wodorotlenków żelaza i glinu, węglanów, siarczków oraz substancji org.; do skał ilastych należą gliny, iły, iłowce oraz łupki ilaste; s k a ł y p o c h o d z e n i a c h e m i c z n e g o, powstałe przez wytrącenie się i osadzenie rozpuszczonych w wodzie substancji miner.; wytrącanie się tych substancji może być spowodowane zarówno przesyceniem roztworu w wyniku odparowywania wody w zbiorniku (→ ewaporaty), jak i reakcjami chem., zachodzącymi często pod wpływem procesów biochem. — przy udziale świata org.; do skał

pochodzenia chem. należą dolomity, niektóre wapienie, skały gipsowe i solne; s k a ł y o r g a n o g e n i c z n e, składające się gł. ze szczątków organizmów zwierzęcych, pierwotniaczych lub roślinnych albo powstałe przez wytrącenie się substancji miner. wskutek procesów życiowych tych organizmów; nagromadzone szczątki org. mogą być scementowane węglanami, krzemionką lub spoiwem żelazistym; do skał organogenicznych należą m.in. wapienie (rafowe, numulitowe i in.), kreda, diatomity, radiolaryty, fosforyty, węgle.

osady, utwory powstałe na powierzchni Ziemi w wyniku nagromadzenia materiału przez różne czynniki geol. — wodę, lodowce, wiatr, organizmy; ze względu na środowisko powstania rozróżnia się o. kontynentalne i o. morskie; w o. k o n t y n e n t a l n y c h rozróżnia się o. rzeczne (fluwialne) — stanowiące większość o. kontynentalnych, o. lodowcowe (glacjalne), o. rzecznolodowcowe (fluwioglacjalne), o. jeziorne, o. pustyniowe; o. m o r s k i e, zależnie od głębokości, na której powstają, dzielą się na: litoralne (→ litoral), nerytyczne (→ nerytyczna strefa), batialne (→ batial) i abisalne (→ abisal). Zob. też osadowe skały.

osady atmosferyczne, produkty kondensacji zawartej w atmosferze ziemskiej pary wodnej, osadzające się w stanie ciekłym lub stałym na powierzchni Ziemi oraz na przedmiotach znajdujących się na powierzchni Ziemi lub w atmosferze; do o.a. zalicza się: → gołoledź, rosę, szron, sadź.

Osaka, Ōsaka, m. w Japonii (Honsiu), nad Wewnętrznym M. Japońskim; 2,6 mln mieszk. (2002); z Kōbe i Kioto tworzy region metropolitalny (ok. 14 mln mieszk.); wielki port mor. i ośr. gosp., gł. w okręgu przem. Hanshin; przemysł maszyn., metal., chem. (w tym petrochem.), elektron., stoczn., poligraficzny, włók., hutn. i in.; liczne banki; międzynar. targi; ważny węzeł komunik. (2 porty lotn.: Kansai, Itami); 2 uniw.; planetarium; ośr. klas. jap. sztuki teatr.; muzea. Starożytna Naniwa (od ok. XIII w. — O.); V–IX w. okresowo siedziba cesarzy; jedno z najstarszych w kraju miast portowych; ważny ośr. religijny. Liczne świątynie buddyjskie i shintō; jedna z najstarszych w Japonii tera (VI w.) z bogatym wyposażeniem wnętrz.

oscylacji teoria, teoria → geotektoniczna, w myśl której przyczyną ruchów fałdowych i powstawania gór są kolejne podnoszenia i obniżania się (oscylacje) poszczególnych części skorupy ziemskiej wskutek przemieszczania się plast. mas w jej podłożu; według t.o., wysuniętej 1930 przez E. Haarmanna, przemieszczanie plast. materiału podłoża zachodzi pod wpływem sił wywołanych zmianami spłaszczenia Ziemi przy zmianie położenia jej biegunów obrotowych (według t.o. w geol. przeszłości położenie osi obrotu Ziemi ulegało dużym zmianom). W miejscach gromadzenia się materiału podłoża powstają nabrzmienia (geotumory), w miejscach odpływów — wklęsłości (geodepresje); pod wpływem siły ciężkości masy skalne zsuwają się z geotumorów ku geodepresjom, tworząc fałdy i płaszczowiny. T.o. była rozwijana m.in. przez C.E. Wegmanna (1935) oraz R.W. van Bemmelena (1933, 1949).

Osetia Południowa, obwód autonomiczny w Gruzji, na pd. stokach Wielkiego Kaukazu; 3,9 tys. km^2; 100 tys. mieszk. (2002), Osetyjczycy 66%, Gruzini 29%, Rosjanie i in.; ośr. adm. Cchinwali; uprawa zbóż, buraków cukrowych, drzew owocowych, winorośli; hodowla owiec; wydobycie rud metali nieżel.; przemysł drzewny, spoż. (rozlewnie wód miner.).

Osetia Północna, republika w Rosji, na Kaukazie; 8 tys. km^2; 684 tys. mieszk. (2002), Osetyjczycy 53%, Rosjanie 30%, Ingusze, Ormianie i in.; stol. Władykaukaz; hutnictwo cynku i ołowiu, przemysł maszyn., chem., spoż., drzewny, szklarski; uprawy: zboża, słonecznik, konopie, ziemniaki, warzywa, drzewa owocowe, winorośl; hodowla bydła, owiec; na rz. Terek elektrownie wodne. O.

Osieczna, m. w woj. wielkopol. (powiat leszcz.), nad Jez. Łoniewskim; 1,9 tys. mieszk. (2000); ośr. wypoczynkowy; sanatorium dla dzieci; drobny przemysł; prawa miejskie ok. 1370; zespół klasztorny Reformatów (XVII, XVIII w.), otoczone kultem rel. obrazy Matki Bożej i Chrystusa Ukrzyżowanego (XVII w.).

Osiek, m. w woj. świętokrzyskim (powiat staszowski), w dolinie Wisły, w Tarnob. Okręgu Siarkowym; 2,1 tys. mieszk. (2000); kopalnia siarki; prawa miejskie przed 1430–1870 i od 1994.

Oslo, stol. Norwegii, na pd. kraju, nad Oslofjorden (Skagerrak); 483 tys. mieszk., zespół miejski 787 tys. (2002); największe miasto i ośr. gosp. kraju; ośr. adm. okręgu Akershus; przemysł elektrotechn., maszyn., stoczn., spoż., hutnictwo żelaza; port handl. i węzeł komunik. (międzynar. port lotn.); ośr. kult., nauk. i turyst.; uniw., akad. norw., inst. polarny; ośr. sportów zimowych (dzielnica Holmenkollen); muzea i skansen. Założone ok. 1048; 1624–1924 p.n. Christiania. Zamek Akershus (XIII, XIV, XVII w.), katedra (XVII w.), pałac Bogstad (XVIII w.), budowle klasycyst. z XIX w.: pałac król., uniw., parlament, giełda, Teatr Nar.; także zabudowa eklekt. (koniec XIX w.) i nowocz. budowle (ratusz); park Frogner z rzeźbami G. Vigelanda.

ostaniec, odosobnione wzniesienie, które nie uległo denudacji wskutek położenia na obszarze wododziałowym, najpóźniej niszczonym (→ peneplena). Zob. też twardzielec.

Ostrołęka, m. w woj. mazow., nad Narwią; powiat grodzki, siedziba powiatu ostrołęckiego; 56 tys. mieszk. (2000); ośr. przem. i usługowy; rozwinięty przemysł spoż. (mięsny, mleczarski); ponadto zakłady: papiernicze, materiałów bud.; drzewne; odlewnia metali; elektrownia cieplna (720 MW); węzeł kol. i drogowy; szkoły wyższe, w tym filia uniw. w Olsztynie; gł. ośr. Kurpiowszczyzny i ośr. turyst. na szlaku wodnym Narwi; muzeum; prawa miejskie od 1373; 1975–1998 stol. woj.; kościół parafialny i zespół klasztorny Bernardynów (XVII, XVIII w.), ratusz i zespół koszar (XIX w.).

Ostroróg, m. w woj. wielkopol. (powiat szamotulski), nad Jez. Wielkim; 2,0 tys. mieszk. (2000); ośr. usługowy regionu roln.; prawa miejskie przed 1412.

Ostrowiec Świętokrzyski, m. powiatowe w woj. świętokrzyskim, nad Kamienną; 79 tys. mieszk. (2000); ośr. przem. i usługowy; przemysł metal. (konstrukcje stal.), maszyn., ceram., odzież., spoż. (najstarsza w Polsce cukrownia z 1826), chem., drzewny; huta żelaza; węzeł drogowy; muzeum; prawa miejskie przed 1620 (1613?); w XIX w. duży ośr. hutnictwa; 2 pałace (XIX w. i pocz. XX w.); kościoły (XVII, XVIII w.), pałac (XIX w., ob. muzeum).

Ostróda, m. powiatowe w woj. warmińsko-mazurskim, nad Jez. Drwęckim; 34 tys. mieszk. (2000); ośr. przem.-usługowy, turyst.-wypoczynkowy i sportów wodnych; przemysł spoż.; tartak, stocznia jachtowa, zakłady naprawcze taboru kol.; węzeł drogowy; przystań żeglugi pasażerskiej (Kanał Elbląski); prawa miejskie od 1328; fragmenty zamku (XIV w.), kościół (XIX w.), Pietà (XIV w.).

Ostrów Lubelski, m. w woj. lubel. (powiat lubartowski), nad Tyśmienicą; 2,2 tys. mieszk. (2000); ośr. usługowy regionu roln.; Izba Pamiątek; prawa miejskie 1548–1870 i od 1919; kościół, ogrodzenie z bramą-dzwonnicą (XVIII w.).

Ostrów Mazowiecka, m. powiatowe w woj. mazow.; 23,0 tys. mieszk. (2000); ośr. przem.-usługowy; przemysł mebl., elektron., maszyn., spoż.; węzeł drogowy; prawa miejskie od 1434; 1941–43 niem. obozy dla jeńców sow. w pobliskich Grądach (zginęło ponad 41 tys. osób) i Komorowie (zginęło ok. 24 tys. osób); kościół (XIX w.), domy drewn. i murowane (koniec XIX i pocz. XX w.), ratusz (1927).

Ostrów Wielkopolski, m. powiatowe w woj. wielkopol., nad rz. Ołobok; 75 tys. mieszk. (2000); ośr. przem.-usługowy; przemysł środków transportu (naprawa taboru kol., wagony specjalne), precyzyjny, maszyn., drzewny, materiałów bud., spoż.; przedsiębiorstwa bud. i transportowe; oddziały banków; węzeł kol. i drogowy; muzeum; prawa miejskie przed 1404; kościół ewang. (XVIII w., wieża XIX w.), kościół (pocz. XX w.).

Ostrzeszów, m. powiatowe w woj. wielkopol.; 14,7 tys. mieszk. (2000); ośr. przem.-usługowy; przemysł elektromaszyn. (kable, urządzenia mech., aparatura elektr.), chem. (chemia gosp., środki ochrony roślin), materiałów bud., spoż.; muzeum; prawa miejskie przed 1283; ruiny zamku król. (ok. poł. XIV w.), kościół (XIV, XV w.), polichromia (XVI w.), zespół klasztorny Bernardynów (XVII–XVIII w.). W pobliżu złoża gazu ziemnego.

Ostrzyckie, Jezioro, jez. na Pojezierzu Kaszubskim, w dorzeczu Raduni, na pd.-zach. od Kartuz, na wys. ok. 159 m; pow. 309 ha, dł. 6,4 km, szer. 0,8 km, maks. głęb. 21,0 m; linia brzegowa dobrze rozwinięta, kształt podkowy otwartej ku zach., 2 wyspy; brzegi wysokie, wzniesienia do 70 m nad poziomem jeziora, na pn. brzegu Jastrzębia Góra (227 m); połączone strugami z jeziorami Bukrzyno Duże, Bukrzyno

Małe, Patulskim oraz przez przepływającą Radunię z Brodnem Wielkim i Trzebnem (pow. 29 ha, maks. głęb. 4,5 m); wsie letniskowe, m.in. Kolano; wzdłuż wsch. brzegu biegnie Kaszubska Droga. ∎

osuwisko, szybkie zsuwanie się mas skalnych po stoku pod wpływem siły ciężkości; także nazwa nagromadzonego w ten sposób materiału skalnego. Prędkość osuwania się mas skalnych wynosi od kilku cm/s do kilku m/s; rozmiary o. są różne: od kilkumetrowej długości i nieznacznej grubości aż do olbrzymich zsuwów, w których przemieszczeniu ulegają miliony ton materiału skalnego; głębokość, do której są poruszane masy skalne, wynosi od kilku do kilkunastu metrów. Warunkiem powstawania o. jest duże nachylenie stoku i odpowiednia budowa geol., bezpośrednią zaś przyczyną np. podcięcie stoku przez potok, rzekę, kipiel mor. lub działalność człowieka, zwietrzenie, a więc rozluźnienie skał tworzących stok, a przede wszystkim nasiąknięcie mas skalnych wodą opadową lub roztopową; niekiedy o. jest wyzwalane przez trzęsienie ziemi; ruchy osuwiskowe są b. niekorzystne dla gospodarki człowieka. W Polsce o. są powszechne w Karpatach fliszowych. O s u w i s k a p o d - m o r s k i e powstają na stromych częściach dna mor., zwł. na stokach szelfów; przyczyną ich może być np. zwiększenie nachylenia stoku przez nagromadzenie się osadów, trzęsienie ziemi; dają także początek → prądom zawiesinowym. Zob. też obryw, soliflukcja.

oś świata, prosta przechodząca przez środek sfery niebieskiej równolegle do osi Ziemi; punkty przebicia sfery niebieskiej przez oś świata są nazywane biegunami świata lub biegunami niebieskimi; wskutek ruchu obrotowego Ziemi sfera niebieska obraca się wokół osi świata, wykonując pełny obrót w ciągu doby gwiazdowej.

Ośno Lubuskie, m. w woj. lubus. (powiat słubicki), nad jez. Reczynek; 3,7 tys. mieszk. (2000); ośr. turyst.-krajoznawczy; drobny przemysł mebl., spoż., lniarski; prawa miejskie od 1252; kościół (XIII–XIV w.), fragmenty murów miejskich (XIV, XV w.), ratusz (XIX w.).

Oświęcim, m. powiatowe w woj. małopol., przy ujściu Soły i Przemszy do Wisły; 44 tys. mieszk. (2000); ośr. przem. i usługowy oraz krajoznawczy; duże zakłady chem.; przemysł elektromaszyn., materiałów bud., spoż.; węzeł kol.; prawa miejskie przed 1272 (1254?); 1940–45 największy niem. obóz koncentracyjny Auschwitz; ruiny zamku (XIII, XIV w., przebudowywany), kościoły (XIV, XVI, XVII w.), zespół klasztorny podominikański (XIV, XIX–XX w.).

Oświęcimska, Kotlina, kotlina w obrębie tektonicznego obniżenia Pn. Podkarpacia, między Kotliną Ostrawską na zach. a Bramą Krak. na wsch.; dno kotliny na wys. ok. 230 m; przecinają ją Wisła i jej dopływy: Biała, Soła, Skawa (pr.), Pszczynka, Przemsza (l.); pod Goczałkowicami utworzono na Wiśle 1950–55 duży zbiornik retencyjny (Jez. Goczałkowickie), w celu zasilania w wodę GOP; w szerokiej dolinie Wisły liczne stawy rybne; duże kompleksy leśne w pn.- -zach. części regionu (Równina Pszczyńska); w pd. części na urodzajnych glebach tereny roln. (Podgórze Wilamowickie); w centr. części regionu kopalnie węgla kamiennego. Główne m.: Oświęcim i Czechowice-Dziedzice.

Oświn, Jezioro Siedmiu Wysp, jez. zastoiskowe na Równinie Sępopolskiej, w dorzeczu Łyny, na pn. od w. Srokowo, na wys. 65 m; pow. 370 ha, dł. 5,3 km, szer. 2,0 km, maks. głęb. 3,5 m; ma kształt wąskiej podkowy o nierównych ramionach otwartej na północ; 7 pływających wysp; linia brzegowa słabo rozwinięta; brzegi niedostępne, bagniste, miejscami porośnięte lasem liściastym; do O. uchodzą rz. Ruda i Rawda (odwadnia jez. Rydzówka), wypływa rz. Świnka (Oświnka). Stan wody w jeziorze regulowany jazem. O. leży na jednym z gł. szlaków wędrówek ptaków; jest to miejsce gnieżdżenia się wielu gat. ptaków wodnych i błotnych, m.in. łabędzia niemego, żurawia, kormorana, bociana czarnego, orlika krzykliwego, sokoła wędrownego; wraz z przylegającymi do niego bagnami stanowi rezerwat ornitologiczny (pow. 990,5 ha), wpisany do konwencji RAMSAR o ochronie obszarów wodno-błotnych.

Otmuchowskie, Jezioro, zbiornik retencyjny w Obniżeniu Otmuchowskim; utworzony 1933 przez spiętrzenie Nysy Kłodzkiej zaporą ziemną (wys. zapory 17 m, dł. ok. 6 km — najdłuższa w Polsce); pow. 19,8 km², pojemność całkowita 124,5 hm³; wykorzystywane do celów energ. (elektrownia wodna o mocy 4,8 MW), rekreacyjnych (sporty wodne, ośr. wczasowe i wypoczynku świątecznego), przeciwpowodziowych i żeglugowych (zasilanie Odry).

∎ Jezioro Ostrzyckie

Otmuchów, m. w woj. opol. (powiat nyski), nad Nysą Kłodzką, między jez. Otmuchowskim i Nyskim; 5,5 tys. mieszk. (2000); ośr. turyst.-wypoczynkowy i sportów wodnych; przemysł spoż. i metal.; prawa miejskie od 1347; zamek (XIII, XV, XVI w.) z pozostałościami obwarowań (XVI w.) i parkiem (XIX w.), ratusz (XVI, XVII w.), kościół (XVII w.) z barok. polichromią, pałac (XVIII w.), kamienice (XVII, XVIII w.).

■ Otoczaki w Parku Narodowym Valle de la Luna (Argentyna)

otoczak, odłamek skały wygładzony i zaokrąglony podczas transportu, np. przez płynącą wodę; o. wchodzą w skład żwirów i zlepieńców. ■

Otranto, alb. **Kanali i Otrantos,** wł. **Canale di Otranto,** cieśnina na M. Śródziemnym, między Płw. Apenińskim a Płw. Bałkańskim; łączy M. Adriatyckie z M. Jońskim; dł. 70 km, najmniejsza szer. 75 km, głębokość na torze wodnym 548–1247 m; porty: Brindisi, Vlora.

Ottawa, Ottawa River, rz. w Kanadzie, w prow. Quebec i Ontario, l. dopływ Rz. Św. Wawrzyńca; dł. 1120 km, pow. dorzecza ok. 150 tys. km^2; źródła na Płaskowyżu Laurentyńskim; przepływa przez liczne jeziora (m.in. Grand Lake Victoria, Simard, Timiskaming); tworzy bystrza i wodospady; gł. dopływy: Madawaska (pr.), Gatineau, Lièvre (l.); zamarza na ok. 5 mies.; żegl. w dolnym biegu; połączona kanałem Rideau z jez. Ontario; spław drewna; elektrownie wodne; gł. m. nad O. — Ottawa, przy ujściu — Montreal.

■ Wyspy Owcze. Widok ogólny

Ottawa, stol. Kanady (Ontario), nad rz. Ottawa; 348 tys. mieszk. (2002), zespół miejski (obejmujący m. Hull) 1 mln (1995); przemysł drzewny, spoż., papierniczy, poligraficzny; ważny węzeł komunik.; ośr. kult.-nauk. (3 uniw., biblioteka i muzeum nar., obserwatorium astr.) i turyst.; ogród bot.; muzea, m.in. Nar. Galeria Kanady, Nar. Centrum Sztuki; osada zał. ok. 1800 przez lojalistów bryt. z USA; zespół neogot. gmachów parlamentu, neoklas. budynki National Research Counsil of Canada i Rideau Hall.

Otwock, m. powiatowe w woj. mazow., w pobliżu ujścia Świdra do Wisły; 44 tys. mieszk. (2000); ośrodek usługowy, letnisko i miejscowość uzdrowiskowa (od 1893); drobny przemysł; ośr. kształcenia med., badań jądrowych (Świerk); obserwatorium geofiz. (Świder); wieś wzmiankowana na pocz. XV w., prawa miejskie od 1916.

Owcze, Wyspy, duń. **Færøerne,** farerskie **Føroyar,** archipelag ok. 20 wysp (w tym 17 zamieszkanych) na M. Norweskim, między W. Brytanią, Islandią i Norwegią, stanowiący autonomiczną prow. Danii; pow. 1399 km^2 (w tym największa wyspa Strømø — 392 km^2), 47 tys. mieszk. (2002). Języki urzędowe: farerski i duń.; gł. miasto, port i ośr. adm. — Thorshavn (na wyspie Strømø); wyspy pochodzenia wulk., górzyste, wys. do 882 m, o dobrze rozwiniętych wybrzeżach; klimat umiarkowany mor., chłodny; rybołówstwo; hodowla owiec, uprawa jęczmienia, owsa, ziemniaków (pod uprawy zajęte tylko 2% pow. wysp); eksploatacja bazaltu, torfu; przemysł spoż., wyrób artykułów z wełny; regularne połączenia promowe z Danią, Islandią i Szkocją; port lotniczy. ■

oz [szwedz.], **esker,** wąski wał zwykle o wysokości kilkunastu metrów i długości od kilkuset metrów do kilkudziesięciu kilometrów, o krętym przebiegu i falistej linii grzbietowej; jest zbud. z warstwowanych piasków i żwirów osadzonych przez wody lodowcowe, np. w tunelu podlodowcowym, w rzece rozcinającej lodowiec; o. tworzy się gł. w czasie postoju, a także cofania się lądolodu; klasyczne o. występują na obszarze Szwecji i Finlandii; w Polsce — np. w okolicach Poznania, na pojezierzach na pn. kraju.

Ozimek, m. w woj. opol. (powiat opol.), nad Małą Panwią; 10,8 tys. mieszk. (2000); huta żelaza z dużą odlewnią wyrobów staliwnych; w XVIII w. osada leśna; prawa miejskie od 1962.

ozonosfera [gr.], warstwa w → atmosferze ziemskiej na wys. 10–50 km, o podwyższonej koncentracji ozonu (O_3); maks. koncentracja ozonu występuje średnio na wys. 23 km. Ozon zawarty w o. powstaje z tlenu w wyniku reakcji fotochem. zachodzących pod wpływem nadfioletowego promieniowania słonecznego (o długości mniejszej od 240 nm); jednocześnie wskutek pochłaniania przez ozon bardziej długofalowego promieniowania słonecznego zachodzi proces odwrotny — przemiana ozonu w tlen. Bardzo silne pochłanianie przez ozon promieniowania słonecznego powoduje wzrost temperatury, co jest źródłem energii niezbędnej do podtrzymywania cyrkulacji powietrza w górnej stratosferze i mezosferze. O. pochłania całkowicie promieniowanie nadfioletowe o długości fali poniżej 295 nm, b. szkodliwe dla organizmów żywych. Pomiarów całkowitej zawartości ozonu i jego pionowego rozkładu w atmosferze dokonuje się metodami opt. (gł. za pomocą spektrofotometru Dobsona), chem. i in., z powierzchni Ziemi oraz z samolotów, sond, satelitów itp. Pomiary te wykazują systematyczny spadek całkowitej zawartości ozonu w atmosferze w okresie ostatnich kilkunastu lat (od końca lat 70.). Największy spadek, powiększający się z roku na rok, obserwuje się na półkuli pd., w rejonie bieguna pd. (nad Antarktydą) w okresie wczesnowiosennym (przełom września i października); w okresie 1987–92 całkowita zawartość ozonu spadała tam o ponad 50% w stosunku do wartości z 1979 (tzw. d z i u r a o z o n o w a). Na półkuli pn. największe spadki zawartości ozonu występują w średnich szer. geogr.; 1991–92 średnie miesięczne wartości koncentracji ozonu w tych rejonach różniły się od odpowiednich średnich wieloletnich o ok. 10 do 20% (w Polsce na stacji w Belsku Dużym, I 1992 spadek ten osiągnął 22% w porównaniu ze średnią 29-letnią dla tego miejsca).

Dotychczasowe wyniki badań nie pozwalają na jednoznaczne określenie przyczyn zmniejszania się koncentracji ozonu w atmosferze ziemskiej. Wiele danych przemawia jednak za tym, że gł. przyczyną są substancje przedostające się do atmosfery w wyniku gosp. działalności człowieka, zwł. freony i halony (produkowane na skalę przem. i stosowane jako składniki aerozoli, czynniki chłodnicze i in.), a także tlenki azotu (powstające w wyniku spalania paliw przez silniki samolotów i rakiet oraz podczas wybuchów jądr.); substancje te w pewnych warunkach powodują łańcuchowy proces rozpadu ozonu.

Ozorków, m. w woj. łódz. (powiat zgierski), nad Bzurą, w aglomeracji łódz.; 21,7 tys. mieszk. (2000); ośr. przem.-mieszkaniowy i usługowy; przemysł gł. włók. i odzież., ponadto spoż., metal.; w XV w. wieś; prawa miejskie od 1816; pałac (XIX w.).

Ożarów, m. w woj. świętokrzyskim (powiat opatowski); 5,3 tys. mieszk. (2000); ośr. usługowo-mieszkanioway dla pracujących w miejscowej dużej cementowni; prawa miejskie 1569–1870 i od 1988.

Ożarów Mazowiecki, m. w woj. mazow. (powiat warsz. zach.), w aglomeracji warsz.; 7,3 tys. mieszk. (2000); ośr. mieszkaniowy i przem., m.in. fabryka kabli, huta szkła (zbud. 1901; wyroby szklane dla przemysłu elektrotechn.), zakłady drzewne (meble); prawa miejskie od 1967.

P

Pabianice, m. powiatowe w woj. łódz., nad Dobrzynką (pr. dopływ Neru), w aglomeracji łódz.; 75 tys. mieszk. (2000); ośr przem.-mieszkaniowy i usługowy; przemysłu włók., ponadto fabryka żarówek, środków opatrunkowych, mebli, produkcja obrabiarek, maszyn drogowych, zakłady farm., metal. i in.; muzeum; prawa miejskie od 1297; kościół (XVI w.), dwór kapituły krak. (XVI w. ob. muzeum); domy (XIX w.).

Pacyfik → Spokojny, Ocean.

Paczków, m. w woj. opol. (powiat nyski), nad Nysą Kłodzką, w pobliżu granicy z Czechami; 8,6 tys. mieszk. (2000); ośr. usługowy i turyst.-krajoznawczy; zakłady chemii gosp., materiałów bud., maszyn., mebl.; Muzeum Gazownictwa; w pobliżu drogowe przejście graniczne; prawa miejskie od 1254; kościół (XIV, XV, XVI w.), mury miejskie z 19 basztami i 3 wieżami bramnymi (XIV–XVI w.), ratusz (XIX w.) z renes. wieżą, kamienice (XVI–XVIII w.).

■ Padwa. Plac Prato della Valle z posągami sławnych studentów i mieszkańców Padwy (m.in. posąg Stefana Batorego)

Pad, Po, rzym. **Padus,** najdłuższa rz. Włoch; dł. 652 km, pow. dorzecza 75 tys. km²; źródła w masywie Monte Viso (Alpy Kotyjskie), na wys. 2020 m; płynie z zach. na wsch. przez Niz. Padańską w obwałowaniach powyżej jej poziomu; uchodzi do M. Adriatyckiego, tworząc wspólnie z Adygą i Reno deltę (od czasów średniow. zwiększyła się o 7 km); gł. dopływy: Dora Riparia, Dora Baltea, Ticino, Adda, Oglio, Mincio (l.), Tanaro, Panaro (pr.); duże wahania stanu wód (katastrofalne powodzie); średni przepływ przy

ujściu 1507 m³/s (podczas największej w czasie ostatniego stulecia powodzi 1951 — 12 800 m³/s); wykorzystywana do nawadniania; żegl. 540 km; połączona kanałami z jez.: Maggiore, Como i Garda; gł. m. nad P.: Turyn, Piacenza, Cremona.

Padańska, Nizina, Pianura Padana, nizina w pn. części Włoch, między Alpami, Apeninami i M. Adriatyckim; pow. ok. 50 tys. km²; dzieli się na niziny: Piemoncką, Lombardzką, Wenecką i Emiliańską. Pod względem geol. stanowi zapadlisko tektoniczne (utworzone w trzeciorzędzie w związku z orogenezą alp.) wypełnione osadami trzeciorzędowymi i czwartorzędowymi o znacznej miąższości (gł. aluwia); łagodnie nachylona w kierunku wsch.; wys. poniżej 100 m; w pn.-wsch. części wulk. wzgórza Berici i Euganei (603 m); oś hydrograficzną N.P. tworzy Pad, którego koryto leży wyżej od okolicznego terenu (np. na pn. od Ferrary o ok. 10 m); klimat podzwrotnikowy typu przejściowego między śródziemnomor. i kontynent.; średnia temp. w styczniu 0–3°C, w lipcu 23–25°C; roczna suma opadów 700–800 mm, u podnóża Alp do 1000 mm. Najważniejszy region gosp. Włoch; uprawa ryżu, pszenicy, buraków cukrowych, warzyw, hodowla bydła; wydobycie ropy naft. i gazu ziemnego; największe m.: Mediolan, Turyn, Wenecja, Bolonia.

Padwa, Padova, m. w pn.-wsch. Włoszech (Wenecja Euganejska), na Niz. Padańskiej; ośr. adm. prow. Padwy; 212 tys. mieszk. (2002); przemysł taboru kol., maszyn., tworzyw sztucznych; ośr. handl. regionu roln.; węzeł komunik.; uniw. (zał. 1222), muzea; kościoły: rom.-got. bazylika S. Antonio (XIII, XIV, XV w.), przed nią słynny posąg Gattamelaty (XV w.), baptysterium rom. (XII w.), kaplica Scrovegnich (XIV w.) z freskami Giotta, renes. bazylika S. Giustina (XVI w.); oratorium S. Giorgio (XIV w.); Scuola di S. Antonio z freskami m.in. Tycjana; ratusz (XII, XIV w.); pałace, kamienice. ■

pagóry mrozowe, kopulaste pagórki (wys. 0,5–50 m) występujące gł. na obszarach objętych → zmarzliną wieloletnią, często z soczewkami lodu w jądrze; tworzą się pod wpływem nierównomiernego pęcznienia luźnych utworów miner. i org. wskutek zamarzania wody gruntowej i parcia powstającego lodu; do p.m. należy np. → pingo (hydrolakolit); p.m. są typowe dla rzeźby → peryglacjalnej.

Päijänne [pejjenne], jez. w Finlandii, na Pojezierzu Fińskim, w tektonicznym obniżeniu, na wys. 78 m; pow. 1090 km² (dł. 150 km, szer. do 23 km), głęb. do 104 m; linia brzegowa silnie rozwinięta; liczne wyspy; z Päijänne wypływa rz. Kymi; gł. m. nad Päijänne: Jyväskylä, Lahti.

Pajęczno, m. powiatowe w woj. łódz.; 6,9 tys. mieszk. (2000); ośr. usługowy; różnorodny drobny przemysł; prawa miejskie przed 1276–1870 i od 1958; kościół (XVIII w.).

pak [ang.], wieloletni, pływający lód mor., w postaci trwałej pokrywy lodowej złożonej z wielkich tafli o płaskiej powierzchni, grub. ok. 2–4 m, rozdzielonych szczelinami z wodą lub wałami spiętrzonych brył lodu (ros. *torosy*, ang. *hummock*); w miejscach spiętrzenia grubość p. wzrasta do kilkudziesięciu metrów; występuje gł. w Arktyce (na O. Arktycznym), ale także w Antarktyce (zwł. na morzach Weddella i Rossa).

Pakistan, urdu **Pākistān, Islamska Republika Pakistanu** państwo w Azji Pd., nad M. Arabskim; 796,1 tys. km²; 149,3 mln mieszk. (2002), Pendżabczycy (48% ludności), Sindhowie, Beludżowie, Pasztunowie, uchodźcy z Afganistanu; islam (religia państw.) wyznaje 97% ludności; wysoki przyrost naturalny (ok. 20‰ rocznie); stol. Islamabad, gł. m.: Karaczi, Lahaur, Fajsalabad, Rawalpindi; język urzędowy: urdu, ang.; republika federacyjna; składa się z 4 autonomicznych prowincji i 2 terytoriów federalnych; pod kontrolą P. znajduje się część ind. stanu Dżammu i Kaszmir z górami Karakorum i Wysokimi Himalajami. W środk. i wsch. części aluwialna Niz. Indusu z pustyniami Thar i Thal, ograniczona od pn. Hindukuszem (Tiricz Mir, 7690 m) i Himalajami; na przedpolu Himalajów żyzna Niz. Pendżabu; na zach. Wyż. Irańska z górami: Mekran i Sulejmańskimi; klimat zwrotnikowy suchy i skrajnie suchy, na pn.-wsch. monsunowy; gł. rz.: Indus, Satledź; stepy, półpustynie, miejscami sucha sawanna; katastrofalne trzęsienia ziemi, powodzie na Niz. Indusu. Podstawą gospodarki tradycyjne rolnictwo; nawadnia się 65% ziem uprawnych; uprawa pszenicy, ryżu, bawełny, trzciny cukrowej, drzew cytrusowych, palmy daktylowej; koczownicza

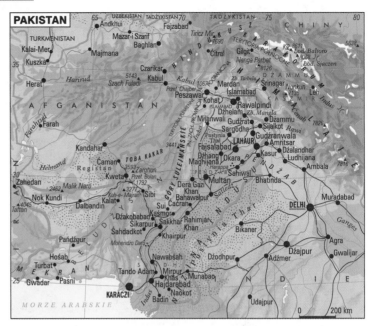

PAKISTAN

■ Pakistan. Karaczi, fragment śródmieścia

hodowla owiec, bydła, wielbłądów; wydobycie gazu ziemnego w Beludżystanie; elektrownie wodne (Tarbela na Indusie) i elektrownia jądr.; rozwinięty przemysł bawełn., wełn., cukr. oraz rzemiosło (dywany, broń); transport kol., samochodowy; gł. port mor. Karaczi. ■

Pakość, m. w woj. kujawsko-pomor. (powiat inowrocławski), nad Notecią i jez.: Pakoskim oraz Mielno; 5,9 tys. mieszk. (2000); ośr. usługowy, turyst. i sportów wodnych; drobny przemysł (odzież., spoż., materiałów bud.); muzeum; prawa miejskie od 1359; zespół klasztorny (XVII, XVIII w.), kalwaria, zw. Kujawską Jerozolimą, z 23 kaplicami (XVII w.), kaplica (XVIII w.).

Palau, Belau, Republika Palau, państwo stowarzyszone z USA w Oceanii, w Mikronezji; obejmuje grupę wysp w zach. części archipelagu Karoliny; 508 km², 19 tys. mieszk. (2002); stol. Koror na wyspie Koror; język urzędowy: palau i ang.; republika; ludność rdzenna, gł. katolicy; największa w. Babelthuap (Babeldaob; 409 km²); turystyka, sporty wodne; eksport szylkretu, ryb, kopry. ■

■ Pakistan

paleogeomorfologia [gr.], **paleomorfologia,** dział → geomorfologii obejmujący badanie i rekonstrukcję rzeźby powierzchni Ziemi w ubiegłych okresach geologicznych.

paleoklimatologia [gr.], nauka o klimacie w minionych epokach geol. i hist.; ma na celu poznanie zmian klimatu w historii Ziemi, wyjaśnienie ich przyczyn oraz poznanie rozmieszczenia klimatów w różnych okresach; p. określa warunki klim. w przeszłości na podstawie charakterystycznych typów skał, form terenowych, szczątków roślin i zwierząt kopalnych, porównując je z obecnie żyjącymi w określonych warunkach klim.; o klimacie w przeszłości wnioskuje się także na podstawie regularności zjawisk astr., od których zależy dopływ promieniowania słonecznego do powierzchni Ziemi. W ostatnich czasach rozwinęły się też chem. i izotopowe metody badań; zmiany klimatu w epokach hist. stwierdza się również na podstawie źródeł pisanych, zabytków sztuki, a w okresie ostatnich ponad 200 lat — badań instrumentalnych.

■ Palau

Palermo, m. w pd. Włoszech, na pn.-zach. Sycylii, nad M. Tyrreńskim; stol. i największe miasto regionu autonomicznego Sycylia; ośr. adm. prow. Palermo; 685 tys. mieszk. (2002), zespół miejski 948 tys. mieszk.; różnorodny przemysł, gł. spoż., maszyn., farm., szklarski; port handl. (wywóz owoców cytrusowych), pasażerski, rybacki; szkoły wyższe (uniw.); muzea; ośr. turyst.; kąpielisko morskie. Pozostałości murów rzym. i punickiej nekropoli; pałac król. — Palazzo dei Normanni (XII, XVI, XVII w.), w pałacu m.in. słynna Cappella Palatina (XII w.) z mozaikami bizant.; katedra (XII, XIV–XV, XVIII w.); liczne kościoły, m.in.: arab.-normański z XII w. — S. Cataldo i S. Giovanni degli Eremiti; pałace m.in. Chiaromonte i Sclafani (XIV w.), oratoria.

palingeneza [gr.], → anateksis.

Palma, La, wyspa hiszp. na O. Atlantyckim, → Kanaryjskie, Wyspy.

Palmera, Półwysep → Antarktyczny, Półwysep.

Pamir, kraina górska w Tadżykistanie (Gornobadachszański Obwód Autonomiczny), wsch. i pd. skraj w Chinach i Afganistanie; wys. do 7495 m (Szczyt Ismaiła Samanidy). Z P. rozchodzą się promieniście łańcuchy górskie Hindukusz, Karakorum i Kunlun. P. został sfałdowany i wypiętrzony na przełomie trzeciorzędu i czwartorzędu w orogenezie alp. (wcześniej działały tu orogenezy starsze). Składa się z 3 stref wygiętych w postaci łuków ku pn.; masyw pd.-zach. jest zbud. ze skał metamorficznych prekambru oraz granitoidów paleozoicznych i mezozoicznych; synklinorium środk. i pd.-wsch. części P. oraz antyklinorium pn. tworzą skały (osadowe i magmowe — gł. granitoidy) paleozoiczne, triasowe, jurajskie i dolnokredowe; b. silne trzęsienia ziemi. Orograficznie dzieli się na 2 części; w P. Wschodnim płaskie dna rozległych dolin i kotlin leżą na wys. 3700–4200 m; ponad nimi wznoszą się góry o wys. do 6233 m; P. Zachodni jest silnie pocięty głębokimi i wąskimi dolinami; stoki gór pokrywają rumowiska skalne. Klimat umiarkowany, w P. Wschodnim kontynent., b. suchy i surowy (opady do 60–120 mm, w zimie częste spadki temp. poniżej –40°C), w P. Zachodnim — bardziej wilgotny i łagodny (opady 200–800 mm); b. duże dobowe i roczne amplitudy temperatury (zwł. w części wsch.). Rzeki P. należą gł. do dorzecza Amu-darii (Pamir, Gunt, Bartang); największe jez. — Kara-kul; granica wiecznego śniegu na wys. 4400 m na zach.,

■ Panama

5200 m na wsch.; ok. 7 tys. lodowców (największy Fedczenki), o łącznej pow. ponad 7515 km². We wsch. części P. panuje wysokogórska roślinność pustynna, tylko na dnach dolin spotyka się łąki (sazy); w zach. części P. do wys. 2500 m występują pustynie i półpustynie piołunowe (nad rzekami lasy i zarośla topolowo-wierzbowe lub brzozowe); do 3600 m rozciągają się stepy górskie, złożone gł. z kolczastych krzewinek poduszkowych (traganki, akantolimony), do 4500 łąki wysokogórskie, a ponad nimi b. skąpa roślinność piętra niwalnego. Przez przełęcz Akbajtał (4655 m) przechodzi droga samochodowa Osz–Chorog; region alpinizmu. ■

Pampa, Pampas, kraina geogr. w środk. Argentynie, między podnóżem Andów a dolną Paraną i wybrzeżem O. Atlantyckiego; pow. ok. 1,5 mln km²; przeważają niziny (wys. do 150 m); na pn.-zach. wznoszą się góry Sierra de Córdoba (Champaquí, 2884 m), na pd.-wsch. — Sierra de la Ventana (Tres Picos, 1243 m); w pn. części bezodpływowe obniżenia z soliskami (największe Salinas Grandes) i słonymi jeziorami (największe Mar Chiquita); liczne rzeki (gł. okresowe); we wsch. części Pampy dawniej występowały bujne stepy, obecnie zamienione na pola uprawne i użytki zielone; środk. i zach. część zajmują suche stepy, przechodzące na pn.-zach. w półpustynię; gł. region roln. Argentyny.

pampero [hiszp.], chłodny, silny wiatr z pd. lub pd.-zach., w Argentynie i Urugwaju, związany z przejściem frontu chłodnego; występuje najczęściej na wiosnę i w lecie (od kwietnia do listopada).

Panama, Panamá, Republika Panamy, państwo w Ameryce Centr., nad M. Karaibskim i O. Spokojnym, na Przesmyku Panamskim; 77,1 tys. km²; 2,9 mln mieszk. (2002), Metysi, Murzyni i Mulaci, Indianie; katolicy; stol. Panama; język urzędowy hiszp.; republika. Ponad połowę powierzchni kraju zajmują wyżyny i góry Kordyliery Centr., wys. do 3478 m (Chiriquí), wybrzeża nizinne; klimat równikowy wilgotny, cyklony; sztuczne zbiorniki (Gatún), zasilające Kanał Panamski; wilgotne lasy równikowe, namorzyny. Podstawą gospodarki rolnictwo i wpływy z obsługi Kanału Panamskiego; uprawa bananów, trzciny cukrowej, ryżu, kukurydzy, hodowla bydła; połów krewetek, homarów i pereł; eksploatacja lasów; przemysł spoż., stoczn.; turystyka; gł. porty: Colón nad M. Karaibskim, Balboa i Panama nad O. Spokojnym. ■

Panama, Panamá, stol. Panamy, nad O. Spokojnym, przy Drodze Panamer.; 430 tys. mieszk. (2002); największe miasto i gł. ośr. przem. (tytoniowy, odzież., skórz.), handl., usługowy i port mor. kraju; 2 uniw.; węzeł komunik. (ważny port lotn.); zał. 1519 przez Hiszpanów; katedra (XVII w.), liczne klasztory z kościołami (XVI–XVII, XVIII w.), mosty (XVI, XVIIw.), pozostałości sądu król., ratusza, więzienia (wszystkie XVI w.), fragmenty murów obronnych (XVII w.).

Panamski, Kanał, hiszp. **Canal de Panamá,** ang. **Panama Canal,** droga wodna łącząca O. Atlantycki (przez M. Karaibskie) z O. Spokojnym, w Panamie, na Przesmyku Panamskim; jedna z gł. arterii transportowych świata; zbud.

■ Pamir. Pik Lenina w Górach Zaałajskich

1881–89 i 1904–14; dł. 81,6 km (łącznie z płytkimi przybrzeżnymi częściami Zat. Panamskiej i zat. Limón, przystosowanymi do przepływania statków), w tym 65,2 km na lądzie, szer. 91,5–305 m, głęb. minim. 13,7 m; 3 zespoły dwukierunkowych śluz; każda śluza ma 305 m dł. i 33,5 m szerokości. ◼

Panamski, Przesmyk, hiszp. **Istmo de Panamá,** ang. **Isthmus of Panama,** wąski pas lądu między O. Atlantyckim (M. Karaibskie) a O. Spokojnym (Zat. Panamska); łączy Amerykę Pn. z Ameryką Pd.; szerokość minim. 47 km; przecięty Kanałem Panamskim.

Panońska, Nizina → Środkowodunajska, Nizina.

Papeete, stol. Polinezji Franc., na wyspie Tahiti; 109 tys. mieszk. (z przedmieściami, 2002); ośr. turyst.; międzynar. port lotniczy.

Papua-Nowa Gwinea, Papua New Guinea, państwo w Oceanii (Melanezja); zajmuje wsch. część Nowej Gwinei (z przybrzeżnymi wyspami), Archipelag Bismarcka oraz pn. część archipelagu W. Salomona (wyspy Bougainville i Buka); 462,8 tys. km^2; 4,7 mln mieszk. (2002), gł. Papuasi i Melanezyjczycy; stol. Port Moresby; gł. chrześcijanie, tradycyjne wierzenia; język urzędowy ang.; monarchia konstytucyjna. Słabo rozwinięty kraj roln.; uprawa palmy kokosowej, kakaowca, kawy, palmy oliwnej, ryżu, roślin

◼ Papua-Nowa Gwinea. Wioska Isugawa w górach Owen Stanley Range

bulwiastych (kolokazja, pochrzyn); wydobycie rud miedzi, złota, srebra; eksploatacja lasów; transport lotn. i wodny. ◼

Pará, Rio do Pará, pd. ramię ujścia Amazonki do O. Atlantyckiego, w Brazylii; dł. ok. 200 km; gł. dopływ Tocantins (pr.); gł. droga wodna w górę Amazonki; gł. m. nad Parą — Belém.

Paragwaj, hiszp. **Río Paraguay,** portug. **Rio Paraguai,** rz. w Ameryce Pd., gł. w Brazylii i Paragwaju, największy (pr.) dopływ Parany; dł. ok. 2500 km, pow. dorzecza 1150 tys. km^2; źródła w paśmie górskim Serra dos Parecis; płynie na pd. przez silnie zabagniony region Pantanal, a następnie przez równinną krainę Gran Chaco; gł. dopływy: Pilcomayo, Bermejo (pr.); w porze deszczowej szeroko rozlewa; średni przepływ u ujścia 4 tys. m^3/s; żegl. ok. 2000 km; gł. miasto nad P. — Asunción (dopływają statki mor.); w środk. biegu P. wyznacza częściowo granicę między Brazylią a Boliwią i Paragwajem, w dolnym (od m. Asunción do ujścia) — między Paragwajem a Argentyną.

◼ Papua-Nowa Gwinea

SKRÓCENIE NIEKTÓRYCH SZLAKÓW ŻEGLUGOWYCH PO ZBUDOWANIU KANAŁU PANAMSKIEGO			
Trasa żeglugowa	Długość drogi przez cieśninę Magellana w tys. km	Długość drogi przez Kanał Panamski w tys. km	Skrót drogi (w %)
Nowy Jork–San Francisco	24,3	9,7	60
Nowy Jork–Vancouver	25,8	11,2	56
Nowy Jork–Valparaiso	15,4	8,6	45
Liverpool–San Francisco	25,0	14,7	41
Nowy Jork–Jokohama	24,2	18,0	26

Paragwaj, Paraguay, Republika Paragwaju, państwo w Ameryce Pd.; 406,8 tys. km^2; 5,8 mln mieszk. (2002), Indianie, Metysi, Kreole, biali; katolicy; stol. i gł. port: Asunción, inne m. San Lorenzo, Ciudad del Este; język urzędowy hiszp.; republika. Kraj nizinny (Gran Chaco), na wsch. Wyż. Brazylijska; klimat zwrotnikowy — suchy na zach., wilgotny na wsch.; gł. rz.: Paragwaj, Parana; lasy podzwrotnikowe, sawanny, w solniskach roślinność słonolubna. Podstawą gospodarki jest ekstensywna hodowla bydła w gospodarstwach wielkoobszarowych; uprawa manioku, kukurydzy, soi, trzciny cukrowej, bawełny, kawowca; sadownictwo; eksploatacja lasów (kebraczo); wydobycie soli kam.; przemysł spoż., skórz.; turystyka. ◼

Paramaribo, stol. Surinamu, nad rz. Surinam, na wybrzeżu O. Atlantyckiego; 216 tys. mieszk. (2002); gł. ośrodek gosp. i handl. kraju; przemysł spoż., drzewny, huta aluminium; port handl. (wywóz boksytów, drewna); port lotn.; uniw.; muzeum.

Parana, Paraná, do ujścia Paragwaju także Alto Paraná, rz. w Brazylii, Paragwaju, Argentynie i Urugwaju; druga (po Amazonce) pod względem długości i wielkości odpływu wody do morza w Ameryce Pd.; powstaje z połączenia rzek Paranaíba i Grande; dł. 4380 km, od źródeł Paranaíby (z La Platą) — ok. 4700 km; pow. dorzecza 3,1 mln km^2; w górnym biegu płynie przez Wyż. Brazylijską (liczne progi i wodospady), w środk. i dolnym — przez Niz. La Platy; w dolnym biegu, poniżej m. Santa Fe płynie szeroką, zabagnioną

◼ Paragwaj

■ Parana. Hydroelektrownia Itaipu

doliną, tworząc koryta boczne; uchodzi w estuarium La Plata; gł. dopływy: Tietê, Paranapanema, Iguaçu (l.), Paragwaj, Salado (pr.); duże wahania stanu wód; średni przepływ (w Rosario): 17,5 tys. m³/s, maks. — 65 tys. m³/s, minim. — 6,5 tys. m³/s; ważna droga wodna; żegl. od m. Encarnación, statki mor. dochodzą do Santa Fe; w górnym biegu hydrowęzeł Urubupungá; w budowie: w pobliżu m. Foz do Iguaçu największa elektrownia na świecie Itaipú; (moc docelowa 12 600 MW) oraz w dolnym biegu — elektrownia Yacyreta; gł. m. nad P.: Posadas, Corrientes, Santa Fe, Parana, Rosario; w środk. biegu P. wyznacza częściowo granicę między Paragwajem a Brazylią i Argentyną. ■

Parczew, m. powiatowe w woj. lubel., nad Piwonią (pr. dopływ Tyśmienicy); 11,1 tys. mieszk. (2000); ośr. przem.-usługowy; huta szkła gosp., zakłady przemysłu elektron., spoż., wytwórnia części metal. do samochodów dostawczych, mebli; prawa miejskie od 1401; kościół (pocz. XX w., drewn. dzwonnica XVII/XVIII w.), dawna synagoga (ok. poł. XIX w.).

Pariñas [pariñas], **Punta Pariñas,** przyl. w Peru, najdalej na zach. wysunięty punkt Ameryki Pd.; 4°45'S, 81°21'W; latarnia morska.

Parnaíba, rz. w pn.-wsch. Brazylii; dł. 1450 km, pow. dorzecza ok. 350 tys. km²; źródła na Wyż. Brazylijskiej, w masywie górskim Chapada das Mangabeiras; w górnym biegu progi i wodospady; uchodzi do O. Atlantyckiego tworząc zabagnioną deltę; żegl. 670 km; gł. miasta nad P.: Floriano, Teresina, Parnaíba (w delcie).

Parnas, Parnasos, masyw górski w środk. Grecji, nad Zat. Koryncką; wys. do 2457 m; zbud. z wapieni; opada stromo na pn., ku dolinie rz. Kifisos; zarośla śródziemnomor. i lasy iglaste, powyżej 1800 m łąki górskie; park nar. (zał. 1938, pow. 3500 ha); sporty zimowe. W mitologii gr. jedna z siedzib muz i Apollina; u podnóża Delfy.

Paropamis, góry w Afganistanie, → Safed Koh.

parów, sucha dolina o szerokim, płaskim (wskutek akumulacji materiału skalnego) dnie i stromych, lecz nie urwistych zboczach; powstaje w wyniku przeobrażenia → wąwozu, jest formą bardziej od niego dojrzałą.

Parsęta, rz. na Pojezierzu Zachodniopomorskim i Pobrzeżu Koszalińskim; dł. 127 km, pow. dorzecza 3151 km²; wypływa na pn.-zach. od Szczecinka, uchodzi do M. Bałtyckiego w Kołobrzegu; średni przepływ w pobliżu ujścia 26,6 m³/s; maks. rozpiętość wahań stanów wody w dolnym biegu 2,9 m; gł. dopływ — Radew (pr.); P. stanowi naturalne tarliska łososia, troci, pstrąga, lipienia; m. nad P.: Białogard, Karlino, Kołobrzeg.

Paryski, Basen, Bassin Parisien, obszar nizinny w pn. Francji z koncentrycznie rozmieszczonymi kuestami i wysoczyznami; od wsch., pd. i zach. otoczony starymi masywami (Centralny, Armorykański) i górami (Ardeny, Wogezy); otwarty na pn. w kierunku cieśn. La Manche; zajmuje 1/4 pow. kraju; wys. od 200 m w środk. części (Île-de-France) do 450 m na pd.-wsch. (Côte d'Or). Pod względem geol. stanowi rozległą nieckę utworzoną w dolnej jurze, wypełnioną utworami jurajskimi, kredowymi i trzeciorzędowymi; w czasie transgresji mor. osadzały się tu gł. wapienie odporne na wietrzenie (zaznaczające się w terenie w postaci kuest); transgresje były przedzielone okresami lądowymi, podczas których osadzały się kruche, sypkie skały ilasto-piaszczyste; zapadają się one łagodnie ku centrum basenu; w górnej kredzie i w trzeciorzędzie, w związku z orogenezą alp., B.P. został pocięty licznymi różnokierunkowymi uskokami; wskutek wtórnego wyniesienia otaczających masywów i strefy brzeżnej oraz denudacji powstała struktura przypominająca stos ułożonych coraz mniejszych mis, których krawędzie wynurzają się na powierzchnię, zwł. po wsch. stronie, odsłaniając w kierunku zewn. coraz starsze warstwy podłoża. Klimat umiarkowany ciepły mor.; średnia temp. w styczniu 2–3°C, w lipcu ok. 18°C; roczna suma opadów 550–750 mm. Gęsta sieć rzek; większą część B.P. zajmuje dorzecze Sekwany (gł. dopływy: Yonne, Marna, Oise); peryferie są odwadniane przez Loarę i Sommę oraz Mozelę i Mozę (dopływy Renu). Ważny region gosp.; uprawa pszenicy, buraków cukrowych, lnu, warzyw; w obniżeniach i u podnóża kuest winnice (progi Szampanii, Burgundii i Lotaryngii); hodowla bydła typu mlecznego; w B.P. znajdują się 3 wielkie regiony przem. (paryski, lotaryński i dolnej Sekwany); gł. m.: Paryż, Hawr, Reims, Nancy, Rouen, Metz.

Paryż, Paris, stol. Francji, w środk. części Basenu Paryskiego, nad Sekwaną; ośr. adm. regionu Île-de-France; 2,1 mln mieszk., zespół miejski 11,3 mln (2002); jedna z największych aglomeracji na świecie; siedziba UNESCO, Międzynar. Biura Miar i Wag, Międzynar. Izby Handl., Międzynar. Federacji Lotn.; miejsce licznych konferencji międzynar.; ośr. handlu świat.; targi samochodowe, lotn., sprzętu biurowego, turyst., żywności; siedziba największych franc. koncernów i przedsiębiorstw (Elf Aquitaine, Thomson, Electricité de France, Renault i in.); giełda, banki krajowe (Bank Francji) i międzynar. (Eurobank), towarzystwa ubezpieczeniowe; w aglomeracji skupiony przemysł środków transportu, elektron., poligraficzny, kosmetyczny, farm., odzież., inform., spoż.; wielki węzeł komunikacji kol. (połączenie pociągami dużych prędkości TGV z Londynem — przez Eurotunel, Brukselą, Lyonem, Bordeaux i in.) drogowej i lotn. (2 międzynar. porty); Inst. Franc. z Akad. Franc. (zał. 1635), 13 uniw. i in. szkoły wyższe, słynne inst.

pasaty [hol.], stałe wiatry w strefie między-zwrotnikowej, wiejące od wyżów zwrotnikowych ku równikowemu niżowi z odchyleniem (spowodowanym → siłą Coriolisa) w prawo na półkuli pn., w lewo na pd.; są to zatem wiatry pn.-wsch. na półkuli pn. i pd.-wsch. na półkuli pd.; strefa pasatów przesuwa się w ślad za pozornym ruchem Słońca, w lipcu najdalej na pn., w styczniu — na pd.; p. najbardziej regularnie wieją nad oceanami; ich średnia prędkość wynosi tam 5–6 m/s.

Pasłęk, m. w woj. warmińsko-mazurskim (powiat elbl.), nad Wąską (uchodzi do jez. Druzno); 12,6 tys. mieszk. (2000); ośr.usługowy dla rolnictwa; drobny przemysł, gł. spoż. (duży zakład mleczarski); węzeł drogowy; w pobliżu stadnina koni Rzeczna; prawa miejskie od 1297; zamek krzyżacki (XIII, XIV w.), mury miejskie (XIII–XV w.), 2 kościoły (XIV, XVI w.), ratusz (XIV–XV, XVI w.).

Pasłęka, rz. na pograniczu Pojezierza Mazurskiego i Pojezierza Wschodniopomorskiego oraz na Pobrzeżu Gdańskim; dł. 169 km, pow. dorzecza 2295 km^2; wypływa na pn.-wsch. od Olsztynka, w górnym biegu przepływa przez kilka niewielkich jezior (m.in. Sarąg, Łęguty i Isąg); uchodzi do Zalewu Wiślanego w Pasłęce; średni przepływ w pobliżu ujścia 15,7 m^3/s; maks. rozpiętość wahań stanu wody w dolnym biegu 4,8 m; gł. dopływy: Drwęca Warmińska, Wałsza (pr.); żegl. od Braniewa; elektrownie wodne w Braniewie i Pierzchałach; w dolnym biegu P. utworzono rezerwat przyrody — Ostoja Bobrów na rzece Pasłęce.

Pasterze [pastɛrcɛ], lodowiec w Austrii, największy w Alpach Wsch., w masywie Grossglockner; dł. 9,2 km, pow. 20,0 km^2; grubość lodu ok. 300 m.   ∎

∎ Lodowiec Pasterze

Pasym, m. w woj. warmińsko-mazurskim (powiat szczycieński), między jez.: Kalwa a Leleskim; 2,6 tys. mieszk. (2000); ośr. turyst.-wypoczynkowy (stanica wodna, obiekty wczasowe i kolonijne, kempingi) i usługowy dla rolnictwa; drobny przemysł (spoż., drzewny); muzeum; prawa miejskie 1386–1946 i od 1997; kościół (XV, XVIII w.), ratusz (XIX w., pozostałości z XVII w.).

Patagonia, kraina w Ameryce Pd., w Argentynie i Chile, na pd. od 38°S; pow. ok. 650 tys. km^2; obejmuje Andy Patagońskie, Wyż. Patagońską i

∎ Paryż. Montmartre, w głębi widoczna kopuła bazyliki Sacre-Coeur

nauk.: Pasteura, Radowy; jeden z gł. ośr. kult. (97 muzeów, 300 galerii sztuki, ok. 100 teatrów) i turyst. (20 mln turystów zagr., 1994) na świecie. Osada celt. Paryzjów, rzym. Lutetia Parisiorum; od XII w. stol. Francji; od XVI w. jeden z gł. ośr. polit. i kult. Europy, z czasem także świata; miejsce wielu międzynar. konferencji. Z okresu rzym. pochodzą relikty amfiteatru (I w.) i term (II lub III w.). W VI–VII w. wznoszono na obu brzegach Sekwany i na wyspie Île de la Cité wiele kościołów i klasztorów, m.in. opactwo St Germain des Prés (XI–XII, XVI w.); w okresie gotyku: katedra Notre Dame (XII–XIV w.), kaplica Sainte Chapelle (XIII w.), la Conciergerie (XIV w.); w epoce renesansu zbudowano m.in.: pałac król. Luwr (w miejscu starszego z XII–XIV w., przebud. XVII, XIX, XX w. — ob. wielkie muzeum), kościół St Eustache (XVI–XVII w.), ratusz (XVI w.); w okresie baroku powstały: bramy miasta, pałac i ogród Tuilleries (XVII w.), Ogród Luksemburski (XVII w.), nowe place, Pola Elizejskie (XVII w., przekształcone w XVIII w.); w 1.poł. XVIII w. wzniesiono liczne barok. pałace, m.in.: Soubise, Rohan, Elizejski, w 2. poł. wytyczono reprezentacyjny plac Ludwika XV (ob. Place de la Concorde); w poł. XIX w. wielka przebudowa urb. P. (szerokie arterie, place gwiaździste, bulwary) przez G.E. Hausmanna; wieża Eiffla (1887–89); w XX w. wzniesiono m.in.: Cité Universitaire (1932), pałac Chaillot (1937), Musée National d'Art Moderne (1958), gmach radia i telewizji (1963), Nar. Centrum Sztuki i Kultury im. G. Pompidou (1971–77), dzielnicę Défense (1956–90), Forum des Halles (na miejscu dawnych hal, 1973–80), operę na placu Bastylii (1981); gmach Min. Finansów (1982); przebudowano dawny dworzec kol. na muzeum sztuki nowocz. (Musée d'Orsay 1986); Inst. Świata Arab. (1987); realizacje urb. końca lat 80. i 90., m.in. dzielnica Bercy — budynki mieszkalne przy Parc de Bercy, Palais Omnisports; kompleks gmachów Bibliothèque de France (1996).   ∎

■ Krajobraz Patagonii chilijskiej

Ziemię Ognistą; wydobycie ropy naft., gazu ziemnego, rud żelaza, węgla brunatnego. Wybrzeża odkryte 1520 przez F. Magellana. ■

Patagońska, Wyżyna, wyżyna w pd. Argentynie; opada stopniami (od wys. ok. 1000 m u podnóża Andów) do O. Atlantyckiego, tworząc skaliste, strome wybrzeże (wys. do 150 m); Wyżyna Patagońska jest częścią platformy paleozoicznej (podłoże stanowią skały metamorficzne i granitoidy prekambru i paleozoiku, pokrywę — osady i skały wulk. jury, kredy, trzeciorzędu i czwartorzędu); pocięta głębokimi dolinami rzek (Negro, Chubut, Deseado) na stoliwa (zw. mesetas); roślinność skąpa, półpustynna (suchoroślowe trawy, kolczaste krzewy i kaktusy); tylko u podnóża Andów występują stepy i zarośla, a w dolinach rzek — łąki; pasterska hodowla owiec.

Pecos [pejkous], rz. w USA, w stanach Nowy Meksyk i Teksas, l. dopływ Rio Grande; dł. ok. 1200 km, pow. dorzecza 168 tys. km^2; źródła w G. Skalistych; płynie w głębokiej dolinie przez wyż. Llano Estacado i Płaskowyż Edwardsa; w lecie miejscami wysycha; wykorzystywana do nawadniania (m.in. zbiorniki: McMillan, Red Bluff).

Peczora, Pieczora, rz. w eur. części Rosji; dł. 1809 km, pow. dorzecza 322 tys. km^2; źródła w Uralu Pn.; uchodzi do M. Barentsa; gł. dopływy: Usa (pr.), Iżma (l.); średni przepływ przy ujściu 3400 m^3/s; zamarza na ok. 7 mies.; spław drewna; żegl. od przystani w m. Troicko-Peczorsk, statki mor. dochodzą do m. Narjan Mar; rybołówstwo; w dorzeczu Peczorskie Zagłębie Węglowe; gł. m. nad P. — Peczora.

■ Pekin. Widok na Zakazane Miasto

pedyment [łac.], **zrównanie stokowe,** powierzchnia skalna rozpościerająca się u podnóży stoku, typowo wykształcona w strefie klimatów o gwałtownych, okresowych opadach; ma lekko wklęsły profil i kąt nachylenia (w kierunku doliny lub kotliny) od kilku do kilkunastu stopni; jest przykryta cienką pokrywą zwietrzeliny, która podlega stałemu przemieszczaniu. P. powstaje i rozrasta się wskutek bocznego cofania się stoku pod wpływem wietrzenia (odpadanie materiału skalnego ze stoku) oraz zmywania nagromadzonej zwietrzeliny przez wody okresowe (spłukiwanie pokrywowe); niszczenie stoku postępuje od lokalnych obniżeń podstokowych; rozrastanie i łączenie się wielu p. prowadzi do całkowitego zniszczenia wzniesień i powstania powierzchni zrównania zw. → pedypleną.

pedyplena [franc.], obszar o zrównanej powierzchni w wyniku denudacji przebiegającej w klimacie suchym, rodzaj → powierzchni zrównania; powstaje z połączenia wielu → pedymentów; współcześnie krajobrazy tego typu występują m.in. w Afryce, środk. Azji, Australii, pd.-zach. części USA; cechy p. ma też wiele rozczłonkowanych powierzchni zrównania pochodzących z trzeciorzędu.

Pejpus, Jezioro Czudzkie, est. **Pejpsi järv,** ros. **Czudskoje oziero,** jez. w Rosji i Estonii, na wys. 30 m; pow. 2670 km^2, głęb. do 15 m; poprzez Jez. Ciepłe łączy się z Jez. Pskowskim, z którym stanowi jeden zbiornik wodny (o pow. 3550 km^2); brzegi przeważnie niskie; liczne wyspy; duże wahania stanu wód; zamarza od listopada do maja; odpływ do Zat. Fińskiej przez rz. Narwa; żegluga, gł. linia Psków (nad Wieliką)–Tartu (nad rz. Ema).

Pekin, Beijing, stol. Chin, na pn. krańcu Niz. Chińskiej; stanowi miasto wydzielone (17,8 tys. km^2); 7,1 mln mieszk., zespół miejski 9,3 mln (2002); centrum polit. i kult.-nauk. kraju oraz wielki ośr. gosp.; przemysł maszyn., samochodowy, taboru kol., elektron. (zwł. komputerowy), chem., rafineryjny, spoż., włók., hutnictwo żelaza; tradycyjne wyroby z kości słoniowej, laki, drewna; gł. węzeł komunik. kraju; Uniw. Pekiński, politechn., Chiń. AN, liczne inst. nauk.-badawcze, Biblioteka Pekińska i in.; wytwórnie film.; muzea; w zach. części P. specjalna strefa ekon. (inwestycje zagr., produkcja gł. na eksport). W Mieście Wewn. dawne Miasto Cesarskie, a w nim dawne Zakazane Miasto; do Miasta Wewn. przylega Miasto Zewn. — oba o regularnej, zwartej zabudowie; w Mieście Zewn. gł. zespół arch. — Świątynia Nieba (XV w.); w Zakazanym Mieście — dawna rezydencja cesarska, ob. muzeum (zespół arch.: dekor. bramy drewn., pawilony), otoczona ceglanym murem z bramami i fosą; w parku krajobrazowym zespół Letniego Pałacu Cesarskiego.   ■

pelagial [łac. < gr.], wody otwarte oceanów, mórz i wielkich jezior; obejmuje e p i p e l a g i a l — górną, prześwietloną warstwę wód stykających się z wodami przybrzeżnymi nerytycznej strefy (tzw. nerytopelagial), oraz b a t y p e l a g i a l — ciemne wody zalegające ponad stokiem kontynent. i głębokim dnem abisalu; p. zasiedlają rozmaite zespoły planktonu i nektonu.

Pelée, **Montagne Pelée**, czynny wulkan w pn. części Martyniki (Małe Antyle); wys. 1397 m; podczas wybuchu 1902 została zniszczona ówczesna stol. Martyniki Saint-Pierre, zginęło 26 tys. mieszk.; od VII tysiącl. p.n.e. zanotowano 25 silnych erupcji; ostatni wybuch 1932.

Peloponez, **Peloponisos**, półwysep w Grecji, najdalej na pd. wysunięta część Płw. Bałkańskiego, między M. Jońskim a M. Egejskim; połączony z lądem Przesmykiem Korynckim; pow. 21,4 tys. km², ponad 1 mln mieszk.; silnie rozczłonkowany, zwł. w pd. części (m.in. przylądek Matapan); liczne pasma górskie, zbud. gł. z wapieni (najwyższe — Tajget, 2404 m), i kotliny (wysokie równiny); na wybrzeżach aluwialne niziny: Argolidzka, Sparty i Meseńska; rozwinięte zjawiska krasowe (ponory, obfite wywierzyska); gł. rz.: Alfios, Ewrotas; śródziemnomor. zarośla (makia, frygana); w zach. części resztki lasów dębowych, w górach — iglastych (m.in. czarna sosna, gr. jodła); niziny i kotliny dosyć gęsto zaludnione; uprawa winorośli, drzew owocowych, oliwek, morwy; hodowla bydła, owiec; turystyka (ruiny Myken, Tyrynsu, Olimpii, Epidauru); gł. m.: Patras, Korynt, Sparta.

Pelotas [pelo̱tasz], rz. w pd. Brazylii, → Urugwaj.

Pelplin, m. w woj. pomor. (powiat tczewski), nad Wierzycą; 8,6 tys. mieszk. (2000); stol. diecezji pelplińskiej Kościoła rzymskokatol.; przemysł spoż., mebl., elektron.; ośr. turyst.-krajoznawczy; Wyższe Seminarium Duchowne, wydawnictwo diecezjalne; wczesnośredniow. osada; prawa miejskie od 1931; dawne opactwo Cystersów: got. kościół, ob. katedra (XIV, XV–XVI w.), z cennym wyposażeniem wnętrza (got. stalle), klasztor (XIV, XIX w.) — ob. seminarium (w bibliotece egzemplarz *Biblii Gutenberga*) i Muzeum Diecezjalne.

Pełczyce, m. w woj. zachodniopomor. (powiat choszczański), nad jez. Panieńskim i Krzywym; 2,7 tys. mieszk. (2000); ośr. usługowy dla rolnictwa i turystyki; letnisko; prawa miejskie od 1290.

Pendżab, właśc. **Pandżab**, urdu **Panjāb**, ang. **Punjab**, prow. autonomiczna we wsch. Pakistanie, przy granicy z Indiami; 205,3 tys. km², 80,4 mln mieszk. (2002); stol. Lahaur, duże m.: Fajsalabad, Rawalpindi, Multan; nizinny (Niz. Pendżabu), na pd. pustynia Thar; gęsta sieć kanałów nawadniających; gł. region roln. kraju; uprawa pszenicy, kukurydzy, bawełny, trzciny cukrowej; hodowla bydła; przemysł bawełn., cukr.; rzemiosło.

Pendżab, właśc. **Pandżab**, hindi **Panjāb**, ang. **Punjab**, stan w pn.-zach. Indiach, przy granicy z Pakistanem; 50,4 tys. km²; 24,8 mln mieszk. (2002), Pendżabczycy; gł. sikhowie; stol. Czandigarh, inne m.: Amritsar, Ludhijana; wsch. część krainy Pendżab, na pn. przedgórze Himalajów; intensywna uprawa (sztuczne nawadnianie) pszenicy, ciecierzycy, bawełny, roślin oleistych; hodowla bydła i bawołów; duże hydroelektrownie na rz.: Satledż i Bjas; stan P. do 1966 obejmował także terytorium ob. stanu Harijana; na pocz. lat 80. nasilenie działalności sikhów, domagających się przyznania P. autonomii, a nawet utworzenia niezależnego państwa sikhów — Khalistanu.

peneplena [franc.], **prawierównia**, obszar o zrównanej powierzchni w wyniku denudacji przebiegającej w klimacie wilgotnym, rodzaj → powierzchni zrównania; prawie pozioma, lekko falista równina, o szerokich, płaskodennych dolinach (wyścielonych aluwiami), rozdzielonych niskimi, słabo zaznaczonymi działami wodnymi, podlegającymi wietrzeniu (gł. chem.) i spełzywaniu; cały obszar pokrywa płaszcz zwietrzeliny, nie usuwanej wskutek małych nachyleń stoków i braku siły erozyjnej rzek; nad równiną wznoszą się nieco wyżej jedynie odosobnione wzniesienia zbud. ze skał b. odpornych na denudację (twardzielce) lub też zachowane na obszarach najpóźniej niszczonych (ostańce); p. jest wynikiem długotrwałego obniżania wzniesień wskutek denudacji (postępującej od szczytowych partii stoków w dół) przy nie zmienionym położeniu bazy erozyjnej. Zob. też pedyplena, geomorfologiczny cykl.

Pennińskie, Góry, **Penniny**, **(The) Pennines**, pasmo górskie w W. Brytanii, w pn. Anglii, między dolinami Tyne i Trent; najwyższy szczyt Cross Fell, 893 m; zbud. z wapieni i piaskowców; zach. stoki strome; głęboko rozcięte dolinami rzek; jaskinie krasowe; wrzosowiska i torfowiska; resztki lasów liściastych; 2 parki nar.; hodowla owiec; u podnóża wydobycie węgla kam.; turystyka.

Pensylwania, **Pennsylvania**, stan w pn.-wsch. części USA; 117,3 tys. km², 12,3 mln mieszk. (2002); stol. Harrisburg, gł. m.: Filadelfia (port), Pittsburgh; wyżynno-górzysta (Appalachy), niziny na pd.-wsch. i nad jez. Erie; dominuje górnictwo (gł. węgiel kam., także ropa naft., rudy żelaza) i przemysł przetwórczy (hutnictwo żelaza, maszyn., elektron. i elektrotechn., odzież.); hodowla bydła mlecznego; uprawa zbóż, tytoniu; sadownictwo; turystyka.

Perłowa, Rzeka, **Zhu Jiang**, **Czu-ciang**, deltowate ujście rz.: Xi Jiang, Bei Jiang i Sui Jiang do M. Południowochińskiego, w pd. Chinach; niekiedy nazwę Rzeka Perłowa przenosi się na rz. Xi Jiang; nad jednym z ramion delty Rz.P. leży m. Kanton; w pd.-zach. części delty — Makau.

Perska, Zatoka, **Zatoka Arabska**, arab. **Al-Khalj al-'Arab**, pers. **Khalj-e Färs**, zatoka O. Indyjskiego, wcinająca się ok. 930 km w głąb

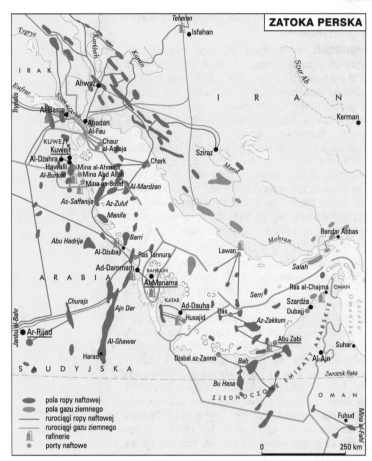

ZATOKA PERSKA

pola ropy naftowej
pola gazu ziemnego
rurociągi ropy naftowej
rurociągi gazu ziemnego
rafinerie
porty naftowe

0   250 km

■ Peru

Azji Zach., połączona cieśn. Ormuz z Zat. Omańską (M. Arabskie); pow. 239 tys. km², średnia głęb. 42 m, maks. — 115 m (u wejścia do cieśn. Ormuz); linia brzegowa rozwinięta, liczne przybrzeżne wyspy, otoczone rafami koralowymi; temp. wód powierzchniowych od 30–33°C w lecie do 15–21°C w zimie, zasolenie od 41‰ na pd.-zach. do 37‰ w części wsch.; wysokość pływów 1,7–4,7 m; do Z.P. uchodzi rz. Szatt al--Arab; połów ryb i pereł; wydobycie ropy naft. z bogatych złóż podmor.; liczne terminale naft.; rozwinięta żegluga; gł. porty: Kuwejt, Mina al--Ahmadi, Al-Manama, Ad-Dammam, Abu Zabi, Abadan, Chark.   ■

Peru, **Perú**, **Republika Peru**, państwo w Ameryce Pd., nad O. Spokojnym; 1285,2 tys. km²; 26,7 mln mieszk. (2002), Indianie, Metysi, biali; katolicy; stol.: Lima, inne m.: Arequipa, Trujillo, Callao (gł. port mor.); język urzędowy hiszp.; republika. Na zach. pasma Andów (Kordyliera Zach., Środk., Wsch.), wys. do 6768 m (Huascarán), na wsch. równiny przedgórskie i Niz. Amazonki; czynne wulkany (Misti, Tutupaca), trzęsienia ziemi; klimat na zach. zwrotnikowy suchy, w Andach górski z wyraźną piętrowością klim., na wsch. równikowy wilgotny; gł. rz.: Ukajali, Marañón, Madeira; jez. Titicaca; w Andach lodowce; granica wiecznego śniegu na wys. 4000–5000 m; na wsch. kraju lasy wilgotne równikowe i deszczowe górskie, na zach. roślinność pustynna i półpustynna. Podstawą gospodarki jest górnictwo, rolnictwo i rybołówstwo; wydobycie rud cynku, ołowiu, miedzi, żelaza, srebra, ropy naft.; uprawa kukurydzy, trzciny cukrowej, ziemniaków, bawełny, kawowca; hodowla owiec,

bydła, alpak; przemysł rybny, cukr., włók., hutnictwo metali, rafinerie ropy naft.; eksploatacja lasów (drewno, lateks); rzemiosło; turystyka. ■

Peruwiański, Prąd, Prąd Humboldta, zimny prąd mor. w pd.-wsch. części O. Spokojnego, odgałęzienie Antarktycznego Prądu Okołobiegunowego; płynie z pd. na pn. wzdłuż zach. wybrzeży Ameryki Pd., ku równikowi; szer. 200–1000 km; prędkość ok. 0,6 km/h; nurt do głęb. 700 m; przepływ 15–20 mln m³/s; w okolicach 4°S daje początek płynącemu na zach. Prądowi Południoworównikowemu; temp. wód w sierpniu 8–17°C, w lutym 12–23°C; wpływa ochładzająco i osuszająco na klimat wybrzeża (pustynia Atakama); chłodny P.P., mieszając się z ciepłymi wodami strefy międzyzwrotnikowej, przyczynia się do wzbogacenia żyzności wody mor. i powstania obfitych łowisk na wodach peruwiańskich, zwł. że między nurtem prądu a kontynentem występuje upwelling (wypływanie na powierzchnię oceanu żyznych wód głębinowych). Sporadycznie w grudniu co kilka lat jest odsuwany od brzegów Ameryki Pd. przez nasilający się ciepły prąd → El Niño, płynący od równika.

perydotyt [franc.], magmowa skała głębinowa, której gł. składnikiem jest oliwin (zwykle częściowo przeobrażony w serpentyn); zawiera też: pirokseny, amfibole, tlenki żelaza, chromu i in.; czarny lub zielonkawoczarny, ziarnisty; wchodzi m.in. w skład → ofiolitów; w Polsce występuje na Dolnym Śląsku (Ślęża, G. Sowie); przypuszcza się, że z materiału podobnego do p. jest zbud. → płaszcz Ziemi.

■ Peru. Machu Picchu

peryglacjalna rzeźba, ukształtowanie powierzchni terenu powstające w strefie zimnego, kontynent. klimatu, na obszarach występowania → zmarzliny wieloletniej, gł. pod wpływem procesów wywołanych sezonowym zamarzaniem i odmarzaniem gruntu nasyconego wodą w czynnej strefie zmarzliny; w modelowaniu rz.p. dużą rolę odgrywają: wietrzenie mrozowe, procesy spłukiwania i → soliflukcji; dla rz.p. charakterystyczne są np. → niecki (denudacyjne), suche doliny (płaskodenne, o stromych zboczach) wyżłobione przez wody roztopowe w materiale wodoprzepuszczalnym, ale okresowo uszczelnionym przez przemarznięcie, gleby → poligonalne, struktury wymarzania (krioturbacje); na obszarach rz.p. znajdują się także → pagóry mrozowe. Współcześnie rz.p. występuje przede wszystkim na pn. Azji i Ameryki Pn.; rzeźba ta zachowała się też na obszarach, które podczas zlodowacenia plejstoceńskiego znajdowały się na przedpolu lądolodów (np. tereny środk. Polski).

Petersburg, Sankt Petersburg, 1914–24 **Piotrogród**, 1924–91 **Leningrad**, m. wydzielone w Rosji, przy ujściu Newy do Zat. Fińskiej; ośr. adm. obw. leningradzkiego; 4,6 mln mieszk. (2002); port mor. i rzeczny; międzynar. port lotn. Pułkowo; drugi po Moskwie ośr. finansowo-handl.; przemysł maszyn., stoczn., precyzyjny, elektron., metalurg. (żelazo i aluminium), chem., lekki, spoż., poligraficzny; Nauk. Centrum Ros. AN; 43 szkoły wyższe (w tym 3 uniw. i konserwatorium); liczne muzea, m.in. Ermitaż. Założony 1703 przez Piotra I Wielkiego. Jeden z najznakomitszych zespołów urb. na świecie; na pd. brzegu Newy centr. kompleks zabudowy barok. i klasycyst. (słynny Pałac Zimowy, gmach Admiralicji, pomnik Piotra I, budynek Sztabu Generalnego, kolumna Aleksandra); ponadto budowle barok.: m.in. Twierdza Petropawłowska z soborem, pałace (m.in. Letni), klasztor Smolny; budowle klasycyst.: ASP, liczne pałace, Inst. Smolny, sobory — Kazański i Św. Izaaka, Giełda Mor., teatr im. A. Puszkina; zabytkowe centrum z eklekt. budowlami z 2. poł. XIX w., otaczają dzielnice mieszkaniowe, m.in. Mała Ochta i Prospekt Moskiewski; po 1945 powstały nowe dzielnice, m.in.: prospekt Primorski, parki, budowle użyteczności publ. — stadion im. S.M. Kirowa, sala kinowo-koncertowa Oktiabrska, port lotn.; w zespole miejskim P., w m. Puszkin, carska rezydencja klasycyst. parkowo-pałacowa (XVIII–XIX w.).

petrochemia [gr.], technologia chem. przeróbki ropy naft. i gazu ziemnego; obejmuje destylację ropy oraz procesy m.in. pirolizy i krakingu otrzymanych frakcji, a także chem. przekształcanie (np. utlenianie, polimeryzacja) uzyskanych surowców petrochemicznych.

Phenian, P'yngyang, stol. Korei Pn., na zach. kraju, w pobliżu ujścia rz. Tedong-gang do M. Żółtego; odrębna prow.; 2,7 mln mieszk. (2002); przemysł taboru kol., bawełn., porcelanowy, rafineria ropy naft.; węzeł komunik. z międzynar. portem lotn.; akad. nauk, uniw. i in. szkoły wyższe; muzea; mury obronne z bramami (XV, XVII, XVIII w.); liczne grobowce władców i arystokracji. ∎

∎ Phenian. Fragment miasta

Philadelphia [fylədęlfje], m. w USA, → Filadelfia.

Piai, najbardziej na pd. wysunięty przyl. Azji, w Malezji, na Płw. Malajskim; 1°16′N, 103°31′E.

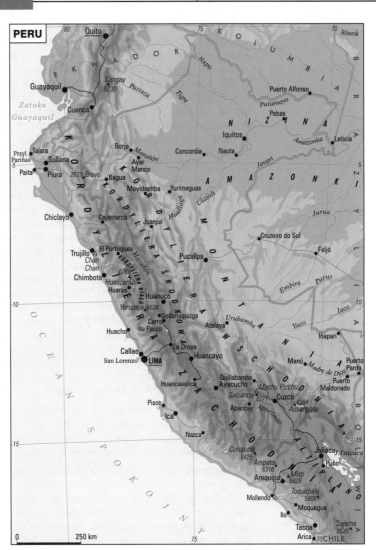

Piana, niem. **Peene,** cieśnina między kontynent. częścią Niemiec a wyspą Uznam; łączy Zalew Szczeciński z Zat. Pomorską; dł. ok. 50 km; liczne zatoki i rozległe rozlewiska; do P. uchodzi rz. P.; porty: Wolgast, Peenemünde.

Piandż, tadż. **Pandż,** afgański **Panj,** rz. na granicy Tadżykistanu i Afganistanu, po połączeniu z Wachszem tworzy Amu-darię; dł. 921 km; powstaje z połączenia Pamiru i Wachan-darii; średni przepływ w dolnym biegu 1032 m³/s; wykorzystywana do nawadniania; żegl. 118 km; doliną przechodzi droga samochodowa Duszanbe–Chorog.

piarg, rodzaj → rumowiska skalnego, nagromadzenie okruchów skalnych w żlebach u podnóża stromych, skalistych stoków; często ma postać stożka (stożek usypiskowy); powstaje gł. wskutek wietrzenia mechanicznego.

Piaseczno, m. powiatowe w woj. mazow., na l. brzegu Jeziorki, w aglomeracji warsz.; 27 tys. mieszk. (2000); ośr. przem. (telewizory, kineskopy, artykuły spoż., papierosy, sprzęt med.) i mieszkaniowy; prawa miejskie 1429–1870 i od 1916; kościół (XVI, XVIII w.), ratusz (XIX w.).

piasek, osadowa luźna skała okruchowa, składająca się z ziarn miner. średnicy 0,1–2 mm; najbardziej rozpowszechnione w przyrodzie są p. kwarcowe, w których gł. składnikiem jest kwarc (zawartość jego może dochodzić prawie do 100%); w postaci domieszek występują: skalenie, muskowit, glaukonit, tlenki i wodorotlenki żelaza oraz minerały ciężkie (np. cyrkon, rutyl); p. arkozowe cechuje duża zawartość skaleni, p. szarogłazowe — okruchów innych skał drobnokrystal.; barwa p., zależna gł. od zawartości tlenków i wodorotlenków żelaza, glaukonitu i skaleni, może być biała, żółtawa, brun., zielonawa lub czarna. P. są gł. osadami rzecznymi i pustyniowymi oraz przybrzeżnymi i płytkowodnymi osadami mor.; mają powszechne zastosowanie w budownictwie (gł. do wyrobu zapraw bud., betonu, cegieł sylikatowych), w przemyśle szklarskim (czyste odmiany p. kwarcowych, tzw. p. szklarskie) i ceram., w hutnictwie (p. formierskie — do wyrobu form odlewniczych), górnictwie (jako materiał na podsadzkę) i in. Duże znaczenie gosp. mają p. wzbogacone w cenne, ciężkie minerały, np. p. monacytowe, ilmenitowe, korundowe, kasyterytowe, złotonośne, diamentonośne; do najważniejszych złóż p. wzbogaconych należą p. złotonośne w Rosji (nad rz. Leną), w USA (nad Jukonem na Alasce, także w Kalifornii), p. platynonośne na Uralu, diamentonośne w Kongo i Brazylii; w Polsce p. złotonośne występują k. Złotoryi na Dolnym Śląsku.

Piaski, m. w woj. lubel. (powiat świdnicki), nad Giełczwią (l.dopływ Wieprza); 2,7 tys. mieszk. (2000); ośr. usługowy; węzeł drogowy; prawa miejskie 1450–1870 i od 1993; w okolicy stawy.

piaskowiec, zwięzła osadowa skała okruchowa powstała wskutek scementowania ziarn → piasku; gł. składnikami okruchowymi p. są: kwarc, skalenie, łyszczyki, glaukonit, okruchy skał, minerały ciężkie (np. rutyl, cyrkon, turmalin), szczątki org., materiał wulk.; spoiwem może być krzemionka, węglany, minerały ilaste, fosforany, związki żelaza; ze względu na zróżnicowaną zawartość b. drobnoziarnistego materiału zlepiającego, o średnicy ziarn ok. 30 mm (tzw. matriks) p. dzieli się na arenity (zawartość matriks mniejsza od 15% masowych) i waki (zawartość matriks większa od 15%); ze względu na skład miner. okruchów rozróżnia się p. monomineralne (np. p. kwarcowe, najbardziej rozpowszechnione) i polimineralne (np. p. arkozowe). P. są skałami b. rozpowszechnionymi; w Polsce występują w Karpatach (np. p. ciężkowickie, godulskie, krośnieńskie), w G. Świętokrzyskich (p. szydłowieckie, wąchockie i in.), na Dolnym Śląsku (okolice Bolesławca, Lwówka Śląskiego, Złotoryi, Kłodzka). Stosowane jako materiał bud., drogowy, rzeźb., do wyrobu kamieni młyńskich, materiałów ogniotrwałych i kwasoodpornych, tarcz szlifierskich, osełek i in.

Piastów, m. w woj. mazow. (powiat pruszkowski), w aglomeracji warszawskiej; 23,9 tys. mieszk. (2000); ośr. przem. i mieszkaniowy; zakłady przemysłu gumowego, fabryka akumulatorów; prawa miejskie od 1952.

Piechowice, m. w woj. dolnośląskim (powiat jeleniogórski), nad Kamienną (l. dopływ Bobru); 6,9 tys. mieszk. (2000); ośr. przem. (silniki elektr., papier, meble, szkło kryształowe od

XVII w., płytki ceram.) i turyst.-wypoczynkowy; wczesnośredniow. wieś; prawa miejskie od 1967.

Piedmont [pi̱:d~], przedgórze wsch. Appalachów, w USA; dł. ok. 1400 km; szer. 50–200 km; zbud. gł. z prekambryjskich i paleozoicznych łupków krystal., gnejsów i kwarcytów (z intruzjami granitów i gabra); powierzchnia lekko falista, nachylona ku pd.-wsch. (wys. 100–400 m), urywa się wyraźną linią uskokową (tzw. linia wodospadów); ostańcowe wzgórza wys. do 700 m; rzeki (Connecticut, Hudson, Susquehanna, Potomac, James), spływając z P. na Niz. Atlantycką, tworzą bystrza i niewielkie wodospady; klimat podzwrotnikowy wilgotny; lasy mieszane; sady, winnice, uprawa bawełny, tytoniu; wydobycie rud żelaza, niklu, cyny; u podnóża P. wielkie ośr. przem. (Filadelfia, Baltimore, Waszyngton, Richmond, Trenton).

Piekary Śląskie, m. w woj. śląskim, nad Brynicą (pr. dopływ Czarnej Przemszy), na pn. krańcu GOP; powiat grodzki; 66 tys. mieszk. (2000); ośr. górn.-mieszkaniowy i usługowy; kopalnie węgla kam. z zakładem wzbogacania; różnorodny przemysł; od XV w. ośr. kultu maryjnego, od XVII w. pielgrzymki; prawa miejskie od 1940 (faktycznie od 1947).

Piemont, region autonomiczny i kraina hist. w pn.-zach. Włoszech, przy granicy z Francją i Szwajcarią; 25,4 tys. km², 4,3 mln mieszk. (2002); stol. Turyn; w środk. części Niz. Padańska, ograniczona od pn. i zach. Alpami Zach. (m.in. Nadmorskie, Pennińskie), od pd. Alpami Liguryjskimi i Apeninem Liguryjskim; jeden z gł. regionów gosp. kraju; koncentracja przemysłu samochodowego (fabryki koncernu Fiat), lotn., elektron. (Olivetti); energetyka wodna i jądr., rafinerie ropy naft., winiarstwo (Cinzano); intensywna uprawa zbóż, buraków cukrowych, warzyw i winorośli; hodowla bydła; liczne uzdrowiska (Terme di Valdieri) i ośr. sportów zimowych.

Pieniężno, m. w woj. warmińsko-mazurskim (powiat braniewski), nad Wałszą (pr. dopływ Pasłęki); 3,1 tys. mieszk. (2000); ośr. usługowy dla rolnictwa; drobny przemysł, gł. spoż.; węzeł drogowy; Wyższe Seminarium Duchowne; prawa miejskie przed 1312 (prawdopodobnie między 1301 a 1304) do 1945 i od 1973; Muzeum Misyjno-Etnogr. Księży Werbistów; 2 kościoły (XIV, XIX w. i XVI, XVII w.), pozostałości zamku (XIV, XIX–XX w.), fragmenty murów obronnych (XIV w.).

Pieniny, pasmo górskie w Polsce i na Słowacji; ciągnie się dość wąskim pasem na obrzeżu Centr. Karpat Zach., między Kotliną Orawsko-Nowotarską, Gorcami, Beskidem Sądeckim na pn. a Pogórzem Spisko-Gubałowskim i Magurą Spiską na południu. P. budują miękkie margle górnej kredy i flisz paleogenu, spośród których wyłaniają się twarde, odporniejsze na erozję, skałki wapieni i radiolarytów jury i dolnej kredy; skały te zostały sfałdowane, popękane i ponasuwane na siebie w czasie orogenezy alpejskiej; ostatniej fazie fałdowań towarzyszyły wylewy andezytów; występują one w formie żył, m.in. w górze Wdżar pod Czorsztynem, na Bryjarce i Jarmucie w Szczawnicy. P. przecina dwoma

■ Pieniny. Widok z Sokolicy na przełom Dunajca

przełomami Dunajec, dzieląc ten region na 3 części: mało urozmaicony, silnie zalesiony grzbiet górski Pienin Spiskich (879 m) — pomiędzy doliną Białki a Niedzicą, właściwe Pieniny — ciągnące się od Czorsztyna po Szczawnicę i dolinę Leśnicy (na Słowacji), z kulminacją w Trzech Koronach (982 m), oraz najwyższe → Małe Pieniny (1050 m) — na wschód od Dunajca. Najbardziej urozmaicona pod względem krajobrazowym jest część środk. (właściwe P.), dzięki głębokiemu rozcięciu skał wapiennych przez Dunajec (wys. względna urwistych ścian skalnych sięga od 300 do 500 m), którego dolina między Sromowcami Niżnymi a Szczawnicą, na odcinku 2,5 km w linii prostej, ma 7 nagłych zakrętów i 9 km dł.; dno doliny zwęża się miejscami do kilkunastu metrów i wypełnia je całkowicie rzeka; przeł. Dunajca przez P. jest jednym z najpiękniejszych w Europie (atrakcyjny spływ tratwami). Ze względu na osobliwości krajobrazowe i przyr., P. właściwe objęto ochroną tworząc Pieniński Park Narodowy. ■

Pieniny Spiskie, pasmo górskie w zach. części pasa skałkowego Pienin, na Spiszu, między doliną Łapszanki na pd. a doliną Dunajca na pn.; ciągnie się ok. 10 km od Dursztyna po przeł. Dunajca k. Niedzicy; najwyższe szczyty: Branisko (Żar, 879 m), Hombark (808 m), Złatne (Cisówka, 779 m) i in.; ze wzgórz piękne widoki na dolinę Dunajca, Gorce, zamki w Czorsztynie i Niedzicy, Pieniny oraz Tatry; na stokach zwarte lasy świerkowe, kilka polan, interesujące formy skalne (Gęśla — maczuga wapienna); u pn. podnóży powstało Jez. Czorsztyńskie; w osiedlach góralskich na obrzeżu liczne zabytki arch.; szlak turyst. grzbietem pasma z Dursztyna do Niedzicy.

Pieńsk, m. w woj. dolnośląskim (powiat zgorzelecki), nad Nysą Łużycką, przy granicy z Niemcami; 6,2 tys. mieszk. (2000); ośr. przemy-

słu szkl.; osada wzmiankowana w XIV w.; prawa miejskie od 1962.

Pieprzowe, Góry, wsch. kraniec Wyż. Sandomierskiej, na wsch. od Sandomierza, opadający wysoką (60 m), stromą krawędzią ku dolinie Wisły; w urwistym zboczu odsłaniają się pod lessem kwarcyty i kruche łupki kambryjskie, zalegające w podłożu wyżyny; G.P. pod względem geol. są przedłużeniem G. Świętokrzyskich. Od 1979 rezerwat przyrody.

Pieszyce, m. w woj. dolnośląskim (powiat dzierżoniowski), u podnóża G. Sowich; 10,0 tys. mieszk. (2000); wraz z Bielawą i Dzierżoniowem tworzy zespół przem.-miejski; różnorodny przemysł; sanatorium; wieś wzmiankowana w XIII w.; prawa miejskie od 1962; kościół (XIV–XVI, XVIII, XIX w.), pałac (XVIII w.).

Pięciu Stawów Polskich, Dolina, dolina w Tatrach Wysokich, górna część odgałęzienia Doliny Białki, zw. w dolnym odcinku — Doliną Roztoki; otoczenie tworzą: od zach. i pd.-zach. — grań gł. Tatr Wysokich, od Świnicy po Szpiglasowy Wierch, od pn. — grań masywu Świnicy i Kozie Wierchy, od pd.-wsch. — Miedziane i Opalony Wierch; dł. 4 km, pow. 7,3 km^2 (razem z Doliną Roztoki — 13,8 km^2); dno obszerne, tworzy je układ płytkich cyrków lodowcowych, ułożonych w 3 poziomy; przegłębienia denne wypełnia 6 jezior stałych: Wielki Staw, Przedni Staw, Czarny Staw i Zadni Staw oraz Mały Staw (na wys. 1668 m, pow. 0,18 ha, głęb. do 21 m) i najmniejsze Wole Oko; wszystkie jeziora zajmują łącznie pow. 61,25 ha (największą w Tatrach); górne cyrki tworzą dolinki wiszące: Pustą i Pod Kołem (z Zadnim Stawem); do żłobu lodowcowego Doliny Roztoki D.P.S.P. obrywa się klasycznym progiem glacjalnym o wys. do 100 m, z pięknymi wygładami lodowcowymi. Dolinka pod Kołem przed epoką lodową należała przypuszczalnie do systemu Doliny Cichej. Pierwsze schronisko wybudowało Tow. Tatrzańskie nad Małym Stawem, 1876; obecnie schronisko, zbud. 1949–53, stoi (1672 m) nad Przednim Stawem; liczne szlaki turyst.: przez Dolinę Roztoki, do Doliny Gąsienicowej (przez Zawrat, Kozią Przełęcz lub Krzyżne) i do Doliny Rybiego Potoku (przez Świstówkę lub Szpiglasową Przełęcz).

Pilawa, m. w woj. mazow. (powiat garwoliński); 3,8 tys. mieszk. (2000); ośr. usługowy; fabryka farb i lakierów, wytwórnia sprzętu sport. i turyst.; drobny przemysł spoż., tartak; węzeł kol.; prawa miejskie od 1984.

Pilchowickie, Jezioro, zbiornik retencyjny na pd.-wsch. skraju Pogórza Izerskiego; utw. 1912 przez spiętrzenie górnego Bobru zaporą kamienną (wys. 62 m, zabytek techniki), k. Pilchowic; pow. 2,4 km^2, dł. 6 km, szer. do 2 km, maks. głęb. 40 m, pojemność całkowita 54 hm^3, pojemność użytkowa 42 hm^3, wys. zwierciadła wody 287 m; brzegi przeważnie strome, miejscami lesiste (zach. i wsch.); wykorzystywany do celów energ., przeciwpowodziowych i rekreacyjnych; przy zaporze elektrownia wodna o mocy 7,9 MW; nad J.P. leżą Pilchowice.

Pilica, m. woj. śląskim (powiat zawierciański), u źródeł Pilicy; 2,0 tys. mieszk. (2000); ośr. usługowy i krajoznawczy w Jurajskim Parku Krajobrazowym; prawa miejskie 1394–1870, ponownie 1994; got. kościół parafialny Św. Jana Chrzciciela (1. poł. XIV w., przebud. XVII, XVIII w.), barok. kościół Imienia Jezus i klasztor Reformatów (1746), pałac (1610, przebud. 1876), fortyfikacje z bastionami (1. poł XVII w.), kościół Św. Jerzego (1630, przebud. 2. poł. XIX w.).

Pilica, rz., najdłuższy l. dopływ Wisły; dł. 319 km, pow. dorzecza 9273 km²; wypływa na Wyż.

■ Pilica

Częstochowskiej, na wsch. od Ogrodzieńca (źródła krasowe); płynie przez Wyż. Małopolską, Wzniesienia Południowomazowieckie i Niz. Środkowomazowiecką, uchodzi powyżej wsi Ostrówek; średni przepływ w pobliżu ujścia 48,6 m³/s; maks. rozpiętość wahań stanów wody w dolnym biegu 2,5 m; 1974 przez spiętrzenie P. zaporą ziemną utworzono Jez. Sulejowskie (pow. 2450 ha, dł. ok. 15 km, poj. całkowita 84,2 mln m³); gł. dopływy: Czarna, Drzewiczka (pr.), Luciąża, Wolborka (l.); gł. m. nad P.: Tomaszów Mazowiecki, Warka; P. zaopatruje w wodę Łódź (ujęcia w Tomaszowie Mazowieckim i z Jez. Sulejowskiego). ■

Pilsko, szczyt graniczny w Beskidzie Żywieckim, drugi co do wysokości (po Babiej Górze) w Beskidach Zach.; wys. 1557 m; ma 2 wierzchołki: pd., kulminacyjny punkt leży w granicach Słowacji, pn. jest gł. wierzchołkiem w pol. grupie Pilska, wznoszącej się między przełęczą Glinka nad Ujsołami a przełęczą Glinne nad Korbielowem; zbud. z warstw piaskowców magurskich. Niemal płaska powierzchnia szczytowa wystaje 200 m ponad górną granicę lasu i jest pokryta murawami halnymi i z rzadka skarlałymi świerkami, wśród których występują osuwiska; jeden z najpiękniejszych w Polsce punktów widokowych; na Hali Miziowej (wys. 1330 m) schronisko PTTK; doskonałe tereny narciarskie z pokrywą śnieżną do końca kwietnia (wyciągi, nartostrady); szlaki turyst. z Kamiennej, Korbielowa, Krzyżowej, Sopotni Wielkiej oraz ze schronisk na halach — Rysiance, Lipowskiej i Miziowej; na przełęczy Glinne przejście graniczne.

Pilzno, m. w woj. podkarpackim (powiat dębicki), przy ujściu Dulczy do Wisłoki; 4,2 tys. mieszk. (2000); ośr. usługowy dla rolnictwa; drobny przemysł; węzeł drogowy; wzmiankowane 1125; prawa miejskie od 1354; kościół (XIV, XVI w.); zespół klasztorny: kościół (XV w., przebud.) z otoczonym kultem rel. obrazem Matki Boskiej (XVII w.), klasztor (XIX w.).

Piła, m. powiatowe w woj. wielkopol., nad Gwdą i niewielkimi jeziorami; 77 tys. mieszk. (2000); ośr. przem.-usługowy i kult. regionu; przemysł elektrotechn. (zakłady sprzętu oświetleniowego), spoż. (mięsny), materiałów bud., drzewny; odlewnia aluminium, zakłady naprawcze taboru kol.; węzeł kol. i drogowy; ośr. kształcenia kadr wojsk. i policji, filie szkół wyższych; muzeum; prawa miejskie od 1513.

Piława Górna, m. w woj. dolnośląskim (powiat dzierżoniowski); 7,1 tys. mieszk. (2000); ośr. usługowy z drobnym przemysłem (odzież., jedwabn., materiałów bud.); węzeł kol.; prawa miejskie od 1962.

Pindos, góry w zach. Grecji, pn. przedgórze w Albanii; dł. ok. 200 km; najwyższy szczyt Smolikas, 2637 m; zbud. z wapieni, łupków i piaskowców; rozwinięty kras; w najwyższym piętrze ślady zlodowacenia; trudno dostępne; rozdzielone szerokimi dolinami rzek (Aliakmon, Vjosa, Arachthos, Acheloos) na kilka pasm; śródziemnomor. zarośla, lasy mieszane i iglaste (dąb, buk, jodła); park nar. (126 km²) — rezerwat biosfery.

pingo [eskimoskie], **hydrolakolit,** stożkowaty → pagór mrozowy o wys. do 50 m i średnicy do 400 m, zawierający soczewę lodu gruntowego w jądrze, okryty grubą warstwą osadów; powstaje wskutek zamarzania wody podsiąkającej z głębiej leżącej, niezamarzniętej warstwy gruntu; typowy dla rzeźby → peryglacjalnej. ■

■ Przekrój przez pagórek pingo (Spitsbergen)

Pińczów, m. powiatowe w woj. świętokrzyskim, nad Nidą; 12,4 tys. mieszk. (2000); ośr. mieszkaniowy i usługowy dla pracowników pobliskich zakładów gipsowych (Gacki); przemysł materiałów bud., spoż.; ośr. turyst.-wypoczynkowy; muzeum; prawa miejskie od 1428; jeden z gł. ośr. ruchu reformacyjnego (1559–69 gł. siedziba arian), zw. pol. Atenami; jedno z pierwszych gimnazjów humanist. z pol. językiem wykładowym, zał. 1551; pozostałości zamku (XV, XVI w.), dom zw. drukarnią ariańską (XVI/XVII w.), późnorenes. synagoga (XVI/XVII w.), zespół klasztorny Paulinów i dzwonnica (XVII w.), manierystyczna kaplica (XVII w.), zespół klasztorny Reformatów (XVII–XVIII w.), pałac Wielopolskich i park geom. (XVIII w.).

Pionki, m. w woj. mazow. (powiat radom.); 21,8 tys. mieszk. (2000); ośr. przem.-usługowy i mieszkaniowy; przemysł chem. (tworzywa skóropodobne, materiały wybuchowe i amunicja); ponadto różnorodny drobny przemysł; prawa miejskie od 1954.

piorun, wyładowanie elektr. w atmosferze ziemskiej zachodzące wewnątrz chmury burzowej, między chmurami lub między chmurą a powierzchnią Ziemi (→ burza). Wyładowanie jest widoczne w postaci błyskawicy, spowodowanej emisją promieniowania świetlnego przez wzbudzone podczas wyładowania atomy; towarzyszy mu przedłużony huk — grzmot, powstający przy rozprężaniu nagrzanych mas powietrza w otoczeniu kanału wyładowania. Do najczęściej występujących i najlepiej poznanych należą p i o r u n y l i n i o w e w postaci rozgałęzionych linii o długości od kilku do kilkudziesięciu kilometrów; piorun liniowy, sięgający powierzchni Ziemi, stanowi zagrożenie dla ludzi i budynków oraz urządzeń naziemnych (jako ochronę przed uderzeniem p. stosuje się piorunochrony). Rzadko występują: p i o r u n k u l i s t y (jaskrawo świecąca kula zjonizowanego gazu o średnicy kilkudziesięciu cm) i p i o r u n p a c i o r k o w y, zw. też ł a ń c u c h o w y m (łańcuszek złożony z oddzielnych punktów świetlnych); mechanizm powstawania tych p. nie jest dokładnie poznany.

Piotrków Kujawski, m. w woj. kujawsko- -pomor. (powiat radziejowski); 4,9 tys. mieszk. (2000); ośr. usługowy regionu roln.; przemysł spoż.; prawa miejskie 1738–1870.

Piotrków Trybunalski, m. w woj. łódz., nad Strawą (dorzecze Pilicy) i jej dopływami Strawką i Wierzejką; powiat grodzki, siedziba powiatu piotrk.; 81 tys. mieszk. (2000); ośr. przem., usługowy i kult.; przemysł gł. szkl. (huty szkła) i maszyn. (maszyny górn., dla przemysłu szkl., drogowe), ponadto przemysł elektrotechn., włók., spoż., materiałów bud., metal. i in.; oddziały wielu banków; węzeł kol. i drogowy; ośr. kult.-oświat.; filia Uniw. Łódz.; obiekty turyst. i sport.; prawa miejskie przed 1313 (ok. 1292); 1975–1998 stol. woj.; kościół (XIV/XV, XVI, XVII w.), kościoły klasztorne (XIV–XIX w.), zamek (XVI w., po 1970 zrekonstruowany) — ob. muzeum, zespół kolegium Jezuitów i kamienice (XVII– XIX w.).

piramida ziemna, stromościenny słup (wys. do 3 m) zbud. z drobnoziarnistego materiału skalnego, uwieńczony głazem, który przeciwdziała rozmyciu osadu przez wody opadowe; p.z. powstają z utworów składających się z miękkiego materiału skalnego i dużych głazów, np. z glin zwałowych, pokryw zwietrzelinowych lub też tufów zawierających bomby wulk.; p.z. są znane m.in. z pd. Tyrolu, francuskich Alp, Himalajów.

Pireneje, franc. **Pyrénées,** hiszp. **Pirineos,** łańcuch górski na pograniczu Francji i Hiszpanii; oddziela Płw. Iberyjski od pozostałej części Europy; ciągnie się pasem dł. 440 km, szer. 50– 140 km między Zat. Biskajską (O. Atlantycki) a Zat. Lwią (M. Śródziemne). Dzielą się na: P. Zachodnie, P. Środkowe i P. Wschodnie; najwyższy szczyt Aneto, 3404 m (w P. Środkowych, w masywie górskim Maladeta). P. powstały wskutek orogenezy alp.; strefa osiowa P. jest zbud. z osadów paleozoicznych, znacznie zmetamorfizowanych, z intruzjami magmowymi (granitoidy, skały wulk.); strefa ta jest nasunięta ku pn.-wsch. i pd.-zach. na zewnętrzne strefy

■ Pireneje Środkowe. Jezioro cyrkowe Embarrat

P., utworzone ze sfałdowanych mezozoicznych i trzeciorzędowych skał osadowych, gł. wapieni i fliszu.

Stoki pd. są znacznie szersze od pn.; od gł. osi orograficznej odchodzą poprzecznie krótkie grzbiety, między którymi leżą głębokie, zamknięte doliny; na wierzchowinie dobrze zachowały się powierzchnie zrównania trzeciorzędowych cyklów erozyjnych (wysokogórskie faliste wyżyny); P. Środkowe mają rzeźbę alp. (liczne turnie, cyrki lodowcowe, m.in. Gavarnie); w P. Zachodnich rozwinięty kras; P. Wschodnie obniżają się ku morzu stopniami. Klimat podzwrotnikowy, na zach. mor., wilgotny (suma roczna opadów 1500–2000 mm), na wsch. — suchszy (500–1000 mm); maksimum opadów w zimie (zwł. wyraźnie zaznaczone na wsch.); średnia temp. w styczniu na przedgórzach wynosi ok. 4°C, w wyższych piętrach — poniżej 0°C, w lipcu — odpowiednio ok. 20°C i poniżej 15°C; granica wiecznego śniegu na wys. 2700– 3100 m; niewielkie lodowce (tylko na pn. stokach). Rzeki należą do dorzecza Adour, Garonny i Ebro; płyną w głębokich i wąskich dolinach; ich duże zasoby wodne są wyzyskiwane do celów energ. i do nawadniania. Na pogórzu P. (do ok. 800 m) rosną przeważnie lasy dębowe (w P. Wschodnich gł. dąb korkowy *Quercus suber*, wyżej dąb omszony); piętro lasów górskich (do 2400 m) tworzą lasy bukowo-jodłowe lub sosnowe (zależnie od wilgotności); w piętrze subalp. występuje drzewiasta kosodrzewina *Pinus uncinata*; powyżej murawy alp.; na pn.-wsch. stokach zarośla makii i garigu. Parki nar.: Ordesa i Monte Perdido (rezerwat biosfery) i Aigües Tortes po stronie hiszp. oraz Park Nar. Pirenejów we Francji (przylegający do parku Ordesa i Monte Perdido). Uzdrowiska ze źródłami miner. (Bagnères-de-Luchon, Bagnères-de-Bigorre, Aix- -les-Thermes, Panticosa); ośr. sportów zimowych (Barèges, Font Romeu, La Molina, Baqueira, Burguete, Isaba), turystyka, alpinizm.

P. są trudno dostępne (na dł. 300 km brak niskich przełęczy); najważniejsze przejścia kol. i drogowe przez przełęcze: Hendaye-Irún na zach. wybrzeżu i Perthus (wys. 290 m) na wsch.; ponadto linie kol. przechodzą przez przełęcze Somport (Saragossa–Pau) i Puymorens (Barcelona–Tuluza); 2 nowocz. tunele drogowe (Fos–Viella i Aragnouet–Bielsa) łączą dorzecza górnej Garonny i Ebro. W środk. części P. leży Andora. ■

Pirenejski, Półwysep → Iberyjski, Półwysep.

Pirin, góry w pd.-zach. Bułgarii, między Strumą i Mestą; dł. 80 km; najwyższy szczyt Wichren, 2915 m; zbud. z granitów, metamorficznych łupków i marmurów; głęboko rozcięte dolinami rzek; w najwyższym piętrze formy rzeźby alp. (cyrki, żłoby lodowcowe); lasy liściaste i iglaste, powyżej 2000 m zarośla jałowca i kosodrzewiny, łąki górskie; u podnóża liczne źródła miner. (cieplice); słabo zaludnione; Park Nar. Pirin (od 1962) wpisany na Listę Świat. Dziedzictwa Kult. i Przyr. UNESCO.

piroklastyczne materiały, materiały wyrzucane na powierzchnię ziemi podczas wybuchu wulkanu; powstają wskutek rozpylenia ciekłej lawy lub rozkruszenia skał wyrwanych z podłoża wulkanu czy też z części dawnego stożka wulk.; do m.p. należą bomby wulk., lapille, piaski i popioły wulk.; skały okruchowe powstałe z m.p. noszą nazwę skał piroklastycznych; zalicza się do nich m.in. brekcje wulk., aglomeraty, tufy.

Pisa, rz. na Równinie Mazurskiej i Równinie Kurpiowskiej, pr. dopływ środk. Narwi; dł. 80 km, pow. dorzecza 1478 km^2; wypływa z jez. Roś, uchodzi poniżej Nowogrodu; średni przepływ w pobliżu ujścia 24,7 m^3/s; maks. rozpiętość wahań stanów wody w dolnym biegu 2,3 m; gł. dopływy: Skroda (l.), Turośl (pr.); uczęszczany szlak turyst.-żeglugowy; nad P. leży Pisz.

Pisz, m. powiatowe w woj. warmińsko-mazurskim, nad Pisą i jez. Roś; 19,7 tys. mieszk. (2000); ośr. przem.-usługowy, turyst. i sportów wodnych; fabryka sklejek, zakłady materiałów bud., spoż.; węzeł dróg lokalnych; prawa miejskie od 1645.

Pitcairn [pytke̯ərn], wyspa wulk. w pd. części O. Spokojnego w Polinezji; pow. 4,6 km^2; zamieszkana gł. przez potomków zbuntowanych marynarzy ze statku Bounty i Tahitanek; jedyna miejscowość — Adamstown; z pobliskimi nie zamieszkanymi wyspami: Henderson, Ducie i Oeno, tworzy terytorium zależne W. Brytanii, pod nazwą P., o pow. 37,5 km^2; dochody ze sprzedaży znaczków pocztowych.

Piwniczna Zdrój, m. w woj. małopol. (powiat nowosądecki), nad Popradem; 5,7 tys. mieszk. (2000); uzdrowisko (szczawy, borowina, odkryte 1931), ośr. wypoczynkowy i sportów zimowych; przejście graniczne na Słowację; drobny przemysł drzewny i skórz.; miasto zał. 1348.

pizoidy [gr.], kuliste ziarna miner. analogiczne do → ooidów, o średnicy powyżej 2 mm; p. wapienne powstają najczęściej jako osad wód gorących źródeł, także wód podziemnych w jaskiniach (perły jaskiniowe); p. wchodzą w skład skał osadowych zw. pizolitami.

plan [łac.], obraz niewielkiej części powierzchni Ziemi odwzorowanej na płaszczyźnie i przedstawionej na rysunku w skali nie mniejszej niż 1 : 10 000. W odróżnieniu od mapy p. nie uwzględnia krzywizny kuli ziemskiej i różnic wysokości na danym terenie.

planacja [łac.], **gradacja,** geol. zrównywanie powierzchni Ziemi przez procesy denudacji (niszczenie wyniosłości) i sedymentacji (zapełnianie osadami obniżeń).

planeta [gr.], ciało niebieskie o śred. większej niż 1000 km, obiegające gwiazdę; świeci odbitym światłem gwiazdy; Słońce obiega 9 p.: Merkury, Wenus, Ziemia, Mars, Jowisz, Saturn, Uran, Neptun, Pluton; wszystkie, oprócz Merkurego i Wenus, mają księżyce; poza Układem Słonecznym p. można wykryć tylko metodami pośrednimi, wyszukując i badając niejednorodności w ruchach własnych gwiazd lub okresowe zmiany częst. pulsów dochodzących z pulsarów; pierwszy układ planetarny poza Galaktyką został odkryty 1992 przez A. Wolszczana w pobliżu pulsara PSRB1257 +12; zob. też Słoneczny Układ.

planetoidy, asteroidy, planetki, drobne ciała niebieskie krążące dokoła Słońca, gł. w tzw. pasie p. między orbitami Marsa i Jowisza; jest znanych ok. 8000 p.; największe: Ceres (śred. 1025 km), Pallas (śred. 565 km), Westa (śred. 533 km).

planigloby [łac.], mapa obu półkul Ziemi (lub innego ciała niebieskiego) w postaci 2 kół, wykonana najczęściej w odwzorowaniu azymutalnym Lamberta; w szkolnych atlasach geogr. zamieszcza się zwykle półkule: zach. i wsch., a granicą między nimi są południki 20° dł. geogr. zach. i 160° dł. geogr. wschodniej.

platforma [franc.], znacznych rozmiarów obszar kontynent. skorupy ziemskiej zbud. z 2 pięter strukturalnych: fundamentu (podłoża) p. i pokrywy platformowej. F u n d a m e n t p. tworzą skały magmowe i metamorficzne, sfałdowane i wypiętrzone wskutek ruchów górotwórczych w archaiku i proterozoiku (p. stare — prekambryjskie) lub w paleozoiku (p. młode — kaledońskie lub hercyńskie), a następnie zrównane (zdenudowane). P o k r y w a platformo w a jest zbud. gł. ze słabo zdeformowanych tektonicznie skał osadowych. Do gł. struktur tektonicznych występujących na p. należą anteklizy i synklizy, aulakogeny, płyty i tarcze.

plaża [franc. < wł.], strefa brzegowa wybrzeża płaskiego (mor. lub jeziornego) zalewana i modelowana przez fale; zbud. z piasków (np. pd. wybrzeża M. Bałtyckiego) lub żwirów (np. p. w Brighton w W. Brytanii, na pn. brzegu cieśn. La Manche) pochodzących z niszczenia skał wybrzeża; p. nazywa się także płaski, piaszczysty lub żwirowy brzeg rzeki.

plejstocen [gr.], wczesna epoka czwartorzędu; trwał od 1,8 mln do 10 tys. lat temu; także jednostka stratygraficzna (oddział) obejmująca powstałe w tym czasie skały; potocznie zw. epoką lodowcową; zob. też stratygrafia.

Pleszew, m. powiatowe w woj. wielkopol., nad Nerem; 18,8 tys. mieszk. (2000); ośr. przem. i usługowy regionu roln.; przemysł maszyn. (fabryka aparatury dla przemysłu spoż., fabryka tokarek), metal., papierniczy, spoż., drzewny (meble), poligraficzny; węzeł drogowy; prawa miejskie przed 1283; działają tu: Pleszewskie Tow. Kult., Związek Gmin Ziemi Pleszowskiej.

Plitwickie, Jeziora, Plitvička jezera, grupa 16 jezior krasowych w Chorwacji, w pd. części pasma górskiego Kapela, na wys. 503–639 m; łączna pow. 1,9 km², największe jez. Kozjak (0,8 km², głęb. do 49 m); z Jezior Plitwickich wypływa rz. Korana (dorzecze Sawy); liczne wodospady, najwyższy Plitwica (wys. 78 m); w okolicy jezior dolnych lasy bukowe; Park Nar. Jezior Plitwickich (zał. 1949, pow. 19,4 tys. ha), od 1979 wpisany na Listę Świat. Dziedzictwa Kult. i Przyr. UNESCO. ■

plutonizm, procesy magmowe zachodzące w głębszych partiach skorupy ziemskiej. Zob. też wulkanizm.

pluwiograf [łac.-gr.], rodzaj → deszczomierza.

pluwiometr [łac.-gr.], rodzaj → deszczomierza.

płaskowyż, plateau, obszar wysoko położony, o płaskiej lub lekko falistej wierzchowinie, słabo rozczłonkowany, odgraniczony stopniem od sąsiednich, niższych terenów.

płaszcz Ziemi, sfera we wnętrzu Ziemi między dolną granicą skorupy ziemskiej, tzw. nieciągłością → Mohorovičicia (na średniej głęb. ok. 35 km) a górną powierzchnią → jądra Ziemi (na głęb. 2900 km). W p.Z. rozchodzą się zarówno podłużne, jak i poprzeczne fale sejsmiczne, co prowadzi do wniosku, że płaszcz Ziemi przy krótkotrwałych odkształceniach sprężystych zachowuje się jak ciało sztywne, chociaż pod wpływem sił działających w skali wiekowej ma właściwości plast. i mogą występować w nim prądy konwekcyjne. Gęstość p.Z. wynosi od 3,3 g/cm³ (pod nieciągłością Mohorovičicia) do 5,5 g/cm³ (na dolnej granicy), temp. (na dolnej granicy) — ok. 3000°C, prędkość podłużnych fal sejsmicznych — 8,1–13,6 km/s; ciśn. u podstawy p.Z. osiąga wartość ok. $13 \cdot 10^{12}$ P. Przypuszcza się, że p.Z. jest zbud. z materiału zbliżonego składem do → perydotytu, a pod kontynentami — być może również do eklogitu; materiał ten na większych głębokościach zawiera prawdopodobnie dodatek chromu, niklu, metalicznego żelaza, może siarczków i tlenków metali. Najwyższą część p.Z. stanowi w a r s t w a   p e r y d o t y t o w a, wchodząca w skład → litosfery; zawiera ona ok. 1% fazy ciekłej, obniżającej lepkość i umożliwiającej odkłucie (odspojenie) i przemieszczanie się → płyt litosferycznych. Pod warstwą perydotytową znajduje się a s t e n o s f e r a; jej górna granica leży na głęb. 50–60 km pod oceanami i 100–120 km pod kontynentami, dolna — odpowiednio na głęb. 400 i 250 km. Astenosferę charakteryzuje spadek prędkości rozchodzenia się fal sejsmicznych, zwł. poprzecznych, co wskazuje na to, że ma ona względnie małą lepkość i jest bardziej podatna na deformacje niż sąsiadujące z nią sfery (stąd określenie — słaba warstwa), co może być związane z obecnością niewielkiej ilości fazy ciekłej (1–10%). Astenosfera pełni funkcję generatora ruchów litosfery, gdyż w jej obrębie występują prądy konwekcyjne powodujące ruch płyt litosferycznych, powstaje magma i tworzą się miejscami jej wzniesienia w postaci astenolitów; astenosfera jest również amortyzatorem ruchów pochodzących z głębszych warstw p.Z. Między astenosferą a jądrem Ziemi rozciąga się m e z o s f e r a (tzw. płaszcz dolny); występuje w niej wzrost prędkości rozchodzenia się fal sejsmicznych wraz ze wzrostem głębokości; mimo wysokiej temperatury, wskutek znacznego ciśnienia materiał skalny jest w stanie stałym.

płaszczowina, masy skalne sfałdowane, oderwane od podłoża i przemieszczone wzdłuż prawie poziomej powierzchni nasunięcia na znaczną (nawet setek km) odległość; dla p. charakterystyczne jest występowanie skał starszych nad młodszymi, niekiedy skał krystal. nad osadowymi, oraz sąsiadowanie skał o różnych facjach. Ze względu na mechanizm powstawania rozróżnia się: p ł a s z c z o w i n ę   z   p r z e f a ł d o w a n i a, tworzącą się z fałdu obalonego, w którym jądro i skrzydło górne ulegają przesunięciu, a skrzydło dolne (brzuszne) — wytarciu lub rozerwaniu; p ł a s z c z o w i n ę   z   o d k ł u c i a, powstającą przez odspojenie (odkłucie) mas skalnych od podłoża wzdłuż powierzchni rozgraniczającej 2 kompleksy skał o różnej sztywności (np. między piaskowcami i łupkami ilastymi) i nasunięcie tych mas na utwory młodsze; p ł a s z c z o w i n ę   z e   ś c i n a n i a, tworzącą się przez nasunięcie mas skalnych wzdłuż nachylonego pod b. małym kątem uskoku, skośnego względem warstwowania. P. są typowe dla → tektoniki alp., występują powszechnie m.in. w Karpatach, Himalajach, Alpach.

■ Jeziora Plitwickie

Płock, m. w woj. mazow., nad Wisłą i jej pr. dopływem Brzeźnicą; powiat grodzki, siedziba powiatu płoc.; 131 tys. mieszk. (2000); ośr. przem., nauk., kult.; stol. diecezji płockiej Kościoła rzymskokatol.; wielka petrochemia z terminalem paliwowym; ponadto przemysł spoż., maszyn., dziewiarski, odzież., drzewny; węzeł rurociągów naft.; port i największa w kraju stocznia rzeczna; węzeł drogowy; szkoły wyższe, instytuty nauk. (w tym przemysłu naft.); teatr, orkiestra; muzea; ośr. turyst.-krajoznawczy; prawa miejskie od 1237; 1975–1998 stol. województwa. Pozostałości rom. budowli (XI–XII w.) oraz zamku i opactwa (XIV w.) z kościołem (XVI, XVII–XIX w.), rom. katedra (XII w., przebud. XVI w. i pocz. XX w.), kościół i kolegium (zał. XVII w., przebud. XVIII i XIX w.), kościół farny (XIV, XVI, XVIII w.), zespół klasztorny (XVI, XVIII, XIX w.), budowle publ. i kamienice (XVIII, XIX w.).

Płońsk, m. powiatowe w woj. mazow., nad Płonką (pr. dopływ Wkry); 23,1 tys. mieszk. (2000); ośr. przem.-usługowy; przemysł spoż.

(największy w Polsce młyn, zamrażalnia owoców i warzyw, zakłady cukiern.), mebl., metal., chem. (farby); węzeł drogowy; prawa miejskie od 1400; zespół klasztorny: kościół (XVI, XVII–XIX w.), klasztor (XVII–XIX w.).

Płoty, m. w woj. zachodniopomor. (powiat gryficki), nad Regą; 4,2 tys. mieszk. (2000); ośr. usługowy dla rolnictwa; węzeł kol. i drogowy; drobny przemysł spoż., drzewny, skórz.; we wczesnym średniowieczu centrum opola (2 grodziska); prawa miejskie od 1277; renesansowy pałac (XVI w.), pałac (XVII, XIX w.).

płyta, część → platformy, w której na fundamencie krystal. spoczywa znacznej grubości (setek lub tysięcy m) pokrywa osadowa składająca się z poziomo leżących warstw skalnych (np. p. podolska); budowę płytową ma również pn.-wsch. część Polski.

płyta litosferyczna, kra litosferyczna, ograniczony rozłamami wgłębnymi wielki fragment litosfery (kontynent., oceanicznej lub o składzie mieszanym), mogący przemieszczać się poziomo po strefach obniżonej lepkości występujących w górnej części → płaszcza Ziemi; krawędzie płyt odznaczają się dużą aktywnością tektoniczną, sejsmiczną i często wulkaniczną. Rozróżnia się kilka wielkich p.l. i kilkanaście mniejszych (tzw. mikropłyt). Według teorii → tektoniki płyt, ruch p.l. jest gł. czynnikiem ewolucji tektonicznej Ziemi.

pływy, zjawiska pływowe, okresowe zmiany kształtu ciała niebieskiego w wyniku grawitacyjnego oddziaływania drugiego ciała; p. n a Z i e m i stanowią okresowe zjawiska w hydrosferze, atmosferze i skorupie ziemskiej spowodowane przyciąganiem Księżyca i Słońca; najwyraźniej występują w oceanach i morzach, gdzie siły przyciągania grawitacyjnego i nakładająca się na nie siła odśrodkowa (wywołana obrotem układu Ziemia–Księżyc wokół wspólnego środka masy) powoduje okresowe ruchy wód oceanicznych objawiające się rytmicznym wznoszeniem (przypływ) i opadaniem (odpływ) poziomu wód; przyciąganie Księżyca (którego działanie pływotwórcze jest przeszło 2-krotnie silniejsze niż Słońca) jest największe w punkcie Ziemi, nad którym Księżyc znajduje się w zenicie; działanie wypadkowej sił przyciągania i siły odśrodkowej powoduje spłynięcie wody ku punktowi Ziemi, w którym Księżyc jest w zenicie i punktowi antypodycznemu, w wyniku czego wzdłuż prostej łączącej Ziemię z Księżycem powstają 2 wybrzuszenia przypływowe (fale przypływowe); zjawisko powtarza się — ze względu na obrót Ziemi dokoła własnej osi — co ok. 12 godz.; p. są największe w pełni i nowiu, gdy środki Ziemi, Księżyca i Słońca znajdują się na jednej prostej i siły pływotwórcze Księżyca i Słońca się sumują; na pełnym oceanie wysokość fal pływowych dochodzi do 60–70 cm, na szelfie kontynent. do 18 m.

Pniewy, m. w woj. wielkopol. (powiat szamotulski), nad Jez. Pniewskim; 7,0 tys. mieszk. (2000); ośr. usługowy; przemysł maszyn., metal., spoż., drzewny; węzeł drogowy; prawa miejskie od 1394; kościół (XV, XVII, XVIII w.), pałac (XVIII, XIX w.).

Pobieda, najwyższy szczyt Gór Czerskiego, w Jakucji (Rosja); wys. 3147 m.

Pobiedy, Pik, najwyższy szczyt Tien-szanu, w pasmie górskim Kokszaał-tau, w Kirgistanie; wys. 7439 m; lodowce; zdobyty 1938.

Pobiedziska, m. w woj. wielkopol. (powiat pozn.), nad jez. Biezdruchowo; 8,0 tys. mieszk. (2000); ośr. usługowy; huta szkła, wytwórnia środków aseptycznych; prawa miejskie przed 1266; kościoły: got. (XIV, XVI, XIX w.), klasycyst. (XIX w.).

Poddębice, m. powiatowe w woj. łódz., nad Nerem; 8,0 tys. mieszk. (2000); ośr. usługowy dla rolnictwa; drobny przemysł; prawa miejskie prawdopodobnie przed 1400–1870 i od 1934; Regionalna Izba Muzealna; kościół i pałac (XVII, XIX w.).

Podhale, Obniżenie Orawsko-Podhalańskie, kotlina w Centr. Karpatach Zach.; leży między Tatrami na pd. a Beskidami Zach. na pn.; rozciąga się z zach. na wsch. na dł. ok. 70 km, szer. 20–30 km; jest to zaklęsłość tektoniczna, wypełniona już w starszym trzeciorzędzie (eocenie) tzw. fliszem podhalańskim i obniżona w okresach późniejszych; wzdłuż niej (nieco skośnie) przebiega pieniński pas skałkowy (wys. 670–1050 m); pd. część regionu zajmuje Rów Podtatrzański (wys. 750–1000 m), na pn. od niego ciągnie się rozległy pas wzniesień — Pogórze Spisko-Gubałowskie (Gubałówka 1120 m, Palenica 1183 m) opadające stromo ku pd., łagodnie ku pn.; najniższą część regionu zajmuje położona w części pn. Kotlina Orawsko-Nowotarska (wys. 490–650 m). P. jest przecięte w poprzek eur. działem wód, który z Beskidów Zach. (Babiej Góry) przerzuca się do Tatr; Orawa z dopływami należy do zlewiska M. Czarnego, a płynący przez centr. i wsch. część P. Dunajec — do zlewiska M. Bałtyckiego; w zach. części kotliny, na Czarnej Orawie, w Słowacji, utworzono duży zbiornik retencyjny — Jez. Orawskie; duże zasoby wód geotermalnych (temp. powyżej 80°C). Klimat P. jest stosunkowo chłodny wskutek nie tylko znacznego wzniesienia, ale i ukształtowania powierzchni, powodującego zaleganie w zimie mroźnego, ciężkiego powietrza na dnie kotliny; charakterystyczną cechą jest występowanie suchych i ciepłych wiatrów halnych, które powodują gwałtowne podnoszenie temperatury powietrza, zwł. wiosną i jesienią. Pierwotna szata roślinna P. jest w znacznym stopniu wyniszczona; większość lasów na Pogórzu Spisko-Gubałowskim tworzą wtórne drzewostany świerkowe lub świerkowo-jodłowe; w pienińskim pasie skałkowym panuje świerk, na odosobnionych skałkach wapiennych spotyka się zespoły roślin wysokogórskich, w Kotlinie Orawsko-Nowotarskiej zachowały się na znacznych przestrzeniach podmokłe bory sosnowo-świerkowe oraz rozległe torfowiska wysokie z licznymi reliktami glacjalnymi, dziś przeważnie zniszczone przez eksploatację; znaczną część P. zajmują łąki i pastwiska oraz pola uprawne (gł. w Rowie Podtatrzańskim); P. przecina linia kol. Kraków–Zakopane. Główne m.: Nowy Targ, Zakopane.

podkarpackie, województwo, woj. w pd.-wsch. Polsce, graniczy ze Słowacją i Ukrainą;

17 926 km², 2,1 mln mieszk. (2000), stol. — Rzeszów, in. większe m.: Przemyśl, Tarnobrzeg, Krosno; dzieli się na 4 powiaty grodzkie, 21 powiatów ziemskich i 160 gmin. Krajobraz b. urozmaicony; wysokości od 1346 m w Bieszczadach (Tarnica) do 135 m w dolinie Wisły; na pd. Pogórze Środkowobeskidzkie i Beskid Niski, przechodzące ku wsch. w Beskidy Wsch. z G. Sanocko-Turczańskimi i Bieszczadami Zach.; na pn. i w części środk. Kotlina Sandom., a na pn.--wsch. skraju fragment Wyż. Lubelskiej i Roztocza. Główne rz.: Wisła (stanowi pn.-zach. granicę w.p.) z Wisłoką oraz San z Wisłokiem, Lubaczówką i Tanwią; zbiorniki retencyjne na Sanie; wody miner., m.in. szczawy. Lasy zajmują 35,9% pow., gł. w górach, na Pogórzu Przemys. i w Kotlinie Sandom. (Lasy Janowskie, część Puszczy Solskiej, Puszcza Sandom.); 2 parki nar. — część Magurskiego oraz Bieszczadzki, wchodzący w skład Międzynar. Rezerwatu Biosfery Karpaty Wsch., i 9 parków krajobrazowych. Gęstość zaludnienia — 118 mieszk. na km², w miastach 41,1% ludności (2000). Województwo przem.--roln.; złoża siarki (wsch. część Tarnob. Okręgu Siarkowego), liczne niewielkie złoża ropy naft. i gazu ziemnego; rozwinięty gł. przemysł maszyn., metal., środków transportu, precyzyjny, chem., gł. gum. i petrochem., ponadto zbrojeniowy i metalurg., drzewny (tartaczny, mebl., płyt i sklejek), szkl., ceram., spożywczy. Użytki rolne zajmują 52,7% pow.; uprawa zbóż (pszenica, żyto) i ziemniaków; rozwinięte warzywnictwo i sadownictwo; hodowla bydła i owiec. Rzadka sieć komunik., gł. trasy: Kraków–Rzeszów, Tarnobrzeg–Zamość, Tarnobrzeg–Przemyśl; port lotn. w Rzeszowie (Jasionka); przejścia graniczne. Rozwinięta turystyka i sporty zimowe (Bieszczady, Beskid Niski), wiele uzdrowisk (Iwonicz Zdrój, Rymanów Zdrój, Horyniec Zdrój).

Podkowa Leśna, m. w woj. mazow. (powiat grodziski), w otoczeniu lasów młochowskich, w aglomeracji warsz.; 3,7 tys. mieszk. (2000); letnisko (od 1925) i ośr. mieszkaniowy; Wyższe Seminarium Duchowne Adwentystów; zał. 1925, prawa miejskie od 1969.

Podlaski Przełom Bugu, dolina Bugu w obrębie Niz. Południowopodlaskiej, między Polesiem a Niz. Środkowomazowiecką; w okolicach Mielnika przecina strefę moren czołowych zlodowacenia Warty; szer. doliny 1,3–6 km, głęb. 30–60 m; wyraźnie zaznaczone tarasy; liczne rezerwaty leśne. ∎

podlaskie, województwo, woj. w pn.-wsch. Polsce, graniczy z Litwą i Białorusią; 20 180 km², 1,2 mln mieszk. (2000), stol. — Białystok, in. większe m.: Łomża, Suwałki; dzieli się na 3 powiaty grodzkie, 14 powiatów ziemskich i 118 gmin. Krajobraz urozmaicony: na pn. młodoglacjalny pojezierny (pojezierza: Wschodnio- i Zachodniosuwal., Ełckie) i sandrowy pojezierny (Równina Augustowska), w środk. i pd. części staroglacjalne wysoczyzny Podlasko-Białorus. i część Niz. Północnomazowieckiej, urozmaicone wcinającymi się w nie kotlinami (Biebrzańska) i dolinami rzek. Gęsta sieć rzeczna, gł. rz.: Biebrza Narew i Bug (dorzecze Wisły), Szeszupa, Czarna Hańcza, Świsłocz (dorzecze Niemna); Kanał Augustowski; liczne jeziora polodowcowe, m.in. Wigry, Hańcza; w Kotlinie Biebrzańskiej i dolinie Narwi bagna i torfowiska. Lasy zajmują 29,3 % pow. (puszcze Białowieska, Knyszyńska, Augustowska); 4 parki nar. — Białowieski, Biebrzański, Wigierski, Narwiański, i 4 krajobrazowe. Niska gęstość zaludnienia — 61 mieszk. na km², w miastach 58,4% ludności (2000); najliczniejsze w kraju skupisko ludności prawosł. (ok. 300 tys. osób, w tym ok. 80 tys. Białorusinów), mniejszość litew. (ok. 10 tys.). Województwo roln.-przem.; bogate, nieeksploatowane złoża rud żelaza (tzw. Zagłębie Suwal.), pierwiastków promieniotwórczych (Rajsk) oraz ziem rzadkich (Tajno w Kotlinie Biebrzańskiej); duże złoża surowców bud.; rozwinięty gł. przemysł spoż. (mięsny, tytoniowy, spirytusowy, piwowarski, ziemniaczany), ponadto maszyn. i metal., lekki, drzewny, chem. i miner.; koncentracja przemysłu gł. w Białymstoku i okolicach. Użytki rolne zajmują 59,7% pow., w tym łąki i pastwiska 20,0% (najwięcej w kraju); uprawia się zboża (żyto, pszenica, owies) i ziemniaki; hoduje się bydło (najwyższa w kraju obsada na 100 ha użytków rolnych — 54 sztuki). Sieć komunik., zwł. kol., słabo rozwinięta; gł. trasy: z Warszawy do przejść granicznych na Litwę i Białoruś; żegluga, gł. turyst., po Kanale Augustowskim. Rozwinięta turystyka (puszcze: Białowieska i Knyszyńska, pojezierza), uzdrowisko w Augustowie; w Grabarce ośr. pielgrzymkowy prawosławnych.

∎ Podlaski Przełom Bugu w okolicach Mielnika

Podtatrzański, Rów, podłużne obniżenie oddzielające Pogórze Spisko-Gubałowskie od Tatr (część zach. na Słowacji); wys. 750–1000 m; utw. w marglistych łupkach eoceńskich, wypełniony w dużej części żwirami i piaskami stożków napływowych potoków tatrzańskich; składa się z szeregu kotlin, a w części wsch. z płaskich garbów porozcinanych erozyjnie; region odwadniają Czarny Dunajec oraz Zakopianka i Poroniec, łączące się w Biały Dunajec; obszary leśne gł. w części zach. i na krańcach wsch.; część środk. zajmuje Zakopane (największy pol. ośr. rekreacji i turystyki) i Kościelisko, na pn.-wsch. krańcu — Bukowina Tatrzańska.

Podwietrzne, Wyspy, ang. Leeward Islands, wyspy na M. Karaibskim, część Małych Antyli; obejmują: bryt. terytoria zależne (Anguilla, Bryt. Wyspy Dziewicze i Montserrat), amer. terytorium zależne (Wyspy Dziewicze Stanów Zjedn.), departament zamor. Francji (Gwadelupa i część wyspy Saint-Martin), autonomiczną część Holandii (część Antyli Hol. obejmująca wyspy: Sint Eustatius, Saba, część Saint-Martin p.n. Sint Maarten) oraz niepodległe państwa: Antigua i Barbuda, Saint Christopher i Nevis. Do W.P. są niekiedy zaliczane wyspy u pn. wybrzeży Wenezueli, największe: Margarita, Bonaire, Curaçao i Aruba.

pogoda, stan atmosfery ziemskiej w danym miejscu i czasie, określony przez zespół elementów i zjawisk meteorol., takich jak: ciśnienie, temperatura i wilgotność powietrza, rodzaj opadu atmosf., wielkość zachmurzenia, mgła, burze. Obserwacje najważniejszych elementów meteorol. charakteryzujących p. są przeprowadzane systematycznie przez stacje meteorologiczne; informacje przekazywane specjalnym systemem łączności (→ meteorologiczny klucz) do biur p. stanowią podstawę prognozy p. Badaniem zachodzących w atmosferze procesów związanych z p. i jej przewidywaniem zajmuje się → meteorologia (synoptyczna). Zob. też pogody prognoza.

pogody mapa, mapa synoptyczna, mapa konturowa danego obszaru z naniesionymi wynikami jednoczesnych obserwacji meteorol. (przeprowadzanych w stacjach → meteorologicznych) oraz izoliniami niektórych elementów meteorol. (→ pogoda). Na m a p y p o g o d y d o l n e nanosi się wyniki pomiarów przeprowadzonych na stacjach naziemnych (lądowych i mor.); zawierają one dane dotyczące gł. elementów meteorol. (temperatury i wilgotności powietrza, zachmurzenia i rodzaju chmur, ilości opadów, kierunku i prędkości wiatru na poziomie miejsca obserwacji oraz ciśnienia atmosf. na poziomie morza), a także przedstawiają przebieg → izobar, położenia różnych mas powietrznych i → frontów atmosferycznych. Dane meteorol. są przedstawiane za pomocą liczb i odpowiednich symboli. M a p y p o g o d y g ó r n e przedstawiają dane o stanie atmosfery na różnych wysokościach n.p.m., uzyskane w wyniku obserwacji aerologicznych. Wśród map górnych rozróżnia się m.in. m a p y t o p o g r a f i i b e z w z g l ę d - n e j, na których są zaznaczane wysokości n.p.m. danej powierzchni izobarycznej nad różnymi obszarami, oraz m a p y t o p o g r a f i i w z g l ę d - n e j, na których są zaznaczane wysokości danej powierzchni izobarycznej (np. 700 hPa) względem innej powierzchni izobarycznej (np. 850 hPa).

pogody prognoza, przewidywany na podstawie określonych danych przebieg pogody na pewnym obszarze. P.p. dzieli się na: krótkoterminowe (do 72 h), średnioterminowe (do 10 dni) i długoterminowe (ponad 10 dni, zwykle miesiąc lub kwartał). Zależnie od wielkości obszaru objętego prognozą rozróżnia się prognozy: mezoskalowe (lokalne) — dotyczą obszarów o powierzchni od kilkunastu do kilkudziesięciu km², oraz makroskalowe — obejmują obszary o powierzchni dziesiątków tys. km². Ze względu na przeznaczenie rozróżnia się prognozy: ogólne, lotn., agrometeorol. i in. Istniejące metody prognozowania można podzielić na subiektywne (synoptyczne, tradycyjne) — historycznie najstarsze, oraz obiektywne — rozwijające się od czasu zastosowania komputerów.

Prognozowanie m e t o d a m i s u b i e k t y w n y - m i polega na ręcznym wykreśleniu mapy → pogody, na podstawie której ustala się tendencje rozwojowe sytuacji meteorol. i przyszły przebieg pogody; otrzymana tą metodą p.p. zależy od doświadczenia i umiejętności sporządzającego ją synoptyka. W m e t o d a c h o b i e k t y w n y c h dane meteorol. są analizowane przez komputery, a do prognozowania stosuje się mat. model atmosfery — układ równań wyrażających podstawowe prawa fizyki rządzące zjawiskami atmosf.; równania te rozwiązuje się zwykle metodami numerycznymi, a prognozy tak uzyskane są również zw. p r o g n o z a m i n u m e r y c z - n y m i. Do metod obiektywnych należą też tzw. m e t o d y a n a l o g ó w, wykorzystujące znajomość hist. sytuacji meteorol., o rozwoju podobnym do aktualnie obserwowanego, przy założeniu, że dalszy rozwój sytuacji będzie również podobny; metody te są stosowane do prognoz długoterminowych (np. miesięcznych).

Pogorzela, m. w woj. wielkopol. (powiat gostyński); 2,0 tys. mieszk. (2000); ośr. usługowy dla rolnictwa; drobny przemysł spoż.; prawa miejskie przed 1458; późnobarok. kościół parafialny (1778–81, restaurowany 1856).

pojemność statku, suma wewn. objętości zamkniętych pomieszczeń; obliczana jako funkcja albo objętości wszystkich pomieszczeń zamkniętych (oznaczenie GT), albo tylko ładunkowych i liczby pasażerów (oznaczenie NT); zastępuje p.s. wyrażaną w tonach rejestrowych (BRT i NRT).

pojezierze, obszar młodej rzeźby → glacjalnej, na którym występują liczne jeziora związane ze zlodowaceniem plejstoceńskim oraz formy rzeźby powstałe wskutek nagromadzenia osadów przez lądolód — moreny, drumliny, ozy, sandry, kemy; p. tworzy odrębny typ krajobrazu; w Polsce — np. P. Pomorskie, Mazurskie i Wielkopolskie.

Polanica Zdrój, m. w woj. dolnośląskim (powiat kłodzki), na pograniczu Kotliny Kłodzkiej, G. Stołowych i G. Bystrzyckich, nad Bystrzycą Dusznicką; 7,5 tys. mieszk. (2000); od XIX w. uzdrowisko (szczawy); ośr. chirurgii plast.; turystyka; muzea (kamieni szlachetnych, misyjno--etnogr.); drobny przemysł (szkl., spoż., drzewny); zał. na pocz. XIX w.; prawa miejskie od 1945.

Polanów, m. w woj. zachodniopomor. (powiat koszal.), nad Grabową (l. dopływ Wieprzy); 3,0 tys. mieszk. (2000); ośr. usługowy; drobny przemysł; prawa miejskie od 1343.

Polesie, białorus. **Paleskaja nizina, Palesse,** ukr. **Poliśka nizowina, Polissia,** równina na Białorusi, Ukrainie i w Polsce, w dorzeczu Bugu i Prypeci; wys. 100–250 m (maks. 316 m); wody gruntowe zalegające tuż pod powierzchnią tworzą płytkie jeziora i rozległe bagna; liczne rzeki; miejscami wśród bagien nieco wyższe równiny morenowe i lodowcowo-wodne oraz utrwalone wydmy, a na pd. — wzniesienia ze skał starszego podłoża (margle kredowe i granity); blisko 1/2 pow. zajmują bagna i związane z nimi kompleksy torfowisk (zwł. niskich) o roślinności obfitującej w relikty glacjalne (wierzba lapońska, brzoza karłowata) oraz bagienne lasy łęgowe i olsy (z olszą czarną); na terenach wyżej wzniesionych występują bory sosnowe i lasy mieszane (w pd. części rośnie w nich różanecznik żółty *Rhododendron luteum*), łączna lesistość wynosi 30%; Rezerwat Poleski (utworzony 1968, pow. 20,1 tys. ha); prowadzi się na dużą skalę prace melioracyjne; złoża ropy naft., węgla brun., torfu; gł. m.: Brześć, Pińsk, Mozyrz, Homel.

Polesie Podlaskie, Polesie Zachodnie, Polesie Lubelskie, zach. część Polesia, położona w granicach Polski, w lewym dorzeczu Bugu; są to gł. płaskie równiny denudacyjne i akumulacyjne z dużym udziałem torfowisk, a w pd. części regionu również jezior bagiennych i krasowych; w podłożu od okolic Hrubieszowa po okolice Radzynia ciągnie się pas skał karbońskich z węglem kam. (Lubel. Zagłębie Węglowe); na P.P. 1990 utworzono Poleski Park Narodowy. Rozróżnia się tu 6 mezoregionów: Zaklęsłość Łomaską, Równinę Kodeńską, Równinę Parczewską, Zaklęsłość Sosnowiecką, Garb Włodawski i Równinę Łęczyńsko-Włodawską.

Polesie Wołyńskie, pd.-zach. część Polesia w granicach Polski, w l. dorzeczu Bugu; jego charakterystyczną cechą są wznoszące się wśród bagnistych równin wysokie pagóry zbud. z kredowych margli i trzeciorzędowych piaskowców; w pn.-wsch. części utworzono 1983 Chełmski Park Krajobrazowy. Na P.W. rozróżnia się 3 mezoregiony: Obniżenie Dorohuckie, Pagóry Chełmskie i Obniżenie Dubieńskie.

Polica, szczyt w Beskidzie Żywieckim, na pn.--wsch. od Babiej Góry; wys. 1369 m; porośnięta lasem świerkowym (regiel górny); szlaki turyst. na Babią Górę oraz do Zawoi, Zubrzycy i Jordanowa; trasy narciarskie, 2 km na wsch. schronisko turyst. na Hali Krupowej. 2 IV 1969 katastrofa samolotu PLL LOT, w której zginęły wszystkie lecące nim osoby. Rezerwat na Policy im. prof. Z. Klemensiewicza (zginął w katastrofie).

Police, m. powiatowe w woj. zachodniopomor., nad Odrą; 35 tys. mieszk. (2000); ośr. przemysłu chem. (wielkie zakłady Police), ponadto przemysł spoż., szkl.; port, dostępny dla statków mor.; ośr. żeglarski (Trzebież); prawa miejskie od 1260; Izba Pamiątek Obozowych — w kaplicy z XV w.

poligonalne gleby, drobne formy powierzchni terenu charakterystyczne gł. dla rzeźby → pe-

■ Gleby poligonalne, pierścienie kamieniste (Spitsbergen)

ryglacjalnej; tworzą się w czynnej strefie zmarzliny, na płaskich, prawie poziomych obszarach wskutek pęcznienia, kurczenia się i spełzywania wielokrotnie zamarzającego i rozmarzającego materiału skalnego; są to wieloboki o wypukłej powierzchni (przeważnie pięcio- lub sześciokątne), o średnicy od kilku cm do 20 m, ograniczone szczelinami (szerokość od kilku do kilkudziesięciu cm); szczeliny są wypełnione lodem, pionowo ustawionymi okruchami skalnymi lub torfem. ■

Polinezja, ang. **Polynesia,** franc. **Polynésie,** wsch. część Oceanii; obejmuje wyspy: Hawaje, Feniks, Line, Lagunowe (Ellice), Wallis i Futuna, Samoa, Tonga, Tokelau, Cooka, Towarzystwa, Tuamotu, Markizy, Tubuai, Gambiera, Pitcairn, Wielkanocną; pow. lądowa ok. 26 tys. km^2, wodna — 21,6 mln km^2; do P. niekiedy zalicza się Nową Zelandię i Fidżi. Wyspy P. są pochodzenia wulk. (większość otoczona rafami koralowymi) lub koralowe; na Hawajach i Samoa czynne wulkany. P. leży w strefie klimatów równikowych i zwrotnikowych; suma roczna opadów od ok. 1500 mm na wsch. do 3500–4000 mm na zach. (na wyspie Kauai w Hawajach do 12 tys. mm), na niskich wyspach koralowych opady znacznie mniejsze (poniżej 1000 mm); pd. część P. jest obszarem powstawania cyklonów tropikalnych. Uprawiane powszechnie: rośliny bulwiaste (taro, jams, bataty), palma kokosowa, drzewo chlebowe (przypuszczalnie pochodzi z P.), ananasy, banany, ponadto wanilia, kawa, kakaowiec; duże znaczenie ma połów ryb (zwł. tuńczyka), żółwi mor., pereł; zbiór muszli; region turystyki i sportów wodnych.

Polinezja Francuska, Polynésie française, Terytorium Zamorskie Polinezji Francuskiej, terytorium zamor. Francji w Oceanii; w skład P.F. wchodzą: W. Towarzystwa, Tuamotu, Tubuai, W. Gambiera, Markizy; 4,2 tys. km^2, 248 tys. mieszk. (2002); stol. Papeete na wyspie Tahiti; eksport kopry, wanilii, owoców cytrusowych, pereł. Wyspy tworzące ob. P.F. w XIX w. znalazły się pod protektoratem Francji, od końca XIX w. kolonie franc., od 1958 terytorium zamor. Francji; od lat 60. XX w. rejon franc. prób z bronią jądrową.

polje [serb.], forma powierzchni Ziemi powstająca wskutek procesów krasowych (→ kras).

Polkowice, m. powiatowe w woj. dolnośląskim, w Legnicko-Głogowskim Okręgu Miedziowym; 22,9 tys. mieszk. (2000); największy w Polsce ośr. wydobycia rud miedzi — eksploatacja złóż kopalni Polkowice, Rudna, Sieroszowice; przemysł maszyn. i spoż.; prawa miejskie 1291–1945 i od 1967; kościół (XV/XVI, XVI, XVII w.), ratusz (XVIII, przebud. pocz. XX w., wieża XV w.).

Polska, Rzeczpospolita Polska, państwo w Europie Środk., nad M. Bałtyckim; stol.: Warszawa; pow.: 312 685 km^2; ludność: 38,6 mln mieszk. (2000); język urzędowy polski; jednostka monetarna: złoty; godło i barwy państw.: Orzeł Biały w koronie na czerwonym polu oraz biel i czerwień (cynober), w dwóch poziomych i równych pasach (górny — biały, dolny — czerwony); hymn nar.: *Mazurek Dąbrowskiego*; święta nar.: 3 maja

■ Polska

— Święto Nar. Trzeciego Maja — dzień uchwalenia konstytucji z 1791; 11 listopada — Nar. Święto Niepodległości (1918); graniczy z obwodem kaliningradzkim Federacji Ros. (210 km), Litwą (103 km), Białorusią (416 km), Ukrainą (528 km), Słowacją (541 km), Czechami (790 km) i Niemcami (467 km); łączna dł. granic 3595 km (w tym mor. 440 km); dzieli się na 16 województw (do 31 XII 1998 — 49), 373 powiaty (od 2002 — 380 powiatów) i 2473 gminy.

Warunki naturalne

Położenie geograficzne. P. leży między 54°50′N (punkt wybrzeża na zach. od Jastrzębiej Góry — Gwiazda Północy) a 49°00′N (szczyt Opołonek w Bieszczadach) oraz między 14°08′E (koryto Odry k. Cedyni) a 24°09′E (koryto Bugu k. Strzyżowa). P. znajduje się w strefie czasu środkowoeur. (czas słoneczny południka 15°E), latem wprowadza się czas wschodnioeur. (południka 30°E). Na terenie P. znajduje sie geom. środek Europy, przecinają się tu linie łączące: przylądki Nordkyn (Norwegia) i Matapan (Peloponez w Grecji) oraz przylądek Roca (Portugalia) i środk. Ural.

Ukształtowanie powierzchni. Kraj nizinny; obszary poniżej 300 m n.p.m zajmują 91,3% pow. (w tym depresje 0,2%), średnia wys. 173 m

(75,1% pow. do 200 m), najwyższa 2499 m w Tatrach (Rysy), najniższa — 1,8 m p.p.m., depresja w delcie Wisły. W pn. części Pojezierza Południowobałtyckie (m.in. Południowopomorskie, Chełmińsko-Dobrzyńskie, Wielkopolskie, Lubuskie) i Pojezierza Wschodniobałtyckie (Litewskie, Mazurskie) z rzeźbą młodoglacjalną (zlodowacenie Wisły); wały moren czołowych, m.in. pojezierza: Drawskie, Kaszubskie (Wieżyca — 329 m), Wzgórza Szeskie (wys. do 309 m), rozległe piaszczyste pola sandrowe z wydmami śródlądowymi (równiny: Augustowska, Mazurska, Bory Tucholskie), jeziora rynnowe (Jeziorak, Wigry, Ryńskie, Gopło), morenowe (Śniardwy, Mamry), wytopiskowe (Wdzydze) oraz ozy i kemy. W środk. części kraju — Niz. Środkowopolskie (m.in. Południowowielkopolska, Śląska, Północno- i Środkowomazowiecka, Południowopodlaska) przechodzące ku wsch. w Niz. Północnopodlaską oraz Polesie, a ku zach. w Niziny Sasko-Łużyckie; rzeźba staroglacjalna (zlodowacenia Odry, Warty); charakterystyczne wysoczyzny morenowe (Wał Trzebnicki — wys. do 284 m, Wysoczyzna Siedlecka, Kaliska, Rawska), równiny peryglacjalne (zerodowane moreny denne), m.in. równiny: Wrocławska i Radomska, torfowe zagłębienia bezodpływowe (pozostałości jezior polodowcowych). Wysoczyzny pojezierne, równiny denudacyjne i wysoczyzny morenowe są rozcięte szerokimi pradolinami, którymi odpływały wody topniejącego lodowca w czasie zlodowaceń Odry i Warty (Równina Szprotawska, pradoliny: Wrocławska, Wieprza) i zlodowacenia Wisły (Toruńsko-Eberswaldzka, Warszawsko-Berlińska); w pradolinach wydmy śródlądowe, np. w Puszczy Kampinoskiej, miejscami bagna i torfowiska (w Kotlinie Biebrzańskiej). Wybrzeże M. Bałtyckiego (pobrzeża: Szczecińskie, Koszalińskie, Gdańskie) wyrównane, z szerokimi plażami, wałami wydmowymi (Łeba), mierzejami (Helska) i jeziorami przybrzeżnymi (Jamno, Łebsko, Gardno), miejscami klifowe (Wybrzeże Trzebiatowskie, Pobrzeże Kaszubskie). W pd. i pd.-zach. części P. strefa zdyslokowanych w orogenezie alp. gór i wyżyn: Sudety (Śnieżka, 1602 m), Wyż. Śląsko-Krakowska (G. Zamkowa, 504 m), Wyż. Małopolska z G. Świętokrzyskimi (Łysica, 612 m), Wyż. Lubelsko-Lwowska z Roztoczem (Wielki Dział, 390 m); rozwinięta rzeźba krasowa (zwł. na Wyż. Krakowsko-Częstochowskiej — ok. 400 jaskiń) i lessowa (wyżyny: Sandomierska, Lubelska). Na pd.-wsch. Polski leżą góry fałdowe — Karpaty, które obejmują Centr. Karpaty Zach. z wysokogórskim masywem Tatr i tektonicznym obniżeniem Podhala oraz rozciągające się na pn. od nich fliszowe Karpaty Zewn., rozdzielone Przełęczą Łupkowską na Karpaty Zach. (Beskidy — 1725 m na Babiej Górze i Pogórze Beskidzkie), a także Karpaty Wsch. (w granicach P. Bieszczady Zach. — 1348 m, Tarnica). Karpaty oddziela od położonych na pn. i zach. wyżyn, trzeciorzędowe zapadlisko tektoniczne z kotlinami Sandomierską i Oświęcimską oraz leżącą tylko częściowo w granicach P. Kotliną Ostrawską.

Klimat. Klimat umiarkowany przejściowy, kształtowany przez masy powietrza polarnomor. znad pn. części O. Atlantyckiego, polarnokonty-

■ Polska. Westerplatte, zdjęcie lotnicze

■ Polska. Bug koło Strzyżowa, najdalej na wschód wysunięty punkt kraju

■ Polska. Pieniński Pas Skałkowy, przełom Białki pod Krempachami

nent. znad Europy Wsch. i Azji, ark. znad O. Arktycznego, podzwrotnikowomor. znad akwenów wokół Azorów oraz podzwrotnikowokontynent. znad Afryki. Wilgotne powietrze atlantyckie powoduje wzrost zachmurzenia i opady, zimą — odwilże, latem — ochłodzenia; stosunkowo suche powietrze polarnokontynent. przynosi pogodę słoneczną, zimą — mróz, latem — upały; cyrkulacja południkowa sprzyja napływowi powietrza ark. z pn. (pogoda zmienna, znaczne ochłodzenia, m.in. przymrozki w maju) lub rzadziej zwrotnikowego z pd. (ocieplenie w zimie, upały latem). Na cyrkulację powietrza duży wpływ wywierają tzw. ośr. aktywności atmosf. — Wyż Azorski i Niż Islandzki, zimą formuje się trzeci ośr. — Wyż Eurazjat.; przez większą część roku przeważa w P. cyrkulacja zach. związana z przesuwaniem się atlantyckich niżów barycznych na wschód. Występuje charakterystyczna zmienność pogody i wahania w przebiegu pór

PODZIAŁY ADMINISTRACYJNE POLSKI

Województwo kujawsko-pomorskie: Bydgoszcz — siedziba wojewody, Toruń — siedziba sejmiku województwa

Województwo lubuskie: Gorzów Wielkopolski — siedziba wojewody, Zielona Góra — siedziba sejmiku województwa

0   100 km

roku. Średnia temp. w styczniu od 0–1°C na wybrzeżu i zach. do –4,5°C i –5,5°C na pn.-wsch., –7°C w górach (Kasprowy Wierch, –8,4°C), w lipcu od 16,5°C na wybrzeżu do 19°C na Niz. Śląskiej i w Kotlinie Sandom., w górach 10°C (Kasprowy Wierch, 8,1°C); średnia roczna suma opadów wynosi ok. 600 mm; w górach przekracza 1500–2000 mm (maks. zanotowana na Kasprowym Wierchu — 2396 mm, 1945), na nizinach i wyżynach 400–750 mm; najmniej opadów otrzymuje Wielkopolska (zwł. część pn.) i Kujawy, leżące w cieniu opadowym Pojezierza Pomor. — w okolicach jez. Gopło w szczególnie suchych latach roczna suma opadów bywa niższa niż 300 mm.

Wody. Pod względem hydrograficznym 99,7% obszaru P. leży w zlewisku M. Bałtyckiego, w tym 55,7% przypada na dorzecze Wisły, 33,9% na dorzecze Odry, 9,3% — na bezpośrednie zlewisko M. Bałtyckiego, 0,8% — na dorzecze Niemna; do M. Czarnego odpływają wody za pośrednictwem Dniestru (górny bieg Strwiąża) i Dunaju (górny bieg Czarnej Orawy), do M. Północnego za pośrednictwem Łaby (górne biegi Izery i Orlicy w Sudetach). Sieć rzeczna jest asymetryczna; stosunek dorzecza lewego do prawego dla Wisły przedstawia się jak 27:73, dla Odry — 30:70; wiąże się to z ogólnym nachyleniem powierzchni kraju ku pn.-zach. oraz rozwojem rzeźby w trzeciorzędzie i czwartorzędzie; gęstość sieci rzecznej jest zróżnicowana — b. gęsta w Karpatach i Sudetach (duże zasilanie z opadów, słabo przepuszczalne podłoże, urozmaicona rzeźba), czterokrotnie rzadsza na wyżynach zbud. ze skał węglanowych; gł. rz.: Wisła (1047 km) z Narwią i Bugiem oraz Odra (854 km, w Polsce 742 km) z Wartą. Występuje śnieżno-deszczowy ustrój zasilania rzek z 2 wysokimi stanami wody: na wiosnę (zanik pokrywy śnieżnej i lodowej), w lecie (maksimum opadowe); niżówki: letnio-jesienne na terenie całej P., zimowe w Sudetach, Karpatach i na Wyż. Lubelskiej. Jeziora (ok. 9300 o pow. większej niż 1 ha) zajmują 1% pow. kraju, gł. polodowcowe (83%), poza tym przybrzeżne, krasowo-bagienne (Polesie Zach.), górskie (Tatry, Karkonosze); największe jez. — Śniardwy (113,8 km^2), najgłębsze — Hańcza (108 m). Bagna i torfowiska zajmują ok. 14,7 tys. km^2 (4,7% pow. kraju) i magazynują ok. 23 km^3 wody; największe zespoły torfowisk i bagien występują w pn.-wsch. części P., nad Biebrzą i Narwią. Oprócz naturalnych zbiorników wodnych istnieją też sztuczne; jest ich ok. 100 o łącznej pow. 450 km^2 i pojemności 3,7 km^3 (pojemność użytkowa 2,6 km^3). Występują liczne źródła miner.: solanki (Kołobrzeg, Ciechocinek, Inowrocław), wody siarkowe (Busko Zdrój, Solec Zdrój), żelaziste (Nałęczów), szczawy (Krynica Zdrój, Żegiestów Zdrój, Polanica Zdrój) oraz cieplice (Cieplice Śląskie Zdrój — 44°C, Lądek Zdrój — 29°C, Duszniki Zdrój). Znaczne zasoby podziemnych wód geotermalnych, m.in. na Podhalu i Pomorzu Zachodnim. Do wód przybrzeżnych P. należą 2 większe zatoki M. Bałtyckiego: Gdańska (z Zat. Pucką i Zalewem Wiślanym) oraz Pomorska (z Zalewem Szczec.). P. nie jest krajem zasobnym

■ Polska. Dolina Warty w pobliżu Kostrzyna

■ Polska. Wzgórza Jeleniewskie na Pojezierzu Wschodniosuwalskim

w wodę; powodują to zarówno czynniki klim. (stosunkowo niskie opady) jak i warunki hydrol. (część wód podziemnych odpływa bezpośrednio do morza); do obszarów deficytowych zalicza się: Pojezierze Wielkopol., a zwł. Kujawy, część Niz. Mazowieckiej i Niz. Podlaskiej oraz wyżyny: Śląską i Kielecką; obszarami nadwyżkowymi są Karpaty, Sudety i pn. część pasa pojezierzy.

Gleby. Wśród gleb P. wyróżnia się kilkadziesiąt jednostek systematycznych. Największą pow. (ok. 38%) zajmują gleby brunatnoziemne, gł. brun. wyługowane oraz płowe; są to dobre gleby leśne oraz średnie gleby roln.; drugą grupą pod względem zajmowanej pow. (ok. 26%) są gleby bielicoziemne (powstałe gł. z ubogich utworów piaszczystych) — gleby kwaśne, ubogie w składniki miner., próchnicę, o niskiej wartości roln.; stanowią ponad 30% pow. użytków rolnych. Pozostałe typy gleb miner., jak: czarnoziemy, czarne ziemie, rędziny i mady są przeważnie b. żyzne, lecz zajmują niewielkie powierzchnie. Jakość gleb P. jest dość niska; wśród gruntów ornych tylko ok. 23% gleb uznać można za dobre lub b. dobre (klasy I–IIIb), natomiast najsłabsze gleby (klasy V–VI) zajmują ponad 30% pow. kraju.

Szata roślinna. Flora P. należy do środkowoeur. prowincji lasów liściastych i mieszanych; obejmuje ponad 2300 gat. roślin naczyniowych i ponad 2000 gat. roślin plechowych; większość gat. roślin to element holarktyczny, niewielki jest udział gat. śródziemnomor. oraz irano-turańskich; lasy stanowią ponad 27% pow. kraju; najpospolitszym zbiorowiskiem leśnym są bory sosnowe i mieszane, a na siedliskach zasobniejszych — lasy liściaste, gł. buczyny i grądy (dębowo-grabowe), na podmokłych — olsy i łęgi; zespoły o zachowanym, pierwotnym charakterze roślinności są objęte ochroną jako parki nar. (23 w 2001, ponad 1% pow. kraju), parki krajobrazowe (ponad 100, ok. 7,8% pow.), rezerwaty przyrody (ponad 1300, ok. 0,5% pow.) i pomniki przyrody (ponad 33 tys.); niektóre gat. roślin są reliktami, np. ostróżka tatrzańska (z trzeciorzędu), różanecznik żółty (relikt stepowy), brzoza karłowata (zlodowacenie karpackie) lub endemitami, np. dębik ośmiopłatkowy.

■ Polska. Białowieski Park Narodowy, rezerwat Głęboki Kąt

Świat zwierzęcy. Pod względem zoogeograficznym P. należy do eur.-zachodniosyberyjskiej prowincji (część Palearktyki); w jej średnio bogatej faunie występuje: 89 gat. ssaków, 220 gat. ptaków gniazdowych, 9 gat. gadów, 18 gat. płazów, 55 gat. ryb słodkowodnych, ponad 25 tys. gat. owadów i ok. 1400 gat. pajęczaków. Większość to zwierzęta leśne (żubr, jeleń, sarna, dzik, wilk, liczne ptaki); wśród zwierząt pn.-wsch. części kraju znajdują się typowe gat. tundry i tajgi (puszczyki, zając bielak, łoś, jarząbek, głuszec, cietrzew, orzechówka); na obszarach pd. i wyspowo występują rzadkie gat. stepowe (susły, żołna, wąż Eskulapa); na nizinach występują m.in.: ropucha szara, padalec, zaskroniec, zięba, kaczka krzyżówka, jastrząb, wiewiórka pospolita, zając szarak, sarna. W P. żyją też dawniej zagrożone wyginięciem a ob. liczniejsze: bóbr, kruk, kormoran czarny, łabędź niemy i bocian czarny. W wodach słodkich żyją ssaki: rzęsorek i wydra oraz b. liczne gat. ptaków: perkozy, kaczki, mewy. Typowe ryby wód słodkich to: ukleja, płoć, leszcz, lin, karp, okoń, szczupak, węgorz; w czystych i głębokich, dobrze natlenionych jeziorach: sandacz, sieja, sielawa. Swoisty charakter ma fauna Karpat i Sudetów (niedźwiedź brun., traszki, salamandra plamista, kumak górski, kozica, świstak, płochacz halny, pomurnik oraz niezwykle rzadkie: ryś i żbik); ponadto w górach występują m.in.: pomrów błękitny (Bielzia caerulans), przeźrotki (Eucobresia i Semilimax), niepylak apollo, nadobnica alp., drozd obrożny, pliszka górska, pluszcz. Wiele zwierząt jest związanych z krajobrazem zmienionym przez człowieka; łąki są terenem lęgowym ptaków: czajki, bekasów, brodźców, rycyka, i b. rzadkiego bataliona; na polach uprawnych żyją myszy, norniki, chomik, z ptaków kuropatwa, przepiórka; wśród zabudowań występują: mysz domowa, wróbel domowy, jerzyk, gołębie, jaskółki. W M. Bałtyckim występuje kilka gat. ślimaków, małżów, chełbia modra; poławiane są: dorsz, śledź, szprot, kilka gat. fląder, łosoś; u wybrzeży mor. pojawiają się 3 gat. fok i morświn. W faunie P. spotyka się również gat. reliktowe, np. trzeciorzędowy skorupiak studniczek (zamieszkujący wody podziemne) oraz czwartorzędowe: skrzelopływka pn. (występująca w Tatrach, w Dwoistym Stawku Gąsienicowym i pod Furkotem) i pospolity podwój wielki (żyjący w M. Bałtyckim).

Stan środowiska przyrodniczego. P. należy do krajów o znacznie zanieczyszczonym środowisku, niewspółmiernie dużym do potencjału przem. kraju. Nadmierne zanieczyszczenie powietrza atmosf. występuje na ponad 20% pow. Polski. Przestrzenny rozkład emisji zanieczyszczeń jest b. nierównomierny — największy poziom osiąga ona na obszarach dużych aglomeracji miejskich oraz w gł. okręgach przemysłowych. Najgorsza sytuacja występuje w GOP, gdzie koncentruje się ok. 20–25% krajowej emisji SO_2, NO_x i pyłów; od wielu lat są tu przekraczane wartości dopuszczalnych stężeń wszystkich ważniejszych zanieczyszczeń atmosfery, w tym metali ciężkich, tlenku węgla i węglowodorów. Ponad 70 tys. ha gruntów zdewastowanych i zdegradowanych (w sposób naturalny i antropogeniczny) wymaga rekultywacji i zagospoda-

rowania. W 200 tylko ok. 11% lasów w P. uznano za zdrowe, ok. 50% znalazło się w klasie ostrzegawczej, średnie uszkodzenie miało ok. 30%, a ok. 1,6% uznano za silnie uszkodzone. Badania czystości wód 52 gł. rzek P. wykazały, że z łącznej długości badanych odcinków tych rzek (ok. 6 tys. km), tylko 6,3% można zaliczyć do I klasy czystości, natomiast 17,2% nie odpowiada normom żadnej z 3 obowiązujących klas (wody pozaklasowe). W 2000 do wód powierzchniowych odprowadzono ponad 9 tys. hm^3 ścieków przem. i komunalnych, w tym 3% nie oczyszczonych. W warunkach pol. poważnym problemem są pojawiające się okresowo powodzie. W VII 1997 na znacznym obszarze P. (zwł. w dorzeczu Odry) wystąpiła powódź o niespotykanych dotychczas rozmiarach: zatapionych zostało 1358 miejscowości, 54 osoby poniosły śmierć.

Ludność

P. jest krajem prawie jednolitym narodowościowo (mniejszości nar. — ok. 1,5 mln, gł. Ukraińcy, Białorusini, Niemcy, Czesi i Słowacy, Litwini, Żydzi, Cyganie) i religijnie — przeważają rzymskokatolicy (ok. 34,6 mln); ponadto prawosławni (510 tys.), grekokatolicy, ewangelicy, Świadkowie Jehowy i in. Przed wybuchem II wojny świat. P. zamieszkiwało 35 mln mieszk. (90 osób na km^2); w wyniku wojny nastąpił spadek liczby ludności do 23,6 mln (1946); do 1980 duża dynamika rozwoju ludności była związana gł. z wysokim przyrostem naturalnym (1950–55 powyżej 19‰), tempo wzrostu liczby ludności należało do najwyższych (po ZSRR) w Europie — liczba ludności wzrosła do 35,7 mln, czyli o 43% (osiągnęła stan przedwojenny w poł. lat 70.); po 1980 tempo wzrostu liczby ludności znacznie spadło (niski przyrost naturalny: 9,6‰ — 1980, 4,1‰ — 1990, 1,1‰ — 1996, 0,0‰ — 1999, 0,3‰ — 2000; ujemne saldo migracji zagr.); do 2000 liczba ludności wzrosła tylko o 2,9 mln i wynosiła 38,6 mln (stan 31 XII). Najwięcej ludzi zamieszkiwało województwo śląskie (5,1mln) — 13,2% ludności Polski (11,5% pow. kraju), najmniej — lubuskie 1,0 mln); średnia gęstość zaludnienia wynosiła 124 osoby na km^2 (1946 — 76 osób); do najgęściej zaludnionych województw należały: śląskie (394 osoby na km^2), małopol. (214 osób), najrzadziej zaludnione były podlaskie i warmińsko-mazurskie (po 61 osób). Po II wojnie świat. w P. były 703 miasta (stan w dniu 14 II 1946), ich ludność stanowiła 31,8% ogółu mieszkańców; wyróżniało się 9 aglomeracji. W 2000 liczba miast wzrosła do 880, a zamieszkiwało je 61,8% ludności kraju; w okresie powojennym rozwijały się gł. miasta średnie (20–100 tys. mieszk.) i duże, w których mieszkało ok. 80% ogółu ludności miejskiej (1950 — 66%); były 42 miasta powyżej 100 tys. mieszk., w tym 5 powyżej 500 tys.; największe pol. miasto — Warszawa (1613 tys. mieszk.); inne duże m.: Łódź, Kraków, Wrocław, Poznań, Gdańsk, Szczecin, Bydgoszcz, Katowice; stanowią one centra 9 aglomeracji miejskich w pełni ukształtowanych, skupiających znaczną część ludnościowego potencjału produkcyjnego i usługowego, w tym usług wyższego rzędu (nauki, kultury, zarządzania); ponadto jest 9 aglomeracji kształtujących się: podsudecka, opol., bielsko-bialska, częstoch., staropol., lubel., białost., rzesz., legnicka. Wszystkie aglomeracje zajmują ok. 8% pow. kraju i skupiają ok. 33% ogółu ludności. Najwyższy stopień urbanizacji występował w woj. śląskim (79,3%) i dolnośląskim (71,5%), najniższy — w podkarpackim (41,0%). Ludność P. charakteryzuje nasilający się proces starzenia; zmniejsza się udział ludności w wieku poniżej 20 lat (39% w 1950, 30,3% — 1996, 28% — 2000), wzrasta udział ludzi w wieku powyżej 64 lat (odpowiednio — 5,3%, 11,5%, 12,3%). Szczególnie niekorzystna jest struktura wieku na wsi — do najstarszej grupy wiekowej (powyżej 64 lat) należy ponad 13% mieszkańców. W XX w. przeciętna długość trwania życia w P. wydłużyła się z ok. 50 lat w okresie międzywojennym do 69,7 dla mężczyzn i 78 lat dla kobiet w 2000. W P. na 100 mężczyzn przypada 106 kobiet, na wsi — 100 kobiet; w grupie wiekowej do 40 lat występuje nieznaczna nadwyżka mężczyzn nad kobietami, a w grupie powyżej 64 lat duża przewaga kobiet (162 na 100 mężczyzn). Ludność w wieku produkcyjnym (kobiety 18–59 lat, mężczyźni 18–64 lata) stanowi 61,2% ogółu ludności. Realizowana w P. po II wojnie świat. (do 1990) polityka pełnego zatrudnienia oraz polityka gosp. oparta na dominacji sektora państw., ekstensywnej industrializacji i szybkiej urbanizacji stworzyła szeroki rynek pracy, sprzyjając aktywizacji zaw. ludności. W 1950–80 liczba ludności zawodowo czynnej wzrosła z 12,4 do 18 mln (o 50%), a liczba pracujących — z 10,2 mln do 17,3 mln (o 70%). W 2000 grupa osób aktywnych zawodowo (pracujący i bezrobotni) osiągnęła 17,3 mln; w okresie tym nastąpiła zmiana polityki gosp. państwa, jej podstawą stała się gospodarka rynkowa i racjonalizacja zatrudnienia; po raz pierwszy po II wojnie świat. wystąpiło w P. jawne bezrobocie. Liczba pracujących gwałtownie spadła — 1990 o 0,7 mln, 1991 o 1,0 mln, 1992 o 1,3 mln, 1993 o 0,3 mln; 1994 po raz pierwszy w okresie przemian zanotowano wzrost liczby pracujących — o ok. 0,3 mln; 1996 pracę miało ok. 15,8 mln osób; 1996 bez oficjalnej pracy pozostawało 2360 tys. osób (stopa bezrobocia 13,2%, w tym w woj. słup. 25,7%, suwal. 24,6%, koszal. 24,7%, olszt. 23,6%, elbl. 23,4%, wałb. 21,7%). W wymienionych województwach (poza wałb.) podstawową przyczyną tak dużego bezrobocia był upadek państw. i spółdz. gospodarstw rolnych — zatrudnienie w państw. gospodarstwach rolnych spadło z 938 tys. osób (1980) do 282 tys. (1996). Najmniejsze bezrobocie występowało w woj.: warsz. (4,1%), pozn. i krak. (ok. 6%), katow., biel. i wrocł. (poniżej 8,5%). W kolejnych dwóch la-

■ Polska. Jadłodajnia i noclegowania dla bezdomnych na Żeraniu w Warszawie

tach bezrobocie utrzymywało się na poziomie niewiele ponad 10%, a liczba pracujących wzrosła o 300–400 tys. osób; od 1999 ponownie zwiększa się liczba bezrobotnych i stopa bezrobocia, osiągając ok. 17% pod koniec 2001. Wraz z procesem transformacji gospodarki następują zmiany w strukturze zatrudnienia: w 2000 w przemyśle pracowało ok. 21,5% ogółu zatrudnionych (25,2% w 1994), w rolnictwie 26,2% (26,9%), handlu 13,7% (12,6%), w budownictwie 5,8% (5,6%); wzrastało zatrudnienie w handlu zagr., finansach i ubezpieczeniach, łączności; największy udział osób pracujących w przemyśle występuje w woj. śląskim (ponad 30%), najmniejszy w lubel. (12,1%); do województw, gdzie udział pracujących w rolnictwie przekracza znacznie 45%, należą: lubelskie (51,9%), świętokrzyskie (49%), podkarpackie (47,3%), podlaskie (46,5%).

Gospodarka

P. jest krajem rozwiniętym gospodarczo z przewagą przemysłu w tworzeniu produktu krajowego brutto. W 1989 zapoczątkowano proces przebudowy struktury gosp. — przechodzenie od systemu planowania centr. do gospodarki rynkowej; I 1990 wszedł w życie program radykalnych reform systemowych: wewn. wymienialność złotówki, liberalizacja handlu zagr. (zniesienie koncesji oraz prawie całkowita likwidacja ograniczeń ilościowych w eksporcie i imporcie) i handlu wewn. (wolne ceny, zniesienie systemu priorytetów i reglamentacji w obrocie zaopatrzeniowym między przedsiębiorstwami), prywatyzacja, porządkowanie stosunków kredytowych, tworzenie rynku kapitałowego (giełda papierów wartościowych) i systemu bankowego (m.in. prywatne banki), wprowadzenie nowego systemu podatkowego (m.in. podatek powsz. od osób fiz. oraz od towarów i usług). Przebudowie gospodarki P. towarzyszyła zmiana sytuacji zewn., m.in. rozpad ZSRR i głęboki kryzys gosp. w państwach byłego RWPG (utrata trad. rynków zbytu), a także zahamowanie tempa wzrostu gosp. w krajach wysoko rozwiniętych; 1990 wartość produktu krajowego brutto spadła o 11,6%, nakładów inwestycyjnych o 10,6%, wzrosły natomiast gwałtownie ceny — o 686%; 1991 zahamowano hiperinflację, ale nadal pogłębiała się recesja gosp. — spadała wartość produktu krajowego brutto (o 7,6%); proces prywatyzacji przebiegał powoli w sferze produkcji, szybko w handlu (1991 udział prywatnego handlu w imporcie wyniósł ok. 50%, w eksporcie 22%, w handlu wewn. 83%), transporcie (27%) i usługach; 1990 produkcja sprzedana przemysłu była niższa o ok. 24% niż 1989, w tym w sektorze państw. i spółdz. o 25%, natomiast w sektorze prywatnym wzrosła o ok. 8%; spadek produkcji był niższy w przemyśle wydobywczym (gł. wydobycie węgla kam. i siarki) niż przetwórczym (gł. lekkim, elektromaszyn., metalurgicznym). Od 1992 następuje poprawa sytuacji gosp. kraju; wartość produktu krajowego brutto w cenach stałych wzrósł w stosunku do 1990 43,1% (wzrost w latach 1995–97 o 6–7% rocznie, od 1998 ok. 4%) i wynosił 684,9 mld zł (165 mld dol. USA — ponad 4 tys. dol. USA na 1 mieszkańca); zwiększyły się nakłady inwestycyjne (o ok. 125% w stosunku do 1990), a zwł. nakłady na zakupy maszyn, urządzeń i środków transportu, przy niewielkim wzroście inwestycji na nowe budynki; spadała inflacja: 43% w 1992, 26,8% w 1995, 10,4% w 2000; następowało ciągłe zwiększanie udziału sektora prywatnego w podstawowych działach gospodarki, zwł. w przemyśle — 72% wartości sprzedanej przemysłu (31% w 1992), budownictwie — 96,5% (77%), transporcie — 59,3% (38%), a zatem w w tworzeniu produktu krajowego brutto — 62,8% w 2000 (52,8%, 1995); udział zatrudnionych w sektorze prywatnym wzrósł z 48,9% w 1990 do 73,7% ogółu zatrudnionych. Rozpoczęto (1993) relizację programu Nar. Funduszy Inwestycyjnych (NFI), 1995 w dystrybucji znalazły się świadectwa udziałowe, 1997–98 nastąpiła ich wymiana na akcje NFI, od 1997 akcje 15 Nar. Funduszy Inwestycyjnych są notowane na giełdzie. Zaznaczyła się zmiana w gałęziowej strukturze gospodarki; spadł udział przemysłu i rolnictwa w tworzeniu produktu krajowego brutto, znacznie zwiększyła się rola usług; 2000 największy udział w tworzeniu produktu krajowego brutto (ceny bieżące) miał przemysł — 23,4%, handel i naprawy — 18,3, obsługa nieruchomości i firm 11,0%, budownictwo — 7,3%, transport i łączność 6%. Nastąpił wzrost produkcji sprzedanej przemysłu o ok. 72% w stosunku do 1990 (38,8% w stosunku do 1995) — największy w: przemyśle produkującym komputery, samochody i przyczepy, telewizory, radia, magnetowidy itp., wyroby gumowe, z metali i tworzywa sztuczne, oraz w działalności wydawniczo-poligraficznej; spadła produkcja sprzedana górnictwa i kopalnictwa. W 1990–2000 znacznie zwiększyły się inwestycje zagr., np. 1999 do P. napłynęło 7,3 mld dol. USA, 2000 — 9,3 mld dol. USA; łączna wartość zainwestowanego kapitału zagr. (od 1990) wyniosła ponad 40 mld dol. USA (gł. kapitał amer., niem., międzynar., wł., fr., hol., bryt.). W tym czasie narastało zadłużenie państwa — wzrastał dług wewn. (66 mld zł w 1995, 146 mld zł w 2000), spadało zadłużenie zagr. (z 48,4 mld dol. USA w 1991 do 40,6 w 1996, ok. 30 mld w 2000), gł. wskutek porozumień o restrukturyzacji i redukcji długu podpisanych z P. przez zagr. banki państw. skupione w Klubie Paryskim i zagr. banki komercyjne (Klub Londyński); wzrastały rezerwy walutowe kraju (4,7 mld dol. USA w 1990 do 18,0 mld dol. w 1996, 27,5 mld w 2000).

Surowce mineralne. P. jest zasobna w surowce miner.; wydobywa się węgiel kam. (3,9% wydo-

■ Polska. Elektrownia cieplna "Łaziska" w Łaziskach Górnych

bycia świat., 1994) w 3 zagłębiach: Górnośląskim, Dolnośląskim i Lubelskim, węgiel brun. (6,9%) — zagłębia Bełchatowskie, Konińskie, Turoszowskie, siarkę (11,5%; spadek wydobycia, z 4,7 mln t w 1990 do 1,8 mln t w 1996 w przeliczeniu na 100%, spowodowany zmniejszeniem świat. zapotrzebowania na siarkę rodzimą) — Tarnobrzeski Okręg Siarkowy, rudy miedzi (3,4% produkcji świat. miedzi rafinowanej, 1994) i srebro (5,5 %) — Legnicko-Głogowski Okręg Miedziowy, rudy cynku (2,4%, 1995) i ołowiu w okolicach Olkusza, sól kam. (2,4%, 1993), kamienie bud. (wapienie, piaskowce, margle i in.), gaz ziemny; w pn.-wsch. P. nie eksploatowane rudy żel. (magnetyty tytanonośne i wanadonośne).

Przemysł. Podstawowymi surowcami energ. są węgiel kam. i brun.; elektrownie cieplne wytwarzają 97,5% energii elektr., m.in.: Bełchatów (moc 4320 MW — największa na świecie elektrownia na węgiel brun.), Kozienice (2600 MW), Turów (2000 MW); produkcja energii elektr. na 1 mieszk. — 3757 kW·h (2000). Duży udział w wartości produkcji sprzedanej przemysłu miał przemysł spoż. (19,3%, zwł. mięsny, spirytusowy i drożdżowy, mleczarski, cukr., tytoniowy) i paliwowo-energ. (gł. paliw) oraz elektromaszyn. (środków transportu, elektron., maszyn.); ponadto petrochem., chem. (nawozów sztucznych, org., gumowy i tworzyw sztucznych), metalurgiczny (hutnictwo żelaza), lekki, zwł. włók., drzewno-papierniczy. Największym okręgiem przem. w Polsce jest GOP (gł. przemysł węglowy, energ., metalurgiczny, maszyn.); inne duże ośr.: Warszawa (elektromaszyn., spoż.), Łódź (włók., odzież., dziewiarsko-pończoszniczy), Kraków (hutnictwo żelaza, elektromaszyn., chem., spoż.), Trójmiasto (stoczn., rafineryjny, chem.), Wrocław i Poznań (środków transportu, metal., maszyn., spoż.), Szczecin (stoczn., spoż., maszyn.).

Rolnictwo. Użytki rolne zajmują 59% pow. kraju, w tym grunty orne — 45%, łąki i pastwiska — 13,1%, sady 0,9% (2000); zwiększa się pow. gruntów ugorowanych i odłogowanych; do właścicieli prywatnych należy 83,9% użytków rolnych. Od 1991 trwa proces restrukturyzacji gospodarstw państw.; 1992 rozpoczęła działalność Agencja Własności Rolnej Skarbu Państwa, której gł. zadaniem jest wyprzedaż lub dzierżawa przejętych przez nią państw. gospodarstw rolnych; do końca 2000 Agencja przejęła ok. 4,7 mln ha gruntów państw. przedsiębiorstw rolnych i z Państw. Funduszu Ziemi, z czego 1,2 mln ha rozdysponowano na trwałe użytkowanie. Średnia wielkość gospodarstwa chłopskiego — 8 ha (2000) wzrosła w stosunku do 1980 o 1,5 ha; 56,4% gospodarstw indywidualnych miało pow. do 5 ha, wzrósł udział gospodarstw powyżej 15 ha (4,3 w 1980 do 9,9%). W 1989–91 nastąpił spadek produkcji roln. o ok. 4%; susze 1992 i 1994 spowodowały, że mimo wzrostu produkcji w latach 1993, 1995 i 1996, jej wartość w stosunku do 1990 spadła o 7,3%; 1997 (mimo wielkiej powodzi) utrzymała się na tym samym poziomie (przy zmiejszeniu sie produkcji roślinnej o ok. 3%, i wzroście produkcji zwierzęcej o ok. 4%), a w 1998 wzrosła o prawie 6%; kolejne lata to ciągły spadek produkcji roln. o ok. 6 % rocznie. W 2000 rolnictwo wytworzyło 3,3% wartości produktu krajowego brutto. W Polsce uprawia się gł. zboża (57,4% pow. zasiewów) — pszenicę (zbiory 8,5 mln t), żyto (4 mln t), jęczmień (2,8 mln t), owies (1,1 mln t) i pszenżyto (1,9 mln t); ponadto — ziemniaki (10,1% pow. zasiewów, 24 mln t), rośliny przem. (11,1%), gł. buraki cukrowe (13,1 mln t), rzepak i rzepik (0,9 mln t), len (7,9 tys. t), konopie oraz warzywa (5,9 mln t) i owoce, w tym jabłka, gruszki, śliwki, wiśnie, czereśnie (łącznie 1,8 mln t) oraz truskawki, maliny, porzeczki, agrest (0,4 mln t); hoduje się trzodę chlewną (17 mln sztuk), bydło (6 mln), drób (96 mln), owce (0,4 mln). Warunki ekon. ostatnich lat nie były korzystne dla rozwoju rolnictwa; ceny artykułów przem. rosły znacznie szybciej niż produktów roln., wzrosły obciążenia finans. rolnictwa (podatki, opłaty, składki ubezpieczeniowe) w stosunku do wartości produkcji czystej brutto; nastąpiło znaczne zmniejszenie inwestycji roln.; spadło (1990–2000) zużycie nawozów sztucznych (ze 164 kg do 85,8 kg na 1 ha użytków rolnych), pasz treściwych, środków ochrony roślin itp. W rybołówstwie podstawowe znaczenie mają połowy mor. (818 tys. t w 1980, 479 tys. t — 1990, 200 tys. t — 2000), gł. porty rybackie: Świnoujście, Gdynia, Kołobrzeg, Ustka, Darłowo. Rozwinięta gospodarka leśna; lasy zajmują 28,4% pow. kraju (najwięcej w zach. Polsce, między dolną Warty i Notecią a Przedgórzem Sudeckim, najmniej na zach. Mazowszu); gat. dominującym jest sosna (ponad 70% pow. leśnej); rocznie pozyskuje się 27,7 tys. dam³ grubizny (gł. drewno tartaczne i papierówka).

Komunikacja. Długość linii kol. (2000) normalnotorowych eksploatowanych 22,6 tys. km (6,9 km na 100 km²), w tym zelektryfikowanych 11,8 tys. km; gł. linie kol.: Berlin–Poznań–Warszawa–Brześć (stacja przeładunkowa Małaszewicze), magistrala węglowa Tarnowskie Góry–Gdynia, linie z Katowic do Szczecina i na Ukrainę (stacje przeładunkowe w Żurawicy, Medyce); transport kol. przewozi ok. 14% masy ładunków całego transportu lądowego i 27,3% liczby pasażerów. Długość dróg o nawierzchni twardej 250 tys. km (79,9 km na 100 km²), w tym 206 tys. km o nawierzchni ulepszonej; ponad 300 km autostrad (40 razy mniej niż w Niemczech, 2 razy mniej niż w Czechach i Słowacji); transport samochodowy przewozi ok. 80% masy ładunków całego transportu lądowego i 72,3% liczby pasażerów. Po 1990 nastąpił znaczny wzrost natężenia ruchu samoch. związany z ożywieniem ruchu turyst. i wymiany handl.: 2000 było zarejestrowanych 10 mln samochodów osobowych (2,4 mln w 1980) i 1,9 mln ciężarowych (0,6 mln). Rurociągami (dł. 2278 km) przesyła się ropę i produkty naft., gaz ziemny i koksowniczy (3,3% masy ładunków transportu lądowego), gł. rurociąg — Przyjaźń i płw. Jamał–Europa Zachodnia. Małe znaczenie żeglugi śródlądowej — 3813 km dróg wodnych, gł. Odra i Kanał Gliwicki; największy port rzeczny — Gliwice. W 2000 mor. flota handl. P. miała pod swoją banderą 128 statków o łącznej nośności 2,6 mln DWT (1980 — 331 statków, 4,5 mln DWT), przewiozły one 22,8 mln t ładunków (1980 — 39,6 mln t); mor. porty handl. (Gdańsk, Szczecin–Świnoujście, Gdynia, Kołobrzeg) prze-

■ Polska. Odcinek płatnej autostrady na trasie Katowice–Kraków

ładowały 47,9 mln t ładunków (1980 — 61,5 mln t), gł. węgiel, koks, ropę naft. oraz przetwory naft. (Port Północny w Gdańsku), zboża, rudy żelaza, drobnicę; pod pol. banderą pływa 8 promów (łączna nośność 22 tys. DWT); największy port pasażerski Szczecin–Świnoujście (żegluga promowa) obsłużył 2000 ok. 2,2 mln pasażerów (430 tys., 1990); transport lotn., gł. pasażerski, obsługuje 47 samolotów PLL LOT oraz samoloty linii zagr.; najważniejszy międzynar. port lotn. Warszawa (ok. 3,8 mln pasażerów). W 1980–2000 znaczny wzrost liczby abonentów telefonii przewodowej — z 1,9 mln do 10,7 mln; dynamicznie rozwija się telefonia komórkowa (75 tys. abonentów w 1995, 6,7 mln w 2000).

Turystyka. Od 1989 znacznie się zmniejszył krajowy ruch turyst.; wzrosła natomiast liczba Polaków wyjeżdżających za granicę (z 22 mln w 1990 do 57 mln w 2000) oraz osób przyjeżdżających z zagranicy (odpowiednio z ok. 18 mln do 84 mln), wśród których przeważają Niemcy (48,9 mln, przyjazdy jedno- lub dwudniowe; zakupy; kontakty handl.) oraz przybysze z Czech i Słowacji (16 mln) oraz krajów wschodnioeur. — 16,3 mln (przyjazdy gł. w celach zarobkowych — handel, praca), USA — 3,9 mln; brak bazy turyst. (668 tys. miejsc noclegowych, 2000) spełniającej międzynar. standardy; wzrasta liczba hoteli, moteli, pensjonatów, ośr. szkoleniowych i kwater agroturyst., spada — ośr. wczasowych, domów wycieczkowych i schronisk młodzieżowych; 1991 wpływy z turystyki zagr. wyniosły 149 mln dol. USA, w 1998 — 8,0 mld dol. USA; gł. regionami turyst. są: wybrzeże M. Bałtyckiego (zwł. Trójmiasto i Mierzeja Helska), Pojezierze Mazurskie, Tatry, Beskidy, Sudety (zwł. Kotlina Kłodzka i Karkonosze); najczęściej odwiedzane m. — Warszawa i Kraków.

Handel zagraniczny. W 1990 saldo obrotów bieżących bilansu płatniczego było dodatnie (0,7 mld dol. USA); od 1991 występują trudności z jego zrównoważeniem; 1992 saldo bilansu płatniczego było ujemne i wynosiło 269 mln dol. USA (znaczne ujemne saldo zobowiązań odsetkowych, wyrównane wpływy i wydatki z handlu zagr.); deficyt ten pogłębił się znacznie 1993 i wynosił — 2,3 mld dol. USA (ujemne saldo obrotów towarowych z zagranicą i zobowiązań odsetkowych), a 1994 zmniejszył się do 944 mln dol. USA; w kolejnych latach następowało ciągłe pogłębianie się tego deficytu: 1,3 mld dol. USA 1996, 9,9 mld dol. USA 2000 (wysokie, ujemne salda obrotów towarowych z zagranicą). W 1990

■ Polska. Wypas bydła w Beskidzie Niskim

nastąpił wzrost obrotów (dane rejestrowane na podstawie dokumentu celnego — tzw. SAD) w eksporcie (o 14%) i spadek w imporcie (o 18%), a bilans obrotów handlu zagr. był dodatni (eksport 14,3 mld dol. USA, import — 9,5 mld), zmieniły się geogr. kierunki handlu: 1985–90 zmniejszył się o 10% udział obrotów z krajami byłego RWPG, wzrósł natomiast o 13% z krajami rozwiniętymi; 2000 wymiana handl. z krajami Unii Eur. objęła ok. 61,2% wartości obrotów pol. handlu zagr.; od 1991 następuje przewaga wartości importu nad eksportem; 2000 ujemne saldo w obrotach handl. z zagranicą wyniosło 17,2 mld dol. USA, w tym 45,2% tego salda dotyczyło handlu z krajami Unii Eur., prawie 22% — z Rosją; dodatnie saldo P. miała w handlu z Ukrainą, Bułgarią, Danią, Rumunią; ogólna wartość eksportu — 31,7 mld dol. USA, importu — 48,9 mld. dol USA. P. eksportuje gł. samochody osobowe, węgiel i brykiety, silniki spalinowe, wyroby walcowane, aluminium i wyroby z aluminium, konstrukcje stalowe, miedź i wyroby z miedzi, wyroby z kauczuku, szkło i wyroby ze szkła, usługi bud.; importuje gł.: paliwa (ropę naft. i jej przetwory, gaz ziemny), samochody, tworzywa sztuczne, papier, barwniki, pigmenty, farby i lakiery, włókna chem.; gł. partnerzy handl.: Niemcy, Rosja, Włochy, W. Brytania, Francja, Stany Zjedn., Czechy, Holandia, Szwecja, Belgia, Austria. ∎

Polski Grzebień, Pol'ský hrebeň, przełęcz w gł. grani Tatr Wysokich, na Słowacji, między Wielickim Szczytem a Małą Wysoką; wys. 2200 m; popularny szlak turystyczny.

Połabskie Góry, Nadłabskie Góry Piaskowcowe, czes. **Děčínské stěny,** niem. **Elbsandsteingebirge,** wyżynna płyta zbud. z piaskowców górnokredowych, pomiędzy Rudawami a Pogórzem Łużyckim, w Czechach i Niemczech; przecięta wąską i głęboką doliną Łaby; procesy erozyjne w spękanych piaskowcach doprowadziły do powstania osobliwych form (baszty, słupy, iglice, zamczyska skalne); ponad zrównaną powierzchnię o wys. 200–300 m wznoszą się góry stołowe, najwyższy szczyt Děčínský Sněžník (726 m); na pd.-wsch. piaskowce są przecięte żyłami skał bazaltowych, które tworzą stożkowate wzniesienia (wys. ponad 500 m); lasy jodłowo-bukowe, na skałach rosną sosny; popularny region turyst., w Niemczech zw. Saską Szwajcarią.

Połaniec, m. w woj. świętokrzyskim (powiat staszowski), w pobliżu ujścia Czarnej do Wisły; 9,4 tys. mieszk. (2000); ośr. usługowy; elektrownia cieplna (1710 MW); prawa miejskie 1264–1870 i od 1980.

Połczyn Zdrój, m. w woj. zachodniopomor. (powiat świdwiński), nad Wogrą (dorzecze Parsęty); 9,3 tys. mieszk. (2000); od pocz. XIX w. uzdrowisko (szczawy, solanki, borowina, odkryte 1688); turystyka; przemysł maszyn.; browar; prawa miejskie od 1335.

Połonina Caryńska, grzbiet górski w Bieszczadach Zach., między doliną potoku Wołosaty na pd.-wsch i doliną Potoku Nasiczańskiego na pn.-zach., w Bieszczadzkim Parku Nar.; z 5 wierzchołków najwyższy ma 1297 m; zbud. gł.

z twardych piaskowców fliszu karpackiego; na kulminacjach skaliste grzędy; pozostałe partie grzbietu trawiaste, od pn. porosłe borówką czernicą; na stokach las liściasty z przewagą buka, niżej łąki; b. rozległa i wspaniała panorama; dojście szlakiem turyst. z Ustrzyk Górnych lub Brzegów Górnych, z Przełęczy Wyżniańskiej (855 m) i z Przysłupu (785 m); od pd. — u stóp grzbietu — odcinek szosy, zw. pętlą bieszczadzką.

Połonina Wetlińska, grzbiet górski w Bieszczadach Zach., biegnący od doliny Potoku Nasiczańskiego na pd.-wsch. do doliny Wetliny na pn.--zach., w Bieszczadzkim Parku Nar.; zbud. gł. z twardych piaskowców fliszu karpackiego; z 6 wierzchołków najwyższy ma 1253 m; na kulminacjach grzędy skalne, poniżej rozległe połoniny, na stokach lasy liściaste z przewagą buka; rozległa panorama na wszystkie części Bieszczadów; szlaki turyst. z Jaworzca, Smereka, Wetliny, Brzegów Górnych; trasy narciarskie; w pd.-wsch. części P.W., na wys. 1220 m — schronisko PTTK. ∎

∎ Połonina Wetlińska

Południowe Indiańskie, Jezioro, ang. Southern Indian Lake, franc. Lac Sud des Indiens, jez. polodowcowe w Kanadzie, w prow. Manitoba, na wys. 254 m; pow. 3,1 tys. km^2; silnie rozwinięta linia brzegowa; liczne wyspy; przez J.P.I. przepływa rz. Churchill.

Południowoatlantycki, Grzbiet, grzbiet śródoceaniczny → Śródatlantycki, Grzbiet.

Południowobałtyckie, Pobrzeża, część Niżu Środkowoeur., obejmująca niziny nadmor. od Płw. Jutlandzkiego po płw. Sambia; wys. przeważnie poniżej 100 m; zbud. z osadów lodowcowych, rzecznych, mor. i eolicznych; linia brzegowa młoda, wyrównana; piaszczyste mierzeje z wysokimi wydmami oddzielają od morza szereg jezior przybrzeżnych oraz niewielkie zatoki (Zalew Szczec., Zat. Pucka i Zalew Wiślany); tylko w kilku miejscach występują urwiska nadmor. (falezy), osiągając wysokość od kilkunastu do kilkudziesięciu metrów; większe wgięcia linii brzegowej stanowią zat.: Pomorska i Gdańska, do której wpada Wisła, tworząc dobrze ukształtowaną deltę; można więc wyróżnić 4 typy krajobrazu nadmor.: równinny deltowy, z glebami typu mady, mierzejowo-wydmowy z glebami bielicowymi, bagienno-jeziorny oraz równin morenowych z glebami brun.; klimat P.P. znajduje się pod wpływem morza, w związku z czym cechują go łagodne zimy i stosunkowo chłodne lata. Wśród roślinności występuje wiele gat. atlantyckich. W granicach Polski są 3 makroregiony P.P.: Pobrzeże Szczec., Pobrzeże Koszal. (Słowińskie) i Pobrzeże Gdań., o łącznej pow. ok. 19 tys. km^2.

Południowobałtyckie, Pojezierza, obszar Niżu Środkowoeur. ograniczony od pn. Pobrzeżem Południowobałtyckim, od pd. zaś — zasięgiem ostatniego na ziemiach pol. zlodowacenia, stanowiący wyraźną granicę krajobrazową; P.P. cechuje przewaga rzeźby pagórkowatej z licznymi zagłębieniami bezodpływowymi i jeziorami (krajobraz młodoglacjalny); przecinają je szerokie i głębokie pradoliny, którymi odpływały wody topniejącego lodowca (krajobraz dolinny — tarasy z wydmami i zalewowe dna dolin). Powierzchnia w granicach Polski ok. 79 tys. km^2, tj. ponad 1/4 terytorium kraju, bez pojezierzy Mazurskiego i Litew., zaliczonych do Niżu Wschodniobałtyckiego. Największe wzniesienia przekraczają 200 m, 2 kulminacje zaś wznoszą się ponad 300 m (Wieżyca na Pojezierzu Kaszubskim i Dylewska Góra na Garbie Lubawskim); wysokości względne sięgają 50–60 m, w niektórych miejscach przekraczają 100. Równoleżnikowe pradoliny dzielą P.P. na 3 pasy: na pn. od pradoliny Wisły–Noteci–Warty (Pradolina Toruńsko-Eberswaldzka) są położone pojezierza: Zachodniopomor., Wschodniopomor., Południowopomor. i Chełmińsko-Dobrzyńskie oraz Dolina Dolnej Wisły, między pradoliną Wisły–Noteci–Warty a pradoliną Warty–Obry–Odry–Szprewy (Pradolina Warciańsko-Odrzańska lub Berlińska) — pojezierza: Lubuskie i Wielkopolskie, natomiast na pd. od wymienionej ostatniej pradoliny — Wzniesienia Zielonogór. i Pojezierze Leszczyńskie.

Południowochińskie, Góry, Nan Ling, góry w pd.-wsch. Chinach; opadają stromo do M. Wschodniochińskiego, tworząc riasowe wybrzeże; dł. ok. 1200 km; wys. do 2158 m (szczyt Huanggang Shan w paśmie Wuyi Shan); ostateczne wypiętrzenie w mezozoiku; zbud. gł. z piaskowców, łupków ilastych, wapieni i granitów; obejmują liczne, krótkie pasma, o przebiegu równoleżnikowym, oddzielone szerokimi dolinami i obniżeniami; formy krasowe; wiecznie zielone lasy z drzewem tungowym, kamforowym i laurowym; na zboczach tarasowa uprawa ryżu; złoża wolframu (jedne z największych w świecie), antymonu, molibdenu i uranu.

Południowochińskie, Morze, chiń. Nan Hai, indonez. i malajskie **Laut Tiongkok Selatan,** khmerskie **Samot Czen,** wietn. **Bien Dong,** morze w zach. części O. Spokojnego, między pd. wybrzeżami Chin, wyspami Tajwan, Luzon, Palawan, Borneo, Belitung, Bangka, Sumatra oraz półwyspami Malajskim i Indochińskim; przez Cieśn. Singapurską i Malakka połączone z M. Andamańskim (O. Indyjski), przez Cieśn. Tajwańską — z M. Wschodniochińskim, przez cieśn. Karimata z M. Jawajskim; pow. 3537 tys. km^2, średnia głęb. 1024 m, maks. — 5560 m (w części środk.); największe zatoki: Tajlandzka i Tonkińska; ok. 55% pow. dna zajmuje szelf z licznymi płyciznami, rafami koralowymi i wyspami: Hajnan (największa), Bunguran, Anambas, Paracelskie; temp. wód powierzchniowych od 20–28°C w lutym do 28–29°C w sierpniu, zasolenie od 31,5‰ na pd. do 34,0–34,5‰ na pn.; wys. pływów 2–3 m, maks. — do 5,4 m u wybrzeży Borneo; do M.P. uchodzą rz.: Mekong, Menam, Czerwona,

Xi Jiang; rybołówstwo; gł. porty: Hongkong, Kanton, Manila, Hajfong, Ho Chi Minh, Bangkok, Singapur, Kuczing; z dna M.P. wydobywa się gaz ziemny i ropę naftową.

Południowomazowieckie, Wzniesienia, pd.-wsch. część Niz. Środkowopolskich, stanowiąca przejściowy pod względem hipsometrycznym obszar położony w dorzeczu środk. Wisły (zwł.: Bzury, Pilicy, Radomki i Iłżanki), na obrzeżeniu Wyż. Małopolskiej. Wzniesienia okolic Piotrkowa Trybunalskiego, Łodzi i Rawy Mazow. przekraczają 200 m, w kilku miejscach nawet 250 m, są zbud. z gliny morenowej lub piasków glacjofluwialnych, podobnie jak cały Niż Środkowoeuropejski. Dzięki znacznemu wzniesieniu klimat jest tu wilgotniejszy i nieco chłodniejszy niż na Niz. Środkowomazowieckiej (tzw. łódz. dzielnica klim.); pod względem geobotanicznym makroregion zalicza się do tzw. pasa wyżyn środk.; w składzie lasów pojawiają się tutaj jodła i buk. Makroregion dzieli się na: Wysoczyznę Bełchatowską, Wzniesienia Łódz., Wysoczyznę Rawską, Równinę Piotrk., Dolinę Białobrzeską i Równinę Radomską.

Południowopacyficzne, Wzniesienie, Pacific-Antarctic Ridge, grzbiet śródoceaniczny w pd.-zach. części dna O. Spokojnego, między Basenem Południowopacyficznym na pn. a Basenem Bellingshausena na pd.; na zach. łączy się ze Wzniesieniem Australijsko-Antarktycznym (O. Indyjski), na wsch. — z Wzniesieniem Wschodniopacyficznym; dł. ok. 4300 km; nad W.P. przeważają głęb. 2500–3000 m, najmniejsza — 878 m; ukształtowanie b. urozmaicone, liczne wyraźne doliny ryftowe, strefy rozłamu, wyniesienia i masywy — najwyższe wznoszą się nad powierzchnię oceanu jako wyspy Balleny'ego i Scotta.

Południowopacyficzny, Basen, Southwest Pacific Basin, rozległy i głęboki basen oceaniczny w pd. części dna O. Spokojnego, między łukami wysp Nowej Zelandii, Kermadec i Tonga na zach. a Wzniesieniem Wschodniopacyficznym na wsch. oraz Wyspami Towarzystwa i Tuamotu na pn. a Wzniesieniem Południowopacyficznym na pd.; na pn.-wsch. łączy się z największym w oceanie świat. Basenem Północno-Wschodnim; przeważają głębokości 4500–6000 m, maks. — do 6600 m; ukształtowanie urozmaicone: wyniesienia, góry podwodne i wulkany; na zach. głębokie rowy oceaniczne Kermadec i Tonga.

Południowopodlaska, Nizina, wsch. część Niz. Środkowopolskich, położona na pd. od doliny środk. Bugu, na wsch. od Doliny Środk. Wisły, na pn. od Wyż. Lubelskiej i na zach. od Polesia Podlaskiego; przeważnie lekko falista równina z ostańcami moren, ozów i kemów, związanych ze zlodowaceniem Warty; odwodnienie niziny ma przeważnie charakter odśrodkowy w kierunku przyległych obniżeń i dolin, przy czym na pd. jest ona przecięta doliną dolnego Wieprza. N.P. pod względem klim. jest nieco chłodniejsza od regionów położonych bardziej ku zach.; pod względem geobotanicznym tworzy odrębny okręg łukowsko-siedlecki, który charakteryzuje m.in. występowanie jodły. Region rolniczy. W obrębie N.P. rozróżnia się: Podlaski Przeł. Bugu, Wysoczyznę Kałuszyńską, Obniżenie Węgrowskie, Wysoczyznę Siedl., Wysoczyznę Żelechowską, Wysoczyznę Lubartowską.

Południowopomorskie, Pojezierze, środk. część Pojezierzy Południowobałtyckich, położona na zach. od Wisły, na pd. od moren czołowych fazy pomor. zlodowacenia Wisły i na pn. od Pradoliny Toruńsko-Eberswaldzkiej; znaczną część regionu tworzą piaszczyste równiny sandrowe wzdłuż biegów: Drawy, Gwdy, Brdy i Wdy, uchodzących do Warty z Notecią oraz do dolnej Wisły; pomiędzy pasami sandrowymi występują wysoczyzny morenowe z formami marginalnymi recesji fazy pozn. ostatniego zlodowacenia, przekraczające w kilku miejscach wys. 200 m; klimatycznie P.P. jest cieplejsze i otrzymuje mniej opadów (500–600 mm) niż wzniesienia Pojezierza Zachodniopomor.; znaczną powierzchnię zajmują bory sosnowe porastające sandry. W obrębie P.P. rozróżnia się: Równinę Gorz., Pojezierze Dobiegniewskie, Równinę Drawską, Pojezierze Wałeckie, Równinę Wałecką, Pojezierze Szczecineckie, Równinę Charzykowską, Dolinę Gwdy, Pojezierze Krajeńskie, Bory Tucholskie, Dolinę Brdy i Wysoczyznę Świecką.

Południowoszkocka, Wyżyna, Southern Uplands, wyżyna w W. Brytanii, w pd. Szkocji; średnia wys. ok. 600 m, maks. — 842 m (Merrick); zbud. z granitów i łupków krystal.; rozcięta licznymi dolinami rzek; w zach. części ślady zlodowacenia czwartorzędowego; wrzosowiska i torfowiska, lasy (gł. sosnowe); hodowla owiec.

■ Portugalia

Południowowielkopolska, Nizina, Nizina Środkowowarciańska, środk. część Niz. Środkowopolskich, położona między Pojezierzem Leszczyńskim i Pojezierzem Wielkopolskim od pn. a Wałem Trzebnickim i Wyż. Małopolską od pd., w dorzeczu Warty i częściowo środk. Odry, w granicach zasięgu lodowca zlodowacenia Warty; nizina zwęża się ku zach., natomiast rozszerza się na wsch. i granica jej przebiega w pobliżu działu wód Warty i Wisły, od okolic Gostynina na pn. przez Łódź po okolice Działoszyna nad Wartą na pd.; region rolniczy. W obrębie N.P. rozróżnia się: Wysoczyznę Leszcz., Wysoczyznę Kal., Dolinę Konińską, Kotlinę Kolską, Wysoczyznę Kłodawską, Równinę Rychwalską, Wysoczyznę Turecką, Kotlinę Sieradzką, Wysoczyznę Łaską, Kotlinę Grabowską, Wysoczyznę Złoczewską, Kotlinę Szczercowską i Wysoczyznę Wieruszowską.

Pomorska, Zatoka, niem. **Pommersche Bucht,** otwarta zatoka w pd.-zach. części M. Bałtyckiego, u wybrzeży Polski i Niemiec; rozciąga się od wyspy Rugia na zach. po Jarosławiec na wsch.; połączona cieśninami Pianą, Świną i Dziwną z Zalewem Szczecińskim; głęb. do 15 m (na Ławicy Odrzanej 6–9 m); prąd mor. w kierunku wsch. o prędkości ponad 3,5 km/h; porty: Sassnitz, Świnoujście; połączona ze Szczecinem stale pogłębianym torem wodnym dla statków mor. — dł. 99,7 km (przez Świnoujście, Świnę, Zalew Szczeciński i Odrę); kąpieliska mor.: Ahlbeck, Zinnowitz, Międzyzdroje, Dziwnów.

■ Portoryko

pomorskie, województwo, woj. w pn. Polsce, nad M. Bałtyckim; 18 293 km², 2,2 mln

mieszk. (2000), stol. — Gdańsk, in. większe m.: Gdynia, Słupsk, Sopot, Tczew, Starogard Gdań.; dzieli się na 4 powiaty grodzkie, 16 powiatów ziemskich i 123 gminy. Krajobraz urozmaicony, gł. młodoglacjalny pojezierny (pojezierza: Bytowskie, Kaszubskie, Starogardzkie, Krajeńskie oraz oddzielone Doliną Dolnej Wisły Pojezierze Iławskie) i równin sandrowych (Bory Tucholskie i Równina Charzykowska); wzdłuż morza pobrzeża — Koszalińskie (piaszczyste mierzeje z wydmami, m.in. Pobrzeże Słowińskie, wysoczyzny i równiny morenowe) i Gdańskie (mierzeje: Helska i Wiślana, depresyjna równina delty Wisły — Żuławy Wiślane); wys. od 0,9 p.p.m. do 329 m. Główna rz. — Wisła; liczne jeziora polodowcowe (Wdzydze, Charzykowskie) i kilka przybrzeżnych (Łebsko, Gardno). Lasy zajmują 35,8% pow. (Bory Tucholskie); 2 parki nar. — Tucholski, Słowiński, 8 parków krajobrazowych. Gęstość zaludnienia — 119 mieszk. na km², w miastach 68,4% ludności (2000). Województwo przem.--roln.; złoża soli potasowej (Puck) i kam. (Łeba), ropy naft. na M. Bałtyckim i w okolicach Żarnowca; rozwinięty gł. przemysł stoczn. (Gdynia, Gdańsk, Słupsk, Tczew, Ustka), elektrotechn., elektron., chem., w tym petrochem. i rafineryjny, nawozów sztucznych, farm., ponadto celulozowo-papierniczy, drzewny (mebl., płyt i sklejek), obuwn., odzież., spoż., zwł. rybny, mleczarski, cukr., owocowo-warzywny. Użytki rolne zajmują 50,0% pow.; uprawa zbóż (pszenica, żyto, jęczmień), ziemniaków, buraków cukrowych, rzepaku i rzepiku; rozwinięte warzywnictwo (okolice Trójmiasta) i sadownictwo (okolice Tczewa); hodowla trzody chlewnej; rybołówstwo (porty: Władysławowo, Gdynia, Ustka, Hel). Gęsta sieć komunik.; gł. trasy z Gdyni do Katowic i Warszawy, z Gdańska do Szczecina; żegluga na Wiśle; port lotn. w Gdańsku (Rębiechowo); duże porty mor.: Gdańsk, Gdynia (także wojenny). Rozwinięta turystyka (ok. 8 mln turystów rocznie), gł. na wybrzeżu i pojezierzach, oraz sporty wodne, w tym żeglarstwo (Zalew Wiślany); uzdrowiska — Ustka, Sopot; licznie są odwiedzane zabytkowe miasta Gdańsk i Malbork.

Poniatowa, m. w woj. lubel. (powiat opol.); 10,8 tys. mieszk. (2000); ośr. przem.-usługowy; zakłady elektrotechn. i metal. (zmechanizowany sprzęt gospodarstwa domowego); sanatorium; prawa miejskie od 1962.

Poniec, m. w woj. wielkopol. (powiat gostyński); 2,9 tys. mieszk. (2000); ośr. usługowy; drobny przemysł spoż.; huta szkła; prawa miejskie przed 1309; kościół (XV, XVIII w.), drewn. dom (XVIII w.).

ponor [serb.], **wchłon,** miejsce, w którym wody cieku powierzchniowego (potoku, rzeki) spływają do podziemnych kanałów krasowych; stały lub okresowy.

Pontyjskie Góry, Karadeniz Dağları, góry w Turcji wzdłuż pd. wybrzeża M. Czarnego; ograniczają od pn. wyżyny: Anatolijska i częściowo Armeńska; dł. ok. 1000 km; najwyższy szczyt Kaçkar Dağı, 3937 m; zbud. gł. z łupków krystal., wapieni, granitów i skał wulk.; wypiętrzone w orogenezie alp.; częste trzęsienia ziemi; rozcięte głębokimi i wąskimi, poprzecznymi dolinami rz.: Sakarya, Kızılırmak, Yeşilırmak; we wsch. części rzeźba glacjalna; na pn. stokach lasy bukowe z zimozielonym podszyciem, na pd. — suche stepy; w górnym piętrze lasy iglaste i roślinność alp.; niewielkie lodowce; wydobycie węgla kam. (Zonguldak), rud manganu (Ordu).

popiół wulkaniczny, b. drobne cząstki materiału skalnego wyrzucane podczas wybuchu wulkanu; są to zestalone w powietrzu kropelki lawy lub rozpylone siłą erupcji skały; p.w. może zostać wyrzucony na wysokość kilkudziesięciu km i przemieszczać się w atmosferze na odległość wielu tysięcy km.

Popocatépetl [~kat~], **Volcán Popocatépetl,** czynny wulkan w Meksyku, na Wyż. Meksykańskiej, w Kordylierze Wulkanicznej, ok. 70 km na pd.-wsch. od m. Meksyk; wys. 5452 m; na stokach lasy sosnowe i dębowe; linia wiecznego śniegu na wys. ok. 4500 m; od 1347 zanotowano 19 erupcji; częste wybuchy w XVI i XVII w., ostatni — 1947; w kraterze złoża siarki.

Poprad, rz. na Słowacji i w Polsce, pr. dopływ Dunajca; dł. 170 km (w tym w Polsce 63 km), pow. dorzecza 2077 km^2 (w Polsce 483 km^2); wypływa w Tatrach Wysokich, w Słowacji, na terenie Polski płynie przez Beskid Sądecki i Kotlinę Sądecką; uchodzi powyżej Nowego Sącza; średni przepływ w pobliżu ujścia 24,6 m^3/s; gwałtowne wezbrania; maks. rozpiętość wahań stanów wody w dolnym biegu 4,5 m; malowniczy przełom (od ujścia Smereczka do ujścia Muszynki); nad P. leżą uzdrowiska: Muszyna, Żegiestów Zdrój, Piwniczna; P. stanowi częściowo granicę między Polską a Słowacją.

Poręba, m. w woj. śląskim (powiat zawierciański), nad Czarną Przemszą; 9,0 tys. mieszk. (2000); ośr. usługowy; przemysł maszyn.; zał. w XIV w.; 1973–75 i od 1982 samodzielne miasto; 1975–82 w granicach Zawiercia.

poroh [ukr.], **sula,** rodzaj → progu rzecznego; załomy i grzędy skalne w obrębie szerokiego łożyska rzeki płynącej kilkoma szerokimi, lecz płytkimi korytami, na przemian łączącymi się i rozdzielającymi.

Port-au-Prince [p. o pręːs], stol. Haiti, nad M. Karaibskim; 1,1 mln mieszk. (2002); największe miasto, ośr. przemysłu (cukr., metalurg., chem.) i turystyki; gł. port handl. kraju (wywóz cukru, kawy, rumu); uniwersytet; węzeł komunik. (port lotn.); muzea; zał. 1749 przez Francuzów p.n. L'Hôpital.

Port Moresby [poːrt mɔːrzby], stol. Papui-Nowej Gwinei, nad zat. Papua; 312 tys. mieszk. (2002); przemysł spoż., drzewny; port mor., międzynar. port lotn.; uniw. (zał. 1965).

Porto Novo, stol. Beninu, nad Zat. Gwinejską; 225 tys. mieszk. (2002); ośr. handl. regionu uprawy palmy oleistej i kokosowej; przemysł olejarski, metal., mydlarski; rzemiosło; port rybacki; linia kol. do portu Kotonu; biblioteka narodowa.

Portoryko, Puerto Rico, Stowarzyszone Wolne Państwo Portoryko, państwo stowarzyszone z USA w Ameryce Środk. (Indie Zach.), na wyspie Puerto Rico, w Wielkich Antylach, nad M.

Karaibskim i O. Atlantyckim; 8,9 tys. km^2; 3,9 mln mieszk. (2002), Murzyni, ponadto ludność pochodzenia eur., Mulaci, Metysi; katolicy; stol. i gł. port mor. San Juan, inne m. Bayamón, Ponce (port mor.); język urzędowy hiszp., w użyciu angielski. Powierzchnia górzysta, wys. do 1338 m (Cerro de Punta); klimat podrównikowy wilgotny, cyklony; lasy wiecznie zielone. Jeden z najlepiej rozwiniętych gosp. krajów Ameryki Łac.; podstawą gospodarki jest przemysł (cukr., farm., petrochem., elektron.), turystyka i rolnictwo (uprawa trzciny cukrowej, bananów, kawowca, hodowla bydła, trzody chlewnej); rzemiosło; turystyka; rybołówstwo. ■

Portugalia, Portugal, Republika Portugalska, państwo w pd.-zach. Europie, nad O. Atlantyckim, na zach. Płw. Iberyjskiego i wyspach (regio-

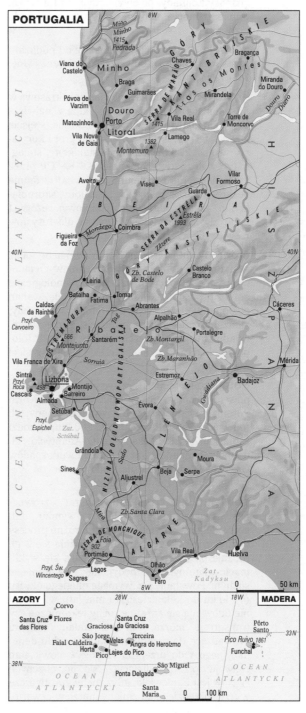

ny autonomiczne): Azory, Madera; 92,0 tys. km²; 10,3 mln mieszk. (2002), gł. Portugalczycy (99% ludności); katolicy; stol. Lizbona, inne m.: Porto, Setúbal; język urzędowy portug.; republika. Część pn. i środk. górzysta, przecięta doliną Duero, na pd. od doliny Tagu wyż.: Alentejo i Algarve; na wybrzeżu niziny; wyspy górzyste z wygasłymi wulkanami; klimat podzwrotnikowy, na pn. i wyspach wilgotny, na pd. śródziemnomor.; resztki wiecznie zielonych lasów z dębem korkowym, makia. Rozwój gosp. związany z napływem kapitału zagr. i integracją z krajami UE; turystyka zagr. (wyspy, zabytkowe miasta); przemysł spoż. (winiarski, olejarski, rybny), włók. i odzież., w Lizbonie i Porto także stoczn., samochodowy, rafineryjny; rozwinięte sadownictwo: drzewa cytrusowe, oliwki, winorośl, na wyspach ananasy i banany; połowy sardynek i tuńczyka; transport mor. i samochodowy; gł. port handl. Lizbona. ∎

porwak, 1) blok skalny oderwany od podłoża i przesunięty przez nasuwającą się płaszczowinę; 2) → ksenolit.

Postojna, Postojnska jama, jaskinia krasowa w Słowenii, na pd. od Lublany; jedna z największych i najbardziej znanych w Europie; wejście na wys. 554 m; łączna dł. systemu grot i korytarzy wynosi 27 km; wspaniałe stalaktyty, stalagmity i stalagnaty; temp. stała (8,6–8,8°C); przez Postojną płynie podziemna rz. Pivka; w faunie bezkręgowce, m.in. pająki, skorpiony, skorupiaki i b. rzadki odmieniec jaskiniowy; rezerwat przyrody; na dł. 4 km dostępna dla turystów (zelektryfikowana, kolejka dł. 2,5 km).

potamologia [gr.], nauka o rzekach, gałąź → hydrologii dotycząca powierzchniowych lądowych wód płynących; badania potamologiczne dotyczą sposobu zasilania rzek w wodę, wahań poziomu wody i przepływu, temperatury wody, zlodzenia rzek, ruchu rumowiska rzecznego, składu chem. wody, życia biol. w rzekach (biopotamologia), klasyfikacji rzek i układów sieci rzecznej.

Potomac [pətoumək], rz. we wsch. części USA; powstaje z połączenia rz. South Potomac i North Potomac, wypływających z wyż. Allegheny; dł. (od źródeł South Potomac) ok. 800 km; uchodzi estuarium do zat. Chesapeake (O. Atlantycki); gł. dopływ Shenandoah (pr.); żegl. od wodospadów Great Falls, dostępna dla statków mor. do Waszyngtonu (ok. 185 km od ujścia).

powierzchnia zrównania, obszar o zrównanej powierzchni powstałej w wyniku długotrwałego niszczenia lądu przez różne procesy denudacyjne (→ denudacja); rozróżnia się 2 gł. rodzaje p.z.: → peneplenę, tworzącą się w klimacie wilgotnym, i → pedyplenę; — w klimacie suchym. Powstanie p.z. wymaga długiego okresu (od kilku do kilkudziesięciu mln lat), w którym nie odbywają się ani silne ruchy tektoniczne czy transgresje morza, ani też zmiany klimatu prowadzące do przerwania danego cyklu denudacyjnego i do przejścia rzeźby w nowy etap rozwoju; p.z. rozwijających się do obecnych czasów jest b. niewiele, gdyż ruchy górotwórcze w trzeciorzędzie, jak i zmiany morza w czwarto-

rzędzie były czynnikami przerywającymi cykl denudacyjny; za przetrwałe do dziś p.z. modelowane współcz. przyjmuje się równinę pd. Finlandii, obszar pn.-wsch. Kanady, wsch. Syberię; natomiast b. rozległe są p.z. utworzone w danych okresach geol., np. trzeciorzędowe p.z. rozczłonkowane przez późniejsze doliny rzeczne, występujące w Wogezach, Sudetach, G. Świętokrzyskich, Appalachach i in.

powietrze, mieszanina gazów, które tworzą → atmosferę ziemską. Oprócz gazów wymienionych w tabeli p. zawiera (w znacznie mniejszych ilościach) m.in. radon i jego izotopy, jod, amoniak, a także przedostające się do atmosfery pyły z gleb, mikroorganizmy itp. oraz substancje powstające w wyniku gosp. działalności człowieka (→ aerozol atmosferyczny). P. o takim składzie, pozbawione pary wodnej, ma, w temp. 0°C i pod ciśn. 1013 hPa, gęstość 1,2928 kg/m³, temp. topnienia –213°C, temp. wrzenia –193°C, temp. kryt. –140,7°C, ciśn. kryt. 3,77 MPa. Procentowa zawartość gł. składników p. nie ulega w zasadzie zmianie do wys. 80 km; wyjątek stanowią: para wodna i aerozole atmosf., występujące gł. w warstwach p. znajdujących się bliżej powierzchni Ziemi (połowa zawartej w atmosferze pary wodnej występuje poniżej wys. 1,5 km) oraz ozon, który koncentruje się na wys. 20–30 km. Powyżej wys. 80 km p. staje się b. rozrzedzone, a jego skład ulega zmianie w wyniku procesów zachodzących pod wpływem krótkofalowego promieniowania słonecznego i promieniowania kosm. (dysocjacji cząsteczek, jonizacji cząsteczek i atomów oraz reakcji fotochemicznych). P. wywiera ciśnienie na powierzchnię Ziemi i przedmioty w nim się znajdujące (→ ciśnienie atmosferyczne). Stanowi ośr., w którym przebiegają najważniejsze procesy życiowe organizmów: procesy utleniania i spalania. Jest surowcem dla przemysłu azotowego, jest także stosowane jako środek przenoszący ciepło lub masę w procesach ogrzewania, chłodzenia, suszenia, nawilżania; sprężone p. jest używane do poruszania maszyn pneumatycznych. P. skroplone jest błękitną, ruchliwą cieczą (po raz pierwszy powietrze skroplili 1883 Z. Wróblewski i K. Olszewski); jest stosowane gł. do otrzymywania tlenu, azotu i gazów szlachetnych oraz do wytwarzania niskich temperatur.

powietrzna masa, masa powietrza, pojęcie stosowane w meteorologii na określenie powietrza zajmującego duży obszar (o średnicy rzędu tysięcy km) i mającego na danym poziomie w przybliżeniu jednakowe właściwości fiz. (gł. temperaturę i wilgotność). Poszczególne m.p. są rozdzielone wąskimi strefami przejściowymi, zw. → frontami atmosferycznymi. M.p. formują się nad wielkimi obszarami o mniej więcej jednolitym podłożu (np. ocean, wnętrze kontynentu, polarne pola lodowe), zw. o b s z a r a m i ź r ó d ł o w y m i; powietrze, pozostające przez dłuższy czas nad takim obszarem, nabiera wskutek oddziaływania z podłożem, określonych cech — ustala się charakterystyczny dla danej masy pionowy rozkład temperatury, wilgotności, a także zanieczyszczeń. Wskutek procesów cyrkulacyjnych zachodzących w atmosferze m.p. przemieszczają się znad obszarów źródłowych nad inne regiony geogr. wywierając wpływ na pogodę. Przemieszczająca się m.p. zmienia stopniowo (pod wpływem podłoża, nad którym się przesuwa) swoje właściwości. Zależnie od położenia geogr. obszaru źródłowego rozróżnia się 4 rodzaje m.p.: a r k t y c z n e (lub a n t a r k t y c z - n e), p o l a r n e s z e r o k o ś c i u m i a r k o - w a n y c h, z w r o t n i k o w e i r ó w n i k o w e; w każdym z gł. rodzajów, zależnie od charakteru obszaru źródłowego, rozróżnia się m.p. morskie i kontynentalne. Stosuje się również podział, związany z temperaturą podłoża, nad które napływa powietrze, na m a s y c i e p ł e (temperatura wyższa od temperatury podłoża) i m a s y c h ł o d n e (temperatura niższa od temperatury podłoża).

powódź, zalanie przez wodę terenów, zazwyczaj nadbrzeżnych, powodujące szkody gosp. i społ.; przyczynami p. bywają bądź obfite i długotrwałe opady deszczu (p. opadowa), bądź nagły spływ wód roztopowych (p. roztopowa); dodatkowo potęgują p. zatory lodowe i śryżowe (p. zatorowa); na małych rzekach górskich i wyżynnych oraz na potokach p. może być wywołana także krótkotrwałą silną ulewą (tzw. oberwanie chmury). Innym rodzajem są p. w ujściach rzek do morza, zwł. na przyległych terenach depresyjnych, spowodowane działaniem sztormów mor. (p. sztormowa); p. może być wywołana również katastrofą zapory tworzącej zbiornik wodny. Na obszarze Polski najczęściej występują p. opadowe (gł. w górach) i p. roztopowe (gł. na nizinach); często także tworzą się zatory lodowe.

poziom morza, poziom oceanu, wolna powierzchnia oceanów i mórz, tj. powierzchnia prostopadła w każdym punkcie do kierunku wypadkowej wszystkich sił działających na nią w danym miejscu, nazywana rzeczywistym p.m.; rzeczywisty p.m. jest zmienny, zależny od wielu czynników, m.in. od zjawisk hydrometeorol. (→ sejsze i przyboje), pływów, zjawisk sejsmicznych i wulkanicznych (→ tsunami), ruchów epejrogenicznych (→ epejrogeneza); w celach prakt. wprowadzono pojęcie zerowego p.m.; jest to powierzchnia morza prostopadła w każdym punkcie do kierunku siły ciężkości, przechodząca przez punkt odpowiadający normalnemu poziomowi morza w danym miejscu (średnia wartość p.m. z wieloletnich obserwacji); wysokość średniego wieloletniego p.m. nie jest jednakowa we wszystkich częściach oceanu; różnice w pobliżu kontynentów dochodzą do 2 m; na pol. mapach fiz. i topograf. wysokości n.p.m. podawane względem p.m. (zerowy p.m. Bałtyku) odnoszą się do stacji mareograf. w Amsterdamie.

poziomica, warstwica, linia na mapie łącząca punkty o jednakowej wysokości (i z o h i p s a) lub głębokości (i z o b a t a) w stosunku do przyjętego poziomu, którym zwykle jest poziom morza. Na mapach stosuje się różne c i ę c i a p o z i o m i c o w e (różnica wysokości lub głębokości odpowiadających kolejnym poziomicom) zależnie od skali mapy i ukształtowania przedstawianego terenu. Na mapach topograf. w danej skali jest ono zwykle stałe, na mapach przeglądowych z reguły zmienne, co powoduje konieczność stosowania odpowiednich skal barwnych.

Poznań, m. wojew. (woj. wielkopol.), nad Wartą, u ujścia jej dopływów Cybiny i Głównej; powiat grodzki, siedziba powiatu pozn.; 576 tys. mieszk. (2000); największy w kraju ośr. targów międzynar.; wielki ośr. gosp.-finans., kult.-nauk. i usługowy; stol. metropolii i diecezji pozn. Kościoła rzymskokatol.; rozwinięty przemysł elektromaszyn. (Zakłady Przemysłu Metal. im. H. Cegielskiego, fabryki samochodów, akumulatorów i baterii, urządzeń telekomunik., łożysk tocznych), spoż. (koncentraty spoż., browar, wyroby cukiern., tytoniowe), chem. (kosmetyki, leki, opony), poligraf. i in.; drugi po Warszawie ośr. bankowości; węzeł komunik.; port lotn. i rzeczny; szkoły wyższe, m.in. Uniw. im. A. Mickiewicza, politechnika, akad. (med., muz., ekon., wychowania fiz.), Papieski Wydział Teol., Wyższe Seminarium Duchowne, instytuty nauk., w tym Oddział PAN; teatry, opera, filharmonia z chórem chłopięco-męskim; festiwale muz., m.in. co 5 lat Międzynar. Konkurs im. H. Wieniawskiego, corocznie Festiwal Chórów Chłopięcych, liczne muzea (Nar., Armii „Poznań", Instrumentów Muz.), galerie sztuki i tow., społ.-kult. i naukowe; ośr. turyst.-krajoznawczy; ogrody zool., bot., dendrologiczny, największa w Polsce palmiarnia (pow. 4,5 tys. m^2; obiekty turyst. i sport., m.in. nad Jez. Maltańskim (tor regatowy), ośr. wypoczynku świątecznego nad jez.: Kierskim, Rusałka, Strzeszyńskim; tory wyścigów samoch., konnych i in. Ślady osadnictwa od paleolitu; prawa miejskie od 1231–53; od 1919 rozpoczął działanie uniw.; 1921 Targi Pozn., pocz. krajowe, od 1925 międzynarodowe. Główne zespoły zabytkowe na Ostrowiu Tumskim: m.in. got. katedra (XIV–XV, XVIII w., pozostałości z X i XI w.) oraz kolegiata NMP (XV w.), i na Starym Mieście: renes. ratusz (XVI w.), barok.

■ Poznań. Stare Miasto z ratuszem, zdjęcie lotnicze

kolegium Jezuitów i kościół (XVII–XVIII w.), kamienice i pałace (renes. Górków, klasycyst. Działyńskich); biblioteka Raczyńskich (XIX w.); pomniki: *Poznański czerwiec 1956* (zw. też *Jedność*, 1981), Armii „Poznań" (1982). ∎

Poznańskie, Pojezierze, Wysoczyzna Poznańska, zach. część Pojezierza Wielkopol., między Obornicką Doliną Warty od pn. (mezoregion Kotliny Gorzowskiej), Doliną Środk Obry od pd., Pozn. Przełomem Warty od wsch. i Bruzdą Zbąszyńską od zach.; wys. 75–100 m, z kulminacją 154 m na Górze Moraskiej (na pn. od Poznania); przez pn. część regionu przebiegają równoleżnikowe moreny czołowe zlodowacenia Wisły, na pd.-zach. występuje południowo usytuowany glacjotektoniczny Wał Lwówecko-Rakoniewicki; wiele niewielkich jezior (Strykowskie, Bytyńskie, Śremskie); charakterystyczny fragment mniej zmienionego krajobrazu polodowcowego z morenami czołowymi, ozami, jeziorami rynnowymi i bogatą szatą roślinną objęty jest ochroną w Wielkopol. Parku Nar.; atrakcyjny obszar turystyczny. Główne m. — Poznań.

Północne, Morze, ang. **North Sea,** duń. **Vesterhavet,** flam. **Nordzee,** niem. **Nordsee,** norw. **Nordsjøen,** przybrzeżne morze w pn.-wsch. części O. Atlantyckiego, między pn.-zach. Europą a W. Brytanią, Orkadami i Szetlandami; na pn. graniczy z M. Norweskim, na wsch., poprzez cieśn. Skagerrak i Cieśn. Duńskie, połączone z M. Bałtyckim, na pd.-zach. przez cieśn. Kaletańską i La Manche — z otwartym oceanem; pow. 565 tys. km² (z cieśn. Skagerrak); średnia głęb. 96 m, maks. — 809 m, w Skagerraku, w Rynnie Norweskiej (rów podmor. ciągnący się wzdłuż wybrzeży norw. do Basenu Norweskiego w M. Norweskim); prawie całe M.P. leży na szelfie; charakterystyczne dla jego dna są ławice (największa Dogger Bank) oraz liczne, niewielkie zagłębienia; w pd.-wsch. części — W. Fryzyjskie; temp. wód powierzchniowych w lutym wynosi od 2°C w Skagerraku do 7,5°C w części pn., w sierpniu — odpowiednio od 18°C do 12,5°C, zasolenie — 31–35‰; przez cały rok nad M.P. unoszą się mgły; częste sztormy — wys. fal wiatrowych od 6–7 m u wybrzeży kontynentu do 11 m u wybrzeży Szkocji; cyrkulacja prądów mor. cyklonalna (przeciwna do ruchu wskazówek zegara), prędkości zmienne, ok. 1 km/h; wysokość pływów od 0,2 m u wybrzeży Norwegii do 7,6 m u wybrzeży Anglii; do M.P. uchodzą rz.: Łaba, Wezera, Ren, Tamiza; rozwinięte rybołówstwo, połowy gł. śledzia, dorsza, flądry i makreli; liczne ważne szlaki żeglugowe, m.in. z M. Bałtyckiego przez Kanał Kiloński; gł. porty: Rotterdam, Londyn, Antwerpia, Hamburg, Edynburg, Bergen, Oslo; pod dnem bogate złoża ropy naft., gazu ziemnego (eksploatowane) i węgla kamiennego.

Północne, Terytorium, Northern Territory, terytorium autonomiczne Australii; 1,3 mln km²; 200 tys. mieszk. (2002), w tym ludność rdzenna 22,7%; stol. Darwin, in. gł. m.: Alice Springs, Katherine, Tennant Creek; wydobycie boksytów, rud manganu, miedzi i uranu, złota, gazu ziemnego i ropy naft.; wielkie farmy bydła; komunikacja lotn.; turystyka (parki nar. Uluru i Kakadu).

Północno-Wschodni, Basen, North-East Pacific Basin, największy basen oceaniczny w dnie oceanu świat.: zajmuje pn.-wsch. część O. Spokojnego, między wyspami Line, grzbietami Hawajskim i Cesarskim, Aleutami, stokami kontynentalnymi Ameryki Pn. oraz wzniesieniami Albatros i Wschodniopacyficznym (grzbiet śródoceaniczny); na pd. łączy się z Basenem Południowopacyficznym; przeważa głębokość 4500–5500 m, maks. — 7168 m (w części pn.-zach.); ukształtowanie urozmaicone: liczne wyniesienia, góry i wulkany podmor. oraz kaniony (w stokach kontynent.); charakterystyczne dla ukształtowania dna B.P.-W. są przebiegające równoleżnikowo długie krawędzie w strefach rozłamu Wzniesienia Wschodniopacyficznego (grzbiet śródoceaniczny); najdłuższe krawędzie: Galápagos, Clipperton, Clarión, Molokai, Murray, Mendocino; na pn. oceaniczny Rów Aleucki. Między krawędziami Clarión i Clipperton wytyczono 1993 działki koncesyjne dla eksploatacji w przyszłości (m.in. przez Polskę) konkrecji polimetalicznych zalegających dno oceaniczne.

Północno-Zachodnia Prowincja Pograniczna, urdu Sarhad, ang. **Nord-West Frontier Province,** prowincja autonomiczna w pn. Pakistanie, przy granicy z Afganistanem i Indiami; 74,5 tys. km²; 19,5 mln mieszk. (2002), plemiona Patanów, uchodźcy z Afganistanu; stol. Peszawar; górzysta (Hindukusz z najwyższym szczytem w kraju — Tiricz Mir, 7690 m, oraz zach. Himalaje), na pd. Niz. Indusu; pasterska hodowla bydła, owiec i kóz; elektrownie wodne; transport juczny.

Północnoamerykański Układ Wolnego Handlu, ang. **North American Free Trade Agreement, NAFTA,** porozumienie między Kanadą, Meksykiem i USA podpisane XII 1992 (weszło w życie 1 I 1994), tworzące strefę wolnego handlu; gł. cele układu: wyeliminowanie w ciągu 15 lat barier celnych w handlu towarami i usługami między stronami, wzmacnianie wolnej konkurencji na obszarze strefy, rozszerzenie perspektyw inwestycyjnych w państwach członkowskich, zapewnienie ochrony praw autorskich, stwarzanie warunków do rozwijania współpracy trójstronnej, regionalnej i wielostronnej; cele te NAFTA będzie osiągać m.in. przez: stopniową eliminację barier celnych, ujednolicenie procedury i dokumentacji celnej oraz systemu zamówień rządowych, ochronę inwestycji zagr. podmiotów państw członkowskich, stopniową liberalizację usług telekomunik. i finansowych; czł. NAFTA są zobowiązani do wymiany informacji o nowych aktach prawnych z dziedziny objętej przedmiotem układu; gł. organem jest Rada Wolnego Handlu, która sprawuje ogólny nadzór nad działalnością układu, wytycza kierunki rozwoju oraz rozstrzyga spory dotyczące interpretacji i stosowania zawartego porozumienia; NAFTA ma własny system rozwiązywania sporów, oparty na koncyliacji i arbitrażu.

Północnoatlantycki, Grzbiet, grzbiet śródoceaniczny, → Śródatlantycki, Grzbiet.

Północnoatlantycki, Prąd, prąd mor. na O. Atlantyckim, → Zatokowy, Prąd.

Północnokoreańskie, Góry, góry w pn. części Korei Pn., wzdłuż granicy z Chinami; od G. Wschodniomandżurskich w Chinach oddzielone dolinami rz.: Yalu Jiang i Tuman-gang; na zach. łączą się z G. Wschodniokoreańskimi; składają się z licznych pasm górskich (wys. do 2541 m, szczyt Kwanmo-bong w G. Tumańskich) i wyżyn (Amnokańska, Kema); na wyż. Kema, na granicy z Chinami czynny wulkan Pektu-san (wys. 2744 m); zbud. z prekambryjskich i paleozoicznych gnejsów, granitów i łupków oraz trzeciorzędowych skał wulk.; lasy liściaste z dębem, klonem i lipą amurską, w wyższym piętrze tajga modrzewiowa; eksploatacja lasów; w dolinach uprawa prosa, jęczmienia, kukurydzy; gł. m. — Kanggje.

Północnomazowiecka, Nizina, najdalej na pn. wysunięta część Nizin Środkowopol., położona na pn. od dolin Środk. Wisły i Dolnego Bugu, w dorzeczu środk. i dolnej Narwi; na N.P. dość powszechnie występują sandry; na wysoczyznach międzydolinnych dobrze zachowane ostańce form polodowcowych, wyraźniejsze niż w pozostałych częściach podprowincji Nizin Środkowopol.; kulminacje wzniesień przekraczają miejscami 200 m (Dębowa Góra, 235 m), a wysokości względne dochodzą do 100 m; nizinę przecinają w kierunku pd. Narew i jej dopływ Wkra, którymi płynęły lodowcowe wody roztopowe w czasie ostatniego zlodowacenia; region rolniczy. Na N.P. rozróżnia się: Wysoczyznę Płońską, Równinę Raciąską, Wzniesienia Mławskie, Wysoczyznę Ciech., Równinę Kurpiowską, Dolinę Dolnej Narwi i Międzyrzecze Łomżyńskie.

Północnoniemiecka, Nizina, → Niemiecka, Nizina.

Północnopodlaska, Nizina, Nizina Podlaska, zach. część Wysoczyzn Podlasko-Białoruskich, między Międzyrzeczem Łomż. na zach., Doliną Dolnego Bugu na pd. oraz Pojezierzem Ełckim i Równiną Augustowską na pn.; pod względem geomorfologicznym stanowi wsch. przedłużenie Nizin Środkowopol., od których różni się klimatycznie i geobotanicznie, a także wgłębną strukturą geologiczną. Część N.P., położona na pd. od doliny Narwi, jest mało urozmaicona, chociaż wzniesienia związane ze zlodowaceniem Warty przekraczają miejscami 200 m; część pn.-wsch. wykazuje znaczniejsze wysokości względne i bezwzględne, przekraczające w okolicach Sokółki 240 m; w pn.-zach. części regionu występują tereny bagienne (Kotlina Biebrzańska), na wsch. rozległe lasy (puszcze: Białowieska, Knyszyńska). Na N.P. rozróżnia się: Wysoczyznę Kolneńską, Kotlinę Biebrzańską, Wysoczyznę Białost., Wzgórza Sokólskie, Wysoczynę Wysokomazow., Dolinę Górnej Narwi, Równinę Bielską i Wysoczyznę Drohiczyńską.

Północnosyberyjska, Nizina, Siewiero-Sibirskaja (Tajmyrskaja) nizmiennost', nizina w azjat. części Rosji, między górami Byrranga a Wyż. Środkowosyberyjską; równinna (wys. do 300 m); rozpowszechnione formy pochodzenia mrozowego (pagóry, zagłębienia); gł. rzeki: Chatanga, Piasina; liczne jeziora; tundra i lasotundra; złoża ropy naft., gazu ziemnego, węgla.

Północny, Kanał, ang. **North Channel,** irl. **Sruth na Maoile,** cieśnina między pn.-wsch. Irlandią a W. Brytanią; łączy M. Irlandzkie z otwartym O. Atlantyckim; dł. ok. 170 km, szer. 23–40 km; linia brzegowa urozmaicona, liczne zatoki (największa Firth of Clyde), półwyspy (Galloway, Kintyre) i wyspy (Array, Islay, Jura, Bute, Rathlin); na pn. połączony cieśn. Jura z zat. Firth of Lorne; głęb. 272 m (w części pd.); silne prądy pływowe (7–12 km/h); wysokość pływów 2,9–4,2 m; gł. porty: Belfast, Londonderry, Greenock, Glasgow.

Północny, Ocean Lodowaty → Arktyczny, Ocean.

Północny, Przylądek, Nordkapp, skalisty przyl. w Norwegii, na wyspie Magerøy, na wsch. od przyl. → Knivskjellodden; 71°10'N, 25°47'E; wys. 307 m; popularny obiekt turyst. (przystań dla statków w zat. Hornvika). ■

półpustynia → pustynia.

półwysep, część lądu, różnej wielkości i kształtu, wysunięta w jezioro lub morze, np. P. Apeniński, P. Jutlandzki.

Prabuty, m. w woj. pomor. (powiat kwidzyński), nad jez. Liwieniec; 8,6 tys. mieszk. (2000); ośr. usługowy; przemysł papierniczy, materiałów bud., odzież.; zakład sprzętu okrętowego; prawa miejskie przed 1330; 2 kościoły (XIV, XVII w. i XIV–XV, XVI, XVIII, XIX w.), pozostałości obwarowań miejskich (XIV w.), wodociągi (XVIII w.) — unikatowy zabytek sztuki inżynieryjnej.

pradolina, szeroka dolina utworzona w plejstocenie podczas dłuższego postoju lądolodu, w wyniku erozyjnej działalności wielkich rzek płynących wzdłuż jego krawędzi; p. występują na niżu pol.-niem.; wykazują spadek ze wsch. ku zach.; gromadziły się w nich wody z topniejącego lądolodu i rzek płynących z pd. (z Karpat, Sudetów), zatrzymywane przez lądolód; ich nadmiar przelewał się przez działy wodne ku zach., do M. Północnego. Według wielu badaczy na przebieg p. wpłynęły przedlodowcowe formy erozyjne lub formy tektoniczne; dużą rolę w powstawaniu p. odegrała erozja termiczna (erozja na obszarach zmarzliny, polegająca na rozmywaniu osadów przez wodę powstałą z topniejącego lodu stanowiącego spoiwo tych osadów); p. ciągną się przez setki km, np. P. Warciańsko--Odrzańska, P. Warszawsko-Berlińska i P. Toruńsko-Eberswaldzka.

Praga, Praha, stol. Czech, nad Wełtawą; 1,2 mln mieszk. (2002); centrum gosp., kult.-nauk. i turyst. kraju; przemysł elektrotechn., chem., środków transportu, odzież., spoż.; ośr. produkcji filmów (Barrandov); międzynar. targi i wystawy; metro; węzeł komunik. (port lotn., rzeczny); szkoły wyższe (m.in. Uniw. Karola, konserwatorium), Czes. AN; coroczny festiwal muz. Praska Wiosna; muzea. W XIII w. prawa miejskie; rozkwit w XIV w.; od 1918 stol. Czechosłowacji, od 1993 — Rep. Czeskiej. Wzgórze Hradczany z got. katedrą Św. Wita (XIV, XIX w.) i zamkiem król. (XIV, XVIII w.); got. kościół NMP na Tynie (XIV, XVI, XVII w.), synagoga Staronová (XIII w.), most Karola (XIV w.), 2 ratusze (XIV, XIX w. i XIV–XVI w.); renes. pałace (m.in. Bel-

■ Przylądek Północny

■ Praga. Most Karola, w głębi Hradczany

weder, XVI w.); liczne barok. kościoły (m.in. Zbawiciela oraz kościół i kolegium Jezuitów — tzw. Klementinum, XVII w.) i pałace (m.in. Waldsteinów); kościoły rokok. (Św. Mikołaja na Małej Stranie, XVIII w.); budowle z XIX w., m.in. Teatr Nar., Muzeum Nar., cenne budowle secesyjne (ul. Pařížská); pomniki: Św. Wacława, Jana Husa, Jana Žižki; cmentarze: żydowski, Olšanský (zał. XVII w.), Wyszehradzki (zał. XIX w.) — miejsce pochówku sławnych Czechów (Slavin). ■

Praja, Praia, stol. Rep. Zielonego Przylądka, na wyspie São Tiago nad O. Atlantyckim; 98 tys. mieszk. (2002); port handlowy (wywóz owoców cytrusowych) i rybacki; przemysł spoż. (gł. rybny); lotnisko; zał. w końcu XV w.

Praszka, m. w woj. opol., nad Prosną (powiat oleski), przy ujściu Wyderki; 8,5 tys. mieszk. (2000); ośr. usługowy; zakłady sprzętu motoryzacyjnego, oświetleniowego, fabryka maszyn pakujących i kuchni gazowych; prawa miejskie 1392–1870 i od 1919.

prawierównia → peneplena.

prąd strumieniowy, jet stream, intensywny, prawie poziomy strumień powietrza w atmosferze ziemskiej, występujący w strefach o szer. kilkuset km, grub. ok. 2 km i dł. kilku tys. km, poza którymi w danym obszarze atmosfery ziemskiej są obserwowane wiatry o znacznie mniejszych prędkościach. Największa prędkość powietrza (dochodząca do 180–200 km/h, a lokalnie nawet przekraczająca 370 km/h) występuje wzdłuż tzw. osi p.s.; w miarę oddalania się od niej prędkość ta szybko maleje. P.s. występują prawie na całym obszarze kuli ziemskiej na różnych wysokościach w atmosferze, zazwyczaj w obszarach o dużych kontrastach temperatury; do najlepiej zbadanych należą p.s. w górnej troposferze i dolnej stratosferze. P.s. wykorzystuje się w komunikacji lotn. (zwiększają prędkość samolotów).

prądy morskie, ruchy wody w morzach i oceanach, związane z przenoszeniem znacznych jej ilości na duże odległości w określonym czasie; warstwa wody objęta tymi ruchami ma stosunkowo niewielką szerokość i miąższość w porównaniu z jej długością. P.m. są jednym z podstawowych czynników pobudzających cyrkulację wód w oceanie. Powstają one pod wpływem: 1) różnic w gęstości wody wywołanych zmianami temperatury i zasolenia, 2) ciśnienia powietrza i tarcia powietrza (wiatr) o powierzchnię oceanu, 3) różnic w wysokości poziomu zwierciadła wody w sąsiadujących częściach oceanu, 4) siły przyciągania Księżyca i Słońca. Na charakter ruchu wody oddziałuje także → siła Coriolisa (powodująca odchylenie prądów) oraz siły tarcia (hamujące i deformujące ruch); wpływ na prądy morskie wywiera także rozkład lądów i mórz (zarysy kontynentów) i rzeźba dna oceanu. Ze względu na sposób powstawania rozróżnia się p.m.: wiatrowe (dryfowe), grawitacyjno-gradientowe, pływowe. P r ą d y   m o r s k i e   w i a-t r o w e powstają wskutek tarcia o powierzchnię oceanów i mórz poruszających się mas powietrza oraz parcia wiatru na dowietrzne zbocza fal; p.m. wywołany wiatrami stałymi (pasaty), wiatrami sezonowymi (monsuny) lub wiatrami zdecydowanie przeważającymi (np. wiatry zach. w strefie umiarkowanej) jest nazywany prądem dryfowym, w odróżnieniu od p.m. wywołanego wiatrami krótkotrwałymi zw. prądem wiatrowym; prądy dryfowe występują w powierzchniowej warstwie wody, do głęb. ok. 200 m (wyjątek stanowią Prąd Zatokowy przenikający do dna i Kuro Siwo, sięgający do głęb. ok. 2500 m); prowadzą one do nachylenia poziomu morza i wystąpienia gradientu ciśnienia, co wzbudza prądy głębinowe w akwenach przybrzeżnych. P r ą-d y   m o r s k i e   g r a w i t a c y j n o - g r a d i e n-t o w e obejmują: p.m. barogradientowe, wywołane zmianami ciśnienia atmosf. nad morzami i oceanami (w obszarze podwyższonego ciśnienia prowadzą do obniżenia poziomu morza, w obszarze obniżonego ciśnienia — do wzrostu poziomu); p.m. spływowe, powstające wskutek dopływu wód rzecznych, opadu atmosf., parowania, dopływu wód z innego akwenu lub odpływu wód; p.m. gęstościowe, powstające na skutek różnic gęstości wody mor., o czym decydują różnice temperatury i zasolenia wody (są to gł. prądy podpowierzchniowe i głębinowe); p.m. kompensacyjne, o charakterze wtórnym, dążące do wyrównania poziomu morza bez względu na przyczynę, która wywołała zakłócenie równowagi hydrostatycznej. P r ą d y   m o r s k i e   p ł y w o-w e, ruchy wód okresowo zmieniające kierunek i prędkość, powstające w związku z przesuwaniem się fal pływowych (→ pływy); szczególnie silne prądy pływowe są obserwowane w akwenach przybrzeżnych, gdzie obejmują całą masę wody (do dna); im dalej od brzegów tym są słabsze. Ze względu na stałość i czas trwania rozróżnia się p.m.: s t a ł e, mające zawsze ten sam kierunek i tę samą prędkość (Kuro Siwo, Antarktyczny Prąd Okołobiegunowy i in.), o k-r e s o w e, zmieniające kierunek i prędkość w regularnych odstępach czasu (Prąd Monsunowy), c z a s o w e, powstające sporadycznie pod wpływem krótkotrwałych silnych wiatrów, gwałtownych zmian ciśnienia atmosf. i opadów. Zależnie od głębokości położenia warstwy wody objętej prądem rozróżnia się p.m.: p o w i e r z-c h n i o w e (gł. prądy wiatrowe), g ł ę b i n o w e (ruchy wymienne między masami wodnymi; wiatry nie mają na nie wpływu) i p r z y d e n n e (rozprowadzają ciężkie wody antarktyczne w kierunku pn.). W zależności od kierunku, w jakim porusza się woda mor., wyróżnia się p r ą d y morskie poziome i pionowe; p.m. pionowe mogą być zstępujące lub wstępujące; szczególnym rodzajem prądów wstępujących wywołanych wiatrem są upwellingi — wzbudzane stałymi wiatrami prądy powierzchniowe powodują odpływ wód powierzchniowych i napływanie na ich miejsce wód głębszych, występują gł. w strefie równikowej (stałe, rozbieżnie wiejące pasaty) i wzdłuż zach. wybrzeży kontynentów na obu półkulach, np. z Prądem Peruwiańskim jest związany życiodajny upwelling przybrzeżny; strefy upwellingu są najbardziej produktywnymi obszarami oceanu światowego. W zależności od różnic temperatury wód niesionych p.m. i temperatury wód otaczających rozróżnia się prądy c i e p ł e (temperatura wód płynących jest wyższa od temperatury wód otaczających prąd) i z i m n e (odwrotnie).

P.m. rzadko są wywołane jedną przyczyną; zwykle powstają pod wpływem działania kilku sił, których rola w ich formowaniu jest różna (np. Prąd Zatokowy jest jednocześnie prądem gęstościowym, dryfowym i spływowym). P.m. odgrywają ważną rolę w kształtowaniu wodnych mas oceanu, zakłócają strefowość w rozkładzie temperatury (anomalie dodatnie są związane z przenoszeniem przez prądy morskie ciepłych wód od równika ku biegunom, natomiast anomalie ujemne są spowodowane przeciwnie skierowanymi prądami zimnymi) oraz wpływają na zasolenie, zawartość tlenu, barwę, przezroczystość mas wodnych, a poza tym mają ogromny wpływ na procesy biol., zwł. rozwój świata roślinnego i zwierzęcego w oceanie świat.; wpływają także na kształtowanie się brzegów mórz, na tworzenie się ławic na dnie płytkich akwenów, na przemieszczanie się lodów (dryf).

Prealpy, franc. **Préalpes,** wł. **Prealpi,** niem. **Voralpen,** zewn. pasma górskie wapiennych i fliszowych Alp towarzyszące wysokiej, centr. strefie krystal., zwł. po zach. i pn. stronie łuku górskiego; we Francji: Prealpy Prowansalskie (po dolinę rz. Durance), Prealpy Delfickie (do rz. Isère) i Prealpy Sabaudzkie (po dolinę Rodanu); w Szwajcarii: Prealpy Fryburskie, Prealpy Berneńskie i Prealpy Glaryjskie; w Austrii występują tylko na przedpolu Alp Salzburskich i Alp Dolnoaustriackich; we Włoszech — na pd. od Dolomitów i na wsch. od jez. Garda.

Preapeniny, Preappennino, obszar przeważnie górzysty we Włoszech, przedgórze Apenin; po zach. stronie ciągnie się P. Tyrreński (w którego skład wchodzą Alpy Apuańskie, G. Albańskie, wzgórza Kampanii), po pd.-wsch. — Adriatycki (wyżyny Apulii i płw. Gargano).

Predeal [prediął], przełęcz w Karpatach, w środk. Rumunii, oddziela Karpaty Wsch. od Karpat Pd.; wys. 1033 m; przez P. przechodzi droga samochodowa i linia kol. (2 tunele przebite na wys. 1015 m) Braszów–Bukareszt; na przełęczy (u podnóża gór Bucegi) miasto Predeal (uzdrowisko i ośr. sportów zimowych).

Pregoła, Priegola, rz. w w obwodzie kaliningradzkim Rosji; powstaje z połączenia Węgorapy i Instruci; dł. 187 km; pow. dorzecza 15,5 tys. km², uchodzi do Zalewu Wiślanego; gł. dopływ Łyna (l.); żegl., połączona kanałami z rz. Niemen i portem Bałtyjsk; przy ujściu — Kaliningrad.

Prerii, Wielka Równina, obszar wyżyn w Ameryce Pn., → Wielkie Równiny.

Pretoria, stol. (siedziba rządu) RPA; do 1994 ośr. adm. prow. Transwal, ob. w prow. Gauteng; 1,2 mln mieszk. (2002), zespół miejski 1,5 mln; duży ośr. przem. (hutnictwo żelaza, montaż samochodów, przemysł maszyn., metal., chem., spoż., włók.) i kult.-nauk. (2 uniw., inst. naukowe, biblioteka nar., obserwatorium astr., muzea); ważny węzeł komunik.; ośr. badań jądr.; zał. 1855 przez osadników burskich (nazwana na cześć A.W.J. Pretoriusa).

Prochowice, m. w woj. dolnośląskim (powiat legnicki), nad Kaczawą; 3,7 tys. mieszk. (2000); ośr. usługowy; przemysł spoż. i skórz.; tartak; prawa miejskie od ok. 1280; ruiny zamku (XIV, XV, XVI w.).

produkt krajowy brutto, PKB, suma wartości dóbr i usług finalnych wytworzonych na terytorium danego kraju w danym okresie, najczęściej rocznym.

produkt narodowy brutto, PNB, miernik całkowitych dochodów obywateli danego kraju, niezależnie od miejsca świadczenia usług przez posiadane przez nich czynniki produkcji; PKB skorygowany o saldo dochodów z tytułu własności za granicą i dochodów obcokrajowców posiadających kapitał w danym kraju.

profil glebowy, pionowy przekrój przez całą miąższość warstwy Ziemi objętej procesem → glebotwórczym; głębokość p.g. jest zmienna, lecz poza strefą tropik. nie przekracza zwykle 1,5 m; na p.g. składają się poziomy glebowe (→ gleba), których następstwo w p.g. pozwala zaliczyć badaną glebę do określonego typu, już w warunkach polowych; p.g. charakteryzuje budowę gleby i jest gł. podstawą systematyki gleb i prac kartograficznych.

profundal [łac.], dolna strefa głębokich jezior, mroczne i chłodne wody oraz dno poniżej platformy przybrzeżnej; p. jest w zasadzie pozbawiony światła, odznacza się brakiem roślin autotroficznych i niedostatkiem tlenu, zależnością pokarmową od górnych stref jeziora, osadzaniem się dennego mułu — gytii; p. inaczej jest określany jako strefa trofolityczna.

Program Narodów Zjednoczonych na Rzecz Ochrony Środowiska, ang. **United Nations Environment Programme, UNEP,** organ pomocniczy ONZ, utw. 1972, siedziba w Nairobi; działa na rzecz rozwoju współpracy międzynar. w zakresie ochrony środowiska, prowadzi programy jego ochrony oraz badania i oceny zagrożeń.

promieniowanie w atmosferze ziemskiej, promieniowanie dochodzące do dowolnego punktu atmosfery od Słońca, Ziemi i gwiazd. Głównym źródłem promieniowania w atmosferze ziemskiej jest strumień energii wysyłany przez Słońce. Promieniowanie słoneczne docierające do górnych warstw atmosfery to gł. krótkofalowe promieniowanie elektromagnet. o dł. fali 0,1–4 cm (9% przypada na nadfiolet, 45% na promieniowanie widzialne, 46% na podczerwień). Promieniowanie o długości fali mniejszej od 0,1 cm i większej od 4 cm, a także promieniowanie korpuskularne stanowi ok. 1% promieniowania wysyłanego przez tarczę słoneczną. Wielkością określającą promieniowanie jest jego n a t ę ż e n i e, tj. ilość energii otrzymywanej w jednostce czasu przez jednostkę powierzchni ustawioną prostopadle do kierunku padania promieni. Natężenie promieniowania słonecznego dochodzącego do górnej granicy atmosfery jest nazywane s t a ł ą s ł o n e c z n ą i wynosi 1,388 J/(cm$^2 \cdot$ s). Promieniowanie słoneczne przechodzące przez atmosferę ziemską ulega w niej pochłanianiu, odbiciu i rozpraszaniu. Ta część promieniowania, która dociera do powierzchni Ziemi bezpośrednio od tarczy słonecznej nosi nazwę p r o m i e n i o w a n i a b e z p o ś r e d n i e g o. Do powierzchni Ziemi dociera również część promieniowania rozproszonego w atmosferze, a suma obu promieniowań stanowi tzw. p r o m i e n i o w a n i e c a ł k o w i t e. Promieniowanie padające na powierzchnię Ziemi jest przez nią w przeważającej części pochłaniane. Pozostała część jest odbijana w różnym stopniu zależnie od rodzaju podłoża. Atmosfera pochłania średnio 15% promieniowania dochodzącego od Słońca, Ziemia — średnio 43%. W górnych warstwach atmosfery jest pochłaniane gł. promieniowanie nadfioletowe (przez cząsteczki ozonu i atomy tlenu), w dolnych — gł. promieniowanie widzialne i podczerwone (przez cząsteczki pary wodnej i dwutlenku węgla oraz kropelki wody w chmurach i cząstki pyłów). Odbicie promieniowania w atmosferze następuje przede wszystkim od dużych w porównaniu z długością jego fali cząstek chmurowych, rozpraszanie natomiast zachodzi gł. na cząsteczkach gazu i cząstkach → aerozolu atmosferycznego. Rozpraszanie promieniowania jest tym większe, im mniejsza jest długość fali i stąd niebieska barwa nieba, która jest barwą światła rozproszonego.

Energia promieniowania pochłoniętego przez Ziemię i atmosferę jest zamieniana na ciepło i z powrotem wypromieniowywana. Powierzchnia Ziemi promieniuje w przybliżeniu tak, jak ciało doskonale czarne o średniej temp. 15°C, emitując promieniowanie długofalowe w zakresie 4–80 cm (maksimum 10–12 cm). Promieniowanie to jest pochłaniane przez atmosferę, gł. przez cząsteczki pary wodnej (prawie w całym zakresie widma oprócz dł. 8,5–11 cm) i dwutlenku węgla (najintensywniej w zakresie 13–17 cm), oraz w dużo mniejszym stopniu przez cząsteczki ozonu (gł. w paśmie 9,6 cm), a także przez chmury i pyły. Promieniowanie atmosfery to promieniowanie długofalowe skierowane bądź (w ok. 70%) w stronę Ziemi (tzw. p r o m i e n i o w a n i e z w r o t n e), bądź w przestrzeń okołoziemską (w ok. 30%).

Atmosfera działa więc jak filtr, który w znacznym stopniu przepuszcza do powierzchni Ziemi krótkofalowe promieniowanie słoneczne, a zatrzymuje emitowane przez nią promieniowanie długofalowe. Powoduje to utrzymywanie średniej temperatury powietrza przy powierzchni Ziemi na poziomie dużo wyższym (o ok. 30°C) niż miałoby to miejsce w nieobecności atmosfe-

ry. Ten efekt, związany z istnieniem atmosfery, nosi nazwę e f e k t u c i e p l a r n i a n e g o lub s z k l a r n i o w e g o. Istnieje obawa, że zanieczyszczenia przedostające się do atmosfery w wyniku działalności gosp. człowieka i biorące udział w pochłanianiu promieniowania ziemskiego (dwutlenek węgla, metan i in.) mogą spowodować stopniowy wzrost średniej temperatury powierzchni Ziemi i wpłynąć na zmianę klimatu na kuli ziemskiej.

Promieniowanie w atmosferze ziemskiej mierzy się różnego rodzaju przyrządami (aktynometr, heliograf, pyrgeometr, pyrheliometr, pyranometr, pyrradiometr). Badaniem promieniowania w atmosferze ziemskiej zajmuje się aktynometria. Zob. też usłonecznienie.

Prosna, rz. na Wyż. Woźnicko-Wieluńskiej i Niz. Środkowopolskich, l. dopływ Warty; dł. 217 km, pow. dorzecza 4925 km^2; źródła na obszarze Progu Woźnickiego; uchodzi poniżej m. Pyzdry; średni przepływ w pobliżu ujścia 16,5 m^3/s; maks. rozpiętość wahań stanów wody w dolnym biegu 5,3 m; największe dopływy: Trojanówka, Swędrnia (pr.); okresowo między P. a Baryczą występuje zjawisko bifurkacji za pośrednictwem Ołoboku (l. dopływ P.); gł. m. nad P. — Kalisz.

Proszowice, m. powiatowe w woj. małopol., nad Szreniawą; 6,6 tys. mieszk. (1998); ośr. usługowy dla rolnictwa; drobny przemysł spoż. i materiałów bud.; prawa miejskie 1358–1870 i od 1923; kościół (XV, XIX w.).

Prowansja, Provence, kraina hist. w pd.-wsch. Francji, nad M. Śródziemnym, na wsch. od dolnego biegu Rodanu; górzysta; pd. część franc. Alp (Alpy Prowansalskie, Alpy Nadmor.); region roln.-przem., w pasie przybrzeżnym — wypoczynkowy i turyst. o świat. sławie (Wybrzeże Lazurowe); część regionu adm. Prowansja-Alpy-Wybrzeże Lazurowe.

próchnica, humus, substancja organiczna gleby; produkt procesu humifikacji resztek roślin i zwierząt; zwiększa żyzność gleby, poprawia jej strukturę oraz stanowi jedno ze źródeł składników pokarmowych dla roślin.

próg rzeczny, poprzeczny stopień w korycie rzecznym; powstaje wskutek różnej odporności na erozję skał, w których rzeka żłobi swe koryto; rzeka wcina się szybciej w skały mało odporne niż w skały o dużej odporności, co powoduje schodkowatość w jej profilu podłużnym; istnieją też p.rz. pochodzenia tektonicznego i in.; p.rz. wpływają b. istotnie na ruch wody; na progach wysokich i stromych tworzą się wodospady, na progach małych ruch wody jest przyspieszony (bystrze); p.rz. są np. → katarakty i → porohy.

Prudnik, m. powiatowe w woj. opol., u podnóża G. Opawskich; 24,1 tys. mieszk. (2000); ośr. przem.-usługowy; przemysł bawełn., obuwn., spoż., mebl.; muzeum; prawa miejskie przed 1302 (1279?); wieża (XIII/XIV, XV w.) — pozostałość zamku, fragmenty murów miejskich (XV w.), kościół i zespół klasztorny oraz zajazd i młyn (XVIII w.), ratusz i kamienice (XVIII, XIX w.).

Prusice, m. w woj. dolnośląskim (powiat trzebnicki); 2,3 tys. mieszk. (2000); ośrodek usługowy regionu roln.; prawa miejskie 1287–1951, ponownie 2000; w czasie II wojny świat. podobóz obozu koncentr. Gross-Rosen; późnogot. kościół par. (1492–92).

Pruszcz Gdański, m. powiatowe (powiat gdań.) w woj. pomor., nad Radunią; 21,8 tys. mieszk. (2000); ośr. przem. i usługowy; cukrownia, fabryki — urządzeń okrętowych, aparatury mleczarskiej; montownia telewizorów; ośr. turyst.; w okolicy uprawa warzyw i owoców; 1920–39 w granicach Wolnego Miasta Gdańska; prawa miejskie od 1945; got. kościół (XIV, XV w.) z późnogot. poliptykiem (XVI w.), domy (XIX w.).

Pruszków, m. powiatowe w woj. mazow., nad Utratą, w aglomeracji warsz.; 54 tys. mieszk. (2000); ośr. przem.-usługowy i mieszkaniowy; różnorodny przemysł, m.in. fabryki: obrabiarek, materiałów biurowych, ołówków, porcelitu stołowego, urządzeń elektron.; wzmiankowany w XVI w.; prawa miejskie od 1916; Muzeum Staroż. Hutnictwa Mazow.; dwór i park krajobrazowy (XIX w.).

Prut, staroż. **Pyretos,** rz. w pd.-wsch. Europie, l. dopływ dolnego Dunaju; większa część jej biegu stanowi granicę (na dł. ok. 700 km) między Rumunią i Mołdawią, górny bieg na Ukrainie; dł. 967 km, pow. dorzecza 27,5 tys. km^2; źródła w paśmie Czarnohory (Karpaty Wsch.), u podnóża Howerli; w górnym biegu rzeka typowo górska; poniżej płynie w szerokiej dolinie z tarasami; gł. dopływy: Czeremosz, Jijia (pr.); żegl. 300 km (od m. Leovo); powyżej ujścia Baseu (na granicy rum.-mołd.) sztuczne jez. Stinca Costeşti i elektrownia wodna (130 MW); gł. m. nad P.: Jaremcze, Kołomyja, Czerniowce (Ukraina), Ungeng (Mołdawia).

Prypeć, białorus. **Prypiać,** ukr. **Prypjat',** rz. na Białorusi i Ukrainie, pr. dopływ Dniepru; dł. 761 km, pow. dorzecza 114,3 tys. km^2; płynie przez Polesie; uchodzi do Zbiornika Kijowskiego; gł. dopływy: Styr, Horyń, Uboreć (pr.), Jasiołda, Słucz, Ptycz (l.); żegl. 591 km; połączona Kanałem Dniepr–Bug z dorzeczem Wisły i Kanałem Ogińskiego (nieczynny) — z dorzeczem Niemna; m. nad P.: Pińsk, Mozyrz, Czarnobyl.

Przasnysz, m. powiatowe w woj. mazow., nad Węgierką (pr. dopływ rz. Orzyc); 17,6 tys. mieszk. (2000); ośr. usługowy; różnorodny przemysł (elektrotechn., drzewno-papierniczy, spoż.); muzeum; prawa miejskie od 1427; kościół parafialny (XV, XIX w.) z dzwonnicą (XV–XVI w.), kościół i klasztor Bernardynów (XVI–XVII w.), ratusz (XVIII w.).

Przedborska, Wyżyna, pn.-zach. część Wyż. Małopolskiej, położona po obu stronach górnej Pilicy; pod względem geol. stanowi przedłużenie Niecki Nidziańskiej i otaczających ją monoklinalnych pasm, zbud. ze skał okresu kredowego i jurajskiego; wszystkie obniżenia terenowe wypełniają piaski i gliny, związane ze zlodowaceniem Odry, a ponad powierzchnię zasypania wznoszą się pojedyncze pasma i wzgórza wapienne i piaskowcowe; najwyższe — 351 m w Pasmie Przedborsko-Małogoskim (w okolicy wsi Cieśle); w skład W.P. wchodzą: Wzgórza Radomszczańskie, Wzgórza Opoczyńskie, Próg Lelowski, Niecka Włoszczowska, Pasmo Przedborsko-Małogoskie oraz Wzgórza Łopuszańskie.

Przedbórz, m. w woj. łódz. (powiat radomszczański), nad Pilicą; 3,8 tys. mieszk. (2000); ośr. usługowy; drobny przemysł; węzeł drogowy; prawa miejskie od 1405; ruiny zamku i kościół (XIV w.).

Przedecz, m. w woj. wielkopol. (powiat kolski), nad jez. Przedecz; 1,6 tys. mieszk. (2000); ośr. usługowy dla rolnictwa; Regionalna Izba Muzealna; prawa miejskie 1363–1870 i od 1919; kościół (XIX w., ob. Dom Kultury) dobudowany do zamkowej wieży z XIV w.

Przedkaukazie → Kaukaz.

przedwiośnie, wczesna wiosna, pora roku w Polsce między zimą a wiosną właściwą (koniec marca, początek kwietnia); charakteryzuje je zmienna pogoda — cieplejsze, pogodne dni występują na zmianę z zimnymi (z mrozem i śniegiem lub ze śniegiem i deszczem); średnia dobowa temperatura powietrza wynosi 0–5°C.

przedzimie, szaruga jesienna, późna jesień, pora roku w Polsce między jesienią właściwą a zimą (listopad, początek grudnia); charakteryzują je duże zachmurzenie, częste opady (nieraz już śnieżne) i mgły; średnia dobowa temperatura powietrza wynosi 0–5°C.

przełęcz, obniżenie w przebiegu linii grzbietu górskiego; tworzy się w wyniku szczególnie intensywnych procesów denudacyjnych w przyległych odcinkach stoku, np. w miejscach występowania skał o mniejszej odporności na denudację.

przełom, odcinek doliny o wąskim dnie i stromych, często urwistych stokach, w którym rzeka przedziera się przez pasmo górskie lub inną wyniosłość terenu; przełom a n t e c e d e n t n y powstaje wówczas, gdy w poprzek biegu rzeki powoli wypiętrza się wzniesienie, wówczas rzeka jest zdolna do rozcięcia dźwigającego się obszaru (np. p. Dunaju między Karpatami a G. Wschodnioserbskimi, zw. Żelazną Bramą); p r z e ł o m e p i g e n e t y c z n y tworzy się wtedy, gdy rzeka płynąc po płaskim terenie zbud. z osadów mało odpornych na erozję dotrze (w wyniku erozji) do zasypanego przez te osady wzniesienia zbud. ze skał twardych, a następnie wyrzeźbi w nim dolinę (np. przełom Dunaju przez Masyw Czeski); p. może też powstać wskutek erozji wstecznej rzeki (p r z e ł o m r e g r e s y j n y, np. p. Soły przez Beskid Mały) lub w

■ Przełom rzeki Tarn przez wyżynę Causses w Masywie Centralnym (Francja)

przypadku utworzenia się zbiornika wodnego (przez zatamowanie wody w dolinie np. przez wał morenowy), którego wody mogą się spiętrzyć i przelać na zewnątrz w najniższym miejscu przegrody, wytwarzając p. (zw. p r z e l e-w o w y m, np. p. Wisłoka).   ∎

Przemków, m. w woj. dolnośląskim (powiat polkowicki); 6,9 tys. mieszk. (2000); ośr. usługowy; drobny przemysł, m.in. odlewnia żeliwa; ośr. hodowli ryb; prawa miejskie przed 1305 (1280?)–1945 i od 1959; 2 kościoły (XV i XVIII w.); dawny kościół ewang., ob. prawosł. (2. poł XVIII i XIX w.).

Przemsza, rz. na Wyż. Śląskiej i w Kotlinie Oświęcimskiej, l. dopływ górnej Wisły; powstaje poniżej Mysłowic z połączenia rz.: Czarnej P. i Białej P.; uchodzi w Oświęcimiu; dł. (od źródeł Czarnej P.) 88 km, od połączenia 24 km, dorzecze 2121 km^2; średni przepływ w pobliżu ujścia 18,7 m^3/s; maks. rozpiętość wahań stanów wody w dolnym biegu 4 m; żegl. 24 km; wody b. zanieczyszczone; m. nad P.: Mysłowice, Chełmek.

Przemyskie, Pogórze, wsch. część Pogórza Środkowobeskidzkiego, położona między doliną Sanu na pn. i zach., Płaskowyżem Chyrowskim na wsch. i G. Sanocko-Turczańskimi na pd., w miejscu skrętu łuku karpackiego na pd.-wsch.; jest to ostatni ku wschodowi człon pogórzy, charakterystyczny dla Zewn. Karpat Zach.; zrównana powierzchnia pogórza sięga do wys. 400–500 m; region znacznie zalesiony (lasy mieszane, jodłowo-bukowe); w dolinach pola uprawne; gł. miejscowość — Bircza; u podnóża pn.-wsch. krańca P.P. leży m. Przemyśl.

przemysł, dział nieroln. produkcji materialnej, w którym wydobywanie naturalnych zasobów oraz ich przetwarzanie w dobra zaspokajające potrzeby ludzi jest prowadzone w dużych rozmiarach, przy zastosowaniu podziału pracy i użyciu maszyn (do p. nie zalicza się budownictwa i rzemiosła).
Rozwój p. decydująco wpływa na poziom i tempo rozwoju gospodarczego, gdyż jest to jedyny dział wytwarzający dobra inwestycyjne. Miary rozwoju p. (uprzemysłowienia) to: udział p. w tworzeniu dochodu narodowego; udział wartości środków trwałych w p. w całym majątku trwałym gospodarki nar.; udział zatrudnionych w p. w zatrudnieniu ogółem; udział wyrobów przem. w obrotach handlu zagr., zwł. w eksporcie; wielkość produkcji przem. na 1 mieszkańca. Tempo rozwoju p. charakteryzuje wskaźnik, wyrażający proc. stosunek przyrostu globalnej produkcji przem. w danym okresie (liczonej w cenach stałych) do wielkości tej produkcji w okresie przyjętym za bazowy; tempo to zależy od poziomu wyjściowego udziału inwestycji w produkcie narodowym brutto i od trafności decyzji gospodarczych. W zależności od ekon. przeznaczenia, wyroby wytwarzane w poszczególnych gałęziach p. dzieli się na dobra kapitałowe (inwestycyjne) i konsumpcyjne. Ze względu na charakter działalności rozróżnia się: p. wydobywczy, obejmujący bezpośrednie pozyskiwanie zasobów przyrody (górnictwo węgla, rud metali, ropy naft. itp.), oraz p. przetwórczy — uszlachetnianie i prze-

twarzanie surowców i materiałów w celu przystosowania ich do rozmaitych potrzeb konsumpcyjnych i produkcyjnych. Zależnie od wielkości zakładów wytwórczych rozróżnia się: p. wielki, średni i drobny. Używane są także określenia: p. ciężki (wytwarzający dobra inwestycyjne) i lekki (wytwarzający dobra konsumpcyjne). W Polsce (1998), zgodnie z Eur. Klasyfikacją Działalności, stosuje się podział p. na 3 sekcje, składające się z działów: górnictwo i kopalnictwo (wydobycie węgla kam., brun. i torfu); działalność produkcyjna (np. produkcja artykułów spoż. i napojów, produkcja odzieży, maszyn i urządzeń, działalność wydawnicza i poligraficzna) oraz zaopatrywanie w energię elektr., gaz i wodę (pobór, oczyszczanie i rozprowadzanie).

Przemyśl, m. w woj. podkarpackim, nad Sanem, w pobliżu granicy z Ukrainą; powiat grodz-

∎ Przemyśl. Stare Miasto

ki, siedziba powiatu przemys.; 68 tys. mieszk. (2000); ośr. przem. i usługowy, zwł. dla okolicznych kopalń nafty i gazu ziemnego, oraz rozwijający się ośr. obsługi wymiany handl. (zwł. ze Wschodem); stol.: metropolii i diecezji przemys. Kościoła rzymskokatol., diecezji Kościoła Katol. Obrządku Bizantyńsko-Ukr.; przemysł: precyzyjny, drzewny, spoż., maszyn., chem., włók.; przedsiębiorstwa budownictwa naft. i gazowniczego; oddziały wielu banków; węzeł kol. (powiązany z graniczną stacją przeładunkową Żurawica-Medyka) i drogowy; ośr. kult., także ludności ukr.; najstarszy w Polsce teatr amatorski „Fredreum" i Tow. Dram. im. A. Fredry zał. 1869 (pod in. nazwą), muzea i galerie sztuki; Wyższe Seminarium Duchowne; wiele obiektów sport. (ośr. sportów wodnych, stadiony); prawa miejskie przed 1359 (1323?); 1975–1998 stol. województwa. Katedra (XV–XVI, XVIII w.) z pozostałościami rom. rotundy (XIII w.), zespoły klasztorne (XVII, XVIII w.), kolegium Jezuitów (XVII–XVIII w. — ob. muzeum diecezjalne); skrzydło zamku (XVI, XVII w.), pod dziedzińcem pozostałości przedrom. palatium i rotundy (X/XI w.); kamienice w Rynku (XVI–XVII w., przebud.); pozostałości austr. twierdzy (XIX, XX w.); na Zasaniu obronny zespół klasztorny (XVII, XVIII w.).   ∎

przepływ, natężenie przepływu, objętość wody przepływająca w jednostce czasu przez określony przekrój poprzeczny cieku; jest wyrażany w m^3/s lub, w przypadku mniejszych cieków, w dm^3/s.

przesmyk → międzymorze.

Przewalskiego, Góry, Arkatag, Aerge Shan, pasmo górskie w Chinach, najwyższe w górach Kunlun; wys. do 6987 m (Muztag); zbud. gł. z granitów, gnejsów i piaskowców; rumowiska skalne; w górnym piętrze wieczne śniegi i lodowce.

Przeworsk, m. powiatowe w woj. podkarpackim, nad Mleczką (pr. dopływ Wisłoka); 16,4 tys. mieszk. (2000); ośr. przemysłu spoż. (cukrownia, przetwórnia owoców i warzyw), ponadto drobny przemysł środków transportu, odzież., dziewiarski; węzeł kol. i drogowy; prawa miejskie od 1393; muzeum; 2 zespoły klasztorne (XV, XVII–XIX w. i XV–XIX w.), fragmenty murów miejskich (XVI w.), pałac Lubomirskich i park krajobrazowy (XIX w.).

Przybajkale, Pribajkalje, obszar górski w azjat. części Rosji, nad jez. Bajkał; obejmuje m.in. góry: Bajkalskie, Nadmorskie, Chamar Daban, Ułan-Burgasy, Barguzińskie; wys. do 2500 m; na stokach gór tajga, w kotlinach roślinność stepowa; liczne źródła mineralnych.

przylądek, wyraźny występ linii brzegowej, wysunięty w morze lub jezioro, np. P. Północny nad M. Barentsa.

Przylądkowe, Góry, Cape Mountains, góry w RPA, ciągną się od ujścia rz. Olifants na zach. do zat. Algoa (O. Indyjski) na wsch.; powstały w orogenezie hercyńskiej; zbud. gł. z osadów syluru, dewonu i dolnego karbonu (piaskowce, łupki i kwarcyty) o miąższości do 3000 m; dł. ok. 800 km; liczne pasma górskie ułożone w 2 łańcuchy przebiegają równoleżnikowo; pd. łańcuch tworzą G. Długie (Langeberge), wys. do 2080 m, i zach. część pasma Outeniekwaberge, pn. — G. Czarne (Swartberge), wys. do 2326 m; między nimi leży kotlina śródgórska zw. Karru Małym; na pn. od G.P. znajduje się rozległa kotlina o charakterze przedgórskiego zapadliska, zw. Karru Wielkim; klimat zwrotnikowy kontynent. suchy (na wsch. wilgotniejszy), na pd.-zach. podzwrotnikowy mor. (opady roczne odpowiednio 200–1800 mm); pd.-wsch. stoki gór (zwł. G. Długich) są pokryte resztkami wiecznie zielonych lasów subtropik. (lasy typu knysna), ku pn.-wsch. roślinność przybiera charakter zbliżony do śródziemnomor. makii, w głębi lądu ubożeje; występują tu pojedyncze kępy krzewów kserotermicznych i gruboszowatych (sukulenty) wchodzących w skład roślinnej formacji zw. karru; złoża fosforytów.

przymrozek, nocne obniżenie temperatury powietrza poniżej 0°C przy średniej dobowej wyższej od 0°C; występuje przeważnie wiosną i jesienią; rozróżnia się: p. r a d i a c y j n e, związane z wypromieniowaniem ciepła przez podłoże i przylegającą do niego warstwę powietrza, oraz p. a d w e k c y j n e — powodowane napływaniem chłodnej masy powietrza; p. stanowią niebezpieczeństwo dla rolnictwa i ogrodnictwa.

przypływy → pływy.

przyrost naturalny, różnica między liczbą urodzeń a zgonów w danym okresie i na danym terytorium; najprostsza miara reprodukcji ludności.

Przysucha, m. powiatowe w woj. mazow.; 6,7 tys. mieszk. (2000); ośr. usługowy i krajoznawczy; drobny przemysł odzież., spoż., ceram.; odlewnia żeliwa; Muzeum im. O. Kolberga; prawa miejskie 1710–1870 i od 1958; w XIX w. znany ośrodek chasydów; kościół (XVIII, XIX w.), synagoga (XVIII w.); w pobliskim Skrzyńsku kościół (XVIII w.).

pseudokras [gr.-serb.], **formy pseudokrasowe,** formy powierzchni Ziemi zbliżone wyglądem do form krasowych (→ kras), lecz różniące się od nich sposobem powstania; do form tego typu należą kanały podziemne (dł. do 100 m) tworzące się w wąwozach lessowych w wyniku procesów → suffozji i związane z nimi kotły suffozyjne, a także formy powstałe wskutek wytapiania się soczewek lodu gruntowego na obszarach zmarzliny lub też jaskinie w lodowcach utworzone pod wpływem krążących wód (termokras).

Pskowskie, Jezioro, Pskowskoje oziero, jez. w Rosji, przy granicy z Estonią; pow. 710 km², głęb. 5–6 m; na pd. łączy się z jez. → Pejpus; do J.P. uchodzi rz. Wielika; rybołówstwo; żegluga.

Pstra, Pustynia, Painted Desert, obszar półpustynny w USA, w pn.-wsch. części stanu Arizona, na Wyż. Kolorado, na pr. brzegu rz. Małe Kolorado uchodzącej do Kolorado na odcinku Wielkiego Kanionu; klimat podzwrotnikowy kontynent., wybitnie suchy; rzeki okresowe; skąpa roślinność; nazwa P.P. pochodzi od jaskrawego zabarwienia warstwowo ułożonych skał podłoża; rezerwaty Indian Navajo i Hopi; Park Nar. Skamieniałego Lasu (od 1962; pow. 37 700 ha).

Pszczyna, m. powiatowe w woj. śląskim, nad Pszczynką (l. dopływ Wisły); 27 tys. mieszk. (2000); ośr. przem.-usługowy, turyst.-krajoznawczy i kult.; przemysł maszyn., spoż., drzewny; węzeł kol.; instytuty nauk.; ośr. turyst.; muzea (Muzeum Prasy Śląskiej), skansen budownictwa lud. Zagroda Wsi Pszczyńskiej; prawa miejskie od 1303; ratusz (XVII w.), kościół (XVIII w.), zespół pałacowy Promnitzów, potem Hochbergów, z parkiem krajobrazowym (XVIII, XIX w.) — ob. Państw. Muzeum Zamkowe, dwór, zw. Ludwikówką (XVIII/XIX w.), kamienice (XVIII, XIX w.).

Pszów, m. w woj. śląskim (powiat pszczyński); 15,1 tys. mieszk. (2000); ośr. górn.-mieszkaniowy; kopalnia węgla kam., elektrownia; prawa miejskie 1954–75 i od 1994; 1975–94 w granicach Wodzisławia Śląskiego; kościół (XVIII, XIX w.).

Puck, m. powiatowe w woj. pomor., nad Zat. Pucką; 11,4 tys. mieszk. (2000); port rybacki, kąpielisko mor. i ośr. turyst.; przystań jachtowa; drobny przemysł maszyn., rybny, drzewny, dziewiarski; prawa miejskie od 1348; w okresie międzywoj. jedyny pol. port mor. do czasu zbudowania Gdyni; kościół (XIV–XVII, XIX w.), dawny szpital (XVIII w.) — ob. muzeum, kamienice (XIX w.).

Pucka, Zatoka, płytka część Zat. Gdańskiej, na pn.-zach. od linii Hel–Gdynia; pow. 364 km², głęb. do 9 m w części pn.-zach. i 54 m w części pd.; zasolenie do 6,2‰; uchodzą rz. Reda i Płutnica; port handl. Gdynia; porty rybackie:

Hel, Jastarnia, Puck; w osadach dennych pokłady soli potasowych.

Puerto Rico [p. rri̱ko], **Puerto Rico Trench,** rów oceaniczny w zach. części dna O. Atlantyckiego, w pd. części Basenu Północnoamerykańskiego; ciągnie się równoleżnikowo po pn. stronie Wielkich i Małych Antyli; najgłębszy w O. Atlantyckim; dł. 1550 km, średnia szer. 120 km; głęb. do 9219 m (głębia Milwaukee), wg innych, nie potwierdzonych danych — do 9560 m.

Puerto Rico [p. rri̱ko], hiszp. nazwa wyspy Puerto Rico i państwa → Portoryko.

Puławy, m. powiatowe w woj. lubel., nad Wisłą; 54 tys. mieszk. (2000); duży ośr. przem.-usługowy i mieszkaniowy; przemysł gł. chem. (zakłady azotowe), ponadto różnorodny przemysł spoż., maszyn.; roln. instytuty nauk.; węzeł drogowy; przystań żeglugi śródlądowej; ośr. turyst.-krajoznawczy; muzea; 1784–1831 rezydencja Czartoryskich, ośr. życia kult., lit. i towarzyskiego, zw. pol. Atenami (P. utrwalone w wielu utworach lit.); 1862 zał. Inst. Gospodarstwa Wiejskiego i Leśnictwa; prawa miejskie od 1906; zespół pałacowo-parkowy Lubomirskich, później Czartoryskich; w krajobrazowym parku romant. budowle (XVIII/XIX w.) — m.in. Domek Got. i Świątynia Sybilli (ob. muzeum), klasycyst. kościół (pocz. XIX w.).

■ Pułtusk. Widok rynku z ratuszem, zdjęcie lotnicze

Pułtusk, m. powiatowe w woj. mazow., nad Narwią; 19,3 tys. mieszk. (2000); ośr. usługowy i turyst.-krajoznawczy; Wyższa Szkoła Humanistyczna; różnorodny przemysł, m.in. sprzęt oświetleniowy; muzeum; prawa miejskie od 1339; kolegiata (XV, XVI w.), późnogot. kościoły i wieża ratuszowa (XV, XVI w.), zespół klasztorny (XVII, XIX w.), kolegium (XVI, XVIII, XIX w.), zamek (XVI–XVIII w.) — ob. Dom Polonii, kamienice (XIX w.). ■

Puma Yumco, jez. w Chinach (Tybet), w Himalajach, w pobliżu granicy z Bhutanem; położone w bezodpływowej kotlinie, na wys. 4936 m — jedno z najwyżej leżących jezior na Ziemi; pow. ok. 880 km².

pumeks [łac.], jasne, lekkie → szkliwo wulkaniczne, bogate w krzemionkę; silnie porowaty

(ponad 50% objętości porów), o teksturze gąbczastej wskutek wydzielania się dużej ilości gazów z szybko krzepnącej lawy; tworzy powłoki na potokach lawowych lub występuje w postaci nieregularnych brył wyrzucanych podczas wybuchu wulkanu; używany jako materiał szlifierski, termoizolacyjny, środek filtracyjny, także do wyrobu cementu, lekkich betonów i in.

Puna, Punas, strefa wyżyn śródandyjskich w Peru, Boliwii (Altiplano), Argentynie (P. de Atacama) i Chile, między 8° a 29°S, na wys. 3400–4200 m; powierzchnia równinna, lekko falista, z niegłębokimi kotlinami i obniżeniami; jeziora (największe: Titicaca, Poopó), gł. słone, oraz solniska (Salar de Uyuni, Salar de Atacama i in.); klimat zwrotnikowy wysokogórski; średnia temp. miesięczna 3–10°C; charakterystyczne duże dobowe wahania temp., do 20–25°C; silne wiatry; roczna suma opadów od 700 mm na pn. do poniżej 100 mm na pd.; dla P. charakterystyczna jest półpustynia, zw. również puną, w której dominują suchoroślowe trawy kępkowe, drobne krzewinki i rośliny poduszkowe; obszar b. słabo zaludniony.

Puna de Atacama [p. de ~kąma], płaskowyż w Andach Środk., → Atacama, Puna de.

pustynia, obszar skrajnie suchy, stale lub okresowo gorący, o ujemnym bilansie wodnym przy parowaniu potencjalnym przewyższającym wielokrotnie opady; b. niskie (od kilku do 160 mm rocznie) i nieregularne opady (na niektórych obszarach deszcze nie występują przez wiele lat); na p. maksymalna temperatura osiąga 58°C (p. Mojave w USA), minim. spada poniżej 0°C (na p. środkowej Azji absolutne minima osiągają –30°C); występują znaczne dobowe i roczne amplitudy temperatury (zwł. w środk. Azji), a średnia temperatura najcieplejszego miesiąca waha się w granicach 26–27°C; na p. jest małe zachmurzenie i niska wilgotność względna — wyjątek stanowią p. leżące na zach. wybrzeżach kontynentów, wzdłuż których płyną zimne prądy mor., powodujące dużą wilgotność powietrza (70–80%), występowanie częstych mgieł i dużego zachmurzenia, przy niemal zupełnym braku opadów (Atakama, Namib). Brak stałego odpływu powierzchniowego poza tzw. rzekami tranzytowymi (przepływającymi przez p., np. Nil) i przybyszowymi (źródła poza granicami p., kończą bieg na p.); rzeki okresowe występują nieregularnie i bardzo krótko; jeziora stałe (Jez. Aralskie), a zwł. okresowe są silnie zasolone (jeziora: słone, gorzkie, sodowe, boraksowe). Przeważa wietrzenie fiz. (częste i duże wahania temperatury); na rzeźbę p. duży wpływ ma działalność deflacyjna (niecki deflacyjne, kieszenie, jamy) i korazyjna wiatru (osobliwe formy skalne — graniaki, wygłady, grzyby skalne) oraz akumulacja eoliczna (wydmy — barchany, seify, pola barchanowe i in.), ponadto znaczną rolę w kształtowaniu rzeźby p. odgrywają wody opadowe, działające zwykle nieregularnie i krótkotrwale, ale bardzo gwałtownie, tworzą one żłobki i doliny rzeczne oraz pogłębiają stare doliny plejstoceńskie (wadi). Na obszarze p. występują przeważnie grunty zasolone oraz skorupy solne — chlorkowe, gipsowe, wapienne, laterytowe, a także

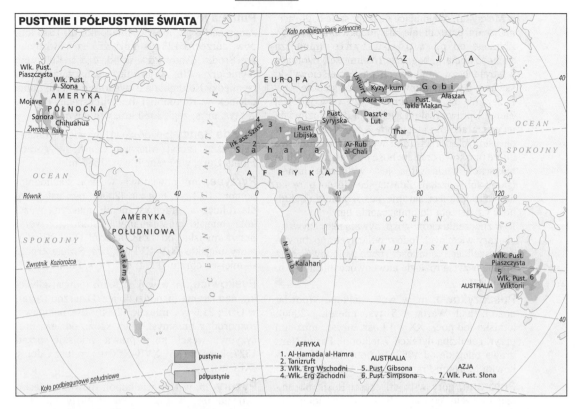

PUSTYNIE I PÓŁPUSTYNIE ŚWIATA

pustynie

półpustynie

AFRYKA
1. Al-Hamada al-Hamra
2. Tanizruft
3. Wlk. Erg Wschodni
4. Wlk. Erg Zachodni

AUSTRALIA
5. Pust. Gibsona
6. Pust. Simpsona

AZJA
7. Wlk. Pust. Słona

■ Pustynia piaszczysta. Pustynia Ar-Rub al-Chali w Arabii Saudyjskiej

■ Pustynia kamienista. Kanion rzeki Fish w Namibii

■ Pustynia żwirowa. Fragment pustyni Thar w Indiach

skorupy i konkrecje krzemianowe. Roślinność bardzo skąpa, gł. kserofity, sukulenty, halofity, efemery.

W zależności od podłoża rozróżnia się p. kamienistą (hamada), żwirową (serir), żwirowo-piaszczystą, piaszczystą (erg na Saharze, kum w Turkmenistanie), ilastą (szott, nebka na Saharze, takyr w Turkmenistanie, kawir w Iranie, playa w Ameryce Pn.). Do największych p. piaszczystych na świecie należą: Ar-Rub al-Chali na Płw. Arabskim, Wielkie Ergi Zach. i Wsch. i Irk asz- -Szasz na Saharze, Wielka Pustynia Piaszczysta i Wielka Pustynia Wiktorii w Australii, Takla Makan w Kotlinie Kaszgarskiej w Azji; największe obszary p. żwirowych i piaszczysto-żwirowych znajdują się na Saharze, Pustyni Libijskiej, Pustynia Gibsona (Australia), Gobi, a p. kamieniste — na Saharze (Ahaggar, Tibasti, Al-Hamada al-Hamra, Tanizruft), w części Pustyni Arabskiej, na znacznych obszarach p. Atakama oraz p. Azji Środk.; pustynie ilaste zajmują rozległe tereny w Azji, m.in. Wielka Pustynia Słona.

Ze względu na położenie geogr. i związane z nim cechy klimat. rozróżnia się p. strefy umiarkowanej (środk. Azja — Kyzył-kum, Ustiurt, pn. część Kara-kum, pn. część Gobi, w zach. części USA — Wielka Pustynia Słona) o klimacie skrajnie kontynent., z gorącym latem, lecz mroźną zimą, podczas której spada zazwyczaj trochę śniegu, a wiosną wody roztopowe umożliwiają tworzenie się efemerycznej, szybko zanikającej pokrywy roślinnej, oraz p. strefy podzwrotnikowej (Takla Makan i Ałaszan w środk. Azji, Wielka Pustynia Słona i Daszt-e Lut w Iranie, Mojave i Sonora w Ameryce Pn. oraz część Sahary i Pustynia Syryjska) i p. strefy zwrotnikowej (środk. i pd. część Sahary, Ar-Rub al-Chali na Płw. Arabskim, Kalahari w pd. Afryce, Pustynia Gibsona i Wielka Pustynia Piaszczysta w Australii oraz p. Chihuahua w Meksyku), obejmujące obszary stale b. gorące, miejscami przez długie lata pozbawione opadów. Zbliżone do p. są p ó ł p u s t y n i e (mniejsza suchość klimatu, bogatsza roślinność), tworzące w strefach zwrotnikowych pas przejściowy do sawann, a w umiarkowanych — do stepów. P. zajmują ok. 20 mln km^2 — 12% pow. lądowej Ziemi. Uprawę roślin i życie osiadłe umożliwiają na obszarach p. i półpustyń → oazy, ale i tam w określonych porach roku występują dokuczliwe burze piaskowe oraz suchość powietrza. W wielu miejscach woda pitna jest wyłącznie miner. (słona lub gorzka). Zdarzające się co parę lat lub dziesięcioleci skrajne susze zmuszają ludność i zwierzęta do opuszczenia oaz.

P. w znaczeniu ekon.-gosp. bywają też nazywane obszary wiecznych lodów polarnych, pozbawione wszelkiej roślinności, tzw. p. lodowe, oraz ubogie w życie rozległe akweny oceaniczne — p. oceaniczne. ■

Puszczykowo, m. w woj. wielkopol. (powiat pozn.), nad Wartą; 8,3 tys. mieszk. (2000); letnisko (od pocz. XX w.) i ośr. turyst.; muzeum przyr. i siedziba dyrekcji Wielkopol. Parku Nar.; prawa miejskie od 1962. W pobliskim Puszczykówku Muzeum-Pracownia Lit. A. Fiedlera.

Putorana, góry w azjat. części Rosji, na pn.--zach. skraju Wyż. Środkowosyberyjskiej; najwyższy szczyt Kamień, 1701 m; zbud. gł. z law, tufów i piaskowców; silnie rozczłonkowane; w zach. części jez.: Norylskie i Chantajskie; powyżej 1200 m ark. pustynia; na rozległych wierzchowinach tundra górska; złoża rud miedzi i niklu, węgla.

Putumayo [~majo], w Brazylii **Içá,** rz. w Ameryce Pd., l. dopływ Amazonki; dł. 1580 km; pow. dorzecza 123 tys. km^2; źródła w Kordylierze Środk. (Andy Pd.), w pd. części Kolumbii; płynie przez Niz. Amazonki, wyznaczając granicę między Kolumbią a Ekwadorem i Peru; dolny odcinek w Kolumbii i Brazylii; średni odpływ 7,2 tys. m^3/s; żegl. 1350 km, w dolnym biegu.

Puy de Sancy [pui dö sãsi], wygasły wulkan i najwyższy szczyt Masywu Centr., w górach Monts Dore, we Francji; wys. 1885 m.

Pyrzyce, m. powiatowe w woj. zachodniopomor.; 13,3 tys. mieszk. (2000); ośr. usługowy dla rolnictwa; przemysł metal., maszyn.; węzeł kol.; miejski geotermalny system grzewczy; prawa miejskie od 1263; kościół (XIII–XV w.), mury miejskie (XIV–XVI w.); tzw. Święte Źródło — miejsce chrztu (1124) ok. 7 tys. Pomorzan.

Pyskowice, m. w woj. śląskim (powiat gliwicki), nad Dramą (uchodzi do jez. Dzierżno Duże), w GOP; 21,6 tys. mieszk. (2000); ośr. usługowy; różnorodny przemysł, m.in. spoż., odzież., precyzyjny; węzeł kol.; prawa miejskie przed 1327; kościół (XV, XVII–XIX w.), ratusz i domy (XIX w.).

Pyzdry, m. w woj. wielkopol. (powiat wrzesiński) na pr., wysokim brzegu Wrty; 3,2 tys. mieszk. (2000); ośr. usługowy; drobny przemysł (skórz., dziewiarski, spoż.; odlewnia żeliwa); muzeum; prawa miejskie przed 1257–1870 i od 1919; kościół (XV, XVIII, XIX w.), got. zespół klasztorny (zał. XIII w.) z kościołem (XIV, XVIII w.).

Q

Qilian Shan, dawniej **Nan-szan,** góry w pn. Chinach, w przedłużeniu Altun Shan; ograniczają od pn.-wsch. Kotlinę Cajdamską; dł. ponad 800 km; średnia wys. 4000 m, maks. — 5547 m; zbud. gł. z paleozoicznych łupków krystal., piaskowców i wapieni; ostatecznie wypiętrzone w wyniku kenozoicznych ruchów tektonicznych; obejmują wiele równol. pasm górskich, oddzielonych dolinami rzek i tektonicznymi obniżeniami; formy krasowe; do wys. ok. 3000 m w części zach. — suche stepy, we wsch. — lasy iglaste (gł. świerkowe), wyżej — roślinność alp.; linia wiecznego śniegu na wys. 4000–4300 m; liczne lodowce; bogactwa miner.: węgiel kam., rudy żelaza, chromu i miedzi, złoto; koczownicze pasterstwo.

Qin Ling, dawniej **Cinling-szan,** góry we wsch. Chinach; dł. ponad 1000 km; najwyższy szczyt Taibai Shan, 3767 m; ostatecznie wypiętrzone w wyniku trzeciorzędowych i czwartorzędowych ruchów tektonicznych; zbud. gł. z paleozoicznych skał metamorficznych i granitów; opadają na pn., ku dolinie rz. Wei He wysokim progiem tektonicznym; głęboko rozcięte dolinami rzek; stanowią dział wodny między dorzeczami Huang He i Jangcy.

Quebec [kᵘybęk; ang.], franc. **Québec,** prowincja w Kanadzie, na Labradorze i w dolinie Rz. Św. Wawrzyńca; 1,5 mln km²; 7,5 mln mieszk. (2002), ok. 4/5 pochodzenia franc.; gł. m.: Montreal, Quebec (stol.); wyżyna w obrębie tarczy kanad.; niziny na pn. i nad Zat. Hudsona; tundra, tajga, lasy mieszane i liściaste; drugi, po Ontario, region gosp. kraju; liczne surowce miner., gł. rudy żelaza i metali nieżelaznych; elektrownie wodne; przemysł środków transportu, odzież., maszyn., elektron., drzewny; hodowla bydła; warzywnictwo; leśnictwo; łowiectwo; ludność i przemysł skupione w dolinie Rz. Św. Wawrzyńca.

Queensland [kᵘi:nzlənd], stan w pn.-wsch. Australii; 1,7 mln km²; 3,7 mln mieszk. (2002), w tym ludność rdzenna 2,4%; stol. Brisbane, inne gł. m.: Townsville, Ipswich, Toowoomba, Rockhampton, Cairns; wydobycie boksytów, węgla kam., rud miedzi, ołowiu i cynku (Mount Isa), srebra, złota, gazu ziemnego i ropy naft.;

■ Queensland. Krajobraz

przemysł drzewno-papierniczy, maszyn., środków transportu, spoż., hutnictwo aluminium; hodowla bydła, owiec; uprawy: trzcina cukrowa, zboża (pszenica, sorgo, jęczmień, kukurydza), orzeszki ziemne, tytoń, soja, ananasy, banany, mango, papaja, pomidory; gł. porty: Gladstone, Hay Point, Weipa; rozwinięta turystyka (Wielka Rafa Koralowa). ■

■ Quito. Panorama miasta

Quito [kįto], stol. Ekwadoru, w Cordillera Real (Andy Pn.), na wys. ok. 2850 m; 1,6 mln mieszk. (2002); ważny ośr. gosp. i kult.-nauk.; przemysł spoż., lekki, chem., rafineria ropy naft.; węzeł komunik. (Droga Panamer., port lotn.); ośr. turyst.; 2 uniw.; obserwatorium astr.; muzea; zespoły późnorenes. i barok. klasztorów (XVI–XVIII w.), katedra (XVI–XVIII w.), pałac rządowy (XVIII w.), liczne domy i pałace, budowle użyteczności publ. z XIX w. (uniw., obserwatorium astr., pałac prezydenta). ■

R

Rab al-Chali, Ar-, pustynia na Płw. Arabskim, → Rub al-Chali, Ar-.

Rabat, Ar-Ribāṭ, stol. Maroka, nad O. Atlantyckim; 1,6 mln mieszk. (2002); duży ośr. przemysłu (chem., metal., spoż., skórz., odzież.), rzemiosła (dywany, biżuteria, ceramika), handlu i turystyki; port handl.; węzeł komunik. (międzynar. port lotn.); zał. w VIII w. jako baza wypadowa muzułmanów przeciwko Berberom; centrum kultury islamu; uniw., konserwatorium, inst. języka arab., biblioteka nar.; muzea; pozostałości rzym. (mury obronne, forum, termy, resztki budowli publ.); kasba (XII, XVII w.), meczety (XII–XVIII w., m.in. pozostałości meczetu Hasana z minaretem), meczet grobowy (XIII w.), mury z bramami (XIV w.), liczne madrasy, łaźnie (XIV w.).

Rabka Zdrój, m. w woj. małopol. (powiat nowtarski), u podnóża Gorców, nad Rabą; 13,7 tys. mieszk. (2000); od 2. poł. XIX w. uzdrowisko klim. i balneologiczne (solanka, borowina), gł. dla dzieci; ważny ośr. szkolenia lekarzy; turystyka, sporty zimowe; wieś z XIII w.; prawa miejskie od 1953; drewn. kościół (XVII, XVIII w., polichromia z pocz. XIX w.) — od 1936 Muzeum im. Władysława Orkana.

Raciąż, m. w woj. mazow. (powiat płoński), w dolinie Raciążnicy (pr. dopływ Wkry); 4,8 tys. mieszk. (2000); ośrodek usługowy dla rolnictwa; przemysł spoż.; prawa miejskie 1425–1870 i od 1922.

Racibórz, m. powiatowe w woj. śląskim, nad Odrą; 64 tys. mieszk. (2000); ośr. przem. i usługowy; największa w Polsce fabryka kotłów; ponadto przemysł maszyn., spoż., chem., elektrotechn. i in.; węzeł kol.; obiekty turyst. i sport.; w pobliżu przejście graniczne do Czech; wzmiankowany 1108; prawa miejskie przed 1235; muzeum; zamek (XIII, XVII, XIX w.) z got. kaplicą (XIII, XV w.), got. kościoły (XIV, XVI w.), fragmenty murów miejskich (XIV w.), barok. kościół (XVIII w.).

radiosonda [łac.-franc.], urządzenie pomiarowe, którego wyposażenie stanowi nadajnik radiowy oraz zestaw przyrządów do pomiaru ciśnienia, temperatury i wilgotności powietrza w atmosferze swobodnej; r. jest unoszona w atmo-sferę przez → balon meteorologiczny; podczas wznoszenia się i opadania r. wartości elementów meteorol. są przekazywane w sposób ciągły, w postaci sygnałów radiowych, do naziemnej stacji odbiorczej; na stacji znajduje się również radioteodolit lub radar, za pomocą którego co pewien czas ustala się położenie balonu w czasie lotu; umożliwia to wyznaczanie kierunków i prędkości wiatrów w górnych warstwach atmosfery; pierwszą r. skonstruował 1930 P.A. Mołczanow.

Radków, m. w woj. dolnośląskim (powiat kłodzki), u podnóża G. Stołowych; 2,6 tys. mieszk. (2000); ośr. turyst.; drobny przemysł; kamieniołom piaskowca; prawa miejskie przed 1333 (1290?); kościół ewang. (XVI, XVIII w.).

Radlin, m. w woj. śląskim (powiat wodzisławski), na obszarze Rybnickiego Okręgu Węglowego; 18,5 tys. mieszk. (2000); ośr. górn.; kopalnia węgla kam., koksownia i in.; prawa miejskie od 1954; 1975–96 dzielnica Wodzisławia Śląskiego.

Radom, m. w woj. mazow., nad Mleczną (pr. dopływ Radomki); powiat grodzki, siedziba powiatu radom.; 232 tys. mieszk. (2000); ośr. przem.-usługowy; stol. diecezji radom. Kościoła rzymskokatol.; przemysł metal. (maszyny do szycia i pisania, odlewnia żeliwa, uzbrojenie) i skórz., ponadto elektrotechn., spoż., maszyn., materiałów bud., drzewny, chem. i in.; rozwijające się centrum handl.-promocyjne, m.in. targi skór i wyrobów skórz.; oddziały wielu banków; węzeł kol. i drogowy; szkoły wyższe, instytuty i tow. nauk.; teatr; muzea. Gród wczesnośredniow. (ob. ślady grodziska, zw. Piotrówką); prawa miejskie przed 1350; 1975–1998 stol. woj.; katedra (XV/XVI, XVII, pocz. XX w.), zespół klasztorny Bernardynów (XV, XVI w.), gmach Komisji Wojew., ratusz, pałac i kamienice (XIX w.).

Radomka, rz. na równinach Radomskiej i Kozienickiej, l. dopływ środk. Wisły; dł. 106 km, pow. dorzecza 2109 km^2; wypływa na pn.-zach. od wsi Przysucha, w dolnym biegu płynie przez Puszczę Kozienicką, uchodzi w Kłodzie; średni przepływ przy ujściu 8,0 m^3/s; maks. rozpiętość wahań stanów wody 3,2 m; gł. dopływy: Szabasówka, Mleczna (pr.).

Radomsko, m. powiatowe w woj. łódz., nad Radomką (pr. dopływ Warty); 51 tys. mieszk.

(2000); ośr. przem.-usługowy; fabryka mebli giętych; przemysł metal., spoż., odzież.; huta szkła; węzeł drogowy; prawa miejskie przed 1266; w XIX w. ośr. chasydów; 1940–42 i 1942–43 getta (18 tys. osób); zespół klasztorny (XIV, XVII, XVIII w.), ratusz (XIX w., ob. muzeum).

Radomyśl Wielki, m. w woj. podkarpackim (powiat mielecki); 2,5 tys. mieszk. (2000); ośr. usługowy dla rolnictwa; prawa miejskie 1581–1896 i od 1934. W pobliżu złoża gazu ziemnego.

Radunia, rz. na Pojezierzu Kaszubskim i Pobrzeżu Kaszubskim, l. dopływ Motławy, dł. 105 km, pow. dorzecza 837 km^2; wypływa z Jez. Stężyckiego, przepływa jez.: Raduńskie, Kłodno, Małe i Wielkie Brodno, Ostrzyckie i in.; uchodzi koło wsi Krępiec (na obszarze delty Wisły), drugie sztuczne ujście (Kanał Raduni) — w Gdańsku; maks. rozpiętość wahań stanów wody 3,1 m; wykorzystywana do celów energ. (8 elektrowni o łącznej mocy 16,1 MW, największa w Straszynie — 5,1 MW); gł. dopływ: Mała Supina (l.); szlak kajakowy; nad R. leży m. Pruszcz Gdański.

Raduńskie, Jezioro, rynnowe jez. na Pojezierzu Kaszubskim; pow. 1125 ha, dł. 15,6 km, szer. 1,4 km; dobrze rozwinięta linia brzegowa (dł. 48 km); brzegi wysokie, częściowo zalesione; składa się z 2 samodzielnych mis jeziornych rozdzielonych krótkim przewężeniem (250 m), przez które po grobli prowadzi szosa Kartuzy–Bytów; część pd.-zach., zw. J.R. Górnym (pow. 388 ha, maks. głęb. 43 m), jest połączona z Jez. Stężyckim; część pn.-wsch., zwana J.R. Dolnym (pow. 737 ha, maks. głęb. 35,4 m), połączona z jez. Kłodno; przez J.R. przepływa rz. Radunia; przy przewężeniu w Borucinie — nauk. Stacja Limnologiczna Uniw. Gdańskiego.

Radymno, m. w woj. podkarpackim (powiat jarosławski), przy ujściu Rady do Sanu; 5,7 tys. mieszk. (2000); ośr. usługowy; przemysł materiałów bud., spoż.; prawa miejskie 1431–1896 i od 1934.

Radziejów, m. powiatowe w woj. kujawsko-pomor.; 6,0 tys. mieszk. (2000); ośr. usługowy dla rolnictwa; drobny przemysł; prawa miejskie 1298–1870 i od 1919.

Radzionków, m. w woj. śląskim (powiat tarnogórski), przy granicy z Bytomiem; 18,0 tys. mieszk. (2000); ośr. przem. (kopalnia węgla kam., zakłady dolomitowe i in.); prawa miejskie od 1951; 1975 włączony do Bytomia, od 1998 ponownie miasto.

Radzymin, m. w woj. mazow. (powiat wołomiński); 7,1 tys. mieszk. (2000); przemysł materiałów bud. i spoż. (Coca-Cola Company); prawa miejskie od 1475.

Radzyń Chełmiński, m. w woj. kujawsko-pomor. (powiat grudziądzki), nad Jez. Zamkowym; 2,0 tys. mieszk. (2000); ośr. usługowy dla rolnictwa i krajoznawczy; prawa miejskie przed 1293; muzeum; ruiny zamku krzyżackiego (XIII–XIV w.), kościół (XIV, XV, XVI w.), kaplica (XIV w., przebud.).

Radzyń Podlaski, m. powiatowe w woj. lubel., nad Białką (pr. dopływ Tyśmienicy); 16,8 tys. mieszk. (2000); ośr. usługowy regionu roln.; przemysł spoż., odzież., metal.; prawa miejskie od 1468; kościół (XVII w.) z nagrobkiem Mniszchów, późnobarok. pałac Potockich z oranżerią (XVII, XVIII w., J. Fontana), pozostałości ogrodu (XVIII w.).

Radźasthan, hindi **Rājasthān,** ang. **Rajasthan,** stan w pn.-zach. Indiach, przy granicy z Pakistanem; 342,2 tys. km^2; 57,6 mln. mieszk. (2002); stol. Dźajpur, inne m.: Adźmer, Dźodhpur; na pn. Niz. Hindustańska z pustynią Thar, na pd. wyż. Dekan z górami Arawali; gł. rz. Ćambal; sieć kanałów nawadniających (Kanał Radźasthański); suche stepy, sawanny, pustynie. Podstawą gospodarki jest tradycyjne rolnictwo i górnictwo; uprawa prosa, bawełny, roślin oleistych; pasterska hodowla owiec, kóz, wielbłądów; wydobycie rud cynku, ołowiu, srebra (90% produkcji krajowej), gipsu (największe złoża w kraju); elektrownie wodne i elektrownia jądrowa (k. m. Kota); przemysł spoż., włók.; rzemiosło (wyrób dywanów, biżuterii i przedmiotów z marmuru). ■

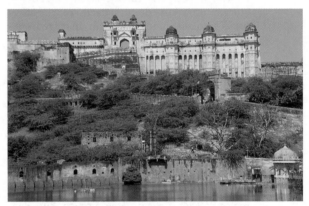
■ Radźasthan. Fort Amber koło Dźajpuru

rafa [niem.], wał lub grzbiet podmor., czasem wyniesiony nieco ponad poziom morza, powstały z nagromadzenia wapiennych szkieletów organizmów rafotwórczych; współcześnie najczęściej spotykane są r a f y k o r a l o w e, zbud. gł. ze szkieletów korali madreporowych i glonów z typu krasnorostów; wolne przestrzenie między szkieletami korali i glonów wypełniają szczątki szkieletów szkarłupni, mięczaków, skorupy otwornic, piasek i muł wapienny pochodzący z niszczenia szkieletów oraz osady pochodzenia chem.; r. te występują na obszarach → szelfu strefy subtropik. i tropik., po obu stronach równika (do 32°30′N i 30°S), gł. wzdłuż zach. wybrzeży O. Atlantyckiego i O. Indyjskiego oraz wokół wysp O. Spokojnego. Rozróżnia się następujące typy r.: r a f a p r z y b r z e ż n a — wał obrzeżający ląd; r a f a b a r i e r o w a — wał biegnący wzdłuż lądu, oddzielony od niego płytką → laguną; największą r. barierową jest Wielka Rafa Koralowa ciągnąca się na przestrzeni ok. 2 tys. km w pobliżu pn.-wsch. wybrzeży Australii; r a f a p l a t f o r m o w a — płaska wyspa o owalnym lub nieregularnym kształcie; innym typem r. jest → atol, tworzący pierścień dookoła laguny. Wapienie organogeniczne, będące kopalnymi rafami, występują w osadach różnych okresów geol., w Polsce — np. w utworach dewońskich w G. Świętokrzyskich i kredowych w Tatrach.

■ Rafineria ropy naftowej w Płocku, zdjęcie lotnicze

rafineria ropy naftowej, zakład przem., w którym prowadzi się destylację ropy naft. i uszlachetnianie produktów naft., m.in. reformowanie benzyn, hydroodsiarczanie oleju napędowego oraz procesy destruktywne (m.in. kraking frakcji naft., koksowanie pozostałości podestylacyjnych), których gł. celem jest otrzymanie większej ilości paliw. W zależności od profilu produkcyjnego r.r.n. dzieli się na 3 zasadnicze typy: r a f i n e r i e p a l i w o w e, w których otrzymuje się przede wszystkim paliwa silnikowe i olej opałowy; r a f i n e r i e p a l i w o w o - o l e - j o w e, nastawione na produkcję paliw silnikowych i olejów smarowych; r a f i n e r i e p e t r o - c h e m i c z n e, produkujące węglowodorowe surowce do syntez chem. (eten, propen, butadien, areny) oraz benzynę wysokooktanową i olej opałowy. W dużych kombinatach prowadzi się także syntezy org. z uzyskanych surowców petrochemicznych. W niektórych r.r.n. otrzymuje się (po odpowiedniej uszlachetniającej przeróbce frakcji naft.) produkty specjalne, m.in. benzynę ekstrakcyjną, lakową, oleje cylindrowe, oleje do sprężarek i kondensatorów oraz lepiki. ■

Rainier [rejnįər], **Mount Rainier,** czynny wulkan i najwyższy szczyt G. Kaskadowych, w USA (stan Waszyngton); wys. 4392 m; od VII tysiącl. p.n.e. zanotowano 18 silnych erupcji (ostatnia 1882); silnie zlodowacony; od 1899 stanowi część Parku Nar. Mount Rainier (pow. ok. 95 tys. ha).

Rajasthan, stan w Indiach, → Radźasthan.

Rajgrodzkie, Jezioro, rynnowe jez. na Pojezierzu Ełckim, na granicy województw suwal. i łomż., na wys. 118 m; pow. 1514,3 ha (w tym wyspy o pow. 11 ha), dł. 12 km, szer. 1,9 km, maks. głęb. 52 m; pn.-wsch. odnogę jeziora nazywa się jez. Przepiórka, pn.-zach. — Jez. Stackim, pd. — Jez. Czarnowiejskim; silnie rozwinięta linia brzegowa (dł. 56 km); brzegi przeważnie wysokie, miejscami zalesione; przez J.R. przepływa rz. Jegrznia (wpływa jako Małkiń), łącząc je z jez. Dręstwo; nad J.R. leży m. Rajgród; wody J.R. są wyzyskiwane do nawodnień torfowiska Kuwasy.

Rajgród, m. w woj. podl. (powiat grajewski), nad Jez. Rajgrodzkim; 1,7 tys. mieszk. (2000);

ośr. usługowy dla rolnictwa oraz ośr. turystyczny i sportów wodnych; prawa miejskie 1568–1870 i od 1924.

Rakas, La'nga Co, tybet. **Langar-c'o,** jez. w Chinach, w pd.-zach. części Tybetu, na wys. 4544 m; pow. ok. 360 km^2; połączenie z jez. Mapam Yumco; z Rakasu wypływa rz. Satledź; święte jezioro dla wyznawców buddyzmu.

Rakoniewice, m. w woj. wielkopol. (powiat grodziski); 2,8 tys. mieszk. (2000); ośr. usługowy dla rolnictwa; przemysł spoż., metal.; wzmiankowane 1252; prawa miejskie od 1662; Wielkopol. Muzeum Pożarnictwa, PTTK; kościół konstrukcji szkieletowej (XVIII w., ob. muzeum), domy podcieniowe (XVIII–XIX w.), pałac (XIX w.).

Ramada, Cordillera de la [kordiljra de la r.], grupa górska w Kordylierze Gł. (Andy Pd.), na pn. od masywu Aconcagua, w Argentynie; gł. szczyty: Mercedario 6770 m, Cerro de la Ramada 6410 m, Mesa 6200 m, Alma Negra 6120 m, Pilar Grande 6010 m oraz Pico Polaco 5900 m, zdobyte 1934 przez pierwszą pol. wyprawę andyjską (m.in. A. Karpiński, K. Narkiewicz-Jodko, W. Ostrowski).

Rangun, Rangoon, Yangon, stol. Birmy, na wsch. skraju delty Irawadi, nad rz. Rangun; 2,6 mln mieszk., zespół miejski 4 mln (2002); gł. ośr. gosp. i kult. kraju; łuszczarnie ryżu, cukrownie, browary, olejarnie, stocznia; rzemiosło (biżuteria); port rzeczny i mor. (wywóz ryżu, drewna); międzynar. port lotn.; uniw.; Inst. Buddyjski; muzea; miasto od XV w.; ob. nazwa nadana 1753 przez króla Alaungpaję; jeden z najsłynniejszych zabytków sztuki birm. — zespół pagody Szwe Dagon (ob. kształt XV, XVIII w.). ■

■ Rangun. Fragment zespołu pagody Szwe Dagon

Ras al-Chajma, Ra's al-Khaymah, emirat w Zjedn. Emiratach Arab., nad Zat. Perską; 1,7 tys. km^2, 188 tys. mieszk. (2002); stol. Ras al--Chajma; wyżynny i pustynny; wydobycie ropy naft.; przemysł cementowy, odsalania wody mor.; uprawa (sztuczne nawadnianie) drzew cytrusowych, palmy daktylowej.

rasy ludzkie, populacje ludzkie lub ugrupowania spokrewnionych populacji, różniące się częstością występowania niektórych cech dziedzicznych; rozróżnia się rasy geogr., zw. potocznie odmianami, oraz rasy lokalne — mniejsze ugrupowania w obrębie odmian. Najpowszechniej przyjęty jest — wywodzący się od G. Cuviera (1798) — podział na 3 gł. odmiany (rasy): białą (europeidzi), żółtą (mongoloidzi) i czarną (negroidzi); pierwotnych mieszkańców z Australii i

Melanezji wydziela się niekiedy jako osobną odmianę australoidów. Granice między poszczególnymi r.l. są na ogół nieostre, wskutek istnienia wielu populacji o cechach przejściowych lub populacji wykazujących współwystępowanie cech charakterystycznych dla jednej odmiany z cechami charakterystycznymi dla innej; utrudnia to skonstruowanie klasyfikacji r.l., która byłaby zarazem wyczerpująca i konsekwentna.

Zróżnicowanie rasowe człowieka przejawia się najsilniej w barwie skóry, kształcie włosów i w niektórych cechach twarzy (kształcie nosa, warg, oprawie oczu, kształcie profilu twarzy), a także we właściwościach serologicznych. Przypuszcza się, że większość „cech rasowych" powstała w wyniku selekcji naturalnej, jako skutek przystosowania do lokalnych warunków środowiskowych, gł. klim., np. ciemna skóra Murzynów być może jest izolacją przed rakotwórczym działaniem intensywnego promieniowania ultrafioletowego zawartego w promieniowaniu słonecznym; znaczenie przystosowawcze wielu różnic rasowych nie zostało jednak dotychczas przekonująco wyjaśnione.

Raszków, m. w woj. wielkopol. (powiat ostrowski), nad Ołobokiem (l. dopływ Prosny); 2,0 tys. mieszk. (2000); ośr. usługowy dla rolnictwa; drobny przemysł; prawa miejskie od 1444.

Rawa Mazowiecka, m. powiatowe w woj. łódz., przy ujściu Rylki do Rawki; 18,3 tys. mieszk. (2000); ośr. przem.-usługowy; przemysł spoż.; zakłady przemysłu precyzyjnego, odzież., skórz. (garbarnia); węzeł drogowy; prawa miejskie przed 1321; Muzeum Ziemi Rawskiej; ruiny zamku (XIV, XVI w.), pozostałości kolegium (XVII w.), kościół (XVII, XVIII w.), dzwonnica (XIX w.).

Rawicz, m. powiatowe w woj. wielkopol.; 21,7 tys. mieszk. (2000); ośr. usługowy; różnorodny przemysł (urządzenia gazownicze, wyposażenie wagonów, meble, wyroby papiernicze); węzeł kol. i drogowy; prawa miejskie od 1638; Muzeum Ziemi Rawickiej; ratusz i kamienice (XVIII w.), kościół (XIX w.).

Rawka, rz. na Wzniesieniach Południowomazowieckich i Niz. Środkowomazowieckiej, pr. dopływ Bzury; dł. 90 km, pow. dorzecza 1192 km², wypływa ok. 5 km na wsch. od Koluszek 2 ciekami źródłowymi; uchodzi poniżej Kęszyc; średni przepływ przy ujściu — 5,3 m³/s; maks. rozpiętość wahań stanów wody 2,8 m; gł. dopływy: Rylka, Białka, Korabiewka (pr.); nad R. leży m. Rawa Mazowiecka.

rdzawe gleby, typ gleb zaliczanych do klasy gleb bielicoziemnych; g.r., zw. też skrytobielicowymi, wytwarzają się z piasków luźnych lub słabogliniastych w warunkach niedoboru wilgoci; są b. mało urodzajne; zagospodarowanie roln. zaciera w nich cechy gleb bielicoziemnych.

Recz, m. w woj. zachodniopomor. (powiat choszczeński), nad Iną; 2,9 tys. mieszk. (2000); ośr. usługowy; fabryka sprzętu okrętowego; prawa miejskie przed 1296; kościół (XIV, XV, XIX w.), fragmenty murów miejskich (XIV–XV w.), domy (XVIII, XIX w.).

Red, Red River, rz. w pd. części USA, pr. dopływ Missisipi; dł. 2043 km, pow. dorzecza ok. 240 tys. km², źródła na wyż. Llano Estacado; w dolnym odcinku dzieli się na 2 ramiona: Old River, uchodzącą do Missisipi, i Atchafalaya (dł. ok. 270 km) płynącą (równolegle do Missisipi) do Zat. Meksykańskiej; b. duże wahania stanu wód; gł. dopływy: Washita, Ouachita (l.), Wichita (pr.); żegl. od m. Shreveport; wykorzystywana do nawadniania; w środk. biegu zbiornik wodny Texoma; na R. elektrownie wodne.

Reda, m. w woj. pomor. (powiat wejherowski), nad Redą; 17,6 tys. mieszk. (2000); ośr. przem., usługowy i mieszkaniowy; przemysł materiałów bud., gum.; węzeł kol. i drogowy; ośr. turyst.; wzmiankowana 1358; prawa miejskie od 1967.

Redy-Łeby, Pradolina, wsch. część Pobrzeża Koszal., najwyraźniejsza pradolina na Pobrzeżu Południowobałtyckim, którą odpływały wody w okresie zanikania na terenie Polski zlodowacenia Wisły; ma ok. 90 km dł. i rozszerza się w kierunku zach. i pd.-zach. od 1–2 km na wsch. do 5,5 km u wylotu na Wybrzeże Słowińskie; obecnie spadek dna doliny skierowany jest w dwu kierunkach: Reda płynie na wsch. do Zat. Gdańskiej, Łeba na pn.-zach. do jez. Łebsko; dział wód pod Strzebielinem leży na wys. 40 m, na stożku napływowym osadzonym przez spływającą ze wzniesień pojeziornych Łebę; odcinki wsch. i zach. pradoliny są zatorfione; P.R.-Ł. odziela pobrzeża od pojezierzy. Znajdują się tu 2 m.: Wejherowo i Lębork.

Rega, rz. na Pojezierzu Zachodniopomorskim i Pobrzeżu Szczecińskim; dł. 168 km, pow. dorzecza 2725 km²; wypływa z jez. Resko; uchodzi do M. Bałtyckiego w Mrzeżynie; średni przepływ w pobliżu ujścia 20,0 m³/s; maks. rozpiętość wahań stanów wody w dolnym biegu 3,5 m; gł. dopływ — Ukleja (l.); wykorzystywana do celów energ. i turystyki (szlak kajakowy); gł. m. nad R.: Świdwin, Łobez, Gryfice, Trzebiatów.

region [łac.], umownie wydzielony, względnie jednorodny obszar odróżniający się od terenów przyległych określonymi cechami naturalnymi lub nabytymi; podziału zróżnicowanego terenu na r. (regionalizacja) dokonuje się w naukach geogr. celem przestrzennego usystematyzowania materiału nauk.; regionalizacja jest prowadzona w układzie hierarchicznym; rozróżnia się r.: fizycznogeogr. (np. klim., glebowe) i gosp. (np. roln. oraz przem., zw. okręgami), a także gosp.-adm., będące obiektem planowania i zarządzania.

Registan, piaszczysta pustynia w pd. Afganistanie, od pustyni Margo oddzielona doliną rz. Helmand; powierzchnia równinna, wyniesiona od ponad 500 m do ok. 1000 m; lotne piaski; roczna suma opadów ok. 100 mm; skąpe zbiorowiska półkrzewów (gł. piołuny) lub rzadkie zarośla saksaułów, w obniżeniach słonorośla; w zach. części słone jez. Gawdizire; na skraju oazy; koczownicze pasterstwo.

regolit [gr.], warstwa → zwietrzeliny spoczywająca na powierzchni skał, z których powstała, w postaci zwartej pokrywy; zawiera okruchy skalne; na Ziemi tworzy się na obszarach nie podlegających silnej erozji; występuje także na niektórych innych planetach i ich satelitach, na Księżycu (r. księżycowy).

regresja morza, cofanie się morza z zalanych lądów; zachodzi wskutek ruchów skorupy ziemskiej (→ tektoniczne ruchy) podnoszących kontynenty lub obniżających dna mórz albo wskutek zmian poziomu morza, np. w wyniku zmian klim. powodujących uwięzienie wielkiej ilości wody w lodowcach; w historii Ziemi lądy były wielokrotnie zalewane przez morze (→ transgresja morza), które się następnie cofało.

Rejkiawik, Reykiavík, stol. Islandii, nad zat. Faxaflói (O. Atlantycki); 114 tys. mieszk. (2002), zespół miejski 156 tys. (1994); gł. ośr. gosp. i kult. kraju; port handl. i rybacki; przemysł spoż., stoczn., chem.; międzynar. port lotn.; uniw.; muzea; w okolicy gorące źródła; zał. przez osadników z Norwegii, jako pierwsza osada na Islandii (wg tradycji 874); od 1786 prawa miejskie.

Rejowiec Fabryczny, m. w woj. lubel. (powiat chełm.); 4,7 tys. mieszk. (2000); cementownia; węzeł kol.; prawa miejskie od 1962.

Ren, niem. **Rhein,** franc. **Rhin,** hol. **Rijn,** największa rz. Europy Zach., w Szwajcarii, Niemczech i Holandii, częściowo wyznacza granicę między Szwajcarią i Liechtensteinem, Austrią i Niemcami oraz między Francją i Niemcami; dł. (od źródeł Vorderrhein) 1320 km (z tego w Niemczech 865 km, w Szwajcarii 375 km), pow. dorzecza 252 tys. km². Potokami źródłowymi R. są Vorderrhein (dł. 68 km) i Hinterrhein (57 km), biorące początek w Alpach Lepontyńskich; w górnym biegu do Jez. Bodeńskiego R. płynie w południkowym obniżeniu między Alpami Zach. i Alpami Wsch.; po wypływie z jeziora kieruje się na zach., płynie wąską doliną (pod Szafuzą wodospad wys. ok. 20 m); w środk. biegu skręca na pn. do rowu tektonicznego (Niz. Górnoreńska); poniżej płynie przełomem (głęb. do 300 m) przez Reńskie G. Łupkowe; dolny bieg na Niz. Holenderskiej; przy ujściu do M. Północnego tworzy wspólną deltę z Mozą, dzieląc się na 3 gł. ramiona: Waal (70% przepływu), Lek i IJssel, połączone między sobą siecią kanałów; w delcie koryta ramion rzecznych leżą powyżej otaczających nizin depresyjnych, które są chronione tamami (obecne stosunki hydrograficzne prawie całkowicie sztuczne); szerokość koryta R. powyżej Jez. Bodeńskiego ok. 50 m, k. Bazylei 200 m, na Niz. Górnoreńskiej 200–500 m, w przełomie przez Reńskie G. Łupkowe 250–300 m (w najwęższym miejscu, k. skały Lorelei 115 m), w dolnym biegu 450–500 m, k. Emmerich 750 m. Największe dopływy: Neckar, Men, Lahn, Sieg, Ruhra, Lippe (pr.), Aare, Ill, Nahe, Mozela (l.). R. jest zasobny w wodę przez cały rok; średni

■ Ren. Barki na rzece, w pobliżu Koblencji (Niemcy)

przepływ przy ujściu do Jez. Bodeńskiego wynosi 224 m³/s, w Bazylei 1041 m³/s, k. Emmerich 2173 m³/s (tj. 69 km³/rok); maks. zanotowany przepływ przed nasadą delty 12 200 m³/s (w styczniu 1926), minim. 590 m³/s (w listopadzie 1947); katastrofalne powodzie wystąpiły 1846, 1926, 1983 oraz 1993 (grudzień) i 1995 (styczeń); ostatnie powodzie były spowodowane obfitymi opadami w dorzeczu R., a także działalnością człowieka (regulacja dopływów, zagospodarowanie terenów nadbrzeżnych); w Niemczech najbardziej ucierpiały Koblencja, Bonn i Kolonia (gdzie poziom wody przekroczył 10,6 m); w Holandii podczas powodzi 1993 pod wodą znalazło się ok. 500 km², a 1995 ewakuowano 250 tys. mieszkańców z okolic Dordrecht i Nijmegen. Ustrój R. na odcinku alp. jest śnieżno-lodowcowy (z maksimum odpływu w czerwcu–lipcu, podczas topnienia śniegów w Alpach), w środk. i dolnym biegu — deszczowy oceaniczny (z najwyższym stanem wód w lutym i drugorzędnym maksimum odpływu w lipcu); pokrywa lodowa tworzy się tylko w szczególnie surowe zimy (na stosunkowo krótko — do kilkunastu dni).

R. jest najbardziej ruchliwą drogą wodną w Europie; regularna żegluga dla statków o nośności do 2000 t na dł. 868 km; kanałami i żegl. rzekami połączony z Saoną i Rodanem, Marną i Sekwaną, a także ze Skaldą oraz z Wezerą, Łabą i Ems; 1993 oddany do użytku Kanał R.–Men–Dunaj; między m. Huningue i Strasburgiem równolegle do R. biegnie Kanał Alzacki; całkowita długość dróg wodnych w dorzeczu R. dochodzi do 3000 km; przewozy między Rheinfelden i granicą hol. (na dł. 622 km) wynoszą ponad 200 mln t (1989), również żegluga turyst.-rekreacyjna, zwł. na odcinku Moguncja–Kolonia. W górnym biegu i na kanale bocznym (do Iffezheim) elektrownie wodne (o łącznej mocy ponad 1500 MW); nad R. są zlokalizowane wielkie zakłady przemysłu chem., papierniczego i stalowego; do lat 70. woda w R. była b. silnie zanieczyszczona; 1972–84 zbudowano liczne, nowocz. oczyszczalnie ścieków; 1987 Międzynar. Komisja do Ochrony Renu (powołana 1963 przez państwa leżące w dorzeczu R.) zatwierdziła program działania do 2000 (przewidywany koszt realizacji ok. 25 mld marek niem.). Największe m. nad R.: Bazylea, Strasburg, Mannheim, Ludwigshafen, Moguncja, Koblencja, Bonn, Kolonia, Düsseldorf, w delcie: Nijmegen, Arnhem, Rotterdam.

Sytuacja prawna. Problemy żeglugi na R. po raz pierwszy zostały uregulowane 1804; status prawny został zmieniony w art. 5 traktatu paryskiego z 1814, który wprowadził wolność żeglugi; 1831 zastąpiony przez konwencję z Moguncji, na podstawie której rozpoczęła działalność Komisja Centr. Żeglugi na R.; początkowo w jej skład wchodziły państwa nadbrzeżne; po 1919 członkami zostały Szwajcaria, Belgia, W. Brytania i Włochy, 1950 przystąpiły USA. Obecnie status R. reguluje konwencja manheimska z 1868, poddana rewizji w Strasburgu 1963; przewiduje ona wolność żeglugi dla wszystkich statków; państwa nadbrzeżne są zobowiązane do utrzymania w stanie żeglowności swych nar. odcinków; 1976 podpisano 2 konwencje w sprawie ochrony R. przed zanieczyszczeniami chemicznymi. ■

Reniferowe, Jezioro, ang. **Reindeer Lake,** franc. **Lac Caribou,** jez. polodowcowe w Kanadzie, na granicy prow. Saskatchewan i Manitoba, na wys. 350 m; pow. 6,4 tys. km^2; silnie rozwinięta linia brzegowa; liczne wyspy; odpływ przez Rz. Reniferową (dł. ok. 100 km) do rz. Churchill.

Reńskie Góry Łupkowe, Rheinisches Schiefergebirge, średnie góry w Niemczech, częściowo w Belgii i Luksemburgu, po obu stronach środk. Renu; rozcięte głębokimi dolinami jego dopływów (Mozela, Lahn, Nahe, Sieg) na oddzielne grzbiety: po zach. stronie Hunsrück i Eifel, po wsch. — Taunus (wys. do 880 m), Westerwald, Sauerland. zbud. gł. z łupków, szarogłazów i kwarcytów dewonu (o miąższości 5000–10 000 m), a na pn. z produktywnego karbonu; utwory te zostały sfałdowane w orogenezie hercyńskiej; w trzeciorzędzie z dyslokacjami tektonicznymi były związane wylewy law bazaltowych; pozostałością po erupcjach eksplozywnych są kratery tzw. maary (często wypełnione wodami jezior). W zach. części rozległe torfowiska i wrzosowiska, którym towarzyszą lasy brzozowe i brzozowo-dębowe; w wyższych partiach występują wtórne bory świerkowe i łąki. Słabo zaludnione; gospodarka leśna i hodowlana; w dolinach uprawa winorośli (cenione wina reńskie), drzew owocowych; turystyka, uzdrowiska (źródła miner.); u pn. podnóży Zagłębie Ruhry.

Republika Południowej Afryki, RPA, afrikaans **Republiek van Suid-Afrika,** ang. **Republic of South Africa,** państwo w pd. Afryce, nad O. Atlantyckim i O. Indyjskim; 1221 tys. km^2, 45,1 mln mieszk. (2002); stol. konst. Kapsztad, siedziba rządu Pretoria; język urzędowy: afrikaans, ang.; republika; od 1994 dzieli się na 9 prow.: Gauteng, KwaZulu-Natal, Mpumalanga, Pn., Pn.-Zach., Przylądkowa Pn., Przylądkowa Wsch., Przylądkowa Zach., Wolne Państwo; do 1993 składała się z 4 prow.: Natal, Orania, Przylądkowa, Transwal i 10 bantustanów.

Warunki naturalne

Rozległy obszar wyżynny (pd. część tarczy afryk.), poprzecinany intruzjami magmowymi (np. wzniesienie Witwatersrand), podnoszący się w kierunku wsch. i pd.; na wsch. strefa wyżyn Weld i G. Smocze (wys. do 3375 m), na pd. wyżynno-górzysta kraina Karru, na skrajnym pd. G. Przylądkowe z orogenezy hercyńskiej; wąskie niziny w pasie nadbrzeżnym; wybrzeża słabo rozczłonkowane, często górzyste, z niewielkimi zatokami. Klimat zwrotnikowy kontynent., w części pn.-zach. — wybitnie suchy (wpływ zimnego Prądu Benguelskiego), we wsch. — wilgotny (wpływ ciepłego Prądu Mozambickiego); na pd. klimat podzwrotnikowy mor.; średnia temperatura w najchłodniejszym miesiącu od 14°C na zach. wybrzeżu (sierpień) do 18°C na wsch. i pd.-wsch. wybrzeżu (lipiec), w najcieplejszym miesiącu (styczeń) odpowiednio 17°C i 25–27°C; największe opady (do 2000 mm) w G. Smoczych, najmniejsze (25–50 mm) na pn.-zach.; na pozostałym obszarze średnia roczna suma opadów 400–800 mm. Główne rz.: Oranje z dopływami Vaal i Caledon, Limpopo, w dużym stopniu wyzyskiwane do nawadniania; w części zach. (zwł. pn.-zach.) rzeki okresowe i słone jeziora. Na pd.,

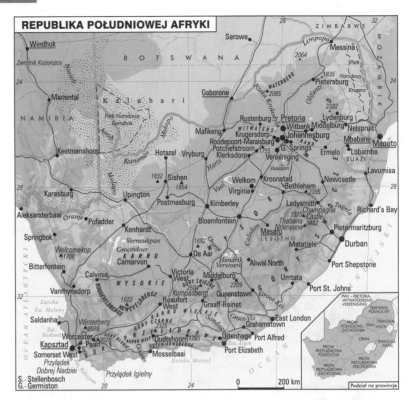

w strefie przybrzeżnej roślinność typu śródziemnomor. makii, w części środk. suche stepy, półpustynie, przechodzące na pn.-zach. w pustynie; na wsch. wybrzeżu wilgotne sawanny, miejscami lasy podzwrotnikowe; w G. Smoczych lasy mieszane i iglaste; obszary chronione zajmują ok. 4% pow. kraju, liczne rezerwaty, 14 parków nar., największy Park Nar. Krugera (ok. 2 mln ha) — 2003 planowane połączenie z terenami chronionymi w Mozambiku i Zimbabwe (przyszła łączna pow. chroniona ok. 3,9 mln ha).

Ludność

Ponad 75% ludności stanowią ludy Bantu (Zulusi, Soto, Khosa, Tswana), ponadto Afrykanerzy (dawniej Burowie — potomkowie osadników hol.), Brytyjczycy, Indusi i in., oraz populacje mieszane; wyznawcy chrześcijaństwa (ok. 70%, gł. protestanci), animizmu, hinduizmu, islamu; przyrost naturalny (14,9‰ rocznie, 1995–2000); średnia gęstość zaludnienia 33 mieszk. na 1 km^2; największa koncentracja ludności w regionie przem. Witwatersrand oraz na wybrzeżu pd. i pd.-wsch.; w miastach mieszka ok. 57% mieszk.; największe miasta i zespoły miejskie: Kapsztad, Johannesburg, Durban, Pretoria; struktura ludności zawodowo czynnej (1999): usługi 45%, przemysł i budownictwo 25%, rolnictwo, leśnictwo i rybołówstwo 30%.

Gospodarka

Najlepiej rozwinięty kraj afryk., dostarcza ok. 40% wartości globalnej produkcji Afryki; na pocz. lat 90. recesja gosp. związana z przeobrażeniami polit. kraju oraz katastrofalną suszą; zapoczątkowany 1994 program restrukturyzacji gospodarki (m.in. prywatyzacja wielkich przedsiębiorstw państw.: telekomunik., transportowych, turyst.) i napływ kapitału zagr. przyczynił się do ożywienia gospodarki — 1995 wzrost o 3,5%, najwyższy od 1988. Gospodarka RPA charakteryzuje się dużą monopolizacją produk-

■ Republika Południowej Afryki

■ Republika Południowej Afryki. Góry Smocze

■ Republika
Środkowoafrykańska

cji i kapitału; oprócz wielkich koncernów państw. (energ. ESCOM, paliwowy SASOL, hutn. ISCOR) działają prywatne, w tym znane w świecie Gold Fields, De Beers, kontrolujący świat. rynek diamentów. RPA posiada różnorodne złoża surowców miner.; największy w świecie producent złota i rud chromu; eksploatacja rud wanadu, tytanu, antymonu i uranu, diamentów, platynowców, węgla kam. i in.; produkcja energii elektr. gł. w elektrowniach węglowych; silnie rozwinięte hutnictwo żelaza i metali nieżelaznych, przemysł maszyn. i metal. (maszyny i urządzenia górn., hutn., roln.), chem. (przetwórstwo węgla kam., ropy naft.), rafineryjny; zakłady elektron. wytwarzają gł. odbiorniki radiowe, sprzęt gospodarstwa domowego; montaż samochodów osobowych i ciężarowych (m.in. firmy: Toyota, Volkswagen, Daewoo), produkcja statków, taboru kol.; liczne zakłady przemysłu młynarskiego, mleczarskiego, mięsnego, winiarskiego, browarniczego, owocowo-warzywnego; ponadto przemysł włók. (zwł. wełn.), odzież., skórz.-obuwn., cementowy; górnictwo i przemysł przetwórczy skoncentrowane w regionie przem. Witwatersrand i m.: Durban, Kapsztad, Port Elizabeth, East London. Wysokotowarowa produkcja roln. w farmach należących do ludności białej, niskotowarowa i tradycyjna na obszarach należących do ludności murzyńskiej; pastwiska zajmują 67% pow. kraju, grunty orne — 11% (w większości sztucznie nawadniane); ekstensywna hodowla owiec, na wilgotniejszych obszarach — bydła, w strefach podmiejskich — trzody chlewnej i drobiu; uprawa zbóż (gł. kukurydza, pszenica), orzeszków ziemnych, trzciny cukrowej, tytoniu, bawełny, warzyw, na pd. — winorośli, drzew cytrusowych; w gospodarstwach murzyńskich uprawa gł. kukurydzy i sorgo; połowy ryb, skorupiaków, homarów, krewetek; eksploatacja lasów. Rozwój turystyki, ok. 5 mln turystów zagr., w tym ponad 3 mln z krajów afryk.; gł. obiekty turyst.: parki nar., kąpieliska mor. i ośr. rozrywki (Sun City na pn.-zach. od Pretorii). Dobrze rozwinięta sieć komunik. (w tym lotn.) na wsch., słabiej — w części pn.-zach.; transkontynent. linie kol. i drogowe do Namibii, Mozambiku, Demokr. Rep. Konga (przez Zimbabwe i Zambię); dużą rolę odgrywa transport mor.; gł. porty handl.: Richard's Bay, Durban, Kapsztad, Saldanha, Port Elizabeth. Ujemny bilans handl. (2,8 mld dol. USA, 1998); eksport złota i kamieni szlachetnych, gł. diamentów (ok. 40% wartości wywozu),

■ Republika Zielonego
Przylądka

metali, węgla kam., aluminium, stali, produktów rolno-spoż., chemikaliów, maszyn, tekstyliów; w imporcie dominują maszyny i urządzenia, środki transportu, produkty chem., ropa naft., sprzęt elektron.; wymiana handl. (0,6% obrotów świat., 1995) z Niemcami, W. Brytanią, USA, Japonią, Włochami, Szwajcarią, Tajwanem. ■

Republika Środkowoafrykańska, République centrafricaine, państwo w środk. Afryce; 623 tys. km^2; 3,9 mln mieszk. (2002), gł. ludy Banda, Baja, Azande; animiści (57% ludności), katolicy, protestanci; stol. Bangi; język urzędowy franc., nar. — sango; republika. Obszar wyżynny (wyż. Azande) między kotliną jez. Czad i Kotliną Konga; klimat podrównikowy wilgotny, na pd. — równikowy; gł. rz.: Ubangi, Szari; sawanny, lasy równikowe. Tradycyjne rolnictwo; uprawa manioku, jamu, orzeszków ziemnych, zbóż, na eksport — bawełny, kawy, tytoniu; pasterska hodowla bydła, owiec; eksploatacja lasów; wydobycie diamentów, złota; przetwórstwo produktów rolnych. ■

Republika Zielonego Przylądka, Cabo Verde, República de Cabo Verde, do 1978 **Wyspy Zielonego Przylądka,** państwo afryk. na wulk. Wyspach Zielonego Przylądka, na O. Atlantyckim; 4 tys. km^2; 449 tys. mieszk. (2002), Kreole, ludy Bantu; katolicy (90% ludności), protestanci; stol. i gł. port Praja (na wyspie São Tiago); język urzędowy portug., w powszechnym użyciu kreolski; republika. Wyspy (największa São Tiago) wyżynno-górzyste (wys. do 2829 m na wyspie Fogo); klimat podrównikowy suchy. Uprawa kukurydzy, roślin strączkowych, batatów, trzciny cukrowej, na eksport — bananów i kawy; hodowla bydła; połowy tuńczyka, korali; przemysł cukr., rybny, włók.; eksploatacja soli z wody mor.; port ze stacją bunkrową dla statków transatlantyckich — Mindelo (na wyspie São Vicente). ■

residuum [łac.], materiał skalny pozostały po usunięciu przez wietrzenie i erozję niektórych składników skały; typowym r. jest → terra rossa.

Resko, m. w woj. zachodniopomor. (powiat gryficki), nad Regą; 4,8 tys. mieszk. (2000); ośr. usługowy dla rolnictwa; drobny przemysł (spoż., drzewny); prawa miejskie przed 1288; kościół (XIV/XV, XIX w.), ruiny zamku (XIV–XV w.).

Resko Przymorskie, przybrzeżne jez. na Wybrzeżu Trzebiatowskim, na wys. 0,3 m; oddzielone od M. Bałtyckiego piaszczystą mierzeją; pow. 577 ha, dł. 3,8 km, szer. 2,4 km, maks. głęb. 2,5 m (kryptodepresja); linia brzegowa słabo rozwinięta; brzegi niskie, podmokłe; silnie zarośnięte szuwarami; połączone z morzem wąskim przekopem; do R.P. uchodzą liczne rzeki, m.in. Stara Rega, Łużanka, Błotnica; na pn.-wsch. brzegu leży wieś rybacka i ośr. wypoczynkowy Dźwirzyno.

Reszel, m. w woj. warmińsko-mazurskim (powiat kętrzyński), nad Sajną (l. dopływ rz. Guber); 5,5 tys. mieszk. (2000); ośr. usługowy i turyst.; zakłady przemysłu maszyn., drzewnego, spoż.; prawa miejskie od 1337; Galeria „Zamek"; kościół (XIV, XV–XVI w.), zamek (XIV, XVI, XIX w.), fragmenty murów miejskich (XIV w.), kamienice (XIX w.).

retencja [łac.], czasowe zatrzymanie wody opadowej na obszarze zlewni w: zbiornikach wodnych, ciekach, lodowcach, śniegu i bagnach (r. powierzchniowa) oraz w gruncie (r. podziemna); w zależności od miejsca zatrzymywania wody rozróżnia się r.: śniegową, lodowcową, zbiornikową, bagien, dolin i koryt rzecznych, szaty roślinnej, glebową, gruntową, podziemną; wielkość r. zależy gł. od: czynników meteorol., rzeźby terenu, rodzaju powierzchni gruntu, szaty roślinnej i działalności człowieka; r. ma wielkie znaczenie hydrologiczne i gosp.; zasób zgromadzonej w wyniku r. wody jest jednym z czynników → bilansu wodnego.

Retezat, masyw górski w Karpatach Pd., w Rumunii; ograniczony od zach. dolinami Temeszu i Cernej, od wsch. — Strei i Jiu; najwyższy szczyt Peleaga, 2509 m; zbud. z granitów i in. skał krystal.; ostra grań, cyrki lodowcowe; liczne jeziora polodowcowe, największe Bucura (o pow. 8,8 ha) i Znoaga (głęb. 29 m); lasy bukowe i iglaste do 2400 m, powyżej — murawy alp.; w zach. części park nar. (pow. 13 tys. ha, zał. 1935); pod względem turyst. słabo zagospodarowane, trudno dostępne.

Reunion, **Réunion,** departament zamor. (tzw. zbiorowość terytorialna) Francji na wyspie Reunion, w Maskarenach, na O. Indyjskim; 2,5 tys. km^2; 750 tys. mieszk. (2002), Kreole, Indusi i Malgasze; ok. 90% katolików; stol. Saint-Denis; górzysty, 2 masywy wulk. (wys. do 3069 m); lasy równikowe, sawanny; uprawa trzciny cukrowej, ponadto drzewa ilangowego (olejek ilangowy), wanilii; produkcja cukru i rumu (gł. na eksport); leśnictwo i rybołówstwo; gł. port — Le Port.

Reventador, czynny wulkan w Kordylierze Środk. (Andy Pn.), w Ekwadorze, ok. 70 km na pn.-wsch. od wulkanu Antisana; wys. 3485 m; od 1541 zanotowano 24 silne erupcje, ostatnia 1976.

Reykjanes, grzbiet śródoceaniczny w pn. części dna O. Atlantyckiego; ciągnie się w kierunku pd.-zach., od półwyspu R. na wybrzeżu Islandii do strefy rozłamu R. (4432 m w Głębi Gibbsa) na ok. 53°N; stanowi pn. część Grzbietu Śródatlantyckiego; oddziela baseny oceaniczne — Basen Irmingera od Basenu Islandzkiego; dł. 1350 km, szer. 100–200 km; nad dnem sąsiednich basenów oceanicznych wznosi się ok. 2000 m; środkiem grzbietu ciągnie się wyraźna dolina ryftowa; przecięty licznymi równoleżnikowymi strefami rozłamu; głębokości nad grzbietem R. wynoszą 300–2000 m, nad doliną ryftową — do 3130 m.

rędziny, typ gleb z klasy gleb wapniowcowych; r. powstają ze zwietrzenia masywnych skał węglanowych (np. wapienie, margle) i siarczanowych (np. gipsy), w warunkach klimatu umiarkowanego, wilgotnego; oprócz podziału na r. inicjalne, czarnoziemne, brun. i in., r. dzieli się też wg wieku skały macierzystej, np. na trzeciorzędowe, kredowe, jurajskie, oraz na r. czyste, wytworzone tylko ze zwietrzeliny skały, i r. mieszane, z domieszkami np. lessu; wartość rolnicza r., na ogół wysoka, zależy gł. od głębokości (miąższości) profilu glebowego; najżyźniejsze są głębokie r. czarnoziemne, o zasadowym odczynie, zasobne w próchnicę (do 5%) i składniki miner.; r. czarnoziemne kredowe są nazywane borowinami; pol. nazwa r. jest przyjęta w międzynar. nomenklaturze gleboznawczej.

Rhode Island [ro^{u}d ąjlənd], najmniejszy stan w USA, nad O. Atlantyckim; 3,1 tys. km^2, 1,1 mln mieszk. (2002); stolica Providence (zespół miejski skupia 90% ludności stanu); nizinny, na pn.-zach. pagórkowaty; lasy ok. 50% pow.; przemysł maszyn., metal., chem., elektron.; wyrób biżuterii, koronek; intensywne sadownictwo i warzywnictwo; hodowla bydła mlecznego; rybołówstwo; turystyka.

Rhön [rö:n], góry wulk. w Niemczech, między Fuldą i Sołtawą Frankońską; najwyższy szczyt Wasserkuppe, 950 m; głęboko rozcięte dolinami rzek; słabo zalesione; wysokie torfowiska; parki nar.: Hessische Rhön (384 km^2) i Bayerische Rhön (1090 km^2), od 1991 stanowią rezerwat biosfery UNESCO.

Ribbon [rybən], **Ribbon Fall,** wodospad na źródłowym potoku (Ribbon) rz. Merced (dopływ San Joaquin), w USA, w stanie Kalifornia; najwyższy w Parku Nar. Yosemite; wys. 484 m.

Rica, jez. na Kaukazie, w Gruzji (Abchazja), na wys. 950 m, w dorzeczu rz. Bzypi; pochodzenia osuwiskowego; pow. 1,49 km^2, głęb. do 116 m; stanowi część rezerwatu (zał. 1957, pow. 16,3 tys. ha); popularny region turyst.-wypoczynkowy.

Richtera skala, **skala magnitud,** skala stosowana do oceny wielkości → trzęsienia ziemi w jego ognisku, operująca pojęciem magnitudy; pojęcie to wprowadził 1935 Ch.F. Richter na podstawie analizy zapisów płytkich trzęsień ziemi w Kalifornii — zdefiniował magnitudę jako logarytm dziesiętny maks. amplitudy (w cm) fali sejsmicznej wg zapisu sejsmografu Wooda–Andersona znajdującego się w odległości 100 km od epicentrum; później opracowano metody pozwalające na wyznaczanie amplitudy dla trzęsień ziemi, których ogniska są zlokalizowane na różnych głębokościach i w różnych odległościach epicentralnych rejestrowanych za pomocą sejsmografów różnych typów; wprowadzono również zmodyfikowane określenia magnitud. Skala magnitud jest skalą otwartą, najsilniejsze trzęsienia ziemi zarejestrowane w bieżącym stuleciu nie przekraczały wielkości 9,5. Znajomość magnitudy umożliwia wyznaczenie energii trzęsienia ziemi (magnituda jest proporcjonalna do logarytmu energii).

Rijad, Ar-, **Ar-Riyāḍ,** stol. Arabii Saudyjskiej, w środk. części kraju, w oazie, w krainie Nadżd; 3,6 mln mieszk. (2002); przemysł spoż., cement., rafineryjny; ośr. finansowo-handl. i nauk.; 2 uniw., w tym muzułm., król. szkoły wyższe: górnictwa naft., wojsk.; biblioteka nar. i król.; połączenie autostradą z portami nad M. Czerwonym i Zat. Perską (także linią kol.); międzynar. port lotniczy.

Riła, masyw górski w pd.-zach. Bułgarii, najwyższy na Płw. Bałkańskim; wys. do 2925 m (szczyt Musała); zbud. z łupków krystal., marmurów, granitów i gnejsów; alp. formy rzeźby; jeziora cyrkowe; lasy liściaste i iglaste, powyżej 2000 m — murawy alp.; źródła miner.; 2 rezerwaty przyrody (Parangalica i Jez. Marickie); w zach. części (na wys. 1150 m) Rilski monastyr (wpisany na Listę Świat. Dziedzictwa Kult. i Przyr. UNESCO); turystyka.

Río Bravo del Norte [rrịo b. d. n.], rz. w Ameryce Pn., → Rio Grande.

Rio de Janeiro [rịjo de żanęjro], m. w pd.--wsch. Brazylii, nad O. Atlantyckim; jedno z gł. miast Ameryki Łac.; stol. stanu Rio de Janeiro; 6 mln mieszk. (2002); tworzy region metropolitalny R. de J.–Niterói (11,2 mln, 1991); wielki ośr.

■ Rio de Janeiro. W głębi wzniesienie Corcovado ze statuą Chrystusa

przemysłu (bawełn., petrochem., elektron.), kultury (muzea), nauki (2 akad. nauk, 4 uniw.) i turystyki; ważny węzeł komunik. (duży port handl., 2 międzynar. porty lotn.); kąpielisko mor. (słynna plaża Copacabana). Założone 1567 przez Portugalczyków. Kościół i klasztor Benedyktynów (XVI w.), klasztory z XVII w.: Santo Antônio, São Bento, Misericordia, liczne kościoły i katedra Candelaria (XVIII w.), eklekt. budowle użyteczności publ. (teatr, muzea, biblioteka, uczelnie), liczne budowle nowocz. z XX w. (m.in. architekci L. Costa, O. Niemeyer). ■

■ Rio Grande

Rio Grande [rị:ɘu grändy], hiszp. **Río Bravo del Norte,** rz. w Ameryce Pn.; dł. ok. 3000 km, pow. dorzecza ok. 440 tys. km^2; źródła w górach San Juan (G. Skaliste), w USA, w stanie Kolorado; płynie w kierunku pd., przez stan Nowy Meksyk, następnie skręca na pd.-wsch., wyznaczając, na dł. ponad 2000 km, granicę między USA (stan Teksas) i Meksykiem; uchodzi do Zat. Meksykańskiej tworząc deltę; gł. dopływy: Pecos (l.), Conchos, Salado (pr.); duże wahania stanu wód; średni przepływ przy ujściu 110 m^3/s (maks. — 15 000 m^3/s); wykorzystywana do nawadniania i do celów energ. (zbiorniki: Elephant Butte, Caballo, Amistad, Falcon); gł. miasta nad R.G.: Albuquerque, El Paso, Ciudad Juárez, Nuevo Laredo, Matamoros. ■

■ Ripplemarki utworzone przez wiatr (pustynia Namib)

Río Negro [rrịo n.], 3 rzeki w Ameryce Pd., → Negro.

ripplemarki [ang.], **fale piaskowe,** utrwalone w piasku lub mule grzbieciki o symetrycznym lub asymetrycznym przekroju, oddzielone od siebie bruzdami; powstają w wyniku oddziaływania na piaszczyste dno falowania lub prądów wodnych albo w wyniku działalności wiatrów na obszarach piaszczystych; są znane w stanie kopalnym, umożliwiają odtworzenie kierunku transportu materiału skalnego tworzącego osad. ■

Riwiera Francuska, region we Francji, → Lazurowe, Wybrzeże.

Riwiera Włoska, La Riviera, wł. wybrzeże M. Liguryjskiego, od granicy franc. do m. La Spezia; część zach. do Genui zw. Riviera di Ponente, część wsch. — Riviera di Levante; w większości pagórkowata (pd. stoki Apeninu Liguryjskiego) i skalista, liczne zatoki, ciepły łagodny klimat, bujna roślinność; region turyst.-wypoczynkowy o świat. znaczeniu; podstawą gospodarki jest obsługa ruchu turyst., poza tym uprawa drzew owocowych, winorośli, oliwek i kwiatów (gł. na eksport); rybołówstwo; liczne kąpieliska mor., porty jachtowe i ośr. turyst.-wypoczynkowe (Ventimiglia, Bordighera, San Remo, Imperia, Nervi, Rapallo, Sestri Levante); wzdłuż wybrzeża autostrada i linia kol. z licznymi tunelami.

Robson [robsn], ang. **Mount Robson,** franc. **Mont Robson,** najwyższy szczyt kanad. części G. Skalistych, w prow. Kolumbia Bryt.; wys. 3954 m; wieczne śniegi i lodowce; stanowi część Parku Nar. Mount Robson.

Roca [rọkɘ], skalisty przyl. na Płw. Iberyjskim, w Portugalii, najdalej na zach. wysunięty punkt lądu eur.; 38°46'N, 9°30'W; wys. 144 m; latarnia morska.

Rodan, Rhône, rz. w Szwajcarii i Francji; dł. 812 km, pow. dorzecza 99 tys. km^2; wypływa z Lodowca Rodanu na pd.-zach. stoku grupy górskiej Damma (Alpy Urneńskie); początkowo płynie między Alpami Berneńskimi i Alpami Pennińskimi, następnie przepływa Jez. Genewskie i przełamuje się przez góry Jura; po połączeniu z Saoną płynie na pd. w rowie tektonicznym między Masywem Centr. i Alpami (Rów Rodanu); uchodzi do Zat. Lwiej tworząc deltę (o pow. 1200 km^2); rocznie transportuje do morza 20 mln m^3 osadów; gł. dopływy: Ain, Saona, Ardèche, Gard (pr.), Arve, Isère, Durance (l.); najbardziej zasobna w wodę rzeka Francji; ustrój b. złożony (zasilanie lodowcowe, deszczowe i deszczowo--śnieżne); średni przepływ powyżej Lyonu 600 m^3/s, przy ujściu Isère 2000 m^3/s, w dolnym biegu 10 000 m^3/s (największe wezbrania jesienią). Połączona z Renem (poprzez Saonę i Kanał Ren–R.), Sekwaną i Loarą oraz z Marsylią; liczne stopnie wodne i elektrownie (m.in. Donzère--Mondragon 314 MW, Châteauneuf-sur-Rhône 285 MW, Beauchastel 223 MW); nad R. 6 elektrowni jądr. o łącznej mocy 15260 MW (największe: Bugey 4180 MW, Cruas i Tricastin po 3600 MW); w dolnym biegu wykorzystywana do nawadniania; obfituje w ryby; w delcie rezerwat biosfery Camargue; gł. m. nad R.: Genewa, Lyon, Valence, Awinion, Arles.

Rodniańskie, Góry, Munţii Rodnei, część Wewn. Karpat Wsch. (najwyższa w całych Karpatach Wsch.), w Rumunii; wys. do 2303 m (Pietros); zbud. gł. z granitów i łupków krystal.; ślady zlodowacenia plejstoceńskiego; lasy bukowe i iglaste, powyżej 1700 m subalp. zarośla; rezerwat przyrody Pietros-Mare; turystyka i sporty zimowe.

Rodopy, bułg. i gr. **Rodopi**, góry zrębowe w Bułgarii i Grecji, między dolinami Mesty i Maricy; najwyższy szczyt Golam Perelik, 2191 m; dzielą się na R. Zachodnie (wyższe) oraz R. Wschodnie, rozdzielone obniżeniem rz. Arda; zbud. gł. z łupków krystal. i skał wulk.; pn. stoki strome; wierzchowiny przeważnie łagodne i połogie; doliny wąskie i głębokie; w dolnym piętrze uprawa tytoniu, winorośli; górna granica lasu na wys. ok. 2000 m; na najwyższych szczytach zarośla kosodrzewiny i murawy alp.; wydobycie rud ołowiu, cynku i chromu; liczne źródła miner.; największy w Bułgarii kompleks hydroenerg. Dospat–Wycza; kilka rezerwatów przyrody. ■

Rodos, wyspa gr. w pd.-wsch. części M. Egejskiego (W. Egejskie Pd.), w pobliżu wybrzeży Turcji, największa w archipelagu Sporady Pd.; pow. 1,4 tys. km²; w środk. części górzysta (wys. do 1215 m); uprawa zbóż, winorośli, drzew cytrusowych, figowców, bawełny, tytoniu; hodowla owiec i kóz; połów ryb i gąbek; niewielki przemysł spoż. i włók.; rozwinięte rzemiosło artyst.; turystyka; gł. m. i port — R.

Rogoźno, m. w woj. wielkopol. (powiat obornicki), nad Małą Wełną i jez. Rogoźno; 11,1 tys. mieszk. (2000); ośr. przem.-usługowy i turyst.; przemysł drzewny i spoż.; węzeł drogowy; muzeum; prawa miejskie od 1280; kościół (XVI, XVII w.), kościół ewang., ratusz i domy (XIX w.).

Rohacze, Rohače, 2 szczyty w gł. grani Tatr Zach., w Słowacji, między dolinami: Jamnicką, Żarską i Rohacką; Rohacz Płaczliwy (Plačlive), 2126 m i Rohacz Ostry (Ostrý Roháč), 2084 m;

Słowacy nazwą R. określają całe otoczenie Doliny → Zuberskiej.

rok, jednostka czasu związana z obiegiem Ziemi wokół Słońca; rozróżnia się r. g w i a z d o w y — czas, po którym Słońce pojawia się na tle tych samych gwiazd (= 365 dni 6 h 9 min 10 s) i r. z w r o t n i k o w y — czas ponownego przejścia Słońca przez punkt Barana (= 365 dni 5 h 48 min 46 s); r. k a l e n d a r z o w y w obowiązującym w większości państw kalendarzu gregoriańskim liczy 365 (r. zwykły) lub 366 (r. przestępny) dób średnich słonecznych (latami przestępnymi są podzielne przez 4, z wyjątkiem zakończonych pełnymi setkami, spośród których tylko podzielne przez 400 są przestępne).

Romanche [romász], **Romanche Trench**, głębia oceaniczna w środk. części dna O. Atlantyckiego, w przyrównikowej strefie rozłamu w Grzbiecie Śródatlantyckim; dł. 300 km, szer. 30 km, głęb. do 7856 m; dzieli Grzbiet Śródatlantycki na część pn. i pd.; umożliwia przepływ przydennych zimnych wód antarktycznych do pn.-wsch. basenów O. Atlantyckiego.

Ropa, rz. w Beskidzie Niskim i na Pogórzu Środkowobeskidzkim, l. dopływ Wisłoki; dł. 79 km, pow. dorzecza 974 km²; wypływa na stokach Jaworzynki, uchodzi w Jaśle; gwałtowne wezbrania; maks. rozpiętość wahań stanów wody w dolnym biegu 5,5 m; 1994 ukończono budowę tamy na R. w Klimkówce (w pobliżu Gorlic); m. nad Ropą: Gorlice, Biecz. Dorzecze R. jest najstarszym w Polsce obszarem eksploatacji ropy naftowej.

ropa naftowa, naturalna mieszanina węglowodorów występująca w postaci cieczy w skorupie ziemskiej; stanowi nagromadzenie ciekłych → bituminów; gł. składnikami r.n. są węglowodory parafinowe (alkany), naftenowe (cykloalkany) i aromatyczne (areny); r.n. zawiera też związki siarki (gł. siarkowodór, sulfidy i disulfidy, tiole), tlenu (kwasy naftenowe i tłuszczowe,

■ Rodopy, najwyższa część gór ze szczytem Golam Perelik

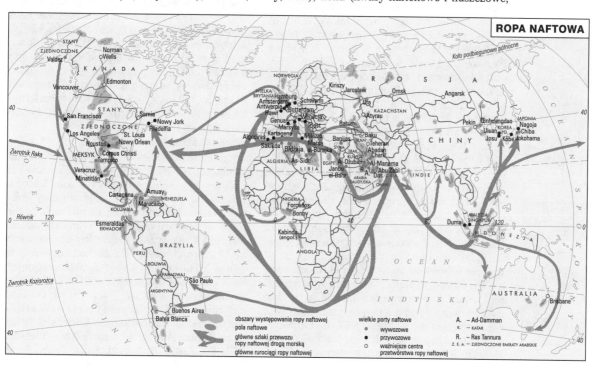

fenole, żywice), azotu, także rozpuszczoną siarkę, związki metaloorg. oraz nieorg. związki żelaza, krzemu, wanadu, niklu i innych metali; r.n. ma barwę żółtobrun., zielonkawą lub czarną (b. rzadko bywa bezb. lub czerwonawa), gęst. 0,73–0,99 g/cm³, wartość opałową 38–48 MJ/kg. Zależnie od zawartości siarki rozróżnia się r.n. n i s k o s i a r k o w ą (zawierającą do 0,5% siarki) i w y s o k o s i a r k o w ą (powyżej 0,5%, niekiedy nawet 6% siarki); ze względu na typ węglowodorów przeważających w r.n. rozróżnia się m.in. ropę bezparafinową, parafinową, naftenową, aromatyczną.

R.n. jest przetwarzana gł. na paliwa: gaz płynny, benzynę samoch. i lotn., naftę, olej napędowy i opałowy. Ponadto uzyskuje się z niej oleje smarowe, parafinę, asfalty i koks naft., smary stałe, a także liczne związki chem. (eten, propen, butadien, benzen, toluen) używane do syntez org. w przemyśle. Ubocznym produktem eksploatacji r.n. jest towarzyszący jej gaz ziemny, a także siarka, uzyskiwana w znacznych ilościach w wyniku oczyszczania ropy. Przeróbkę r.n. prowadzi się w rafineriach paliwowych, paliwowo--olejowych i petrochemicznych.

R.n. powstaje w wyniku przeobrażenia szczątków org. nagromadzonych w skałach osadowych, gł. pochodzenia morskiego. R.n. przemieszcza się (migruje) ze skał macierzystych (zwykle ilastych) ku górze; mechanizm tej migracji nie został dotąd w pełni wyjaśniony. Przemieszczanie się r.n. jest możliwe tylko w skałach silnie porowatych lub spękanych (tzw. s k a ł y z b i o r n i k o w e, zw. też k o l e k t o r a m i); złoża ropy powstają w miejscach, gdzie skały te przykryte są od góry skałami nieprzepuszczalnymi (tzw. p u ł a p k i r.n.), co uniemożliwia dalszą migrację ropy ku górze. Typowe pułapki r.n. powstają m.in. w antyklinach, przy uskokach, przy słupach solnych, a także w soczewkach skał przepuszczalnych otoczonych skałami nieprzepuszczalnymi. W wyniku wietrzenia i naturalnego odgazowania r.n. powstają m.in. asfalt i ozokeryt.

Rozwój górnictwa naft. rozpoczął się w 2. poł. XIX w.; pierwsza kopalnia ropy powstała 1854 z inicjatywy I. Łukasiewicza w Bóbrce k. Krosna. Pierwszy szyb naft. wywiercono 1859 w USA; później rozpoczęto eksploatację złóż ropy w Rosji (Baku), Kanadzie i Rumunii, a w końcu XIX w. — w Indonezji i Iranie. Rozwój komunikacji i przemysłu w XX w. wpłynął na intensyfikację poszukiwań złóż r.n.; odkryto wielkie złoża na Bliskim Wschodzie, na Syberii i w Afryce, a także wiele złóż podmorskich na szelfach (M. Północne, Zat. Meksykańska). Najbogatszym obszarem roponośnym na świecie jest region Zat. Perskiej (65% świat. zasobów ropy, z których największa część znajduje się w Arabii Saudyjskiej). Duże złoża ropy występują w Afryce (pn. Sahara, delta Nigru), na Niz. Zachodniosyberyjskiej, w rejonie Zat. Meksykańskiej, w Wenezueli, Chinach. W Europie największe złoża r.n. są eksploatowane na M. Północnym przez Norwegię i W. Brytanię. R.n. należy do gł. towarów w handlu świat.: jest eksportowana połowa jej wydobycia. Głównymi eksporterami ropy są kraje OPEC (→ Organizacja Krajów Eksportujących Ropę Naftową), także Meksyk, Rosja, Norwegia i W. Brytania. Więk-

szość r.n. jest przetwarzana w krajach wysoko rozwiniętych (USA, państwa Europy Zach., Japonia).

Polska należy do krajów ubogich w r.n.; niewielkie złoża występują w Karpatach i na ich przedpolu, nieco większe — w pn.-zach. części kraju (np. w Kamieniu Pomor.) i w szelfie bałtyckim (na pn. od przylądka Rozewie). Wydobycie r.n. w Polsce pokrywa ok. 1,5% zapotrzebowania. ■

Ropczyce, m. powiatowe (powiat ropczycko--sędziszowski) w woj. podkarpackim, nad Wielopolką (pr. dopływ Wisłoki); 15 tys. mieszk. (2000); ośr. usługowy regionu roln.-sadowniczego; różnorodny przemysł (maszyn., spoż., metal.); muzeum; prawa miejskie od 1362; 2 kościoły (XIV, XIX w. i XVIII w.), drewn. domy (XVIII, XIX w.) oraz spichlerze (XIX w.).

Roraima [rorąj~], **Roraima Falls,** wodospad na rz. Potaro (l. dopływ Essequibo), w Gujanie, we wsch. części gór Serra Pacaraima; wys. 457 m.

Roraima [rorąj~], ang. **Mount Roraima,** hiszp. **Cerro Roraima,** masyw górski, najwyższy w górach Serra Pacaraima, w środk. części Wyż. Gujańskiej, na pograniczu Brazylii, Wenezueli i Gujany; wys. do 2810 m; stanowi płaską powierzchnię wierzchowinową na wys. ok. 1700 m, z wznoszącymi się ponad nią ostańcowymi masywami stołowymi przekraczającymi wys. 2000 m; zbud. z poziomo zalegających piaskowców i kwarcytów kredowych poprzecinanych żyłami diabazów i gabra; obszar źródłowych rzek Caroní (dorzecze Orinoko), Mazaruni (dorzecze Essequibo) i Branco (dorzecze Amazonki).

rosa, kropelki wody powstałe w wyniku kondensacji pary wodnej na powierzchni gruntu, roślinach itp.; kondensacja pary wodnej następuje wskutek silnego ochłodzenia się podłoża po wypromieniowaniu przez nie ciepła; r. biała — osad zamarzniętych kropelek r.

Rosja, Federacja Rosyjska, Rossija, Rossijskaja Fiedieracyja, państwo w Europie Wsch. i Azji (Syberia, Daleki Wschód), nad M. Bałtyckim, O. Arktycznym, O. Spokojnym, M. Kaspijskim i M. Czarnym; pow. 17075,4 tys. km², 142,9 mln mieszk. (2002); stol. Moskwa; język urzędowy ros.; federacja; w skład R. wchodzi: 21 republik, 6 krajów, 50 obw. (w tym 1 autonomiczny), 10 okręgów autonomicznych, 2 miasta wydzielone (Moskwa i Petersburg).

Warunki naturalne

Rozciągłość południkowa 2500–4000 km, równoleżnikowa — 9000 km; dł. granic lądowych 20,3 tys. km, mor. — ok. 38 tys. km; 3/4 pow. nizinna; w Europie R. zajmuje większą część Niz. Wschodnioeuropejskiej; na pd.-zach. pograniczu R. wznosi się Wielki Kaukaz (Elbrus 5642 m — najwyższy szczyt kraju). Na wsch. od Uralu rozciąga się Niz. Zachodniosyberyjska (jedna z największych równin akumulacyjnych na Ziemi); między Jenisejem i Leną leży Wyż. Środkowosyberyjska; we wsch. części: G. Wierchojańskie, G. Czerskiego (Pobieda 3147 m), G. Kołymskie, G. Czukockie, G. Koriackie, Dżugdżur, Sichote Aliń; w pd. części: Ałtaj (Biełucha 4506 m), Ałatau Kuźniecki, Sajan Zach., Sajan

■ Rosja

Wsch., góry Tuwy, Przybajkala i Zabajkala, G. Stanowe; płw. Kamczatka (Kluczewska Sopka 4750 m), Sachalin i Kuryle są obszarem intensywnej działalności wulk.; największe wyspy na O. Arktycznym: Ziemia Franciszka Józefa, Nowa Ziemia, Ziemia Pn., W. Nowosyberyjskie. Klimat umiarkowany, od mor. ciepłego na pn.-zach. do chłodnego, skrajnie kontynent. w Syberii i monsunowego na pd. Dalekiego Wschodu; w pn. części i na wyspach arkt. klimat subpolarny i polarny, na czarnomor. wybrzeżu Kaukazu — podzwrotnikowy (śródziemnomor.); średnia temp. w styczniu od 0°C na zach. do –50°C w Jakucji (absolutne minimum zanotowane w Ojmiakonie wynosi –78°C), na Dalekim Wschodzie wzrasta do –15°C; średnia temp. w lipcu od ok. –1°C na Ziemi Franciszka Józefa i Ziemi Pn. do 26°C w pd. części Niz. Wschodnioeuropejskiej; roczne opady od ok. 170 mm (na Niz. Nadkaspijskiej) do 3200 mm (Wielki Kaukaz, Ałtaj); pokrywa śnieżna utrzymuje się do 260–280 dni na pn.; zimą częste silne wiatry i zamiecie (buran, purga); jesienią na Dalekim Wschodzie pojawiają się tajfuny; od Płw. Kolskiego po pd. Syberię występuje wieloletnia zmarzlina; latem na pn. grunt odmarza na głęb. 30–40 cm, na pd.— do ok. 3 m. W R. jest ok. 120 tys. rzek o dł. powyżej 10 km; Wołga (największa rzeka Europy) uchodzi do M. Kaspijskiego; gł. rzeki zlewiska O. Arktycznego: Dwina, Peczora, Ob z Irtyszem, Jenisej z Angarą, Chatanga, Oleniok, Lena, Indygirka, Kołyma; do M. Ochockiego płynie Amur; okres zlodowacenia rzek wynosi do 8 mies. w pn. regionach Syberii; z ok. 2 mln jezior największe: Bajkał (ok. 1/5 światowych zasobów wody słodkiej bez lodowców), Ładoga, Onega, Tajmyr,

Chanka, Pejpus, Czany, Ilmeń; na rzekach liczne zbiorniki retencyjne; największą pojemność mają zbiorniki Bracki na Angarze (169 km^3) i Krasnojarski na Jeniseju (73,3 km^3); największy pod względem powierzchni jest Zbiornik Kujbyszewski na Wołdze (5900 km^2). Strefowy układ roślinności (przebieg zakłócony w górzystej części Syberii): arkt. pustynia, tundry (ubogie arkt., krzewinkowe, mszyste i porostowe, krzewiaste z karłowatymi brzozami i wierzbami), lasotundra, tajga, lasy mieszane i liściaste (gł. dębowe), lasostep, step, na Niz. Nadkaspijskiej — półpustynia; lesistość 46%; tajgę tworzą świerk pospolity i sosna zwyczajna (w zach. części R.), syberyjskie gat. świerka, jodły, limby i modrzewia; w skrajnie kontynent. klimacie Syberii Wsch. panuje modrzew dahurski, na Dalekim Wschodzie — jodły białokora i sachalińska, świerk ajański i modrzew kurylski; nad Amurem rosną bogate

■ Rosja. Krajobraz Karelii

■ Rosja. Tajga w Górach Bajkalskich

wielogatunkowe lasy z lipą amurską i dębem mong., obfitujące w liany; w górach urozmaicony piętrowy układ roślinności; powyżej 2000 m subalp. i alp. łąki; ok. 100 rezerwatów przyrody i 32 parki nar. (ponad 1,5% pow. kraju).

Ludność
Kraj wielonar.; z ponad 100 różnych narodów i narodowości najliczniejsi Rosjanie (81,5% — 1989), Tatarzy, Ukraińcy, Czuwasze, Baszkirzy i Białorusini; większość wierzących Rosjan należy do Ros. Kościoła Prawosł.; katolicy to gł. unici z Ukrainy, Niemcy i Polacy; wyznawcy islamu (sunnici) wśród Tatarów nadwołżańskich, Czuwaszów, Baszkirów, narodów Kaukazu Pn. (Czeczeni, Ingusze, Kabaryjdyczycy, ludy Dagestanu); buddyzm jest gł. religią Buriatów, Tuwińczyków i Kałmuków; w użyciu liczne języki lokalne; nauczanie w szkolnictwie średnim oprócz ros. języka m.in. w tatar., jakuckim, czuwaskim, baszkirskim, jidysz; od 1992 przyrost naturalny ujemny (–4,8‰ — 2000); wskaźnik urodzeń 9,3‰, zgonów 13,8‰ (w tym śmiertelność niemowląt 20‰); w wieku 19 lat i mniej 26,4% populacji, 65 lat i więcej 12,5%; przeciętna długość życia (1992): mężczyźni 62 lata, kobiety — 73; ponad 4/5 ludności skupia się w eur. części; najsłabiej zaludniona Syberia Wsch. i Daleki Wschód (poniżej 2 osoby na km²); ludność miejska 73%; największy odsetek (do 90%) w pn. i wsch. regionach;gł. m. poza stol.: Petersburg, Niżni Nowogród, Samara, Kazań, Wołgograd, Jekaterynburg, Czelabińsk, Omsk, Nowosybirsk, Krasnojarsk, Irkuck, Władywostok. W 1997 było zatrudnionych 66 mln osób; struktura zatrudnienia ludności aktywnej zawodowo (w %, 1999): rolnictwo, leśnictwo i rybołówstwo 15, przemysł (i budownictwo) 30, usługi 55.

Gospodarka
Kraj przem.-roln., obejmuje 12 regionów ekon. (Pn., Pn.-Zach., Centr., Wołżańsko-Wiacki, Centralnoczarnoziemny, Powołże, Kaukaz Pn., Ural, Syberia Zach., Syberia Wsch., Daleki Wschód, obw. kaliningradzki); do 1991 gospodarka centralnie planowana; program reform wielokrotnie zmieniany; sektor prywatny zatrudnia 42% ludności aktywnej zawodowo; pomoc finansowa uzależniona od kontynuowania reform gosp. (zahamowanie inflacji, ograniczenie deficytu budżetowego); gł. kredytodawcami R. są: Niemcy, Włochy, Francja i Japonia; 1999 dług zagr. wynosił 174 mld dol. USA; produkt krajowy brutto na 1 mieszk. 2750 dol. USA. Wydobycie ropy naft. (308 mln t — 1999) i gazu ziemnego (18 653 petadżuli — ok. 24% produkcji świat.), gł. złoża w Syberii Zach., na Powołżu i Uralu, węgla kam. (153 mln t — 1998), zagłębia: Kuźnieckie, Peczorskie, Kańsko-Aczyńskie, w pd. Jakucji, rud żelaza (Kurska Anomalia Magnet.) i metali nieżel. (miedź, nikiel), apatytów, soli potasowych, fosforytów, diamentów (Jakucja), złota; 66,3% energii elektr. dostarczają elektrownie cieplne, 19,8% wodne (kaskady wołżańsko-kamska i angarsko-jenisejska), 13,9% jądr. (największe w Sosnowym Borze i Kurska, po 4000 MW); hutnictwo żelaza (Magnitogorsk, Czelabińsk, Niżni Tagił, Nowokuźnieck, Lipieck, Czerepowiec) i metali nieżelaznych (Norylsk, Krasnojarsk, Brack); przemysł elektromaszyn. (m.in. kosm., samochodowy, metal., elektrotechn. i elektron.), chem. (petrochem., tworzywa sztuczne, nawozy fosforowe i potasowe, włókna chem., gumowy), drzewno-papierniczy, materiałów bud. (cement), spoż. (mleczarski, mięsny, młynarski, cukr., winiarski, browarniczy, tytoniowy), lekki (gł. włók.). Użytki rolne 13% pow. (2000); ponad 4/5 gruntów ornych w regionach: Centr., Pn. i na Syberii Zach.; ziemie nawadniane (5,7 mln ha) na Kaukazie Pn. i Powołżu; zbiory zbóż (pszenica, żyto, jęczmień, owies, kukurydza, ryż) 64,1 mln t, buraków cukrowych 14 mln t, ziemniaków 32,6 mln t, słonecznika 3 mln t (1998); hodowla bydła (27,5 mln sztuk, 2000), trzody chlewnej (18,3 mln), owiec (17,1 mln, 1998), kóz, koni, reniferów; dł. eksploatowanych linii kol. 86,2 tys. km (1998, w tym zelektryfikowanych 39,9 tys. km), dróg kołowych 918 tys. km (w tym autostrady — 29 tys. km); dł. żegl. rzek 94 tys. km (w tym kanały 15,3 tys. km); sieć rurociągów naft. i gazociągów (łączna dł. 63 tys. km —1994), gł. międzynar.: Przyjaźń i Gazociąg Orenburski; przetłoczenie ropy naft. (łącznie z produktami rafinacji) 318 mln t; gazociąg tranzytowy Jamał–

■ Rosja. Zapora betonowa na Angarze w pobliżu Bracka

Europa Zach. (m.in. przez terytorium Polski); gł. porty mor.: Petersburg, Wanino, Noworosyjsk, Murmańsk, Kaliningrad; duże znaczenie komunikacji lotn.; uzdrowiska na czarnomor. wybrzeżu Kaukazu (Soczi), Kaukaskie Wody Miner. (Essentuki, Żeleznowodzk, Kisłowodzk, Piatigorsk). Bilans handl. dodatni (34 mld dol. USA, 1999); gł. artykuły eksportu: gaz ziemny (1. miejsce w świecie — 1997), ropa naft., węgiel kam., nawozy miner., tarcica, papier i tektura, bawełna; import zbóż, cukru, środków dla rolnictwa i transportu, wyposażenia szybów naft. i in.; gł. partnerzy handl. (1999): USA, Niemcy, Ukraina, Białoruś, Włochy. ∎

Rospuda, nazwa górnego biegu rzeki → Netty.

Rossa, Lodowiec Szelfowy, ang. **Ross Ice Shelf,** lodowiec szelfowy na Antarktydzie, największy na Ziemi; zajmuje pd. część M. Rossa, przylegając na pd. do kontynentu Antarktydy; na pn. opada stromą ścianą (barierą) w morze (Bariera Lodowa Rossa, dł. ok. 950 km, wys. do 50 m); w pn. części Lodowca Szelfowego Rossa, w pobliżu bariery, wyspy: Rossa i Roosevelta; średnia grubość lodu wynosi ok. 300 m; amer. stacja nauk. Beardmore South Camp.

Rossa, Morze, Ross Sea, morze w pd.-zach. części O. Spokojnego, u wybrzeży Antarktydy, między Przyl. Adare'a (170°06'E) na wybrzeżu Ziemi Wiktorii a Przyl. Colbecka (158°25'W) na wybrzeżu Ziemi Marii Byrd; wcina się ok. 1,5 tys. km w głąb kontynentu, między Antarktydą Wsch. i Antarktydą Zach.; pd. część M.R. przykrywa Lodowiec Szelfowy → Rossa, opadający ku pn. ścianą o wys. ok. 50 m (nad wodą). Powierzchnia ok. 960 tys. km², w tym ok. 520 tys. km² pod lodowcem szelfowym; wybrzeża górzyste, silnie rozczłonkowane; liczne wyspy, największe: Wyspa Roosevelta (w otoczeniu lodowca szelfowego), Wyspa Rossa; na zach., między Wyspą Rossa a Ziemią Wiktorii, głęboka do 858 m Cieśn. McMurdo. Głębokość średnia 460 m, pod lodowcem szelfowym — do ok. 800 m, maks. — 2972 m (na pn., zach. krańce oceanicznego Basenu Bellingshausena); większość powierzchni dna Morza Rossa stanowi głęboki (niski) szelf antarktyczny. Temperatura wód powierzchniowych od –1,8°C na pd. do 2°C na pn., zasolenie — 33,5–34,2‰; w warstwach głębszych zasolenie dochodzi do 34,7‰; od kwietnia do października morze pokrywa zwarty lód, w lutym i marcu tylko swobodnie pływające góry lodowe; powierzchniowe prądy mor. mają cyrkulację cyklonalną (na półkuli pd. zgodnie z ruchem zegara), najsilniejszy (do 5,5 km/h) prąd płynie z zach. na wsch. wzdłuż bariery lodowca szelfowego; wysokość pływów do 1,5 m. Bogaty świat zwierzęcy, m.in. foki i wieloryby. Przez M.R. przebiega linia zmiany daty. Odkryte 1841 przez J.C. Rossa.

Rosyjska, Federacja, państwo w Europie i Azji, → Rosja.

Roś, jez. morenowe w Krainie Wielkich Jezior Mazurskich, na wys. 115 m; pow. 1888 ha, dł. 11,4 km, szer. 2,2 km, maks. głęb. 31,8 m; silnie rozwinięta linia brzegowa (2 duże półwyspy), dł. ok. 52 km; brzegi podmokłe, częściowo zalesio-

ne; z R. wypływa rz. Pisa; przez Kanał Jegliński łączy się z jez. Śniardwy; na pd. brzegu liczne ośr. turyst.-wypoczynkowe; nad R. leży m. Pisz.

Rotterdam, m. w Holandii, w prow. Holandia Pd., w delcie Renu i Mozy, nad Nową Mozą (ramię deltowe Renu), połączone kanałem Nieuwe Waterweg z M. Północnym; 589 tys. mieszk., zespół miejski 1,1 mln (2002); największy port

∎ Rotterdam. Europoort, rozładowywanie kontenerowca w doku ECT (terminal kontenerowy)

mor. świata (1993–98 wzrost przeładunków z 282 mln t do 315 mln t), wyposażony w nowocz. terminale naft. (Maasvlakte, Europoort, Pernis, Botlek), rudowe, kontenerowe; obsługuje wymianę handl. krajów nadreńskich; przywóz ropy naft., rud metali, węgla kam. i zboża, wywóz produktów naft., maszyn, środków transportu, chemikaliów; największy w świecie kompleks rafinerii ropy naft. (koncernów Shell, British Petroleum) o mocy przerobowej ponad 90 mln t rocznie; banki, towarzystwa żeglugowe i ubezpieczeniowe; szkoły wyższe (Uniw. Erazma); muzea. W 1299 prawa miejskie; nieliczne zachowane zabytki, m.in. got. kościół Św. Wawrzyńca (XV–XVI w.), dom Schielandshuis (2. poł. XVII w., ob. Muzeum Hist.), nowocz. gmachy użyteczności publ.; pomnik z brązu *Rozdarte miasto*. ∎

Rozewie, przyl. nad M. Bałtyckim, na Pobrzeżu Kaszubskim, w granicach Władysławowa, na pn. Kępy Swarzewskiej, uważany za najdalej na pn. wysunięty punkt terytorium Polski: 54°50'N; w 2001, po dokładnych pomiarach, pn. krańcem Polski okazał się punkt wybrzeża na zach. od R. (54°50″08N), nazwany Gwiazdą Północy (pamiątkowy obelisk). ∎

∎ Przylądek Rozewie

■ Roztocze. Szumy na potoku Sopot

Roztocze, pd.-wsch. część Wyż. Lubelsko--Lwowskiej, w Polsce i na Ukrainie, między Kotliną Sandomierską na zach. a Wyż. Wołyńsko-Podolską na wsch.; ciągnie się ok. 180 km (szer. 15–30 km) od okolic Kraśnika na pn.-zach. po okolice Lwowa (Ukraina) na pd.-wsch.; garb R. jest płaską antykliną kredową, z pokrywą piaszczystych i wapiennych osadów morza mioceńskiego; od strony Kotliny Sandomierskiej oddzielone jest serią uskoków; wznosi się od ok. 300 m na pn.-zach. do ponad 400 m pod Lwowem; maksymalna wys. w granicach Polski — 390 m (Wielki Dział), a wysokości względne 100–150 m. R. stanowi ważną granicę florystyczną, przechodzi bowiem tędy wsch. granica buka, jodły, modrzewia i świerka. Przez R. przebiega dział wód między Bugiem i Wieprzem a Sanem i Dniestrem; stąd być może nazwa regionu, bowiem w gwarze „roztocz" oznacza dział wód, rozlewisko. Mimo stosunkowo nieznacznego wzniesienia, R. otrzymuje więcej opadów niż regiony sąsiednie; występuje wiele źródeł, dających początek licznym rzekom: Tanwi i Lubaczówce po stronie zach., Wieprzowi, Huczwie, Sołokiji i Racie po stronie wsch., Wereszycy — od pd. Ze względu na zróżnicowanie rzeźby i pokrycia terenu R. dzieli się na: R. Zachodnie, R. Środkowe (tu Roztoczański Park Nar.) i R. Wschodnie. Obszar o urozmaiconym i malowniczym krajobrazie i pięknych lasach, atrakcyjny pod względem turystycznym. ■

Roztoki, Dolina, dolina w Tatrach Wysokich, zach. odgałęzienie Doliny Białki, dolna część Doliny Pięciu Stawów Pol.; dł. 4,5 km, pow. 7 km^2; stanowi wąski żłób polodowcowy o klasycznym przekroju U-kształtnym, wcięty głęboko między grzbiety Wołoszyna od pn.-zach. oraz Świstowej Czuby (1763 m) i Opalonego od pd.--wsch.; ku Dolinie Białki opada stopniem 120 m wysokim, od Doliny Pięciu Stawów Polskich jest oddzielona 100-metrowym progiem, zw. ścianą stawiarską; nad górną częścią piękne dolinki wiszące — Buczynowa i Świstówka Roztocka, dawne kotły glacjalne; dnem doliny płynie potok Roztoka, spadający ze ściany stawiarskiej wodospadem → Siklawa, a z progu do Doliny Białki Wodogrzmotami Mickiewicza; dno do wys. 1370 m; stoki porasta las świerkowy, poszarpany lawinami, wyżej przechodzący w bory limbowe, częściowo urwiskowe, wplecione w zwarte kosodrzewiny; ostoje jeleni, kozic i niedźwiedzi — obszar ochrony ścisłej w obrębie Tatrzańskiego Parku Narodowego. Dnem D.R. wiedzie droga do Doliny Pięciu Stawów Polskich; w pobliżu ujścia potoku do Białki, na dnie Doliny Białki, polana Roztoka ze schroniskiem PTTK (zbud. 1876) — podczas II wojny świat. ośr. przerzutowy (1939–40) konspiracyjnych kurierów na Węgry. Nazwa Roztoka odnosiła się pierwotnie do tej tylko okolicy.

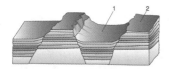

■ Rów tektoniczny (1) i zrąb (2) — wg Longwella

■ Rów tektoniczny na Islandii

Rożnowskie, Jezioro, Rożnowski Zbiornik Wodny, zbiornik retencyjny na Dunajcu, na Pogórzu Rożnowskim; utw. w 1941 przez spiętrzenie środk. Dunajca zaporą betonową wys. 49 m (budowę rozpoczęto w okresie międzywojennym); pow. 16 km^2, pojemność całkowita 169,3 hm^3, pojemność użytkowa 139 hm^3, wys.

zwierciadła wody 270 m; wykorzystywany do celów energ., rekreacyjnych i ochrony przeciwpowodziowej; przy zbiorniku elektrownia wodna o mocy 50 MW; zbiornik ma duże walory krajobrazowe i turyst., ze względu na rozwiniętą linię brzegową i zalesione brzegi; nad zbiornikiem liczne ośr. wypoczynkowe i sport., skupione gł. w części pn.-wschodniej.

Rożnowskie, Pogórze, zach. część Pogórza Środkowobeskidzkiego, między Dunajcem i Łososiną a Białą; na linii doliny Dunajca pas pogórza rozszerza się prawie do 40 km (do linii kol. Nowy Sącz–Grybów), jest dosyć rozczłonkowany i urozmaicony; wzgórza osiągają tu wys. 500–550 m; dolinę Dunajca tworzą początkowo głęboko wcięte (200–250 m) meandry, a poniżej Czchowa rozszerza się ona kotlinowato; w przełomie między Nowym Sączem a Czchowem zbudowano 2 zapory wodne, tworzące Jezioro Rożnowskie i Jezioro Czchowskie; region dość gęsto zaludniony, roln.; lasy zachowały się w wyższych partiach wzgórz.

rów oceaniczny, charakterystyczny element rzeźby dna oceanicznego, pochodzenia tektonicznego, wchodzący w skład strefy przejściowej (strefa przekształcania skorupy oceanicznej w kontynent); głębokie (5–11 km), długie (do kilku tys. km) i wąskie (na ogół do kilkudziesięciu km) zagłębienie dna oceanicznego, o stromych zboczach i zwykle wąskim, płaskim dnie; występuje zazwyczaj wzdłuż łańcuchów wysp pochodzenia wulk., a także w pobliżu górzystych wybrzeży kontynentów; najgłębsze miejsca w obrębie basenu oceanicznego lub r.o. są nazywane g ł ę b i ą m o r s k ą; najliczniej i najgłębsze r.o. występują w dnie O. Spokojnego (np. Rów Mariański 11 034 m, Tonga 10 882 m, Rów Filipiński 10 497 m). R.o. są zwykle rozmieszczone wzdłuż krawędzi → płyt litosferycznych; ich powstanie jest związane ze zjawiskiem podsuwania się litosferycznej płyty oceanicznej pod płytę kontynent. lub łuk wyspowy (subdukcja); r.o. charakteryzuje b. wolne tempo przyrostu osadów (od kilku do 10 mm na 1000 lat), wśród których dominuje czerwony ił głębinowy oraz muły radiolariowe i okrzemkowe.

rów przedgórski, zapadlisko brzeżne, rów tektoniczny tworzący się na przedpolu powstających gór fałdowych; jest wypełniony osadami pochodzącymi z niszczenia wypiętrzających się gór (→ molasa), osiągającymi znaczną miąższość (np. w Himalajach — do 6 tys. m); osady r.p. są niekiedy sfałdowane i przykryte przez nasunięte na nie płaszczowiny.

rów tektoniczny, graben, wąski fragment skorupy ziemskiej, obniżony względem otoczenia wzdłuż równol. do siebie uskoków, np. rów Renu między Wogezami i Schwarzwaldem; w Polsce typowym r.t. jest Rów Krzeszowicki, leżący wśród skał jurajskich, wypełniony osadami kredy i miocenu. Zob. też ryft. ■

równik, koło wielkie, będące przecięciem powierzchni kuli o wyróżnionej osi przez płaszczyznę prostop. do tej osi i przechodzącą przez środek kuli; równik n i e b i e s k i, koło wielkie na → sferze niebieskiej będące przecięciem jej przez płaszczyznę prostop. do → osi świata i przechodzącą przez środek sfery niebieskiej, r ó w n i k z i e m s k i, przecięcie powierzchni Ziemi przez płaszczyznę prostop. do jej osi i przechodzącą przez środek Ziemi.

równik termiczny, linia okalająca kulę ziemską, łącząca punkty, w których występuje najwyższa średnia roczna lub miesięczna temperatura powietrza; linia ta na poszczególnych obszarach odchyla się na pn. lub pd. (np. roczny r.t. odchyla się ku pn., sięgając Meksyku, Sudanu czy pd. Indii, a ku pd. sięgając pn. Australii); odchylenia takie są spowodowane oddziaływaniem silniej nagrzewających się latem obszarów lądowych.

równikowe prądy wsteczne, przeciwprądy międzypasatowe, powierzchniowe ciepłe prądy mor. na oceanach Atlantyckim, Indyjskim i Spokojnym; płyną z zach. na wsch. w równikowych pasach ciszy jako prądy kompensacyjne; odprowadzają na wsch. nadmiar wód powierzchniowych nagromadzonych przez prądy północno- i południoworównikowe w zach. międzyzwrotnikowych częściach oceanów; temp. wody 24–28°C; płyną nurtami o głęb. do ok. 300 m; prędkości wynoszą 1–3 km/h, maks. do 6,8 km/h w zach. części O. Spokojnego, przy przepływie 40–60 mln m³/s; r.p.w. występują okresowo — na O. Atlantyckim w lecie (szer. geogr. 3–10°N), na O. Indyjskim w zimie (szer. geogr. 2–10°S), jedynie na O. Spokojnym przez cały rok (2–12°N).

równikowy pas ciszy, strefa ciszy lub słabych wiatrów o zmiennych kierunkach, w pobliżu równika, pomiędzy pasatami obu półkul, w obrębie równikowej bruzdy niskiego ciśnienia; jest szczególnie wyraźny nad oceanami; charakterystyczne dla niego są: zachmurzenie wywołane przez chmury kłębiaste (ok. 55%), obfite opady i częste burze; w ciągu roku r.p.c. przesuwa się wraz z pozornym ruchem Słońca (np. nad O. Atlantyckim w marcu rozciąga się średnio między równikiem a 3°N, we wrześniu — między 3° a 11°N).

równina, płaski lub lekko falisty obszar powierzchni Ziemi; występuje na różnych wysokościach n.p.m., może więc być niziną lub wyżyną; powstaje w wyniku akumulacji osadów w obszarach obniżonych (r. akumulacyjna) lub długotrwałej denudacji, niszczącej rzeźbę danego terenu (r. denudacyjna, czyli → powierzchnia zrównania); do największych r. świata należą m.in. Niz. Amazonki, Niz. Zachodniosyberyjska.

róża wiatrów, rysunek przedstawiający zwykle 8 lub 16 kierunków wg stron świata z zaznaczeniem ich nazw za pomocą skrótów; służy do określania kierunku wiatrów (za kierunek wiatru przyjmuje się ten, z którego wiatr wieje), a także prądów mor. i kursu statków; r.w. rysowano powszechnie na dawnych (XIV–XVIII-wiecznych) mapach nawigacyjnych.

Różan, m. w woj. mazow. (powiat makowski), nad Narwią; 2,9 tys. mieszk. (2000); ośr. usługowy i turyst.-wypoczynkowy; węzeł drogowy; w starych ros. fortach gł. krajowe składowisko odpadów promieniotwórczych; prawa miejskie 1378–1870 i od 1919.

Ruanda, Rwanda, Republika Ruandyjska, państwo we wsch. Afryce, nad jez. Kiwu; 26,3 tys. km², 8,9 mln mieszk. (2002); od 1994 znaczny spadek liczby ludności w wyniku wojny domowej; masowe uchodźstwo, gł. do Zairu (ob. Demokr. Rep. Konga); ludy Hutu (ok. 90% ludności) i Tutsi; katolicy (65%), animiści, protestanci; stol. Kigali; język urzędowy: franc., ruanda; republika. Wyżynno-górzysta, w obrębie Wielkiego Rowu Zach.; najwyższy wulkan Karisimbi (4507 m) w górach Wirunga; klimat górski w strefie równikowej; gł. rz. Kagera (źródłowa Nilu); sawanny, w górach piętra roślinne. Kraj słabo rozwinięty; uprawa bananów, batatów, manioku, kukurydzy, na eksport — kawy, tytoniu, bawełny; hodowla bydła, kóz, owiec; wydobycie rud cyny, wolframu, kolumbitu; przetwórstwo rolne; transport samochodowy. ■

■ Ruanda

Rub al-Chali, Ar-, Ar-Rub' al-Khāl, Ar-Rab al-Chali, największa pustynia piaszczysta na Ziemi, w pd. części Płw. Arabskiego, gł. w Arabii Saudyjskiej; dł. ponad 1200 km, szer. ok. 500 km; pow. ok. 650 tys. km²; przeciętna wys. ok. 500 m, na wsch. obniża się do 200–100 m; podłoże stanowią kredowe i trzeciorzędowe wapienie; wys. wydm (barchany, wydmy podłużne, owalne grzędy) do 300 m; suche koryta starych rzek (wadi); suma roczna opadów poniżej 100 mm; nieliczne studnie (przeważnie ze słonawą wodą); w pd.--wsch. części rozległe tereny słonych bagien Umm as-Samim; na skraju koczowniczy wypas wielbłądów.

ruchy masowe, termin obejmujący wszystkie procesy zsuwania się mas skalnych, zwietrzelin i osadów po stoku pod wpływem siły ciężkości; do r.m. zalicza się: → osuwiska, obrywy, solifllukcję i spełzywanie.

Ruciane-Nida, m. w woj. warmińsko-mazurskim (powiat piski), nad jez.: Nidzkim i Guzianka Wielka; 5,5 tys. mieszk. (2000); ośr. turyst.--wypoczynkowy i sportów wodnych; przemysł drzewny (płyty pilśniowe i wiórowe); prawa miejskie od 1966 (połączenie obu miejscowości).

Ruda Śląska, m. w woj. śląskim,, w GOP; powiat grodzki; 162 tys. mieszk. (2000); ośr. górn.--przem.; kopalnie węgla kam., huta żelaza; elektrownia cieplna (200 MW); ponadto różnorodny przemysł (odzież., spoż., materiałów bud.); powstała 1959 z połączenia Rudy i Nowego Bytomia (prawa miejskie obu miejscowości od 1939, faktycznie od 1947).

Rudawy, czes. **Krušné hory,** niem. **Erzgebirge, Góry Kruszcowe,** średnie góry na granicy Czech i Niemiec, zaliczane do Masywu Czeskiego; stanowią wypiętrzony asymetrycznie i ograniczony od pd.-wsch. uskokami wyżynno-górski blok pomiędzy Smreczanami a G. Połabskimi; najwyższy szczyt Klínovec, 1244 m; zbud. ze skał krystal. i metamorficznych; zrównana wierzchowina przekracza miejscami wys. 1000 m, obniżając się ku pn.-zach. do ok. 400 m; ponad płaską powierzchnię wierzchowiny wznoszą się trzeciorzędowe stożki bazaltowe (Špičák 1115 m, Jelení hora 993 m, Bärenstein 898 m). Najwyższa część gór ma klimat łagodny; średnia roczna temp. na Klínovcu 2,7°C, opady — 976 mm, pokrywa śnieżna zalega 164 dni. Pierwotne zbiorowiska leśne zastąpione monokulturami świerkowymi (dolne piętro tworzyły lasy bukowe, wyższe bory świerkowe); na wierzchowinie występują torfowiska wysokie, objęte częściowo ochroną. Wydobycie rud radioaktywnego bizmutu i uranu, ponadto ołowiu, cyny i wolframu; stare górnicze m.: Annaberg-Buchholz, Schneeberg, Freiberg (po stronie niem.); liczne źródła miner.; znane uzdrowiska: Bad Brambach, Franciszkowe Łaźnie, Jachymów; turystyka.

Rudawy Janowickie, grzbiet górski w Sudetach Zach.; rozciągają się południkowo od Przełęczy Kowarskiej po dolinę Bobru k. Janowic Wielkich na dł. ok. 18 km; obrzeżają od wsch. Kotlinę Jeleniogórską; Przełęcz Rudawska (740 m) dzieli R.J. na część pd. z Rudnikiem (853 m), Bobrzakiem (839 m) i najwyższym szczytem R.J. — Skalnikiem (945 m), i część pn. — silniej rozczłonkowaną (Bielec 870 m, Dzicza Góra 891 m, Wołek 878 m), która kończy się grzbietem pn.-zach. ze Starościńskimi Skałami (719 m), Jańską Górą (565 m) i niezwykle malowniczymi G. Sokolimi (Krzyżna Góra 654 m, Sokolik 623 m). Pod względem geologicznym R.J. są b. zróżnicowane, obok kilku odmian granitu na skłonie zach. występują kompleksy metamorficznych skał, tzw. okrywy granitowej: zieleńce, łupki łyszczykowe i chlorytowe, amfibolity i dolomity. Wiąże się z tym okruszcowanie miedzią, ołowiem, arsenem, złotem i żelazem; złoża eksploatowane górniczo od XIV w. (Miedzianka, Ciechanowice). R.J. są silnie zalesione; dominuje drzewostan świerkowy; w niższych partiach spotyka się enklawy buczyny. Intensywne urzeźbienie, fantastyczne formy skalne, lasy, rozległe polany z panoramami Kotliny Jeleniogórskiej i Karkonoszy decydują o dużych walorach krajoznawczych i turystycznych R.J., w tym zwł. G. Sokolich (popularny teren wspinaczek skalnych).

Rudawy Słowackie, Slovenské rudohorie, część Wewn. Karpat Zach. w Słowacji, między podłużnymi dolinami Hronu i Hornádu od pn. a dolinami Ipoli i Slany od pd.; dł. ponad 200 km; najwyższy szczyt Stolica, 1477 m; w zach. części wygasły wulkan Pol'ana (1458 m) z dobrze zachowaną kalderą; środk. część zbud. gł. ze skał krystal., wsch. — z wapieni (→ Kras Słowacki); 3 piętra leśne: lasy dębowo-grabowe, bukowe i świerkowe; na płaskich wierzchowinach łąki wysokogórskie (hale); złoża rud metali (żelazo, antymon, magnez, miedź) częściowo wyczerpane; stare ośr. górn.-przem.: Krompachy (w dolinie Hornádu), Smolník i Gelnica (w dolinie jego dopływu, Hnilca) oraz Rožňava (nad Slaną).

Rudnik, m. w woj. podkarpackim (powiat niżański), nad Sanem, u ujścia rz. Rudnia; 6,8 tys. mieszk. (2000); ośr. usługowy; różnorodny przemysł (wyroby wiklinowe, chem., konstrukcje stal.); prawa miejskie od 1552.

Rudolfa, Jezioro, do 1978 nazwa jeziora → Turkana, w Afryce.

Rugia, Rügen, wyspa na M. Bałtyckim, należy do Niemiec (Meklemburgia-Pomorze Przednie), połączona groblą z lądem koło m. Stralsund; pow. 926,4 km²; z przybrzeżnymi wyspami (naj-

■ Rugia. Wybrzeże klifowe przylądka Arkona

większe Hiddensee, Ummanz) stanowi jednostkę administracyjną Rugii (973 km²); gł. m.: Bergen, Sassnitz; większa część powierzchni Rugii jest pagórkowata (wzgórza morenowe); wybrzeże silnie rozczłonkowane licznymi zatokami, w pn.--wsch. części Rugii 2 duże półwyspy — Jasmund (z kredowymi wzniesieniami — do 161 m) i Wittow, połączone ze sobą i trzonem wyspy wąskimi, piaszczystymi mierzejami; klimat umiarkowany ciepły, mor.; średnia temp. w styczniu – 0,5°C, w lipcu 16,5°C, roczna suma opadów ok. 600 mm; ludność trudni się rolnictwem (zwł. hodowlą bydła oraz uprawą zbóż, ziemniaków, buraków cukrowych), rybołówstwem oraz wydobyciem i przetwórstwem kredy; przemysł spoż. (zwł. rybny), materiałów bud.; gęsta sieć kol. i drogowa; komunikacja promowa; gł. porty Sassnitz (prom do Trelleborga w Szwecji) i Mukran (prom do Kłajpedy na Litwie); region turyst.; liczne kąpieliska morskie. ■

Ruhra [ru:ra], **Ruhr,** rz. w Niemczech, pr. dopływ Renu; dł. 235 km; źródła na wyż. Winterberg (Sauerland); płynie przez pn. część Reńsko-Westfalskiego Okręgu Przem. (Zagłębie Ruhry); żegl. 41 km (dostępna dla statków o nośności do 1700 t); połączona Kanałem Ren–Herne z rz. Lippe; przy ujściu wielki port rzeczny Duisburg-Ruhrort.

Ruhry, Zagłębie [z. ru:ry], okręg przem. w zach. Niemczech (Nadrenia Pn.-Westfalia), jeden z największych na świecie; 4,6 tys. km², ponad 5 mln mieszk.; największa koncentracja ludności (w centr. części ponad 2000 mieszk. na 1 km²) i przemysłu w kraju; gł. region wydobycia węgla kam. w Niemczech; największe ośr. górnicze wzdłuż kanałów żegl.; przemysł metalurg., maszyn., samochodowy, rafineryjny, petrochem., koksochem., energ., elektron.; wszechstronnie rozwinięty transport (w tym rurociągowy, wodny); gł. m. i ośr. przem.: Essen, Dortmund, Duisburg (wielki port śródlądowy świata), Bochum. Z.R. wchodzi w skład konurbacji reńsko--ruhrskiej, obejmującej także Düsseldorf, Kolonię i Bonn. Od lat 60. trwa proces restrukturyzacji Z.R.; następują strukturalne zmiany gosp. w kierunku rozszerzenia funkcji usługowych, turyst. i kult.-nauk.; maleje znaczenie przemysłu ciężkiego (likwidacja nierentownych kopalń, hut i in.), rozwijają się nowocz. technologie, zwł. biotechnologia; w Oberhausen realizacja wielkiego eur. centrum handl.-rekreacyjnego, tzw. Center O, w Gelsenkirchen — centrum naukowego.

Ruiz, Nevado del [n. d. rruịs], czynny wulkan w Kordylierze Środk. (Andy Pn.), w środk. części

Kolumbii, wys. 5400 m; linia wiecznego śniegu na wys. 4700 m; 1985 katastrofalny wybuch zniszczył odległe o ok. 50 km m. Armero, które zostało pokryte blisko 5-metrową warstwą popiołu i błota — zginęło ok. 22 tys. ludzi.

Rumia, m. w woj. pomor. (powiat wejherowski), nad Zagórską Strugą (uchodzi do M. Bałtyckiego), w sąsiedztwie Gdyni; 43 tys. mieszk. (2000); ośr. mieszkaniowy; przemysł skórz., maszyn., spoż.; wzmiankowana 1220; prawa miejskie od 1954.

rumowisko rzeczne, materiał stały, zwykle nieorg., znajdujący się w łożysku cieku, poruszany przez wodę i transportowany przez nią stale lub okresowo; w zależności od masy niesionego materiału i sposobu jego przemieszczania rozróżnia się: toczyny (rumosz skalny okresowo toczony po dnie rzeki), wleczyny (wleczony po dnie), unosiny (unoszony przez wodę), zawiesiny (zawieszony w wodzie, przeważnie pochodzenia org.).

Rumunia, Română, państwo w pd.-wsch. Europie, nad M. Czarnym; 237,5 tys. km^2; 22,26 mln mieszk. (2002), Rumuni, Węgrzy, Cyganie; prawosławni, katolicy; stol.: Bukareszt, inne m.: Konstanca (gł. port), Jassy, Timişoara; język urzędowy rum.; republika. W środk. części łuk Karpat Wsch. i Karpat Pd. (Moldoveanu, 2543 m), otaczający od wsch. i pd. Wyż. Transylwańską (Siedmiogród), na wsch. Wyż. Mołdawska, nad M. Czarnym — Wyż. Dobrudży, na pd. Niz. Wołoska; klimat umiarkowany ciepły kontynent., w górach chłodny i wilgotny; gł. rz. Dunaj z dopływami: Prut, Seret, Aluta; lasy dębowo-bukowe i świerkowe (w górach), stepy (Dobrudża). Gospodarka w okresie przejściowym od centralnie planowanej do rynkowej; od 1991 prywatyzacja majątku państw.; podstawowe działy: przemysł i rolnictwo; dominuje górnictwo (ropa naft. w Karpatach Pd., gaz ziemny, rudy metali), hutnictwo, przemysł maszyn., rafineryjny, chem., drzewny, samochodowy; rolnictwo ekstensywne; uprawa pszenicy, kukurydzy, buraków cukrowych, słonecznika; rozwinięte warzywnictwo; na pd. i zach. winnice; w górach hodowla owiec; turystyka. ■

Rusinowa Polana, polana w Tatrach Wysokich, na pn.-wsch. skłonie szczytu Gęsia Szyja, między dolinami: Białki i Potoku Filipczańskiego; na wys. 1180–1300 m; pow. 100 ha; jedna z najpiękniejszych w Tatrach; na wsch. skraju podcięcie i głazy narzutowe, pozostawione przez najstarszy lodowiec Białki; do niedawna koszona i wypasana (z zimowaniem stad); kilka zachowanych szałasów pasterskich; słynna panorama na Tatry Wysokie i Bielskie; szlaki turyst. z Doliny Białki i Doliny Suchej Wody; nazwa, notowana już w końcu XVII w., pochodzi od nazwiska Rusin; d. Jaworzyna Rusinowska.

Ruwenzori, masyw górski na granicy Ugandy i Zairu, w Wielkim Rowie Zach. (→ Wielkie Rowy Afrykańskie), między Jez. Edwarda a Jez. Alberta; zbud. gł. z prekambryjskich gnejsów; najwyższy szczyt Margherita, 5109 m; na stokach zach. do wys. 1000–1200 m wiecznie zielone lasy równikowe, na wsch. do 1800–1900 m sawanny przechodzące na wys. 2300–2400 m w lasy ze znaczną domieszką gat. iglastych; wyżej zarośla bambusów, wrzośców, łąki górskie, rumowiska

skalne, od ok. 4600 m wieczne śniegi i lodowce; zach. część R. wchodzi w skład Parku Nar. Wirunga (m.in. goryl górski). Najwyższy szczyt zdobyty 1906 przez wł. wyprawę L.A. di Savoia; pol. wyprawy 1939, 1974, 1975.

Rybiego Potoku, Dolina, dolina w Tatrach Wysokich, odnoga walnej Doliny Białki; najbardziej „alpejska" z pol. dolin tatrzańskich; otoczenie stanowią: od pd.-zach. — grań gł. od Szpiglasowego Wierchu przez Mięguszowieckie Szczyty po Rysy, od pn.-zach. — grzbiet Miedzianego, Opalonego Wierchu i Opalonego, od wsch. — Niżnie Rysy, Żabie Szczyty i Siedem Granatów (granica państw.); D.R.P. ma kształt wysokiego trójkąta dł. 5,5 km i pow. 11,5 km^2; klasyczne rysy rzeźby lodowcowej z piętrowym systemem kotłów; misę glacjalną zamkniętą moreną czołową wypełnia Morskie Oko, uważane za najpiękniejsze jezioro Tatr; w wyższych kotłach Czarny Staw pod Rysami i Dolina za Mnichem (z ok. 10 jeziorkami); z Morskiego Oka wypływa Rybi Potok, łączący się na wys. 1078 m z Białą Wodą w rz. Białkę. Dno i dolne stoki D.R.P. porastają lasy świerkowe, z płatami limby przy górnej granicy; rozwinięte wszystkie piętra roślinne, z turniowym włącznie; ostoje niedźwiedzi, świstaków i kozic. Morskie Oko już w pocz. XIX w. było główną atrakcją pol. Tatr; schronisko nie zagospodarowane wybudowano na morenie już 1836; Tow. Tatrzańskie zbudowało nowe schronisko 1874, ob. budynek powstał 1908; szosę do Morskiego Oka zbudowano 1902 (ob. od Palenicy Białczańskiej zamknięta dla ruchu samochodowego); znad Morskiego Oka rozchodzą się szlaki turyst., m.in. na Rysy i do Doliny Pięciu Stawów Polskich; na ścianach szczytów słynne drogi wspinaczkowe (Mnich, Kazalnica i in.).

Rybnicki, Płaskowyż, pd.-zach. część Wyż. Śląskiej, położona między Kotliną Raciborską na zach. a Kotliną Oświęcimską na wsch.; płaskowyż obejmuje pd. część Górnośląskiego Zagłębia Węglowego, pokrytą utworami mioceńskimi (zawierającymi złoża soli, gipsu i siarki) i niezbyt grubą serią utworów czwartorzędowych; płaskowyż wznosi się do 310 m (na pd. od Rybnika), górując do 100 m ponad doliną Odry i ok. 70 m ponad doliną Wisły w okolicach Oświęcimia. P.R. jest regionem znacznie uprzemysłowionym (Rybnicki Okręg Węglowy); największe m.: Rybnik, Wodzisław Śląski, Jastrzębie Zdrój i Żory.

Rybnik, m. powiatowe w woj. śląskim, nad Rudą i jej dopływem Nacyną; powiat grodzki; 142 tys. mieszk. (2000); ośr. przem. i dyspozycyjny ROW; kopalnie węgla kam., huta żelaza, elektrownia cieplna Rybnik; ponadto różnorodny przemysł (metal., maszyn., spoż.); węzeł kol. i drogowy; lotnisko sport. i sanitarne; filia Politechn. Śląskiej w Gliwicach; muzeum; prawa miejskie przed 1308; pałac (XVIII w.), kościół (XVIII/XIX w.), ratusz i domy (XIX w.).

Rychwał, m. w woj. wielkopol. (powiat koniński); 2,3 tys. mieszk. (2000); ośr. usługowy; węzeł drogowy; prawa miejskie przed 1458–1870 i od 1921.

Rydułtowy, m. w woj. śląskim (powiat wodzisławski), w ROW; 23,8 tys. mieszk. (2000); ośr. przem.-usługowy; kopalnia węgla kam.; prze-

■ Rumunia

mysł materiałów bud., spoż., drzewny (meble); prawa miejskie 1951–75 i od 1992, 1975–92 dzielnica Wodzisławia Śląskiego.

Rydzyna, m. w woj. wielkopol. (powiat leszcz.), nad Kopanicą (pr. dopływ Baryczy); 2,4 tys. mieszk. (2000); ośr. usługowy regionu roln.; przemysł spoż.; prawa miejskie przed 1407; 2 kościoły (XVIII w.), barok. pałac Leszczyńskich, później Sułkowskich (XVII, XVIII w.), park (XVIII w.), ratusz i domy (XVIII w.).

ryft [niem.], wąski, długi (od kilkuset do kilku tys. km) i głęboki (sięga do nieciągłości → Mohorovičicia) rów tektoniczny ograniczony rozłamami wgłębnymi, którego powstanie jest związane z działalnością wstępujących prądów konwekcyjnych w płaszczu Ziemi, powodujących rozciąganie (tensję) skorupy ziemskiej i rozsuwanie się → płyt litosferycznych. Wydobywająca się stale przez szczelinę ryftową lawa bazaltowa powoduje tworzenie się nowej litosfery oceanicznej (→ tektoniki płyt teoria, spreading). R. odznaczają się b. intensywnym wulkanizmem oraz znaczną aktywnością sejsmiczną; rozróżnia się r. kontynentalne i r. oceaniczne; przyjmuje się, że w stadium początkowym każdy r. jest r. kontynentalnym, przekształcającym się w późniejszych stadiach rozwoju w r. oceaniczny; r. oceaniczne istnieją zawsze w osiowych partiach grzbietów śródoceanicznych, często są poprzecinane → uskokami transformacyjnymi; przykładami r. są: rowy wschodnioafryk., r. jeziora Bajkał i r. Morza Czerwonego.

Ryga, stol. Łotwy, przy ujściu Dźwiny do M. Bałtyckiego; 725 tys. mieszk. (2002); port mor.; przemysł elektrotechn., środków transportu (wagony), maszyn., chem., drzewny, lekki; AN Łotwy, 7 szkół wyższych (2 uniw.). Założona 1201. Stare miasto z zabudową średniow. i z XVIII–XX w.; nowsza część z architekturą modernist. i późniejszą; rom.-got. katedra (XIII, XV–XVI w.) z reliktami klasztoru z XIII w.; got. kościoły, m.in. Św. Piotra (XIII–XV, XVII w.), zamek (XIV, XV–XVI w.), pozostałości średniow. murów obronnych, cytadela (XVII, XVII w.), arsenał (XIX w.). ∎

Ryglice, m. w woj. małopol. (powiat tarn.); 3,0 tys. mieszk. (2000); ośrodek usługowy; drobny przemysł; prawa miejskie 2001.

Ryki, m. powiatowe w woj. lubel., nad Zalesianką (dorzecze Wisły); 10,8 tys. mieszk. (2000); ośr. usługowy regionu roln.; przemysł spoż. i odzież.; węzeł drogowy; w okolicy stawy rybne; wzmiankowane w XV w.; prawa miejskie od 1957.

Rymanów, m. w woj. podkarpackim (powiat krośn.), nad Taborem (l. dopływ Wisłoka); 3,7 tys. mieszk. (2000); ośr. usługowy; drobny przemysł (skórz., spoż., drzewny); prawa miejskie od 1376; w XIX w. ośr. chasydów; kościół (XVIII w.). W pobliżu Rymanów Zdrój — od XIX w. uzdrowisko klim.-balneologiczne, gł. dla dzieci; wody miner. (szczawy), borowina; drewn. wille (XIX w.).

Ryn, m. w woj. warmińsko-mazurskim (powiat giżycki), między Jez. Ryńskim a jez. Ołów; 3,1 tys. mieszk. (2000); ośr. turyst.-wypoczynkowy i żeglarski; drobny przemysł; węzeł drogowy; muzeum; prawa miejskie od 1723; zamek krzyżacki (XIV, XIX w.), domy (XIX w.).

rynna podlodowcowa, dolina rynnowa, długie (niekiedy do kilkudziesięciu km), wąskie zagłębienie terenu, o przebiegu prostoliniowym lub krętym, powstałe wskutek erozyjnego działania wód podlodowcowych płynących pod ciśnieniem; w profilu podłużnym r.p. występują liczne podłużne zagłębienia, wypełnione obecnie wodą (jeziora rynnowe), poprzedzielane progami; r.p. są pospolite na obszarach zlodowacenia plejstoceńskiego, np. w Szwecji, Finlandii, w Polsce m.in. na pojezierzach: Pomorskim, Mazurskim i Wielkopolskim (np. rynna z jez. Gopło).

Ryńskie, Jezioro, jez. rynnowe w Krainie Wielkich Jezior Mazurskich, na wys. 116 m; wraz z jez. Tałty, z którym stanowi hydrograf. całość, wypełnia pn. część długiej, polodowcowej rynny mikołajskiej; pow. 676 ha (w tym 4,7 ha wysp), dł. 7,3 km, szer. 1,3 km, maks. głęb. 50,8 m; silnie rozwinięta linia brzegowa (dł. 22 km); brzegi wysokie, wsch. — częściowo zalesione; przez J.R. prowadzi szlak żeglugi śródlądowej; na pn. brzegu jeziora ośr. wypoczynkowy i sportów wodnych — m. Ryn.

Rypin, m. powiatowe w woj. kujawsko-pomor., nad Rypienicą (l. dopływ Drwęcy); 17,0 tys. mieszk. (2000); ośr. przem.-uługowy; różnorodny przemysł, m.in. spoż., metal., materiałów bud.; węzeł drogowy; Muzeum Ziemi Dobrzyńskiej; wzmiankowany ok. 1065; prawa miejskie od 1345; kościół (XIV w.), drewn. kaplica (XIX w.).

Ryska, Zatoka, est. **Riga laht,** łot. **Rigas jūras licis,** zat. M. Bałtyckiego u wybrzeży Estonii i Łotwy; oddzielona od otwartego morza est. wyspami Sarema i Muhu, połączona — cieśninami Irbeni i Muhu; pow. 18,1 tys. km^2, rozciągłość południkowa 174 km, głęb. do 62 m; brzegi niskie, piaszczyste; gł. wyspy (est.): Kihnu, Ruhnu, Abroka; temperatura wód powierzchniowych w lecie do 18°C, w zimie do –1°C, zasolenie — 3,5–6,0‰; od grudnia do kwietnia pokryta lodem; uchodzą rzeki: Dźwina, Lelupa; gł. port: Ryga; kąpieliska mor., największe: Jurmala na Łotwie, Parnawa i Kuressaare (Sarema) w Estonii.

Rysy, szczyt graniczny w gł. grzbiecie Tatr Wysokich, nad dolinami: Rybiego Potoku, Białej Wody i Mięguszowiecką (Słowacja), jeden z wierzchołków (pn.-zach.), przez który biegnie granica państw., jest najwyższym szczytem w Polsce — wys. 2499 m; wierzchołek środk. (2503 m) i pd.-wsch. (ok. 2470) leżą na Słowacji; zbud. z granitów; w partiach szczytowych bogata

∎ Rysy (po prawej) i Niżnie Rysy

flora (powyżej 2480 m — przeszło 60 gat. roślin kwiatowych). Panorama należy do najrozleglejszych i najpiękniejszych w Tatrach, widać ok. 100 szczytów i 12 ważniejszych jezior; dojście szlakiem znad Morskiego Oka (pod koniec trasy — klamry, łańcuchy) lub od pd., ze Słowacji, przez przełęcz Waga (2343 m), pod nią najwyżej położone schronisko w Tatrach. ∎

rzeka, naturalny ciek powstający z połączenia potoków lub wypływający z jeziora, źródła, mokradła (rzadziej), zasilany podziemnie i powierzchniowo wodą z opadów atmosf. w jego dorzeczu, mający ukształtowane koryto, płynący pod działaniem siły grawitacyjnej. Rz. tworzą się na ogół przy opadach rocznych powyżej 200–250 mm w strefie klim. umiarkowanej, 400–500 mm w strefie podzwrotnikowej, 700–1000 mm w strefie równikowej. Ze względu na ciągłość zasilania rz. dzieli się na: s t a l e p ł y n ą c e, tj. prowadzące wodę przez cały rok, związane z obszarami, na których opady przeważają parowanie; o k r e s o w e, prowadzące wodę okresowo, ale regularnie, związane z obszarami, gdzie występują pory — sucha i deszczowa; e p i z o d y c z n e, prowadzące wodę sporadycznie i nieregularnie, występujące na obszarach suchych, gdzie opady są niewielkie, a woda w korycie płynie rzadko i b. krótko.
W zależności od długości rz. i wielkości jej dorzecza wydziela się rz.: małe (dł. 100–200 km, pow. dorzecza 1–10 tys. km², średnie (dł. 200–500 km, pow. dorzecza 10–100 tys. km²), duże (dł. 500–2500 km, pow. dorzecza 0,1–1 mln km²), wielkie (dł. ponad 2500 km, pow. dorzecza ponad 1 mln km²).
Ze względu na charakter środowiska fizyczno--geogr. dorzecza oraz morfologię doliny rozróżnia się rz.: g ó r s k i e (wyżynne), o głębokich dolinach, wąskich korytach (często z progami i wodospadami) i dużym spadku; r ó w n i n n e (nizinne), o szerokich dolinach, krętych korytach (często dzielących się na odnogi) i niewielkim spadku; j e z i o r n e, wypływające z jezior lub przepływające przez jeziora; b a g i e n n e, przepływające przez bagna lub odwadniające obszary bagienne; k r a s o w e, zasilane wodami podziemnymi na obszarach krasowych (→ kras). Na podstawie stosunku rzeki i doliny do struktury terenu (nachylenia budujących go warstw skalnych) rozróżnia się rz.: k o n s e k w e n t n e (płynące zgodnie z nachyleniem warstw), s u b s e k w e n t n e (gł. dopływy rzek konsekwentnych płynące odpowiednio do przebiegu wychodni warstw skalnych), o b s e k w e n t n e (płynące w kierunku przeciwnym do nachylenia warstw), r e s e k w e n t n e (o kierunku zgodnym z nachyleniem warstw, ale uchodzące do rz. subsekwentnych), i n s e k w e n t n e (dopływy rz. konsekwentnych nie wykazujące związku z budową geologiczną).
Przy średnich i niskich stanach wody rz. płynie korytem, podczas wezbrań także terenem zalewowym (łożyskiem); koryto jest zazwyczaj wyraźnie wcięte w podłoże, w jego ukształtowaniu gł. rolę odgrywa → nurt rzeczny; kształt koryta zależy od wielkości przepływu, ilości i jakości rumowiska rzecznego oraz materiału budującego

dno i brzegi koryta. Wody rz. wykonują pracę: erozyjną (żłobią koryto w głąb, np. powodując powstanie dolin o kształcie litery V i wszerz, m.in. → meandry), transportową (przenoszą znaczne ilości materiału wyerodowanego w łożysku rz. głównej i jej dopływów oraz spłukiwanego ze zboczy doliny; → rumowisko rzeczne), akumulacyjną (osadzają niesiony materiał na odcinkach, na których wskutek zmniejszania spadku rz. płynie wolniej). Prędkość płynięcia wody w rz. (mierzona w m na sek.) zależy od nachylenia terenu (spadku rz.), charakteru dna i brzegów oraz masy spływających wód; zmienia się zależnie od zmian zasilania rz. w wodę. Spadek rz. jest mierzony w metrach różnicy wysokości na kilometr biegu rz. i wyrażony w ‰.
Rz. są zasilane wodami pochodzącymi z odpływu powierzchniowego oraz podziemnego (→ wody podziemne); masa wody w rzece zmienia się z biegiem rz. (na ogół rośnie, niekiedy jednak maleje wskutek wsiąkania w podłoże lub dużego parowania) i z upływem czasu; zasilanie rz., zależnie od warunków klim. i terenowych, warunkuje roczny rytm wezbrań i → niżówek, który stanowi o ustroju (reżimie) wodnym rz. Rozróżnia się rz. o ustrojach p r o s t y c h, charakteryzujących się jednym wezbraniem i jedną niżówką w ciągu roku hydrologicznego (co świadczy o jednym, podstawowym źródle zasilania rz.) i z ł o ż o n y c h, o 2 lub 3 wezbraniach i tyluż niżówkach (co jest następstwem kilku źródeł zasilania rz.). Spośród ustrojów prostych rozróżnia się ustroje: deszczowy, śnieżny, lodowcowy; ustrój prosty mają niektóre rz. górskie

NAJDŁUŻSZE RZEKI NA ZIEMI					
Nazwa	Długość w km	Powierzchnia dorzecza w mln km²	Przepływ wody przy ujściu lub powyżej delty w tys. m³/s		Spływ zawiesin w mln t/rok
			średni	największy	
Nil	6 671	2,9	2,3	6,4	110,5
Amazonka (z Marañón)	6 400	7,2	220,0	350,0	498,0
Jangcy	6 300	1,8	34,0	90,2	500,0
Missisipi (od źródeł Missouri)	5 969	3,2	19,0	59,0	500,0
Huang He	5 464	0,7	1,5	22,0	1 380,0
Parana (od źródeł Paranaíby)	4 700	3,1	15,0	65,0	129,0
Mekong	4 500	0,8	12,0	30,0	169,6
Amur (od źródeł Argunia)	4 400	1,9	10,9[a]	40,0[a]	24,9
Lena	4 400	2,5	17,0	200,0	15,4
Ob	4 338	3,0	12,7	43,0	15,0
Kongo (z Lualabą)	4 320	3,7	40,0	75,0	64,7
Mackenzie (od źródeł Peace)	4 240	1,8	14,0	.	15,0
Niger	4 160	2,1	12,0	35,0	67,0
Jenisej (od źródeł Małego Jeniseju)	4 102	2,6	19,8	154,0	13,2
Wołga	3 530	1,3	7,7	52,0	25,8
Indus	3 180	1,0	3,8	30,0	435,4
Jukon	3 180	0,9	6,3	.	88,0
Dunaj	2 850	0,8	6,4	20,0	67,5
Orinoko	2 730	1,0	29,0	55,0	86,5
Ganges (z Brahmaputrą)	2 700	2,0	38,0	.	2 177,2
Zambezi	2 660	1,3	16,0	.	100,0
Murray	2 574	1,1	0,5	.	31,9

[a] W Chabarowsku.

(zasilane wodami topniejących lodowców), rz. zlewiska M. Śródziemnego (zasilane wyłącznie opadami jesienno-zimowymi), krótkie rz. obszarów monsunowych; wszystkie większe rz. mają ustrój złożony, w poszczególnych odcinkach biegu (górny, środk., dolny) i w różnych porach roku są zasilane wodami różnego pochodzenia (z topnienia śniegów i lodowców, z letnich deszczów).
Cieki występujące na określonym obszarze tworzą sieć rzeczną; jej gęstość jest podawana w kilometrach biegu na jednostkę powierzchni (km^2). Rz. główna (uchodząca do morza) wraz z dopływami stanowi system rzeczny, odwadnia on → dorzecze.
Rz. stanowią ważne ogniwo krążenia → wody w przyrodzie; roczna objętość wód odpływających do oceanu wynosi 37 000 km^3, co stanowi 1/3 opadów spadających na lądy (→ bilans wodny). Rzeki transportują rocznie ok. 24 mld t materiału miner. i organicznego.

Rzepin, m. w woj. lubus. (powiat słubicki), nad Ilanką (pr. dopływ Odry); 6,4 tys. mieszk. (2000); ośrodek usługowy związany z dużym węzłem kol.; drobny przemysł; prawa miejskie przed 1329; kościół (XIII–XIV, XIX w.).

■ Rzym. Forum Romanum, widok ogólny

Rzeszów, m. wojew. (woj. podkarpackie), nad Wisłokiem i jego dopływami: Młynówką, Strugiem, Przyrwą; powiat grodzki, siedziba powiatu rzesz.; 162,0 tys. mieszk. (2000); gł. ośr. przem., usługowy, kult.-nauk. regionu; stol. diecezji rzesz. Kościoła rzymskokatol.; ośr. przemysłu elektromaszyn. (silniki lotn., sprzęt gospodarstwa domowego, elektronika i sprzęt lotn., wyroby ze srebra) i spoż. (wyroby mięsne, mleczarskie, przetwórnia owoców i warzyw — odżywki dla dzieci), ponadto zakłady farm., odzież.; oddziały banków i wielu instytucji finans.; węzeł kol. i drogowy, port lotn. (w pobliskiej Jasionce); szkoły wyższe, w tym uniw.,

politechn., Wyższe Seminarium Duchowne, filie uczelni z Krakowa i Lublina; inst. nauk.; teatry, filharmonia, muzea; Świat. Festiwal Polonijnych Zespołów Folklorystycznych; Aeroklub, klub wojsk. Resovia (jeden z najstarszych pol. klubów sport.); Ślady osadnictwa z XI–XII; prawa miejskie od 1354; 2 zespoły klasztorne (XVII, XVIII w.), wieża (pozostałość zamku) i fortyfikacje bastionowe (XVII w.), synagogi (XVII i XVIII w.), pałac Lubomirskich (XVIII w.). W okolicy wydobycie gazu ziemnego i atrakcyjne tereny rekreacyjno-krajoznawcze.

Rzym, Roma, stol. Włoch i regionu autonomicznego Lacjum, na Płw. Apenińskim w pobliżu ujścia rz. Tyber do M. Tyrreńskiego; 2,6 mln mieszk., zespół miejski 3,6 mln (2002); gł. ośr. katolicyzmu, miejsce pielgrzymek katolików z całego świata; na terenie miasta znajduje się państwo → Watykan, liczne zakony i uczelnie papieskie; jeden z największych w świecie ośr. turyst.; siedziba organizacji międzynar. (FAO) i instytucji nauk.; Akad. Św. Łukasza (zał. XIV w.), Nar. Akad. Rysiów (zał. 1603), 2 uniw. (starszy zał. 1303), politechn.; wielkie banki krajowe (Banca d'Italia, Banca di Roma) i zagr.; ośr. handlu antykwarycznego i rzemiosła artyst.; przemysł spoż., farm., kosmetyczny, odzież., elektron.; duży węzeł komunik. z międzynar. portem lotn. Leonarda da Vinci. Według tradycji zał. 753 p.n.e. Jeden z najstarszych i najcenniejszych zespołów zabytkowych Europy; zabytki staroż., m.in.: Forum Romanum, fora cesarska, łuki (Konstantyna), Koloseum, termy (Karakalli i Dioklecjana), mauzoleum Hadriana, Ara Pacis Augustae, Panteon, kolumny (Trajana, Marka Aureliusza), katakumby; kilkaset kościołów, wznoszonych od IV w., w tym bazyliki większe — Św. Jana na Lateranie, Św. Pawła za Murami, Santa Maria Maggiore, Św. Piotra; kościoły rom. i got., m.in.: S. Maria d'Aracoeli (XIII w.), renes.: S. Maria del Popolo (XV w.), Tempietto (pocz. XVI w.), barok.: Il Gesù (XVI w.), S. Ignazio, S. Andrea al Quirinale (XVII w.); barok. pałace, m.in. Laterański, Pamfili (XVI, XVII w.); wille, m.in. Madama, Borghese (XVI, XVII w.); renes. i barok. założenia urb. — Kapitol (XVI w.), Piazza di Spagna, plac Św. Piotra z kolumnadą (XVII w.); liczne fontanny, m.in. Trevi (XVII w.); monumentalny pomnik Wiktora Emanuela II (*Ołtarz Ojczyzny*, XIX w.); peryferyjna dzielnica E.U.R. — Espozicione Universale di Roma (1937), budowana na Wystawę Świat. 1942, ob. w większości budynków siedziby ministerstw i muzea, rozbudowa dzielnicy (1950) — via Cristoforo Colombo połączyło E.U.R. z centrum Rzymu, powstało m.in. Luna Park Lunear (1953) i Palazzo dello Sport (1960, P.L. Nervi). ■

S

Saara, franc. **Sarre,** niem. **Saar,** rz. we Francji i Niemczech, pr. dopływ Mozeli; dł. 246 km; źródła w Wogezach; przepływa wsch. Lotaryngię, tworzy liczne meandry; w środk. biegu zagłębie węglowe i obszar przem. (Zagłębie Saary); żegl. od m. Sarreguemines; połączona Kanałem Węglowym z Kanałem Marna–Ren; w dolinie winnice; gł. m. nad S. — Saarbrücken.

Sabah, stan w Malezji na pn.-wsch. wyspy Borneo, nad M. Południowochińskim i morzem Sulu; 73,6 tys. km², 2,4 mln mieszk. (2002), gł. Dajakowie, Chińczycy, Malajowie; stol. Kota Kinabalu; górzysty (Kinabalu, 4101 m), na wybrzeżu wąskie niziny, liczne wyspy i rafy koralowe; lasy (ok. 80% pow.) równikowe wilgotne; wydobycie ropy naft. ze złóż podmor.; eksploatacja lasów; uprawa kauczukowca, pieprzu; turystyka (Park Nar. Kinabalu, Sanktuarium Sepilok — największe w świecie siedlisko orangutanów); gł. port mor. Sandakan.

Sachalin, wyspa na O. Spokojnym; u wsch. wybrzeży Azji; stanowi większą część Obwodu Sachalińskiego Rosji; od lądu oddzielona Cieśn. Tatarską, od wyspy Hokkaido (Japonia) — Cieśn. La Pérouse'a; oblewają ją wody M. Ochockiego i M. Japońskiego; pow. 76,4 tys. km², dł. 948 km. Część pn. nizinna, środk. i pd. — górzysta (maks. wys. 1609 m); klimat umiarkowany chłodny monsunowy, z suchą zimą i wilgotnym latem; średnia roczna suma opadów od 400 mm na pn. do 750 mm na pd.; pokrywa śnieżna utrzymuje się przez ok. 1/2 roku; gęsta sieć rzek (największe: Tym i Poronaj). Znaczną część obszaru porasta tajga (na pn. modrzewiowa, w środk. i pd. części jodłowo-świerkowa); na zabagnionych nizinach występują torfowiska. Złoża ropy naft. i gazu ziemnego w rejonie Ochy (rurociągi do Komsomolska n. Amurem) i przy pn.-wsch. wybrzeżu. S. ma połączenie promowe z kontynentem (prom kolejowy Chołmsk–Wanino).

sadź, szadź, puszysty biały osad kryształków lodu narastający na cienkich przedmiotach znajdujących się na powierzchni Ziemi (np. gałęziach drzew, przewodach telegraf.); powstaje wskutek zamarzania przechłodzonych kropelek mgły przy ich zetknięciu się z przedmiotami o temperaturze niższej od 0°C; może osiągać znaczną grubość; niekiedy wyrządza szkody (zrywa przewody elektr., łamie gałęzie drzew).

Safed Koh, Safd Kuh, Paropamis, góry w pn.-zach. Afganistanie, pn. przedgórza w Turkmenistanie; najwyższy szczyt Dżangak, 3727 m; zbud. gł. z mezozoicznych i trzeciorzędowych wapieni i margli; podłużną doliną rz. Murghab rozdzielone na część pn. (G. Południowoturkiestańskie) i pd. (Feroz Koh); rumowiska skalne; roślinność półpustynna (z zaroślami poduszkowatych krzewinek), miejscami stepy i zarośla złożone z jałowca i pistacji.

Sahara, Aṣ-Ṣaḥrā' al-Kubra', największa na Ziemi kraina pustynna i półpustynna, w pn. Afryce, między O. Atlantyckim i M. Czerwonym; na pn. sięga do pd. stoków Atlasu i wybrzeży M. Śródziemnego, na pd. granicę prowadzi się od ujścia rz. Senegal, środk. biegiem Nigru, pn. brzegiem jez. Czad, po ujście Atbary do Nilu, a stąd do M. Czerwonego. Powierzchnia ponad 7 mln km², dł. ok. 6000 km, szer. do 2000 km. Na obszarze S. leży Libia, Sahara Zach., większa część Mauretanii oraz częściowo Maroko, Algieria, Egipt, Mali, Niger, Czad, Sudan. S. jest częścią prekambryjskiej platformy afryk.; fundament jej jest zbud. gł. z archaicznych i proterozoicznych gnejsów, łupków krystal. i granitoidów; na tych utworach leży gruba (miąższość do 3000–5000 m) pokrywa osadowa skał paleozoicznych, mezozoicznych i trzeciorzędowych (gł. piaskowców, wapieni i margli). W neogenie

■ Sahara. Namiot koczowników (Algieria)

(ruchy alp.) silna działalność tektoniczna spowodowała wylewy lawy, strzaskanie masywów krystal. Ahaggaru i Tibesti.

Większość powierzchni S. jest wyżynna, tylko w części pn. i zach. występują niziny z depresjami — Al-Kattara 133 m p.p.m., Fajum 80 m p.p.m., Szatt Malghir 26 m p.p.m. W środk. części S. wznoszą się rozległe masywy krystal. Ahaggaru (Tahatt, 2918 m), Tibesti (Emi Kussi, 3415 m) i wyż. Ennedi (1310 m); wzdłuż M. Czerwonego ciągną się góry Atbaj (Dżabal Uda, 2259 m). Na S. występują wszystkie typy pustyń: skalne — hamady (np. Al-Hamada al-Hamra, Tanizruft, część Pustyni Arabskiej), żwirowe — seriry (np. część Kalanszju) i piaszczyste — ergi (Wielki Erg Zach., Wielki Erg Wsch., Al-Dżuf, Irk asz-Szasz, Irk al-Ikidi, Pustynia Libijska). Klimat zwrotnikowy skrajnie suchy; średnia roczna suma opadów od kilku mm do 100 mm w górach i do 200 mm na pn. i pd. krańcach; maksimum opadów przypada na pn. w miesiącach zimowych, na pd. — w letnich; na większej części S. opady (w postaci silnych ulew) są sporadyczne, mogą występować z kilkuletnimi przerwami. W związku z małą wilgotnością powietrza i małym zachmurzeniem temperatura wykazuje silne wahania dobowe i roczne; maks. temp. przekracza 50°C, minim. spada poniżej 0°C; średnia temp. miesięczna waha się od 9–12°C w styczniu do 33–38°C w lipcu; w pn. części S. suche i gorące wiatry (chamsin i samum), wiejące z południa. Na S., poza Nilem i Nigrem, brak stałych rzek; liczne są suche doliny — wadi (m.in. Wadi Tamanghist, Wadi Igharghar, Wadi Dara), wypełniające się wodą po epizodycznych deszczach; charakterystyczne są także słone jeziora okresowe (tzw. szotty, sebki); w wielu regionach występują wody artezyjskie (baseny: alg.-tunez., fezzański, libijski); w miejscach płytkiego zalegania słodkich wód gruntowych oraz wypływu ich na powierzchnię w postaci źródeł powstały oazy (Tuggurt, Biskira, Al-Kufra, Sabha, Marzuk, Al-Farafira i in.). Roślinność pn. części S. jest zbliżona do flory śródziemnomor. (oleandry, dzikie oliwki, pistacje), pd. — do sudańskiej (tamaryszek, akacja). Wnętrze S. jest pozbawione roślinności, skąpa roślinność występuje jedynie w zagłębieniach, suchych dolinach i na zboczach masywów górskich; na pustyniach skalnych i żwirowych spotyka się b. luźne zbiorowiska kserotermicznych krzewów i półkrzewów, na pustyniach piaszczystych (gł. pn. S.) — nieco obfitszą roślinność trawiastą i krzewiastą, a w wadi — cierniste zarośla lub nawet (na zach., pd. i w górach) sawanny z niskimi akacjami. Na S. żyją m.in. gazele, antylopy oryks, szakale, gepardy, hieny, fenki, strusie, sępy, skorpiony.

Bogate złoża ropy naft. i gazu ziemnego są eksploatowane gł. w alg. i libijskiej części S., ponadto wydobywa się rudy żelaza, miedzi, uranu, fosforyty, sól kam. i in. W oazach uprawa palmy daktylowej, zbóż, tytoniu; na pn. i pd. krańcach S. półkoczowniczy chów owiec, kóz, wielbłądów. Tradycyjny transport juczny jest zastępowany przez transport samochodowy i lotniczy.

■ Saint Christopher i Nevis

Sahara Zachodnia, Aṣ-Ṣaḥrā' al-Gharbiyyah, kraj w Afryce Pn., nad O. Atlantyckim, od 1976 pod okupacją Maroka; 266 tys. km², 335 tys. mieszk. (2002); ludność arab.-berberska (gł. nomadowie); muzułmanie (odłam sunnicki); stol.: Al-Ujun; język urzędowy: arab., w użyciu hiszpański. Obszar pustynny (Sahara), na pn.-wsch. przedgórze Atlasu (wys. 823 m); klimat zwrotnikowy kontynent. suchy; rzeki okresowe. Kraj słabo rozwinięty; dominuje koczownicze pasterstwo (wielbłądy, kozy, owce), ponadto w oazach uprawa zbóż, palmy daktylowej, warzyw; wydobycie fosforytów (jedno z największych złóż na świecie — Bukra); połów i przetwórstwo ryb.

Sahel, Sahel Tropikalny, region geogr. w Afryce, na pd. od Sahary, uznawany zwykle za pn. część regionu → Sudan; nie ma wyraźnych granic, za pn. granicę przyjmuje się najczęściej izohietę 200 mm średnich opadów rocznych (niekiedy 100 mm), za pd. — izohietę 500 mm (niekiedy mniej); na zachodzie S. sięga do O. Atlantyckiego, na wsch. — do sudańskiego wybrzeża M. Czerwonego (czasami S. rozszerza się o półsuche obszary Erytrei, pn. Etiopii, Dżibuti i Somalii); za granicę wsch. uznaje się także granicę polit. między Czadem i Sudanem. Do krajów wchodzących w skład S. najczęściej zalicza się pd. Mauretanię, Senegal, Mali, Niger, Burkinę Faso, Czad, Rep. Zielonego Przylądka. Pora sucha trwa 9–11 mies.; opady nieregularne (najwyższe zwykle w sierpniu), b. zmienne w poszczególnych latach, zdarzają się kilkuletnie okresy suche bądź wilgotne. Na pn. półpustynie, na pd. suche sawanny z akacjami; bujniejsza roślinność występuje tylko w dolinach rzek okresowych i epizodycznych. S. jest przede wszystkim obszarem koczowniczego pasterstwa, gł. bydła oraz kóz i owiec; uprawa roli gł. na terenach sztucznie nawadnianych; podstawowe uprawy: sorgo, proso, bawełna, orzeszki ziemne. Susza 1968–74 spowodowała poważne straty w gospodarce i w ludziach oraz gwałtowny rozwój procesów pustynnienia, m.in. wyniszczenie roślinności (zwł. drzewiastej), wywiewanie gleb, powstawanie wydm, zanik wód powierzchniowych, obniżenie poziomu wód podziemnych. W latach późniejszych nieregularne opady (przeważnie poniżej średnich), okresowo katastrofalne susze (np. 1981–84 w Sudanie i krajach sąsiednich) przyspieszają pustynnienie, powodują klęski głodu oraz utrudniają rekonstrukcję gospodarki.

Saimaa, szwedz. **Saima,** system jez. w pd.-wsch. Finlandii, na wys. 76 m; pow. 4400 km² (w tym Iso Saimaa — 1700 km²), głęb. do 82 m; linia brzegowa silnie rozwinięta; brzegi wysokie, skaliste; liczne zalesione wyspy; odpływ przez rz. Vuoksi do jez. Ładoga; połączone Kanałem Saimiańskim z Zat. Fińską; żegluga, spław drewna; gł. m. nad Saimaa: Mikkeli, Lappeenranta.

Saint Christopher i Nevis [snt krystəfəʳ i niːwys], **Saint Christopher and Nevis, Federacja Saint Christopher i Nevis,** państwo w Ameryce Środk. (Indie Zach.) na wyspach Saint Christopher i Nevis, w archipelagu W. Podwietrznych, w Małych Antylach; 269 km²; 39 tys. mieszk. (2002), Murzyni, Mulaci; protestanci, katolicy; stol. i gł. port Basseterre; język urzędowy ang.; monarchia konstytucyjna. Górzyste wyspy pochodzenia wulk., wys. do 1178 m (czynny wulkan Soufrière); gorące źródła miner.; klimat równikowy wilgotny, cyklony. Podstawą gospodarki jest rolnictwo i obsługa turystów; uprawa bananów, trzciny cukrowej, bawełny, warzyw, palmy kokosowej, zbóż; hodowla owiec, trzody chlewnej; rybołówstwo; przemysł cukr., odzieżowy. ■

Saint Helens [snt hęlənz], **Mount Saint Helens,** czynny wulkan w G. Kaskadowych, w USA, w stanie Waszyngton; wys. 2950 m; od VII tysiącl. p.n.e. zanotowano 33 silne erupcje; 1980 — seria katastrofalnych wybuchów (zniszczeniu uległo 200–300 m wierzchołka, a na wys. ok. 2500 m powstał nowy krater).

Saint Louis [snt lųys], m. w USA (Missouri), nad Missisipi; 353 tys. mieszk., zespół miejski 2,5 mln (2002); centrum przem. (samochodowy, taboru kol., farm., petrochem., hutnictwo) i handl.-bankowe środk. części USA; wielki węzeł komunik. (w tym dróg wodnych); port rzeczny; 4 uniw.; orkiestra symf. (zał. 1880); muzea; faktoria handl. zał. 1764 przez franc. kupców z Nowego Orleanu; kościoły i domy z 1. poł. XIX w.; neoklasycyst. Old Court House. ■

■ Saint Louis

Saint Lucia [snt lų:szə], państwo w Ameryce Środk. (Indie Zach.), na wyspie Saint Lucia, w archipelagu W. Zawietrznych, w Małych Antylach; 616 km²; 155 tys. mieszk. (2002), Murzyni, Metysi; katolicy; stol. i gł. port Castries; język urzędowy ang.; monarchia konstytucyjna. Górzysta wyspa pochodzenia wulk., wys. do 950 m; klimat równikowy, cyklony; gorące źródła mineralne. W gospodarce dominuje rolnictwo i turystyka; uprawa bananów, palmy kokosowej, kakaowca, drzew cytrusowych, warzyw; produkcja rumu, oleju kokosowego; fabryka nawozów sztucznych, w strefach wolnocłowych produkcja odzieży i sprzętu elektron.; eksploatacja lasów (drewno); rybołówstwo. ■

Saint-Malo [sę malo], **Golfe de Saint-Malo,** rozległa zatoka w cieśn. La Manche, u pn.-zach. wybrzeży Francji, wcinająca się 110 km w głąb lądu, między półwyspami Bretońskim i Cotentin; szerokość wejścia ok. 125 km; głęb. do 51 m; zatoka płytka, na wsch. i pd. liczne ławice i skały wynurzające się przy odpływie; linia brzegowa rozwinięta, liczne mniejsze zatoki, największe: Saint-Brieuc, Le Mont-Saint-Michel; na pn. W. Normandzkie (dependencja Korony bryt.); zatoka znana z wysokich pływów — średnio 12 m, w estuariach na pd. do 15 m; u ujścia rz. Rance,

na pd. od m. Dinard i Saint-Malo, pierwsza w świecie elektrownia pływowa; rybołówstwo; gł. porty: Saint-Malo, Granville, Saint-Brieuc; liczne kąpieliska mor. i ośrodki turyst., m.in. Avranches i wyspa Le Mont-Saint-Michel.

Saint Vincent i Grenadyny [snt wynsnt i g.], **Saint Vincent and The Grenadines,** państwo w Ameryce Środk. (Indie Zach.), na wyspie Saint Vincent i części archipelagu Grenadyn, w Małych Antylach; 389 km²; 120 tys. mieszk. (2002), Murzyni, Mulaci; protestanci; stol. i gł. port Kingstown; język urzędowy ang.; monarchia konstytucyjna. Wyspy górzyste pochodzenia wulk., wys. do 1178 m (Soufrière); klimat równikowy wilgotny, silne cyklony; źródła mineralne. Podstawą gospodarki rolnictwo i turystyka; uprawa bananów, trzciny cukrowej, palmy kokosowej, batatów, maranty, hodowla owiec, bydła, trzody chlewnej; rybołówstwo; produkcja cukru, rumu, arrowrootu (z maranty); rzemiosło. ■

Sajan Wschodni, Wostocznyj Sajan, góry w azjat. części Rosji, ciągną się od Jeniseju do brzegów Bajkału; dł. 1000 km; najwyższy szczyt Munku Sardyk, 3491 m. Stanowią wraz z Sajanem Zach. część paleozoicznych struktur, otaczających platformę wschodniosyberyjską od pd.; sfałdowane w orogenezie kaledońskiej, ponownie wypiętrzone w wyniku mezozoicznych i kenozoicznych ruchów tektonicznych; zbud. gł. z prekambryjskich skał krystal. (gnejsy, łupki krystal.); kotliny śródgórskie wypełnione osadami terrygenicznymi, z warstwami węglonośnymi. Rzeźba alp. w części środk. i wsch.; występują także wulk. płaskowyże i młode wulkany; stoki głęboko rozcięte dolinami Jeniseju i jego dopływów. Klimat umiarkowany chłodny, wybitnie kontynent.; na wys. 900–1300 m średnia temp. w styczniu od –17°C do –25°C, w lipcu 12–14°C; roczne opady 300–800 mm (w zależności od ekspozycji stoków). Tajga świerkowo--jodłowa i modrzewiowo-limbowa (ponad 1/2 pow.), powyżej 1500–2000 m kamienista tundra krzewinkowa lub mszysto-porostowa, na zach. subalp. łąki; pola rumowiskowe (tzw. kurumy), ok. 100 lodowców. Bogactwa miner.: złoto, mika, grafit, boksyty, azbest, fosforyty; źródła miner.; na pr. brzegu Jeniseju rezerwat Stołby.

Sajan Zachodni, Zapadnyj Sajan, góry w azjat. części Rosji, w Syberii Pd.; między górnym biegiem Abakanu i Sajanem Wsch., dł. 600 km; stromo opadają na pn. ku Kotlinie Minusińskiej, od pd. ograniczają Kotlinę Tuwińską; najwyższy szczyt Kyzył Tajga, 3121 m. Sfałdowane w orogenezie kaledońskiej; ponownie wydźwignięte podczas mezozoicznych i kenozoicznych ruchów tektonicznych; obok krystal. skał wieku prekambryjskiego występują miąższe osady dolnego paleozoiku (piaskowce, margle, wapienie) z intruzjami wulkanicznymi. Przeważa rzeźba gór średnich; rzeki należą do dorzecza Jeniseju; jeziora cyrkowe. Klimat umiarkowany chłodny, wybitnie kontynent.; na wys. 1000–1400 m średnia temp. w styczniu od –20°C do –25°C, w kotlinach do –30°C, w lipcu 10–12°C, w kotlinach do 20°C; roczne opady 400–1200 mm (w zależności od ekspozycji stoków), w kotlinach ok. 400 mm. Na

■ Saint Vincent i Grenadyny

■ Saint Lucia

■ Wyspy Salomona

■ Salwador

■ Samoa

pn. stokach sosnowo-modrzewiowa tajga, na pd. — roślinność leśno-stepowa, lasy modrzewiowe; powyżej górnej granicy lasów (1500–1800 m) górska tundra, subalp. i alp. łąki, rumowiska skalne (kurumy); Rezerwat Sajańsko-Szuszeński (zał. 1976, pow. 389,6 tys. ha). Bogactwa miner.: rudy żelaza i miedzi, kobalt, nikiel, chrom, ołów, cynk, molibden, azbest; przez S.Z. przechodzi droga samochodowa Abakan–Kyzył (trakt usiński).

Sajno, jez. rynnowe na Równinie Augustowskiej, w Puszczy Augustowskiej; pow. 522 ha, dł. 7,1 km, szer. 1,1 km, maks. głęb. 27 m; brzegi na ogół wysokie, porośnięte lasami; od wschodu S. łączy się z jez. Sajenek, od pn.-zach. przez Kanał Bystry i rz. Nettę z jez. Necko; nad S. ośrodki turyst.-wypoczynkowe.

Saksonia, Sachsen, kraj związkowy we wsch. części Niemiec; 18,4 tys. km², 4,4 mln mieszk. (2002); stol. Drezno, inne m.: Lipsk, Chemnitz; wyżynna, na pd. zalesione Rudawy i G. Łużyckie; gł. rz. Łaba; 2 zagłębia węgla brun.: Saskie i Łużyckie (obszary zagrożone ekol.); przemysł energ., chem., maszyn., środków transportu, elektron., porcelanowy; na nizinnej pn. intensywna uprawa pszenicy, buraków cukrowych, warzyw; hodowla bydła, trzody chlewnej; turystyka.

Salamina, Salamis, wyspa gr. na M. Egejskim, w Zat. Sarońskiej, w regionie adm. Attyka (nomos Pireus); pow. 95 km²; wyżynna; gł. uprawy: winorośl, oliwki, zboża; hodowla kóz i owiec; połów ryb (sardynki) i gąbek; gł. m. — Salamina.

Salang, przełęcz w Hindukuszu, w Afganistanie, na pn. od Kabulu; wys. 3658 m; pod Salangiem przechodzi w tunelu (dł. 2,7 km) droga łącząca pn. i pd. części kraju.

Salentyński, Półwysep, Penisola Salentina, pd.-wsch. odnoga Płw. Apenińskiego, we Włoszech, między M. Adriatyckim i Zat. Tarencką; wybrzeże przeważnie klifowe; zbud. z wapieni i dolomitów; uprawa oliwek, winorośli, tytoniu; gł. m.: Tarent, Brindisi.

Salomona, Morze, Solomon Sea, międzywyspowe morze w zach., przyrównikowej części O. Spokojnego, między Nową Gwineą, Archipelagiem Bismarcka, W. Salomona (wyspy Bougainville, Choiseul, Santa Isabel, Malaita i San Cristóbal), wyspą Rennell i Luizjadami; na pd.-wsch. łączy się z M. Koralowym; pow. 723 tys. km²; liczne wyspy, największa Guadalcanal oraz grupy wysp — d'Entrecasteaux, Trobrianda, Nowa Georgia; w pd. części morza liczne rafy koralowe; średnia głęb. 2432 m, maks. — 9140 m (Głębia Planet w Rowie Bougainville'a); dno urozmaicone: u wybrzeży Nowej Gwinei szeroki szelf, pośrodku baseny, Nowej Brytanii i Salomona o głębokościach ok. 5000 m; na pn. i wsch. głębokie rowy oceaniczne, aktywne sejsmicznie; temperatura wód powierzchniowych 27–29°C, zasolenie — 34,5‰; rybołówstwo; gł. porty: Honiara na Guadalcanal, Lae i Buna na Nowej Gwinei.

Salomona, Wyspy, Solomon Islands, państwo w Oceanii, w Melanezji; zajmuje większą część archipelagu W. Salomona (bez Bougainville i Buka) oraz grupę Santa Cruz; 27,6 tys.

km², 481 tys. mieszk. (2002); chrześcijanie 95% (gł. anglikanie); stol. Honiara na wyspie Guadalcanal; język urzędowy ang.; monarchia konstytucyjna. Wyspy górzyste; lasy z cennymi gat. drzew (sandałowe, hebanowe); eksport ryb, drewna, kopry, kakao, oleju palmowego. ■

Salonicka, Zatoka, Kolpos Thesalonikis, płytka zatoka w pn.-zach. części M. Egejskiego (M. Śródziemne), u wybrzeży Grecji, między niziną rz. Aksios (Wardar) a nasadą Płw. Chalcydyckiego; głęb. do 80 m; stanowi pn., niewielką część, położonej między Tesalią na zach. a Płw. Chalcydyckim i jego podrzędnym płw. Kasandra na wsch., większej Zat. Termajskiej (dł. 160 km, szer. wejścia 89 km; średnia głęb. ok. 100 m, maks. — ok. 1000 m; temperatura wód powierzchniowych od 13°C w zimie do 26°C w lecie, zasolenie — 38‰); gł. port — Saloniki.

Saluin, chiń. **Nu Jiang,** tybet. **Ngü-cz'u,** birmańskie **Thanlwin Mjit,** ang. **Salween,** rz. w Chinach i Birmie, w dolnym biegu na dł. ok. 130 km wyznacza granicę między Birmą a Tajlandią; dł. 3200 km, pow. dorzecza 325 tys. km²; źródła w górach Tangla; płynie na pd.-wsch. przez Wyż. Tybetańską w wąskiej i głębokiej dolinie, równolegle do Mekongu i Jangcy, a następnie na pd. przez wyżyny Junnańsko-Kuejczouską i Szan; uchodzi do zat. Martaban (M. Andamańskie); spław drewna; żegl. odcinkowo (liczne progi); przy ujściu — m. Mulmejn.

Salwador, El Salvador, Republika Salwadoru, państwo w Ameryce Środk., nad O. Spokojnym; 21,0 tys. km², 6,1 mln mieszk. (2002), Metysi, Indianie; katolicy; stol. San Salvador, inne m.: Santa Ana, San Miguel; język urzędowy hiszp.; republika. Górzysty (Kordyliery, wys. do 2382 m); liczne czynne wulkany (Izalco, San Miguel); częste trzęsienia ziemi; klimat podrównikowy wilgotny; gł. rz. Lempa; lasy górskie. Głęboki kryzys gosp. powstał w wyniku wojny domowej; podstawą gospodarki jest rolnictwo; uprawa kawowca, bawełny, trzciny cukrowej, bananów, kukurydzy, sorgo; hodowla bydła; eksploatacja lasów (balsam peruw.); rybołówstwo; przemysł cukr., włók., skórz.; przez S. przebiega Droga Panamer.; gł. porty: Acajutla, La Libertad. ■

Sambia, Kaliningradskij połustrow, Ziemlandskij połuostrow, płw. w obwodzie kaliningradzkim Federacji Ros., między zalewami Wiślanym i Kurońskim; pow. ok. 900 km²; wys. do 89 m; na pn.-wsch. od S. odchodzi Mierzeja Kurońska; na zach. wybrzeżu największe na świecie złoża bursztynu (ośr. wydobycia i obróbki — Jantarny).

Samoa, samoańskie **Samoa i Sisifo, Niezależne Państwo Samoa,** państwo w Oceanii, w Polinezji; zajmuje zach. część archipelagu Samoa (2 duże wyspy Savaii i Upolu oraz 7 małych); 2,8 tys. km², 170 tys. mieszk. (2002); stol. Apia na wyspie Upolu; ludność rdzenna (Samoańczycy), chrześcijanie; język urzędowy: samoański i ang.; monarchia konst.; uprawa palmy kokosowej, kakao, roślin bulwiastych (taro, jams), bananów, owoców (zwł. męczennicy); połów ryb; turystyka; eksport kopry i oleju kokosowego, kakao, soków owocowych. ■

Samoa, Wyspy Żeglarzy, Samoa Islands, Navigators' Islands, archipelag wulk. na O. Spokojnym, w Oceanii (Polinezja); pod względem polit. dzieli się (wzdłuż 171°W) na Niezależne Państwo Samoa (niepodległe od 1962, do 1997 p.n. Samoa Zach.) i Samoa Amerykańskie (terytorium zamor. USA); pow. 3 tys. km²; największe wyspy: Savaii, Upolu, Tutuila. Klimat równikowy wilgotny; średnia temp. miesięczna 25–27°C; suma roczna opadów 2500–5000 mm; od listopada do marca częste cyklony tropik. (huragany). Pierwotną roślinność Samoa tworzą wilgotne lasy równikowe (zachowane zwł. w górach); na nizinach nadbrzeżnych miejsce ich zajęły uprawy użytkowych roślin tropik. (gł. palma kokosowa, rośliny bulwiaste, kakaowiec).

samum [arab.], gorący, suchy, porywisty wiatr na pustyniach pn. Afryki oraz Płw. Arabskiego i obszarów przyległych do niego od pn.; zwykle krótkotrwały (do ok. 20 min.), może mu towarzyszyć burza; niesie wielkie ilości piasku i pyłu; podczas s. temperatura silnie wzrasta (nawet powyżej 50°C), a wilgotność maleje (poniżej 10%); występuje najczęściej od kwietnia do czerwca.

■ Dolina Sanu w okolicy Leska

San, rz., pr. dopływ Wisły; źródła w Bieszczadach, na Ukrainie; dł. 443 km (w tym odcinek graniczny 54 km), pow. dorzecza 16 861 km² (w Polsce 14 390 km²); przepływa przez Bieszczady Zach., Pogórze Środkowobeskidzkie i Kotlinę Sandomierską; uchodzi poniżej Sandomierza; średni przepływ przy ujściu 130 m³/s; maks. rozpiętość wahań stanów wody w dolnym biegu 7,0 m; gł. dopływy: Solinka, Osława, Wisłok (l.), Wiar, Wisznia, Szkło, Lubaczówka, Tanew, Bukowa (pr.); zbiorniki retencyjne i elektrownie wodne: okolice Soliny (Jez. Solińskie) i poniżej Myczkowców (Jez. Myczkowskie); żeglowny od ujścia Wisłoka (90 km); gł. m. nad S.: Sanok, Przemyśl, Jarosław, Stalowa Wola. ■

San Francisco [sän frənsysko^u], m. w USA (Kalifornia), nad O. Spokojnym; 800 tys. mieszk. (2002), zespół miejski 1,6 mln, region metropolitalny S.F.–Oakland–San Jose (6,4 tys. km²) — 6,5 mln (1994); duże zróżnicowanie etniczne; drugie pod względem wielkości (po Los Angeles) miasto zach. części USA; wielki ośr. handl.-finansowy (Bank of America) i kult.-nauk. (Uniw. Kalifornijski, Uniw. Stanforda); przemysł środków transportu, elektrotechn., inform.; waż-

■ San Francisco. Golden Gate

ny port handl.; wielki węzeł kol.-drogowy, 2 porty lotn.; mosty drogowe (wiszący do m. Oakland); zabudowania misji Dolores; fortyfikacje, m.in. Castillo de San Joaquin i dom komendanta z XVIII w.; słynny wiszący most Golden Gate ['złote wrota']. ■

San José [s. chosε], stol. Kostaryki, w środk. części kraju, przy Drodze Panamer.; 358 tys. mieszk., zespół miejski 1,4 mln (2002); największe m. i gł. w kraju ośr. przemysłu (tytoniowy, włók., obuwn.), handlu, nauki (2 uniw.), kultury (muzea) i turystyki; węzeł komunik. (międzynar. port lotn.); zał. 1736–38 przez Hiszpanów; katedra (XVII, XIX w.), kościół La Merced (XVIII w.), pałace i gmachy publ. (XIX w.); parki, m.in. Morasan.

San Juan [s. ch^uan], stol. Portoryko, nad O. Atlantyckim, w pn.-wsch. części wyspy Puerto Rico; 430 tys. mieszk. (2002), zespół miejski 2 mln; gł. w kraju ośr. przemysłu (tytoniowy, cukr., włók.), handlu i nauki (uniw.); gł. port mor. i międzynar. port lotn.; ważny ośr. turyst.-wypoczynkowy Antyli; liczne zabytki z okresu kolonialnego: barok. kościoły (XVI–XVIII w.), zamki, m.in. S. Catalina (XVI w., przebud., ob. pałac gubernatora); pałace, m.in. Casa Blanca (XVI–XIX w.), klasycyst. kapitol, ratusz (XVII–XIX w.).

San Marino, Republika San Marino, państwo w pd. Europie, na Płw. Apenińskim, enklawa we Włoszech; 61 km²; 28 tys. mieszk. (2002), Sanmaryńczycy (80% ludności), Włosi; katolicy; w miastach 91% mieszk.; stol. San Marino; język urzędowy wł.; republika. Górzyste (Apenin Toskański), wys. do 739 m; klimat podzwrotnikowy śródziemnomor.; makia, lasy dębowe. Turystyka

■ San Marino

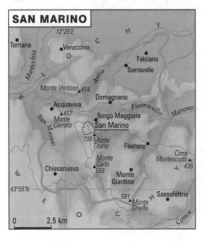

■ San Marino. Monte Titano

(ok. 3 mln turystów zagr. rocznie), winiarstwo, emisja znaczków pocztowych; przemysł meblarski, jubilerski; uprawa zbóż, oliwek, winorośli; połączenie drogowe i lotn. z wł. portem Rimini. ■

San Miguel [s. migel], czynny wulkan we wsch. części Salwadoru; wys. 2132 m; należy do najaktywniejszych w Ameryce Środk.; od 1586 zanotowano 31 erupcji; ostatni wybuch 1976.

San Salvador, San Salvador, stol. Salwadoru, u podnóża wulkanu San Salvador, przy Drodze Panamer.; 496 tys. mieszk., zespół miejski 1,8 mln (2002); gł. w kraju ośr. przemysłu (cukr., tytoniowy, włók., drzewny), handlu, kultury (muzeum nar.) i nauki (3 uniw.); węzeł komunik. (port lotn.); siedziba Systemu Integracji Środkowoamer. (wcześniej Organizacji Państw Ameryki Środk.); zał. 1525 przez Hiszpanów (P. de Alvarado); kościoły w stylu kolonialnym (XVIII w.), gmachy użyteczności publ. (XVIII–XX w.).

Sana, San'ā', stol. Jemenu, w zach. części kraju, w kotlinie śródgórskiej, na wys. ok. 2100 m; 972 tys. mieszk. (1995), zespół miejski 1,6 mln (2002); ośr. przemysłu (włók., metal., spoż.), handlu i rzemiosła (złotnictwo, broń); połączenie drogowe z Al-Hudajdą, Adenem i Mekką; międzynar. port lotn.; uniw.; muzeum; cytadela na miejscu dawnego zamku Gumdan (II w.), wielki meczet (VII, VIII, X, XII w.), łaźnie, karawanseraj, domy z bogato dekorowanymi elewacjami.

Sandomierska, Kotlina, największa kotlina Północnego Podkarpacia, położona między brzegiem Karpat a wyżynami: Małopolską i Lubel.-Lwowską; za jej wsch. granicę przyjmuje się dział wód Wisły i Dniestru, już poza granicą Polski, na Ukrainie; pow. ok. 14,5 tys. km²; K.S. jest częścią zapadliska przedgórskiego powstałego w trzeciorzędzie, wypełnionego osadami czwartorzędowymi zlodowaceń Sanu; region jest znacznie zalesiony (m.in. Puszcza Sandomierska); wody kotliny odprowadza na pn. Wisła, do której uchodzą od pd.: Raba, Dunajec, Wisłoka i San; szerokie doliny rzeczne rozczłonkowują dno kotliny na 11 mezoregionów: Niz. Nadwiślańską, Podgórze Bocheńskie, Płaskowyż Tarnowski, Dolinę Dolnej Wisłoki, Równinę Tarnob., Dolinę Dolnego Sanu, Równinę Biłgorajską, Płaskowyż Kolbuszowski, Płaskowyż Tarnogrodzki, Pradolinę Podkarpacką, Podgórze Rzeszowskie.

Sandomierska, Wyżyna, wsch. część Wyż. Kieleckiej, położona między G. Świętokrzyskimi na zach. i pd.-zach. a Przedgórzem Iłżeckim na pn.; obniża się do doliny Wisły od ok. 300 m na zach. do 180 m na wsch.; stanowi geol. przedłużenie G. Świętokrzyskich, różni się jednak od nich wysokością i krajobrazem — jest stosunkowo płaska i pokryta grubą warstwą lessu, rozcięta gęstą siecią wąwozów i dolinami dopływów Wisły: Koprzywianki i Opatówki; wsch. kraniec regionu stanowią → Pieprzowe, Góry; w przeciwieństwie do G. Świętokrzyskich jest to kraina roln., z urodzajnymi glebami klasy brunatnoziemów i czarnoziemów; gł. m.: Opatów i Sandomierz (leżący na krawędzi wyżyny).

Sandomierz, m. powiatowe w woj. świętokrzyskim, nad Wisłą; 27 tys. mieszk. (2000); ośr. przem. i usługowy regionu sadowniczego oraz ośr. turyst.-krajoznawczy; stol. diecezji sandomierskiej Kościoła rzymskokatol.; ośrodek przemysłu szkl. i przetwórstwa rolno-spoż.; węzeł drogowy, port rzeczny; szkoły wższe, w tym Seminarium Duchowne; muzea. Ślady osadnictwa od neolitu, stałe osadnictwo od VIII w.; prawa miejskie prawdopodobnie przed 1227 (ponownie 1286); zachowany średniow. układ urb.; późnorom. zespół klasztorny Dominikanów (XIII w.), katedra (XIV, XVII i XIX w.), fragmenty murów miejskich (XIV, XVI w.) z Bramą Opatowską, kościoły i klasztory (XV–XVIII w.), późnogot. zamek (XV–XVII, XIX w.), domy (tzw. Dom Długosza XV, XVII w.), renes. ratusz (XVI w.), synagoga (XVIII w.).

sandr [niem.], rozległy, b. płaski stożek napływowy, zbud. ze żwiru i piasku osadzonych przez wody lodowcowe; powstaje na przedpolu lądolodu w czasie jego postoju lub recesji; w Polsce b. typowe równiny sandrowe, utworzone z połączenia wielu s., występują w Borach Tucholskich i na Kurpiach.

Sandwich Południowy [sänduycz p.], **South Sandwich Islands,** grupa niewielkich bryt. wysp wulk. w pd. części O. Atlantyckiego, ok. 750 km na pd.-wsch. od Georgii Pd., administracyjnie należy do Falklandów; wyspy rozciągają się łukiem ograniczającym od wsch. morze Scotia; pow. 337 km². Odkryte 1775 przez J. Cooka.

Sangay [~gaj], **Volcán Sangay,** czynny wulkan w Kordylierze Środk. (pasmo Cordillera Real), w Andach Pn., w Ekwadorze, ok. 75 km na pd.-wsch. od wygasłego wulkanu Chimborazo; najaktywniejszy wulkan, po Cotopaxi, w Ameryce Pd.; wys. 5230 m; wierzchołek pokryty wiecznym śniegiem; od 1628 zanotowano 55 erupcji, ostatnia 1980; zdobyty 1967 przez ang. alpinistę Ch. Boningtona; stanowi park nar., wpisany na Listę Świat. Dziedzictwa Kult. i Przyr. UNESCO.

Sankt Petersburg, m. w Rosji, → Petersburg.

Sanocko-Turczańskie, Góry, pasmo górskie w Beskidach Lesistych (Beskidy Wsch.), w Polsce i na Ukrainie (większa część), w brzeżnej części Karpat, między dolinami Sanu i Stryja; od południa G.S.-T. sąsiadują z Bieszczadami Zach. (częściowo oddzielone od nich doliną Sanu); pasma gór mają regularny, równoległy układ (góry rusztowe); region jest przecięty skośnie wsch. granicą państw.; po stronie pol. na uwagę zasługują G. Słonne (672 m), na pn. od Leska, oraz pasmo Żukowa (768 m) z Jawornikami (910 m), na pd. od Ustrzyk Dolnych; na Sanie wybudowano zapory wodne, dzięki którym powstały 2 zabiorniki retencyjne — największe w pol. części Karpat — Jez. Solińskie i mały zbiornik wyrównawczy w Myczkowcach, wykorzystane do celów energ.; nad brzegami liczne ośr. rekreacji i wypoczynku; w centrum pol. części regionu leżą Ustrzyki Dolne, na zach. krańcu — Sanok i Lesko.

Sanok, m. powiatowe w woj. podkarpackim, nad Sanem; 42 tys. mieszk. (2000); ośr. przem.- -usługowy i turyst.; przemysł samochodowy (autobusy, przyczepy), spoż., gum., materiałów bud.; podziemne magazyny gazu ziemnego; wzmiankowany 1150; prawa miejskie od 1339; muzea (Muzeum Budownictwa Lud. z parkiem etnogr. — regionalne budynki drewn. z XVIII–XIX w.); zamek (XVI– XIX w.), zespół klasztorny (XVII, XIX w.) — ob. muzeum. W pobliżu złoże ropy naftowej.

Santiago, Santiago de Chile, stol. Chile, nad rz. Mapocho, u podnóża Andów Pd., przy Drodze Panamer.; 5 mln mieszk. (2002), zespół miejski 5,6 mln; największe miasto i gł. w kraju ośr. przemysłu (bawełn., skórz., chem.), handlu (międzynar. targi), nauki (2 akad. nauk, 3 uniw.), kultury (muzea) i turystyki; węzeł komunik. (port lotn.); zał. 1541 przez Hiszpanów (P. de Valdivia); liczne zabytki z okresu kolonialnego, m.in. zabudowa wokół Plaza de Armas (katedra, ratusz, pałac arcybiskupi, XVI–XVIII w.); klasycyst. gmachy publ., m.in. pałac prezydencki La Moneda (dawna mennica); budowle w stylach historyzujących i modernist. (pałac sztuk pięknych, XX w.). ■

Santo Domingo, Santo Domingo de Guzmán, stol. Dominikany, nad M. Karaibskim; zespół miejski 2,8 mln mieszk. (2002); gł. w kraju ośr. przemysłu (spoż., włók., skórz.), handlu, kultury (muzea), nauki (2 uniw., w tym najstarszy w Ameryce) i turystyki; węzeł komunik. (międzynar. port lotn.); kąpielisko mor.; zał. 1496 przez D. Colóna, brata K. Kolumba, jako stol. hiszp. posiadłości w Ameryce; liczne zabytki z XVI w., m.in.: wieża Torre del Homejane, katedra z bogatym skarbcem, kościoły (S. Domingo, S. Francisco), arsenał, pałac wicekróla, domy, kościół Jezuitów (XVIII w.).

São Francisco [sã ~si̯sko], rz. we wsch. Brazylii; dł. 2880 km, pow. dorzecza 619 tys. km^2; źródła w górach Serra do Canastra; uchodzi do O. Atlantyckiego; gł. dopływy: Paracatu, Corrente, Grande (l.), Rio das Velhas (pr.); ponad 50 progów i wodospadów (najwyższy Paulo Afonso); duże wahania stanów wód; średni przepływ przy ujściu 3,3 tys. m^3/s; elektrownie wodne; w górnym biegu hydrowęzeł Três Marias, w środk. — wielki zbiornik retencyjny Sobradinho, w dolnym — elektrownia Paulo Afonso (przy wodospadzie); wykorzystywana do nawadniania; żegl. od m. Pirapora do m. Juàzeiro oraz od wodospadu Paulo Afonso do ujścia; gł. miasta nad São Francisco: Pirapora, Juàzeiro, Piranhas.

São Paulo [sã p.], m. w pd.-wsch. Brazylii; stol. stanu São Paulo, nad rz. Tietê, na wybrzeżu O.

■ Sao Paulo, widok ogólny

Atlantyckiego; 10 mln mieszk. (2002), tworzy region metropolitalny — 15,2 mln (1991); największe miasto Ameryki Pd.; wielki ośr. przemysłu (włók., maszyn., środków transportu, petrochem.), kultury (muzea), nauki (m.in. 4 uniw.), handlu i turystyki; duży węzeł komunik. (port lotn.); miasto rozwinęło się wokół zał. 1554 kolegium jezuickiego Św. Pawła, któremu zawdzięcza nazwę; gwałtowny rozwój od 2. poł. XIX w. — ważny ośr. gosp. i polit. „kawowego” stanu São Paulo. ■

Saona, Saône, rz. we Francji, najdłuższy (pr.) dopływ Rodanu; dł. 480 km; źródła u podnóża Wogezów; płynie na pd., w obniżeniu tektonicznym; gł. dopływ Doubs (l.); połączona z Loarą (Kanał Centr.), Yonne i Sekwaną (Kanał Burgundzki) oraz z Mozelą (Kanał Wsch.); w dolnym biegu stanowi część drogi wodnej Ren–Rodan; przy ujściu m. Lyon.

■ Santiago. Widok ogólny

Sapporo, m. w Japonii, największe na wyspie Hokkaido; 1,8 mln mieszk. (2002); ośr. przem. (spoż., włók., drzewny, lotn., farm., poligraficzny); funkcje portowe S. pełni m. Otaru nad M. Japońskim; węzeł komunik. (międzynar. port lotn.); 4 uniw.; sporty zimowe; zimowy festiwal śnieżnych rzeźb; 1972 zimowe igrzyska olimpijskie; muzea; świątynie szintoistyczne; powstało 1871 jako baza wypadowa kolonizacji → Hokkaido.

Saragossa, Zaragoza, m. w pn.-wsch. Hiszpanii, nad rz. Ebro; stol. regionu autonomicznego Aragonia; 607 tys. mieszk. (2002); przemysł samochodowy, taboru kol., cukr., farm., skórz.- -obuwn.; węzeł kol. i drogowy; ośr. nauk. (uniw., akad. wojsk.) i turyst.; zał. ok. 25 r. p.n.e.; zamek z meczetem (XI w.), 2 katedry: got. (XII, XV w.) i barok. (XVII, XVIII w., z freskami F. Goi); kościoły, pałace, got.-renes. budynek giełdy; w okolicy kartuzja (XVIII w.).

Sarajewo, Sarajevo, stol. Bośni i Hercegowiny, w G. Dynarskich, w kotlinie, nad rz. Miljacką (dopływ Bosny); 434 tys. mieszk. (2002); do wojny domowej (1992) gł. ośr. gosp. i nauk. kraju; od 1997 odbudowa zniszczonych zakładów przem. (środków transportu, precyzyjny, farm., meblarski, spoż.) i miasta; rzemiosło (kowalstwo); węzeł dróg; port lotn.; Akad. Nauk i Sztuk, uniw.; zimowe igrzyska olimpijskie 1984; wzmiankowane od XV w.; liczne meczety z XVI w., m.in. Cesarski z madrasą i łaźnią, cerkiew (XVI w.), synagoga (XVI w.), most (XVII w.).

Sarawak, stan w Malezji, na pn.-zach. wyspy Borneo, nad M. Południowochińskim; 124,4 tys. km^2; 2,2 mln mieszk. (2002), Chińczycy, Dajakowie; stol. Kuczing; wyżynno-górzysty; rozczłonkowane pasma górskie (wys. do 2371 m, Mulu); głębokie doliny rzek (Rajang); lasy (70% pow.) równikowe wilgotne i namorzynowe; wydobycie ropy naft. ze złóż podmor.; eksploatacja lasów; na wybrzeżu plantacje kauczukowca, kakaowca; gł. porty: Kuczing, Miri (naft.).

Sardynia, Sardegna, region autonomczny Włoch, na M. Śródziemnym, obejmuje wyspę Sardynię i sąsiednie wyspy (Asinara, Sant' Antioco); 24,1 tys. km^2, 1,7 mln mieszk. (2002); stol. Cagliari; uprawa zbóż, buraków cukrowych, winorośli, oliwek, drzew cytrusowych; hodowla kóz i owiec; połowy sardynek, tuńczyków; wydobycie rud cynku i ołowiu; hutnictwo metali; wielkie saliny mor.; rzemiosło artyst. (gobeliny, koronki); rozwinięta turystyka — liczne kąpieliska morskie.

Sarema, Saaremaa, dawniej **Ozylia,** wyspa na M. Bałtyckim, u wejścia do Zat. Ryskiej, największa w Archipelagu Moonsundzkim; połączona groblą z wyspą Muhu; wchodzi w skład Estonii; pow. 2,7 tys. km^2; nizinna (do 54 m), zbud. gł. z wapieni i dolomitów; rozwinięte rolnictwo (uprawa zbóż, ziemniaków, hodowla bydła) i rybołówstwo; gł. m. — Kuressaare.

Sargassowe, Morze, Sargasso Sea, część O. Atlantyckiego, w zwrotnikowych szerokościach geogr. półkuli pn., między 23 a 35°N oraz 68° a 30°W, wewnątrz antycyklonalnej (na półkuli pn. zgodnie z ruchem wskazówek zegara) cyrkulacji prądów powierzchniowych — Północnorównikowym, Antylskim, Zatokowym, Północnoatlantyckim i Kanaryjskim; pow. 6–7 mln km^2, zmienna wskutek braku stałej granicy wsch. i częściowo pd.; średnia głęb. ok. 5000 m, maks. — 6995 m (Basen Północnoamerykański); w części zach. — wyspy Bermudy. M.S. jest akwenem względnego bezruchu mas wodnych i bujnego rozwoju sargasów (gronorosty) i związanych z nimi organizmów, o łącznej masie 4–11 mln t; temp. wód powierzchniowych od 18–23°C zimą do 26–28°C latem, zasolenie 36,5‰, w części wsch. — 37‰.

Sarońska, Zatoka, Saronikos kolpos, zatoka w pd.-zach. części M. Egejskiego (M. Śródziemne), u pd. wybrzeży Grecji, między półwyspami Attyką i Peloponezem; dł. 67 km, szer. wejścia 50 km; głęb. do 245 m; liczne wyspy, największe: Salamina, Egina; połączona Kanałem Korynckim z Zat. Koryncką i M. Jońskim; liczne kąpieliska mor.; gł. port — Pireus.

Sary-dżaz, w dolnym biegu **Aksu He,** rz. w Kirgistanie i w Chinach, jedna z 3 rzek źródłowych Tarymu; dł. ok. 400 km; w dorzeczu największy lodowiec Tien-szanu → Inylczek Południowy; wykorzystywana do nawadniania oazy Aksu (w Kotlinie Kaszgarskiej).

Sarykamyska, Kotlina, jedno z największych bezodpływowych obniżeń w Azji, na granicy Turkmenistanu i Uzbekistanu, na pd.-zach. od Jez. Aralskiego; 38 m p.p.m.; w środk. części Jez. Sarykamyskie (pow. 2850 km^2, głęb. do 40 m) powstałe w wyniku zatopienia wodami odprowadzanymi z systemów nawadniających Amu-darii.

Saskatchewan [səskäczy^{u}ən], rz. w pd. Kanadzie; powstaje z połączenia Saskatchewan Południowego i Saskatchewan Północnego wypływających z G. Skalistych, niekiedy uważana za część biegu rz. Nelson; dł. (od źródeł Saskatchewan Południowego) 1928 km (z Nelson 2570 km), pow. dorzecza 383 tys. km^2 (z Nelson 1,6 mln km^2); uchodzi do jez. Cedar, łączącego się z jez. Winnipeg, skąd wypływa Nelson; gł. dopływy: Carrot (pr.), Torch (l.); zamarza na ok. 6 mies.; w górnym biegu wykorzystywana do nawadniania, w środk. — do celów energ. (liczne bystrza); gł. miasta nad S.: Edmonton, Saskatoon.

Saskatchewan [səskäczy^{u}ən], prowincja w środk. Kanadzie; 652,3 tys. km^2, 1 mln mieszk. (2002); gł. m.: Regina (stol.), Saskatoon, Prince Albert; równiny w obrębie tarczy kanad. i Wielkich Równin; jeziora polodowcowe (Athabaska, Reniferowe); prerie, lasy mieszane, lasotundra; region rolniczy; uprawa pszenicy, owsa, jęczmienia, lnu; hodowla bydła; leśnictwo; wydobycie ropy naft., rud uranu, miedzi; przemysł spoż., rafineryjny, chem., drzewny; 2 transkontynent. linie kol. i drogowa.

Satledź, Satledz, hindi **Satlaj,** urdu **Satlej,** ang. **Sutlej,** chiń. **Xiangquan He,** tybet. **Langcz'en,** rz. w Chinach, Indiach i Pakistanie, najdłuższy (l.) dopływ Indusu; dł. ok. 1500 km, pow. dorzecza 395 tys. km^2; wypływa z jez. Rakas; przełamuje się przez Himalaje w głębokiej i wąskiej dolinie, a następnie płynie przez równinę Pendżabu; gł. dopływy: Bjas, Ćenab (pr.); wykorzystywana do nawadniania; powyżej m. Rupar wielki kompleks hydroenerg. Bhakra Nangal.

Savannah [səwänə], rz. w USA, na granicy stanów Karolina Pd. i Georgia; dł. ok. 500 km; źródła w Pasmie Błękitnym; płynie przez przedgórze Appalachów — Piedmont oraz Niz. Atlantycką; uchodzi do O. Atlantyckiego; żegl. od m. Augusta; w górnym biegu zbiorniki retencyjne: Hartwell, Clark i liczne elektrownie wodne; przy ujściu miasto Savannah; w estuarium S. pomnik nar. — Fort Pulaski (od 1924).

Sawa, Sava, rz. w Słowenii, Chorwacji i Jugosławii (Serbia), w środk. biegu wyznacza granicę między Bośnią i Hercegowiną a Chorwacją i Serbią, pr. dopływ Dunaju; dł. 945 km, pow. dorzecza 95,7 tys. km^2; źródła w Alpach Julijskich; płynie licznymi zakolami przez pd. część

Niz. Środkowodunajskiej (zw. Posaviną); gł. dopływy: Kupa, Una, Vrbas, Bosna, Drina (pr.); średni przepływ przy ujściu 1670 m³/s; żegl. od m. Sisak; częściowo doliną S. przechodzi międzynar. linia kol. i autostrada Monachium–Belgrad; gł. m. nad S.: Zagrzeb, przy ujściu Belgrad.

Schwarzwald [szwąrc~], zrębowy masyw górski w pd.-zach. części Niemiec; opada stromo ku Niz. Górnoreńskiej, łagodnie na wsch. (ku Progom Szwabsko-Frankońskim); dł. 160 km, szer. do 60 km (na pd.); najwyższy szczyt Feldberg (1463 m). S. należy do pasa hercynidów; zbud. gł. z granitów i skał metamorficznych, w pn. części i na wsch. z piaskowców triasowych. Ślady zlodowacenia plejstoceńskiego (jeziorka cyrkowe, moreny); głęboko rozcięty dolinami rzek; większa część S. odwadniana do Renu; na pd. stokach źródła Dunaju. Klimat umiarkowany ciepły; średnia temp. w styczniu wynosi od 0°C do –5°C; roczne opady do 1800–2100 mm na zach. stokach. Występuje wyraźna piętrowość klim.-roślinna; dolne piętro stanowią lasy dębowo-brzozowe; na wys. 600–900 m rozciąga się piętro lasów bukowo-jodłowych, powyżej (zwł. w pn. części) panują bory świerkowe; ponad górną granicą lasu (1200–1400 m) zarośla kosodrzewiny, łąki górskie i torfowiska. Liczne źródła termalne i miner. (uzdrowiska Badenweiler, Bad Peterstal--Griesbach, Wildbad, Baden-Baden); region turyst. i sportów zimowych; stałe osadnictwo sięga do wys. 1265 m; gospodarka leśna; na nasłonecznionych stokach uprawa winorośli i drzew owocowych; przemysł meblarski, papierniczy, wyrób instrumentów muz., zabawek mech., sprzętu elektron.; dość gęsta sieć dróg samochodowych i kol.; gł. m. — Fryburg Bryzgowijski.

sedymentacja [łac.], proces osadzania się pod wpływem siły ciężkości materiałów naniesionych przez wiatr, lodowce, wody płynące, zawieszonych lub rozpuszczonych w wodzie mor. lub jeziornej; zachodzi we wszystkich strefach klim. i środowiskach geogr.; jest zawsze poprzedzana przez wietrzenie i erozję obszarów dostarczających materiałów (tzw. obszarów alimentacyjnych) na miejsce osadzania (do basenu sedymentacyjnego). S. m e c h a n i c z n a polega na gromadzeniu się okruchów miner. i skalnych, s. o r g a n o g e n i c z n a — szczątków zwierzęcych i roślinnych, s. c h e m i c z n a — na osadzaniu się wytrąconych z roztworu związków chem.; wszystkie rodzaje s. często zachodzą łącznie, prowadzą do powstania różnych rodzajów skał osadowych.

sedymentologia [łac.-gr.], dział geologii, nauka badająca procesy powstawania współcz. osadów, odtwarzająca mechanizm powstawania osadów (które dały początek różnym skałom osadowym) w przeszłości geol., a także badająca środowisko tworzenia się osadów. Poznanie współcz. osadów i ich środowisk sedymentacyjnych pozwala określić warunki i sposoby, tworzenia się osadów w ubiegłych epokach geol.; s. posługuje się też, prowadzonymi w laboratoriach, badaniami eksperymentalnymi nad powstawaniem osadów lub ich określonych cech. S. jest nauką interdyscyplinarną, korzysta z danych i metod badawczych m.in.: petrografii, mineralogii, hydrodynamiki, chemii, geochemii; ściśle wiąże się też z oceanologią (badanie osadów współcz.).

Sejny, m. powiatowe w woj. podl., nad Marychą (l. dopływ Czarnej Hańczy); 6,2 tys. mieszk. (2000); ośr. usługowy, turyst. i sztuki lud.; przemysł spoż.; siedziba Litew. Tow. Społ.-Kult.; miasto zał. 1593–1602; zespół klasztorny Dominikanów (XVII, XVIII w.); kolegiata, dawna katedra (XVII, XVIII w.).

sejsmiczne fale, rozchodzące się w Ziemi fale sprężyste, wywołane przez czynniki naturalne (→ trzęsienia ziemi oraz czynniki atmosf. i hydrodynamiczne) lub działalność człowieka (eksplozje, zakłócenia przem.); dzielą się na fale objętościowe, rozchodzące się wewnątrz Ziemi, oraz fale powierzchniowe, rozchodzące się wzdłuż powierzchni rozdzielającej ośr. o różnych parametrach mech., powstające zwł. na powierzchni Ziemi. Fale objętościowe podłużne P (łac. *primae*) przychodzą do stacji sejsmologicznej jako pierwsze, fale poprzeczne S (łac. *secundae*) przychodzą po fali P. Przy przejściu przez granicę 2 ośr. o różnych właściwościach sprężystych fale objętościowe ulegają odbiciu i załamaniu, przy czym odbiciu i załamaniu fal objętościowych, zarówno P, jak i S, towarzyszy powstanie obu rodzajów fal. Prędkości fal P i S zależą od wielkości parametrów sprężystych ośr. i, w związku ze zmianą tych parametrów wewnątrz Ziemi, prędkości fal P i S zmieniają się w znacznych granicach, szczególnie wraz ze wzrostem głębokości (zmiany w kierunku poziomym są dużo mniejsze); fale S jako poprzeczne nie rozchodzą się w zewn. ciekłym jądrze Ziemi. Fale powierzchniowe (fale Rayleigha i Love'a) mają długie okresy i znaczne amplitudy (w porównaniu z falami objętościowymi), przy czym amplituda drgań maleje wykładniczo wraz ze wzrostem głębokości; podczas silnych trzęsień ziemi fale objętościowe S oraz fale powierzchniowe wywołują największe zniszczenia. Analiza przebiegu fal sejsmicznych, wykorzystująca ich zapisy instrumentalne (sejsmogramy, akcelerogramy), dostarcza informacji o budowie wnętrza Ziemi (→ sejsmologia).

sejsmiczne strefy, obszary, na których często występują silne trzęsienia ziemi. Rozróżnia się 2 podstawowe s.s. Ziemi: Strefę Okołopacyficzną oraz Strefę Śródziemnomorską i Transazjatycką. S t r e f a O k o ł o p a c y f i c z n a obejmuje zach. wybrzeża obu Ameryk, Alaskę, Aleuty, Kamczatkę, Kuryle, W. Japońskie, Chiny, Filipiny, Nową Gwineę, wyspy zach. Polinezji i Nową Zelandię; strefa ta w znacznej części przebiega przez obszary mor., w szczególności w sąsiedztwie rowów oceanicznych. Ze Strefą Okołopacyficzną łączą się 2 pętle wysunięte na obszar O. Atlantyckiego — jedna leżąca na pd. od Ziemi Ognistej i druga — obejmująca M. Karaibskie. W Strefie Okołopacyficznej występuje ok. 80% wszystkich trzęsień ziemi, w tym wszystkie trzęsienia głębokie. S t r e f a Ś r ó d z i e m n o m o r s k a i T r a n s a z j a t y c k a biegnie od Nowej Gwinei przez Indonezję, Birmę, pn. Indie, Uzbekistan, Turkmenistan, Iran, Gruzję, Turcję i M. Śródziemne; w strefie tej występuje ok. 15% wszyst-

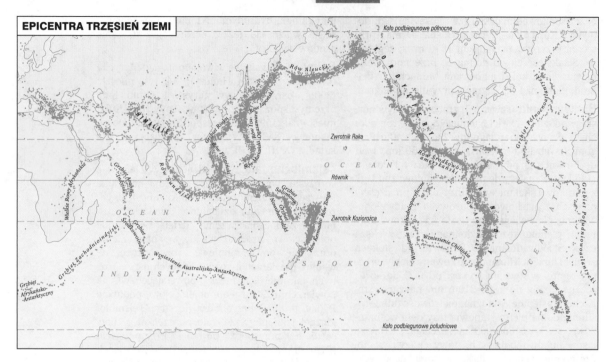

EPICENTRA TRZĘSIEŃ ZIEMI

kich trzęsień ziemi. Większość z pozostałych 5% trzęsień ziemi przypada na obszary grzbietów śródoceanicznych na O. Atlantyckim, O. Indyjskim i O. Arktycznym oraz rejon rowów tektonicznych we wsch. Afryce. Polska należy do stref asejsmicznych, jedynie w rejonie Karpat, Sudetów i ich przedgórza rzadko występują słabe trzęsienia ziemi.

Lokalizacja s.s. i analiza trzęsień ziemi tam występujących stanowi podstawowy element w konstrukcji współcz. teorii → tektoniki płyt; w myśl tej teorii trzęsienia ziemi, jak również trwające obecnie procesy orogenezy alp. są wynikiem przemieszczania się i oddziaływania na siebie oceanicznych i kontynent. płyt litosferycznych. Znaczna część trzęsień ziemi występujących w Strefie Okołopacyficznej jest związana z procesem subdukcji, w którym płyty oceaniczne zagłębiają się pod płyty kontynent. (→ Benioffa strefa); zderzenie się płyt kontynent. jest gł. odpowiedzialne za trzęsienia ziemi w Strefie Śródziemnomorskiej i Transazjatyckiej; natomiast tworzeniu się i rozsuwaniu płyt, które występuje na grzbietach śródoceanicznych i we wsch. Afryce, towarzyszą stosunkowo nieliczne trzęsienia ziemi.

sejsmograf [gr.], urządzenie do wykrywania i rejestracji drgań gruntu (przemieszczeń i prędkości) wywołanych wstrząsami naturalnymi lub sztucznymi. Głównym elementem s. jest sejsmometr, którego podstawową częścią jest masa bezwładna zawieszona tak, że tworzy wahadło fiz. (pionowe lub poziome); okres drgań własnych wahadła powinien być duży w porównaniu z okresem drgań gruntu, gdyż wtedy środek wahadła można traktować jako stały punkt odniesienia, względem którego określa się wielkość i kierunek drgań gruntu. Drgania gruntu są przetwarzane na impulsy elektr., wzmacniane i rejestrowane za pośrednictwem galwanometru na taśmie światłoczułej (w systemach tradycyjnych, wychodzących z użycia) lub w pamięci komputera (w rozwiązaniach nowocz.). W najnowszych s. można uzyskiwać powiększenia drgań gruntu rzędu kilku milionów. Zapis drgań gruntu przez s. nosi nazwę sejsmogramu; pozwala na wyznaczenie czasu przyjścia fal sejsmicznych różnego typu do stacji sejsmologicznej oraz na określenie amplitud i okresów tych fal.

sejsmologia [gr.], dział geofizyki, nauka o trzęsieniach ziemi i rozchodzeniu się fal → sejsmicznych; badania sejsmologiczne dotyczą gł. przyczyn, mechanizmu i przebiegu trzęsień ziemi, rozmieszczenia trzęsień na powierzchni Ziemi (→ sejsmiczne strefy) i ich związku z budową skorupy ziemskiej i wnętrza Ziemi. Do zadań sejsmologii należy także opracowanie metod przewidywania trzęsień ziemi oraz walki z ich niszczącymi skutkami.

Badania nad rozchodzeniem się fal sejsmicznych (rejestrowanych w stałych → sejsmologicznych stacjach) dostarczają podstawowych danych o fiz. stanie wnętrza Ziemi. Analiza tzw. hodografów fal sejsmicznych, określających drogi fal sejsmicznych i ich prędkości, pozwala na stwierdzenie granic nieciągłości ośr. w głębi Ziemi; dalszych informacji o budowie wnętrza Ziemi dostarcza analiza zmian amplitud fal sejsmicznych w zależności od odległości od → hipocentrum, analiza zmian prędkości powierzchniowych fal sejsmicznych w zależności od ich okresu i in. Opierając się na badaniach sejsmologicznych wyróżniono w Ziemi 3 podstawowe strefy: → skorupę ziemską, → płaszcz Ziemi i → jądro Ziemi. Obecnie, dzięki zwiększającej się ilości dostępnych danych sejsmologicznych i zastosowaniu nowocz. komputerów do dokonywania skomplikowanych obliczeń, można znacznie bardziej szczegółowo rozpoznawać fiz. właściwości ośrodka wewnątrz Ziemi; metody tzw. tomografii sejsmicznej zaś pozwalają na określanie zmian tych właściwości nie tylko w kierunku pionowym, ale i trójwymiarowo, co umożliwia lepsze zrozumienie procesów zachodzących w głębi Ziemi. Dużą rolę w poznaniu budowy skorupy ziemskiej i górnego płaszcza Ziemi odgrywają badania rozchodzenia się fal sejsmicznych wywołanych sztucznie przez eksplozje materiałów wybuchowych (na powierzchni Ziemi lub w otworach wiertniczych — tzw. głębokie sondowania sejsmiczne); badania te są stosowane również w geofizyce poszukiwawczej, pozwalają m.in. na wykrywanie określonych struktur geol., a także złóż kopalin użytecznych, których występowanie jest związane z tymi strukturami. Dział s. zajmujący się instrumentalnymi pomiarami drgań gruntu wywołanych trzęsieniami ziemi nazywa się s e j s m o m e t r i ą.

sejsmologiczna stacja, obserwatorium geofiz. wyposażone w zestaw aparatury sejsmicznej, zajmujące się rejestracją i wstępną analizą fal → sejsmicznych. Podstawowym przyrządem stosowanym w s.s. jest → sejsmograf; niektóre s.s. są wyposażone również w akcelerografy. Istnieją s.s. w pełni zautomatyzowane, z których wyniki rejestracji są transmitowane na falach radiowych lub linią telefoniczną do lokalnych centrów sejsmologicznych. Na świecie działa kilka tysięcy s.s., większość na obszarach aktywnych sejsmicznie (→ sejsmiczne strefy). W Polsce jest czynnych 7 s.s., przeznaczonych do rejestracji dalekich i bliskich trzęsień ziemi (m.in. w Książu, Ojcowie, Warszawie); ponadto na terenie kopalń węgla na Górnym Śląsku oraz rud miedzi w Lubińsko-Głogowskim Zagłębiu Miedziowym działa kilkadziesiąt podziemnych sieci sejsmicznych do rejestrowania wstrząsów górniczych. Dane o trzęsieniach ziemi uzyskane w s.s. są przesyłane do świat. centrów sejsmologicznych celem ich dalszego opracowania; centra te znajdują się w Newbury (W. Brytania), Denver (USA), Strasburgu (Francja) i Moskwie (Rosja).

sejsmometria [gr.], dział → sejsmologii.

sejsze [franc.], swobodne fale stojące, powstające w zamkniętych zatokach, morzach i jeziorach pod wpływem wyraźnego zaburzenia równowagi wody, przejawiającego się wahaniami jej poziomu, w czasie których w jednej części zbiornika poziom wody podnosi się, a w drugiej jednocześnie opada; ruch wahadłowy poziomu wody odbywa się wokół osi, zw. węzłem, i trwa tak długo, aż wygaśnie na skutek tarcia; w zależności od liczby węzłów rozróżnia się s. jednowęzłowe, dwuwęzłowe itd.; s. powstają pod wpływem: gwałtownych zmian ciśnienia atmosf. nad zbiornikiem lub w jego pobliżu, gwałtownego spadku prędkości i kierunku wiatru (który uprzednio spowodował odchylenie poziomu wody), obfitego opadu deszczu w jednym z rejonów zbiornika (powodującego odchylenie poziomu wody, która następnie dąży do powrotu do stanu równowagi), lokalnego trzęsienia ziemi; w niewielkich zbiornikach s. mogą być wywołane nawet przez przepływający statek; okresy sejszowe wynoszą od kilku minut do kilkunastu godzin, a średnia amplituda (tj. największe odchylenie poziomu wody od jego położenia w stanie spokoju) nie przekracza zazwyczaj 20–30 cm, maks. — do kilku metrów, np. Jez. Genewskie 2 m, Zatoka Algierska 1 m.

■ Sekwana w pobliżu Les Andelys, widoczny zamek Gaillard

Sekwana, Seine, rz. we Francji, w Basenie Paryskim; dł. 776 km, pow. dorzecza 78 650 km^2; źródła na wyż. Langres, na wys. 471 m; uchodzi do cieśn. La Manche; w górnym biegu płynie w wąskiej i głębokiej dolinie, w środk. i dolnym — w szerokiej, o stromych zboczach; od Paryża koryto b. kręte (meandrowe); gł. dopływy: Aube, Marna, Oise (pr.), Yonne (l.); na wsch. od Troyes na kanale bocznym duży zbiornik retencyjny; ważna droga wodna, do Rouen dochodzą statki mor.; połączona kanałami z Sommą, Skaldą, Sambrą, Mozą, Renem, Saoną i Loarą; nad S. duża koncentracja zakładów gł. przemysłu chem. (woda czysta — liczne oczyszczalnie ścieków); gł. m.: Paryż, Rouen, przy ujściu — Hawr (1995 oddany do użytku Most Normandzki). ■

Selenga, mong. **Selenge mörön,** ros. **Sielenga,** rz. w Mongolii i Rosji (Buriacja); powstaje z połączenia Ider-gol i Delger-mörön; dł. 1024 km (od źródeł Ider-gol 1480 km), pow. dorzecza 447 tys. km^2; dolina S. na przemian wąska i szeroka (do 25 km); uchodzi do jez. Bajkał tworząc deltę (pow. 680 km^2); gł. dopływy: Orchon, Czikoj, Chiłok, Uda (pr.), Egijn-gol (l.); średni przepływ ponad 900 m^3/s; żegl. od m. Suche Bator (w Mongolii — na dopływie Orchon); gł. m. nad S. — Ułan Ude.

Semeru, czynny wulkan w Indonezji, najwyższy szczyt Jawy, na pd. od m. Surabaya; wys. 3676 m; bardzo aktywny, od 1818 zanotowano 58 erupcji; ostatni wybuch 1981.

Senegal, franc. **Sénégal,** rz. w Gwinei, Mali, w dolnym biegu wyznacza granicę między Mauretanią a Senegalem; dł. 1430 km, pow. dorzecza 441 tys. km^2; wypływa jako rz. Bafing w masywie Futa Dżalon w Gwinei; w górnym biegu wodospady i liczne progi; w środk. i dolnym biegu płynie przez obszary nizinne, silnie meandrując; uchodzi do O. Atlantyckiego koło m. Saint-Louis tworząc deltę (pow. ok. 1500 km^2); gł. dopływ — Falémé (l.); duże wahania stanu wód (przepływ minim. 5–6 m^3/s, maks. — 4–5 tys. m^3/s); żegl. od m. Podor, podczas wysokiego stanu wód od m. Kayes; wykorzystywana do nawadniania (gł. w dolnym biegu).

Senegal, Sénégal, Republika Senegalu, państwo w zach. Afryce, nad O. Atlantyckim; 196,7 tys. km^2; 10,0 mln mieszk. (2002), gł. Wolofowie, Sererowie, Fulanie, Mandingo; 94% muzułmanów; stol. i gł. port Dakar; język urzędowy franc.; republika. Kraj nizinny; klimat podrównikowy, na pn. — suchy (długotrwałe susze); gł.

■ Senegal

■ Seraki na lodowcu Cetlina (Pamir)

■ Seszele

rz.: Senegal, Gambia; sawanny, na pd. miejscami widne lasy wiecznie zielone. Podstawą gospodarki uprawa i przetwórstwo orzeszków ziemnych (na eksport); ponadto uprawa zbóż, manioku, bawełny, zbiór gumy arab.; hodowla bydła, owiec; rybołówstwo; wydobycie fosforytów, złota; przemysł spoż., drzewny, włók., chem.; żegluga śródlądowa na Senegalu. ■

seraki [franc. < łac.], wielkie bryły lodu powstające wskutek łamania się lodowca na stromym progu skalnym w dolinie lodowcowej. ■

Serbia, Srbija, republika związkowa Jugosławii, na wsch. kraju; 88,4 tys. km^2; 5,7 mln mieszk. (2002), Serbowie, Albańczycy, Węgrzy; prawosławni, protestanci, katolicy, muzułmanie; stol. Belgrad, inne m.: Nowy Sad, Nisz, Prisztina; język urzędowy serb.; 2 wydzielone okręgi: Wojwodina (na pn.), Kosowo (na pd.). Górzysta i wyżynna; na zach. G. Dynarskie, na wsch. G. Wschodnioserbskie, na pd. Szar Płanina, na pn. część Niz. Środkowodunajskiej z szerokimi dolinami: Dunaju, Cisy, Sawy i Morawy. Podstawą gospodarki przemysł: górnictwo rud metali (miedzi, cynku i ołowiu, żelaza), węgla brun.; elektrownie wodne (Żelazna Brama na Dunaju); hutnictwo metali, przemysł metal., maszyn., zbrojeniowy, cukr., winiarski; na pn. uprawa zbóż, słonecznika, buraków cukrowych, winorośli; w górach hodowla owiec i bydła.

Seret, rum. i ukr. **Siret,** rz. we wsch. Rumunii, górny bieg na Ukrainie, l. dopływ dolnego Dunaju; dł. 726 km, pow. dorzecza 44 tys. km^2; źródła w Beskidach Wsch.; płynie w szerokiej dolinie przez Wyż. Mołdawską; duże wahania stanu wód; gł. dopływy: Suczawa, Mołdawa, Bystrzyca, Trotuş, Buzu (pr.), Bîrlad (l.); żegl. w dolnym biegu; gł. m. nad S. — Bacău.

Serock, m. w woj. mazow. (powiat legionowski), nad Jez. Zegrzyńskim, naprzeciw ujścia Bugu; 3,1 tys. mieszk. (2000); ośr. wypoczynkowy i usługowy dla okolicznych wsi letniskowych; wzmiankowany 1065; prawa miejskie 1417–1870 i od 1923; pozostałości grodziska (XI?–XII? w.); kościół (XVI w.).

Seszele, franc. i ang. **Seychelles,** kreolskie **Sesel, Republika Seszeli,** państwo afryk. na archipelagu Seszele i sąsiednich wyspach (gł. Mahé), w zach. części O. Indyjskiego; 455 km^2; 81 tys. mieszk. (2002), Kreole (ok. 90%), Malgasze, Indusi; przewaga katolików; stol. i port Victoria; język urzędowy: ang., franc., kreolski; republika. Wyspy wyżynno-górzyste, gł. pochodzenia wulk.; klimat i lasy równikowe wilgotne. Podstawą gospodarki są turystyka i handel zagraniczny (reeksport produktów naftowych, wywóz ryb, kopry, cynamonu, tytoniu); rośliny żywieniowe: maniok, kukurydza, warzywa; połowy tuńczyka; eksploatacja guana. ■

Sete Quedas [s. kię~], **Guaíra,** portug. **Salto das Sete Quedas,** hiszp. **Salto del Guaíra,** kaskada 18 wodospadów i bystrzy w środk. biegu Parany, na granicy Brazylii i Paragwaju; łączna wys. 117 m, najwyższy wodospad — ok. 30 m; poniżej wodospadów zbiornik i największa w świecie elektrownia wodna Itaipú (ok. 160 km na pd. od Sete Quedas).

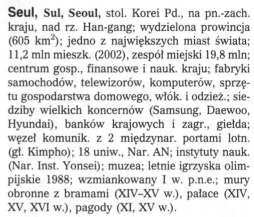

Seul, Sul, Seoul, stol. Korei Pd., na pn.-zach. kraju, nad rz. Han-gang; wydzielona prowincja (605 km^2); jedno z największych miast świata; 11,2 mln mieszk. (2002), zespół miejski 19,8 mln; centrum gosp., finansowe i nauk. kraju; fabryki samochodów, telewizorów, komputerów, sprzętu gospodarstwa domowego, włók. i odzież.; siedziby wielkich koncernów (Samsung, Daewoo, Hyundai), banków krajowych i zagr., giełda; węzeł komunik. z 2 międzynar. portami lotn. (gł. Kimpho); 18 uniw., Nar. AN; instytuty nauk. (Nar. Inst. Yonsei); muzea; letnie igrzyska olimpijskie 1988; wzmiankowany I w. p.n.e.; mury obronne z bramami (XIV–XV w.), pałace (XIV, XV, XVI w.), pagody (XI, XV w.).

Severn, ang. **River Severn,** walijskie **Hafren,** rz. w pd. części W. Brytanii, w Walii i Anglii; dł. ok. 290 km; źródła w G. Kambryjskich; uchodzi do Kanału Bristolskiego estuarium (dł. 80 km); w dolnym odcinku liczne meandry; gł. dopływy: Teme (pr.), Avon (l.); do m. Gloucester dostępna dla statków mor. (wys. przypływów 11 m), powyżej — do Sharpness przekopany kanał żegl. (dł. 26 km); gł. m. nad S.: Shrewsbury, Worcester, Gloucester.

Sewan, jez. w Armenii, największe na Kaukazie, w śródgórskiej tektonicznej kotlinie, na wys. 1900 m; pow. 1240 km^2, głęb. do 83 m; dzieli się na część pn.-zach. (Mały S.) i pd.-wsch. (Wielki S.); do S. uchodzi 28 niedużych rzek, wypływa Razdan; w S. żyje endemiczny gat. pstrąga; w ciągu 50 lat poziom wody w jeziorze obniżył się o 18 m (po zbudowaniu kaskady elektrowni na Razdanie); obecnie jest zasilane wodami Arpy (l. dopływ Araksu), połączonej z S. tunelem (dł. 49 km).

Sewenny, Cévennes, krawędziowe góry Masywu Centralnego, we Francji; opadają schodowatymi uskokami ku dolinie Rodanu i niz. Langwedocji; najwyższy szczyt Lozère, 1699 m; zbud. gł. z łupków krystal.; pd.-wsch. stoki rozcięte głębokimi dolinami rzek; na łagodnych stokach atlantyckich pastwiska dla owiec lub nowo założone plantacje leśne; na pd.-wsch. stokach uprawa winorośli, oliwek, drzew owocowych i morwowych (w XIX w. rozwinięta hodowla jedwabników); park nar. (od 1967, pod ochroną niskopienne lasy dębowe z kępami kasztana jadalnego); region silnie wyludniony.

Sewilla, Sevilla, m. w pd.-zach. Hiszpanii, nad rz. Gwadalkiwir; stol. regionu autonomicznego Andaluzja; 704 tys. mieszk. (2002); przemysł maszyn., samoch., lotn., chem.; port rzeczny, duży węzeł kol. i drogowy; uniw.; ośr. turyst. o międzynar. znaczeniu, świat. wystawa Expo 1992, muzea; ośr. nauki i sztuki; arab. mury obronne (XIII w.), alkazar w stylu mudejar (XIV w.), got. katedra (XV, XVI w., ze słynną dzwonnicą La Giralda (XII w.), kościoły, Patio de los Naranjos z kościołem (XVII w.) i biblioteką K. Kolumba (XVI w.), klasztory, pałace, ratusz w stylu plateresco (XVI w.), budynek giełdy (XVI w.).

Sędziszów, m. w woj. świętokrzyskim (powiat jędrzejowski), nad Mierzawą (pr. dopływ Nidy); 6,8 tys. mieszk. (2000); węzeł kol., duża stacja i warsztaty kol.; najdalej na zach. wysunięty punkt przestawczy wagonów z toru szerokiego na standardowy; terminal kontenerowy; fabryka kotłów; prawa miejskie od 1990; kościół (XVIII w.).

Sędziszów Małopolski, m. w woj. podkarpackim (powiat ropczycko-sędziszowski); 7,2 tys. mieszk. (2000); ośr. usługowy; wytwórnie filtrów, mebli; prawa miejskie 1483–1896 i od 1934; kościół (XVII, XVIII w.), zespół klasztorny (XVIII w.).

Sępopol, m. w woj. warmińsko-mazurskim (powiat bartoszycki), nad Łyną, przy ujściu rz. Guber; 2,2 tys. mieszk. (2000); ośr. usługowy regionu roln.; drobny przemysł; prawa miejskie 1351–1946 i od 1973; kościół (XIV–XVI w.), pozostałości murów miejskich (XIV w.).

Sępólno Krajeńskie, m. powiatowe w woj. kujawsko-pomor., nad Jez. Sępoleńskim; 9,2 tys. mieszk. (2000); ośrodek usługowy dla rolnictwa i położonych nad jeziorem ośrodków wczasowych; drobny przemysł (drzewny, spoż.); węzeł drogowy; prawa miejskie od 1360.

sfera niebieska, firmament, twór geom., sfera o dowolnym promieniu, w której środku znajduje się obserwator; pojęcie s.n. jest pomocne w określaniu kierunków do ciał niebieskich; położenie ciała niebieskiego na s.n. jest określone jako punkt, w którym s.n. jest przebita przez półprostą mającą początek w środku s.n. i przechodzącą przez dane ciało; na s.n. są określone sferyczne układy współrzędnych astronomicznych; w starożytności i średniowieczu wierzono w istnienie jednej lub kilku s.n. otaczających Ziemię i stanowiących twarde sklepienie niebieskie.

Shackletona, Lodowiec Szelfowy [l. sz. szäkltəna], **Shackleton Ice Shelf,** lodowiec szelfowy na Antarktydzie, przylegający częściowo do Wybrzeża Królowej Marii i do Ziemi Wilkesa, nad M. Mawsona (O. Indyjski); pow. 31 tys. km²; kilka wysp, m.in. Wyspa Milla; spływający z wnętrza lądolodu Lodowiec Denmana dzieli L.Sz.S. na 2 części; L.Sz.S. jest jednym z 3 gł. źródeł powstawania gór lodowych w Antarktyce.

Shinkansen [śi~], system nowocz. magistrali kol. szybkiego ruchu w Japonii, o łącznej dł. 1850 km; ma podstawowe znaczenie w transporcie pasażerskim i towarowym Japonii; w skład systemu wchodzi kilka odcinków magistrali kol., oddanych do użytku 1964–82; pierwszy, tzw. Nowa Tôkaidô (Tokio–Nagoja–Osaka), ma dł. 515 km; jego przedłużeniem jest Nowa San'yô o trasie Okayama–Hirosima–Shimonoseki na wyspie Honsiu do Kitakiusiu na

■ Pociąg Shinkansen na stacji w Kioto

wyspie Kiusiu przez podmor. tunel kol. Kammon, dł. 18,7 km, łączący obie wyspy — łączna dł. linii 554 km. W latach 80. powstały 2 dalsze linie: Nowa Tôhoku (Tokio–Morioka), o dł. 505 km, oraz Jôetsu (Tokio–Niigata, przez tunel górski Daishimizu, dł. 22 km), o dł. 270 km; średnia prędkość superekspresu S. na tych liniach wynosi 160 km/h (maks. do 300 km/h). Przedłuża się linię Tokio–Morioka do Aomori i dalej, przez podmor. tunel kol. Seikan, do Sapporo na wyspie Hokkaido. ■

Si-ciang, rz. w Chinach, → Xi Jiang.

sial, dawna nazwa zewn. sfery skorupy ziemskiej zbud. gł. z granitów i skał pokrewnych, bogatych w krzem (Si) i glin (Al); w myśl współcz. poglądów s. odpowiada całej kontynent. skorupie ziemskiej.

Sianów, m. w woj. zachodniopomor. (powiat koszal.), nad Unieścią (uchodzi do jez. Jamno); 6,8 tys. mieszk. (2000); ośr. usługowy i przemysłu drzewnego (fabryka zapałek, tartak); prawa miejskie od 1343.

siatka geograficzna, układ południków i równoleżników na powierzchni Ziemi; południk zerowy (przechodzący przez dawne obserwatorium astr. w Greenwich) i równik (równoleżnik, którego płaszczyzna przechodzi przez środek Ziemi i jest prostop. do osi przechodzącej przez oba bieguny Ziemi) tworzą układ, względem którego wyznacza się współrzędne → geograficzne.

siatka kartograficzna, odwzorowana na mapie → siatka geograficzna lub siatka współrzędnych geodezyjnych. Zob. też odwzorowania kartograficzne.

Sichuan, Syczuan, prowincja w środk. Chinach; 569 tys. km², 90,1 mln mieszk. (2002); ośr. adm. Chengdu, inne m. Chongqing, największe w kraju; we wsch. części gęsto zaludniona Kotlina Syczuańska, w zach. — G. Sino-Tybetańskie (do 7556 m); gł. rz. Jangcy, poniżej m. Wanxian przełamuje się przez góry Wu Shan tworząc wąską Dolinę Trzech Przełomów; górnictwo (gaz ziemny, ropa naft., węgiel kam., rudy żelaza), hutnictwo żelaza, przemysł spoż., maszyn., metal., lotn., chem., włók.; rolnictwo oparte na sztucznym nawadnianiu (system Dujiang Yan); uprawa zbóż (gł. ryż), soi, trzciny cukrowej, bawełny, rzepaku, drzew cytrusowych; jedwabnictwo; hodowla trzody chlewnej, w górach pasterstwo kóz, owiec; na Jangcy (na granicy z prow. Hubei) w budowie (2002) wielka zapora zw. Zaporą Trzech Przełomów (od pocz. 2002 wysiedlanie milionów mieszk. z terenów planowanego zbiornika); żegluga śródlądowa.

Siechnice, m. w woj. dolnośląskim (powiat wrocł.), nad Oławą; 4,0 tys. mieszk. (2000); huta żelaza, elektrownia cieplna (142 MW); prawa miejskie od 1997.

Siedlce, m. w woj. mazow., nad Muchawką (l. dopływ Liwca); powiat grodzki, siedziba powiatu siedl.; 72,0 tys. mieszk. (2000); ośr. przem. i centrum kult. Podlasia; stol. diecezji siedl. (podlaskiej) Kościoła rzymskokatol.; przemysł: maszyn., metal., precyzyjny, spoż., dziewiarski, zabawkarski; duża wytwórnia pasz; węzeł kol. i

■ Sierra Leone

drogowy; szkoły wyższe; Muzeum Ziemi Podlaskiej; osada z IX–X w.; prawa miejskie od 1547; zespół zabytków z XVIII w.: kościół i plebania, pałac z 2 parkami, kaplica, ratusz (muzeum), budynek gimnazjum (XIX, XX w.) i poczty (XIX w.).

Siedmiogrodzka, Wyżyna, w Rumunii, → Transylwańska, Wyżyna.

Siemianowice Śląskie, m. w woj. śląskim, w GOP; powiat grodzki; 77,0 tys. mieszk. (2000); duży ośr. przem. i mieszkaniowy; huty żelaza (z walcownią rur), szkła, fabryka śrub, zakłady naprawy maszyn, cukiern., mięsne; od końca XVIII w. rozwój; prawa miejskie od 1932.

Siemianówka, Jezioro Siemianówka, Zbiornik Wodny Siemianówka, zbiornik retencyjny na górnej Narwi, w Dolinie Górnej Narwi; utw. 1995 przez spiętrzenie Narwi zaporą ziemną (wys. piętrzenia 7 m); pow. 32,5 km^2, pojemność całkowita 79,5 hm^3, wykorzystywany do celów energ., ochrony przeciwpowodziowej i rekreacji; przy zaporze elektrownia wodna.

Siemiatycze, m. powiatowe w woj. podl., nad Kamionką (pr. dopływ Bugu); 15,9 tys. mieszk. (2000); ośr. przem.-usługowy; przemysł spoż., materiałów bud., mebl.; rzemiosło lud.-artyst.; węzeł drogowy; muzeum; prawa miejskie od 1542; zespół klasztorny pomisjonarski (XVII, XVIII w.).

Sieniawa, m. w woj. podkarpackim (powiat przeworski), w dolinie Sanu; 2,2 tys. mieszk. (2000); ośr. roln.-usługowy; drobny przemysł; prawa miejskie 1676–1896 i od 1934; w XIX w. ośr. chasydów; pozostałości fortyfikacji bastionowych (XVII w.), zespół klasztorny Dominikanów (XVIII w.), barok. zespół pałacowy Sieniawskich, później Czartoryskich (XVIII, XIX w.), park (XVII, XVIII w.).

Sieradz, m. powiatowe w woj. łódz., nad Wartą, przy ujściu Żegliny; 46 tys. mieszk. (2000); ośr. przem., usługowy i kult.-oświat.; przemysł: dziewiarski, spoż., odzież., metal., drzewny; węzeł drogowy; muzeum; Sieradzki Park Etnogr.; ślady osadnictwa od neolitu; pozostałości najstarszej osady z VI/VII w. i grodu z podgrodziem z 2. poł. XI w.; prawa miejskie przed 1255; zespół klasztorny (XIV, XVI–XVIII w.), kościół parafialny (XVI, XVII w.).

Sieraków, m. w woj. wielkopol. (powiat międzychodzki), nad Wartą oraz jez. Jaroszewskim i Lutomskim, w Sierakowskim Parku Krajobrazowym; 6,2 tys. mieszk. (2000); ośr. turyst.-krajoznawczy; stado ogierów rasy wielkopol.; huta szkła, drobny przemysł (spoż., chem.); jedyne w Polsce Technikum Rybactwa Śródlądowego; prawa miejskie przed 1388; manierystyczny kościół Bernardynów (XVII w.) z nagrobkiem P. Opalińskiego (XVII w.).

Sierpc, m. powiatowe w woj. mazow., nad Sierpienicą (l.dopływ Skrwy); 19,8 tys. mieszk. (2000); ośr. przem.-usługowy i węzeł komunik.; przemysł spoż., wytwórnia pasz; prawa miejskie od 1322; Muzeum Wsi Mazowieckiej; zachowany układ urbanistyczny z 2 rynkami (XV lub XVI w.), 2 kościoły (XV, XVI, XVIII w. i XVI, XVIII, XIX, XX w.); zespół klasztorny (XV–

XIX w.), dzwonnica (XVII w.), ratusz (XIX w., ob. muzeum), domy (XVIII i XIX w.).

Sierra Leone, Republika Sierra Leone, państwo w zach. Afryce, nad O. Atlantyckim; 71,7 tys. km^2; 4,8 mln mieszk. (2002), ludy Mende, Temne; animiści, muzułmanie; stol. i gł. port Freetown; język urzędowy ang.; republika. Wzdłuż wybrzeża zabagniona nizina, wsch. część wyżynno-górzysta (wys. do 1948 m w górach Loma); klimat równikowy i podrównikowy wilgotny; gęsta sieć rzek; zdegradowane lasy równikowe, sawanny. Słabo rozwinięty kraj roln.; uprawa ryżu, manioku, kukurydzy, sorgo, na eksport — palmy oleistej, kawowca, kakaowca; eksploatacja lasów; rybołówstwo; wydobycie rud tytanu, żelaza, diamentów, boksytów; przemysł spoż., chem., rafineryjny, metal.; żegluga przybrzeżna. ■

Siewierz, m. w woj. śląskim (powiat będziński), nad Czarną Przemszą i utw. na niej Jez. Przeczyckim; 5,5 tys. mieszk. (2000); ośr. wypoczynku świątecznego; drobny przemysł; kopalnia dolomitu; węzeł drogowy; prawa miejskie przed 1304 (2. poł. XIII w.)–1870 i od 1962; rom. kościół (XII w.) z fragmentami polichromii rom. i got., ruiny got. zamku biskupów krak. (XIV, XVI w.), kościół (XVI, XVII, XVIII w.).

■ Sikkim. Klasztor Rumtek

Sikkim, hindi **Sikim,** stan w pn. Indiach, w Himalajach, przy granicy z Nepalem, Chinami i Bhutanem; 7,1 tys. km^2; 551 tys. mieszk. (2002), Gurkhowie, Newarowie; stol. Gangtok; na pn. Wysokie Himalaje, w środk. części dolina rz. Tisty; lodowce (ok. 30% pow.), lasy iglaste; w dolinach tarasowa uprawa zbóż, na pd. herbaty i owoców (pomarańcze, jabłka); pasterstwo owiec i jaków; rzemiosło (tkaniny, wyroby ze skóry, metalu). ■

Siklawa, Wielka Siklawa, wodospad na potoku Roztoka, w Tatrach Wysokich, w Dolinie Roztoki, największy w Tatrach; wys. ok. 70 m, spada z progu skalnego (ściany stawiarskiej), o wys. ok. 100 m i kącie nachylenia ok. 35°, dwiema lub trzema strugami (zależnie od stanu wody) do górnej Roztoki; odwadnia bezpośrednio Wielki Staw Polski; cel wycieczek od pocz. XIX w.; dojście szlakiem turyst. od Wodogrzmotów Mickiewicza.

Siklawica, wodospad na Potoku Strążyskim, w Tatrach Zach., u stóp potężnej ściany Giewontu, w górnej części Dolinie Strążyskiej, na wys. ok. 1100 m, poniżej Małej Dolinki; spływa z progu, o wys. 21 m, po 2 ścianach dolomitowych; górna wys. 8 m, dolna — 13 m; częsty cel spacerów z Zakopanego.

Sikoku, Shikoku, czwarta pod względem wielkości powierzchni wyspa Japonii; tworzy region ekon.-administracyjny S., obejmujący 4 prefektury; pow. 18,8 tys. km². Powierzchnia w większości górzysta (najwyższy szczyt Ischizuchi--san, 1981 m); wzdłuż wybrzeży i w dolinach rzek niziny; klimat podzwrotnikowy, monsunowy; średnia roczna suma opadów 3000–4000 mm; rzeki krótkie, zasobne w wodę; ponad 75% pow. zajmują lasy; w górach lasy bukowe i jodłowo--świerkowe, na pd. podzwrotnikowe wiecznie zielone (gł. iglaste). Rozwinięta uprawa ryżu, pszenicy, soi, tytoniu, batatów, herbaty, owoców cytrusowych (mandarynki, pomarańcze), warzyw; rybołówstwo; hodowla pereł; wydobycie rud miedzi; przemysł gł. na pn. wybrzeżu S. (drzewny, papierniczy, włók., chem., środków transportu, rafineryjny, elektron.); połączona 3 mostami kol.-drogowymi z wyspą Honsiu; gł. miasta i porty: Matsuyama, Kōchi, Takamatsu, Tokushima.

sill [ang.], **żyła pokładowa,** żyła skał magmowych zakrzepłych zwykle blisko powierzchni Ziemi między 2 warstwami skalnymi; grubość s. może wynosić od kilku mm do kilkudziesięciu m, długość — do ponad 100 km.

siła Coriolisa, jedna z sił bezwładności, której dodanie do sił faktycznie działających uwzględnia wpływ ruchu obrotowego nieinercjalnego układu odniesienia na ruch ciała w tym układzie; np. na ciała poruszające się w pobliżu powierzchni Ziemi działa s.C. spowodowana ruchem obrotowym Ziemi; wywołuje to szereg zjawisk, np. odchylenie na wschód ciał swobodnie spadających, a ciał poruszających się na powierzchni Ziemi odchylanie w prawo — na półkuli pn., a w lewo — na półkuli pd. względem kierunku ruchu; prowadzi to m.in. do silniejszego podmywania odpowiednich brzegów; s.C. uwzględnia się m.in. przy obliczaniu torów lotów pocisków i rakiet o dużym zasięgu.

sima, dawna nazwa sfery we wnętrzu Ziemi zbud. gł. ze skał typu perydotytów, bogatych w krzem (Si) i magnez (Mg); obecnie uważa się, że s. może odpowiadać oceanicznej skorupie ziemskiej lub — niekiedy — jest odnoszona do górnego płaszcza Ziemi.

Simplon [sęplą], przełęcz między Alpami Pennińskimi i Alpami Lepontyńskimi, w Szwajcarii, w pobliżu granicy wł.; wys. 2005 m; łączy doliny Rodanu i rz. Toce (dopływ Ticino); przez S. biegnie droga samochodowa Brig–Domodossola (Berno–Mediolan); na wsch. od S. pod masywem Monte Leone tunel kolejowy Simplon.

Simplon [sęplą], niem. **Simplontunnel,** wł. **Galleria del Sempione,** tunel kol. w Europie, w Alpach Lepontyńskich, na granicy Szwajcarii i Włoch, na trasie linii kol. Berno–Mediolan; dł. 19,8 km (jeden z najdłuższych w świecie); przebiega na wsch. od przełęczy S., pod masywem Monte Leone, na wys. ok. 700 m; zbud. 1898–1906; w celu usprawnienia ruchu dwukierunkowego 1922 oddano do użytku tunel równoległy.

Simpsona, Pustynia, Simpson Desert, pustynia w środk. Australii, gł. w Terytorium Pn.; pow. ok. 150 tys. km²; rozciąga się między G.

Macdonnella na pn. a jez. Eyre na pd., na dł. ponad 1000 km, szer. do 300 km; większa część piaszczysta (wys. wydm 20–60 m); w pn. części kamienista, w pd.-wsch. — żwirowa, na pd. (nad jez. Eyre) ilasta; klimat zwrotnikowy, wybitnie suchy; średnia temp. w lipcu 12–15°C, w styczniu 28–30°C; roczna suma opadów poniżej 200 mm; skąpa roślinność (kępy trawy z rodzaju *Trioda*); 2 parki nar. (o pow. 693 tys. ha w Australii Pd. i 555 tys. ha w stanie Queensland); wydobycie gazu ziemnego; złoża Gidgealpa i Moomba połączone gazociągami z Adelaide (Australia Pd.) i Wollongong (Nowa Pd. Walia).

■ Singapur. Widok miasta Singapur od strony portu

Singapur, malaj. **Sngapura,** chiń. **Xinjiapo,** tamilskie **Cikkapūr,** ang. **Singapore, Republika Singapuru,** państwo-miasto w pd.-wsch. Azji, na wyspach w cieśn. Malakka, u pd. wybrzeży Płw. Malajskiego; od Płw. Malajskiego oddzielone cieśn. Johor, od Indonezji — Cieśn. Singapurską; 641 km²; 4,2 mln mieszk. (2002), Chińczycy (78% ludności), Malajowie, Tamilowie, Europejczycy; buddyści, taoiści, muzułmanie, chrześcijanie, hinduiści; stol. Singapur; język urzędowy: chiń., malaj., ang., tamilski; republika. Około 60 nizinnych wysp (największa Singapur) otoczonych rafami koralowymi; klimat równikowy wybitnie wilgotny; resztki lasów równikowych i namorzynowych. Kraj nowo uprzemysłowiony o wysokiej dynamice gospodarki; centrum finansowe, bankowe i handl. Azji Pd.-Wsch.; strefa wolnocłowa; największa w świecie giełda kauczuku, cyny, przypraw korzennych; targi międzynar., w tym znane lotn.; rozwinięty przemysł elektron. (komputery, twarde dyski — połowa produkcji świat., aparatura nawigacyjna), wielkie rafinerie ropy naft., stocznie (budowa platform wiertniczych); jeden z największych węzłów komunikacji świat.; 2. (po Rotterdamie) port mor. świata (przeładunki 312 mln t, 1998) z wielkimi terminalami kontenerowymi i naft.; dowóz gł. ropy naft., wywóz produktów naft., towarów reeksportowanych z krajów sąsiednich, sprzętu elektron.; 2 międzynar. porty lotn., w tym Changi — gł. w Azji Pd.-Wsch. (ponad 24 mln pasażerów, 1996); szkoły wyższe (uniw.); największa w świecie wartość obrotów handl. na 1 mieszk. (eksport 39 553 dol. USA, import 41 639 dol. USA, 1995).   ■

■ Singapur

Singapurska, Cieśnina, Selat Singapura, Strait of Singapore, cieśnina między pd. krańcem płw. Malakka i wyspą Singapur na pn. a wyspami Batam, Bintan i in. w archipelagu Riau na pd.; łączy M. Andamańskie i cieśn. Malakka z

M. Południowochińskim; dł. 114 km, szer. 12–36 km; głęb. do 62 m, najmniejsza na torze wodnym — 22 m; w zach. części cieśniny liczne wyspy i rafy koralowe; przez C.S. przechodzi ważna, b. uczęszczana droga mor. z Europy, Afryki Wsch., Azji Zach. i Pd. do Azji Wsch., Australii i Oceanii; wielki port Singapur.

Sino-Tybetańskie, Góry, Hengduan Shan, góry w Chinach, na wsch. skraju Wyż. Tybetańskiej; najwyższy szczyt Gongga Shan (7556 m), w paśmie Daxue Shan; zbud. gł. ze skał metamorficznych i granitów; obejmują szereg pasm górskich, rozdzielonych podłużnymi, wąskimi i głębokimi (do 3000 m) dolinami Saluinu, Mekongu, Jangcy; lasy mieszane i iglaste (jodłowo-świerkowe), łąki wysokogórskie; granica wiecznego śniegu na wys. 5000–5800 m.

siodło → antyklina.

sirocco [sirokko; wł. < arab.], ciepły lub gorący, pd. lub pd.-wsch. wiatr w basenie M. Śródziemnego; powstaje gł. wiosną przed wędrującymi wówczas z zach. na wsch. niżami barycznymi; wieje znad Afryki lub Płw. Arabskiego, początkowo suchy i zapylony, po przejściu nad morzem bardziej wilgotny (pn. Włochy, pd. Sycylia, Dalmacja); s. po przekroczeniu gór przybiera charakter → fenu (np. pn. Sycylia).

Siwasz, Sywasz, Hnyłe more, system płytkich zatok przy wsch. wybrzeżu Płw. Krymskiego, na Ukrainie; oddzielony od M. Azowskiego długą (113 km) i wąską Mierzeją Arabacką; pow. ok. 2560 km^2; połączone z morzem Cieśn. Geniczeską; woda silnie słona; liczne wyspy; brzegi niskie, b. rozczłonkowane, w lecie pokryte warstwą soli; do Siwaszu uchodzi rz. Sałgir.

Sjaczen, ang. **Siachen Glacier,** największy lodowiec w górach Karakorum, w Indiach; pow. 1180 km^2, dł. 75 km.

■ Góry Skaliste. Pasmo San Juan

Skagerrak [sgą~], cieśnina między Płw. Skandynawskim a wyspą Vendsyssel-Thy (pn. część Danii), łączy M. Północne z Cieśninami Duńskimi i M. Bałtyckim; na pd.-wsch. łączy się z cieśn. Kattegat (Cieśniny Duńskie); dł. ok. 300 km, szer. 110–130 km; głęb. do 809 m, w Rynnie Norweskiej; wybrzeża skand. fiordowe i skjerowe, duń. — nizinne i piaszczyste; temp. wód powierzchniowych od 1,5–5,0°C w lutym do 15–17°C w sierpniu, zasolenie — zmienne 29–34‰; prądy mor.: powierzchniowy płynie do M. Północnego (prędkość 2–4 km/h), głębinowy, bardziej słony, do Kattegatu; wysokość pływów do

0,5 m; połowy śledzi i płastug; gł. porty: Oslo, Kristiansand (prom kol. do Hirtshals w Danii).

Skalbmierz, m. w woj. świętokrzyskim (powiat kazimierski), nad Nidzicą; 1,3 tys. mieszk. (2000); ośr. usługowy dla rolnictwa; prawa miejskie 1342–1870 i od 1927; got. kościół (XV w., z pozostałościami późnorom. wież z XII/XIII w., fasada XVII w.) z obrazem *Pokłon Trzech Króli* (warsztat J. Jordaensa).

Skalda, franc. **Escaut,** flam. **Schelde,** rz. we Francji, Belgii i Holandii; dł. 355 km; źródła na pn. od m. Saint-Quentin; przy ujściu do M. Północnego tworzy deltę, gł. ramię zw. Skaldą Zach.; Skalda Wsch. (ramię pr.) przegrodzona ruchomą tamą z bramami stalowymi zmniejszającymi przepływ wody o 1/3 w stosunku do warunków naturalnych; gł. dopływy: Dender, Rupel (pr.), Scarpe, Leie (l.); ważna droga wodna, do Antwerpii dochodzą statki mor. o nośności do 23 000 t; przez kanały: Charleroi–Bruksela, Alberta i S.–Ren połączona z sąsiednimi systemami rzecznymi i z morzem; gł. m. nad S.: Cambrai, Denain, Valenciennes, Gandawa, Antwerpia.

skalenie, grupa minerałów skałotwórczych, glinokrzemiany potasu, sodu, wapnia i baru, mające zdolność tworzenia szeregów izomorficznych; rozróżnia się s. sodowo-potasowe, zw. alkalicznymi (ortoklaz, mikroklin, sanidyn) i s. sodowo-wapniowe (plagioklazy); krystalizują w układzie jednoskośnym, pospolicie tworzą kryształy bliźniacze; bezb., białe, szare, żółtawe, czerwonawe, zielone; odznaczają się doskonałą łupliwością w 2 kierunkach prostop. (lub prawie prostop.) do siebie; są najbardziej rozpowszechnionymi minerałami w skorupie ziemskiej, występują niemal we wszystkich pospolitych typach skał magmowych i metamorficznych, rzadziej — osadowych.

Skaliste, Góry, ang. **Rocky Mountains,** franc. **Montagnes Rocheuses,** wsch. łańcuchy Kordylierów, w Kanadzie i USA; ciągną się na dł. ok. 3000 km i szer. do ok. 560 km, od doliny rz. Liard w prow. Kolumbia Bryt. do górnego biegu rz. Rio Grande w stanie Nowy Meksyk; najwyższy szczyt Elbert (4399 m) w paśmie Sawatch. G.S. są zbud. gł. z osadowych i wulk. skał paleozoicznych i mezozoicznych sfałdowanych, pociętych uskokami i wypiętrzonych w końcu kredy (faza laramijska). Lokalnie występują trzęsienia ziemi i zjawiska wulkaniczne. G.S. Kanady (wys. do 3954 m — Robson) mają rzeźbę typowo polodowcową z ostrymi graniami, cyrkami i żłobami; pokryte współcz. lodowcami. G.S. na terytorium USA rozpadają się na liczne pasma oddzielone poprzecznymi i podłużnymi obniżeniami tektonicznymi; gł. ich oś stanowią góry: Lewis, Absaroka, Wind River, Park, Sawatch, Sangre de Cristo; zach. część G.S. stanowią pasma: Wasatch, Uinta, Bitterroot, wsch. — Bighorn, Laramie; na pd., w części środk., leży kotlina Wyoming (szer. ok. 400 km), na pn. — wyż. Yellowstone. Wschodnie przedpole G.S. prawie na całej długości stanowią → Wielkie Równiny, szer. 300–600 km. Klimat górski, w części pd. podzwrotnikowy, w środk. umiarkowany ciepły, na krańcach pn. umiarkowany chłodny; średnia temp. w styczniu od –25°C na pn. do 0°C na pd., w lipcu odpowiednio od 10 do 25°C; silnie wykształcona piętrowość klimatu. Linia wiecznego śniegu od ok. 2000 m na pn. do powyżej 4000 m na południu. Roczna suma opadów od 100–300 mm na pograniczu z Wielką Kotliną i Wyż. Kolorado, oraz 300–500 mm na stokach pn.-wsch. i wsch., do 1200 mm w pn. części stoków zachodnich. W zimie pojawiają się ciepłe, suche, porywiste wiatry (chinook), powodujące gwałtowny wzrost temp. (nawet o 30°C) i szybkie topnienie śniegu. G.S. stanowią kontynent. dział wód; wypływają z nich rz.: Missouri, Rio Grande (zlewisko O. Atlantyckiego), Kolumbia, Kolorado, Fraser (zlewisko O. Spokojnego). Roślinność G.S. jest b. zróżnicowana i rozmieszczona strefowo; na pn. panuje tundra górska i bory świerkowe; dalej na pd. (prow. Kolumbia Bryt. i Alberta) występują lasy borealne, gł. świerkowe, wyżej jodła górska; wyższe pasma G.S. na terenie USA są pokryte widnymi lasami z sosną żółtą i lasami jodłowo-świerkowymi; ponad górną granicą lasów (wys. do 3400 m) panuje roślinność alpejska. Wydobywa się wiele surowców miner. (węgiel kam., ropa naft., rudy żelaza, miedzi, cynku, ołowiu, kobaltu, manganu, molibdenu, uranu oraz złoto i srebro). W G.S. utworzono kilka parków nar., m.in.: Jasper, Glacier, Rocky Mountain, Yellowstone; parki nar. stanowią gł. tereny ruchu turystycznego.

Skaliste, Pasmo, Skalistyj chriebiet, pasmo górskie na pn. skłonie Wielkiego Kaukazu w Rosji, między rz. Białą (dopływ Kubania) i Terekiem; dł. 375 km; wys. od 1700 m na zach. do 3646 m na wsch. (Karakaja); zbud. z wapieni; stanowi rozciętą dolinami rzek → kuestę; stromo opadającą na pd.; zjawiska krasowe; na pn. stokach lasy liściaste, na pd. — górskie stepy i łąki.

Skała, m. w woj. małopol. (powiat krak.), na skraju Ojcowskiego Parku Nar.; 3,7 tys. mieszk. (2000); ośr. usługowy i turyst.-krajoznawczy; drobny przemysł spoż.; prawa miejskie 1267–1870 i od 1987.

skała, zespół minerałów, także substancji miner., powstały w przyrodzie w sposób naturalny; z tej definicji wyłącza się glebę oraz (zwykle) świeżo nagromadzone osady. S. tworzą skorupę ziemską i — częściowo — głębsze strefy Ziemi, także odpowiednie części niektórych planet i księżyców; ze s. są zbud. planetoidy i meteoroidy. S. mogą się składać z jednego minerału (s. monomineralne, np. kwarcyt, składający się z kwarcu, marmur — z kalcytu, czy sól kam. — z halitu) lub z wielu minerałów (skały polimineralne, np. granit, zbud. gł. z kwarcu, skaleni i muskowitu). S. określa jej skład chem. i miner. oraz budowa wewn. czyli w i ę ź b a, co wiąże się ściśle z rodzajem procesu powodującego powstanie s. Na budowę wewnętrzną s. składa się jej struktura i tekstura. S t r u k t u r ę s. określa sposób wykształcenia składników, a więc stopień ich krystaliczności (np. struktura pełnokrystal. — wszystkie składniki skały są wykrystalizowane, czy struktura szklista), wielkość ziarn składników (np. struktura jawnokrystal. — gdy ziarna widoczne są gołym okiem, i struktura afanitowa — skrytokrystal. — ziarna są niewidoczne) oraz

wzajemne stosunki wielkości ziarn składników (struktura równoziarnista i nierównoziarnista, np. s k a ł a p o r f i r o w a, gdy w drobnoziarnistym cięście skalnym tkwią większe, wcześniej wykrystalizowane kryształy). T e k s t u r a s. to sposób przestrzennego rozmieszczenia składników i stopień wypełnienia przez nie przestrzeni. Ze względu na sposób przestrzennego rozmieszczenia składników rozróżnia się tekstury: bezładną (bezkierunkową) i kierunkową, np. równoległą, gdy dłuższe osie ziarn miner. są ułożone względem siebie równolegle; zależnie od stopnia wypełnienia przestrzeni tekstura może być zbita (masywna) lub porowata (np. gąbczasta, pęcherzykowata); zwięzłość skały określa tekstura zwięzła lub luźna (sypka).

W zależności od genezy rozróżnia się: s. → magmowe, powstałe przez krystalizację magmy w głębi Ziemi lub przez zakrzepnięcie lawy na powierzchni Ziemi; s. → osadowe, utworzone na powierzchni Ziemi gł. w wyniku procesów wietrzenia, sedymentacji i diagenezy; s. → metamorficzne, powstałe wskutek przeobrażenia się (→ metamorfizm) s. już istniejących bez istotnej zmiany ich składu chemicznego.

Oprócz wymienionych grup s. istnieją też s. pośrednie; należą do nich s k a ł y p i r o k l a s t y c z n e, powstałe przez sedymentację piasków i popiołów wulk., oraz s k a ł y u l t r a m e t a - m o r f i c z n e, tworzące się w wyniku b. silnego metamorfizmu w warunkach b. wysokich ciśnień i temperatur, co powoduje powstanie s. analogicznych do skał magmowych (→ anateksis). S. są ważnym surowcem w wielu gałęziach przemysłu; znajdują zastosowanie w budownictwie, energetyce, hutnictwie, w przemyśle szklarskim, ceram., papierniczym, w farbiarstwie i in., jako materiały drogowe, rzeźbiarskie oraz kamienie ozdobne.

skały krystaliczne, ogólna nazwa skał o wyraźnie krystal. strukturze; obejmują skały magmowe i metamorficzne, a także niektóre skały osadowe, jak gipsy, sole, dolomity; pot. termin s.k. jest stosowany wyłącznie na określenie skał magmowych i metamorficznych.

Skandynawski, Półwysep, szwedz. **Skandinaviska halvön,** norw. **Den skandinaviske halvøy,** fiń. **Skandinavian niemimaa,** największy półwysep Europy, między morzami: Norweskim, Północnym, Bałtyckim i Barentsa; pow. ok. 800 tys. km², dł. ok. 1900 km, szer. do 800 km. Linia brzegowa silnie rozwinięta; pn. i zach. wybrzeża fiordowe, wsch. i pd. — gł. skjerowe. Pod względem budowy geologicznej P.S. należy do najstarszych części Europy; obejmuje tarczę bałtycką oraz pas fałdowań kaledońskich (G. Skandynawskie); w okresie czwartorzędu (plejstocen) P.S. był wielkim ośr. zlodowacenia w Europie (obecnie łączna pow. lodowców wynosi ok. 5000 km²). Część zach. zajmują G. Skandynawskie, wsch. — wyżyny Lapońska (wys. 300–400 m) i Północnoszwedzka (Norrlandzka, wys. 400–700 m); na pd. od Wyż. Północnoszwedzkiej leży Pojezierze Środkowoszwedz. i wyż. Smålandu; na pd. i pd.-wsch. wybrzeżu ciągną się niziny: Hallandu, Kalmarska i Pobrzeże Zachodniobotnickie.

Klimat umiarkowany, tylko na pn.-wsch. krańcach subpolarny; na zach. wybrzeżach i przyległych stokach gór wilgotny, mor. (łagodzony systemem Prądu Zatokowego), na wsch. (za barierą G. Skandynawskich) suchszy, kontynent.; średnia temp. w styczniu od –15°C na pn.-wsch. do 1°C na pd. krańcach i 2°C na pd.-zach. wybrzeżu, w lipcu od 10°C na pn. do 17°C na pd.; roczna suma opadów od 300–400 mm w kotlinach śródgórskich i 400–600 mm na pd.--wsch., do 2000–3500 mm na zach. i pn.-zach. stokach G. Skandynawskich. Sieć hydrograf. b. dobrze rozwinięta; rzeki (najdłuższe: Glomma, Klar, Dal) zasobne w wodę (z licznymi progami i wodospadami), wyzyskiwane do celów energ.; największe jeziora: Wener, Wetter, Melar, Hjälmar. Szata roślinna P.S. zachowała się jeszcze do dziś w stanie stosunkowo mało zniszczonym; ponad 40% pow. zajmują lasy, gł. typu tajgi; na pd. od 60°N występują lasy mieszane, najbardziej pd. i zach. skrawki P.S. porastają lasy liściaste (m.in. z dębami, bukiem i lipą); roślinność bezdrzewna panuje w piętrze alp. oraz na pn. krańcach (gdzie występują zbiorowiska przypominające tundrę); właściwa tundra rozciąga się tylko wzdłuż wybrzeży M. Barentsa; na całym obszarze P.S. występują liczne torfowiska. Bogactwa miner.: duże złoża rud żelaza (Kiruna), liczne złoża polimetaliczne. Na P.S.leżą: Norwegia, Szwecja i pn.-zach. część Finlandii.

Skandynawskie, Góry, góry na Płw. Skandynawskim, w Norwegii, Szwecji i Finlandii; dł. ok. 1800 km; najwyższy szczyt Galdhøpiggen, 2469 m. G.S. powstały w wyniku orogenezy kaledońskiej, sfałdowane i ostatecznie wypiętrzone na przełomie syluru i dewonu; zbud. z prekambryjskich i kambro-sylurskich skał, gł. metamorficznych oraz piaskowców arkozowych, łupków ilastych, wapieni i dolomitów; fałdy i płaszczowiny G.S. są nasunięte (na odległości ponad 100 km) na prekambryjskie skały krystal. tarczy bałtyckiej; w późniejszych okresach geologicznych G.S. zostały rozcięte uskokami (czemu towarzyszył intensywny wulkanizm), a także poddane ruchom epejrogenicznym, które trwają do czasów obecnych; w czwartorzędzie były pokryte lądolodem. Stoki zach. i pn. strome, silnie pocięte fiordami (najdłuższe: Sognefjorden i Hardangerfjorden); stoki wsch. opadają szerokimi stopniami ku wyż.: Lapońskiej i Północnoszwedzkiej (Norrlandzkiej); charakterystyczne rozległe płaskowyże i stoliwa górskie, tzw. fieldy, ponad którymi wznoszą się ostańce; najwyższe

■ Góry Skandynawskie. Płaskowyż Hardangervidda

i największe fieldy znajdują się w pd. części (Dovrefjell, Jotunheimen, Hardangervidda, Telemark). Z G.S. wypływają liczne burzliwe i zasobne w wodę rzeki; jeziora polodowcowe; linia wiecznego śniegu leży na wys. 700–800 m na pn. do 1500–1800 m na pd.; pokrywy lodowe (największa Jostedalsbreen). Piętra roślinności w G.S. obniżają się ze wzrostem szer. geogr.; piętro alp. (od 1000 m na pd. i od 100 m na pn.) tworzą zbiorowiska krzewinek i murawy; poniżej występują laski niskich brzóz; na pd. od 70°N dolne stoki G.S. są porośnięte tajgą, gł. świerkową. ■

skandynawskie, kraje, region w Europie Pn.; obejmuje Danię z W. Owczymi, Finlandię z W. Alandzkimi, Islandię, Norwegię ze Svalbardem i Szwecję.

Skarszewy, m. w woj. pomor. (powiat starogradzki), nad Wietcisą (l. dopływ Wierzycy); 6,3 tys. mieszk. (2000); ośr. usługowy; drobny przemysł; prawa miejskie od 1320; kościół (XIV, XVIII, XIX w.), pozostałości murów miejskich (XIV w.).

Skaryszew, m. w woj. mazow. (powiat radom.), nad Kobylanką (dorzecze Radomki), w pobliżu Radomia; 3,8 tys. mieszk. (2000); ośr. usługowy i mieszkaniowy; drobny przemysł; prawa miejskie 1264–1870 i od 1922.

Skarżysko-Kamienna, m. powiatowe w woj. świętokrzyskim, nad Kamienną, przy ujściu Kamionki; 53 tys. mieszk. (2000); ośr. przem.-usłu--gowy; różnorodny przemysł, m.in. metal. (sprzęt gospodarstwa domowego, odlewnia), zbrojeniowy (amunicja), maszyn., obuwn.; węzeł kol. i drogowy; Skarżysko wzmiankowane w XIII w., Kamienna — prawa miejskie od 1923; ośr. hutn. w Staropol. Okręgu Przem.; 1928 połączenie obu miejscowości i nazwa S.-K.; Muzeum im. Orła Białego.

Skawa, rz. w Beskidach Zach. i na Pogórzu Zachodniobeskidzkim, pr. dopływ górnej Wisły; dł. 96 km, pow. dorzecza 1160 km^2; źródła w Beskidzie Żywieckim; uchodzi w Dolinie Wisły, powyżej wsi Smolice; średni przepływ w pobliżu ujścia 19,3 m^3/s; maks. rozpiętość wahań stanów wody w dolnym biegu 5,7 m; częste powodzie (gł. letnie); największy dopływ — Skawica (l.); w Świnnej Porębie zbiornik retencyjny; gł. m. nad S.: Maków Podhalański, Sucha Beskidzka, Wadowice; dolina S. jest ważnym szlakiem komunik. (linia kol. i szosa) w poprzek Beskidów.

Skawina, m. w woj. małopol. (powiat krak.), nad Skawinką, w pobliżu jej ujścia do Wisły; 24 tys. mieszk. (2000); ośr. przem. usługowy i mieszkaniowy; elektrownia cieplna (550 MW); przemysł szkl. (huta szkła), spoż. (koncentraty spoż.); zakłady materiałów ogniotrwałych, wyrobów z aluminium i jego stopów; węzeł kol.; prawa miejskie od 1364; domy (XIX w.).

Skępe, m. w woj. kujawsko-pomor. (powiat lipnowski), między jez. Skępskim Wielkim a Świętym; 3,7 tys. mieszk. (2000); ośr. usługowy i turyst.-wypoczynkowy; prawa miejskie 1445–1870 i od 1997; od XV w. ośr. kultu maryjnego; karczma (XVIII w.), domy (XVIII/XIX w.).

skiba, duży fałd pochylony lub obalony, którego skrzydło brzuszne uległo złuskowaniu, czyli wytarciu wzdłuż powierzchni nasunięcia; s. często występują np. w Karpatach Wschodnich.

Skierniewice, m. w woj. łódz., nad Skierniewką; powiat grodzki, siedziba powiatu skiern.; 49 tys. mieszk. (2000); ośr. przem., nauk. i usługowy regionu sadowniczego; przemysł: maszyn., elektrotechn., spoż., szkl., odzież.; instytuty warzywnictwa, sadownictwa i kwiaciarstwa; oddziały kilku banków; węzeł kol. i drogowy; prawa miejskie od 1457; od XVII w. rezydencja arcybiskupów gnieźn.; 1975–1998 stol. woj.; pałac (XVII, XVIII, XIX w., ob. siedziba Inst. Warzywnictwa i Sadownictwa), 2 kościoły (XVIII w.), ratusz i dworzec kol. (XIX w.), kościół garnizonowy, dawna cerkiew (1. poł. XX w.).

Skoczów, m. w woj. śląskim (powiat cieszyński), nad Wisłą, u ujścia Brennicy i Bładnicy; 15,9 tys. mieszk. (2000); ośr. przem.-usługowy; odlewnia (części samochodowe), zakłady: kuźnicze, przemysłu wełn., spoż., skórz. i in.; węzeł kol. i drogowy; muzeum G. Morcinka; prawa miejskie przed 1327; późnobarok. ratusz i kamienica (XVIII w.).

Skoki, m. w woj. wielkopol. (powiat wągrowiecki), nad Małą Wełną (l. dopływ Wełny); 3,6 tys. mieszk. (2000); ośr. usługowy; drobny przemysł; ośr. zarybieniowy; miasto zał. 1367; kościół (XVIII w.), dwór (XIX w.).

Skopie, Skopje, stol. Macedonii, w kotlinie na wsch. od Szar Płaniny, nad rz. Wardar; 449 tys. mieszk. (2002); gł. ośr. gosp. i nauk. kraju; przemysł hutn., maszyn., cementowy, chem.; węzeł kol. i drogowy, port lotn.; akad. nauk i sztuk, uniw.; muzea; staroż. osada iliryjska Skup; 1963 zniszczone przez trzęsienie ziemi; tur. meczety, łaźnie, zajazdy (gł. z XV w.); akwedukt i most (XV w.); cerkiew Św. Spasa (XVI–XVIII w.).

Skorocicka, Jaskinia, jaskinia na obszarze Niecki Soleckiej, w wąwozie k. wsi Skorocice, w obrębie Nadnidziańskiego Parku Krajobrazowego, ok. 7 km na pd.-zach. od Buska Zdroju; utw. w gipsach trzeciorzędowych (miocen); dł. 280 m; ciąg korytarzy poprzerywanych zapadliskami stropu na wiele odcinków; największa jaskinia krasu gipsowego w Polsce, leży w rezerwacie przyrody Skorocice.

skorupa ziemska, zewn. powłoka Ziemi, niejednorodna, stosunkowo chłodna i sztywna, stanowiąca górną, położoną powyżej nieciągłości Mohorovičicia część litosfery, o średniej gęstości 2,8–3,1 g/cm^3. Rozróżnia się s.z. kontynentalną i oceaniczną. S k o r u p a k o n t y n e n t a l n a ma średnią grub. ok. 35 km; pod młodymi łańcuchami górskimi (Alpidami) grubość jej wzrasta do 70 km (pod Andami) i 80 km (pod Himalajami). Na terenie Polski grubość skorupy kontynent. wynosi 27–47 km. Skorupę kontynent. budują skały osadowe oraz zróżnicowane skały magmowe i metamorficzne. Do niedawna rozróżniano w niej 3 warstwy: warstwę osadową oraz leżącą pod nią warstwę granitową i — niżej — bazaltową. Według obecnych poglądów s.z. nie ma tak jednoznacznego pionowego podziału. S k o r u p a o c e a n i c z n a ma znacznie mniejszą niż skorupa kontynent. grubość — ok. 6– 12 km, jest zbud. ze skał o składzie bazaltów

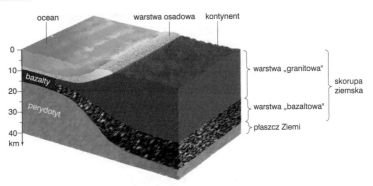

■ Schematyczny przekrój skorupy ziemskiej

przykrytych przeważnie cienką warstwą słabo skonsolidowanych osadów. Skorupa oceaniczna stanowi ok. 60% pow. Ziemi. Powstaje współcześnie w strefach → ryftów, a ulega zniszczeniu w strefach subdukcji. Wskutek ruchów górotwórczych może być wbudowywana w strefy fałdowe skorupy kontynent.; ślad po niej stanowią kompleksy → ofiolitów. W s.z. wyróżnia się również strefy przejściowe między skorupą kontynent. i oceaniczną, mające charakter ścienionej skorupy kontynent., zw. s k o r u p ą s u b o c e a n i c z n ą; występują na granicy między kontynentami i oceanami (m.in. na obrzeżach O. Atlantyckiego).　　■

Skórcz, m. w woj. pomor. (powiat starogardzki), na skraju Borów Tucholskich; 3,1 tys. mieszk. (2000); ośr. usługowy; przemysł spoż. i drzewny; węzeł kol.; wzmiankowany 1339; 1866 powstał tu pierwszy na Pomorzu Bank Lud.; prawa miejskie od 1934.

Skrwa, rz. na Pojezierzu Chełmińsko-Dobrzyńskim, pr. dopływ dolnej Wisły; dł. 114 km, pow. dorzecza 1704 km^2; wypływa na Równinie Urszulewskiej, na wsch. od wsi Okalewo, płynie krętą, wąską i podmokłą doliną, przepływa przez jez. Skrwilno, uchodzi do Wisły w obrębie Jez. Włocławskiego; średni przepływ powyżej ujścia 6,3 m^3/s; maks. rozpiętość wahań stanów wody w dolnym biegu 3,5 m; gł. dopływ — Sierpienica (pr.).

Skrzyczne, najwyższy szczyt pol. części Beskidu Śląskiego, na pd. od Szczyrku; wys. 1257 m; z wyjątkiem polany szczytowej, grzbiet i stoki lesiste, stromo opadające ku Kotlinie Żywieckiej i dolinie Żylicy, liczne polany; w stokach S. kilka niewielkich jaskiń utw. w szczelinach bloków piaskowcowych; na szczycie pod wieżą przekaźnikową hotel górski i schronisko PTTK; szlaki turyst. Szczyrk–Barania Góra i Szczyrk–Lipowa; b. dobre warunki narciarskie; wyciąg krzesełkowy ze Szczyrku (pokonuje wys. 710 m w 2 odcinkach o łącznej dł. 2930 m), wyciągi orczykowe; 2 nartostrady oraz nowocz. wyczynowa trasa zjazdowa, zaliczana do najtrudniejszych w Polsce; wspaniała panorama Beskidów, Tatr i Małej Fatry.

Skwierzyna, m. w woj. lubus. (powiat międzyrzecki), nad Wartą; 10,6 tys. mieszk. (2000); ośr. usługowy, turyst. i sportów wodnych (kajakarstwo); przemysł gł. drzewny i spoż.; węzeł drogowy; prawa miejskie przed 1295; kościół (XV w., przebud.).

Sława, m. w woj. lubus. (powiat wschowski), nad Jez. Sławskim; 3,8 tys. mieszk. (2000); ośr.

turyst. i sportów wodnych; przemysł drzewny; prawa miejskie od 1312.

Sławków, m. w woj. śląskim (powiat będziński), nad Białą Przemszą, w GOP; 7,0 tys. mieszk. (2000); ośr. usługowy; zakłady przemysłu metal.; muzeum; prawa miejskie 1286–1870, 1958–77 i od 1984; kościół (XIII, XV w.), zajazd (XVIII/XIX w.), domy (XVIII, XIX w.).

Sławno, m. powiatowe w woj. zachodniopomor., nad Wieprzą, u ujścia Moszczenicy; 14,3 tys. mieszk. (2000); ośr. usługowy; przemysł drzewny, spoż., odzież.; węzeł kol. i drogowy; prawa miejskie od 1317; pozostałości obwarowań miejskich z got. bramami (XIII w.), kościół (XIV w.), modernist. zespół kościelny (1. poł. XX w.).

Sławskie, Jezioro, jez. na Pojezierzu Sławskim; pow. 828 ha (w tym wyspy o pow. 10,6 ha), dł. 9,2 km, szer. 1,6 km, maks. głęb. 12,3 m; dobrze rozwinięta linia brzegowa (dł. 27,3 km); brzegi przeważnie niskie, pn.-zach. wyższe, zalesione; przez J.S. przepływa rz. Obrzyca; nad jeziorem ośr. turyst.-wypoczynkowy i sportów wodnych — m. Sława.

Słomniki, m. w woj. małopol. (powiat krak.), nad Szreniawą; 4,5 tys. mieszk. (2000); ośr. usługowy z drobnym przemysłem; prawa miejskie 1358–1870 i od 1917.

■ Wielka Pustynia Słona (USA). Widoczne halofity (słonorośla)

Słona, Wielka Pustynia, Great Salt Lake Desert, piaszczysty obszar we wsch. części Wielkiej Kotliny, w USA, w stanie Utah; dł. ok. 240 km, szer. ok. 80 km; klimat podzwrotnikowy, kontynent., wybitnie suchy; roczna suma opadów poniżej 200 mm; W.P.S. jest niemal całkowicie pozbawiona roślinności; stanowi część dna plejstoceńskiego jez. Bonneville. ■

Słona, Wielka Pustynia, Dasht-e Kavr, Daszt-e Kawir, pustynia w Iranie, u pd. podnóża gór Elburs; dł. ok. 500 km, szer. do 250 km; liczne bezodpływowe obniżenia na wys. 600–800 m z wysychającymi okresowo słonymi bagnami (takyry); pylasta i piaszczysta; klimat podzwrotnikowy, wybitnie suchy; śednia temp. w styczniu od 0°C do 5°C, w lipcu do 30°C; roczna suma opadów do 100 mm; na pn. skraju duże oazy; w zach. części Park Nar. Kawir (zał. 1964, pow. ok. 7 tys. km²) z rezerwatem biosfery. Przez pn. część W.P.S. biegnie linia kol. i droga Teheran–Meszhed.

Słone, Wielkie Jezioro, Great Salt Lake, bezodpływowe jez. we wsch. części Wielkiej Kotliny, w USA, w stanie Utah, u podnóża gór Wasatch, na wys. 1280 m; pow. zmienna — od 2,7 tys. do

5,9 tys. km², głęb. do 15 m; liczne wyspy (największa Antelope — 93 km²); zasolenie 200–270‰; znaczne zasoby soli kam. (ok. 6 mld t) oraz glauberskiej — mirabilitu; do W.J.S. uchodzą rz.: Bear, Weber, Jordan; stanowi pozostałość wielkiego plejstoceńskiego jez. Bonneville.

Słońce, najbliższa gwiazda, centr. ciało Układu Słonecznego, gł. źródło energii docierającej do Ziemi i najjaśniejszy obiekt na niebie; S. jest niedużą gwiazdą (karłem) o jasności absolutnej $4^m,84$ (jasność obserwowana $-26^m,7$). Masa S. wynosi $1,991 \cdot 10^{30}$ kg (332 958 mas Ziemi), promień 696 tys. km (1,8 razy większy od średniej odległości Ziemia–Księżyc), średnia gęst. 1,41 g/cm³; moc promieniowania słonecznego jest równa $3,826 \cdot 10^{26}$ J/s; obrót S. dookoła osi jest najszybszy na równiku (okres 25 dni), najwolniejszy przy biegunach (ponad 31 dni); średnia odległość Ziemi od S. wynosi ok. 149 600 000 km (światło pokonuje ją w ok. 8 min). S. jest gazową kulą złożoną gł. z wodoru (72,7% masy) i helu (26,2% masy); zawiera również niewielkie ilości tlenu, węgla, azotu, magnezu, krzemu, siarki i in. pierwiastków, zaobserwowano też obecność prostych cząst., np. CN, OH, CH, NH. Wnętrze S. stanowi jądro (o temp. ok. 16 mln K), w którym zachodzą reakcje termojądrowe, będące źródłem energii promieniowanej przez S.; reakcje te polegają na łączeniu się 4 protonów (jąder wodoru) w jądro helu (cząstkę a), przy czym wydziela się energia w ilości $4,27 \cdot 10^{-12}$ J na jedną przemianę. Produkowana w jądrze S. energia jest przenoszona w postaci promieniowania ku jego powierzchni, ulegając kolejno absorpcji i ponownej emisji (tzw. strefa radiacji); w górnych warstwach wnętrza S. dominującym mechanizmem transportu energii jest konwekcja termiczna.

Zewnętrzną część S. stanowi jego atmosfera, składająca się z fotosfery, będącej najgłębszą jej warstwą (widoczna gołym okiem, gdyż wysyła przeważającą część promieniowania w zakresie widzialnym), chromosfery (widoczna podczas całkowitych zaćmień S. jako czerwona, postrzępiona otoczka tarczy słonecznej), tzw. warstwy przejściowej oraz korony słonecznej. W fotosferze temp. maleje z wysokością od ok. 6000 K do ok. 4500 K; na powierzchni fotosfery obserwuje się występowanie tzw. g r a n u l, tj. obszarów (o rozmiarach ok. 1000 km) jaśniejszych (o temp. o ok. 100 K wyższej od otoczenia), będących wynikiem zachodzących pod fotosferą ruchów turbulentnych materii. Począwszy od dolnej warstwy chromosfery temp. rośnie z wysokością, by w dolnej części korony osiągnąć wartość rzędu 1 mln K (wzrost ten jest spowodowany dodatkowym grzaniem atmosfery S. w wyniku chaotycznych ruchów podfotosferycznej warstwy konwektywnej). W atmosferze S. obserwuje się wiele zjawisk o zmieniającym się okresowo natężeniu (średnio co ok. 11,4 lat); całokształt tych zjawisk, na które składa się m.in. występowanie w fotosferze plam słonecznych (będących ośr. silnych pól magnet.) i pochodni (otaczających plamy jasnych obszarów o nieregularnych kształtach), a w chromosferze rozbłysków i p r o t u b e r a n c j i (obłoków gazów wyrzucanych na znaczne wysokości, a nas-

■ Słowacja

tępnie opadających) oraz zmiany kształtu i wielkości korony, nosi nazwę a k t y w n o ś c i s ł o n e c z n e j; jej przyczyną są zmiany zachodzące w polu magnet. S.

S. emituje olbrzymią energię w postaci promieniowania elektromagnet. i strumienia cząstek, w tym nieustannie wypływającego z korony w przestrzeń międzyplanetarną (z prędkością ok. 300–800 km/s) w i a t r u s ł o n e c z n e g o (złożonego gł. z elektronów, protonów i cząstek a). Na Ziemię dociera znikoma część energii, ale i tak w każdej sekundzie pada na powierzchnię 1 m² ustawioną prostopadle do promieni ok. 1370 J. Aktywność słoneczna jest źródłem wielu zjawisk zachodzących w górnych warstwach atmosfery Ziemi, jak zakłócenia pola geomagnet. (burze magnet.), stanu jonosfery, zórz polarnych i in.; mają one wpływ na łączność radiową na Ziemi. Obserwacje S. przeprowadza się zarówno z powierzchni Ziemi, jak i z przestrzeni międzyplanetarnej za pomocą sztucznych satelitów (Helios, SMM. SOHO i in.). Zob. też Układ Słoneczny.

Słowacja, Slovensko, Republika Słowacka, państwo w Europie Środk.; 49,0 tys. km²; 5,4 mln mieszk. (2002), Słowacy, Węgrzy, Czesi, Cyganie; katolicy, protestanci; stol. Bratysława, inne m.: Koszyce, Żylina, Bańska Bystrzyca; język urzędowy słow.; republika. Przeważającą część kraju zajmują Karpaty Zach. z licznymi pasmami górskimi, najwyższe — Tatry (Gierlach, 2655 m), na pd.-zach. Mała Niz. Naddunajska, na pd.-wsch. Niz. Nadcisańska; klimat umiarkowany ciepły, na wsch. — kontynent.; gł. rz.: Dunaj z Wagiem i Hronem; zbiorniki retencyjne (Liptovská Mara, Jez. Orawskie); lasy iglaste i mieszane (buk, dąb, świerk). Kraj roln.-przem. w fazie przejściowej od gospodarki centralnie planowanej do rynkowej; uprawa zbóż, buraków cukrowych, winorośli, tytoniu oraz hodowla bydła i owiec; wydobycie węgla brun., rud manganu; hutnictwo żelaza i metali nieżelaznych; przemysł zbrojeniowy, chem., obuwn., piwowarski, elektromaszyn., papierniczy; turystyka (Tatry, Niżne Tatry, Słowacki Kras). ■

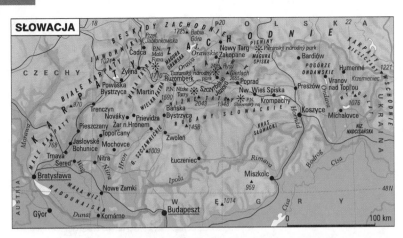

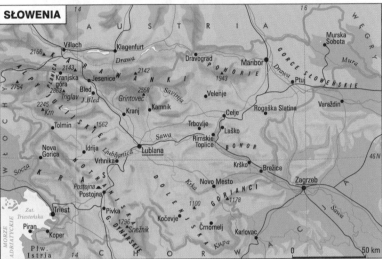

■ Słowacja. Jezioro Szczyrbskie w Tatrach

Słowenia, Slovenija, Republika Słowenii, państwo w pd. Europie, z niewielkim dostępem do M. Adriatyckiego na płw. Istria; 20,3 tys. km²; 2,0 mln mieszk. (2002), Słoweńcy (88% ludności), Chorwaci, Serbowie; katolicy, protestanci; stol. Lublana, inne m.: Maribor, Celje; język urzędowy słoweń.; republika. Na pn. Alpy Julij-

skie (Triglav, 2863 m), Alpy Kamnickie i Karawanki, na pd. pasma G. Dynarskich i wapienny płaskowyż Kras z rzeźbą krasową; niziny na wsch., w dolinach: Drawy, Sawy; klimat umiarkowany ciepły, na pd. śródziemnomor.; lasy gł. bukowe i jodłowe (ok. 50% pow. kraju). Gospodarka w okresie przejściowym od centralnie planowanej do rynkowej; podstawą przemysł (energetyka wodna, jądr., środki transportu, chemikalia, winiarstwo) i turystyka (uzdrowiska, ośr. sportów zimowych w Alpach); uprawa zbóż, buraków cukrowych, winorośli, brzoskwiń; hodowla bydła, w górach owiec; gł. port mor. Koper. ■

Słowińskie, Wybrzeże, pn. część Pobrzeża Koszal., od ujścia Parsęty po Kępę Swarzewską, wąski pas lądu przylegający bezpośrednio do morza i uformowany w ciągu ostatnich kilku tysięcy lat; na jego krajobraz składają się: plaża, nadmor. wydmy oraz przybrzeżne jeziora i bagna; nad jez. Gardno, odrębnym elementem krajobrazu jest łuk morenowy, wznoszący się w kulminacji Rowokołu do 115 m; wybrzeże jest wyrównane przez działalność fal niszczących wysoczyzny morenowe i budujących wały brzegowe, przekształcane przez wiatr w wydmy, które odcinają od morza płytkie jeziora, największe z nich to: Łebsko, Gardno, Jamno, Bukowo, Kopań, Sarbsko, z bagien największe są Błota Bielawskie k. Karwi, z reliktową roślinnością atlantycką i tundrową oraz bagna na pd. od jez. Łebsko; na wydmach nadmor. występują rośliny

■ Słowenia

■ Wybrzeże Słowińskie. Słowiński Park Narodowy, zdjęcie lotnicze

słonolubne; charakterystyczą rośliną jest mikołajek nadmor.; na W.S. utworzono Słowiński Park Narodowy; w ujściach rz.: Parsęty, Wieprzy, Słupi i Łeby znajdują się niewielkie porty rybackie; liczne kąpieliska morskie. ■

Słubice, m. powiatowe w woj. lubus., nad Odrą, przy granicy z Niemcami; 17,8 tys. mieszk. (2000); ośr. obsługi ruchu tranzytowego; przejście graniczne; różnorodny przemysł; Collegium Polonicum (część uniw. eur. Viadrina we Frankfurcie n. Odrą); do 1945 dzielnica Frankfurtu n. Odrą, następnie w Polsce jako samodzielne miasto (prawa miejskie 1945).

Słupca, m. powiatowe w woj. wielkopol., nad Meszną (pr. dopływ Warty); 14,8 tys. mieszk. (2000); ośr. usługowy; przemysł metal., maszyn.; węzeł drogowy; muzeum; na rzece sztuczne jezioro (pow. 260 ha); prawa miejskie od 1296; kościół (XV–XVI, XVIII w.), drewn. kościół (XVI w.) z barok. polichromią.

Słupia, rz. na pojezierzach: Wschodniopomorskim i Zachodniopomorskim oraz na Pobrzeżu Koszalińskim; dł. 139 km, pow. dorzecza 1623 km^2; wypływa na Pojezierzu Kaszubskim; przepływa przez kilka jezior; uchodzi do M. Bałtyckiego w Ustce; średni przepływ przy ujściu 15,5 m^3/s; maks. rozpiętość wahań stanów wody w dolnym biegu 3,1 m; gł. dopływy: Bytowa (l.), Skotawa (pr.), 4 niewielkie elektrownie wodne (zbud. 1898–1925); od Jez. Gowidlińskiego do ujścia prowadzi szlak kajakowy S.; m. nad S. — Słupsk, Ustka (kąpielisko i port mor.).

słupki lodowe, opad b. drobnych kryształków lodu w postaci słupków lub blaszek; opad s.l., częsty w krajach polarnych, występuje przy b. niskiej temperaturze.

Słupsk, m. w woj. pomor., nad Słupią; pow. grodzki, siedziba pow. słup.; 102 tys. mieszk. (2000); ośr. przem., usługowy, kult. i turyst. regionu Pomorza Środk.; przemysł: drzewny (meble), spoż., maszyn. (maszyny dla rolnictwa i leśnictwa), środków transportu (zakłady urządzeń okrętowych, naprawy autobusów, montownia ciężarówek i autobusów Scania), skórz., przetwórstwa tworzyw sztucznych; oddział gdań. Inst. Mor.; przedsiębiorstwa bud.-montażowe, transportowe; oddziały i filie banków i tow. ubezpieczeniowych; węzeł kol. i drogowy,

port lotn.; teatry, orkiestra kameralna; szkoły wyższe; Muzeum Pomorza Środk.; prawa miejskie przed 1269; 1975–1998 stol. woj.; 2 kościoły (XIV, XIX w. i XIV–XV, XVII, XIX w.), zamek (XIV, XVI, XIX w.) — ob., wraz z młynem (XIV w.), muzeum, mury miejskie z basztami i bramami (XV, XVI w.), kaplica (XV w.).

Smocze, Góry, Drakensberge, góry zrębowe w RPA, Lesotho i Suazi, między rz. Sabi i Groot Kei; stanowią wsch. krawędź wyżyn Weld; najwyższy szczyt Thabana Ntlenyana (3482 m); zbud. z piaskowców, łupków i skał wylewnych (bazalty), należących do formacji karru (osady od górnego karbonu po dolną jurę), poziomo zalegających na starym cokole krystal.; wsch. stoki rozcięte głębokimi dolinami licznych, krótkich rzek uchodzących do O. Indyjskiego, zach. — dopływami rz. Oranje; G.S. mają górską odmianę klimatu zwrotnikowego pośredniego; na stokach wsch. (wilgotniejszych — do 2000 mm opadów w roku) wiecznie zielone lasy liściaste i iglaste, wyżej łąki górskie, na zach. — sawanny i zarośla kserotermiczne.

smog [ang.], utrzymujące się nad terenami wielkich miast i okręgów przem. zanieczyszczenia powietrza atmosf.; s. tworzą zanieczyszczenia pierwotne (pyły, gazy i pary emitowane przez zakłady przem., energ., silniki spalinowe pojazdów mech. itp.) i produkty ich fotochem. i chem. przemian zachodzących w warunkach → inwersji temperatury, podczas braku ruchów powietrza (przy bezwietrznej pogodzie); powstawaniu s. sprzyja położenie zagrożonych nim obszarów w obniżeniach; rozróżnia się s. fotochemiczny i s. kwaśny. S m o g f o t o c h e m i c z n y, zw. też utleniającym, tworzy się w czasie silnego nasłonecznienia w wyniku fotochem. przemian występujących w dużym stężeniu tlenków azotu, węglowodorów, zwł. nienasyconych (alkeny) i in. składników spalin (gł. samochodowych) — ze związków tych powstają b. reaktywne rodniki, które z kolei ulegając przemianom chem. tworzą toksyczne związki, gł. nadtlenki, np. azotan nadtlenku acetylu (PAN); składnikami tego typu s. są także: ozon, tlenek węgla (czad), tlenki azotu, aldehydy, węglowodory aromatyczne. S m o g k w a ś n y, zw. też mgłą przemysłową, powstaje w wilgotnym powietrzu silnie zanieczyszczonym tzw. gazami kwaśnymi, gł. dwutlenkiem siarki (SO_2) i dwutlenkiem węgla (CO_2), oraz pyłem węglowym; występuje gł. w regionach, gdzie domy są ogrzewane przez spalanie węgla i in. paliw stałych. S., ze względu na dużą koncentrację agresywnych czynników chem., stanowi zagrożenie dla zdrowia ludzi i zwierząt, wywołuje choroby roślin i powoduje niszczenie materiałów; s. kwaśny obserwowano już w 1. poł. XX w., m.in.: 1930 w dolinie Mozy (Belgia), 1948 w Donorze (USA), oraz 1948, na przeł. 1952 i 1953, 1956 w Londynie, gdzie 1952/53 w ciągu 7 dni wskutek s. (przyczyna bezpośrednia lub pośrednia) zmarło 4000 osób, 1956 — 1000 osób, nieco później wystąpił s. fotochemiczny w Los Angeles, Atenach i in. miastach. W Polsce s. kwaśny występuje w Krakowie i niektórych miastach Górnego Śląska.

Smreczany, Fichtelgebirge, średnie góry w Niemczech, między Lasem Frankońskim i Rudawami; ponad lekko falistą powierzchnię (średnia wys. 600 m) wznoszą się zbud. z granitów i gnejsów grzbiety (najwyższy Schneeberg, 1053 m); rumowiska skalne; źródła Menu, Soławy i Ohrzy (Smerczany stanowią węzeł hydrograf. między dorzeczami Renu, Dunaju i Łaby); wydobycie rud uranu (w XIV–XVII w. górnictwo cyny, złota, ołowiu, srebra, żelaza); hodowla bydła; gospodarka leśna; przemysł porcelanowy i szklarski; region turyst. i sportów zimowych; większa część S. pod ochroną (2 parki przyr. i rezerwat).

Smreczyński Staw, niewielkie, okrągłe jez. w Tatrach Zach., między dolinami Tomanową a Pyszniańską, na wys. 1227 m; pow. 0,75 ha, dł. 112 m, szer. 99 m, maks. głęb. 5,3 m; otoczone lasem świerkowym; powstało przez zatarasowanie odpływu wody moreną boczną; wody kwaśne, bogate w substancje humusowe a ubogie w sole miner.; szlak turyst. ze schroniska na Polanie Ornaczańskiej.

smugi kondensacyjne, chmury tworzące się za samolotem (zwykle na wys. 7–12 km) o budowie podobnej do chmur kłębiasto-pierzastych (*cirrocumulus*); powstają w warstwach powietrza o dużej wilgotności względnej wskutek kondensacji pary wodnej zawartej w gazach spalinowych i w atmosferze.

Snake [snejk], rz. w pn.-zach. części USA, największy l. dopływ rz. Kolumbia; dł. 1670 km, pow. dorzecza 282 tys km^2; źródła w Parku Nar. Yellowstone, przepływa przez Wyż. Kolumbii w głębokim (do 2400 m) kanionie; liczne bystrza i wodospady; gł. dopływy: Salmon, Clearwater (pr.), Malheur, Owyhee (l.); żegl. od m. Lewiston; wykorzystywana do nawadniania i do celów energ. (kilka zbiorników retencyjnych i elektrowni wodnych).

Snowdon [snoudn], masyw górski w G. Kambryjskich, w W. Brytanii; zbud. gł. ze skał wulk.; wys. do 1085 m (Moel Y Wyddfa, najwyższy szczyt Walii); cyrki i doliny lodowcowe, jeziora, wodospady; torfowiska i wrzosowiska; kolej zębata na S. (z miejscowości Llanberis); region turyst.; od 1951 stanowi część Parku Nar. Snowdonia (pow. 2170 km^2).

Sobótka, m. w woj. dolnośląskim (powiat wrocł.), u podnóża Ślęży, w Ślężańskim Parku Krajobrazowym; 6,6 tys. mieszk. (2000); ośr. przem.-usługowy, turyst.-krajoznawczy i wypoczynku świątecznego; kamieniołomy granitu i skalenia, browar, zakłady drzewne, wyrobów ;cukiern., metal.; Muzeum Ślężańskie; prawa miejskie od 1399; 2 późnogot. kościoły (XV/XVI, XVII, XVIII w., z pozostałościami rom. XIII w. i XIV, XVI w.), dawne probostwo Augustianów ze szpitalem (XVI, XVIII w., ob. muzeum).

Sochaczew, m. powiatowe w woj. mazow., nad Bzurą; 40 tys. mieszk. (2000); ośr. przem.-usługowy i mieszkaniowy; przemysł chem. (włókna), ceramiki bud., spoż., metal.; węzeł drogowy; muzea; prawa miejskie od 1368; w XIX w. ośr. chasydów; pozostałości zamku (XV w.), kamienice (XIX w.).

Sognefjorden [sɔŋnəfju:rden], zatoka M. Norweskiego, wcinająca się w pd.-zach. wybrzeża Norwegii; dł. 204 km (najdłuższy fiord Płw. Skandynawskiego), szer. 1,5–6 km, głęb. do 1303 m; rozwinięta linia brzegowa, liczne odgałęzienia, niektóre z lodowcami; brzegi b. wysokie (do 1500 m) i strome; wysokość pływów do 1,5 m; u wejścia do S. grupa wysp Sula; pomiędzy brzegami połączenie promem samochodowym; port Lœrdalsøyri.

Sokolica, szczyt w Pieninach, na obszarze Pienińskiego Parku Nar.; wys. 747 m; zbud. z twardych wapieni rogowcowych serii pienińskiej; wznosi się ponad wody Dunajca 307 m urwiskiem ściany pd.; na szczycie reliktowe sosny; stoki pn. pokryte lasem bukowo-jodłowym; w pobliżu malownicze wapienne skałki: Głowa Cukru i Kazalnica; piękny widok na przełom Dunajca, Małe Pieniny i Tatry; dojście szlakiem turyst. ze Szczawnicy i Krościenka.

Sokołów Małopolski, m. w woj. podkarpackim (powiat rzesz.); 3,9 tys. mieszk. (2000); ośr. usługowy; drobny przemysł (metal., drzewny); prawa miejskie od 1569; w XIX w. ośr. chasydów.

Sokołów Podlaski, m. powiatowe w woj. mazow.; 18,7 tys. mieszk. (2000); ośr. przem.-usługowy; przemysł spoż. (cukr., mięsny), skórz., drzewny; prawa miejskie od 1424.

Sokółka, m. powiatowe w woj. podl., na obszarze źródliskowym Sokołdy (pr. dopływ Supraśli); 19,9 tys. mieszk. (2000); ośr. przem.-usługowy; przemysł drzewny, spoż., maszyn.; Przygraniczne Targi Wsch.; węzeł kol.; turystyka; prawa miejskie od 1608.

solanka, rodzaj → wód mineralnych.

Solec Kujawski, m. w woj. kujawsko-pomor. (powiat bydg.), na l. brzegu Wisły; 14,7 tys. mieszk. (2000); ośr. usługowy; przemysł maszyn., obuwn., materiałów bud.; prawa miejskie od 1325.

■ Solfatary w południowej Boliwii

solfatary [wł.], gorące (200–100°C) → ekshalacje wulkaniczne, składające się gł. z pary wodnej z dodatkiem przede wszystkim siarkowodoru oraz dwutlenku węgla; występują często w kraterach drzemiących wulkanów. ■

soliflukcja [łac.], rodzaj → spełzywania, powolne (kilka mm dziennie), grawitacyjne zsuwanie się po stoku zwietrzeliny nasyconej wodą; występuje w klimacie zimnym, gł. na obszarach polarnych; zachodzi na wszystkich stokach o nachyleniu powyżej 3°; nie zawsze obejmuje cały stok, czasem wytwarza rodzaj szerokiego, wolno pełznącego języka gruntu; s. jest związana z obecnością → zmarzliny wieloletniej; odtajałe latem warstwy przypowierzchniowe są przepojone wodą roztopową, która nie może wsiąkać w głąb z powodu zmarzliny; dzięki temu zwiększa się plastyczność odtajałej masy, zmniejsza się tarcie wewn. i tarcie o przemarznięte podłoże; rezultatem s. jest powolne niszczenie stoku.

Solińskie, Jezioro, Soliński Zbiornik Wodny, zbiornik retencyjny w Bieszczadach Zach., utworzony 1968 przez spiętrzenie górnego Sanu i Solinki przy jej ujściu do Sanu zaporą betonową (najwyższa w Polsce — 82 m); pow. 21,1 km^2, pojemność całkowita 472 hm^3; wykorzystywany do celów energ. (elektrownia wodna o mocy 136 MW), rekreacyjnych i ochrony przeciwpowodziowej; nad jeziorem liczne ośr. wczasowe (m.in. Solina, Polańczyk); sporty wodne; żegluga pasażerska. ■

■ Jezioro Solińskie

Soła, rz. w Beskidach Zach., na Pogórzu Zachodniobeskidzkim i w Kotlinie Oświęcimskiej, pr. dopływ górnej Wisły; dł. 89 km, pow. dorzecza 1391 km^2; źródła w Beskidzie Żywieckim; przepływa przez Kotlinę Żywiecką, uchodzi k. Oświęcimia; średni przepływ przy ujściu 19,3 m^3/s; maks. rozpiętość wahań stanów wody w dolnym biegu 5,7 m; gł. dopływy: Ujsoła, Koszarawa (pr.); zbiorniki retencyjne w Tresnej (Jez. Żywieckie), Porąbce (Jez. Międzybrodzkie) i Czańcu oraz elektrownie w Tresnej i Porąbce; w Czańcu ujęcie wody dla miast GOP; gł. ośr. nad S.: Żywiec, Kęty, Oświęcim.

Soława, Saale, Sächsische (Thüringer) Saale, rz. we wsch. części Niemiec, l. dopływ Łaby; dł. 427 km, pow. dorzecza 23,7 tys. km^2; źródła w Smreczanach; płynie przez Las Frankoński, Kotlinę Turyńską i wsch. przedgórza Harzu; w górnym biegu w głęboko wciętej i krętej dolinie S. 2 duże zbiorniki retencyjne (Hochenwarte i Bleiloch); gł. dopływy: Biała Elstera (pr.), Schwarza, Unstruta, Ilm, Bode (l.); żegl. 124 km (na dł. 88 km skanalizowana); gł. m. nad S.: Jena, Halle.

Somalia, Soomaaliya, Somalijska Republika Demokratyczna, państwo w Afryce, na Płw. Somalijskim, nad O. Indyjskim; 637,7 tys. km^2; 11,1 mln mieszk. (2002), Somalijczycy (98%), Arabowie; wyznawcy islamu; stol. i gł. port Mogadiszu, inne m.: Hargejsa, Merka; język urzędowy: somali, w użyciu arab., ang., wł.; repu-

■ Somalia

blika. Wyżyna Somalijska z ostrą krawędzią na pn. (wys. do 2408 m), na wybrzeżu niziny; klimat podrównikowy suchy (katastrofalne susze); rzeki okresowe, gł. stałe: Dżuba, Uebi Szebeli; suche lasy, sawanny, półpustynie, pustynie. Kraj słabo rozwinięty; koczownicze pasterstwo bydła, owiec, kóz, wielbłądów; w dolinach rzek uprawa sorga (durra), kukurydzy, sezamu, bananów, trzciny cukrowej, bawełny; rybołówstwo; eksploatacja lasów (50% świat. zbiorów mirry); przetwórstwo produktów rolnych; transport juczny. ■

Somalijska, Wyżyna, wyżyna w Somalii i Etiopii, położona gł. na Płw. Somalijskim, oddzielona od Wyż. Abisyńskiej Rowem Abisyńskim; zbud. gł. z piaskowców i wapieni paleozoiku i mezozoiku leżących na prekambryjskim podłożu krystal.; duże obszary zajmują pokrywy skał wylewnych (gł. bazaltów); liczne stożki wulk.; najwyższy szczyt Batu, 4307 m, w masywie Mendebo. Powierzchnia W.S. opada łagodnie ku pd.-wsch. do niz. Benadir; na zach. i pn. wznoszą się wyraźne krawędzie; w ich obrębie liczne zrębowe masywy górskie (m.in. Guge, Surud Ad). Klimat podrównikowy suchy; roczna suma opadów od 200 mm na wsch. i 500 mm na pd.-zach. do 1000–1500 mm i więcej na obszarach najwyżej położonych; charakterystyczne piętra klim., takie same jak na Wyżynie → Abisyńskiej. Rzeki (gł. Uebi Szebeli i Dżuba) przeważnie okresowe. Roślinność gł. sawannowa, na pn. i wsch. półpustynna z rzadkimi kolczastymi krzewami. Uprawa gł. zbóż, bawełny, orzeszków ziemnych (w dolinach rzek); na wyżynie koczowniczy i półkoczowniczy chów wielbłądów, bydła, kóz i owiec.

Somalijski, Półwysep, półwysep w Afryce Wsch., między Zat. Adeńską (na pn.) a O. Indyjskim (na pd.-wsch.); pow. ok. 750 tys. km^2; wybrzeża płaskie, mierzejowe z równol. do brzegu wałami wydmowymi, na pn. strome i skaliste, z licznymi rafami koralowymi; na P.S. przyl. Hafun który, stanowi najdalej na wsch. wysunięty punkt Afryki; większą część P.S. zajmuje Wyżyna → Somalijska, przechodząca na pd. w aluwialną niz. nadbrzeżną Benadir (zabagniona, częściowo pokryta wydmami); na P.S. leży Somalia i część Etiopii.

Somosierra, Samosierra, przełęcz w G. Kastylijskich, w Hiszpanii, w grupie górskiej Sierra de Guadarrama; wys. 1404 m; przez S. przechodzi szosa i linia kol. Madryt–Burgos.

Sompolno, m. w woj. wielkopol. (powiat konin.); 3,7 tys. mieszk. (2000); ośr. usługowy dla rolnictwa; prawa miejskie 1477–1870 i od 1973; drewn. kaplica (XVIII w.), 2 kościoły (XIX w.).

Song Cai [s. kai], rz. w Chinach i Wietnamie, → Czerwona, Rzeka.

Sonora [sonọ:rə], Sonora Desert, pustynia w USA, w pd.-wsch. części stanu Arizona; klimat zwrotnikowy, wybitnie suchy; roczna suma opadów poniżej 150 mm; okresowe rzeki i jeziora; rezerwat Indian Gila Bend; rezerwat przyrody Organ Pipe Cactus (133,8 tys. ha); gł. m. — Gila Bend.

Sopot, m. w woj. pomor., nad Zat. Gdańską; powiat grodzki; 42 tys. mieszk. (2000); z Gdynią i

Gdańskiem tworzy zespół miejsko-portowy Trójmiasto; duże kąpielisko mor. (od 1. poł. XIX w.) i ośr. uzdrowiskowy (solanki i borowina); drobny przemysł; wydziały Uniw. Gdań.; teatr, amfiteatr (międzynar. festiwale piosenki); przystań żeglugi mor.; tor wyścigów konnych; osadnictwo od wczesnego średniowiecza, pozostałości grodziska (VIII–1. poł. X w.); prawa miejskie od 1901; zabudowa kurortowa, domy, kościoły (XIX/XX w.).

Sosnowiec, m. w woj. śląskim, nad Czarną Przemszą i jej dopływem Brynicą, w GOP; pow. grodzki; 242 tys. mieszk. (2000); ośr. górn.-hutn. (kopalnie węgla kam. i hutnictwo w trakcie restrukturyzacji) i przem. (włók., odzież., metal., maszyn., spoż., środków transportu, elektrotechn., miner. — kopalnia piasku); stol. diecezji sosnowieckiej Kościoła rzymskokatol.; ośr. nauk. (wydziały — Uniw. Śląskiego, Śląskiej Akad. Med., instytuty nauk.), kult. (teatr, muzea) i finans. (banki, tow. ubezpieczeniowe); węzeł kol.; od pocz. XIX w. rozwój górnictwa węglowego, od poł. XIX w. duży ośr. przem.; prawa miejskie od 1902.

Sośnicowice, m. w woj. śląskim (powiat gliwicki), w międzyrzeczu Kłodnicy i Bierawki, w GOP; 1,9 tys. mieszk. (2000); ośr. usługowy; prawa miejskie 1506–1742, 1853–1945 i od 1996.

Sowie, Góry, pasmo górskie w Sudetach Środk., między Przedgórzem Sudeckim na wsch. a Obniżeniem Noworudzkim na zach.; ciągną się od doliny Bystrzycy na zach. po Przełęcz Srebrną na wsch. na dł. ok. 26 km; zbud. z najstarszych na Śląsku prekambryjskich gnejsów; grzbiet G.S., o średniej wys. 800–900 m i wyrównanej wierzchowinie, jest wyższy w części zach. i osiąga kulminację w wyniesieniu Wielka Sowa (1015 m); dolina Walimki oddziela od zach. izolowany masyw Włodarza (811 m); na pd.-wsch. od Przełęczy Woliborskiej (711 m) grzbiet stopniowo obniża się (Szeroka 824 m, Gołębia 803 m) ku Przełęczy Srebrnej; stoki G.S. są wyraźnie asymetryczne — ku pn.-wsch. opadają 500–600 m stromą krawędzią tektoniczną, ku pd.-zach. stopniowo przechodzą we Wzgórza Włodzickie; G.S. porośnięte są w większości lasem, w reglu dolnym mieszanym, z zachowanymi fragmentami pierwotnej puszczy sudeckiej. Z wyrębów, polan i hal piękna panorama na Kotlinę Kłodzką i Masyw Ślęży; pd.-zach. stoki Wielkiej Sowy, w okolicach Sokolca i Walimia są doskonałym terenem narciarskim.

sól kamienna, halityt, osadowa skała chemogeniczna złożona gł. z halitu (chlorku sodu); zwykle bezbarwna, biała lub niebieskawa, b. krucha; powstaje przez odparowanie (ewaporację) lagun, zatok mor. lub słonych jezior; surowiec przemysłu chem., spoż. (sól kuchenna) i in.; gł. złoża: Chiny, Rosja, Niemcy, USA, Kanada, w Polsce gł. na Kujawach (Kłodawa, Mogilno i in.), także na Podkarpaciu (m.in. Wieliczka) i Górnym Śląsku (Rybnik, Żory).

spełzywanie, powolne, grawitacyjne zsuwanie się po stoku zwietrzeliny lub luźnych osadów; szybkość s. zależy od rodzaju podłoża (np. less jest odporny na s., łatwo zaś ulegają mu piaski, iły i gliny), nachylenia stoku oraz od klimatu; szczególnie dużą rolę przy s. odgrywa nasiąkanie skał wodą (obecność wody zmniejsza tarcie wewn. osadu i ułatwia przemieszczanie). S. zachodzi we wszystkich strefach klim., nawet na stokach o b. małym nachyleniu; często występuje na obszarach o gorącym i wilgotnym klimacie, gdzie zsuwa się ze stoku gruba pokrywa zwietrzelinowa, całkowicie rozłożona wskutek intensywnego wietrzenia chem. (tzw. cieczenie), oraz w górach i na obszarach polarnych (→ soliflukcja). Rezultatem s. jest powolna degradacja stoku.

Spisko-Gubałowskie, Pogórze, równoleżnikowy ciąg wzniesień na Podhalu, oddzielonych od Tatr Rowem Podtatrzańskim, ku któremu opadają dość stromo; na pn. łagodnie przechodzi w Kotlinę Orawsko-Nowotarską; zbud. z warstw fliszu podhalańskiego; rozcięte przez Czarny Dunajec, Biały Dunajec i Białkę na 4 człony: na zach. od Czarnego Dunajca — Pogórze Skoruszyńskie, prawie w całości po stronie słowac., z granicznym szczytem Magurą Witowską) — kulminacja Pogórza w Polsce, między Czarnym i Białym Dunajcem — Pogórze (Pasmo) Gubałowskie (Palenica Kościeliska 1183 m, Gubałówka 1130 m), między Białym Dunajcem i Białką — Pogórze Bukowińskie (Cyrhla nad Białką 1158 m, Galicowa Grapa 982 m), na wsch. od Białki — Pogórze Spiskie (Kuraszowski Wierch 1040 m) w większości po stronie słowac.; region zalesiony gł. w części wsch. i zach.; rozwinięta turystyka letnia i zimowa; miejscowości letniskowe, m.in.: Bukowina Tatrzańska, Białka, Poronin.

■ Spitsbergen. Tundra

Spitsbergen, największa wyspa norw. w archipelagu → Svalbard, na M. Arktycznym; do 1969 zwana S. Zachodnim, pow. 39,0 tys. km^2; górzysta (wys. do 1717 m); na znacznej powierzchni pokryta lodowcami; złoża rud uranu, eksploatacja węgla kam.; rybołówstwo; turystyka; gł. osiedle i port — Longyearbyen. Odkryta 1596 przez W. Barentsa; 1934 pierwsza pol. wyprawa wykonała na Ziemi Torella w pd. części S. podstawowe prace triangulacyjne, w trakcie których nadano nazwy wielu obiektom, m.in. Górze Piłsudskiego (wys. 1033 m) i szczytowi Kopernikus (wys. 1055 m) oraz sporządzono pierwszą mapę geol. pn.-zach. części Ziemi Torella; stacje badawcze, m.in. stała (od 1978) pol. stacja nauk. Hornsund. ■

Splügen [szpl:gən], wł. **Passo dello Spluga,** przełęcz między Alpami Zach. i Alpami Wsch., na granicy szwajc.-wł.; wys. 2113 m; łączy doliny górnego Renu i Addy; w średniowieczu przez S. biegł ważny szlak handl. do Europy Pd.; po zbudowaniu 1882 linii kol. przez Przełęcz Św. Gotharda straciła znaczenie (otwarta dla ruchu kołowego tylko w lecie).

spływ popiołowy, lahar, masy popiołów wulk. nasyconych wodą opadową, roztopową lub pochodzącą z jeziora kraterowego, spływające ze stoków wulkanu, na ogół w następstwie jego wybuchu; przemieszcza się zwykle z prędkością kilkudziesięciu km/h, przebywa odległość do kilkudziesięciu km; s.p. są najgroźniejszym dla człowieka i przyczyniającym największych szkód zjawiskiem związanym z aktywnością wulk.; s.p. zniszczyły m.in. Herkulanum (79 r. n.e.) i miasto Armero w Kolumbii (po wybuchu wulkanu Nevado del Ruiz, 1985).

Spokojny, Ocean, Pacyfik, Ocean Wielki, największy i najgłębszy naturalny zbiornik wodny na Ziemi, rozciągający się między Azją, Ameryką Pn. i Pd., Antarktydą Zach. oraz Australią; u wybrzeży kontynentów ocean obejmuje morza (z większymi zatokami): Beringa (zatoki Anadyrska i Bristolska), Ochockie (Zat. Szelichowa), Japońskie, Żółte (zatoka Bo Hai), Wschodniochińskie, Południowochińskie (zatoki Tonkińska i Tajlandzka), Koralowe, Tasmana, Rossa, Amundsena, Bellingshausena; zach. część O.S. obejmuje 2 rozległe morza otwarte, Filipińskie i Fidżi, oraz liczne morza międzywyspowe: Wewnętrzne M. Japońskie, Sulu, Celebes, Moluckie, Seram, Banda, Flores, Jawajskie, Nowogwinejskie, Salomona; pozostałe morza międzywyspowe, Sibuyan, Visayan i Mindanao w Filipinach oraz Halmahera, Bali i Sawu w Indonezji, mają charakter mniejszych zatok lub cieśnin; wsch. część O.S., u wybrzeży Ameryki, obejmuje zatoki (od pn.): Alaskę, Kalifornijską, Panamską, Ancud, Corcovado, Penas. Granica (umowna) z O. Indyjskim biegnie od pn. wejścia do cieśn. Malakka wzdłuż zach. i pd. brzegów Archipelagu Malajskiego, pd. brzegów Nowej Gwinei do Cieśn. Torresa, następnie na pd. od Australii biegnie przez wsch. wejście do Cieśn. Bassa i od Tasmanii — wzdłuż południka 146°55′E, do Wybrzeża Jerzego V w Antarktydzie Wsch.; mimo zaleceń Międzynar. Biura Hydrograficznego w Monako, aby położone na pn. od Australii morza Timor i Arafura (z zat. Karpentaria) wchodziły w skład O.S., większość oceanografów zalicza je do O. Indyjskiego; granica z O. Atlantyckim na pn., w Cieśn. Beringa (połączenie z O. Arktycznym), przebiega od Przyl. Dieżniewa w Azji do Przyl. Księcia Walii w Ameryce Pn., na pd.-wsch. w Cieśn. Drake'a — od przyl. Horn w Ameryce Pd. do przyl. Prime Head na Płw. Antarktycznym w Antarktydzie Zach.; Kanał Panamski w Ameryce Centr. łączy O.S. z M. Karaibskim.

Powierzchnia wynosi 178 684 tys. km², co stanowi 49,6% powierzchni (ok. 53% objętości) oceanu świat. oraz ok. 35% całej powierzchni Ziemi; średnia głęb. wynosi 3957 m (wg niektórych źródeł 4028 m), maks. — 11 034 m w głębi Challenger Rowu → Mariańskiego, największej w oceanie świat.; rozciągłość południkowa oceanu wynosi 15,8 tys. km, od Cieśn. Beringa do M. Rossa,

równoleżnikowa — 19,5 tys. km, od Zat. Tajlandzkiej do Zat. Panamskiej; na O.S. jest ok. 10 tys. wysp o łącznej pow. ok. 3,6 mln km² — największe (powyżej 15 tys. km²): Nowa Gwinea, Borneo, Sumatra, Honsiu, Celebes, Wyspa Pd. Nowej Zelandii, Jawa, Wyspa Pn. Nowej Zelandii, Luzon, Mindanao, Hokkaido, Sachalin, Kiusiu, Nowa Brytania, Tajwan, Hajnan, Vancouver, Timor, Sikoku, Halmahera, Seram, Nowa Kaledonia, Sumbawa, Flores; w środk. i zach. części oceanu, na przestrzeni ok. 66 mln km², jest wiele archipelagów i pojedynczych wysp, gł. pochodzenia wulk., stanowiących → Oceanię; — część świata składającą się z Mikronezji, Melanezji i Polinezji.

Budowa geologiczna dna. Centralną część O.S. stanowi oceaniczna skorupa ziemska zbud. ze skał magmowych o składzie zbliżonym do bazaltu, pokrytych gł. czerwonym iłem głębinowym, wapiennym mułem otwornicowym, promienicowym (radiolariowym) lub okrzemkowym; miąższość tych osadów wynosi średnio 300–400 m, a w rowach oceanicznych dochodzi do 2–3 km. Najstarsze z poznanych dotychczas osadów O.S. są wieku górnojurajskiego; występują one w przybrzeżnych częściach oceanu. Bazaltowa skorupa oceaniczna jest odgraniczona od skorupy kontynent. tzw. linią → andezytową, ciągnącą się wzdłuż rowów oceanicznych i łuków wysp okalających O.S.; wzdłuż tej linii skorupa oceaniczna podsuwa się pod skorupę kontynent. (→ Benioffa strefa), co wywołuje b. dużą aktywność sejsmiczną i intensywny wulkanizm.

Ukształtowanie dna jest bardzo urozmaicone, występują tam wszystkie wielkie i małe formy dna oceanicznego; najbardziej charakterystyczną cechą rzeźby jest obecność najrozleglejszych w oceanie świat. basenów oceanicznych i licznych rowów oceanicznych (2/3 rowów w oceanie świat.), ciągnących się wzdłuż podnóży stoków kontynent. Azji i obu Ameryk oraz wzdłuż podwodnych grzbietów z łukami wysp w zach. części oceanu; najgłębsze rowy oceaniczne: Mariański, Tonga (do 10 882 m), Kurylsko-Kamczacki (10 542 m), Filipiński (10 497 m), Izu-Ogasawara (9810 m), Bougainville'a (9140 m). Światowy system grzbietów śródoceanicznych przechodzi do O.S. z O. Indyjskiego, od Wzniesienia Australijsko-Antarktycznego, którego pacyficznym przedłużeniem jest grzbiet Wzniesienia Południowopacyficznego, ciągnący się przez pd. część dna oceanu do strefy rozłamu Eltanin, od której z kolei ciągnie się Wzniesienie Wschodniopacyficzne, szeroki i rozległy grzbiet skręcający stopniowo na pn. w kierunku Zat. Kalifornijskiej, gdzie kończy się gł. pacyficzny ciąg grzbietów śródoceanicznych; w części pd.-wsch. dna O.S. leży drugorzędny śródoceaniczny Grzbiet Chilijski (Wzniesienie Zachodniochilijskie), ciągnący się w kierunku pd.-wsch., jako przedłużenie poprzecznej do Wzniesienia Wschodniopacyficznego strefy rozłamu Challenger — do podnóża stoku kontynent. Ameryki Pd. na szer. geogr. płw. Taitao w pd. Chile. Grzbiety śródoceaniczne O.S. mają wzdłużne doliny ryftowe i są przecięte poprzecznie licznymi strefami rozłamu, tworzącymi długie krawędzie ciągnące się daleko w dnie sąsiednich basenów oceanicznych, zwł. na zach. od Wzniesienia Wschodniopacyficznego w wielkim Basenie Północno-Wschodnim, gdzie m.in. krawędzie Clarión, Clipperton i Galápagos mają po ok. 4000 km długości. Główne grzbiety śródoceaniczne dzielą dno O.S. na 2 nierówne części; mniejsza rozciąga się wzdłuż stoków kontynent. Ameryki i Antarktydy, obejmując kolejno baseny Gwatemalski, Peruwiański i Chilijski, z rowami oceanicznymi wzdłuż Ameryki, oraz rozległy Basen Bellingshausena (Southeast Pacific Basin), rozciągający się do stoków kontynent. pd. części Chile i Antarktydy; na zach. i pn. od gł. grzbietów rozciąga się większa część dna O.S. z najgłębszymi rowami i basenami oceanicznymi, z których najrozleglejsze są baseny: Północno-Wschodni, Południowopacyficzny (Southwest Pacific Basin), Północno-Zachodni, Środkowopacyficzny; w zach. części oceanu leżą mniejsze baseny: Filipiński, Zachodniomariański, Melanezyjski, Południowofidżyjski, Tasmana i in.; w basenach oceanicznych jest kilka wyraźnych, monotonnych równin abisalnych, największe występują na dnie Basenu Południowopacyficznego (na wsch. od Nowej Zelandii) oraz w Basenie Bellingshausena (Równina Amundsena) i Basenie Północno-Wschodnim (m.in. równiny Aleucka, Tuftsa). Najbardziej charakterystyczną cechą dna O.S. jest wielka liczba wzniesień podwodnych, gł. pochodzenia wulk., w postaci łańcuchów gór wulk. (grzbiety: Cesarski, Hawajski, Marcus-Wake, Wake-Necker, Palau-Kiusiu, Magellana, wysp Line i Tuamotu) lub grzbietów w kształcie łuku, zwieńczonych wyspami (Aleuty, Kuryle, W. Japońskie, Riukiu, Filipiny, Mariany, W. Salomona, Kermadec, Tonga i in.), z przyległymi po zewn. stronie głębokimi rowami oceanicznymi; ponadto na dnie O.S. występują masowo gujoty — pojedyncze podwodne góry (seamounts) o względnej wysokości do kilku tysięcy metrów i płaskich wierzchołkach, m.in. Góra Hendersona ze szczytem na głęb. 388 m i Góra Pattona (–662 m) w Basenie Pn.-Wsch., góry Milwaukee (–11 m) i Ramapo (–73 m) w Basenie Pn.-Zach., Góra Orne'a (–29 m) w Basenie Południowopacyficznym oraz góry Wildera (–5 m) i Kammu (–320 m) w Basenie Środkowopacyficznym. W międzyzwrotnikowej części oceanu (od 28°N do 28–30°S) występują atole i wyspy koralowe, częściowo powstałe na gujotach, oraz bariery koralowe wzdłuż łańcuchów wysp lub na szelfach, m.in. największa tego typu formacja, Wielka Rafa Koralowa (3000 km na 300 km), jest położona na szelfie u pn.-wsch. wybrzeży Australii na M. Koralowym. Stoki kontynent. w O.S. są strome, zwł. te, które wznoszą się nad rowami oceanicznymi, na niektórych odcinkach mają kształt stopni osuwiskowo-tektonicznych i często są pocięte kanionami podmor.; szelfy zajmują niewielką część dna O.S., ich szerokość wynosi od kilkudziesięciu kilometrów u wybrzeży Ameryki do 700–800 km w morzach Beringa, Wschodniochińskim, Południowochińskim; krawędzie szelfu są na głęb. 150–200 m, jedynie u wybrzeży Antarktydy — na głęb. ok. 500 m.

Prądy powierzchniowe w niskich szer. geograficznych O.S. mają układ symetryczny względem równikowego pasa ciszy, położonego między pasatami, których oddziaływanie na powierzchnię oceanu przyczynia się do płynięcia prądów Północnorównikowego i Południoworównikowego. Prąd Północnorównikowy przepływa ze wsch. na zach. między 10 a 20°N; u wybrzeży Filipin gł. masa jego wód kieruje się na pn. wzdłuż wsch. wybrzeży Tajwanu, przedostaje się na M. Wschodniochińskie, gdzie płynie po zach. stronie wysp Riukiu, następnie między nimi kieruje się na otwarty ocean i jako prąd Kuro Siwo opływa od wsch. W. Japońskie aż do ok. 36°N; tutaj skręca na wsch. i po ok. 2500 km przechodzi w Prąd Północnopacyficzny, dopływający do wybrzeży Ameryki Pn.; część jego wód skierowuje się ku pd. jako zimny Prąd Kalifornijski, który na zach. od wejścia do Zat. Kalifornijskiej wchodzi w skład Prądu Północnorównikowego; część pn. Prądu Północnopacyficznego, jako ciepły Prąd Alaski, dociera do M. Beringa, skąd wzdłuż Kamczatki i Kuryli z pn. na pd.-zach. płynie zimny prąd Oja Siwo, który na wsch. od Hokkaido miesza się z odgałęzieniem prądu Kuro Siwo i płynie na wsch., współtworząc Prąd Północnopacyficzny. Na półkuli pd., między 5°N a 5°S, płynie ze wsch. na zach. Prąd Południoworównikowy; gł. masa jego wód kieruje się ku wybrzeżom Australii, współtworząc ciepły Prąd Wschodnioaustralijski. Na pd. od 40°S utrzymuje się stale pod działaniem wiatrów zach. Antarktyczny Prąd Okołobiegunowy; u wybrzeży Ameryki Pd. znaczna jego część skierowuje się ku pn. jako zimny Prąd Peruwiański. Między 5 a 10°N płynie w kierunku z zach. na wsch. Prąd Równikowy (wsteczny). Na równiku płynie w przeciwnym kierunku podpowierzchniowy Prąd Cromwella.

Wody głębinowe cechuje słaba cyrkulacja; olbrzymie obszary głębin wypełniają od pd. wody antarktyczne (z O. Arktycznym O.S. ma ograniczoną wymianę wód); są one jednorodne; temperatura ich utrzymuje się poniżej 2°C, a zasolenie wynosi 34,6–34,7‰. W najgłębszych rowach oceanicznych temperatura wód znacznie wzrasta, m.in. na skutek ich adiabatycznego ocieplania. W warstwie między 400 a 1500 m zalegają wody pośrednie (pochodzące ze strefy antarktycznej) o temp. 3–5°C i zasoleniu 34–34,5‰; wody podpowierzchniowe między 100–500 m wykazują temp. 10–15°C i zasolenie 35‰.

Pływy na O.S. są gł. półdobowe nieregularne i regularne, jedynie na M. Ochockim, M. Japońskim, wokół Aleutów oraz na M. Południowochińskim i wokół Archipelagu Bismarcka oraz W. Salomona występują pływy dobowe, gł. nieregularne; największe wysokości pływów: Zat. Penżyńska (M. Ochockie) do 13,2 m, Zat. Cooka (w Zat. Alaska) do 12,0 m, Zat. Bristolska (M. Beringa) 8,3 m, wybrzeża Kanady 7,7 m, wybrzeża Chin (M. Wschodniochińskie) 7,5 m, wybrzeża Australii 7,2 m, Zat. Panamska 5,9 m, pd. wybrzeża M. Południowochińskiego 5,4 m oraz wzdłuż pn.-zach. wybrzeży Nowej Zelandii do 5,3 m; w pozostałych częściach oceanu wysokość pływów nie przekracza 2,5 m.

Fale. Najsilniejsze falowanie wiatrowe występuje na szer. geogr. 40–60°S (ryczące czterdziestki, wyjące pięćdziesiątki) i na pn. od 40°N, gdzie wysokość fal przekracza 15 m, długość — 300 m;

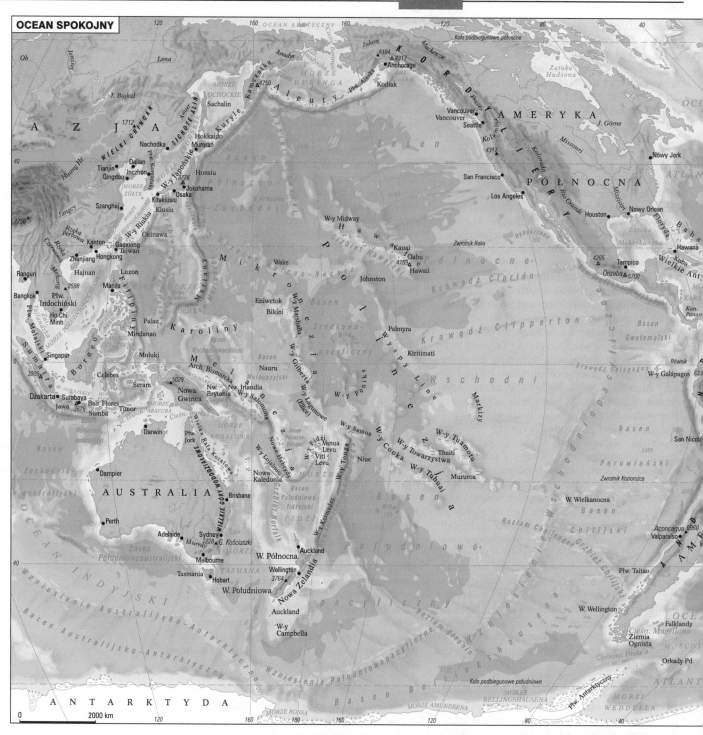

największe zaobserwowane fale miały wys. ponad 25 m, dł. — ok. 350 m; w międzyzwrotnikowej części oceanu przeważają fale o wys. do 5 m, maks. — do 10 m. Fale pochodzenia sejsmicznego (tsunami) występują na całym oceanie; najsilniejsze (niekiedy katastrofalne) rozchodzą się najczęściej z akwenów Archipelagu Malajskiego, W. Japońskich, Kuryli, Kamczatki, Aleutów, Hawajów i od pd. wybrzeży Chile; tsunami na O.S. może mieć długość do kilkuset kilometrów, wys. do 8 m (wysokość przyboju na brzegach przekracza 20 m) i prędkość do ok. 1000 km/h; od 1952 działa międzynar. służba ostrzegawcza, składająca się z sieci stacji sejsmiczno-alarmowych rozmieszczonych na wyspach Kiusiu, Honsiu, Hokkaido, Iturup (Kurylsk), Sachalin (Ju-

żnosachalińsk), na Kamczatce (Petropawłowsk Kamczacki), na Alasce (Fairbanks) i na wyspie Oahu (Pearl Harbor) w Hawajach.

Temperatura wód powierzchniowych ma wyraźny związek z układem prądów morskich. Równikowa strefa b. ciepłych wód, w której temperatura przez cały rok utrzymuje się między 25 a 29°C, wąska na wsch., rozszerza się znacznie w kierunku zach. (zgodnie z rozpływaniem się w tej części oceanu 2 prądów równikowych). W strefie między 40°N a 40°S temperatury wód na zach. są wyższe (ciepłe prądy) niż na wsch. (prądy zimne), np. na 30°S w lutym wynoszą 24°C u wybrzeży Australii i 17°C u wybrzeży Ameryki Pd., w sierpniu odpowiednio 19°C i 14°C; na 35°N w lutym 15°C u wybrzeży Japonii i

13°C u wybrzeży Kalifornii, w sierpniu odpowiednio ok. 25°C i 15°C. Na pn. i pd. od tej strefy temperatury wód kształtują się odwrotnie — na zach. są o kilka stopni niższe niż na wschodzie. Na skrajnej pn. i pd. temperatury wód wynoszą poniżej –1°C.

Zasolenie wód powierzchniowych. Największe występuje w strefach zwrotnikowych i wynosi 36,5‰ na pd. i 35,3‰ na pn.; w pasie równikowym osiąga 34,5‰; w wysokich szer. geogr. — 33,5‰ na pd. i 32‰ na pn.; najmniejsze zasolenie, 30–31 ‰, występuje w szer. geogr. umiarkowanych i w akwenach przybrzeżnych.

Zjawiska lodowe (kry, góry lodowe) w pn. części O.S. występują lokalnie, gł. na M. Beringa i M. Ochockim, w mniejszym stopniu na M. Japońskim i w zat. Alaska, natomiast w pd. części oceanu zasięgiem swym obejmują otwarty ocean; średnio granica ich zasięgu przebiega w zimie między 61 a 64°S, w lecie ok. 70°S (na morzach: Rossa, Amundsena i Bellingshausena); góry lodowe w końcu lata docierają do 46–48°S.

Największe rzeki uchodzące do O.S. (wg wielkości odpływu): Jangcy, Mekong, Amur, Jukon, Huang He, Kuskokwim, Kolumbia, Kolorado, Czerwona, Perłowa, Fraser, Anadyr.

Świat roślinny obejmuje ok. 20 gat. roślin kwiatowych i ok. 4 tys. gat. glonów. Flora denna (fitobentos) występuje przeciętnie na głęb. 40–60 m; dla rejonów pn. charakterystyczne są brunatnice — gł. listownice, alarie i morszczyny, dla strefy przybrzeżnej Ameryki Pn. m.in. wielkomorszczyn; na półkuli pd., przy brzegach Australii i Nowej Zelandii, z brunatnic występują m.in. wielkomorszczyn, lesonia i eklonia; głębiej (w sublitoralu), zarówno na pn. jak i pd., charakterystyczne są m.in. gronorosty; występuje też wiele gat. krasnorostów, mniej zielenic; oderwane od podłoża brunatnice o bipolarnym występowaniu (wielkomorszczyn, gronorosty) tworzą rozległe skupienia, unoszone zwł. przez Prąd Wiatrów Zachodnich. W strefach gorących zmniejsza się ilość i różnorodność brunatnic (pozostają gronorosty), przybywa natomiast zielenic (gł. pełzatka, halimeda) i krasnorostów; powszechne są też glony wapienne, gł. krasnorosty (koralki, litotamniony), uczestniczące w budowie raf koralowych; w strefie międzyzwrotnikowej występują zarośla namorzynów (mangrowe). Z gat. użytkowych ważną rolę odgrywają m.in. brunatnica — listownica oraz krasnorost — anfelcja; w eksploatacji roślinności wodnej przodują Japonia, Chiny oraz Indonezja. Fitoplankton O.S. w rejonie wód Dalekiego Wschodu składa się z ponad 380 gat., gł. bruzdnic i okrzemek; w wodach subark. przeważają bruzdnice z domieszką okrzemek, w tropik. — kokolitofory (grupa wiciowców).

Świat zwierzęcy. W strefie tropik. i subtropik. brzegów azjat. i austral. bytuje wspólna z O. Indyjskim najbogatsza fauna świata; olbrzymie obszary raf koralowych (Wielka Rafa Koralowa) i zarośli mangrowców; największa na świecie liczba gat. korali madreporowych, krabów, krewetek, ślimaków, małżów (ławice perłopławów), głowonogów, jeżowców, rozgwiazd, strzykw (trepang), ryb i in.; endemiczne są m.in. wszystkie gat. łodzików, jadowitych węży mor. i jedynych mor. owadów — nartników z rodzaju *Halobates*;

u brzegów Ameryki brak raf koralowych, a fauna jest znacznie uboższa. Na pn. O.S. bogate łowiska rybackie (gł. łososi pacyficznych, śledzia, sardyny iwasi, tuńczyka, dorsza, mintaja); ponad 3 tys. gat. ryb, w tym ok. 75% endemitów — przeszło dwukrotnie więcej niż w O. Atlantyckim; cały obszar O.S. zasiedlają uchatki, orka, wiele gat. wali oraz albatrosy, natomiast foki tylko strefy biegunowe; w wodach pn. żyją m.in. mors i wydra morska.

Gospodarka. Nad O.S., w Ameryce, Australii, Azji i Oceanii, leżą 42 państwa i ok. 10 terytoriów zależnych, które łącznie zamieszkuje ponad 45% ludności świata; obszary te, zw. niekiedy Regionem Pacyfiku, odznaczają się wielkim potencjałem gosp., opartym m.in. na obfitych bogactwach naturalnych, zwł. na dużych zasobach surowców miner. oraz wielkiej różnorodności wytwarzanych produktów roln. i leśnych; ponadto charakteryzuje je szybki wzrost produkcji przem., gł. w gałęziach stosujących nowocz. technologie. W dnie O.S. występują liczne surowce miner., spośród których są eksploatowane rudy tytanu, cyrkonu, toru oraz pierwiastki ziem rzadkich i kamienie szlachetne z piasków nadmor. wzdłuż brzegów Australii, Japonii, Nowej Zelandii i Rosji (Kuryle, Kamczatka), ropa naft. i gaz ziemny — ze złóż w szelfach należących do Chin, Malezji, Indonezji, Japonii, Stanów Zjedn., Australii i Nowej Zelandii, rudy cyny (kasyteryt) — z osadów dennych na szelfach Indonezji, Malezji i Tajlandii. Konkrecje polimetaliczne, zalegające obficie dno basenów oceanicznych, stanowią wielkie bogactwo, zawierają bowiem w dość czystym stanie mangan, nikiel, kobalt, miedź, molibden, wolfram i in. metale; przygotowaniem eksploatacji (obecnie wydobycie doświadczalne) tych złóż zajmuje się Międzynar. Organizacja Dna Morza przy ONZ; we wsch. części dna O.S., w Basenie Pn.-Wsch. między krawędziami Clarión i Clipperton, zlokalizowano działki przyszłej eksploatacji konkrecji; koncesje na działki otrzymały do 1993 najbardziej zaawansowane, międzynar., konsorcja z Australii, Belgii, Chin, Francji, Holandii, Japonii, Kanady, Niemiec, Polski, Rosji, Stanów Zjedn., W. Brytanii i Włoch. Polska jest jednym ze współudziałowców organizacji Interoceanmetal (współpraca z Bułgarią, Czechami, Rosją i Słowacją) z siedzibą w Szczecinie; Interoceanmetal otrzymał koncesję na działkę o pow. 150 tys. km² , położoną na głęb. 4100–4400 m w odległości ok. 1850 km na zach. od wybrzeży Meksyku, w strefie Clarión–Clipperton; zasobność tej działki wynosi ok. 1 mld t metali (w celach doświadczalno-badawczych wydobyto 2 t konkrecji).

O.S. jest akwenem bogatym w świat zwierzęcy; fauna obejmuje ok. 100 tys. gatunków, w tym ponad 3 tys. gatunków ryb; łowiska oceanu odznaczają się wysoką wydajnością dostarczając ok. 60% masy połowów świat.; łowi się gł. ryby śledziokształtne i dorszokształtne, przy znacznym udziale połowów mięczaków i skorupiaków; największy udział w rybołówstwie na O.S. mają Japonia, Chiny, Rosja, Peru, Stany Zjedn., Chile, Korea Pd., Indonezja, Tajlandia i Filipiny a z krajów spoza Regionu Pacyfiku — m.in. Norwegia i Polska.

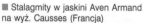
Sri Lanka

Żegluga na O.S. ze względu na rozciągłość równoleżnikową, ponad dwukrotnie większą niż O. Atlantyckiego, w niewielkim stopniu spełnia funkcję tranzytową, np. szlaki z Ameryki Pn. na O. Indyjski przez O.S. są dłuższe niż przez O. Atlantycki, w tym także z zach. wybrzeża Stanów Zjedn. przez Kanał Panamski i Kanał Sueski; najbardziej uczęszczane szlaki biegną wzdłuż wybrzeży kontynentów, zwł. z Kanady i Stanów Zjedn. do Japonii, Korei Pd., Chin, Tajwanu i Filipin; mniej uczęszczane szlaki biegną z Kanału Panamskiego przez część środk. oceanu (Hawaje) do Azji Pd.-Wsch. i Australii, a najmniej uczęszczane przez część pd. — z Ameryki Pd. do Nowej Zelandii i Australii. ∎

Sporady Południowe, Notie Sporades, archipelag wysp gr. w pd.-wsch. części M. Egejskiego (W. Egejskie), w pobliżu wybrzeży Turcji; pow. 3,3 tys. km^2; największe wyspy: Rodos (1,4 tys. km^2), Samos (476 km^2), Karpathos (301 km^2), Kos (209 km^2), Ikaria (255 km^2), Kalimnos (111 km^2) i in.; poszczególne wyspy i grupy wysp należą do różnych regionów adm.; powierzchnia w większości górzysta; ludność trudni się gł. rolnictwem; podstawowe uprawy: pszenica, jęczmień, winorośl, drzewa cytrusowe, oliwki, warzywa, tytoń; hodowla owiec i kóz; połów ryb i gąbek; niewielki przemysł spoż., włók.; eksploatacja marmurów, wapieni i boksytów; rzemiosło artyst. (wyrób dywanów, ceramika); region turystyczny.

Sporady Północne, Worie Sporades, archipelag wysp w pn.-zach. części M. Egejskiego, na pn.-wsch. od Eubei; pow. 468 km^2; największe wyspy: Skiros (209 km^2), Skopelos (96 km^2), Alonisos (65 km^2), Skiathos (48 km^2), Pelagos; poszczególne wyspy i grupy wysp należą do różnych regionów adm.; większość wysp nie zamieszkana (brak słodkiej wody); powierzchnia wyżynno-górzysta; ludność trudni się hodowlą kóz i owiec, uprawą zbóż, winorośli, oliwek, drzew cytrusowych oraz połowami ryb i gąbek; wydobycie marmurów.

spreding [ang. *spreading*], **rozprzestrzenianie się dna oceanicznego,** proces tworzenia się nowej litosfery oceanicznej; następuje wskutek stałego wydobywania się z płaszcza Ziemi lawy bazaltowej przez szczelinę ryftu istniejącego między 2 rozsuwającymi się płytami litosferycznymi (→ tektoniki płyt teoria).

Sprewa, Spree, rz. we wsch. części Niemiec, najdłuższy (l.) dopływ Haweli; dł. 382 km, pow. dorzecza 10,1 tys. km^2; źródła na Pogórzu Łużyckim (Sudety); płynie w szerokiej dolinie, w środk. biegu rozdziela się na liczne ramiona; uchodzi do Haweli w Spandau (dzielnica Berlina); w górnym biegu odkrywkowe kopalnie węgla brun. (Łużyckie Zagłębie Węglowe), koryto S. częściowo przesunięte; gł. dopływy: Panke (pr.), Dahme (l.); żegl. 147 km; połączona kanałami z Odrą i Hawelą (stanowi część drogi wodnej Odra–Łaba); gł. m. nad S.: Budziszyn, Chociebuż, Lübbenau.

Sredna Gora, Antybałkan, góry w środk. Bułgarii, między dolinami Iskyru i Tundży; oddzielone od Bałkanów systemem kotlin zapadlisko-

Stalagmity w jaskini Aven Armand na wyż. Causses (Francja)

wych; najwyższy szczyt Bogdan, 1604 m; zbud. z granitów, łupków krystal., piaskowców i wapieni; lasy dębowo-bukowe; wydobycie rud miedzi, żelaza (piryty) i manganu; źródła miner. (uzdrowiska Paweł banja, Jagoda).

Sri Lanka, syngaleskie **Śr Lakä va,** tamilskie **Ilakai, Demokratyczno-Socjalistyczna Republika Sri Lanki,** państwo w pd. Azji, na wyspie Cejlon, na O. Indyjskim, od Indii oddzielone cieśn. Palk; 65,6 tys. km^2; 19,4 mln mieszk. (2002), Syngalezi (74% ludności), Tamilowie; buddyści, hindusi, muzułmanie; stol. adm. Kolombo, konst. Kotte; język urzędowy: syngaleski, tamilski; republika. Powierzchnia nizinna, w środk. części krystal. masyw (wys. do 2524 m, Pidurutalagala); klimat monsunowy, na pn. zwrotnikowy, na pd. równikowy; gł. rz. Mahaweli (ganga); lasy monsunowe i równikowe wilgotne, wysoka sawanna; parki nar., w tym znany Jala. Podstawą gospodarki rolnictwo plantacyjne: herbata, kauczukowiec, palma kokosowa, pieprz, kardamon, goździki; uprawa ryżu, trzciny cukrowej; hodowla bawołów, słoni; przybrzeżne połowy ryb; pozyskiwanie drewna; wydobycie grafitu, kamieni szlachetnych (szafiry, rubiny, topazy); przemysł włók., spoż. (przetwórnie herbaty, cukrownie); rzemiosło (tkactwo, garncarstwo, wyrób biżuterii); połączenie promowe z Indiami; gł. port mor. Kolombo; świat. eksporter herbaty, przypraw korzennych, kamieni szlachetnych. ∎

Sromowickie, Jezioro, Jezioro Sromowskie, **Zbiornik Wodny Sromowce Wyżne,** wyrównawczy zbiornik retencyjny na Dunajcu, w Pieninach; utworzone 1996 przez spiętrzenie rzeki poniżej Jez. Czorsztyńskiego zaporą ziemną (wys. piętrzenia 11 m, dł. zapory 460 m); pow. maks. 0,9 km^2, pojemność całkowita 6,7 hm^3 (wyrównawcza 5,4 hm^3); uchodzi Niedziczanka (pr. dopływ Dunajca); jezioro zapewnia stały i równomierny odpływ do przełomu Dunajca w Pieninach, niezależnie od pracy elektrowni Niedzica; wyzyskiwane do celów przeciwpowodziowych, energ. i rekreacyjnych; przy zbiorniku elektrownia wodna o mocy 2,1 MW; oprócz istniejących zbiorników: Rożnowskiego i Czchowskiego, wraz z Jez. Czorsztyńskim jest jednym z gł. elementów zabudowy dorzecza Dunajca.

stadiał [łac.], chłodniejszy okres w → glacjale, podczas którego lodowce zwiększają swój zasięg. Zob. też interstadiał.

stalagmity [gr.], nacieki krystal. powstające na dnie jaskiń (utworzonych w wapieniach lub dolomitach) wskutek wytrącania się węglanu wapnia z kapiącej ze stropu jaskini wody; mają b. różnorodne kształty, są masywniejsze od → stalaktytów, z którymi często łączą się tworząc kolumny zw. s t a l a g n a t a m i. ∎

stalaktyty [gr.], nacieki krystal. zwisające ze stropu jaskiń (utworzonych w wapieniach lub dolomitach), powstające wskutek wytrącania się węglanu wapnia z kapiącej ze szczelin skalnych wody; mają różne, często fantastyczne kształty, m.in. wyróżnia się s. m a k a r o n o w e o dł. do 2 m i średnicy do 5 mm, s. k u l i s t e o średnicy do 10 cm oraz bardzo cienkie, delikatne i prze-

■ Stalaktyty w Jaskini Gombaseckiej (Słowacja)

zroczyste, s. włókniste o dł. do 15 cm, a wzdłuż szczelin w stropie jaskini s. w formie draperii i zasłon; roczny maks. przyrost wynosi ok. 1 mm; często łączą się ze → stalagmitami. ■

Stalowa Wola, m. powiatowe w woj. podkarpackim, nad Sanem; 72 tys. mieszk. (2000); Huta „Stalowa Wola" (m.in. maszyny drogowe, bud., uzbrojenie), elektrownia cieplna (moc 435 MW); różnorodny przemysł (metal., materiałów bud., spoż.); węzeł kol.; filia KUL; Ośr. Badawczo-Rozwojowy Maszyn Ziemnych i Transportowych; duża jednostka wojsk.; miasto zał. 1937, prawa miejskie od 1945.

Stambuł, İstanbul, 324–1453 **Konstantynopol,** m. w zach. Turcji, w Europie i Azji, nad cieśn. Bosfor i morzem Marmara; ośr. adm. ilu Stambuł; 9,2 mln mieszk. (2002); największe miasto i ośr. gosp. kraju; przemysł włók., odzież., skórz., samochodowy (montownie), elektron., stocznia, huty stali, aluminium, miedzi; rzemiosło (dywany, biżuteria, ceramika); znany ośr. handlu złotem, tytoniem i bawełną; międzynar. targi wyrobów skórz., sprzętu elektron.; giełda, liczne banki; węzeł kol. (końcowa stacja linii kol. z Europy, pocz. do Syrii, Iraku i Iranu) i drogowy na szlaku Europa–Bliski Wschód; gł. port handl. Turcji, port rybacki i pasażerski; międzynar. port lotn.; 5 uniw. (najstarszy zał. 1453), politechn., instytuty nauk. (Bliskiego Wschodu); Złoty Róg (zatoka Bosforu) dzieli eur. część miasta na: Stary S. (Eski İstanbul) z zabytkami bizant., muzułm. i Wielkim Bazarem (ponad 4 tys. sklepów, wiele zakładów rzem., banków, meczetów) oraz Beyoğlu, obejmującą 2 stare miasta: Perę i Galatę; azjat. i eur. część S. łączą 2 mosty na Bosforze. Zabytki bizant., m.in. Hagia Sophia (VI w., ob. muzeum), kościoły (V–XIV w., zamienione na meczety); cysterny, pałace (m.in. Blachernes, XII w.), obeliski i kolumny, obwarowania miejskie; zabytki muzułm. — liczne meczety kopułowe, m.in.: Mahmut Paşa (XV w.), Błękitny Meczet (XVI w.); zespół pałacowy Topkapı Sarayı (XV–XVI w., dawna rezydencja sułtańska, ob. muzeum); twierdza Yedikule (XV w.); Wielki Bazar; średniow. wieża Galaty w dzielnicy Beyoğlu. ■

stan wody, wysokość zwierciadła wody w przekroju cieku, w zbiorniku wodnym lub studni pomiarowej, względem przyjętego umownie poziomu odniesienia (np. poziomu zerowego podziałki wodowskazu, punktu na powierzchni gruntu), wg którego dokonuje się pomiaru poziomu wody; rozróżnia się s.w.: absolutne (najwyższy i najniższy w okresie obserwacji), charakte-

rystyczne (najwyższy i najniższy w określonym wieloleciu, roku, miesiącu itd.), średni z najniższych (rocznych lub wieloletnich), średni z najwyższych (rocznych lub wieloletnich), średni (z całego okresu obserwacyjnego); w praktyce używa się też terminu s.w. alarmowy (tj. poziom wody, powyżej którego występuje zagrożenie powodziowe); wahania s.w. zależą gł. od czynników klimatycznych.

Stanleya, Wodospady, Chutes de Stanley, 7 wodospadów na rz. Lualaba (górny bieg Konga) w Zairze, między m. Ubundu i m. Kisangani; spadek rzeki na dł. ok. 100 km wynosi 61 m; w celu utrzymania ciągłości komunik. rz. Kongo, wzdłuż wodospadów, na lewym brzegu Lualaby zbudowano linię kol.; nazwane na cześć odkrywcy H.M. Stanleya (odkryte 1877).

■ Stambuł. Widok ogólny

Stanowe, Góry, Stanowoje nagorje, góry w Rosji (Buriacja), w Zabajkalu, między jez. Bajkał a środk. biegiem Olekmy; dł. 700 km, wys. do 2999 m; zbud. gł. ze skał krystal. i metamorficznych; gł. pasma górskie: Kodar, Udokan, G. Mujskie (Pn. i Pd.); na wys. 500–1000 m rozległe śródgórskie kotliny; na stokach tajga modrzewiowa, powyżej 1200 m tundra górska; w kotlinach na dnie zabagnione łąki łęgowe, na zboczach lasy sosnowe i modrzewiowe; złoża złota, rud miedzi, fluorytu, węgla.

Stanowe, Pasmo, Stanowoj chriebiet, góry w Rosji, na Dalekim Wsch., między środk. biegiem Olekmy a źródłami Uczuru (dopływ Ałdanu); wys. do 2412 m; zbud. gł. z łupków krystal. i gnejsów poprzecinanych intruzjami granitów; tajga modrzewiowa, powyżej 1200 m zarośla kosej limby i tundra górska; złoża złota, metali rzadkich, rud żelaza, miki.

Stany Zjednoczone, United States, Stany Zjednoczone Ameryki, USA, państwo w Ameryce Pn., nad O. Spokojnym, O. Arktycznym i O. Atlantyckim oraz Zat. Meksykańską, między Kanadą na pn. a Meksykiem na pd.; pow. 9363,5 tys. km², 287,9 mln mieszk. (2002); stol. Waszyngton; republika związkowa; 50 stanów i okręg stołeczny — Dystrykt Kolumbii (48 stanów w środk.-pd. części Ameryki Pn., stan Alaska w pn.-zach. części kontynentu, Hawaje na wyspach Hawaje, na O. Spokojnym); język urzędowy ang.; państwa stowarzyszone ze S.Z.: Portoryko, Federacja Mikronezji, Wyspy Marshalla, Palau; terytoria zależne: W. Dziewicze (Ameryka Środk.), Guam, Midway, Samoa Amerykańskie

■ Stany Zjednoczone

i Wake (Oceania); terytorium stowarzyszone Mariany Północne.

Warunki naturalne

Rzeźba powierzchni kraju b. zróżnicowana, charakterystyczny południkowy układ krain fizycznogeogr.; większość obszaru zajmują góry i wyżyny, na zach. młody system górski — Kordyliery, obejmujący liczne pasma górskie: G. Nadbrzeżne, G. Kaskadowe (wulkan Rainier, 4392 m), Sierra Nevada (Whitney, 4418 m), G. Skaliste (Elbert, 4399 m); w pn. części Kordylierów góry Alaska (McKinley, 6194 m — najwyższy szczyt Ameryki Pn.); łańcuchy górskie rozdzielone tektonicznymi kotlinami, największe:

Wyż. Kolumbii, Wielka Kotlina z Doliną Śmierci (86 m p.p.m. — najniższy punkt kraju), Wyż. Kolorado oraz Dolina Kalifornijska (najbardziej aktywna sejsmicznie strefa kraju); we wsch. części S.Z. stary, silnie zdenudowany obszar wyżynno-górski Appalachów (Mitchell, 2037 m), pocięty szerokimi dolinami i zapadliskami; w środk. części, między Kordylierami a Appalachami, wyżynny region Wielkich Równin (wys. 500–1500 m) oraz Niz. Wewnętrzne, pokryte w pn. części osadami polodowcowymi, w pd. — aluwialnymi; na granicy z Kanadą Wielkie Jeziora, największy śródlądowy obszar wodny na Ziemi — tektoniczno-polodowcowe jez.: Górne, Michigan, Huron, Erie, Ontario; nad O. Atlantyckim rozległa Niz. Atlantycka, przechodząca na pd. (u nasady płw. Floryda) w Niz. Zatokową; dł. linii brzegowej ok. 20 tys. km; wybrzeże zach. górzyste, wsch. piaszczyste z licznymi estuariami (Hudson, Delaware, Savannah), pd. wyrównane (mierzeje, laguny), w delcie Missisipi i na Florydzie zabagnione. S.Z. są położone we wszystkich strefach klim. półkuli pn., od okołobiegunowej (pn. Alaska), przez umiarkowaną chłodną (pd. Alaska), umiarkowaną ciepłą (obszary na granicy z Kanadą), podzwrotnikową (środk. część kraju), zwrotnikową (pd. część Niz. Zatokowej i Floryda) do równikowej (pd. Hawaje); duże zróżnicowanie temp. i opadów spowodowane orografią pasm górskich oraz wpływem prądów mor. (Kalifornijski, Zatokowy); na wybrzeżach klimat mor., wewnątrz kraju kontynent., w kotlinach śródgórskich Kordylierów wybitnie kontynent. i skrajnie suchy; średnia temp. w styczniu od –20°C na pn. do 20°C na pd., w lipcu od 18°C na pn. do 29°C na pd.; najniższa temp. (poniżej –40°C) na Alasce, najwyższa (ponad 50°C) w Dolinie Śmierci; średnia roczna suma opadów od 400–600 mm na pn., 600–800 mm na Niz. Zatokowej, do 1400 mm na płw. Floryda; najniższe opady we wnętrzu Kordylierów (ok. 50 mm na pustyni Mojave); przewaga opadów w półroczu letnim; w części pd.-wsch. silne huragany i tornada. Gęsta sieć rzeczna; rzeki środk. i wsch. części USA, Missisipi z Missouri, Ohio, Tennessee, Arkansas, Red, Rio Grande (graniczna z Meksykiem), Św. Wawrzyńca (odwadnia Wielkie Jeziora) oraz rzeki wypływające z Appalachów należą do zlewiska O. Atlantyckiego; rzeki w zach. części, Kolumbia, Kolorado (przecina w głębokich kanionach Wyż. Kolorado), Sacramento należą do zlewiska O. Spokojnego; największa rzeka Alaski — Jukon uchodzi do M. Beringa; w śródgórskich kotlinach Kordylierów obszary bezodpływowe (Wielka Kotlina); na pn. poza Wielkimi Jeziorami liczne jeziora polodowcowe (zwł. w stanach: Minnesota, Wisconsin), w kotlinach Kordylierów jeziora zasolone, największe Wielkie Jez. Słone; największe lodowce górskie na Alasce (ok. 55 tys. km²); w dorzeczu Missisipi, Kolumbii i Kolorado kilkaset zbiorników retencyjnych (wykorzystane gł. do nawadniania); Wielkie Jeziora wraz z Rz. Św. Wawrzyńca (Droga Wodna Św. Wawrzyńca) oraz Missisipi (połączona kanałem z jez. Michigan) stanowią ważne szlaki komunikacyjne. Naturalne zbiorowiska roślinne zostały w większości przekształcone w użytki rolne; lasy (28,3%

■ Stany Zjednoczone. Wielkie Równiny, krajobraz prerii, w tle Góry Skaliste

■ Stany Zjednoczone. Pustynia Pstra

■ Stany Zjednoczone. Park Narodowy Yellowstone

pow.) modrzewiowo-świerkowe w pd. Alasce, mieszane z klonem cukrowym, bukiem amer. w krainie Wielkich Jezior, liściaste (dębowe, dębowo-hikorowe) na pd.-wsch., wiecznie zielone z zaroślami palmowymi na Florydzie i Hawajach; w Kalifornii lasy iglaste (daglezje, żywotniki) i twardolistne z sekwoją (wys. ponad 100 m) oraz makia; roślinność stepowa (prerie) na Wielkich Równinach, półpustynna (suche stepy piołunowe) w kotlinach Kordylierów; w górach piętra roślinne; w pn. Alasce tundra; ok. 11% pow. USA stanowią obszary chronione; największe parki nar.: Yellowstone, Everglades, Yosemite, Great Smoky Mountains, Wielkiego Kanionu, Sekwoi. Przewaga gleb żyznych; na pn.-wsch. brunatne i płowe, w środk. części (Wielkie Równiny, Niz. Wewnętrzne) czarnoziemy i kasztanowe; na pd. żółtoziemy i czerwonoziemy; w Kordylierach gleby słabo wykształcone: górskie i półpustynne.

Ludność

Amerykanie pochodzenia eur. (ponad 80%), gł. potomkowie imigrantów z W. Brytanii, Irlandii, Włoch, Francji i Niemiec; Murzyni (12%), gł. potomkowie niewolników, skupieni w stanach pd. oraz dużych aglomeracjach miejskich (Waszyngton, Nowy Jork, Chicago, Detroit); Indianie (ok. 800 tys.) w zach. stanach, gł. w rezerwatach; wśród pozostałych Japończycy, Chińczycy, Filipińczycy; liczna Polonia (6–10 mln); największe ośr. polonijne: Chicago, Detroit, Nowy Jork, Cleveland, Buffalo; stały napływ imigrantów, zwł. z Meksyku, krajów Ameryki Środk.; chrześcijanie stanowią 84% ludności (w tym protestanci ok. 56%), wyznawcy judaizmu ok. 2%, islamu ok. 2%, bez przynależności rel. ok. 10%; liczne sekty wyznaniowe (m.in. mormoni); przyrost naturalny 9‰; przeciętna długość trwania życia 77 lat; średnia gęstość zaludnienia 28 mieszk. na km^2, najgęściej zaludniona pn.-wsch. część kraju, zwł. Niz. Atlantycka (w New Jersey ponad 386 osób na 1 km^2), najsłabiej Kordyliery, Alaska (ok. 0,4 osób na km^2); wysoki stopień urbanizacji, w miastach mieszka 77,5% ogółu ludności; 40 zespołów miejskich powyżej 1 mln, największe: Nowy Jork, Los Angeles, Chicago, San Francisco, Filadelfia, Detroit, Boston, Waszyngton; duża część aglomeracji wchodzi w skład regionów metropolitalnych; największa koncentracja miast: na wybrzeżu O. Atlantyckiego (Megalopolis), nad Wielkimi Jeziorami (Chicago–Detroit–Cleveland–Pittsburgh) oraz nad O. Spokojnym (San Francisco–Los Angeles–San Diego); rozproszone osadnictwo wiejskie; najwięcej ludności zawodowo czynnej pracuje w szeroko pojętych usługach 72,9%, w przemyśle i budownictwie ok. 24,6%, w rolnictwie 2,5%.

Gospodarka

Największa potęga gosp. świata; duża koncentracja i monopolizacja kapitału; wielkie korpora-

cje przem.: General Electric, IBM (elektron. i energ.), General Motors, Ford Motor, Chrysler (branża samochodowa), Exxon, Mobil (naft.); duże zasoby surowców miner., zwł. energ.; wielkie złoża węgla kam. (zasoby 224 mld t) w Appalachach (Pensylwania, Wirginia Zach., Kentucky) oraz w stanach Illinois i Indiana, wydobycie 910 mln t, 1997 — 2. miejsce w świecie, po Chinach; ropa naft. (zasoby 3,6 mld t) wydobywana gł. w Teksasie, Luizjanie, Kansas, Oklahomie, pn. Alasce oraz ze złóż podmor. w Zat. Meksykańskiej (297 mln t, 1999 — 2. miejsce w świecie, po Arabii Saudyjskiej); ponad 30% zapotrzebowania krajowego na ropę naft. zaspokaja import; pierwszy producent gazu ziemnego na świecie (wydobycie gł. w regionach eksploatacji ropy naft., 21 536 petadżuli, 1997, 23,9% świat. wydobycia); złoża rud metali w Kordylierach: miedzi (Arizona, Utah, Montana), uranu, molibdenu, wanadu i wolframu (zwł. Arizona, Nowy Meksyk); świat. producent siarki (nad Zat. Meksykańską), fosforytów (Floryda), soli potasowych i kam.; USA wytwarza ok. 25% świat. produkcji energii elektr. (3572 TW·h, 1999); ok. 70% energii elektr. produkują elektrownie cieplne (węglowe, naft.), ok. 20% — jądr. (najwięcej w środk. i wsch. stanach), ok. 8% — wodne; wielkie zespoły hydroelektrowni na rz. Kolumbia (Grand Coulee), Kolorado (Hoover Dam), Tennessee; w Kalifornii elektrownie słoneczne. Wszechstronnie rozwinięty przemysł przetwórczy wykorzystuje surowce krajowe i importowane, zwł. ropę naft., rudy żelaza, boksyty; największy udział w produkcji przem. ma przemysł elektromaszyn.; najsilniej rozwinięty przemysł środków transportu, zwł. samochodowy (2. miejsce w produkcji świat. — 12 mln samochodów, 1995), z największym świat. ośr. produkcji w Detroit, lotn.-rakietowy, gł. w Kalifornii (Los Angeles z zakładami Lockhead, Douglas i San Diego) i Seattle (Boeing Airplane), taboru kol. (Chicago, Saint Louis, Filadelfia), ciągników (ok. 57% produkcji świat.); świat. producent maszyn liczących, urządzeń energ., maszyn włók., poligraficznych, roln., bud. oraz kompletnych obiektów przemysłowych. Przemysł rafineryjny i petrochem. przetwarza ponad 700 mln t ropy naft. rocznie; największe kompleksy rafinerii nad Zat. Meksykańską (Houston), w portach atlantyckich (Nowy Jork, Filadelfia) i pacyficznych (Los Angeles) oraz nad Wielkimi Jeziorami (Chicago); produkcja tworzyw sztucznych, kauczuków syntet. (ponad 34% produkcji świat.), włókien chem.; przemysł nawozów sztucznych (zwł. fosforowe), siarkowy i sodowy w stanach pd.; w Nowym Jorku i Chicago świat. centra produkcji leków i kosmetyków. Powszechnie rozwinięty przemysł spoż., zwł. mięsny (Chicago), młynarski (Buffalo, Minneapolis), mleczarski (stany pn.-wsch.), cukr. w delcie Missisipi (cukier trzcinowy) oraz w Kalifornii (buraczany), warzywniczo-owocowy w pobliżu wielkich aglomeracji (gł. Kalifornia, Floryda). Przemysł drzewny i celulozowo-papierniczy (27,8% świat. produkcji papieru i tektury, 1999) skoncentrowany w stanach pn.-zach. (zwł. Oregon, Waszyngton) oraz pd.-wsch.; największy ośr. przemysłu poligraficznego — Nowy Jork. Hutnictwo żelaza w starych okrę-

STANY ZJEDNOCZONE
mapa polityczno-administracyjna

gach Pensylwanii (Pittsburgh) i Maryland oraz nad Wielkimi Jeziorami (Detroit, Gary, Buffalo, Cleveland); hutnictwo metali nieżel. (zwł. aluminium) gł. nad Zat. Meksykańską (Mobile, Corpus Christi) i w okręgu zach. nad rz. Kolumbia; największa koncentracja zakładów przem. na pn.--wsch., zwł. w Megalopolis i nad Wielkimi Jeziorami, w Kalifornii oraz na pd. nad Zat. Meksykańską. Największy producent żywności na świecie; użytki rolne stanowią ok. 44% pow., w tym ponad połowa łąk i pastwisk; gospodarstwa rolne o dużej pow.: farmy zbożowe do 200 ha, farmy hod. — 500 ha, pasterskie (rancha) — 1000 ha; wysoki stopień mechanizacji (1ciągnik na 90 ha użytków rolnych, 1998); regionalna specjalizacja produkcji rolnej, na wsch. oraz wybrzeżu O. Spokojnego rolnictwo intensywne, na pozostałym obszarze ekstensywne; zbiory zbóż — 344 mln t (2. miejsce w świecie 2000, po Chinach); gł. uprawy: kukurydza, bawełna i soja (1. miejsce w zbiorach świat.) oraz pszenica, jęczmień, tytoń, sorgo, drzewa owocowe i warzywa; w hodowli dominuje chów bydła (98 mln sztuk) i trzody chlewnej oraz drobiarstwo; wyraźna strefowość upraw; w środk. i środkowowsch. stanach (zwł. Illinois, Iowa, Missouri) gł. region roln. stanowi pas kukurydzy (Corn Soy Belt) z rozwiniętą hodowlą bydła, trzody chlewnej oraz uprawą kukurydzy, soi, roślin pastewnych; w regionie Wielkich Jezior i stanach Nowej Anglii dominuje hodowla bydła mlecznego i drobiu; wzdłuż Wielkich Równin (od pn. Teksasu po wsch. Montanę) pas pszenicy (Wheat Belt), dostarczający ok. 50% krajowych zbiorów pszenicy; w pd.-wsch. części kraju w pasie bawełny (Cotton Belt), oprócz bawełny uprawia się rośliny pastewne, tytoń, ryż oraz hoduje bydło; w zach. stanach ekstensywna hodowla bydła, owiec, uprawa roślin związana ze sztucznym nawadnianiem; w Kalifornii rozwinięte sadownictwo i warzywnictwo, poza tym uprawa ryżu, pszenicy, bawełny; uprawa drzew owocowych i warzyw również na Florydzie i wybrzeżu atlantyckim; na wybrzeżu wzdłuż Zat. Meksykańskiej uprawa roślin tropikalnych. S.Z. zajmują 1. miejsce w świat. pozyskiwaniu drewna (14,5%, 1997); eksploatacja lasów rozwinięta w stanach pn.-zach. (Oregon) i nad Wielkimi Jeziorami (Minnesota, Wisconsin, Michigan). Połowy mor. i słodkowodne (gł. tuńczyki, łososie, płastugi oraz skorupiaki, małże) — 4,8 mln t (1999). Turystyka, 46 mln turystów zagr. (1996) — wpływy ok. 70 mld dol. USA; gł. regiony turyst.: Wielkie Jeziora, wybrzeże O. Atlantyckiego, Kalifornia, Floryda, Hawaje, G. Skaliste; słynny ośr. rozrywkowo-turyst. Las Vegas. Wszechstronnie rozwinięty transport; w przewozach towarowych dominuje transport samochodowy; charakterystyczny prostokątny układ sieci komunik.; transkontynent. systemy linii kol. i drogowych (Droga Panamerykańska); najdłuższa na świecie sieć linii kol. (ok. 162 tys. km) i samochodowa (6,4 mln km); gęsta sieć naftociągów (ponad 300 tys. km) i gazociągów z pól naft. i gazowych do Wielkich Jezior, portów atlantyckich i Kalifornii; na Alasce naftociąg dł. 1250 km; systemy kanałów żegl. w regionie Wielkich Jezior (New York State Barge Canal) oraz na wybrzeżu Zat. Meksykańskiej i atlantyc-

kim (Wewn. Kanał Przybrzeżny); w żegludze śródlądowej najważniejszą rolę odgrywa Droga Wodna Św. Wawrzyńca z portami: Duluth, Detroit, Chicago, Toledo, Cleveland; gł. porty mor.: Long Beach (108 mln t), Corpus Christi (89 mln t), Tampa (51 mln), Houston, Hampton Roads, Nowy Jork, Nowy Orlean; łączny przeładunek w portach mor. USA wynosi 1,1 mld t (1997); największe węzły komunikacji lotn.: Chicago (O'Hare), Nowy Jork (J.F. Kennedy, Newark La Guardia), Atlanta, Los Angeles, Dallas-Fort Worth. S.Z. zajmują 1. miejsce w świat. wymianie handl. (13,5% obrotów międzynar.); wartość eksportu 2832 dol. USA na 1 mieszk., importu — 4416 dol. USA (2000); eksport środków transportu (gł. samochody, samoloty), maszyn i urządzeń, wyrobów elektron., towarów rolno-spoż. (zboże, bawełna, tłuszcze), surowców (gł. węgiel kam., siarka), chemikaliów; import środków transportu, maszyn i urządzeń, surowców (ropa naft., rudy metali), tekstyliów i in.; handel gł. z Kanadą, Japonią, Meksykiem, krajami Europy Zach. i Dalekiego Wschodu.

Stara Płanina, góry na Płw. Bałkańskim, → Bałkany.

Starachowice, m. powiatowe w woj. świętokrzyskim, nad Kamienną; 57 tys. mieszk. (2000); ośr. przem.-usługowy i obsługi ruchu turyst.--krajoznawczego; przemysł: środków transportu (samochody ciężarowe, maszyny specjalne, nadwozia, części samoch.), metal. (zamki, siatki, konstrukce stal.), metalurg. (wyroby metalurgiczne), drzewny (płyty), spoż. (mięsny), przetwórstwa tworzyw sztucznych; przedsiębiorstwo topienia bazaltów; oddziały i filie banków i tow. ubezpieczeniowych, wiele instytucji wspierających przedsiębiorczość; obiekty sport. (kompleks strzelnic myśliwskich, przystosowany do organizowania zawodów międzynar., stadiony, baseny); osada górn.-hutn. Zagłębia Staropol.; w XIX w. największy w Królestwie Pol. ośr. przemysłu metal.; 1931 połączone z m. Wierzbnik (prawa miejskie 1624–1870 i od 1916).

Stargard Szczeciński, m. powiatowe w woj. zachodniopomor., nad Iną; 74 tys. mieszk. (2000); ośr. przem., usługowy i obsługi ruchu turyst. regionu; przemysł spoż., metal., chem., materiałów bud.; zakłady naprawcze taboru kol., dziewiarskie, wytwórnia rowerów; węzeł kol. i drogowy; regionalny ośr. oświat. i kult.; prawa miejskie od 1253; muzeum; kościół NMP (XIII, XIV w.) — jedna z najwspanialszych świątyń got. na obszarze nadbałtyckim, mury miejskie (XIII–XVII w.), ratusz (XIV, XVII w.), kościół (XV, XIX w.), kamienica (XV, XVII w.). W pobliżu bogate źródła gorącej wody Marianowo I i II.

Starogard Gdański, m. powiatowe w woj. pomor., nad Wierzycą; 51 tys. mieszk. (2000); ośr. przem., usługowy; przemysł farm., spoż., elektrotechn., obuwn.; huta szkła, fabryka mebli okrętowych; węzeł kol. i drogowy; gł. ośr. kult. regionu Kociewia; stado ogierów; VIII–IX w. gród; prawa miejskie od 1348; kościół (XIV, XIV/XV w.), pozostałości obwarowań miejskich (XV w.).

Staroleśna, Dolina, Vel'ká Studená dolina, część Doliny → Zimnej Wody w Tatrach.

Staropruska, Nizina, pd. część Pobrzeży Wschodniobałtyckich, w Polsce i obwodzie kaliningardzkim (Rosja); nizina sąsiadująca od zach. z Pobrzeżem Gdań., od pd. z Pojezierzem Mazurskim; w Polsce znajduje się pd. część N.S. pozbawiona prawie zupełnie jezior, z dobrze rozwiniętym systemem dolin; na powierzchni gliny zwałowe i iły zastoiskowe; jest to odrębna, wschodniobałtycka dzielnica klim., w której kontynentalne cechy klimatu łagodzone są wpływami mor.; N.S. tworzy również odrębną jednostkę geobot.; w granicach Polski region ten składa się z 3 mezoregionów: Równiny Orneckiej, Wzniesień Górowskich i Równiny Sępopolskiej. Nazwa regionu nawiązuje do jego dawnych mieszkańców — Prusów.

Staropruskie, Wybrzeże, pn.-wsch. część Pobrzeża Gdań., w Polsce i obwodzie kaliningradzkim (Rosja); obejmuje wąską, nisko położoną równinę, ciągnącą się wzdłuż pd.-wsch. brzegu Zalewu Wiślanego, od ujścia Baudy po ujście Pregoły; w Polsce znajduje się pd.-zach. część równiny, o pow. ok. 270 km^2; jest zajęta przeważnie przez łąki, na namułach rzecznych występują pola uprawne; na pograniczu W.S. i Równiny Warmińskiej leży m. — Braniewo.

Starorobociański Wierch, słowac. **Klin,** graniczny szczyt w gł. grzbiecie Tatr Zach., nad Doliną Starorobociańską od pn. i Doliną Raczkową (Słowacja) od pd.; wys. 2176 m, najwyższy w pol. Tatrach Zach.; zbud. z granodiorytu i granitu należących do krystalicznego trzonu Tatr Zach.; dojście szlakami z Raczkowej Przełęczy lub z Wołowca, granią główną przez Kończystą nad Jarząbczą.

starorzecze, część dawnego koryta rzecznego powstała z meandra odciętego od biegu rzeki (np. podczas wysokiego stanu wód); początkowo jest wypełnione wodą, stopniowo ulega zasypaniu i zamuleniu, zarastaniu roślinnością; w końcu zaznacza się tylko jako płytkie, podmokłe zaklęśnięcie w obrębie równiny nadrzecznej, często wypełnione torfem.

Stary Sącz, m. w woj. małopol., nad Popradem; 9,1 tys. mieszk. (2000); ośr. usługowy i turyst.; węzeł drogowy; drobny przemysł; prawa miejskie przed 1273 (po 1257); muzeum; zespół klasztorny Klarysek fundacji św. Kingi: kościół (XIII–XIV, XVII w.), klasztor i dom kapelana (XVII w.), wieża bramna (XV, XVII w.); średniow. mury obronne (nadbud. XVII w.), kościół (XIV–XV, XVII w.), domy (XVIII–XIX w.).

Staszów, m. powiatowe w woj. świętokrzyskim, nad Czarną; 17,1 tys. mieszk. (2000); ośr. usługowy i mieszkaniowy; drobny przemysł; węzeł drogowy; w Golejowie (część S.) ośr. wypoczynkowy; prawa miejskie od 1525; kościół (XV, XVII w.) z manierystyczną kaplicą (XVII w.), ratusz z kramami (XVIII w.), drewn. spichlerz (XVIII–XIX w.).

Staten Island [stätn ˌajlənd], wyspa na O. Atlantyckim, u wsch. wybrzeży USA, na pd. od Manhattanu, oddzielona od kontynentu rz.: Arthur Kill i Kill Van Kull; pow. 155 km^2; nizinna; wraz z kilkoma mniejszymi wyspami stanowi jedną z gł. dzielnic Nowego Jorku — Richmond;

połączona z Manhattanem i New Jersey mostami kol. i drogowymi.

Stawiski, m. w woj. podl. (powiat kolneński), nad Dzierzbą (dorzecze Wisły); 2,5 tys. mieszk. (2000); ośr. usługowy; węzeł drogowy; prawa miejskie przed 1702 (po 1698)–1871 i od 1919; zespół klasztorny (XVII–XVIII w.), zespół zajazdu pocztowego (XIX w.).

Stawiszyn, m. w woj. wielkopol. (powiat kaliski), nad Czarną Strugą (l. dopływ Warty); 1,6 tys. mieszk. (2000); ośr. usługowy dla rolnictwa; drobny przemysł odzież. i spoż.; prawa miejskie przed 1291–1870 i od 1919.

Stawropolska Wyżyna, Stawropolskaja wozwyszennost', wyżyna w Rosji, w środk. części Przedkaukazia; przeważające wys. 300–600 m (maks. — 831 m); rozcięta szerokimi dolinami rzek i wąwozami na oddzielne góry stołowe; miejsce panujących dawniej stepów zajęły pola uprawne; na wyższych wzniesieniach występuje roślinność leśno-stepowa.

Stawropolski, Kraj, w Rosji, na Kaukazie; 66,5 tys. km^2, 2,7 mln mieszk. (2002); stol. Stawropol; ludność miejska 54%; wydobycie gazu ziemnego (gazociągi do Moskwy i Petersburga); przemysł spoż., lekki (włók.), maszyn. i metal., chem.; uprawa zbóż (pszenica, kukurydza, ryż), słonecznika, winorośli, drzew owocowych, buraków cukrowych; hodowla owiec, bydła; uzdrowiska (Piatigorsk, Kisłowodzk, Essentuki, Żeleznowodzk, Teberda).

Stąporków, m. w woj. świętokrzyskim (powiat konecki), nad Czarną; 6,2 tys. mieszk. (2000); ośr. przem.-usługowy; różnorodny przemysł (odlewnia żeliwa, wytwórnie farb, mebli, wyrobów ceram., tartak); od XVI w. ośr. hutnictwa w Staropol. Okręgu Przem.; prawa miejskie od 1967.

stepowe gleby, strefowe gleby powstałe pod wpływem roślinności stepowej w suchym klimacie kontynent. strefy umiarkowanej; do g.s. należą czarnoziemy i gleby kasztanowe, częściowo także gleby słone.

Stęszew, m. w woj. wielkopol. (powiat pozn.), nad Samicą Stęszewską (l. dopływ Warty); 4,9 tys. mieszk. (2000); ośr. usługowy i turyst.; roszarnia lnu i konopi, tartak; prawa miejskie przed 1394.

Stoczek Łukowski, m. w woj. lubel. (powiat łukowski), nad Świdrem; 2,7 tys. mieszk. (2000); ośr. usługowy; drobny przemysł; węzeł drogowy; turystyka; prawa miejskie 1546–1870 i od 1919.

stok, nachylona powierzchnia stanowiąca element form rzeźby powierzchni Ziemi, na którym pod wpływem siły ciężkości i czynników atmosf. rozwijają się procesy rzeźbotwórcze zw. procesami stokowymi. Są to: spłukiwanie, spełzywanie osuwiska, obrywy i in. Zasięg występowania procesów stokowych (które na obszarach peryglacjalnych zanikają dopiero przy nachyleniu 2–3°) wyznacza górną i dolną granicę stoku. Materiał zwietrzelinowy usuwany ze stoku jest odkładany u jego podstawy (s. usypiskowy) lub na spłaszczeniach stokowych. Na rozwój i kształt s. wpływa jego budowa litologiczna oraz klimat, od którego zależy typ dominującego procesu rzeźbotwórczego, np. s. zbudowany z łupków jest zawsze łagodniejszy od s. zbudowanego z piaskowców; s. zbudowany ze skał o różnej odporności ma profil schodkowy (powstają załomy i spłaszczenia zw. terasami denudacyjnymi). W klimacie suchym i półsuchym s. są strome (gł. ściany i usypiska), a ich kształt nawiązuje do budowy litologicznej terenu; w klimacie wilgotnym stoki są łagodniejsze, a różnice odporności skał na wietrzenie nie zaznaczają się wyraźnie w ich ukształtowaniu (s. przykryte są grubą pokrywą zwietrzelinową). Procesy przebiegające na powierzchni stokowej powodują ciągłe jej przeobrażanie się, na s. zachodzi więc modelowanie rzeźby powierzchni Ziemi (→ peneplena, pedyplena). Badania rozwoju s. są jednym z podstawowych zadań geomorfologii, mają też duże znaczenie dla gleboznawstwa (erozja gleby) i rolnictwa (rodzaj i kierunek upraw).

Stołowa, Góra, ang. **Table Mountain,** afrikaans **Tafelberg,** góra wyspowa w RPA, k. Kapsztadu; góruje nad miastem i Zat. Stołową (O. Atlantycki), wys. 1087 m; zbud. z piaskowców dewońskich płytowo zalegających na krystal. cokole; na stromych zboczach twardolistna roślinność typu *fynbos,* w wilgotnych wąwozach do wys. 500 m także drzewa srebrne (*Leucedendren argententeum*); płaską powierzchnię szczytową zajmuje park, do którego prowadzi kolejka linowa z Kapsztadu. Na pd. od G.S. podobne, niższe góry wyspowe.

Stołowe, Góry, pasmo górskie w Sudetach Środk., w Czechach (część środk.) i w Polsce (część pd.-wsch. i niewielki skrawek części pn.--zach.), zach. obrzeże Kotliny Kłodzkiej; zbud. z górnokredowych piaskowców ciosowych i margli tworzących stoliwo (część pol. ok. 17 km dł. i ok. 4 km szer.), składające się z dwóch poziomów morfologicznych; ponad niższym, rozleglejszym (ok. 700–750 m) wznoszą się na wys. 100–150 m fragmenty zniszczonej pokrywy, tzw. górnego piaskowca ciosowego: Szczeliniec Wielki (919 m) i Szczeliniec Mały (896 m), Skalniak (915 m) i Błędne Skały (850 m); powierzchnia szczytowa górnego poziomu jest tektonicznie spękana i silnie zwietrzała, tworzy fantastyczne labirynty skalne i formy wietrzenia piaskowców; szczeliny osiągają głęb. do 18 m (wąwóz Piekiełko w Szczelińcu Wielkim); podobny charakter mają pd. i pn. krawędź G.S., silnie erozyjnie rozcięte (szlak turyst.). G.S. prawie w całości porośnięte są lasami regla dolnego z bukiem, jaworem, modrzewiem, świerkiem; na słabo odwadnianej wierzchowinie rozwinęły się torfowiska wysokie (Wielkie i Małe Torfowiska Batorowskie). Ze względu na swój unikatowy charakter i krajobraz G.S. należą do największych pod względem krajoznawczym atrakcji Polski. 1981 utworzono Stołowogórski Park Krajobrazowy, a 1993 Park Nar. Gór Stołowych. ■

Stowarzyszenie Narodów Azji Południowo-Wschodniej, ang. **Association of South East Asian Nations, ASEAN,** organizacja państw azjat., zał. 1967 w Bangkoku; czł.: Filipiny, Indonezja, Malezja, Singapur, Tajlandia, od 1984 Brunei i od 1995 Wietnam; gł. zadaniem jest współpraca gosp., kult., nauk.-techn. i polit.; do 1983 w działalności ASEAN wyróżnia się 3 ok-

resy: 1967–74 dominacja problematyki polit. (m.in. 1974 Deklaracja ZOP-FAN — strefa pokoju, wolności i neutralności), 1974–79 dominacja problematyki ekon. (szybki rozwój form integracyjnych, współpraca gosp. z rozwiniętymi krajami Pacyfiku — Japonią, Australią i N. Zelandią), od 1979 ponownie dominacja problematyki polit. związanej z ekspansją komunizmu na Płw. Indochińskim; najważniejsze formy instytucjonalnego nadzoru zamierzeń ASEAN to: coroczne spotkania szefów rządu i min. spraw zagr.; gł. organem jest Sekretariat (sekr. generalny o 2-letniej kadencji na zasadzie rotacji alfabetycznej państw); działa także 8 wyspecjalizowanych komitetów.

Stożek, szczyt graniczny w Beskidzie Śląskim, w Paśmie Czantorii; wys. 978 m; zbud. z piaskowców godulskich i istebniańskich; stoki wsch. lesiste, zach. trawiaste; rozległe widoki na Beskidy: Śląski, Żywiecki i Mały oraz dolinę Olzy i Pasmo Jaworowego (w Czechach); schronisko PTTK; w pobliżu wyciągi narciarskie; szlaki turyst. z Wisły oraz z Kubalonki, Istebnej i grzbietem z Ustronia przez Czantorię; turyst. przejście graniczne.

■ Stożek napływowy ze spływem gruzowo-błotnym

stożek napływowy, wachlarzowata forma rzeźby terenu, o lekko wypukłej powierzchni, zbud. z osadów naniesionych przez wody płynące; powstaje np. u wylotów dolin, na przedpolu lądolodu (→ sandr). ■

stożek usypiskowy, stożkowate nagromadzenie odłamków skalnych u podnóża stoku górskiego; powstaje zwykle u wylotu żlebu; jest częstą formą występowania piargów.

■ Góry Stołowe. Skalne formy erozyjne zw. Błędnymi Skałami

Strandża, tur. **İstranca Dağları,** masyw górski w Bułgarii i Turcji; dł. ok. 150 km; opada ku M. Czarnemu stopniami uskokowymi, tworząc skaliste wybrzeże; najwyższy szczyt Búyúk Mahya, 1031 m; zbud. z łupków krystal., granitów i wapieni; łagodne formy rzeźby; lasy dębowe (na pn. i pd. stokach także bukowe), w podszyciu — rododendrony i laurowiśnia; rezerwat przyrody Uzunbodżak.

Strasburg, Strasbourg, m. we wsch. Francji, przy ujściu rz. Ill do Renu; ośr. adm. regionu Alzacja i dep. Bas-Rhin; 270 tys. mieszk (2002); siedziba Rady Europy i Parlamentu Eur.; duży ośr. przemysłu środków transportu (statki rzeczne, samochody Citroën, wagony), 2 rafinerie ropy naft. (rurociąg z Marsylii); drugi po Paryżu port rzeczny kraju (przeładunki ok. 11 mln t rocznie), węzeł kol. i drogowy, międzynar. port lotn.; 2 uniw. (starszy zał. 1538), wyższa szkoła wojsk.; muzea; kościoły: m.in. słynna rom.-got. katedra (XI–XIII w.), St Pierre le Vieux (XIV, XV w.), St Pierre le Jeune (XII–XIV w.), St Louis (XVIII w.); budowle świeckie z XVIII w.: szpital, ratusz, Château des Rohan, kolegium jezuickie, zespół domów konstrukcji szkieletowej Petite France; z XIX i XX w. pałace, m.in. Pałac Praw Człowieka (1966).

stratocumulus [łac.], *Sc*, **chmura kłębiasto--warstwowa**, rodzaj → chmury.

stratosfera [łac.-gr.], warstwa → atmosfery ziemskiej leżąca nad troposferą, rozciągająca się od wys. 10–18 km do wys. 45–50 km; dolna część s. jest warstwą o prawie stałej temp. (od – 45° do –75°C), w górnej (od wys. 20–25 km) temperatura powietrza, wskutek pochłaniania (gł. przez cząsteczki ozonu) promieniowania słonecznego, wzrasta wraz z wysokością przekraczając wartość 0°C; ilość pary wodnej w s. jest niewielka, nie występują w niej chmury, jednak niekiedy na wys. 20–30 km obserwuje się obłoki iryzujące.

stratowulkan [łac.], typ → wulkanu.

stratus [łac.], *St*, **chmura niska warstwowa**, rodzaj → chmury.

stratyfikacja jezior, warstwowość toni wodnej (pionowa strefowość) pod względem jej prześwietlenia, temperatury, obecności tlenu i rozmieszczenia związków chem. związanych z procesami produkcji (górna strefa eufotyczna, trofogeniczna) i rozkładu (dolna strefa afotyczna, trofolityczna) materii organicznej; s.j. cechują zmiany sezonowe (szczególnie silne w strefie umiarkowanej): okresy stagnacji letniej i zimowej i okresy cyrkulacji wiosennej i jesiennej; latem — powierzchniowa warstwa wody (e p i - l i m n i o n), ciepła, dobrze natleniona i stale krążąca nie miesza się z dolną (h y p o l i m n i o n), zimniejszą, cięższą, słabo lub zupełnie nie natlenioną, stagnującą; dzieli je strefa przejścia (t e r m o k l i n a) o gwałtownym spadku temperatury; zimą — wody epilimnionu są zimniejsze od hypolimnionu (stratyfikacja odwrócona względem letniej); wiosną i jesienią — pod wpływem wiatru i wyrównywania temperatur oba typy wody mieszają się (nie zawsze jednak aż do dna — zależy to m.in. od głębokości); warstwa produkcyjna — eufotyczna nie zawsze pokrywa się z warstwą epilimnionu — w jeziorach o wodzie przezroczystej sięga poniżej termokliny; wielkość deficytu tlenowego przy dnie zależy

m.in. od produkcji jeziora i jego głębokości — w jeziorach silnie eutroficznych ilość nierozłożonej materii org. przy dnie jest większa niż w jeziorach oligotroficznych. Pod względem częstości cyrkulacji wody — jeziora dzielą się na: d i m i k t y c z n e (2 okresy pełnej cyrkulacji), m o n o m i k t y c z n e z i m n e — jeziora polarne (pełna cyrkulacja tylko latem), m o n o m i k - t y c z n e — jeziora strefy umiarkowanej i subtropik. (pełna cyrkulacja tylko zimą), p o l i - m i k t y c z n e — jeziora wysokogórskie i strefy równikowej (na ogół stała cyrkulacja), o l i g o - m i k t y c z n e — większość jezior strefy tropik. (b. wolna cyrkulacja) i m e r o m i k t y c z n e (stratyfikacja trwała), o zróżnicowanym składzie chem. wód epi- i hypolimnionu, występuje tu strefa przejścia, zw. chemokliną. ■

stratygrafia [łac.-gr.], dział geologii hist., nauka zajmująca się gł. ustalaniem kolejności zalegania warstw skalnych i określaniem wieku skał. Twórcą s. był ang. inż. W. Smith; podczas budowy (1795) kanałów w Anglii stwierdził, że dla poszczególnych warstw skalnych są charakterystyczne określone skamieniałości, za pomocą których można te warstwy identyfikować i oznaczać ich względny wiek. Badania przeprowadzane przez następców Smitha wykazały, że różne profile geol. warstw skalnych, wyróżnionych na podstawie tych samych skamieniałości, można łączyć (korelować) ze sobą, odtwarzając w ten sposób budowę geol. terenu; odpowiedniki tych warstw można znaleźć nie tylko w obrębie jakiegoś regionu geol., ale także na wielkich obszarach kuli ziemskiej. Wprowadzenie metod stratygraficznych do geologii spowodowało rozpoczęcie systematycznych badań paleontologicznych, ze szczególnym zwróceniem uwagi na znaczenie stratygraficzne skamieniałości.
W wyniku badań stratygraficznymi metodami, gł. paleontologicznymi i litologicznymi, wszystkie utwory osadowe powiązano w jeden ciągły szereg odpowiadający przebiegowi historii Ziemi; podzielono je na j e d n o s t k i c h r o n o - s t r a t y g r a f i c z n e: eonotemy, eratemy, systemy, oddziały, piętra i poziomy wiekowe; każdej jednostce podziału utworów geol. odpowiada jednostka czasu, w której te utwory powstały, czyli j e d n o s t k a g e o c h r o n o l o g i c z n a, a więc eonotemowi — eon, eratemowi — era, systemowi — okres, oddziałowi — epoka, piętru — wiek, poziomowi wiekowemu — doba. Rozwój geochemii pierwiastków promieniotwórczych umożliwił wyznaczenie wieku skał w latach. Zob. też: Tabela stratygraficzna, s. 588. ■

Strążyska, Dolina, reglowa dolina w Tatrach Zach., opadająca spod pn. ścian Giewontu ku Zakopanemu; dł. 3 km, pow. 4 km^2; ostro wcięta, bez śladów zlodowacenia; bieg D.S. wyznacza duży uskok tektoniczny; liczne malownicze ostańce dolomitów triasowych; na Potoku Strążyskim liczne kaskady, w górnej części doliny piętrowy wodospad Siklawica (część górna 8 m wys., część dolna — 13 m); lasy mieszane (buk, świerk); popularny teren spacerów z Zakopanego; D.S. biegnie szlak turyst. na Giewont, przez Polanę Strążyską przechodzi Ścieżka nad Reglami.

■ Stratyfikacja termiczna wody jeziornej: a) prosta (strzałkami zaznaczono kierunek mieszania się wód epilimnionu); b) odwrócona; c) wyrównanie termiczne wody jeziornej, tzw. homotermia (strzałkami zaznaczono kierunek mieszania wody)

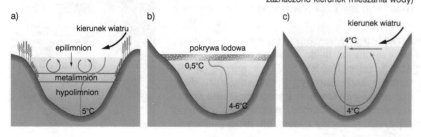

stromatolity, utwory złożone z cienkich warstewek węglanu wapnia wytrącanego z wody mor. w związku z procesami życiowymi sinic; s. występujące w osadach archaiku, o wieku do 3,5 mld lat, należą do najstarszych śladów życia na Ziemi; ob. tworzą się w niektórych płytkich zatokach mórz tropikalnych.

Stromboli, stale czynny wulkan na M. Tyrreńskim, w grupie W. Liparyjskich (Włochy); wys. 926 m (część podwodna sięga do głęb. 2300 m); nadwodna część tworzy wyspę Stromboli o pow. 12,6 km^2, ok. 600 mieszk.; typ stratowulkanu, zbud. z ryolitów, andezytów i bazaltów; z przerwami co 10 min wyrzuca popioły, lapille i bomby wulk.; z kraterów stale wznosi się chmura dymu; ostatni silny wybuch 1954; na stokach winnice; turystyka.

Stronie Śląskie, m. w woj. dolnośląskim (powiat kłodzki), u podnóża Śnieżnika, nad Białą Lądecką; 7,2 tys. mieszk. (2000); ośr. turyst. i sportów zimowych;; huta szkła kryształowego, kamieniołom, tartak; prawa miejskie od 1967.

strony świata, cztery zasadnicze kierunki, umożliwiające orientację w dowolnym punkcie na powierzchni Ziemi (z wyjątkiem biegunów); są to: północ (N, od ang. *North*), południe (S, ang. *South*), wschód (E, ang. *East*), zachód (W, ang. *West*).

Struma, nowogr. **Strimon(as),** rz. w Bułgarii i Grecji; dł. 408 km; źródła w masywie górskim Witosza; uchodzi do Zat. Orfańskiej (M. Egejskie); w środk. biegu płynie między G. Wschodniomacedońskimi a Riłą i Pirinem; wykorzystywana do nawadniania; w górnym biegu zbiornik retencyjny Studena (pow. 105 km^2) i elektrownia wodna; gł. m. nad S. — Pernik; częściowo doliną S. przechodzi linia kol. i droga samochodowa Sofia–Saloniki. ∎

Strumień, m. w woj. śląskim (powiat cieszyński), nad Wisłą i Jez. Goczałkowickim; 3,4 tys. mieszk. (2000); ośr. turyst. (sporty wodne) i wypoczynku świątecznego; drobny przemysł; prawa miejskie od 1482.

Stryków, m. w woj. łódz. (powiat zgierski), nad Moszczenicą (pr. dopływ Bzury); 3,5 tys. mieszk. (2000); ośr. usługowo-handl.; drobny przemysł (chem., odzież., dziewiarski); węzeł drogowy; prawa miejskie 1394–1870 i od 1923; od pocz. XX w. ośr. mariawitów.

Strzegom, m. w woj. dolnośląskim (powiat świdnicki), nad Strzegomką; 17,5 tys. mieszk. (2000); ośr. przem.-usługowy i krajoznawczy; wielkie kamieniołomy granitu (eksploatacja od XIX w.) i bazaltu; przemysł materiałów bud., papierniczy, obuwn., lniarski (roszarnia), maszyn.; rozwinięte sadownictwo; stadnina koni; prawa miejskie od 1242 (1241?); mury miejskie (XIII–XV w.), got. kościół Joannitów (XIV–XVI w.) z bogatą dekoracją rzeźb, kościół (XV w., przebud.) — pierwotnie synagoga got., kaplica w dawnej bastei (XVI w.), zespół klasztorny (XVIII w.).

Strzegomskie, Wzgórza, pn.-zach. część Przedgórza Sudeckiego, na pn. od doliny Strzegomki; obejmują izolowane garby osiągające prawie 360 m i 150–200 m wys. względnej; W.S.

są granitową intruzją w obrębie zmetamorfizowanych łupków paleozoicznych, przebitą żyłami bazaltu, który tworzy kulminacje szczytowe; region mało zalesiony, roln.; liczne kamieniołomy granitów i bazaltów (okolice Strzegomia).

Strzelce Krajeńskie, m. powiatowe (powiat strzelecko-drezdeński) w woj. lubus., nad jez.: Górnym i Dolnym; 10,3 tys. mieszk. (2000); ośr. przem.-usługowy i turyst.-wypoczynkowy; różnorodny drobny przemysł, m.in. rafinacja olejów jadalnych na ekopaliwo; prawa miejskie od 1286; ruiny kościoła (XIII–XIV, XV, XIX w.), mury miejskie (XIV w.) z Bramą Wsch. (XV w.).

Strzelce Opolskie, m. powiatowe w woj. opol., w pn. części garbu Chełm; 21,4 tys. mieszk. (2000); ośr. przemysłu miner., ponadto przemysł maszyn., skórz., spoż., drzewny; węzeł kol.; stadnina koni; prawa miejskie przed 1292; pozostałości murów miejskich (XV w.), drewn. kościół (XVII w.), drewn. spichlerz (XVIII w.). W pobliskiej wsi Rozmierka duża cementownia.

Strzelin, m. powiatowe w woj. dolnośląskim, nad Oławą; 13,2 tys. mieszk. (2000); ośr. usługowy; największe w Polsce kamieniołomy granitu (eksploatacja od 1861); różnorodny przemysł, m.in. maszyn., spoż., drzewny; węzeł kol. i drogowy; prawa miejskie od 1292; rom. rotunda Św. Gotarda (XII, XIV, XV w.).

∎ Dolina Strumy na południe od Błagojewgradu

Strzelińskie, Wzgórza, wsch. część Wzgórz Niemczańsko-Strzelińskich, między dolinami: Oławy na zach. a Krynki (dopływ Oławy) na wsch.; zbud. z granitów tworzących intruzje w starsze skały (łupki krystaliczne, wapienie krystaliczne, bazalt); wys. do 393 m (Gromnik); stanowią zwarty, wyraźnie wypiętrzony grzbiet, ciągnący się od Strzelina na pn. po Ziębice na pd.; w środk. części między Gromnikiem i Kalinką (389 m, punkt widokowy) zaznacza się przełęcz, przez którą biegnie droga łącząca wsie Kazanów (nad Oławą) z Przewornem (nad Krynką); partie szczytowe zalesione; wiele kamieniołomów (Strzelin), miejscami występują kamienie półszlachetne; szlaki turyst. ze Strzelina do Ziębic i ze szczytu Gromnik do wsi Biały Kościół. Do W.S. zalicza się często, położone między Krynką a Nysą Kłodzką, pasmo niskich Wzgórz Wawrzyszowsko-Szklarskich.

TABELA STRATYGRAFICZNA

HISTORIA SKORUPY ZIEMSKIEJ I ŻYCIA NA ZIEMI

Era	Okres	Epoka Czas (w mln lat)	Zmiany poziomu wód oceanicznych[a]	Paleogeografia	Świat roślinny[b]	Świat zwierzęcy	Rozkład kontynentów i oceanów
KENOZOIK	CZWARTORZĘD	Holocen 0,01 Plejstocen 1,8	(wykres: m p.p.m. −100 / 0 / 100 / 200 m n.p.m.)	Postępujące ochładzanie klimatu doprowadziło w plejstocenie do wielokrotnych zlodowaceń (glacjałów) na półkuli pn., przeplatanych z okresami ich całkowitego zaniku na wielu obszarach (interglacjałów); powodowało to m.in. wahania poziomu oceanów; na niskich szerokościach geogr. glacjałom odpowiadały okresy wzmożonych opadów — pluwiały, a interglacjałom — okresy suszy (interpluwiały), w końcu plejstocenu większość lodowców stopniała, morza i lądy przybrały obecny kształt; w holocenie powstało m.in. M. Bałtyckie.	W okresie zlodowaceń roślinność tundrowa z m.in. brzozą karłowatą, dębikiem ośmiopłatkowym, wierzbą polarną, zielnymi roślinami kwiatowymi mchami; między zlodowaceniami — roślinność leśna, bagienna i wodna; w holocenie rozwój współcześnie istniejących zbiorowisk z reliktami z niejących okresów zlodowaceń.	Pojawiają się formy ludzkie: pitekantrop, neandertalczyk i w końcu — człowiek rozumny; w plejstocenie żyły wymarłe już dzisiaj mamuty, nosorożce włochate, niedźwiedzie jaskiniowe; większe rozprzestrzenienie miały zwierzęta żyjące dziś w krajach polarnych (ren) i w wysokich górach; świat mórz — podobny do świata mórz współczesnych.	 Uwaga. Kolor biały na mapkach oznacza lądolody.
	TRZECIORZĘD — NEOGEN	Pliocen 5,3 Miocen 24		Rozkład kontynentów i oceanów był już bardzo zbliżony do współcz.; kolejne fazy orogenezy alp., w Polsce ostateczne fałdowanie Karpat fliszowych; na ich przedpolu, w wysychającym zbiorniku mor. nagromadziły się pokłady soli kamiennej (Wieliczka, Bochnia); w tym samym czasie powstały wielkie złoża węgla brunatnego (Bełchatów, Turów i in.); na przełomie miocenu i pliocenu nastąpiło krótkotrwałe wyschnięcie M. Śródziemnego; w końcu neogenu stopniowe ochładzanie klimatu — zlodowacenie Grenlandii.	Przewaga roślin okrytonasiennych; dużo drzew liściastych; rozwój roślin jednoliściennych o charakterze stepowym, gł. traw; w strefie klimatu ciepłego i wilgotnego dominowały wiecznie zielone lasy z palmami i figowcami.	Świat zwierzęcy był już bardzo zbliżony do współcz.; w ciepłych morzach bujnie rozwijały się mszywioły, które często tworzyły rafy; pospolite były ślimaki i małże; na lądach panowały ssaki łożyskowe; radiacja naczelnych i koniowatych; w górnym neogenie pojawiły się pierwsze formy człowiekowate — australopiteki, znane ze wsch. Afryki.	
	TRZECIORZĘD — PALEOGEN	Oligocen 34 Eocen 55 Paleocen 65	(wykres: m n.p.m. 200 / 100 / 0 / −100 m p.p.m.)	Niemal całkowita likwidacja oceanu Tetydy; Dekan i in. fragmenty Gondwany zderzały się z Azją, powodując powstanie łańcucha Himalajów; Afryka zbliżyła się do Europy, a w wyniku kolizji wielu mikropłyt powstał złożony alp. łańcuch pd. Europy; Ameryka Pd., Pn. oddalały się od Europy i Afryki, dzięki czemu poszerzył się O. Atlantycki, a na zach. Ameryki powstały łańcuchy Kordylierów i Andów; oderwanie się Australii od Antarktydy doprowadziło do powstania zimnego prądu oceanicznego wokół Antarktydy, co spowodowało w oligocenie rozwój pokrywy lodowej na tym kontynencie.	Rozkwit roślin okrytonasiennych; w zależności od położenia geogr. i klimatu na lądach dominowały drzewa szpilkowe (metasekwoja), bądź drzewa liściaste zrzucające liście na zimę (miłorząb, magnolia, platan), lub drzewa i krzewy zimozielone; kompleksy sosny bursztynonośnej porastały obszary na średnich szerokościach geogr.; niektóre drzewa osiągały wielkie rozmiary; orogeneza alp. przyczyniła się do stopniowego wykształcenia pionowych pięter roślinności w górach; w oligocenie roślinność była podobna do współczesnej; w eocenie szczególnie łagodny klimat, lasy tropikalne sięgały w pobliże koła podbiegunowego.	Wielki rozkwit otwornic; niektóre ich rodzaje (numulity) osiągały wielkość kliku cm; pospolite były mięczaki, zwł. ślimaki i małże; liczne szkarłupnie, gł. jeżowce; w powietrzu panowały owady i ptaki — pod koniec okresu występowali na Ziemi przedstawiciele wszystkich współcz. rzędów; od początku okresu wielki rozwój ssaków; różnicują się kopytne (największy ssak lądowy wszechczasów — *Titanotherium*), słonie, szczerbaki, gryzonie, w morzach walenie; pod koniec okresu pojawiły się małpy.	

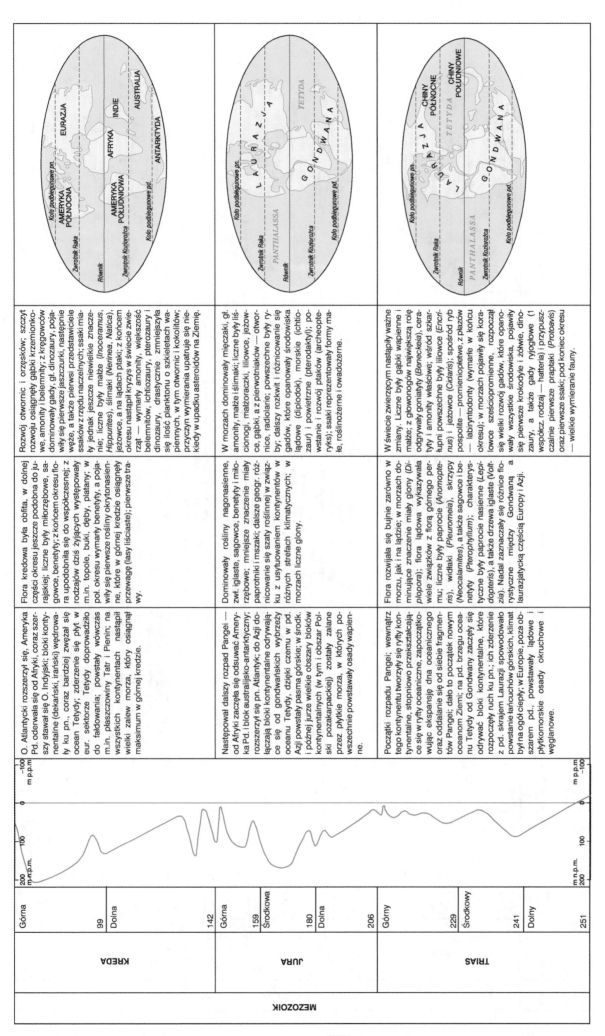

MEZOZOIK

KREDA

Górna — 99 m p.m. / Dolna — 142

Tektonika / paleogeografia:
O. Atlantycki rozszerzył się, Ameryka Pd. oderwała się od Afryki; coraz szerszy stawał się O. Indyjski; bloki kontynentalne (dekański, irański) wędrowały ku pn., coraz bardziej zwężał się ocean Tetydy; zderzenie się płyt w eur. sektorze Tetydy doprowadziło do fałdowania; powstały wówczas m.in. płaszczowiny Tatr i Pienin; na wszystkich kontynentach nastąpił wielki zalew morza, który osiągnął maksimum w górnej kredzie.

Flora:
Flora kredowa była obfita, w dolnej części okresu jeszcze podobna do jurajskiej; liczne były miłorzębowe, sagowce, benetyty; z końcem okresu flora upodobnia się do współczesnej; z rodzajów dziś żyjących występowały m.in. topole, buki, dęby, platany; w pół. okresu wymarły benetyty, a pojawiły się pierwsze rośliny okrytonasienne, które w górnej kredzie osiągnęły przewagę (lasy liściaste); pierwsze trawy.

Fauna:
Rozwój otwornic i orzęsków; szczyt rozwoju osiągnęły gąbki krzemionkowe, amonity i belemnity; z kręgowców dominowały gady, gł. dinozaury, pojawiły się pierwsze jaszczurki, następnie węże, a także pierwsi przedstawiciele ssaków z rzędu naczelnych; ssaki miały jednak jeszcze niewielkie znaczenie; liczne były małże (*Inoceramus*, *Hippurites*), ślimaki (*Nerinea*, *Natica*), jeżowce, a na lądach ptaki; z końcem okresu nastąpił kryzys w świecie zwierząt — wymarły amonity, większość belemnitów, ichtiozaury, pterozaury i dinozaury, drastycznie zmniejszyła się ilość planktonu o szkieletach wapiennych, w tym otwornic i kokolitów; przyczyn wymierania upatruje się niekiedy w upadku asteroidów na Ziemię.

JURA

Górna — 159 / Środkowa — 180 / Dolna — 206 m p.m.

Tektonika / paleogeografia:
Następował dalszy rozpad Pangei — od Afryki zaczęła się odsuwać Ameryka Pd. i blok australijsko-antarktyczny; rozszerzył się O. Atlantyk; do Azji dołączają bloki kontynentalne odrywające się od gondwańskich wybrzeży oceanu Tetydy, dzięki czemu w pd. Azji powstały pasma górskie; w środk. i późnej jurze wielkie obszary bloków kontynentalnych (w tym i obszar Polski pozakarpackiej) zostały zalane przez płytkie morza, w których powszechnie powstawały osady wapienne.

Flora:
Dominowały rośliny nagonasienne, zwł. iglaste, sagowce, benetyty i miłorzębowe; mniejsze znaczenie miały paprotniki i mszaki; dalsze geogr. różnicowanie się szaty roślinnej w związku z usytuowaniem kontynentów w różnych strefach klimatycznych; w morzach liczne glony.

Fauna:
W morzach dominowały mięczaki, gł. amonity, małże i ślimaki; liczne były liścionogi, małżoraczki, liliowce, jeżowce, gąbki, z a pierwotniaków — otwornice, radiolarie; powszechne były ryby; dalszy rozkwit i różnicowanie się gadów, które opanowały środowiska lądowe (diplodok), morskie (ichtiozaur) i powietrzne (pterodaktyl); powstanie i rozwój ptaków (archeopteryks); ssaki reprezentowały formy małe, roślinożerne i owadożerne.

TRIAS

Górny — 229 / Środkowy — 241 / Dolny — 251 m p.m.

Tektonika / paleogeografia:
Początki rozpadu Pangei; wewnątrz tego kontynentu tworzyły się ryfty kontynentalne, stopniowo przekształcające się w ryfty oceaniczne, zapoczątkowując ekspansję dna oceanicznego oraz oddalanie się od siebie fragmentów Pangei; dało to początek nowym oceanom Ziemi; na pd. brzegu oceanu Tetydy od Gondwany zaczęły się odrywać bloki kontynentalne, które rozpoczęły ruch ku pn.; ich zderzenie z pd. skrajem Laurazji spowodowało powstanie łańcuchów górskich, klimat był na ogół ciepły; w Europie, poza obszarem pd., powstawały lądowe i płytkomorskie osady okruchowe i węglanowe.

Flora:
Flora rozwijała się bujnie zarówno w morzu, jak i na lądzie; w morzach dominujące znaczenie miały glony (*Diplopora*); flora lądowa wykazywała wiele związków z florą górnego permu; liczne były paprocie (*Anomopteris*), widłaki (*Pleuromeia*), skrzypy (*Neocalamites*), a także sagowce i benetyty (*Pterophyllum*); charakterystyczne były paprocie nasienne (*Lepidopteris*), a także drzewa iglaste (*Voltzia*). Nadal zaznaczały się różnice florystyczne między Gondwaną a lauroazjatycką częścią Europy i Azji.

Fauna:
W świecie zwierzęcym nastąpiły ważne zmiany. Liczne były gąbki wapienne i małże; z głowonogów największą rolę odgrywały goniatyty (*Beneckeia*), ceratyty i amonity właściwe; wśród skorupni powszechne były liliowce (*Encrinus*) i jeżowce (*Cidaris*); spośród ryb pospolite — promieniopłetwe, w końcu okresu) — labiryntodonty (wymarłe w końcu okresu); w morzach pojawiły się koralowce sześciopromienne, rozpoczął się wielki rozwój gadów, które opanowały wszystkie środowiska, pojawiły się pierwsze krokodyle i żółwie, dinozaury, a także gady ryjogłowe (1 współcz. rodzaj — hatteria) i przypuszczalnie pierwsze praptaki (*Protoavis*) oraz pierwsze ssaki; pod koniec okresu — wielkie wymieranie fauny.

TABELA STRATYGRAFICZNA

HISTORIA SKORUPY ZIEMSKIEJ I ŻYCIA NA ZIEMI

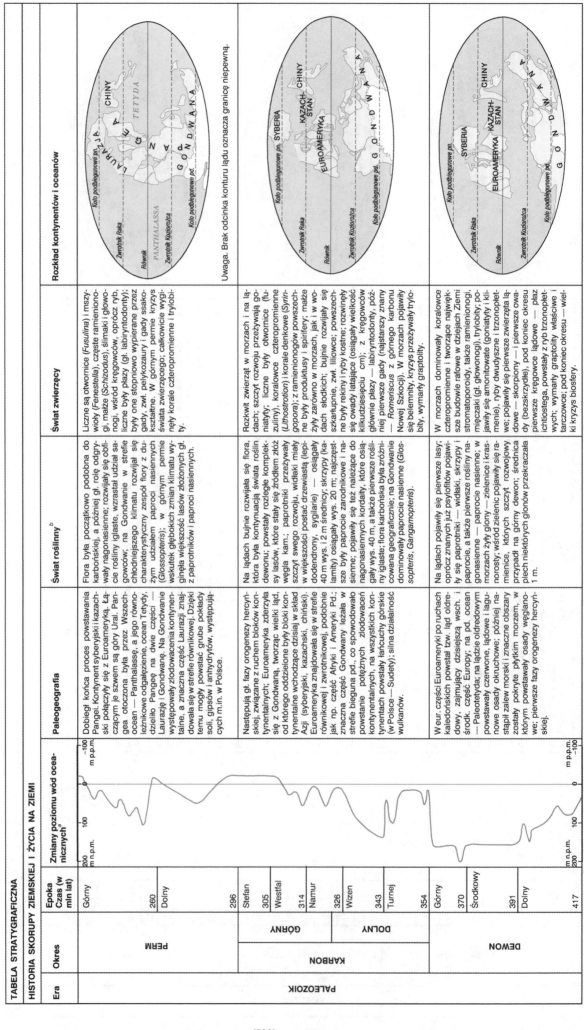

Era	Okres	Epoka / Czas (w mln lat)	Zmiany poziomu wód oceanicznych[a]	Paleogeografia	Świat roślinny[b]	Świat zwierzęcy	Rozkład kontynentów i oceanów
PALEOZOIK	PERM	Górny 260 Dolny 296		Dobiegł końca proces powstawania Pangei. Kontynent syberyjski i kazachski połączyły się z Euroameryką. Łączącym je szwem są góry Ural. Pangea otoczona była przez Wszechocean — Panthalasse, a jego równoleżnikowe odgałęzienie, ocean Tetydy, dzieliło Pangeę na dwie części — Laurazję i Gondwanę. Na Gondwanie występowały zlodowacenia kontynentalne, a znaczna część Laurazji znajdowała się w strefie równikowej. Dzięki temu mogły powstać grube pokłady soli, gipsów i anhydrytów, występujących m.in. w Polsce.	Flora była początkowo podobna do karbońskiej, a później gł. rolę odgrywały rośliny iglaste; rozwijały się obficie rośliny iglaste, wzrastał udział sagowców; na Gondwanie w strefie chłodniejszego klimatu rozwijał się charakterystyczny zespół flory z dużym udziałem paproci nasiennych (Glossopteris); w górnym permie wskutek głębokich zmian klimatu wyginęła większość złożonych gł. z paprotników i paproci nasiennych.	Liczne są otwornice (Fusulina) i mszywioły (Fenestella), częste ramienionogi, małże (Schizodus), ślimaki i głowonogi; wśród kręgowców, oprócz ryb, liczne były płazy (gł. labiryntodonty); były one stopniowo wypierane przez gady, zwł. pelykozaury i gady ssakokształtne. W górnym permie kryzys świata zwierzęcego; całkowicie wyginęły korale czteropromienne i trylobity.	
	KARBON	GÓRNY Stefan 305 Westfal 314 Namur 326 DOLNY Wizen 343 Turnej 354		Następują gł. fazy orogenezy hercyńskiej, związane z ruchem bloków kontynentalnych; Euroameryka zderzyła się z Gondwaną, tworząc wielki ląd, od którego oddzielone były bloki kontynentalne wchodzące dzisiaj w skład Azji (syberyjski, kazachski, chiński). Euroameryka znajdowała się w strefie równikowej i zwrotnikowej, podobnie jak np. część Afryki i Ameryki Pd.; znaczna część Gondwany leżała w strefie bieguna pd., co spowodowało powstanie potężnych zlodowaceń kontynentalnych, na wszystkich kontynentach powstały łańcuchy górskie (w Polsce — Sudety); silna działalność wulkanów.	Na lądach bujnie rozwijała się flora, która była kontynuacją świata roślin dewonu; powstały rozległe kompleksy lasów, które stały się źródłem złóż węgla kam.; rozwijały i widłaki miały w większości postać drzewiastą (lepidodendrony, sygilarie) — osiągały 40 m wys. i 2 m średnicy; skrzypy (kalamity) osiągały wys. 20 m; najczęstsze były paprocie zarodnikowe i nasienne; pojawiły się też należące do nagonasiennych kordaity, które osiągały wys. 40 m, a także pierwsze rośliny iglaste; flora karbońska była zróżnicowana geograficznie; na Gondwanie dominowały paprocie nasienne (Glossopteris, Gangamopteris).	Rozkwit zwierząt w morzach i na lądach; szczyt rozwoju przeżywają goniatyty; liczne były otwornice (fuzuliny), koralowce czteropromienne (Lithostrotion) i korale denkowe (Syringopora); z ramienionogów powszechne były produktusy i spirifery; małże żyły zarówno w morzach, jak i w wodach słodkich; bujnie rozwijały się szkarłupnie, zwł. liliowce; powszechne były rekiny i ryby kostne; rozwinęły się owady latające (osiągały wielkość kilkudziesięciu cm); z kręgowców głównie płazy — labiryntodonty, później pierwsze gady (najstarszy znany — Romeriscus z górnego karbonu Nowej Szkocji). W morzach pojawiły się belemnity, kryzys przeżywały trylobity, wymarły graptolity.	
	DEWON	Górny 370 Środkowy 391 Dolny 417		W eur. części Euroameryki po ruchach kaledońskich powstał tzw. ląd oldredowy, zajmujący dzisiejszą wsch. i środk. część Europy; na pd. ocean — Paleotetyda; na lądzie oldredowym powstawały czerwone, lądowe i lagunowe osady okruchowe; później następił zalew morski i znaczne obszary zostały pokryte płytkim morzem, w którym powstawały osady węglanowe; pierwsze fazy orogenezy hercyńskiej.	Na lądach pojawiły się pierwsze lasy; oprócz znanych już psylofitów pojawiły się paprotniki — widłaki, skrzypy i paprocie, a także pierwsze rośliny nagonasienne — paprocie nasienne; w morzach żyły glony — zielenice i krasnorosty; wśród zielenic pojawiły się ramienice, których szczyt rozwojowy przypadł na górny dewon; średnica plech niektórych glonów przekraczała 1 m.	W morzach dominowały koralowce czteropromienne i tworzące największe budowle rafowe w dziejach Ziemi stromatoporoidy, także ramienionogi, mięczaki (gł. głowonogi), trylobity; pojawiły się amonitowate (goniatyty i klimenie), ryby dwudyszne i trzonopłetwe; pojawiły się pierwsze zwierzęta lądowe — skorpiony — i pierwsze owady (bezskrzydłe); pod koniec okresu pierwsze kręgowce lądowe — płaz ichtiostega, powstały i ryb trzonopłetwych; wymarły graptolity właściwe i tarczowce; pod koniec okresu — wielki kryzys biosfery.	

Uwaga. Brak odcinka konturu lądu oznacza granicę niepewną.

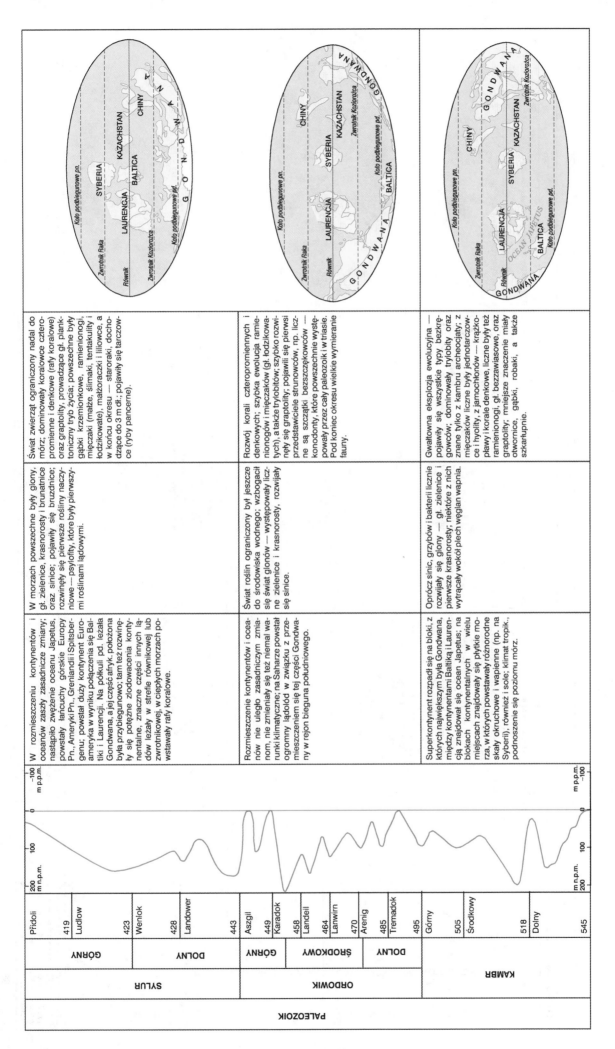

					m n.p.m.

PALEOZOIK

SYLUR

GÓRNY — Přídolí, 419 Ludlow, 423 Wenlok
DOLNY — 428 Landower, 443

W rozmieszczeniu kontynentów i oceanów zaszły zasadnicze zmiany; nastąpiło zwężenie oceanu Japetus, powstały łańcuchy górskie Europy Pn., Ameryki Pn., Grenlandii i Spitsbergenu; powstał duży kontynent Euroameryka w wyniku połączenia się Baltiki i Laurencji. Na półkuli pd. leżała Gondwana, a jej część afryk. położona była przybiegunowo; tam też rozwinęły się potężne zlodowacenia kontynentalne, znaczne części innych lądów leżały w strefie równikowej, w ciepłych morzach powstawały rafy koralowe.

W morzach powszechne były glony, gł. zielenice, krasnorosty i brunatnice oraz sinice; pojawiły się bruździce; rozwinęły się pierwsze rośliny naczyniowe — psylofity, które były pierwszymi roślinami lądowymi.

Świat zwierząt ograniczony nadal do mórz; dominowały koralowce czteropromienne i denkowe (rafy koralowe) oraz graptolity, prowadzące gł. planktoniczny tryb życia; powszechne były gąbki krzemionkowe, ramienionogi, mięczaki (małże, ślimaki, tentakulity i łodzikowate), małżoraczki i liliowce, a w końcu okresu — staroraki, dochodzące do 3 m dł.; pojawiły się tarczowce (ryby pancerne).

ORDOWIK

GÓRNY — Aszgil, 449 Karadok, 458
ŚRODKOWY — Landeil, 464 Lanwirn, 470
DOLNY — Arenig, 485 Tremadok, 495

Rozmieszczenie kontynentów i oceanów nie uległo zasadniczym zmianom, nie zmieniały się też niemal warunki klimatyczne; na Saharze powstał ogromny lądolód w związku z przemieszczeniem się tej części Gondwany w rejon bieguna południowego.

Świat roślin ograniczony był jeszcze do środowiska wodnego; wzbogacił się świat glonów — występowały liczne zielenice i krasnorosty, rozwijały się sinice.

Rozwój korali czteropromiennych i denkowych; szybka ewolucja ramienionogów i mięczaków (gł. łodzikowatych), a także trylobitów; szybko rozwinęły się graptolity; pojawili się pierwsi przedstawiciele strunowców, np. liczne są szczątki bezszczękowców — konodonty, które powszechnie występowały przez cały paleozoik i w triasie. Pod koniec okresu wielkie wymieranie fauny.

KAMBR

Górny, 505 Środkowy, 518 Dolny, 545

Superkontynent rozpadł się na bloki, z których największym była Gondwana, między kontynentami Baltiką i Laurencją znajdował się ocean Japetus; na blokach kontynentalnych w wielu miejscach znajdowały się płytkie morza, w których powstawały różnorodne skały okruchowe i wapienne (np. na Syberii), również i sole; klimat tropik., podnoszenie się poziomu mórz.

Oprócz sinic, grzybów i bakterii licznie rozwijały się glony — gł. zielenice i pierwsze krasnorosty; niektóre z nich wytrącały wokół plech węglan wapnia.

Gwałtowna eksplozja ewolucyjna — pojawiły się wszystkie typy bezkręgowców; dominowały trylobity oraz znane tylko z kambru archeocjaty; z mięczaków liczne były jednotarczowce i hyolity, z jamochłonów — krążkopławy i korale denkowe, liczne były też ramienionogi, gł. bezzawiasowe, oraz graptolity; mniejsze znaczenie miały otwornice, gąbki, robaki, a także szkarłupnie.

TABELA STRATYGRAFICZNA

HISTORIA SKORUPY ZIEMSKIEJ I ŻYCIA NA ZIEMI

Era	Okres	Epoka Czas (w mln lat)	Zmiany poziomu wód oceanicznych[a]	Paleogeografia	Świat organiczny	Rozkład kontynentów i oceanów
PROTEROZOIK	NEOPROTEROZOIK	1000	Brak wiarygodnych danych.	Nastąpiło ostateczne uformowanie bloków kontynentalnych, które są dziś podłożem platform prekambryjskich zbudowanych gł. ze skał metamorficznych i magmowych; powstawały skały osadowe, w tym piaskowce żelaziste, tworzące największe w świecie złoża rud żelaza, i wapienie, utworzone w wyniku działalności sinic i glonów (stromatolity); nastąpiły co najmniej 2 okresy zlodowaceń kontynentalnych; na pocz. neoproterozoiku bloki kontynentalne połączyły się w jeden superkontynent, który wkrótce ulegl rozpadowi.	Początkowo w morzach powszechne były sinice, później także glony; dzięki nim powiększała się ilość tlenu w atmosferze; rozwijały się też bakterie i grzyby. Pod koniec neoproterozoiku (w okresie zw. wendem) nastąpił gwałtowny rozwój bezszkieletowych organizmów tkankowych: jamochłonów, pierścienic, stawonogów oraz zwierząt o nie ustalonej przynależności systematycznej. Organizmy te nazywane są fauną z Ediacara, od pierwszego znaleziska (w Australii).	Brak wiarygodnych danych.
	MEZOPROTEROZOIK	1600				
	PALEOPROTEROZOIK	2500				
ARCHAIK		4600		Formowanie się skorupy ziemskiej, intensywne procesy magmowe i metamorficzne, działalność wulkanów: silne ruchy górotwórcze; najstarszy minerał — cyrkon sprzed 4,26 mld lat, znany ze zmetamorfizowanych zlepieńców z Australii; najstarsze znane skały (sprzed ok. 4 mld lat) pochodzą z Antarktydy i Ameryki Pn.; pierwotna atmosfera ziemska zawierała dwutlenek węgla, siarkowodór, dwutlenek siarki, amoniak, chlorowodór, gazy szlachetne; dopiero sinice i glony w efekcie asymilacji dwutlenku węgla zaczęły uwalniać tlen do atmosfery; produktem działalności życiowej sinic są najstarsze skały wapienne na Ziemi (stromatolity).	Przypuszczalnie najstarszymi organizmami na Ziemi były bakterie; najstarsze zachowane ślady życia pochodzą sprzed ok. 3,8 mld lat — to grzybopodobne organizmy (Issuasphaera) opisane z pd.-zach. Grenlandii oraz nitkowate twory, przypominające glony niższe, znalezione w Kanadzie; ok. 3,5 mld lat temu pojawiły się sinice, a ich rozkwit rozpoczął się ok. 2,8 mld lat temu; w pn. części USA występują czarne łupki zawierające węgiel pochodzenia org. o wieku ok. 2,5 mld lat.	

BALTICA — kontynent w starszym paleozoiku, obejmujący dzisiejszą platformę wschodnioeuropejską. EUROAMERYKA — kontynent w erze paleozoicznej, który powstał około 400 mln lat temu w wyniku zderzenia kontynentu Baltica (dzisiejsza Europa Wsch.) z kontynentem laurentyńskim (dzisiejsza prekambryjska platforma północnoamerykańsko-grenlandzka). W miejscu zderzenia powstały Góry Skandynawskie, góry Szkocji w Europie i pn. część Appalachów w Ameryce Pn. JAPETUS — ocean w starszym paleozoiku, rozdzielał kontynenty Baltikę i Laurencję. Osady powstałe w tym oceanie budują dzisiaj G. Skandynawskie, góry Szkocji, północną część Appalachów. LAURENCJA — kontynent w starszym paleozoiku, obejmował dzisiejszą prekambryjską platformę północnoamerykańsko-grenlandzką.
W tabeli zastosowano podział wg International Union of Geological Sciences (1989, z modyfikacjami); mapy rozkładu kontynentów i oceanów wg C.R. Scotese'a.
[a] Zmiany poziomu wód oceanicznych przedstawiono w odniesieniu do ich poziomu współczesnego (zaznaczony linią czerwoną); [b] w kolumnie Świat roślinny zamieszczono również informacje o rodzaju bakterii, sinic i grzybów.

Strzelno, m. w woj. kujawsko-pomor. (powiat mogileński); 6,1 tys. mieszk. (2000); ośr. turyst. i usługowy; drobny przemysł; prawa miejskie przed 1356; rom. rotunda Św. Prokopa (XII w.), zespół klasztorny Norbertanek (XII, XVIII w.) z cennym zespołem rom. rzeźby (w kościele międzynawowe kolumny z płaskorzeźbą figuralną).

Strzyżów, m. powiatowe w woj. podkarpackim, nad Wisłokiem; 8,6 tys. mieszk. (2000); ośr. usługowy regionu roln.; przemysł maszyn., spoż., mebl.; muzeum; prawa miejskie przed 1480 (1419?); kościół (XV, XVII w.), synagoga (XVIII w., ob. biblioteka).

Styria, Steiermark, kraj związkowy w pd.--wsch. Austrii, przy granicy ze Słowenią; 16,4 tys. km², 1,2 mln mieszk. (2002); stol. Graz; na zach. i pn. Alpy (Salzburskie, Niskie Taury, Noryckie), na pd.-wsch. wyżynne przedgórze alp. z dolinami Mury, Raby; gł. w kraju region wydobycia rud żelaza, magnetytu, węgla brun., grafitu, talku; przemysł metalurg., maszyn., drzewny; uprawa zbóż, ziemniaków, buraków cukrowych; sadownictwo; turystyka.

Suazi, Ngwane, Swaziland, Królestwo Suazi, państwo w pd. Afryce, między RPA a Mozambikiem; 17,4 tys. km²; 1 mln mieszk. (2002), gł. ludy Suazi, Zulusi; animiści, protestanci, katolicy; stol. Mbabane; język urzędowy: suazi, ang.; monarchia konstytucyjna. Wyżyna opadająca stopniami ku wsch.; klimat zwrotnikowy wilgotny; sawanny, lasy iglaste i eukaliptusowe. Słabo rozwinięty kraj roln.; uprawa trzciny cukrowej (na eksport), kukurydzy, sorga, bawełny, drzew cytrusowych; hodowla bydła, owiec; eksploatacja lasów; wydobycie diamentów, azbestu, rud żelaza; przemysł cukr., mięsny, drzewny, włókienniczy. ■

subdukcja [łac.], zjawisko podsuwania się oceanicznej płyty litosferycznej pod płytę kontynent., wywołane występowaniem w astenosferze zstępujących prądów konwekcyjnych (→ tektoniki płyt teoria).

subsydencja [łac.], powolne obniżanie się pewnych obszarów skorupy ziemskiej, spowodowane przez procesy → endogeniczne, gł. tektoniczne; długotrwała s. prowadzi do powstawania → basenów sedymentacyjnych i gromadzenia się w nich osadów znacznej grubości, często płytkomorskich lub lądowych.

Sucha Beskidzka, m. powiatowe w woj. małopol., w Beskidzie Makowskim, nad Skawą, u ujścia Stryszawki; 9,9 tys. mieszk. (2000); ośr. usługowy, przem., turyst. i sportów zimowych; przemysł drzewny, maszyn., spoż.; węzeł kol.; muzeum; wieś zał. w XIII w.; prawa miejskie od 1896; późnorenes. zamek (XVI, XVI, XVIII w.), zespół klasztorny (XVII w.), karczma drewn. (XVIII w.).

Suchań, m. w woj. zachodniopomor. (powiat stargardzki); 1,5 tys. mieszk. (2000); ośr. usługowy regionu roln.; wzmiankowany 1296; prawa miejskie przed 1487.

Suchedniów, m. w woj. świętokrzyskim (powiat skarżyski), nad Kamionką (pr. dopływ Kamiennej); 9,3 tys. mieszk. (2000); ośr. usługo-

wy z różnorodnym przemysłem (urządzenia transp., wyroby kamionkowe, wydobycie i obróbka piaskowca, zakłady drzewne); osiedle górn.-hutn. w Staropol. Okręgu Przem.; prawa miejskie od 1962.

Suchej Wody, Dolina, walna dolina w pol. części Tatr; od wys. 1160 m rozwidlona w doliny: Gąsienicową i Pańszczycę; dnem D.S.W., a następnie dnem pd.-zach. części Doliny Gąsienicowej przebiega granica Tatr Zach. i Wysokich; otoczenie stanowią: od pd. — gł. grań Tatr, od Kasprowego Wierchu po Świnicę, a dalej Kozie Wierchy, Granaty i Buczynowe Turnie, od zach. — Uhrocie Kasprowe (1852 m), Kopa Magury, Kopy Królowe i Kotlinowy Wierch (1305 m), od wsch. — wał Koszystej i gniazdo Kop Sołtysich; dł. 13 km, pow. 21 km²; utw. gł. w granitach, po stronie Tatr Zach. częściowo w wapieniach i dolomitach; typowa rzeźba lodowcowa z piętrowym systemem kotłów w Dolinie Gąsienicowej i Pańszczycy, wałami moren i jeziorami (m.in. Czarny Staw Gąsienicowy); dnem płynie potok Sucha Woda, którego wody częściowo uchodzą jaskiniami poza obręb orograficznej zlewni; kompleksy naturalnego boru świerkowego z uroczyskami Gąsienicowy Las i Skoruśniak. Na skraju Hali Gąsienicowej schronisko PTTK Murowaniec (zbud. 1921–25); liczne szlaki turyst.; droga bita prowadząca do schroniska, zamknięta dla samochodów; nazwa pochodzi od potoku, który na długich odcinkach traci okresowo powierzchniowy przepływ.

■ Suazi

■ Suazi. Krajobraz zachodniej części kraju

suchowiej, gorący, suchy wiatr pd., pd.-wsch. lub wsch., występujący latem na stepach i półpustyniach Ukrainy, eur. części Federacji Ros. i w Kazachstanie; powstaje na peryferiach wyżów barycznych, w wyniku lokalnego nagrzania mas powietrznych oraz napływu zwrotnikowo-kontynent. powietrza z pd. i pd.-wsch.; prędkość s. dochodzi do 20 m/s; s. powoduje wzrost temp. do 35–40°C i spadek wilgotności względnej do 10–15%; wywołuje silny wzrost parowania wody, a przy niedoborze wilgoci w glebie powoduje więdnięcie roślin; wyrządza duże szkody w uprawach, gł. zbożowych; przeciwko skutkom s. sadzi się leśne pasy wiatrochronne.

Suchowola, m. w woj. podl. (powiat sokólski); 2,5 tys. mieszk. (2000); ośr. usługowy dla rolnictwa; rozwinięta hodowla drobiu; prawa miejskie 1777–1950 i od 1997.

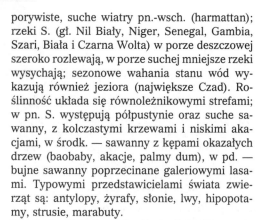

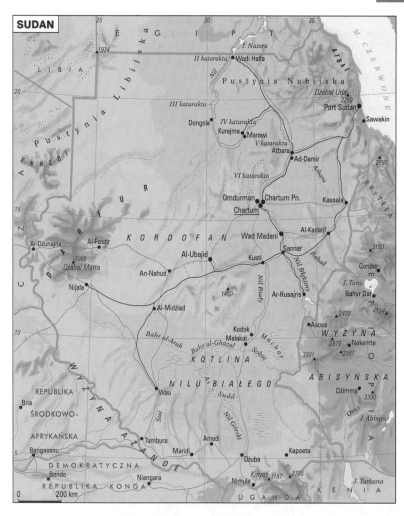

SUDAN

200 km

■ Sudan

Sucre [sukrɛ], **General Sucre**, konst. stol. Boliwii, w Andach Środk., na wys. ok. 2800 m; 203 tys. mieszk. (2002); ośr. handlu i przemysłu (spoż., skórz., rafineria ropy naft.); węzeł drogowy; uniw.; muzea; zał. 1538 przez Hiszpanów p.n. Charcas; liczne zabytki z okresu kolonialnego (XVI–XVIII w.) — katedra, kościoły (m.in. S. Lazaro, S. Francisco), domy; gmachy użyteczności publ. (XIX w.).

Sudan, As-Sūdān, region geogr. w Afryce, między Saharą (na pn.) a równikowymi lasami Górnej Gwinei i Kotliny Konga (na pd.); ciągnie się na dł. ok. 5500 km, od O. Atlantyckiego do podnóża Wyż. Abisyńskiej; pow. ok. 5 mln km²; obejmuje rozległe kotliny środk. Nigru, Czadu i Nilu Białego, rozgraniczone wyżynnymi progami (Dżos, Kordofan, Darfur, Azande) z górami wyspowymi, wys. do 3088 m (Dżabal Marra). Klimat od zwrotnikowego suchego na pn. do podrównikowego wilgotnego na pd.; charakterystyczną cechą klimatu S. jest duża zmienność opadów (zwł. w części pn.), oprócz lat wilgotnych występują często katastrofalne susze, np. w latach 1968–74 i 1980–85 w pasie → Sahelu; średnia roczna suma opadów od 100–200 mm na pn. do ok. 1500 mm na pd. i odpowiednio długość pory deszczowej od 2–3 mies. do 8–10 mies.; średnia temp. miesięczna w części pn. od 18–21°C (w styczniu) do 33–35°C (w lipcu), w części pd. 24–29°C (najwyższa w lutym, marcu lub kwietniu); w zimie, w zach. części S. wieją znad Sahary

porywiste, suche wiatry pn.-wsch. (harmattan); rzeki S. (gł. Nil Biały, Niger, Senegal, Gambia, Szari, Biała i Czarna Wolta) w porze deszczowej szeroko rozlewają, w porze suchej mniejsze rzeki wysychają; sezonowe wahania stanu wód wykazują również jeziora (największe Czad). Roślinność układa się równoleżnikowymi strefami; w pn. S. występują półpustynie oraz suche sawanny, z kolczastymi krzewami i niskimi akacjami, w środk. — sawanny z kępami okazałych drzew (baobaby, akacje, palmy dum), w pd. — bujne sawanny poprzecinane galeriowymi lasami. Typowymi przedstawicielami świata zwierząt są: antylopy, żyrafy, słonie, lwy, hipopotamy, strusie, marabuty.

W strefie Sahelu ludność trudni się przede wszystkim koczowniczym i półkoczowniczym pasterstwem wielbłądów, kóz, owiec, a na obszarach sztucznie nawadnianych i w dolinach rzek — uprawą bawełny i zbóż (gł. prosa); duże znaczenie ma zbiór gumy arabskiej. W pd., wilgotniejszej części Sudanu hoduje się bydło, owce i kozy, uprawia się sorgo (m.in. durrę), proso, ryż, orzeszki ziemne, sezam, bataty, na samym pd. — maniok, jam, kukurydzę, palmę oleistą.

Sudan, As-Sūdān, Republika Sudanu, państwo w Afryce Pn., nad M. Czerwonym; 2505,8 tys. km² (największy kraj afryk.); 36,8 mln mieszk. (2002), Arabowie, Nubijczycy, ludy nilockie, plemiona sudańskie, kuszyckie; religia państw. islam (odłam sunnicki); stol.: Chartum, inne m.: Omdurman, Chartum Północny, Port Sudan (gł. port mor.); język urzędowy arab., w użyciu ang.; republika. Obszar wyżynny; w pn. części Sahara (pustynie: Libijska, Nubijska), w pd. — rozległa Kotlina Nilu Białego, na zach. wyż. Darfur (Dżabal Marra, 3088 m), w części środk. wyżynny Kordofan; wzdłuż wybrzeża góry Atbaj; klimat zwrotnikowy suchy na pn. (katastrofalne susze), podrównikowy na pd.; duże zróżnicowanie opadów (10–1000 mm); gł. rz.: Nil z Nilem Błękitnym, Atbarą; półpustynie, pustynie, sawanny (wilgotne na pd.), wzdłuż rzek lasy galeriowe. Słabo rozwinięty kraj roln.; uprawa zbóż (gł. sorgo durra), na eksport — bawełny, orzeszków ziemnych, sezamu, trzciny cukrowej; koczownicza hodowla bydła zebu, owiec, kóz, wielbłądów; gł. region roln. Al-Dżazira (sztucznie nawadniany); eksploatacja lasów (heban, mahoń), zbiór gumy arab. (świat. producent); wydobycie ropy naft., rud miedzi, żelaza, saliny mor.; przemysł cukr., olejarski, bawełn., skórz., cementowy, drzewny; żegluga śródlądowa. ■

Sudeckie, Przedgórze, pagórkowaty obszar na pn.-wsch. od Sudetów, oddzielony od nich uskokiem tektonicznym, przechodzący stopniowo w Niz. Śląską; ponad wierzchowiną wys. 200–300 m wznoszą się niewysokie garby twardzielcowych: Wzgórz Strzegomskich — w części zach., najwyższego na P.S. Masywu Ślęży (718 m) — w części środk. i Wzgórz Niemczańsko-Strzelińskich — w części wsch.; wychodnie skał starszego podłoża (gnejsy, amfibolity, łupki krystaliczne, gabro, serpentynity i in.) pokrywa częściowo płaszcz osadów trzeciorzędowych i czwartorzędowych, gł. lessy i zbliżone do lessu pylaste deluwia, na których rozwinęły się żyzne gleby; stąd też jest to region gł. rolniczy; przez P.S. przepływa Nysa Kłodzka, Bystrzyca i Strzegomka, a wypływają Ślęża i Oława. Eksploatacja kamieni bud., rud niklu, magnezytu i glinogniotrwałych. Główne m.: Świdnica, Dzierżoniów.

Sudety, system starych gór zrębowych na pn.--wsch. obrzeżeniu Masywu Czeskiego, obejmujący grzbiety, pasma i izolowane masywy otaczające śródgórskie kotliny, ciągnący się łukiem dł. 280 km, od Gór Łużyckich na pn.-zach. po Bramę Morawską na pd.-wsch.; pn. granicę na linii Bolesławiec–Złoty Stok wyznacza stroma krawędź morfologiczna związana z wielkim, tzw. brzeżnym uskokiem sudeckim, oddzielającym S. od ich Przedgórza i niz.: Śląskiej i Śląsko-Łużyckiej; S. dzieli się na Sudety Zach. (z Karkonoszami) — od Bramy Łużyckiej (240 m) po Bramę Lubawską (511 m) w Kotlinie Kamiennogórskiej i dolinę Nysy Szalonej, Sudety Środk. — po Przełęcz Międzyleską (534 m), dolinę Nysy Kłodzkiej i Przełęcz Kłodzką (483 m), oraz Sudety Wsch. — na wsch. od doliny Nysy Kłodzkiej i Przełęczy Kłodzkiej.
Cały górotwór ma złożoną i różnorodną budowę geol., obejmującą formacje skalne od prekambru po czwartorzęd; najstarsze skały krystal., w różnym stopniu zmetamorfizowane, występują w g.: Izerskich, Sowich, Złotych, Bystrzyckich i w Masywie Śnieżnika; staropaleozoiczne serie skał osadowych i wulk. w górach Kaczawskich i Bardzkich; niecki śródgórskie wyścielają utwory młodopaleozoiczne i mezozoiczne (zwł.: karbońskie, permskie i górnokredowe); towarzyszą im skały erupcyjne różnowiekowego wulkanizmu: staropaleozoicznego (gł. podmorskiego) — w G. Kaczawskich (diabazy, paleoporfiry, keratofiry), młodopaleozoicznego (waryscyjskiego) — na obrzeżeniu niecki śródsudeckiej (porfiry, melafiry), oraz trzeciorzędowego — gł. na linii uskoków tektonicznych (bazalty). Rzeźba S., związana ze strukturą podłoża, jest pochodną wielokrotnego fałdowania, wypiętrzania i długich okresów niszczenia i zrównywania; w swym ogólnym zarysie została uformowana w trzeciorzędzie i nieznacznie przemodelowana w czwartorzędzie; masywy o wyrównanych, płaskich wierzchowinach sąsiadują z rozległymi kotlinami śródgórskimi, młodymi przełomowymi dolinami rzek, charakterystycznymi kopułami i stożkami wulkanicznymi. S. należą do najchłodniejszych i najwilgotniejszych regionów Polski, co powoduje, że granica lasu przebiega tu ok. 250 m niżej niż w Tatrach; klimat kształtują masy powietrza napływającego gł. znad Atlantyku, Skandynawii i pn.-wsch. Europy; z wędrówką niżów i frontów polarnych wiąże się charakterystyczne dla S. zachmurzenie i opady; długotrwałe okresy słonecznej pogody (maj, wrzesień) z nocnymi inwersjami temperatury i zamglenia (w kotlinach); z kompleksem niżowym śródziemnomor. wiążą się burze, huragany i deszcze nawalne; wyżowy kompleks chłodny daje ostre zimy (styczeń–marzec), zwł. w kotlinach śródgórskich; najcieplejszym miesiącem jest lipiec, najzimniejszym styczeń; maksimum opadów przypada na lipiec, minimum na luty; przeważają wiatry zach. (w zimie gł. z pd.-zach.,

■ Sudety. Śnieżne Kotły w Karkonoszach

w lecie z pn.-zach.); ważną funkcję spełniają wiatry fenowe; śnieg utrzymuje się w Karkonoszach przeciętnie 150 dni, w kotlinach ok. 50 dni (występują znaczne lokalne różnice).
Prawie cała pol. część S. leży w dorzeczu Odry i należy do zlewiska M. Bałtyckiego; fragmenty należą do dorzeczy Łaby (zlewisko M. Północnego) i Dunaju (zlewisko M. Czarnego). Główne rz.: Nysa Łużycka, Bóbr z Kwisą, Kaczawa, Bystrzyca, Nysa Kłodzka; są one na ogół krótkie, o dużych spadkach, zmiennych stanach wód i gwałtownych wezbraniach; stwarzają zagrożenie powodziowe, w związku z czym zbudowano na nich systemy zbiorników retencyjnych okresowych i stałych, największe z nich na Nysie Kłodzkiej k. Otmuchowa, i k. Głębinowa oraz na Bobrze k. Pilchowic. Blisko połowa rzek S. jest zanieczyszczona ściekami przem., co powoduje pogłębiający się deficyt wody pitnej i przem. w silnie zurbanizowanym i zindustrializowanym obszarze Pogórza i Przedgórza Sudetów. Naturalne jeziora występują w kotłach polodowcowych (Karkonosze) i na torfowiskach wysokich. Położenie S. w systemie gór Europy zaważyło na charakterze roślinności, która wykazuje wiele cech wspólnych z Karpatami, choć jest uboższa wskutek chłodniejszego klimatu i gleb o niewielkiej zawartości węglanów. Regiel dolny S. (400–1000 m) pierwotnie obejmował las mieszany (buk, świerk, jawor, jodła, sosna, modrzew, brzoza i in.) z podszyciem, m.in. leszczyny i maliny; w XVI-XIX w. w znacznej mierze przetrzebiony, ustąpił monokulturze sztucznie sadzonego świerka; większe fragmenty Puszczy Sudeckiej zachowały się jedynie w G. Sowich i G. Bialskich. Regiel górny S. (1000–1250 m) tworzy zespół lasu świerkowego z udziałem buka, jawora i jodły, a także jarzębiny. Piętro subalp. (powyżej 1250 m) tworzy zespół kosodrzewiny; w strefie reglowej i subalp. występują torfowiska wysokie dostarczające borowiny (Karkonosze, G. Izerskie i Bystrzyckie). Świat zwierzęcy został znacznie zubożony działalnością człowieka; wykazuje pod tym względem podobieństwo do Beskidów.
Cały obszar S., od dawna gęsto zaludniony, jest intensywnie zurbanizowany i uprzemysłowiony; miasta (Jelenia Góra, Kamienna Góra, Wałbrzych, Nowa Ruda, Kłodzko, Bystrzyca i in.) koncentrują się w dolinach śródgórskich, powiązanych gęstą

■ Sudety. Wodospad Szklarki

siecią dobrych dróg kołowych i kolei. Przemysł o starych tradycjach (włók., szklarski, drzewny, papierniczy, chem.) jest oparty na lokalnych zasobach surowcowych (węgiel kam., drewno, węgiel brun., rudy miedzi, niklu, chromu i żelaza, arsenu, barytu i in., surowce skalne, chem. itp.) i dostatku miękkiej wody; przemysł maszyn. i elektrotechn. rozwija się zwł. na Pogórzu Zachodniosudeckim i Przedgórzu Sudeckim. W rolnictwie dominuje hodowla bydła, korzystająca z rozległych terenów wypasowych. S. są najlepiej zagospodarowanym turystycznie obszarem górskim Polski; dzięki licznym źródłom wód miner., w tym radoczynnych, rozwinęły się uzdrowiska (Świeradów Zdrój, Cieplice Śląskie Zdrój, Szczawno Zdrój, Kudowa Zdrój, Polanica Zdrój, Duszniki Zdrój, Lądek Zdrój i in.); liczne są też ośr. wczas. (m.in.: Karpacz, Szklarska Poręba, Międzygórze); ze względu na dostępność komunik., urozmaicony krajobraz, liczne zabytki przyrody (Karkonoski Park Nar., rezerwaty i pomniki przyrody) i kultury materialnej (zamki, pałace, architektura sakralna i in.) oraz gęstą sieć (ok. 2500 km) znakowanych szlaków turyst., S. są atrakcyjnym regionem dla turystyki pieszej, rowerowej lub motorowej. ◾

Sueska, Zatoka, Khalj as-Suways, zatoka M. Czerwonego, między płw. Synaj a wybrzeżem Afryki; dł. 325 km, szer. 15–46 km, głęb. do 80 m; wzdłuż brzegów rafy koralowe; u wejścia do zatoki liczne drobne wyspy; wysokość pływów do 1,8 m; połączona Kanałem Sueskim z M. Śródziemnym; gł. port — Suez.

Sueski, Kanał, droga wodna w Egipcie; łączy M. Śródziemne (poprzez jez.: Al-Manzila, At-Timsah i Jez. Gorzkie) z M. Czerwonym; dł. 180 km, szer. do 415 m, głęb. toru wodnego 22 m; bez śluz; przy pd. wejściu Suez, przy pn. — Port Said; przewozy ponad 400 mln t rocznie (gł. ropa naft. i jej produkty, rudy żelaza, drewno, zboże); zbud. 1856–69 pod kierunkiem F.M. de Lessepsa; zrekonstruowany i pogłębiony 1980–82. ◾

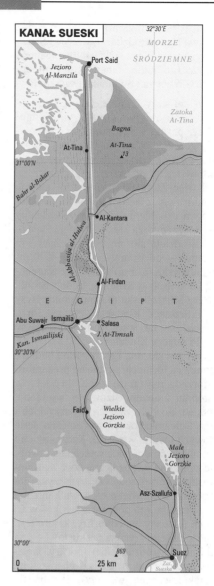

◾ Kanał Sueski koło Ismaili

SKRÓCENIE TRAS ŻEGLUGOWYCH PO WYBUDOWANIU KANAŁU SUESKIEGO		
Trasa żeglugowa	Odległość w tys. km	Skrócenie drogi w %
	wokół Afryki | przez Kanał	
Odessa–Bombaj	22,0 | 7,8	65
Marsylia–Bombaj	18,2 | 8,5	54
Londyn–Bombaj	19,9 | 8,5	41
Nowy Jork–Bombaj	21,5 | 15,1	30
Liverpool–Jokohama	26,7 | 20,6	24
Liverpool–Melbourne	22,0 | 20,4	8

suffozja [łac.], niszcząca działalność wód podziemnych, polegająca na ługowaniu i wypłukiwaniu cząstek skalnych z wodoprzepuszczalnych skał, gł. pylastych (lessów, pylastych pokryw zwietrzelinowych) i niektórych okruchowych (piaskowców, zlepieńców); prowadzi do powstawania charakterystycznych form terenu, np. mis, kotłów i niecek suffozyjnych (zagłębienia utworzone wskutek zapadania się korytarzy powstałych w wyniku s.), także osuwisk.

Sulawesi, wyspa w Indonezji, → Celebes.

Sulechów, m. w woj. lubus. (powiat zielonogór.), na Pojezierzu Łagowskim; 18,4 tys. mieszk. (2000); ośr. przem.-usługowy; przemysł włók. (dziewiarski, jedwabn., tkanin dekor.), spoż., maszyn., ceram.; węzeł kol. i drogowy; prawa miejskie przed 1319 (po 1312); kościół (XIV, XV, XVI w.), zamek (XVI, XVIII, XIX w.), brama (XVIII w.).

Sulejowskie, Jezioro, Sulejowski Zbiornik Wodny, zbiornik retencyjny na Pilicy, na Równinie Piotrkowskiej; utworzony 1974 przez spiętrzenie środk. Pilicy zaporą ziemną w pobliżu wsi Smardzewice; pow. 24,5 km², pojemność całkowita 84,2 hm³, dł. ok. 15 km; wykorzystywany do zaopatrywania w wodę Łodzi, do ochrony przeciwpowodziowej i celów energ. (elektrownia wodna o mocy 3,5 MW); nad J.S. ośr. wypoczynkowe, m.in. Barkowice, Borki, Lubiaszów, Zarzęcin (wędkarski), Karolinów, Smardzewice.

Sulejów, m. w woj. łódz. (powiat piotrk.), nad Pilicą, powyżej Jez. Sulejowskiego; 6,3 tys. mieszk. (2000); ośr. usługowy zaplecza roln. i turyst.-krajoznawczy; przemysł wapienniczy; Muzeum Regionalne PTTK; prawa miejskie przed 1292–1870 i od 1927; w Podklasztorzu opactwo Cystersów (zał. XII w.): późnorom. kościół (XIII w.), późnorom. kapitularz (ob. muzeum) i krużganek (XV w.); obwarowania i zabudowania gosp. (XV–XVI, XVIII w.); arsenał (XVI–XVII w.).

Sulejówek, m. w woj. mazow. (powiat miński), na Równinie Wołomińskiej; 17,7 tys. mieszk. (2000); podwarsz. ośr. mieszkaniowy; drobny przemysł; letnisko; S. wzmiankowany w XV w.; w dworku (dar społeczeństwa) 1923–26 mieszkał J. Piłsudski; prawa miejskie od 1962.

Sulęcin, m. powiatowe w woj. lubus., nad Postomią; 10,1 tys. mieszk. (2000); ośr. usługowy z drobnym przemysłem (maszyn., zielarski, chem.); turystyka; prawa miejskie przed 1244; got. kościół (XIII, XIV, XVI/XVII w.).

Sulina, środk. ramię delty Dunaju w Rumunii; początek poniżej Tulczy; dł. 90 km, szer. 100–130 m, głęb. 5–15 m; żegl., gł. droga dla statków mor.; przy ujściu do M. Czarnego port Sulina.

Sulmierzyce, m. w woj. wielkopol. (powiat krotoszyński), nad Czarną Wodą (pr. dopływ Baryczy); 2,7 tys. mieszk. (2000); ośr. usługowy regionu roln.; zakłady cukiernicze; Muzeum Ziemi Sulmierzyckiej; prawa miejskie od 1457 (utracone 1 I–9 XII 1973); barok. drewn. ratusz (XVIII w.).

Sulu, półzamknięte morze w zach., przyrównikowej części O. Spokojnego, między Filipinami (wyspy: Palawan, Mindoro, Panay, Negros i Mindanao) na pn. i wsch. a Borneo i archipelagiem Sulu na pd. (największe wyspy: Basilan, Jolo i Tawitawi); połączone licznymi cieśninami z M. Południowochińskim i morzem Celebes oraz przez wewn. akweny filipińskie z otwartym oceanem; pow. 345 tys. km², średnia głęb. 1570 m, maks. — 5576 m (w części pn.-wsch.); dno na pn. i pd.-zach. szelfowe, na pd. i wsch. — głęboki basen; wzdłuż Filipin dno aktywne sejsmicznie; liczne rafy koralowe; temperatura wód powierzchniowych od 25,5°C w zimie do ok. 29°C w lecie, zasolenie — 33,0–34,5‰; temperatura wód głębinowych 10°C; wysokość pływów 2–3 m; rybołówstwo (gł. tuńczyk i ryby raf koralowych); porty: Iloilo, Zamboanga i Puerto Princesa na Filipinach, Sandakan na Borneo (Malezja).

Sulu, archipelag w pd. części Filipin, między wyspami Mindanao a Borneo, rozdziela morza Sulu i Celebes; pow. 2,7 tys. km²; największe m.: Basilan (na wyspie Basilan) i Jolo (na wyspie Jolo); obejmuje ok. 400 wysp wulk. (największe: Basilan, pow. 1,3 tys. km², Jolo — 0,9 tys. km² i Tawitawi — 0,6 tys. km²) i kilkaset atoli koralowych; powierzchnia większych wysp górzysta (wys. do 1011 m, wyspa Basilan); gęste lasy równikowe; uprawa ryżu, palmy kokosowej, trzciny cukrowej, kawy, bawełny, kauczukowca, banana manilskiego; połów ryb, żółwi i pereł; lotniska na gł. wyspach archipelagu, połączenie lotn. z m. Zamboanga na Mindanao.

Sułkowice, m. w woj. małopol. (powiat myślenicki), nad Skawinką (pr. dopływ Wisły); 6,1 tys. mieszk. (2000); ośr. usługowy; przemysł metal., drzewny; prawa miejskie od 1969.

Sumatra, druga co do wielkości wyspa w Indonezji, w Wielkich W. Sundajskich; 473,5 tys. km² (z przybrzeżnymi wyspami); we wsch. części zabagniona nizina, wzdłuż zach. wybrzeża góry Barisan (najwyższy wulkan Kerinci, 3805 m); liczne rzeki (Hari, Musi, Indragiri), w pn. części jez. Toba; lasy ok. 60% pow.; plantacje kauczukowca, olejowca, palmy kokosowej; wydobycie ropy naft., gazu ziemnego, węgla kam.; gł. m.: Medan i Palembang, porty mor.: Belawan, Dumai.

Sund [sənd], duń. **Øresund,** szwedz. **Öresund,** cieśnina między duń. wyspą Zelandia a Płw. Skandynawskim, łączy M. Bałtyckie z cieśn. Kattegat i M. Północnym; należy do Cieśn. Duńskich; dł. 102–110 km; szer. od 4,4 km na pn. do 24 km koło Kopenhagi i 42–49 km na pd.; największe wyspy: Amager i Saltholm (duń.) na wsch. od Kopenhagi, Ven (szwedz.) w pn. części cieśniny; zatoki (największa Køge, u wybrzeży Zelandii); przeważają głębokości ok. 15 m, najmniejsze na torze wodnym 7–8 m; wokół Ven rynny o głęb. do 50 m; zasolenie zmienne w ciągu roku, średnio od ok. 10‰ na pd. do 14–16‰ na pn.; przeważa prąd powierzchniowy z M. Bałtyckiego; w wejściu pd., na mieliźnie Drogden, latarnia mor. i oceanograf. stacja obserwacyjna; porty duń. Helsingør i Kopenhaga, szwedz. — Hälsingborg, Landskrona, Malmö; stanowi najbardziej uczęszczaną naturalną drogę mor. na M. Bałtyckie; promy kol. i samochodowe Dania–Szwecja; nad wsch. częścią S. most przeprawy tunelowo mostowej z Danii do Szwecji (część zach., między Amagerem i sztuczną wyspą — w tunelu podmor.) otwartej 2000.

Sundajska, Cieśnina, Selat Sunda, cieśnina między wyspami indonez., Sumatrą a Jawą, łączy M. Jawajskie z otwartym O. Indyjskim; dł. 125–130 km, szer. od 22–26 km do 112 km; rozwinięta linia brzegowa, liczne zatoki, wyspy (m.in. Krakatau, nawodna pozostałość wulkanu po wielkim wybuchu 1883) i rafy koralowe; ukształtowanie dna b. urozmaicone; najmniejsza głębokość na torze wodnym ok. 50 m, maks. — 1085 m (w części zach.); prądy pływowe do 2,2 km/h; ważna droga mor. na wewn. morza Indonezji; port Tanjungkarang-Telukbetung.

Sungari, Songhua Jiang, rz. w pn.-wsch. Chinach, najdłuższy (pr.) dopływ Amuru; dł. 1840 km, pow. dorzecza 546 tys. km²; wypływa z kaldery wulkanu Pektu-san, płynie przez Niz. Mandżurską; gł. dopływy: Nen Jiang, Hulan He (l.), Mudan Jiang (pr.); średni przepływ przy ujściu 2500 m³/s; spław drewna; żegl. od m. Jilin, powyżej — duży zbiornik retencyjny i Elektrownia Fengmańska (560 MW); gł. m. nad S. — Harbin.

Supraśl, m. w woj. podl. (powiat białost.), nad Supraślą; 4,8 tys. mieszk. (2000); ośr. usługowy, uzdrowisko (od 2002) i ośr. turyst.-krajoznawczy; przemysł drzewny, włók., odzież.; garncarstwo; ok. 1500 fundacja klasztoru Bazylianów; w XVII w. ośr. rel.-kult. unitów; przy klasztorze cenna biblioteka (m.in. *Kodeks Supraski* z XI w.); prawa miejskie od 1919; zespół klasztorny Bazylianów: późnogot. cerkiew (XVI w., zespół fresków z XVI w., ob. muzeum), pałac archimandrytów (XVII–XVIII w.), budynki klasztorne (XVIII–XIX w.), brama wieżowa (XVIII w.) — zniszczone 1944, w większości odbudowane.

Supraśl, rz. na Niz. Północnopodlaskiej, pr. dopływ środk. Narwi; dł. 94 km, pow. dorzecza 1844 km^2; wypływa na pn.-wsch. od Zabłudowa, przepływa przez Puszczę Knyszyńską, uchodzi w Kotlinie Biebrzańskiej; średni przepływ powyżej ujścia 8,5 m^3/s; maks. rozpiętość wahań stanów wody 2,6 m; gł. dopływ Sokołda; m. nad S.: Supraśl, Wasilków.

Surabaya, m. w Indonezji, na Jawie, nad M. Jawajskim; stol. prow. Jawa Wsch.; 2,7 mln mieszk. (2002); drugi po Dżakarcie ośr. przem. i port mor. (Tanjungperak) kraju; przemysł stoczn., metal., petrochem., włók.; rzemiosło artyst. (snycerka, wyrób batiku); międzynar. port lotn.; uniw., politechnika.

Suraż, m. w woj. podl. (powiat białost.), nad Narwią, w pobliżu ujścia Lizy; 1,0 tys. mieszk. (2000); ośr. turyst. i usługowy; prawa miejskie 1445–1864 i od 1923; Izba Regionalna.

Surinam, Suriname, Republika Surinamu, państwo w pn.-wsch. części Ameryki Pd., nad O. Atlantyckim;
163,3 tys. km^2; 454 tys. mieszk. (2002), Indusi, Kreole, Indonezyjczycy, Murzyni; hinduiści, katolicy, muzułmanie; stol. i gł. port mor.: Paramaribo, inne m.: Nieuw Nickerie, Meerzorg; język urzędowy niderl., w użyciu hindi, ang., jawajski; republika. Na pn. niziny, na pd. Wyż. Gujańska, wys. do 1280 m (Juliana Top); klimat wilgotny, na pn. równikowy, na pd. — podrównikowy; wilgotne lasy równikowe, namorzyny. Podstawą gospodarki jest wydobycie i przetwórstwo boksytów; zakłady wzbogacania boksytów, hutnictwo aluminium, przemysł spoż.; uprawa ryżu, trzciny cukrowej, bananów, drzew cytrusowych; hodowla bydła; eksploatacja lasów (drewno, lateks); rybołówstwo. ∎

∎ Surinam

Susz, m. w woj. warmińsko-mazurskim (powiat iławski), nad Jez. Suskim; 5,9 tys. mieszk. (2000); ośr. usługowy; drobny przemysł spoż. i drzewny; prawa miejskie od 1305; kościół (XIV w., przebud.).

susza, długotrwały okres z brakiem opadów atmosf. lub z dużym, w porównaniu ze średnimi wartościami wieloletnimi, ich niedoborem, występujący przeważnie w letnim półroczu; rozróżnia się s. a t m o s f e r y c z n ą — długotrwały okres bezdeszczowy lub okres dużego niedoboru opadów, przy wysokiej temperaturze oraz małej wilgotności powietrza, i — będącą jej następstwem — s. g l e b o w ą, spowodowaną niedostateczną zawartością wody w glebie przy jednoczesnej dużej transpiracji, co prowadzi do usy-

chania roślin. S. występują najczęściej na obszarach stepowych i sawannowych; najdotkliwsze s. wystąpiły 1968–74 i 1980–85 w Afryce, w krajach leżących w strefie Sahelu; s. występują też niekiedy na obszarze Polski. Ujemne skutki s. dla wegetacji roślin zwalcza się stosując, poza sztucznym nawadnianiem, środki mające na celu opóźnienie procesu wiosennego tajania pokrywy śnieżnej oraz odpływu wód roztopowych (np. sadzenie leśnych pasów wiatrochronnych).

Suwa, Suva, stol. Fidżi, na wyspie Viti Levu; 176 tys. mieszk. (2002); port wolnocłowy; przemysł spoż., stocznia; port lotn.; ośr. turyst.; Uniw. Pacyfiku Pd. (zał. 1968); szkoła med. (zał. 1885).

Suwalskie, Pojezierze, Pojezierze Suwalsko-Augustowskie, potoczna nazwa pol. części Pojezierza Litewskiego; składa się z Pojezierza → Zachodniosuwalskiego i Pojezierza → Wschodniosuwalskiego; w skład P.S. włącza się też Puszczę Romincką i Równinę → Augustowską.

Suwałki, m. w woj podl., nad Czarną Hańczą, w pobliżu Suwalskiego Parku Krajobrazowego; pow. grodzki, siedziba pow. suwalskiego; 69 tys. mieszk. (2000); ośr. przem.-usługowy i turyst.; przemysł drzewny (meble, płyty wiórowe, tartak), spoż., materiałów bud., odzież., elektrotechn. i in.; węzeł kol. i drogowy, lotnisko sport.; turystyka; Targi Przygranicza; działa Pol.-Litew. Izba Gosp.; ośr. oświat. (kolegia języków obcych); towarzystwa społ.-kult.; teatr lalek; muzea (Muzeum Marii Konopnickiej); stadnina koni; prawa miejskie od 1720; 1975–1998 stol. woj.; klasycyst. kościół, ratusz i domy (XIX w.).

Svalbard, archipelag norw. na O. Arktycznym; z Wyspą Niedźwiedzią i kilkoma mniejszymi tworzy od 1925 prowincję Svalbard; pow. 62,7 tys. km^2; gł. wyspy: → Spitsbergen, Ziemia Północno-Wschodnia, Wyspa Edge'a, Wyspa Barentsa; powierzchnia górzysta (wys. do 1717 m), w znacznej części pokryta lodowcami; wybrzeże fiordowe; klimat polarny, na zach. łagodzony przez wpływ Prądu Zatokowego; wyspy porośnięte tundrą; bogata fauna, ptaki (m.in. mewy, trznadle śnieżki, kaczki, brodźce), renifery, niedźwiedzie polarne, foki; eksploatacja węgla kam., złoża rud uranu; rybołówstwo; turystyka; gł. osiedle, port mor. i lotn. Longyearbyen (na wyspie Spitsbergen).

Swarzędz, m. w woj. wielkopol. (powiat pozn.), nad Jez. Swarzędzkim; 28 tys. mieszk. (2000); znany ośr. przemysłu mebl.; ponadto zakłady metal. (akcesoria meblowe, armatura); Skansen Pszczelarski — interesująca kolekcja sprzętu bartniczego, uli figuralnych, dzieła sztuki lud.; prawa miejskie od 1638.

Syberia, region w azjat. części Rosji; ok. 10 mln km^2, ok. 26 mln mieszk.; dzieli się na Syberię Zach. (Niz. Zachodniosyberyjska, Ałtaj) i Syberię Wsch. (Wyż. Środkowosyberyjska, Sajany, Zabajkale oraz obszar od G. Wierchojańskich do G. Kołymskich, z nizinami Jany, Indygirki i Kołymy); b. gęsta sieć rzek, gł.: Ob z Irtyszem, Jenisej, Lena; największe jez. Bajkał; tajga (ok. 70% pow.), na pn. tundra, na pd. step. Eksploatacja bogatych złóż ropy naft. i gazu ziemnego, węgla, rud żelaza i metali nieżel., złota, diamentów; wielkie elektrownie wodne i cieplne; hutnictwo żelaza i metali nieżelaznych, przemysł drzewny, chem.; w pd. części rozwinięte rolnictwo; myślistwo, hodowla zwierząt futerkowych i reniferów; na pd. linie kol. Transsyberyjska i Bajkalsko-Amurska; gł. m.: Nowosybirsk, Omsk, Krasnojarsk, Nowokuźnieck, Irkuck.

Syców, m. w woj. dolnośląskim (powiat oleśnicki); 10,8 tys. mieszk. (2000); ośr. usługowy dla rolnictwa; drobny przemysł (spoż., drzewny); stadnina koni; węzeł drogowy; muzeum; prawa miejskie przed 1312; klasycyst. kościół ewang. (XVIII w.).

Sycylia, Sicilia, największa wyspa na M. Śródziemnym, oddzielona wąską Cieśn. Mesyńską od Płw. Apenińskiego; pow. 25,4 tys. km², wraz z pobliskimi wyspami (Liparyjskie, Egady, Pelagijskie, Pantelleria) stanowi region autonomiczny Włoch, o łącznej pow. 25,7 tys. km²; gł. m.: Palermo (siedziba rady autonomicznej S.), Katania, Mesyna, Syrakuzy. Powierzchnia S. w większości wyżynna i górzysta; pasma górskie (przedłużenie Apeninów) zbud. gł. z wapieni i piaskowców, na pn.-wsch. także z gnejsów i łupków krystal.; na pn. góry: Pelorytańskie, Monti Nebrodi, Le Madonie (Carbonara, 1979 m), masyw czynnego wulkanu Etna (3323 m); na zach., w części środk. i na pd. — wyżyny, na wsch. aluwialna Niz. Katańska, niewielkie niziny na wybrzeżach. Klimat śród-

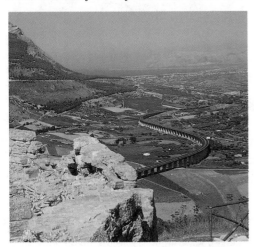

■ Sycylia. Widok z korony starożytnego teatru w Segeście

ziemnomor.; średnia temp. w styczniu 10–12°C, w lipcu 25–27°C (maks. ok. 40°C); opady (gł. w okresie jesienno-zimowym) od 400–600 mm na nizinach do 1400 mm w górach; gł. rz.: Salso, Simeto. Roślinność typu makia i frygana, w górach resztki lasów dębowych i kasztanowych. S. należy do najsłabiej rozwiniętych gospodarczo regionów Włoch; podstawą gospodarki jest rolnictwo; gł. uprawy: pszenica, jęczmień, rośliny strączkowe, drzewa cytrusowe, winorośl, oliwki, bawełna, warzywa; hodowla owiec, bydła, osłów, mułów; rozwinięte rybołówstwo, połów skorupiaków; niewielkie wydobycie ropy naft. (w pobliżu Ragusy i Geli) i gazu ziemnego, ponadto siarki, soli kam. i potasowej, marmurów; przemysł spoż., chem., maszyn., materiałów bud., włók.; duże rafinerie ropy naft. w portach dowozowych ropy: Milazzo i Auguście; linie kol. i drogi kołowe, gł. wzdłuż wybrzeży; liczne połączenia promowe i

lotn. z miastami Płw. Apenińskiego; linie promowe na Maltę i do Tunezji; ważniejsze porty mor.: Palermo, Augusta, Milazzo, Katania, Syrakuzy i Gela; rozwinięta turystyka.   ■

Sycylijska, Cieśnina, Canale di Sicilia, Canale di Tunisi, cieśnina na M. Śródziemnym, między Sycylią a tunezyjskim wybrzeżem Afryki; najmniejsza szer. 148 km; pośrodku wyspa wł. Pantelleria; przeważają głębokości 300–600 m, maks. do 1730 m; ukształtowanie dna urozmaicone — podwodny Próg Afrykańsko-Sycylijski; ważna droga mor.; porty: Trapani, Marsala i Licata na Sycylii, Bizerta, Tunis i Susa w Tunezji.

Syczuańska, Kotlina, Kotlina Czerwona, Sichuan Pendi, kotlina w Chinach, w środk. biegu rz. Jangcy; ograniczona górami: Sino--Tybetańskimi, Daba Shan, Wu Shan oraz Wyż. Junnańsko-Kuejczouską; pow. ok. 200 tys. km²; stanowi zapadlisko tektoniczne wypełnione mezozoicznymi osadami kontynent. (miąższość do 4000 m), wśród których przeważają czerwone piaskowce; rzeźba pagórkowata (wys. 250–750 m); liczne rzeki (dopływy Jangcy); gęsto zaludniona; ważny region roln.; tarasowa uprawa zbóż (gł. ryżu), trzciny cukrowej, bawełny, soi, orzeszków ziemnych; hodowla jedwabników; wydobycie gazu ziemnego, ropy naft., węgla kam., rud żelaza, soli kam.; gł. m.: Chongqing, Chengdu.

■ Sydney

Sydney [sydny], m. w Australii, nad głęboko wciętymi w ląd zatokami M. Tasmana; stol. i gł. port stanu Nowa Pd. Walia; 4,3 mln mieszk. (2002); największe miasto, centrum finansowo--handl. i międzynar. port lotn. kraju; przemysł elektromaszyn., spoż., lekki, chem., rafineryjny, drzewno-papierniczy; 9 uniw., konserwatorium; zał. 1788 jako bryt. kolonia karna, od 1842 miasto; muzea, m.in. Australian Museum, galerie sztuki; liczne budowle w ang. stylu kolonialnym, m.in. koszary, mennica, kościół St James (wszystkie z 1. poł. XIX w.); w city liczne wieżowce, m.in. Sydney Tower; na przyl. Bennelong gmach opery (1957–66, J. Utzon).   ■

Syjamska, Zatoka, zatoka na M. Południowochińskim, → Tajlandzka, Zatoka.

sylifikacja [łac.], proces wzbogacania skał w krzemionkę, polegający na wypełnianiu przez krzemionkę (w postaci opalu, chalcedonu lub kwarcu) wolnych przestrzeni w skale lub na wypieraniu i zastępowaniu przez nią innych składników skały (minerałów lub szczątków org.); jest jednym z procesów → diagenezy.

Sylt [zylt], wyspa na M. Północnym, największa w grupie W. Północnofryzyjskich, należąca do Niemiec (Szlezwik-Holsztyn), połączona groblą z lądem; pow. 99 km², ok. 6 tys. mieszk.; rybołówstwo; kąpieliska; ośr. turystyczny.

Synaj, hebr. **Sinai,** arab. **Shibh Jazrat Snā',** półwysep w Egipcie, między zatokami Sueską i Akaba; zaliczany do Azji; pow. 61 tys. km², 264 tys. mieszk. (1991); większa część (pn.) wyżynna (okresowo odwadniana przez system Wadi al-Arisz), pd. — górzysta, najwyższy szczyt Góra Św. Katarzyny, 2637 m; na pn. i zach. piaszczyste niziny nadmor.; wnętrze pustynne; koczownicze plemiona beduinów zajmują się wypasem bydła, owiec, wielbłądów; w oazach uprawa zbóż (gł. jęczmienia), palmy daktylowej, melonów, rącznika (rycynusa); wydobycie ropy naft. i rud manganu oraz gazu ziemnego,

2212 km (od źródeł Narynu — 3019 km), pow. dorzecza 219 tys. km² (w górach); płynie na wsch. skraju pustyni Kyzył-kum, w szerokiej dolinie; w dolnym biegu koryto leży wyżej od otaczającego terenu (częste wylewy); do lat 80. uchodziła do Jez. Aralskiego tworząc deltę; gł. dopływy: Czyrczyk, Arys (pr.); średni przepływ na 181 km od ujścia — 406 m³/s; wykorzystywana do nawadniania; zasila gęstą sieć kanałów (m.in. Wielki Kanał Fergański); w Kotlinie Fergańskiej Zbiornik Kajrakkumski (pow. 513 km²) oraz elektrownie wodne Kajrakkumska i Farchadzka; w pobliżu Taszkentu Zbiornik Czardarski (pow. 900 km²); gł. m. nad S.: Chodżent, Bekabad, Czardara, Kyzył Orda, Kazalińsk.

Syria, As-Sūriyyah, Syryjska Republika Arabska, państwo w pd.-zach. Azji, nad M. Śródziemnym; 185,2 tys. km² (łącznie z zajętymi przez Izrael Wzgórzami Golan); 17,9 mln mieszk. (2002), Arabowie (89% ludności), Kurdowie, Ormianie, uchodźcy palest.; muzułmanie (ok. 90% mieszk.), chrześcijanie; stol. Damaszek, inne

■ Synaj. Góra Mojżesza

■ Syria. Tradycyjne domy w Halab

fosforytów, rud miedzi; gł. m. (ośr. adm.): Al-Arisz (muhafaza Synaj Pn.) i At-Tur (Synaj Pd.).

Synaj, ob. **Góra Mojżesza,** arab. **Jabal Mūsá,** góra w pd. części półwyspu Synaj; wys. 2285 m; u podnóża bazylika i klasztor Św. Katarzyny (poł. IV w.); wg *Starego Testamentu* miejsce zawarcia przez Boga przymierza z Izraelem reprezentowanym przez Mojżesza; od IV w. n.e. utożsamiany ze szczytami w pd. części półwyspu Synaj (Góra Mojżesza i in.); cel pielgrzymek.

synklina [gr.], **łęk,** jedna z 2 podstawowych form → fałdu, której jądro jest zbud. ze skał młodszych niż skrzydła.

synklinorium [gr.], struktura tektoniczna o zasięgu regionalnym, złożona z → fałdów położonych w obniżeniu, np. s. łagowskie. Zob. też antyklinorium.

synoptyczna mapa → pogody mapa.

synoptyka [gr.], popularne określenie meteorologii synoptycznej, → meteorologia.

Syr-daria, staroż. **Jaksartes,** rz. w Uzbekistanie, Tadżykistanie i Kazachstanie, najdłuższa w Azji Środk.; powstaje we wsch. części Kotliny Fergańskiej z połączenia Narynu i Kara-darii; dł.

■ Syria

m.: Halab, Hims; język urzędowy arab.; republika. Na zach. góry: Antyliban, Dżabal an-Nusajrija i rozległy rów tektoniczny Al-Ghab z doliną rz. Asi, na wsch. kamienista Pustynia Syr. i pn. Mezopotamia, rozdzielone doliną Eufratu (dł. rzeki w granicach S. 675 km); na wybrzeżu klimat podzwrotnikowy śródziemnomor., w głębi suchy i skrajnie suchy; rzeki wyzyskiwane do nawadniania — na Eufracie zapora i wielki zbiornik retencyjny Madinat as-Saura; półpustynie, pustynie, w strefie nadmor. makia. Podstawą gospodarki wydobycie (złoża Karatszuk, Rumajlan) i eksport ropy naft. oraz rolnictwo, gł. sadownictwo (oliwki, winorośl, owoce cytrusowe) o wielowiekowych tradycjach; uprawa zbóż, bawełny; koczownicza hodowla owiec, kóz i wielbłądów; przemysł rafineryjny, włók.; rzemiosło (wyroby metal., dywany); gł. port mor. Latakia.■

Syrta, Mała, arab. **Khalj al-Qābis,** płytka zatoka M. Śródziemnego, u wybrzeży Tunezji; wcina się ok. 90 km w głąb lądu; szer. wejścia 80 km; głęb. do 36 m; od otwartego morza oddzielona częściowo wyspami Karkanna i Dżarba; porty: Safakis, Kabis, As-Suchajra (naft.).

Syrta, Wielka, arab. **Khalj Surt,** zatoka M. Śródziemnego, u wybrzeży Libii; wcina się 115 km w głąb Afryki; szer. wejścia 465 km, głęb. do 1374 m; gł. porty: Bengazi, Marsa al-Burajka (naft.), As-Sidr (naft.).

Syryjska, Pustynia, arab. **Bādiyat ash-Shām,** pustynia na pograniczu Syrii, Iraku, Arabii Saudyjskiej i Jordanii; pow. ok. 100 tys. km²; przeważnie równinna (wys. 500–800 m) i kamienista; rozległe pokrywy czarnej lawy (tzw. harra); liczne bezodpływowe obniżenia i suche doliny (wadi); klimat zwrotnikowy suchy i skrajnie suchy (roczne opady w części środk. ok. 15 mm); przez P.S. przechodzą rurociągi naft. ze złoża Kirkuk na wybrzeże M. Śródziemnego oraz drogi samochodowe Damaszek–Bagdad i Amman–Bagdad.

system rzeczny → dorzecze.

Szadek, m. w woj. łódz. (powiat zduńskowolski), nad Pichną (pr. dopływ Warty); 2,2 tys. mieszk. (2000); ośr. usługowy regionu roln.; drobny przemysł (spoż., włók.); prawa miejskie przed 1295–1870 i od 1919; kościół (XIV, XV, XVI w.) z późnogot. malowidłami ściennymi i rzeźbami, dzwonnica (XIV–XV w.).

szadź → sadź.

Szamocin, m. w woj. wielkopol. (powiat chodzieski), w dol. Noteci, nad jez. Siekiera; 4,2 tys. mieszk. (2000); ośr. usługowy i turyst.; fabryka mebli; prawa miejskie od 1748.

Szamotuły, m. powiatowe w woj. wielkopol., nad Samą (l. dopływ Warty); 18,9 tys. mieszk. (2000); ośr. przem.-usługowy; przemysł spoż. (cukrownia, olejarnie), drzewny (meble), paszowy; węzeł kol.; prawa miejskie przed 1398 (po 1394); w XVI w. jeden z gł. ośr. rel. i kult. różnowierców w Wielkopolsce (gł. bracia czes. i luteranie); kościół (XV, XVI w.), zespół klasztorny (XVII w.), późnogot. wieża mieszkalna dawnego zamku Gurków (XVI w., ob. muzeum).

Szanghaj, Shanghai, m. w Chinach, w pobliżu ujścia Jangcy do M. Wschodniochińskiego; 9,7 mln mieszk. (1999); zespół miejski Sz. stanowi miasto wydzielone (5,8 tys. km²) — 16 mln mieszk. (2002); największe miasto, port handl. (przeładunek ok. 140 mln t) i ośr. przem. Chin; przemysł maszyn., metal., chem. (w tym farm., gumowy, petrochem.), środków transportu (m.in. zakłady samoch. Volkswagen), elektron. (m.in. firmy Siemens, Sony), hutn., poligraficzny, precyzyjny, włók., spoż.; krajowe centrum handl.-finansowe (wielkie banki, giełdy papierów wartościowych, naft. i metali, międzynar. targi, wystawy), jedno z największych w Azji; wielki węzeł komunik.; w obrębie Sz. specjalna strefa ekon. Pudong (inwestycje zagr., rozwój infrastruktury portowej i funkcji handl.-finansowych); ośr. nauk. (3 uniw., filia Chiń. AN, inst. naukowe) i kult.; muzea; od czasów dyn. Yuan (XIII–XIV w.) ważny port handl.; 1842 otwarty dla handlu z Europejczykami; Świątynia Nefrytowego Buddy (XIX w.).

Szantuński, Półwysep, Shandong Bandao, półwysep w Chinach, między zat. Bo Hai a M. Żółtym; pow. 29 tys. km²; brzegi przeważnie strome, skaliste; pagórkowaty, na pd.-zach. góry (wys. do 1130 m); gęsto zaludniony; gł. uprawy: pszenica, sorgo, orzeszki ziemne; hodowla jed-

wabników; wydobycie węgla, ropy naft. oraz soli z wody mor.; gł. m. Qingdao.

Szar Płanina, serb. **Šar Planina,** pasmo górskie na granicy Jugosławii (Kosowo) i Macedonii; ogranicza od pd. kotlinę Kosowe Pole; najwyższy szczyt Titov vrh, 2747 m; zbud. z łupków krystal., wapieni, dolomitów; jeziora polodowcowe; lasy liściaste, wyżej iglaste; łąki górskie; tereny narciarskie (znany ośr. — Popova šapka).

Szardża, Shārjah, Ash-Shāriqah, emirat w Zjedn. Emiratach Arab., nad Zat. Perską i Zat. Omańską; 2,6 tys. km², 522 tys. mieszk. (2002); stol. Szardża; składa się z 3 odrębnych części; wyżynny, pustynny; w oazach uprawa palmy daktylowej i warzyw; wydobycie ropy naft. z dna Zat. Perskiej.

Szari, Chari, rz. w Rep. Środkowoafrykańskiej i Czadzie (częściowo na granicy z Kamerunem); dł. 1450 km, pow. dorzecza 700 tys. km²; wypływa w masywie Yadé jako Ouham, po połączeniu z rz. Fafa tworzy rz. Bahr Sara, a po przyjęciu rz. Gribingui (poniżej m. Sarh) przybiera nazwę Sz.; uchodzi do jez. Czad, tworząc z rz. Logone (gł. l. dopływ) wspólną deltę; duże wahania stanu wód; przy wysokim stanie wód żegl. od m. Batangafo (860 km).

Szatt al-Arab, Shaṭṭ al-'Arab, rz. w Iraku, w dolnym odcinku wyznacza granicę z Iranem; powstaje k. miejscowości Al-Kurna z połączenia Tygrysu i Eufratu; dł. 195 km; uchodzi do Zat. Perskiej tworząc deltę; gł. dopływ — Karun (l.); przepływ podczas wysokiego stanu wód 6000–8000 m³/s, niskiego — 1000–2000 m³/s; wykorzystywana do nawadniania; nad Sz. al-A. ważny region uprawy palmy daktylowej; żegl.; gł. miasta i porty nad Sz. al-A.: Al-Basra (Irak), Chorramszahr i Abadan (Iran).

■ Szanghaj. Fragment miasta

Szczawnica, m. w woj. małopol. (powiat nowotarski), u ujścia Grajcarka do Dunajca; 7,4 tys. mieszk. (2000); uzdrowisko (od pocz. XIX w.); wody miner. (szczawy bogate w pierwiastki śladowe, znane już w średniowieczu); ośr. turyst.-wypoczynkowy i sportów zimowych (wyciąg krzesełkowy, trasa zjazdowa klasy międzynar.); przystań kajakowa i flisacka; prawa miejskie od 1962; 1973–82 połączona z sąsiednim Krościenkiem p.n. Sz.-Krościenko; muzeum Pienińskie im. Józefa Szalaya; drewn. zabudowa o charakterze uzdrowiskowym (XIX w.), m.in.: dwór Szalayów, wille Szwajcarka, Pałac (ob.

muzeum); kościół (XIX w.); parki Górny i Dolny (XIX w.); pomnik J. Szalaya (XIX w.).

Szczawno Zdrój, m. w woj. dolnośląskim (powiat wałb.), w zespole miejskim Wałbrzycha; 6,0 tys. mieszk. (2000); wzmiankowane 1221; uzdrowisko (od pocz. XIX w.); wody miner. (szczawy, znane od XVI w.); ośr. wypoczynkowy; prawa miejskie od 1945.

Szczebrzeszyn, m. w woj. lubel. (powiat zam.), nad Wieprzem; 5,6 tys. mieszk. (2000); ośr. usługowy regionu roln. (giełda rolna przy szerokotorowej linii hutn.-siarkowej i baza przeładunkowa); przemysł spoż. (cukrownia); prawa miejskie przed 1387; kościół, zespół klasztorny i synagoga (XVII w.), klasycyst. zespół liceum (XIX w.).

Szczecin, m. wojew. (woj. zachodniopomor.), nad Odrą, Regalicą i jez. Dąbie oraz Głębokim; powiat grodzki; 416 tys. mieszk. (2000); wraz ze Świnoujściem tworzy wielki zespół portowy (łącznie przeładunki 22,9 mln t, 2000); największy w kraju mor. port tranzytowy; port pasażerski,

■ Szczecin, port

rybacki i żeglugi śródlądowej; duży ośr. przemysłu stoczn. (Stocznia Szczec., 2 remontowe, rzeczna, jachtowa), spoż., chem. (włókna sztuczne, nawozy fosforowe, farby, lakiery) i maszyn., ponadto różnorodny przemysł i przedsiębiorstwa bud.-montażowe, remontowe i in.; instytucje armatorskie; przedstawicielstwa przedsiębiorstw handlu zagr., spedycji międzynar., obsługi tranzytu; konsulaty; siedziba banków (Pomor. Bank Kredytowy, Bank Mor.); Międzynar. Targi Szczec.; Ośr. Świat. Centrum Handlu — World Trade Center; ważny węzeł komunik., port lotn. (Goleniów); stol. metropolii szczec.-kamieńskiej Kościoła rzymskokatol.; szkoły wyższe, w tym Uniw. Szczec., Wyższa Szkoła Mor., liczne instytuty nauk. i tow. społ.-kult.; teatry, filharmonia, rozgłośnia radiowa, ośr. telew.; muzea (Nar., Historii Miasta Szczecina), galerie; ośr. turyst. z bogatą bazą noclegową i sport.-rekreacyjną (przystanie kajakowe i żegl., tor regatowy, aeroklub, hale sport. i in.). W IX w. gród słow.; pełne prawa miejskie od 1243. Gotyckie kościoły (XIV–XVI w.), ratusz (XIII–XV, XVII w.), got.-renes. zamek książąt pomor. (XV, XVI, XVII, XVIII i XIX w.), kamienica Loitzów (XV, XVI w.), spichlerze (XV, XVII w.), barok. bramy miejskie, domy i pałace (XVIII–XIX w.); *Pomnik Czynu Polaków* (1980).

Szczecineckie, Pojezierze, część Pojezierzy Południowopomor., pomiędzy sandrem Równiny Wałeckiej na zach. a Doliną Gwdy na wsch.; pagórkowata wysoczyzna morenowa; 2 pasma moren czołowych; wys. do 205 m (Skotna Góra); na pn. kilkadziesiąt małych jezior, największe — Pile (980 ha), z którego wypływa dopływ Gwdy — Pilawa; lasy zajmują znaczny obszar, pola uprawne tylko między Okonkiem i Szczecinkiem (gł. ośr. miejski, położony na skraju regionu) i w okolicy Jastrowia; region turystyczny.

Szczecinek, m. powiatowe w woj. zachodniopomor., nad jez. Wielimie i Trzesiecko; 42 tys. mieszk. (2000); ośr. przem.-usługowy, turyst.-wypoczynkowy i sportów wodnych; przemysł drzewny, elektrotechn., spoż.; węzeł kol. i drogowy; muzeum; prawa miejskie od 1310; zamek książąt zachodniopomor. (XIV, XVII–XIX w.), ratusz (XIX w.), synagoga (XIX w., ob. cerkiew), domy konstrukcji szkieletowej (XIX w.).

Szczeciński, Zalew, niem. **Oderhaff,** zatoka M. Bałtyckiego, w Polsce i w Niemczech; zamknięty od pn. wyspami Uznam i Wolin, połączony z Zat. Pomorską cieśninami: Pianą (na zach.), Świną (między Uznamem a Wolinem) i Dziwną (na wsch.); pow. 687 km^2; płytki (średnia głęb. ok. 5 m, maks. — 9 m); słaba wymiana wód przez cieśniny doprowadziła do niemal całkowitego odsolenia wody (0,5–2,0‰); zjawiska lodowe od poł. grudnia do poł. marca; rozróżnia się na wsch. Wielki Zalew z zatokami o charakterze jezior (Roztoka Odrzańska, Wicko Wielkie, Jez. Nowowarpieńskie) oraz na zach. — Mały Zalew; do części zach. uchodzą rz.: Piana (Peene), Wkra (Uecker) i Zarow, do części wsch. — Odra, Ina, Gowienica i Gunica; od ujścia Odry Zach. do Świny biegnie pogłębiany tor wodny (dł. 65 km, głęb. 9–17 m), dalej między Uznamem a wyspą Karsibór jako Kanał Piastowski, łączący porty Szczecin i Świnoujście; sezonowa żegluga pasażerska; sporty żeglarskie; porty i przystanie: Trzebież, Wolin, Nowe Warpno, Usedom, Zecherin; rybołówstwo (ryby słodkowodne i przystosowane do wody słonawej).

Szczecińskie, Pobrzeże, część Pobrzeży Południowobałtyckich w Polsce i w Niemczech, otaczająca obszar ujściowy Odry i Zalew Szczec., wraz z w. Uznam i Wolin, które zamykają zalew od pn., oraz położonymi wokół zalewu równinami i wzniesieniami morenowymi, sięgającymi do 100 km w głąb lądu; region obejmuje w granicach Polski pow. ok. 8 tys. km^2 i dzieli się na mezoregiony: w. — Uznam i Wolin, Wybrzeże Trzebiatowskie, Puszczę Wkrzańską, Wzgórza Szczec., Puszczę Bukową, Dolinę Dolnej Odry oraz równiny — Goleniowską, Wełtyńską, Pyrzycko-Stargardzką, Nowogardzką i Gryficką. Głównym ośr. regionu jest Szczecin, ważną rolę odgrywa także Świnoujście (port promowy i handl., kąpielisko mor. i uzdrowisko).

Szczekociny, m. w woj. śląskim (powiat zawierciański), nad Pilicą; 4,3 tys. mieszk. (2000); ośr. usługowy; drobny przemysł (metal., spoż.); prawa miejskie 1398–1870 i od 1923; Muzeum Ziemi Włoszczowskiej; kościół (XVII,

XVIII w.), wczesnoklasycyst. zespół pałacowy (XVIII w.), 2 parki (XVIII w. i XIX w.).

Szczeliniec Wielki, najwyższy szczyt G. Stołowych, w Parku Nar. Gór Stołowych; wys. 919 m; ma postać stoliwa skalnego, zbud. z ławic górnokredowych piaskowców ciosowych; wzniesiony ok. 150 m ponad rozległą wierzchowinę, znajdującą się na wys. 750 m; powierzchnia szczytowa Sz.W., tektonicznie silnie spękana i zwietrzała, tworzy fantastyczny labirynt i malownicze formy skalne (Małpolud, Kwoka, Wielbłąd i in.); na zboczach lasy sosnowo-świerkowe; kilka platform widokowych z panoramą G. Stołowych, G. Kamiennych i Obniżenia Ścinawki; jedna z największych krajobrazowych atrakcji Polski.

szczotka krystaliczna → druza.

Szczuczyn, m. w woj. podl. (powiat grajewski), nad Wissą (pr. dopływ Biebrzy); 3,6 tys. mieszk. (2000); ośr. usługowy; drobny przemysł (spoż., skórz., ceram.); Muzeum Pożarnictwa; prawa miejskie od 1692; barok. zespół popijarski (XVII–XVIII w.), zespół klasycyst. budynków poczty (XIX w.).

Szczyrk, m. w woj. śląskim (powiat bielski), nad Żyliną (l. dopływ Soły), u podnóża Skrzycznego i Klimczoka; 5,7 tys. mieszk. (2000); stacja klim., duży ośr. turyst.-wypoczynkowy i sportów zimowych (kolej linowa, nartostrady, skocznie narciarskie, tor saneczkowy); wieś pasterska zał. w XV w.; prawa miejskie od 1973.

Szczytna, m. w woj. wałb. (powiat kłodzki), nad Bystrzycą Dusznicką (l. dopływ Nysy Kłodzkiej); 5,8 tys. mieszk. (2000); ośr. przem.-usługowy i turyst.-krajoznawczy; huta szkła gosp., szlifiernia kryształów; przemysł metal., drzewny; prawa miejskie od 1973.

Szczytno, m. powiatowe w woj. warmińsko-mazurskim, nad Jez. Długim; 27 tys. mieszk. (2000); ośr. przem.-usługowy i turyst. (baza noclegowa, szlaki piesze i wodne); przemysł spoż. i drzewny (meble); węzeł kol. i drogowy; Wyższa Szkoła Policji; Międzynar. Maraton Juranda; Muzeum Mazurskie; XV–XVI w. osadnictwo z Mazowsza; prawa miejskie od 1616 częściowe, od 1723 pełne; w XIX i 1. poł. XX w. ośr. polskości na Mazurach; pozostałości zamku krzyżackiego (XIV w.), kościół (XVIII w.). W pobliskiej w. Szymany — lotnisko (d. wojsk.).

szelf kontynentalny, najniższa, płaska część kontynentu zalana przez morze; rozpościera się w głąb morza średnio do ok. 200 m, gdzie wyraźnym załomem przechodzi w silniej nachylony stok kontynent.; powierzchnia s.k. może być skalista lub zbud. z luźnych osadów pochodzenia lądowego; często występują na niej nierówności będące wynikiem działalności dawnych rzek, lodowców, a także fal i prądów mor. oraz pływów. S y t u a c j a p r a w n a. Pojęcie szelfu obejmuje zarówno dno morza, jak i podziemie; sytuację prawną s.k. uregulowała pierwotnie konwencja genewska z 28 IV 1958, a następnie konwencja prawa morza z 10 XII 1982 (nie weszła jeszcze w życie); zgodnie z nimi każde państwo ma suwerenne prawo do badania i eksploatacji s.k. przyległego do jego morza terytorialnego; do s.k.

w rozumieniu prawa międzynar. zalicza się stok kontynent.; wyłączne prawa państwa rozciągają się do zewn. granicy stoku, nie mniej jednak niż granica wyłącznej strefy ekon. (200 mil mor. od granicy lądu) i nie więcej niż 350 mil mor.; w szelfie występują zwykle bogate złoża miner. (ropa naft., także tzw. konkrecje polimetaliczne); wody nad szelfem mają status wyłącznej strefy ekon. lub morza pełnego.

Szelment Wielki, jez. rynnowe na Pojezierzu Wschodniosuwalskim, w dorzeczu Szeszupy, na pn. od Suwałk, na wys. 176 m; pow. 356 ha, dł. 6,2 km, szer. do 1,1 km, maks. głęb. 45,0 m; linia brzegowa dobrze rozwinięta, od zach. półwysep o 2 ramionach równol. do rynny jeziornej; brzegi bezleśne, wysokie, miejscami urwiste; na pn.--wsch. od Sz.W. leży, oddzielone wąskim przesmykiem, jez. Szelment Mały (pow. 168 ha, dł. 3,5 km, szer. do 1 km, maks. głęb. 28,5 m), o podobnym ukształtowaniu brzegów; odpływ na pn. — Szelmentką przez jez. Ilgiel do Szeszupy (na Litwie). W pobliżu Sz.W. utworzono 1988 częściowy rezerwat przyrody nieożywionej Głazowisko Łopuchowskie (pow. 15,9 ha) — liczne, różnej wielkości głazy narzutowe.

szerokość geograficzna, jedna ze współrzędnych → geograficznych.

Szeskie, Wzgórza, Garb Szeski, pn.-wsch. część Pojezierza Mazurskiego — najmniejszy i najwyżej wzniesiony region obejmujący pow. ok. 400 km^2, znajdujący się w miejscu, gdzie dawniej stykały się 2 wielkie loby lodowcowe: mazurski i litew.; W.Sz. wznoszą się ponad 100 m powyżej otoczenia; maks. wys. 309 m — Szeska Góra, in. znaczące wzniesienia: Tatarska Góra (308 m), Gołdapska Góra (272 m); jeziora występują tylko na obrzeżu regionu; lasów jest mało; na pd. stoku Szeskiej Góry fragment lasu mieszanego w głębokim wąwozie erozyjnym, z najbogatszym w pn.-wsch. Polsce stanowiskiem cisa pospolitego na pn.-wsch. krańcu jego naturalnego zasięgu* (częściowy rezerwat leśny Cisowy Jar, pow. 10,7 ha; utw. 1959); ze względu na swoją wysokość W.Sz. mają klimat wyraźnie chłodniejszy i wilgotniejszy od regionów przyległych. Większych osiedli brak.

Szetlandy, Wyspy Szetlandzkie, Shetland Islands, grupa ok. 100 wysp na O. Atlantyckim, u pn. wybrzeży W. Brytanii (Szkocja); stanowią oddzielną jednostkę adm. (Shetland Island Area); pow. 1,4 tys. km^2; region emigracyjny; ośr. adm. Lerwick; gł. wyspy: Mainland (3/4 pow. i ludności Szetlandów), Yell, Unst; klimat umiarkowany ciepły, wybitnie mor., łagodzony wpływem Prądu Zatokowego; częste silne sztormy; hodowla owiec, na wyspie Fetlar — kuców; rybołówstwo (w XIX w. podstawa gospodarki wysp, obecnie spadek znaczenia); obsługa wydobycia ropy naft. ze złóż na szelfie M. Północnego; rękodzielnictwo; obserwatorium ornitologiczne.

Szetlandy Południowe, South Shetland Islands, archipelag ponad 20 wysp pochodzenia wulk., w pd.-zach. części O. Atlantyckiego (Antarktyka), na pn. od Płw. Antarktycznego; największe wyspy: Króla Jerzego, Livingstona, Elephant, Deception; pow. 4660 km^2, rozciągają się na przestrzeni ponad 500 km; górzyste (wys. do 2103 m — na Wyspie Smitha), pokryte częściowo lodem i wiecznym śniegiem; klimat subpolarny; średnia temp. w lipcu ok. –7°C, w styczniu ok. 2°C; liczne stacje nauk. (m.in. pol. Arctowski, ros. Bellingshausen).

■ Szkocja. Średniowieczny zamek w Edynburgu, XII w.

Sziraz, Shraz, m. w pd. Iranie, w góry Zagros, w kotlinie, na wys. ok. 1480 m; ośr. adm. ostanu Fars; 1,2 mln mieszk. (2002); duży ośr. przemysłu (rafineryjny, metalurg., elektrotechn., włók.) i rzemiosła (wyrób dywanów, złotnictwo); węzeł drogowy, port lotn.; uniw.; powstał w VII w.; muzea; meczety, m.in. piątkowy (IX, XIV, XX w.), Nou (od XI w.), mauzoleum Bibi Dochtaran, madrasa, mury obronne i cytadela (XVIII w.); liczne słynne ogrody; na pn.-wsch. od Sz. ruiny Persepolis i Pasargadów.

Sziszapangma, chiń. **Gaosengzan Feng,** ang. **Shisha Pangma,** tybet. **Szi-sza-sbang-ma,** szczyt w Wysokich Himalajach, w Chinach, przy granicy z Nepalem; położony na pn.-zach. od szczytu Czo Oju; wys. 8013 m; zlodowacony; 1964 zdobyty przez chiń. wyprawę, 1987 — przez W. Rutkiewicz-Błaszkiewicz i R. Wareckiego; na wsch. od Sz. biegnie droga z Katmandu w Nepalu do Lhasy w Tybecie.

Szkarpawa, Stara Wisła, Wisła Elbląska, rz., pr. ujściowe ramię Wisły; płynie przez Żuławy Wiślane; dł. 25,4 km, pow. dorzecza 726 km²; uchodzi do Zalewu Wiślanego 2 ramionami: właściwą Sz. i Wisłą Królewiecką; Sz. była jednym z 3 ujściowych ramion Wisły; w ramach prac regulacyjnych w delcie Wisły, a szczególnie po wykonaniu 1895 Przekopu Wisły pod Świbnem i 1897 śluzy k. wsi Drewnica, Sz. została przystosowana do żeglugi i do dziś stanowi część drogi wodnej Gdańsk–Elbląg.

Szklarska Poręba, m. w woj. dolnośląskim (powiat jeleniogór.), na skraju Karkonoszy, na wys. 400–900 m; 8,0 tys. mieszk. (2000); obok Karpacza największe wczasowisko i stacja klim. na pn. stokach Sudetów; ośr. turyst. i sportów zimowych (nartostrady, wyciągi narciarskie); huta szkła kryształowego (najstarsza na Śląsku, zał. ok. 1366); kamieniołomy, m.in. kwarcytu; muzea (Muzeum Mineralogiczne); prawa miejskie od 1959.

szkliwo wulkaniczne, lawa zakrzepła w stanie bezpostaciowym wskutek b. szybkiego ochłodzenia, uniemożliwiającego jej krystalizację; stanowi składnik skał wylewnych (niekiedy subwulk.) lub tworzy samodzielnie skałę wylewną (pumeks, obsydian, smołowiec).

Szkocja, Scotland, część Zjedn. Królestwa W. Brytanii i Irlandii Pn., w pn. części wyspy W. Brytania, w skład Sz. wchodzą także archipelagi: Hebrydy, Orkady i Szetlandy; 78,8 tys. km²; 5,1 mln mieszk. (2002), gł. Szkoci; stol. Edynburg, inne gł. m.: Glasgow, Aberdeen; obszar wyżynno-górzysty; wrzosowiska i torfowiska; wydobycie ropy naft. i gazu ziemnego z szelfu M. Północnego (w Cruden Bay terminal podwodnego rurociągu naft.); przemysł maszyn., elektron., samochodowy, produkcja whisky; hodowla owiec; uprawa jęczmienia. ■

Szkocjańskie, Jaskinie, Škocjanske jame, zespół jaskiń krasowych w Słowenii, w pobliżu wsi Škocjan; dł. ponad 5 km, wys. do 28 m; przez J.Sz. płynie podziemnym kanionem Reka, tworząc jeziora i wodospady (rzeka ma źródła w masywie Snežnika; pojawia się jako Timaro nad brzegiem M. Adriatyckiego k. Triestu); w jaskiniach bogate znaleziska z epoki brązu, a także żelaza (kultura halsztacka); wpisane na Listę Świat. Dziedzictwa Kult. i Przyr. UNESCO.

Szkoderskie, Jezioro, alb. **Liqeni i Shkodrës,** serb. **Skadarsko jezero,** największe jez. na Płw. Bałkańskim, w Albanii i Jugosławii (Czarnogóra); pochodzenia tektoniczno-krasowego, średnio na wys. 4,5 m; pow. 368 km², dł. 48 km, szer. do 26 km; przeważające głęb. 7–10 m, maks. — 44 m (kryptodepresja); linia brzegowa w pn. części silnie rozwinięta; pd. brzeg wysoki i skalisty, wsch. i pn. — niski, miejscami zabagniony; duże wahania stanu wód; do J.Sz. uchodzi kilka rzek (największa Morača), wypływa — Buna (gł. ramię ujściowe Drinu); częściowo zmeliorowany pas szuwarów stanowi siedlisko wielu gatunków ptaków wodnych; połów ryb (gł. karp, cefal, ukleja, węgorz); w pobliżu pd.-wsch. brzegu leży m. Szkodra.

szkwał [ang. < szwedz.] → nawałnica.

Szlichtyngowa, m. w woj. lubus. (powiat wschowski), w dolinie Odry; 1,3 tys. mieszk. (2000); ośr. usługowy; w okolicy wydobycie gazu ziemnego; miasto zał. 1644; kościół o konstrukcji szkieletowej (XVII w.).

szott [arab.], **szot,** płytkie zagłębienie bezodpływowe na peryferiach i w obniżeniach alg. i tunezyjskich pustyń piaszczystych; zasłane materiałem gliniastym i ilastym, pokryte skorupami solnymi i gipsowymi; po deszczach zimowych zamieniają się w słone trzęsawiska lub jeziora. ■

■ Szott. Krajobraz Wielkiego Szottu w porze zimowej (Tunezja)

Szottów, Wyżyna, Nijād al-ʼAl, franc. **Hauts Plateaux,** śródgórska wyżyna w górach Atlas, w Algierii, między Atlasem Tellskim a Atlasem Saharyjskim; wys. 800–1200 m; zbud. gł. z mezozoicznych i trzeciorzędowych wapieni; w części zach. i środk. równinna, na wsch. liczne kotliny, rozdzielone górami (wys. do 1902 m); klimat podzwrotnikowy kontynent.; rzeki gł. okresowe; w obniżeniach gromadzą się wody spływające z gór i tworzą w okresie deszczowym (zimą) rozległe słone jeziora (Asz-Szatt al-Hudna, Asz-Szatt asz-Szarki), które w lecie niemal całkowicie wysychają; pokryta suchym stepem, miejscami słonorośla; uprawa zbóż, wypas owiec i wielbłądów; zbiór trawy alfa.

Szprotawa, m. w woj. lubus. (powiat żagański), u ujścia Szprotawy do Bobru; 13,1 tys. mieszk. (2000); ośr. przem. i usługowy; przemysł metal. (odlewnia), dziewiarski (rajstopy, skarpety), spoż., drzewny (meble); izba muzealna; prawa miejskie przed 1260; kościół (XIV, XV, XVII w.), fragmenty murów miejskich (XIV, XV w.), ratusz (XVI, XVII, XVIII, XIX w.).

Szrenica, szczyt w zach. Karkonoszach, w Karkonoskim Parku Nar., w pobliżu granicy z Czechami; wys. 1362 m; pokryty granitowym rumowiskiem skalnym; na Sz. górna stacja wyciągu krzesełkowego ze Szklarskiej Poręby, schronisko PTTK (drugie na pobliskiej Hali Szrenickiej), stacja meteorologiczna Uniw. Wrocł.; ze szczytu rozległy widok; na pn. stoku grupa malowniczych skałek zw. Końskimi Łbami.

szreń, cienka warstwa zbitego i zlodowaciałego śniegu na powierzchni pokrywy śnieżnej; gruba, twarda sz. nosi nazwę lodoszreni.

szron, osad kryształków lodu w postaci igieł, łusek, piór, wachlarzy, powstający na powierzchni gruntu, roślinach itp. wskutek kondensacji pary wodnej zawartej w powietrzu o temp. niższej od 0°C.

Sztokholm, Stockholm, stol. Szwecji, w pd.-wsch. części kraju, nad M. Bałtyckim i jez. Melar; 1,2 mln mieszk., zespół miejski 1,6 mln (2002); największe miasto i ośr. gosp., kult., nauk. i turyst. kraju, siedziba dworu król.; ośr. adm. hrab. Sztokholm; przemysł maszyn., stoczn., elektrotechn.; metro; węzeł komunik. (2 porty lotn., port mor.); 2 akad. nauk, uniw.; muzea; Fundacja Nobla; tereny sport.-wypoczynkowe. Założony ok. 1250 przez jarla Birgera Magnussona. Pozostałości twierdzy (XIII w.), kościoły: rom.-got., m.in. Św. Mikołaja (XIII–XIV w.), Franciszkanów (XIII–XIV w.) i barok, m.in. Św. Katarzyny, Św. Eleonory, zamek król. (XVII, XVIII w.), ratusz (XVII w.), pałace, gł. z XVII w. (m.in. Riddarhuset), budowle użyteczności publ. (XVIII, XIX w.); w pobliżu pałac Drottningholm (XVII w.). ■

sztorm [niem.], nazwa b. silnego, porywistego wiatru wiejącego nad obszarami mórz i oceanów; prędkość od 72 do 117 km/h. Zob. też Beauforta skala.

Sztum, m. powiatowe w woj. pomor.; 10,7 tys. mieszk. (2000); ośr. usługowy i turyst.-krajoznawczy; przemysł metal., spoż., drzewny; wczesnośredniow. gród Prusów, prawa miejskie od 1416; pozostałości zamku krzyżackiego (XIV,

XV, XIX w.), murów miejskich (XIV/XV w.), kościół (XVII, XX w.).

Szubin, m. w woj. kujawsko-pomor. (powiat nakielski), nad Gąsawką (l. dopływ Noteci); 9,2 tys. mieszk. (2000); ośr. usługowy z drobnym przemysłem (spoż., metal., odzież., drzewny); węzeł kol.; prawa miejskie przed 1458; ruiny zamku (XIV, XVII w.), kościół (XV, XIX w.).

■ Sztokholm, widok ogólny

Szumawa, czes. **Šumava,** niem. **Böhmerwald,** góry na pograniczu Czech i Niemiec; stanowią pd.-zach. obrzeżenie Masywu Czeskiego; najwyższy szczyt Grosser Arber, 1457 m; zbud. gł. z granitów, gnejsów i łupków krystal.; rozcięte głębokimi dolinami Wełtawy i jej dopływów oraz dopływów Dunaju; jeziora cyrkowe; lasy iglaste i mieszane; łąki górskie; rezerwaty przyrody (w Czechach), park nar. (w Niemczech).

Szwabska, Wyżyna, Schwäbische Alb, w pol. podręcznikach geografii i atlasach niewłaśc. Jura Szwabska (od nazwy formacji geol.), wyżyna w pd. części Niemiec, między źródłowym odcinkiem Dunaju a jego dopływem Wörnitz; zbud. z wapieni górnojurajskich; opada ku pn.-zach. progiem wys. 400–500 m, łagodnie pochylona na pd.-wsch.; przeważające wys. 700–1000 m; najwyższy szczyt Lemberg (1015 m); rozwinięte zjawiska krasowe; na powierzchni występują bezodpływowe zagłębienia i suche doliny.

Szwabsko-Frankońskie, Progi, Schwäbisch-Fränkisches Schichtstufenland, wyżyna w pd.-zach. części Niemiec; wys. 300–500 m; zbud. z łagodnie zapadających w kierunku pd.-wsch. serii skalnych triasu i jury, których bardziej odporne na denudację warstwy tworzą asymetryczne pasma — progi; wyróżnia się niższy próg wapienia muszlowego i wyższy (Hassberge, Steigerwald, Frankenwald) — z piaskowców kajprowych; na wsch. i pd. próg wapieni górnojurajskich (wyżyny Szwabska i Frankońska), na zach. z Progami Szwabsko-Frankońskimi sąsiadują góry Schwarzwald, Odenwald i Spessart; w pn. części płynie wielkimi zakolami Men, w pd. — Neckar; przeważnie region roln.; tylko próg piaskowcowy częściowo zalesiony; największe m.: Würzburg, Stuttgart, Norymberga.

Szwajcaria, niem. **Schweiz,** franc. **Suisse,** wł. **Svizzera,** łac. **Helvetia, Konfederacja Szwajcarska,** państwo w Europie Zach.; 41,3 tys. km²;

■ Szwajcaria

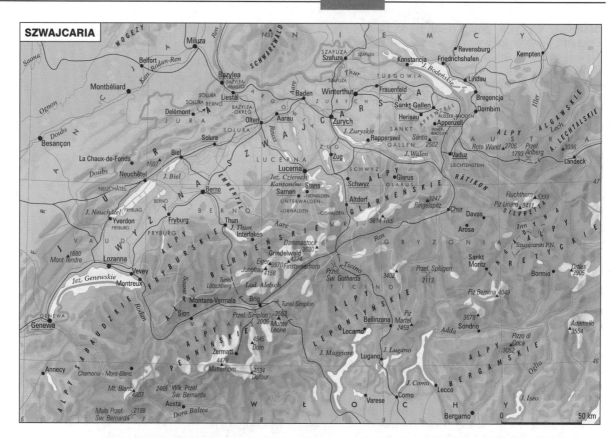

■ Szwajcaria. Miejscowość Saas Fee w Alpach Pennińskich

■ Szwecja

7,5 mln mieszk. (2002), Szwajcarzy (84%), imigranci z Włoch, Hiszpanii, Turcji; katolicy (46%), protestanci (40%), muzułmanie; stol. Berno, inne m.: Zurych, Genewa, Bazylea; język urzędowy: niem., franc., wł.; republika związkowa, składa się z 23 kantonów. W środk. i pd. części Alpy (Berneńskie, Glarneńskie, Penniń-skie, Retyckie), na pn. Wyż. Szwajcarska, ograniczona od pn.-zach. górami Jura; klimat umiarkowany ciepły, gł. górski, w pd. dolinach alp. o cechach śródziemnomor.; gł. rz.: Ren z Aare, Rodan, Inn; jeziora polodowcowe (Genewskie, Bodeńskie, Neuchâtel); lodowce górskie (Aletsch, Gorner); lasy bukowo-dębowe, świerkowe z modrzewiem, łąki alpejskie. Kraj wysoko rozwinięty, jeden z najbogatszych w świecie; międzynar. centrum finans.-bankowe; ponad 630 banków, 6 giełd papierów wartościowych (w Zurychu największa w Europie); energetyka wodna i jądr.; przemysł przetwórczy wyspecjalizowany w produkcji turbin, silników okrętowych, urządzeń pomiarowych, gł. zegarków (Montres Rolex, Patek), leków, żywności (sery, czekolada); intensywna hodowla mleczna bydła; region turyst. o znaczeniu świat.; słynne uzdrowiska i ośr. sportów zimowych (Zermatt, Sankt Moritz, Davos, Arosa); gęsta sieć linii kol. oraz dróg, połączona z systemem eur. poprzez alp. tunele (Simplon, Św. Bernarda, Św. Gotharda). ■

Szwecja, Sverige, Królestwo Szwecji, państwo w Europie Pn., na Płw. Skandynawskim, nad M. Bałtyckim i Skagerrakiem (M. Północne); 450,0 tys. km^2, z w.: Olandią i Gotlandią; 8,9 mln mieszk. (2002), Szwedzi 94%, Finowie, Lapończycy; oficjalny Kościół luterański (89,5% mieszk.), katolicy; stol. Sztokholm, inne m.: Göteborg, Malmö, Uppsala, Örebro, Linköping; język urzędowy szwedz.; monarchia konstytucyjna. Kraj wyżynno-górzysty; G. Skandynawskie, wys. do 2111 m (Kebnekaise); na pd. niziny; klimat umiarkowany, od chłodnego na pn. do ciepłego na pd.; liczne, zasobne w wodę rzeki, wykorzystywane energetycznie i do spławu drewna; jez.: Wener, Wetter, Melar; lasy (62% pow.), w górach i na pn. tundra; parki nar. (najstarsze w Europie, m.in. Sareks, Abisko). Wysoko rozwinięty kraj przem.; wydobycie wysokoprocentowych rud żelaza (Kiruna, Gällivare) oraz cynku, miedzi, ołowiu, wolframu, tytanu, uranu; rozwinięta energetyka wodna i jądr. (3. miejsce w świecie w produkcji energii elektr. na 1 mieszk. — 16,9 tys. kW.h, 1999); hutnictwo metali, przemysł maszyn., samochodowy, elektrotechn., zbrojeniowy, stoczn., lotn., drzewny, papierniczy (2. miejsce w świecie, po Finlandii, w produkcji na 1 mieszk. — 1137 kg), włók., odzież.; hodowla bydła mlecznego, trzody chlewnej, owiec, na pn. reniferów; uprawy (6% pow.): jęczmień, owies, buraki cukrowe, drzewa

Szwecja. Park Narodowy Sareks w Laponii

owocowe i warzywa (na pd.); rozwinięte rybołówstwo i leśnictwo; gł. porty handl.: Göteborg, Hälsingborg, Sztokholm.

Szydłowiec, m. powiatowe w woj. mazow., nad Korzeniówką (dorzecze Radomki); 13,0 tys. mieszk. (2000); ośr. przem.-usługowy; przemysł miner. (kamieniołom i zakłady obróbki piaskowca), elektron., skórz.; węzeł drogowy; Muzeum Lud. Instrumentów Muz.; prawa miejskie od 1427; późnogot. kościół (XV–XVI w.), got.-renes. zamek (XVI, XVII w.), późnorenes. ratusz (XVII, XIX w.).

Szyłka, rz. w azjat. części Rosji, po połączeniu z rz. Arguń tworzy Amur; powstaje z połączenia Ingody i Ononu; dł. 560 km (z Ononem — 1592 km), pow. dorzecza 206 tys. km², płynie w głębokiej dolinie, wzdłuż pn. podnóża G. Borszczowocznych; żegl., spławna; gł. m. nad Szyłką — Sreteńsk.

Szyndzielnia, szczyt w Beskidzie Śląskim, na pn. od Klimczoka; wys. 1026 m; stoki i wierzchołek zalesione; schronisko PTTK; szlaki turyst. z Bielska-Białej i Szczyrku; dobre tereny narciarskie, nartostrady, wyciąg linowy, stok slalomowy; na pn. stoku kolej linowa z doliny Olszówki (na pd. krańcu Bielska-Białej); na zach. stoku częściowy rezerwat krajobrazowy Stok Szyndzielni (pow. 55,0 ha, utw. 1953).

szypoty, bystrza i niewielkie wodospady na rzekach i potokach górskich, tworzące się na progach skalnych lub rumowiskach przegradzających koryto.

Szyszak, Mały, czes. **Malý Šišák,** szczyt w gł. grzbiecie Karkonoszy, na wsch. od Przełęczy Karkonoskiej, na granicy z Czechami, w obrębie Karkonoskiego Parku Nar.; wys. 1436 m; pokryty granitowym rumowiskiem skalnym; pod wierzchołkiem przebiega grzbietowy szlak turystyczny.

Szyszak, Wielki, czes. **Vysoké kolo, Velký Šišák,** szczyt w zach. Karkonoszach, na granicy z Czechami, w obrębie Karkonoskiego Parku Nar.; wys. 1509 m; drugi pod względem wysokości (po Śnieżce) w pol. części Karkonoszy; zbud. z granitów, pokryty rumowiskiem skalnym; rozległa panorama; szlaki turystyczne.

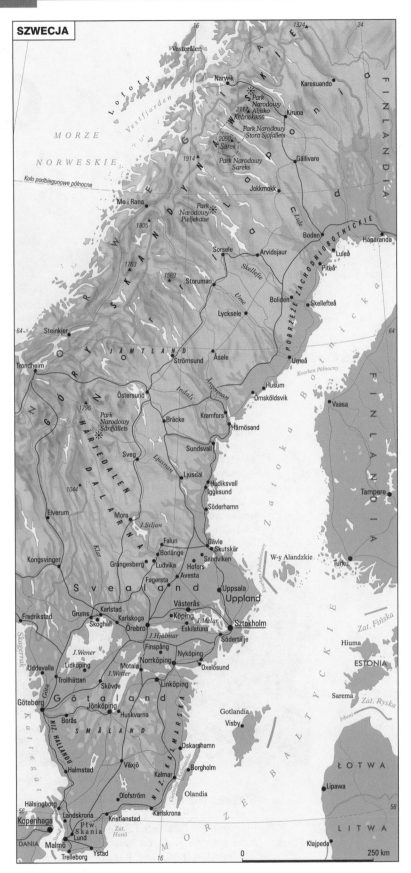

SZWECJA

Ś

Ścinawa, m. w woj. dolnośląskim (powiat lubiński), przy ujściu Zimnicy do Odry; 6,2 tys. mieszk. (2000); ośr. usługowy; różnorodny drobny przemysł (chem., spoż., materiałów bud.); węzeł kol.; port rzeczny; prawa miejskie przed 1259 (po 1248); kościół (XV w.).

Siwalik, hindi Śivālik, ang. **Siwalik Range,** pd. przedgórze Himalajów, w Indiach i Nepalu; dł. ok. 1700 km, średnia wys. 900–1200 m, maks. 2591 m; zbud. z gruboziarnistych piaskowców i konglomeratów trzeciorzędowych oraz osadów plejstoceńskich; głęboko rozcięte dolinami rzek (dopływy Indusu i Gangesu); resztki lasów monsunowych (suchych na zach., wilgotnych na wsch.), powyżej 1500 m lasy sosnowe i mieszane z udziałem dębów; tarasowe uprawy zbóż, w części wsch. gł. ryżu i herbaty. Park Nar. Royal Chitwan w Nepalu, wpisany na Listę Świat. Dziedzictwa Kult. i Przyr. UNESCO.

■ Wyżyna Śląska. Huta Katowice

Śląska, Nizina, rozległa równina, pd.-zach. część Nizin Środkowopol.; ciągnie się na pn. od Przedgórza Sudeckiego i Sudetów po Wał Trzebnicki oraz na zach. od krawędzi Wyż. Śląsko-Krakowskiej po dolinę Kaczawy; wys. od ok. 100 m na pn.-zach. do 260 m na pd.-wsch.; powierzchnie budują osady starszego plejstocenu i aluwia rzek; krajobraz staroglacjalny; miejscami zachowały się ostańce ozów, kemów i wzgórz morenowych; w pd. części N.Ś. — lessowy Płaskowyż Głubczycki; osią morfologiczną Niziny jest szeroka dolina Odry (8–12 km), z symetrycznym układem dopływów: Mała Panew, Stobrawa, Widawa (pr.), Osobłoga, Nysa Kłodzka, Oława, Ślęza, Bystrzyca (l.); klimat należy do najcieplejszych w Polsce (średnie roczne temp. we Wrocławiu 8,7°C); region prawie bezleśny, kilka większych kompleksów leśnych (Bory Stobrawskie, Bory Niemodlińskie) leży w pd.-wsch. części Niziny, gł. na piaszczystych tarasach rzecznych, np. Bory Stobrawskie, Bory Niemodlińskie; roślinność i świat zwierzęcy mają wiele elementów stepowych; gleby urodzajne, zbliżone do czarnoziemów; region intensywnego rolnictwa; gł. m.: Wrocław, Opole. N.Ś. obejmuje 11 mniejszych jednostek fizycznogeogr.: wysoczyzny Rościsławicką i Średzką, równiny: Wrocławską, Oleśnicką, Opolską, Niemodlińską, Płaskowyż Głubczycki, Kotlinę Raciborską oraz Pradolinę Wrocławską.

Śląska, Wyżyna, pd.-zach. część Wyż. Śląsko-Krakowskiej, której geol. fundament tworzą węglonośne skały wieku karbońskiego, odsłaniające się na powierzchni w części środk. (Wyż. Katowicka); na karbonie zalegają od pn. dolomity i wapienie środkowotriasowe, które tworzą wzniesienia Chełmu i Garbu Tarnogórskiego, a na wsch. — Pagóry Jaworznickie; pd.-zach. część W.Ś., położoną między kotlinami Raciborską a Oświęcimską, stanowi Płaskowyż Rybnicki, na którym utwory karbońskie są przykryte podkarpackim miocenem; najwyższym punktem W.Ś. jest Góra Św. Anny (400 m), w garbie Chełmu; w związku z wydobyciem węgla kam. w środk. części W.Ś., powstał najsilniej uprzemysłowiony i zurbanizowany w Polsce Górnośląski Okręg Przemysłowy; część środkową W.Ś. otaczają obszary leśne (gł. na pd.), silnie zdegradowane przez zanieczyszczenia przem.; na nielicznych gruntach rolnych rozwinięte warzywnictwo; W.Ś. odwadniają: Przemsza (dopływ Wisły) i Kłodnica (dopływ Odry), wzdłuż której zbudowano Kanał Gliwicki — wykorzystywany do celów transportowych. ■

śląskie, województwo, woj. w pd. Polsce, graniczy z Czechami i Słowacją; 12 330 km², 4,9 mln mieszk. (2000), stol. — Katowice, in. większe m.: Bielsko-Biała, Bytom, Chorzów, Częstochowa, Dąbrowa Górn., Gliwice, Jastrzębie Zdrój, Jaworzno, Mysłowice, Piekary Śląskie,

Ruda Śląska, Rybnik, Siemianowice Śląskie, Sosnowiec, Świętochłowice, Tychy, Zabrze; dzieli się na: 19 powiatów grodzkich, 17 powiatów ziemskich i 167 gmin. Krajobraz urozmaicony; najwyższy punkt 1557 m (Pilsko), najniższy — 185 m (dolina Warty); na pd. Beskidy (Śląski, Mały, Makowski, Żywiecki) i Pogórze Śląskie oddzielone kotlinami Orawską i Oświęcimską od wyżyn (Woźnicko-Wieluńskiej, Krakowsko-Częstochowskiej, Śląskiej), położonych w środk. i pn. części woj.; na zach. fragment Niz. Śląskiej. Przez w.ś. przebiega dział wodny między dorzeczem Wisły (na wyżynach źródła Pilicy i Przemszy, w Beskidach — Wisły i Soły) a dorzeczem Odry (na wyżynach źródła Kłodnicy i Warty, w Beskidach — Olzy); kilka dużych zbiorników retencyjnych. Lasy zajmują 31,8% pow., gł. w górach oraz wsch. część Borów Stobrawskich; 4 parki krajobrazowe oraz część Zespołu Jurajskich Parków Krajobrazowych. Najwyższa w kraju gęstość zaludnienia — 398 mieszk. na km^2, w miastach 79,4% ludności, najwyższy stopień urbanizacji w Polsce (2000). Województwo przem. (Górnośląski Okręg Przem., Bielski Okręg Przem.); bogate złoża węgla kam. (Górnośląskie Zagłębie Węglowe), eksploatowane w kilkudziesięciu kopalniach, ponadto wydobycie gazu ziemnego, rud cynku i ołowiu, mniejsze znaczenie rud żelaza, siarki i soli potasowej; rozwinięta energetyka oraz różnorodny przemysł, gł. metalurg. (hutnictwo żelaza — Huta Katowice, Częstochowa, Zawiercie, cynku i ołowiu, aluminium), maszyn., środków transportu (Tychy, Bielsko-Biała, Gliwice, Chorzów), metal., ponadto przemysł: chem., zbrojeniowy, miner., skórz., włók. (wełn., bawełn.), spoż., odzież., drzewny. Użytki rolne zajmują 50,5% pow.; uprawa zbóż (pszenica, żyto) i ziemniaków; rozwinięte warzywnictwo i sadownictwo; hodowla bydła, owiec, drobiu oraz trzody chlewnej. Bardzo gęsta sieć kol. i drogowa; gł. trasy: z Katowic do Warszawy, Krakowa, Gdańska, Wrocławia; żegluga na Kanale Gliwickim (port w Gliwicach); port lotn. w Katowicach (Pyrzowice); przejścia graniczne do Czech i Słowacji. Rozwinięta turystyka (Beskidy, Wyż. Krakowsko-Częstochowska), sporty zimowe (Beskidy — Szczyrk, Wisła, Ustroń, Korbielów) i wodne (jeziora: Żywieckie, Goczałkowickie, Poraj); w Częstochowie największy w kraju ośr. pielgrzymkowy (ok. 4 mln osób rocznie).

Śląsko-Krakowska, Wyżyna, zach. część Wyż. Małopolskiej obejmująca asymetryczne wypiętrzenie tektoniczne o ogólnym kierunku rozciągłości z pn.-zach. na pd.-wsch., którego trzon stanowią skały wieku paleozoicznego, przykryte od pn.-wsch. utworami triasowymi i jurajskimi; monoklinalna pokrywa mezozoiczna tworzy kilka progów denudacyjnych i subsekwentnych obniżeń; cała ta struktura obniża się ku pn. i stopniowo kryje pod utworami czwartorzędowymi. Ze względu na wynikające z budowy geol. różnice krajobrazowe, na W.Ś.-K. rozróżnia się: Wyż. Śląską, Wyż. Woźnicko-Wieluńską i Wyż. Krakowsko-Częstochowską.

Śląsko-Łużycka, Nizina, wsch. część Nizin Sasko-Łużyckich, między pogórzami Kaczaw-skim i Izerskim na pd. a Wzniesieniami Żarskimi i Wzgórzami Dalkowskimi na pn., od wsch. ograniczona doliną Kaczawy i Obniżeniem Ścinawskim, a od zach. doliną Nysy Łużyckiej; obejmuje zach. część obniżenia podsudeckiego, położoną na zewnątrz moren stadiału Warty (zlodowacenie środkowopol.); powierzchnia obniżenia zbud. gł. z piaszczystych, zwydmionych stożków napływowych rzek, płynących z Sudetów (Nysa Łużycka, Bóbr, Kwisa) oraz G. Łużyckich; rozległe bory sosnowe (Bory Dolnośląskie); wyróżnia się 5 mniejszych jednostek fizycznogeogr.: Bory Dolnośląskie, Równinę Szprotawską, Wysoczyznę Lubińską, równiny Legnicką i Chojnowską.

Ślesin, m. w woj. wielkopol. (powiat konin.), nad jez. Ślesińskim i Mikorzyńskim; 3,0 tys. mieszk. (2000); ośr. usługowy i mieszkaniowy dla pracowników Konińskiego Zagłębia Węgla Brun.; w pobliżu, nad jeziorem, ośr. wczasowe; wzmiankowany 1231; prawa miejskie 1358–1870 i od 1921.

Ślęży, Masyw, izolowana grupa górska, najwyższa na Przedgórzu Sudeckim, między Równiną Świdnicką na zach. a Wzgórzami Niemczańsko-Strzelińskimi i Obniżeniem Podsudeckim na pd.; zbud. z granitów, gabra, amfibolitów i serpentynitów, wznosząca się przeszło 500 m ponad sąsiadującą z nią od pn. i wsch. Równiną Wrocł.; grupa Ślęży obejmuje właściwy M.Ś., ze Ślężą (718 m), Gozdnicą (316 m), Wieżycą (415 m) i Stolną (370 m) oraz otaczające go od pd.: Radunię (573 m), Czernicę (481 m), Świercczynę (411 m), Wzgórza Oleszeńskie (389 m) i Kiełczyńskie (466 m); wzgórza M.Ś. porastają lasy piętra podgórskiego i regla dolnego, ze świerkiem, bukiem, jodłą, jaworem i dębem; w dolnych partiach kilka kamieniołomów i kopalnia magnezytu. Wokół M.Ś. od dawna koncentrowało się osadnictwo, a góra spełniała funkcję ośr. kultowego plemienia Ślężan (kręgi kultowe na szczycie Ślęży, Raduni i Wieżycy, archaiczne i rom. rzeźby itp.); u pn. podnóża Ślęży leży m. Sobótka, lokalny ośr. turystyczny.

Śmiała Wisła, Przełom Wisły, jedno z ujściowych ramion d. Leniwki, ob. Martwej Wisły, oddziela się w Górkach Wsch. (od 1872 w obrębie Gdańska) i uchodzi do Zat. Gdańskiej; dł. 2,5 km; Ś.W. powstała w nocy z 31 I na 1 II 1840; lody niesione przez Leniwkę utw. zator powyżej Gdańska; spiętrzone wody przerwały pasmo wydm nadmor. szer. 1,5 km, tworząc pod wsią Górki Wsch. nowe koryto o szerokości do 400 m, nazwane Przełomem Wisły, a przez poetę W. Pola — Śmiałą Wisłą; Leniwkę poniżej przełomu zamknięto śluzą w Płoni Małej i powstał dogodny kanał portowy Gdańska; funkcję Ś.W., jako drogi odpływu wód Wisły, przejął zbud. 1895 Przekop Wisły.

Śmierci, Dolina, Death Valley, zapadliskowe, bezodpływowe obniżenie do głęb. 86 m p.p.m. (najgłębsza depresja w Ameryce), w pd. części Wielkiej Kotliny w USA (Kalifornia); dł. ok. 225 km, szer. do 25,7 km; klimat zwrotnikowy kontynent., wybitnie suchy; roczna suma opadów ok. 50 mm; w lecie temperatura często przekracza 49°C, a wilgotność względna spada do 1%; w Dolinie Śmierci zanotowano najwyższą temperaturę na półkuli zach. — 57,0°C (1913); dawniej obszar eksploatacji złota i rud miedzi; od 1933 Dolina Śmierci jest pomnikiem przyrody (pow. ok. 837 tys. ha).

Śmigiel, m. w woj. wielkop. (powiat kościański); 5,4 tys. mieszk. (2000); ośr. usługowy regionu uprawy warzyw i owoców (truskawek); drobny przemysł; prawa miejskie od 1415.

Śniardwy, największe jez. w Polsce, w Krainie Wielkich Jezior Mazurskich; na wys. 116 m; powstało wskutek wytopienia martwych lodów nagromadzonych podczas ostatniego zlodowacenia; pow. 11 383,3 ha (łącznie z jez. Seksty, Kaczerajno, Warnołty), w tym 8 wysp o pow. 43 ha; dł. 22,1 km, szer. 13,4 km, maks. głęb. 23,4 m; dobrze rozwinięta linia brzegowa (dł. 97,1 km); w pd. części Śniardwy wyspy (pozostałość z rozmycia moren): Szeroki Ostrów, Czarci Ostrów, Pajęcza, Kaczor; brzegi urozmaicone, niezbyt wysokie, miejscami podmokłe, pd. — zalesione (pn. skraj Puszczy Piskiej); Śniardwy łączą się przez Jez. Mikołajskie, Tałty, Niegocin i in. oraz kanały z kompleksem jez. Mamry, tworząc jednolity system Wielkich Jezior Mazurskich o wyrównanym poziomie wody; przez Śniardwy prowadzi szlak żeglugi śródlądowej; na jeziorze żeglarstwo i in. sporty wodne; liczne nadbrzeżne wsie, m.in.: Łuknajno, Okartowo, Nowe Guty, Popielno. Śniardwy wchodzą w skład Mazurskiego Parku Krajobrazowego; rezerwaty: krajobrazowy Jez. Warnołty, ptactwa Czapliniec (na pn.-zach. brzegu Śniardw).

śnieg, opad atmosf. złożony z kryształków lodu o b. różnorodnych kształtach (gł. sześcioramienne gwiazdki); w temperaturze powietrza wyższej od –5°C kryształki łączą się ze sobą w większe płatki; ś. powstaje w chmurach *altostratus*, *nimbostratus* i *cumulonimbus*; ś. z i a r n i s t y — opad złożony z b. małych (na ogół średnica mniejsza od 1 mm), białych, nieprzeświecających ziarenek lodu; powstaje w chmurach *stratus*.

Śnieżka, najwyższy szczyt Karkonoszy i Sudetów, na granicy z Czechami; wys. 1602 m; wznosi się 200 m ponad sąsiednie spłaszczenia grzbietowe Karkonoszy i 500–600 m ponad doliną Łomniczki; zbud. z twardych skał metamorficznych (hornfelsów) i granitów; piramida szczytowa pokryta rumowiskiem skalnym; Ś. odznacza się surowym klimatem; średnia roczna temp. 0,4°C (styczeń –7,8°C, lipiec 8,4°C); opady ponad 1400 mm podczas 237 dni; pokrywa śnieżna zalega ok. 190 dni; wiatry, gł. pd.-zach., osiągają siłę huraganów do ok. 50 m/s; na szczycie Ś., w nowym budynku, obserwatorium meteorologiczne Inst. Meteorologii i Gospodarki Wodnej oraz restauracja; barok. kaplica Św. Wawrzyńca i stary budynek stacji meteorologicznej (1900); u stóp piramidy szczytowej Ś. — schronisko PTTK; Ś. jest punktem widokowym na całe Sudety, w pogodną noc widać z niej światła Pragi. Liczne szlaki turyst.: grzbietem Karkonoszy, z Karpacza oraz z czes. strony.

Śnieżna Jaskinia, Wielka, jaskinia w masywie Czerwonych Wierchów (Tatry Zach.), w pn.-wsch. zboczu Małołączniaka; wraz z Wielką Litworową tworzy najgłębszy i najdłuższy system jaskiniowy w Tatrach i w Polsce; utw. w wapieniach i dolomitach triasowych; jaskinia o wybitnie pionowym, kaskadowym układzie; kilka otworów wejściowych na wys. 1700–1900 m; głęb. 814 m, łączna dł. korytarzy 22 km; potok jaskinowy wypływa na dnie Doliny Kościeliskiej, w Lodowym Źródle. Eksplorowana od 1959 jako Jaskinia Śnieżna, 1961 J. Onyszkiewicz, B. Uchmański i K. Zdzitowiecki osiągnęli głęb. 640 m; 1966 odkryto wyżej położoną Jaskinię nad Kotlinami (wejście na wys. 1830 m); 1968 ustalono połączenie obu jaskiń i nazwano W.Ś.J.

Śnieżna, Rzeka, Snowy River, rz. w pd.-wsch. Australii (w stanach Nowa Pd. Walia i Wiktoria); dł. 435 km; źródła w G. Śnieżnych, na pn.-wsch. stoku Góry Kościuszki; uchodzi do Cieśn. Bassa; w środk. biegu dolina głęboka i wąska; zasilana wodami z topniejących śniegów; gł. dopływ Eucumbene (l.); duża część wód Rz.Ś. skierowana tunelami pod G. Śnieżnymi do obszaru źródłowego Murray i jego dopływu Murrumbidgee (jeden z największych projektów hydroenerg. na świecie).

Śnieżne Kotły, dwa kotły polodowcowe w zach. Karkonoszach, wcięte w pn. stok gł. grzbietu, na pn.-zach. od szczytu Wielki Szyszak; wsch. nosi nazwę Wielkiego Kotła Śnieżnego, zach. — Małego Kotła Śnieżnego; rozdziela je grzęda skalista wys. 180 m; granitowe ściany kotłów (w zach. ścianie Małego Kotła Śnieżnego — żyła bazaltowa), urwiste, pocięte żlebami i szczelinami, nadają tej części gór charakter wysokogórski; dna kotłów, zawieszone na wys. ok. 1200 m, zamyka od pn. wysoki na 40 m wał moreny; kilka niższych wałów morenowych zalega dno Wielkiego Kotła Śnieżnego, w obniżeniach płytkie międzymorenowe jeziorka — Śnieżne Stawki, wokół nich kosodrzewina; ściany i dna kotłów są siedliskiem rzadkich okazów flory alpejskiej (m.in. skalnica śnieżna); zimą w kotłach gromadzą się wielkie masy śniegu, który utrzymuje się do końca lipca; nawisy, półki śnieżne ponad urwiskami na krawędzi kotłów i lawiny stanowią niebezpieczeństwo dla narciarzy; Ś.K. i ich otoczenie są objęte ochroną ścisłą w Karkonoskim Parku Nar.; dojście szlakiem turyst. z Jagniątkowa i Szklarskiej Poręby.

Śnieżnik, najwyższy polski szczyt Sudetów Wsch., na granicy z Czechami, na wsch. od Międzygórza; wys. 1425 m; zbud. z gnejsów; bezleśna kopuła szczytowa jest zwornikiem 5 grzbietów Masywu Śnieżnika, oddzielonych głębokimi dolinami potoków; stoki zalesione (buki, jodły, wyżej świerki); u pd. źródła Morawy; w okolicy doskonałe tereny narciarskie; pod szczytem, na Hali pod Śnieżnikiem, schronisko PTTK.

Śnieżnika, Masyw, rozległy, graniczny masyw górski we wsch. Sudetach, w postaci zwornika (Śnieżnik, 1425 m), z którego promieniście rozchodzi się 5 grzbietów; najdłuższe, pn.-zach. ramię wyznaczają kulminacje: Średniaka (1210 m), Smrekowca (1124 m), Jaworowej Kopy (1140 m) i Czarnej Góry (1205 m), a za przełęczą Puchaczówka (864 m) przechodzące w pasmo

Krowiarek; krótki grzbiet pn. (Stroma 1166 m, Młyńsko 991 m) oddziela od poprzedniego głęboka dolina Kleśnicy, w której znajduje się największa w Sudetach — Jaskinia Niedźwiedzia; grzbiet wsch. (graniczny), o krętym przebiegu i średniej wys. 950 m, kończy się na przełęczy Płoszczyna (817 m); z dwóch grzbietów pd., oddzielonych doliną Morawy, grzbiet pd.-zach. (graniczny) z Małym Śnieżnikiem (1326 m), Pochaczem (1175 m) i Trójmorskim Wierchem (1145 m), stanowiącym granicę zlewisk trzech mórz (Bałtyckiego, Czarnego i Północnego), kończy się na Przełęczy Międzyleskiej (534 m); grzbiet pd. z Sušiną (1321 m) i Podbělką (1307 m) w całości na terytorium Czech. W budowie geologicznej M.Ś. biorą udział prekambryjskie gnejsy, łupki łyszczykowe i niewielkie soczewy wapienia krystalicznego. Prawie cały masyw porośnięty jest lasem regla dolnego i górnego, na kopule Śnieżnika występują łąki górskie. Duże walory przyr. i krajobrazowe oraz doskonałe tereny narciarskie M.Ś. sprawiają, że jest to atrakcyjny teren turystyki i rekreacji. Na zach. stoku wzgórza Suchoń (964 m) — pomnik przyrody nieożywionej *Pasterskie Skałki*. M.Ś. wchodzi w skład Śnieżnickiego Parku Krajobrazowego.

Średniogórze Czeskie, České středohoří, pasmo wulk. w Czechach, w pn. części Kotliny Czeskiej; najwyższy szczyt Milešovka, 837 m; rozcięte przełomem antecedentnym Łaby (głęb. do 400 m); lasy liściaste, w dolnym piętrze sady i winnice; źródła mineralne.

Średniogórze Węgierskie, średnie góry w pn. części Węgier; na wsch. od Dunaju zw. Średniogórzem Pn. (Börzsöny, Cserehát, Matra, G. Bukowe, G. Zempleńskie), na zach. — Średniogórze Zadunajskie (Las Bakoński, Vértes, Gerecse, Pilis); wsch. część Ś.W. jest zbud. gł. ze skał wulk., zach. — z wapieni i dolomitów (rozwinięty kras); lasy liściaste, w dolnym piętrze winnice i sady; bogactwa miner.: boksyty, węgiel brun., rudy manganu; źródła miner.; 2 rezerwaty przyrody.

Śrem, m. powiatowe w woj. wielkopol., nad Wartą; 31 tys. mieszk. (2000); ośr. przem. i usługowy; przemysł metal. (odlewnia żeliwa); ponadto fabryka mebli biurowych, drobny przemysł spoż., włók., odzież. i chem.; turystyka; muzeum; prawa miejskie od 1253; kościół (XIV–XVI w.), barok. zespół klasztorny (XVII–XVIII w.).

Środa Śląska, m. powiatowe w woj. dolnośląskim, nad Średzką Wodą (l. dopływ Odry); 8,7 tys. mieszk. (2000); ośr. usługowy regionu roln.; drobny przemysł (spoż., drzewny, odzież., skórz., ceramiczny); muzeum; prawa miejskie od 1235; średniow. kościoły: Św. Andrzeja (XII–XVII w.), Franciszkanów (XIV–XV, XVII w.); ratusz (XV, XVI w.), pozostałości zamku XII–XIV w. i murów XIV w.; 1988 odnaleziono skarb srebrnych i złotych monet i biżuterii (lub przedmiotów) z XIII i XIV w.

Środa Wielkopolska, m. powiatowe w woj. wielkopol., nad Moskawą (pr. dopływ Warty), przy ujściu Strugi Średzkiej; 21,8 tys. mieszk. (2000); ośr. przemysłu spoż. (cukrownia, zakłady mięsne, zamrażalnia owoców i warzyw); po-

nadto przemysł metal., gum., odzież.; prawa miejskie przed 1331; kościół (XV, XV/XVI, XVI/XVII w.) z manierystyczną kaplicą.

Środkowobeskidzkie, Pogórze, pn.-wsch. człon Zewnętrznych Karpat Zach., między doliną Dunajca a doliną Wiaru (pr. dopływ Sanu); pas wzgórz i kotlin śródgórskich, dł. ok. 180 km, szer. 40–70 km, o wys. od 300 do 500 m (z kilkoma wzniesieniami wyższymi), przylegający na pd. do Beskidów Środk. (gł. do Beskidu Niskiego); P.Ś. dzieli się na mezoregiony — pogórza: Rożnowskie, Ciężkowickie, Strzyżowskie, Dynowskie, Przemyskie oraz Obniżenie Gorlickie, Kotlinę Jasielsko-Krośnieńską, Pogórze Jasielskie i Bukowskie.

Środkowodunajska, Nizina, Nizina Panońska, nizina gł. na Węgrzech (ok. 50% pow.) oraz na Słowacji, Ukrainie, w Rumunii, Jugosławii, Chorwacji i Austrii; w części węg. wyróżnia się Wielką Niz. Węgierską, Małą Niz. Węgierską i Mezőföld, w Chorwacji — Podravinę i Posavinę, na Słowacji — Małą Niz. Naddunajską, w Rumunii — Cîmpia Tisei; pow. ok. 100 tys. km². Pod względem geol. N.Ś. stanowi rozległe zapadlisko tektoniczne powstałe w neogenie (trzeciorzęd) między Alpami, Karpatami i G. Dynarskimi, wypełnione osadami mor., jeziornymi i rzecznymi o miąższości ponad 4000 m; w czwartorzędzie duże obszary zostały przykryte lessem; niewielkie zręby tektoniczne (góry Pilis, Vértes, Las Bakoński, Mecsek, Papuk, Fruška gora) są dźwigniętymi z podłoża fragmentami masywu panońskiego; z uskokami są związane trzeciorzędowe wylewy wulk., gł. wzdłuż spojenia z Karpatami Wewn., oraz liczne źródła mineralne. Klimat umiarkowany ciepły: średnia temp. w styczniu od –1°C do –3°C, w lipcu 20–22°C; roczna suma opadów 500–700 mm. Środkiem N.Ś. płynie w szerokiej dolinie Dunaj ze swoimi wielkimi dopływami: Cisą, Drawą i Sawą. Na N.Ś. przeważają pola uprawne, winnice i pastwiska; resztki stepów (puszta) zachowały się między Dunajem i Cisą; na glebach zasadowych i słonych występują zbiorowiska halofitów, na łęgach nadrzecznych — skrawki drzewostanów wierzbowo-topolowych. Bogactwa miner.: boksyty, węgiel, ropa naft. i gaz ziemny.

Środkowoeuropejski, Niż, jedna z prowincji wchodzących w skład terytorium Polski, rozległa nizina rozciągająca się od dolnego Renu na zach. poza dolną i środk. Wisłę na wsch.; sąsiaduje od pd. ze Średniogórzem Niem., Masywem Czes. i Wyżynami Polskimi, od pn. zaś ograniczają ją morza: Północne i Bałtyckie; wysokości tylko w kilku miejscach przekraczają 300 m, maks. 329 m (Wieżyca, na Pojezierzu Kaszubskim); cały N.Ś. pokrywają utwory plejstoceńskie (piaski, gliny, iły), związane ze zlodowaceniem skandynawskim; pod względem klim. znajduje się pod przeważającym wpływem oceanicznych mas powietrza (średnie roczne opady 450–700 mm, temp. 7–9°C), zaś pod względem geobot. należy do strefy subatlantyckiej z lasami mieszanymi; w granicach Polski, ze względu na zróżnicowanie geomorfologiczne i klim., można rozróżnić 3 regiony (podprowincje): Pobrzeża Południowobałtyckie, Pojezierza Południowobałtyckie i Niziny

Środkowopol., które łącznie zajmują 60% pow. kraju.

Środkowoeuropejskie Porozumienie o Wolnym Handlu, Central European Free Trade Agreement, CEFTA, międzynar. umowa gosp., zawarta 1992 przez Czechy, Polskę, Słowację i Węgry; obowiązująca prowizorycznie od 1993, weszła w życie 1994; zakłada utworzenie strefy wolnego handlu artykułami przem. oraz liberalizację handlu artykułami rolno-spoż.; przystąpiły do niej też: Słowenia (1996), Rumunia (1997) i Bułgaria (1999).

Środkowojakucka, Nizina, Centralnojakutskaja nizmiennost', Wilujskaja nizmiennost', nizina w Rosji, w Jakucji, nad środk. i dolnym biegiem Leny oraz dolnymi biegami Wiluju i Ałdanu; wys. do 400 m; silnie zabagniona, liczne jeziora wytopiskowe; powszechnie występuje wieczna marzłoć; klimat skrajnie kontynent. o rocznych amplitudach średnich temp. miesięcznych ok. 60°C, roczne opady 200 mm; lasy modrzewiowe i modrzewiowo-sosnowe z płatami lasów brzozowych i stepów łąkowych; złoża węgla kam., rud żelaza i polimetalicznych, gaz ziemny, złoto, diamenty, mika.

Środkowomazowiecka, Nizina, Nizina Południowomazowiecka, środkowowsch. część Nizin Środkowopol.; obejmuje wielkie kotlinowate obniżenie na założeniu trzeciorzędowej niecki tektonicznej (niecka mazow.), u zbiegu dolin: Wisły, Narwi, Bugu, Pilicy i Bzury; położone poniżej poziomu otaczających wysoczyzn: Płońskiej i Ciech. na pn., Kałuszyńskiej i Żelechowskiej na wsch., oraz Wzniesień Południowomazow. na pd.; rzeźba N.Ś. jest mało zróżnicowana, formy glacjalne zostały zatarte, w krajobrazie dominują formy powstałe w wyniku procesów denudacyjnych i fluwialnych — płaskie równiny i tarasy rzeczne z wydmami, wys. 60–150 m; klimat jest tu cieplejszy niż w otaczających regionach, średnie temp. miesięczne od −3°C (styczeń) do +18°C (lipiec); w obrębie N.Ś. rozróżnia się równiny: Kutnowską, Łowicko-Błońską, Warszawską, Kozienicką, Wołomińską, Garwolińską oraz Kotlinę Warszawską i dolinami Dolnego Bugu i Środk. Wisły.

Środkowopolskie, Niziny, część Niżu Środkowoeur. rozciągająca się między granicą zasięgu ostatniego zlodowacenia na pn. a Sudetami i Wyż. Małopolską na południu. Obszar ten charakteryzuje brak cech młodej rzeźby glacjalnej z jej licznymi zagłębieniami bezodpływowymi i jeziorami, przeważają natomiast równiny denudacyjne lub akumulacyjne o małych nachyleniach (poniżej 2°); żwirowe lub piaszczyste kemy, ozy i moreny czołowe zachowały się tu w formie wzgórz ostańcowych; na powierzchni występują tzw. utwory pokrywowe, które powstały ze zwietrzałej moreny, lub zostały nagromadzone pod wpływem ruchów gleby w warunkach klimatu peryglacjalnego. Dobrze rozwinięta, choć niezbyt gęsta sieć rzeczna. Gleby przeważnie pseudobielicowe. Niziny leżą przeważnie w cieniu opadowym otaczających je wzniesień, toteż roczne sumy opadów są stosunkowo niewielkie (500–600 mm); pod względem termicznym zaznacza się spadek średnich temperatur i zwiększenie amplitud rocznych z pd.--zach. w kierunku pn.-wschodnim. Podział na regiony fizycznogeogr., oprócz cech geomorfologicznych i klimat. uwzględnia stosunki hydrograficzne; rozróżnia się: Niz. Śląską w dorzeczu Odry, Niz. Południowowielkopolską w dorzeczu Warty, Obniżenie Milicko-Głogowskie, Wał Trzebnicki, Niziny Mazowiecko-Podlaskie w dorzeczu środk. Wisły (Północnomazowiecka, Środkowomazowiecka, Południowopodlaska i Wzniesienia Południowomazowieckie).

Środkoworosyjska, Wyżyna, Sriednierusskaja wozwyszennost', wyżyna w Rosji, w środk. części Niz. Wschodnioeuropejskiej, między doliną Oki na pn. a Wyż. Doniecką na pd.; dł. ok. 1000 km, szer. 500 km; wys. maks. 293 m; rozcięta głębokimi wąwozami i dolinami rzek; stanowi dział wodny między zlewiskami mórz Kaspijskiego, Czarnego i Azowskiego; W.Ś. leży w strefie lasów liściastych i stepów; obecnie większa jej część jest zajęta pod uprawy; bogactwa miner.; rudy żelaza (Kurska Anomalia Magnet.), węgiel brun. (Podmoskiewskie Zagłębie Węglowe).

Środkowosyberyjska, Wyżyna, Sriedniesibirskoje płoskogorje, wyżyna w azjat. części Rosji, w Syberii Wsch., między Jenisejem na zach. a Leną na wsch.; przeważające wys. 500–700 m, maks. 1701 m (w górach Putorana); najdłuższe rz.: Dolna Tunguzka, Podkamienna Tunguzka, Angara, Wiluj, Oleniok, Chatanga; większa część W.Ś. leży w strefie tajgi; na pn. od 68°N występuje tundra górska, w części pd. — niewielkie płaty roślinności stepowej; najważniejsze bogactwa miner.: rudy niklu (Norylsk), miedzi i żelaza, złoto, diamenty, gaz ziemny, sól kam., grafit.

Środkowy Wschód, nazwa stosowana zamiennie z nazwą → Bliski Wschód.

Śródatlantycki, Grzbiet, Mid-Atlantic Ridge, grzbiet śródoceaniczny w środk. części dna O. Atlantyckiego; jest częścią systemu grzbietów śródoceanicznych w oceanie świat.; ciągnie się południkowo, w kształcie litery S., od Islandii na pn. do Wyspy Bouveta na pd.; dł. ok. 20,3 tys. km; składa się kolejno z grzbietu Reykjanes (do strefy rozłamu Gibbsa), Grzbietu Północnoatlantyckiego (do głębi Romanche) i Grzbietu Południowoatlantyckiego; szczytowe części grzbietu wystają nad powierzchnię oceanu jako wyspy: Islandia, Azory, São Paulo, Wyspa Wniebowstąpienia, grupa Tristan da Cunha, Gough, Wyspa Bouveta; szer. 200–1200 km; wierzchołki G.Ś. leżą średnio na głęb. 2000 m, natomiast nad dnem sąsiednich basenów oceanicznych wznoszą się średnio 4000–5000 m, maks. — ok. 8500 m (Azory). Charakterystyczną formą rzeźby G.Ś. jest ciągnąca się południkowo, środkiem najwyższych partii, dolina ryftowa o szer. 28–55 km i względnej głęb. ok. 2000 m; dno doliny ryftowej jest strefą aktywnej działalności wulk. i sejsmicznej; grzbiet jest przecięty kilkudziesięcioma równoleżnikowymi, wąskimi i długimi głębiami w strefach rozłamów, najgłębsze: Atlantis (5100 m), Vema (5342 m), São Paulo (5110 m), Romanche (7856 m), Chain (5572 m), Bouvet (5232 m); przedłużeniem G.Ś. na pn. od Islandii są kolejno śródoceaniczne grzbiety — Islandzki (do strefy rozłamu Jan Mayen) i Mohna (do stoku kontynent. Spitsbergenu) na M. Grenlandzkim, a następnie Grzbiet Gakkela w Basenie Euroazjatyckim na dnie M. Arktycznego; na pd. (na wsch. od Wyspy Bouveta) łączy się przez Grzbiet Afrykańsko-Antarktyczny z grzbietami dna O. Indyjskiego i dalej na wsch. — O. Spokojnego. G.S. odkryli 1873 C.W. Thomson i J. Murray badając głębokość oceanu z pokładu bryt. okrętu Challanger (dowódca G.S. Nares), kolejno wzdłuż równoleżników 20°N, 35°N, 5°N i 10°S.

Śródziemne, Morze, międzykontynent. morze między Europą, Azją i Afryką, część O. Atlantyckiego; przez Cieśn. Gibraltarską połączone z O. Atlantyckim, przez cieśniny tur. (Dardanele, Bosfor, morze Marmara) — z M. Czarnym, a Kanałem Sueskim — z M. Czerwonym; rozciągłość równoleżnikowa 3740 km, południkowa — średnio ok. 600 km, maks. — 1800 km (od Zat. Weneckiej do Wielkiej Syrty). Powierzchnia 2501,5 tys. km^2 (bez M. Czarnego i M. Azowskiego); głęb. średnia 1536 m, maks. — 5121 m (w Rowie Helleńskim na zach. od Peloponezu). Linia brzegowa, zwł. pn., silnie rozwinięta; półwyspy Apeniński i Bałkański wysunięte daleko na pd. wydzielają morza: Tyrreńskie, Adriatyckie, Jońskie i Egejskie; ponadto wyróżnia się morza: Alborańskie i Balearskie na zach., Liguryjskie na pn. oraz Kreteńskie na pn. od Krety i Lewantyńskie na wsch.; największe zatoki: Wielka i Mała Syrta, Lwia, Tarencka, Wenecka, Koryncka, Salonicka, Antalya, İskenderun; liczne wyspy, zwł. na M. Egejskim; największe: Sycylia, Sardynia, Cypr, Kreta, Korsyka, Eubeja, Majorka, Rodos, Lesbos, Chios, Minorka, Kerkira; archipelagi: Baleary, W. Jońskie, Sporady, Cyklady (z Dodekanezem); wybrzeża M.Ś. są przeważnie górzyste, jedynie afryk. na wsch. od Małej Syrty niskie i płaskie. Dno M.Ś. jest b. urozmai-

cone, występują prawie wszystkie formy rzeźby, nadając mu charakter dna oceanicznego (grzbiety, progi, baseny, rowy, kaniony, stożki wulk., równiny abysalne, stożki akumulacyjne i in.); wyróżnia się baseny: Algiersko-Prowansalski (głęb. do 2887 m) między Algierią, Balearami, Francją, Korsyką i Sardynią, Tyrreński (do 3830 m) między Płw. Apenińskim, Sycylią i Sardynią, Centralny (5121 m w Rowie Helleńskim) między Płw. Apenińskim, Grecją i Libią oraz Lewantyński (4486 m, w części pn.) między Egiptem, Azją Mniejszą i wsch. wybrzeżem; Próg Afrykańsko-Sycylijski w Cieśn. Sycylijskiej dzieli dno M.Ś. na część zach. i wsch.; w Basenie Algiersko-Prowansalskim na równinie abysalnej na głęb. 2500–2800 m wznoszą się liczne kopulaste wysady soli kam., a na pn. u podnóża stoku kontynent. rozciąga się rozległy stożek akumulacyjny osadów terygenicznych naniesionych przez wody Rodanu; w Basenie Tyrreńskim wznoszą się stożki wygasłych i czynnych wulkanów (niektóre wznoszą się nad powierzchnię morza jako W. Liparyjskie); pd. część dna Basenu Lewantyńskiego zajmuje rozległy stożek akumulacyjny Nilu; we wsch. części dna M.Ś. wyróżnia się Grzbiet Śródziemnomorski ciągnący się łukiem dł. 1600 km od Płw. Apenińskiego do Cypru, oddzielony od wąskiego szelfu afryk. Rowem Libijskim (głęb. do 3540 m), a od Grecji, Krety i M. Egejskiego — Rowem Helleńskim (dł. 1500 km, średnia głęb. ok. 4000 m), ciągnącym się od cieśn. Otranto do zat. Antalya; rowy podmor. występują również w dnie M. Egejskiego, na pn. Rów Anatolijski (głęb. do 1500 m), na pd. — Kreteński (do 2499 m); szelfy w M.Ś. są wąskie, szersze występują tylko w M. Adriatyckim, Małej Syrcie, Zat. Lwiej oraz wzdłuż zach. i pd. wybrzeży Sycylii. M.Ś. leży w strefie klimatów podzwrotnikowych (klimat śródziemnomor.), jedynie akweny wzdłuż wybrzeży libijskich i egip.

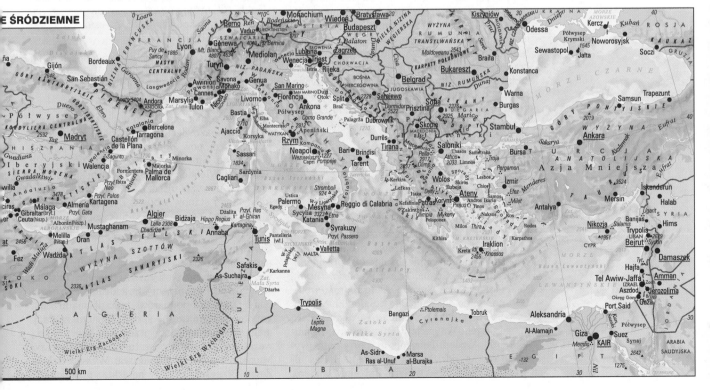

mają klimat zwrotnikowy kontynent. suchy; klimat M.Ś. charakteryzują ciepłe zimy i lata, małe zachmurzenie i opady (zwł. latem) oraz mała wilgotność powietrza i silne parowanie; średnie temperatury powietrza w styczniu od 7–10°C na pn. do 14–16°C na pd., w sierpniu — odpowiednio od 22–24°C do 25–30°C; średnia roczna suma opadów 400 mm — od 1100–1300 mm na pn.-zach. do 50–100 mm na pd.-wsch; występują suche wiatry pd., m.in. sirocco we wsch. części morza i samum na zachodzie. Wody M.Ś. należą do najcieplejszych (średnio 13°C) i najbardziej zasolonych (średnio 38,4–38,7‰) w oceanie świat.; temperatura wód powierzchniowych wynosi w zimie od 9°C u wybrzeży eur. do 16°C w części pd.-wsch., w lecie — odpowiednio od 22–26°C do 26–28°C; zasolenie wód powierzchniowych wynosi od ok. 36‰ u wybrzeży eur. do 39,4‰ w części wsch.; wody głębsze, poniżej głęb. 600 m, mają stałą wysoką temperaturę (ok. 13°C) i duże zasolenie (powyżej 38,5‰) wskutek ograniczonego dopływu z oceanu przez płytką (338 m) Cieśn. Gibraltarską (szybki przydenny prąd z M.Ś. w cieśninie jest gł. źródłem zasilania pn. części O. Atlantyckiego w sól). W warstwie powierzchniowej M.Ś. dominuje Prąd Północnoafrykański (odnoga Prądu Kanaryjskiego wpływająca przez Cieśn. Gibraltarską) o przepływie początkowym 1,8 mln m³/s, którego odgałęzienia na pn. sięgają wybrzeży eur., a na wsch. — lewantyńskich; w warstwach głębszych i przydennych płynie w kierunku odwrotnym słony prąd, który u wejścia do Cieśn. Gibraltarskiej ma przepływ 1,7 mln m³/s; ujemny bilans hydrologiczny M.Ś. wynika z silnego parowania (średnio rocznie 105–120 cm słupa wody), małych opadów i niewielkiego dopływu rzecznego; wymiana wody z M. Czarnym jest b. mała. Wysokość pływów jest niewielka (do 90 cm), jedynie w Zat. Genueńskiej i u pn. wybrzeży Korsyki okresowo, w połączeniu z prądami wiatrowymi, dochodzi do 4 m; w niektórych cieśninach silne prądy pływowe. Zlewisko M.Ś. zajmuje ok. 5 mln km², gł. rzeki: Nil, Rodan, Ebro, Pad, Tyber. Nad M.Ś. leży 21 państw (ok. 425 mln mieszk.); na wybrzeżach liczne kąpieliska mor.; rozwinięte żeglarstwo turyst. i sportowe. Połów ryb (sardynka, sardela, ostrobok, barweny, pelamida, bops, makrela, meny, cefale, tuńczyk, błękitek, szprot), mięczaków (omułek jadalny, mątwa, ośmiornice, kalmary) i krewet.
Położone między 3 częściami świata M.Ś. ma szczególne znaczenie dla transportu — jest ważnym szlakiem handl., przez Cieśn. Gibraltarską (ok. 75 tys. statków rocznie w obie strony) łączy Europę Zach. i Pn. z Afryką Pn. i Azją Zach. a przez Kanał Sueski — z Afryką Wsch., Azją Pd., Pd.-Wsch. i Wsch., a także z Australią i Oceanią; rozwinięta żegluga kabotażowa, promowa i wycieczkowa; gł. porty uniwersalne (wg przeładunków): Marsylia, Genua, Triest, Wenecja, Tarent, Neapol, Kartagena, Savona, Aleksandria, Pireus, Livorno, Barcelona, Algeciras, Saloniki, Mersin, Castellón de la Plana, Stambuł, Tarragona, Bari, Rijeka, Algier, Walencja, Hajfa, Annaba, Brindisi, Bejrut, Aszdod, Palermo; gł. porty naft. (wywozowe): As-Sidr, Marsa al-Burajka i Ras al--Unuf w Libii, Banijas w Syrii, Bidżaja w Algierii,

As-Suchajra w Tunezji, Trypolis w Libanie. Niektóre akweny morza są b. zanieczyszczone ściekami komunalnymi i przem., zwł. wzdłuż wybrzeży, oraz wyciekami z tankowców na prawie całym obszarze — na M.Ś. skupia się 1/3 świat. przewozów ropy naft., gł. z Azji i Afryki do Europy. ■

śryż, kryształki lodu zbite w gąbczastą, nieprzezroczystą masę tworzącą się w wodzie rzecznej po ochłodzeniu się jej nieco poniżej 0°C; łącznie z lepą (śnieg z wodą) i lodem dennym tworzą lód prądowy w postaci krążków o różnej wielkości; stanowi wyjściowy etap w procesie formowania się pokrywy lodowej na rzekach.

Światowa Organizacja Zdrowia, ang. **World Health Organization, WHO**, wyspecjalizowana agencja ONZ, utworzona 1945, działalność rozpoczęła 1948; siedziba w Genewie; gł. zadania: 1) międzynar. unifikacja, kodyfikacja i koordynacja metod leczn. i zapobiegawczych oraz badań nauk.; informacja o osiągnięciach nauk. i nowych metodach leczn.; 2) zwalczanie chorób zakaźnych epidemicznych i endemicznych (we współdziałaniu z UNICEF), krzewienie oświaty sanitarnej; 3) podnoszenie poziomu służby zdrowia publ. (gł. w krajach zacofanych pod względem sanitarnym), zwł. przez pomoc techn., fachową, szkoleniową. Organem nacz. jest Zgromadzenie Ogólne zbierające się raz w roku, Rada Wykonawcza zbiera się 2 razy w roku, stale działa Sekretariat kierowany przez Dyrektora Generalnego; ŚOZ ma 6 biur regionalnych. Wyniki działalności ŚOZ są ogłaszane w wydawnictwie periodycznym „Official Records of the World Health Organization", popularyzacja celów, zadań i osiągnięć jest rozpowszechniana przez miesięcznik wyd. w kilku językach (m.in. franc. „Santé du Monde. Le Magazine de l'Organization Mondiale de la Santé"); ponadto publikuje „Cahiers de Santé Publique" („Public Health Papers"). Polska należy do pierwszych sygnatariuszy konwencji ŚOZ; członkami jest 165 państw (1990).

Świątniki Górne, m. w woj. małopol. (powiat krak.); 2,0 tys. mieszk. (2000); ośr. usługowy; drobny przemysł metal.; zał. w XIV w.; prawa miejskie od 1997.

Świder, rz. na nizinach Południowopodlaskiej i Środkowomazowieckiej, pr. dopływ środk. Wisły; dł. 89 km, pow. dorzecza 1150 km²; wypływa na pd. od Stoczka Łukowskiego, uchodzi w Świdrach Wielkich (dzielnica Otwocka); średni przepływ powyżej ujścia 4,7 m³/s; maks. rozpiętość wahań stanów wody 2,7 m; gł. dopływ — Mienia (pr.); m. nad Ś.: Stoczek Łukowski, Otwock, Józefów.

Świdnica, m. powiatowe w woj. dolnośląskim, nad Bystrzycą; 65 tys. mieszk. (2000); jeden z ważniejszych na Dolnym Śląsku ośr. przem.--usługowych; gł. przemysł elektromaszyn. (wagony, aparatura pomiarowa, urządzenia przem., wyroby odlewnicze) i spoż.; ponadto zakłady magnezytowe, odzież., przemysłu skórz. i in.; węzeł kol. i drogowy; ośr. turyst.-krajoznawczy; Muzeum Dawnego Kupiectwa; Wyższa Szkoła Zaw. Biznesu; prawa miejskie przed 1267

■ Świdnica. Kościół Pokoju

(1249?); kościoły (XIV–XIX w.), m.in. ewang. barok. kościół Pokoju o konstrukcji szkieletowej (XVII w., wpisany na Listę Świat. Dziedzictwa Kult. i Przyr. UNESCO), zespół klasztorny (XVIII w.), ratusz (XVI, XVIII, XIX w.), kamienice (XVI–XVIII w.), kolegium Jezuitów (XVII w.), pałac (XVIII w.). ■

Świdnik, m. powiatowe w woj. lubel., w aglomeracji Lublina; 41 tys. mieszk. (2000); ośr. przem.-usługowy z największym w mieście zakładem — Wytwórnią Sprzętu Komunik. „PZL-Świdnik" (śmigłowce, motolotnie, szybowce); lotnisko przyfabryczne; drobny przemysł; prawa miejskie od 1954.

Świdwie, jez. zarastające na Pobrzeżu Szczecińskim, w dorzeczu Odry, na terenie Puszczy Wkrzańskiej, w pobliżu granicy z Niemcami, na wys. 13 m; pow. 128 ha, dł. 1,6 km, szer. 1,2 km, maks. głęb. 2,1 m; wypływa struga Gunica. Jezioro i najbliższa okolica stanowią rezerwat ornitologiczny Świdwie — pow. 891,3 ha, utworzony 1988 (pierwotnie 382,1 ha); obejmuje jezioro Ś., pas szuwarów, pobliskie łąki, torfowisko niskie i las; ostoja wielu gat. ptaków wodnych i błotnych, miejsce lęgowe, m.in.: żurawia, łabędzia niemego, gęsi gęgawy oraz żerowania i odpoczynku przelotnych ptaków; rezerwat wpisany na listę konwencji Ramsar 71 o ochronie obszarów wodno-błotnych (ochrona ptaków).

Świdwin, m. powiatowe w woj. zachodniopomor., nad Regą; 16,9 tys. mieszk. (2000); ośr. przem.-usługowy; przemysł spoż., drzewny, metal., dziewiarski, chem.; węzeł kol. i drogowy; prawa miejskie od 1296; zamek (XIII/XIV, XV, XVIII w.), fragmenty murów miejskich i got. kościół (XIV w.).

Świebodzice, m. w woj. dolnośląskim (powiat świdnicki), nad Pełcznicą (pr. dopływ Strzegomki); 24,7 tys. mieszk. (2000); ośr. przem. i usługowy; przemysł maszyn., metal., spoż., mebl., odzież., lniarski; prawa miejskie od 1279.

Świebodzin, m. powiatowe w woj. lubus.; 22,5 tys. mieszk. (2000); ośr. przem. (elektrotechn., mebl., spoż., odzież.) i usługowy w regionie turyst.; węzeł drogowy; muzeum; prawa miejskie od 1319; pozostałości murów miejskich (XIV–XVI w.), kościół (XV–XVII, XIX w.).

Świecie, m. powiatowe w woj. kujawsko-pomor., nad Wisłą, przy ujściu Wdy; 27 tys. mieszk. (2000); ośr. usługowo-mieszkaniowy związany z dużymi zakładami celulozowo-papierniczymi;

ponadto drobny przemysł spoż.; węzeł drogowy; prawa miejskie od 1338; ruiny got. zamku krzyżackiego (XIV w.) i kościoła (XIV–XVI, XVIII w.), fragmenty murów miejskich (XIV w.), zespół klasztorny (XVII–XVIII w.).

Świeradów Zdrój, m. w woj. dolnośląskim (powiat lubański), w G. Izerskich, nad Kwisą; 5,1 tys. mieszk. (2000); od XVI w. uzdrowisko (szczawy radoczynne odkryte 1934–36, borowina) i ośr. turyst.-wypoczynkowy; drobny przemysł spoż. i drzewny; prawa miejskie od 1945.

Świerzawa, m. w woj. dolnośląskim (powiat złotoryjski), nad Kaczawą; 2,6 tys. mieszk. (2000); ośr. wypoczynkowy; prawa miejskie przed 1295–1945 i od 1984; 2 kościoły (XIII, XVI w. i XIV–XV w.).

Święcajty, część jeziora → Mamry.

Świętego Bernarda, Mała Przełęcz, franc. **Petit-Saint-Bernard,** wł. **Colle del Piccolo San Bernardo,** przełęcz w Alpach Graickich, na granicy franc.-wł.; wys. 2188 m; łączy doliny Isère (Tarentaise) i Dora Baltea (Aosta).

Świętego Bernarda, Wielka Przełęcz, franc. **Grand-Saint-Bernard,** niem. **Grosser Sankt Bernhard,** wł. **Colle del Gran San Bernardo,** przełęcz w Alpach, między Alpami Penińskimi a grupą górską Mont Blanc, na granicy szwajc.-wł.; wys. 2469 m; łączy doliny Rodanu i Dora Baltea; przełęczą przechodzi droga samochodowa Martigny–Aosta, od 1964 także tunelem przebitym na wys. 1924 m, dł. 5,8 km (zamknięty w zimie); w pobliżu schronisko Augustianów z kaplicą (zał. 1086 przez św. Bernarda z Aosty), gdzie wyhodowano rasę psów bernardyn. ■

■ Droga przez Wielką Przełęcz Św. Bernarda

Świętego Eliasza, Góry, ang. **Saint Elias Mountains,** franc. **Monts Saint-Élie,** pasmo górskie w Kordylierach, w Kanadzie (terytorium Jukon) i USA (stan Alaska); dł. ok. 320 km; najwyższe szczyty: Logan (6050 m), Góra Św. Eliasza (5489 m), Lucania (5227 m); zbud. ze skał paleozoicznych i mezozoicznych; klimat górski w strefie umiarkowanej chłodnej; roczna suma opadów na stokach pd. ok. 1000 mm, na pn. 200–300 mm; wielkie lodowce górskie, u podnóża — rozległy lodowiec piedmontowy Malaspina; 1976 — pol.-amer. wyprawa alpinistyczna.

Świętego Gotharda, Przełęcz, wł. **Passo del San Gottardo,** niem. **Sankt Gotthard,** franc. **Saint-Gothard,** przełęcz w masywie Św. Gothard (Alpy Lepontyńskie), w Szwajcarii; wys. 2108 m; łączy doliny rzek Reuss i Ticino; pod P.Ś.G.

■ Wyspy Świętego
Tomasza i Książęca

przechodzi tunelem droga samochodowa Bazylea–Mediolan (między miejscowościami Gösche-
nen i Airolo).

Świętego Tomasza i Książęca, Wyspy,
São Tomé e Príncipe, Demokratyczna Republi-
ka Wysp Świętego Tomasza i Książęcej, państwo w Afryce na wyspach w Zat. Gwinejskiej;
składa się z 2 gł. wysp — Św. Tomasza i Książęcej
oraz drobnych przybrzeżnych; 1,0 tys. km² (W.
Św. Tomasza 859 km²); 136 tys. mieszk. (2002),
ludy Bantu (Bubi); stol. São Tomé; język urzędowy portug.; republika. Górzyste, pochodzenia
wulk.; klimat podrównikowy wilgotny. Plantacyj-
na uprawa kakaowca (eksport ziarna), ponadto
kawowca, palmy kokosowej i oleistej, bananów,
waniliowca, na potrzeby wewn. — gł. manioku;
hodowla trzody chlewnej; rybołówstwo; przemysł olejarski, młynarski, rybny, drzewny.   ■

Świętego Tomasza, Wyspa, Ilha da São
Tomé, wyspa wulk. u zach. wybrzeży Afryki, w
Zat. Gwinejskiej; wchodzi w skład Wysp Św.
Tomasza i Książęcej; pow. 859 km²; powierzchnia górzysta (wys. do 2135 m); klimat podrównikowy wilgotny; uprawy plantacyjne (gł.
kakaowca, kawy, palmy kokosowej i oleistej),
eksploatacja lasów, rybołówstwo; gł. m. São Tomé (stol. Wysp Św. Tomasza i Książęcej); porty
mor.: Neves, São Tomé; międzynar. port lotn. w
São Tomé (otwarty 1992).

Świętego Wawrzyńca, Rzeka, ang. **Saint**
Lawrence River, franc. **Saint-Laurent,** rz. w Kanadzie, w górnym biegu graniczna z USA; dł. ok.
1200 km, pow. dorzecza 1,4 mln km²; wypływa z
jez. Ontario; uchodzi estuarium do Zat. Św.
Wawrzyńca; liczne wyspy i kilka zapór spiętrza-
jących wody; Rzeka Świętego Wawrzyńca ma
jeden z najbardziej stałych przepływów na Ziemi
— średnio 6500 m³/s; pływy mor. sięgają do m.
Trois-Rivières (k. Quebecu osiągają wys. 5,8 m);
gł. dopływy: Ottawa, Saguenay (l.), Richelieu
(pr.); żegl. na całej długości; Rz.Ś.W. (i towarzyszące jej na wielu odcinkach kanały oraz systemy śluz) wraz z Wielkimi Jeziorami tworzy
Drogę Wodną Świętego Wawrzyńca; przy zaporach elektrownie wodne; gł. m. nad Rzeką Świętego Wawrzyńca: Kingston, Montreal,
Trois-Rivières, Quebec.

Świętego Wawrzyńca, Zatoka, ang. **Gulf of**
Saint Lawrence, franc. **Golfe du Saint-Laurent,**
zatoka O. Atlantyckiego u wybrzeży Kanady,
między półwyspami Labrador i Nowa Szkocja;
oddzielona od otwartego oceanu wyspami Nowa
Fundlandia i Cape Breton, połączona — cieśninami Belle Isle, Cabota i Canso; pow. 263 tys.
km²; silnie rozwinięta linia brzegowa; liczne
zatoki, największe: estuarium Rzeki Św. Wawrzyńca, Chaleur, Saint George's; liczne wyspy,
największe: Księcia Edwarda, Anticosti, oraz archip. Îles de la Madeleine; dno szelfowe, głęb. do
572 m; temperatura wód powierzchniowych od
poniżej –1°C w zimie do 15–20°C w lecie, zasolenie — od 12–15‰ na zach. do 32‰ w cieśninach;
pokryta lodami od grudnia do maja; zdarzają się
góry lodowe; cyrkulacja powierzchniowych prądów mor. cyklonalna (na półkuli pn. przeciwna
do ruchu zegara); wysokość pływów ok. 2 m (do

6 m w ujściu Rzeki Św. Wawrzyńca); rozwinięte
rybołówstwo; ważny szlak mor. do Drogi Wodnej Św. Wawrzyńca i portów nad Wielkimi
Jeziorami; gł. porty: Quebec, Sept-Îles, Dalhou-
sie, Charlottetown.

Świętej Heleny, Wyspa, Saint Helena Is-
land, wyspa pochodzenia wulk. na O. Atlantyckim, w odległości ok. 1900 km od pd.-zach.
wybrzeży Afryki; wchodzi w skład bryt. terytorium zależnego Św. Helena; pow. 122 km²; gł. m.
i port — Jamestown (stol. Św. Heleny); powierzchnia górzysta (Mont Actaeon, 818 m); na wybrzeżu wąski pas nizin; klimat zwrotnikowy wybitnie suchy (przez cały rok wieją pasaty pd.-
-wsch.); średnia roczna suma opadów na wybrzeżu 160 mm (znacznie wyższa we wnętrzu
wyspy); średnie temp. miesięczne 18–24°C; naturalną szatę roślinną (obecnie prawie całkowicie zniszczoną przez zdziczałe kozy) stanowią
niskie lasy z licznymi gat. endemicznymi; uprawa konopi, ziemniaków, batatów, warzyw, drzew
owocowych; hodowla bydła, owiec, kóz; rybołówstwo; drobny przemysł spoż. i włók.; rzemiosło artyst. (hafty, koronki).

Świętej Katarzyny, Góra, Dżabal Katrina,
najwyższy szczyt płw. Synaj, w Egipcie; wys.
2637 m; u podnóża klasztor Św. Katarzyny.

Świętochłowice, m. w woj. śląskim, w GOP;
powiat grodzki; 59 tys. mieszk. (2000); ośr. górn.-
-przem.; kopalnia węgla kam.; przemysł metalurg., elektromaszyn., spoż. (koncentraty spoż.),
chem. (kosmetyki); wzmiankowane 1313; prawa
miejskie od 1 I 1940 (faktycznie od 1947).

Świętokrzyskie, Góry, środk. część Wyż.
Kieleckiej, między Wzgórzami Łopuszańskimi na
zach. a Wyż. Sandomierską na wsch.; w krajobrazie całej Wyż. Kieleckiej G.Ś. wyróżniają się
pasmowym układem i wzniesieniem; dla krajobrazu G.Ś. charakterystyczne są strome stoki,
gołoborza, skałki ostańcowe i głęboko wcięte doliny; G.Ś., obok Sudetów, są najstarszymi górami
w Polsce, o dobrze zachowanej strukturze fałdowej; składają się z tzw. trzonu paleozoicznego
oraz obrzeżenia mezozoicznego; powstały w
orogenezie kaledońskiej w wyniku co najmniej
4 faz fałdowań; w orogenezie hercyńskiej zostały
morfologicznie odmłodzone, pocięte uskokami i
wypiętrzone; ponowne odmłodzenie rzeźby gór
nastąpiło w orogenezie alpejskiej. W skład G.Ś.
wchodzi kilkanaście pasm górskich o równoleg-
łym przebiegu: tektonicznie — system antyklin i
synklin. Osią całego obszaru jest pasmo o dł. ok.
70 km, ciągnące się od Dobrzeszowa po Opatów;
w jego skład wchodzą (z zach. na wsch.): Wzgórza Oblęgorsko-Tumlińskie (Pasmo Oblęgorskie
— Góra Dobrzeszowska, 359 m, Pasmo Tumliń-
skie — Góra Sieniawska, 436 m), i gł. pasmo G.Ś.
Pasmo Świętokrzyskie (Pasmo Masłowskie —
Klonówka, 473 m, najwyższe w całych G.Ś. Łysogóry — Łysica, 612 m, Pasmo Jeleniowskie —
Szczytniak, 554 m); cały grzbiet Pasma Świętokrzyskiego jest zbud. z kwarcytów i piaskowców
kambryjskich, w Łysogórach kwarcytowe rumowiska skalne, tzw. gołoborza; pasmo gł. jest pocięte przełomami, m.in.: Łosośny, Bobrzy, Lubrzanki, Słupianki; na pn. od niego ciągnie się

Pasmo Klonowskie (Góra Bukowa, 482 m), które w swej wsch. części obejmuje kilka samotnych gór; zbud. z piaskowców dewońskich; na pd. od pasma gł. ciągnie się ponad 10 pasm o różnorodnej budowie geol.; w rejonie Kielc — Pasmo Kadzielniańskie (zbud. z wapieni dewońskich), bardziej na pd. — ciąg pasm zbud. ze skał kambryjskich: Dymińskie (część zach. — G. Zgórskie, wsch. — G. Dymińskie), Daleszyckie, Orłowińskie, Cisowskie, Wygiełzowskie; między tym ciągiem pasm a pasmem gł. znajduje się Padół Kielecko-Łagowski; na pd.-zach. od Pasma Dymińskiego ciągną się pasma: Zelejowskie i Chęcińskie, rozdzielone Doliną Chęcińską; oba pasma są zbud. z wapieni dewońskich; na zach. od Chęcin znajdują się niewielkie Grząby Bolmińskie i Grzywy Korzeczkowskie (zbud. z wapieni i margli jurajskich).

Mimo niewielkiego wyniesienia G.Ś. (zwł. Łysogóry) mają odrębny klimat niż rejony sąsiednie; temperatury są niższe o 1–2°C, opady wyższe (ok. 700 mm rocznie); okres wegetacji krótszy o 1–3 tygodnie. G.Ś. są działem wodnym dopływów Wisły, wpadających do niej powyżej i poniżej Sandomierza; sieć hydrograficzna wykazuje znaczną niezależność, zarówno od budowy geol., jak i przebiegu pasm; G.Ś. leżą gł. w dorzeczach Kamiennej (część pn.) i Nidy (część pd.), oprócz tego — Czarnej (dopływ Pilicy), Opatówki, Koprzywianki i Czarnej (dopływy Wisły); jedynie wsch. część pasma gł. (Pasmo Jeleniowskie) stanowi dział wód między dorzeczami Kamiennej i Nidy; gł. węzeł hydrograficzny G.Ś. znajduje się na pn. od Pasma Klonowskiego. G.Ś. stanowią część geobot. krainy świętokrzyskiej (obszary: łysogórski i chęciński); pasma górskie porastają lasy iglaste ze znacznym udziałem jodły (Puszcza Jodłowa), modrzewia pol. (Góra Chełmowa) i buka; liczne relikty z epoki lodowej (na torfowiskach); w obniżeniach rosną bory sosnowe, wyżej — bory mieszane z bukiem, dębem i modrzewiem; kilkanaście rezerwatów (leśne, geol., krajobrazowe, torfowiskowe); Łysogóry i niektóre obszary przyległe obejmuje Świętokrzyski Park Narodowy. Podnóża znacznej części pasm górskich (zwł. na wsch.) pokrywają lessy; na urodzajnych glebach w dolinach i obniżeniach rozwinięte rolnictwo.

W rejonie G.Ś. już od ok. 2 tys. lat wydobywa się różne kopaliny; na pocz. n.e. wydobywano i przetapiano rudę żelaza na obszarze między Łysogórami i Pasmem Jeleniowskim a Kamienną; od późnego średniowiecza w pasmach pd.-zach. i zach. wydobywano miedź, ołów i wapienie; w XVIII i XIX w. na obszarach pn.-zach. oraz wzdłuż Kamiennej rozwinęło się górnictwo i hutnictwo żelaza (Zagłębie Staropolskie); w XX w. (zwł. po II wojnie świat.) silnie rozwinęło się wydobycie wapieni (m.in. tzw. marmur chęciński) i ich przerób w nowych zakładach wapienniczych i cementowych tzw. białego zagłębia (Nowiny, Osiedle, Bukowa) oraz wydobycie kwarcytów (Wiśniówka). Wschodnie rejony G.Ś. zachowały jeszcze żywy folklor i regionalne budownictwo wiejskie. G.Ś. są jednym z najciekawszych rejonów turystyki górskiej w Polsce; kilka ośr. turyst.: Kielce, Chęciny, Bodzentyn, Nowa Słupia. G.Ś., w których dzieciństwo i młodość

■ Góry Świętokrzyskie. Fragment Pasma Kadzielniańskiego w południowej części Kielc

spędził S. Żeromski, były często opisywane w jego utworach. ■

świętokrzyskie, województwo, woj. w pd. części Polski; pow. 11 672 km², 1,3 mln mieszk. (2000); stol. — Kielce, in. większe m.: Skarżysko-Kamienna, Starachowice, Ostrowiec Świętokrzyski; dzieli się na 1 powiat grodzki, 13 ziemskich i 102 gminy. Krajobraz urozmaicony, gł. wyżynny, występują zjawiska krasowe i pokrywy lessowe, w wysokich partiach G. Świętokrzyskich — gołoborza; wys. od 127 m w dolinie Wisły do 612 m (Łysica) w G. Świętokrzyskich; prawie w całości leży na Wyż. Małopolskiej (Wyż. Kielecka, Niecka Nidziańska, wsch. część Wyż. Przedborskiej), która opada miejscami stromą krawędzią ku dolinie Wisły (rzeka stanowi pd. i pd.-wsch. granicę w.ś.) — na wsch. jest to Małopolski Przełom Wisły (część Wyż. Lubelskiej), na pd.-wsch. Niz. Nadwiślańska (należy do Kotliny Sandom.). Główne rz.: Wisła oraz jej l. dopływy: Nida i Kamienna; jezior naturalnych brak; zbiorniki retencyjne na Czarnej i Kamiennej. Lasy zajmują 27,4% pow., gł. na pn. (Puszcza Świętokrzyska z Puszczą Jodłową); Świętokrzyski Park Nar., 8 parków krajobrazowych, w tym Zespół Parków Krajobrazowych Ponidzia. Gęstość zaludnienia — 114 mieszk. na km², w miastach 45,9% ludności (2000). Województwo przem.-roln.; złoża surowców skalnych, m.in. wapieni, w tym tzw. marmury kiel., margli, dolomitów, piaskowców oraz kwarcytów (eksploatacja gł. w G. Świętokrzyskich, Szydłowcu i Pińczowie) oraz siarki (Osiek i likwidowana kopalnia w Grzybowie), a także gipsu (Gacki); ponadto są nieeksploatowane złoża rud żelaza (Zagłębie Staropol. na pn.); rozwinięty różnorodny przemysł (gł. w pn. części woj. między Końskiem a Ostrowcem Świętokrzyskim), w tym: metalurg., środków transportu, elektrotechn., metal. i maszyn. oraz oparty na miejscowej bazie surowcowej przemysł miner.: wapienniczy i gipsowy (Sitkówka-Nowiny, Bukowa Góra, Gacki), cementowy (Małogoszcz, Sitkówka-Nowiny, Ożarów), ceram. (Ćmielów, Suchedniów, Stąporków) i szkl. (Sandomierz); ponadto przemysł lekki, gł. odzież., dziewiarski i obuwn., spoż. oraz drzewny. Użytki rolne zajmują 62,5%; uprawa zbóż (pszenica, żyto, jęczmień) i ziemniaków, na wsch. — tytoniu i chmielu; hodowla bydła i trzody chlewnej; rozwinięte warzywnictwo i sadownictwo, zwł. w okolicach Kielc i Sandomierza. Słabo rozwinięta sieć komunik., gł. trasa z Warszawy do Krakowa przez Kielce; żegluga na Wiśle (port w Sandomierzu); jedyne w Polsce Centrum Łączności Satelitarnej w Psarach-Kątach. W G. Świętokrzyskich i dolinie Nidy atrakcyjne tereny turyst. (Jaskinia Raj) i rekreacyjne; liczne zabytki, m.in. w Sandomierzu, Baranowie Sandom., Krzemionkach Opatowskich, uzdrowiska: Busko Zdrój, Solec Zdrój.

Święty Krzyż, szczyt w G. Świętokrzyskich, → Łysa Góra.

Świna, cieśnina między wyspami Uznam i Wolin, najkrótsze połączenie Zalewu Szczecińskiego z Zat. Pomorską, dostępne dla statków oceanicznych; dł. ok. 16 km, szer. 100–1000 m; Ś. ma charakter krętej rzeki z licznymi płaskimi i błotnistymi wyspami oraz rozlewiskami; na wsch. połączona z jez. Wielkie Wicko; ok. 5 km powyżej ujścia do morza wyspa Mielin (dł. 3,5 km) oddziela naturalne koryto Ś. od Kanału Mielińskiego z torem wodnym, którego przedłużeniem jest Kanał Piastowski, przekopany do Zalewu Szczecińskiego przez pd.-wsch. część Uznamu — do toru wodnego biegnącego przez zalew do portu w Szczecinie; między Kanałem Piastowskim a Starą Ś. — wyspa Karsibór; głębokości na torze wodnym 9–17 m; u ujścia do morza port handl., rybacki i wojenny Świnoujście.

Świnica, zwornikowy szczyt graniczny w gł. grzbiecie Tatr Wysokich, między dolinami: Gąsienicową, Pięciu Stawów Polskich i Cichą (na Słowacji); 2 wierzchołki: wyższy pd.-wsch. — 2301 m i niższy pn.-zach. — 2291 m; od szczytu odgałęzia się w kierunku wsch. grań zakończona grzbietem Wołoszyna; zbud. z granitów; na stromych, często podciętych ścianach, wiele dróg taternickich; znakomita panorama Tatr Wysokich, Zach. i Podhala; szlaki turyst. z przełęczy Zawrat (klamry, łańcuchy, drabinki) lub z Kasprowego Wierchu i Hali Gąsienicowej przez Świnicką Przełęcz.

Świnoujście, m. w woj. zachodniopomor., na wyspach, gł. Uznam i Wolin, oddzielonych Świną, nad M. Bałtyckim, w pobliżu granicy z Niemcami; pow. grodzki; 44 tys. mieszk. (2000); port handl. w zespole Szczecin–Ś., rybacki (największy w Polsce), największy i najnowocześniejszy nad M. Bałtyckim terminal pasażerski przystani promowej, port wojsk.; przemysł rybny, stoczn.; kąpielisko mor.; uzdrowisko (solanki) i ośr. turyst.-wypoczynkowy; festiwale, w tym Festiwal Artyst. Młodzieży Akademickiej „Fama"; w XII w. gród; prawa miejskie od 1765.

Świtaź, Switiaź, Switiaźke ozero, największe jez. na Ukrainie, na Polesiu Wołyńskim, w grupie Jezior Szackich; pow. 27,5 km^2, głęb. do 58,4 m; pochodzenia krasowego; odpływ do Bugu poprzez jez. Łukie i Kopajówkę; stanowi część Szackiego Parku Nar. (pow. 32,5 tys. ha); 1929–39 badania limnologiczne prowadził Zakład Geogr. Uniw. Warszawskiego.

Świteź, Swiciaź, jez. na Białorusi, w pobliżu Nowogródka; pow. 1,5 km^2, głęb. 15 m. Znane dzięki balladzie A. Mickiewicza *Świtezianka*.

T

■ Tadżykistan. Góry Fańskie

Tadżykistan, Todżikiston, państwo w środk. Azji; 143,1 tys. km²; 6,3 mln mieszk. (2002), Tadżycy 62%, Uzbecy 24%, Rosjanie 8% i in.; większość wierzących muzułmanie (sunnici); stol. Duszanbe; język urzędowy tadż.; republika; w skład T. wchodzi Gornobadachszański Obwód Autonomiczny. Ponad 90% pow. zajmują góry, wys. do 7495 m (Pamir); pn. część w Kotlinie Fergańskiej; gł. rz.: Syr-daria, Zerawszan, Amu-daria (graniczna) z pr. dopływami; lodowce (największy Fedczenki); pustynie i stepy, łąki wysokogórskie. Kraj zniszczony wojną domową; uprawy: zboża, bawełna, winorośl, drzewa owocowe, sezam, tytoń, geranium; hodowla owiec, bydła, koni, jaków; elektrownie wodne na rz. Wachsz; wydobycie soli kam., rud metali nieżelaznych, złota; przemysł spoż., lekki (bawełn., jedwabn., wyrób dywanów), chem., maszyn. i metal., hutnictwo aluminium; gł. drogi przez przełęcze Anzob (3372 m) i Akbajtał (4655 m).	■

Tag, hiszp. **Tajo,** portug. **Tejo,** rz. w Hiszpanii i Portugalii, najdłuższa na Płw. Iberyjskim; dł. 1120 km (z tego w Portugalii 113 km), pow. dorzecza 80 tys. km²; źródła na zach. stokach Montes Universales (G. Iberyjskie), na wys. 1800 m; uchodzi estuarium Mar de Palha do O. Atlantyckiego; w górnym i środk. biegu płynie przez Mesetę Iberyjską (od m. Toledo w głębokiej dolinie); gł. dopływy: Tajuña, Alberche, Alagón (pr.); duże wahania stanu wód; liczne zbiorniki retencyjne; wykorzystywana do nawadniania; elektrownie wodne; żegl. od m. Abrantes, do Santarém dostępna dla statków mor.; 1969–82 zbudowano Kanał T.–Segura (dł. 286 km), od zbiornika

Bolarque na T., poprzez zbiornik Alarcón na rz. Júcar do Mundo (l. dopływ Segury); gł. m. nad T.: Toledo, przy ujściu — Lizbona.

Tahiti [taiti], wyspa wulk. na O. Spokojnym, największa w archipelagu W. Towarzystwa (Polinezja Franc.), w grupie Wysp Na Wietrze; pow. 1042 km²; otoczona rafami koralowymi; składa się z 2 części górzystych: Wielkiej T. (T.-Nui) i Małej T. (T.-Iti), połączonych wąskim (do 2 km), nizinnym przesmykiem Taravao; najwyższy szczyt — wygasły wulkan Orohena, 2237 m (na Wielkiej T.); liczne rzeki płyną w głębokich i wąskich dolinach; gł. uprawy: palma kokosowa, banany, rośliny bulwiaste, wanilia, trzcina cukrowa, kawa, ananasy; połów ryb, pereł; rozwinięta turystyka; gł. m. Papeete (stol. Polinezji Franc.).

Tajlandia, Prathet Thai, Królestwo Tajlandii, państwo w pd.-wsch. Azji, na Płw. Indochińskim i Płw. Malajskim, nad M. Andamańskim i Zat. Tajlandzką; 513,1 tys. km²; 62,4 mln mieszk. (2002), Tajowie (53% ludności), Laotańczycy, Chińczycy, Malajowie; religia państw. buddyzm; w miastach ok. 20% mieszk.; stol. Bangkok, inne m.: Nakhon Ratczasima, Cziang Maj, Khon Kaen; język urzędowy tajski; monarchia. W środk. części aluwialna Niz. Menamu, na pn.-wsch. płytowa równina Korat, oddzielona od Niz. Menamu górami Thiu Khao Phetchabun (wys. do 2320 m), na pn. i zach. południkowe pasma górskie z najwyższym szczytem w kraju Doi Inthanon (2595 m); na Płw. Malajskim niziny i niewysokie pasma górskie; klimat zwrotnikowy monsunowy, na pd. — równikowy wilgotny; gł. rz. Menam; lasy (ok. 27% pow.) monsunowe i równikowe wilgotne (na pd.), sawanny (Korat). Kraj rozwijający się o wysokim tempie wzrostu gosp. (8% rocznie w latach 80. i na pocz. lat 90.), związanym z dużym napływem kapitału zagr.; w 2. poł. lat 90. załamanie gospodarki spowodowane kryzysem walutowym; przemysł elektron., włók., odzież., samochodowy skupiony w Bangkoku; wydobycie rud cyny; użytki rolne zajmują 41% pow.; uprawa roślin żywieniowych (ryż, maniok, kukurydza), przem. (kauczukowiec, trzcina cukrowa); hodowla trzody chlewnej; eksploatacja lasów; połowy ryb i krewetek; transport samochodowy, wodny; turystyka (7,2 mln turys-

■ Tadżykistan

■ Tajlandia

■ Tajlandia. Targ na wodzie w Bangkoku

■ Tajwan

tów zagr., 1996); gł. ośr. turyst.: Bangkok, Cziang Maj, Ajutthaja z zabytkami sztuki buddyjskiej, mor. parki nar., luksusowe kąpieliska (Pattaya); świat. eksporter podzespołów elektron., ryżu, tapioki (mączka z manioku), kauczuku i cyny. ■

Tajlandzka, Zatoka, dawniej **Zatoka Syjamska,** khmer. **Czhuk-samot Thai,** tajskie **Ao Thai,** wietn. **Vịnh Thái Lan,** rozległa i płytka zatoka w zach. części O. Spokojnego, w pd.-zach. części M. Południowochińskiego; wcina się ok. 720 km między nasadę Płw. Malajskiego a pd. brzegi Płw. Indochińskiego; szerokość wejścia między środk. częścią Płw. Malajskiego a pd. cyplem delty Mekongu ok. 400 km; wzdłuż brzegów liczne wyspy, płycizny i skały, w części zach. — rafy koralowe; głęb. do 84 m; wysokość pływów do ok. 4 m; uchodzi rz. Menam., nad którą ok. 30 km od Z.T. leży gł. port i stol. Tajlandii — Bangkok.

Tajmyr, Tajmyrskij połuostrow, najdalej na pn. wysunięty półwysep Azji, w Rosji, między zat.: Jenisejską (M. Karskie) i Chatańską (M. Łaptiewów); zakończony przyl. Czeluskin; pow. ok. 400 tys. km², dł. ok. 1000 km, szer. ponad 500 km; nizinny, w części środk. góry Byrranga (wys. do 1146 m); gł. rz.: Piasina, Tajmyra, Chatanga; liczne jeziora, największe — Tajmyr; roślinność tundrowa, na pd. — lasotundra (z modrzewiem dahurskim).

Tajmyrski (Dołgańsko-Nieniecki) Okręg Autonomiczny, okręg autonomiczny w pn. Rosji (Kraj Krasnojarski); 862,1 tys. km²; 40 tys. mieszk. (2002), gł. Rosjanie; ośr. adm. Dudinka; rybołówstwo, myślistwo, hodowla reniferów; wydobycie rud niklu i miedzi, platyny, węgla kam., gazu ziemnego.

Tajpej, Taibei, stol. Tajwanu, nad rz. Danshui He, w pobliżu jej ujścia do Cieśn. Tajwańskiej; zespół miejski 2,6 mln mieszk. (1995); wielki i nowocz. ośr. przem. (elektron., maszyn., metal., samochodowy, rafineryjny, odzież.) i wystawienniczo-handl. (świat. wystawy komputerowe); giełda, banki, towarzystwa ubezpieczeniowe; węzeł komunik.; uniw.; w pobliżu (m. Xinzhu) wielkie centrum nauk.-badawcze, siedziby wielu firm zagr. i krajowych; w nadmor. Jilong port handl. obsługujący T.; zał. 1708.

Tajumulco [tachumulko], **Volcán Tajumulco,** wygasły wulkan w górach Sierra Madre, w Gwatemali, najwyższy szczyt w Ameryce Środk.; wys. 4220 m; złoża siarki; ostatnia erupcja 1863.

Tajwan, Taiwan, Republika Chińska, państwo we wsch. Azji, na wyspie Tajwan i wyspach przybrzeżnych (z Peskadorami); formalnie prow. Chin, faktycznie kraj niezależny od ChRL; 36,0 tys. km²; 23,3 mln mieszk. (2002), 97% Chińczyków i Gaoszanowie (pochodzenia malaj.); buddyzm (ok. 43% ludności), taoizm, konfucjanizm; stol. Tajpej; język urzędowy chiń.; republika. Górzysto-wyżynny (wys. do 3950 m w górach Yu Shan), na zach. aluwialna nizina; na pn. wulkany, gorące źródła; trzęsienia ziemi; klimat zwrotnikowy wilgotny, monsunowy; tajfuny; gęsta sieć krótkich rzek; lasy ok. 50% powierzchni. Kraj nowo uprzemysłowiony o wysokiej dynamice rozwoju; podstawą gospodarki są usługi (zwł. handel zagr.) i przemysł przetwórczy; gł. gałęzie przemysłu: inform. i elektron. (koncentracja zakładów w Tajpej i Gaoxiong), maszyn., metal., stoczn., chem., hutn., odzież., obuwn., włók., spoż., zabawkarski; dziewiarstwo i haciarstwo; wysokotowarowe rolnictwo; uprawa ryżu, trzciny cukrowej, orzeszków ziemnych, drzew cytrusowych, bananów, warzyw; hodowla trzody chlewnej, jedwabników; połowy tuńczyka, krabów, mątwy; leśnictwo; turystyka zagr.; transport samochodowy i kol. dobrze rozwinięty wzdłuż wybrzeży, zwł. zach.; żegluga kabotażowa i mor.; gł. porty: Gaoxiong, Jilong; T. odgrywa ważną rolę w świat. handlu. ■

Tajwan, Taiwan, portug. **Formosa,** wyspa na O. Spokojnym, u pd.-wsch. wybrzeży Chin, oddzielona od kontynentu azjat. Cieśn. Tajwańską; pow. 35,7 tys. km²; z wyspami przybrzeżnymi stanowi państwo → Tajwan.

Tajwańska, Cieśnina, Taiwan Haixia, cieśnina w zach. części O. Spokojnego, między Chinami kontynent. a wyspą Tajwan; łączy M. Wschodniochińskie z M. Południowochińskim; długość ok. 360 km, szer. 130–250 km; pow. ok. 85 tys. km²; najmniejsze głębokości na torze wodnym 60–110 m; wybrzeże kontynent. silnie rozwinięte — liczne zatoki, wyspy i płycizny; w pd.-wsch. części C.T., na zach. od Tajwanu, archipelag Peskadorów otoczony częściowo rafami koralowymi; przez cieśninę przepływają chłodne prądy mor. (średnio 1 km/h): zimą na pd.-zach., latem na pn.-wsch.; wysokość pływów od 2 m na pd., do ok. 7 m na pn.; silne prądy pływowe. Główne porty: Xiamen i Fuzhou w Chinach, Gaoxiong na Tajwanie.

Takla Makan, Taklimakan Shamo, piaszczysta pustynia w zach. Chinach, w Kotlinie Kaszgarskiej; pow. ok. 300 tys. km²; w części pn.-wsch. wydmy wys. 150–300 m; klimat umiarkowany ciepły, kontynent., skrajnie suchy (roczne opady poniżej 50 mm); nad T.M. występują b. silne wiatry i burze piaskowe (zwł. wiosną); wnętrze T.M. na wielkich przestrzeniach jest pozbawione zupełnie roślinności; wzdłuż pn. skraju płynie rz. Tarym; gł. oazy: Kaszgar, Shache, Hotan.

Tallin, Tallinn, dawniej **Rewel,** stol. Estonii, nad Zat. Fińską; 386 tys. mieszk. (2002); port mor.; przemysł elektrotechn. i elektron., stoczn., farm., papierniczy, lekki (bawełn.), spoż., fabryka nart i łodzi sport.; AN Estonii, 4 szkoły wyższe (2 uniw.); centrum olimpijskie żeglarstwa jachtowego; muzea; dawny zamek kawalerów mieczowych (XIII, XIV w.), got. katedra NMP (XIII–XV, XVII, XVIII w.), kościoły i klasztory; got. ratusz (XIV, XV w.), got. domy — m.in. Wielkiej Gildii, Gildii Św. Olafa (oba XV w.), pozostałości średniow. obwarowań miejskich (XIV–XV w.), Brama Mor. (XVI w.), renes. domy; klasycyst. pałace (XVIII, XIX w.).

Tałty, jez. rynnowe w Krainie Wielkich Jezior Mazurskich; wraz z Jez. Ryńskim, z którym stanowi hydrograf. całość, wypełnia pn. część długiej, polodowcowej rynny mikołajskiej; pow. 1160 ha (bez Jez. Ryńskiego), dł. 12,5 km, szer. 1,8 km, maks. głęb. 44 m; silnie rozwinięta linia brzegowa (dł. 35 km); brzegi przeważnie wysokie, pn.-wsch. zalesione; na wsch. łączy się przez kanały i jeziora (m.in. Jagodne, Niegocin) z jez. Mamry, na pd. przez Jez. Mikołajskie — z jez. Śniardwy; przez T. prowadzi szlak żeglugi śródlądowej; przy połączeniu T. z Jez. Mikołajskim leżą Mikołajki (ośr. sportów wodnych); liczne wsie nadbrzeżne.

Tamański, Półwysep, Tamań, Tamanskij połuostrow, półwysep w Rosji, w Kraju Krasnodarskim, między M. Azowskim i M. Czarnym, w przedłużeniu Wielkiego Kaukazu; na pocz. n.e. istniało tu kilka wysp, które w V w. zostały połączone między sobą i z lądem osadami mor. i rzecznymi; pow. 2000 km^2, wys. do 164 m; brzegi niskie, pocięte zatokami; wulkany błotne, w obniżeniach jeziora-limany z gorzko-słoną wodą; we wsch. części delta Kubania (współcz. i dawna); uprawa gł. winorośli i drzew owocowych; prom kol. przez Cieśn. Kerczeńską; gł. m. Temriuk.

Tamilnadu, do 1967 **Madras,** stan w pd. Indiach nad Zat. Bengalską i O. Indyjskim; 130,1 tys. km^2; 63,3 mln mieszk. (2002), Tamilowie; stol. Madras, inne m.: Maduraj, Kojambatur; wyżynny; wyż. Dekan z Ghatami Zach. i G. Kardamonowymi; wąskie niziny nadmor. Wybrzeża Koromandelskiego z deltami rzek, gł. Kaweri; suche sawanny, resztki lasów równikowych w górach; podstawą gospodarki rolnictwo; na wybrzeżu uprawa ryżu, trzciny cukrowej, palmy kokosowej, w części wyżynnej — prosa, bawełny, w górach — plantacje herbaty; rozwinięty przemysł włók., garbarski, cukr., olejarski, herbaciany; w Madrasie, gł. porcie stanu, przemysł maszyn., rafineryjny, środków transportu; turystyka (Maduraj, Kańćipuram); prom kol. do Sri Lanki.

Tana, jez. tektoniczne w Etiopii, na Wyż. Abisyńskiej, na wys. 1830 m; pow. 3100–3600 km^2 (w zależności od pory roku), dł. 75 km, szer. do 70 km, głęb. do 70 m; liczne wyspy (największa Dek); do Tana uchodzą rz.: Mały Abbaj, Reb, Gumara i in., wypływa Nil Błękitny; bogata fauna (ryby, hipopotamy); żegluga.

Tana, fiń. **Teno,** rz. w Norwegii i Finlandii (na dł. 135 km graniczna); dł. 360 km (od źródeł Anarjokka na wyż. Maanselkä); uchodzi do Tanafjorden (M. Barentsa); zamarza na ok. 8 miesięcy.

Tanew, rz. na Roztoczu i w Kotlinie Sandomierskiej, pr. dopływ dolnego Sanu; dł. 113 km, pow. dorzecza 2339 km^2; wypływa kilkoma strumieniami, z których gł. bierze początek z jezior w Hucie Starej na zach. od Wielkiego Działu (390 m

n.p.m.); w odcinkach przełomowych doliny na Roztoczu — liczne progi, zw. szypotami; płynie przez Puszczę Solską, uchodzi poniżej m. Ulanów; średni przepływ przy ujściu 13 m^3/s; maks. rozpiętość wahań stanów wody w dolnym biegu 2,5 m; dopływy: Wirowa (l.), Łada (pr.); część doliny T. z trzecią i czwartą serią szypotów oraz rejon ujścia rz. Jeleń stanowi rezerwat krajobrazowy Nad Tanwią (liczne wodospady, las mieszany z udziałem jodły).

Tanganika, ang. **Lake Tanganyika,** franc. **Lac Tanganyika,** jez. we wsch. Afryce, na granicy Zairu, Zambii, Tanzanii i Burundi; leży w Wielkim Rowie Zach. (→ Wielkie Rowy Afrykańskie), na wys. 773 m; pow. 34 tys. km^2, dł. 670 km, szer. 20–80 km, głęb. w części pd. do 1435 m (kryptodepresja), pod względem głębokości drugie (po Bajkale) jezioro na Ziemi; brzegi wysokie (do 750 m) i strome (zwł. na pn. i zach.); do T. uchodzą rz.: Malagarasi, Ruzizi, odpływ z jeziora przez rz. Lukuga do Lualaby (przy niskich stanach wód jezioro T. jest bezodpływowe); jezioro stare powstało prawdopodobnie w pliocenie; bogata fauna (krokodyle, hipopotamy, ptactwo wodne); ok. 250 gat. ryb, w tym 190 stanowią endemity; rozwinięte rybołówstwo; żegluga; gł. m. nad T.: Bużumbura, Kalemia, Mpulungu, Kigoma-Ujiji. Odkryte 1858 przez R.F. Burtona i J.H. Speke'a.

„tania" bandera, określenie mor. flagi handl. państwa umożliwiającego zagr. właścicielom i armatorom rejestrację statku przy niższych opłatach, podatkach, kosztach eksploatacji i liberalnych wymaganiach w zakresie bezpieczeństwa; państwami „t."b. są m.in. Panama, Liberia, Cypr, Grecja, Wyspy Bahama.

Tanzania, Zjednoczona Republika Tanzanii, państwo we wsch. Afryce, nad O. Indyjskim; przybrzeżne wyspy, gł. Zanzibar, Pemba, Mafia; 883,7 tys. km^2; 37,4 mln mieszk. (2002), gł. ludy Bantu i Masajowie, Indusi, Arabowie; katolicy, muzułmanie, animiści; stol. Dodoma, największe m. i port Dar es-Salam; języki urzędowe: suahili, ang.; republika. Płaskowyż Uniamwezi rozcięty rowami tektonicznymi należącymi do systemu Wielkich Rowów Afryk.; w obrębie rowów masywy wulk.: Kilimandżaro (wys. do 5895 m, najwyższy w Afryce), Meru; wzdłuż wybrzeża niziny; klimat podrównikowy wilgotny, na płaskowyżu suchy; na granicy pn. i zach. jez.: Wiktorii,

■ Tanzania

■ Tanzania. Park Narodowy Serengeti

Tanganika, Niasa; przewaga sawanny; na pd. i zach. widne lasy (miombo), w górach — wiecznie zielone, na wybrzeżu namorzyny; Park Nar. Serengeti. Kraj słabo rozwinięty, podstawą gospodarki — rolnictwo; uprawa kukurydzy, manioku, sorga, bananów plantan, na eksport — kawy, bawełny, agawy sizalskiej, goździkowca (uprawa na wyspach); hodowla bydła, owiec; rybołówstwo, zwł. śródlądowe (gł. port Kigoma--Ujiji); wydobycie diamentów, rubinów, szafirów, złota i in.; przemysł spoż., włók., metal., nawozów sztucznych; rozwój turystyki zagranicznej. ∎

taras, terasa, płaski stopień w dolinie rzecznej lub na brzegu morza (albo jeziora). T. r z e c z n e, ciągnące się wzdłuż doliny na znacznej przestrzeni, powstają w wyniku erozji rzecznej; są fragmentami dawnego, rozciętego przez rzekę (np. wskutek obniżenia się jej podstawy erozyjnej) dna doliny; t. rzeczne skaliste (t. erozyjne) są wycięte w litym podłożu skalnym (np. t. kanionu Kolorado); t. rzeczne akumulacyjne powstają przez rozcięcie nagromadzonych przez rzekę osadów (→ aluwia) pokrywających dno doliny; t. rzeczne skalisto-osadowe (zw. też erozyjno-akumulacyjnymi) tworzą się wskutek rozcięcia przez rzekę zarówno osadów rzecznych, jak i skalistego podłoża. T. m o r s k i e powstają w wyniku niszczącej (t. erozyjne, zw. też abrazyjnymi), jak i budującej (t. akumulacyjne) działalności fal. Termin t. jest także używany na określenie innych stopni stokowych o rozmaitej genezie.

tarcza [niem. < franc.], wypukła część fundamentu krystal. → platformy, pozbawiona pokrywy platformowej, np. t. bałtycka, t. kanadyjska.

Tarnobrzeg, m. w woj. podkarpackim, nad Wisłą; powiat grodzki, siedziba powiatu tarnobrzeskiego; 51 tys. mieszk. (2000); ośr. przem., mieszkaniowy i usługowy Tarnob. Okręgu Siarkowego; kopalnia siarki Machów (w likwidacji) i zakłady przetwórcze siarki; przemysł chem., maszyn. (obrabiarki), spoż., tkanin dekor. i in.; liczne przedsiębiorstwa bud.-montażowe; oddziały i filie banków; węzeł kol. i drogowy; orkiestra symfoniczna; prawa miejskie od 1593, potwierdzone 1681; barok. zespół klasztorny (XVII–XVIII, pocz. XX w.); w dzielnicy Dzików pałac Tarnowskich (XVIII, XIX w., ob. Technikum Roln.), park (XIX w.).

Tarnogród, m. w woj. lubel. (powiat biłgorajski), w górnym biegu strugi wpadającej do Tanwi; 3,5 tys. mieszk. (2000); ośr. usługowy; drobny przemysł; węzeł drogowy; prawa miejskie 1567–1870 i od 1987; Izba Pamięci Nar.; kościół (XVIII w.).

Tarnowskie Góry, m. powiatowe w woj. śląskim, na pn. skraju GOP; 66 tys. mieszk. (2000); ośr. przem.; przemysł maszyn. (związany gł. z górnictwem), metal., chem., odzież.; ważny węzeł kol. (największa w Polsce stacja rozrządowa) i drogowy; prawa miejskie od 1526; w XVI w. jeden z największych w Europie ośr. górn. (ołów, srebro); muzea, m.in. Kopalnia Zabytkowa — Muzeum (2 podziemne trasy turyst.: w zabytkowej kopalni — rezerwat górn. XVII–XIX w. i w tzw. Sztolni Czarnego Pstrąga); domy podcieniowe (XVI, XVIII w.).

Tarnów, m. w woj. małopol., w pobliżu ujścia Białej do Dunajca; powiat grodzki, siedziba powiatu tarn.; 121 tys. mieszk. (2000); ośr. przem., usługowy i kult.; stol. diecezji tarn. Kościoła rzymskokatol.; przemysł: chem. (zakłady azotowe), maszyn., zbrojeniowy, materiałów bud., szkl.; węzeł kol. i drogowy; teatr; muzea; obiekty sport. (tor saneczkowy, skocznia narciarska); stado ogierów; wzmiankowany 1125; prawa miejskie od 1330; pozostałości murów miejskich (XIV, XVI w.), katedra (XV–XVI, XIX w.) z renes. nagrobkami, 2 zespoły klasztorne (XV, XIX w. i XVII, XVIII w.), 2 drewn. kościoły (XV, XX w. i XVI w.), ratusz (XIV–XVI, XIX–XX w.), kanonie (XVI w.), kamienice (XVI–XVIII w.).

Tarym, Tarim He, rz. w zach. Chinach, w Kotlinie Kaszgarskiej; powstaje z połączenia 4 rz.: Hotan He, Jarkend-daria, Kaszgar i Aksu-He; długość od źródeł Jarkend-darii ok. 2000 km; płynie wzdłuż pn. skraju pustyni Takla Makan; wody T. są wyzyskiwane w całości do nawadniania; tylko przy wyjątkowo wysokich stanach wód niewielka ich część uchodzi do jez. Taitema Hu; w wyniku akumulacji niesionego materiału i zasypywania koryta przez lotne piaski T. często zmieniała swój bieg (np. 1921 popłynęła korytem rz. Koncze-daria do jez. Lob-nor); 1952 w wyniku przeprowadzonych prac hydrotechnicznych T. powróciła do dawnego koryta.

Tarymska, Kotlina, kotlina w Chinach, → Kaszgarska, Kotlina.

Tasmana, Morze, Tasman Sea, półotwarte morze w pd.-zach. części O. Spokojnego, między Australią i Tasmanią na zach. a Nową Zelandią na wsch.; na pn., sięgając do wyspy Lord Howe, łączy się z morzami Koralowym i Fidżi, na pd. — z otwartym oceanem; przez Cieśn. Bassa połączone z O. Indyjskim, przez Cieśn. Cooka — z otwartym O. Spokojnym. Powierzchnia 3336 tys. km^2, średnia głęb. 3285 m, maks. — 5944 m (w części pn., u wybrzeży Australii); większość dna M.T. zajmuje Basen Tasmana o głęb. 4500–5000 m; w części pn.-wsch. rozciąga się Wzniesienie Lord Howe (Lord Howe Rise) z głębokościami 700–1000 m nad partiami szczytowymi, a za nim część Basenu Nowokaledońskiego (głęb. ok. 4000 m); w Basenie Tasmana występują wulk. góry podwodne (gujoty), m.in. Taupo (szczyt na głęb. 119 m); pd.-wsch. część dna M.T. jest aktywna sejsmicznie. Temperatura wód powierzchniowych w zimie od 22°C na pn. do 9°C na pd., w lecie odpowiednio od 25°C do 15°C, zasolenie — 34,8–35,5‰; przez M.T. przepływają prądy: ciepły Wschodnioaustralijski z pn., zimny Antarktyczny Okołobiegunowy z zach. na wsch. (w pd. części morza); wysokość pływów od ok. 2 m u brzegów Australii do 5,3 m u wybrzeży Nowej Zelandii; rybołówstwo; gł. porty: Newcastle, Sydney i Port Kembla w Australii, Auckland, New Plymouth i Greymouth w Nowej Zelandii.

Tasmania, stan w Australii; obejmuje wyspę Tasmania i grupy wysp w Cieśn. Bassa; 67,8 tys. km^2, 503 tys. mieszk. (2002); stol. Hobart, inne gł. m.: Launceston, Devonport; wyspa Tasmania (64,4 tys. km^2) górzysta, liczne rzeki i jeziora, 44% pow. lasy; wydobycie rud miedzi, cynku, wolframu; elektrownie wodne; przemysł spoż., drzewno-papierniczy, hutnictwo aluminium; hodowla owiec, bydła; uprawa ziemniaków, zbóż, drzew owocowych, chmielu; połów glonów morskich.

Taszkent, Toszkent, stol. Uzbekistanu, na przedgórzach Tien-szanu; 2,2 mln mieszk. (2002); przemysł maszyn. i metal., elektrotechn. i elektron., lekki (bawełn.), chem., spoż.; węzeł komunik., metro; AN Uzbekistanu, 21 szkół wyższych (w tym uniw. i konserwatorium); muzea; wzmiankowany od II w. p.n.e.; 1966 silnie zniszczony przez trzęsienie ziemi; mauzolea (XII–XVI w.), m.in. szacha Hawendi Tachura i Janusa Chodży (oba z XV w., przebud.), madrasy (XVI w.), meczety, budowle użyteczności publ. (XX w.).

Tatarska, Cieśnina, Tatarskij proliw, cieśnina w pn.-zach. części O. Spokojnego, między Azją (Kraj Chabarowski w Rosji) a wyspą Sachalin; łączy Zat. Sachalińską (M. Ochockie) z M. Japońskim; dł. 633 km; szer. od 40 km na pn. do 7,3 km w najwęższym miejscu (Cieśnina Newelskiego) i 343 km na pd.; najmniejsza głębokość na torze wodnym 8 m; część północna C.T. (gdzie uchodzi Amur) jest limanem; w lecie temperatura wód powierzchniowych wynosi 10–12°C, w zimie cieśnina zamarza; przez C.T. przepływa zimny prąd z M. Ochockiego; wysokość pływów do 2,7 m, w limanie Amuru — ok. 2 m; rybołówstwo; gł. porty: Nikołajewsk n. Amurem (w ujściu rzeki), Sowiecka Gawań i Wanino na kontynencie, Aleksandrowsk Sachaliński, Chołmsk i Newelsk na Sachalinie; kolejowe połączenie promowe Wanino–Chołmsk.

Tatarstan, republika w Rosji, na Powołżu; 68 tys. km² ; 3,7 mln mieszk. (2002), Tatarzy 49%, Rosjanie 43%, Czuwasze i in.; stol. Kazań; ludność miejska 73%; ważny w Rosji region wydobycia ropy naft. i gazu ziemnego; przemysł chem., maszyn. i metal., środków transportu, lekki (futrzarski), spoż.; uprawa zbóż (pszenica, żyto), ziemniaków, słonecznika; hodowla bydła, trzody chlewnej, owiec, pszczelarstwo; rurociągi tranzytowe.

Tatry, najwyższa grupa górska w Karpatach (Wewn. Karpaty Zach.), na pograniczu Polski i Słowacji; pasmo gór ciągnie się od Przełęczy Huciańskiej (ok. 905 m) na zach. po Przełęcz Ździarską (1081 m) na pn.-wsch. — ok. 52 km w linii prostej, ok. 80 km wzdłuż gł. grzbietu; szer. mierzona w linii prostej z pn. na pd. — 17 km; w skład T. wchodzą T. Zachodnie i T. Wschodnie; granica między nimi biegnie w pn. części T. przez Dolinę Suchej Wody i przełęcz Liliowe (1951 m), w słowac. części T. jest dyskusyjna — prowadzi się ją Doliną Cichą, zaliczając masyw Kop Liptowskich do T. Wschodnich lub przez przełęcz Zawory (1879 m) i Dolinę Koprową; w obrębie T. Wschodnich wydziela się T. Wysokie i T. Bielskie (całe w Słowacji); pow. wynosi 715 km², w tym w granicach Polski (T. Polskie) 162 km². T. ze wszystkich stron otoczone są głębokimi obniżeniami o dnach 500–700 m: Obniżenie Orawsko-Podhalańskie na zach. i pn. oraz Obniżenie Liptowsko-Spiskie na pd. i wsch.; Obniżenie Orawsko-Podhalańskie oddzielone jest od T. Rowem Podtatrzańskim; wyniosłość T. podkreślają także głębokie doliny rz.: Dunajca, Orawy, Wagu i Popradu, płynące przez Podhale, Orawę, Liptów i Spisz; gł. grzbietem T., od Wołowca do Cubryny (w Polsce), przebiega eur. dział wód; obszar na pn. i wsch. od niego należy do zlewiska M. Bałtyckiego (dorzecza Dunajca i Popradu), pozostała część — do zlewiska M. Czarnego (dorzecza Orawy i Wagu). T. są górami fałdowymi; powstały w wyniku orogenezy alp.; sfałdowane i częściowo dźwignięte w kredzie górnej, w eocenie zostały zalane przez morza, a następnie ostatecznie wypiętrzone po oligocenie. Składają się z paleozoicznego trzonu krystal. i z serii osadowych, gł. triasowo-kredowych i eoceńskich wapieni i dolomitów budujących płaszczowiny: wierchową, reglową oraz pokrywę eoceńską. Wschodnia część trzonu krystal. (T. Wysokie) jest zbud. z granitów i diorytów kwarcowych, część zach. (T. Zachodnie) — ze skał metamorficznych (gnejsy i łupki metamorficzne). Na trzonie krystal. leży płaszczowina wierchowa (Czerwone Wierchy, Giewont), na niej zaś płaszczowina reglowa. Skały płaszczo-

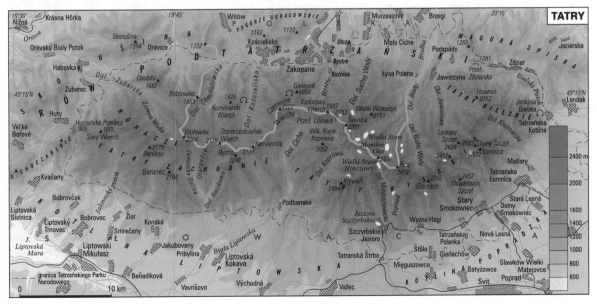

■ Tatry. Dolina Pięciu Stawów Polskich w Tatrach Wysokich

winy wierchowej utworzyły się w płytkim morzu, znajdującym się na masywie nie wypiętrzonego jeszcze trzonu krystalicznego; skały płaszczowiny reglowej powstały w głębszym zbiorniku wodnym, leżącym daleko na pd. od trzonu krystalicznego; potężne nasunięcie płaszczowinowe doprowadziło do przemieszczenia tych mas skalnych na pn. stoki trzonu krystalicznego. Wydźwignięcie całych T. spowodowało obcięcie wielkim uskokiem trzonu krystalicznego na pd. i nadało T. budowę asymetryczną. Ogólne rysy rzeźby T. wynikają z ich budowy geologicznej. W T. Wysokich i T. Zachodnich poprzecznym rozszerzeniom trzonu krystalicznego odpowiadają na ogół kulminacje najwyższych szczytów, znajdujących się poza granicami Polski: w T. Wysokich — Gierlach 2655 m (najwyższy w T.), Łomnica 2632 m, Durny Szczyt 2623 m; w T. Zachodnich — Bystra 2248 m. Najwyższymi granicznymi szczytami są: Rysy — 2499 m (T. Wysokie, najwyższy szczyt Polski), Starorobociański Wierch 2176 m (T. Zachodnie). W depresjach wypełnionych utworami osadowymi występują największe doliny, np. Białej Wody (w depresji Szerokiej Jaworzyńskiej), Bystrej (w depresji Goryczkowej), Chochołowska (w depresji Bobrowca). Wiele wtórnych cech rzeźby T. jest rezultatem odporności skał, np. przełęcze: Bobrowiecka, Iwaniacka, Tomanowa wytworzyły się w mało odpornych utworach dolnotriasowych (werfeńskich); dolomity, wietrzejąc stworzyły fantastyczne formy skalne, tzw. chłopki, mnichy, kominy. Rzeźbę typu alpejskiego T. zawdzięczają zlodowaceniu plejstoceńskiemu; we wszystkich większych dolinach, m.in.: Chochołowskiej, Kościeliskiej, Bystrej, Suchej Wody, Białki (po pn. stronie Tatr) i Cichej, Mięguszowieckiej, Batyżowieckiej (po pd. stronie) powstały wówczas lo-

■ Tatry. Ornak i Kominiarski Wierch w Tatrach Zachodnich

dowce; ich działalność egzaracyjna wymodelowała misy skalne, wypełnione następnie wodami jezior, oraz progi, po których spadają wodospady (→ Siklawa); intensywne wietrzenie skał na kontakcie z lodem i wiecznym śniegiem spowodowało powstanie urwistych ścian turni oraz ostrych grani. Pod gł. grzbietem T. znajdują się górne partie ok. 20 dolin walnych; wiele dolin zaczyna się na stokach bocznych grzbietów. W polskich T. z pd. na pn. opadają doliny: Chochołowska z Jarząbczą i Starorobociańską, Lejowa, Kościeliska z Tomanową i Miętusią, Małej Łąki, Za Bramką, Strążyska, Ku Dziurze, Białego, Bystrej z Kondratową, Goryczkową, Kasprową i Jaworzynką, Olczyska, Suchej Wody z Gąsienicową i Pańszczycą, Filipka, Białki z dolinami: Rybiego Potoku, Pięciu Stawów Polskich i Roztoki oraz Waksmundzką; w dolinach tatrzańskich, na ich zboczach i dnach, zachowały się ślady dawnego zlodowacenia (cyrki, moreny czołowe, boczne i denne, doliny wiszące, U-kształtne poprzeczne profile, misy jeziorne), a w skałach osadowych liczne formy krasowe (lejki, zanikające potoki, wywierzyska, jaskinie). Wiele przełęczy wypreparowanych w gł. grzbiecie tatrzańskim i w bocznych odgałęzieniach jest stosunkowo łatwo dostępnych; niegdyś odgrywały rolę w ruchu komunik. i handl. między Podhalem a Liptowem; od dawna były też użytkowane przez turystów; w okresie II wojny świat. służyły jako przejścia konspiracyjne (na Słowację i dalej na Węgry). W gł. grzbiecie T. Polskich są to m.in. przełęcze: Raczkowa, Pyszniańska, Tomanowa, Pod Kondracką Kopą, Goryczkowa Świńska, Goryczkowa pod Zakosy, Sucha (pod Kasprowym Wierchem), Liliowe, Świnicka, Gładka. W bocznych grzbietach i ich rozgałęzieniach leżą przełęcze: Bobrowiecka, Czerwona, Iwaniacka, Kondracka, Kozia, Krzyżne (zwornikowa), Szpiglasowa, Zawrat i inne. W T. występują setki jaskiń (w tym najgłębsze i najdłuższe w Polsce) powstałych w następstwie procesów krasowych zachodzących w skałach osadowych; najgłębszy system tworzą → Śnieżna Jaskinia, Wielka z Wielką Litworową, w wapieniach serii wierchowej Małołączniaka w masywie Czerwonych Wierchów (głęb. 814 m). Największe skupienie jaskiń występuje w otoczeniu Doliny Kościeliskiej; bardziej znane (poza wymienionymi): Bańdzioch Kominiarski, Czarna, Mroźna, Mylna, Raptawicka, Pisana, Zimna, Smocza Jama, Miętusia, Magurska w Kopie Magury oraz jaskinie Kasprowe w wylocie Doliny Kasprowej. Na obszarze T. występują różne typy wód podziemnych i powierzchniowych. W krajobrazie ogromną rolę odgrywają, oprócz jezior, potoki i ich doliny. Potoki są zasilane przeważnie wodami ze źródeł pokrywowych (morenowych gruzowo-piaszczystych i gliniasto-gruzowych), a na obszarach wapiennych — krasowych. Koryta potoków są miejscami wyżłobione w podłożu skalnym albo w utworach morenowych czy rzeczno-lodowcowych; dł. potoków w obrębie polskich T. nie przekracza 12 km (Potok Chochołowski 11,3 km); spadek wód gł. potoków wynosi od 40 do ok. 200‰ (np. Chochołowski w Tatrach Zach. ma średni spadek 55‰, Kościeliski 40‰, Za Bramką 92‰, Goryczkowy 182‰, Kasprowy

183‰, Biały 212‰). Potoki tatrzańskie załamują się na progach skalnych, tworząc kaskady zw. siklawami; charakterystycznymi cechami potoków w T. są: zwężenia, rozcinanie litej skały, przerzucanie nurtu, gubienie wody w utworach morenowych (gruzowiska) lub skrasowiałych, a nawet częściowy lub całkowity zanik wody w korycie. Potoki tatrzańskie mają na ogół znaczną stałość stanów wody, z wyjątkiem okresów katastrofalnych opadów lub w czasie gwałtownego tajania śniegu, zwł. po wietrze halnym; temperatura wód jest niska, o nieznacznych amplitudach rocznych i dobowych (do 4°C przy wypływie z T.), w miesiącach zimowych 1–2°C, w lecie maksymalnie do ok. 10°C. Jeziora tatrzańskie, zw. stawami (ok. 120 w całych T., 43 w polskich T.), powstały gł. w kotłach lodowcowych (cyrkowe), rzadziej w zagłębieniach zamkniętych morenami; występują na różnych wysokościach, gł. w strefie wysokogórskiej; największe — Morskie Oko ma pow. 34,9 ha; najgłębszy jest Wielki Staw w Dolinie Pięciu Stawów Polskich (maks. 79,3 m, średnia 37,7 m). Jeziora tatrzańskie mają wodę przezroczystą (z wyjątkiem reglowych), barwę szafirową lub szafirowoszmaragdową; są też ciemnogranatowe, a nawet prawie czarne i czerwone (od glonów występujących na podwodnych skałach); w zimie są pokryte lodem (niektóre zamarzają w październiku lub wcześniej, tają w maju, czerwcu lub nawet lipcu); grubość pokrywy lodowej jest różna w poszczególnych latach, czasem przekracza 3 m; temperatura wody zmniejsza się wraz z głębokością (od głęb. 20 m jest prawie wyrównana). Wody jezior tatrzańskich, z wyjątkiem reglowych, są ubogie w sole miner. i organizmy roślinne. T. mają klimat wysokogórski, z 5 piętrami klim.--roślinnymi; na wys. 800 m średnia temp. w styczniu wynosi ok. –5°C, w lipcu ok. 15°C, na wys. 1500 m odpowiednio –7°C i 11°C, na wys. 2000 m –9°C i 7°C; charakterystyczną cechą klimatu T. są duże dobowe amplitudy temperatury i częste inwersje temperatury w zimie; dni z mrozem notuje się przeszło 80 w roku. Średnia roczna suma opadów przekracza 1500 mm; zwiększa się wraz ze wzrostem wysokości, największą wartość (do 1700 mm) osiąga na wys. 1550–2050 m i zmniejsza się na najwyższych szczytach, co nosi nazwę inwersji opadowej; maksimum opadów przypada na miesiące letnie. Opady śnieżne są od września do końca maja; wraz z wysokością zwiększa się liczba dni z opadem śnieżnym i czas trwania pokrywy śnieżnej, która zależnie od wysokości zalega od 5 do 8 miesięcy, a jej grubość dochodzi pod koniec zimy w wyższych partiach gór do 2 m; opad śnieżny może pojawić się wysoko w górach również w środku lata. Grubość pokrywy śnieżnej jest zmienna, zależna od obfitości opadu i warunków topograficznych (najgrubsza i najtrwalsza w kotłach i górnych partiach dolin, szczelinach i żlebach). Stromość zboczy sprawia, że częstym zjawiskiem sa lawiny kamieniste, a zimą i wiosną — śnieżne. Mają one wpływ na rzeźbę gór, modelując na zboczach głębokie bruzdy (żleby), przez wyprzątanie z nich gruzu i usypywanie z niego stożków (piargi). Niektóre wierzchołki T. przekraczają granicę wiecznego śniegu, ale ich forma i stromość nie stwarzają warunków do powstawania lodowców (pola wiecznego śniegu zajmują mniej niż 1 km² — w Polsce gł. w Bańdziochu Mięguszowieckim). Do swoistych zjawisk klimatycznych T. należą „morza mgieł" (chmur warstwowych) na wys. od 1000 do 2000 m, ponad którymi panuje na szczytach słoneczna pogoda. Charakterystycznym zjawiskiem są suche, ciepłe i silne (nieraz przeszło 25 m/s) wiatry typu fenowego (halne), wywierające duży ocieplający wpływ na klimat terenów podgórskich, w samych zaś T. powodujące na wiosnę gwałtowne topnienie śniegów w dolinach oraz groźne wiatrołomy w piętrze leśnym.

W obrębie Karpat T. stanowią odrębną krainę bioklim.; oprócz roślinnych reliktów trzeciorzędowych, zachowały się tu gat. plejstoceńskie; występują endemity, m.in.: skalnica tatrzańska, ostróżka tatrzańska, warzucha tatrzańska, rogownica Raciborskiego, kostrzewa tatrzańska; występują też gat. borealne, arktyczne, górskie środkowoeur. i górskie eurazjatyckie. Roślinność T. wykazuje układ piętrowy; na ogół rozróżnia się 5 pięter roślinnych. W najniższym piętrze regla dolnego (950–1250 m), na podłożu skał osadowych występowały kiedyś, do dziś zachowane szczątkowo, mieszane lasy bukowo-jodłowe z domieszką świerka, jaworu, jarzębu pospolitego i jarzębu mącznego; obecnie, w wyniku gospodarki człowieka, przewagę mają jednolite świerczyny; wzdłuż potoków ciągną się zarośla olszy szarej, na łąkach śródleśnych rośnie szafran spiski, na skałach wapiennych — szarotka alpejska. W piętrze regla górnego (1250–1550 m) panuje bór świerkowy; przy jego górnej granicy występuje limba, modrzew eur., jarząb pospolity, wierzba śląska, brzoza karpacka; na stromych ścianach gór spotyka się świerkowe lasy urwiskowe. Powyżej górnej granicy lasu, na wys. 1550–1800 m, rozciąga się piętro kosówki, która niżej tworzy zwarte zarośla, wyżej — płaty i kępy. Kosodrzewina ma ogromne znaczenie ochronne dla lasu — zatrzymuje piargi, zabezpiecza przed gwałtownym spływem wód i erozją podłoża. Piętro halne (1800–2300 m) tworzą zwarte murawy wysokogórskie i roślinność naskalna typu alpejskiego, po części inna na skałach krystalicznych niż na osadowych; na podłożu granitowym rosną m.in.: zespoły situ skuciny i boimki dwurzędowej, borówka brusznica i bagienna, bażyna czarnojagodowa, zaś na podłożu wapiennym m.in.: zespoły turzycy mocnej, kostrzewy pstrej, seslerii Bielza w towarzystwie turzycy alpejskiej. W piętrze turniowym (powyżej 2300 m) występują luźne murawy wysokogórskie; roślinność kwiatową reprezentuje jeszcze ponad 100 gat.; typowe są rośliny poduszkowe, jak lepnica bezłodygowa, różne gat. skalnic; ponadto występują mchy i porosty naskalne. Dla fauny T. charakterystyczne są gat. wysokogórskie, a zwł. kozica i świstak (gat. objęte w Polsce ochroną od 1868), ponadto występują tu nieliczne niedźwiedzie, rysie i gronostaje, częstsze są jelenie, sarny, borsuki, tchórze, łasice i kuny, w niektórych rejonach dziki; z ptaków b. rzadki jest okazały orzeł przedni, ponadto charakterystyczne są m.in.: pomurnik (rzadki), płochacz halny, pliszka górska, świergotek nadwodny, pluszcz kordusek; z

Taurus

GEOGRAFIA

626

płazów występuje salamandra plamista; endemitem dyluwialnym, żyjącym w Dwoistym Stawku, jest skorupiak — skrzelopływka bagienna; występują też w T. gatunki zwierząt żyjących w górach średnich oraz gat. pospolite na niżu. Na obszarze T. utworzono 1954 Tatrzański Park Nar., który ma na Słowacji odpowiednik — Tatranský Narodný Park. ■

Taurus, Toros Dağları, góry w Turcji, obrzeżają od pd. wyżyny: Anatolijską i Armeńską; dł. ok. 1500 km, szer. do ok. 200 km; składają się z szeregu, często równol. pasm górskich (wyniesionych powyżej 2000 m) i płaskowyżów stromo opadających do M. Śródziemnego i ku wąskim nizinom nadmor.; dzielą się na: T. Zachodni (nad zat. Antalya), T. Środkowy (T. Cylicyjski, Antytaurus) z najwyższym szczytem T. — Demirkazık (3756 m) i T. Wschodni (m.in. T. Armeński). zbud. gł. z wapieni, w części środk. i wsch. także ze skał metamorficznych, na wsch. pokrywy ław bazaltowych; sfałdowane w orogenezie alp.; położone w strefie aktywnej sejsmicznie. Rozwinięta rzeźba krasowa (liczne groty i jaskinie); głębokie, przełomowe doliny rzek, gł.: Göksu, Seyhan, Ceyhan, Eufrat i Tygrys; duże bezdopływowe jez.: Beyşehir i Eğridir w T. Zachodnim; w T. Środkowym rzeźba alp. związana z działalnością lodowców plejstoceńskich; T. Wschodni ma charakter gór bryłowych. W pd. części gór do wys. 500 m występują zarośla makii, wyżej — resztki lasów z sosną, dębem, jodłą cylicyjską i cedrem libańskim, w suchej części pn. — step; powyżej 3500 m lodowce górskie. Bogate złoża rud chromu i miedzi w T. Armeńskim; przełomową doliną rz. Tarsus, zw. Wrotami Cylicyjskimi, przechodzi droga samochodowa Ankara–Adana, w pobliżu — linia kolejowa.

Taury, Niskie, Niedere Tauern, pasmo górskie w Alpach Wsch., w Austrii, w przedłużeniu Wysokich Taurów, między dolinami Anizy i Mury; najwyższy szczyt Hochgolling, 2863 m; zbud. gł. z gnejsów i łupków łyszczykowych; liczne jeziora cyrkowe; lasy iglaste (do wys. 1800–2000 m); rezerwaty przyrody; przez N.T. przechodzi autostrada łącząca Salzburg z Karyntią (przełęcz na wys. 1739 m); turystyka.

Taury, Wysokie, Hohe Tauern, pasmo górskie w Alpach Wsch., w Austrii, między Drawą i rz. Salzach; najwyższy szczyt Grossglockner, 3797 m; zbud. gł. z gnejsów, łupków i kwarcytów; liczne formy glacjalne; do wys. 2000 m panują

■ Teheran. Meczet grobowy R. Chomejniego

■ Wysokie Taury. Szczyt Grossglockner

bory świerkowe; ponad nimi rozciąga się subalp. piętro zarośli kosodrzewiny i różaneczników (do 2400 m), piętro łąk alp. (do 2800 m) i piętro subniwalne ze skąpymi zbiorowiskami roślin poduszkowych, mchów i porostów; silnie zlodowacone (największy lodowiec → Pasterze); przez W.T. przechodzi linia kol. Salzburg–Villach (między miejscowościami Böckstein i Mallnitz — Tunel Tauryjski) i droga samochodowa Bruck–Heiligenblut (z odgałęzieniem do lodowca Pasterze); park nar. (870 km²); elektrownie wodne (Kaprun, Stübach i Malta); największe uzdrowisko i ośr. turyst.-wypoczynkowy — Bad Gastein. ■

Tbilisi, 1845–1936 Tyflis, stol. Gruzji, nad Kurą; 1,4 mln mieszk. (2002); przemysł maszyn., elektrotechn., lekki, spoż., szklarski, chem., poligraficzny; węzeł komunik., metro; AN Gruzji, 11 szkół wyższych (3 uniw., konserwatorium); muzea, galeria malarstwa; ogród bot.; wzmiankowane w IV w.; ruiny twierdzy Narikala (IV, XVI–XVII w.); kościół Metechi (XIII w.), katedra Sioni (VI–VII, XVIII w.), bazylika Anczischati (VI, XIII w.); pałac Dareshana (XIII w.); w tzw. Nowym Mieście budowle klasycyst. i eklekt. — gmachy użyteczności publ., kamienice, świątynie.

Tczew, m. powiatowe w woj. pomor., nad Wisłą; 61 tys. mieszk. (2000); ośr. przem. i usługowy; różnorodny przemysł, m.in. środków transportu, metal., spoż., drzewny; ważny węzeł kol. (od poł. XIX w.), port rzeczny; filia Wyższej Szkoły Mor. w Gdyni; Muzeum Wisły; ślady osadnictwa od epoki brązu; prawa miejskie przed 1256 (1253?); 2 kościoły (XIV–XV w. i poł. XIV w.).

tefra [gr.], łączne określenie luźnych produktów wulk. (→ piroklastyczne materiały) i powstałych z nich skał (skały piroklastyczne).

Tegucigalpa [tɛgusigaˀ~], stol. Hondurasu, na pd. kraju, w Kordylierach, na wys. ok. 940 m; 1,2 mln mieszk. (2002); największy ośr. gosp. i kult.-nauk. kraju; rozwinięty przemysł drzewny, skórz.-obuwn., tytoniowy, spirytusowy; węzeł drogowy, międzynar. port lotn.; uniw.; muzeum nar.; zał. 1578 przez Hiszpanów; katedra S. Miguel (XVIII w.), kościół Los Dolores (XVIII–XIX w.); budowle użyteczności publ. (XIX, XX w.).

Teheran, Tehrān, stol. Iranu, w pn. części kraju, na przedgórzu gór Elburs, na wys. ok. 1200 m; ośr. adm. ostanu Teheran; 7,7 mln mieszk. (2002), zespół miejski 11 mln mieszk.; gł. ośr. gosp. i kult. kraju; przemysł włók., skórz., samochodowy (montownie), zbrojeniowy, rafineryjny; liczne banki, bazary; największy węzeł kol. (połączenie Koleją Transirań. z portami nad Zat. Perską i M. Kaspijskim) i drogowy kraju; międzynar. port lotn.; 4 uniw., akad. wojsk., akad. sztuk pięknych; znany od XII w., od czasów Kadżarów stol. Persji, 1943 miejsce obrad konferencji teherańskiej; pałac Golestan (XVIII–XIX w.), meczet szacha (XVIII w.). ■

Teide, Pico de [piko de t.], wulkan na wyspie Teneryfa, najwyższy szczyt W. Kanaryjskich; wys. 3718 m; ostatni wybuch 1909.

Teksas, Texas, stan w USA, nad Zat. Meksykańską; 691 tys. km², 21,7 mln mieszk. (2002), w tym 23% pochodzenia meksyk.; stol. Austin, gł. m.: Houston, Dallas, San Antonio, El Paso;

wyżynno-górzysty, na pd. Niz. Zatokowa; gł. rz. Rio Grande; prerie, lasy liściaste, półpustynie; 1. miejsce w USA pod względem pogłowia bydła i owiec oraz w zbiorach bawełny i sorgo; gł. w kraju region wydobycia ropy naft., gazu ziemnego, siarki; elektrownie cieplne; przemysł maszyn., środków transportu, spoż., rafineryjno-petrochem. (Houston); targi stanowe w Dallas; gęsta sieć rurociągów; gł. porty krajowe: Houston, Corpus Christi.

tektoniczna struktura, element budowy skorupy ziemskiej powstały w wyniku ruchów tektonicznych, wykazujący pewną spójność wewn. i odrębność względem otoczenia, np. fałd, uskok, wysad, orogen.

tektoniczne deformacje, zaburzenia pierwotnego układu warstw skalnych wywołane przez ruchy tektoniczne; rozróżnia się: d.t. c i ą g ł e — warstwy skalne są powyginane i pofałdowane, ale nie przerwane (fałdy i płaszczowiny); d.t. n i e c i ą g ł e — warstwy skalne są rozerwane i poprzesuwane względem siebie (uskoki, rowy i zręby tektoniczne).

tektoniczne ruchy, ruchy skorupy ziemskiej wywoływane przez procesy zachodzące we wnętrzu Ziemi; rozróżnia się wśród nich długotrwałe, powolne ruchy o słabym natężeniu, gł. pionowe — epejrogeniczne (→ epejrogeneza), oraz ruchy względnie krótkotrwałe, szybsze, skierowane jednocześnie poziomo i pionowo — orogeniczne (→ orogeneza). Zob. też diastrofizm.

tektonika [gr.]: **1)** Dział geologii, nauka o budowie skorupy ziemskiej oraz o przyczynach, przebiegu i skutkach procesów prowadzących do jej deformacji. Ze względu na zakres i metodykę badań rozróżnia się kilka gałęzi t.; należą do nich: g e o t e k t o n i k a, nauka o ruchach i rozwoju górnych powłok Ziemi rozpatrywanych w nawiązaniu do ewolucji kuli ziemskiej; w ramach tej dziedziny tektoniki powstało wiele teorii → geotektonicznych; g e o l o g i a s t r u k t u r a l n a, zajmująca się strukturami tektonicznymi, jak np. fałdy, uskoki, płaszczowiny — ich rozpoznawaniem, opisem i klasyfikacją, mechanizmem i przyczynami powstania; m i k r o t e k t o n i k a (petrotektonika), badająca deformacje skał (obserwowane w skali mikroskopowej); t e k t o n o f i z y k a, nauka z pogranicza tektoniki i fizyki (zwł. mechaniki i geofizyki), zajmująca się badaniem procesów prowadzących do deformacji skał; g e o d y n a m i k a, nauka z pogranicza geotektoniki i geofizyki rozpatrująca procesy i siły działające we wnętrzu Ziemi i ich przejawy na powierzchni.

W historii rozwoju pol. badań i poglądów tektonicznych dużą rolę odegrali: W. Teisseyre, M. Limanowski, J. Czarnocki, L. Horwitz, F. Rabowski, M. Książkiewicz, E. Passendorfer. Obecnie badania tektoniczne są prowadzone w Warszawie (Państw. Inst. Geol., Uniw. Warsz., PAN), w Krakowie (UJ, PAN, Państw. Inst. Geol., AGH) i we Wrocławiu (Uniw. Wrocł., Państw. Inst. Geol.).

2) Budowa skorupy ziemskiej, stosunki wzajemne i przestrzenne rozmieszczenie różnych genetycznie i wiekowo kompleksów skalnych. Roz-

różnia się gł.: t. platformową, występującą na obszarach stabilnych (platformach), którą charakteryzują słabe deformacje tektoniczne, gł. nieciągłe, jak uskoki, rowy tektoniczne, zręby itp.; t. a l p e j s k ą, charakterystyczną dla obszarów orogenicznych (mobilnych), gdzie dominują ciągłe deformacje tektoniczne (fałdy i płaszczowiny). Ze względu na genezę i charakter zjawisk tektonicznych wyróżnia się m.in.: g l a c i t e k t o n i k ę (kriotektonikę) — struktury i deformacje powstałe pod wpływem nacisku i ruchu lodowca; h a l o t e k t o n i k ę — struktury solne i procesy prowadzące do ich powstania; n e o t e k t o n i k ę — struktury powstałe wskutek najmłodszych ruchów tektonicznych, zapoczątkowanych w trzeciorzędzie i trwających do dzisiaj; t e k t o n i k ę i n t r u z y w n ą — struktury i deformacje spowodowane temperaturą i ciśnieniem intruzji magmowych na skały otaczające.

tektoniki płyt teoria, współcz. powszechnie przyjmowana, mobilistyczna teoria geotektoniczna zakładająca, że gł. czynnikiem ewolucji tektonicznej Ziemi jest poziomy ruch płyt litosfery, ich kolizje i rozpad, prowadzące do powstania i zaniku basenów oceanicznych oraz do tworzenia się łańcuchów górskich. Płyty te, stanowiące ograniczone rozłamami wgłębnymi fragmenty litosfery, przemieszczają się wzdłuż stref o obniżonej lepkości położonych w górnej części płaszcza Ziemi, powyżej astenosfery (w płaszczu litosferycznym). Za siłę napędową tych ruchów uważa się prądy konwekcyjne występujące w astenosferze. Prądy konwekcyjne wstępujące, docierając do litosfery kontynent. rozchodzą się horyzontalnie w przeciwne strony, powodując rozciąganie (tensję), a w konsekwencji cienienie i rozrywanie litosfery. W powstałą szczelinę wdziera się pochodząca z astenosfery magma bazaltowa. Tworzący się w ten sposób ryft kontynent. jest zaczątkiem oceanu — początkowo długie, wąskie i głębokie obniżenie zostaje zalane przez morze, a w miarę rozsuwania się płyt litosfery kontynent. i rozrastania się

■ Teoria tektoniki płyt. Ewolucja od ryftu kontynentalnego do ryftu oceanicznego

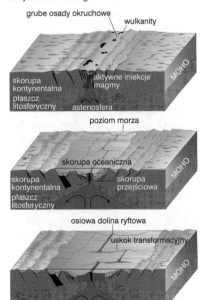

grube osady okruchowe — wulkanity
skorupa kontynentalna
płaszcz litosferyczny — aktywne iniekcje magmy — astenosfera — MOHO

poziom morza
skorupa oceaniczna
skorupa kontynentalna — skorupa przejściowa
płaszcz litosferyczny — MOHO

osiowa dolina ryftowa
uskok transformacyjny — MOHO

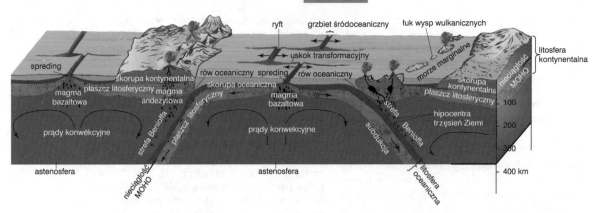

■ Teoria tektoniki płyt. Ruch płyt litosfery i związane z nim procesy geologiczne

litosfery oceanicznej — zwiększa swoje rozmiary. Stałe dostarczanie magmy bazaltowej z astenosfery, jej krzepnięcie w szczelinie ryftowej i stale ponawiane pękanie tej szczeliny, umożliwiające wydostawanie się coraz to nowej porcji magmy, powoduje formowanie się grzbietu śródoceanicznego i ciągłe rozrastanie (spreding) bazaltowego dna oceanicznego. Rozbudowa dna oceanicznego zachodzi symetrycznie po obu stronach szczeliny ryftowej i grzbietu śródoceanicznego: w miarę oddalania się od osi grzbietu występują coraz starsze partie bazaltu; najstarsze są bazalty w sferze kontaktu z kontynentem; początkowy zbiornik mor. rozrasta się do rozmiarów oceanu, a rozerwane przez ryft brzegi kontynentu oddalają się coraz bardziej od siebie (np. Ameryka Pn. i Pd. od Europy i Afryki). W strefie zw. s t r e f ą   s u b d u k c j i, gdzie prądy konwekcyjne dostatecznie już wychłodzone zmieniają kierunek na zstępujący, następuje proces odwrotny do procesu obserwowanego w strefie ryftu; prądy te wywołują kompresję (ściskanie) litosfery, co w efekcie doprowadza do zbliżenia i kolizji płyt litosferycznych i podsuwania się jednej z płyt pod drugą. Najczęściej zachodzi podsuwanie się płyty oceanicznej pod kontynent. i w efekcie jej przetopienie i pochłonięcie przez płaszcz Ziemi; zjawisko to jest zw. s u b d u k c j ą. Strefa kontaktu płyt zaznacza się zwykle rowem oceanicznym, a krawędź kontynentu, pod którą następuje subdukcja — to ulegające dźwiganiu góry. Proces taki można zaobserwować m.in. u zach. wybrzeży Ameryki Pd. (płyta pacyficzna podsuwa się pod Andy).
Strefy subdukcji charakteryzuje silna aktywność sejsmiczna, tektoniczna i wulk., co jest związane z ogromnymi naprężeniami wyzwalanymi wskutek wzajemnego tarcia obu płyt. Hipocentra trzęsień Ziemi towarzyszących procesowi subdukcji układają się wzdłuż strefy zw. strefą → Benioffa i pozwalają odtworzyć trasę ruchu i nachylenie podsuwającej się płyty. Z przetapianiem w płaszczu Ziemi pochłanianej płyty wiąże się działalność wulk., gł. wulkanizm andezytowy (→ andezytowa linia). Strefy subdukcji uważa się za obszary, w których nagromadzone wcześniej w oceanie osady wskutek kolizji płyt ulegają sfałdowaniu, i po wypiętrzeniu, tworzą łańcuchy górskie (za ich kolebkę dawniej uważano → geosynkliny).
Teoria tektoniki płyt została sformułowana w latach 60. XX w., była inspirowana wcześniejszą teorią → Wegenera; jej stworzenie porównuje się do odkryć I. Newtona, Ch.R. Darwina i A. Einsteina. Do powstania teorii tektoniki płyt przyczyniły się prace geologów i geofizyków: H.H. Hessa, R.S. Dietza, X. Le Pichona, W.J. Morgana, J.B. Heitzlera, J.T.A. Wilsona, J.T. Vine'a i in. Została stworzona na podstawie badań dna oceanicznego za pomocą echosondy, wierceń, dragowania, a także na podstawie badań sejsmicznych, paleomagnet., geochronologii bezwzględnej i geotermicznych; pozwoliły one na stwierdzenie m.in. obecności podwyższonego strumienia cieplnego w rejonie ryftów, symetrycznego układu stref namagnesowania skał po obu stronach ryftu i pojawiania się coraz starszych bazaltów w miarę oddalania się od ryftów. W rejonie rozłamu Mendocino u zach. wybrzeży Ameryki Pn., mającego charakter uskoku transformacyjnego, stwierdzono przesunięcie wynoszące ok. 1100 km. Tempo spredingu w rejonie ryftu śródatlantyckiego oszacowano na 2 cm rocznie. Sumaryczna ilość law bazaltowych wylewanych w ryftach oceanicznych jest oceniana na 56 mld t rocznie. Przypuszcza się, że w ciągu ostatnich 200 mln lat przybyło w ten sposób ok. 200 mln km² nowej skorupy oceanicznej, a więc mniej więcej tyle samo zostało pochłonięte w strefach subdukcji. ■

tektonosfera [gr.], zewn. sfera globu ziemskiego, w której zachodzą ruchy tektoniczne; obejmuje skorupę ziemską i górną część płaszcza Ziemi.

Tel Awiw-Jaffa, Tel 'Aḇīb-Yāp̄ô, m. w Izraelu, nad M. Śródziemnym; ośr. adm. okręgu Tel Awiw; 348 tys. mieszk. (2002), zespół miejski 2,9 mln mieszk.; gł. ośr. finansowy, handl. i przem. kraju; przemysł elektron., maszyn., włók., materiałów bud., poligraficzny; szlifiernie diamentów; międzynar. targi technol., gł. na Bliskim Wschodzie ośr. handlu brylantami; 2 uniw., inst. naukowe; teatr nar.; kąpielisko mor.; muzea; składa się ze starego m. Jaffy (zamieszkanego przez ludność arab.) i nowocz. (zał. 1909) Tel Awiwu (zamieszkanego przez ludność żyd.); 1949–95 Polska i niektóre państwa traktowały T.A.-J. jako stol. Izraela; w Jaffie meczety (XVIII, XIX w.).

Teleckie, Jezioro, Tieleckoje oziero, Ałtyn-kol, jez. w azjat. części Rosji, w Ałtaju, na wys. 436 m; pow. 223 km², głęb. do 325 m; brzegi strome, skaliste; kotlina pochodzenia tektonicznego, składa się z 2 części rozdzielonych grzbietem podwodnym; do J.T. uchodzi 70 rzek, wypływa Bija (jedna z rzek źródłowych Obu); woda b. przezroczysta; nad J.T. siedziba Rezerwatu Ałtajskiego.

teledetekcja [gr.-łac.], metoda pozyskiwania i przetwarzania danych o powierzchni Ziemi i in. planet za pomocą zdalnego pomiaru (z samolotów, sztucznych satelitów lub stacji naziemnych) gł. promieniowania elektromagnet. oraz fal akust., grawitacyjnych i pola magnetycznego.

Teneryfa, Tenerife, wulk. wyspa hiszp. na O. Atlantyckim, największa spośród W. Kanaryjskich; pow. 2,1 tys. km². Powierzchnia górzysta, w środk. części duży masyw wulk. z najwyższym wzniesieniem Hiszpanii Pico de Teide (3718 m) — geol. park nar.; region turyst. o świat. sławie (liczne hotele, ośr. wypoczynkowe, kąpieliska); ludność utrzymuje się z usług turyst., rolnictwa (uprawa m.in. trzciny cukrowej, drzew cytrusowych, tytoniu, warzyw) i rybołówstwa; gł. m. i port — Santa Cruz de Tenerife.

Tennessee [tenəsi:], stan w pd.-wsch. części USA; 109,2 tys. km², 5,8 mln mieszk. (2002); gł. miasta: Memphis, Nashville (stol.), Chattanooga; część wsch. i środk. wyżynno-górzysta (Appalachy), na zach. doliny rz. Tennessee i Missisipi; elektrownie wodne, cieplne i jądr.; przemysł chem., metal., elektrotechn., hutn., spoż.; wydobycie węgla kam., fosforytów, rud cynku i miedzi; uprawa soi, bawełny, kukurydzy, tytoniu; hodowla bydła; transport gł. samochodowy.

terasa → taras.

Terek, Tieriek, rz. w Rosji (Osetia Pn.), na Przedkaukaziu; dł. 623 km, pow. dorzecza 43,2 tys. km²; źródła w Wielkim Kaukazie, na stokach Pasma Głównego (Wododziałowego); uchodzi do M. Kaspijskiego; przez Pasmo Boczne tworzy przełom — Gardziel Darjalską (dł. 3 km, głęb. do 1000 m); gł. dopływy: Ardon, Uruch, Małka (l.), Sunża (pr.); rocznie transportuje 9–25 mln t materiału zawiesinowego; wykorzystywana do nawadniania (Kanał T.-Kuma); gł. m. nad T.: Władykaukaz, Mozdok, Kizlar; doliną przechodzi Gruz. Droga Wojenna.

terenoznawstwo, ogół wiadomości i umiejętności, umożliwiających orientację w terenie. W zakres t. wchodzą wiadomości o terenie (ukształtowanie, pokrycie) i jego właściwościach taktycznych, umiejętności posługiwania się mapami, kompasem i zdjęciami lotn., a także znajomość sposobów wykonywania prostych pomiarów oraz szkiców topograficznych i widokowych. T. jest wykorzystywane w turystyce kwalifikowanej i krajoznawstwie. Jako przedmiot szkolenia bojowego żołnierzy jest uważane za dziedzinę topografii, obejmującą zespół wiadomości o terenie i mapie z wojsk. punktu widzenia. T. wyodrębniło się w 2. poł. XIX w. w związku z wprowadzeniem map topograficznych do wyposażenia armii, a upowszechniło w okresie międzywojennym wraz z rozwojem turystyki kwalifikowanej i skautingu.

Terespol, m. w woj. lubel. (powiat bialski), nad Bugiem, przy granicy z Białorusią; 6,0 tys. mieszk. (2000); ośr. obsługi ruchu tranzytowego związanego z kol. i drogowym przejściem granicznym na trasie Berlin–Warszawa–Moskwa;

ośr. regionu uprawy warzyw; prawa miejskie od 1779.

termoklina [gr.], → metalimnion.

termosfera [gr.], warstwa → atmosfery ziemskiej rozciągająca się nad mezosferą od wys. 80–85 km do wys. ok. 500–600 km; w warstwie tej, wskutek pochłaniania promieniowania słonecznego, temperatura rośnie wraz z wysokością, osiągając na górnej granicy t. wartości wyższe od 1500°C; dominującym składnikiem t. jest tlen atomowy.

■ Terra rossa w okolicy Montpellier (Francja)

terra rossa [wł.]: 1) skała ilasta podobna do laterytu, składająca się gł. z wodorotlenków żelaza i glinu; zawiera też materiały ilaste; czerwonobrun. lub ceglasta; powstaje przez rozkład skał węglanowych zawierających domieszki ilaste, najczęściej w klimacie gorącym i wilgotnym; występuje na wapieniach i dolomitach, np. w rejonie M. Śródziemnego, na Uralu, w Indiach, Appalachach; w Polsce — w wapieniach dewońskich w okolicach Kielc (Kadzielnia) oraz na Wyż. Śląskiej; 2) gleba wytworzona ze skały macierzystej t.r., najczęściej w klimacie podzwrotnikowym, intensywnie czerwona; często o płytkim profilu glebowym i znacznej zawartości grubych ziarn gleby (tzw. szkieletowych); dość żyzna, użytkowana często pod winnice. ■

Terytoria Północno-Zachodnie, ang. **Northwest Territories,** franc. **Territoires du Nord-Ouest,** terytorium autonomiczne w pn. Kanadzie; 1,2 mln km²; 44 tys. mieszk. (2002), Eskimosi, Indianie; stol. Yellowknife; wyżynno-górzyste, nad Zat. Hudsona niziny; tajga, lasotundra, tundra, pustynie arkt., rozległe obszary zabagnione; jeden z najrzadziej zaludnionych obszarów świata (1 mieszk. na 100 km²), osadnictwo gł. w dolinie Mackenzie i nad Wielkim Jez. Niewolniczym; górnictwo (rudy metali nieżelaznych, złoto, ropa naft.), łowiectwo i leśnictwo; hodowla reniferów; lokalnie rybołówstwo.

Tetyda [gr.], wielki ocean istniejący od karbonu do trzeciorzędu, rozciągający się równoleżnikowo na obszarach ob. Atlasu, Pirenejów, Alp, Karpat, G. Dynarskich, Bałkanów, Kaukazu, Himalajów aż po Archipelag Malajski; oddzielała ląd → Gondwana od Eurazji; podczas orogenezy alpejskiej osady T. zostały sfałdowane i wypiętrzone, tworząc łańcuchy Alpidów. Pozostałościami T. są ob.: M. Śródziemne, M. Czarne, M. Kaspijskie, Zat. Perska oraz morza Archipelagu Malajskiego.

■ Tęcza

■ Schemat powstawania tęczy

tęcza, zjawisko opt. w atmosferze ziemskiej mające postać jasnego łuku o barwach widma światła białego, po stronie zewn. czerwonej, po wewn. — fioletowej; powstaje wskutek załamania, rozszczepienia i całkowitego odbicia promieni świetlnych (Słońca lub Księżyca) przez krople wody (deszczu, mgły i in.); obserwuje się ją w kierunku przeciwnym do położenia Słońca (lub Księżyca); kąt między linią dosłoneczną a linią łączącą oko obserwatora z zewn. punktem podstawy t. wynosi ok. 42,5°; często oprócz łuku gł. pojawia się słabszy łuk wtórny o kącie rozwartości ok. 51°, o odwrotnym układzie barw; natężenie, szerokość i czystość barw t. są zależne od rozmiarów kropel.

TGV [te że wę; franc.], kolej → Train à Grande Vitesse.

Thar, pustynia w Indiach i Pakistanie, między górami Arawali a rz. Indus i Satledź; pow. ok. 200 tys. km², ponad 7 mln mieszk.; piaszczysta, miejscami wydmy do wys. 150 m; w obniżeniach bezodpływowe słone jeziora; klimat zwrotnikowy skrajnie suchy (roczne opady 75–150 mm); liczne oazy; hodowla bydła, owiec, wielbłądów; zach. część nawadniana przez Kanał Radźasthański; na T. — miasta Bikaner i Dźodhpur.

Thimphu, Thimbu, stol. Bhutanu, w Himalajach, na wys. ok. 2000 m; 58 tys. mieszk. (2002); rezydencja król.; ośr. handlu i rzemiosła (wyroby wełn., skórz.) regionu koczowniczej hodowli owiec i jaków.

Thira, Santoryn, staroż. **Tera,** wyspa gr. na M. Egejskim (region adm. W. Egejskie Pd.), w Cykladach, na pd. od wyspy Ios; pow. 76 km²; gł. miejscowość Thira; pochodzenia wulk., w środk. części czynny wulkan Kajmeni (Santoryn, wys. 131 m), na pn. głęboko wcięta zatoka M. Egejskiego (stara kaldera wulk.); potężny wybuch wulkanu w poł. II tysiącl. p.n.e. spowodował zniszczenie znacznej części wyspy; częste trzęsienia ziemi; uprawa winorośli; winiarstwo, rybołówstwo, eksploatacja pumeksu; turystyka; połączenie promowe z Atenami i Iraklionem na Krecie.

Tianjin, Tiencin, m. w Chinach, nad rz. Hai He, w pobliżu ujścia do M. Żółtego; 5,3 mln mieszk. (1999); zespół miejski T. stanowi miasto wydzielone — 4 tys. km², 10,5 mln mieszk. (2002); wielki ośr. przem. (elektron., maszyn., stoczn., chem., petrochem., hutn., włók., spoż.) i handl.; saliny mor.; wyrób dywanów, biżuterii; ważny port handl. (awanport Tanggu); węzeł kol.-drogowy; międzynar. port lotn.; 2 uniw.; w nadbrzeżnej części T. specjalna strefa ekon. (inwestycje zagr., zwł. w elektronice); zał. za panowania dyn. Song (X–XIII w.); od 1860 port otwarty.

Tibesti, masyw górski w środk. Saharze, gł. na terytorium Czadu; najwyższy szczyt — wygasły wulkan Emi Kussi (3415 m); stanowi wypiętrzoną część tarczy afryk. (silnie sfałdowane łupki, gnejsy, granity) przykrytą paleozoicznymi piaskowcami, a następnie trzecio- i czwartorzędowymi bazaltami; klimat zwrotnikowy kontynent. suchy, odmiana górska; silnie pocięty suchymi dolinami (wadi); przeważa roślinność pustynna i półpustynna; zamieszkany przez koczownicze plemiona Tubu, trudniące się gł. hodowlą wielbłądów i bydła; nieliczne oazy w dolinach.

Tien-szan, góry w środk. Azji, w Kirgistanie, Kazachstanie i Chinach; dł. ok. 2500 km; najwyższe szczyty: Pik Pobiedy (7439 m) i Chan Tengri (6995 m); zbud. gł. z łupków, piaskowców, wapieni, marmurów, gnejsów i granitów, sfałdowanych w orogenezach kaledońskiej i hercyńskiej; następnie zrównane i morfologicznie odmłodzone w trzeciorzędzie (w orogenezie alp.); liczne trzęsienia ziemi. Dzielą się na T. Zachodni (Kirgistan i Kazachstan), obejmujący szereg pasm górskich (G. Kirgiskie, Ałatau Zailijski, Kungej Ałatau, Kara-tau, Ałatau Tałaski, G. Czatkalskie, G. Fergańskie, Terskej Ałatau, Kokszał-tau), i T. Wschodni (Chiny), składający się z 2 równoleżnikowych ciągów pasm (pn. i pd.) rozdzielonych dolinami i tektonicznymi kotlinami (najgłębsza — Turfańska, 154 m p.p.m.). Charakterystyczne wysoko położone powierzchnie zrównania (tzw. syrty); na długich stokach wysokogórskich tworzą się strumienie błotno-gruzowe (siel). Klimat górski w strefie umiarkowanej ciepłej, suchy wybitnie kontynent.; średnia temperatura miesięczna na przedgórzach w styczniu od ok. –10°C do ok. –15°C, w lipcu od 22°C do 25°C; suma roczna opadów od 300 mm na wsch. i pd. do 800 mm na pn. i zach. (miejscami ponad 1000 mm). Rzeki T. należą do dorzecza Syr-darii (Naryn, Kara-daria), Czu, Ili, Tarymu (Sary-dżaz); największe jez.: Issyk-kul, Son-kul, Czatyr-kul, Bagrasz-kul. Podnóża T. zajmują pustynie przechodzące na wys. 400–500 m w półpustynie i suche stepy; od 1300 m stepy łąko-

■ Tien-szan. Pasmo Kungej Ałatau

we (w zach. części T. miejscami rosną lasy liściaste z udziałem licznych gat. drzew owocowych (m.in. jabłoni i orzechów); wyżej (do 3000–3200 m) rozciąga się piętro łąk i stepów subalp. przeplatanych zwł. w zach. części T. lasami świerkowymi. Granica wiecznego śniegu na wys. od 3600–3800 m na pn.-zach. do 4200–4450 m w części środk.; lodowce (największy Inylczek Pd. i Pn.) zajmują 7,3 tys. km^2. Bogactwa miner.: rudy metali nieżelaznych i rzadkich, węgiel; źródła miner.; rezerwaty: Issykkulski, Ałmaacki, Aksu-Dżabagliński, Sary-Czelecki, Czatkalski, Besz-Aralski (pow. ponad 116 tys. ha). ∎

tillit [ang.], skonsolidowana, często zmetamorfizowana glina morenowa pochodząca z okresów zlodowaceń przedczwartorzędowych; występuje np. w utworach karbońskich i permskich w pd. Afryce i w utworach proterozoicznych w Kanadzie; w Polsce — w skałach prekambru, np. na Niz. Podlaskiej.

Timor, malajskie **Laut Timor,** półotwarte morze we wsch. części O. Indyjskiego, między pd. wyspami Archipelagu Malajskiego (indonez. wyspy: Roti, Timor, Leti, Babar, Selaru) a brzegiem Australii od przyl. Londonderry na zach. do płw. Cobourg na wsch.; na zach. połączone z otwartym O. Indyjskim, na wsch. — z morzem Arafura, na pn. — przez cieśniny między wyspami z morzami Sawu i Banda, zaliczanymi do O. Spokojnego; mimo zaleceń Międzynar. Biura Hydrograficznego w Monako, aby morze T. (wraz z morzem Arafura) wchodziło w skład O. Spokojnego, większość oceanografów zalicza je do O. Indyjskiego. Powierzchnia 432 tys. km^2; średnia głęb. 435 m, maks. — 3310 m (na pn., w Rowie Timorskim); większość dna morza T. stanowi szelf austral. o głęb. do ok. 200 m; brzegi austral. silnie rozczłonkowane na liczne półwyspy, zatoki (największe Józefa Bonapartego i Van Diemena) i wyspy (największa Melville'a); występują rafy koralowe. Morze ciepłe, temperatura wód powierzchniowych od 25°C w zimie do 29°C w lecie (w końcu lata 1961 powyżej 31°C); w porze deszczowej od grudnia do marca (monsun z pn.--zach.) zdarzają się silne, niekiedy katastrofalne, cyklony tropikalne; zasolenie wód powierzchniowych 34,5–34,7‰. Ciepły Prąd Timorski płynie (1,0–1,5 km/h) z mórz Banda i Arafura na pd.--zach., od września do kwietnia przez akweny pn., w pozostałych miesiącach bliżej Australii; wysokość pływów 2–4 m, maks. — do 9 m (w Zat. Józefa Bonapartego); silne prądy pływowe, do 12,5 km/h u ujścia rz. Victoria do Zat. Józefa Bonapartego. Połów ryb i pereł; gł. porty (Australia): Darwin, Wyndham.

Timor, największa wyspa w archipelagu Małych W. Sundajskich, między morzami Sawu i Timor; pow. 30,8 tys. km^2; zach. część wchodzi w skład indonez. prow. Małe Wyspy Sundajskie Wsch. (Nusa Tenggara Timur), wsch. — stanowi oddzielną prow. Timor Wschodni (dążenia niepodległościowe, ob. pod nadzorem ONZ). Wyspa górzysta, najwyższy szczyt Tata Mailau (Ramelau), 2960 m; na wybrzeżu niewielkie niziny; liczne rzeki; we wsch. części gorące źródła. Klimat podrównikowy wilgotny; średnia temperatura miesięczna na nizinach 25–27°C; suma

roczna opadów od 800 mm na pn. wybrzeżu do 1500 mm na pd. i zach. (maksimum od grudnia do marca). Pierwotną roślinność T. tworzyły lasy monsunowe z dużym udziałem drzew sandałowych; dziś ich miejsce zajęły przeważnie kultury tropik. lub wtórne sawanny i zbiorowiska trawiaste. Pospolicie uprawiane: ryż (odmiana sucha), kukurydza, palma kokosowa, bataty, kawa, tytoń, na terenach sztucznie nawadnianych — bawełna; hodowla bydła, koni, owiec; połów ryb; linii kol. brak.

Tirana, Tiranë, stol. Albanii, nad rz. Ishëm; 404 tys. mieszk. (2002); największy ośr. gosp. i kult.-nauk. kraju; przemysł maszyn., lekki, spoż., miner.; węzeł drogowy; międzynar. port lotn. (Rinas); Alb. AN, 3 uniw.; muzea, galeria sztuki; pocz. miasta od XVI w.; w pobliżu T. na wzgórzu ruiny średniow. twierdzy Petrele. ∎

∎ Tirana

Tiricz Mir, ang. **Tirich Mir,** najwyższy szczyt Hindukuszu, w Pakistanie, w pobliżu granicy z Afganistanem; wys. 7690 m; wieczne śniegi i lodowce; zdobyty 1950 przez wyprawę norweską.

Titicaca [~kąka], jez. w Peru i Boliwii, w Andach Środk., w obniżeniu tektonicznym między Kordylierą Zach. a Kordylierą Wsch., na obszarze bezodpływowym w pn. części Altiplano, na wys. 3812 m; zajmuje pow. 8,3 tys. km^2 (największe z wysokogórskich jezior na Ziemi), głęb. do 304 m; rozwinięta linia brzegowa, liczne półwyspy oraz wyspy; pow. zlewiska 22,4 tys. km^2; do T. uchodzą rz.: Suches, Ilave, Coata, Ramis, wypływa rz. Desaguadero, łącząc T. z bezodpływowym jez. Poopó; temperatura wód powierzchniowych w środk. części jeziora 11–12°C; jezioro b. stare (powstało prawdopodobnie w miocenie); liczne gat. endemiczne fauny wodnej oraz rzadkie ptaki; rybołówstwo; żeglu-

∎ Jezioro Titicaca. Łódź ze zbiorami trzciny

ga; gł. m. nad jez. T. — Puno w Peru i Guaquí w Boliwii, są połączone promem kol.-samochodowym; na pd.-wsch. brzegu T. i na wyspach resztki prekolumbijskich budowli. ∎

Tłuszcz, m. w woj. mazow. (powiat wołomiński); 6,8 tys. mieszk. (2000); ośr. usługowy; drobny przemysł (maszyn., ceram.); węzeł kol.; prawa miejskie od 1967.

Tobago, wyspa na O. Atlantyckim, u pn.-wsch. wybrzeży Ameryki Pd., na pd.-wsch. od wyspy Trynidad; wchodzi w skład państwa → Trynidad i Tobago; gł. m. — Scarborough.

Tocantins [tokantịns], rz. we wsch. Brazylii, pr. dopływ Amazonki; dł. 2850 km, pow. dorzecza 840 tys. km²; źródła na Wyż. Brazylijskiej; uchodzi do pr. ujściowego ramienia Amazonki — Pará; liczne progi i bystrza; gł. dopływy: Araguaia (l.), Parana, Manuel Alves (pr.); średni przepływ u ujścia 16,3 tys. m³/s; żegl. na kilku odcinkach, do m. Tucuruí dostępna dla statków mor.; gł. m. nad Tocantins: Tucuruí, Marabá (węzeł komunik. przy Transamazonice), Imperatriz, Filadélfia, Pôrto Nacional.

Togo, **Republika Togijska,** państwo w zach. Afryce, nad Zat. Gwinejską; 56,8 tys. km²; 5 mln mieszk. (2002), ludy Ewe, Kabre, Tem, Gurmancze; animiści (50% ludności), katolicy, muzułmanie; stol. i gł. port Lome; język urzędowy franc.; republika. Górzysto-wyżynne (wys. do 986 m w górach Togo), na pd. nadbrzeżna nizina; klimat podrównikowy wilgotny; okresowo suchy wiatr znad Sahary — harmattan; gł. rz.: Mono, Oti; sawanny, lasy równikowe w górach i dolinach rzek. Słabo rozwinięty kraj roln.; uprawa jamu, manioku, zbóż, na eksport — kawy, bawełny, kakaowca; hodowla trzody chlewnej, bydła; wydobycie fosforytów; tkactwo, garncarstwo; rybołówstwo; przetwórstwo produktów rolnych. ∎

Tokelau [tọ^ukelą^u], terytorium zależne Nowej Zelandii, w Oceanii (Polinezja); obejmuje 3 atole; 10,1 km², 1,4 tys. mieszk. (2002); ośr. adm. w atolu Fakaofo; eksport kopry, wyrobów rzemiosła artyst. (przeładunek na redzie). Wyspy odkryte 1765 przez żeglarzy brytyjskich.

∎ Togo

Tokio, **Tōkyō,** stol. Japonii (Honsiu), nad Zat. Tokijską (O. Spokojny); 8 mln mieszk. (2002), zespół miejski (prefektura stołeczna, ponad 2 tys. km²) 11,7 mln (1995); z aglomeracją Jokohamy tworzy najludniejszy region metropolitalny świata — 30 mln mieszk. (2002); gł. ośr. okręgu przem. Keihin, krajowe centrum przem. (poligraficzny, precyzyjny, elektron., opt., środków transportu, maszyn., metal., chem., spoż., odzież. i in.), finansowo-handl. (centr. giełda papierów wartościowych, wielkie banki, firmy handl., ubezpieczeniowe, świat. targi przem.), kult.-nauk. (liczne uniw. — Uniw. Tokijski zał. 1877, AN, inst. i towarzystwa nauk.); muzea; wielki port handl.; największy węzeł komunikacji kol. (m.in. kolej Shinkansen), drogowej, lotn. (porty Narita, Haneda) i promowej; 8 linii metra, dł. 205 km; wielki ogród zool. i bot.; obiekty sport.; wzmiankowane w XII w. jako osada rybacka Edo; zniszczone przez lotnictwo amer. w czasie II wojny świat., odbudowane wg nowocz. planów; pałac cesarski i pozostałości zamku z

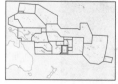
∎ Tonga

∎ Tokio. Widok ogólny

XVII w.; zabytkowe świątynie; gmach parlamentu, pałac Akasaka; parki w stylu japońskim. ∎

Tolkmicko, m. w woj. warmińsko-mazurskim (powiat elbl.), nad Zalewem Wiślanym; 2,8 tys. mieszk. (2000); ośr. usługowy oraz przetwórstwa owoców i warzyw oraz ryb; port rybacki; ośr. wczasowy z przystanią turyst. żeglugi pasażerskiej; wczesnośredniow. gród Prusów; prawa miejskie od ok. 1300.

Toła, **Tuul,** rz. w pn. Mongolii, pr. dopływ Orchonu; dł. 704 km, powierzchnia dorzecza 53,2 tys. km²; źródła w górach Chentej; w górnym biegu płynie w głębokiej dolinie o stromych i wysokich zboczach, porośniętej bujnymi lasami łęgowymi, w środk. i dolnym — w szerokiej, silnie meandrując; w lecie znacznie przybiera, w zimie na niektórych odcinkach zamarza do dna; gł. dopływy: Tereldż-gol (pr.), Selbe, Charuuchyn-gol (l.); nad T. leży Ułan Bator.

Tomaszów Lubelski, m. powiatowe w woj. lubel., nad Sołokiją (l. dopływ Bugu); 21,3 tys. mieszk. (2000); ośr. usługowy regionu roln.; różnorodny przemysł (spoż., metal., skórz., papierniczy); ośr. turyst. na szlakach Roztocza Środk.; prawa miejskie od 1621; muzeum; barok. drewn. kościół i dzwonnica (XVIII w.), cerkiew (XIX w.).

Tomaszów Mazowiecki, m. powiatowe w woj. łódz., nad Pilicą i jej dopływami Wolborką i Czarną; 69 tys. mieszk. (2000); ośr. przem. i usługowy; przemysł chem., włók. (wełn., tkanin dekor.), odzież., metal., skórz. i in.; węzeł kol. i drogowy; ośr. turyst. na szlakach do Smardzewic, Inowłodza i Anielina; początek spływu kajakowego Pilicą; rezerwat krajobrazowy Niebieskie Źródła; koniec XVIII–poł. XIX w. ośr. przemysłu hutn.; prawa miejskie od 1830; pałac (XIX w., ob. muzeum), kościół (XIX w.).

tombolo [wł.], rodzaj → mierzei.

Tonga, **Królestwo Tonga,** państwo w Oceanii (Polinezja), na archipelagu Tonga; 748 km²; 99 tys. mieszk. (2002), ludność rdzenna (Tongijczycy), gł. chrześcijanie; stol. Nukualofa na wyspie Tongatapu; język urzędowy: tonga i ang.; monarchia dziedziczna. Wyspy wulk. i koralowe, gł. grupy: Vava'u, Ha'apai, Tongatapu; eksport ryb, oleju kokosowego, owoców wanilii. ∎

Tonga, **Tonga Trench,** rów oceaniczny w pd.-zach. części dna O. Spokojnego, w zach. części Basenu Południowopacyficznego; ciągnie się od wysp Samoa w kierunku pd., po wsch. stronie wysp Tonga; na pd. łączy się z rowem Kermadec; dł. 1400 km, średnia szer. 55 km; głęb. do 10 882 m (największa głębokość w oceanie świat. na półkuli pd.).

Tonkińska, Zatoka, Bac Bo, chiń. **Beibu Wan,** wietn. **Vịnh Băc Bô,** półotwarta zatoka w zach. części O. Spokojnego, pn.-zach. część M. Południowochińskiego między pn. Wietnamem a płw. Lejczou i wyspą Hajnan; dł. ok. 330 km, szerokość wejścia 241 km; średnia głęb. 40 m, maks. — 82 m; przez Cieśn. Hajnańską, między płw. Lejczou a wyspą Hajnan, połączona bezpośrednio z pn. częścią M. Wschodniochińskiego; wysokość pływów do 5,9 m; uchodzi Rz. Czerwona; gł. porty: Hajfong (wietn.), Beihai (chiń.).

Tonle Sap, jez. w Kambodży, największe na Płw. Indochińskim; pow. zmienna 2,5–10 tys. km², głęb. od 0,3 m do 14 m; połączone rzeką Tonle Sap (dł. 110 km) z Mekongiem; od czerwca do października (podczas monsunu letniego) zasilane wodami Mekongu; wykorzystywane do nawadniania pól ryżowych; rozwinięte rybołówstwo (zwł. hodowla karpi); kilka pływających wsi rybackich, liczne osiedla na palach.

topografia [gr.]: **1)** dział geodezji i kartografii zajmujący się wykonywaniem pomiarów (→ topograficzne zdjęcia) szczegółów sytuacyjnych i rzeźby terenu w celu sporządzania → map topograficznych; pomiary są wykonywane metodami stolikowymi, fotogrametrycznymi lub kombinowanymi, w których rysunek sytuacji (np. wzajemne położenie dróg, zabudowań) wykonuje się na podstawie zdjęć lotn., a rzeźbę terenu opracowuje się za pomocą stolika topograf.; **2)** zespół cech zewn. terenu, takich jak: rzeźba, hydrografia, rodzaje użytków, zabudowa, drogi itp.

topograficzne zdjęcia, bezpośrednie lub pośrednie pomiary sytuacyjne (podające wzajemne położenie szczegółów terenu), wykonywane w celu sporządzania map i planów; mogą być wysokościowe lub sytuacyjno-wysokościowe; w pomiarach bezpośrednich (tzw. zdjęcia terenowe) mierzy się długości, kąty i różnice wysokości, w pomiarach pośrednich stosuje się metody stolikowe (→ topograficzny stolik) i fotogrametryczne (→ fotogrametria).

topograficzny stolik, stolik mierniczy, komplet przyrządów do wykonywania zdjęć topograficznych; składa się z deski rysunkowej umieszczonej na statywie, tzw. kierownicy (zawiera m.in. lunetę z dalmierzem optycznym) i łat niwelacyjnych; na desce umieszcza się papier rysunkowy z naniesionymi punktami osnowy geod., utrwalonej i dobrze widocznej w terenie; położenie stolika w terenie określa się stosując wcięcie geodezyjne na podstawie 2 lub 3 punktów oznaczonych na stoliku i identyfikowalnych w terenie; aby wykonać pomiar ustawia się łatę topograf. w danym punkcie, za pomocą kierownicy mierzy odległość i kąt pionowy, a następnie oblicza wysokość punktu i oznacza jego położenie na stoliku.

tornado [hiszp.], nazwa → trąby (powietrznej) w pd.-wsch. części USA i nad Zat. Meksykańską,

odznaczającej się dużą średnicą (ponad 1 km) i wielką siłą niszczącą.

Torne [tuːrnə], fiń. **Tornio,** rz. w pn. Szwecji, w dolnym biegu graniczna z Finlandią; dł. 410 km; wypływa z jez. Torneträsk (pow. 322 km²); uchodzi do Zat. Botnickiej; liczne progi i wodospady; duże wahania stanu wód; gł. dopływ Muonio (l.); tworzy bifurkację z rz. Kalix; elektrownie wodne; przy ujściu m. portowe Haparanda i Tornio.

Toronto, m. w Kanadzie, nad jez. Ontario; stol. prow. Ontario; 700 tys. mieszk., zespół miejski 4,7 mln (1999); drugie w kraju miasto pod względem znaczenia (po Montrealu), ośr. przem. (maszyn., lotn., elektron., poligraficzny, odzież., chem.) i bankowo-handl. (giełda); port śródlądowy; wielki węzeł kol.-drogowy; międzynar. port lotn.; 2 uniw.; Król. Muzeum Ontario, Galeria sztuki Ontario; od 1834 miasto i ob. nazwa, od 1867 stol. prow. Ontario; reprezentacyjne budowle z XIX w., m.in. parlament, uniw.; nowocz. wieżowce; wieża telew.; liczne parki i ogrody, m.in. Queen's Park. ■

■ Toronto. Centrum miasta

Torresa, Cieśnina, Torres Strait, płytka cieśnina między Nową Gwineą a austral. płw. Jork; łączy morze Arafura (O. Indyjski) z M. Koralowym (O. Spokojny); dł. 74 km, szer. 150–240 km; cieśnina bardzo trudna do żeglugi; występują liczne wyspy, wysepki, płycizny, skały wynurzające się przy odpływie i rafy koralowe; położenie skał i raf koralowych w pn. części C.T. nie jest jeszcze rozpoznane; największe wyspy (od pn.): Boigu, Saibai, Mulgrave'a, Banksa, Thursday, Horn, Księcia Walii; między płw. Jork a wyspami Księcia Walii i Horn drugorzędna cieśn. Endeavour; na najbardziej uczęszczanym, ale krętym, torze wodnym Great North East Channel (między wyspami Banksa i Thursday oraz między rafami bariery koralowej Warrior we wsch. akwenach cieśniny) najmniejsze głębokości wynoszą 7,4–22 m. Prądy mor. ciepłe, o średniej prędkości 1 km/h, zmienne: w zimie płyną na wsch., w lecie — na zach. (odnoga Prądu Południoworównikowego z O. Spokojnego); wysokość pływów od ok. 6 m u brzegów Nowej Gwinei do 3 m przy płw. Jork; silne prądy pływowe. Połów ryb i pereł; porty: Buji (Nowa Gwinea), Port Kennedy (wyspa Thursday), Somerset (płw. Jork); odkryta 1606 przez żeglarza hiszp. L.V. de Torresa; 1968 przez C.T. przepłynął samotnie L. Teliga na jachcie Opty.

Toruń, m. w woj. kujawsko-pomor., nad Wisłą; powiat grodzki, siedziba marszałka sejmiku wojew. i starosty powiatu toruń.; 206 tys. mieszk. (2000); duży ośr. przem., nauk. i kult. regionu oraz turyst.-krajoznawczy (1997 wpisany na Listę Świat. Dziedzictwa Kult. i Przyr. UNESCO) na Szlaku Kopernikowskim; stol. diecezji toruń. Kościoła rzymskokatol.; przemysł m.in.: chem. (włókna chem., nawozy, farby graf.), cukiern. (pierniki), mięsny, elektrotechn., elektron., odzież., farm.; przedsiębiorstwa bud.-montażowe i transportowe; oddziały i filie banków oraz firm ubezpieczeniowych; węzeł kol. i drogowy, port rzeczny; lotnisko sport.; szkoły wyższe, w tym Uniw. Mikołaja Kopernika, Wyższa Szkoła Oficerska im. gen. J. Bema; Tow. Nauk. w T. (zał. 1875); planetarium, ogród bot.; teatry, orkiestra, rozgłośnia radiowa; muzea, galerie sztuki, tow. społ.-kult. (m.in. Tow. Miłośników T.). W X–XI w. osada rzem.-handl.; prawa miejskie od 1233 i ponownie od 1264 (Nowy Toruń); 1975–98 stol. woj. toruńskiego. Cenny zespół arch. o średniow. układzie urb. w obrębie Starego i Nowego Miasta; kościoły got. (XIII–XV w.) i barok. (XVII, XVIII w.), ruiny 2 zamków (XIII–XIV w. i XV w.), ratusz (XIII–XVIII w., ob. muzeum), fragmenty murów miejskich z basztami i bramami (XIII–XV w.), pałace (XVII, XVIII w.); kamienice (XIII–XIX w.), m.in. tzw. Dom Kopernika (XIV–XV w., ob. muzeum), spichlerze (XIV, XVII w.).

Toruńsko-Eberswaldzka, Pradolina, Pradolina Notecka, długie równoleżnikowe obniżenie w Polsce i Niemczech, w środk. części Pojezierzy Południowobałtyckich; dzieli je na 2 części — pn. (pojezierza: Południowopomor. i Chełmińsko-Dobrzyńskie) i pd. (Lubuskie i Wielkopol.); dł. ok. 450 km; ciągnie się od okolic Płocka (na wsch.) wzdłuż dolin: Wisły, Brdy (dolny, ujściowy odcinek), Noteci, Warty i Odry, po Eberswalde (na zach.) w Niemczech; składa się z rozszerzonych kotlin: Płockiej, Toruńskiej, Gorzowskiej, Freienwaldzkiej oraz połączonych stosunkowo wąskimi odcinkami dolin (m.in. Dolina Środk. Noteci); przecina młodoglacjalne wysoczyzny morenowe pojezierzy; P.T.-E. powstała podczas zlodowacenia Wisły (faza pomor.); wyrzeźbiły ją wody z topniejącego lodowca, spływające wzdłuż jego czoła ku zach., w dolinie tarasy; dno pradoliny częściowo zatorfione, miejscami wydmy; w Kotlinie Gorzowskiej rozległe lasy sosnowe Puszczy Nadnoteckiej.

Torzym, m. w woj. lubus. (powiat sulęciński), nad Ilanką (pr. dopływ Odry); 2,7 tys. mieszk. (2000); ośr. usługowy dla rolnictwa i leśnictwa oraz wypoczynkowy; sanatorium; prawa miejskie ok. 1375–1945 i od 1993.

Toskania, Toscana, region autonomiczny i kraina hist. w środk. Włoszech, na Płw. Apenińskim, nad M. Liguryjskim i M. Tyrreńskim; 23 tys. km², 3,5 mln mieszk. (2002); stol. Florencja; górzysta i wyżynna (Apeniny Pn., Preapeniny), niziny w dolinach rzek (gł. Arno) i na wybrzeżu; różnorodny przemysł (maszyn., stoczn., chem.), wydobycie rud żelaza (Elba), rtęci, cynku i ołowiu oraz marmurów; uprawa pszenicy, winorośli, oliwek; rybołówstwo; region turyst. o znaczeniu międzynar.; zabytkowe miasta (Flo-

rencja, Piza, Siena), uzdrowiska (Montecatini Terme, Bagni di Lucca) i kąpieliska mor. (Viareggio); gł. port mor. Livorno.

Toskańskie, Wyspy, Arcipelago Toscano, grupa górzystych wysp wł. na M. Tyrreńskim, między Płw. Apenińskim a Korsyką; administracyjnie należą do regionu Toskania; pow. 289 km²; gł. wyspy: Elba (największa — 224 km²), Giglio (21 km²), Capraia (19,3 km²), Montecristo, Pianosa; klimat śródziemnomor.; uprawa zbóż, winorośli, drzew owocowych; rybołówstwo, połów małży i skorupiaków; wydobycie rud żelaza (Elba) i pirytów (Elba, Giglio); gł. miasto i port Portoferraio (Elba).

Toszek, m. w woj. śląskim (powiat gliwicki); 5,1 tys. mieszk. (2000); ośr. usługowy i leczn. (sanatorium dla dzieci, szpital psychiatryczny); przemysł spoż., drzewny; prawa miejskie przed 1309; kościół (XV, XVIII w.), zamek (XV, XVII w.), pozostałości fortyfikacji z bastejami i basztami.

Tracka, Nizina, największa nizina na Płw. Bałkańskim, między masywem Rodop i Sredną Gorą a morzami: Czarnym, Marmara i Egejskim; pn. część w Bułgarii (Niz. Górnotracka lub Maricy), pd. — w Grecji i Turcji (Niz. Wschodniotracka lub Dolnotracka); równinna, miejscami pagórkowata; w środk. części wznoszą się góry Sakar i Strandża (wys. do 1031 m); trzęsienia ziemi; klimat podzwrotnikowy kontynent. (roczne opady 500–600 mm); przez N.T. płynie Marica; ważny region roln. (sztucznie nawadniany); gł. uprawy: pszenica, winorośl, drzewa owocowe, bawełna, ryż, tytoń. Na wsch. od m. Dimitrowgrad (Bułgaria) wydobycie lignitów.

Trafalgar, przyl. na Płw. Iberyjskim, w Hiszpanii, u wejścia do Cieśn. Gibraltarskiej; 36°11′N, 6°02′W; latarnia morska.

Train à Grande Vitesse [trę a grãd witęs], **TGV,** system franc. szybkich i nowocz. kolei; pociągi TGV to kilkuwagonowe komfortowe zespoły trakcyjne, przeważnie elektr.; wagony są klimatyzowane, wyposażone w telefony, odbiorniki telew., przedziały dla matek z niemowlętami, mają różne udogodnienia dla osób niepełnosprawnych; do sterowania pociągiem służy system komputerowy obejmujący: komputer centr., komputery stacji kontrolnych i komputer pokładowy w kabinie maszynisty. Pierwszą linię regularnej komunikacji TGV uruchomiono 1981 (Paryż–Lyon), 1989 uruchomiono linię TGV Atlantique (Paryż–Le Mans) przystosowaną do prędkości pociągów 300 km/h, w latach 90. linie do Londynu i Barcelony, 1994 do Lille; 1990 pociąg TGV ustanowił świat. rekord prędkości kolei — 515 km/h.

tramontana [wł. < łac.], chłodny wiatr pn. lub pn.-wsch. na zach. wybrzeżach Włoch i pn. Korsyki oraz pd.-wsch. Francji; powstaje w warunkach, gdy nad M. Adriatyckim panuje niskie ciśnienie, nad pn.-zach. częścią M. Śródziemnego lub w Alpach — wysokie.

tramping [ang.], żegluga nieregularna, przewóz ładunków, zazwyczaj całookrętowych, bez ustalonego rozkładu rejsów, zgodnie z aktualnymi potrzebami.

transgresja morza, zalewanie obszarów lądowych przez morze; zachodzi wskutek ruchów tektonicznych obniżających kontynenty lub podnoszących dna mórz, także wskutek zmian klim. powodujących topnienie wielkich lądolodów. Zob. też regresja morza.

Transhimalaje, góry w Chinach, na pd. skraju Wyż. Tybetańskiej; dł. ok. 1000 km, szer. od ok. 30 km do 225 km; oddzielone od Himalajów tektonicznym obniżeniem, którym płyną rzeki: górna Brahmaputra, Indus i Satledź; gł. pasma: Kajlas, Nganglong Kangri (wys. do 6596 m), Nienczen Tangla; zbud. gł. z granitów, kwarcytów, łupków i wapieni sfałdowanych w orogenezie alp.; na pd. stokach roślinność stepowa, na pn. — półpustynna; w górnym piętrze wieczne śniegi i lodowce; trudno dostępne przełęcze na wys. powyżej 5000 m. ∎

∎ Transhimalaje

Transylwańska, Wyżyna, Wyżyna Siedmiogrodzka, Podişul Transilvaniei, rozległa kotlina tektoniczna w Rumunii; okolona od wsch. i pd. łańcuchami Karpat Wsch. i Karpat Pd., a od zach. — G. Zachodniorumuńskimi; wys. ok. 500 m; powierzchnia pagórkowata, głęboko rozcięta dolinami Aluty, Maruszy i Samoszu; klimat umiarkowany ciepły (roczne opady 550–750 mm); uprawa zbóż, drzew owocowych, winorośli, buraków cukrowych; hodowla bydła; wydobycie gazu ziemnego, soli kam.; źródła miner.; gł. m.: Kluż-Napoka, Sybin, Tîrgu Mureş, Braszów.

trąba [wł.], silny wir powietrzny o niewielkiej średnicy (od kilku do kilkuset m) powstający w chmurach burzowych, sięgający od podstawy chmury do powierzchni Ziemi (czasami nie dosięgający Ziemi); ma postać leja, kolumny lub liny. Wiatr, skierowany ku górze, wieje po torach spiralnych wzdłuż osi wiru z prędkością 50–100 m/s i większą. Ciśnienie w centrum t. jest znacznie niższe od otaczającego (o kilkadziesiąt i więcej hPa). Przesuwając się nad zbiornikiem wodnym lub lądem t. gwałtownie zasysa wodę (t. wodna) lub piasek czy pył (t. powietrzna, słup pyłowy); towarzyszy jej burza oraz intensywny opad atmosf. (często grad). T. są jednym z najbardziej pustoszących zjawisk przyrody; występują zwykle w niskich szer. geogr., b. często (do 800 rocznie) w środk. stanach USA; w Europie b. rzadkie (w Azji Środk. kilka rocznie); czasami powstają też na terenie Polski (np. 1959 w okolicach Łodzi, 1987 w Białymstoku).

triangulacja [łac.], metoda wyznaczania współrzędnych punktów geodezyjnych w terenie za pomocą układu trójkątów tworzących tzw. sieć triangulacyjną, w której wierzchołkami trójkątów są mierzone punkty. Początkiem pracy jest precyzyjny pomiar odcinka tzw. b a z y t r i a n g u l a c y j n e j o długości ok. 2–3 km. Następnie mierzy się kąty między bokami sieci i rozwiązuje się trójkąty, tzn. oblicza długości boków; ponadto metodami astr. wyznacza się współrzędne geogr. wybranych punktów sieci (tzw. punkty Laplace'a) i azymuty niektórych boków. Na tej podstawie oblicza się współrzędne geogr. i geod. pozostałych punktów. Zależnie od potrzeb mierzony obszar, np. państwa, pokrywa się sieciami I rzędu (trójkąty o bokach 20–50 km) lub niższych rzędów (II 10–20 km, III 1–3 km). Punkty tych sieci są oznaczone za pomocą trwałych znaków podziemnych, naziemnych (kam. tablice lub słupki) oraz widocznych z dużych odległości sygnałów (konstrukcje drewn. lub metal.) lub wież triangulacyjnych. Sieci triangulacyjne stanowią podstawę geod. pomiarów poziomych. Stosuje się również aerotriangulację, czyli pomiary na przestrzennych modelach terenu uzyskanych na podstawie zdjęć lotn. (stereofotogrametria, stereogram). Przy rozwiązywaniu trójkątów sieci triangulacyjnej korzysta się z precyzyjnych pomiarów odległości, m.in. za pomocą dalmierzy laserowych. Ostatnio państwa rozwinięte wykorzystują do celów geodezyjnych sztuczne satelity. Pozwala to na zbudowanie sieci triangulacyjnej i wyznaczenie współrzędnych jej punktów na obszarze całego globu i na międzykontynent. łączenie sieci triangulacyjnych; do tego celu wykorzystuje się radionawigacyjny system GPS, który w oparciu o sygnały wysyłane między sztucznymi satelitami i odpowiednim urządzeniem odbiorczym pozwala wyznaczyć współrzędne geogr. i wysokość n.p.m. dowolnego obiektu na Ziemi. Twórcą t. był W. Snellius (1615).

Triesteńska, Zatoka, słoweń. **Tršćanski zaljev,** wł. **Golfo di Trieste,** zatoka w pn. części M. Adriatyckiego, pn.-wsch. część Zat. Weneckiej; wcina się ok. 40 km między pn. wybrzeże Włoch i płw. Istria; szerokość wejścia 35 km; głęb. do ok. 25 m; rozwinięta linia brzegowa; drugorzędne zatoki: Panzano (na pn.), Koperska (na pd.); wysokość pływów do 1,2 m; deltą uchodzi rz. Isonzo (Socza); liczne kąpieliska mor.; gł. porty: Triest i Monfalcone we Włoszech, Koper w Słowenii.

Triglav, masyw górski w Alpach Julijskich, najwyższy szczyt Słowenii; wys. 2863 m; zbud. z wapieni; rozwinięte zjawiska krasowe; małe lodowce; jeziora, wodospady; stanowi część Triglawskiego Parku Nar. (pow. 84 tys. ha).

Tripura, stan w pn.-wsch. Indiach, przy granicy z Bangladeszem; 10,5 tys. km^2; 3,2 mln mieszk. (2002), Bengalczycy, ludy Tripura; stol. Agartala; góry Tripura, na zach. fragment Niz. Hindustańskiej z deltą Gangesu i Brahmaputry; lasy (ok. 50% pow.) monsunowe z drzewem tekowym; podstawą gospodarki tradycyjne rolnictwo i leśnictwo; uprawa ryżu, juty, bawełny, herbaty; rzemiosło.

Trockie, Jeziora, Traku ezerynas, zespół połączonych ze sobą jezior na Litwie, na zach.

■ Jeziora Trockie. Jezioro Galvė i zamek książęcy

od Wilna; największe jez. Galvė ma pow. 3,7 km², głęb. do 46,7 m; linia brzegowa silnie rozwinięta; odpływ do Wilii; na jednej z wysp (na jez. Galvė) w Trokach rewaloryzowany zamek z XIV–XV w. (ob. muzeum hist.). ■

tropopauza [gr.], warstwa przejściowa rozdzielająca → troposferę i rozciągającą się nad nią stratosferę; wysokość, na której znajduje się t., zależy od szer. geogr.; wysokość t. w danym miejscu zmienia się również z porą roku oraz przemieszczaniem się niżów i wyżów atmosferycznych.

troposfera [gr.], warstwa → atmosfery ziemskiej rozciągająca się od powierzchni Ziemi do wys. 16–18 km nad równikiem, 10–12 km nad umiarkowanymi szer. geogr. i 7–10 km nad obszarami podbiegunowymi; w warstwie tej temperatura maleje jednostajnie ze wzrostem wysokości i na górnej granicy t. osiąga wartość od –55°C (nad obszarami podbiegunowymi) do –80°C (nad obszarami równikowymi); t. zawiera ponad 99% znajdującej się w atmosferze pary wodnej, toteż wszystkie procesy związane z kondensacją pary wodnej (→ kondensacja w atmosferze ziemskiej) zachodzą niemal wyłącznie w tej warstwie; w t. jest także skupiona przeważająca część masy powietrza atmosf.; procesy zachodzące w t. mają decydujący wpływ na pogodę i klimat, jest ona zatem gł. przedmiotem badań meteorologii.

Trójmorski Wierch, czes. **Klepač,** szczyt w Masywie Śnieżnika, w pd.-zach. grzbiecie odchodzącym od Śnieżnika, na granicy z Czechami; wys. 1145 m; pokryty rumowiskiem skalnym; piękna panorama; przez T.W. przebiega eur. dział wodny między zlewiskami mórz: Bałtyckiego (źródła Nysy Kłodzkiej), Północnego (źródła Lipki — dorzecze Łaby) i Czarnego (źródła potoków uchodzących do Morawy); dojście szlakami turyst. z Międzylesia i z Hali pod Śnieżnikiem.

Trynidad i Tobago, Trinidad and Tobago, **Republika Trynidadu i Tobago,** państwo w Ameryce Środk. (Indie Zach.), na w.: Trynidad i Tobago w archipelagu Małych Antyli; 5,1 tys. km²; 1,3 mln mieszk. (2002), Indianie, Murzyni, Metysi; gł. katolicy i protestanci; stol. i gł. port Port-of-Spain; język urzędowy ang.; republika. Wyspa Trynidad nizinna, na pn. góry, wys. do 940 m (Aripo); wyspa Tobago wyżynna; klimat równikowy wilgotny, cyklony tropik.; lasy równikowe wilgotne, namorzyny. Podstawą gospodarki jest wydobycie i przetwórstwo ropy naft., gazu ziemnego, asfaltu naturalnego; rafinerie ropy naft., przemysł cukr., montaż samochodów oso-

■ Trynidad i Tobago

bowych, sprzętu elektron.; uprawa trzciny cukrowej, kakaowca, ryżu, palmy kokosowej, drzew cytrusowych; eksploatacja lasów; turystyka. ■

Trzcianka, m. w woj. wielkopol. (powiat czarnkowsko-trzcianecki), nad jez. Sarcz; 17,2 tys. mieszk. (2000); ośr. usługowy regionu turyst.; przemysł drzewny (meble, tartak), spoż., metal., maszyn.; węzeł drogowy; prawa miejskie od 1731.

Trzciel, m. w woj. lubus. (powiat międzyrzecki), nad Obrą, między Jez. Wielkim a Jez. Młyńskim; 2,4 tys. mieszk. (2000); ośr. usługowy i wypoczynkowy; przetwórstwo wikliny i trzciny (meble, płyty bud., kosze); prawa miejskie przed 1394.

Trzcińsko Zdrój, m. w woj. zachodniopomor. (powiat gryfiński), nad Jez. Trzygłowskim oraz rzekami Tywą i Rurzycą (obie są pr. dopływami Odry); 2,5 tys. mieszk. (2000); drobny przemysł; nie eksploatowane pokłady borowiny (odkryte 1895); prawa miejskie od 1281; kościół (XIII, XIV–XV w.), mury miejskie z basztami i bramami (XIV–XV w.), ratusz (XIV–XV, XVI, XVIII w.).

Trzebiatów, m. w woj. zachodniopomor. (powiat gryficki), nad Regą; 10,3 tys. mieszk. (2000); ośr. usługowy i turyst.-krajoznawczy; przemysł drzewny (meble, tartak), spoż. (rybny), maszyn.; wzmiankowany 1170; prawa miejskie od 1277; mury miejskie (XIII–XV w.), got. kościół (XIV, XV w.), 2 kaplice (XV w.), ratusz (XV, XVIII–XIX w.), pałac (XVII–XVIII w.), domy (XVII, XVIII w.).

Trzebinia, m. w woj. małopol. (powiat chrzanowski); 19,7 tys. mieszk. (2000); ośr. górn.--przem.; kopalnie węgla kam., rud cynku i ołowiu, elektrownia cieplna, rafineria ropy naft., huta metali nieżelaznych, cementownia i in.; węzeł kol.; od 1731 miasteczko; prawa miejskie od 1931; pałac (XVIII w.).

Trzebnica, m. powiatowe w woj. dolnośląskim, nad Sąsiecznicą (l. dopływ Baryczy); 12,2 tys. mieszk. (2000); miejscowość uzdrowiskowa, gł. dla dzieci, i ośr. wypoczynku świątecznego mieszkańców Wrocławia; wody miner. (chlorkowo-sodowo-wapniowe); różnorodny przemysł; prawa miejskie od 1250; od XIV w. ośr. kultu św. Jadwigi, od XVI w. pielgrzymki; stanowisko archeol. z dolnego paleolitu (ok. 500 000 lat temu) z zabytkami krzemiennymi oraz szczątkami fauny; dawne opactwo Cysterek: kościół póżnorom. (XIII w., przebudowa barok. XVII w.) z got. kaplicą Św. Jadwigi (XIII w.), klasztor póżnobarok. (XVII, XVIII w.).

Trzebnicki, Wał, pd.-zach. część Nizin Środkowopol., między Obniżeniem Milicko-Głogowskim na pn. a nizinami Śląsko-Łużycką i Śląską na pd.; obejmuje łańcuch morenowych wzgórz z okresu zlodowacenia Warty, ciągnący się ok. 200 km (szer. do 10 km) od okolic Żar na zach. po okolice Ostrzeszowa na wsch.; kulminacje przekraczają 200 m (Kobyla Góra, 284 m); w krajobrazie zaznaczają się łagodnie nachylone, peryglacjalnie przemodelowane stoki, często pokryte osadami pylastymi typu glin lessopodobnych, a nawet lessów (okolice Trzebnicy), stanowiącymi substrat żyznych gleb pszenno-buraczanych, na których zakłada się także ogrody warzywne i sady. Między Lubinem a Głogowem występują bogate złoża rudy miedzi, a w okolicach Ostrzeszowa złoża gazu ziemnego; zachowały się partie naturalnych lasów bukowych i mieszanych, z udziałem jodły, świerka, olchy, lokalnie dębu i jaworu; na obszarach gorszych gleb piaszczystych dominuje sosna. Okolice Sycowa, Trzebnicy, Obornik Śląskich i Wołowa są atrakcyjne pod względem turyst. i krajoznawczym. W obrębie W.T. wydziela się: Wzniesienia Żarskie, Wzgórza Dalkowskie, Obniżenie Ścinawskie oraz — oddzielone od nich doliną Odry (Obniżeniem Ścinawskim): Wzgórza Trzebnickie, Wzgórza Twardogórskie i Wzgórza Ostrzeszowskie.

Trzemeszno, m. w woj. wielkopol. (powiat gnieźnieński), nad jez.: Popielewskim i Trzemeszno; 7,8 tys. mieszk. (2000); ośr. usługowy regionu turyst. i sportów wodnych; przemysł materiałów bud. i spoż.; w końcu X w. opactwo benedyktyńskie, związane z osobą św. Wojciecha (przypisuje mu się fundację, uznawane też za miejsce tymczasowego złożenia jego ciała po wykupieniu 997 od Prusów); prawa miejskie przed 1382; późnobarok. kościół (XVIII w.) z pozostałościami przedrom. (X w.).

trzęsienie ziemi, gwałtowne zaburzenie stanu równowagi we wnętrzu Ziemi, któremu towarzyszą nieodwracalne deformacje ośr. oraz wydzielanie się dużych ilości energii, częściowo emitowanej w postaci fal → sejsmicznych; t.z. są też przyczyną oscylacji swobodnych Ziemi. Według przyjętego obecnie modelu proces t.z., wywoływany osiągnięciem kryt. wartości naprężeń, jest związany ze zniszczeniem materiału i naruszeniem ciągłości ośr. wzdłuż pewnych powierzchni, które charakteryzuje obniżona wytrzymałość; powierzchnie te są często zlokalizowane w obrębie → uskoków. Miejsce (traktowane jako punkt), w którym zainicjowane jest t.z. i z którego są najwcześniej emitowane fale sejsmiczne nosi nazwę ogniska t.z. lub → hipocentrum; rzut pionowy hipocentrum na powierzchnię Ziemi jest zw. → epicentrum. Cały obszar, w którym występuje zjawisko t.z., zwany obszarem ogniskowym, może osiągnąć, w przypadku najsilniejszych t.z., rozmiary do tysiąca km w kierunku poziomym. Strefa epicentralna na powierzchni Ziemi, położona nad obszarem ogniskowym, najwcześniej i najsilniej ulega wstrząsom. Do rejestracji pola falowego wywołanego t.z. służą → sejs-

mografy i akcelerografy (te ostatnie rejestrują wielkość przyspieszenia cząstek ośrodka) znajdujące się w stacjach → sejsmologicznych; analiza zapisów tych przyrządów dostarcza informacji o budowie wnętrza Ziemi (→ sejsmologia). Ogniska t.z. występują na różnych głębokościach poniżej powierzchni Ziemi; rozróżnia się t r z e s i e n i a   z i e m i   p ł y t k i e (ognisko na głęb. do 50 km), p o ś r e d n i e (ognisko na głęb. 50–300 km) i g ł ę b o k i e (ognisko na głęb. 300–700 km). Ogniska t.z. nie są rozłożone równomiernie na całej kuli ziemskiej, istnieją obszary o dużej aktywności sejsmicznej (→ sejsmiczne strefy) i obszary wolne na ogół od t.z. (strefy asejsmiczne); zdecydowana większość t.z. należy do grupy trzęsień płytkich, t.z. głębokie występują tylko w nielicznych rejonach. Do określenia stopnia intensywności (natężenia) t.z. w określonym miejscu są stosowane skale oparte na ocenie t.z. na powierzchni Ziemi (→ Mercallego–Cancaniego–Sieberga skala). Do oceny wielkości t.z. w ognisku stosuje się skale oparte na instrumentalnych zapisach t.z.; do tej grupy należy w szczególności skala magnitud (→ Richtera skala).

Energia najsilniejszych t.z. jest przeszło 100 tys. razy większa od energii wybuchu bomby atom. zrzuconej na Hirosimę. W wypadku większości płytkich t.z. po trzęsieniu głównym występują wstrząsy następcze, zw. też replikami (ich liczba może dochodzić do wielu tysięcy), których liczba i natężenie maleją w miarę upływu czasu; niekiedy przed trzęsieniem gł. występują słabsze wstrząsy poprzedzające. Znane są również słabe i liczne t.z. zwane r o j o w y m i, w których trzęsienie gł. nie występuje.

Zdecydowana większość t.z. należy do t r z ę s i e ń   t e k t o n i c z n y c h i jest wywołana przemieszczaniem się i kolizją płyt litosfery (→ tektoniki płyt teoria); znane są również słabe trzęsienia ziemi o lokalnym zasięgu, zw. w u l k a n i c z n y m i, które są wywoływane działalnością wulkaniczną. Rozróżnia się ponadto t.z. spowodowane działalnością człowieka; należą do nich gł. trzęsienia wywołane eksploatacją górn. oraz budową dużych zbiorników wodnych.

Liczba t.z. nawiedzających Ziemię w ciągu roku jest szacowana na miliony, z czego zdecydowana większość to trzęsienia b. słabe. Silne t.z. (występujące stosunkowo rzadko) oraz wywołane niekiedy przez nie zjawiska takie jak osuwiska, → tsunami, uskoki, szczeliny i in. powodują często olbrzymie zniszczenia i liczne wypadki śmiertelne. Zniszczenia spowodowane przez t.z. zależą w znacznym stopniu od lokalnej budowy geol. (konstrukcje zbudowane na utworach luźnych są znacznie silniej wstrząsane i narażone na zniszczenie). Podejmowane w ostatnich latach próby przewidywania t.z. opierają się przede wszystkim na szczegółowym rozpoznaniu sejsmiczności zagrożonego rejonu (częstość występowania, natężenie i miejsce trzęsień ziemi) i analizie obserwowanych tam deformacji, co umożliwia sformułowanie przybliżonych prognoz długo- i średnioterminowych. Prognozy krótkoterminowe opierają się na badaniach kompleksowych wielu zjawisk; oprócz wyżej wymienionych — także na badaniach zjawisk elektromag-

■ Trzęsienie ziemi. Zniszczona autostrada w rejonie Kobe (Japonia), 1995

net., hydrologicznych, emisji radonu, właściwości sprężystych ośr. i in.; wszystkie te zjawiska usiłuje się wyjaśnić w przyjętym obecnie modelu tym, że w obszarze ogniskowym proces zniszczenia materiału jest rozciągnięty w czasie, tzn. że jeszcze przed właściwym t.z. następują znaczne zmiany w ośrodku.   ∎

Trzy Korony, najwyższy masyw górski Pienin właściwych; kilka wierzchołków: Okrąglica (982 m), Płaska Skała (950 m), Pańska Skała (920 m) i in., zbud. z odpornych jurajskich wapieni rogowcowych; stoki lesiste, pocięte głębokimi dolinami potoków (Wąwóz Szobczański), od pn. piękna polana podszczytowa; górne partie stanowią odrębny region florystyczny (7 gat. endemicznych) i faunistyczny; panorama — jedna z najpiękniejszych w Polsce; szlaki turyst. z: Czorsztyna, Sromowców Niżnych, Krościenka nad Dunajcem.

Tshuapa, rz. w Zairze, l. dopływ Konga; wypływa na pd.-wsch. obrzeżu Kotliny Konga, na zach. od m. Kindu; po przyjęciu l. dopływu — Lomela, przybiera nazwę Busira (na dł. ok. 270 km), a po przyjęciu rz. Momboyo (l. dopływ) jako rz. Ruki uchodzi do Konga, powyżej m. Mbandaka; łączna dł. systemu T. wynosi ok. 1300 km, pow. dorzecza ok. 174 tys. km²; żegl. na dł. ok.1100 km.

Tsugaru, Tsugaru-kaikyō, cieśnina w pn.-zach. części O. Spokojnego, między jap. wyspami Hokkaido i Honsiu; łączy M. Japońskie z otwartym oceanem; dł. 96 km, najmniejsza szer. 18,5 km; połączona cieśn. Tairadate z rozległą zat. Mutsu, wcinającą się w głąb wyspy Honsiu; najmniejsza głębokość na torze wodnym 110 m (w zach. wejściu); przez T. przepływa silny, ciepły prąd powierzchniowy z M. Japońskiego (odnoga Prądu Cuszimskiego) na otwarty ocean; gł. porty Hakodate (Hokkaido) i Aomori (nad zat. Mutsu) połączone promem kol. (gł. przewozy towarowe); pod dnem zach. części cieśniny przebiega tunel kol. Seikan.

tsunami [jap.], długie fale mor. wywołane podwodnymi trzęsieniami ziemi lub wybuchami podwodnych wulkanów; rozchodzą się promieniście od źródła powstania z dużą prędkością (50–1000 km/h); wysokość t. na otwartym oceanie sięga 0,1–5 m, w pobliżu lądu wzrasta do 10–50 m i wyżej, powodując katastrofalne zniszczenia na wybrzeżu; występują gł. na O. Spokojnym.

Tubkal, Dżabal, Jabal Tubqāl, franc. **Jebel Toubkal,** góra w Atlasie Wysokim, 7 wierzchołków powyżej 4000 m, najwyższy 4165 m (najwyższy szczyt gór Atlas); zdobyty 1923, 1934 — pierwsze pol. wejście (J.K. Dorawski); od 1967 liczne pol. wyprawy.

Tuchola, m. powiatowe w woj. kujawsko-pomor., nad rz. Kicz (pr. dopływ Brdy); 14,5 tys. mieszk. (2000); ośr. usługowy, przem. i turyst.; przemysł drzewny, materiałów bud., spoż.; siedziba zarządu Tucholskiego Parku Krajobrazowego; Muzeum Borów Tucholskich; zachowane tradycje haftu kaszubskiego i borowiackiego; jedna z najstarszych osad pomor.; prawa miejskie od 1346.

∎ Tunezja

Tuchów, m. w woj. małopol. (powiat tarn.), nad Białą; 6,3 tys. mieszk. (2000); ośr. usługowy; drobny przemysł; Wyższe Seminarium Duchowne; wzmiankowany 1123; prawa miejskie 1340–1896 i od 1934; barok. kościół Benedyktynów (XVII, XVIII–XIX w.) z otoczonym rel. kultem obrazem Matki Boskiej Tuchowskiej (XVI w.), kościół (XVIII, XIX w.).

Tuczno, m. w woj. zachodniopomor. (powiat wałecki), nad jez.: Tuczno i Zamkowym, wśród lasów Puszczy Zielonki; 1,9 tys. mieszk. (2000); ośr. usługowy i turyst.; fabryka czekolady; sanatorium; prawa miejskie od 1331; kościół (XVI w.), zamek (XVI, XVII, XIX w., ob. Dom SARP).

tuf [wł. < łac.], lekka, porowata skała składająca się z materiału → piroklastycznego (gł. piasku i popiołu wulk.) scementowanego np. spoiwem krzemionkowym, ilastym; ze względu na skład materiału piroklastycznego rozróżnia się t. bazaltowe, ryolitowe, andezytowe i in.; w Polsce występują m.in. w okolicach Krzeszowic (tzw. t. filipowickie), w Sudetach; materiał budowlany.

Tugela, seria wodospadów na rz. Tugela, w RPA, na odcinku gdzie rzeka spada z G. Smoczych na nadbrzeżną niz. O. Indyjskiego; najwyższe wodospady w Afryce (jedne z najwyższych w świecie) — łączna wys. ok. 950 m.

Tuliszków, m. w woj. wielkopol. (powiat turecki); 3,3 tys. mieszk. (2000); ośr. usługowy i mieszkaniowy dla pobliskiego Koniń. Zagłębia Węgla Brun.; prawa miejskie przed 1458–1870 i od 1919; kościół (XV, XIX w.), plebania, dwór i spichlerz (XIX w.), park (XIX w.).

Tundża, tur. **Tunca Nehri,** rz. w Bułgarii i Turcji, l. dopływ Maricy; dł. 410 km (z tego w Bułgarii 354 km); źródła w paśmie Kałoferska Płanina (Bałkany), na pd. stokach masywu Botew; w górnym biegu przepływa Kotlinę Kazanłycką; dolny bieg na Niz. Górnotrackiej; wykorzystywana do nawadniania (duże zbiorniki retencyjne G. Dimitrow i Zrebczewo); gł. m. nad T.: Jamboł, przy ujściu — Edirne.

Tunezja, Tūnis, Tūnus, Republika Tunezyjska, państwo w Afryce Pn., nad M. Śródziemnym; 163,6 tys. km²; 9,8 mln mieszk. (2002), Arabowie (ponad 98% ludności), Berberowie; religia państw. islam; stol. Tunis, inne m.: Kairuan, Bizerta, Safakis, Susa; język urzędowy arab., w użyciu ang.; republika. Na pn. pasma Atlasu Tellskiego i Saharyjskiego (wys. do 1544 m, Dżabal asz-Szanabi) rozdzielone doliną rz. Wadi Madżarda; w części środk. — obniżenie z Wielkim Szottem (do 23 m p.p.m.); na pd., w obrębie Sahary, Wielki Erg Wsch. i wyż. Az-Zahr; na wsch. niziny nadbrzeżne, gł. Al-Dżifara; klimat podzwrotnikowy typu śródziemnomor., na pd. — zwrotnikowy suchy; na nizinach makia i roślinność śródziemnomor., w górach lasy (dąb korkowy i ostrolistny, sosna alepska), w części środk. i pd. półpustynie. Kraj roln.-surowcowy z rozwijającym się przemysłem przetwórczym; uprawa zbóż (pszenica, jęczmień), oliwek, drzew cytrusowych, palmy daktylowej, warzyw; hodowla owiec, kóz, bydła; połowy ryb i skorupiaków; wydobycie ropy naft., gazu ziemnego, fosforytów; przemysł odzież., chem. (nawozy fosforowe, two-

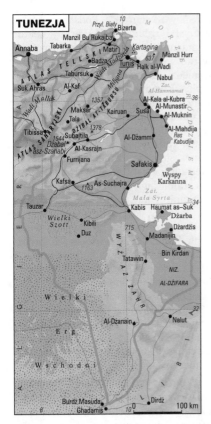

rzywa sztuczne), olejarski, miner., elektrotechn. i elektron., montaż samochodów; tkactwo; rozwinięta turystyka — ok. 5 mln turystów zagr. rocznie; znane zabytki z okresu starożytności (ruiny Kartaginy), sztuki islamu (Kairuan, Tunis); kąpieliska mor.; gł. zespół portowy Tunis–Halk al-Wadi, port naft. As-Suchajra (rurociąg z Algierii). ∎

Tunguzka, Dolna, Niżniaja Tunguska, rz. w azjat. części Rosji (obwód irkucki i Ewenkijski Okręg Autonomiczny), pr. dopływ Jeniseju: dł. 2989 km, pow. dorzecza 473 tys. km²; źródła na dziale wodnym Leny i Angary; płynie przez Wyż. Środkowosyberyjską (dolina na przemian szeroka i wąska); gł. dopływy: Koczeczum (pr.), Ilimpeja, Nepa, Tajmura, Uczami (l.); średni przepływ przy ujściu 3420 m³/s (maks. ok. 74 tys. m³/s); zamarza na ok. 8 mies.; spławna, żegl. od miejscowości Tura; przy ujściu przystań Turuchańsk; w dorzeczu Tunguskie Zagłębie Węglowe.

Tunguzka, Podkamienna, Podkamiennaja Tunguska, Sriedniaja Tunguska, Czułakan, w górnym biegu **Katanga,** rz. w azjat. części Rosji (Ewenkijski Okręg Autonomiczny), pr. dopływ Jeniseju; dł. 1865 km, pow. dorzecza 240 tys. km²; źródła w pn. części Wzniesień Angarskich; płynie przez Wyż. Środkowosyberyjską (liczne odnogi i progi); gł. dopływy: Tetere, Czunia (pr.), Wielmo (l.); w pobliżu ujścia średni przepływ 1560 m³/s (maks. ok. 35 tys. m³/s); zamarza na ok. 8 mies.; żegl. od miejscowości Wanawara (1146 km).

Tunis, stol. Tunezji, nad Zat. Tuniską (M. Śródziemne); 697 tys. mieszk. (2002), zespół miejski 1,6 mln; gł. w kraju ośr. przemysłu (olejarski, rybny, metal., chem., elektrotechn.), rzemiosła (tkactwo, jubilerstwo), handlu (międzynar. tar-

gi), nauki (uniw., konserwatorium, biblioteka nar.) i turystyki (w pobliżu ruiny Kartaginy); port mor. połączony torem wodnym z awanportem Halk al-Wadi; węzeł kol., drogowy, międzynar. port lotn.; centrum kultury islamu; staroż. fenicka osada Tunes; kasba (IX, XIII–XVI w.) z meczetem (XIII w.); medyna z licznymi meczetami (VIII–XVII w.), madrasami (XVII–XVIII w.) i pałacami; zespół pałacowy Bardo (XVIII–XIX w., ob. muzeum).

Turańska, Nizina, nizina w Kazachstanie, Uzbekistanie i Turkmenistanie, między Mugodżarami, Wyż. Turgajską, Pogórzem Kazaskim, Tien-szanem, Kopet-dagiem i M. Kaspijskim; na pn. łączy się przez Bramę Turgajską z Niz. Zachodniosyberyjską; pow. ok. 3 mln km². Pod względem geol. stanowi platformę, której podłożem są paleozoiczne orogeny, a pokrywę tworzą poziomo ułożone osady mezozoiczne i kenozoiczne. Większą część N.T. zajmują pustynie Kara-kum i Kyzył-kum; w pn.-zach. części wznosi się płytowa wyż. Ustiurt ograniczona urwistymi progami; niedaleko M. Kaspijskiego wiele depresji, najgłębsza — Karagije (132 m p.p.m.); przez N.T. płyną w kierunku Jez. Aralskiego największe rzeki Azji Środk. — Amu-daria i Syr-daria; b. skąpa roślinność krzewinkowa i krzewiasta (zarośla saksaułów) i obfita efemeryczna wiosenna (z panującą turzycą); na obrzeżach półpustynie piołunowe lub słone; nad rzekami lasy łęgowe (tugaje) i zarosłe trzciną bagna. Hodowla owiec karakułowych; eksploatacja bogatych złóż ropy naft. i gazu ziemnego; na terenach sztucznie nawadnianych uprawia się gł. bawełnę.

Turawskie, Jezioro, zbiornik retencyjny na Równinie Opolskiej, utworzony (1938) przez spiętrzenie Małej Panwi zaporą ziemną w Turawie; pow. 20,8 km², pojemność 106,2 hm³; odbud. po zniszczeniach wojennych 1948; wyzyskiwane do żeglugi (zasilanie Odry), rekreacji i ochrony przeciwpowodziowej; przy zaporze niewielka elektrownia; nad brzegami liczne ośr. wypoczynkowe, m.in. wieś Turawa.

Turbacz, najwyższy szczyt Gorców, na pn.--wsch. od Nowego Targu; węzeł schodzących się promieniście grzbietów: Obidowca, Turbaczyka, Mostownicy i Kudłonia, Jaworzyny Kamienickiej i Gorca, Kiczory z pasmem Lubania, Bukowiny Waksmundzkiej, Bukowiny Obidowskiej; wys. 1310 m; zbud. z twardych piaskowców płaszczowiny magurskiej; wierzchołek pokryty lasem świerkowym regla górnego; w pobliżu szczytu łąki; od pn. piękna polana T.; od wsch., na skraju Hali Długiej, schronisko PTTK; obok schroniska, w drewn. budynku — Ośr. Kultury Turystyki Górskiej PTTK; znakomity widok na Tatry i Podhale; dobre tereny narciarskie (wyciąg); szlaki turyst. z licznych u stóp Gorców miejscowości turyst.-wczasowych.

turbulencja w atmosferze ziemskiej, chaotyczny ruch składników powietrza w atmosferze ziemskiej; gł. przyczyną t. w a.z. jest istnienie w niej pionowego gradientu temperatury; t. w a.z. wpływa na wahania wartości elementów meteorol. (np. ciśnienia, temperatury), mieszanie się

■ Turcja

powietrza, przenoszenie pary wodnej, ciepła, a także zanieczyszczeń z powierzchni Ziemi do wyższych warstw atmosfery; od niej także zależy rozchodzenie się w atmosferze fal akust., radiowych i in.

Turcja, Türkiye, Republika Turecka, państwo w Azji i Europie, nad morzami: Śródziemnym, Egejskim, Czarnym i Marmara; cieśniny Bosfor i Dardanele oddzielają część eur. (fragment Płw. Bałkańskiego) od azjat. (Azja Mniejsza, Wyż. Armeńska), stanowiącej 95% pow. kraju; 774,8 tys. km², 70,1 mln mieszk. (2002), Turcy (86% ludności), Kurdowie (na wsch.), Ormianie, Arabowie; emigracja zarobkowa (ok. 1,5 mln osób) do krajów zachodnioeur.; islam wyznaje 99% mieszk.; przyrost naturalny ok. 12‰; w miastach ponad 63% ludności; stol. Ankara, inne m.: Stambuł, İzmir, Adana, Bursa, Konya; język urzędowy tur.; republika. Powierzchnia wyżynna i górzysta; w Azji Mniejszej wysoko położona Wyż. Anatolijska, na wsch. pokryta lawami bazaltowymi Wyż. Armeńska; wyżyny obrzeżają G. Pontyjskie i Taurus, na pd.-wsch. G. Kurdystańskie; liczne kotliny tektoniczne i wygasłe wulkany (Ararat — 5122 m, Erciyas); niewielkie niziny: Tracka na Płw. Bałkańskim, Adana na pd. Azji Mniejszej; rozczłonkowane wybrzeża, zwł. M. Egejskiego; katastrofalne trzęsienia ziemi; klimat podzwrotnikowy, na wybrzeżach śródziemnomor., w głębi kontynent. suchy; gł. rz.: Eufrat (dł. w granicach T. ok. 1100 km), Tygrys, Kızılırmak, wielkie jez.: Tuz, Wan; makia (na zach.), stepy trawiaste i piołunowe, w górach lasy

■ Turcja. Wyżyna Goreme

bukowe i sosnowo-świerkowe. Podstawą gospodarki przemysł i usługi; rozbudowany sektor państw. w przemyśle, bankowości, transporcie; wydobycie rud metali (żelaza, chromu — świat. eksporter, miedzi, manganu), węgla brun.; energetyka cieplna i wodna (hydroelektrownie Keban i Atatürk na Eufracie); rozwinięty gł. przemysł włók., odzież., skórz., spoż., ponadto hutn., zbrojeniowy, środków transportu (montownie samochodów), rafineryjny w portach dowozowych ropy naft., gumowy, cementowy; rzemiosło o b. starych tradycjach (biżuteria, dywany, wyroby skórz., ceramiczne); największe ośr. gosp.: Stambuł, Ankara, İzmir; uprawa zbóż, buraków cukrowych, bawełny, leszczyny (największy w świecie producent orzechów laskowych), winorośli, na zach. kraju: drzew cytrusowych, brzoskwiniowych, oliwek, figowców; hodowla owiec i kóz; turystyka zagr.; najliczniej są odwiedzane ośr. z zabytkami kultury antycznej (Troja, Efez, Milet, Pergamon), bizant. i islamskiej, Stambuł z Wielkim Bazarem, słynna Kapadocja z wyż. Göreme, kąpieliska pd. i zach. wybrzeża, zw. Riwierą Turecką; transport kol., samochodowy, mor., zwł. żegluga kabotażowa; porty: Stambuł, İzmir, İskenderun. ■

Turecka, Wysoczyzna, Wzgórza Tureckie, pn.-wsch. część Niz. Południowowielkopolskiej o dosyć urozmaiconym krajobrazie; występują tu wysokie wzgórza morenowe (do 189 m), górujące prawie 100 m nad otaczającą je od wsch. i pn. doliną Warty (Dolina Konińska i Kotlina Kolska), a od zach. — Równiną Rychwalską; w podłożu występują złoża węgla brun., eksploatowane metodą odkrywkową w okolicach Turka (znaczne zmiany antropogeniczne).

Turek, m. powiatowe w woj. wielkopol.; 31 tys. mieszk. (2000); ośr. górn.-energ. w Konińskim Zagłębiu Węgla Brun.; kopalnia, elektrownia cieplna (600 MW); różnorodny przemysł (włók., spoż., odzież.); węzeł drogowy; Muzeum Rzemiosła Tkackiego; wzmiankowany 1136; prawa miejskie od 1341; 2 kościoły (XIX w. i 1. ćwierć XX w.), domy tkaczy (XIX w.).

Turfańska, Kotlina, Turpan Pendi, tektoniczne obniżenie we wsch. Tien-szanie, w Chinach; 154 m p.p.m.; klimat umiarkowany ciepły, suchy,

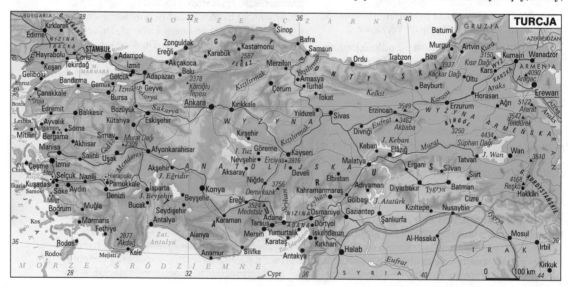

wybitnie kontynent. (roczne opady ok. 20 mm, absolutne maksimum temp. 47,6°C), dno kotliny pustynne; na pn. skraju, dzięki sztucznemu nawadnianiu uprawa zbóż, bawełny, winorośli; gł. oaza — Turfan.

Turgajska, Wyżyna, Turgajska Kraina Gór Stołowych, wyżyna w Kazachstanie, między Uralem Pd. i Mugodżarami na zach. a Pogórzem Kazaskim na wsch.; na pn. łączy się z Niz. Zachodniosyberyjską, na pd. sięga do Jez. Aralskiego; przeważające wys. 200–300 m; suchymi dolinami rozczłonkowana na oddzielne płaskowyże; w środk. części W.T. ciągnie się wielkie obniżenie — Brama Turgajska; na pn. panują suche stepy kostrzewowo-ostnicowe, na pd. — półpustynie trawiaste i piołunowe; w bezodpływowych zagłębieniach roślinność słonoroślowa; licznie występują takyry (słone bagna); duże złoża rud żelaza i azbestu, poza tym węgla brun., boksytów.

Turia, Guadalaviar, rz. we wsch. Hiszpanii; dł. 280 km; źródła w G. Iberyjskich; uchodzi do M. Śródziemnego; wykorzystywana do nawadniania; przy ujściu — m. Walencja.

Turkana, do 1978 **Jezioro Rudolfa, Basso Narok,** bezodpływowe, słone jez. tektoniczne w Kenii, częściowo w Etiopii, w Wielkim Rowie Wsch. (→ Wielkie Rowy Afrykańskie), na wys. 375 m; pow. 8,5 tys. km², dł. ok. 250 km, szer. ok. 50 km, głęb. do 73 m; na pd. brzegi klifowe, na pn. płaskie i podmokłe; kilka wysp wulk. (największa South Island); gł. rzeki uchodzące do Turkany: Omo, Turkwell; na pd. brzegu czynny wulkan Teleki (630 m); w T. żyją krokodyle i hipopotamy; liczne gat. ptactwa wodnego; odkryte 1888.

Turkmenistan, Türkmenistan, państwo w środk. Azji, nad M. Kaspijskim; 488,1 tys. km²; 5,7 mln mieszk. (2002), Turkmeni 73%, Rosjanie 10%, Uzbecy 9%, ponadto Kazachowie, Tatarzy, Ukraińcy, Azerowie, Ormianie; większość wierzących muzułmanie (sunnici); stol. Aszchabad, in. gł. m.: Czardżou, Mary, Turkmenbaszy; język urzędowy turkm.; republika. 90% pow. zajmuje pustynia Kara-kum, na pd. i pd.-zach. góry Kopetdag (wys. do 2942 m) i przedgórza Paropamisu; gł. rz.: Amu-daria, Tedżen, Murgab, Kanał Karakumski; na wybrzeżu obszar katastrofy ekol. (wysychająca zat. Kara Bogaz Goł). Gospodarka w okresie transformacji; waluta manat od 1993; wydobycie gazu ziemnego i ropy naft., mirabilitu; przemysł rafineryjny, chem. (nawozy miner.), maszyn. i metal., lekki (bawełn., jedwabn., wyrób dywanów), materiałów bud., spoż.; na gruntach sztucznie nawadnianych uprawa bawełny, zbóż (pszenica, ryż, sorgo), drzew owocowych, winorośli, warzyw (zwł. dyniowate); hodowla (owce karakułowe, bydło, konie, wielbłądy); eksport gazu do Rosji; gł. port Turkmenbaszy. ▪

Turkmeńsko-Chorasańskie, Góry, góry w Turkmenistanie i Iranie, na pn. skraju Wyż. Irańskiej; dł. ponad 600 km, szer. do 250 km; najwyższy szczyt Kengzoszk, 3314 m w pd. części (G. Niszapurskie); składają się z licznych równol. pasm rozdzielonych szerokimi dolinami; pn. część (→ Kopet-dag) zbud. ze skał osado-

wych, pd. — z osadowych i metamorficznych; obszar aktywny sejsmicznie; w dolnym piętrze roślinność pustynna, w górnym — stepowa; w dolinach rosną dziko drzewa owocowe.

Turks i Caicos [təːᵏks i kájkos], **Turks and Caicos, Wyspy Turks i Caicos,** terytorium zależne W. Brytanii w Ameryce Środk. (Indie Zach.), w archipelagu Bahamów, na O. Atlantyckim; obejmuje grupy wysp Turks i Caicos; 430 km²; 18 tys. mieszk. (2002); stol. i gł. port Cockburn Town. Wyspy nizinne, pochodzenia koralowego; klimat podzwrotnikowy, cyklony. Podstawą gospodarki jest rybołówstwo i rolnictwo; uprawa agawy sizalskiej, pszenicy, bawełny, drzew owocowych; turystyka.

▪ Turnia. Dent du Géant w masywie Mont Blanc

turnia [węg. < niem.], wzniesienie skalistej grani górskiej lub odosobniona skała albo szczyt górski o ostrym wierzchołku i stromych stokach. ▪

Turyn, Torino, m. w pn.-zach. Włoszech, na przedgórzu Alp Zach., nad Padem; stol. regionu autonomicznego Piemont; 898 tys. mieszk., zespół miejski 1,6 mln mieszk. (2002); drugi po Mediolanie ośr. przem. Włoch; produkcja samochodów, motocykli, ciągników roln., taboru kol. w zakładach koncernu FIAT; przemysł maszyn. (silniki lotn., urządzenia biurowe), precyzyjny, gumowy, skórz.-obuwn., winiarski; węzeł kol. i drogowy połączony poprzez tunele alp. z Francją i Szwajcarią; uniw. (zał. 1405), politechn., inst. nauk.; muzea; katedra (XV w.) — miejsce przechowywania słynnej relikwii, całunu turyńskiego; kościoły, m.in. S. Lorenzo i S. Filippo Neri — wzniesione przez G. Guariniego; pałace, m.in. Madama (XIII, XV, XVIII w.) i Reale (XVII w.); w pobliżu T. barok. kościół pielgrzymkowy i mauzoleum dyn. sabaudzkiej w Superga (XVIII w.) oraz pałac w Stupinigi (XVIII w.).

▪ Turkmenistan

■ Twardzielce w Monument Valley, Arizona (USA)

Tuszyn, m. w woj. łódz. (powiat łódz. wsch.), w aglomeracji łódz.; 7,3 tys. mieszk. (2000); ośr. usługowy i handl. (wielki bazar); wiele drobnych zakładów przemysłu włók. i odzież.; ponadto różnorodny przemysł; część łódz. wytwórni filmów animowanych; sanatorium; prawa miejskie 1416–1870 i od 1924.

Tuvalu, państwo w Oceanii, w Polinezji; w skład T. wchodzi 9 atoli; 26 km²; 11 tys. mieszk. (2002), ludność rdzenna, gł. protestanci; stol. Vaiaku w atolu Funafuti; język urzędowy: tuvalu i ang.; monarchia konst.; eksport kopry, wyrobów rzemiosła artyst. (naszyjniki z muszli); sprzedaż znaczków pocztowych. ■

Tuwa, Tywa, republika w Rosji, w górach Syberii Pd., w dorzeczu górnego Jeniseju; 170,5 tys. km²; 308 tys. mieszk. (2002), Tuwińcy 64%, Rosjanie 32% i in.; stol. Kyzył; wydobycie azbestu, węgla kam., rud kobaltu; przemysł drzewny, lekki, spoż.; hodowla (owce, bydło), myślistwo.

Twardogóra, m. w woj. dolnośląskim (powiat oleśnicki); 6,9 tys. mieszk. (2000); ośr. usługowy i przem.; przemysł drzewny (meble), metal., spoż.; produkcja hamulców i elementów hamulcowych, gł. dla Fiata Auto Poland; prawa miejskie od 1293; pałac (XVIII w.).

■ Tuvalu

■ Wyżyna Tybetańska. Krajobraz na północ od Lhasy

twardzielec, monadnok, odosobnione wzgórze wznoszące się ponad wyrównanym obszarem, które dzięki dużej odporności budujących je skał nie uległo całkowicie denudacji. ■

Tyber, Tevere, rzym. **Tiberis,** rz. w środk. części Włoch, najdłuższa na Płw. Apenińskim; dł. 405 km, pow. dorzecza 17,2 tys. km²; źródła w Apeninie Toskańsko-Emiliańskim, na wys. 1268 m, u podnóża góry Fumaiolo; uchodzi dwoma ramionami do M. Tyrreńskiego, tworząc deltę; w górnym biegu płynie przez Kotlinę Umbryjską; gł. dopływy: Paglia (pr.), Topino, Nera, Aniene (l.); nad T. leży Rzym, poniżej — żegl. dla małych statków; na pd. skraju delty znane kąpielisko Ostia.

Tyberiadzkie, Jezioro, Genezaret, Morze (Jezioro) Galilejskie, Yām Kineret, jez. w Izraelu, przy granicy z Syrią, w Rowie Jordanu, 212 m p.p.m.; dł. ok. 21 km, szer. do 12 km; pow. 165 km², głęb. do 48 m; przez J.T. przepływa rz. Jordan; obfituje w ryby; wyzyskiwane do nawadniania; na zach. brzegu m. Tyberiada; koło miejscowości Tabgha stanowiska antropol. człowieka neandertalskiego; na pn. brzegu Kafarnaum i staroż. Betsaida (wymieniane w *Ewangeliach* miejsca działalności Jezusa).

Tybetańska, Wyżyna, Tybet, chiń. **Qingzang Gaoyuan,** tybet. **Czangt'ang,** kraina górsko-wyżynna w Azji Środk., obecnie w zach. Chinach; ograniczona wysokimi górami (Karakorum, Kunlun, Altun Shan, Qilian Shan, G. Sino-Tybetańskie, Himalaje); pow. ok. 2 mln km²; przeważające wys. 4000–5000 m. Obejmuje tektoniczne obniżenie wzdłuż pn. podnóża Himalajów (zajęte przez górną Brahmaputrę i górny odcinek Indusu), Transhimalaje, płaskowyż Qiangtang (wys. 4400–4600 m) oraz tektoniczne kotliny: Cajdamską i Kukunorską. W części wsch. W.T. jest rozcięta głęboko (na 2000–3000 m) dolinami rzek (Huang He, Jangcy, Mekongu, Saluinu). Powstała w wyniku trzeciorzędowych ruchów wynoszących, które spowodowały wydźwignięcie masywu tybet., wzdłuż uskoków brzeżnych, o ponad 4000 m; zbud. z różnorodnych skał, gł. wieku paleozoicznego i mezozoicznego; w strefie brzeżnej młode utwory wulkaniczne. Ruchy tektoniczne na W.T. trwają do dziś (częste trzęsienia ziemi). Klimat górski w strefie podzwrotnikowej, suchy, kontynent.; roczna suma opadów 100–200 mm, tylko na pd. ok. 500 mm i na krańcach pd.-wsch. do 1000–1200 mm (wpływ monsunu znad O. Indyjskiego); średnia temp. w styczniu od ok. 0°C na pd. do ok. −10°C na pn., w lipcu 5–18°C; dobowe wahania temperatury mogą przekraczać 40°C; charakterystyczne silne wiatry. Na W.T. biorą początek wielkie rz. Azji: Huang He, Jangcy, Mekong, Saluin, Indus, Brahmaputra; liczne jeziora (Nam-c'o, Siling-c'o, Kuku-nor), gorące źródła i gejzery. Na pn. i zach. rozciągają się pustynie i skąpe stepy wysokogórskie (gł. ostnicowe i kostrzewowe); w Transhimalajach i dolinie Brahmaputry występują bujniejsze stepy, użytkowane jako pastwiska; na pd.-wsch., w dolinach rzek rosną lasy mieszane i iglaste (gł. jodłowo-świerkowe), a wyżej panują stepy i łąki wysokogórskie. Granica wiecznego śniegu przeciętnie na wys. ok. 5800 m;

liczne lodowce. Bogactwa miner.: ropa naft., węgiel kam., rudy żelaza i metali nieżel., złoto, w jeziorach — soda i boraks. Ludność (gł. Tybetańczycy) zamieszkuje pd. część W.T. i skupia się wokół klasztorów lamajskich; gł. m. — Lhasa; koczownicza hodowla owiec, kóz i jaków. ■

Tybetański Region Autonomiczny, chiń. **Xizang Zizhiqu,** tybet. **Pö-rang-gjong-czong,** region autonomiczny w zach. Chinach, na Wyż. Tybetańskiej; 1,2 mln km^2; 2,8 mln mieszk. (2002), Tybetańczycy (gł. wyznawcy lamaizmu), Chińczycy; ośr. adm. Lhasa; najrzadziej zaludniony region kraju, ok. 90% ludności skupia się na pd., w dolinie Brahmaputry; koczownicza hodowla jaków, owiec, kóz; uprawa jęczmienia oraz pszenicy, roślin strączkowych, warzyw, roślin leczn.; myślistwo (piżmowce, jelenie); rzemiosło (dywany, papier, wyroby ze skóry, drewna); drobny przemysł włók., spoż., skórz., metal.; transport gł. juczny.

Tychy, m. powiatowe w woj. śląskim, na pd. GOP; powiat grodzki; 131 tys. mieszk. (2000); ośr. przem.-usługowo-mieszkaniowy; fabryki — samochodów Fiat Auto Poland (karoserie), silników wysokoprężnych jap. koncernu ISUZU; ponadto przemysł spoż. (browar od XVI w.), elektron., maszyn., papierniczy, poligraficzny, chem.; przedsiębiorstwa inż.-bud.; oddziały i filie banków; węzeł kol. i drogowy; rozwinięta uprawa warzyw; teatr, tow. społ.-kult.; wieś wzmiankowana 1467; prawa miejskie od 1951; kościół (XVIII, XIX/XX w.), pałac (XVIII w.), w dzielnicy Żwaków nowocz. kościół Św. Ducha z malowidłami J. Nowosielskiego.

Tyczyn, m. w woj. podkarpackim (powiat rzesz.), nad Strugą (pr. dopływ Wisłoka); 2,9 tys. mieszk. (2000); ośr. usługowy; przemysł maszyn.; wytwórnia wentylatorów; prawa miejskie od 1368; kościół, 2 dzwonnice, plebania (XVIII w.).

Tygrys, tur. **Dicle Nehri,** arab. **Nahr Dijlah,** rz. w Turcji i Iraku, w górnym biegu na dł. ok. 30 km wyznacza granicę między Syrią a Turcją; dł. 1950 km, pow. dorzecza 375 tys. km^2; wypływa z jez. Gölcük w Taurusie Armeńskim; płynie przez Mezopotamię; po połączeniu z Eufratem tworzy → Szatt al-Arab; gł. dopływy: Zab Wielki, Zab Mały, Dijala (l.); średni przepływ k. Bagdadu 1240 m^3/s (maks. 13 000 m^3/s, minim. 150 m^3/s); zasila gęstą sieć kanałów nawadniających; liczne zapory (Al-Kut, Samarra) i zbiorniki retencyjne; żegl. od Bagdadu, podczas wysokiego stanu wód od Mosulu; nad T. leżą ruiny Niniwy, Kalchu, Aszuru, Samarry, Ktezyfontu, Seleucji.

Tykocin, m. w woj. podl. (powiat białost.), nad Narwią; 2,1 tys. mieszk. (2000); ośr. turyst.--krajoznawczy; prawa miejskie 1425–1950 i od 1993; XVII–XVIII jeden z gł. ośr. Żydów w Polsce; ruiny zamku, alumnat wojsk., synagoga (XVII, XVIII w., ob. muzea), zespół klasztorny (XVIII w.), pomnik S. Czarnieckiego.

Tyrol, Tirol, kraj związkowy w zach. Austrii, przy granicy z Niemcami, Włochami i Szwajcarią; 12,6 tys. km^2, 679 tys. mieszk. (2002); stol. Innsbruck; górzysty (na zach. Alpy Retyckie i Lechtalskie, na pn. Tyrolsko-Bawarskie Alpy Wapienne, na pd.-wsch. Wysokie Taury); gł. rz.

Inn; gł. region turyst. kraju; uzdrowiska, ośr. wypoczynkowe i sportów zimowych; energetyka wodna, przemysł drzewny, papierniczy; hodowla bydła i owiec; szlaki komunik. (m.in. przez przełęcz Brenner) łączące Niemcy z Włochami.

Tyrreńskie, Morze, franc. **Mer Tyrrhénienne,** wł. **Mare Tirenno,** część środk. M. Śródziemnego, między Korsyką i Sardynią na zach. a Płw. Apenińskim na wsch. i Sycylią na pd.-wsch.; połączone z M. Liguryjskim Cieśn. Korsykańską, z M. Jońskim — Cieśn. Sycylijską oraz z akwenami Basenu Prowansalsko-Algierskiego — cieśn. Bonifacio; na pd. M.T. łączy się z otwartym M. Śródziemnym. Powierzchnia 259 tys. km^2; średnia głęb. 1574 m, maks. — 3830 m (w części pn.); prawie całą powierzchnię dna zajmuje Basen Tyrreński o głęb. 3000–3500 m i urozmaiconym ukształtowaniu, m.in. występują w nim liczne rowy, kaniony oraz góry podwodne pochodzenia wulk. o średniej względnej wys. 2000 m; na pd.-zach. basen jest połączony Rowem Algiersko-Tyrreńskim z Basenem Prowansalsko-Algierskim; szersze powierzchnie szelfowe rozciągają się jedynie wzdłuż brzegów wł.; trzęsienia ziemi występują gł. w pd.-wsch. części dna morza; liczne wyspy, m.in. na pn. Toskańskie (Elba, Capraia, Pianosa, Giglio, Montecristo), na pd. — Liparyjskie (Lipari, Salina, Vulcano, Stromboli i in.); u wejścia do Zat. Gaeckiej — W. Poncjańskie, Zat. Neapolitańskiej — wyspy Ischia i Capri; wzdłuż brzegów, zwł. włoskich, liczne otwarte zatoki. Temperatura wód powierzchniowych w zimie 12–14°C, w lecie do 25°C, zasolenie — 37,5–38‰; wody głębinowe, poniżej 1500 m, mają stałą temperaturę (ok. 13°C) i zasolenie (38,4‰). Prądy powierzchniowe (1–1,5 km/h) mają układ cyklonalny (przeciwny do kierunku ruchu wskazówek zegara); wysokość pływów do 0,5 m (u wejścia do Cieśn. Mesyńskiej); gł. rzeka uchodząca do M.T. — Tyber. Rozwinięte rybołówstwo (sardynki, tuńczyk, barwena), połów małży i mięczaków (kalmary); na wszystkich wybrzeżach liczne kąpieliska mor. i ośr. turyst.; rozwinięta żegluga turyst. i promowa; gł. porty handl.: Neapol, Piombino, Salerno, Civitaveccia, Palermo (Sycylia), Cagliari (Sardynia), Bastia (Korsyka).

Tyszowce, m. w woj. lubel. (powiat tomaszowski), nad Huczwą; 2,3 tys. mieszk. (2000); ośr. usługowy dla rolnictwa; prawa miejskie 1419–1870, ponownie od 2000; kościół (1865–69, H. Marconi), zespół drewn. zabudowy małomiasteczkowej i domów rzemieślniczych (2. poł. XIX w.).

Tyśmienica, rz. na Polesiu Zach. i Niz. Południowopodlaskiej, pr. dopływ dolnego Wieprza; dł. 75 km, pow. dorzecza 2689 km^2; wypływa na pd.-wsch. od Ostrowa Lubelskiego, płynie w szerokiej, podmokłej dolinie, powyżej wsi Siemień przepływa przez duży staw Siemień (kąpieliska, sporty wodne), uchodzi we wsi Skromowice; średni przepływ w pobliżu ujścia 7,7 m^3/s; maks. rozpiętość wahań stanów wody 2,9 m; gł. dopływy: Piwonia (część włączona do Kanału Wieprz-Krzna), Bystrzyca (pr.); nad T. leżą m.: Ostrów Lubelski, Kock.

U

Ubangi, franc. **Oubangui,** rz. na granicy Zairu z Rep. Środkowoafryk. i Kongiem, największy, pr. dopływ Konga; powstaje z połączenia rzek Uele i Bomu; uchodzi poniżej m. Mbandaka, tworząc niewielką deltę; dł. (od źródeł Uele) ok. 2300 km, pow. dorzecza ok. 770 tys. km²; liczne bystrza i progi; gł. dopływy: Lua, Giri (l.), Kotto (pr.); bogactwo flory i fauny; żegl. od m. Bangi, w porze deszczowej (marzec–listopad) od połączenia rzek źródłowych; w dolnym odcinku częste powodzie.

Udmurcja, **Udmurt,** republika w Rosji, na Poduralu; 42,1 tys. km²; 1,6 mln mieszk. (2002), Udmurci 31%, Rosjanie 58%, Tatarzy i in.; stol. Iżewsk; przemysł samochodowy, maszyn., hutnictwo żelaza, drzewny (lasy ok. 1/2 pow.), chem., szklarski; wydobycie ropy naft.; uprawa zbóż, lnu; hodowla, pszczelarstwo.

Ufa, rz. w eur. części Rosji, pr. dopływ Biełej; dł. 918 km, pow. dorzecza 53,1 tys. km²; źródła w Uralu Środk.; gł. dopływy: Aj, Juriuzań (l.); spławna; w dolnym biegu zbiornik retencyjny i Elektrownia Pawłowska (160 MW); żegl. 135 km powyżej i 170 km poniżej elektrowni; wykorzystywana do nawadniania; w dorzeczu złoża ropy naft.; przy ujściu — miasto Ufa.

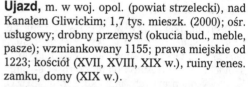

Uganda, **Republika Ugandy,** państwo we wsch. Afryce; 241 tys. km²; 23,4 mln mieszk. (2002), gł. ludy Bantu (Gandowie, Nioro i in.) oraz nilockie; chrześcijanie (78%), muzułmanie, animiści; ponad 50% analfabetów; w miastach tylko 11% ludności; stol. Kampala; język urzędowy ang.; republika. Wyżynna, rozcięta głębokimi dolinami rzek (Nil, Katonga); góry wyspowe (Elgon); wzdłuż zach. granicy Wielki Rów Zach. z jez. Alberta i Edwarda oraz masywy wulk. Ruwenzori i Wirunga (Margherita, 5109 m); na granicy z Tanzanią wielkie Jez. Wiktorii; klimat podrównikowy wilgotny, na pn.-wsch. suchy; sawanny, lasy równikowe; znane parki nar.: Wirunga, Kabalega, Elgon. Słabo rozwinięty kraj roln.; uprawa zbóż (gł. kukurydza), bananów plantan, batatów, na eksport — kawy, herbaty, bawełny; hodowla bydła, kóz, owiec; rybołówstwo śródlądowe; wydobycie rud kobaltu, miedzi, cyny, apatytów; przetwórnie kawy, herbaty, oczyszczalnie bawełny, przemysł skórz., drzewny; na jeziorach żegluga; gł. porty: Jinja i Entebbe nad Jez. Wiktorii.

■ Uganda

Ujazd, m. w woj. opol. (powiat strzelecki), nad Kanałem Gliwickim; 1,7 tys. mieszk. (2000); ośr. usługowy; drobny przemysł (okucia bud., meble, pasze); wzmiankowany 1155; prawa miejskie od 1223; kościół (XVII, XVIII, XIX w.), ruiny renes. zamku, domy (XIX w.).

Ujście, m. w woj. wielkopol. (powiat pilski), naprzeciw ujścia Gwdy do Noteci; 3,9 tys. mieszk. (2000); ośr. usługowy i turyst.; huta szkła (butelki); przystań rzeczna; w VII w. gród z podgrodziem; prawa miejskie od 1413.

Ukajali, **Río Ucayali,** rz. w Peru, jedna ze źródłowych rzek Amazonki; powstaje z połączenia rz.: Apurimac i Urubamba wypływających z Andów Środk.; dł. 1950 km (od źródeł Apurimac 2738 km); pow. dorzecza 375 tys. km²; w górnym biegu liczne progi, w środk. i dolnym — silnie meandruje tworząc liczne koryta boczne i starorzecza; szerokość koryta do 5 km; przyjmuje 40 lewych dopływów (największy Pachitea) i 43 prawe (Tapiche); po połączeniu z rz. Marañón tworzy gł. odcinek Amazonki; średni przepływ u ujścia 12,5 tys. m³/s; U. jest jednym z ważniejszych szlaków transportowych Peru; żeglowna od m. Cumaria, gł. port Pucallpa; w środk. części dorzecza złoża gazu ziemnego i ropy naftowej.

Układ Słoneczny, zespół ciał niebieskich poruszających się w przestrzeni wraz ze Słońcem, powiązanych siłami wzajemnych oddziaływań grawitacyjnych, z których najsilniejsze jest oddziaływanie Słońca. Ciałem centr., skupiającym prawie całą (99,87%) masę U.S., jest Słońce; obiega je 9 planet (Merkury, Wenus, Ziemia, Mars, Jowisz, Saturn, Uran, Neptun, Pluton), wokół 7 z nich krążą naturalne satelity (księżyce, ponad 60); między orbitami Marsa a Jowisza rozciąga się pas planetoid, z których część, poruszając się po orbitach silnie wydłużonych, zbliża się do Słońca bardziej niż Ziemia; do U.S. należą także: Pas Kuipera, → meteoroidy, komety i materia międzyplanetarna w postaci gazu i pyłu kosm. (ten ostatni jest obserwowany w postaci światła zodiakalnego); ze Słońca wypływają (z prędkością ok. 300–800 km/s) strumienie plazmy w postaci wiatru słonecznego; pole magnet., którego linie sił są wynoszone ze Słońca wraz z materią, przenika przestrzeń międzyplanetarną. Masa U.S. wynosi 1,994 · 10³⁰ kg; jego rozmiary, określone średnicą orbity Plutona, wynoszą ok. 12 mld km (80 jednostek astr., UA), jednak wiele komet obiega Słońce po orbitach o półosiach rzędu kilkudziesięciu tys. UA. Największą planetą U.S. jest Jowisz o masie równej 0,001 masy Słońca; dolna granica wielkości planet jest umowna — Pluton o śred. ok. 2340 km zaliczany jest do planet (choć niektórzy astronomowie uważają go za planetoidę), Ceres zaś (śred. ok. 914 km) do planetoid; podobną do planetoid masę (co do wielkości) mają komety, mniejszą — meteoroidy. Wszystkie ciała U.S. poruszają się wokół wspólnego środka masy (położonego blisko środka Słońca), który z kolei porusza się wokół środka masy Galaktyki, obiegając jej jądro w ciągu ok. 200 mln lat, w przybliżeniu po kole o promieniu ok. 10 kiloparseków, z prędkością ok. 250 km/s.

Według współcz. teorii cały U.S. powstał z jednego obłoku materii protosłonecznej. Prawdopodobnie w wyniku wybuchu znajdującej się w jego pobliżu gwiazdy supernowej został zapoczątkowany proces grawitacyjnego zapadania się obłoku, połączony z równoczesnym jego wzbogacaniem w najcięższe pierwiastki. W kurczącym się obłoku, w jego centralnej części, uformowało się Słońce otoczone wirującym gazowo-pyłowym dyskiem; cząstki pyłu, w wyniku wzajemnych zderzeń, łączyły się stopniowo ze sobą; część z nich stała się zarodkami planetarnymi; wskutek wzajemnych oddziaływań grawitacyjnych zarodki te łączyły się tworząc — w ciągu paru mln lat — planety; mniejsze twory przetrwały w postaci planetoid, komet, meteoroidów.

Ukraina, Ukrajina, państwo w Europie Wsch., nad M. Czarnym i M. Azowskim; 603,7 tys. km², 48,8 mln mieszk. (2002); stol. Kijów; język urzędowy ukr.; republika; w skład U. wchodzi republika autonomiczna Krym; podział adm.: 24 obwody, 2 miasta wydzielone (Kijów i Sewastopol).

Warunki naturalne

Rozciągłość z zach. na wsch. ponad 1300 km, z pn. na pd. — 890 km; linia brzegowa dł. 1050 km; zach. wybrzeże limanowe; Płw. Krymski połączony z lądem wąskim Przesmykiem Perekopskim; przeważają obszary nizinne (średnia wys. ok. 175 m): Polesie, Niz. Naddnieprzańska, Niz. Czarnomorska; w zach. części Wyż. Wołyńsko-Podolska i Wyż. Naddnieprzańska; góry zajmują 5% pow., na pd.-zach. pasma Karpat Ukr. (Howerla 2061 m — najwyższy szczyt kraju), na pd. — G. Krymskie. Klimat umiarkowany, kontynent., na pd. krańcach Krymu podzwrotnikowy (śródziemnomor.); średnia temp. w styczniu od –8°C do 4°C, w lipcu 19–24°C; roczna suma opadów 300–400 mm na Niz. Czarnomorskiej, 1000–1200 mm w G. Krymskich i 1200–1600 mm w Karpatach. Rzeki należą do zlewiska M. Czarnego, tylko górny bieg Bugu i dopływy górnego Sanu — do M. Bałtyckiego; gł. rz.: Dniepr, Boh, Dniestr, Doniec; grupa Jezior Szackich na Polesiu Wołyńskim (najgłębsze Świteź), rozlewiska w delcie Dunaju (Jałpuch, Sasyk); zbiorniki retencyjne na Dnieprze (największy Kachowski). Część pn. i zach. kraju leży w strefie lasów liściastych (lesistość 14%), środk. i pd. — lasostepów i stepów; w Karpatach łąki górskie (połoniny). Gleby czarnoziemne (1/2 pow.), bielicowe i kasztanowe. 16 rezerwatów przyrody, 6 parków nar. (pod ochroną m.in. lasy bukowe na stokach Czarnohory); naturalne środowisko U. w znacznym stopniu zniszczone; największą katastrofę ekol. spowodowała awaria

■ Ukraina

UKRAINA

■ Ukraina. Zakole rzeki Smotrycz w Kamieńcu Podolskim

w Czarnobylskiej Elektrowni Jądr. (IV 1986); izo-topem cezu ^{137}Cs zostało skażone 21% pow. (gł. w obw. kijowskim i żytomierskim).

Ludność

Ukraińcy 73%, Rosjanie 22% (gł. na Zaporożu, Krymie i w obw. odeskim), Żydzi, Białorusini, Tatarzy krymscy, Mołdawianie, Polacy 0,4% (gł. w obw. żytomierskim i chmielnickim) i in.; poza granicami kraju ok. 7,5 mln Ukraińców (z tego 4,4 mln w Rosji); wierzący gł. prawo-sławni i katolicy; przyrost naturalny od 1991 ujemny, jeden z najniższych w Europie (–7,5‰, 2000); wskaźnik urodzeń 9,1‰, zgonów 15,2‰; w wieku 19 lat i mniej 25,5% populacji, 65 lat i więcej 13,9%; przeciętna długość życia (2000): mężczyźni 61 lat, kobiety — 72; ludność miejska 68% (1995), najniższy odsetek mają obw.: do-niecki (95%), ługański i dniepropetrowski; gł. m. poza stol.: Charków, Dniepropetrowsk, Donieck, Odessa, Zaporoże, Lwów, Krzywy Róg.

Gospodarka

Pod względem gosp. potencjału U. zajmowała 2. miejsce w ZSRR; gospodarka (do 1991 centr. planowana) ściśle związana z Rosją; program reform rozpoczęty 1994; pomoc finansowa nie-wielka (U. nie spełnia zaleceń Międzynar. Fun-duszu Walutowego i Banku Świat.); waluta hrywna od 1996; struktura wytwarzania produk-tu krajowego brutto (w % — 1998): rolnictwo, leśnictwo i rybołówstwo 12, przemysł i budow-nictwo 26, usługi 62. Bogate i różnorodne złoża surowców miner.; wydobycie węgla kam. (81,6 mln t, 1999), gazu ziemnego (614 petadżuli, 1999) i ropy naft., rud żelaza (Krzywy Róg, Kercz) i manganu (Nikopol), soli potasowych (Kałusz); moc zainstalowana w elektrowniach 54 240 MW (1994); 48% energii elektr. dostar-czają elektrownie cieplne (największe: Zaporo-ska i Uglegorska po 3600 MW, Krzyworoska 3000 MW), ok. 40% jądr. (XII 2000 zamknięta została Czarnobylska Elektrownia Jądr.); na Dnieprze kaskada 6 elektrowni wodnych (łączna moc 3800 MW); hutnictwo żelaza i metali nieżelaznych (aluminium, cynk); przemysł elek-tromaszyn. (urządzenia i maszyny dla górnic-twa, środki transportu, metal.), chem. (nawozy miner., włókna chem., tworzywa sztuczne), spoż. (cukr., olejarski, winiarski), lekki, drzewno-pa-pierniczy, materiałów bud. (cement, konstrukcje żelbetowe), porcelanowo-fajansowy (m.in. Bara-nówka k. Żytomierza). Użytki rolne zajmują 69%

pow. (1994), w tym grunty orne 58%, łąki i pastwiska 15%; ziemie nawadniane 2,6 mln ha (Kanał Północnokrymski), osuszone ponad 3 mln ha (gł. na Polesiu); uprawy: zboża (zbiory 23,8 mln t, 2000), buraki cukrowe (13,2 mln t), słonecznik, ziemniaki (13 mln t), len, ponadto chmiel, konopie, tytoń, drzewa owocowe, wa-rzywa, winorośl; hodowla bydła (pogłowie 10,6 mln), trzody chlewnej, owiec, zwierząt futerko-wych. W przewozach towarów i pasażerów gł. rolę odgrywa transport kol.; dł. linii kol. 23 tys. km (1998), dróg samochodowych 169 tys. km (w tym autostrady 1837 km); dł. śródlądowych dróg wodnych 3,7 tys. km; gł. arteria wodna Dniepr; przez terytorium U. przechodzą: pd. odgałęzie-nie rurociągu naft. Przyjaźń, Orenburski Ruro-ciąg Gazowy i in. rurociągi tranzytowe; porty mor.: Odessa, Iljiczewsk (prom do Warny), Chersoń, Kercz, Jałta; gł. międzynar. porty lotn.: Boryspol (Kijów) i Lwów. Uzdrowiska na pd. wybrzeżu Krymu, w obw. odeskim, w Karpatach: Truskawiec, Zaleszczyki, Morszyn, Worochta. 2/3 eksportu (wyroby metalurg., chemikalia, węgiel) przypada na transakcje barterowe; gł. partnerzy handl. (2000): Rosja, Białoruś, Niem-cy, USA, Chiny.   ■

Ulanów, m. w woj. podkarpackim (powiat niżański), u ujścia Tanwi do Sanu; 1,4 tys. mieszk. (2000); ośr. usługowy i turyst.-wypo-czynkowy; drobny przemysł wikliniarski, chem.; wczesnośredniow. flisacka osada targowa; jedy-ny w Polsce cech flisacki; prawa miejskie 1616–1934 i od 1958; 2 drewn. kościoły (XVII w.), drewn. domy (XIX w.).

ultrametamorfizm [łac.-gr.], proces zachodzą-cy w głębi Ziemi, w warunkach wysokiej tempe-ratury i wysokiego ciśnienia, na ogół poniżej strefy, w której zachodzą procesy metamorfizmu regionalnego; polega na stopniowym powstawa-niu magmy przez uplastycznienie i oddzielenie części skały łatwiej ulegającej upłynnieniu (→ anateksis), aż do całkowitego stopienia ska-ły; typowymi skałami ultrametamorficznymi są np. niektóre migmatyty.

Ułan Bator, Ulaanbaatar, do 1924 **Urga,** stol. Mongolii, na pn. kraju, u podnóża masywu Bogd-uul, nad rz. Tołą; 762 tys. mieszk. (2002); największe miasto i ośr. gosp. Mongolii; przemysł skórz., futrzarski, mięsny, odzież.; akad. nauk, uniw.; muzea; międzynar. port lotn., połączenie kol. z Rosją i Chinami; od 1639 osada koczowni-cza, od 1730 na ob. miejscu; klasztor Gandan (centrum mong. lamaizmu), pałace (XIX w.).

Umbria, region autonomiczny i kraina hist. w środk. Włoszech, na Płw. Apenińskim; 8,5 tys. km², 845 tys. mieszk. (2002); stol. Perugia; Apenin Umbryjsko-Marchijski i pogórze Apenin; gł. rz. Tyber; uprawa zbóż, buraków cukrowych, wino-rośli; hodowla bydła, owiec; przemysł zbrojenio-wy, maszyn., lotn.; winiarstwo; turystyka (Asyż).

UNEP, organizacja międzynar., → Program Narodów Zjednoczonych Ochrony Środowiska.

UNESCO [ju:nęskou; ang.] → Organizacja Na-rodów Zjednoczonych do spraw Oświaty, Nauki i Kultury.

Unia Europejska, UE, ang. **European Union,** związek państw-członków Wspólnot Eur. (EWG, Eur. Wspólnoty Węgla i Stali, Eur. Wspólnoty Energii Atom.), zawarty na mocy Traktatu o Unii Europejskiej (Traktat z Maastricht), działający od 1 IX 1993; członkowie-założyciele: Belgia, Dania, Francja, Grecja, Hiszpania, Holandia, Irlandia, Luksemburg, Niemcy, Portugalia, Włochy, W. Brytania, Austria, Finlandia, Szwecja; UE ustaliła nowe ramy współpracy między państwami członkowskimi; celem UE jest utworzenie unii gosp., monetarnej i polit. oraz wprowadzenie wspólnego obywatelstwa. Unia gosp. ma być realizowana przez prowadzenie wspólnej zewn. polityki ekon. oraz przyjmowanie ogólnych zaleceń dotyczących polityki wewn. państw członkowskich; wprowadzenie jednolitego rynku ma polegać na zniesieniu wszelkich ograniczeń przepływu ludności, usług, dóbr i kapitałów w ramach UE; stopniowo ma być wprowadzana dyscyplina budżetowa, kontrolowana przez Komisję. Unia walutowa będzie realizowana przez utworzenie Eur. Banku Centr., ograniczenie wahań kursów walut, po dawanie notowań giełdowych i sprawozdań instytucji publ. w ECU oraz dążenie do wprowadzenia jednolitej waluty na obszarze Unii. Polityka zagr. będzie realizowana w formie stałych konsultacji i wypracowaniu wspólnego stanowiska; polityka bezpieczeństwa jest opracowywana wspólnie z Unią Zachodnioeuropejską. Obywatelstwo UE nie zastępuje obywatelstwa państw członkowskich, daje ono prawo do: udziału w wyborach lokalnych, Parlamentu Eur. i składania do niego petycji oraz zwracania się do rzecznika praw obywatelskich UE. Organy Wspólnot Eur. stały się organami UE. 2 X 1997 państwa UE podpisały *Traktat amsterdamski* (wszedł w życie 1 V 1999), reformujący Unię i otwierający drogę do jej rozszerzenia o kolejne państwa; zasadnicze zmiany dotyczą m.in.: wzmocnienia prerogatyw Parlamentu Eur. i Trybunału Sprawiedliwości, modyfikacji procedur decyzyjnych, wprowadzenia założeń zmian składu gł. instytucji UE w zależności od liczby nowo przyjmowanych państw-czł., wprowadzenia zobowiązania do koordynowania polityki zatrudnienia, skorygowania założeń wspólnej polityki zagr. i bezpieczeństwa, włączenia do kompetencji UE udziału w misjach humanitarnych, pokojowych i akcjach zbrojnych zmierzających do przywrócenia pokoju. W 1997 przewodn. Komisji Eur. J. Santer przedstawił dokument *Agenda 2000* dotyczący szczegółowej strategii UE w sprawach: przyszłej reformy instytucjonalnej, przygotowań do rozszerzenia UE, finansowania jej działalności, reformy wspólnej polityki rolnej, wzrostu zatrudnienia i poziomu życia. W 1998 rozpoczęto oficjalne negocjacje z Cyprem, Czechami, Estonią, Polską, Słowenią i Węgrami na temat ich przystąpienia do UE oraz przegląd ich prawa pod kątem zgodności z prawem obowiązującym w krajach UE. Także 1998 skompletowano pierwszy zarząd (Dyrektoriat) Eur. Banku Centr. z siedzibą we Frankfurcie n. Menem oraz podjęto decyzję o rozpoczęciu od 1 I 1999 etapowego wprowadzania w państwach Unii (z wyjątkiem Danii,

■ Główna siedziba Unii Europejskiej w Brukseli

Grecji, Szwecji i W. Brytanii) waluty euro, co stanowi faktyczny początek realizacji unii walutowej państw UE; 2002 euro zastąpiło waluty nar. (poza Danią, Szwecją i W. Brytanią) ■

Uniamwezi, Unyamwezi, Nyamwezi, płaskowyż w Afryce Wsch., na terytorium Ugandy, pn. Tanzanii i zach. Kenii, między Wielkim Rowem Zach. i Wielkim Rowem Wsch. (→ Wielkie Rowy Afrykańskie); część Wyż. Wschodnioafrykańskiej stanowiąca nieckowate obniżenie (wys. 1000–1300 m), zbud. gł. z krystal. skał prekambru, ograniczone na zach. i wsch. górami zrębowymi; środk., najniższą część U. wypełnia rozległe, największe w Afryce, Jez. Wiktorii; klimat równikowy wilgotny na pn. brzegach Jez. Wiktorii, na pozostałym obszarze podrównikowy wilgotny i podrównikowy suchy; roślinność stanowią gł. sawanny; na zach. i wsch. stepy górskie, na pd. lasy podzwrotnikowe suche i kolczaste zarośla.

UNICEF [ju:nysef; ang.] → Fundusz Narodów Zjednoczonych Pomocy Dzieciom.

Uniejów, m. w woj. łódz. (powiat poddębicki), nad Wartą; 3,1 tys. mieszk. (2000); ośr. usługowy i turyst.-krajoznawczy; drobny przemysł; prawa miejskie przed 1331–1870 i od 1919; kolegiata (XIV, XV, XVII w.), zamek arcybiskupów gnieźn. (XIV, XVII, XIX w.). W pobliżu duże zasoby gorących zmineralizowanych wód.

upad, nachylenie powierzchni struktury geol. (warstwy, uskoku, pokładu kopaliny); wyrażany w postaci kąta pomiędzy tą powierzchnią a płaszczyzną poziomą (kąt u.) oraz ogólnego kierunku nachylenia badanej powierzchni (np. na północ); wraz z → biegiem jednoznacznie określa orientację powierzchni geol. w przestrzeni. Zob. też warstwa.

Ural, ros. **Urał,** do 1775 **Jaik,** rz. w Rosji i Kazachstanie; dł. 2428 km, pow. dorzecza 237 tys. km^2; źródła w paśmie Ural-tau; w górnym i środk. biegu płynie w wąskiej dolinie; do m. Orsk wzdłuż wsch. stoków Uralu Południowego, następnie między Uralem Południowym i Mugodżarami; w dolnym biegu płynie przez Niz. Nadkaspijską, tworząc liczne rozgałęzienia; przy ujściu do M. Kaspijskiego dzieli się na 2 ramiona: Jaickie i Złote (żegl.); gł. dopływy: Sakmara (pr.), Or, Ilek (l.); podczas wiosennego wezbrania w środk. biegu szeroko rozlewa; zbiorniki retencyjne (największy Irikliński); rybołówstwo (jesiotr, sandacz); gł. m. nad U.: Magnitogorsk, Orsk, Nowotroick, Orenburg, Uralsk (początek żeglugi), Atyrau (do 1993 Gurjew).

Ural, Urał, góry w Rosji; wsch. podnóża tworzą umowną granicę między Europą i Azją; stromo opadają na wsch., ku Niz. Zachodniosyberyjskiej, łagodnie na zach., ku Niz. Wschodnioeuropejskiej; dł. ponad 2000 km; szer. 40–150 km; najwyższy szczyt Narodna, 1895 m; dzielą się na U. Polarny (do źródeł rz. Chułga), U. Subpolarny (do rz. Szczugor), U. Północny (do góry Oslanka na 59°08′N), U. Środkowy (do rz. Ufa) i U. Południowy. Góry fałdowe należące do systemu hercynidów. Od zach. ku wsch. wyodrębnia się w nich następujące jednostki tektoniczne: 1) zapadlisko przedgórskie wypełnione węglonośnymi i roponośnymi osadami karbonu górnego i permu; 2) antyklinorium baszkirskie i centr. (zw. też ałtauskim); 3) synklinorium magnitogorskie, tagilskie i lembińskie; 4) antyklinorium uralsko-tobolskie; 5) synklinorium kustanajskie. U. jest zbud. z silnie pofałdowanych okruchowych i węglanowych skał paleozoicznych oraz ze skał metamorficznych i magmowych prekambryjskich oraz paleozoicznych. U. Polarny i U. Subpolarny mają rzeźbę alp.; dla U. Północnego są charakterystyczne zaokrąglone lub płaskie wierzchowiny, ponad którymi górują ostańce, na stokach rumowiska skalne; w U. Środkowym występują niewysokie grzbiety górskie ze skalistymi wierzchowinami; podłużne doliny rzeczne są tu szerokie, często zabagnione; U. Południowy składa się z licznych pasm, rozdzielonych głębokimi, śródgórskimi kotlinami, na pd. od rz. Biała — przechodzi w lekko falisty teren (wys. 500–600 m). Wzdłuż zach. stoków U. rozwinięte zjawiska krasowe (m.in. jaskinie Kungurska, Kapowa). Klimat umiarkowany, chłodny kontynet., na krańcach pn. subpolarny: średnia temp. w styczniu od –20°C na pn. do –15°C na pd., w lipcu odpowiednio od 9 do 20°C; suma roczna opadów od 350–450 mm na stokach wsch. i 600–750 mm na stokach zach., do 1000 mm w U. Subpolarnym i U. Północnym; w U. Polarnym niewielkie lodowce. U. stanowi dział wodny między dorzeczami Obu, Peczory, Wołgi i Uralu; liczne jeziora (największe Tawatuj, Argazi, Turgojak). W U. Polarnym i U. Subpolarnym panują tundry kamieniste, porostowe lub mszyste, dalej na pd. tundry występują na najwyższych szczytach ponad granicą lasu; w U. Północnym i U. Środkowym — tajga jodłowo-świerkowa (syberyjskie gat. jodły i świerka), sosnowa (z sosną zwyczajną) lub modrzewiowa (z modrzewiem syberyjskim, a na pn. z udziałem limby syberyjskiej); na zach. stokach U. Południowego rosną lasy mieszane i liściaste (z lipą drobnolistną, dębem szypułkowym, brzozą, osiką), u podnóży pd. i wsch. lasostepy z płatami lasów brzozowych i lipowych oraz stepy (łąkowe, ostnicowe lub piołunowe), obecnie przeważnie zaorane; rezerwaty: Peczoro-Iłycki, Wisimski, Ilmeński, Baszkirski. Różnorodne bogactwa miner.; największe znaczenie przem. mają: rudy żelaza, miedzi, chromu i niklu, azbest; od dawna eksploatuje się złoto oraz kamienie szlachetne i dekor.; gł. m. i wielkie ośr. przem.: Jekaterynburg, Czelabińsk, Magnitogorsk. ■

urbanizacja [łac.], proces społ. i kulturowy wyrażający się w rozwoju miast, wzroście ich liczby, powiększaniu obszarów miejskich i udziału ludności miejskiej w całości zaludnienia (bądź udziału ludności żyjącej wg miejskich wzorów). U. jest procesem złożonym, przebiegającym w 4 zasadniczych płaszczyznach: u r b a n i z a c j a d e m o g r a f i c z n a polega na przemieszczeniu się ludności ze skupisk wiejskich do miast, koncentracji ludności w miastach i stałym wzroście odsetka mieszkańców miast na danym obszarze; urbanizacja p r z e s t r z e n n a — na zwiększaniu się obszaru miast, powiększaniu ich pojemności (również przez intensyfikację zabudowy), powstawaniu nowych miast i osiedli nieroln. oraz na przekształcaniu innych środowisk mieszkalnych na wzór miejski; u r b a n i z a c j a e k o n o m i c z n a — na stałym wzroście liczby ludności pracującej w zawodach pozaroln. oraz na postępującym różnicowaniu się zaw. tej ludności w stosunku do ludności wykonującej zajęcia roln.; u r b a n i z a c j a s p o ł e c z n a wyraża się w przyswojeniu przez przybyszów ze wsi miejskiego stylu życia, a także w przenikaniu miejskich wzorów ekon., społ. i kulturowych na wieś.

W wyniku procesu u. różnice między wielkimi miastami, innymi skupiskami miejskimi oraz wiejskimi są jedynie różnicami w stopniu zurbanizowania. Zjawisko u., związane z procesem → industrializacji, wystąpiło jako potężny proces społ. i kulturowy pod koniec XVIII w., najpierw w W. Brytanii, następnie w krajach zach. Europy, w USA i Japonii; w XX w. objął on też inne kraje eur. i stał się symptomem współcz. cywilizacji nauk.-technicznej. Charakterystyczną cechą u. jest coraz szybszy wzrost wielkich miast, które tworzą coraz większe aglomeracje i konurbacje. W krajach zachodnioeur., o silnym stopniu u., ludność wiejska stanowi już często tylko 10% ogółu społeczeństwa. W krajach wschodnioeur. po II wojnie świat. rozpoczęły się intensywne procesy industrializacji, powodujące szybki wzrost miast. W Polsce, zwł. 1950–80, procesy te występowały b. silnie, obejmując ponad połowę ludności wiejskiej (1945 ludność miejska stanowiła 30% ogółu ludności kraju, 1999 — 62%).

Urmia, Rezaije, bezodpływowe jez. w pn.-zach. Iranie, w tektonicznym zagłębieniu śródgórskim,

■ Ural. Tajga w Rezerwacie Peczoro-Iłyckim

na wys. 1275 m; pow. ok. 5,8 tys. km², głęb. do 15 m; zasolenie 150–230‰; żegluga; park narodowy.

Urubamba, w górnym biegu **Vilcanota,** rz. w pd. części Peru, jedna ze źródłowych rz. Ukajali; dł. 725 km; wypływa z Andów Środk.; płynie w głęboko wciętej dolinie; liczne progi i wodospady; dopływy gł. prawe; wykorzystywana do nawadniania; elektrownie wodne; wzdłuż górnego i środk. biegu ruiny osiedli Inków (m.in. Pisac k. Cuzco i Machu Picchu).

Urugwaj, hiszp. **Río Uruguay,** portug. **Rio Uruguai,** rz. w pd.-wsch. części Brazylii; w środk. i dolnym biegu wyznacza granicę między Argentyną a Brazylią i Urugwajem; powstaje z połączenia rz. Pelotas i Canoas, wypływających z gór Serra do Mar; dł. 1593 km (od źródeł Pelotas 2200 km), pow. dorzecza 307 tys. km²; w górnym i środk. biegu progi i wodospady (największy Salto Grande); uchodzi do estuarium La Plata; gł. dopływy: Ibicuí, Negro (l.); średni przepływ u ujścia 5,5 tys. m³/s; powyżej m. Salto elektrownia wodna o mocy 1400 MW oraz zbiornik retencyjny; żegl. od Salto; do Paysandú dostępna dla statków morskich.

Urugwaj, Uruguay, Wschodnia Republika Urugwaju, państwo w Ameryce Pd., nad O. Atlantyckim; 177,4 tys. km²; 3,4 mln mieszk. (2002), ludność pochodzenia eur., ponadto Metysi, Mulaci, Murzyni; katolicy; w miastach 89% ludności; stol. i gł. port mor.: Montevideo, inne m.: Salto, Paysandú; język urzędowy hiszp.; republika. Powierzchnia nizinna, w pn. i wsch. części kraju pd. krańce Wyż. Brazylijskiej, wys. do 513 m (Cerro Catedral); klimat podzwrotnikowy mor.; gęsta sieć rzek, największa Urugwaj (graniczna z Argentyną) z dopływem Negro i in.; jeziora lagunowe (Mirim); roślinność stepowa (pampa) i sawannowa (campos). Podstawą gospodarki jest rolnictwo; hodowla owiec, bydła, koni; uprawa ryżu, trzciny cukrowej, buraków cukrowych, pszenicy, słonecznika; dominuje przemysł spoż. (gł. mięsny, cukr.) oraz skór., cementowy, wełn., chem.; wydobycie talku, granitu, rud uranu; rybołówstwo; turystyka (kąpieliska mor.).   ■

Usedom, przybrzeżna wyspa na M. Bałtyckim, → Uznam.

uskok, nieciągła deformacja tektoniczna polegająca na rozerwaniu i przemieszczeniu mas skalnych wzdłuż pewnej powierzchni (lub strefy), zw. powierzchnią (lub strefą) u. Masy skalne przemieszczone wzdłuż powierzchni u. w dół są zw. skrzydłem zrzuconym, przemieszczone w górę — skrzydłem wiszącym. W zależności od nachylenia powierzchni uskokowej i kierunku przemieszczenia rozróżnia się: u. progowy — powierzchnia u. jest pionowa, u. normalny — powierzchnia u. jest nachylona ku skrzydłu zrzuconemu; u. odwrócony — powierzchnia u. jest nachylona w kierunku skrzydła wiszącego. Przemieszczanie wzdłuż powierzchni uskokowej może zachodzić nie tylko w płaszczyźnie pionowej, lecz również w płaszczyźnie poziomej (u. przesuwczy) lub może być kombinacją tych ruchów, np. u. zrzutowo-przesuwczy (dominuje składowa pionowa ruchu), u. przesuwczo-zrzu-

towy (dominuje składowa pozioma ruchu). Wielkość przemieszczenia może się zmieniać wzdłuż biegu powierzchni uskokowej (u. nożycowy, zawiasowy). U. o powierzchniach nachylonych pod b. małym kątem, w których masy skalne są przemieszczone na znaczną odległość, zwą się → nasunięciami. U. mogą towarzyszyć ciągłe deformacje tektoniczne (przyuskokowe podgięcia warstw, fałdy, fleksury). Z u. jest związane powstawanie zrębów i rowów tektonicznych. Zob. też uskok transformacyjny.

uskok transformacyjny, uskok transformujący, uskok przekształcający, czynny współcześnie uskok przesuwczy (przemieszczenia mas skalnych w płaszczyźnie poziomej), poprzeczny względem → ryftu, powstały wskutek nierównomiernego rozprzestrzeniania się dna oceanicznego (spreding); wzdłuż u.t. zachodzą poziome ruchy → płyt litosferycznych. Zob. też tektoniki płyt teoria.

usłonecznienie, sumaryczny czas (w ciągu doby, miesiąca lub roku), w którym na określone miejsce na powierzchni Ziemi pada promieniowanie dochodzące bezpośrednio od tarczy Słońca. Rozróżnia się u. rzeczywiste i u. względne, stanowiące stosunek u. rzeczywistego do u. potencjalnego (maksymalnie możliwego) w tym samym okresie; u. rejestruje się za pomocą heliografu.

Ussuri, chiń. **Wusuli Jiang,** rz. w Rosji, częściowo na granicy z Chinami, pr. dopływ Amuru; powstaje z połączenia rzek Ułache i Daubiche, biorących początek w górach Sichote Aliń; dł. (od źródeł Ułache) — 897 km, pow. dorzecza 193 tys. km²; płynie w szerokiej dolinie; tworzy liczne zakola i rozgałęzienia; średni przepływ w dolnym biegu 1150 m³/s (maks. 10 520 m³/s); wezbrania od końca marca do sierpnia, katastrofalne powodzie; gł. dopływy: Sungacza (l.), Bikin, Chor (pr.); obfituje w ryby (m.in. tarliska łososi); w górnym biegu spławna; żegl. od Lesozawodzka; przy ujściu m. Chabarowsk.

Ust-Ordyńsko-Buriacki Okręg Autonomiczny, okręg autonomiczny w Rosji (obw. irkucki); 22,4 tys. km²; 142 tys. mieszk. (2002), Buriaci 36%, Rosjanie 56% i in.; ośr. adm. Ust--Ordyński; uprawa pszenicy; hodowla bydła, owiec.

Ustiurt, płaskowyż w Kazachstanie i Uzbekistanie, między płw. Mangyszłak a Jez. Aralskim i deltą Amu-darii; wys. do 370 m; stromo wznosi się ponad otaczające niziny; zbud. gł. z wapieni; formy krasowe; pustynie piołunowe i słone, wyzyskiwane jako pastwiska; złoża ropy naft. i gazu ziemnego.

Ustka, m. w woj. pomor. (powiat słup.), u ujścia Słupi do M. Bałtyckiego; 17,1 tys. mieszk. (2000); uzdrowisko klim.-balneologiczne (solanki, borowina); kąpielisko mor. i ośr. wypoczynkowy; port, gł. rybacki; stocznia (łodzie ratunkowe, kutry); przemysł rybny; ośr. oświat.; Centrum Szkolenia Marynarki Woj.; wzmiankowana 1310; prawa miejskie od 1935 (ponownie 1945); latarnia mor. i kościół (XIX w.), domy (XVIII, XIX w.).

Ustroń, m. w woj. śląskim (powiat cieszyński), w Beskidzie Śląskim, nad Wisłą; 15,9 tys.

■ Urugwaj

mieszk. (2000); wzmiankowany 1305; od końca XVIII w. uzdrowisko (solanki i in., borowina), szpitale i sanatoria, w tym Szpital Reumatologiczny Śląskiej Akad. Med.; ośr. turyst.-wypoczynkowy i sportów zimowych; kuźnia, tartak, zakłady przem. spoż.; prawa miejskie od 1956; kościół (XVII, XIX w.), ewang. kościół (XIX w.), sierociniec (XVIII w.) i plebania (XVIII/XIX w.).

Ustrzyki Dolne, m. powiatowe (powiat bieszczadzki) w woj. podkarpackim, w G. Sanocko-Turczańskich, nad Strwiążem (l. dopływ Dniestru); 10,3 tys. mieszk. (2000); ośr. usługowy dla leśnictwa oraz ośr. turyst.-wypoczynkowy i sportów zimowych; prawa miejskie 1727–1945 i od 1952; cerkiew (XIX, 2. ćwierć XX w.), synagoga (XIX w., ob. Muzeum Przyr. Bieszczadzkiego Parku Nar.), domy (XIX w.).

■ Uzbekistan

Utah [jy:ta:], stan w zach. części USA; 219,9 tys. km²; 2,3 mln mieszk. (2002), ok. 80% w regionie Wielkiego Jez. Słonego; stol. Salt Lake City; w obrębie G. Skalistych i Wielkiej Kotliny, na pd.-wsch. Wyż. Kolorado; gł. rz. Kolorado; lasy iglaste w górach, na zach. półpustynie, pustynie; górnictwo (rudy miedzi, uranu, złoto i in.), hutnictwo metali, przemysł rakietowy, elektron.; uprawa (sztuczne nawadnianie) pszenicy, buraków cukrowych, roślin pastewnych; hodowla bydła, owiec; turystyka (parki nar., pomniki kultury mormonów).

Utrata, rz. na Równinie Łowicko-Błońskiej, pr. dopływ Bzury; dł. 76 km, pow. dorzecza 792 km²; wypływa na pn.-wsch. od Mszczonowa, uchodzi poniżej Sochaczewa; maks. rozpiętość wahań stanów wody w dolnym biegu 3 m; nad U.: Pruszków i Żelazowa Wola.

Uttar Pradeś, ang. **Uttar Pradesh,** stan w pn. Indiach, przy granicy z Chinami i Nepalem; 294,4 tys. km², 169,3 mln mieszk. (2002) — najludniejszy stan Indii; stol. Lakhnau, inne m.: Kanpur, Agra, Waranasi (gł. w Indiach ośr. kultu rel. hindusów), Allahabad; w środk. części płaska Niz. Gangesu z szerokimi dolinami: Gangesu, Jamuny, Ghaghry i gęstą siecią kanałów nawadniających, na pn.-zach. Himalaje (Nanda Dewi, 7816 m), na pd. fragment wyż. Dekan; lasy zachowane w Himalajach chronione w Parku Nar. im. Corbetta; gł. region roln. kraju; ziemie uprawne zajmują 75% pow. stanu; uprawa ryżu, trzciny cukrowej (największy obszar uprawy w Indiach), pszenicy, orzeszków ziemnych, bawełny, juty; hodowla bydła, bawołów; rozwinięty przemysł cukr., olejarski, włók., skórz.-obuwn., w dużych miastach środków transportu, chem., elektron.; rzemiosło (muśliny, brokaty, biżuteria); turystyka (Agra ze słynnym mauzoleum Tadź Mahal, Waranasi); gęsta sieć kol. i drogowa, żegluga na Gangesie.

Uwały Północne, Siewiernyje uwały, wzniesienia w eur. części Rosji; stanowią dział wodny między dorzeczami Wołgi i Dwiny; dł. 600 km; wys. do 293 m; zbud. z osadów rzeczno-lodowcowych; liczne bagna; lasy iglaste.

Uwały Syberyjskie, Sibirskije uwały, wzniesienia w azjat. części Rosji, na Niz. Zachodniosyberyjskiej; stanowią dział wodny między dorzeczem Obu a rzekami należącymi do dorzecza

Nadymu, Puru i Tazu; dł. 900 km; wys. do 285 m; rzeźba pagórkowata; lasy iglaste; w części środk. tereny silnie zabagnione.

Uws-nuur, największe jez. Mongolii, przy granicy z Rosją, w Kotlinie Wielkich Jezior, na wys. 743 m; pow. 3350 km²; bezodpływowe; woda silnie słona; do Uws-Nuur uchodzą rzeki: Tesijngol i Narijn-gol.

Uzbekistan, Uzbekiston, Republika Uzbekistanu, państwo w środk. Azji; 447,4 tys. km²; 26,1 mln mieszk. (2002), Uzbecy 71%, Rosjanie 8%, Tadżycy 5%, Kazachowie 4%, Karakałpacy 2% i in.; wierzący gł. muzułmanie (sunnici); stol. Taszkent, inne gł. m.: Samarkanda, Namangan, Andiżan, Buchara, Fergana; język urzędowy uzb.; republika; w skład U. wchodzi Rep. Karakałpacka. 3/4 pow. kraju na Niz. Turańskiej, większą część zajmuje pustynia Kyzył-kum; na pn.-wsch. i pd. przedgórza i pasma Tien-szanu i G. Hisarsko-Ałajskich (wys. do 4643 m), rozdzielone Kotliną Fergańską; gł. rz. Amu-daria i Syr-daria; obszar katastrofy ekol. w regionie wysychającego Jez. Aralskiego; duże szkody ekol. spowodowane monokulturową uprawą bawełny. Gospodarka w okresie transformacji; waluta sum od 1993; wydobycie gazu ziemnego, rud miedzi, ołowiu, cynku, wolframu, żelaza i manganu, ozokerytu, soli kam.; przemysł maszyn. i metal., chem. (nawozy miner.), spoż., lekki (baweln., jedwabn.); rzemiosło artyst.; uprawy (sztuczne nawadnianie): bawełna, rośliny oleiste, zboża (ryż, kukurydza, sorgo), drzewa owocowe, winorośl, warzywa (zwł. dyniowate), tytoń; hodowla owiec karakułowych, bydła, koni, wielbłądów; gazociągi do Rosji, Kirgistanu i Kazachstanu. ■

Uznam, niem. **Usedom,** przybrzeżna wyspa na M. Bałtyckim, między Zat. Pomorską od pn. i Zalewem Szczecińskim od pd., oddzielona od wyspy Wolin — Świną, od lądu — Pianą; pow. 425 km²; zbud. z utworów akumulacji lodowcowej; nizinna; liczne jeziora i tereny bagniste; do Polski należy wsch. skraj wyspy (ok. 50 km²), na którym leży zach. część m. Świnoujście, pozostały obszar — do Niemiec (gł. m. Usedom); kąpieliska mor.: Świnoujście, Ahlbeck.

Użocka, Przełęcz, Użóćkyj perewał, Użok, przełęcz w Karpatach Wsch. na Ukrainie, w pobliżu granicy z Polską; wys. 889 m; przez P.U. przechodzi linia kol. i szosa Lwów–Użhorod.

użytki rolne, wszystkie tereny w obrębie gospodarstwa rolnego lub danego rejonu, służące bezpośrednio produkcji roln. lub ogrodn.; są to → grunty orne, obszary plantacji wieloletnich (sady, chmielniki, winnice i in.), warzywniki, łąki, pastwiska, ogródki przydomowe.

używki, produkty pochodzenia roślinnego, nie mające w zasadzie wartości odżywczej (z wyjątkiem kakao), które jednak ze względu na swoje oddziaływanie (gł. pobudzające) lub walory smakowe są przeznaczone do spożycia; do u. należą: kawa, herbata, kakao oraz tytoń „spożywany" gł. przez palaczy papierosów, a także napoje alkoholowe; od najdawniejszych czasów są przedmiotem wymiany towarowej.

V

Vaduz [fadu:c], stol. Liechtensteinu, u podnóża Alp Retyckich, nad górnym Renem; 5,3 tys. mieszk. (2002); ośr. turyst. i finansowy; nominalna siedziba wielu zagr. spółek i przedsiębiorstw; muzeum; galeria malarstwa; zamek (IX, XIV, XVI w.).

Valletta [wa:lęta:], **La Valletta,** stol. Malty, we wsch. części wyspy Malta, nad M. Śródziemnym; 7 tys. mieszk., zespół miejski 196 tys. (2002); przemysł tekstylny, elektron., stocznia remontowa; port handl., pasażerski, rybacki i lotn.; uniw. (zał. 1592); muzeum; fortyfikacje (XVI w.), katedra (XVIII w.), kościoły, pałac Gubernatora (XVI, XVIII w.), Auberge de Province (XVI w.).

Vancouver [wänku:wə^r], m. w Kanadzie (Kolumbia Bryt.), nad cieśn. Georgia (O. Spokojny); 534 tys. mieszk. (2002), zespół miejski 1,6 mln (1991); największe miasto i ośr. gosp. zach. części kraju; przemysł drzewno-papierniczy, maszyn., spoż., stoczn., rafineryjny; wielki port wywozu zboża i drewna; węzeł kol.-drogowy na transkontynent. szlakach; port lotn.; 2 uniw.; ośr. turyst.; osiedle zał. w latach 70. XIX w.; rozwinęło się jako stacja końcowa transkontynent. linii kol. doprowadzonej 1885; Muzeum Mor., Galeria Sztuki Vancouveru; liczne nowocz. budowle użyteczności publ.; parki, m.in. Stanleya. ■

Vanoise [wanuąz], masyw górski w Alpach Graickich, we Francji, od wsch. ograniczony doliną rz. Arc (Maurienne), od pd. — Isère (Tarentaise); najwyższy szczyt Grande Casse, 3852 m; jeziora polodowcowe, moreny; lasy iglaste (modrzew, jodła z domieszką buka); fauna: koziorożec, łasica, świstak i liczne ptaki, np. kruk, orzeł, pardwa, zięba, sowy. Park Nar. Vanoise (zał. 1963, pow. 52,8 tys. ha) — najstarszy we Francji, graniczy z Parkiem Nar. Gran Paradiso we Włoszech.

Vanuatu, Republika Vanuatu, państwo w Oceanii, w Melanezji; 12,2 tys. km², 185 tys. mieszk. (2002); ludność rdzenna, gł. protestanci i katolicy; stol. Vila na wyspie Efate; język urzędowy: ang. i franc.; republika; w skład V. wchodzi 80 wysp (dawniej archip. Nowe Hebrydy), największe: Espiritu Santo i Malekula; rozwinięta turystyka; eksport kopry, ryb, mięsa, drewna, kakao, korali.

Varangerfjorden [wąraŋərfju:rden], zatoka (fiord) M. Barentsa wcinająca się ok. 120 km w pn. wybrzeże Płw. Skandynawskiego, między półwyspami Varanger (Norwegia) i Rybackim (Rosja); szer. wejścia ok. 55 km; wybrzeża pd. silnie rozczłonkowane, liczne podrzędne zatoki oraz skaliste półwyspy i wyspy (największa Skogerøy); głęb. do 420 m; temp. wód powierzchniowych od 1–3°C w zimie do 7–9°C w lecie; w czasie ostrych zim wewn. część V. zamarza; wys. pływów do 2,2 m; gł. porty: Kirkenes i Vadsø w Norwegii, Liinachamari (na pn. od m. Pieczenga) w Rosji.

Vatnajökull [wątnajkütl], lodowiec w pd.-wsch. Islandii, największy w Europie; pow. 8400 km²; tworzy na wulk. masywie (wys. ok. 800 m) pokrywę o miąższości 600–1000 m; w pd. części nad V. wznosi się wulkan Öræfajökull, wys. do 2119 m (Hvannadalshnúkur — najwyższy szczyt Islandii); z V. spływają do wybrzeża liczne jęzory lodowcowe; pod lodem czynne wulkany; topniejące wody zasilają wiele rzek (największa Thjórsá); wybuchy wulkanu Grimsvötn powodują katastrofalne powodzie.

■ Vanuatu

■ Vancouver

Veld, strefa wyżyn w Afryce Pd., → Weld.

Vercors [werkǫr], masyw górski w Prealpach we Francji, między dolinami Drôme i Isère; oddzielony od krystal. Alp głęboko wciętą doliną rz. Drac (l. dopływ Isère); najwyższy szczyt Grand Veymont, 2341 m; zbud. z wapieni; rzeźba krasowa; w pn. części jaskinia Berger; turystyka.

Vermont [wəʳmɔnt], stan w pn.-wsch. części USA; 24,9 tys. km², 618 tys. mieszk. (2002); stol. Montpelier; wyżynno-górzysty (G. Zielone); lasy mieszane, w górach — iglaste; hodowla bydła mlecznego, warzywnictwo, sadownictwo; eksploatacja marmuru, granitu; gospodarka leśna (produkcja syropu i cukru klonowego); przemysł maszyn., meblarski, poligraficzny; turystyka (sporty zimowe).

Vesterålen [wɛstərɔːlən], archipelag przybrzeżnych wysp norw. na M. Norweskim, na pn.-wsch. od Lofotów; administracyjnie należy do okręgu Nordland; pow. ok. 3,6 tys. km²; największa wyspa Hinnøya (pow. 2,2 tys. km²); powierzchnia wyżynno-górzysta; większość obszaru zajmuje tundra; rybołówstwo (zwł. połów dorszy); hodowla owiec; gł. miejscowość i port — Harstad (na wyspie Hinnøya).

Vestmannæyjar [westmannaɛjjar], grupa 14 wulk. wysp isl. na O. Atlantyckim, u pd. wybrzeży Islandii; pow. 21 km²; rybołówstwo; przemysł rybny, rzemiosło; największa i jedyna zamieszkana wyspa Heimœy oraz miasto i port rybacki V. zostały poważnie zniszczone 1973 wskutek wybuchu wulkanu Helgafell.

Vézère [wezɛːr], rz. w zach. Francji, pr. dopływ Dordogne; dł. 192 km; źródła na wyż. Millevaches; elektrownie wodne; w dolinie stanowiska antropol. (groty: Cro-Magnon, La Madeleine, Le Moustier); dolina V. wpisana na Listę Świat. Dziedzictwa Kult. i Przyr. UNESCO.

Viento, Volcán del [~kãn del biɛ~], szczyt wulk. w Andach Środk., w Kordylierze Gł., w Argentynie; wys. 6010 m; zdobyty 1937 przez II pol. wyprawę andyjską (J.T. Wojsznis).

Villarrica [biljarri̞ka], **Volcán Villarrica**, czynny wulkan w Andach Pd., w środk. części Chile, nad jeziorem Villarrica; wys. 2840 m; od 1558 zanotowano 25 erupcji, najsilniejsza 1948, ostatnia — 1980; powyżej 2000 m pokryty wiecznym śniegiem; turystyka i sporty zimowe.

Vinson [win~], **Masyw Vinsona, Vinson Massif**, najwyższy szczyt na Antarktydzie, w G. Ellswortha, w paśmie Sentinel; wys. 5140 m, zbud. z paleozoicznych kwarcytów; pokryty częściowo śniegiem i lodem; kilka lodowców górskich; zdobyty 1967 przez amer. ekspedycję alpinistyczną; 1. pol. wejście 1994 (M. Popińska).

virga [łac.], pionowe lub ukośne smugi opadu atmosf., który wyparowuje, zanim dosięgnie powierzchni Ziemi; v. obserwuje się gł. pod chmurami *altocumulus* i *cirrus*.

Viso, Monte [m. wi̞zo], **Monviso**, najwyższy masyw górski w Alpach Kotyjskich, we Włoszech; wys. do 3841 m.

Viti Levu, największa wyspa Fidżi; pow. 10,4 tys. km²; otoczona rafami koralowymi; górzysta (wys. do 1323 m), wygasłe wulkany; liczne rzeki (Rewa, Mba, Singatoka); w pd.-wsch. części wilgotne lasy równikowe, w pn.-zach. — roślinność sawannowa; plantacje trzciny cukrowej, bananów, bawełny; hodowla bydła; wydobycie złota; międzynar. port lotn. Nadi (Nandi); gł. m. Suwa (stol.).

Vuoksi [wu̞oksi], ros. **Wuoksa**, rz. w Finlandii i Rosji; dł. 156 km; wypływa z jez. Saimaa; uchodzi do jez. Ładoga; w górnym biegu przecina wzgórza morenowe Salpausselkä, tworząc wodospad → Imatra.

W

Wachsz, rz. w Tadżykistanie, po połączeniu z rz. Piandż tworzy Amu-darię; powstaje z połączenia Kyzył-su i Muk-su; dł. 524 km, od źródeł Kyzył-su w Kirgistanie, w G. Zaałajskich — 759 km, pow. dorzecza 39,1 tys. km^2; do połączenia z Obichingou nosi nazwę Surchob; płynie w głębokiej i wąskiej dolinie; średni przepływ w dolnym biegu 637 m^3/s; niesie dużo zawiesiny (5,77 kg/m^3); wykorzystywana do nawadniania; elektrownie wodne, największa — Nurecka (2700 MW); w dolnym biegu rezerwat przyrody utworzony 1938 w celu ochrony lasów łęgowych (tzw. tugaje); gł. m. nad Wachszem: Nurek, Kurgan Tiube (w dolinie).

■ Wadi na wschodnim skraju Wyżyny Szottów (Algieria)

wadi [arab.], **ued,** sucha dolina na pustyni, długa (do kilkuset km), kręta, o stromych zboczach i nie wyrównanym dnie; utworzona w → plejstocenie, w warunkach klimatu pluwialnego; w czasie okresowych, b. gwałtownych deszczów wypełnia się wodą, ulega przy tym odmłodzeniu i przeobrażeniu. ■

Wadowice, m. powiatowe w woj. małopol., nad Skawą; 19,5 tys. mieszk. (2000); ośr. turyst.--krajoznawczy związany z miejscem urodzenia (1920) papieża Jana Pawła II; muzeum Dom Rodzinny Ojca Świętego Jana Pawła II; różno-rodny przemysł, m.in. maszyn., metal., spoż.; węzeł kol. i drogowy; prawa miejskie przed 1327. W pobliskim Gorzeniu Górnym muzeum biogr. E. Zegadłowicza.

Wag, Váh, rz. na Słowacji, l. dopływ Dunaju; powstaje w Kotlinie Liptowskiej, na wys. 665 m, z połączenia Białego W. (źródła w Tatrach Wysokich) i Czarnego W. (źródła w Niżnych Tatrach); dł. 403 km, pow. dorzecza 10,6 tys. km^2; w środk. biegu płynie w obniżeniu tektonicznym oddzielającym strefę wewn. Karpat Zach. od zewn.; po połączeniu z Małym Dunajem uchodzi jako Vážský Dunaj koło m. Komárno; liczne dopływy, największy — Orawa (pr.); kaskada elektrowni wodnych; doliną biegnie linia kol. do Bratysławy; gł. m. nad W. — Żylina.

Wagadugu, Ouagadougou, stol. Burkina Faso, w środk. części kraju; 840 tys. mieszk. (2002); ośr. handl. ważnego regionu roln.; przetwórnie orzeszków ziemnych, rzeźnie, oczyszczalnie bawełny, przemysł obuwn., materiałów bud.; międzynar. port lotn.; węzeł drogowy; uniwersytet.

Walia, Wales, część Zjedn. Królestwa W. Brytanii i Irlandii Pn., nad M. Irlandzkim; obejmuje zach. część wyspy W. Brytania i przybrzeżne wyspy; 20,8 tys. km^2; 2,9 mln mieszk. (2002), gł. Walijczycy; stol. Cardiff, inne gł. m.: Swansea, Newport; powierzchnia wyżynno-górzysta (G. Kambryjskie); liczne jeziora; wydobycie węgla kam.; hutnictwo żelaza i metali nieżelaznych; przemysł maszyn., metal., elektrotechn.; rafineria ropy naft. (port przywozu Milford Haven); hodowla owiec, bydła; rozwinięte ogrodnictwo; turystyka.

Wallis i Futuna [walịs i fütünạ], terytorium zamor. Francji w Oceanii (Polinezja); obejmuje grupę wysp Wallis oraz wyspy Futuna i Alofi; 274 km^2, 15 tys. mieszk. (1996); stol. Mata Utu na wyspie Ouvéa; eksport kopry. Wyspy odkryte 1616 przez Holendrów.

walna, dolina, dolina, która rozciąga się od gł. grzbietu górskiego do podnóża gór; nazwa używana najczęściej dla określenia odpowiednich dolin tatrzańskich; d.w. są np. doliny: Kościeliska, Chochołowska, Małej Łąki.

Walonia, region autonomiczny w pd. Belgii, utw. 1993 z Franc. Regionu Językowego; język urzędowy franc.; 16,8 tys. km², 3,3 mln mieszk. (1994), gł. Walonowie; obejmuje prow.: pd. Brabancję bez wydzielonego, dwujęzycznego regionu Brukseli, Hainaut, Liège, Namur, Luksemburgię; gł. m.: Liège, Mons, Namur.

Wałbrzych, m. w woj. dolnośląskim, w G. Wałbrzyskich; powiat grodzki, siedziba powiatu wałb.; 135 tys. mieszk. (2000); największy ośr. przem. w Dolnośląskim Zagłębiu Węglowym oraz rozwijający się ośr. obsługi ruchu turyst.; od 1. poł. XV w. do końca 2000 ośr. wydobycia węgla kam.; przemysł miner. (szkło, porcelana), elektron., maszyn., spoż., włók. i in.; węzeł kol.; obserwatorium geofiz., filia Politechn. Wrocł.; teatry, filharmonia, muzeum; prawa miejskie przed 1426 (1400?); od XIV w. wydobycie rud ołowiu i srebra; w 2. poł. XVI w. pocz. górnictwa węgla kam.; 1975–98 stol. woj.; ruiny zamku (XIV–XV w.), kościoły (XVI–XIX w.), 2 pałace (XVII, przebud. XIX w. i XIX w.), liczne domy (XVIII, XIX w.).

Wałbrzyskie, Góry, pasmo górskie w Sudetach Środk., ciągnące się od doliny Bobru i Nysy Szalonej na zach. po dolinę Bystrzycy na wsch., oddzielone dolinami Leska i Rybnej od G. Kamiennych na pd., a ku pn. przechodzące w Pogórze Wałb.; składają się z grzbietów górskich i izolowanych wzniesień; ważniejsze szczyty: Krąglak (687 m), Trójgarb (779 m), najwyższy Chełmiec (869 m), Borowa (854 m), Wołowiec (777 m); zbud. z dolnokarbońskich zlepieńców oraz górnokarbońskich piaskowców, łupków i wapieni z warstwami węglonośnymi, przebite wylewami skał wulk. (porfiry i melafiry) z okresu fałdowań hercyńskich; zróżnicowana budowa geol. oraz odporność skał na wietrzenie i denudację warunkują znaczne wysokości względne; stoki strome, porośnięte lasem liściastym regla dolnego. Kotliny śródgórskie są silnie zurbanizowane i uprzemysłowione (gł. okolice Wałbrzycha: wyrobiska i hałdy związane z niedawnym wydobyciem węgla kam.); przez G.W. przechodzą liczne szlaki turystyczne. Głównym miastem i ośr. turyst. regionu jest Wałbrzych.

Wałcz, m. powiatowe w woj. zachodniopomor., między jez.: Raduń i Zamkowym; 27 tys. mieszk. (2000); ośr. przem.-usługowy oraz ośr. turyst.--wypoczynkowy i sportów wodnych; różnorodny przemysł, m.in. spoż., chem., elektromaszyn. (kable, części do rowerów); węzeł kol. i drogowy; prawa miejskie od 1303, od 1633 dla nowego miasta Wałcz, 1658–62 połączenie obu miast.

Wałdaj, Wzniesienie (Pojezierze) Wałdajskie, Wałdajskaja wozwyszennost', wzgórza morenowe w Rosji, w pn.-zach. części Niz. Wschodnioeuropejskiej; na granicy zasięgu ostatniego zlodowacenia plejstoceńskiego, zw. wałdajskim (w Polsce — wileńskim); dł. ponad 600 km; wys. do 343 m; opada stromo ku nizinie nad jez. Ilmen; stanowi dział wodny między zlewiskami mórz: Bałtyckiego i Kaspijskiego; źródła Wołgi, Dźwiny i in. rzek; liczne jeziora, największe Seliger; lasy iglaste; 2 rezerwaty przyrody; turystyka.

Wałeckie, Pojezierze, pd. część Pojezierza Południowopomor., rozciągająca się między Równiną Drawską na zach., Pradoliną Tor.--Eberswaldzką na pd. oraz Równiną Wałecką na pn.-wsch. i Doliną Gwdy na pd.-wsch.; zbud. z form glacjalnych, starszych od gł. fazy pomor. zlodowacenia Wisły; występuje tutaj kilka równoleżnikowych wałów moren czołowych, z których 3 zarysowują się na pd. od Wałcza; w kilku miejscach wzniesienia przekraczają 200 m (np. góra Dąbrowa na zach. od Piły); liczne jeziora, największe — Betyń (pow. 877 ha, głęb. 41 m), na zach. od Wałcza. Region turyst.; gł. m. — Wałcz.

Wan, Van Gölü, bezodpływowe jez. w Turcji, na Wyż. Armeńskiej, w tektonicznej kotlinie u podnóża Taurusu Armeńskiego, na wys. 1646 m; pow. ok. 3,7 tys. km², głęb. ponad 145 m; duże wahania stanu wód; zasolenie 19,1‰; warzelnictwo soli; żegluga (prom kol. między miastami Wan i Tatvan); w pd. części wyspa Ahtamar (orm. kościół z X w.).

Wantule, rumowisko złomów skalnych (gł. wapienie dolnojurajskie) w Tatrach Zach., zalegające na dnie Doliny Miętusiej; pow. 25 ha; powstało u schyłku epoki lodowcowej w wyniku wielkiego obrywu skał ze zboczy Dziurawego; pole złomów porasta pierwotny bór świerkowy o osobliwych formach pokroju i zakorzenienia, znacznie zniszczony 1968 przez wiatr halny; nazwa od gwarowego *wanta* — złom skalny, głaz.

wapień, węglanowa skała osadowa składająca się gł. z kalcytu; w postaci domieszek może zawierać: aragonit, dolomit, kwarc, glaukonit, minerały ilaste; biały, żółtawy, szary, niekiedy brun. lub czerwonawy i in.; b. drobnoziarnisty (wapień mikrytowy) lub gruboziarnisty (w. sparytowy). Większość w. jest pochodzenia org. (w. organogeniczne); powstają wskutek nagromadzenia na dnie mórz (niekiedy jezior) szczątków org., gł. skorupek otwornic, muszli małżów, ramienionogów lub szczątków koralowców, mszywiołów, glonów (w. rafowe). W. nieorganiczne (pochodzenia chem.) powstają wskutek strącania się węglanów z wody mor. (np. w. oolitowe) lub z wód źródlanych. W. są skałami b. rozpowszechnionymi; w Polsce występują gł. w G. Świętokrzyskich, na Wyż. Krakowsko-Częstochowskiej, Wyż. Lubelskiej, w Pieninach i Tatrach; mają ogromne zastosowanie w gospodarce — jako kamień bud., do wyrobu wapna palonego, cementu, szkła, w metalurgii (jako topnik), w przemyśle papierniczym i chem. (do produkcji karbidu, sody, nawozów sztucznych), w cukrownictwie i in.; zmielone służą jako nawozy. Zbite, skrytokrystaliczne w., potocznie zw. marmurami (w Polsce np. tzw. marmury kieleckie), są używane do celów dekoracyjnych. W wyniku rozpuszczania w. przez wody powierzchniowe i podziemne powstają charakterystyczne formy rzeźby krasowej (→ kras), m.in. jaskinie, ponory, żłobki krasowe, uwały.

Warciańsko-Odrzańska, Pradolina, Pradolina Berlińska, zach. część Pradoliny Warsz.-

-Berlińskiej, położona na obszarze występowania form związanych z ostatnim zlodowaceniem; dł. pradoliny w granicach Polski przekracza 220 km i sięga ok. 100 km dalej, ku pn.-zach. po Berlin, szer. od kilku do kilkunastu kilometrów; składa się z kotlinowatych rozszerzeń połączonych wąskimi dolinami, wykorzystywanymi przez rzeki (Wartę, Obrę, Odrę); tworzą one następujące regiony: Dolinę Środk. Odry, Kotlinę Kargowską, Dolinę Środk. Obry, Kotlinę Śremską (w dolinie Warty).

Wardar, maced. **Vardar,** gr. **Aksios,** rz. w Macedonii i Grecji; dł. 420 km, pow. dorzecza 22,4 tys. km^2; źródła w górach Szar Płanina; płynie na przemian kotlinami i przełomami; uchodzi do Zat. Salonickiej (M. Egejskie); gł. dopływy: Treska, Crna reka (pr.), Pčinja, Bregalnica (l.); wykorzystywana do nawadniania; gł. m. nad Wardarem — Skopie; doliną Wardaru prowadzi linia kol. i autostrada Skopie–Saloniki.

Warka, m. w woj. mazow. (powiat grójecki), nad Pilicą; 11,5 tys. mieszk. (2000); ośr. usługowy; przemysł spoż. (browar, przetwórnia owoców i warzyw), precyzyjny; nad rzeką ośr. wypoczynkowe; Muzeum Historii W., Muzeum im. Kazimierza Pułaskiego; prawa miejskie od 1321; klasztor Franciszkanów z barok. kościołem; klasycyst. ratusz.

warmińsko-mazurskie, województwo, woj. w pn.-wsch. Polsce, nad M. Bałtyckim (Zalew Wiślany); na pn. graniczy z obw. kaliningradzkim Federacji Ros.; 24 203 km^2, 1,5 mln mieszk. (2000), stol. — Olsztyn, inne większe m.: Elbląg, Ełk; dzieli się na 2 powiaty grodzkie, 19 powiatów ziemskich i 116 gmin. Krajobraz młodoglacjalny: pojezierza (Iławskie, Olsztyńskie, Mrągowskie, Ełckie, Kraina Wielkich Jezior Mazurskich) z ciągami wzgórz morenowych (312 m, Garb Lubawski), jeziorami polodowcowymi, głęboko wciętymi dolinami rzek, w części pd. sandry równin Mazurskiej i Kurpiowskiej; na pn. Niz. Staropruska, a na pn.-zach. Pobrzeże Gdań. z Wysoczyzną Elb. (196 m). Gęsta sieć rzeczna; źródła wielu rzek, m.in. Wkry, Drwęcy, Łyny, jeziora polodowcowe, największe — Śniardwy, Mamry, Jeziorak; Kanał Elb.-Ostródzki. Lasy zajmują 30% pow. (puszcze Piska i Romincka, Lasy Napiwodzkie); 4 parki krajobrazowe. Najmniejsza w kraju gęstość zaludnienia — 60 mieszk. na km^2, najwyższy przyrost naturalny — 3,0‰, w miastach 60,1% ludności (2000). Województwo przem.-roln. z wzrastającym udziałem usług; bogate złoża surowców skalnych dla budownictwa i kredy jeziornej; rozwinięty przemysł: maszyn., środków transportu, gum., drzewny; ponadto przemysł odzież., lniarski, bawełn. i skórz. oraz spoż.; największe ośr. przem. — Olsztyn i Elbląg. Użytki rolne zajmują 54,0%, w tym znaczna część po PGR nie jest zagospodarowana; uprawa zbóż (pszenica, żyto, jęczmień), hodowla bydła, trzody chlewnej oraz drobiu; rozwinięte łowiectwo i rybołówstwo. Mała gęstość sieci komunik., gł. węzły — Olsztyn, Elbląg; żegluga śródlądowa, mniejsze znaczenie żeglugi na Zalewie Wiślanym; porty w Elblągu, Fromborku, Giżycku, Mikołajkach; lotnisko w Szymanach. Rozwinięta turystyka i sporty wodne;

gł. region — Pojezierze Mazurskie; największe atrakcje turyst. — zabytkowy Kanał Elb.-Ostródzki, Frombork, Nidzica, Gierłoż, Olsztyn.

warstwa, podstawowa forma występowania skał osadowych, ograniczona 2 powierzchniami w przybliżeniu równol. do siebie, górną — s t r o p e m i dolną — s p ą g i e m. Grubość w. mierzona prostopadle od stropu do spągu nazywa się m i ą ż s z o ś c i ą. W. tworzą się wskutek zmian w składzie osadu podczas sedymentacji; zmiany te dotyczą gł. wielkości ziarn składników skały, składu miner., zróżnicowania substancji barwiących skałę. Pierwotne ułożenie w. skalnych jest prawie zawsze poziome (lub prawie poziome); wskutek ruchów tektonicznych ułożenie to może ulec zaburzeniu. Położenie w. w przestrzeni określają: bieg, upad i kierunek upadu w.; b i e g w. jest to kąt zawarty między kierunkiem pn. a linią przecięcia się w. z płaszczyzną poziomą (linią biegu), mierzony zgodnie z ruchem wskazówek zegara; u p a d w. — kąt zawarty między płaszczyzną w. a płaszczyzną poziomą; k i e r u n e k u p a d u — kierunek strony świata, w którym skierowany jest upad w. Zob. też warstwowanie. ■

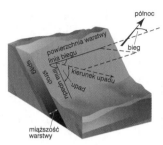

■ Elementy położenia warstwy

warstwica → poziomica.

warstwowanie, uwarstwienie, ułożenie drobnych, podrzędnych warstewek w obrębie → warstwy skalnej; rozróżnia się m.in.: w. r ó w n o l e g ł e (laminowane) — warstwa składa się z szeregu warstewek (lamin) ułożonych równolegle; w. p r z e k ą t n e (diagonalne) — warstewki są ułożone równolegle do siebie, ale skośnie do

■ Warstwowanie równoległe

■ Warstwowanie krzyżowe

powierzchni stropu i spągu warstwy; w. k r z y -
ż o w e — warstewki są ułożone skośnie w
stosunku do siebie, oraz do stropu i spągu
warstwy; niekiedy w jednej warstwie występują
różne typy w.; analiza w. dostarcza wielu
informacji o warunkach sedymentacji osadu. ■

Warszawa, stol. Polski, m. wojew. nad Wisłą;
1,6 mln mieszk. (2000); tworzy aglomerację
miejską, ok. 2,4 mln mieszk., w skład której
wchodzą m.in. m.: Pruszków, Legionowo,
Otwock, Wołomin, Piaseczno; powiat grodzki,
dzieli się na 17 dzielnic; 70% ludności mieszka w
lewobrzeżnych dzielnicach, największa dzielnica
mieszkaniowa — Ursynów-Natolin. W. jest gł.
ośr. polit., gosp., nauk.-kult. kraju; siedziby nacz.
władz państw., kościelnych różnych wyznań, w
tym Kardynała Polski, przedstawicielstw państw
obcych (konsulaty, ambasady), gł. instytucji
finans. (Nar. Bank Polski, PKO, Bank Handl.,
giełda papierów wartościowych), przedstawicielstw firm zagr.; przemysł elektromaszyn. (ok.
30% produkcji krajowej) — największe zakłady
przem.: fabryka samochodów osobowych Daewoo, zakłady mech. Ursus, PZL-Wola, Pol.
Zakłady Opt., zakłady urządzeń telef., Fabryka
Wyrobów Precyzyjnych „Vis"; ponadto są zakłady przemysłu: chem. (Polfa, Pollena-Uroda),
poligraficznego (Dom Słowa Pol.), spoż. (cukiernicze, mięsne, mleczarskie, tłuszczowe, spirytusowe, browar), metalurg. (huta Lucchini-War-
szawa), energ. (elektrociepłownie: Kawęczyn,
Siekierki, Żerań, Powiśle) i in. W. jest ważnym
węzłem komunikacji kol. (5 dużych dworców),
drogowej (zbiega się 5 międzynar. dróg kołowo-
wych) i lotn. (międzynar. i krajowy port lotn.
Okęcie); w budowie jedyne w Polsce metro (1995
uruchomiono pierwszy odcinek Kabaty–Politechnika); duży ośr. targowo-wystawienniczy.
Największy w kraju ośr. nauk. i kult.; szkoły
wyższe, w tym największa pol. uczelnia i najstarsza w W. — Uniw. Warsz. (UW, zał. 1816)
oraz największa w kraju uczelnia techn. —
Politechn. Warsz.; liczne biblioteki, m.in. Biblioteka Nar., Biblioteka Gł. UW, teatry dram., dla
dzieci, 2 teatry operowe, operetka, Filharmonia
Nar.; gł. ośr. radiowy i telew. TP, wytwórnie
film., kina, galerie sztuki, muzea, siedziby tow.
muz., stow. twórczych, wydawnictw (m.in. Wydawnictwo Nauk. PWN S.A.); co 5 lat odbywa się
Międzynar. Konkurs Pianistyczny im. F. Chopina, co rok — Międzynar. Targi Książki; ośr.

■ Warszawa. Widok na Stare Miasto, zdjęcie lotnicze

turyst.; różnorodne obiekty sport. — tor jazdy
szybkiej na lodzie, baseny, stadiony, tor wyścigów konnych (Służewiec); rozległe tereny zielone, m.in. parki — Łazienkowski, Ujazdowski,
Praski, ogrody — bot., zool., zespoły parkowo-
rekreacyjne na Moczydle, Szczęśliwicach, w
Powsinie, lasy — Bielański, Kabacki, wawerskie.
Na obrzeżach miasta oraz w jego otoczeniu
intensywna uprawa warzyw, owoców, kwiatów.
Najstarsze ślady osadnictwa na pr. brzegu Wisły
na Starym Bródnie — gród i osada X/XI w. (ob.
pozostałości grodziska); prawa miejskie od XIV
w. (ok. 1300 lokacja Starej W.); od XVI/XVII w.
stol. Polski. Zabytki, zniszczone w II wojnie świat.,
po 1945 odbud.: zespół Starego Miasta i Nowego
Miasta, z got. katedrą (XIV w., przebud. XVII–
XX w., odbud. 1948–56), Zamkiem Królewskim
(XIV, XV w., rozbud. i przebud. XVII i XVIII w.,
odbud. 1971–81), barbakanem (XVI w.), kamieni-
cami (XV–XVIII w.); zabytki barok.: kościoły —
Sakramentek (XVII w.), Wizytek (XVIII w.),
Bernardynów na Czerniakowie (XVII w.), pałace
— Krasińskich (XVII w.), w Wilanowie (XVII w.,
rozbudowy XVII i XVIII w.); klasycyst.: kościoły
— ewang.-augsburski (XVIII w.), Św. Aleksandra
(XIX w.), pałace — w Łazienkach Królewskich
(XVIII w.), Belweder (XVIII w., przebud. XIX w.),
w Natolinie (XVIII w., przebud. XIX w.), oraz
Teatr Wielki (XIX w.); po 1945 powstało wiele
nowych dzielnic mieszkaniowych: Mariensztat,
MDM, Muranów, i budowli: Pałac Kultury
i Nauki, Stadion Dziesięciolecia, dworce kol.
i lotn., hotele i biurowce; pomniki: Kolumna Zygmunta (XVII w.), ks. Józefa Poniatowskiego, A.
Mickiewicza, M. Kopernika (wszystkie XIX w.),
F. Chopina (1904, realizacja 1926), *Bohaterów
Warszawy 1939–45* (1964), *Powstania Warszawskiego* (1989), J. Piłsudskiego (1995). ■

Warszawska, Kotlina, pn.-zach. część Niz.
Środkowomazowieckiej, obejmująca rozszerzenie doliny Wisły poniżej Warszawy, w miejscu
połączenia z doliną Narwi i Bugu; otaczają ją
wyżej położone równiny denudacyjne: Kutnow-
ska, Łowicko-Błońska, Warszawska, Wołomiń-
ska, Ciechanowska i Płońska; dno kotliny układa
się w 2 poziomach: zalewowym — łąkowym,
oraz wyższym — piaszczystym z wydmami; na
wydmach i bagnach l. brzegu Wisły zachowała
się Puszcza Kampinoska (park nar.); poniżej
ujścia Bugu do Narwi utworzono jezioro zaporowe (Jez. Zegrzyńskie), połączone kanałem
żeglownym z Wisłą w Warszawie; stanowi ono
ważny ośr. rekreacyjny dla mieszkańców stolicy.

Warta, m. w woj. łódz. (powiat sieradzki), nad
Wartą; 3,6 tys. mieszk. (2000); ośr. usługowy dla
rolnictwa; drobny przemysł; prawa miejskie od
1255; kościół parafialny (XIV, XVII, XX w.),
zespoły klasztorne: Bernardynów (XV, XVII,
XVIII w.), Bernardynek (XVIII, XIX, XX w.);
ratusz (XIX w.).

Warta, rz., prawy, największy dopływ Odry; dł.
808 km, pow. dorzecza 54 529 km^2; źródła we
wsi Kromołów na Wyż. Krakowsko-Częstochowskiej; kierunek biegu zmienny, uwarunkowany
przebiegiem pradolin (Warciańsko-Odrzańska,
Toruńsko-Eberswaldzka) i odcinków przełomowych doliny (np. pod Poznaniem); W. uchodzi

pod Kostrzynem; rozlewiska ujściowego odcinka chronione w Parku Nar. Ujście Warty; średni przepływ przy ujściu 211 m³/s; maks. rozpiętość wahań stanów wody w dolnym biegu 5,2 m; katastrofalne powodzie (m.in. 1979); w pobliżu Sieradza, we wsi Jeziorsko, wybudowano (1986) zaporę i zbiornik retencyjny na potrzeby rolnictwa, przemysłu i regulacji stanu wód; gł. dopływy: Widawka, Ner, Wełna, Noteć (pr.), Liswarta, Prosna, Obra (l.); żegl. 407 km; powyżej Konina odchodzi od W. Kanał Ślesiński (łączący W. z jez. Gopło); W. przez skanalizowaną Noteć i Kanał Bydgoski łączy się z Wisłą; gł. m. nad W.: Zawiercie, Częstochowa, Sieradz, Koło, Konin, Poznań, Gorzów Wielkopolski.

warwy [szwedz.], **iły warwowe, iły wstęgowe,** iły osadzone w zastoiskach, u czoła lądolodu; składają się z naprzemianległych warstewek (grubości kilku mm) jasnych i ciemnych; warstewka jasna (grubsza) powstawała w lecie, w warunkach utleniających (rozwój planktonu, falowanie, wzmożone promieniowanie słoneczne); warstewka ciemna (cieńsza) tworzyła się w zimie, w warunkach redukujących (zamarznięcie zastoiska, obumieranie planktonu); w Polsce występują np. w okolicach Warszawy, Poznania, Torunia; w. pozwalają określić w latach wiek czwartorzędowych utworów geologicznych.

Wasilków, m. w woj. podl. (powiat białost.), nad Supraślą; 8,3 tys. mieszk. (2000); ośr. usługowy i letnisko; przemysł wełn., spoż. i materiałów bud.; prawa miejskie od 1566.

Waszyngton, Washington, stan w pn.-zach. części USA, nad O. Spokojnym; 176,5 tys. km², 6 mln mieszk. (2002); stol. Olympia, gł. m.: Seattle, Spokane, Tacoma; od zach. kolejno: G. Nadbrzeżne, G. Kaskadowe i Wyż. Kolumbii; bogate lasy iglaste; na wsch. prerie, półpustynie; przemysł lotn. (samoloty Boeing w Seattle), drzewno-papierniczy, spoż., stoczn., elektron.; produkcja materiałów rozszczepialnych; gospodarka leśna; elektrownia wodna Grand Coulee na rz. Kolumbia; uprawa pszenicy, ziemniaków, jęczmienia, chmielu, sadownictwo; hodowla bydła; połów łososi, halibutów; turystyka; parki nar. (Mount Rainier).

Waszyngton, Washington, stol. USA (Dystrykt Kolumbii), nad rz. Potomac; 578 tys. mieszk. (2002, 66% ludności murzyńskiej), zespół miejski 4,5 mln, region metropolitalny W.-Baltimore 7 mln (1994); adm.-polit. funkcje państw.; siedziba prezydenta (Biały Dom), Kongresu (Kapitol), Dep. Obrony (Pentagon); przemysł gł. poligraficzny, spoż.; duży węzeł komunikacji drogowej, lotn. (3 porty); port dostępny dla statków mor.; wielki ośr. kult.-nauk. (7 uniw., Nar. AN, Biblioteka Kongresu, John F. Kennedy Center, muzea) i turyst.; cmentarz nar. w Arlington; ogród bot. — National Arboretum. Zbudowany 1792–1878 na terenie wybranym 1790 przez G. Washingtona jako miejsce przyszłej stol. państwa. Neogotycka katedra Św. Piotra i Pawła; Biały Dom (XVIII–XIX i XX w.); gmach Kongresu (Kapitol, XVIII–XIX w.); liczne budowle reprezentacyjne i użyteczności publ. z XIX w. o formach klasycyst., m.in.: Blair House,

Treasure Building, Biblioteka Kongresu; obelisk ku czci Washingtona (XIX w.); mauzolea A. Lincolna (1914–22) i Th. Jeffersona (1939–53); budowle z XX w., m.in. National Gallery of Art, Dulles International Airport, Holocaust Memorial Museum.

Watykan, Vaticano, wł. **Santa Sede,** łac. **Vaticanae, Państwo Watykańskie, Stolica Apostolska,** państwo w pd. Europie, enklawa we Włoszech, w zach. części Rzymu; 0,44 km²; 0,86 tys. mieszk. (2002), gł. księża i zakonnicy; język urzędowy: łac., wł.; siedziba papieża, centr. urzędów i instytucji Kościoła rzymskokatolickiego. Nazwa państwa pochodzi od wzgórza na brzegu Tybru, na którym we wczesnym średniowieczu zbudowano pałac, od XIV w. będący rezydencją papieską. Zespół pałacowo-kośc. ze słynnymi budowlami: Bazylika Św. Piotra i pl. Św. Piotra, Pałac Watykański, ponadto — gmachy muzeów, Papieskiej AN, obserwatorium astr., Ogrody Watykańskie; na terenie Rzymu pod administracją W. liczne kościoły, m.in. bazylika Laterańska, 5 uniw., Biblioteka Watykańska, Radio i Telewizja Watykańska oraz pałac w Castel Gandolfo — letnia rezydencja papieża. ∎

∎ Watykan

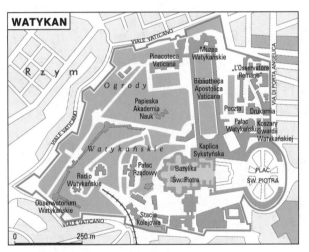

Wąbrzeźno, m. powiatowe w woj. kujawsko-pomor., nad jez.: Zamkowym, Sitno, Frydek; 14,1 tys. mieszk. (2000); ośr. przem.-usługowy i wypoczynkowy; przemysł spoż., tworzyw sztucznych, odzież., metal.; węzeł drogowy; prawa miejskie przed 1414; ruiny got. zamku; got. kościół Św. Szymona Apostoła i Judy Tadeusza.

Wąchock, m. w woj. świętokrzyskim (powiat starachowicki), nad Kamienną; 3,0 tys. mieszk. (2000); ośr. usługowy i turyst.-krajoznawczy; zakład metal.; wydobycie białego piaskowca; prawa miejskie 1454–1870 i od 1994; opactwo Cystersów (zał. ok. 1172): późnorom. kościół (XIII w.), klasztor (ob. muzeum) z rom. kapitularzem (1. poł. XII w.) i wczesnogot. refektarzem (ok. poł. XIII w., przebud. 1. poł. XVI w., rozbud. XVII w.); pałac opacki (1. poł. XVI w.).

Wągrowiec, m. powiatowe w woj. wielkopol., nad Wełną i Jez. Durowskim; 24,4 tys. mieszk. (2000); ośr. przem.-usługowy i wypoczynkowy; przemysł maszyn., spoż., drzewny; węzeł kol. i drogowy; Muzeum Regionalne; prawa miejskie przed 1381; późnogot. kościół, zespół klasztorny Cystersów: późnobarok. kościół i klasztor.

Wąsosz, m. w woj. dolnośląskim (powiat górowski), w międzyrzeczu Orli i Baryczy; 2,7 tys. mieszk. (2000); ośr. usługowy; drobny przemysł (metal., spoż.); prawa miejskie 1290–1945 i od 1984.

wąwóz, sucha, głęboka dolina o wąskim, niewyrównanym dnie i stromych, często urwistych zboczach; powstaje na obszarach zbud. z lessów, glin lub iłów, w wyniku erozji wód okresowych; stopniowo przekształca się w → parów; w Polsce w. są pospolite na obszarach lessowych, np. w okolicy Kazimierza Dolnego.

Wda, Czarna Woda, rz. w Borach Tucholskich i na Wysoczyźnie Świeckiej, l. dopływ dolnej Wisły; dł. 198 km, pow. dorzecza 2325 km²; wypływa z jez. Krążno, ok. 11 km na pd.-wsch. od Bytowa; przepływa przez liczne jeziora (m.in. Wdzydze) oraz przez Bory Tucholskie; uchodzi w Świeciu; średni przepływ przy ujściu 14,6 m³/s; maks. rozpiętość wahań stanów wody w dolnym biegu 3,2 m; elektrownie wodne w Żurze i Gródku; gł. dopływy: Trzebiocha (l.), Niechwaszcz, Prusina (pr.); szlak kajakowy.

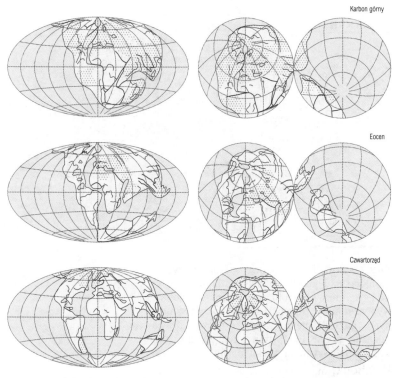

Karbon górny

Eocen

Czwartorzęd

■ Teoria Wegenera. Rozmieszczenie kontynentów w różnych epokach geologicznych (wg A.L. Wegenera 1924); obszary zakropkowane to płytkie morza

Wdzydze, kompleks jezior wytopiskowych na Równinie Charzykowskiej, na pd. od Kościerzyny, na wys. 133 m; obejmuje 5 połączonych ze sobą jezior — największe jezioro W. (pow. 1067,8 ha, w tym 8 wysp o pow. 149,7 ha, maks. głęb. 68 m), pozostałe jeziora leżą na pn. od W.: Jez. Radolne (pow. 134,6 ha, maks. głęb. 13,1 m), jez. Gołuń (pow. 321 ha, maks. głęb. 18 m), Jez. Jelenie (pow. 71,1 ha, maks. głęb. 18,8 m) i Słupinko (pow. 60,8 ha, maks. głęb. 4,2 m); ogólna powierzchnia W. wynosi 1655,3 ha (w tym 8 wysp o pow. 149,7 ha); silnie rozwinięta linia

brzegowa (dł. 71,6 km); największa wyspa — Wielki Ostrów (zamieszkana); brzegi W. przeważnie zalesione; przez W. przepływa rz. Wda; nad W. wsie: W., W. Tucholskie; liczne ośr. turyst.-wypoczynkowe; sporty wodne.

Weddella, Morze, Weddell Sea, morze w pd. części O. Atlantyckiego, w Antarktyce, wcinające się ok. 2 tys. km między Antarktydę Zach. i Wsch.; rozciąga się między Płw. Antarktycznym na zach., wyspami Orkady Pd. i Sandwich Pd. na pn. oraz Wybrzeżem Księżniczki Marty i Ziemią Coatsów na pd.-wsch. i Górami Ellswortha na pd.-zach.; łączy się z morzem Scotia (na pn.) i otwartym oceanem (na pn.-zach.); znaczna część M.W. jest zajęta przez lodowce szelfowe, największe: Filchnera (260 tys. km², bariera lodowa dł. ok. 800 km) na pd., Larsena (86 tys. km²) na zachodzie. Powierzchnia 2910 tys. km², w tym ok. 350 tys. km² pod lodowcami szelfowymi; największe wyspy (Berknera i Korffa) są położone w otoczeniu Lodowca Szelfowego Filchnera; średnia głęb. 2878 m, maks. — 6820 m, w głębi na pd.-wsch. od Orkadów Pd.; zach. i pd. część dna zajmuje głęboki (niski) do ok. 500 m szelf antarktyczny, pozostała — wchodzi w skład rozległego oceanicznego Basenu Afrykańsko-Antarktycznego, z zach. częścią abysalnej Równiny Weddella. Temperatura (średnia roczna) wód powierzchniowych wynosi od –1°C na pn. (maks. w lutym — ok. 1°C) do –2°C na pd., zasolenie — ok. 34‰; w M.W. tworzy się zimna, bogata w tlen i najbardziej gęsta woda w oceanie świat., opadająca po stoku kontynent. do warstw przydennych, gdzie gromadzi się masa wodna o temp. ok. 0°C i zasoleniu 34,65‰, zw. antarktyczną wodą przydenną, która przemieszcza się nad dnem O. Atlantyckiego aż do równika, wpływa też w głębiny O. Indyjskiego. M.W. w zimie prawie całkowicie pokrywa się lodem, w lecie część pn.-wsch. i wsch. wolna od lodów; góry lodowe przedostają się na morze Scotia; powierzchniowe prądy mor. mają cyrkulację cyklonalną (na półkuli pd. zgodnie z ruchem wskazówek zegara) — średnia prędkość 1,4 km/h; wysokość pływów 0,6–3,2 m. Bogaty świat zwierzęcy, m.in. wieloryby i foki. Morze odkrył 1823 J. Weddell i nazwał imieniem Jerzego IV; obecna nazwa od 1900.

Wegenera teoria, teoria → geotektoniczna zakładająca wędrówkę kontynentów, którą, zrywając z poglądem o stałym położeniu kontynentów i oceanów, ogłosił A.L. Wegener na zebraniu Niem. Towarzystwa Geol. we Frankfurcie n. Menem 1912 (opublikowana w formie książki 1915). Według tej teorii pierwotnie istniał jeden zwarty kontynent, tzw. Pangea (Wszechląd), który, wskutek ruchu obrotowego Ziemi i zróżnicowanego przyciągania Słońca i Księżyca, w mezozoiku rozpadł się na poszczególne, rozsuwające się kry kontynent.; wg Wegenera lekkie kry kontynent. (zbud. gł. z granitoidów i skał osadowych) są zanurzone hydrostatycznie w plast. i cięższym podłożu magmowym, co umożliwia ich przesuwanie się. Niektóre kontynenty powstałe z rozłupanej Pangei przesuwały się ku zach. (*Westdrift* — dryf zach.), inne — ku równikowi (*Polflucht* — ucieczka od biegunów).

Ruch poszczególnych kontynentów był przyczyną utworzenia się łańcuchów górskich powstałych z osadów nagromadzonych w geosynklinach obrzeżających kontynenty, kontynenty te bowiem, przesuwając się, spełniały funkcję spychaczy. W wyniku dryfu zach. obu Ameryk wypiętrzyły się Kordyliery i Andy, natomiast ucieczka od biegunów Eurazji i Afryki oraz Indii doprowadziła do wypiętrzenia śródziemnomor. Alpidów, a także Himalajów. Podstawą dla t.W. były obserwacje z zakresu geodezji, geologii, geofizyki, paleontologii, paleogeografii roślin i zwierząt oraz paleoklimatologii. Na pierwotną zwartość dzisiejszych kontynentów wskazywały, wg Wegenera, podobieństwo ich zarysu (kongruencja) po obu stronach oceanów: Atlantyckiego i Indyjskiego, podobieństwo budowy geol. brzeżnych części kontynentów Starego Świata i Nowego Świata, pokrewieństwo świata zwierzęcego i roślinnego Ameryki Pn., Europy, Afryki, a także Australii i Ameryki Pd. oraz Antarktydy, równoczesność zmian klim. na poszczególnych kontynentach zarejestrowanych w osadach, ślady zlodowacenia na wszystkich kontynentach półkuli pd., wreszcie geodezyjnie stwierdzone oddalanie się Grenlandii od Europy. Po okresie powszechnego uznania t.W. zakwestionowano możliwość dryfu i ucieczki kontynentów od biegunów. Odrodzenie t.W. nastąpiło dzięki teorii → tektoniki płyt, która wyjaśniła mechanizm przesuwania się kontynentów wiążąc go z powstawaniem, przemieszczaniem się i niszczeniem → płyt litosferycznych. ■

Wejherowo, m. powiatowe w woj. pomor., nad Redą; 47 tys. mieszk. (2000); ośr. przem.-usługowy; zakłady skórz., odzież., drzewne, cementownia; węzeł drogowy; Muzeum Piśmiennictwa i Muzyki Kaszubsko-Pomor.; prawa miejskie od 1650; zespół kalwarii wejherowskiej: 26 manierystycznych i barok. kaplic.

Weld, Veld, strefa wewn. wyżyn w Afryce Pd., w RPA i Lesotho, otaczająca od pd.-wsch. kotlinę Kalahari; na wsch. tworzy wyniesiony próg denudacyjno-strukturalny, stanowiący G. Smocze; ku kotlinie Kalahari i dolinie Limpopo opada stopniami. W. dzieli się na: Wysoki W. — między rz. Oranje a górnym biegiem rz. Olifants (pr. dopływ rz. Limpopo), wys. 1200–2000 m, Środkowy W. (Bushveld) — od rz. Olifants do pasma Waterberge, wys. ok. 900 m, i Niski W. — od Waterberge do rz. Limpopo, wys. od ok. 800 m na pd. do 300 m na północy. Wysoki W. jest zbud. z piaskowców i łupków formacji karru, płytowo zalegających na starym cokole krystal., w części pn. intruzje magmowe tworzą wzniesienie zw. Witwatersrand; Środkowy W. jest zbud. ze skał wulk., Niski W. — gł. z granitów. W. ma klimat zwrotnikowy, na zach. kontynent. suchy, na wsch. pośredni. W Wysokim W. dominują zbiorowiska wysokich traw, w Środkowym W. przeważają kserotermiczne sawanny z kolczastymi krzewami i drzewami, Niski W. jest porośnięty bujnymi sawannami z udziałem okazałych drzew (baobaby). Uprawa zbóż (gł. kukurydzy); hodowla bydła. Bogate złoża miner.: złota, platyny, węgla kam., rud manganu, chromu, żelaza i in.

Welebit, Velebit, pasmo górskie w G. Dynarskich, w Chorwacji; opada stromo ku M. Adriatyckiemu; najwyższy szczyt Vaganski vrh, 1758 m; zbud. z wapieni; rozwinięte zjawiska krasowe; na wsch. stokach lasy bukowe i iglaste; złoża boksytów; Park Nar. Paklenica (od 1949, pow. 3620 ha).

Wellington [ᵘ e̜ly̜ntən], stol. Nowej Zelandii, na Wyspie Pn., nad Cieśn. Cooka; 168 tys. mieszk. (1995), zespół miejski 348 tys. mieszk. (2002); port mor.; ośr. finansowy; przemysł środków transportu, spoż., włók., chem.; międzynar. port lotn.; uniw., politechn.; muzeum nar. (m.in. zbiory sztuki maoryskiej); liczne budowle neoklasyczne.

Wełtawa, Vltava, rz. w Czechach, najdłuższy (l.) dopływ Łaby; dł. 435 km, pow. dorzecza 28,1 tys. km^2; źródła w Szumawie; gł. dopływy: Lużnice, Sazawa (pr.), Berounka (l.); stopnie wodne w Lipnie nad Wełtawą, Orlíku, Kamyku, Slapach, Štěchovicach i Vrané; żegl. w dolnym biegu (system śluz); nad W. leży Praga.

Wenecja, Venezia, m. w pn.-wsch. Włoszech, nad M. Adriatyckim; stol. regionu autonomicznego Wenecja Euganejska; 272 tys. mieszk. (2002); część starsza miasta położona w Lagunie Weneckiej na 118 wyspach, rozdzielonych 150 kanałami, nowsza — na lądzie stałym (dzielnice: Mestre, Marghera); duży ośr. przemysłu: huty żelaza, miedzi, aluminium, rafineria ropy naft., stocznia; największy w kraju ośr. wyrobu szkła ozdobnego; jeden z gł. portów handl. Włoch, 2 porty lotn.; szkoły wyższe (architektury, handl., med.), inst. badań M. Adriatyckiego; od 1895 Biennale w Wenecji; festiwal muzyki współcz., międzynar. festiwal film.; ośr. turyst. o świat. sławie; muzea. Jeden z najcenniejszych zespołów zabytkowych we Włoszech; Bazylika Św. Marka (IX, XI, XIII, XV, XVII w.); liczne kościoły, m.in. S. Maria Gloriosa dei Frari (XIV, XV w.), S. Giorgio Maggiore (XVI, XVII w.), S. Maria della Salute (XVII w.); na pl. Św. Marka: kampanila (XII w., zrekonstruowana), wieża zegarowa (XV w.), got. Pałac Dożów (XIV–XVI w.), gmachy Prokuracji Nowych (od XVI w.) i Prokuracji Starych (XVI w.); liczne pałace, gł. nad Canal Grande, m.in. Ca'd'Oro (XV w.), pałac Corer (XVI w.); mosty: Ponte Rialto (XVI w.), Ponte dei

■ Wenecja. Canal Grande

■ Wenezuela

Sospiri (1600); zabytkowe dzielnice, m.in.: Murano, Burano, Torcello. ■

Wenecka, Zatoka, wł. **Golfo di Venezia,** słoweń. **Beneški zaliv,** zatoka w pn. części M. Adriatyckiego; wcina się ok. 100 km w wybrzeże Włoch i Słowenii; pow. 6750 km²; szerokość wejścia 87 km, między ujściem Padu a pd. cyplem płw. Istria; w części pn.-wsch. drugorzędna Zat. Triesteńska; wybrzeża zach. i pn. płaskie i lagunowe (Laguna Wenecka, laguna Marano), wsch. — skaliste; głęb. do 34 m; temperatura wód powierzchniowych od 10°C w zimie, do 25°C w lecie, zasolenie — 35–36‰; wysokość pływów do 1,2 m; do Z.W. uchodzą rzeki: Pad, Adyga, Brenta, Piawa, Tagliamento, Socza i in.; na wybrzeżach liczne kąpieliska mor. i ośr. turyst.; rybołówstwo, żeglarstwo i żegluga promowa; gł. porty: Chioggia, Wenecja, Monfalcone i Triest we Włoszech, Koper w Słowenii, Pula w Chorwacji.

Wener, Vänern, jez. w pd. Szwecji, w zapadlisku tektonicznym, na wys. 44 m; trzecie pod względem wielkości w Europie; pow. 5546 km², głęb. do 98 m (kryptodepresja); linia brzegowa silnie rozwinięta; liczne wyspy; do W. uchodzi rz. Klar, wypływa — Göta; Kanałem Gotyjskim połączone z jez. Wetter; gł. m. nad W. — Karlstad.

Wenezuela, Venezuela, Republika Wenezueli, państwo w Ameryce Pd., nad M. Karaibskim i O. Atlantyckim; 912,1 tys. km²; 23,6 mln mieszk. (2002), Metysi, biali, Murzyni, Indianie; katolicy; w miastach 91% ludności; stol.: Caracas, inne m.: Maracaibo (gł. port), Valencia, Barquisimeto, Maracay; język urzędowy hiszp.; republika; składa się z 23 stanów, dystryktu federalnego i dependencji federalnych. Na zach. i pn. Andy (Bolívar, 5007 m), w części środk. Niz. Orinoko, na pd.-wsch. Wyż. Gujańska; wyspy przybrzeżne (największa Margarita); trzęsienia ziemi; klimat podrównikowy wilgotny, w górach podrównikowy suchy, na Wyż. Gujańskiej równikowy wilgotny; gł. rz.: Orinoko, Caura, Caroní; na rzekach wodospady (najwyższy na Ziemi — Salto Angel, 1054 m); jeziora, gł. w pn. części kraju, największe Maracaibo (tektoniczne); lasy równikowe, formacje trawiaste (llanos), namorzynowe. Podstawą gospodarki jest wydobycie ropy naft. i rud żelaza oraz przemysł przetwórczy; rafinerie ropy naft., hutnictwo żelaza, przemysł nawozów i tworzyw chem., maszyn., cementowy, spoż.; wydobycie gazu ziemnego, asfaltu, węgla kam., diamentów, złota; uprawa trzciny cukrowej, zbóż, bananów, drzew cytrusowych, kawowca, kakaowca; hodowla bydła, owiec; eksploatacja lasów (lateks, balata); rybołówstwo; turystyka. ■

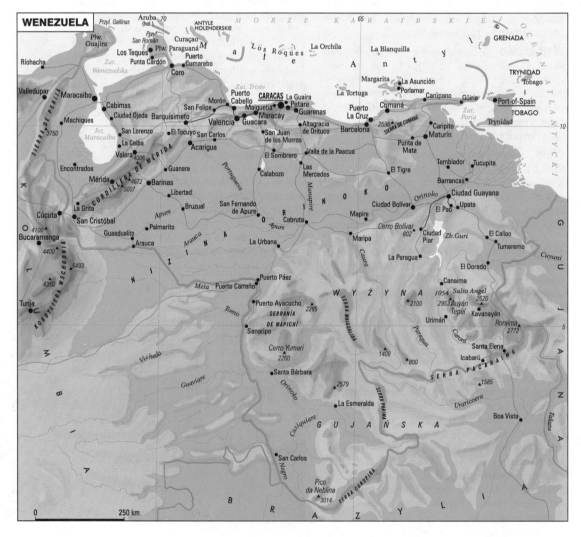

Wenezuelska, Zatoka, Golfo de Venezuela, Maracaibo, zatoka w pd. części M. Karaibskiego; wcina się ok. 230 km w wybrzeża Wenezueli, między płw. Guajira (częściowo w Kolumbii) i Paraguaná; szerokość wejścia 98 km; przed wejściem do Z.W. wyspa Aruba (hol.); w części wsch. podrzędna zat. Coro; na pd. łączy się wąską cieśniną z jez. Maracaibo; wybrzeża nizinne, piaszczyste; rafy koralowe i skały podwodne; wysokość pływów ok. 1 m; gł. porty (wenezuelskie): Maracaibo (w cieśninie), Punta Cardón, Amuay (naft.).

Wesoła, m. w woj. mazow. (powiat miński), w aglomeracji warsz.; 14,1 tys. mieszk. (2000); ośr. mieszkaniowy; wytwórnie materiałów bud., kosmetyków; prawa miejskie od 1969.

Wetter, Vättern, jez. w pd. Szwecji, w zapadlisku tektonicznym, na wys. 88 m; pow. 1899 km^2, głęb. do 119 m (kryptodepresja); brzegi wysokie, skaliste i strome; odpływ przez rz. Motala do M. Bałtyckiego; Kanałem Gotyjskim połączone z M. Bałtyckim i jez. Wener; gł. m. nad W.: Jönköping, Motala.

Wewnętrzne Morze Japońskie, Seto-naikai, morze w pn.-zach. części O. Spokojnego, między jap. wyspami Honsiu, Sikoku i Kiusiu; połączone cieśninami Kii (między Honsiu i Sikoku) i Bungo (między Sikoku i Kiusiu) z otwartym oceanem oraz przez wąską do 2 km cieśn. Kammon (Shimonoseki) między Honsiu i Sikoku — z Cieśn. Koreańską i M. Japońskim. Długość 445 km, szer. do 55 km, pow. 18 tys. km^2; brzegi silnie rozczłonkowane, liczne półwyspy, zatoki (największe: Harima-nada, Suō-nada, Hiuchi-nada, Osaka, Aki-nada), wyspy (największe: Awaji-shima, Shōdo-shima, Kurana-shi-jima, Nishinō-mi-jima, Ōmi-shima, Ō-shima) i wysepki; głębokość b. zróżnicowana, maks. — 241 m. Temperatura wód powierzchniowych od 16°C w lutym do ok. 27°C w sierpniu, zasolenie — 30–34‰; wys. pływów ok. 2 m; rozwinięte rybołówstwo; ważna droga mor.; intensywna żegluga kabotażowa; liczne porty z rozwiniętym przemysłem stoczniowym; gł. porty handl.: Osaka, Kōbe, Hirosima i Kure na Honsiu, Takamatsu na Sikoku, Kitakiusiu i Ōita na Kiusiu.

Wewnętrzne, Niziny, Równiny Centralne, Interior Plains, Central Plains, Central Lowland, obszar nizin i płaskowyżów w USA, między Wielkimi Równinami a Appalachami oraz tarczą kanad. a Niz. Zatokową; pow. ok. 800 tys. km^2, wys. od ok. 100 m na pd. do ok. 400 m na pn.; zbud. ze skał osadowych paleozoicznych i trzeciorzędowych, leżących na prekambryjskim podłożu; w obrębie N.W. wznoszą się góry Ouachita i wyż. Ozark; na granicy z tarczą kanad. leżą Wielkie Jeziora; odwadnianie przez Missisipi i jej dopływy; ze względu na znaczną rozciągłość klimat zróżnicowany, na pn. kontynentalny umiarkowany ciepły, na pd. — podzwrotnikowy; rozwinięty przemysł i rolnictwo (uprawa gł. pszenicy, kukurydzy i bawełny), intensywna hodowla bydła i trzody chlewnej; wydobycie węgla kam., ropy naft., rud żelaza, cynku, ołowiu, miedzi; gł. m.: Chicago, Detroit, Saint Louis, Minneapolis, Cleveland, Cincinnati.

Wewnętrzne, Wyżyny, ang. Interior Uplands, Fraser Plateau, franc. Plateau du Fraser, śródgórskie obniżenie w Kordylierach Pn., w Kanadzie (w prow. Kolumbia Brytyjska), między G. Nadbrzeżnymi na zach. i G. Skalistymi na wsch.; stanowi obszar wzniesiony od ok. 800–1000 m na pn. do ok. 1200–1500 m na pd.; zbud. gł. ze skał mezozoicznych i trzeciorzędowych, przykrytych utworami plejstoceńskimi; w środk. części W.W. głęboka dolina rz. Fraser; klimat umiarkowany kontynent. na pn. chłodny, na pd. ciepły; gł. rz.: Fraser, Kolumbia, Skeena, Stikine; liczne jeziora polodowcowe; lasy iglaste; złoża rud cynku, ołowiu i żelaza.

Wezera, Weser, rz. w pn. części Niemiec; powstaje z połączenia Fuldy i Werry; dł. 440 km, pow. dorzecza 41,1 tys. km^2; uchodzi estuarium do M. Północnego; gł. dopływy: Aller (pr.), Hunte (l.); żegl., statki mor. dochodzą do Bremy; poniżej m. Minden W. przecina Kanał Śródlądowy; gł. m. nad W.: Brema, przy ujściu — Bremerhaven.

Wezuwiusz, Vesuvio, jedyny czynny wulkan na lądzie eur., we Włoszech, na Płw. Apenińskim, nad Zat. Neapolitańską (M. Tyrreńskie); powstał w plejstocenie, ok. 200 tys. lat temu; wys. 1277 m; głęb. krateru 30 m, średnica — 700 m; od pn. strony stożek W. jest otoczony półkolistym wałem, zw. Somma (który stanowi resztki dawnego stożka zniszczonego w 79 r.); wybuch w 79 r. zasypał Herkulanum, Pompeje i Stabie; następne wielkie wybuchy: 472, 512, 1631, 1794, 1872, 1906, 1944; na wys. 608 m obserwatorium wulkanologiczne (od 1845); liczne stacje prowadzące pomiary sejsmograf.; podnóża gęsto zaludnione; w dolnym piętrze winnice, sady, gaje kasztanowe; do krawędzi krateru prowadzi wyciąg krzesełkowy.

węgiel brunatny, jeden z węgli kopalnych, zawiera 65–78% pierwiastka węgla; ma barwę od jasnobrun. do czarnej. Rozróżnia się kilka odmian w.b.: w ę g l e k s y l i t o w e, zw. też węglami lignitowymi (lignitami), odznaczające się wyraźnie zachowaną strukturą drewna; w ę g l e m i ę k k i e, do których należą węgle ziemiste, o nierównym przełamie, po wysuszeniu łatwo rozsypujące się na drobne kawałki, i węgle łupkowe, o wyraźnej podzielności warstwowej, po wysuszeniu mniej kruche od węgli ziemistych; w ę g l e t w a r d e, różnią się od innych odmian w.b. większą zwięzłością; rozróżnia się wśród nich węgle matowe, o przełamie muszlowym, i węgle błyszczące, zbliżone do węgli kamiennych.

W.b. występuje gł. w utworach trzeciorzędu, niekiedy w utworach kredy, jury, triasu, a nawet karbonu. Główne złoża: Niemcy (Saskie Zagłębie Węglowe, Nadreńskie Zagłębie Węgla Brunatnego, Łużyckie Zagłębie Węglowe), Rosja (Zagłębie Kańsko-Aczyńskie, Zagłębie Podmoskiewskie), Czechy (gł. Północnoczes. Zagłębie Węglowe), USA, Kanada, Australia (Latrobe), Indie. W Polsce najbogatsze złoża znajdują się w rejonie Turoszowa, Konina i Bełchatowa; w.b. występuje również na Dolnym Śląsku (m.in. okolice Legnicy, Ścinawy), w woj. wielkopol. (np. rejon Trzcianki) i in. Stosowany jest jako tani materiał opałowy gł. w postaci brykietów (z powodu dużej zawartości siarki — 4%, spalanie w.b. jest szkodliwe dla środowiska); z niektórych gatunków w.b. ekstrahuje się tzw. wosk montanowy. W.b. jest też używany jako podłoże, gł. w ogrodnictwie, a także jako czynnik użyźniający glebę.

węgiel kamienny, jeden z węgli kopalnych, zawiera 78–92% pierwiastka węgla (do w.k. zalicza się też antracyt, zawierający do 97% węgla); czarny, zwarty, kruchy; paląc się daje długi, błyszczący płomień. W.k. ma niejednorodną budowę; składa się z kilku składników (odmian) petrograf. różniących się połyskiem i twardością (witryn — węgiel błyszczący, klaryn — węgiel półbłyszczący, duryn — węgiel matowy i fuzyn — węgiel włóknisty), występujących w postaci pasemek w różnych proporcjach. Największe złoża: Rosja (m.in. zagłębia: Leńskie, Tunguskie, Kuźnieckie, Peczorskie), Ukraina (gł. Zagłębie Donieckie), USA (m.in. stany: Wirginia, Pensylwania, Ohio, Kentucky), Kanada (gł. prow. Alberta), Niemcy (m.in. zagłębia: Ruhry i Saary), Chiny (zwł. prow. Shanxi), RPA (gł. Transwal), W. Brytania (zagłębia: Yorkshire, Derbyshire, Durham i in.), Polska (Górnośląskie Zagłębie Węglowe, Lubel. Zagłębie Węglowe), Indie (gł. dorzecze rz. Damodar), Australia (Nowa Pd. Walia, Queensland).
W.k. jest ważnym paliwem wykorzystywanym bezpośrednio (spalanie) lub po przeróbce chem. do celów energ., a także surowcem dla przemysłu chemicznego. Procesami technol. stosowanymi do chem. przeróbki w.k. są: odgazowanie węgla w wysokiej temp. (koksownictwo i gazownictwo), odgazowanie węgla w niskiej temperaturze (wytlewanie), zgazowanie oraz uwodornianie węgla; w wyniku tych procesów otrzymuje się: paliwa stałe, ciekłe i gazowe (np. koks, paliwa silnikowe, gazy opałowe) oraz półprodukty lub surowce dla przemysłu chem. (np. gaz syntezowy, smołę węglową, benzol). W zależności od przydatności w.k. do celów energ. i technol. opracowano różne klasyfikacje węgla kamiennego. Najczęściej jest stosowana klasyfikacja oparta na właściwościach technol. węgla, określanych zawartością w węglu części lotnych, ciepłem spalania węgla, spiekalnością węgla i ciśnieniem rozprężania. Polska klasyfikacja rozróżnia 10 typów w.k.

Węgierska, Mała Nizina, Kisalföld, część Niz. Środkowodunajskiej na Węgrzech, między Alpami Wsch., Dunajem i Średniogórzem Zadunajskim; przeważające wys. 100–150 m; na pograniczu z Austrią szczątkowe Jez. Nezyderskie (węg. Fertő-tó); uprawa zbóż, buraków cukrowych; hodowla bydła.

Węgierska, Wielka Nizina, Alföld, część Niz. Środkowodunajskiej na Węgrzech, między Dunajem i Średniogórzem Północnowęgierskim; pow. ok. 50 tys. km²; przeważające wys. 85–120 m (maks. 183 m); żyzne gleby czarnoziemne powstałe na plejstoceńskich lotnych piaskach i utworach lessowych; dawniej nawiedzana przez katastrofalne powodzie Dunaju, Cisy i jej licznych dopływów (Samosz, Keresz, Marusza); klimat umiarkowany ciepły z częstymi suszami latem; reszki rozległych słonych stepów (tzw.

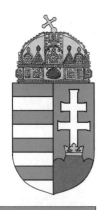

■ Węgry

puszta) zachowały się na zach. od Debreczyna (→ Hortobágy) i w pobliżu m. Kecskemét. Ważny region roln. (dzięki przeprowadzonym tu na wielką skalę melioracjom); gł. uprawy: pszenica, kukurydza, buraki cukrowe, pomidory, melony, winorośl, drzewa owocowe, tytoń, na obszarach zalewowych nad Cisą i Kereszem — ryż, w okolicy Segedynu — papryka; hodowla trzody chlewnej, owiec, koni, bydła, ptactwa domowego; wydobycie ropy naft. i gazu ziemnego.

Węgliniec, m. w woj. dolnośląskim (powiat zgorzelecki), na pd. skraju Borów Dolnośląskich; 3,3 tys. mieszk. (2000); węzeł kol.; ośr. usługowy; w pobliżu kompleks stawów (ostoja ptactwa wodnego); zał. prawdopodobnie w XVI w., prawa miejskie od 1967.

Węgorapa, rz. w Polsce (na Pojezierzu Mazurskim) i jako Angrapa w Federacji Ros. (obwód kaliningradzki), l. źródłowe ramię Pregoły; dł. 140 km (w Polsce 44 km), pow. dorzecza 3547 km² (w Polsce 1512 km²); wypływa z jez. Mamry; średni przepływ powyżej granicy 12 m³/s; maks. rozpiętość wahań stanu wody 3,5 m; gł. dopływ — Gołdapa (pr.); nad W. leży m. Węgorzewo.

Węgorapy, Kraina, pn.-wsch. część Pojezierza Mazurskiego, położona na pn. od Krainy Wielkich Jezior Mazurskich, od której różni się niższym położeniem, brakiem jezior oraz innym typem rzeźby; środek regionu zajmuje płaska kotlina, zw. Niecką Skaliską; otaczają ją od zach., pd. i wsch. łuki moren czołowych; zagłębienie było wypełnione martwym lodem, a potem istniały tu zanikłe ob. zbiorniki wodne; region jest odwadniany przez wypływającą z jez. Mamry Węgorapę i jej dopływ — Gołdapę; przeważnie piaszczyste dno niecki pokrywają lasy; zaludnienie regionu jest dosyć rzadkie.

Węgorzewo, m. powiatowe w woj. warmińsko-mazurskim, nad Węgorapą; 12,3 tys. mieszk. (2000); ośr. usługowy, turyst. i sportów wodnych; przystań rybacka oraz żeglugi pasażerskiej; drobny przemysł (spoż., odzież., metal., drzewny); prawa miejskie od 1571; zamek krzyżacki (XIV, XVIII, XIX w.).

Węgorzyno, m. w woj. zachodniopomor. (powiat stargardzki), nad jez. Węgorzyno; 2,9 tys. mieszk. (2000); ośr. usługowy i wypoczynkowy; przemysł spoż., drzewny; węzeł drogowy; prawa miejskie od 1460.

Węgrów, m. powiatowe w woj. mazow., nad Liwcem; 13,0 tys. mieszk. (2000); ośr. usługowy dla rolnictwa i pobliskich terenów letniskowych; przemysł spoż., elektrotechn.; węzeł drogowy; prawa miejskie od 1441; XVI–XVIII w. jeden z ważniejszych ośr. reformacji w Polsce; późnogot. kościół parafialny, zespół klasztorny Reformatów, zajazd, tzw. Dom Gdański (poł. XVIII w.).

Węgry, Magyarország, Republika Węgierska, państwo w środk. Europie; 93,0 tys. km²; 10 mln mieszk. (2002), Węgrzy, Cyganie, Niemcy, Słowacy; katolicy, protestanci; spadek liczby ludności spowodowany ujemnym przyrostem naturalnym (−3,8‰, 2000); stol. Budapeszt, inne m.: Debreczyn, Miszkolc, Segedyn, Pecz; język urzędowy węg.; republika. Na zach. Mała Niz.

Węgierska, w części środk. szeroka dolina Dunaju, na wsch. Wielka Niz. Węgierska; niewysokie pasma górskie Średniogórza Północnowęgierskiego i Średniogórza Zadunajskiego; klimat umiarkowany ciepły, kontynent.; gł. rz.: Dunaj z Rabą, Cisa z Kereszem i Maruszą; jez. Balaton; liczne źródła miner., gł. cieplice; resztki stepów (puszta) i lasostepów, w górach lasy z bukiem, dębem i grabem. Gospodarka w okresie przejściowym od centralnie planowanej do rynkowej; przemysł (skoncentrowany gł. w Budapeszcie): samochodowy, maszyn., elektrotechn., hutnictwo aluminium, włók.; powszechne winiarstwo i przetwórstwo owocowo-warzywne; wydobycie boksytów, węgla brun. i kam., ropy naft. i gazu ziemnego; uprawa zbóż, buraków cukrowych, słonecznika, winorośli; rozwinięte sadownictwo i warzywnictwo; hodowla bydła i trzody chlewnej; turystyka: Budapeszt, kąpieliska nad Balatonem; żegluga na Dunaju i Cisie. ∎

Whitney [uytny], **Mount Whitney**, najwyższy szczyt w górach Sierra Nevada, w USA, w stanie Kalifornia, w Parku Nar. Sekwoi; wys. 4418 m; zdobyty 1873; u podnóża — Dolina Śmierci.

WHO → Światowa Organizacja Zdrowia.

wiatr, ruch powietrza atmosf. względem powierzchni Ziemi; zwykle terminem w. określa się tylko składową poziomą tego ruchu; składowa pionowa jest setki razy mniejsza od poziomej, osiąga znaczne wartości jedynie w wyjątkowych przypadkach (np. silnie rozwinięte prądy pionowe w atmosferze). W. powstaje w wyniku nierównomiernego rozkładu ciśnienia atmosf. na danym poziomie nad powierzchnią Ziemi. W warstwie przyziemnej kierunek w. (kierunek, z którego w. wieje) określa się za pomocą → wiatromierzy kierunkowych, a prędkość mierzy się różnego typu wiatromierzami lub określa wg skali → Beauforta. W atmosferze swobodnej do pomiaru prędkości i kierunku w. stosuje się radiosondę i radioteodolit lub radar. W troposferze prędkość w. rośnie wraz ze wzrostem wysokości i osiąga maksimum na wys. 8–10 km. Zarówno prędkość, jak i kierunek w. podlegają częstym wahaniom w czasie wskutek turbulencji (→ turbulencja w atmosferze ziemskiej); zjawisko to określa się jako porywistość w. Na niektórych obszarach powierzchni Ziemi pod wpływem specyficznych warunków (pasmo górskie, sąsiedztwo morza i lądu i in.) tworzą się lokalne układy cyrkulacji powietrza i występują w. o stałym charakterze, np.: → bora, blizzard, mistral, fen, chamsin, sirocco oraz mor. i lądowa → bryza; w. lokalne stanowią istotny czynnik klim. na danym obszarze. Z układami cyrkulacyjnymi większej skali są związane: → monsuny i → pasaty. W. odgrywają ważną rolę w krążeniu energii i wody między Ziemią a atmosferą ziemską; powodują powstawanie → prądów morskich i falowanie zbiorników wodnych. Energia w. jest wykorzystywana w gospodarce.

wiatromierz, przyrząd do pomiaru prędkości i kierunku wiatru; w zależności od warunków pomiaru stosuje się różne rodzaje w. (anemometry czaszowe, skrzydełkowe, elektr., laserowe); najprostszym w. jest w. Wilda — pręt metal.

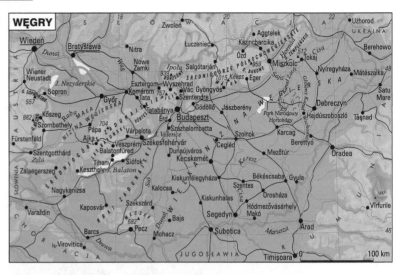

osadzony pionowo, zaopatrzony w pierścień z 8 prętami kierunkowymi (ustawionymi poziomo wg gł. kierunków świata), chorągiewkę kierunkową i metal. płytkę (wskaźnik prędkości); kierunek wiatru wyznacza położenie chorągiewki względem prętów kierunkowych, miarą prędkości jest wielkość odchylenia płytki (pod wpływem wiatru) od położenia pionowego.

Wiązów, m. w woj. dolnośląskim (powiat strzeliński), nad Oławą; 2,1 tys. mieszk. (2000); ośr. usługowy; zakłady obuwn.; prawa miejskie po 1252. W pobliżu bogate nie eksploatowane złoża kaolinu.

Wicko, jez. przybrzeżne na Wybrzeżu Słowińskim; na wys. 0,1 m; pow. 1058,9 ha, dł. 5,1 km, szer. 3,7 km, maks. głęb. 6,1 m (kryptodepresja); dawna zatoka mor. oddzielona od M. Bałtyckiego zalesioną mierzeją; linia brzegowa słabo rozwinięta; 2 przeciwległe półwyspy dzielą Wicko na 2 części: zach. — płytszą i wsch. — głębszą; przez Wicko przepływa rz. Głownica; nadbrzeżne wsie: Wicko Morskie, Królewo, Łącko, Jezierzany.

∎ Węgry. Tokaj, widok ogólny

Widawa, rz. na Równinie Oleśnickiej, pr. dopływ środk. Odry; dł. 103 km, pow. dorzecza 1716 km^2; źródła na obszarze Wału Trzebnickiego, ok. 11 km na pn.-zach. od Sycowa; uchodzi we Wrocławiu; średni przepływ przy ujściu 3,8 m^3/s; maks. rozpiętość wahań stanów wody w dolnym biegu 2,3 m; większe dopływy: Świerzna, Oleśnica (pr.); gł. m. nad Widawą — Namysłów.

widzialność, wielkość określająca przezroczystość powietrza atmosf.; miarą w. jest zasięg w. — graniczna (najmniejsza) odległość (w kierunku poziomym), z której określone obiekty w terenie (repery) nie są już dostrzegalne gołym okiem lub nie można ich odróżnić od otoczenia za pomocą określonych przyrządów; zasięg w. zależy m.in. od obecności w atmosferze mgły, zamglenia, opadów, zawiesin.

■ Wiedeń. Prater

Wiedeń, Wien, stol. Austrii, w Kotlinie Wiedeńskiej, nad Dunajem; kraj związkowy; 415 km^2, 1,5 mln mieszk., zespół miejski 2 mln (2002); gł. ośr. przem. kraju: maszyn., precyzyjny, samochodowy, petrochem., skórz., poligraficzny; eur. siedziba ONZ, OPEC; miejsce licznych kongresów i konferencji międzynar.; wielobranżowe targi międzynar.; duży węzeł kol. i drogowy, międzynar. port lotn.; jeden z gł. w Europie ośr. kult. i nauk.; Austr. Akad. Nauk, uniw. (zał. 1365), politechn., wyższe szkoły: ekon., roln., sztuk pięknych (zał. 1692); słynna opera i filharmonia; liczne muzea, m.in. Kunsthistorisches Museum; gotycka katedra Św. Stefana (XIV–XVI w.); liczne kościoły rom., got. (Augustianów, XIV w.) i barok., m.in. Jezuitów (uniwersytecki, XVII, XVIII w.), Kapucynów (XVII w.), Św. Karola Boromeusza (J.B. Fischer von Erlach, 1. poł. XVIII w.); pałace, m.in.: Górny i Dolny Belweder, Hofburg, Schönbrunn (XVII–XVIII w.); eklekt. gmachy z XIX w. (m.in. parlament, opera, teatr, uniw., ratusz, kościół Wotywny, zespół muzeów) przy słynnej ul. Ring, powstałej po zburzeniu w 2. poł. XIX w. fortyfikacji; budowle secesyjne, m.in.: pawilon wystawowy Secesji (1897–98), modernist. i nowocz. — Hundertwasserhaus (1983–85). ■

Wiedeńska, Kotlina, Wiener Becken, zapadlisko tektoniczne w pn.-wsch. Austrii, między Alpami i Karpatami, w środk. biegu Dunaju; część między Morawą a Dunajem zw. Morawskim Polem; ważny region przem. i roln.; wydobycie gazu ziemnego, ropy naft.; na skraju liczne źródła miner.; gł. m. — Wiedeń.

■ Wielka Brytania

Wieleń, m. w woj. wielkopol. (powiat czarnkowsko-trzcianecki), nad Notecią; 6,1 tys. mieszk. (2000); ośr. usługowy; zakłady konstrukcji stal., drzewne, materiałów bud.; prawa miejskie przed 1458; kościół parafialny Św. Michała Archanioła i Wniebowzięcia NMP (XVII w.), kościół poewang. konstrukcji szkieletowej (XVIII w.).

Wielichowo, m. w woj. wielkopol. (powiat grodziski); 1,6 tys. mieszk. (2000); ośr. usługowy dla rolnictwa; drobny przemysł (spoż., materiałów bud.); prawa miejskie od 1429–30.

Wieliczka, m. powiatowe w woj. małopol., w aglomeracji Krakowa; 18,0 tys. mieszk. (2000); ośr. usługowo-przem. i turyst.-krajoznawczy; miejscowość uzdrowiskowa — w d. kopalni soli kam. (1978 wpisana na Listę Świat. Dziedzictwa Kult. i Przyr. UNESCO) sanatorium; zakłady sprzętu oświetleniowego; eksploatacja solanek od X–XI w. (ob. metodą odparowania solanki); nieczynna część kopalni stanowi obiekt muzealno-turyst. z wykonanymi przez górników rzeźbami, kaplicami (najstarsza z XVII w.) i Muzeum Żup Krak.; drewn. kościół (1581); prawa miejskie od 1290; od XIV w. jedno z gł. miast górn. i ośr. handlu solą w Polsce.

Wielimie, jez. morenowe na Równinie Charzykowskiej; pow. 1865,3 ha (w tym 10 wysp o pow. 110,7 ha), dł. 7,0 km, szer. 4,9 km, maks. głęb. 5,5 m; linia brzegowa dobrze rozwinięta; brzegi przeważnie niskie, miejscami podmokłe, częściowo zalesione; w pd. części jeziora duża Wielimska Wyspa ze stawami rybnymi; przez W. przepływa rz. Gwda (szlak kajakowy); sporty wodne; nad W. — ośr. wypoczynkowy Szczecinek.

Wielka Brytania, United Kingdom, Zjednoczone Królestwo Wielkiej Brytanii i Irlandii Północnej, państwo w Europie Zach., na W. Brytyjskich; 244,1 tys. km^2, 59,8 mln mieszk. (2002); stol. Londyn; język urzędowy ang.; dziedziczna monarchia parlamentarna; w skład W.B. wchodzą: Anglia, Szkocja, Walia i Irlandia Pn.; dependencjami Korony bryt. są: W. Normandzkie, wyspa Man. Terytoria zależne: Gibraltar w Europie, Bryt. Terytorium O. Indyjskiego i Św. Helena w Afryce, Anguilla, Bermudy, Bryt. Wyspy Dziewicze, Kajmany, Montserrat, Turks i Caicos, Falklandy z wyspami: Georgia Pd. i Sandwich Pd. w Ameryce oraz Pitcairn w Oceanii.

Warunki naturalne

W.B. jest położona na wyspach: Wielka Brytania (największa — 230 tys. km^2), Irlandia (część pn.-wsch.), Hebrydy, Szetlandy, Orkady, Anglesey, Wight oraz wielu małych wyspach przybrzeżnych (łącznie ok. 5500 wysp); W. Brytyjskie, oddzielone od lądowej części Europy cieśn.: La Manche i Kaletańską, oblewa O. Atlantycki (od zach.) i M. Północne (od wsch.). Rzeźba pow. W.B. jest urozmaicona; w Szkocji na pn. stare G. Kaledońskie i Grampiany (Ben Nevis, 1343 m), rozdzielone rowem tektonicznym Glen More, na pd. Wyż. Południowoszkocka ograniczona od pn. Niz. Środkowoszkocką; w pn. Anglii G. Pennińskie i G. Kumbryjskie (Scafell, 978 m); we wsch. Anglii falista Niz. Angielska (Lowlands); w pd.-wsch. części wyspy nizinny Basen Londyński; w Walii G. Kambryjskie (Snowdon, 1085 m); góry Irlandii Pn. są przedłużeniem G. Kaledońskich; w Szkocji i pn. Anglii liczne ślady zlodowaceń plejstoceńskich (cyrki, jeziora, mutony, moreny, ozy); linia brzegowa silnie rozczłonkowana z licznymi zatokami (Kanał Bristolski, Cardigan, Zat. Liverpoolska, Moray Firth,

Firth of Forth); pn. wybrzeża fiordowe, pd. — klifowe (Dover) i riasowe (Płw. Kornwalijski). Klimat umiarkowany wybitnie mor., pod wpływem ciepłego Prądu Zatokowego; średnia temp. w styczniu 4–6°C, w lipcu 12–17°C; obfite opady w ciągu całego roku; na pn.-wsch. roczna suma opadów 500 mm, na pn.-zach. do 2000 mm, w górach do 3000 mm; silne wiatry (zwł. zimą), duże zachmurzenie, częste mgły. Gęsta sieć krótkich rzek, gł.: Tamiza, Severn, Mersey, Clyde; większość rzek jest skanalizowana i wykorzystywana jako szlaki żeglugowe; jeziora, gł. polodowcowe, występują przede wszystkim w Szkocji i Irlandii Pn., największe: Lough Neagh, Loch Lomond i Loch Ness; lasy zajmują ok. 10% pow. kraju (jeden z najniższych wskaźników w Europie); charakterystycznymi zbiorowiskami roślinnymi są wrzosowiska i torfowiska; 20,4% pow. kraju (1997) zajmują obszary całkowicie lub częściowo chronione (11 parków nar. i wiele rezerwatów).

Ludność

W.B. jest krajem wielonarodowościowym zamieszkanym przez 4 gł. grupy nar.: Anglicy (76%), Szkoci (9%), Walijczycy (5%) i Irlandczycy (4%); ok. 6% mieszkańców stanowią imigranci, gł. z Australii, USA, Indii, Bangladeszu i Sri Lanki; większość Brytyjczyków to chrześcijanie: protestanci (anglikanie, prezbiterianie), katolicy, ponadto metodyści i baptyści, wśród imigrantów azjat. — muzułmanie, sikhowie, hindusi; niski przyrost naturalny (1,3‰, 2000); postępuje proces starzenia się społeczeństwa (30,1% populacji w wieku 40–64 lata, 15,6% powyżej 64 lat); ludność rozmieszczona nierównomiernie; 1/3 ludności skupiona w pd.-wsch. Anglii (Wielki Londyn i miasta satelitarne); najsłabiej zaludnione regiony górskie i wyspy: Hebrydy, Szetlandy, Orkady; średnia gęstość zludnienia 241 osób na 1 km², ludność miejska stanowi 92% — jeden z najsilniej zurbanizowanych krajów świata; największe m.: Londyn (ze strefą podmiejską ponad 12 mln mieszk.), Manchester, Birmingham, Leeds, Glasgow, Liverpool, Sheffield; ludność czynna zawodowo 49%; struktura zatrudnienia: przemysł 19%, rolnictwo 1%, usługi 80%.

Gospodarka

Jeden z najlepiej gospodarczo rozwiniętych krajów świata; odgrywa dużą rolę w międzynar. obrocie kapitałem, w żegludze i ubezpieczeniach; maleje udział sektora państw. w gospodarce, od pocz. lat 80. trwa reprywatyzacja wielkich przedsiębiorstw; bryt. koncerny należą do największych w świecie, m.in.: Royal Dutch Shell (bryt.-hol. koncern naft.), British Petroleum, Unilever (bryt.-hol. koncern żywnościowy), Imperial Chemical Industries, British Leyland. Współczesny przemysł bryt. z powodu wyczerpania się wielu złóż miner., zwł. rud metali, przetwarza surowce importowane; zmalało wydobycie węgla kam. i jego znaczenie w gospodarce; gł. surowcami są ropa naft. i gaz ziemny wydobywane ze złóż podmor. w szelfie M. Północnego; ponadto wydobywa się niewielkie ilości rud żelaza, soli kam. i potasowej; elektrownie cieplne wytwarzają 69% energii, jądr. 27%, wodne i geotermiczne 2%. Przemysł przetwórczy wszechstronnie rozwinięty; trady-

WIELKA BRYTANIA

cyjne gałęzie przemysłu (hutnictwo, górnictwo, stoczn., włók.) straciły znaczenie międzynar.; rośnie ranga przemysłu petrochem., przetwarzającego krajową i importowaną ropę naft. (gł. ośr.: Dundee, Port Clarence, Teesport, Londyn), gumowy i włókien chem. (Londyn, Glasgow, Liverpool), samochodowy, lotn. i kosm. (Londyn, Coventry), elektron. i elektrotechn. (Wielki Londyn, Wielki Manchester), kosmetycznego (Londyn); niezmiennie ważną rolę w gospodarce odgrywa przemysł spoż., zwł. produkcja piwa (Manchester, Liverpool), whisky (Szkocja, Irlandia Pn.); największe okręgi przem.: region Londynu, Birmingham–Coventry, Yorkshire, Lancashire, pd. Walia, Newcastle upon Tyne. Rolnictwo ma drugorzędne znaczenie dla gospodarki bryt.; produkcja rolna zaspokaja 40% zapotrzebowania krajowego na żywność; ok. 83% użytków rolnych należy do wielkich właścicieli (landlordów); rozpowszechniony system dzierżawy ziemi; średnia wielkość gospodarstw 107 ha; grunty orne i sady zajmują ok. 27% pow., łąki i pastwiska 44%; dominuje hodowla bydła

■ Wielka Brytania. Cambridge

(środk. i pd. Anglia) i owiec (regiony górskie) oraz trzody chlewnej (pd.-wsch. Anglia), drobiu; intensywna uprawa pszenicy (pd.-wsch. Anglia), jęczmienia, owsa i buraków cukrowych (wsch. Anglia), ponadto chmielu, drzew owocowych (pd. Anglia), warzyw (wokół dużych miast); połowy mor. 838 tys. t (1999). Gęsta sieć komunik.; w przewozach towarowych dominuje transport samochodowy; 3286 km autostrad, gł. łączą Londyn z Edynburgiem, Dover, Portsmouth, Bristolem; maleje znaczenie transportu kol.; połączenia promowe i kol. (przez Eurotunel) z kontynentem; transport rurociągowy, zwł. gazu; przeładunek w portach mor. ok. 360 mln t rocznie; gł. porty: Londyn (przeładunek 55,7 mln t, 1997), Liverpool, Kingston upon Hull, Southampton; Londyn należy również do największych portów lotn. świata. Rozwinięta turystyka krajowa i zagr., 1996 W.B. odwiedziło 25 mln turystów, gł. z USA, Francji i Niemiec. Udział W.B. w obrotach międzynar. zmniejszył się w ciągu ostatniego 100-lecia z ponad 30% do 5%; eksport obejmuje maszyny i środki transportu, ropę naft. i produkty naft., chemikalia, odzież, mięso; import surowców dla przemysłu, paliw, maszyn i środków transportu, artykułów żywnościowych; gł. partnerzy handl. (1999): Niemcy, Francja, Holandia, USA, Włochy. ■

Wielka Kotlina, Great Basin, wyżynno-górski obszar w Kordylierach, w USA, między G. Kaskadowymi i Sierra Nevada na zach., a środk. częścią G. Skalistych i Wyż. Kolorado na wsch.; pow. ok. 550 tys. km²; obejmuje liczne krótkie pasma górskie (najwyższe — Snake, 3980 m) i rozległe bezodpływowe kotliny (najniżej położona — Dolina Śmierci, 86 m p.p.m.), oraz pustynie — Mojave, Wielka Pustynia Słona; pasma górskie są zbud. gł. z wapieni i łupków krystal., kotliny wypełnia gruba warstwa luźnego materiału pochodzącego z denudacji. Klimat podzwrotnikowy, kontynent., wybitnie suchy; roczna suma opadów na pn. 250–300 mm, na pd. 100–150 mm, miejscami poniżej 100 mm; średnia temp. w styczniu od –5 do 0°C, w lipcu 20–21°C. Odwadniana przez krótkie, epizodyczne rzeki (najdłuższa Humboldt), kończące się w bezodpływowych kotlinach; największe jeziora: Wielkie Jezioro Słone i Utah (pozostałości plejstoceńskiego jez. Bonneville), Pyramid i in.; roślinność półpustynna i pustynna; wydobycie

rud żelaza, kobaltu i miedzi oraz węgla kam., złota, srebra, uranu. W.K. należy do najrzadziej zaludnionych obszarów w USA.

Wielka Pustynia Piaszczysta, Great Sandy Desert, piaszczysta pustynia w Australii, w stanie Australia Zach.; rozciąga się między wyż. Kimberley a Pustynią Gibsona; pow. ok. 360 tys. km²; wys. od 300 m na pd. do 500–700 m na pn.; wysokie wydmy; w środk. części kamienista; klimat zwrotnikowy suchy; średnia temp. w lipcu 15–18°C, w styczniu 30–33°C (maks. ponad 40°C); suma roczna opadów od ok. 200 mm na pd. do 500 mm na pn.; słone bagna okresowo zamieniają się w jeziora (największe Disappointment i Mackay); roślinność b. skąpa (skrajnie kserofityczne trawy i niskie krzewy); po deszczach rozwijają się na krótko liczne rośliny jednoroczne; w zasolonych obniżeniach występują skupiska halofitów.

Wielka Pustynia Wiktorii, Great Victoria Desert, pustynia w Australii, w stanie Australia Zach.; rozciąga się między Pustynią Gibsona a niz. Nullarbor; pow. ok. 300 tys. km²; większa część piaszczysta, na pd. — gliniasta; klimat zwrotnikowy suchy; średnia temp. w lipcu 11–12°C, w styczniu 24–27°C; suma roczna opadów od 120 mm na pn.-wsch. do 250 mm na pd. i zach.; w pd. części występują okresowo wysychające słone jeziora; porośnięta rzadką trawą z rodzaju *Trioda* i akacjowym skrubem; po deszczach pojawiają się na krótko liczne rośliny jednoroczne; rezerwat biosfery o pow. 2,1 mln ha (jeden z największych na świecie); na pn. skraju rezerwat ludności rdzennej.

Wielka Rafa Koralowa, Great Barrier Reef, największa bariera koralowa na Ziemi, na M. Koralowym; ciągnie się wzdłuż pn.-wsch. wy-

■ Wielka Rafa Koralowa, zdjęcie podwodne

brzeża Australii (stan Queensland), od Cieśn. Torresa do zwrotnika Koziorożca, w odległości 10–260 km od lądu; dł. ok. 2000 km, szer. 2–150 km, pow. 200 tys. km^2; głęb. laguny ok. 50 m; składa się z wielu tysięcy raf koralowych (większość znajduje się pod wodą i wynurza tylko podczas odpływu) i ponad 600 wysp; powstawała od końca ostatniej epoki lodowej wskutek podniesienia poziomu morza, najstarsze rafy koralowe pochodzą z miocenu (sprzed 25 mln lat); bogata fauna (4000 gat. mięczaków, ponad 450 korali, 1500 ryb, 6 żółwi, 24 ptaków); odwiedzana przez licznych turystów; przy wyspie Green podwodne obserwatorium z muzeum i akwarium. Od 1983 pod ochroną (park mor.); wpisana na Listę Świat. Dziedzictwa Kult. i Przyr. UNESCO. ∎

Wielkanocna, Wyspa, polinezyjskie **Rapa Nui,** hiszp. **Isla de Pascua,** wyspa wulk. na O. Spokojnym w Polinezji, 3600 km od wybrzeży Ameryki; stanowi prow. Chile (część regionu Valparaíso); pow. 163 km^2; jedyna miejscowość Hanga Roa (na zach. wybrzeżu); brzegi skaliste; wygasłe wulkany (wys. do 601 m); roślinność (gł. trawy i paprocie) zdegradowana przez wypas owiec (do poł. lat 80.); uprawy: bataty, trzcina cukrowa, figowce, banany, balsamka ogórkowata, kolokazja (taro), kukurydza, ziemniaki; połów ryb; rzemiosło artyst. (snycerka, wyrób naszyjników z muszli); połączenie lotn. z Santiago. Słynie z ok. 600 posągów kam., wyciosanych z tufu (wys. 1–15 m), licznych ruin osad, naskalnych reliefów, kam. platform, drobnych rzeźb kultowych i drewn. tabliczek pokrytych hieroglificznymi znakami; zabytki te od XIX w. są przedmiotem badań nauk.; za twórców tej kultury uważa się polinezyjskich żeglarzy, którzy przybywali na W.W. począwszy od V w. n.e.; nie wyklucza się także wpływów prekolumbijskich kultur indiańskich.

Wielki Basen Artezyjski, Great Artesian (Australian) Basin, jeden z największych basenów artezyjskich na Ziemi, w Australii (gł. w stanie Queensland), między Wyż. Zachodnią a Wielkimi G. Wododziałowymi; pow. ok. 1,8 mln km^2; zajmuje nieckowate zagłębienie uformowane na podłożu paleozoicznym, wypełnione osadami karbońsko-trzeciorzędowymi (o miąższości ok. 2500 m); poziomy wodonośne (głęb. do 2000 m) tworzą piaskowce permskie i jurajskie; zasolenie wód od 0,09‰ na wsch. do 18,7‰ na pd.-zach.; ok. 20 tys. studni artezyjskich (najgłębsza w Blackall, 2136 m); na obszarze W.B.A. (Niz. Środkowoaustral.) ekstensywna hodowla bydła i owiec.

Wielki Erg Wschodni, Al-'Irq al-Kabr ash-Sharq, franc. **Grand Erg Oriental,** pustynia piaszczysta w pn. części Sahary, we wsch. Algierii i częściowo w zach. Tunezji; pow. ok. 110 tys. km^2; wysokość wydm do 200 m; obfite wody podziemne i liczne oazy (uprawa daktyli, zbóż i warzyw, wypas wielbłądów); przez W.E.W. przechodzi naftociąg z m. Idżili do portu Bidżaja i jego odgałęzienie do m. As-Suchajra; W.E.W. przecina szosa i linia kol. dochodzące do m. Tuggurt.

Wielki Erg Zachodni, Al-'Irq al-Kabr al-Gharb, franc. **Grand Erg Occidental,** pustynia piaszczysta w pn. części Sahary, w Algierii; pow. ok. 70 tys. km^2; jedna z najgorętszych pustyń Ziemi (średnia temp. w lipcu przekracza 36°C); na pn. liczne suche doliny (wadi) i doliny rzek okresowych biegnące z Atlasu Saharyjskiego; bogate wody podziemne i liczne oazy (pasterstwo gł. wielbłądów); wzdłuż wsch., pd. i zach. granic W.E.Z. przebiega szosa.

Wielki Kanion, Grand Canyon, głęboki jar w środk. biegu rz. Kolorado, w USA, w pn.-zach. części stanu Arizona, na Wyż. Kolorado; dł. (od ujścia Małego Kolorado do jez. Mead) ok. 350 km, szer. na poziomie wierzchowiny 8–25 km, na dnie — poniżej 1 km (miejscami do 120 m), głęb. do 1800 m; W.K. powstał w wyniku erozji rz. Kolorado; najbardziej malownicza część W.K. (dł. ok. 170 km) stanowi od 1919 Park Narodowy W.K. (pow. 493 tys. ha); ważny region turystyczny. Odkryty 1540 przez konkwistadora hiszp. G.L. de Cárdenasa. ∎

∎ Wielki Kanion

Wielki, Ocean → Spokojny, Ocean.

Wielki Staw w Dolinie Pięciu Stawów Polskich, jez. w Tatrach Wysokich, u stóp Miedzianego, na wys. 1665 m; pow. 34,1 ha (drugie po Morskim Oku pod względem wielkości powierzchni w Tatrach), dł. 998 m, szer. 452 m, głęb. 79,3 m (najgłębsze jezioro w Tatrach); z W.S. wypływa potok Roztoka.

Wielki Syrt, Obszczij Syrt, wyżyna w pd. części Rosji; stromo opada ku Niz. Nadkaspijskiej; stanowi dział wodny między dorzeczami Wołgi i Uralu; wys. do 405 m; w części środk. wyniosłości w postaci kopuł; na pd. rozwinięty kras; roślinność stepowa.

Wielki Szott, Szatt al-Dżarid, Shaṭṭ al-Jard, franc. **Chott El Jerid,** bezodpływowe, okresowe jez. w środk. Tunezji, na wys. 16 m; dł. 120 km, szer. 60 km; w porze deszczowej (zima) wypełnia się wodą, tworząc płytkie, słone jezioro, w lecie wysycha.

Wielkich Jezior Mazurskich, Kraina, Pojezierze Giżyckie, środk. część Pojezierza Mazurskiego, położona w poprzecznym obniżeniu między Pojezierzem Mrągowskim na zach. a Pojezierzem Ełckim na wsch., od pn. graniczy z Krainą Węgorapy, od pd. z Równiną Mazurską. Najbardziej charakterystycznym elementem regionu są Wielkie Jeziora Mazurskie, które po połączeniu w XIX w. kanałami, tworzą system

◼ Kraina Wielkich Jezior Mazurskich. Fragment jeziora Śniardwy w okolicach wsi Łuknajno

oddający wody na pn. przez Węgorapę do Pregoły, na pd. przez Pisę do Narwi, a dalej do Wisły. Zbiorniki wodne w całej zlewni Wielkich Jezior zajmują pow. ok. 486 km², z czego system połączonych jezior o wyrównanym zwierciadle wody w poziomie 116 m obejmuje 302 km²; pow. wodna zajmuje ok. 20% regionu; do największych jezior należą → Śniardwy i → Mamry. Jeziora znajdują się w zagłębieniach końcowych po małych płatach lodowca, a między nimi przebiegają wały morenowe, dochodzące na zach. od Giżycka do wys. 193 m. W związku z obfitością jezior, ważnym działem gospodarki jest rybactwo; dużą rolę odgrywają sporty wodne i turystyka, której w sezonie letnim służy sieć połączeń żeglugowych na jeziorach, zapewniających komunikację na szlaku od Rucianego-Nidy na pd., przez Mikołajki i Giżycko, do Węgorzewa na pn.; ponadto atrakcyjne turyst. szlaki wodne, a także piesze; gł. ośr. — Giżycko; na zach. krańcu regionu leży m. Kętrzyn, a na pn. Węgorzewo; mniejsze ośr. miejskie i letniska: Mikołajki, Ryn i Orzysz. W 1997 utworzono Mazurski Park Krajobrazowy. ◼

Wielkie Góry Wododziałowe, Great Dividing Range, Eastern Highlands, Great Divide, góry we wsch. Australii i na Tasmanii; dł. ok. 4000 km, szer. do 640 km; najwyższy szczyt Góra Kościuszki, 2228 m (w Alpach Australijskich); stromymi stokami opadają ku wąskiej nizinie nadbrzeżnej, łagodnie — ku Niz. Środkowoaustralijskiej; zbud. gł. z piaskowców, granitów i bazaltów; powstały w erze paleozoicznej; w okresie kredy ulegały zrównaniu; obecną rzeźbę zawdzięczają gł. ponownemu wydźwignięciu w trzeciorzędzie i intensywnej erozji rzecznej; w pd. części występują ślady zlodowacenia czwartorzędowego; w pn. części składają się z 2 ciągów grzbietów górskich i płaskowyżów

rozdzielonych kotlinami; pd. część jest zwarta i wyższa (gł. pasma: Alpy Australijskie, New England, Liverpool, G. Błękitne, Grampians); na wsch. stokach i na wierzchowinie rosną bujne sawanny i widne lasy, gł. eukaliptusowe, na zach. — suche sawanny (na pd.-zach. skąpe zarośla akacji mulga); z W.G.W. wypływają największe rzeki Australii: Murray i Darling; bogactwa miner.: węgiel, złoto, rudy miedzi, bizmutu, molibdenu, cyny, ołowiu i wolframu; wielki kompleks hydroenerg. w G. Śnieżnych (najwyższa część Alp Australijskich); gospodarka leśna; hodowla owiec i bydła; turystyka. Duży wkład w poznanie W.G.W. wniósł P.E. Strzelecki.

Wielkie Jeziora, ang. **Great Lakes,** franc. **Grands Lacs,** system 5 wielkich jezior pochodzenia tektoniczno-polodowcowego w Ameryce Pn., w USA i Kanadzie: Jezioro → Górne, → Michigan, → Huron, → Erie, → Ontario; położone na różnej wysokości; różnica między poziomem Jez. Górnego i Ontario wynosi 108 m; stanowią największy na Ziemi zbiornik słodkowodny; połączone cieśninami, rzekami i kanałami; łącznie z Rzeką Św. Wawrzyńca tworzą Drogę Wodną Św. Wawrzyńca (dł. 3770 km); ważny szlak wodny dostępny dla statków mor., połączony kanałami i rzekami z dorzeczem Missisipi oraz portem Nowy Jork.

Wielkie Rowy Afrykańskie, ang. **Great Rift Valley,** system rowów tektonicznych w Afryce Wsch., na Wyż. Wschodnioafrykańskiej; powstały w trzeciorzędzie (neogen) w miejscu starych uskoków platformy afryk.; ich tworzeniu towarzyszył silny wulkanizm; rozciągają się między obniżeniem rz. Zambezi na pd. a pd. krańcem M. Czerwonego na pn.; obejmują 2 gł. strefy ryftowe: zach., zw. Wielkim Rowem Zach. i wsch., składającą się z Wielkiego Rowu Wsch. i Rowu Abisyńskiego.

Wielki Rów Zach. zaczyna się na pd. rowem rz. Shire, jego przebieg wyznaczają obniżenia wykorzystane przez jeziora Niasa, Rukua, Tanganika, rz. Ruzizi, jez. Kiwu, Jez. Edwarda, rz. Semliki, Jez. Alberta i Nil Alberta; po obu stronach Wielkiego Rowu Zach., prawie na całej długości, występują zrębowe masywy górskie i wyżyny, zbud. gł. z krystalicznych skał prekambru pociętych młodszymi intruzjami wulk.; najważniejsze z nich (od pd.): góry Mlandżi (wys. 3000 m), wyż. Nyika (2606 m), masywy Rungwe (2961 m), góry Mitumba (3305 m), masyw Ruwenzori (5109 m); na pn. od jez. Kiwu wulk. grupa górska Wirunga (4507 m).

Wielki Rów Wsch. zaczyna się na pd. rowem rz. Luangua, na pn. jez. Niasa krzyżuje się z Wielkim Rowem Zach., na Wyż. Wschodnioafrykańskiej rozpada się na wiele rowów, których przebieg wyznaczają rz. Ruaha i jez.: Ejasi, Manyara, Natron, Magadi, Naivasha, Nakuru, Baringo, Turkana (połączone z Rowem Abisyńskim); na pd. Wielki Rów Wsch. otaczają zrębowe masywy górskie, zbud. gł. z krystal. skał prekambru (np. góry Muczinga, wys. 1850 m); na pn. zaznaczyły się silne zjawiska wulk., są liczne czynne i wygasłe wulkany — gł.: Kilimandżaro (Kibo, 5895 m), Kenia (5199 m), Meru (4567 m), Elgon (4321 m). Przedłużenie Wielkiego Rowu Wsch. —

Rów Abisyński biegnie od jez. Turkana, wzdłuż jezior: Stefanii, Abbaja, Zuaj i in. mniejszych do zapadliska tektonicznego Afar, u wybrzeży M. Czerwonego i Zat. Adeńskiej; oddziela Wyż. Abisyńską od Wyż. Somalijskiej. Kontynuacją tektoniczną W.R.A. jest dolina ryftowa na dnie M. Czerwonego oraz Rów Jordanu. ■

Wielkie Równiny, Wielka Równina Prerii, **Wielka Wyżyna,** ang. **Great Plains,** franc. **Grandes Plaines,** wsch. przedpole Kordylierów; ciągną się od górnego biegu rz. Saskatchewan Pn. w Kanadzie po środk. bieg Rio Grande w USA; dł. ok. 3500 km, szer. 300–600 km; W.R. stopniowo wznoszą się od 500 m na wsch. do 1500 m na zach., maks. wys. 2207 m (w górach Black Hills). zbud. z lekko pofałdowanej grubej pokrywy skał osadowych — kredowych i trzeciorzędowych (wapienie, piaskowce), w pn. części przykrytej czwartorzędowymi osadami. W pd. części W.R. rozciągają się wyżyny Llano Estacado i Wyż. Edwardsa, w środk. części wyżyny High Plains i Missouri rozcięte licznymi suchymi dolinami (zw. bad lands) o głęb. do 150 m, w pn. części krajobraz polodowcowy — wzgórza morenowe, jeziora. Klimat suchy, kontynent., w pd. części podzwrotnikowy, w pn. — umiarkowany; średnia temp. w styczniu od –18°C na pn. do 11°C na pd., w lipcu odpowiednio od 13°C do 29°C; roczna suma opadów na pd. 300–600 mm, na pn. 250–400 mm (zach. część W.R. jest bardziej sucha niż wsch.); w chłodnej porze roku wieją chłodne wiatry połączone z opadami śniegu (blizzard) lub ciepłe i suche wiatry (chinook) powodujące wzrost temperatury i topnienie śniegu. Największe rz.: Missouri z dopływami, Arkansas, Colorado, Pecos; mają one zmienny stan wód i są wyzyskiwane do nawadniania. Większą część W.R. zajmuje suchy, niskotrawiasty step, na pn. bujniejszy step z płatami leśnymi; w najsuchszych miejscach pojawiają się zarośla niskich kłujących krzewów, a na pd. — kaktusy. Wielkie Równiny są ważnym regionem hodowli bydła i uprawy zbóż (pszenica, kukurydza) oraz wydobycia: złota, srebra, rud cynku i ołowiu, miedzi, uranu, cyny, węgla kam., ropy naft. i gazu ziemnego.

Wielkopolskie, Pojezierze, pd. część Pojezierzy Południowobałtyckich, położona na wsch. od Bruzdy Zbąszyńskiej, między pradoliną Toruńsko-Eberswaldzką na pn. a Warciańsko-Odrzańską na pd.; pasma wzgórz morenowych — wys. do 192 m (Gontyniec w pobliżu Chodzieży), związane ze stadiałem gł. zlodowacenia Wisły; ok. 1000 jezior, największe — Gopło; małe opady (450–500 mm), ciepłe lato; występuje deficyt wodny; w składzie lasów brak buka, a roślinność zielona i fauna ma wiele elementów stepowych; tereny roln.; przełom Warty pod Poznaniem i rynna jezior goplańskich dzieli P.W. na 3 wysoczyzny jeziorne — pojezierza: Poznańskie, Gnieźnieńskie, Kujawskie; ponadto wyróżnia się Pozn. Przełom Warty, Pojezierze Chodzieskie i równiny — Inowrocławską i Wrzesińską. Główne m. — Poznań.

wielkopolskie, województwo, woj. w zach. Polsce; pow. 29 826 km², 3,3 mln mieszk. (2000), stol. — Poznań, inne większe m.: Piła, Gniezno,

■ Wielkie Rowy Afrykańskie. Wielki Rów Zachodni, okolice jeziora Kiwu

Konin, Kalisz, Ostrów Wielkopol., Leszno; dzieli się na 4 powiaty grodzkie, 31 powiatów ziemskich i 226 gmin. Krajobraz urozmaicony — w pn. i środk. części młodoglacjalny (Pojezierza Południowobałtyckie, w tym pojezierza Południowopomor., Wielkopol., część Leszczyńskiego), na pd. i wsch. staroglacjalny (Niz. Południowowielkopolska oraz kotliny: Milicka, Grabowska, Kolska, Dolina Konińska); na pojezierzach wzgórza moren czołowych (do 207 m), równoleżnikowe pradoliny (Tor.-Eberswaldzka, Warciańsko-Odrzańska). Gęsta sieć rzeczna, gł. rz. — Warta i Noteć, in. — Prosna, Gwda; jeziora polodowcowe, największe: Powidzkie, Niedzięgiel, zbiorniki retencyjne (Słupca). Lasy zajmują 25,3% pow. (Puszcze Notecka, Lasy Pilskie); Wielkopolski Park Nar., 7 parków krajobrazowych. Gęstość zaludnienia — 112 mieszk. na km², w miastach 57,7% ludności (2000). Województwo przem.-roln.; złoża gł. węgla brun. (Konińskie Zagłębie Węgla Brunatnego) oraz gazu ziemnego, soli kam.; różnorodny przemysł, w tym górnictwo węgla brun., energetyka (elektrownie w Pątnowie, Adamowie i Koninie), hutnictwo i przetwórstwo aluminium (Konin), przemysł środków transportu, maszyn., metal., precyzyjny, elektrotechn., spoż., drzewny, chem., ponadto włók., obuwn., odzież., materiałów bud.; większość przemysłu przetwórczego skupiona w Poznaniu i okolicach; rozwinięte usługi, zwł. handel, w Poznaniu — Międzynar. Targi Poznańskie. Użytki rolne zajmują 63,6% pow.; uprawia się zboża, ziemniaki, buraki cukrowe; hoduje się trzodę chlewną i bydło; rozwinięte warzywnictwo i sadownictwo. Gęsta sieć komunik.; żegluga na Noteci i Warcie; port lotn. w Poznaniu (Ławica); rozwinięta turystyka (Poznań, Ostrów Lednicki, Kórnik).

wielograniec → graniak.

Wieluń, m. powiatowe w woj. łódz.; 25,7 tys. mieszk. (2000); ośr. przem.-usługowy; przemysł spoż. (cukrownia, mleczarnia, zakłady młynarskie), maszyn., drzewny i in.; węzeł drogowy; Muzeum Ziemi Wieluńskiej; prawa miejskie od 1283; zespoły klasztorne: Paulinów, ob. Bernardynek, z got.-barok. kościołem, barok. Reformatów; kościoły, m.in. barok. Pijarów i Bernardynów, ob. ewang. (XVII w.); pozostałości murów miejskich (poł. XIV w.).

Wientian, Vienchan, franc. **Vientiane,** stol. Laosu, nad Mekongiem, przy granicy z Tajlandią; 651 tys. mieszk. (2002); największe miasto i ośr. gosp. kraju; oczyszczalnie bawełny, zakłady jedwabn., obuwn., gumowy, przetwórnie owoców i warzyw, tartaki; stary ośr. rzemiosła (wyroby ze złota, laki, kości słoniowej); międzynar. port lotn., port rzeczny; połączenie promowe z m. Nong Khai w Tajlandii; uniw.; muzea; zał. w XIII w.; pałac król. (XVI w.); zabytkowe świątynie (XVI, XVIII, XIX w.).

Wieprz, rz., pr. dopływ środk. Wisły; dł. 303 km, pow. dorzecza 10 415 km²; źródła na Roztoczu Środk., ok. 5 km na pn. od Tomaszowa Lubelskiego, przepływa przez Wyż. Lubelską, Polesie Wołyńskie, w dolnym biegu na Niz. Południowopodlaskiej i Środkowomazowieckiej silnie meandruje; uchodzi w Dęblinie; średni przepływ przy ujściu 37 m³/s; maks. rozpiętość wahań stanów wody w dolnym biegu 3,4 m; gł. dopływy: Por, Giełczew, Bystrzyca, Minina (l.), Łabuńka, Wolica, Wojsławka, Świnka, Tyśmienica (pr.); poniżej Krasnegostawu od W. odchodzi Kanał → Wieprz–Krzna; gł. m. nad W.: Krasnystaw, Łęczna, Lubartów, Dęblin.

Wieprz–Krzna, Kanał, melioracyjny kanał odprowadzający część wód Wieprza (poniżej Krasnegostawu) do Krzny Pd. (k. Międzyrzeca Podlaskiego); oddany do użytku 1961; dł. 140 km; reguluje stosunki wodne na 40 tys. ha gruntów ornych i 80 tys. ha użytków zielonych; spowodował przesuszenie gruntów w pobliżu kanału, murszenie torfów i degradację gleb.

■ Wietnam

■ Wietnam. Pole ryżowe

Wieprza, rz. na Pojezierzu Zachodniopomorskim i Pobrzeżu Koszalińskim; dł. 112 km, pow. dorzecza 2170 km²; wypływa na Pojezierzu Bytowskim, uchodzi do M. Bałtyckiego w Darłowku; średni przepływ przy ujściu 23,6 m³/s; maks. rozpiętość wahań stanów wody w dolnym biegu 3,3 m; gł. dopływ — Grabowa (l.); niewielkie elektrownie; gł. m. nad W. — Sławno, Darłowo.

Wierchojańskie, Góry, Wierchojanskij chriebiet, góry w azjat. części Rosji, w Jakucji; ciągną się od delty Leny do rz. Tompo (pr. dopływ Ałdanu); dł. 1200 km, wys. do 2389 m; zbud. gł. z paleozoicznych skał osadowych, miejscami poprzecinanych intruzjami granitów i diabazów; zach. stoki strome; głęboko rozcięte dolinami rzek; G.W. stanowią dział wodny między dorzeczami Leny, Jany i Indygirki; w dolnym piętrze rzadkie lasy modrzewiowe, od wys. 800–1200 m zarośla olchy i kosej limby, powyżej kamienista krzewinkowa tundra górska; na najwyższych szczytach ark. pustynia. Do

systemu G.W. zalicza się także pasma Sette--Daban i Suntar-Chajata.

Wieruszów, m. powiatowe w woj. łódz., nad Prosną; 8,4 tys. mieszk. (2000); ośr. usługowy, przem. (meble, płyty wiórowe, odzież) i turyst.; przystań rzeczna; węzeł drogowy; prawa miejskie 1368–1870 i od 1919; od 1401 klasztor Paulinów (XVII w.).

Wierzchowska Górna, Jaskinia, jaskinia w górnej części doliny Kluczwody (Wyż. Olkuska), na zach. od wsi Biały Kościół; utw. w wapieniach jurajskich; dł. ok. 950 m; 3 otwory wejściowe; liczne nacieki, przeważnie uszkodzone; w namulisku szczątki kostne zwierząt plejstoceńskich; 370 m korytarzy udostępniono do zwiedzania (w sezonie letnim), wystawa poświęcona jaskini z rekonstrukcjami wymarłych ssaków i człowieka neandertalskiego; w pobliżu Jaskinia Wierzchowska Dolna.

Wierzyca, rz. na pojezierzach Starogardzkim i Kaszubskim, l. dopływ dolnej Wisły; dł. 151 km, pow. dorzecza 1603 km²; źródła na pd.-wsch. od szczytu Wieżyca; przepływa przez kilka jezior (Grabowskie, Wierzysko, Zagnanie), uchodzi w Gniewie; średni przepływ przy ujściu 8,9 m³/s; maks. rozpiętość wahań stanów wody w dolnym biegu 2,8 m; liczne elektrownie wodne; gł. dopływ Wietcisa (l.); m. nad W. — Starogard Gdański, Pelplin, Gniew; W. z dopływami stanowi szlak kajakowy.

Wietnam, Viet Nam, Socjalistyczna Republika Wietnamu, państwo w pd.-wsch. Azji, na Płw. Indochińskim, nad M. Południowochińskim; 331,7 tys. km²; 80,3 mln mieszk. (2002), Wietnamczycy (87% ludności), Tajowie, Khmerowie, Chińczycy (na pd. kraju), plemiona górskie: Muongowie, Nungowie, Miao; buddyści (67% mieszk.), animiści, katolicy; przyrost naturalny 14,5‰ (2000); ponad połowa ludności skupiona w deltach rzek; stol. Hanoi, inne gł. m. i porty: Ho Chi Minh, Hajfong; język urzędowy wietn.; republika. Na zach. łańcuch G. Annamskich, ciągnący się południkowo na dł. ok. 1200 km, na pn. wyż. Viet Bac i liczne pasma górskie z najwyższym szczytem w kraju Fan Si Pan (3142 m), wzdłuż wybrzeża wąskie niziny z rozległymi deltami Rz. Czerwonej na pn. i Mekongu na pd.; klimat monsunowy, na pn. zwrotnikowy, na pd. podrównikowy; lasy monsunowe, równikowe wilgotne, sawanny; postępujący ubytek lasów (1950–92 ich pow. zmniejszyła się o połowę, do ok. 20%). Kraj rozwijający się, do 1990 o centr. systemie planowania; wzrost gosp. związany z prywatyzacją majątku państw. (małe zakłady przem., sklepy), przekazaniem chłopom ziemi w wieloletnią dzierżawę i napływem kapitału zagr.; podstawą gospodarki tradycyjne rolnictwo; uprawa ryżu (ok. 95% pow. zasiewów), kukurydzy, trzciny cukrowej, kawy, herbaty; rybołówstwo śródlądowe i mor.; wydobycie ropy naft. ze złóż podmor., węgla kam., rud żelaza; rozbudowa przemysłu (włók., odzież., obuwn., elektron., samochodowy) w specjalnych strefach ekon.: Ho Chi Minh, Hanoi–Hajfong i Danang, otwartych dla inwestorów zagr.; rzemiosło o wielowiekowych tradycjach (wyroby z bambusa, laki, drewna, kości słoniowej); wzdłuż wybrzeża gł. droga samochodowa i linia kol. Hanoi–Ho Chi Minh. ∎

wietrzenie, rozpad mech. i rozkład chem. skał wskutek działania energii słonecznej, powietrza, wody i organizmów. Zachodzi na powierzchni Ziemi i w jej przypowierzchniowej strefie, zw. strefą wietrzenia (głęb. od kilku do kilkudziesięciu m). W i e t r z e n i e f i z y c z n e (mech.) jest wywołane zmianami temperatury, rozsadzającym działaniem zamarzającej w szczelinach skalnych wody (wietrzenie mrozowe) oraz mech. działaniem organizmów, prowadzi do rozpadu skały na bloki, gruz, okruchy lub poszczególne ziarna dezintegracja skał, eksfoliacja). W i e t r z e n i e c h e m i c z n e jest spowodowane gł. procesami rozpuszczania, hydratacji, hydrolizy, utleniania, redukcji i uwęglanowienia (karbonatyzacji), przebiegającymi gł. pod działaniem wody, tlenu, dwutlenku węgla, kwasów humusowych, bakterii. Produktem w., zarówno fizycznego, jak i chemicznego, jest → zwietrzelina. Intensywność i charakter procesów w. zależą od rodzaju skały oraz warunków klim. (gł. ilości wody oraz temperatury); w klimacie suchym (pustynnym) przeważa w. fizyczne, w klimacie gorącym i wilgotnym — w. chemiczne. W wyniku w. fizycznego tworzą się skały okruchowe, wskutek w. chemicznego — niektóre skały chem., boksyty, lateryty, terra rossa. Procesy wietrzeniowe ułatwiają erozję, powodują powstanie gleby, a także tworzenie się swoistych form skalnych (np. Prządki k. Krosna). ∎

Wieżyca, najwyższe wzniesienie Wzgórz Szymbarskich, na Pojezierzu Kaszubskim, na pd.-zach. od Kartuz; wys. 329 m (kulminacja Pojezierzy Bałtyckich); liczne zwały głazów narzutowych; stoki porasta las mieszany z fragmentem lasu bukowego (rezerwat). U pd.-zach. podnóża W. wieś letniskowa Szymbark — najwyżej położona wieś pomor. (250 m), u pn. podnóża — letnisko Wieżyca.

Więcbork, m. w woj. kujawsko-pomor. (powiat sępoleński), nad Jez. Więcborskim; 5,6 tys. mieszk. (2000); ośr. usługowy; przemysł drzewny i metal.; węzeł kol. i drogowy; późnobarok. kościół parafialny.

Wigry, jez. rynnowe na Równinie Augustowskiej, na pn. krańcu Puszczy Augustowskiej, na obszarze Wigierskiego Parku Nar.; pow. 2186,7 ha (w tym 18 wysp o pow. 68,4 ha), dł. 17,5 km, szer. 3,4 km, maks. głęb. 73 m (jedno z najgłębszych jezior w Polsce); największe wyspy: Ostrów, Ordów, Krowa, Brzozowy Ostrów, Kamień; silnie rozwinięta linia brzegowa (dł. 72 km); brzegi przeważnie wysokie, zalesione; przez pn. część W. przepływa Czarna Hańcza; szlak kajakowy; liczne wsie nadbrzeżne, gł. letniskowe, turystycznie zagospodarowane, m.in.: Stary Folwark, Gawrych Ruda, Bryzgiel, Cimochowizna.

Wiktoria, Victoria, stan w pd.-wsch. Australii; 227,6 tys. km^2; 4,8 mln mieszk. (2002), w tym ludność rdzenna 0,4%; stol. Melbourne, inne gł. m.: Geelong, Ballarat, Bendigo; użytki rolne 1/2 pow.; hodowla owiec, bydła, koni; uprawy:

zboża (pszenica, kukurydza), ziemniaki, chmiel, drzewa owocowe, winorośl; wydobycie węgla brun. (dolina Latrobe), ropy naft. i gazu ziemnego (w Cieśn. Bassa), soli kam., złota; duże elektrownie cieplne, w G. Śnieżnych — wodne; przemysł spoż. (w produkcji masła i sera W. zajmuje 1. miejsce w kraju), samochodowy, lekki, chem., hutnictwo aluminium; transport rurociągowy.

∎ Wietrzenie fizyczne. Łuk skalny w Parku Narodowym Canyonlands (USA)

∎ Wietrzenie chemiczne. Krajobraz krasowy w południowych Chinach

Wiktorii, Jezioro, Lake Victoria, największe jez. w Afryce, na granicy Tanzanii, Ugandy i Kenii, w środk. części niecki Uniamwezi, między Wielkim Rowem Zach. a Wielkim Rowem Wsch. (→ Wielkie Rowy Afrykańskie); leży na wys. 1134 m; pow. ok. 68 tys. km^2, dł. ok. 400 km, szer. ok. 250 km, głęb. do 80 m; linia brzegowa silnie rozwinięta; głębokie zatoki, liczne wyspy o łącznej pow. ok. 6 tys. km^2 (gł. w pobliżu pn. i pd. brzegów), największa Ukerewe (zamieszkana); do J.W. uchodzą rz.: Kagera, Mara, Nzoia, z jeziora wypływa Nil Wiktorii (tworząc wodospady Ripon i Owena); rybołówstwo (zwł. na pn.); bogata fauna (krokodyle, liczne gatunki ptactwa wodnego); żegluga; gł. m. nad J.W.: Jinja, Entebbe, Mwanza, Bukoba, Musoma, Kisumu. Odkryte 1858 przez J.H. Speke'a. W pobliżu pd.-wsch. brzegu J.W. Park Nar. Serengeti.

Wiktorii, Wodospad, Victoria Falls, Mosicatunga, wodospad na rz. Zambezi, na granicy Zambii i Zimbabwe, na pd. od m. Maramba; wys. 120 m, szer. 1800 m; rozdzielony małymi skalistymi wyspami na Wschodni, Tęczowy i Główny; rz. Zambezi spada tu z bazaltowego progu do wąskiej, głębokiej bruzdy (w podłożu piaskowce) w korycie rzeki; pd. część W.W., w Zimbabwe,

■ Wodospad Wiktorii

wchodzi w skład Parku Nar. Wodospadów Wiktorii (pow. 525 km²; zał. 1952). Odkryty 1855 przez D. Livingstone'a. Poniżej W.W., 130 m nad poziomem rzeki, znajduje się most kol.-drogowy łączący Zambię z Zimbabwe. ■

Wiktorii, Ziemia, Victoria Land, część obszaru Antarktydy Wsch., nad O. Spokojnym, między Ziemią Wilkesa a M. Rossa; wnętrze pokryte lądolodem (wys. ok. 2500 m); w pobliżu wybrzeża G. Admiralicji (Góra Sabine'a, 3850 m) oraz pasma: Księcia Alberta, Olympus, Towarzystwa Królewskiego (Góra Listera, 4025 m); w pobliżu pasma Olympus w „suchych dolinach" Wrighta i Taylora, 2 dość duże jeziora — Vanda i Jez. Bonneya; liczne lodowce (największy Lodowiec Rennicka); w części nadmor. wyróżnia się wybrzeża: Jerzego V, Oatesa, Pennella, Borchgrevinka, Scotta; stacje nauk.: nowozelandzka „Vanda" (zał. 1969 nad jez. Vanda, czynna sezonowo), amer. „Hallet" oraz ros. „Leningradzka" (zał. 1971).

■ Wilno. Panorama miasta

Wilamowice, m. w woj. śląskim (powiat bielski); 2,8 tys. mieszk. (2000); ośr. usługowy regionu sadowniczego; przemysł lniarski; prawa miejskie 1934; w parku dwór (XVIII w.).

wilgotność, wielkość określająca zawartość dowolnej cieczy (lub jej pary), najczęściej zawartość wody (pary wodnej), w substancji stałej lub gazowej. Wilgotność materiałów stałych określa się zwykle stosunkiem masy cieczy zawartej w materiale do masy suchego materiału (wilgotność właściwa); ciecz może być utrzymywana w materiale stałym w sposób mech. (np. w porach, komórkach sieci przestrzennej żelu), wskutek działania sił międzycząsteczkowych (adsorpcja) lub osmotycznych; przy określaniu w. substancji nie uwzględnia się cząsteczek wody związanych z cząsteczkami tej substancji wiązaniami chemicznymi. Dla gazów rozróżnia się: wilgotność bezwzględną — stosunek masy pary wodnej zawartej w pewnej objętości gazu do tej objętości (wyrażony w kg/m³); wilgotność względną — stosunek ciśnienia cząstkowego pary wodnej zawartej w danym gazie do prężności pary wodnej nasyconej w tej samej temperaturze (wyrażany w %). W. powietrza jest jednym z ważniejszych czynników określających pogodę i klimat. Do pomiarów w. wykorzystuje się zależności niektórych wielkości fiz. substancji (np. przewodności elektr. lub gęstości) od ich w. W celu zmniejszenia w. ciała stosuje się suszenie.

Wilia, białorus. **Wilija,** litew. **Neris,** rz. na Białorusi i Litwie, pr. dopływ Niemna; dł. 510 km, pow. dorzecza 25,1 tys. km²; źródła na pn. od Mińska; w środk. i dolnym biegu brzegi wysokie, w korycie — progi; gł. dopływ — Święta (pr.); żegl. odcinkami; gł. m. nad W.: Wilno, przy ujściu — Kowno.

Wilno, Vilnius, stol. Litwy, nad Wilią; 556 tys. mieszk. (2002); międzynar. targi rolno-spoż.; przemysł maszyn. i metal., precyzyjny, elektrotechn., chem., lekki, spoż.; węzeł kol., międzynar. port lotn.; AN Litwy; 5 szkół wyższych, w tym uniw. i konserwatorium; muzea, galeria obrazów. Osada z V w.; prawa miejskie od 1387; cenny zespół zabytków architektury i sztuki (XIV–XX w.) o charakterystycznych cechach przenikania się kultur — pol., litew., białorus., żyd. i niem.; pozostałości Zamku Górnego (XIV–XV w.) ks. Giedymina; fragmenty miejskich murów obronnych z Ostrą Bramą (sanktuarium Matki Bożej Ostrobramskiej) oraz bramą Subocz; katedra (XIV, XVI–XVIII w.) z kaplicą Św. Kazimierza (XVII w., w podziemiach groby król.); liczne kościoły, m.in.: Św. Jana (XIV, XV, XVIII w.), późnogot. Św. Anny (XVI w.), Bernardynów (XVI w.), Św. Kazimierza (XVII, XIX w.), Św. Teresy (XVII w.), Św. Katarzyny (XVII, XVIII w.), barok. Św. Piotra i Pawła na Antokolu (XVII, XVIII w.), Misjonarzy (XVII, XVIII w.); inne świątynie: katedra prawosł. (XVII, XIX w.), klasztor i kościół Bazylianów (XVII, XVIII w. z „celą Konrada" — miejscem uwięzienia A. Mickiewicza), 2 kościoły ewang. (XVI, XVII, XIX w.), meczet (XIX w.), synagoga (1903); budowle świeckie: alumnat greckokatol. (XVI–XVII w.); Stary Arsenał

(XVI–XVII w.); pałace, m.in. Słuszków (XVII w.), Biskupi (XVIII w.); zespół budowli uniw. (XVI–XIX w.); ratusz (XVIII — ob. muzeum). ■

Wiluj, rz. w azjat. części Rosji, najdłuższy (l.) dopływ Leny; dł. 2650 km, pow. dorzecza 454 tys. km²; płynie przez Wyż. Środkowosyberyjską (na dużym odcinku dolina głęboko wcięta w płytę bazaltową, w korycie — progi); dolny bieg na Niz. Środkowojakuckiej; gł. dopływy: Czona (pr.), Marcha, Tiung (l.); średni przepływ przy ujściu 1480 m³/s; zamarza na ok. 7 mies.; żegl. 1317 km; w środk. biegu Elektrownia Wilujska i zbiornik retencyjny (pojemność 35,9 km³); połów ryb (jesiotr, troć i nelma); gł. m. nad W. — Wilujsk.

Windhuk, Windhoek, stol. Namibii, w środk. części kraju, na wys. ok. 1650 m; 194 tys. mieszk. (2002); przemysł wełn., mięsny, metal., chem.; ośr. handl. regionu hodowli owiec karakułowych; międzynar. port lotn.; węzeł drogowy; szkoły wyższe; nar. galeria sztuki; zał. 1890.

Winnipeg [uyny~], ang. **Lake Winnipeg,** franc. **Lac Winnipeg,** jez. polodowcowe w pd. Kanadzie, w prow. Manitoba, na wys. 217 m; pow. 24,6 tys. km², głęb. do 214 m; rozwinięta linia brzegowa; liczne wyspy (największa Reindeer, 181 km²); pokryte lodem od listopada do kwietnia; do W. uchodzą rz.: Red, Saskatchewan, Winnipeg, wypływa — Nelson (do Zat. Hudsona); żegluga; rybołówstwo; W. stanowi pozostałość wielkiego plejstoceńskiego jez. Agassiz.

Wirginia, Virginia, stan w USA, nad O. Atlantyckim; 105,6 tys. km², 7,3 mln mieszk. (2002); stol. Richmond; gł. zespół miejski i portowy tworzą m.: Norfolk, Newport News, Hampton, Portsmouth; Appalachy, na wsch. Niz. Atlantycka; lasy gł. liściaste; hodowla bydła, drobiu; uprawa tytoniu, kukurydzy; wydobycie węgla kam., rud ołowiu, cynku; przemysł włók., tytoniowy, chem., stoczn.; rybołówstwo.

Wirginia Zachodnia, West Virginia, stan w USA, w Appalachach; 62,8 tys. km², 1,8 mln mieszk. (2002); stol. Charleston; górnictwo węgla kam., ropy naft., gazu ziemnego, hutnictwo żelaza; przemysł chem., maszyn.; sadownictwo; hodowla bydła mlecznego; eksploatacja lasów (80% pow.); żegluga na Ohio; turystyka.

Wirunga, Birunga, ang. i franc. **Virunga,** wulk. grupa górska w Wielkim Rowie Zach. (→ Wielkie Rowy Afrykańskie), na granicy Zairu, Ruandy i Ugandy, na pn. od jez. Kiwu; składa się z 8 potężnych wulkanów (2 czynne — Nyiragongo, wys. 3470 m i Nyamulagira, 3052 m), najwyższy Karisimbi, 4507 m; do wys. 2300–2500 m górskie, wiecznie zielone lasy równikowe, wyżej zarośla bambusów i wrzośców, w najwyższych piętrach łąki; w lasach bogata fauna (m.in. goryle górskie); większa część W. wchodzi w skład Parku Nar. W., wpisanego na Listę Świat. Dziedzictwa Kult. i Przyr. UNESCO.

Wisconsin [ᵁyskọnsyn], stan w USA, nad Jez. Górnym i Michigan; 145,4 tys. km², 5,4 mln mieszk. (2002); stol. Madison, gł. m. i port Milwaukee; nizina polodowcowa ze wzgórzami; ok. 8,5 tys. jezior (Winnebago); lasy ok. 45% pow.; hodowla bydła mlecznego; uprawa kuku-

rydzy, buraków cukrowych, roślin pastewnych, warzyw; sadownictwo; wydobycie rud żelaza, cynku; przemysł maszyn., metal., mleczarski, drzewno-papierniczy; żegluga na Drodze Wodnej Św. Wawrzyńca; turystyka.

Wisła, m. w woj. śląskim (powiat cieszyński), nad Wisłą (w pobliżu źródeł), na wys. 500–750 m; 11,9 tys. mieszk. (2000); duży ośr. turyst.-wypoczynkowy i sportów zimowych; kamieniołom, tartak; Muzeum Beskidzkie im. Andrzeja Podżorskiego; wieś wzmiankowana w XVII w.; prawa miejskie od 1962; pałacyk prezydenta I. Mościckiego.

Wisła, największa rz. w Polsce i w zlewisku M. Bałtyckiego; dł. 1047 km, pow. dorzecza 194,4 tys. km² (w Polsce 168,7 tys. km², bez delty). Bierze początek na stokach Baraniej Góry (Beskid Śląski); za źródłowy potok przyjmuje się Czarną Wisełkę, wypływającą na wys. 1107 m; drugim potokiem źródłowym jest Biała Wisełka. Poniżej połączenia się potoków źródłowych, w granicach miasta Wisła (w Czarnem), zapora i zbiornik retencyjny. Pod Ustroniem W. wypływa z gór i usypuje wielki stożek napływowy, następnie (k. Strumienia) zmienia kierunek z pn. na wsch. i zasila duży zbiornik retencyjny (Jez. Goczałkowickie). W Kotlinie Oświęcimskiej przyjmuje 3 większe dopływy: Sołę i Skawę z Karpat oraz Przemszę z Wyż. Śląskiej. W okolicy Krakowa W. jest częściowo skanalizowana przez wybudowane tu 4 stopnie wodne: Łączany (wraz z Kanałem Łączańskim), Dąbie, Przewóz, Kościuszko; w budowie są jeszcze 2 — Dwory i Smolice. Poniżej Krakowa W. skręca na pn.-wsch. i płynie przez Kotlinę Sandomierską, przyjmując kolejne dopływy karpackie: Rabę, Dunajec, Wisłokę i San, a z Wyż. Małopolskiej — Szreniawę, Nidę, Czarną, Koprzywiankę i Opatówkę. Między Zawichostem a Puławami rzeka płynie doliną o stromych zboczach i płaskim dnie, tworząc przełom między Wyż. Kielecką a Wyż. Lubelską. Na tym odcinku uchodzą dopływy: Kamienna, Iłżanka (l.), Wyżnica i Chodelka (pr.). Wpływając na Niz. Środkowopolskie W. przyjmuje z prawej strony większy dopływ — Wieprz; następnymi dopływami są: Wilga i Świder (pr.) oraz Radomka i największy l. dopływ — Pilica. W okolicy Warszawy zbiega się ku W. koncentrycznie kilka rzek: z lewej strony Bzura, z prawej — Narew z Bugiem i Wkrą. Od ujścia Narwi rzeka płynie pradoliną w kierunku zach., następnie pn.-zach. i osiąga kotliny Płocką i Toruńską; na tym odcinku przyjmuje Skrwę i Drwęcę (pr.); powyżej Włocławka została wybudowana zapora i zbiornik retencyjny (Jez. Włocławskie). Pod Bydgoszczą W. zmienia kierunek na pn.-wsch. i wkracza w przełom przez Pojezierze Wschodniopomorskie. Tutaj przyjmuje dopływy: Brdę, Wdę i Wierzycę (l.) oraz Osę i Liwę, uchodzącą do Nogatu (pr.). Poniżej Gniewa zaczyna się delta W. (Żuławy Wiślane), którą utworzyły 2 gł. ramiona: → Leniwka (zach.) i → Nogat (wsch.). Leniwka uchodziła niegdyś do M. Bałtyckiego pod Gdańskiem, Nogat zaś do Zalewu Wiślanego pod Elblągiem. W wyniku prac regulacyjnych pod koniec XIX w. zamknięto boczne odgałęzienie śluzami, zaś wody W. skierowano (1895) wprost do M. Bałtyckiego sztucznym przekopem pod Świbnem. W. jest rzeką dość ubogą w wodę; średni przepływ w środkowym biegu 449 m³/s (Zawichost), w dolnym — 1090 m³/s (Tczew); maks. rozpiętość wahań stanów wody do 10 m. Często występują w niej głębokie i długotrwałe niżówki jesienne; niski stan wód W. utrudnia lub często uniemożliwia żeglugę. Powszechnym zjawiskiem są wezbrania wód, prowadzące niejednokrotnie do wystąpienia powodzi w dolinie W. Powodzie w górnym biegu pojawiają się najczęściej w lipcu (wynik ulewnych deszczów w górach), w środk. i dolnym — w marcu (spowodowane gł. spływem wód roztopowych w niżowej części dorzecza). Zjawiska lodowe występują na W. już w 3. dekadzie listopada, najwcześniej na odcinku między ujściem Narwi i Drwęcy, najpóźniej w górnym biegu; powyżej Warszawy, w okolicach Góry Kalwarii częste zatory śryżowe; pokrywa lodowa pojawia się zwykle w 2. poł. stycznia, a zanika pod koniec lutego; proces uwalniania od lodu postępuje z pd.-zach. na pn.-wsch., co powoduje zatory lodowe i związane z nimi powodzie w dolnym biegu rzeki. Corocznie W. odprowadza do Zat. Gdańskiej ok. 2,2 mln m³ rumowiska rzecznego, w czasie powodzi kilkakrotnie więcej. W. jest bardzo zanieczyszczona; pod kontrolą znajduje się 894 km biegu rzeki, w tym 93% stanowią wody nadmiernie zanieczyszczone, a 7% (odcinek między ujściem Radomki i Świdra) wody III klasy czystości; dziennie kopalnie węgla kam. odprowadzają do górnej W. zasolone wody kopalniane zawierające ok. 5 tys. t soli; zwiększa się zanieczyszczenie bakteryjne, np. z lewobrzeżnej Warszawy trafia do W. systemem kanalizacji 200 mln m³ ścieków rocznie. W celu zabezpieczenia doliny W. przed powodziami, na jej górskich dopływach (Sole, Dunajcu, Sanie) wybudowano zbiorniki retencyjne, a dalsza ich budowa jest przewidziana w planie perspektywicznym. Planuje się także kanalizację dalszych odcinków W. w górnym biegu — kaskada górnej W. (gł. w okolicy Krakowa, częściowo już w realizacji), jak i w dolnym — kaskada dolnej W., w ramach której ma powstać 7 stopni wodnych w: Wyszogrodzie, Płocku, Ciechocinku, Solcu Kujawskim, Chełmnie, Opalenicy i Tczewie; w środk. biegu W. prowadzi się prace regulacyjne. Kompleksowej regulacji W. przeciwstawiają się ekolodzy, twierdząc, że realizacja planów hydrotechn. zniszczy unikatowe w skali Europy walory przyr. rzeki. ∎

■ Wisła w Kazimierzu Dolnym

Wisłok, rz., l. dopływ dolnego Sanu; dł. 205 km, pow. dorzecza 3528 km²; źródła w Beskidzie Niskim; przepływa przez Pogórze Środkowobeskidzkie i Kotlinę Sandomierską; uchodzi w pobliżu wsi Dębno; średni przepływ przy ujściu 24,4 m³/s; maks. rozpiętość wahań stanów wody w dolnym biegu 6,5 m; gł. dopływy: Pielnica, Stobnica, Mleczka (pr.), Morawa (l.); we wsi Besko zbiornik retencyjny — ujęcie wody dla pobliskich uzdrowisk (Rymanów Zdrój); gł. m. nad W.: Krosno, Rzeszów.

Wisłoka, rz., pr. dopływ górnej Wisły; dł. 164 km, pow. dorzecza 4110 km²; źródła w Beskidzie Niskim; przepływa przez Pogórze Środkowobeskidzkie i Kotlinę Sandomierską, uchodzi poniżej Ostrówka; średni przepływ przy ujściu 35,7 m³/s; maks. rozpiętość wahań stanów wody w dolnym biegu 8,4 m; żegl. 22 km (od ujścia); gł. dopływy: Ropa (l.), Jasiołka, Wielopolka (pr.); m. nad W.: Jasło, Dębica, Mielec.

Wisły Dolnej, Dolina, część doliny Wisły rozciągająca się na dł. ok. 120 km od Bydgoszczy po Gniew, poniżej którego rzeka wpływa na Pobrzeże Gdań., tworząc deltę (→ Żuławy Wiślane); szer. waha się w granicach od 5 do 8 km, a strome zbocza osiągają wys. względną 50–60 m; bieg Wisły jest na tym odcinku uregulowany, a żyzne, utw. z namułów rzecznych dno doliny jest zajęte pod uprawy; miasta (z wyjątkiem Świecia) ulokowały się gł. poza obrębem doliny, na wysokim jej brzegu (Chełmno, Grudziądz, Kwidzyn, Nowe i Gniew); w obrębie D.D.W. rozróżnia się: Dolinę Fordońską, Kotlinę Grudziądzką i Dolinę Kwidzyńską.

Wisły, Małopolski Przełom, dolina Wisły na odcinku przełomowym przez pas Wyż. Polskich, wzdłuż zach. granicy Wyż. Lubelskiej; ciągnie się od Zawichostu po Puławy na dł. ok. 70 km, przy szer. 2,5–3 km; zbocza doliny wznoszą się 60–70 m ponad poziom rzeki i są dosyć strome; dno jest wysłane madami rzecznymi i częściowo zalewane w czasie wysokich stanów wody; pod Opolem Lubel. dolina rozszerza się, ponieważ przylega do niej od wsch. subsekwentna Kotl. Chodelska; pod Kazimierzem Dolnym zwęża się do 1,5 km, a wysokość pokrytych lessem wsch. zboczy wynosi od 80 do 100 m; M.P.W. jest krainą roln., dość gęsto zaludnioną. Ośrodkiem turyst. regionu jest zabytkowy Kazimierz Dolny.

Wiślana, Mierzeja, pn.-wsch. część Pobrzeża Gdań., piaszczysty wał z wydmami ciągnący się na dł. 90 km od Gdańska po płw. Sambia (Rosja); w części zach. mierzeja przylega bezpośrednio do Żuław Wiślanych; w 3 miejscach jest przerwana przez dawne i obecne ujścia Wisły do Zat. Gdańskiej — Martwą Wisłę na obszarze portu gdań., tzw. Śmiałą Wisłę i czynne ob., sztucznie przekopane ujście pod Świbnem (Przekop Wisły); w części wsch. porośnięta lasem mieszanym; mierzeja oddziela od morza Zalew Wiślany; w poł. długości przecina ją granica państwowa. Na M.W. znajdują się kąpieliska mor., m.in.: Krynica Mor., Jantar, Stegna, Sztutowo; rezerwat leśny i ornitologiczny; 1985 utworzono Park Krajobrazowy Mierzei Wiślanej.

Wiślany, Zalew, zatoka M. Bałtyckiego u wybrzeży Polski i obwodu kaliningradzkiego Rosji, oddzielona Mierzeją Wiślaną od Zat. Gdańskiej; połączony z otwartym morzem pogłębianą Cieśn. Pilawską, zw. też Rynną Bałtyjską; szeroka i głębsza pn.-wsch. część Z.W., między cieśniną a ujściem Pregoły, jest zw. Zat. Kaliningradzką. Długość 91 km, szer. ok. 9 km, pow. 838 km², w tym w Polsce 328 km²; brzegi przeważnie niskie i piaszczyste; średnia głęb. 2,6 m, maks. — 5,1 m; temperatura wód od ok. 0°C w zimie do 20,5°C w lipcu; Z.W. jest akwenem słonawym, zasolenie średnie 3‰ — od 0,2‰ do 7‰, zależnie od odległości od Cieśn. Pilawskiej i napływu przez nią wody słonej w czasie sztormów; zjawiska lodowe uzależnione od surowości zim, przeciętnie występują od poł. listopada do kwietnia; średnia grubość lodu 30–40 cm; do Z.W. uchodzą ramiona Wisły, Nogat (odcięcie 1916 odpływu śluzami spowodowało wzrost zasolenia wód zalewu) i Szkarpawa oraz rzeki: Pregoła, Świeża, Pasłęka, Elbląg i inne. Rybołówstwo (m.in. połów węgorza) i żeglarstwo sport.; żegluga w części pol. śródlądowa; gł. porty: Kaliningrad (u ujścia Pregoły), Bałtyjsk (nad Cieśn. Pilawską), Elbląg (nad rz. Elbląg ok. 5 km od Zalewu — do 1945 i od 1996 port mor.), Tolkmicko, Frombork; mor. i oceaniczne statki handl. oraz okręty wojenne wpływają do Kaliningradu (od Cieśn. Pilawskiej do ujścia Pregoły biegnie pogłębiany tor wodny).

Witkowo, m. w woj. wielkopol. (powiat gnieźnieński); 8,1 tys. mieszk. (2000); ośr. usługowy; drobny przemysł; zaplecze mieszkaniowe dla personelu lotniska wojsk. w Powidzu; prawa miejskie przed 1684 (1680?); nad pobliskimi jeziorami (Powidzkim, Niedzięgiel) ośr. wypoczynkowe.

Witnica, m. w woj. lubus. (powiat gorz.), nad Witną (pr. dopływ Warty); 6,7 tys. mieszk. (2000); ośr. usługowy; przemysł metal., spoż., ceram. (kafle); ośr. wypoczynkowy; wzmiankowana 1252; prawa miejskie od 1935.

Wkra, rz. na Niz. Północnomazowieckiej, pr. dopływ dolnej Narwi; dł. 249 km, pow. dorzecza 5322 km²; wypływa na obszarze Garbu Lubawskiego jako Nida; przybiera kolejno nazwy Działdówka i W.; uchodzi powyżej Modlina; średni przepływ przy ujściu 21,9 m³/s; maks. rozpiętość wahań stanów wody w dolnym biegu 4,6 m; gł. dopływy: Mławka, Łydynia, Sona (l.), Raciążnica (pr.); m. nad W.: Nidzica, Działdowo.

Wleń, m. w woj. dolnośląskim (powiat lwówecki), nad Bobrem; 2,01 tys. mieszk. (2000); ośr. kolonijny i leczn.; przemysł spoż. i odzież.; prawa miejskie przed 1261; zamek książąt świdnickich (XIII, XIV–XV w., od poł. XVII w. w ruinie).

Władysławowo, m. w woj. pomor. (powiat pucki), u nasady Mierzei Helskiej, nad M. Bałtyckim; 14,9 tys. mieszk. (2000); port rybacki; przemysł rybny, stocznia remontowa; ośr. turyst.-wypoczynkowy (zwł. dzielnice Jastrzębia Góra, Karwia, Chałupy) i leczn. (Jastrzębia Góra); w dzielnicy Cetniewo sport. ośr. szkoleniowy; wzmiankowane 1248; prawa miejskie od

1963; nowocz. kościół Wniebowzięcia NMP (1961); pomnik J. Hallera (1995).

Włochy, Italia, **Republika Włoska,** państwo w pd. Europie, na Płw. Apenińskim, nad M. Śródziemnym — od zach. M. Liguryjskie i M. Tyrreńskie, od pd. M. Jońskie, od wsch. M. Adriatyckie; 301,3 tys. km², 58,1 mln mieszk. (2002); stol. Rzym; język urzędowy wł.; republika; składa się z 20 regionów autonomicznych (94 prowincje); do W. należą wyspy: Sycylia, Sardynia, W. Liparyjskie, W. Poncjańskie, W. Toskańskie, W. Pelagijskie i in.; enklawy: San Marino, Watykan.

Warunki naturalne
Na terytorium W. wyróżnia się 3 wielkie regiony: W. Północne z Alpami i Niz. Padańską, Płw. Apeniński i wyspy; przeważającą część powierzchni zajmują młode łańcuchy górskie z orogenezy alp.; w Alpach liczne formy rzeźby polodowcowej (cyrki lodowcowe, jeziora, głębokie doliny polodowcowe), najwyższy szczyt W. i Europy — Mont Blanc (4807 m); na pd. od Alp aluwialna Niz. Padańska; przez całą długość Płw. Apenińskiego przebiega łańcuch Apenin, z najwyższymi pasmami w części środk. (Apenin Abruzyjski, wys. do 2912 m) i licznymi kotlinami wewn.; od pd.-wsch. i zach. przylega do Apenin strefa pogórzy — Preapeniny; wyspy przeważnie górzyste i wyżynne; W. leżą w strefie aktywnej sejsmicznie — czynne wulkany: Wezuwiusz, Etna, Stromboli, Vulcano. W pn. części kraju klimat umiarkowany ciepły, na Niz. Padańskiej o cechach kontynent., w Alpach górski (silnie wykształcone piętra klim.--roślinne); na Płw. Apenińskim i na wyspach — klimat podzwrotnikowy śródziemnomor.; średnie temp. w styczniu w Alpach poniżej 0°C, na pozostałym obszarze od 0–2°C na pn. do 10–12°C na pd. i wyspach, w lipcu w Alpach poniżej 15°C, na pozostałym obszarze 23–25°C; w lecie gorące, suche wiatry — sirocco; roczna suma opadów od 500–600 mm na nizinach Sardynii, Sycylii i wsch. części Płw. Apenińskiego, do 2000 mm w Apeninach i 3000 mm w Alpach. Sieć rzeczna dobrze rozwinięta w pn. W.; gł. rz.: Pad, Adyga, Brenta, Piawa, Tyber, Arno, Volturno; na rzekach alp. liczne elektrownie wodne; największe jeziora (tektoniczno-polodowcowe): Garda, Maggiore, Como; w Alpach lodowce.

■ Włochy

■ Włochy. Wyspa Capri

Roślinność naturalna w znacznym stopniu zniszczona, na Płw. Apenińskim i wyspach przeważają wtórne zarośla typu makia, resztki wiecznie zielonych lasów złożonych z dębów, kasztanów, w wyższych piętrach Apenin i Alp lasy iglaste, łąki alp.; lasy zajmują ok. 23% pow. kraju; obszary chronione 7,3% pow. kraju (1997); liczne parki nar., m.in. Gran Paradiso w Alpach, Abruzzo w Apeninach, Stelvio w Alpach Retyckich.

Ludność

Włosi (94%), ponadto Sardyńczycy, Friulowie, Tyrolczycy, Słoweńcy, Albańczycy; katolicy — 83% ludności; stały spadek przyrostu naturalnego, od 1993 — ujemny (–0,9‰, 2000); postępuje proces starzenia się społeczeństwa, ponad 20% populacji w wieku powyżej 60 lat; ograniczenie wysokiej emigracji ekon. (zwł. do USA, Kanady, Brazylii) w wyniku rozwoju gosp.; trwa migracja wewn. z pd. na pn. kraju; nierównomierne rozmieszczenie ludności; średnia gęstość zaludnienia 190 mieszk. na 1 km^2 (2000), największa (ponad 400 mieszk. na 1 km^2) na Niz. Padańskiej, najmniejsza w wysokogórskich regionach Alp oraz w Apeninach; w miastach 67% mieszk.; 10 aglomeracji miejskich powyżej 1 mln mieszk., największe: Rzym, Mediolan, Neapol, Turyn, Bari, Palermo; struktura zaw. ludności: usługi (w tym handel i finanse) — 62% zawodowo czynnych, przemysł — 33%, rolnictwo i rybołów-stwo — 5% (1990); wskaźnik bezrobocia prze-kracza 10%.

Gospodarka

Kraj wysoko rozwinięty; znaczny udział sektora państw. w przemyśle i transporcie; duże dyspro-porcje w stopniu rozwoju regionów: wysoko uprzemysłowiona północ, słabiej rozwinięta część środk. oraz roln. południe. Górnictwo odgrywa coraz mniejszą rolę z powodu wyczer-pania wielu złóż; wydobycie ropy naft. i gazu ziemnego na Niz. Padańskiej, rud cynku i ołowiu (Sardynia), rtęci, boksytów, ponadto siarki (Sy-cylia), soli kam. z wody mor. oraz surowców bud. (m.in. marmury z Carrary); podstawą energetyki są elektrownie cieplne (gł. gazowe i naft.), ponadto wodne, jądr. i geotermalne. Wszechstronnie rozwinięty przemysł przetwór-czy; największe znaczenie ma przemysł środków transportu; produkcja samochodów osobowych (1,6 mln sztuk, 1997), ciężarowych, autobusów, taboru kol. — gł. w Turynie (koncern Fiat), Mediolanie, Bolzano; największe stocznie w Ge-nui, Savonie; rafinerie zlokalizowane gł. w por-tach, przetwarzają ponad 100 mln t rocznie importowanej ropy naft.; duże kombinaty hutn. w Genui, Neapolu, Tarencie; świat. producent sprzętu gospodarstwa domowego (3. miejsce w produkcji pralek, chłodziarek), gł. ośr. Rzym, Neapol; w rejonie m. Ivrea zakłady koncernu Olivetti — produkcja maszyn biurowych i kom-puterów; w Turynie, Mediolanie i Genui skon-centrowany przemysł obrabiarkowy, maszyn górn., bud., roln., drogowych; poza tym prze-mysł chem. (Rzym), szklarski (Wenecja), poli-graficzny (Rzym, Mediolan); powszechnie roz-winięty przemysł włók. i odzież. (gł. Florencja, Mediolan), skórz. i obuwn. (2. miejsce, po Chinach w świat. produkcji obuwia) oraz spoż. (makarony, wina, oliwa). Rolnictwo intensywne w części pn. (duże gospodarstwa rolne), eksten-sywne na pd.; użytki rolne zajmują 56% pow. kraju, w tym grunty orne i sady ok. 40%; największą powierzchnię upraw zajmują zboża (pszenica, kukurydza, ryż), zwł. na Niz. Padań-skiej; duże znaczenie ma sadownictwo: winorośl (1. miejsce w zbiorach świat., 1997) i oliwki (1. miejsce) na Płw. Apenińskim oraz drzewa cytrusowe, migdałowce i figowce, gł. na wy-spach; uprawa roślin strączkowych i tytoniu w pd. części W., warzyw (zwł. pomidory) i kwiatów — w pn.; hodowla bydła, trzody chlewnej, gł. na pn., owiec na pd., w całym kraju — drobiu; rozwinięte rybołówstwo mor., zwł. przybrzeżne (sardynki, tuńczyk, krewetki); gł. porty rybackie: Bari, Rimini, Ankona. Ważnym działem gospo-darki jest turystyka (32,9 mln turystów zagr., wpływy 30 mld dol. USA, 1996); rozbudowana infrastruktura turyst.; gł. ośr. i regiony turyst.: zabytkowe miasta (Rzym, Wenecja, Florencja, Neapol, Mediolan, Piza, Padwa), Alpy z ośr. sportów zimowych (Cortina d'Ampezzo), Riwie-ra Włoska; duży napływ pielgrzymów, zwł. do Rzymu i Asyżu. Sieć komunik. dobrze rozwinię-ta, gł. na pn.; w przewozach dominuje transport samochodowy (77% ładunków); długość dróg samochodowych ponad 300 tys. km, w tym ok. 6,5 tys. km autostrad, m.in. znana Autostrada

Słońca; maleje znaczenie transportu kol.; w rozbudowie transport rurociągowy, zwł. gazo-ciągowy; rozwinięta komunikacja lotn., najwięk-sze porty: Rzym i Mediolan; przeładunek w portach mor. ok. 280 mln t; gł. porty: Genua, Triest, Wenecja, Neapol; żegluga kabotażowa i promowa, m.in. na Sycylię, Sardynię oraz do Grecji i Francji. Wymiana handl. W. stanowi 4,5% wymiany międzynar.; eksport gł. artykułów przem. (środki transportu, maszyny, odzież, obuwie), rolno-spoż.; import artykułów przem., surowców, paliw; handel gł. z Niemcami, Fran-cją, Holandią, Hiszpanią. ■

Włocławek, m. w woj. kujawsko-pomor., przy ujściu Zgłowiączki do Wisły, gł. poniżej Jez. Włocławskiego; pow. grodzki, siedziba pow. włocław.; 123 tys. mieszk. (2000); ośr. przem., usługowy i kult.; stoł diecezji włocł. Kościoła rzymskokatol.; przemysł: chem. (zakłady azoto-we, farby i lakiery), celulozowo-papierniczy, spoż., ceram., precyzyjny, metal., odzież., skórz., mebl.; zapora i elektrownia wodna (162 MW); przedsiębiorstwa bud.-montażowe i transporto-we, oddziały i filie banków; węzeł drogowy, port rzeczny i przystań pasażerska; Wyższe Semina-rium Duchowne (najstarsze w Polsce), Wyższa Szkoła Pracy Socjalnej; orkiestra kameralna, teatr., muzea, m.in. Kujaw i Ziemi Dobrzyńskiej; prawa miejskie od 1261 (ponownie 1339); 1975–1998 stol. woj.; got. katedra (przebud. XIX w.), późnogot. kościół parafialny z renes. kaplicą i wieżą, got. kościół Św. Witalisa, barok. kościół i klasztor Reformatów.

Włocławski Zbiornik Wodny, Jezioro Włocł-awskie, zbiornik retencyjny na Wiśle w Kotlinie Płockiej; utw. 1970 przez spiętrzenie dolnej Wisły stopniem wodnym (wys. piętrzenia 14 m) powyżej Włocławka; pow. 70,4 km^2 (największy w Polsce), dł. 59 km, szer. ok. 2,5 km, maks. głęb. 8 m, pojemność całkowita 408 hm^3, pojemność użytkowa ok. 46 hm^3, wys. zwierciadła wody 57 m; wykorzystywany do celów energ., żeglu-gowych, zaopatrzenia w wodę zakładów przem. i ochrony przeciwpowodziowej; przy zbiorniku elektrownia wodna o mocy 162 MW (największa elektrownia wodna w Polsce). Przy ujściu Skrwy (Pn.) rezerwat; na lewym brzegu — Gostynińsko--Włocł. Park Krajobrazowy.

Włodawa, m. powiatowe w woj. lubel., nad Bugiem, u ujścia Włodawki; 14,8 tys. mieszk. (2000); ośr. usługowy; przemysł spoż., skórz., drzewny; węzeł drogowy; prawa miejskie przed 1525 (po 1507); późnobarok. zespół klasztorny Paulinów, późnobarok. synagoga.

Włoszczowa, m. powiatowe w woj. święto-krzyskim; 11,1 tys. mieszk. (2000); ośr. usługo-wy; przemysł drzewny (tartak, zakłady stolarki bud.); węzeł drogowy; prawa miejskie 1539–1870 i od 1916; barok. kościół.

włókniste rośliny, rośliny włóknodajne, ro-śliny dostarczające naturalnych włókien do wy-robu tkanin, mat, dywanów, artykułów powroź-niczych, szczotek, pędzli, papieru, pilśni, filcu, także włókien tapicerskich. W.r. obejmują ok. 2 tys. gat., przy czym użytkuje się mniej niż połowę; największe znaczenie gosp. w skali świat. mają: bawełna (dostarcza ok. 60% wszystkich włókien przędnych), juta kolorowa, len, konopie, agawa sizalska, szczmiel biały, banan manilski, juka włóknista, różne gat. palm dostarczających włókien nieprzędnych (np. rafia, piasawa), serecznik; włókna otrzymywane są z włosków włóknistych na owocach i nasionach (np. bawełna, palma kokosowa), z liści (np. agawa, len nowozelandzki, juka włóknista), łodyg (np. len, konopie, juta biała, juta kolorowa, szczmiel biały). Większość w.r. dostarcza także innych cennych produktów, np. tłuszczów, saponin.

woda morska → morska woda.

wodna masa, pojęcie stosowane w hydrologii na określenie wód oceanicznych (mor.) o znacznej objętości, o właściwościach fiz., chem. i biol. ukształtowanych w określonym czasie oraz obszarze kuli ziemskiej, zachowujących te właściwości nawet po przemieszczeniu się poza obszar ich formowania i ulegających znacznej transformacji w wyniku mieszania się z wodami o innych właściwościach; parametrami charakteryzującymi m.w. są: temperatura, zasolenie, zawartość tlenu, właściwości opt., wskaźniki biologiczne. Szczególnie sprzyjające warunki do tworzenia się m.w. występują w wysokich szer. geograficznych. Rozróżnia się m a s y w o d n e   p i e r w o t n e, ukształtowane w powierzchniowej warstwie wody, oraz — w t ó r n e, powstające w strefach rozdzielających wody o różnych właściwościach jako efekt oddziaływania 2 lub kilku m.w. W strukturze pionowej oceanu wydziela się 4 podstawowe typy m.w.: p o w i e r z c h n i o w e, obejmujące warstwę o miąższości 200–250 m; ich właściwości zależą gł. od wymiany ciepła i wilgoci między oceanem i atmosferą, od stratyfikacji i → cyrkulacji wód oraz wzbudzonych przez nią prądów wstępujących i zstępujących, mieszania konwekcyjnego i falowania; odgrywają zasadniczą rolę w formowaniu m.w. pośrednich, głębinowych i przydennych; p o ś r e d n i e, zalegające na głęb. od 250–500 m do 1000–1200 m, powstają z wód powierzchniowych bądź głębinowych; ich miąższość zależy od szer. geogr.; na obszarach polarnych i podzwrotnikowych, gdzie następuje zanurzanie się wód, osiągają miąższość maks., w strefie równikowej i w dużych szer. geogr., gdzie zachodzi podnoszenie się wód — najmniejszą; g ł ę b i n o w e, obejmujące warstwę o przeciętnej miąższości 2000–2500 m; formują się w dużych szer. geogr. przez wymieszanie wód powierzchniowych i pośrednich; wykazują dużą jednorodność; p r z y d e n n e, osiągające miąższość przeciętnie 1000–1500 m (wyłączając głębokie rowy oceaniczne); powstają wskutek opadania wód wyżej leżących; formują się w dużych szer. geograficznych.

Wodogrzmoty Mickiewicza, trzy wodospady na potoku Roztoka, w Tatrach Wysokich, w zawieszonym wylocie Doliny Roztoki, rozciętym głęboką gardzielą (czeluścią), na wys. ok. 1100 m; wodospady zw. Wodogrzmotami — Wyżnim, Pośrednim i Niżnim, mają po ok. 10 m wys. każdy; Pośredni Wodogrzmot jest widoczny z mostu, przez który przechodzi droga Zakopa-

■ Wodogrzmoty Mickiewicza

ne–Morskie Oko; nad W.M. wznosi się na zach. Wołoszyn z Turnią nad Szczotami, a na pd.--wsch. Roztocka Czuba; nazwę nadało wodospadom 1891 Tow. Tatrzańskie na pamiątkę sprowadzenia 1890 zwłok A. Mickiewicza z Francji do kraju. ■

wodospad, spadek wód na wysokich i stromych → progach rzecznych; spadająca woda (wraz z materiałem skalnym) zostaje u stóp progu wprawiona w ruch wirowy, powodując powstanie kotła eworsyjnego (→ eworsja); wskutek stopniowego pogłębiania i poszerzania kotła następuje podcinanie, a następnie obrywanie ścian progu; skutkiem tego w. stale się cofa (erozja wsteczna) w górę rzeki. ■

wodowskaz, limnimetr, przyrząd wskazujący wysokość poziomu wody (np. w rzece, jeziorze, kotle parowym, zbiorniku); w. naczyniowy zwykle działa na zasadzie naczyń połączonych, np. w. rurkowy (pionowa rurka szklana z nieruchomą podziałką); w. zaopatrzony w urządzenie do ciągłej rejestracji poziomu wody zw. jest limnigrafem.

wody artezyjskie, wody wgłębne (→ wody podziemne) występujące w warstwach wodonośnych przykrytych skałami nieprzepuszczalnymi i znajdujące się pod ciśnieniem hydrostatycznym. Przewiercenie skał przykrywających warstwę wodonośną powoduje samoczynny wypływ wód artyzyjskich lub, jeśli ciśnienie hydrostat. jest mniejsze, wznoszenie się ich w otworze wiertniczym ponad poziom warstwy wodonośnej (wody subartezyjskie). Wielkość ciśnienia hydrostat. zależy od różnicy wysokości między miejscem zasilania (infiltracji) warstwy wodonośnej a miejscem wypływu wody. Warunki artezyjskie występują najczęściej w synklinach lub innych formach nieckowatych, mogą też być

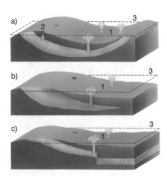
■ Geologiczne warunki występowania wód artezyjskich — warunki artezyjskie wytworzone przez: a) synklinę; b) uskok; c) wyklinowanie się soczewki; 1 studnie artezyjskie, 2 subartezyjskie, 3 poziomy odpowiadające ciśnieniu hydrostatycznemu

■ Studnia artezyjska w oazie Siwa (Egipt)

NAJWYŻSZE I NAJBARDZIEJ ZNANE WODOSPADY NA ZIEMI		
Nazwa	Położenie	Wysokość w m
Salto Angel	Wenezuela (rz. Churún)	1054
Tugela, kaskada	RPA (Rz. Tugela)	950
Yosemite, kaskada	USA (rz. Yosemite w dorzeczu Merced)	739
Kukenaam	Gujana i Wenezuela (dorzecze Orinoko)	610
Sutherland	Nowa Zelandia (rz. Arthur)	580
Kile	Norwegia	561
Ribbon	USA (rz. Ribbon)	491
Upper Tosemite	USA (rz. Yosemite)	491
Wollomombi	Australia (rz. Wollomombi)	482
Roraima	Gujana (rz. Potaro)	457
Kalambo	Tanzania i Zambia (rz. Kalambo)	427
Gavarnie	Francja (rz. Gave de Pau)	420
Krimml	Austria (rz. Krimmler Ache)	380
Serio	Włochyt (rz. Serio)	315
Giessbach	Szwajcaria (rz. Giessbach)	300
Staubbach	Szwajcaria (rz. Staubbach)	298
Vettis	Norwegia (rz. Morka-Kaldedola/Utla)	260
Gersoppa (Jog)	Indie (rz. Śarawati)	252
Kaieteur	Gujana (rz. Potaro)	225
Nevada Falls	USA (rz. Merced)	178
Aughrabies	RPA (rz. Oranje)	146
Wiktorii	Zambia i Zimbabwe (rz. Zambezi)	120
Murchisona	Uganda (rz. Nil Wiktorii)	120
Paulo Afonso	Brazylia (rz. São Francisco)	84
Churchill Falls	Kanada (rz. Churchill)	74
Iguaçu	Argentyna i Brazylia (rz. Iguaçu)	72
Stanleya	Zair (rz. Lualaba)	61
Niagara	Kanada i USA (rz. Niagara)	51

związane z uskokami, ze strukturami monoklinalnymi i in.

Nazwa pochodzi od krainy Artois we Francji, gdzie 1126 powstała pierwsza studnia artezyjska. Największe obszary artezyjskie: baseny artezyjskie Australii (Wielki Basen Artezyjski), USA (np. Wielki Basen Dakoty, o pow. ok. 39 tys. km²), pn. Afryki, Basen Paryski, Basen Londyński i in.; w Polsce — niecka mazowiecka, gdzie największe znaczenie gosp. mają wody występujące w średnio- i gruboziarnistych piaskach glaukonitowych oligocenu (w o d a o l i g o c e ń s k a), na głęb. ponad 200 m. Naturalny wypływ w.a. na powierzchnię Ziemi to źródło artezyjskie (→ źródło).　■

wody gruntowe, wody podziemne, które poruszają się w skorupie ziemskiej pod wpływem siły ciężkości i gromadzą nad warstwami wodoszczelnymi; wypełniają pory, szczeliny i inne próżnie w skałach przepuszczalnych tworzących warstwę wodonośną; górna powierzchnia nasyconych wodą utworów tej warstwy jest zw. z w i e r c i a d ł e m w.g.; zob. też wody artezyjskie, wody zaskórne, saturacji strefa.

wody krążenie w przyrodzie, obieg wody w przyrodzie, zamknięty cykl obiegu wody odbywający się pod wpływem energii słonecznej oraz siły ciężkości. Fazami cyklu są: parowanie z powierzchni Ziemi, przemieszczanie się pary wodnej w atmosferze, kondensacja pary wodnej i opady atmosf., wsiąkanie wody opadowej w głąb powierzchni Ziemi, spływ powierzchniowy oraz odpływ podziemny. Pod wpływem promieniowania słonecznego woda z powierzchni oceanów i mórz (gł. źródeł wody w atmosferze) paruje, co powoduje tworzenie się chmur, a w konsekwencji — opadów atmosf.; z ogólnej sumy opadów prawie 80% trafia bezpośrednio do

oceanów i mórz, a tylko 20% — na kontynenty. Część wody opadowej wyparowuje z powierzchni lądów z powrotem do atmosfery, część spływa po powierzchni do mórz jako odpływ powierzchniowy w postaci rzek, część natomiast wsiąka w grunt i przenika do wód podziemnych jako odpływ podziemny ku różnym naturalnym zbiornikom wody na powierzchni (źródła, mokradła, jeziora, rzeki, morza). Część wody

■ Schemat krążenia wody w przyrodzie

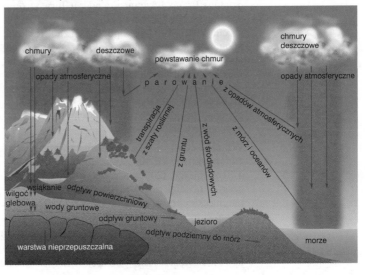

wsiąkającej w grunt jest pobierana przez rośliny i podlega transpiracji do atmosfery; część wody opadowej w postaci śniegu, lodu oraz lodowców (górskich i kontynent.) jest zatrzymywana na powierzchni (→ retencja) i okresowo wyłączana z obiegu. Zamknięty cykl krążenia wody między oceanem, atmosferą i kontynentami nosi nazwę dużego obiegu wody, krążenie wody pomiędzy atmosferą a kontynentem lub atmosferą a oceanem jest nazywane małym obiegiem wody; liczbowe ujęcie krążenia wody przedstawia → bilans wodny Ziemi; ilość wody znajdującej się w ciągu roku w dużym obiegu jest stała i wynosi 577 000 km^3. ∎

wody mineralne, wody podziemne zawierające rozpuszczone substancje miner. w ilości nie mniejszej niż 1 g/l; rozróżnia się m.in.: solanki, szczawy, wody siarkowe; wykorzystywane w lecznictwie i do celów spoż. (w.m. stołowe).

wody podziemne, wody występujące w porach, szczelinach i innych próżniach wśród skał skorupy ziemskiej; ze względu na pochodzenie rozróżnia się w o d y i n f i l t r a c y j n e, gromadzące się w wyniku infiltracji wód powierzchniowych w głąb ziemi, w o d y j u w e n i l n e (wydzielające się z magmy) i w o d y r e l i k t o w e (będące pozostałymi w osadach geol. wodami dawnych mórz i jezior); ze względu na skład — wody słodkie, wody słabo zmineralizowane (akratopegi) i → wody mineralne; ze względu na temp. wyróżnia się wody termalne; największe znaczenie gosp. mają → wody gruntowe, w tym → wody artezyjskie; eksploatowane za pomocą studni, uzyskiwane także z wypływów naturalnych (źródeł); badaniem w.p. zajmuje się hydrogeologia.

wody terytorialne → morze (Sytuacja prawna).

Wodzisław Śląski, m. powiatowe w woj. śląskim, nad Lesznicą (pr. dopływ Odry), w Rybnickim Okręgu Węglowym; 49 tys. mieszk. (2000); ośr. górn.-przem.; kopalnie węgla kam., koksownia; ponadto przemysł spoż., materiałów bud., drzewny (meble, tartak); węzeł kol. i drogowy; sanatorium; Muzeum Regionalne; prawa miejskie przed 1257; kościół (XV/XVI w.), zamek (XVII w.).

Wogezy, Vosges, góry we wsch. Francji, oddzielone Bramą Burgundzką od gór Jura; stromo opadają ku Niz. Górnoreńskiej; najwyższy szczyt Grand Ballon, 1423 m; w pd. części zaokrąglone, kopulaste góry granitowe, w pn. — stołowe, zbud. z piaskowców, przecięte głębokimi dolinami; obok naturalnych lasów jodłowych i jodłowo--bukowych znaczne obszary zajmują sztuczne drzewostany świerkowe; powyżej 1200 m łąki górskie; na pd.-wsch. stokach winnice; turystyka, sporty zimowe.

Wojcieszów, m. w woj. dolnośląskim (powiat złotoryjski), w G. Kaczawskich, nad Kaczawą; 4,1 tys. mieszk. (2000); ośr. przemysłu wapienniczego i obsługi ruchu turyst.; w okolicy tereny narciarskie; prawa miejskie od 1973.

Wojkowice, m. w woj. śląskim (powiat będziński), nad Brynicą i jej l. dopływem Jaworznikiem, w GOP; 10,1 tys. mieszk. (2000); ośr. przem.; kopalnia węgla kam., cementownia, zakłady

materiałów ogniotrwałych i in.; wzmiankowane 1371; prawa miejskie od 1962; 1977–92 w granicach Będzina.

Wojwodina, Vojvodina, okręg w pn. Jugosławii (Serbia), w międzyrzeczu Sawy, Dunaju i Cisy; 21,5 tys. km^2, 1,9 mln mieszk. (2002), Serbowie, Węgrzy; ośr. adm. Nowy Sad, inne m.: Subotica, Zrenjanin; nizinna; kanały żegl. (Dunaj–Cisa–Dunaj); gł. region roln. Jugosławii; uprawa pszenicy, kukurydzy, buraków cukrowych, słonecznika, drzew owocowych, winorośli; hodowla bydła, trzody chlewnej; przemysł rolno-spoż., maszyn roln., skórz.-obuwniczy. 1946–90 okręg autonomiczny w Serbii.

Wolbrom, m. w woj. małopol. (powiat olkuski); 9,3 tys. mieszk. (2000); ośr. usługowy i turyst.--krajoznawczy na Szlaku Warowni Jurajskich; przemysł gum., metal., skórz. (garbarnia); prawa miejskie po 1327 (przed 1349)–1870 i od 1930; kościoły: parafialny (XVII w.), drewn. szpitalny (XVII w.).

Wolin, m. w woj. zachodniopomor. (powiat kamieński), na w. Wolin, nad cieśn. Dziwna, w pobliżu Wolińskiego Parku Nar.; 5,1 tys. mieszk. (2000); ośr. usługowy regionu turyst.; przemysł spoż. (rybny), drzewny; przystań żeglugi; gazociąg W.–Ahlbeck (Niemcy); Muzeum Regionalne; wczesnośredniow. rozległy zespół osadniczy (zw. Jumne, Jomsborg, Wineta), największy port i ośr. handlu mor. na pd. wybrzeżu M. Bałtyckiego; jeden z gł. ośr. kultów słow.; ośr. polit. plemienia Wolinian; prawa miejskie od 1278; 2 kościoły got.: Św. Jerzego (w ruinie) i Św. Mikołaja (w odbudowie); pozostałości murów obronnych (XIV w.), ratusz (2. poł. XIX w.).

Wolin, pn.-zach. część Pobrzeża Szczec., wyspa oddzielająca Zalew Szczec. od Zat. Pomorskiej; pow. 265 km^2; oddzielona od w. Uznam (tylko w małej części należącej do Polski) cieśn. Świna, a od lądu cieśn. Dziwna. Krajobraz urozmaicony; wzniesienia morenowe (wys. do 115 m — Grzywacz), wydmy, w obniżeniach jeziora (Koprowo, Czajcze, Domysłowskie); linia brzegowa mor. słabo rozwinięta, na pn. wybrzeże klifowe (wys. do 95 m). Dużą powierzchnię zajmują lasy mieszane, z sosną, dębem i bukiem; bogata ornitofauna. Znajduje się tu Woliński Park Narodowy. Główne m.: Wolin, Świnoujście; ruch turyst. i wypoczynkowy; kąpieliska mor.: Międzyzdroje, Wisełka, Międzywodzie.

Wolsztyn, m. powiatowe w woj. wielkopol., między jez.: Wolsztyńskim a Berzyńskim; 13,9 tys. mieszk. (2000); ośr. przem.-usługowy i turyst.; przemysł drzewny (meble), metal. (akcesoria meblowe), spoż. (browar, przetwórstwo ryb); węzeł kol. i drogowy; Muzeum Regionalne im. Marcina Rożka; park etnogr.; prawa miejskie 1458; 1865–80 miejsce działalności i pracy R. Kocha; późnobarok. kościół.

Wolta, Volta, rz. w Burkina Faso i Ghanie; powstaje z połączenia Białej Wolty i Czarnej Wolty; dł. (od źródeł Czarnej Wolty) ok. 1600 km, pow. dorzecza 394 tys. km^2; uchodzi do Zat. Gwinejskiej tworząc niewielką deltę; gł. dopływy: Pru, Sene, Afram (pr.), Daka, Oti (l.); duże wahania stanu wód (przepływ min. — 14 m^3/s, maks. — 15 tys. m³/s); w dolnym biegu zbiornik retencyjny (zbiornik Wolta) o pow. ok. 8500 km² (jeden z największych pod względem powierzchni w świecie) i elektrownia wodna Akosombo o mocy 900 MW.

Wołczyn, m. w woj. opol. (powiat kluczborski); 6,3 tys. mieszk. (2000); ośr. usługowy; roszarnia lnu i konopi, wytwórnie płyt paździerzowych, drożdży, huta szkła (butelki); prawa miejskie od 1261.

Wołga, staroż. **Rha,** w średniowieczu **Itil,** rz. w Rosji, najdłuższa w Europie; dł. 3530 km, pow. dorzecza 1360 tys. km². Źródła na Wałdaju, na wys. 229 m; przepływa przez 4 strefy: lasów, leśno-stepową, stepów i półpustyń; uchodzi do M. Kaspijskiego, tworząc deltę o pow. 19 tys. km²; w górnym biegu przecina w wąskiej dolinie wzniesienia Uglicko-Daniłowskie i Galicko-Czuchłomskie; w środk. — płynie u wsch. podnóża Wyż. Nadwołżańskiej w asymetrycznej dolinie (pr. zbocze wysokie); na Niz. Nadkaspijskiej od W. oddziela się l. ramię Achtuba. Średni przepływ w Wołgogradzie 7240 m³/s, roczny odpływ 254 km². Ponad 200 dopływów, gł.: Mołoga, Szeksna, Kostroma, Unża, Wietługa, Kama, Samara, Wielki Irgiz (l.), Oka, Sura, Swijaga (pr.). Na W. 7 elektrowni wodnych (tzw. Kaskada Wołżańska) ze zbiornikami retencyjnymi (największe: Rybiński, Samarski, Wołgogradzki); regularna żegluga od Rżewa (3256 km); system rzeczny W. obejmuje ponad 41 tys. km spławnych i ok. 14 tys. km żegl. dróg; połączona z morzami: Bałtyckim (Wołżańsko-Bałtycka Droga Wodna), Białym (dwiński system wodny i Kanał Białomorsko-Bałtycki), Azowskim i Czarnym (Kanał Żeglowny W.–Don) oraz z Moskwą (Kanał im. Moskwy). W W. żyje ok. 70 gat. ryb (w tym 40 ma znaczenie przem.). W 1919 w delcie założono Rezerwat Astrachański, od 1975 p.n. Delta W. (pow. ponad 64 tys. ha), miejsce gniazdowania licznych ptaków wodno-błotnych. W dorzeczu występują bogate złoża ropy naft. i gazu ziemnego, soli kam. i potasowych. Największe miasta i porty nad W.: Twer, Czerepowiec, Rybińsk, Jarosław, Kostroma, Niżni Nowogród, Czeboksary, Kazań, Symbirsk, Togliatti, Samara, Saratów, Wołgograd, Astrachań. ■

Wołomin, m. powiatowe w woj. mazow., w aglomeracji warsz.; 37 tys. mieszk. (2000); ośr. przem. (zakłady stolarki bud., huta szkła) i mieszkaniowy; ośr. badawczo-rozwojowy stolarki bud.; Muzeum Zofii i Wacława Nałkowskich; zał. w XV w., prawa miejskie od 1919.

Wołoska, Nizina, Cîmpia Român, nizina w pd. Rumunii, między Karpatami Pd. a Dunajem; zach. część (Oltenia) pagórkowata (wys. 200–500 m), wsch. (Muntenia) — niższa, równinna; przecięta l. dopływami Dunaju (Jiu, Aluta, Ardżesz, Jałomica); klimat umiarkowany ciepły, suchy (roczna suma opadów 400–700 mm); ważny region roln.; uprawa zbóż, buraków cukrowych, słonecznika, tytoniu; hodowla bydła; wydobycie ropy naft. (Ploeszti); gł. m. — Bukareszt. W niektórych podziałach fizycznogeogr. do N.W. włącza się Niz. (Równinę) Naddunajską na pd. od Dunaju (w Bułgarii).

Wołoszyn, grzbiet w Tatrach Wysokich, między dolinami: Roztoki i Waksmundzką, zakończenie bocznej grani, odgałęziającej się ze Świnicy, na wsch. od przełęczy Krzyżne; kilka niezbyt wyraźnych kulminacji: 2145 m, 2151 m (Wielki W.), 2117 m, 2092 m, 2039 m; zbud. z granitów; pd. stoki porozcinane wielkimi lawiniastymi żlebami; duże płaty kosodrzewiny, niżej las górnoreglowy, częściowo pierwotny, z drzewostanami limbowymi; ostoja kozic i świstaków, gawry niedźwiedzi; ochrona ścisła w obrębie Tatrzańskiego Parku Nar.; granią wiódł kiedyś wsch. odcinek Orlej Perci; u wsch. podnóża droga do Morskiego Oka; nazwa stara, związana zapewne z wędrówkami Wołochów.

■ Wołga w okolicy miasta Togliatti

Wołów, m. powiatowe w woj. dolnośląskim; 12,3 tys. mieszk. (2000); ośr. usługowy; przemysł gł. spoż. i drzewny (meble); prawa miejskie przed 1288 (1285?); kościół (XIV–XV w.), ob. ewang., barok. kościół Karmelitów, got. zamek książąt oleśnickich.

Wołyńsko-Podolska, Wyżyna, Wołyno--Podilśka wysoczyna, wyżyna w pd.-zach. części Ukrainy, opada stromym progiem ku pn.; na wsch. graniczy z Wyż. Naddnieprzańską; wys. do 471 m (Gołogóry); stanowi płytę nachyloną z pn.-zach. na pd.-wsch., pokrytą grubą warstwą lessu; rozcięta dolinami rzek (najgłębszy — jar Dniestru) i wąwozami na garby i grzędy; nad rz. Zbrucz pasmo wapienne Tołtry (lub Miodobory, wys. do 435 m); roślinność naturalna (lasy dębowe, stepy łąkowe i ostnicowe) zachowała się zwł. na zboczach jarów; uprawa buraków cukrowych, zbóż, drzew owocowych; hodowla bydła; złoża węgla kam., siarki; źródła miner.; gł. m.: Lwów, Tarnopol, Winnica.

Woźnicko-Wieluńska, Wyżyna, pn. część Wyż. Śląsko-Krakowskiej, oddzielona od Wyż. Śląskiej (Garbu Tarnogórskiego) szerokim obniżeniem, które wykorzystuje dopływ Odry — Mała Panew; W.W.-W. budują utwory górnotriasowe i jurajskie, tworzące na przemian niewysokie progi zbud. ze skał bardziej odpornych oraz dzielące je obniżenia, wykorzystywane przez rzeki, m.in.: Prosnę, Liswartę i górną Wartę; cały region leży w zasięgu zlodowacenia środkowopol., a spod zasypania czwartorzędowego wystają tylko wyższe partie; ślady form związanych ze zlodowaceniem w postaci wzgórz morenowych i kemowych zachowały się dosyć wyraźnie. W obrębie W.W.-W. rozróżnia się następujące mezoregiony: Próg Woźnicki, Próg Herbski, Obniżenie Liswarty-Prosny, Obniżenie Górnej Warty, Obniżenie Krzepickie oraz Wyż. Wieluńską.

Woźniki, m. w woj. śląskim (powiat lubliniecki); 4,6 tys. mieszk. (2000); ośr. usługowy; zakłady ceramiki bud., drobny przemysł spoż.; Muzeum J. Lompy; prawa miejskie przed 1310 (1270?)–1742 i od 1858; drewn. kościół cmentarny (XVIII w.).

Wrangla, Wyspa, ostrow Wrangiela, wyspa na O. Arktycznym, między M. Wschodniosyberyjskim a M. Czukockim; oddzielona od kontynentu Cieśn. de Longa; wchodzi w skład Czukockiego Okręgu Autonomicznego (Rosja); pow. ok. 7,3 tys. km^2; środk. część górzysta (Góra Sowiecka, 1096 m), wzdłuż wybrzeży niziny; klimat subpolarny; lodowce górskie; roślinność tundrowa, rezerwat przyrody (od 1976); stacja polarna, czynna od 1926.

Wrocław, m. wojew. (woj. dolnośląskie), nad Odrą i jej dopływami: Bystrzycą, Oławą, Ślęzą i Widawą; pow. grodzki, siedziba pow. wrocł.; 636 tys. mieszk. (2000); największy ośr. gosp., kult. i nauk. pd.-zach. Polski; stol. metropolii (od 1000) i diecezji wrocł. Kościoła rzymskokatol. oraz diecezji wrocł.-szczec. Autokefalicznego Kościoła Prawosławnego; przemysł elektromaszyn. (wagony, maszyny roln., sprzęt pneumatyczny, automaty tokarskie, wyroby elektron. i elektrotechn., sprzęt gospodarstwa domowego, narzędzia, przyczepy i naczepy), ponadto spoż. (cukrownie, zakłady zbożowo-młynarskie, cukiernicze, browar), chem. (kosmetyki, leki, farby i lakiery, nawozy fosforowe, środki piorące), odzież., poligraficzny, drzewny i in.; Wytwórnia Filmów Fabularnych; przedsiębiorstwa bud.- -montażowe i projektowe; duży węzeł kol. i drogowy, port rzeczny i lotn. (w Strachowi-

■ Wrocław. Ostrów Tumski

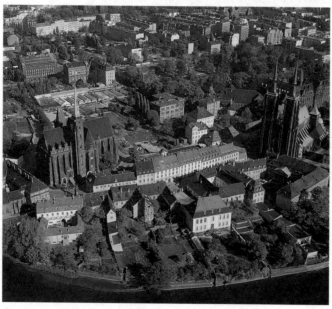

cach); ośr. handl.-wystawienniczy; siedziba central i wielu oddziałów banków; liczne szkoły wyższe, m.in. Uniw. Wrocł., Politechn. Wrocł. akademie — med., ekon., roln. muz., Papieski Wydział Teol., Wyższe Seminarium Duchowne, Wyższa Szkoła Oficerska Wojsk Inżynieryjnych; instytuty i tow. nauk. (w tym oddział PAN); teatry, w tym Wrocł. Teatr Pantomimy, opera, operetka, filharmonia, rozgłośnia radiowa i ośr. telew.; studencki ruch kabaretowy; festiwale, m.in. Festiwal Oratoryjno-Kantatowy „Wratislavia Cantans", Międzynar. Festiwal „Jazz nad Odrą", Festiwal Piosenki Aktorskiej; muzea, m.in. Muzeum Nar., Panorama Racławicka; ogrody zool. (zał. 1865) i bot. (1811), rozległe parki; turystyka. Ślady osadnictwa od paleolitu, zasiedleń — z neolitu; prawa miejskie ok. 1214 (ponownie 1241 lub 1242), 1263 lokacja Nowego Miasta (1327–29 włączone do W.). Na Ostrowiu Tumskim: got. katedra z rom. kryptą i kościół Św. Krzyża, późnogot.-renes. dom kapituły, barok. pałac biskupi; na w. Piasek późnobarok. klasztor Augustianów i got. kościół NMP (XIV w.); zespół Starego i Nowego Miasta: późnogot. ratusz (koniec XIII w., rozbud. XIV i ok. poł. XV w.); got. i barok. kościoły i klasztory, późnobarok. gmach uniw. (XVIII w.), pałace (XVII–XVIII w.), kamienice (XIV–XVIII w.), Hala Stulecia (1912–13, ob. Hala Lud.). ■

Wronki, m. w woj. wielkopol. (powiat szamotulski), nad Wartą; 11,9 tys. mieszk. (2000); ośr. przem.-usługowy; wytwórnie kuchni, lodówek, armatury, mebli, zakłady przemysłu spoż. i in.; prawa miejskie od 1383.

Września, m. powiatowe w woj. wielkopol., nad Wrześnicą (pr. dopływ Warty); 29,0 tys. mieszk. (2000); ośr. przem. i turyst.-krajoznawczy; przemysł, m.in. elektrotechn. (głośniki, sprzęt oświetleniowy), precyzyjny, spoż., metal., chem.; węzeł kol. i drogowy; Muzeum Regionalne im. Dzieci Wrzesińskich; prawa miejskie przed 1357; późnogot. kościół.

Wschodnioafrykańska, Wyżyna, rozległy obszar wyżynny w Afryce Wsch., na terytorium Tanzanii, Kenii, Ugandy, Burundi, Ruandy, Etiopii, Erytrei, Somalii, Dżibuti oraz częściowo Mozambiku, Zambii, Malawi, Zairu; pow. ok. 4 mln km^2; obejmuje Wyż. Abisyńską, Wyż. Somalijską, rozległą nieckę Uniamwezi oraz system Wielkich Rowów Afrykańskich z otaczającymi go zrębowymi masywami górskimi i wyżynami. Przyjmuje się również, że W.W. obejmuje tylko nieckę Uniamwezi, z otaczającymi ją rowami i wzniesieniami, w Kenii, Tanzanii i Ugandzie.

Wschodniobałtyckie, Pobrzeża, niziny nadmor. rozciągające się na wsch. od wybrzeży Zat. Gdańskiej po Zat. Fińską; w obrębie Polski tylko → Staropruska, Nizina.

Wschodniobałtyckie, Pojezierza, zach. część prowincji Niżu Zachodniorosyjskiego; stanowi przedłużenie Pojezierzy Południowobałtyckich, rozpościerając się od Pojezierza Mazurskiego w kierunku pn.-wsch., przez Pojezierze Litewskie na teren Białorusi, Łotwy i pn.-zach. część Rosji; pd. granicę wyznacza zasięg ostatniego zlodowacenia, z którym wiąże się występowanie jezior i pagórkowata rzeźba; wysokości przekraczają prawie wszędzie 100 m, a w najwyższych punktach 300 m; za zach. granicę przyjęto w przybliżeniu bieg Pasłęki; układ moren czołowych pozwala wyróżnić w Polsce 2 makroregiony: Pojezierze Mazurskie i Pojezierze Litewskie (częściowo w granicach kraju); w Polsce tworzą one odrębną dzielnicę klim. oraz krainę geobotaniczną.

Wschodniochińskie, Morze, chiń. **Dong Hai,** jap. **Tōkai,** przybrzeżne morze w zach. części O. Spokojnego, między wybrzeżem Chin na zach. a jap. wyspami Kiusiu i Riukiu na wsch. i pd.-wsch.; na pd. sięga do Cieśn. Tajwańskiej (połączenie z M. Południowochińskim) i Tajwanu, na pn. — do ok. 33°30'N (szerokość geogr. wyspy koreań. Dzedzu-do), umownej granicy z M. Żółtym i Cieśn. Koreańską (połączenie z M. Japońskim). Powierzchnia 836 tys. km^2 (bez Cieśn. Tajwańskiej — 752 tys. km^2); linia brzegowa rozczłonkowana, liczne zatoki (największe: Hangzhou u wybrzeży chiń., Amakusa, Ariake, Yatsushiro i Kagoshima u wybrzeży Kiusiu), półwyspy oraz wyspy (największe: Amakusa-shimoshima i Fukue-jima u wybrzeży Kiusiu); w pd.-wsch. częściach morza liczne rafy koralowe. Średnia głęb. 309 m, maks. — 2999 m; ponad 60% pow. dna zajmuje płytki do ok. 150 m szelf chiń., na wsch. i pd., wzdłuż wysp Riukiu ciągnie się Rów Okinawy o głęb. 1000–2500 m; dno M.W. zalegają grubą warstwą osady terygeniczne pochodzące z dorzecza największej rzeki Eurazji — Jangcy, dostarczającej do morza ok. 500 mln t zawiesiny rocznie. Temperatura wód powierzchniowych w zimie od 5°C na pn.-zach. do 20°C na pd.-wsch., w lecie odpowiednio od 23°C do 30°C, zasolenie — zmienne, od kilkunastu promili u ujść rzek do 34,5‰ na pd.-wsch.; prądy mor. powierzchniowe: we wsch. części morza płynie na pn.-wsch., ciepły prąd Kuro Siwo, w zach. części — wzdłuż brzegu chiń. płynie prąd zimny zmieniający sezonowo kierunek (zimą na pd., latem na pn.) pod wpływem wiatrów monsunowych; wysokość pływów u wybrzeży Riukiu — ok. 1,5 m, Kiusiu — ok. 2,5 m, Tajwanu — ok. 5,5 m (maks. 7 m) i wybrzeży Chin — ok. 7 m (maks. do 11 m w zat. Hangzhou); poza Jangcy uchodzą rzeki: Qiantang Jiang, Min Jiang. Rozwinięte rybołówstwo, połów sardyn, śledzi oraz homarów, krabów i ostryg; wydobycie wodorostów mor.; rozwinięta żegluga, gł. na kierunkach południkowych; gł. porty: Nagasaki i Sasebo na Kiusiu, Naha na Okinawie (archip. Riukiu), Jilong i Danshui na Tajwanie, Nankin, Szanghaj, Suzhou, Ningbo, Fuzhou i Xiamen w Chinach.

Wschodnioeuropejska, Nizina, ros. **Wostoczno-Jewropiejskaja rawnina,** obszar nizinny we wsch. Europie, w Rosji (Russkaja rawnina), na Białorusi i Ukrainie, Estonii, Łotwie, Litwie i Mołdawii, częściowo w Polsce; od pd.-zach. ograniczona Karpatami, od wsch. — Uralem; od Kaukazu oddzielona Obniżeniem Kumsko-Manyckim; rozciągłość z pn. na pd. wynosi ok. 2500 km, ze wsch. na zach. — 2000 km; średnia wys. ok. 170 m, maks. 471 m, najniższy punkt

28 m p.p.m. (na wybrzeżu M. Kaspijskiego). Pod względem geol. N.W. stanowi prekambryjską platformę wsch. Europy, której krystal. podłoże zalega na różnych głębokościach (np. w niecce nadkaspijskiej na głęb. ponad 10 tys. m), a na pd.-zach. odsłania się jako tarcza ukr. (Wyż. Wołyńsko-Podolska); pokrywę platformy tworzą poziomo ułożone, prawie nie zaburzone warstwy skał osadowych. Część pn.-zach. (Pojezierza Bałtyckie) ma polodowcowy krajobraz; wzniesienia (Białoruskie, Grzęda Smoleńsko-Moskiewska) ciągną się z pd.-zach. ku pn.-wsch., zgodnie z czołem lądolodu. W części pd. występują wyżyny (Wołyńsko-Podolska, Naddnieprzańska, Środkoworosyjska, Nadwołżańska, Doniecka, Jergeni, Wielki Syrt) oddzielone od siebie terenami niższymi (niziny: Naddnieprzańska, Czarnomorska, Ocko-Dońska, Nadkaspijska, Zawołże), których środkami płyną Dniepr, Don, Wołga, Ural.

Klimat umiarkowany, w pd. części ciepły (na pd.-wsch. skraju kontynent. suchy), w pn. — chłodny (na wybrzeżach subpolarny); średnie temp. miesięczne w styczniu od –20°C na pn. do –5°C na pd.-wsch. i –2°C na pd.-zach., w lipcu od 10°C na pn. do 19°C na zach. i 25°C na pd.; suma roczna opadów od 150 mm na pd.-wsch. i 400 mm na pn. do 600–650 mm na Wyż. Środkoworosyjskiej. 60% N.W. należy do zlewiska o. Atlantyckiego i Arktycznego, 40% (gł. dorzecze Wołgi) stanowi obszar o odpływie wewn.; najdłuższe rz.: Wołga z Kamą, Dniepr, Don, Dwina, Peczora; największe jez.: Ładoga i Onega; wielkie sztuczne jeziora tworzą spiętrzone wody Wołgi, Kamy, Dniepru i Donu. Większa część N.W. leży w strefie lasów; borom sosnowym i świerkowym towarzyszą rozległe kompleksy torfowisk, gł. wysokich; w strefie lasów mieszanych, prócz świerków, gł. rolę odgrywa dąb szypułkowy; strefa lasów liściastych utworzona gł. przez dąbrowy z lipą drobnolistną; na wybrzeżach M. Barentsa występują tundry (na pn. krzewinkowe, mszyste i porostowe, na pd. krzewiaste z udziałem karłowatych brzóz i wierzb); większość stepów jest zaorana, miejsce ich zajęły uprawy rolne; na pd.-wsch. (Niz. Nadkaspijska) panują półpustynie piołunowe i słone. Bogactwa miner.: rudy żelaza (Zagłębie Krzyworoskie), węgla (zagłębia Donieckie i Moskiewskie), ropa naft., gaz ziemny, łupki bitumiczne, boksyty, rudy manganu, sól kam., sole potasowe, fosforyty.

Wschodnioindyjski, Grzbiet, Grzbiet 90°E, Ninetyeast Ridge, wąski, zrębowy i prawie asejsmiczny grzbiet podwodny we wsch. części dna O. Indyjskiego; ciągnie się wzdłuż południka 90°E od ok. 10°N w Zat. Bengalskiej do ok. 34°S w zach. części Basenu Południowoaustralijskiego (na pd. od grzbietu podwodnego Broken w zach. części strefy rozłamu Diamantina); oddziela baseny oceaniczne — Środkowoindyjski od Zachodnioaustralijskiego; dł. 4600–5000 km; prawdopodobnie najdłuższa, prawie idealnie prosta forma dna oceanu świat.; wzdłuż wsch. stoków ciągnie się wąski Rów Wschodnioindyjski (głęb. do 6335 m); szer. G.W. do 250 km; wznosi się średnio 4000 m nad dnem otaczających go basenów oceanicznych; najmniejsze głębokości nad grzbietem wynoszą od 507 m na pd., 829 m w części środk., do 1007 m na północy.

Wschodniopacyficzne, Wzniesienie, Grzbiet Wschodniopacyficzny, East Pacific Rise, długi i rozległy grzbiet śródoceaniczny w pd. i wsch. części dna O. Spokojnego; ciągnie się jako przedłużenie Wzniesienia Południowopacyficznego, od strefy rozłamu Eltanin w kierunku wsch., skręcając następnie na pn. do Zat. Kalifornijskiej; pn. część W.W. (od okolic równika), mająca charakter płaskowyżu podwodnego, jest niekiedy nazywana wzniesieniem Albatros; W.W. oddziela baseny Północno-Wschodni i Południowopacyficzny na zach. od basenów oceanicznych rozciągających się wzdłuż stoków kontynent. Ameryki Centr. i Pd. na wsch. oraz Antarktydy na pd. (baseny: Gwatemalski, Peruwiański, Chilijski, Bellingshausena). Długość ok. 11 tys. km, szer. ok. 1 tys. km; wznosi się 1000–4000 m nad dnem basenów; najwyżej są wzniesione nieliczne nadwodne części grzbietu — do 539 m nad poziomem oceanu na Wyspie Wielkanocnej; ukształtowanie powierzchni W.W. jest urozmaicone, występują liczne, poprzeczne strefy rozłamu (m.in. Clarion, Clipperton, Galápagos, Challenger) z głębiami i krawędziami, doliny ryftowe wzdłuż osi grzbietu (zwł. w środk. i pn. części) oraz liczne oddzielne góry podwodne; W.W. jest ostatnim grzbietem w świat. systemie grzbietów śródoceanicznych, ciągnących się kolejno na dnie oceanicznym od O. Arktycznego, przez O. Atlantycki i O. Indyjski do O. Spokojnego.

■ Pojezierze Wschodniosuwalskie. Jezioro Kojle

Wschodniopomorskie, Pojezierze, część Pojezierzy Południowobałtyckich, odpowiadająca wygiętemu na pd. łukowi moren fazy pomor. ostatniego zlodowacenia, po obu stronach doliny Wisły; łuk ten ciągnie się od okolic Kościerzyny w kierunku pd.-wsch. do Nowego, a po drugiej stronie Wisły od Gardei na pn.-wsch. do Morąga; wzniesienia morenowe obniżają się od obu końców łuku ku dolinie Wisły, w której pobliżu nie dochodzą nawet do wys. 100 m, podczas gdy we Wzgórzach Szymbarskich (na pn. od Kościerzyny) przekraczają 300 m; cały region leży w dorzeczu Wisły, do której spływają: od zach. Radunia, Wierzyca, od wsch. Osa i Liwa; na zach. od Wisły jeziora są niewielkie; największe ich zgrupowanie występuje w dorzeczu górnej

Raduni; na wsch. od Wisły jezior jest więcej, m.in. na pn. od Iławy duże jez. Jeziorak (3460 ha); klimat regionu (z wyjątkiem Pojezierza Kaszubskiego) jest nieco cieplejszy i mniej wilgotny niż Pojezierze Zachodniopomor. (opady w granicach 500–600 mm). P.W. dzieli się na: Pojezierze Kaszubskie (na pn.-zach.), Pojezierze Starogardzkie (po l. stronie Wisły) i Pojezierze Iławskie (po pr. stronie Wisły).

Wschodnioserbskie, Góry, Karpatsko-balkanske planine, góry we wsch. Jugosławii (Serbia), na pd. od Żelaznej Bramy, między Morawą a Timokiem; pn. część (Deli Jovan, Veliki krš 1156 m, Homoljske planine) bywa zaliczana do Karpat, pd. (Kučaj, Rtanj 1560 m, Ozren, Svrljiške planine) — do Bałkanów; formy krasowe; lasy bukowe; bogate złoża rud miedzi (Bor, Majdanpek) i żelaza, węgla.

Wschodniosuwalskie, Pojezierze, najbardziej na wsch. wysunięta część Pojezierza Litewskiego na obszarze Polski; granicę zach. tworzy częściowo górny bieg Błędzianki i Czarnej Hańczy, pd. — granica sandru augustowskiego; odznacza się znacznym wzniesieniem (ponad 200 m), w okolicach Wiżajn — 298 m (Rowelska Góra), na pn. od Suwałk — 289 m (Góra Krzemieniucha); rzeźba terenu jest tu bardzo urozmaicona; występują zarówno wysokie wały morenowe, kemy, drumliny i ozy, jak również głębokie rynny, do których należy m.in. rynna najgłębszego na niżu eur. jez. Hańcza (108,5 m); klimat o cechach najbardziej kontynentalnych w Polsce (114 dni z temp. poniżej 0°C, pokrywa śnieżna 3 miesiące; okres wegetacyjny 180–190 dni); region bardzo atrakcyjny pod względem turystycznym. ■

Wschodniosyberyjskie, Morze, Wostoczno-Sibirskoje morie, część O. Arktycznego u wybrzeży Azji, między W. Nowosyberyjskimi na zach. a Wyspą Wrangla na wsch.; przez cieśniny D. Łaptiewa i Sannikowa połączone z M. Łaptiewych, a przez Cieśn. De Longa — z M. Czukockim; linia brzegowa słabo rozwinięta, większe zatoki: Czauńska, Kołymska, Chromska; największe wyspy: Nowa Syberia, Faddiejewska (w istocie półwysep wyspy Kotielnyj) i Wielka Lachowska w W. Nowosyberyjskich, Wrangla, Ajon (u wejścia do Zat. Czauńskiej); grupy małych wysp: Wyspy De Longa (pn. część W. Nowosyberyjskich), W. Niedźwiedzie (u wejścia do Zat. Kołymskiej). Powierzchnia 913 tys. km^2; średnia głęb. 45 m, maks. — 915 (na pn.-wsch.); 96% pow. dna zajmuje szelf (głęb. do 200 m), w tym 72% o głęb. do 50 m. Temperatura i zasolenie wód zależą od warunków lodowych i dopływu wód rzecznych (wsch. część morza ma niższą temperaturę i wyższe zasolenie); temperatura wód powierzchniowych w zimie (pod lodem) od –1,8°C do –1,2°C, w lecie od –1°C do 0°C (w pobliżu ujść rzek 4–6°C), zasolenie — na pn. ok. 30‰, na pd. od 5–10‰ w lecie do 18–20‰ w zimie; wody wysłodzone (poniżej 25‰) przez napływ rzeczny zajmują ok. 36% pow. morza; wody głębsze mają stałą temperaturę (–1,5°C) i zasolenie (ok. 30‰); M.W. jest pokryte lodem przez cały rok, jedynie wzdłuż pd.-zach. brzegów występuje w lecie kilkudziesięciokilometrowy pas wolny od lodu; gł. rzeki: Kołyma, Indygirka, Ałazeja; gł. porty: Pewek, Ambarczyk, Czerski.

Wschowa, m. powiatowe w woj. lubus.; 14,7 tys. mieszk. (2000); ośr. przem. i usługowy; przemysł: spoż. (cukrownia), odzież., maszyn., metal., meblarski; prawa miejskie od 1273; kościół parafialny (XIV, XVI, XVIII w.), kościół Franciszkanów, dawny Bernardynów i klasztor (XVII–XVIII w.), kościół ewang. (XVII, XVIII w.), fragmenty murów miejskich (XIV, XV–XVI w.), ratusz (1. poł. XVI w.).

wszechocean → ocean.

Wuhan, m. w środk. Chinach, nad Jangcy; ośr. adm. prow. Hubei; 4,3 mln mieszk., zespół miejski 7,4 mln (1999); ważny ośr. przem. (hutnictwo żelaza i aluminium, włók., spoż., maszyn., stoczn., montaż samochodów Citroën, elektron., chem., rafineryjny), rzem., nauk. (uniw., filia Chiń. AN) i kult.; największy port śródlądowy kraju; ważny węzeł kol.-drogowy; powstał 1954 z połączenia m. Hankou, Hanyang i Wuchang.

wulkan [łac.], miejsce na powierzchni Ziemi, w którym wydobywają się (lub wydobywały) z głębi Ziemi produkty wulk. (→ erupcja); w. występują jako pojedyncze wzniesienia lub tworzą górskie kompleksy wulkaniczne. W. ma kanał, którym dopływają z głębi Ziemi na powierzchnię produkty erupcji (lawa, materiały piroklastyczne, gazy wulk.); lejkowato rozszerzony wylot kanału nosi nazwę → krateru wulkanicznego. Kształt i rozmiary w. zależą od ilości

■ Wulkan. Erupcja wulkanu Tołbaczyk na Kamczatce

i jakości wyrzucanych z głębi Ziemi materiałów, a także od sposobu ich wydobywania się. Rozróżnia się: w u l k a n y e k s p l o z y w n e, wyrzucające gwałtownie gazy i sypkie materiały wulk. (gł. popioły) bez wylewu lawy; w. te (zw. też tufowymi) mają kształt stożka oraz rozległy i głęboki krater; w u l k a n y w y l e w n e (lawowe) dostarczają tylko ciekłej lawy, która się wydostaje z krateru bez większej eksplozji; kształt takiego w. zależy od charakteru lawy; przy wydobywaniu się lawy o małej lepkości (lawy zasadowej) powstają w u l k a n y t a r-c z o w e, które tworzą płaskie góry o łagodnie (do 8°) nachylonych stokach (do największych

■ Wulkan. Krater wulkanu Poas w Kostaryce

w. tarczowych należy Mauna Loa na Hawajach); przy wydobywaniu się lawy lepkiej (kwaśnej) następuje jej spiętrzenie, powstają tzw. k o p u ł y l a w o w e (np. Lassen Peak w Ameryce Pn.); w przypadku w u l k a n ó w m i e s z a n y c h (stratowulkanów) erupcje gazów i materiałów piroklastycznych występują na przemian lub jednocześnie z wylewami lawy; w. takie mają kształt stożka, są zbud. z naprzemianległych warstw tufów i pokryw lub potoków lawowych; w ich partiach szczytowych powstają często wielkie zagłębienia, zw. → kalderami. Rozróżnia się w u l k a n y c z y n n e (ogromna większość w. czynnych obecnie to wulkany mieszane, np. Wezuwiusz we Włoszech), w y g a s ł e (np. Kilimandżaro, Aconcagua) i d r z e m i ą c e — wznawiające działalność czasami po setkach lat (np. Fudżi).

Wielkie wybuchy w. powodowały olbrzymie zniszczenia, m.in. podczas wybuchu Wezuwiusza 79 r. n.e. ogromna ilość wyrzuconego popiołu zmieszanego z deszczem spowodowała zasypanie m. Herkulanum, Pompeje i Stabie. Obecnie jest czynnych kilkaset w.; rozmieszczenie ich wiąże się gł. ze strefami młodych ruchów górotwórczych, przy czym w. występują z reguły po wewn. stronie łuku górskiego (np. Wezuwiusz, Etna i wulkany Wysp Liparyjskich są umieszczone po wewn. stronie łuku pasma Apenin) lub w sąsiedztwie wielkich uskoków (np. we wsch. Afryce). Najwięcej w. (ok. 340) grupuje się dookoła wybrzeży O. Spokojnego. Na terenie Polski nie ma czynnych w.; w ubiegłych epokach geol. istniały tu jednak rozległe i aktywne rejony wulk., np. w okresie permskim w okolicach Krakowa. Zob. też ekshalacje wulkaniczne. ■

wulkaniczna, bomba, bryła lawy o objętości od kilku cm^3 do 1 m^3 i więcej, wyrzucana przez wulkan podczas wybuchu i zakrzepła w powietrzu w czasie lotu; owalna, często wrzecionowata i spiralnie skręcona (wskutek ruchu wirowego plastycznej jeszcze masy), niekiedy rozrywa się w locie pod wpływem rozprężania się zawartych w niej gazów; b.w. powstają też z zastygłej lawy z poprzednich wybuchów (mają kształt nieregularny). ■

wulkanizm [łac.], ogół zjawisk związanych z wydobywaniem się na powierzchnię Ziemi lotnych, ciekłych i stałych produktów magmowych (→ wulkan, erupcja, ekshalacje wulkanicz-

■ Schemat wulkanu: 1–4 produkty wulkaniczne (lawy i materiały piroklastyczne) kolejnych wybuchów

■ Bomba wulkaniczna

ne); stanowi powierzchniowy objaw procesów magmowych zachodzących w głębi Ziemi.

wulkany błotne, stożki błotniste lub kratery o różnej wielkości tworzące się wskutek wydobywania się gazów w miejscach wycieku węglowodorów; wydobywające się gazy mieszają się z wodą i zwietrzeliną, a gdy ciśnienie ich wzrasta, następuje wyrzucenie błotnistej mazi; wybuchy mogą się powtarzać rytmicznie; w.b. występują na obszarach roponośnych, m.in. na Kaukazie, w Rumunii.

wybrzeże, wąski pas lądu, na którego kształt ma wpływ działalność mórz i oceanów; jest podzielone linią → brzegową; na część podwodną (przybrzeże) i nadwodną (nadbrzeże). Poszczególne formy w. (klify, platformy abrazyjne, plaże, mierzeje, delty, wydmy i in.) są rezultatem niszczącej lub budującej działalności czynników egzogenicznych mor. i lądowych (falowanie, prądy mor., pływy, wody płynące) i czynników endogenicznych (gł. ruchów tektonicznych), niekiedy też czynników biol. (organizmów zwierzęcych i roślinnych); ogromny wpływ na kształtowanie w. ma jego budowa geologiczna. Ze względu na genezę rozróżnia się 2 gł. typy w.: w y b r z e ż e   n a r a s t a j ą c e, powstałe wskutek wynurzania się dna mor. (np. w. Zatoki Botnickiej) lub budującej działalności morza (np. w. mierzejowo-zalewowe), rzek (w. deltowe), organizmów (w. mangrowe); w y b r z e ż e   c o f a j ą c e   s i ę, powstałe w wyniku obniżania się lądu lub podniesienia się poziomu morza (w. zanurzone, współcześnie najczęstsze) bądź wskutek niszczącej działalności morza (w. klifowe). Do wybrzeży cofających się (zanurzonych) należą np.: w y b r z e ż a   f i o r d o w e, powstałe przez zalanie dolnych części dolin (żłobów) lodowcowych (np. w. Norwegii, Grenlandii); w y b r z e ż a   s k j e r o w e (szkierowe), z ogromną liczbą wysepek, ukształtowane przez częściowe zalanie obszaru silnie zmutonizowanego (→ muton), np. w. Finlandii, Szwecji; w y b r z e ż a   r i a s o w e, o b. niespokojnej linii brzegowej, powstałe przez zalanie dolin wciętych w zrównane i odmłodzone obszary starych struktur fałdowych biegnących prostopadle do linii brzegowej (np. w. zachodniej Bretanii); w y b r z e ż a   d a l m a t y ń s k i e, utworzone przez b. głębokie zanurzenie pasma górskiego biegnącego równolegle do linii brze-

■ Wybrzeże Kości Słoniowej

■ Wybrzeże klifowe na wyspie Møn (Dania)

gowej; nad wodą w postaci ciągów wysp występują kulminacje grzbietów górskich (np. w. Dalmacji, Kalifornii). ■

Wybrzeże Kości Słoniowej, Côte d'Ivoire, **Republika Wybrzeża Kości Słoniowej,** państwo w zach. Afryce, nad Zat. Gwinejską; 322,5 tys. km², 17,7 mln mieszk. (2002), ludy: Akan, Kru, Bete, Malinke, Mande; animiści, muzułmanie, katolicy; stol. Jamusukro, gł. m. i port Abidżan; język urzędowy franc.; republika. Wyżynno-górzyste (wys. do 1752 m w masywie Nimba), na pd. aluwialna nizina nadbrzeżna; klimat równikowy na pd., na pozostałym obszarze — podrównikowy; gęsta sieć rzek, gł. Bandama; sawanny, zdegradowane lasy równikowe, na wybrzeżu namorzyny; parki nar. (Komoe). Uprawa kakaowca (zbiory ziarna najwyższe w świecie), kawowca, trzciny cukrowej, palmy oleistej, bawełny, ananasów; gł. rośliny żywieniowe: kukurydza, jam, maniok, banan plantan; eksploatacja lasów; rybołówstwo; wydobycie ropy naft. ze złóż podmor., diamentów, złota; przemysł spoż., drzewny, włók., montaż samochodów. ■

wychodnia, obszar występowania pewnych utworów lub struktur podłoża geol. na powierzchni terenu albo pod cienką pokrywą gleby, zwietrzeliny; np. w. wapieni jurajskich, w. masywu granitoidowego.

wydma, piaszczyste wzniesienie (wysokość od kilku do kilkuset m) usypane przez wiatr; w. powstają i rozwijają się na pustyniach (w y d m y   p u s t y n n e), piaszczystych wybrzeżach mor. (w y d m y   n a d m o r s k i e), w dolinach rzek, w miejscach nagromadzenia osadów fluwioglacjalnych (w y d m y   ś r ó d l ą d o w e); cechuje je asymetria stoków; stoki dowietrzne, po których wiatr przesuwa piasek, są łagodne (3–12°), stoki odwietrzne, po których ziarna piasku staczają się pod wpływem siły ciężkości, są strome (25–

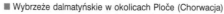
■ Wybrzeże dalmatyńskie w okolicach Ploče (Chorwacja)

33°); nieustanne zwiewanie piasku ze stoku dowietrznego na odwietrzny powoduje przesuwanie się w. (w y d m y w ę d r u j ą c e), np. na wybrzeżu M. Bałtyckiego o 6–20 m w ciągu roku. Istnieją też w. ustalone, pokryte roślinnością. Zależnie od kształtu i ułożenia względem najczęściej panującego kierunku wiatru rozróżnia się: w y d m y p o d ł u ż n e (seify) — wały przebiegające zgodnie z kierunkiem wiatru; w y d m y p o p r z e c z n e — wały przebiegające prostopadle do kierunku wiatru; w y d m y p a r a b o - l i c z n e — wały w kształcie łuku o ramionach skierowanych pod wiatr; b a r c h a n y — w. o kształcie sierpa z ramionami zwróconymi w kierunku wiatru; są także znane w y d m y p i r a m i d a l n e, g w i a ź d z i s t e, k o p u l a s - t e, o b. zróżnicowanych kształtach, usypane przez wiatry wiejące z kilku różnych kierunków.

wyładowania atmosferyczne, wyładowania elektr. w atmosferze ziemskiej; zalicza się do nich m.in.: ognie świętego Elma, piorun.

Wyoming [ᵘajǫmyŋ], stan w zach. części USA, w G. Skalistych; 253,3 tys. km², 496 tys. mieszk. (2002); stol. Cheyenne; powierzchnia górzysta, maks. wys. 4207 m; gł. rz.: North Platte, Bighorn; na wsch. suche prerie, w górach lasy iglaste, w kotlinach półpustynie; ekstensywna hodowla bydła; uprawa (sztuczne nawadnianie) zbóż, buraków cukrowych, ziemniaków, roślin pastewnych; leśnictwo; wydobycie ropy naft., gazu ziemnego, rud uranu; przemysł petrochem., drzewny, spoż.; transkontynent. szlaki drogowe; turystyka; parki nar. (Yellowstone).

wyporność statku: 1) masa staku wodnego w określonym stanie załadowania, równa co do wartości masie wody wypartej przez zanurzoną część jego kadłuba, wyrażona w t; 2) w.s. o b - j ę t o ś c i o w a, objętość wody wypartej przez zanurzoną część kadłuba statku, wyrażona w m³.

Wyrzysk, m. w woj. wielkopol. (powiat pilski), nad Łobżonką (pr. dopływ Noteci); 5,3 tys. mieszk. (2000); ośr. usługowy regionu roln.; drobny przemysł; prawa miejskie od 1773.

wysad, diapir, struktura tektoniczna powstała wskutek przebicia się plast. jądra antykliny (najczęściej soli lub iłów) przez młodsze, sztywniejsze skały nadkładu; przyczyną powstawania w. solnych jest samoistny ruch wgłębnych mas solnych (halokineza) lub ruchy tektoniczne (halotektonika); w górnych częściach w. solnych wody gruntowe wyługowują łatwo rozp. sole, pozostawiając czapę (gipsową); w Polsce permskie w. solne, przebijające się przez nadkład skał mezozoicznych, są eksploatowane w Inowrocławiu i Kłodawie.

Wysoka, m. w woj. wielkopol. (powiat pilski); 2,8 tys. mieszk. (2000); ośr. usługowy dla rolnictwa; drobny przemysł spoż. i materiałów bud.; prawa miejskie od 1505.

Wysoka, Vysoká, szczyt w gł. grzbiecie Tatr Wysokich, na Słowacji, między dolinami Białej Wody a Mięguszowiecką; wys. 2560 m; jeden z najpiękniejszych szczytów w Tatrach.

Wysokie Mazowieckie, m. powiatowe w woj. podl., nad Brokiem; 9,5 tys. mieszk. (2000); ośr.

usługowy; przemysł spoż. (mleczarski, mięsny, przetwórnia owoców i warzyw); węzeł drogowy; prawa miejskie przed 1492–1870 i od 1919.

wyspa, część lądu otoczona ze wszystkich stron wodą; w. powstają wskutek zanurzenia lądu o urozmaiconej rzeźbie lub nierównomiernego wypiętrzenia obszaru szelfowego (w. kontynentalne), w wyniku budującej działalności fal mor. (w. napływowe, gł. mierzejowe), działalności organizmów (w. koralowe, → atol) lub wulkanów (w. wulkaniczne); występują pojedynczo lub gromadnie (→ archipelag). ■

Wyspy Dziewicze Stanów Zjednoczonych, Virgin Islands of the United States, terytorium zależne USA w Ameryce Środk. (Indie Zach.), w Małych Antylach; obejmuje wyspy: Saint Croix, Saint Thomas, Saint John i ok. 50 mniejszych; 354 km²; 151 tys. mieszk. (2002), Murzyni, Mulaci, biali; stol. i gł. port Charlotte Amalie. Wyspy nizinne; klimat podrównikowy, cyklony; rafy koralowe. Podstawą gospodarki jest obsługa turystów i handel w strefach wolnocłowych; uprawa trzciny cukrowej, warzyw; hodowla bydła, kóz; rybołówstwo; na Saint Croix rafineria ropy naft.; produkcja cukru, rumu, zegarków.

NAJWIĘKSZE WYSPY NA ZIEMI	
Nazwa	Powierzchnia[a] w tys. km²
Oceany Atlantycki i Arktyczny	
Grenlandia	2175,6
Ziemia Baffina	507,5
Wielka Brytania	229,9
Wyspa Wiktorii	217,3
Ziemia Ellesmere'a	196,2
Nowa Fundlandia	113,0
Kuba	105,0
Islandia	102,8
Irlandia	84,0
Haiti	76,2
Wyspa Banksa	70,0
Devon	55,2
Ocean Indyjski	
Madagaskar	587,0
Cejlon	65,6
Tasmania	64,4
Ocean Spokojny	
Nowa Gwinea	785,0
Borneo	736,0
Sumatra	425,0
Honsiu	231,1
Celebes	189,2
Wyspa Południowa (Nowa Zelandia)	114,7
Luzon	104,7
Mindanao	94,6
Hokkaido	78,5
Sachalin	76,4

[a] Bez wysp przybrzeżnych.

Wyszków, m. powiatowe w woj. mazow., nad Bugiem; 27 tys. mieszk. (2000); ośr. usługowy i przem. (meble, pasze, części samochodowe; huta szkła, browar); w dzielnicy Rybienko Leśne — letnisko; węzeł drogowy; prawa miejskie 1501–1870 i od 1919; klasycyst. kościół Św. Idziego; obelisk (poł. XVIII w.); park (XIX w.).

Wyszogród, m. w woj. mazow. (powiat płoc.), nad Wisłą; 3,0 tys. mieszk. (2000); ośr. usługowy i turyst.; przemysł spoż. (mleczarnia, przetwórnia owoców i warzyw); prawa miejskie od 1398; barok. kościół Franciszkanów z częścią got., klasztor (XVII w.).

Wyśmierzyce, m. w woj. mazow. (powiat białobrzeski), w dolinie Pilicy; 0,9 tys. mieszk. (2000); ośr. usługowy dla rolnictwa; prawa miejskie przed 1521–1870 i od 1922.

wywierzysko, obfite → źródło występujące na obszarach krasowych (→ kras).

wyż atmosferyczny, wyż baryczny, obszar podwyższonego ciśnienia atmosf., w którym ciśnienie wzrasta ku środkowi obszaru, osiągając maks. wartość w centrum obszaru (tzw. centrum wyżu); na mapie pogody objęty jest zamkniętymi izobarami; cyrkulacja atmosfery w w.a. ma charakter antycyklonalny (→ antycyklon).

wyżyna, obszar wzniesiony ponad 300 m n.p.m., słabo rozczłonkowany, przeważnie równinny; powstaje gł. wskutek ruchów lądotwórczych (→ epejrogeneza); w. są niewysoko wypiętrzone obszary płytowe albo podniesione stare powierzchnie zrównania; leżą ponad obszarami nizinnymi, stanowią podnóża gór lub tworzą dna wysoko położonych kotlin.

Xi Jiang, Si-ciang, rz. w pd.-wsch. Chinach; dł. 2129 km, pow. dorzecza 425,7 tys. km^2; źródła na Wyż. Junnańsko-Kuejczouskiej; uchodzi do M. Południowochińskiego, tworząc rozległą deltę; w delcie wsch. ramię X.J. łączy się z rzekami Bei Jiang (Rzeka Pn.) i Sui Jiang (Rzeka Wsch.); ich wspólny odcinek ujściowy nazywa się Rzeką → Perłową; średni przepływ przy ujściu 12 380 m^3/s; żegl. od m. Holi; wykorzystywana do nawadniania; gł. m. nad X.J.: Nanning, Wuzhou, w delcie Kanton.

Xi'an, Si-an, m. w środk. Chinach; ośr. adm. prow. Shaanxi; 2,8 mln mieszk., zespół miejski 6,7 mln (1999); duży ośr. przem. (maszyn., elektron., środków transportu, hutn., bawełn., spoż.) i nauk. (uniw.); muzea; węzeł drogowy; międzynar. port lotn.; baszty z XV w.; w pobliżu grobowiec ces. Taizonga (VII w.), Wielka Pagoda Dzikich Gęsi i Mała Pagoda Dzikich Gęsi (VII–VIII w.); wykopaliska — ok. 6 tys. terakotowych posągów ludzi i koni, orszak pogrzebowy ces. Shi Huangdi z dyn. Qin sprzed ok. 2 tys. lat.

Xingu [szingu], w górnym biegu **Culuene,** rz. w pn. części Brazylii, pr. dopływ Amazonki; dł. 2100 km, pow. dorzecza 513 tys. km^2; źródła we wsch. części wyż. Mato Grosso; płynie na pn. przez Wyż. Brazylijską; w górnym i środk. biegu liczne progi i wodospady; gł. dopływy: Iriri (l.), Fresco (pr.); na Niz. Amazonki tworzy szerokie (8–12 km) i długie (do 160 km) ujście typu estuarium; średni przepływ u ujścia ok. 16 tys. m^3/s; żegl. ok. 190 km od ujścia, do m. Sousel dostępna dla statków mor.; gł. m. Altamira (przy drodze samochodowej Transamazonika); górną część dorzecza, z licznymi dopływami, obejmuje Park Narodowy Xingu.

Xinjiang, Sinciang, region autonomiczny (od 1955) w pn.-zach. Chinach; 1,6 mln km^2; 19,5 mln mieszk. (2002), gł. Ujgurzy, Chińczycy; ośr. adm. Urumczi, inne m. Kaszgar; rozległe kotliny tektoniczne: Kaszgarska z pustynią Takla Makan, Dżungarska oraz Turfańska (154 m p.p.m. — najniższy punkt Chin), otoczone wysokimi górami (Tien-szan, Karakorum, Kunlun); lasy iglaste, stepy, półpustynie, pustynie; koczownicza hodowla owiec, kóz, koni, osłów, wielbłądów; w oazach uprawa zbóż (gł. pszenica), bawełny, drzew owocowych, winorośli; jedwabnictwo; wydobycie ropy naft. (Karamay), węgla kam., rud żelaza i metali nieżelaznych, złota; przemysł rafineryjny, włók., spoż.; tradycyjne rzemiosło (dywany, wyroby skórz.); gł. linia kol. i drogowa z Lanzhou (Gansu) przez m. Hami i Urumczi do Kazachstanu; pętla drogowa wokół Takla Makan; transport juczny.

Y

Yamzho Yumco, jez. w pd.-zach. Chinach, na pn.-wsch. Himalajów, na pd. od Lhasy; położone na wys. 4482 m, jedno z największych jezior w Tybecie; pow. 1678 km², głęb. do 59 m; wzdłuż pn.-zach. brzegu biegnie droga z Lhasy do Gangtok (Indie).

Yellowstone [jeloustoun], **Yellowstone River,** rz. w USA, pr. dopływ Missouri; dł. ok. 1080 km, pow. dorzecza 182 tys. km²; wypływa z pasma Absaroka (G. Skaliste), w pn.-zach. części stanu Wyoming; w górnym biegu tworzy kaniony i wodospady (Park Narodowy Y.); gł. dopływy: Bighorn, Tongue, Powder (pr.); wykorzystywana do nawadniania; żegl. od m. Livingston. ■

Yerupaja [jɛrupącha], **Cerro Yerupaja, El Carnicero,** szczyt w Andach Pn., w Kordylierze Zach., w środk. części Peru; wys. 6634 m; wieczne śniegi i lodowce; zdobyty 1950.

Yosemite [jousęmyty], **Yosemite Falls,** seria wodospadów na potoku Yosemite, źródłowym rz. Merced (dopływ San Joaquin), w USA, w stanie Kalifornia, na terenie Parku Narodowego Y. (dolina Y.); łączna wys. 739 m; najwyższy wodospad górny (Upper Y.) — 491 m. ■

Yukon River [ju:kon rywər], rz. w Kanadzie i USA, → Jukon.

Yuma [ju:mə], **Yuma Desert,** pustynia w USA, w pd.-zach. części stanu Arizona, stanowiąca pd.-zach. część pustyni Sonora; przez Y. płynie rz. Gila (l. dopływ rz. Kolorado); klimat zwrotnikowy wybitnie suchy; średnia temp. w styczniu 5–10°C, w lipcu ok. 30°C; roczna suma opadów na zach. poniżej 100 mm, na wsch. do 200 mm; zasiedlona częściowo przez indiańskie plemię Cocopah.

■ Rzeka Yellowstone

■ Wodospady Yosemite

Z

Zabajkale, Zabajkalje, górska kraina w azjat. części Rosji (obwody czytyjski i irkucki oraz Buriacja), między górami na wsch. wybrzeżu jez. Bajkał a ok. 121°E, i pomiędzy granicą państw. na pd. a G. Patomskimi na pn.; dł. ok. 1000 km; obejmuje m.in. góry: Stanowe, Kodar, Udokan i Jabłonowe, Olekmiński Stanowik, Wyż. Witimską oraz kotliny: Barguzińską, Górnoangarską i Mujsko-Kuandyńską; większa część Z. leży w strefie tajgi, w części pd.-wsch. i w kotlinach roślinność stepowa; złoża rud cyny, wolframu i molibdenu, złoto; rezerwaty: Bajkalski, Barguziński i Sochondyński oraz Zabajkalski Park Narodowy.

Zabłudów, m. w woj. podl. (powiat białost.), nad Rudnią (pr. dopływ Narwi); 2,2 tys. mieszk. (2000); ośr. usługowy dla rolnictwa; drobny przemysł, m.in. spoż.; prawa miejskie od 1533.

Zabrze, m. w woj. śląskim, nad Kłodnicą, w GOP; pow. grodzki; 199 tys. mieszk. (2000); od końca XVIII w. ośr. górn. i przem.; kopalnie węgla kam., koksownie, elektrownia cieplna, huta Zabrze, zakłady przemysłu metal. (liny, drut), maszyn., elektron. (urządzenia komputerowe, kasy fiskalne), szkl. (huta), drzewnego, gum., precyzyjnego; węzeł gazociągów; instytuty nauk.; teatr, filharmonia; Muzeum Miejskie, Muzeum Górnictwa Węglowego; najstarsza część m. Biskupice, wzmiankowane 1243; prawa miejskie od 1922; kościół Św. Antoniego (pocz. XX w.), w krypcie ołtarz Św. Barbary, wykonany z brył węgla; pałac (XIX w.); pomnik działacza nar. na Śląsku i pisarza K. Miarki.

zachmurzenie, pokrycie nieba chmurami; wielkość z. jest określana najczęściej w skali od 0 do 8 (np. 7 — niebo pokryte w 7/8 chmurami).

Zachodnich Wiatrów, Prąd, Dryf Zachodni, powierzchniowa część → Antarktycznego Prądu Okołobiegunowego.

Zachodniobeskidzkie, Pogórze, czes. **Podbeskydská pahorkatina,** pn.-zach. część Zewn. Karpat Zach., w Polsce i Czechach; rozciąga się (w granicach Polski) od doliny Olzy na zach. po dolinę Dunajca na wsch.; ku leżącym na pn. kotlinom Pn. Podkarpacia (Ostrawskiej, Oświęcimskiej i Bramie Krak.) opada stopniem denudacyjnym o wys. do 100 m, od pd. sąsiaduje z Beskidami Zach.; dł. ok. 170 km, szer. nie przekracza kilkunastu kilometrów; ma charakter rozciętej erozyjnie wyżyny; wys. od 350 do 450 m; doliny Skawy i Raby dzielą P.Z. na 3 różniące się nieco krajobrazem regiony — pogórza: Śląskie, Wielickie i Wiśnickie.

Zachodniopomorskie, Pojezierze, pn.--zach. część Pojezierzy Południowobałtyckich, ciągnąca się stosunkowo wąskim, krętym pasem między doliną Odry na zach. a Pojezierzem Kaszubskim na wsch.; dł. ok. 350 km, szer. 12–60 km; na pn. przylega do pasa pobrzeży Szczecińskiego i Koszalińskiego, na pd. — do Pojezierza Południowopomor.; obejmuje strefę marginalną fazy pomor. ostatniego postoju lądolodu na ziemiach pol., wyznaczającą przebieg wielkiego płata lodowca zachodniopomor.-odrzańskiego; wzgórza morenowe mają ogólny kierunek z pd.-zach. na pn.-wsch. i przebiegają mniej więcej równolegle do wybrzeży M. Bałtyckiego; ich wysokości bezwzględne rosną w kierunku pn.-wsch. od stu kilkudziesięciu metrów w pobliżu Odry do ponad 250 m w okolicach Bytowa. Wzniesienia morenowe dzięki swej wysokości mają dosyć znaczne sumy opadów, przekraczające rocznie 700 mm; temperatury powietrza są niższe średnio o 1°C niż na przyległych równinach. P.Z. należy do dorzecza Odry i bezpośredniego zlewiska M. Bałtyckiego, do którego spływają rz.: Płonia, Ina, Rega, Parsęta, Grabowa, Wieprza, Słupia, Łupawa i Łeba; rzeki stoku pd.-wsch. — Drawa i Gwda — przez Noteć i Wartę należą do dorzecza Odry; jeziora są przeważnie typu rynnowego. Naturalną szatę roślinną stanowią lasy bukowe; stosunkowo żyzne gleby brun. na podłożu glin morenowych zostały w znacznym stopniu zajęte pod uprawy; w regionie rozwinięta turystyka. Na przejściach poprzecznych przez wał pojezierza powstały osiedla miejskie, np.: Myślibórz, Choszczno, Drawsko, Miastko, Bytów, Połczyn Zdrój. P.Z. dzieli się na mniejsze regiony — pojezierza: Myśliborskie, Choszczeńskie, Ińskie, Drawskie i Bytowskie, oraz wysoczyzny: Polanowską i Łobeską.

zachodniopomorskie, województwo, woj. w pn.-zach. Polsce, nad M. Bałtyckim; na zach. graniczy z Niemcami; 22 902 km², 1,7 mln mieszk. (2000), stol. — Szczecin, inne większe m.: Koszalin, Stargard Szczec., Świnoujście; dzieli się na 3 powiaty grodzkie, 18 powiatów ziemskich i 114 gmin. Krajobraz urozmaicony; na pn. pas wybrzeży (pobrzeża Koszal. i część Słowińskiego, Wybrzeże Trzebiatowskie); na pozostałym obszarze pojezierza (Myśliborskie, Choszczeńskie, Dobiegniewskie, Bytowskie), wysoczyzny morenowe i równiny sandrowe; na pn.-zach. wyspy Wolin i Uznam (na granicy z Niemcami), oddzielające (wraz z Wybrzeżem Trzebiatowskim) Zalew Szczec. od M. Bałtyckiego. Główna rz. — Odra; źródła wielu rzek (Drawy, Iny, Redy, Parsęty); jeziora, gł. polodowcowe (Miedwie, Drawsko), kilka przybrzeżnych (Jamno, Bukowo) i deltowe (Dąbie); wody mineralne. Lasy zajmują 34,6% pow. (puszcze: Goleniowska, Wkrzańska, Drawska); 2 parki nar. — Woliński, Drawieński, 6 parków krajobrazowych. Gęstość zaludnienia — 76 mieszk. na km², w miastach 69,7% ludności (2000). Województwo przem.-roln.; ponad 1/2 zatrudnionych związana z gospodarką mor.; złoża gazu ziemnego, ropy naft., surowców skalnych; przemysł stoczn. (Szczecin, Świnoujście), elektrotechn., metal., spoż., chem. (nawozy i tworzywa sztuczne, włókna chem.), ponadto drzewny, odzież. i in.; huta żelaza w Szczecinie, elektrownia Dolna Odra; gł. ośr. przem. — Szczecin, Koszalin. Użytki rolne zajmują 48,7% pow., w tym znaczna część (po byłych PGR) nie zagospodarowana; uprawa zbóż, rzepaku i rzepiku, ziemniaków, buraków cukrowych; warzywnictwo (okolice Szczecina); słabo rozwinięta hodowla; rybołówstwo mor. (porty: Świnoujście, Darłowo, Kołobrzeg i in.). Dosyć gęsta sieć komunik.; gł. trasy kol. i drogowe z wielkich mor. portów handl. (Szczecin, Świnoujście) do innych dużych miast; przejścia graniczne do Niemiec; żegluga na Odrze; mor. połączenia promowe z Danią i Szwecją; turystyka, gł. na wybrzeżu i pojezierzach, oraz sporty wodne; uzdrowiska — Kołobrzeg, Kamień Pomor., Połczyn Zdrój.

Zachodniorumuńskie, Góry, rum. **Munţii Apuseni,** masyw górski w Karpatach Pd.-Wsch., oddzielony doliną Maruszy od Karpat Pd.; zbud. gł. z łupków metamorficznych z intruzjami paleozoicznych granitów; na obrzeżach serie mezozoicznych skał osadowych (w części pd.--zach. również skały wulk.: andezyty, bazalty i in.); ze względu na zróżnicowanie budowy geol. i krajobrazu, G.Z. są dzielone na 4 grupy górskie: Masyw Bihorski — najwyższy (Curcubäta, 1848 m), G. Maruszy, G. Kereszu i góry Seş; w najwyższych partiach lokalnie ślady zlodowaceń plejstoceńskich; rozwinięte zjawiska krasowe (jaskinie, leje, suche doliny); górna granica lasu dochodzi do 1600 m; masyw jest odwadniany na pd. i wsch. przez krótkie dopływy Maruszy, a na zach. i pn. przez dopływy Cisy: Samosz i Keresze (Szybki, Biały i Czarny).

Zachodniosudeckie, Pogórze, region wyżynny w obrębie Sudetów Zach., w Polsce i w Niemczech; ciągnie się łagodnym łukiem od okolic Drezna (Niemcy) po okolice Wałbrzycha na pd.-wsch.; od pn. graniczy z Niz. Śląsko-Łużycką i Przedgórzem Sudeckim (oddzielone uskokiem), od pd. — z Sudetami Zach.; zbud. z różnych formacji skalnych wchodzących w skład górotworu sudeckiego; wysokości wahają się od 200 do 540 m; w granicach Polski makroregion dzieli się na: Obniżenie Żytawsko--Zgorzeleckie, Pogórze Izerskie, Pogórze Kaczawskie i Pogórze Wałbrzyskie.

Zachodniosuwalskie, Pojezierze, zach. część Pojezierza Litewskiego, położona między Puszczą Romincką na pn. a Równiną Augustowską i Pojezierzem Wschodniosuwalskim na wsch. oraz Wzgórzami Szeskimi i Pojezierzem Ełckim na zach.; stanowi strefę przejściową między mazurskim i niemeńskim płatem lodowcowym ostatniego zlodowacenia; wały morenowe przekraczają miejscami 240 m; przecina je kilka południkowo zorientowanych rynien lodowcowych: najdłuższą z nich jest rynna Rospudy, należąca do dorzecza Wisły, z jez.: Rospuda, Garbaś, Sumowo, Bolesty oraz kilkoma mniejszymi. Region roln., lasów mało, miast nie ma.

Zachodniosyberyjska, Nizina, Zapadno-Sibirskaja rawnina, aluwialna nizina w azjat. części Rosji, między Uralem na zach. a Wyż. Środkowosyberyjską na wsch., oraz między wybrzeżem M. Karskiego na pn. a Wyż. Turgajską, Pogórzem Kazaskim i Ałtajem na pd.; pow. ok. 3 mln km², dł. ok. 2500 km, szer. od 1000 do 1900 km; wys. do 291 m (w Uwałach Syberyjskich). Krajobraz monotonny, małe deniwelacje terenu; doliny rzeczne szerokie, słabo wykształcone; ponad 2 tys. rzek, najdłuższe: Ob z Irtyszem, Jenisej; liczne jeziora (największe — Czany); silnie zabagniona, zwł. między Obem a Irtyszem (tzw. M. Wasiugańskie). Klimat na pn. subpolarny, na pozostałym obszarze umiarkowany chłodny, wybitnie kontynent.; średnia temp. w styczniu od –28°C na pn. do –16°C na pd., w lipcu odpowiednio od 4°C do 22°C; roczna suma opadów od 200 mm na pd. i 250 mm na pn. do 500–600 mm w części środk.; grub. pokrywy śnieżnej do 70–100 cm nad Jenisejem. Przeważającą część N.Z. zajmuje tajga, w której rosną syberyjskie gat.: świerka, jodły i limby, a na uboższych glebach — sosna zwyczajna; na wybrzeżach O. Arktycznego tundra; na pd. wąski pas lasów liściastych (brzozowych i osikowych), strefa lasostepu i strefa stepów (w znacznej części zaoranych). Wielkie złoża ropy naft. i gazu ziemnego (Zachodniosyberyjskie Zagłębie Naft.); część pd. jest regionem roln. (uprawa zbóż i hodowla). Środowisko przyr. silnie zniszczone.

Zachodniowołyńska, Wyżyna, część Wyż. Wołyńsko-Podolskiej, w Polsce i na Ukrainie, odznaczająca się równoleżnikowym układem wzniesień i obniżeń, zw. padołami i grzędami; formy te są związane z różną odpornością zapadających ku pn. warstw kredowych, pod którymi występują węglonośne skały wieku karbońskiego; na powierzchni zalegają lessy, których pn. zasięg tworzy granicę krajobrazową z Polesiem Wołyńskim; na lessach występują żyzne czarnoziemy; gł. zbiorowiska roślinne to lasy grabowe, świetliste dąbrowy i zarośla sucholubne, należące do pontyjskiego działu geobot.; w granicach Polski rozróżnia się: Grzędę Horodelską, Kotlinę Hrubieszowską i Grzędę Sokalską.

Zagórów, m. w woj. wielkopol. (powiat słupecki), w dolinie Warty; 2,8 tys. mieszk. (2000), ośr. usługowy regionu roln.; prawa miejskie 1407–1870 i od 1919.

Zagórz, m. w woj. podkarpackim (powiat sanocki), w pobliżu ujścia Osławy do Sanu; 4,9 tys. mieszk. (2000); ośr. usługowy i turyst.; wytwórnia przyczep, naczep roln. i samochodowych; węzeł kol.; wzmiankowany 1412; prawa miejskie od 1977; kościół parafialny z pozostałościami got. (XVIII w.); na wzgórzu ruiny zespołu klasztornego Karmelitów Bosych (XVIII w.).

Zagros, góry w Iranie, od pd.-zach. obrzeżają Wyż. Irańską; dł. ok. 1600 km; najwyższy szczyt Zard Kuh, 4548 m; obejmują kilkanaście pasm górskich (biegnących równolegle z pn.-zach. na pd.-wsch.) rozdzielonych głębokimi i wąskimi dolinami; sfałdowane w orogenezie alp.; zbud. gł. z wapieni i fliszu; częste trzęsienia ziemi; rozwinięte zjawiska krasowe; grzbiety płaskie o stromych stokach; w kotlinach słone bagna i jeziora; na wsch. stokach roślinność pustynna, na zach. — zdegradowane, suche lasy dębowe i roślinność półpustynna, wyżej roślinność alp.; u podnóża bogate złoża ropy naftowej.

■ Zakopane. Widok z Gubałówki

Zagrzeb, Zagreb, stol. Chorwacji, na pn. kraju, nad rz. Sawa; 766 tys. mieszk. (2002); największe miasto i gł. ośr. gosp. kraju; przemysł obrabiarkowy, maszyn włók., samochodowy, precyzyjny, farm.; międzynar. targi przem.; węzeł komunik.; port lotn.; Akad. Umiejętności i Sztuk Pięknych (zał. 1867), uniw. (zał. 1669) i in. szkoły wyższe; galerie sztuki, muzea; katedra (XII–XIII, XIX w.); kościoły got., m.in. Sv. Frani (XIII, XVII w.), i barok., m.in. Jezuitów (XVII, XIX w.); barok. pałace (XVII–XVIII w.); gmachy publ. (XIX, XX w.). ■

Zair, rz. w Afryce, → Kongo.

Zakaukazie → Kaukaz.

zakole, zakręt koryta rzecznego, → meander.

■ Zagrzeb. Fragment starego miasta

Zakopane, m. powiatowe (powiat tatrzański) w woj. małopol., u podnóża Tatr, na wys. 800–1000 m, częściowo na obszarze Tatrzańskiego Parku Nar.; 30 tys. mieszk. (2000); największy w Polsce ośr. sportów zimowych (kolejki linowe, wyciągi i skocznie narciarskie); uzdrowisko (od 1886) i ośr. turyst.-wypoczynkowy (rocznie ponad 2 mln osób); szkolnictwo artyst.; teatr, muzea; pocz. osadnictwa XVI–XVIII w.; spopularyzowane w XIX w. przez T. Chałubińskiego; prawa miejskie od 1933; barok. drewn. kościół Matki Boskiej Częstochowskiej (poł. XIX w.), przy nim zabytkowy cmentarz na Pęksów Brzyzku; neogot. kościół kam. Najświętszej Rodziny; drewn. trad. domy góralskie oraz budowle w stylu zakopiańskim, m.in. kaplica w Jaszczurówce i willa Pod Jedlami; drewn. kościół na Harendzie (1. poł. XVIII w.). ■

Zakroczym, m. w woj. mazow. (powiat nowodworski), nad Wisłą; 3,3 tys. mieszk. (2000); ośr. usługowy regionu ogrodn.; gród wzmiankowany 1065; prawa miejskie od 1422; zespół klasztorny Kapucynów (XVIII w.).

zalew, płytki, wydłużony, nadmor. zbiornik wodny zasilany gł. wodami rzecznymi, a w czasie sztormów także wodami mor.; oddzielony od morza lub zatoki wąską mierzeją, połączony z morzem rynnami i cieśninami; do największych na świecie zaliczane są z. u wsch. wybrzeży Ameryki Południowej.

Zalewo, m. w woj. warmińsko-mazurskim (powiat iławski), nad jez. Ewingi; 2,3 tys. mieszk. (2000); ośr. usługowy; drobny przemysł (skórz., metal., drzewny, chem.); prawa miejskie 1305–1945 i od 1987; got. kościół (XIV w., przebud. XIX w.) z wieżą (XV w.).

Zamarła Turnia, szczyt w Tatrach Wysokich między dolinami Kozią (Dolina Gąsienicowa) i Pustą (Dolina Pięciu Stawów Pol.), w grupie

Kozich Wierchów; wys. 2179 m; ściana pd. opada 140-metrowymi pionowymi płytami granitowymi (cios równoległy do przebiegu grzbietu); kilkanaście trudnych dróg taternickich; stoki pn. trawersuje szlak turyst. Orla Perć ze Zmarzłej Przełęczy (2126 m) na Kozią Przełęcz.

Zambezi, portug. **Zambeze,** rz. w Angoli, Zambii i Mozambiku; w środk. biegu wyznacza granicę między Zambią i Namibią, Botswaną i Zimbabwe; dł. 2660 km, pow. dorzecza 1330 tys. km^2; źródła na płaskowyżu Lunda; początkowo płynie w kierunku pd. przez zabagnioną równinę Barotse (wys. do ok. 1000 m), następnie — we wsch. przez obszar wyżynny z pokrywą lawową, gdzie tworzy serię progów i wodospadów, zakończoną potężnym Wodospadem Wiktorii (wys. 120 m); dalej, do ujścia rz. Luangua, Z. płynie przez obszar górski w wąskiej (40–60 m), skalistej dolinie, poniżej m. Tete wypływa na Niz. Mozambicką; uchodzi do Kanału Mozambickiego (O. Indyjski) tworząc deltę (pow. ok. 8 tys. km^2); gł. dopływy: Lungwebungu, Kuando i Shangani (pr.), Kafue, Luangua i Shire (l.); wysoki stan wód od stycznia do czerwca; średni przepływ przy ujściu 16 tys. m^3/s; żegl. na terytorium Mozambiku; w środk. biegu wielki hydrowęzeł Kariba, w dolnym (powyżej m. Tete) hydrowęzeł Cabora Bassa.

Zambia, Republika Zambii, państwo w pd. Afryce; 752,6 tys. km^2; 10,9 mln mieszk. (2002), gł. ludy Bantu (Bemba, Malawi, Tonga); protestanci, katolicy, animiści; stol. Lusaka, inne m.: Kitwe, Ndola, Kabwe; język urzędowy ang.; republika. Obszar na płaskowyżu z rozległymi dolinami rzecznymi; na wsch. góry (wys. do 2606 m w masywie Nyika); klimat podrównikowy suchy; gł. system rzeczny tworzy Zambezi; sawanny, widne lasy; parki nar. (Kafue), rezerwaty. Gospodarka oparta na przemyśle i usługach; gł. źródłem dochodów — górnictwo; wydobycie rud miedzi (85% wartości eksportu), kobaltu, berylu, ponadto cynku, ołowiu, manganu i in.; hydroelektrownie: Kafue na rz. Kafue, Kariba na Zambezi; hutnictwo (gł. miedzi, kobaltu), przemysł maszyn górn., chem., rafineryjny, elektrotechn., cukr., mięsny, włók.; gł. region gosp. w tzw. Pasie Miedziowym; z rolnictwa utrzymuje się 70% ludności zawodowo czynnej; uprawa kukurydzy, prosa, sorga, manioku i roślin towarowych: trzcina cukrowa, tytoń, bawełna; hodowla bydła, kóz, owiec; rybołówstwo śródlądowe; połączenia kol. i drogowe z sąsiednimi krajami nadmorskimi. ■

Zambrów, m. powiatowe w woj. podl., nad Jabłonką (l. dopływ Narwi); 24 tys. mieszk. (2000); ośr. przem. i usługowy dla rolnictwa; zakłady przemysłu: bawełn., precyzyjnego, elektron., spoż.; węzeł drogowy; prawa miejskie 1430–1870 i od 1919.

zamglenie, zawiesina mikroskopijnych (o średnicy mniejszej od 0,1 mm) kropelek wody w przyziemnej warstwie powietrza, powstająca wskutek kondensacji zawartej w nim pary wodnej; podczas z. → widzialność jest zmniejszona, lecz wynosi więcej niż 1 km. Zob. też mgła.

zamieć, zjawisko atmosf. polegające na unoszeniu z powierzchni Ziemi przez silny, porywisty wiatr śniegu (z. śnieżna), piasku (z. piaskowa) lub pyłu (z. pyłowa).

Zamość, m. w woj. lubel., nad Łabuńką (pr. dopływ Wieprza); powiat grodzki, siedziba powiatu zam.; 69 tys. mieszk. (2000); ośr. przem., usługowy regionu roln. oraz ważny ośr. turyst.-krajoznawczy (1992 wpisany na Listę Świat. Dziedzictwa Kult. i Przyr. UNESCO) i kult.; stol. diecezji zam.-lubaczowskiej Kościoła rzymsko-

■ Zamość. Ratusz, rynek, zdjęcie lotnicze

katol.; rozwinięty przemysł spoż. (mięsny, młynarski, mleczarski, przetwórstwo owoców i warzyw); ponadto zakłady mebl., odzież., środków transportu, metal.; przedsiębiorstwa bud.-montażowe, oddziały i filie banków; węzeł drogowy przy linii kol. Stalowa Wola–Hrubieszów i szerokotorowej linii górn. siarkowej na Ukrainę; instytuty nauk.; biblioteki, w tym Biblioteka Kolegiacka (starodruki), muzea; orkiestra symf.; coroczne imprezy muz. i teatralne; ogród zool., liczne parki. Lokowany 1580 (miasto-twierdza) przez J. Zamoyskiego; 1975–98 stol. województwa. Jedyny w Polsce oryginalny, renes. zespół urb.-arch.: fortyfikacje bastionowe z bramami Lubel. i Lwow., pałac, ratusz, budynki Akad. Zam., katedra, cerkiew, synagoga, kamienice podcieniowe. ■

Zanzibar, wyspa koralowa na O. Indyjskim, u wsch. wybrzeży Afryki; wchodzi w skład Tanzanii, tworzy odrębną jednostkę adm. — region autonomiczny Zanzibaru; pow. 1,7 tys. km^2; powierzchnia nizinna (do 119 m); klimat podrównikowy wilgotny; na wybrzeżach namorzyny, we wnętrzu wyspy wilgotne lasy równikowe, w znacznym stopniu zastąpione przez uprawy; wraz z sąsiednią wyspą Pemba (w składzie regionu Zanzibaru) jest największym świat. producentem goździków; poza goździkowcem uprawa palmy kokosowej, ryżu, batatów, manioku, warzyw, drzew cytrusowych; hodowla bydła; gł. m., ośrodek przem., adm. i port — Zanzibar.

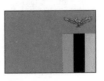

■ Zambia

zapadlisko, fragment skorupy ziemskiej obniżony wzdłuż uskoków; z. powstają często na przedpolu gór o budowie płaszczowinowej (z. przedgórskie, np. z. przedkarpackie) lub na obszarze orogenu (z. śródgórskie, np. z. Saary).

zasilanie, alimentacja, w hydrologii — dopływ do rzek i jezior wód pochodzących z opadów atmosfer., topnienia śniegu i lodowców (z. bezpośrednie) oraz ze źródeł i wód podziemnych (z. pośrednie); w hydrogeologii — dopływ wód do poziomów wodonośnych.

zasolenie wody morskiej → morska woda.

zastoisko, rozległe jezioro powstałe na przedpolu lądolodu z zatamowanych przez lądolód wód rzecznych oraz wód pochodzących z topniejącego śniegu; charakterystycznymi osadami z. są iły warwowe (→ warwy).

zatoka, część zbiornika wodnego (oceanu, morza, jeziora) wcinająca się w ląd, odgraniczona od otwartych wód półwyspami lub wysuniętymi przylądkami, o swobodnej wymianie wód z pozostałą częścią zbiornika; niektóre z. stanowią właściwie morza — otwarte (np. Zat. Bengalska) bądź śródlądowe (np. Zat. Meksykańska); powstanie z. jest związane: z procesami górotwórczymi (Zat. Kalifornijska), z powolnymi pionowymi ruchami (→ izostazja) skorupy ziemskiej (np. z ruchem wypiętrzającym — Zat. Botnicka, z ruchem obniżającym — z. M. Egejskiego), z niszczeniem wybrzeża przez fale mor. (→ estuarium), z budującą działalnością fal mor. (Zat. Pucka); z. morska, która powstała przez zalanie doliny lodowcowej na obszarze górskim, nosi nazwę → fiordu, a na obszarze wyżynnym — fierdu; sąsiedztwo obszarów lądowych wywiera znaczny wpływ na wody większości z., gł. z powodu uchodzących do nich rzek; powoduje różnice temperatury wody przypowierzchniowej, a zwł. różnice zasolenia wody z. i otwartego morza.

zatoka niskiego ciśnienia, obszar obniżonego ciśnienia atmosf. wciśnięty w obszar podwyższonego ciśnienia; stanowi zwykle peryferyjną część → niżu atmosferycznego; na mapie pogody przedstawiają ją izobary w kształcie litery U lub V.

Zatokowa, Nizina, Gulf Plain, Gulf Coastal Plain, nizina nad Zat. Meksykańską, w USA i Meksyku, pd. część Niziny Nadbrzeżnej; ograniczona od pn. Appalachami, górami Ouachita i Wielkimi Równinami; położona na rozległej serii osadów trzeciorzędowych i czwartorzędowych (piaskowce, wapienie, piaski, gliny) o dużej miąższości; powierzchnia równinna, na wybrzeżu laguny i lida (wybrzeże narastające); przez N.Z. płyną rzeki: Missisipi (rozległa delta), Rio Grande, Alabama, Brazos; klimat zwrotnikowy mor.; pozostałości lasów mieszanych z sosną, wiecznie zielonymi dębami i magnoliami; na wybrzeżu namorzyny; wydobycie ropy naft., gazu ziemnego, soli kam., siarki, fosforytów; uprawa bawełny, trzciny cukrowej, ryżu, kukurydzy i orzeszków ziemnych; gł. miasta: Nowy Orlean, Houston.

Zatokowy, Prąd, Golfsztrom, ang. **Gulf Stream,** niem. **Golfstrom,** system ciepłych prądów mor. w pn. części O. Atlantyckiego; najdłuższy, największy i najsilniejszy strumień wody ciepłej w oceanie świat.; płynie od płw. Floryda wzdłuż Ameryki Pn. do Ławicy Nowofundlandzkiej, a następnie na wsch. i pn.-wsch. przez ocean i dalej wzdłuż zach. brzegów Europy na O. Arktyczny, do Spitsbergenu oraz Nowej Ziemi; wyróżnia się kolejno następujące części P.Z.: Prąd Florydzki (do przyl. Hatteras ok. 35°N), właściwy Prąd Zatokowy (do Ławicy Nowofundlandzkiej ok. 40–45°N), Prąd Północnoatlantycki (do W. Owczych ok. 60°N), Prąd Norweski z odgałęzieniami na M. Barentsa; łączna długość ponad 10 tys. km. Powstaje u wejścia do Cieśn. Florydzkiej przez połączenie wypływającego z Zat. Meksykańskiej Prądu Florydzkiego z Prądem Antylskim (przedłużenie Prądu Północnorównikowego); przeciętnie nurt P.Z. jest silny i głęboki; szerokość nurtu jest zmienna, od 50–75 km na pd. do 120–400 km na odcinku od przyl. Hatteras do Ławicy Nowofundlandzkiej, gdzie oddalając się stopniowo od Ameryki Pn., zaczyna tworzyć meandry (do 75×450 km), które stopniowo przesuwają się na wsch., odrywając się niekiedy od P.Z. w postaci szerokich wirów; dalej na pn.-wsch. P.Z., jako Prąd Północnoatlantycki, ma charakter prądu wielostrumieniowego tworząc liczne odgałęzienia, m.in. Prąd Kanaryjski odpływający na pd. jako prąd zimny, Prąd Irmingera (ciepły) płynący w kierunku Islandii i Grenlandii oraz Prąd Spitsbergeński (odgałęzienie Prądu Norweskiego) — najdalej na O. Arktyczny sięgający strumień P.Z.; miąższość nurtu P.Z. wynosi do 1000 m, na niektórych odcinkach nurt sięga do dna oceanu. Prędkość zmniejsza się stopniowo od ok. 10 km/h w Cieśn. Florydzkiej do 6 km/h na otwartym oceanie i 3–4 km/h w pobliżu wybrzeży Europy; masa wody niesionej przez P.Z. jest zmienna — przepływ wynosi od 25 mln m³/s w Cieśn. Florydzkiej i 38 mln m³/s po połączeniu z Prądem Antylskim do 70–74 mln m³/s (maks. 106 mln m³/s) na szer. geogr. 37–38°N, następnie zmniejsza się do ok. 45 mln m³/s na początku Prądu Północnoatlantyckiego, 13 mln m³/s u wybrzeży W. Brytyjskich, 8 mln m³/s w M. Norweskim i 3 mln m³/s w M. Barentsa. Średnia roczna temperatura wód powierzchniowych wynosi od 26–28°C w Cieśn. Florydzkiej do 7–12°C na M. Barentsa, zasolenie — średnio 36‰; na głęb. 400 m temperatura wynosi 10–12°C; maks. zasolenie (36,5‰) jest na głęb. 200 m. System P.Z. wywiera silny wpływ na warunki hydrologiczne i ekol. w oceanie, jak również na klimat półkuli pn.; przenosi olbrzymie ilości ciepła ze strefy podzwrotnikowej do stref umiarkowanej i podbiegunowej; oblicza się, że masy ciepłej wody P.Z. podwyższają w styczniu temperaturę powietrza w Norwegii o 15–20°C, w Murmańsku — o ponad 11°C.

Zator, m. w woj. małopol. (powiat oświęcimski), nad Skawą, w pobliżu jej ujścia do Wisły; 3,6 tys. mieszk. (2000); ośr. usługowy; przemysł materiałów bud., drzewny; rybołówstwo — w okolicy rozległe stawy; prawa miejskie 1292–1896 i od 1934; kościół parafialny (1393, przebud. 1766,

1836); pałac (1836), park krajobrazowy (1. poł. XIX w.).

Zawadzkie, m. w woj. opol. (powiat strzelecki), nad Małą Panwią; 9,2 tys. mieszk. (2000); ośr. usługowy; huta żelaza; prawa miejskie od 1962.

Zawichost, m. w woj. świętokrzyskim (powiat sandomierski), nad Wisłą; 2,0 tys. mieszk. (2000); ośr. usługowy; drobny przemysł; kopalnia ziemi krzemionkowej; prawa miejskie przed 1255 (1242–1250?)–1888 i od 1926; zespół klasztorny Franciszkanów (XIII w.): wczesnogot. kościół, ob. parafialny, skrzydło wsch. klasztoru (przebud. XVII i XX w.).

Zawidów, m. w woj. dolnośląskim (powiat zgorzelecki), przy granicy z Czechami; 4,7 tys. mieszk. (2000); ośr. usługowy; przemysł włók.; fabryka maszyn bud.; przejście graniczne; prawa miejskie 1396–1945 i od 1969.

Zawiercie, m. powiatowe w woj. śląskim, nad Wartą; 55 tys. mieszk. (2000); ośr. przem. i usługowy; huty żelaza i stali, szkła, różnorodny przemysł, m.in. włók. (bawełn.), metal. (opakowania blaszane), maszyn. (maszyny bud.), spoż., chem.; węzeł kol. i drogowy; wieś zał. w XII w.; od XIX w. rozwój przemysłu; prawa miejskie od 1915.

Zawietrzna, Cieśnina, ang. **Windward Passage,** franc. **Passage du Vent,** hiszp. **Paso de los Vientos,** głęboka cieśnina w zach. części O. Atlantyckiego, w Wielkich Antylach, między Kubą a Haiti; łączy M. Karaibskie z otwartym oceanem; najmniejsza szer. 86 km; największa głęb. 1560 m (na torze wodnym); u wybrzeży Kuby niewielka zat. Guantánamo (baza wojsk. Stanów Zjedn.), u wybrzeży Haiti rozległa zat. Gonâve (z wyspą Gonâve); ważna droga mor.; gł. porty: Port-au-Prince (stol. Haiti), Gonaïves; na pd.-zach. od C.Z. jest położona Jamajka (na M. Karaibskim).

Zawietrzne, Wyspy, ang. **Windward Islands,** franc. **Îles du Vent,** wyspy na M. Karaibskim, część Małych Antyli; obejmują niepodległe państwa: Dominikanę, Grenadę, Saint Lucia, Saint Vincent i Grenadyny oraz departament zamor. Francji — Martynikę; na wsch. od W.Z. — Barbados.

Zawrat, przełęcz w Tatrach Wysokich, między masywem Świnicy a Kozimi Wierchami, łącząca górne kotły dolin: Gąsienicowej i Pięciu Stawów Pol.; wys. 2159 m; powstała, podobnie jak opadający ku pn. wielki Zawratowy Żleb, w mylonitach strefy uskokowej przecinającej grań; przejście przez Z. było w XIX w. sprawdzianem kwalifikacji górskich turysty; popularny szlak z Hali Gąsienicowej do Morskiego Oka ułatwienia: klamry, łańcuchy) krzyżuje się na Z. z Orlą Percią; wspaniały widok na Tatry Wysokie.

Ząbki, m. w woj. mazow. (powiat wołomiński), w aglomeracji warsz.; 17,5 tys. mieszk. (2000); podwarsz. ośr. mieszkaniowy; drobny przemysł (włók., odzież.), rzemiosło, hurtownie; Warsz. Giełda Spoż.; w Drewnicy szpital psychiatryczny; wieś zał. w poł. XVI w.; prawa miejskie od 1967.

Ząbkowice Śląskie, m. powiatowe w woj. dolnośląskim, nad Budzówką (l. dopływ Nysy Kłodzkiej); 17,2 tys. mieszk. (2000); ośr. przem. i usługowy regionu roln.; przemysł spoż. (cukrownia, zakłady zbożowo-młynarskie, mięsne), elektrotechn., precyzyjny, materiałów bud., szkl. (huta); prawa miejskie przed 1287; kościół got. (XIV–XVI w.), kościół i klasztor Dominikanów (XIV–XVII w.), fragmenty murów obronnych (XIV–XVI w.) i zamku późnogot.-renes. (XVI w.).

Zbąszynek, m. w woj. lubus. (powiat świebodziński); 5,1 tys. mieszk. (2000); ważny węzeł kol. na międzynar. magistrali Warszawa–Berlin; zakłady naprawcze taboru kol., przemysł drzewny; prawa miejskie od 1945.

Zbąszyń, m. w woj. wielkopol. (powiat nowotomyski), nad Obrą i Jez. Zbąszyńskim; 7,2 tys. mieszk. (2000); ośr. wypoczynkowy i sportów wodnych; przemysł odzież. i mebl.; Muzeum Regionalne Ziemi Zbąszyńskiej; prawa miejskie przed 1311; pozostałości zamku (XVI, XVII w.), kościół barok. (XVIII w.).

zboża, rośliny uprawne z rodziny traw (tylko gryka zaliczana do z. należy do rdestowatych), których podstawowym plonem jest ziarno przerabiane na mąkę, kaszę, płatki i in. oraz użytkowane w krochmalnictwie, gorzelnictwie i piwowarstwie, a także jako pasza; słoma gł. na paszę i ściółkę; w produkcji świat. największe znaczenie mają (1999): kukurydza (599,7 mln t), ryż (586,8 mln t), pszenica (578,3 mln t), jęczmień (133,4 mln t), sorgo (65,8 mln t), owies (27,1 mln t); w Polsce 4 główne z. zajmują ok. 50% powierzchni zasiewów; zbiory 1999: pszenica 9,0 mln t, żyto 5,2 mln t, jęczmień 3,4 mln t, owies 1,42 mln t, średni plon 4 z. w Polsce wynosił 3,0 t z ha (1999).

Zduny, m. w woj. wielkopol. (powiat krotoszyński); 2,5 tys. mieszk. (2000); ośr. usługowy regionu roln.; cukrownia; drobny przemysł; prawa miejskie od 1267; barok. ratusz (XVII, XIX w.), 2 kościoły i drewn. domy (2. poł. XVIII w.).

Zduńska Wola, m. powiatowe w woj. łódz., nad Pichną (pr. dopływ Warty); 46 tys. mieszk. (2000); ośr. przemysłu włók.; ponadto zakłady: maszyn włók., skórz., spoż.; węzeł kol. Karsznice (od 1973 w Z.W.); Muzeum Historii Miasta; prawa miejskie 1773–93 i od 1825; drewn. i murowane klasycyst. domy tkaczy (XIX w.); dom, w którym urodził się św. Maksymilian Kolbe.

Zdzieszowice, m. w woj. opol. (powiat krapkowicki), w dolinie Odry; 13,9 tys. mieszk. (2000); ośr. przem. (zakłady koksochem.) i usługowy; prawa miejskie od 1962.

Zegrzyńskie, Jezioro, Zalew Zegrzyński, zbiornik retencyjny na Narwi, w Kotlinie Warszawskiej; utworzony 1963 przez spiętrzenie dolnej Narwi, poniżej ujścia Bugu, zaporą ziemną w Dębem; pow. 33 km^2, dł. 41 km (na Narwi), szer. do ok. 3,5 km, pojemność całkowita 94,3 hm^3; wykorzystywane do celów żeglugowych (Kanał Żerański łączy J.Z. z Wisłą), energ. (elektrownia wodna w Dębem, moc 20 MW), rekreacyjnych oraz zaopatrzenia w wodę miesz-

■ Jezioro Zegrzyńskie

kańców Warszawy (Wodociąg Pn.); liczne ośr. wypoczynkowe i sportów wodnych, gł. w: Zegrzu, Białobrzegach, Ryni, Zegrzynku i Nieporęcie. ■

Zelandia, Sjælland, największa wyspa duń., położona między cieśn. Wielki Bełt i Sund; pow. 7,0 tys. km^2; nizinna, o rzeźbie polodowcowej; gł. rz. Susą; jeziora, bagna; w pn. części zalesiona, na pd. intensywne rolnictwo (uprawa zbóż, roślin pastewnych, ziemniaków, buraków cukrowych, drzew owocowych i warzyw oraz hodowla bydła, trzody chlewnej, drobiu); rybołówstwo; rozwinięty przemysł, skoncentrowany gł. w zespole miejskim Kopenhagi; gęsta sieć kol. i drogowa; na wybrzeżu pn., gł. wokół rozległej i rozgałęzionej zat. Isefjord, ośr. wypoczynkowe i kąpieliska; Z. jest połączona mostem z wyspą Falster, promami z sąsiednimi wyspami i Płw. Jutlandzkim oraz ze Szwecją, Niemcami, Norwegią i W. Brytanią; gł. m. i port — Kopenhaga. W 1998 oddano do użytku most drogowo-kol. łączący Z. z wyspą Fionia (między Z. a wyspą Sprogø w Wielkim Bełcie linia kol. biegnie tunelem). Od 2000, poprzez wyspę Amager, połączona przeprawą tunelowo-mostową ze Szwecją.

■ Zielona Góra. Ratusz

Zelejowa, Góra, izolowany grzbiet na wsch. krańcu Pasma Zelejowskiego, na pn. od Chęcin; wys. 372 m, dł. ok. 0,5 km; zbud. z wapieni dewońskich, pociętych uskokami z żyłami kalcytowymi o zabarwieniu białoróżowym, białozielonkawym, białym, a nawet czerwonym i wiśniowym; strome podnóże pn. budują zlepieńce górnego permu; stanowi wyjątkowo malowniczy grzbiet górski z licznymi formami krasowymi w postaci żłobków i żeber; wierzchowinę i stok pd. porasta sucholubna i wapieniolubna roślinność z rzadko spotykanymi gat.; występują tu rzadkie gat. mięczaków. Od XIV w. eksploatowano tu wapień, nazywany ze względu na czerwone zabarwienie różanką zelejowską, a także marmurem chęcińskim (nazwa gł. wapieni wydobywanych w Zelejowej); po obu stronach grzbietu znajdują się olbrzymie wyrobiska poeksploatacyjne; jedno z nich, tzw. szpara, jest pozostałością po eksploatacji żyły kalcytowej.

Zelów, m. w woj. łódz. (powiat bełchatowski), na obszarze źródliskowym Pilisi (pr. dopływ Widawki); 8,2 tys. mieszk. (2000); ośr. przem. i usługowy; zakłady materiałów opatrunkowych (z tkanin bawełn.); drobny przemysł metal., spoż.; w pobliżu ośr. kolonijne; wzmiankowany 1402; prawa miejskie od 1957.

Zerawszan, w górnym biegu **Matcza,** w dolnym — **Karakul-daria,** rz. w Tadżykistanie i Uzbekistanie; dł. 877 km; wypływa z Lodowca Zerawszańskiego, u zbiegu gór Turkiestańskich i Zerawszańskich; w górnym biegu płynie w głębokiej i wąskiej dolinie; od m. Pendżykent nie otrzymuje żadnego dopływu; ginie w piaskach pustyni Kyzył-kum, 25 km od Amu-darii; średni przepływ w dolnym biegu 152 m^3/s; wykorzystywana do nawadniania (zbiorniki Kattakurgański i Kujumazarski); zasilana wodami Amu-darii (Kanał Amubucharski); dolina gęsto zaludniona; gł. m. nad Z.: Samarkanda, Katta Kurgan, Nawoi, Buchara, Kagan./tekst⟩

Zgierz, m. powiatowe w woj. łódz., nad Bzurą, w aglomeracji łódz.; 59 tys. mieszk. (2000); ośr. przem.-usługowy; przemysł chem., maszyn. i włók. (od XIX w.); fabryka tektury; ośr. badawczy przemysłu barwników; węzeł kol.; muzeum; drewn. domy tkaczy (XIX w.).; prawa miejskie przed 1288.

zgodność, konkordancja, zaleganie kompleksów skał osadowych, sąsiadujących ze sobą w profilu geol., w postaci równol. warstw, nagromadzonych w sposób nieprzerwany w pewnym przedziale czasu w historii Ziemi; jest wynikiem sedymentacji nie zakłóconej przez procesy erozji lub ruchy tektoniczne; przeciwieństwem z. jest niezgodność (→ dyskordancja).

Zgorzelec, m. powiatowe w woj. dolnośląskim, nad Nysą Łużycką, naprzeciw m. Görlitz (Niemcy); 36 tys. mieszk. (2000); ośr. mieszkaniowy i usługowy Turoszowskiego Zagłębia Węgla Brun.; przemysł maszyn., papierniczy, elektrotechn., spoż., dziewiarski; przejście graniczne do Niemiec; prawa miejskie od ok. 1215; później przedmieście Görlitz, od 1945 samodzielne miasto; Górnołuż. Hala Pamięci i Muzeum ces. Fryderyka, zbud. (1898–1902, Hugo Behr) dla uczczenia zjednoczenia Niemiec (ob. Dom Kultury).

Zhu Jiang, rz. w Chinach, → Perłowa, Rzeka.

ziarna lodowe, nazwa opadu atmosf. w postaci przezroczystych ziaren lodu, powstałych w wyniku zamarzania w powietrzu kropli deszczu (deszcz lodowy) lub ziaren śniegu otoczonych cienką warstwą lodu (krupy lodowe).

Zielona Góra, m. wojew. (woj. lubus.), na obszarze źródliskowym kilku potoków; powiat grodzki, siedziba powiatu zielonogór.; 119 tys. mieszk. (2000); ośr. przem., kult. i nauk.; stol. diecezji zielonogór.-gorz. Kościoła rzymskokatol. oraz diecezji wrocł. Kościołą Ewang.-Augsburskiego; przemysł gł. włók. (wykładziny podłogowe, koce, tkaniny wełn.) oraz precyzyjny, środków transportu (wagony), spoż., mebl.; przedsiębiorstwa instalacyjno-bud., transportowe; odddziały i file banków; węzeł kol. i drogowy, port lotn.; szkoły wyższe, inst. nauk.-badawcze; teatry, filharmonia, rozgłośnia radiowa; muzeum (m.in. dział winiarstwa); prawa miejskie od 1323; w XIX w. ośr. polskości; kościół późnogot. (XIV–XVI w.), drewn. kościół, dawniej ewang. (XVIII, XIX w.), ratusz (XVI, XVIII/XIX w.), domy (XVIII, XIX w.). ■

Zielonego Przylądka, Wyspy, archipelag na O. Atlantyckim, → Republika Zielonego Przylądka.

Zielonka, m. w woj. mazow. (powiat wołomiński), nad Długą (uchodzi do Kanału Żerańskiego), w aglomeracji warsz.; 16,0 tys. mieszk. (2000); ośr. mieszkaniowy i usługowy; cegielnie, zakłady automatyki kol.; różnorodny drobny przemysł (spoż., włók., odzież., dziewiarski); wojsk. inst. nauk.; hurtownie i składy; prawa miejskie od 1960.

Ziemia, symbol ⊕, trzecia wg oddalenia od Słońca planeta Układu Słonecznego.
Elementy orbity: półoś wielka 149 597 870 km, mimośród 0,0167, okres obiegu wokół Słońca 365,2564 dni, okres precesji 26 tys. lat, nachylenie płaszczyzny równika do płaszczyzny ekliptyki 23°27′, promień równikowy 6378,245 km, promień biegunowy 6356,863 km, spłaszczenie 0,003353, albedo 0,34, masa $5,975 \cdot 10^{24}$ kg, średnia gęstość 5520 kg/m^3, przyspieszenie na powierzchni 9,7805 $(1 + 0,00529 \sin^2\varphi)$ m/s^2

■ Ziemia. Zdjęcie satelitarne (fot. NASA)

(gdzie φ — szer. geogr. miejsca pomiaru). Informacje o budowie Z. uzyskuje się gł. pośrednio, obserwacjom bezpośrednim dostępna jest bowiem tylko warstwa zewn. (grubość kilku km). Najwięcej danych o budowie Z. dostarczają badania rozchodzenia się w jej wnętrzu fal sejsmicznych (→ sejsmologia), także badania ziemskiego pola magnet. i pola grawitacyjnego. Ponieważ prędkość fal sejsmicznych jest funkcją takich parametrów, jak gęstość, ściśliwość i sztywność ośrodka, znajomość rozkładu prędkości fal sejsmicznych we wnętrzu Z. umożliwia określenie zmian tych parametrów wraz ze zmianą głębokości, co z kolei pozwala na wysuwanie hipotez dotyczących budowy Z. Na podstawie badań sejsmologicznych przyjęto sferyczny model wnętrza Z.; wyróżniono 3 gł. sfery: → skorupę ziemską, → płaszcz Ziemi i → jądro Ziemi. Sfery te mają zróżnicowane właściwości fiz.; na granicach między poszczególnymi sferami, zw. nieciągłościami: Golicyna, Gutenberga i Mohorovičicia, obserwuje się skokową zmianę prędkości fal sejsmicznych związaną z różnym składem chem. poszczególnych sfer lub ze zmianą stanu fazowego ośrodka. Z. ma atmosferę o masie $5,25 \cdot 10^{18}$ kg, której gł. składnikami są: azot (78%), tlen (21%) i argon (ok. 1%). Od przestrzeni międzyplanetarnej oddziela ją obszar oddziaływania pola magnetycznego Z., zw. magnetosferą, wewnątrz tego obszaru znajdują się pasy radiacji. Z. ma jednego naturalnego satelitę — Księżyc; od 1957 Z. obiegają sztuczne satelity. Dokładne wyznaczenie masy Z. stanowi podstawę oceny mas ciał niebieskich, ponieważ metody astronomii pozwalają jedynie na wyznaczenie stosunków mas tych ciał do masy Z.; np. stosunek masy Słońca do masy Z. wynosi 332,958. Jednostki długości stosowane w astronomii — jednostka astr., parsek — definiuje się na podstawie znajomości średniej odległości Z. od Słońca. Okres obrotu Z. do niedawna stanowił wzorzec jednostki czasu (doba); okres ten wynosi obecnie 23 h 56 min 4,09 s i prawdopodobnie ulega wydłużeniu o ok. $^1/_{1000}$ s na stulecie. Obrót Z. powoduje powtarzające się cykliczne zjawisko dnia i nocy, a obieg Ziemi wokół Słońca w powiązaniu z nachyleniem osi Z. w stosunku do ekliptyki warunkuje występowanie pór roku. O rozkładzie na Z. stref klim. decyduje w dużej mierze kąt nachylenia osi Z. do płaszczyzny ekliptyki. Budowa wnętrza Z. i jej atmosfery oraz zjawiska fiz. w nich zachodzące są przedmiotem badań geofiz., a powłokę Z. i jej przestrzenne zróżnicowanie pod względem przyr. bada geografia. Inne ważniejsze nauki o Z. to: geodezja oraz geologia.
Idea kulistości Z. zrodziła się w starożytności. Pierwszych dokładniejszych pomiarów promienia Z. dokonał ok. 250 p.n.e. Eratostenes z Cyreny, który otrzymał wartość prawdopodobnie ok. 6300 km. W starożytności i średniowieczu Z. uważano za centr. ciało Wszechświata. Stwierdzenie, że Z. jest jedną z planet obiegających Słońce było odkryciem M. Kopernika. W latach późniejszych zarówno ruch, jak i kształt Z. były wyznaczane na podstawie pomiarów astrometrycznych. Od 1957 do badań geod. są wykorzystywane także loty sztucznych satelitów. ■

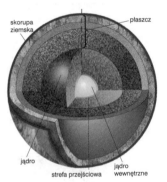
skorupa ziemska | płaszcz | jądro | strefa przejściowa | jądro wewnętrzne

■ Schemat budowy Ziemi

Ziemia Ognista, Tierra del Fuego, archipelag u pd. wybrzeży Ameryki Pd., oddzielony od kontynentu Cieśn. Magellana; pow. 73,7 tys. km^2, w tym gł. wyspa Ziemia Ognista (Isla Grande de Tierra del Fuego) o pow. ok. 48 tys. km^2 oraz liczne mniejsze wyspy: Navarino, Hoste, Clarence, Santa Inés, Desolación i in.;

■ Ziemia Ognista. Krajobraz Parku Narodowego Tierra del Fuego (Argentyna)

■ Zimbabwe

■ Zjednoczone Emiraty Arabskie

wsch. część Z.O. należy do Argentyny (stanowi terytorium federalne Ziemii Ognistej, pow. 21,3 tys. km², ośr. adm. Ushuaia), zach. — do Chile; ludność gł. pochodzenia eur., poza tym Indianie; większa część powierzchni wyżynno--górzysta (Andy Pd., Cerro Yogal — 2469 m); lodowce górskie; większe niziny w pn. i wsch. części wyspy Ziemii Ognistej; klimat umiarkowany chłodny, mor. i subpolarny; roczna suma opadów od 400–500 mm do 2000 mm; na pn.--wsch. gł. suche stepy subantarktyczne i kserofilne zarośla, na pd. i zach. lasy z udziałem buków, nadto torfowiska; hodowla owiec i bydła; rybołówstwo; eksploatacja lasów; wydobycie ropy naft., złota, rud miedzi, cynku; niewielki przemysł petrochem., mięsny, produkcja konserw rybnych; turystyka; Park Nar. Tierra del Fuego. ■

Ziębice, m. w woj. dolnośląskim (powiat ząbkowicki), nad Oławą; 9,7 tys. mieszk. (2000); ośr. przem. i usługowy; przemysł spoż., ceram., odzież., maszyn.; Muzeum Sprzętu Gospodarstwa Domowego (jedyne w Polsce); prawa miejskie przed 1266; kościoły: got. (XIII, XV, XVI w.), klasycyst. (ewang., XVIII w.), zespół klasztorny Krzyżowników z barok. kościołem (XVIII w.), fragmenty murów obronnych (XIII, XIV w.), kamienice (XVII, XIX w.). ■

Zimbabwe, Republika Zimbabwe, państwo w pd. Afryce; 390,8 tys. km²; 13,9 mln mieszk. (2002), ludy Bantu (Szona, Matabele), pochodzenia eur., Indusi; protestanci, wyznawcy Kościoła afryk., katolicy, animiści; stol. Harare, inne m.: Bulawajo, Mutare; język urzędowy ang.; republika. Wyżyny Maszona i Matabele, na wsch. góry Injanga (wys. do 2593 m); klimat suchy, na pn. podrównikowy, na pd. zwrotnikowy; gł. rz.: Zambezi, Limpopo; suche i wilgotne sawanny, widne lasy, wiecznie zielone lasy górskie; Park Nar. Wankie. Jeden z najlepiej rozwiniętych krajów Afryki; podstawą gospodarki usługi i przemysł; wydobycie złota, azbestu, grafitu, rud chromu, żelaza, miedzi, niklu, także fosforytów, pirytów; hydroelektrownia Kariba na Zambezi; hutnictwo miedzi, żelaza, chromu, przemysł metal., maszyn górn., samochodowy,

chem., spoż. (gł. cukr.), włók., drzewny; wysokotowarowe rolnictwo (uprawa tytoniu, trzciny cukrowej, bawełny, pszenicy, herbaty i hodowla bydła) na farmach Europejczyków; ludność murzyńska uprawia gł. kukurydzę, orzeszki ziemne, sorgo, proso i hoduje bydło; eksploatacja lasów; połączenia kol. i drogowe z portami RPA i Mozambiku. ■

Zimnej Wody, Dolina, Studená dolina, największy system dolinny po pd. stronie Tatr Wysokich, na Słowacji; rozdzielona Pośrednią Granią na 2 odgałęzienia: Dolinę Staroleśną (Vel'ká Studená dolina) z 27 jeziorami i Dolinę Małej Zimnej Wody (Malá Studená dolina), przechodzącą ku górze w Dolinę Pięciu Stawów Spiskich (z kilkoma jeziorami); na potoku Zimna Woda, poniżej rozgałęzienia doliny, malownicze wodospady; duży ruch turyst. (4 schroniska).

Zimnej Wody Orawskiej, Dolina, wielki system dolinny w pn.-zach. części Tatr Zach. i częściowo na pogórzu, na Słowacji; rozciąga się po pn. stronie gł. grzbietu Tatr Zach. od podnóży Rohacza Płaczliwego, Rohacza Ostrego i Wołowca po Dolinę Orawy (do wsi Podbiel); górną część stanowi Dolina Zuberska; gł. boczne doliny to oddzielająca pn.-zach. kraniec Tatr od Pogórza Skoruszyńskiego Dolina Błotna (ciągnie się od przełęczy Borek do D.Z.W.O. w pobliżu wsi Habówka na dł. 7 km) oraz stanowiąca zach. granicę Tatr na ich pn. skłonie Dolina Borowej Wody (od Przełęczy pod Białą Skałą do wsi Zuberzec, dł. ok. 4,5 km); nazwą D.Z.W.O. określa się odcinek od wsi Zuberzec (Zuberec) do Podbieli; doliną płynie Zimna Woda Orawska (powstaje z Rohackiego Potoku i Łatanego Potoku); ruch turystyczny.

Zjednoczone Emiraty Arabskie, Al-Imārāt al-'Arabiyyah al-Muttaḥidah, Federacja Zjednoczonych Emiratów Arabskich, państwo w pd.--zach. Azji, na Płw. Arabskim, nad Zat. Perską i Zat. Omańską; 83,6 tys. km²; 3,1 mln mieszk. (2002), Arabowie (37%, w tym miejscowi 12% ludności, 1993), imigranci z Bangladeszu, Pakistanu, Indii, Iranu; muzułmanie (96%, 1995), chrześcijanie; wysoki stopień urbanizacji (84%); stol. Abu Zabi, inne m.: Dubajj, Szardża, Al-Ajn; język urzędowy arab.; monarchia; składają się z 7 emiratów. Nizinne i pustynne (Ar--Rub al-Chali zajmuje 97% pow. kraju); przybrzeżne wyspy (Abu Zabi, Das) i rafy koralowe; klimat zwrotnikowy kontynent. suchy i skrajnie suchy; brak rzek stałych, wody artezyjskie w oazach i odsolona woda mor. podstawą zaopatrzenia ludności w wodę; roślinność pustynna i półpustynna na wybrzeżu. Jeden z najbogatszych krajów Azji Zach.; podstawą gospodarki jest wydobycie i eksport ropy naft.; duże złoża (zasoby 12,3 mld t, 1993, ok. 9% rezerw świat.) lądowe (pole Murban) i podmor. (Mubarraz, Az-Zakkum) ropy naft.; odsalarnie wody mor., rafinerie ropy naft., cementownie; w emiracie Dubajj stalownia, huta aluminium, wielka stocznia remontowa, montownie samochodów i urządzeń elektron.; uprawa (sztuczne nawadnianie) warzyw, palmy daktylowej; ponad 2 mln turystów zagr. rocznie, gł. do Dubajju — centrum handlu wolnocłowego w regionie Zat.

Perskiej i Abu Zabi; 7 portów mor., gł. Dubajj, Szardża, 6 międzynar. portów lotn., największe: Dubajj, Abu Zabi; sieć rurociągów z pól naft. do terminali naft. (Dżabal az-Zanna, Das); 1975–93 dodatni bilans handlowy. ■

Zjednoczone Królestwo Wielkiej Brytanii i Irlandii Północnej → Wielka Brytania.

zlepieniec, konglomerat, grubookruchowa skała osadowa powstała przez scementowanie żwiru spoiwem węglanowym, krzemianowym, ilastym i in.; tworzy się we wszystkich środowiskach sedymentacyjnych; niekiedy stosowany jako materiał bud. (np. w Polsce z. cechsztyński z G. Świętokrzyskich, tzw. kamień zygmuntowski).

zlewisko, obszar, z którego wody powierzchniowe spływają do jednego morza (z. morza) lub oceanu (z. oceanu).

zlewnia, obszar, z którego wody (podziemne i powierzchniowe) spływają do jednego zbiornika (rzeki, jeziora); gdy z. obejmuje cały system rzeczny (tj. rzekę gł. i jej dopływy), pojęcie z. jest równoważne z pojęciem → dorzecza; w związku z występującymi czasem różnicami między obszarem spływu powierzchniowego i podziemnego rozróżnia się, zależnie od formy odpływu, z. powierzchniową (topograf., zależną od ukształtowania terenu) i z. podziemną (hydrogeol., związaną z budową geol.); granicę z. stanowi → dział wodny; z. jest podstawową jednostką hydrologiczną.

zlodowacenie, tworzenie się lądolodów pokrywających znaczne obszary powierzchni Ziemi. W historii Ziemi wielkie z., czyli epoki lodowcowe, w których wielokrotnie następowały po sobie okresy lodowcowe — glacjały, oraz międzylodowcowe — interglacjały, występowały kilkakrotnie, ostatnio — w → czwartorzędzie; o z. w dawnych okresach geol. — w prekambrze, karbonie i permie (→ Gondwana) świadczą resztki utworów lodowcowych (m.in. stwardniałe gliny morenowe, zw. → tillitami) zachowane w osadach, np. w Afryce, Australii, Ameryce Południowej. Istnieje wiele hipotez dotyczących przyczyn powstania z. (a więc ochłodzenia się klimatu i wzrostu ilości opadów atmosf.); niektóre z nich wiążą z. ze zmianami natężenia promieniowania słonecznego docierającego do Ziemi, np. w wyniku okresowych zmian elementów orbity Ziemi, także w wyniku przechodzenia promieniowania przez materię międzygwiazdową lub np. pył wulk. przedostający się do stratosfery wskutek wybuchów wulkanów. Obecnie za przyczynę z. najczęściej uważa się wędrówki kontynentów spowodowane ruchem → płyt litosferycznych i związaną z tym zmianę cyrkulacji wód oceanicznych.

Zlodowacenia w Polsce
W plejstocenie obszar Polski był wielokrotnie zajęty przez lądolód, który okresowo ulegał topnieniu, toteż większość powierzchni Polski pokrywają plejstoceńskie osady lodowcowe i wodnolodowcowe.

Za najstarsze z. uważa się zlodowacenie Narwi; czoło lądolodu sięgało po pn. przedpole Wyż. Lubelskiej, rejon ujścia Pilicy i rejon Płocka, skąd wyginało się ku pn. w kierunku Doliny Dolnej Wisły; śladem tego z. jest glina zwałowa występująca w rejonie Gałachów k. Modlina. W czasie interglacjału podlaskiego rzeki wymodelowały głębokie doliny wypełnione osadami aluwialnymi, gł. piaszczysto-żwirowymi, niekiedy mułami ze szczątkami flory.

Podczas zlodowacenia Nidy lądolód oparł się o pn. zbocza G. Świętokrzyskich, obejmując swym zasięgiem Wzniesienia Łódzkie i Wyż. Lubelską; śladem tego z. jest najstarszy poziom gliny zwałowej, zachowany szczególnie dobrze w zach. i pn. części G. Świętokrzyskich, w rejonie rowu Kleszczowa k. Bełchatowa oraz w głębokich dolinach na Wyż. Lubelskiej; z okresem z. Nidy jest związana także akumulacja najstarszych w Polsce lessów oraz mułów i iłów warwowych. Osady interglacjału małopolskiego (przasnyskiego) zachowały się tylko w niewielu miejscach. Są to osady rzeczne, jeziorne i bagienne ze szczątkami fauny i flory, występujące na Wzniesieniach Łódzkich, Niz. Mazowieckiej i Wyż. Lubelskiej.

Podczas zlodowacenia Sanu 1 lądolód przekroczył pas wyżyn środkowopol. docierając do przedpola Sudetów i Doliny Dolnego Sanu. Śladem tego z. jest poziom gliny zwałowej o grub. od 5 do 30 m. Podczas interglacjału ferdynandowskiego lądolód ustąpił całkowicie z obszaru Polski, nastąpił okres erozji; tworzyły się piaski, żwiry i bruki rezydualne, a w jeziorach także mułki, ziemia okrzemkowa, kreda jeziorna, gytia i torfy.

W czasie zlodowacenia Sanu 2 zasięg lądolodu przebiegał wzdłuż pn. zboczy Roztocza i Karpat, skąd dalej jego granica biegła wzdłuż Sudetów; do osadów powstałych w tym czasie należą gliny zwałowe, a także piaski i żwiry wodnolodowcowe, o łącznej miąższości dochodzącej do kilkunastu metrów; doliny rzek spływających z Karpat zostały wówczas zasypane do wysokości sięgającej 90 m powyżej poziomu ich koryt współczesnych. W interglacjale zw. wielkim, który jest wyraźnie dwudzielny, powstawały rzeczne osady okruchowe, a także osady jeziorne — muły, iły, kreda jeziorna, ziemia okrzemkowa, torfy; osady te są znane z wielu miejsc, zarówno na Niżu Polskim, jak i na wyżynach przedpola Karpat i Sudetów.

W czasie zlodowacenia Liwca lądolód objął swym zasięgiem pn.-wsch. Polskę, jego czoło zaś sięgało w dorzeczu rz. Liwiec po równoleżnik Warszawy; osady tego z. reprezentowane są przez gliny zwałowe, muły i iły warwowe powstałe w jeziorach zastoiskowych utworzonych przed czołem lądolodu; podczas tego z. powstały najstarsze lessy w pd. Polsce. W interglacjale Zbójna dominowały procesy erozyjne (erozja osadów starszych z.); w wielu miejscach zachowały się osady aluwialne i limniczne tego interglacjału.

Podczas zlodowacenia Odry lądolód oparł się o Sudety, wkroczył nieznacznie w Bramę Morawską, a następnie jego czoło biegło ku pn.-wsch., omijając G. Świętokrzyskie w kierunku wsch. i opierając się o pn. skraj Roztocza; maks. zasięg tego z. wyznaczają pasy moren czołowych, a także gliny zwałowe, pola sandrowe, wzgórza kemowe i ozy na Wzniesieniach Łódzkich, Niz. Mazowieckiej, Podlasiu, a także na Wyż. Śląskiej, Wyż. Małopolskiej i na przedgórzu Sudetów. Na Wyż. Małopolskiej i Wyż. Lubelskiej nastąpiła sedymentacja lessów. W interglacjale lubawskim tworzyły się osady organogeniczne, rzeczne i limniczne; w lessach pd. Polski występują gleby kopalne z tego interglacjału.

W zlodowaceniu Warty rozróżnia się 3 stadiały; w czasie maks. stadiału — stadiału Pilicy, lądolód dotarł aż do Doliny Dolnej Pilicy, przekraczając ją nieznacznie na wsch. od Warki; na wsch. od Wisły jego zasięg wyznacza dział wodny między dorzeczami Wieprza i Krzny oraz Bugu. Na zach. od Wisły czoło lądolodu utworzyło potężny lob w rejonie Łodzi, a następnie biegło ku zach.; każdy stadiał pozostawił po sobie, oprócz glin zwałowych oddzielonych od siebie piaszczysto-żwirowymi osadami wodno-lodowcowymi lub mułami i iłami zastoiskowymi, pasy moren czołowych oraz pola sandrowe. W interglacjale eemskim w rejon dolnej Wisły wlały się wody morza, zaś na pozostałym obszarze w pn. i środk. Polsce tworzyły się osady rzeczne i jeziorne.

Zlodowacenie Wisły jest dzielone na 3 stadiały: stadiał Torunia, Świecia i stadiał główny. W czasie stadiału Torunia lądolód dwukrotnie wkroczył na obszar Doliny Dolnej Wisły, uprzednio zajętej przez zatokę morską. Podczas stadiału Świecia lądolód ponownie wkroczył do Doliny Dolnej Wisły, a być może i na obszar Warmii i pn. części Pojezierza Mazurskiego. W czasie stadiału gł. rozróżnia się 2 fazy: leszcz. i pomor.; maks. zasięg lądolód osiągnął w czasie fazy leszcz.; czoło jego biegło od Zielonej Góry przez Leszno, Wrześnię, Konin, Płock, Niedzicę i dalej w kierunku wschodnim. Przed czołem lądolodu powstała Pradolina Głogowska, którą wraz z Pradoliną Bzury–Neru oraz Pradoliną Warszawsko-Berlińską płynęły ku zach. wody z topniejącego lądolodu. W fazie pomor. lądolód objął swym zasięgiem jedynie pn. Polskę, wkraczając nieco dalej na pd. dolinami dolnej Wisły i Odry. Zbierające się przed czołem lądolodu wody kierowały się ku zach. Pradoliną Toruńsko-Eberswaldzką.

Podczas z. Wisły i recesji lądolodu z obszaru Polski powstały wzgórza moren czołowych, liczne ozy, kemy, pola sandrowe, a także jeziora rynnowe, zaporowe i wytopiskowe obszarów pojezierzy. W pd. Polsce doszło do sedymentacji lessów.

W czasie z. plejstoceńskich wielokrotnie powstawały lodowce górskie w Tatrach i, w mniejszym stopniu, w Karkonoszach. Pozostałością po nich są liczne jeziora cyrkowe, żłoby lodowcowe, wały moren bocznych, rysy i wygłady lodowcowe. W literaturze nauk. i szkolnej występuje także starszy podział plejstocenu w Polsce, w którym wyróżniono 4 gł. z. (od najstarszego): podlaskie, południowopolskie, środkowopolskie i północnopolskie (bałtyckie), odpowiadające z. Günz, Mindel, Riss i Würm w podziale niem. ustalonym dla Alp przez A. Pencka i E. Brücknera na pocz. XX w.

Złocieniec, m. w woj. zachodniopomor. (powiat drawski), nad Drawą, przy ujściu Wąsawy; 14,0 tys. mieszk. (2000); ośr. wypoczynkowy i usługowy; przemysł odzież., ceramiki bud., drzewny; węzeł kol.; prawa miejskie od 1333; kościół (XIV, XV, XVIII w.).

Złoczew, m. w woj. łódz. (powiat sieradzki); 3,3 tys. mieszk. (2000); ośr. usługowy; drobny przemysł spoż., odzież.; węzeł drogowy; prawa miejskie ok. 1605–1870 i od 1919; kościół parafialny późnorenes. (XVII w.), kościół późnorenes. i klasztor dawniej Bernardynów (XVII w.).

Złote, Góry, łańcuch górski w Sudetach Wsch., na granicy Polski i Czech, rozciągający się z pn.--zach. na pd.-wsch. od Przełęczy Kłodzkiej do doliny Białej Lądeckiej na pd.-wsch. i pd., która oddziela G.Z. od masywu G. Bialskich i pasma Krowiarek; na pn. opadają stromą krawędzią tektoniczną ku Przedgórzu Sudeckiemu. Przełęcz Różaniec (583 m) dzieli G.Z. na 2 części: pn.-zach., niższą (Bodak 617 m, Ptasznik 719 m, Jawornik Wielki 870 m), silnie rozczłonkowaną, zbud. z granitoidów, amfibolitów i wapieni krystalicznych, oraz część pd.-wsch., wyższą, zbud. ze skał metamorficznych (gnejsy, łupki krystaliczne, fyllity, amfibolity i in.) i bazaltów; ważniejsze kulminacje: Borówkowa (902 m), Orłówka (830 m) i Kobyla Kopa (851 m) — w okolicach Lądka Zdroju oraz Czernik (832 m), Czartowiec (944 m), Kowadło (989 m), Smrek (1109 m) i Brusek (1124 m) — na pd. gór; G.Z. prawie w całości porasta las mieszany. Z łupkami krystalicznymi okolic Złotego Stoku jest związane występowanie kruszców złota i arsenu, eksploatowanych od XIII w. do 1961. Intensywnie urzeźbione, dzikie i słabo zaludnione G.Z. są b. atrakcyjne dla turystyki pieszej (szlaki turyst.).

Złotnickie, Jezioro, Złotnicki Zbiornik Wodny, zbiornik retencyjny na Kwisie, na Pogórzu Izerskim, na zach. od Gryfowa Śląskiego; utw. 1924 przez spiętrzenie Kwisy zaporą kamienną (wys. piętrzenia 36 m), k. Złotnik Lubańskich; pow. 1,2 ha, dł. 8,4 km, maks. głęb. 22 m, pojemność całkowita 12,4 hm^3, pojemność użytkowa ok. 6,0 hm^3, wys. zwierciadła wody 310 m; brzegi przeważnie lesiste; wykorzystywany do celów energ. i ochrony przeciwpowodziowej; przy zbiorniku elektrownia wodna o mocy 4,2 MW; walory krajobr. i turystyczne.

Złotoryja, m. powiatowe w woj. dolnośląskim, nad Kaczawą; 17,3 tys. mieszk. (2000); ośr. przem.-usługowy; różnorodny przemysł, m.in. drzewno-papierniczy, włók., gum. (obuwie sport.), spoż.; wytwórnia ozdób choinkowych (jedna z największych w kraju); w pobliżu kamieniołomy bazaltu; ośr. turyst.; w XII–XIV w. wydobycie złota; prawa miejskie od 1211; późnorom.-got. kościół (XIII–XVI w.), fragmenty murów miejskich (XIV w., basteje XV–XVI w.), renes. i barok. kamienice.

Złotów, m. powiatowe w woj. wielkopol., nad jez.: Zaleskim, Złotowskim, Baba i in. oraz rz. Głomia (pr. dopływ Gwdy); 18,9 tys. mieszk. (2000); ośr. przem. (drzewny, poligraficzny, elektromaszyn., spoż.), usługowy i turyst.; uprawa warzyw pod osłonami; węzeł kol.; Muzeum Ziemi Złotowskiej; prawa miejskie od 1665; w XIX i 1. poł. XX w. prężny ośr. polskości; barok. kościół (XVII w.).

Złoty Róg, Haliç, zatoka w eur. brzegu cieśniny Bosfor, w Stambule, między dzielnicami Beyoğlu i Eminönü; dł. 12,2 km, szer. do 800 m; głęb. do 42 m; uchodzą rzeki: Kâğıthane, Alibey; brzegi połączone mostami, m.in. most Galata; u wejścia do zatoki przystań żeglugi pasażerskiej.

Złoty Stok, m. w woj. dolnośląskim (powiat ząbkowicki), u podnóża G. Złotych, przy granicy z Czechami; 3,1 tys. mieszk. (2000); w dawnej kopalni arsenu zakłady tworzyw sztucznych i farb; kamieniołomy; ośr. turyst.; muzeum kopalnictwa złota; prawa miejskie od 1334.

złoże, nagromadzenie → kopaliny użytecznej w skorupie ziemskiej, powstałe w wyniku różnych procesów geologicznych. Aby z. mogło być gospodarczo wykorzystane, musi odpowiadać warunkom, na które składają się: określona zawartość składnika użytecznego i opanowana technologia jego przeróbki, określona głębokość zalegania z. oraz określona wielkość zasobów. Skupienia kopaliny użytecznej, na którą istnieje masowe zapotrzebowanie (np. węgiel, rudy żelaza, sole) są traktowane jako z., gdy gromadzą dziesiątki i setki milionów, a nawet miliardów ton; skupienia miner. pierwiastków rzadszych i cennych (np. złota, platyny, wolframu) mogą być traktowane jako z. już przy nagromadzeniach od kilku do kilkunastu ton. Z. mogą występować w postaci różnych form: pokładów, → żył oraz soczewek, słupów, gniazd i in.; oprócz głębokości zalegania z., rodzaju skał otaczających, stosunków hydrogeol., również forma z. ma zasadniczy wpływ na metodę eksploatacji. Z. monomineralne składa się wyłącznie z jednego minerału lub zawiera tylko jeden składnik nadający się do wykorzystania gosp. (np. z. rud żelaza, fosforytów, siarki); z. polimineralne zawiera kilka nadających się do eksploatacji minerałów, a z. polimetaliczne — wiele cennych metali (np. z. rud ołowiu i cynku, z. łupków miedzionośnych, w których oprócz miedzi występują inne pierwiastki, np. ołów, nikiel, srebro, molibden, ren).

zmarzlina wieloletnia, wieczna marzłoć, warstwa gruntu różnej miąższości, stale zamarznięta; warunkiem jej istnienia są niskie (ujemne) temperatury powietrza (średnia temperatura w roku poniżej –2°C, a nawet –3,3°C) oraz słaby rozwój pokrywy śnieżnej (mała ilość opadów, silne zwiewanie). W warstwie z.w. wyróżnia się strefę (niekiedy o grub. ponad 100 m) nigdy nie odmarzającą oraz strefę czynną, odmarzającą latem, w której zachodzą procesy zniekształcające pierwotną strukturę gruntu (→ krioturbacje, soliflukcja, poligonalne gleby). Miąższość strefy czynnej jest zmienna (4–50 m) i zależy od temperatury lata, rodzaju podłoża, pokrycia roślinnego, pokrywy śnieżnej itp. Z.w. występuje m.in. na Spitsbergenie, w Grenlandii, wsch. Syberii. Przypuszcza się, że jest reliktem zlodowacenia czwartorzędowego i w obecnych warunkach nie rozwija się lecz podlega stałej, choć powolnej degradacji. Zob. też peryglacjalna rzeźba.

Zodiak [łac. < gr.], **zwierzyniec niebieski,** pas na sferze niebieskiej ciągnący się wzdłuż → ekliptyki, na którego tle poruszają się Słońce, Księżyc i planety; Z. został podzielony na 12 części, tzw. z n a k ó w Z., o nazwach odpowiadających gwiazdozbiorom, w których leżały znaki Z. 2000 lat temu; wskutek precesji wzajemne położenie znaków Z. i gwiazdozbiorów ulega zmianie (znak pozostaje w danym gwiazdozbiorze przez ok. 2100 lat).

zorza, zmiana barwy nieba w okresie bezpośrednio poprzedzającym zmrok i w czasie jego trwania (z. wieczorna) lub w czasie trwania świtu i bezpośrednio po nim (z. poranna); charakterystycznymi barwami z. są purpura i barwa żółta; z. powstają wskutek rozpraszania i ugięcia światła słonecznego na cząstkach → aerozolu atmosferycznego.

zorza polarna, świecenie górnych warstw atmosfery ziemskiej charakterystyczne dla obszarów ark. (zorza pn.) i antarktycznych (zorza pd.); najczęściej występuje w odległości 20–25° od bieguna geomagnet. Ziemi (pn. lub pd.). Z.p. mają b. różnorodne formy; najczęściej są to świecące barwne łuki, smugi albo pasma (wstęgi), jednorodne lub o strukturze promienistej, o wyglądzie draperii, zasłon, koron itp.; zarówno położenie z.p. na niebie, jak i zabarwienie oraz natężenie świecenia ulegają ciągłym, często b. szybkim zmianom. Z.p. pojawiają się na wys. 65–140 km, zwykle jednak ich dolna granica leży na wys. ok. 100 km, a rozciągłość pionowa wynosi 100–200 km (niekiedy dochodzi do 1000 km). Z.p. powstają w wyniku oddziaływania z atmosferą ziemską schwytanych przez

■ Zorza polarna

ziemskie pole magnet. prędkich elektronów i protonów emitowanych przez Słońce; atomy i cząsteczki (gł. tlenu i azotu) w górnych warstwach atmosfery, wzbudzone wskutek bombardowania ich przez prędkie cząstki, emitują promieniowanie o charakterystycznym dla nich widmie. Istnieje związek między występowaniem zórz polarnych a aktywnością Słońca i aktywnością geomagnetyczną. Z.p. towarzyszą również zaburzenia jonosferyczne; silna jonizacja podczas występowania z.p. powoduje zaburzenia w rozchodzeniu się fal radiowych. ■

zrąb, horst, część skorupy ziemskiej ograniczona równol. do siebie uskokami, wypiętrzona względem otoczenia; wielkim z. są np. Sudety.

■ Zurych. Widok ogólny

Zuberska, Dolina, walna dolina w Tatrach Zach., na Słowacji; górna część Doliny → Zimnej Wody Orawskiej; jedna z najładniejszych i największych dolin w Tatrach; w górnej części rozwidlona w doliny: Rohacką (z grupą Stawów Rohackich), ciągnącą się od podnóża Rohacza Ostrego i Płaczliwego do zbiegu potoków Rohackiego i Łatanego na dł. ok. 5,5 km, oraz Łataną, biegnącą od podnóża Rakonia do polany Zwierówka (schronisko) w Dolinie Rohackiej (dł. ok. 4,5 km); rozdziela je grzbiet Przedniego i Zadniego Zabratu; kilka dolin bocznych; na polanie Brestowa (Brestová) — Muzeum Wsi Orawskiej; u wylotu orawska wieś Zuberzec (Zuberec); masowo odwiedzana latem i zimą (wyciągi narciarskie).

Zugspitze [cu:kszpycə], wapienny masyw górski w Alpach Bawarskich, w grupie Wetterstein, najwyższy w Niemczech, przy granicy z Austrią; maks. wys. 2963 m; lodowce; na szczyt Zugspitze prowadzą 3 kolejki górskie: linowa z Ehrwald (Austria) i do jez. Eibsee oraz zębata z Garmisch-Partenkirchen do schroniska Schneeferner (wyżej — linowa).

Zurych, niem. **Zürich**, m. w pn.-wsch. Szwajcarii, nad Jez. Zuryskim; stol. kantonu Zurych; 333 tys. mieszk (2002), zespół miejski 929 tys.

(1995); największe miasto i ośr. gosp. kraju; wielkie banki (Schweizerische Nationalbank), największa w Europie giełda papierów wartościowych; przemysł urządzeń energ., obrabiarkowy, silników okrętowych, odzież., poligraficzny; węzeł komunik. z międzynar. portem lotn. Kloten; akad. techn., uniw., politechn.; muzea, m.in. Kunsthaus i muzeum nar. z bogatą kolekcją sztuki sakralnej, broni i monet; rom. katedra (XI–XIII, XV w.), rom. i got. kościoły, m.in.: Fraumünsterkirche (XI–XIII, XIV w.), Predigerkirche (XIII, XIV, XVII w.), Wasserkirche (XV w.), ratusz (koniec XVII w.), budowle użyteczności publ. (XVIII, XIX w.), domy (XVI–XVII w.). ■

Zuryskie, Jezioro, Zürichsee, jez. w pn.-wsch. Szwajcarii, u podnóża Alp Glarneńskich, na wys. 406 m; pochodzenia polodowcowego; pow. 90,1 km², głęb. do 143 m; przez J.Z. płynie rz. Limmat (pr. dopływ Aare); żegluga; na grobli (zbud. 1878) — droga samochodowa Sankt Gallen–Lucerna oraz linia kol.; na wyspie Ufenau kościół farny (XI w.) należący do klasztoru (opactwo Benedyktynów); na pn. brzegu leży m. Zurych.

Zwierzyniec, m. w woj. lubel. (powiat zam.), nad Wieprzem, na skraju Roztoczańskiego Parku Nar.; 3,5 tys. mieszk. (2000); ośr. usługowy regionu turyst.; letnisko; przemysł drzewny i spoż. (browar); węzeł kol.; prawa miejskie od 1990; późnobarok. kaplica fundacji Zamoyskich.

zwietrzelina, materiał powstały wskutek procesów → wietrzenia skał; z. utworzona w wyniku wietrzenia fiz. jest zespołem okruchów skalnych różnej wielkości, o składzie chem. materiału wyjściowego; z. powstała wskutek wietrzenia chem. stanowi produkt odbiegający swym składem od utworu wyjściowego; z. może pozostawać na miejscu wietrzenia lub zostać z niego usunięta w wyniku procesów denudacyjnych.

Zwoleń, m. powiatowe w woj. mazow., nad Zwolenką (l. dopływ Wisły); 8,5 tys. mieszk. (2000); ośr. usługowy; przemysł metal., spoż.; węzeł drogowy; ślady osadnictwa z okresu środk. paleolitu (najstarsza faza datowana na 80 tys. lat temu); prawa miejskie 1425–1870 i od 1925; 1942 getto (ok. 11 tys. osób); Muzeum Regionalne; późnogot. kościół parafialny (XVI w.) z epitafium J. Kochanowskiego.

zwrotniki, dwa równoleżniki ziemskie: na półkuli pn. — zwrotnik Raka (→ Zodiak), na półkuli pd. — zwrotnik Koziorożca, nad którymi znajduje się Słońce w momentach przesileń (letniego i zimowego); szer. geogr. punktów leżących na zwrotniku jest równa kątowi między płaszczyznami ekliptyki i równika (ok. 23°27′).

Zygmunta Augusta, Jezioro, Czechowizna, Jezioro Czechowskie, sztuczne jez. na Wysoczyźnie Białostockiej, na pn.-zach. od Knyszyna, na wys. 124 m; powstało w XVI w. w wyniku spiętrzenia rz. Nereśl; pow. 485 ha, dł. 3,2 km, szer. 2,4 km; brzegi niskie, podmokłe; hodowla karpia.

Ź

źródło, naturalny, samoczynny i skoncentrowany wypływ → wód podziemnych na powierzchnię Ziemi; ruch wody jest wywołany siłami ciężkości (ź. grawitacyjne, zstępujące) lub ciśnienia hydrostat. (ź. artezyjskie, wstępujące). Istnieje wiele kryteriów klasyfikacji ź. np. geol., morfologiczne, litologiczne, genet.; duże znaczenie dla podziału ź. ma charakter przewodów skalnych, którymi woda dopływa do ź. W Polsce, najczęściej na podstawie budowy geol. terenu, rozróżnia się 4 gł. typy ź.: warstwowe, szczelinowe, uskokowe, krasowe. Ź. w a r s t w o w e wypływa w miejscu przecięcia się warstwy wodonośnej z powierzchnią ziemi; drenuje wodę znajdującą się w porach skalnych; wydajność tych ź. jest zwykle mała; ź. s z c z e l i n o w e jest związane z siecią szczelin w skałach litych; ź. tego typu mają różną wielkość i wydajność; ź. u s k o k o w e wypływa ze szczeliny uskoku, biegnącej przez warstwy nieprzepuszczalne; cechuje je stałość temperatury oraz składu chem., także stała wydajność; ź. k r a s o w e występują na obszarach → krasu, woda dopływa doń szczelinami i kanałami krasowymi; ź. — zw. w y w i e r z y s k a m i, należą do najbardziej wydajnych; największym jest wywierzysko Vaucluse we Francji, którego wydajność wiosną i wczesnym latem dochodzi do 200 m^3/s; w Polsce występują w Tatrach, na Wyż. Krakowsko-Częstochowskiej, na Wyż. Lubelskiej.

Ź. mogą być stałe lub okresowe (niektóre ź. krasowe, → gejzery), słodkie lub miner. (→ wody mineralne), także zimne (o temperaturze wody niższej niż średnia roczna temperatura danego obszaru), normalne, zw. też zwykłymi, i ciepłe (→ cieplice). Istnieją też ź. g a z u j ą c e zw. pieniawami, z których wydobywa się mieszanina wody z gazem (najczęściej z dwutlenkiem węgla). Badaniem ź. zajmuje się nauka zw. k r e n o l o g i ą, która stanowi dział hydrogeologii.

Ż

Żabno, m. w woj. małopol. (powiat tarn.), nad Dunajcem; 4,4 tys. mieszk. (2000); ośr. usługowy z drobnym przemysłem (metal., montownia okien z PCV); prawa miejskie przed 1385 (po 1364)–1909 i od 1934.

Żagań, m. powiatowe w woj. lubus., nad Bobrem; 28 tys. mieszk. (2000); ośr. przem.-usługowy; różnorodny przemysł, m.in. włók., metal. (lodówki, zamrażarki), spoż., drzewny; węzeł kol. i drogowy; prawa miejskie przed 1260

■ Żagań

(po 1248); pomnik i Muzeum Martyrologii Alianckich Jeńców Woj.; got. kościół Augustianów, ob. parafialny (XIV w., rozbud. 2. poł. XV, XVI w.), zespół klasztorny Franciszkanów, później Jezuitów: kościół (XIV–XVI w.), kolegium jezuickie (koniec XVII w.); kaplica Grobu Chrystusa (1598–pocz. XVII w.); pałac Lobkowitzów (XVII w.), park geom. i krajobrazowy; ratusz (XIX w.).

Żarki, m. w woj. śląskim (powiat myszkowski), na krawędzi Wyż. Częstochowskiej, ponad doliną Warty; 4,3 tys. mieszk. (2000); ośr. usługowy; w pobliżu nad Czarką, w otoczeniu lasów,

kolonia Żarki-Letnisko; prawa miejskie przed 1382–1870 i od 1949.

Żarnowieckie, Jezioro, jez. rynnowe na Wysoczyźnie Żarnowieckiej, na wys. 1,5 m; pow. 1431,6 ha, dł. 7,6 km, szer. 2,6 km, maks. głęb. 16,4 m (kryptodepresja); słabo rozwinięta linia brzegowa; przez J.Ż. przepływa rz. Piaśnica (uchodząca do M. Bałtyckiego); nadbrzeżne wsie: Żarnowiec, Lubkowo, Kartoszyno, Nadole; nad J.Ż. elektrownia szczytowo-pompowa, uruchomiona 1982, moc 680 MW; 1982–90 w okolicach J.Ż. budowano elektrownię jądr.; nie ukończona na skutek protestów społ. i przemian gospodarczych.

Żary, m. powiatowe w woj. lubus.; 41 tys. mieszk. (2000); ośr. przem. i usługowy; różnorodny przemysł, m.in. włók. (dywany), odzież., elektron., drzewny, szkl. (szyby samochodowe), spoż. (browar); węzeł kol. i drogowy; prawa miejskie od 1260; zespół zamkowo-pałacowy (XIV–XVI i pocz. XVIII w.); kościoły: parafialny i Franciszkanów, kamienice, ratusz (XIV–XV, XVIII w.).

żegluga, nawigacja, przewóz pasażerów i ładunków drogą wodną — mor. lub śródlądową (transport wodny), również pływanie turyst., krajoznawcze i sport. (żeglarstwo). Najważniejszą dziedziną ż. jest transport mor., związany gł. z handlem międzynarodowym.
Ż. morska, w zależności od zasięgu, dzieli się na: ż e g l u g ę   w i e l k ą — oceaniczną lub mor. bez ograniczeń, i ż e g l u g ę   m a ł ą (w Polsce ograniczoną do akwenu M. Bałtyckiego i M. Północnego), ż e g l u g ę   p r z y b r z e ż n ą — w pasie wód przybrzeżnych o szer. 20 mil mor., ż e g l u g ę   z a t o k o w ą   i z a l e w o w ą — na wodach osłoniętych, ż e g l u g ę   p o r t o w ą — w obrębie portu wraz z redą, oraz ż e g l u g ę   k a b o t a ż o w ą — między portami tego samego państwa (kabotaż mały — ż. między portami leżącymi nad tym samym morzem, kabotaż wielki — ż. między portami leżącymi nad różnymi morzami). Zależnie od organizacji ż. morskiej rozróżnia się ż. liniową, trampową oraz formy pośrednie: stałe połączenia żeglugowe i ż. koncernową. Ż e g l u g a   l i n i o w a odbywa się na stałych trasach wg określonego rozkładu rejsów. Ż e g l u g a   t r a m p o w a polega na przewozie ładunku,

najczęściej masowego, w partiach całostkowych, pomiędzy określonymi umową (czarterem) portami; stałe połączenia żeglugowe mają charakter ż. liniowej, jednak bez z góry określonych ścisłych terminów zawijania do portów. Ż e g l u g a   k o n c e r n o w a jest formą trampingu, uprawianego przez floty dużych przedsiębiorstw przem. lub zjednoczeń, np. koncernów naftowych. Odrębną formą ż. morskiej jest pasażerska ż e g l u g a   r e k r e a c y j n o - w y p o c z y n - k o w a. Stosunki prawne związane z ż. morską reguluje prawo mor., na które składają się konwencje międzynar., zarządzenia organów administracji, przepisy towarzystw ubezpieczeniowych. Prawo mor. obejmuje zagadnienia związane z bezpieczeństwem na morzu, granicami i obszarami wód terytorialnych, roszczeniami o odszkodowania, warunkami pracy na statku.

Ż e g l u g a   ś r ó d l ą d o w a dzieli się na zalewową, rzeczną i jeziorową; drogi wodne przebiegają jednak często przez jeziora, rzeki i kanały, tworząc systemy dróg wodnych, stąd podział jest formalny. Do taboru towarowej ż. śródlądowej należą barki, holowniki, pchacze, tratwy lub niewielkie statki o rozmiarach zależnych od użytkowanych dróg wodnych. Specjalne formy ż. to: ratownictwo, likwidacja pożarów, podnoszenie wraków, nadzorowanie bezpieczeństwa i porządku ruchu, pilotowanie, holowanie, łamanie lodów, zaopatrywanie statków, jak również rybołówstwo.

Żelazna Brama, Żelazne Wrota, rum. **Porţile de Fier,** serb. **Železna Vrata, Djerdapska klisura, Djerdap,** przełomowa dolina Dunaju między G. Banackimi (Karpaty Pd.) a G. Wschodnioserbskimi, na granicy rum.-jugosł.; dł. wynosiła ok. 120 km, szer. do 150 m; 1964–72 zbud. hydrowęzeł rum.-jugosł.; powyżej m. Drobeta-Turnu Severin wzniesiona zapora dł. 941 m, wys. 58 m; poziom wody podniósł się o 30 m (została zatopiona wyspa Ada-Kaleh i kilka miejscowości); powstały zbiornik ma dł. 150 km; łączna moc elektrowni Djerdap I (6 turbin po każdej stronie) 2100 MW; 80 km poniżej elektrownia Djerdap II (432 MW); na pr. brzegu (w Jugosławii) park nar. (utworzony 1974, pow. 50 tys. ha).

Żelechów, m. w woj. mazow. (powiat garwoliński); 4,0 tys. mieszk. (2000); ośr. usługowy regionu roln.; przemysł maszyn., spoż., obuwn.; prawa miejskie od 1447; kościół (XV–XVI w., przebud. XVII–XVIII w.), pałac (XVIII w.).

Żerków, m. w woj. wielkopol. (powiat jarociński); 1,9 tys. mieszk. (2000); ośr. usługowy regionu roln. i krajoznawczy; prawa miejskie od XIV w. (potwierdzone 1605); kościół (1717–18) z późnorenes. kaplicą Roszkowskich (1600–10).

żleb, stromościenne wcięcie w stoku górskim; powstaje najczęściej wzdłuż pęknięć i szczelin skalnych wskutek wietrzenia mech. oraz żłobiącej działalności zsuwającego się gruzu skalnego, wód opadowych i roztopowych oraz lawin; u wylotu ż. tworzy się stożek usypiskowy (→ piarg).

żłób lodowcowy, dolina lodowcowa, dolina rzeczna przekształcona przez niszczącą działalność lodowca; cechuje ją profil poprzeczny w kształcie litery U oraz schodkowy profil podłużny, z poprzecznymi progami i przegłębieniami, np. Dolina Białej Wody w Tatrach.

Żmigród, m. w woj. dolnośląskim (powiat trzebnicki), nad Baryczą; 6,8 tys. mieszk. (2000); ośr. usługowy; zakłady drzewne i konstrukcji aluminiowych; prawa miejskie od 1253; kościół (XVI w.), późnogot.-renes. wieża mieszkalna zamku (ok. 1560), ruiny późnobarok. pałacu Hatzfeldów (1706, rozbud. 1756–63).

Żnin, m. powiatowe w woj. kujawsko-pomor., między jez. Dużym Żnińskim i Małym Żnińskim; 14,4 tys. mieszk. (2000); ośr. turyst.-krajoznawczy i kult. regionu Pałuk; przemysł gł. spoż. i maszyn.; teatr; prawa miejskie od 1263; Muzeum Ziemi Pałuckiej; got. wieża ratuszowa (koniec XV w.).

Żory, m. w woj. śląskim, nad Rudą (pr. dopływ Odry); powiat grodzki; 66 tys. mieszk. (2000); ośr. górn. (kopalnia węgla kam.) i przem. (maszyny, odlewy żeliwne, wyroby elektrotechn., rury preizolowane i in.); w pobliżu uruchomiono 1983 kopalnię węgla kam. (Suszec); prawa miejskie od 1272; wczesnogot. kościół (XIII/XIV, przebud. XVI w.).

Żółta, Rzeka, rz. w Chinach, → Huang He.

Żółte, Morze, chiń. **Huang Hai,** koreań. **Chosn (Taehan) shae,** morze w zach. części O. Spokojnego, między wybrzeżem chiń. od zach. i pn. a Płw. Koreańskim od wsch.; na pd. umowna granica z M. Wschodniochińskim wzdłuż ok. 33°30′N (szer. geogr. wyspy koreań. Dzedzu-do); na pd.-wsch. przez cieśn. Dzedzu między Dzedzu-do a Płw. Koreańskim (część Cieśn. Koreańskiej) połączone z M. Japońskim. Powierzchnia 417 tys. km^2 (bez Cieśn. Koreańskiej); linia brzegowa rozwinięta: płw. Szantuński i Liaotuński, zatoki Zachodniokoreańska, Liaotuńska, Bo Hai, Kanghwa, Laizhou, Haizhou i in.; wzdłuż brzegów liczne wyspy. Morze płytkie, szelfowe; średnia głęb. 39 m, maks. — 106 m (na zach. od Dzedzu-do); w części pd.-wsch. mielizny; dno zalegają osady terygeniczne, gł. piaski i muły. Temperatura wód powierzchniowych w zimie od poniżej 0°C na pn.-zach. (zat. Bo Hai) do 6–8°C na pd., w lecie odpowiednio od 24°C do 28°C, zasolenie — od 30‰ na pn.-zach. do 33–34‰ na pd.-wsch.; w pobliżu ujść rzek poniżej 26‰. Prądy mor. powierzchniowe (1–4 km/h): na wsch. ciepłe odgałęzienie Kuro Siwo z pd., na zach. zimny prąd z pn., zmieniający kierunek pod wpływem wiatrów monsunowych; w okresach lipiec–październik oraz grudzień–maj nad M.Ż. docierają z pd. silne huragany (tajfuny) tropikalne. Pływy nieregularne, największe wysokości wynoszą do 4,4 m w zatokach u wybrzeży chiń. i do 10 m w zatokach Płw. Koreańskiego; silne prądy pływowe, do 15 km/h w Zat. Zachodniokoreańskiej. Uchodzą rzeki: Huang He (Żółta Rzeka), Hai He, Liao He, Yalu Jiang i in. Rozwinięte rybołówstwo, połów ryb, krabów, homarów i strzykw (trepangów); gł. porty: Qingdao, Tianjin (z Tanggu), Lüshun,

Dalian i Dandong w Chinach, Sinyidzu i Nampho w Korei Pn., Inchon, Kunsan i Mokpho w Korei Południowej. Nazwa M.Ż. pochodzi od zabarwienia wody domieszkami lessowymi napływającymi z rzek chiń. (gł. z Huang He) do zach. akwenów morza.

Żółwie, Wyspy, grupa wysp ekwadorskich na O. Spokojnym, → Galápagos.

Żukowo, m. w woj. pomor. (powiat kartuski), nad Radunią; 5,7 tys. mieszk. (2000); ośr. usługowy i turyst.-krajoznawczy; przemysł spoż.; węzeł drogowy; 1209 fundacja klasztoru Norbertanek; prawa miejskie od 1989; got. zespół klasztorny Norbertanek: kościół, budynki klasztorne (XIV–XV i XVII w.).

Żuławy Wiślane, środk. część Pobrzeża Gdań., odpowiadająca delcie Wisły, położona między wysoką (ok. 100 m) krawędzią Pojezierza Kaszubskiego na zach. a krawędzią Wzniesień Elbląskich na wsch., od pn. region przylega do pasa wydm, których przedłużeniem jest Mierzeja Wiślana, od pn.-wsch. — do Zalewu Wiślanego; jest to równina zbud. z aluwiów rzecznych ujściowych ramion Wisły (Nogatu, Szkarpawy i Martwej Wisły), mająca w ogólnym zarysie kształt trójkąta (wys. 50 km, dł. podstawy 60 km); pow. ok. 2500 km^2 (w tym obszary depresyjne 450 km^2); wys. od 14,6 m w okolicach Pruszcza Gdań. do 1,8 m p.p.m. na zach. od wsi Raczki Elbląskie; obszary depresyjne występują gł. w pn. i pd.-wsch. części regionu. Ż.W. stanowią holoceńską równinę aluwialną; proces narastania delty rozpoczął się 5–6 tys. lat temu poprzez tworzenie coraz nowych stożków napływowych, przy częstych zmianach łożyska licznych ramion Wisły; równocześnie kształtowała się Mierzeja Wiślana, toteż formowanie się Ż.W. odbywało się w obrębie zalewu, a nie zatoki mor.; proces ten zakończył się w XIX w. — gł. nurt Wisły skierował się z Nogatu do Leniwki i utorował sobie ujście Wisłą Śmiałą, a po jej odcięciu śluzą Nogatu i powstaniu przekopu pod Świbnem oraz zamknięciu Martwej Wisły i Szkarpawy wody wiślane skierowano bezpośrednio do Zat. Gdańskiej; od tego czasu stożek napływowy tworzy się na zewnątrz Mierzei Wiślanej, na dnie zatoki. Ż.W. są zbud. z iłów,

■ Żuławy Wiślane

mułków, piasków i torfów; miąższość aluwiów 10–25 m, w kopalnej dolinie — do 50 m; osobliwością są 2 ostańce pochodzenia lodowcowego, tworzące niewysokie wzniesienia (11,3 m i 14,6 m). We wsch. części regionu — reliktowe jez. Druzno. Wody gruntowe są płytkie, w większości zasolone i zanieczyszczone; zaopatrzenie w wodę poprzez Centr. Wodociąg Żuławski. Podmokłe depresyjne obszary regionu były objęte pracami melioracyjnymi już w XIV w. (osadnicy hol.); z czasem powstała gęsta sieć rowów (17 tys. km) i kanałów (3 tys. km) oraz grobli i wałów przeciwpowodziowych, które w większości zostały zniszczone 1945 przez wycofujące się wojska niem.; urządzenia melioracyjne i przeciwpowodziowe odbudowano w kilka lat po wojnie. Na Ż.W. występują b. urodzajne gleby, gł. mady, miejscami torfowe; region roln.; uprawa zbóż (pszenica), buraków cukrowych, roślin pastewnych; hodowla bydła. Jedynym miastem w środk. części delty jest Nowy Dwór Gdań., większe miasta leżą na obrzeżach — Gdańsk, Tczew, Malbork. ■

Żuromin, m. powiatowe w woj. mazow.; 8,5 tys. mieszk. (2000); ośr. usługowy dla rolnictwa; drobny przemysł (maszyn., spoż.); węzeł drogowy; prawa miejskie 1767–1870 i od 1925; barok. kolegium pojezuickie z kościołem (ukończone 1786).

żwir, luźna, osadowa skała okruchowa składająca się z obtoczonych okruchów skalnych (otoczaków) o średnicy powyżej 2 mm (najczęściej od kilku do kilkunastu cm); może być pochodzenia mor., rzecznego, jeziornego i in.; występuje gł. wśród osadów czwartorzędowych, starsze ż. uległy cementacji (→ zlepieniec); stosowany w budownictwie (m.in. do wyrobu betonu), także jako materiał drogowy.

Żychlin, m. w woj. łódz. (powiat kutnowski), w dol. Słudwi; 9,9 tys. mieszk. (2000); ośr. usługowy; zakłady maszyn elektr. i transformatorów, fabryka czekolady; prawa miejskie przed 1397–1890 i od 1924; kościół parafialny (1782, rozbud. 1838 i po 1911).

żyła: 1) jedna z form intruzji magmowej, o kształcie płyty lub płaskiej soczewki, niekiedy rozgałęziona (→ dajka, sill, apofiza; 2) szczelina skalna wypełniona minerałami (np. kwarcem, kalcytem, barytem) osadzonymi przez krążące w skale roztwory miner. (ż. mineralna).

Żyrardów, m. powiatowe w woj. mazow., nad Pisią (pr. dopływ Bzury); 43 tys. mieszk. (2000); ośr. przemysłu lekkiego, gł. włók. (lniarski, tkanin techn., pończoszniczy), fabryka telewizorów, zakłady spirytusowe; prawa miejskie od 1916; neogot. kościoły: Św. Karola Boromeusza i NPM, budynek starej przędzalni (XIX w.), pałacyk fabrykanta K. Dittricha (1896) — ob. Muzeum Okręgowe, domy tkaczy (XIX w.).

Żyronda, Gironde, lejkowate ujście (estuarium) Garonny i Dordogne do Zat. Biskajskiej, we Francji; dł. 75 km, szer. 5–10 km, głęb. do 35 m; dostępne dla statków mor.; u wejścia — Le Verdon (awanport Bordeaux).

Żywiec, m. powiatowe w woj. śląskim, nad Sołą i Jez. Żywieckim; 32 tys. mieszk. (2000); ośr.

usługowy, przem. i turyst. regionu; różnorodny przemysł, m.in. spoż. (duży browar, zał. 1856), elektromaszyn., skórz., drzewny; węzeł drogowy; muzeum; imprezy folklorystyczne; prawa miejskie przed 1327 (po 1272); późnogot. kościół parafialny (XV, XVI w.), zamek (XV w., neogot. przebudowa), park geom. (XVIII w.) i krajobrazowy (XIX w.), Domek Chiński (poł. XVIII w.). ■

Żywiecka, Kotlina, kotlina w Beskidach Zach., w środk. biegu Soły, między Beskidami: Śląskim (na zach.), Małym (na pn.), Makowskim (na pn.-wsch.) i Żywieckim (na pd.-wsch.); kotlina wypreparowana w mniej odpornych partiach skalnych fliszu; otaczające ją pasma górskie są wzniesione 500–900 m ponad dno kotliny; na pn.-zach. szerokie obniżenie (Brama Wilkowicka 400–450 m), którym kotlina łączy się z Pogórzem Śląskim; K.Ż. jest pozbawiona lasów; urodzajne gleby brun. sprzyjają rozwojowi rolnictwa; w pn. części, po wybudowaniu zapory w Tresnej, powstało Jez. Żywieckie, największy ze zbiorników kaskady Soły; popularny region turystyczny. W centrum K.Ż. leży Żywiec — gł. ośr. miejski i przem., lokalny węzeł komunikacyjny.

Żywieckie, Jezioro, Tresneński Zbiornik Wodny, zbiornik retencyjny w Kotlinie Żywieckiej i Beskidzie Małym, częściowo w granicach Żywca; utworzony (1967) przez spiętrzenie Soły zaporą ziemną (wys. 38 m) w Tresnej; pow. 10 km², pojemność całkowita 100 hm³, dł. 8 km, szer. do 2 km; wykorzystywany do celów energ., regulacji przepływu wody oraz rekreacyjnych (sporty wodne); nad zbiornikiem liczne ośr. wypoczynkowe; przy zaporze elektrownia wodna (moc 21 MW).

żyzność gleby, zespół właściwości fiz., chem. i biol. → gleby, który zapewnia roślinom rosną-

■ Żywiec, zdjęcie lotnicze

cym na niej właściwe warunki wegetacji, zwł. składniki pokarmowe, wodę i powietrze (glebowe); naturalna ż.g. jest wynikiem procesu → glebotwórczego i zależy od składu mech., czyli uziarnienia gleby (zwł. koloidów glebowych), jej właściwości chem. (zawartość składników pokarmowych i próchnicy), fiz. i biol. (np. zawartość drobnoustrojów glebowych); nabytą ż.g. uzyskuje się przez nawożenie, uprawę, stosowanie płodozmianu i inne zabiegi agrotechn. i melioracyjne; ż.g. decyduje o roln. produkcyjności gleby; zw. też urodzajnością gleby.

LEGENDA DO MAP OGÓLNOGEOGRAFICZNYCH

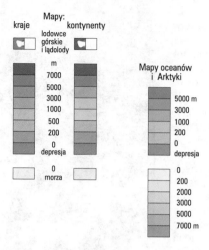

Mapy:

kraje   kontynenty

lodowce
górskie
i lądolody

m
7000
5000
3000
1000
500
200
0
depresja

Mapy oceanów
i Arktyki

5000 m
3000
1000
200
0
depresja

0
morza

0
200
2000
3000
5000
7000 m

Miejscowości:

kraje   kontynenty

● **PARYŻ**   □   powyżej 5 000 000 mieszkańców

● Dallas   ○   1 000 000 – 5 000 000 mieszkańców

● Tulsa   ○   100 000 – 1 000 000 mieszkańców

• Dawson   ○   poniżej 100 000 mieszkańców

○ *Greenwich*   •   dzielnice i części miast

_____   podkreślenie stolic państw
                i terytoriów zależnych

_____   podkreślenie stolic jednostek
                administracyjnych pierwszego rzędu

═════════════   granice państwowe

── ── ── ──   granice państwowe, na których
── ── ── ──   nie nastąpiła delimitacja

·············   linie demarkacyjne

_____   granice jednostek administracyjnych
                pierwszego rzędu

─────────────   koleje

─────────────   drogi

→──···──←   tunele

∿───────   rzeki i jeziora

∿───────   rzeki i jeziora okresowe

▭   jeziora słone

∿───────   wodospady

▨   solniska

▤   bagna

░   pustynie

▲2499   szczyty

△1277   wulkany czynne w czasach historycznych

)(926   przełęcze

🪸   rafy koralowe

⌐ ※   parki narodowe

∴   ruiny starożytne